ACCEDA GRATIS *a la Lectura en la Nube*
+ Actualizaciones durante un año

[+] Siga estas instrucciones para poder visualizar el libro en la Nube de la Lectura

[+] Diríjase a la página web de la editorial https://tirant.com/mis promociones

[+] En la web vaya a *Mi cuenta*

[+] Introduzca su mail y contraseña, si todavía no está registrado debe registrarse

[+] Tras registrarse vaya a *Mi cuenta* y una vez identificado selecciones *Mis promociones* e inserte el código oculto en esta página para activar la promoción

[+] A medida que se produzcan actualizaciones, estas aparecerán resaltadas para mayor facilitad del cliente

[+] Para facilitarle este proceso, y PARA QUE PUEDA ACCEDER SIN NINGÚN TIPO DE PROBLEMA A LAS ACTUALIZACIONES QUE SE VAYAN PRODUCIENDO, durante el proceso de registro, su Asesor Personal de Tirant se pondrá en contacto con usted para ayudarle y para dejarle totalmente operativo el acceso A SUS ACTUALIZACIONES

[+] En caso de dudas o problemas con las actualizaciones puede dirigirse al teléfono 902 12 12 55 o al correo electrónico: atencioncliente@tirant.com

CÓDIGO PROMOCIONAL

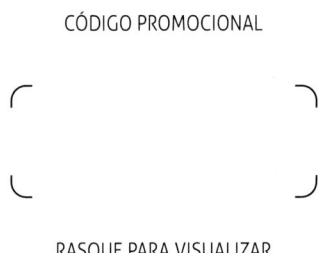

RASQUE PARA VISUALIZAR

RESERVA LA NUEVA EDICIÓN DEL
GPS ADUANAS

5% DE DESCUENTO
GASTOS DE ENVÍO GRATUITOS*(1)

Si quieres recibir la próxima edición del GPS automáticamente en cuanto aparezca

	Precio*(2)	Unidades
GPS ADUANAS	95,19	

Si quieres suscribirte al GPS ADUANAS y recibir automáticamente las futuras ediciones

	Precio*(3)	Unidades
GPS ADUANAS	95,19	

Nombre:	
Apellidos:	
Dirección:	Código postal:
Población:	N.I.F. / C.I.F.:
Teléfono:	Correo electrónico:
Datos bancarios:	
CCC:	

Haznos llegar este boletín mediante:

Fax: 963694151
Correo electrónico: Suscripciones@tirant.com
Teléfono: 963699153
Correos: Editorial Tirant lo Blanch
C/ Artes Gráficas, 14-2
46010 Valencia

*(1) Solo para España peninsular y Baleares
*(2) IVA no incluido (4%)
*(3) IVA no incluido (4%). Precio de cada edición

COLECCIÓN GPS
Boletín de Pedido

5% DE DESCUENTO
GASTOS DE ENVÍO GRATUITOS[1]

	Precio[2]	Unidades
GPS LABORAL 8ª ED.	90,43	
GPS Fiscal para PYMES Guía profesional	90,43	
GPS PROPIEDAD HORIZONTAL 8ª ED.	72,16	
GPS CONTABILIDAD FINANCIERA Y COSTES 5ª ED.	72,16	
GPS DERECHO DE SOCIEDADES 5ª ED.	81,29	
GPS SUCESIONES 5ª ED.	72,16	
GPS CONSUMO 4ª ED.	72,16	
GPS CONTRATOS CIVILES 3ª ED.	72,16	
GPS DERECHO DE LA CIRCULACIÓN 5ª ED.	90,43	
GPS CONCURSAL 4ª ED.	90,43	
GPS NOTARIAL	136,10	
GPS COMPETENCIA	90,43	
GPS SEGUROS	81,29	
GPS CONTRATOS MERCANTILES	81,29	

Nombre:	
Apellidos:	
Dirección:	Código postal:
Población:	N.I.F./C.I.F.:
Teléfono:	Correo electrónico:
Datos bancarios:	
CCC:	

Haznos llegar este boletín mediante:
Fax: 963694151
Correo electrónico: Suscripciones@tirant.com
Teléfono: 963699153
C/ Artes Gráficas, 14-2
46010 Valencia

[1] Solo para España peninsular y Baleares
[2] IVA no incluido (4%)

GPS ADUANAS

GPS ADUANAS

SANTIAGO IBÁÑEZ MARSILLA
Universidad de Valencia
Director de la Cátedra Jean Monnet "EU Customs law"

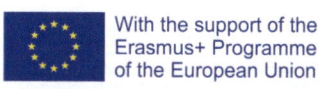 With the support of the Erasmus+ Programme of the European Union

 Càtedra Jean Monnet "EU Customs Law"

tirant lo blanch
Valencia, 2022

© SANTIAGO IBÁÑEZ MARSILLA

© TIRANT LO BLANCH
EDITA: TIRANT LO BLANCH
C/ Artes Gráficas, 14 - 46010 - Valencia
TELFS.: 96/361 00 48 - 50
FAX: 96/369 41 51
Email: tlb@tirant.com
www.tirant.com
Librería virtual: www.tirant.es
DEPÓSITO LEGAL: V-1310-2022
ISBN: 978-84-1113-641-9

Si tiene alguna queja o sugerencia, envíenos un mail a: *atencioncliente@tirant.com*. En caso de no ser atendida su sugerencia, por favor, lea en *www.tirant.net/index.php/empresa/politicas-de-empresa* nuestro procedimiento de quejas.

Responsabilidad Social Corporativa: http://www.tirant.net/Docs/RSCTirant.pdf

Índice

Nota de los editores

El lector se preguntará qué valor añadido tiene esta obra respecto de las que existen en el mercado; **por qué elegir precisamente ésta y no otra obra que parezca similar**, para su compra, lectura o consulta.

En primer lugar, esta obra que el lector tiene entre sus manos es una **herramienta jurídica de uso diario** para quienes operan en cualquier ámbito profesional relacionado con la Justicia. Es un instrumento de trabajo hecho a conciencia y con conciencia, es decir, pensando en construirla para dar respuesta a una necesidad que hemos visto que existía y que se nos demandaba una respuesta. Pero no cualquier respuesta, sino una respuesta adecuada para satisfacer esa necesidad.

En cuanto a **la estructura y contenido de la obra**. Se trata de una obra organizada de forma singular, no con una exposición de temas teóricos sino con el mismo iter con el que se encontrará el asesor, el abogado, el jurista, y de muy fácil manejo.

Además, **cada capítulo contiene definiciones, normativa actualizada, jurisprudencia específica, cuestiones útiles relacionadas con la materia de estudio y todo ello expuesto con un uso del lenguaje que facilita la comprensión del lector**.

Asimismo, el **índice final ofrece un sencillo sistema de búsqueda** para localizar en el GPS el tema que se necesita.

Finalmente, el **equipo de autores** está conformado por juristas de reconocido prestigio, con años de experiencia académica y profesional que combinan conocimiento y experiencia, tan importante en una obra de estas características y tan difícil de encontrar.

Prólogo

Las leyes, los procedimientos y las políticas aduaneras pueden actuar como un factor clave para ayudar a impulsar el comercio y desarrollar mejores relaciones económicas internacionales. Al propio tiempo, pueden contribuir significativamente a proteger al medio ambiente y a la sociedad de productos inseguros. Tienen un carácter más político de lo que solemos pensar y comportan decisiones en las que se deben equilibrar la facilitación y la seguridad, sin poner en peligro una a expensas de la otra. Las normas aduaneras son complejas y cubren todos los aspectos de la cadena de suministro internacional y, por lo tanto, es importante que todas las partes implicadas que deban aplicarlas o interpretarlas o elaborar nuevas regulaciones o modificar las existentes, las entiendan bien.

Este libro es una aportación bienvenida a los relativamente escasos textos existentes para describir y explicar, de manera integral y cohesionada, tanto el contexto internacional, como todos los aspectos relevantes de las leyes, procedimientos y políticas regulatorias aduaneras internacionales. Santiago examina esos procedimientos y procesos con meticuloso detalle, con amplias referencias cruzadas que crean una exposición fácil de entender de todas las normas pertinentes de la OMC/GATT, la OMA y la UE, incluidos los diversos Tratados de la UE. Su detallada descripción y explicación de las normas, sus ejemplos prácticos y su minuciosa interpretación de las reglas son importantes para aquellos que quieran entender las Aduanas en su contexto más amplio.

Me habría beneficiado mucho un libro como este cuando comencé a trabajar en Aduanas, ya que deja muy claras las conexiones con el entorno más amplio de la política comercial, incluidas las opciones políticas. Por lo tanto, recomiendo encarecidamente el libro y felicito a Santiago por escribirlo, compartiendo así su amplio y profundo conocimiento. Este libro será una herramienta muy valiosa y ayudará a todas las partes interesadas a comprender mejor el laberinto de normas en materia aduanera y les ayudará a hacer el mejor uso de ellas.

Dr. **SUSANNE AIGNER**

Jefa de la Unidad de Legislación Aduanera en la Comisión Europea, Dirección General de Impuestos y Unión Aduanera (DG TAXUD, 2014-2020). Previamente, Vice-Directora de Facilitación y Cumplimiento en la Organización Mundial de Aduanas (OMA, 2010-2014).

Foreword

Customs laws, procedures and policies can act as a key driver to help boost trade and to develop enhanced economic relations across borders. At the same time, they can contribute significantly to protect the environment and communities from unsafe products. They are more political than we usually tend to think and depend on political choices that must be made in order to balance facilitation and security without jeopardising one at the expense of the other. Customs rules are complex, covering every aspect of the international supply chain and it is therefore important that they are well understood by all relevant parties who must implement or interpret those rules or draft new legislation and amend existing laws.

This book is a welcome addition to the relatively few existing texts that describe and explain in a comprehensive and cohesive way both the international context as well as all relevant aspects of customs border regulatory laws, procedures and policies. Santiago describes those procedures and processes in meticulous detail with extensive cross-referencing that creates an easy to understand description of all relevant WTO/ GATT, WCO and EU rules, including the various EU Treaties. His detailed description and explanation of the rules, his practical examples and his very thorough interpretation of the rules are important for those who want to understand customs in its broader context.

I would have benefited greatly from a book like this when I started to work in customs as it makes the linkages to the broader trade policy environment, including political choices, very clear. I therefore strongly recommend the book and commend Santiago for writing it, thereby sharing his broad in-depth knowledge. This book will be very valuable tool and will assist all stakeholders to better understand the maze of rules and help them to make best use of them.

Dr. **SUSANNE AIGNER**

2014-2020 Head of Unit Customs Legislation in the European Commission, Directorate General for Taxation and Customs Union (DG TAXUD). Prior to that, Deputy Director for Facilitation and Compliance in the World Customs Organisation (WCO), from 2010 to 2014.

Abreviaturas

AA	Acuerdo sobre la Agricultura (OMC)
ACP	Países de África, Caribe y el Pacífico
ADD	Acuerdo sobre Derechos AntiDumping (OMC)
ADT	Almacén de Depósito Temporal
AEAT	Agencia Estatal de Administración Tributaria
AFC	Acuerdo sobre Facilitación del Comercio (OMC)
AIEM	Arbitrio sobre las Importaciones y Entregas de Mercancías en las Islas Canarias
AN	Audiencia Nacional
ASG	Acuerdo sobre Salvaguardias (OMC)
ASMC	Acuerdo sobre Subvenciones y Medidas Compensatorias (OMC)
ATA	Admisión Temporal
BOE	Boletín Oficial del Estado
CAC	Código Aduanero Comunitario (Reglamento 2913/1992)
CAM	Código Aduanero Modernizado (Reglamento 450/2008)
CAU	Código Aduanero de la Unión (Reglamento 952/2013)
CBP	Customs and Border Potection (Estados Unidos)
CCA	Comité del Código Aduanero
CP	Código Penal (Ley Orgánica 10/1995)
C-T PAT	Customs and Trade Partnership Against Terrorism (Estados Unidos)
DAAeIIEE	Departamento de Aduanas e Impuestos Especiales (AEAT)
DO UE	Diario Oficial de la UE
DSDT	Declaración Sumaria de Depósito Temporal
DUA	Documento Único Administrativo
DVB	Definición del Valor de Bruselas
DVD	Documento de Vinculación a Depósito
EA	Elemento Agrícola
ENS	Declaración Sumaria de Entrada (*Entry Summary*)
EORI	Número de Registro e Identificación de Operadores Económicos
GATT	Acuerdo General sobre Aranceles y Comercio

GE	Grupo Especial (OMC)
IAV	Información Arancelario Vinculante
IGIC	Impuesto General Indirecto Canario
IIEE	Impuestos Especiales
IPSI	Impuesto sobre la Producción, los Servicios y la Importación en las ciudades de Ceuta y Melilla
IVA	Impuesto sobre el Valor Añadido
LGT	Ley General Tributaria (Ley 58/2003)
LORC	Ley Orgánica de Represión del Contrabando (Ley Orgánica 12/1995)
MEA	Medidas Específicas Arancelarias
MRN	Número de Referencia Maestro (*Master Reference Number*)
NC	Nomenclatura Combinada
NIF	Número de Identificación Fiscal
OCDE	Organización para la Cooperación y el Desarrollo Económico
OCM	Organización Común de Mercados
OEA	Operador Económico Autorizado
OEAC	Operador Económico Autorizado Simplificaciones aduaneras
OEAF	Operador Económico Autorizado Completo (Simplificaciones + Seguridad)
OEAS	Operador Económico Autorizado Seguridad
OLAF	Oficina de Lucha Contra el Fraude de la UE
OMA	Organización Mundial de Aduanas
OMC	Organización Mundial del Comercio
OSD	Órgano de Solución de Diferencias (OMC)
PAC	Política Agrícola Común
PAT	Productos Agrícolas Transformados
PIC	Programa Interno de Cumplimiento
PMD	Países Menos Desarrollados
RACAC	Reglamento de Aplicación del CAC (Reglamento 2454/1993)
RD	Real Decreto
RDCAU	Reglamento Delegado del CAU (Reglamento 2015/2446)
RDTCAU	Reglamento Delegado de disposiciones Transitorias del CAU (Reglamento 2016/341)
RDU	Reglamento de Doble Uso (RD 679/2014)
REA	Régimen Específico de Abastecimiento

RECAU	Reglamento de Ejecución del CAU (Reglamento 2015/2447)
RGGI	Reglamento General de Gestión e Inspección Tributaria (RD 1065/2007)
RGR	Reglamento General de Recaudación (RD 939/2005)
RGRS	Reglamento General del Régimen Sancionador (RD 2063/2004)
RPA	Régimen de Perfeccionamiento Activo
RPP	Régimen de Perfeccionamiento Pasivo
RR	Reglamento General de Revisión (RD 520/2005)
SAN	Sentencia de la Audiencia Nacional
SPG	Sistema de Preferencias Generalizadas
STJUE	Sentencia del Tribunal de Justicia de la UE
STS	Sentencia del Tribunal Supremo
TAU	Territorio Aduanero de la Unión
TEAC	Tribunal Económico-Administrativo Central
TEAR	Tribunal Económico-Administrativo Regional
TIR	Transporte Internacional por Carretera
TFUE	Tratado de Funcionamiento de la UE
TGUE	Tribunal General de la UE (antes Tribunal de Primera Instancia)
TJUE	Tribunal de Justicia de la UE
TS	Tribunal Supremo
TSJ	Tribunal Superior de Justicia
TUE	Tratado de la Unión Europea
UE	Unión Europea

PRIMERA PARTE
CUESTIONES GENERALES.
LOS ELEMENTOS DE IMPOSICIÓN

1 Concepto y ámbito del Derecho aduanero

La importación de mercancías (o, eventualmente también, la exportación) es una actividad sometida a normas jurídicas de diversa índole, que intentan satisfacer fines también distintos. Así, para proteger la salud puede exigirse que los alimentos importados se sometan a un análisis químico o que vayan acompañados de un certificado que acredite que cumplen todos los requisitos para su consumo humano. Para proteger a la infancia puede exigirse que los juguetes que se importen cumplan toda una serie de requisitos por lo que hace al tamaño de sus piezas, propiedades eléctricas e ignífugas, etc. Para proteger la seguridad puede impedirse la importación de determinadas armas o explosivos. Para proteger la calidad industrial puede exigirse que las mercancías importadas cumplan una serie de especificaciones técnicas. Los ejemplos de normas a las que se somete la importación de mercancías y los fines que estas normas se dirigen a satisfacer podrían multiplicarse.

Podemos definir el Derecho aduanero como el conjunto de normas jurídicas de Derecho público que tienen como un elemento de su presupuesto de hecho la introducción de mercancías en un territorio —territorio aduanero—, a la que se denomina "importación", o bien la salida de mercancías de ese mismo territorio, a la que se denomina "exportación". A partir de esta definición podemos extraer algunos elementos clave que nos ayuden a profundizar en la delimitación del contenido del Derecho aduanero.

IDEA CLAVE

> El Derecho aduanero es el conjunto de normas jurídicas de Derecho público que tienen como un elemento de su presupuesto de hecho la importación o la exportación

Presupuesto de hecho.– Toda norma jurídica se caracteriza por estar constituida de dos elementos: el "presupuesto de hecho" y la "consecuencia jurídica". Mientras que el "presupuesto de hecho" designa al conjunto de circunstancias fácticas de la realidad que la norma toma en consideración (p.e. en una norma de tráfico, el presupuesto de hecho podría ser circular a más de 120 km/h por una autopista), la "consecuencia jurídica" contiene el mandato, el *deber ser*, que la norma vincula a ese presupuesto de hecho (en la norma de tráfico del ejemplo anterior, la consecuencia jurídica podría ser una sanción de 100 euros).

Derecho público.– Una de las divisiones fundamentales del Derecho es la que separa al Derecho público del Derecho privado. El Derecho público se caracteriza por su carácter "necesario", esto es, por tener un contenido que se configura como indisponible para las partes, frente al Derecho privado, que se caracteriza por dotar de un amplio margen de actuación a la autonomía de la voluntad. Así pues, las partes que quedan sometidas al Derecho aduanero (la Administración, de un lado, y los operadores de comercio exterior, de otro), no pueden alterar por su voluntad el contenido de las relaciones jurídicas que entre ellos se establecen por mandato de la norma: ese contenido viene predeterminado por la propia norma. Los operadores de comercio exterior podrán decidir realizar o no el presupuesto de hecho de la norma (p.e. podrán decidir si importan o no una mercancía), pero una vez hayan realizado ese presupuesto de hecho las consecuencias jurídicas que se derivan de él escapan al control de las partes, viniendo determinadas desde la propia norma (pago de tributos aduaneros, sometimiento a medidas de control, homologaciones, restricciones de uso...). Es importante destacar que tampoco la Administración puede alterar el contenido de la relación jurídica; también para ella el mandato de la norma es vinculante e indisponible (deberá aplicar los tributos tal y como la norma prescribe, por el monto que resulte de aplicar los criterios fijados en la norma; someterá las mercancías a las medidas de vigilancia que la norma disponga; aplicará las reglas de homologación que se encuentren establecidas; vigilará que se respeten las restricciones de uso que la norma ordene...). Evidentemente, la Administración, al aplicar la norma a supuestos de hecho concretos, debe realizar la labor de subsumirlos en el presupuesto de hecho de la norma, lo cual comporta una labor interpretativa en el desarrollo de la cual la Administración puede tener que actuar con un grado de discrecionalidad mayor o menor, gozando su decisión de la presunción de legalidad que, en su caso, los Tribunales podrán destruir.

La presunción de legalidad de que goza la voluntad administrativa formada de acuerdo a los cauces previstos en el ordenamiento no puede confundirse con la disponibilidad del contenido de la relación jurídica: la Administración se limita a concretar el mandato de la norma mediante criterios técnicos, de manera que nunca puede imponer una voluntad extraña a la norma bajo esa cobertura.

Afirmar que las normas de Derecho aduanero son normas de Derecho público significa excluir de su ámbito las normas de Derecho privado que tienen como presupuesto la introducción o salida de mercancías de un territorio aduanero, tales como las normas de contratación internacional (normas sobre compraventa internacional de mercancías, los INCOTERMS, normas sobre transporte internacional y navegación, etc.). Ahora bien, que estas normas de Derecho privado no formen parte del Derecho aduanero no significa que no le interesen o que no puedan alcanzar relevancia para él. Por ejemplo, para las normas de valoración aduanera, que sí se integran en el Derecho aduanero, son relevantes los términos del contrato de compraventa internacional de mercancías.

Mercancías.– Al Derecho aduanero únicamente le interesa la introducción o salida de mercancías, entendidas éstas como bienes tangibles. En cambio, el Derecho aduanero no regula las prestaciones de servicios internacionales o, en general, los intangibles, salvo que éstos queden incorporados en un bien tangible, en cuyo caso, al gravar el bien tangible se estarán gravando indirectamente los intangibles que incorpore.

La mencionada regla, en cuya virtud al Derecho aduanero le interesa únicamente la introducción de bienes tangibles, traza en principio una delimitación bastante clara, que tiene no obstante algún punto dudoso, como es el caso de la electricidad. Dado que la electricidad, en el estado actual de la técnica, se conduce fundamentalmente por vías físicas (cables de cobre), la electricidad se considera una 'mercancía' a efectos aduaneros y por ello su importación se sujeta a los tributos aduaneros.

En el Derecho aduanero converge el interés de distintas disciplinas jurídicas, lo que ha motivado el mantenimiento de distintas posiciones acerca de si el mismo constituye una disciplina independiente o si, por el contrario, su contenido debe ser objeto de estudio por parte de las distintas disciplinas que tienen en él puntos de interés.

En primer lugar, debemos adelantar que nos parece claro que no cabe subsumir todo el fenómeno jurídico aduanero en el ámbito del Derecho tributario, en el que encontrarían difícil encaje toda una serie de medidas de política comercial que distan mucho de participar de la naturaleza tributaria o de mantener con ella una conexión suficiente (controles de calidad de los productos, controles sanitarios, defensa de la seguridad del Estado, protección de la propiedad intelectual, persecución del tráfico de productos ilícitos...). La diversidad de principios inspiradores y de fines que subyacen a las actividades que son objeto de regulación por normas aduaneras justifica la confluencia en su estudio, además del Derecho tributario, del Derecho internacional, el Derecho mercantil, el Derecho administrativo y el Derecho penal.

La autonomía del Derecho aduanero ha sido defendida en España por Sánchez González, quien lo define como "el conjunto de normas y principios que disciplinan jurídicamente la Política Aduanera, entendiendo por tal la intervención pública en el intercambio internacional de mercancías" ("La singularidad del Derecho Aduanero", *Aduanas*, nº 334-335, 1981, pp. 15 y ss.). Por su parte, Galera Rodrigo introduce un elemento teleológico en el concepto al definirlo como el "conjunto de normas de Derecho público, de finalidad protectora, cuyo cumplimiento es exigible siempre que se realiza una operación de comercio internacional de mercancías, y por aquellas otras imprescindibles para su aplicación efectiva" (*Derecho aduanero español y comunitario*, Civitas, 1995, p. 101).

Entre los detractores de la autonomía del Derecho aduanero se encuentran tributaristas de la talla de Cortés Domínguez ("Introducción al Derecho Aduanero", *Aduanas*, nº 160, 1967, p. 6). Martín Queralt se ha pronunciado por la aplicación en el ámbito aduanero de las normas y principios que rigen con carácter general en el Derecho tributario ("Las injustificables singularidades del Derecho Aduanero", *Tribuna Fiscal*, nº 51, enero 1995, pp. 3 y ss.).

La cuestión tampoco es pacífica en la doctrina extranjera. La Universidad Autónoma de México mantiene una cátedra de Derecho aduanero. Desde ella, Carvajal Contreras, tras ofrecer un amplio repertorio de definiciones propuestas por distintos autores, nos define el Derecho aduanero como "el conjunto de normas jurídicas que regulan, por medio de un ente administrativo, las actividades o funciones del Estado en relación con el comercio exterior de mercancías que entren o salgan en sus diferentes regímenes al o del territorio aduanero, así como de los medios y tráficos en que se conduzcan y las personas que intervienen en cualquier fase de la actividad o que violen las disposiciones jurídicas" (*Derecho Aduanero*, séptima edición, editorial Porrúa, México, 1998, p. 4). También a favor de la autonomía científica se manifiesta más recientemente, en México, Rohde Ponce (*Derecho aduanero mexicano*, Tomo I, ISEF, 2005, pp. 58-59).

Berr y Tremeau, quienes también defienden la existencia como disciplina independiente del Derecho Aduanero, parecen concluir, no obstante, en la imposibilidad de definirlo, justificando su posición en que "el Derecho aduanero está efectivamente constituido por los diferentes instrumentos jurídicos que permiten la realización de una política aduanera, lo que significa que el Derecho aduanero es por naturaleza variable en el tiempo y en el espacio" (*Le Droit Douaniere*, LGDJ, París, 1981, p. 78).

A nuestro parecer, tanto si se intenta la delimitación del ámbito del Derecho aduanero atendida la consideración de la realidad sobre la cual incide (Sánchez González), como si sobre lo anterior se ensaya un elemento teleológico aglutinador —esto es, que se fija en el fin al que se dirige el Derecho aduanero— (Galera Rodrigo), la dificultad que no queda superada estriba en la difícil reconducción de categorías jurídicas de tan distinta filiación al seno de una disciplina unitaria que permita aglutinarlas a todas ellas. Estimamos que carece de sentido ofrecer un criterio que permita delimitar un objeto de estudio con vistas a su consideración como disciplina autónoma si a renglón seguido debemos reconocer que la materia así comprendida debe ser analizada en partes diferenciadas que permitan, ahora sí, una sistemática unitaria, unos principios compartidos, una elaboración dogmática consistente y una estructura categorial definida. No descartamos que puedan superarse en el futuro las dificultades que apuntamos, pero debemos reconocer que hoy no hemos podido encontrarlas resueltas, ni siquiera por los autores que propugnan la autonomía científica.

En definitiva, orquestar una pretendida autonomía científica carente de operatividad práctica se nos antoja incurrir en un error. Cuestión distinta es que, desde consideraciones pragmáticas, se considere oportuno reunir en un mismo estudio las aportaciones realizadas desde diversas disciplinas jurídicas que inciden sobre una misma realidad, a fin de ofrecer una visión omnicomprensiva de su régimen jurídico. Pero esto, es evidente, es ajeno a la cuestión que ahora nos ocupa, si bien no queremos dejar de señalar que quizá no quepa descartar que en la discusión acerca de la pretendida autonomía puedan subyacer consideraciones de esta índole.

En cualquier caso, la ausencia de una construcción dogmática que permita edificar sobre bases sólidas un Derecho aduanero como disciplina autónoma no puede ser excusa para no afrontar las cuestiones jurídicas que las normas aduaneras suscitan. Desde esta perspectiva enfocamos este análisis, en el que partimos de la evidente naturaleza tributaria, no discutida en la doctrina, de diversas prestaciones —materiales y formales— que los entes públicos exigen cuando se realiza una importación o una exportación de mercancías. De ahí que convengamos en denominar "Derecho tributario aduanero" a la parcela del Derecho tributario que tiene por objeto los tributos a los que se sujeta la importación o exportación de mercancías.

La constatación de la naturaleza tributaria de los gravámenes aduaneros debe conducirnos derechamente a reconocer aplicables a los mismos los principios materiales y formales que, en materia tributaria, ha consagrado nuestra Constitución, con especial atención a lo dispuesto en su artículo 31. Significa también que el marco normativo de los tributos aduaneros viene dado por las normas generales de Derecho tributario, en particular la LGT y sus reglamentos de aplicación, corolario éste de trascendentales consecuencias jurídicas, que por otra parte resulta de las numerosas remisiones contenidas en las normas aduaneras.

Entre las normas que se aplican con ocasión de la importación y exportación de mercancías, en una posición destacada, se encuentran las normas que establecen los impuestos arancelarios. Estos tributos cumplen una doble finalidad: por una parte, son un mecanismo de control de los flujos comerciales con el exterior; por otra parte, son una fuente de ingresos para la Hacienda pública.

Por lo que se refiere a la primera finalidad (mecanismo de control de los flujos comerciales), normalmente los impuestos arancelarios cumplen una función de protección de la producción interna frente a la producción del exterior. Los impuestos arancelarios se configuran así como una barrera que los productores exteriores deben superar si desean ofrecer sus productos en el mercado interno. Pero el control de los flujos comerciales puede desempeñar otras funciones, como asegurar el abastecimiento del mercado interior (lo que se puede conseguir gravando las exportaciones de determinado producto cuando éste escasea); o mantener un nivel de precios estable (lo que se puede conseguir manipulando el impuesto que se exige a las importaciones de modo que, si los precios en el mercado interior suben, los impuestos arancelarios bajen, de manera que se incremente la oferta de ese producto y ello fuerce a una bajada de precios; por el contrario, cuando los precios en el mercado interior caen, los impuestos arancelarios se incrementan, de manera que se reduzca la oferta de ese producto). Los impuestos arancelarios son, por tanto, una potente herramienta para la política económica.

Puesto que su finalidad no es únicamente la de recaudar ingresos para la Hacienda pública, los impuestos arancelarios tienen la consideración de "tributos extrafiscales". El fin extrafiscal (el que excede de la mera recaudación) es el que predomina en la regulación de los impuestos arancelarios, frente al fin puramente fiscal o recaudatorio.

En esta obra vamos a prestar especial atención a las normas que configuran el régimen jurídico de los impuestos arancelarios. Algunas de estas normas producen efectos simultáneamente en el ámbito tributario y en otros ámbitos, en ocasiones porque no son de naturaleza puramente tributaria, como ocurre por ejemplo con buena parte de la regulación atinente a los regímenes aduaneros. Prestaremos una atención menor a las normas aduaneras que podemos denominar de "política comercial" que, por una parte, sirven a fines distintos de la recaudación y, por otra, lo hacen además sirviéndose de instrumentos distintos del tributo, como ocurría en los ejemplos con que arrancábamos esta exposición.

Los atentados terroristas del 11 de septiembre de 2001 dieron un fuerte impulso a la función de seguridad de las aduanas, hasta el punto que en Estados Unidos la administración aduanera, que se incardinaba en el Ministerio de Hacienda (*Treasury Department*) pasó a integrarse en el *Homeland Security* (el equivalente a nuestro Ministerio del Interior). Este viraje tiene una importante proyección jurídica, que ha cristalizado a nivel internacional con la '*SAFE Framewok*' de la Organización Mundial de Aduanas, cuya realización más relevante y conocida es la figura del 'Operador Económico Autorizado', a la que también dedicaremos nuestra atención.

Volviendo sobre los aspectos tributarios del Derecho aduanero, observemos ahora que, conforme al concepto de Derecho aduanero que hemos propuesto, la materia, tanto de los Impuestos Especiales como del IVA que recaen sobre la importación y la exportación, pueden considerarse parte del Derecho aduanero, en la medida en que reúnen los elementos de la definición que hemos formulado (son normas jurídicas de Derecho público que tienen como un elemento de su presupuesto de hecho la importación o la exportación). Con todo, debemos advertir que ni uno ni otro son impuestos arancelarios. En consecuencia, conforme a la definición que postulamos, debemos diferenciar dos grupos de tributos aduaneros: los impuestos arancelarios, de una parte, y los tributos no arancelarios (donde se sitúan el IVA y los IIEE a la importación y exportación), de otra.

Para clarificar los conceptos, la clasificación que resulta quedaría como sigue:

Clasificación de los tributos aduaneros

1) Impuestos arancelarios:
    1.a) Derechos de aduana a la importación
    1.b) Derechos de aduana a la exportación (si los hubiera)
    1.c) Derechos antidumping
    1.d) Derechos compensatorios
    1.e) Impuestos establecidos en aplicación de la Política Agrícola Común, 'PAC' (en esta categoría se integran los derechos adicionales, el denominado 'Elemento Agrícola' y los derechos y exacciones a la exportación)
    1.f) Derechos que se apliquen como medida compensatoria de un incumplimiento del Derecho de la OMC por un tercer país.

2) IVA a la importación
3) Impuestos Especiales a la importación
4) Tasas que se apliquen con ocasión de la importación o exportación de mercancías.

En el Código Aduanero de la Unión se utiliza la expresión "deuda aduanera" para referirse a la deuda tributaria que se origina por la realización del hecho imponible de los impuestos arancelarios. Por tanto, los impuestos que generan la "deuda aduanera" son los "impuestos arancelarios".

Se acepte o no la adscripción del IVA y los Impuestos Especiales —IIEE— que se aplican sobre la importación y exportación de mercancías al ámbito del Derecho aduanero, lo que no cabe duda es de que son numerosas las ocasiones en que el IVA o los IIEE toman como presupuesto para su regulación una determinada situación aduanera (por ejemplo, que las mercancías se encuentren en régimen de depósito) o el régimen jurídico previsto en una norma aduanera (por ejemplo, para determinar la base imponible del IVA a la importación se toma como punto de partida el valor en aduana de las mercancías).

> La estrecha imbricación entre los derechos de aduana y los Impuestos Especiales y el IVA que recaen sobre la importación y la exportación tiene también reflejo institucional, puesto que son muchos los países en los que es una misma Administración la que aplica ambos. Así, en el caso español, dentro de la Agencia Estatal de la Administración Tributaria —AEAT— es el Departamento de Aduanas e Impuestos Especiales el que asume estas competencias.

ALGUNOS ELEMENTOS DE ECONOMÍA Y SUS IMPLICACIONES JURÍDICAS

ÍNDICE

2 Algunos elementos de economía y sus implicaciones jurídicas

2.1. TEORÍA DE LA VENTAJA COMPARATIVA

Con carácter general, la reducción de los obstáculos al comercio internacional de mercancías permite obtener una situación de mayor bienestar a los individuos. La idea anterior, con las matizaciones que se quieran, es pacífica en la ciencia económica. Precisemos, por si acaso, que hemos dicho que "permite" obtener un mayor bienestar, lo cual no significa que ese sea en todo caso el resultado, que dependerá de en qué medida la reducción de obstáculos se realiza de forma óptima (por ejemplo, nadie querría que se redujeran los obstáculos a la entrada de un producto de alimentación tóxico o en mal estado; y por otro lado aparece el problema de la equidad en la distribución de la ganancia derivada del comercio, que es un problema de naturaleza política). El motivo por el cual decimos que, con carácter general, el comercio incrementa el bienestar deriva de la existencia de "ventajas comparativas" que éste permite aprovechar. La teoría de la ventaja comparativa fue formulada por Adam Smith y, en su formulación esencial, es compartida hoy por las diversas escuelas económicas.

Puesto que existe una gran confusión al respecto, será útil aclarar que, conforme a la teoría de la ventaja comparativa, dos naciones se beneficiarán del comercio en la medida en que existan diferencias en los precios relativos de los bienes en sus respectivos mercados. Es decir, la ventaja comparativa no significa que un país produce "más barato" que otro y por ello consigue venderle sus productos. Para que el comercio despliegue sus efectos beneficiosos basta con que los precios relativos de los bienes sean distintos en los diferentes mercados. La idea queda mejor ilustrada con un ejemplo simplificado. Supongamos que tenemos un mundo en el que sólo existen dos naciones (A y B) y dos productos (trigo y aceite). Supongamos que un litro de aceite se intercambia en A por cinco kilos de trigo. Supongamos que en B el litro de aceite se intercambia por diez kilos de trigo. Podemos tomar el trigo como referente de valor, de manera que un kilo de trigo equivaldría a una unidad monetaria (u.m.). Podemos expresar estas suposiciones mediante la siguiente tabla:

	PAÍS A	PAÍS B
TRIGO	1 u.m.	1 u.m.
ACEITE	5 u.m.	10 u.m.

La tabla nos muestra que el aceite es más barato en el país A (5 u.m.) que en el país B (10 u.m.). En estas circunstancias, si no hay barreras al comercio internacional entre A y B, podemos anticipar que los productores de trigo de B adquirirán el aceite que precisen en A, porque allí se lo ofrecen en mejores condiciones (por 5 u.m. en lugar de 10 u.m.). Los productores de aceite de A no tendrán inconveniente en ofrecer un litro por cinco kilos de trigo de B. No obstante, puesto que tanto los productores de trigo de A como los de B ansiarán el aceite de los productores de A, éstos quizá logren mejorar el trigo que pueden obtener por su aceite. Digamos que los productores de A pasan a exigir 7 u.m. (7 kilos de trigo) por cada litro de aceite. Para los productores de trigo de B este es todavía un trato ventajoso, porque en B les exigen 10 u.m. por el litro de aceite. Los productores de aceite de A ganan; los productores de trigo de B también ganan. En cambio, los productores de trigo de A y los productores de aceite de B pierden. A los productores de trigo de A les ha subido el precio del aceite, mientras que los productores de aceite de B no encuentran compradores. Esta nueva situación forzará a algunos productores de trigo de A a dedicarse a producir aceite, que en A ha pasado a ser más valioso.

Por su parte, los productores de aceite de B pasarán a dedicarse a producir trigo, dado que su aceite ya no es atractivo. Con el paso del tiempo A incrementará su producción de aceite, en tanto que B incrementará su producción de trigo. Cuando este proceso alcance un nuevo punto de equilibrio todos habrán visto incrementado su bienestar, porque cada país se habrá especializado en producir aquello en lo que es capaz de conseguir un precio relativo inferior. El mercado podría estabilizarse en una nueva situación de este tipo:

	PAÍS A	PAÍS B
TRIGO	-	1 u.m.
ACEITE	6 u.m.	-

En esta nueva situación los productores de A se dedican a producir aceite, por un valor unitario por litro de 6 u.m. (superior a las 5 u.m. que se obtenían por el aceite en el equilibrio anterior, previo a la apertura del comercio). Por su parte, los productores de B se dedican a producir trigo, que consiguen intercambiar por aceite a razón de 6 kilos de trigo por litro de aceite (más ventajoso que el intercambio que se obtenía en el equilibrio anterior, previo a la apertura del comercio, cuando eran necesarios 10 kilos de trigo por litro de aceite). Tanto los productores de A como los de B han visto incrementado su bienestar gracias al comercio.

El ejemplo anterior, que puede criticarse por su excesiva simplificación, ilustra varias ideas. La primera es que no es necesario "producir más barato" para obtener beneficios del comercio internacional. En la situación inicial los productores de trigo de B no producían más barato que los de A; sencillamente estaban dispuestos a un mayor sacrificio, en términos de trigo, para adquirir aceite. Esa diferencia les permite desplazar a los productores de trigo de A, acostumbrados a obtener con mayor facilidad el aceite que precisan. Lo relevante no es ser el más barato, sino estar en posición de aceptar unos términos de intercambio (precios relativos) que desplacen a los productores del otro país. Los productores de trigo de B desplazan a los de A porque están dispuestos a entregar hasta 10 kilos de trigo por un litro de aceite, no porque consigan producir el trigo con menor esfuerzo o costes.

Otra idea que pone de relieve el ejemplo es que la dinámica del comercio produce una situación en la que, al menos de forma transitoria, hay ganadores y perdedores. Ya lo hemos indicado: mientras que los productores de aceite de A y los productores de trigo de B ganan desde el inicio con el comercio, los productores de trigo de A y los productores de aceite de B se ven perjudicados por el comercio, y deben cambiar su actividad a fin de convertirse también ellos en ganadores. La liberalización comercial produce situaciones transitorias en las que algunos pierden.

Con todo, pese a lo anterior, la liberalización comercial termina por ofrecer un escenario posterior en el que, tras adaptar su conducta a las nuevas circunstancias, todos ganan. Por ello podemos afirmar que la liberalización del comercio internacional pone en marcha una dinámica en la que todos ganan, en tanto que el cierre al comercio perpetúa una situación en la que los sujetos dejan de obtener una ganancia (pierden una oportunidad).

2.2. TEORÍA DE JUEGOS

Las interacciones entre individuos que se comportan de forma racional pueden reconducirse a modelos económicos que son objeto de estudio por parte de la denominada "teoría de juegos". La teoría de juegos permite anticipar la conducta de los sujetos implicados en una relación económica (o de otro tipo) una vez somos capaces de identificar ante qué tipo de "juego" (de interacción entre individuos) nos encontramos. Hay una gran tipología de juegos. Una clasificación que ahora nos interesa es la que distingue entre juegos de suma positiva (aquellos en los que el conjunto de los participantes acaban el juego en mejor situación que cuando lo comenzaron), juegos de suma cero (aquellos en los que el conjunto de los participantes acaban el juego en igual situación que cuando lo comenzaron, aunque puede que la distribución de bienes entre ellos se haya alterado, de manera que lo que uno ha ganado es lo que otro ha perdido, como ocurre en una partida de póker) y juegos de suma negativa (aquellos en los que el conjunto de los participantes acaban el juego en peor situación que cuando lo comenzaron, como en una guerra). Queremos poner de relieve que, contrariamente a lo que cabría intuir, dos personas que se comportan de modo perfectamente racional pueden verse atrapadas en un tipo de juego (de interacción entre ellas) de suma negativa, es decir, que les hace perder.

El paradigma de este tipo de situaciones nos lo ofrece el conocido como "dilema del prisionero". En este juego se supone que la policía ha detenido a dos individuos y los mantiene aislados en sus celdas. Van a ser interrogados y cada uno de ellos debe decidir si delata al otro preso o bien opta por negarlo todo y declarar que no sabe nada. Supongamos que si un preso delata al otro, la policía va a disponer de pruebas suficientes para imputar a ese otro preso un delito sancionado con 30 años de cárcel. El preso delator, en caso de que el otro preso opte por negarlo todo y declarar que no sabe nada, quedará libre porque no habrá pruebas contra él y, de otro lado, ha colaborado con la justicia. En cambio, si ambos presos optan por delatar, la policía imputará a ambos un delito sancionado con 30 años de cárcel, pues tiene pruebas incriminatorias contra ambos.

Finalmente, si ambos presos optaran por negarlo todo y declarar que no saben nada, la policía no podría imputarles el delito grave con sanción de 30 años de cárcel a ninguno de ellos al carecer de pruebas suficientes y habría de conformarse con imputarles un delito menor de obstrucción a la justicia por huir cuando se les ordenó el alto y conducir el vehículo de forma temeraria, delito que acarrearía una pena de 6 meses de cárcel. Ordenando estos posibles resultados en forma de tabla, nos quedaría de la siguiente forma:

PRESO B PRESO A	DELATAR		NEGAR	
DELATAR	**(1)** 30 años	30 años (30 + 0) de cárcel	**(2)** Libre	30 años (30 + 0) de cárcel
NEGAR	**(3)** 30 años	Libre	**(4)** 6 meses	6 meses

En definitiva, si A delata y B delata, cada uno de ellos pasará 30 años en la cárcel (casilla 1). Si A delata, pero B niega, A saldrá libre mientras B cumplirá 30 años de cárcel (casilla 2). Si por el contrario es A quien niega y B quien delata, A cumplirá 30 años de cárcel mientras B saldrá libre (casilla 3). Finalmente, si tanto A como B niegan, ambos pasarán 6 meses en la cárcel (casilla 4).

Observemos ahora cuál sería el mejor resultado *conjunto* de los dos presos, que en nuestro caso consistirá en sumar los períodos de cárcel de ambos presos en cada una de las casillas. En la casilla 1 los presos cumplen 60 años (30 + 30) de cárcel; en las casillas 2 y 3 cumplen 30 años

(30 + 0) de cárcel en cada una; en la casilla 4 cumplen 1 año de cárcel (6 meses + 6 meses). Por tanto, el mejor resultado conjunto se obtiene si ambos presos optan por

negar, porque en ese caso cumplen un año de prisión a razón de 6 meses de prisión por cada uno de ellos. ¿Será ésta la estrategia que adopten los presos?

Hemos señalado que ambos presos han sido detenidos y esperan el interrogatorio en celdas separadas, que impiden cualquier comunicación entre ellos. Por tanto, cada preso desconoce lo que hará el otro; lo que el otro haga escapa a su control. Cada preso debe, pues, centrarse en una estrategia individual. Si analizamos las estrategias individuales (delatar, negar) obtenemos los siguientes pares de resultados: para delatar los resultados posibles son 30 años (si el otro preso también delata) y libre (si el otro preso niega). Para negar los resultados posibles son 30 años (si el otro preso delata) y 6 meses (si el otro preso también niega). Por tanto, cada preso debe comparar el par de resultados (30 años, libre) con el par (30 años, 6 meses). Es claro que el par (30 años, libre), que corresponde a la opción delatar, es más favorable. Podemos concluir, entonces, que un preso que actúe de forma racional en el entorno que hemos supuesto optará por delatar.

Si volvemos la vista sobre la tabla de resultados nos daremos cuenta de que, si cada preso opta por su elección racional (delatar), nos situaremos en la casilla 1, que hemos identificado como el peor resultado conjunto de la tabla (30 años + 30 años). Constatamos pues que, actuando de forma racional, pero aislada, los presos se ven abocados al peor resultado posible. Este es un resultado que provoca confusión, ¿Puede una conducta racional conducirnos al peor de los mundos posibles? El análisis del modelo nos deja una respuesta inquietante: dependiendo del punto de partida y de las reglas bajo las cuales interactúen las personas, la racionalidad puede conducir al desastre.

La siguiente pregunta que podemos formularnos es ¿cómo habría de cambiar el modelo para que los presos pasaran de la casilla 1 (su peor resultado conjunto posible) a la casilla 4 (su mejor resultado conjunto posible)? Imaginemos que los presos se encuentran en celdas aisladas, pero que estas celdas permiten la comunicación. Suponemos ahora que A y B dialogan y negocian no delatarse. Ambos se intercambian la promesa de declarar que lo ignoran todo a la policía. ¿Les permitirá esto saltar a la casilla 4? La respuesta es que no. Una vez abandonen su celda, ni A ni B tienen ningún incentivo, en este escenario, para cumplir su promesa. Ambos delatarán al otro en la esperanza de que el otro sí cumpla su promesa: en ese caso pueden salir libres.

Los presos del dilema del prisionero obtendrían un mejor resultado conjunto si ambos acordasen no delatar al otro y, además, dispusieran de una amenaza creíble para que el otro preso no se atreva a incumplir la promesa de no delatar (si uno de los presos no dispusiera de una amenaza creíble en caso de que el otro preso incumpliera el pacto de silencio, el resultado sería que ese otro preso le delataría para evitar pasar 6 meses en prisión). Supongamos que cada uno de los presos tiene amigos fuera de la cárcel que son terribles y crueles criminales. Cada preso advierte al otro que no debe delatar, porque en caso de que delate le aguarda fuera de la cárcel un final extraordinariamente doloroso y cruento. En este escenario sí podemos suponer que los presos optarán por declarar a la policía que no saben nada, aunque ello les suponga aceptar el par de resultados (30 años, 6 meses). Ambos tienen la certeza de que el otro no delatará, porque hacerlo le supondría una muerte dolorosa. Por eso su par de opciones en realidad es de 6 meses de cárcel (si declaran a la policía que no saben nada) o una muerte con dolor (si delatan). Ante esas opciones, ambos preferirán declarar que no saben nada.

Expresado de otro modo, para no caer en la dinámica de juego de suma negativa los presos de nuestro ejemplo necesitan dos elementos: la existencia de una negociación (que permita poner de relieve los beneficios de la colaboración y la conducta que debe seguir cada participante para obtenerlos); y la existencia de un mecanismo de aseguramiento mutuo (que ofrezca garantías a los participantes de que la otra parte cumplirá su parte del trato).

> No deja de ser una ironía del modelo que proponemos que la introducción de dos asesinos violentos (los amigos que cada preso tiene fuera de la cárcel) sea el factor que les permite saltar al mejor resultado conjunto posible. Frente al desastre a que abocaba la conducta racional aislada —el par (30 años, 30 años) como resultado para cada preso—, la introducción de un elemento maligno (dos asesinos violentos) permite un final 'benéfico' para ambos presos. Esta constatación repugna a nuestra mente racional, pero es la que resulta si se siguen las consecuencias del modelo tal y como se describe.
> Una lectura asequible (sin complejas fórmulas matemáticas) y breve para introducirse en la teoría de juegos puede verse en Binmore, Ken: *La teoría de juegos. Una breve introducción*, Alianza Editorial, 2007; Poundstone, William: *El dilema del prisionero*, Alianza Editorial, 2018. Para introducirse de forma lúdica en una nueva perspectiva de la Economía, en buena medida por aplicación de la teoría de juegos, pueden verse de Harford, Tim: *El economista camuflado*, Temas de Hoy, 2006; y *La lógica oculta de la vida*, Temas de Hoy, 2008; o bien de Levitt y Dubner: *Freakonomics*, Zeta Bolsillo, 2009; y *Superfreakonomics*, Debate, 2010.

2.3. IMPLICACIONES PARA EL DERECHO ADUANERO

Pasemos ahora a proyectar estas sencillas ideas al comercio internacional. Comencemos por señalar que la liberalización comercial es un juego de suma positiva; en cambio el proteccionismo es un juego de suma negativa. Una clara evidencia empírica en este sentido nos la ofreció la respuesta estadounidense a la Gran Depresión de 1929. Entre las medidas adoptadas por el gobierno de aquél país para combatir aquella crisis destacó la *Smoot-Hawley Tariff Act*, una ley mediante la cual se elevaron de forma considerable los aranceles a la importación y se adoptaron toda una batería de normas proteccionistas, con la intención de preservar el mercado doméstico para la industria nacional. El problema es que, al extenderse la crisis económica a otros países, estos adoptaron la misma estrategia: incrementar los aranceles y establecer medidas proteccionistas. A medida que más países elevaban muros arancelarios en sus fronteras, más presión debían soportar aquellos que preferían mantener un comercio fluido: las empresas de estos países tenían cerradas las puertas de los demás mercados mientras que en su mercado doméstico los productores de los demás países luchaban por colocar unas mercancías para las que quedaban pocos mercados alternativos, dado que esos otros mercados estaban ahora cerrados. Por eso todos los países terminaron por sucumbir a una misma política proteccionista en un intento de salir de la crisis a costa de los vecinos (por eso se acuñó la expresión *"beggar your neighbour"* o "empobrece a tu vecino" para referirse a esta política). Incluso el Reino Unido, la potencia hegemónica del momento que basaba buena parte de su prosperidad en el comercio internacional, se vio inmersa en esta dinámica y hubo de elevar los aranceles, salvo para el comercio con sus colonias. Insistamos: la potencia hegemónica hubo de claudicar a sabiendas de que esa dinámica le causaría daño; ni siquiera el país más poderoso puede escapar por sí mismo de esta espiral. Como hemos señalado antes, los juegos de suma negativa pueden atrapar incluso a aquellos participantes que son plenamente conscientes de que el resultado final será una pérdida para todos.

La política del *beggar your neighbour*, al cerrar los cauces del comercio internacional, tuvo como consecuencia un agravamiento y extensión de la crisis económica. Alemania se vio imposibilitada para hacer frente a los pagos pendientes en concepto de indemnizaciones a favor de las potencias ganadoras de la Primera Guerra Mundial (indemnizaciones que le fueron impuestas por el Tratado de Versalles), porque sus fabricantes no tenían dónde vender sus productos. Por otro lado, la falta de mercados condujo a Alemania a padecer una angustiosa situación de incremento del paro y de la pobreza, penurias que generaron un profundo sentimiento de abandono y rencor que sería trágicamente aprovechado por las ideologías totalitarias, cuya política imperialista habría de conducir a una nueva Guerra Mundial.

La situación de proteccionismo sólo se superó, una vez concluida la guerra, por un esfuerzo concertado de todos los países, que se comprometieron a reducir de forma progresiva las barreras arancelarias, así como a respetar unas reglas mínimas en su política comercial. Como fruto de esos esfuerzos se alcanzó el Acuerdo General sobre Aranceles y Comercio de 1947 ("el GATT"). La constatación de los efectos globales beneficiosos derivados de la acción conjunta en el sentido de liberalizar el comercio internacional condujo a que los Estados se comprometiesen de forma creciente en el respeto y la mejor realización de los objetivos del GATT. Es así como se decidió dar un paso más ambicioso y constituir la Organización Mundial de Comercio (OMC, 1994), como institución encargada de velar por la progresiva liberalización del comercio internacional. Desde esta perspectiva, el Derecho de la OMC puede ser concebido, en su conjunto, como una reacción jurídica de defensa del conjunto de los Estados frente a una eventual reproducción de una espiral proteccionista que, como la historia se encargó de demostrar, tiene como una de sus características que sólo puede ser combatida mediante un esfuerzo conjunto, multilateral, puesto que ni siquiera la oposición a la espiral proteccionista de la potencia económica más pujante del momento (el Reino Unido) fue suficiente para frenar su imparable ascenso. En otras palabras, el Derecho de la OMC es fundamentalmente un mecanismo de aseguramiento mutuo para salir de una dinámica de juego negativo y entrar en una dinámica de juego positivo, en el cual los participantes obtienen beneficios a medida que interactúan.

> Tómese con ironía que, haciendo un paralelismo que es incorrecto porque se trata de modelos de juegos diferentes, en nuestro modelo del 'dilema del prisionero' la OMC sería el equivalente a los terribles y crueles criminales que permiten a cada preso conminar al otro a que respete el pacto de no delatar. Afortunadamente la OMC no es ni terrible, ni cruel ni criminal, en lo único que se parece es en que es el elemento que permite escapar de una dinámica de juego negativo.

Las consideraciones que hemos realizado tienen importantes implicaciones jurídicas. Concebir el Derecho de la OMC como un mecanismo de aseguramiento mutuo contra la tentación proteccionista nos debe conducir a concluir que las normas de la OMC deben interpretarse en esta clave, es decir, como mandatos que se dirigen a limitar el proteccionismo. Este criterio de interpretación teleológico —teleológico significa que es un criterio basado en atender a los fines de la norma— es de suma importancia: al decidir qué sentido debe darse a una norma aduanera internacional, o a una norma interna que incorpora contenidos ordenados desde una norma internacional, el intérprete debe optar, en caso de duda u oscuridad, por la solución que resulte más efectiva para limitar el proteccionismo. Esta es una conclusión cargada de relevancia jurídica, lo cual justifica que nos hallamos detenido en fijar los presupuestos económicos e históricos que permiten establecerla. Si los intérpretes de la norma (Administración pública, jueces) ignoran esta regla, las normas aduaneras internacionales se erosionarán, perderán su vigor, y se pondrán las bases para un retorno al poder destructivo del proteccionismo. Entrar en una espiral proteccionista y quedar engullido por ella es sumamente fácil: mantener el compromiso de limitación del proteccionismo exige una vigilancia constante. Pero la opción proteccionista es la opción por el desastre, en tanto que la opción por la limitación del proteccionismo es la que permite obtener los beneficios de la cooperación entre naciones. Esta lección, que en el siglo XX se cobró millones de vidas, no debiera olvidarse a favor del oportunismo de la ganancia instantánea.

Ejemplo

Por ejemplo, bromas aparte, consideramos que es muy peligroso denigrar a la OMC. Sin duda que la OMC puede —y debe— ser mejorada, pero este hecho no puede justificar que se promueva su derrocamiento ¿Para sustituirla con qué? ¿Qué queda si desmantelamos la OMC? Queda el 'sálvese quien pueda', que es la receta del caos.

Por otro lado, el proteccionismo puede disfrazarse —y se disfraza— de ropajes dignos para salir a la luz pública. Por ejemplo, lanzando insidias —a veces fundadas y otras veces no— sobre la conducta comercial de otros países, como que se explota de forma generalizada a los niños, se contaminan de forma sistemática los alimentos, se destroza el medio ambiente... Todas esas acusaciones pueden tener su parte de verdad, pero la respuesta adecuada a esos problemas no puede ser la de cerrar las puertas: debe ser la de vigilar las puertas y distinguir a quien cumple frente a quien abusa. Dicho de otro modo: Imaginemos que se produce un robo en nuestro vecindario. ¿Nos parecería sensato que la policía encerrara a todos los vecinos en la cárcel hasta que el culpable reconociera su delito? El castigo indiscriminado es una respuesta torpe y dañina.

NORMAS FUNDAMENTALES. REPARTO DE COMPETENCIAS

ÍNDICE

3 Normas fundamentales. Reparto de competencias

3.1. ORGANIZACIONES Y ACUERDOS INTERNACIONALES

A nivel internacional contamos con dos organizaciones fundamentales con relevancia en materia aduanera: la Organización Mundial del Comercio (OMC) y la Organización Mundial de Aduanas (OMA).

La OMC es la organización que surgió como superación del GATT en 1994. Desde 1947 hasta 1979 el GATT se dirigió, de forma fundamental, a la reducción de las tarifas arancelarias, más concretamente de los tipos de gravamen de los derechos de aduana. Para lograr este objetivo estableció diversas medidas. Una de ellas es la cláusula '*standstill*', es decir, de techo de las tarifas. Los países se comprometen a que las tarifas aplicables en el momento en que acceden al GATT se convierten en el techo máximo de las tarifas que podrán aplicar en el futuro: ya no podrán nunca aplicar tarifas a los demás miembros del GATT por encima de las tarifas que aplicaban en el momento de su acceso al GATT.

Otra medida fundamental es el progresivo '*roll-back*' o desmantelamiento arancelario, esto es, una progresiva reducción de la tarifa del arancel. Una vez que un país decide rebajar su arancel, el nuevo tipo rebajado se convierte en el techo para su arancel en el futuro, es decir, ese país ya no podrá volver a elevar su arancel por encima del tipo comprometido en la rebaja. Para avanzar en la referida reducción progresiva de aranceles, los Estados miembro del GATT se reunían de forma periódica en rondas negociadoras. En estas rondas se intentaba lograr que todos los países —o al menos el mayor número posible— hicieran concesiones de forma simultánea, para empujar el proceso de desmantelamiento arancelario.

Para fortalecer el '*roll-back*' o desmantelamiento arancelario, el GATT establece la cláusula de Nación Más Favorecida (NMF). En su virtud, se ordena que cualquier país del GATT debe conceder a los demás miembros del GATT el trato más favorable que ese país haya acordado para cualquier otro país. De este modo, la ventaja concedida a un socio comercial se generaliza de forma automática a favor de todos los miembros del GATT.

Imaginemos que Japón acuerda rebajar la tarifa que aplica a las motocicletas de Estados Unidos del 10% al 8%, a cambio de que Estados Unidos rebaje la tarifa a los televisores japoneses del 17% al 15%. En virtud de la cláusula NMF Japón habría de aplicar la tarifa del 8% a las motocicletas de cualquier país miembro del GATT, en tanto que Estados Unidos habría de aplicar la tarifa del 15% a los televisores de cualquier país miembro del GATT. De este modo, los fabricantes indios podrían introducir motocicletas en Japón pagando una tarifa del 8% y televisores en Estados Unidos pagando una tarifa del 15%. Las mismas condiciones podrán aprovechar los fabricantes indonesios o de cualquier otro país de la OMC (el trato favorable, la ventaja, se ha generalizado de forma automática).

La cláusula NMF surgió en el contexto de los acuerdos comerciales bilaterales para impedir que las concesiones de un Estado quedaran vacías de contenido por acuerdos posteriores. Ejemplo: Situémonos en el siglo XIX e imaginemos que Francia y Alemania celebran un acuerdo comercial en virtud del cual Alemania reduce sus aranceles a los productos de alimentación franceses al 8% a cambio de que Francia reduzca sus aranceles a la maquinaria alemana al 9%. A continuación, Francia concluye un acuerdo comercial con Italia en virtud del cual Italia se compromete a reducir su arancel a los productos de alimentación franceses al 7% a cambio de que Francia reduzca sus aranceles a la maquinaria italiana al 7%. Los exportadores alemanes se encontrarían entonces que la reducción arancelaria lograda con Francia ha perdido buena parte de su relevancia porque sus rivales italianos acceden al mercado francés en mejores condiciones que ellos. Y, mientras tanto, los productores agrícolas franceses sí han logrado una ventaja relevante al acceder con aranceles más bajos al mercado alemán. Para evitar que una concesión arancelaria quedase desvirtuada de este modo, se introdujo la cláusula NMF, en virtud de la cual el Estado que firmara un acuerdo se comprometía a conceder a su contraparte cualquier trato más favorable que pudiese ulteriormente acordar con un tercero (en nuestro ejemplo, Francia habría de otorgar automáticamente una reducción del arancel al 7% a los exportadores alemanes, para igualarlos a los italianos, si el acuerdo comercial Francia-Alemania hubiera contenido una cláusula NMF).

La cláusula NMF tiene importantes excepciones. Así, un país no necesita generalizar las rebajas arancelarias que establece en virtud de la creación de una unión aduanera, de una zona de libre cambio, de un proyecto de unión aduanera o zona de libre cambio, o las ventajas concedidas de forma unilateral a favor de países en desarrollo. Estas excepciones son en la práctica importantísimas, sobre todo con la proliferación de Tratados de Libre Comercio (TLC's), hasta el punto que se ha llegado a afirmar que el trato NMF es el trato 'por defecto' (el que se aplica a falta de otro más ventajoso) o el de nación menos favorecida.

> Cuando España accedió a la Comunidad Económica Europea (CEE) en 1986 desmanteló su arancel respecto de los miembros de la CEE (por eso, p.e. los productos franceses entran en España sin pagar impuestos arancelarios), pero ese trato más favorable no se generalizó a terceros países (p.e. los productos estadounidenses siguen pagando impuestos arancelarios cuando se introducen en España). En este caso no se aplicó la cláusula NMF porque la CEE (como hoy la UE) es una unión aduanera.
>
> Por otro lado, la UE tiene un Acuerdo comercial con Colombia en virtud del cual se establece una zona de libre cambio, con desmantelamiento progresivo de los aranceles respectivos. Las ventajas que la UE concede a Colombia en virtud de este Acuerdo —lo mismo que las ventajas que Colombia concede a la UE— no se generalizan por aplicación de la cláusula NMF, de manera que los productos japoneses no se benefician del desmantelamiento arancelario.

Un ejemplo de la tercera excepción mencionada es el Sistema de Preferencias Generalizadas —SPG—. En virtud del SPG, la UE (al igual que hace Estados Unidos u otros países desarrollados) concede, de forma unilateral —es decir, sin contrapartida—, ventajas arancelarias a Países En Desarrollo —PED—, sin que esas ventajas tengan que generalizarse a países que no se incluyen como PED.

La cláusula NMF tiene una importante ventaja y un serio inconveniente. La ventaja es que, al generalizar las ventajas arancelarias, acelera el proceso paulatino de reducción de las tarifas. Basta con que un país acuerde reducir la tarifa que aplica a un socio comercial para que esa reducción se convierta en una ganancia extendida a todos los miembros del GATT. De esta manera no hace falta negociar país a país, producto a producto; la rebaja que se conceda a un país se concede, de forma automática, a todos los países. Y en esa virtud se encuentra justamente su grave inconveniente: un país sólo tiene que esperar a que los demás negocien rebajas arancelarias para beneficiarse de las negociaciones y concesiones ajenas, sin necesidad de otorgar él mismo ventaja alguna. Como la ventaja que se conceda a otro país se extiende de forma automática —sin necesidad de hacer nada— a cualquier país que sea miembro del GATT, basta con esperar que los demás se vayan concediendo ventajas para obtener sus beneficios, sin tener para ello que conceder ventaja alguna a los demás. Al país que adopta esta conducta se le denomina 'free-rider' ('que monta gratis' o 'gorrón'); aprovecha la generosidad ajena sin aportar nada de su parte. La cláusula NMF constituye un fuerte incentivo a la pasividad, dado que comporta una ganancia sin contraprestación, y con la pasividad frena justamente la progresiva reducción arancelaria que trata de promover.

Otra norma clave del GATT es la cláusula de Trato Nacional (TN). En virtud de esta cláusula, una vez se han satisfecho por unas mercancías los impuestos arancelarios correspondientes, el país de importación no puede discriminar a esas mercancías por el hecho de ser extranjeras, por haber sido importadas; debe tratarlas como trata a las propias mercancías nacionales, de ahí el nombre de 'trato nacional'. La igualdad de trato no se limita al ámbito tributario, sino que se refiere a todo el ordenamiento jurídico, prácticas y procedimientos internos (p.e. normas técnicas, procedimientos de homologación, etc.). Lo que se intenta con esta norma es impedir que las rebajas arancelarias, que tanto cuesta conseguir, queden en agua de borrajas porque los Estados puedan reintroducir medidas de protección que las sustituyan. El arancel debe contener toda la discriminación que un país puede aplicar frente a las mercancías extranjeras: una vez superada esta barrera, el país de importación no puede practicar discriminación adicional alguna.

Se ha señalado que las cláusulas NMF y TN son complementarias y se dirigen ambas a combatir la discriminación; mientras que la cláusula NMF impide las *discriminaciones entre mercancías extranjeras* (el trato ventajoso que se concede a un país debe concederse a todos los países signatarios del GATT), la cláusula TN impide las *discriminaciones de la mercancía extranjera frente a las mercancías domésticas*. Así pues el '*roll-back*' se acompaña de la prohibición de discriminación.

Las rondas negociadoras del GATT tuvieron un gran éxito, hasta el punto que las tarifas aplicadas por los países desarrollados alcanzaron niveles muy bajos para la gran mayoría de productos. Justamente ese éxito hacía que cada nueva ronda tuviera resultados menos generosos, puesto que cada vez quedaba menos por desmantelar y lo que quedaba eran casi siempre productos sensibles (como productos agrícolas o textiles), respecto de los cuales los Estados son más reacios a ser generosos. Por su parte, los países en desarrollo se acomodaron a esperar que fueran los países 'ricos' quienes hicieran las concesiones y a beneficiarse de ellas en virtud de la cláusula NMF.

Paralelamente se puso de manifiesto que las tarifas eran un elemento clave del proteccionismo, pero no el único, y que era necesario dirigir la atención hacia otros elementos del Derecho aduanero que podían ser usados con fines proteccionistas. Fruto de ese enfoque se lograron alcanzar diversos acuerdos en la llamada 'ronda Tokio' del GATT, en 1979, como el Acuerdo sobre valoración aduanera o el Acuerdo sobre derechos antidumping. Ahora bien, al desplazar el foco de los asuntos de los que debía ocuparse quedó en evidencia una debilidad del GATT: no estaba adecuadamente preparado para combatir otro tipo de medidas proteccionistas distintas de la reducción de tarifas. El GATT no podía imponer a sus miembros que ratificaran los acuerdos alcanzados. De ahí que los acuerdos de 1979 fueron adoptados por algunos países desarrollados —ni siquiera todos ellos—, mientras que la gran mayoría de países permanecieron indiferentes, restándoles efectividad y debilitando el impulso de avance de aquellos países que deseaban seguir comprometiéndose frente al proteccionismo.

Fruto de esta coyuntura surgió la convicción de que había que dar un paso estructural: el GATT había cumplido de forma satisfactoria su función y era el momento de dar luz a un proyecto más ambicioso. Es así como se avanzó hacia la OMC, que remediaba alguna de las debilidades del GATT. En primer lugar porque la OMC es un paquete de acuerdos ('*package deal*'), de manera que el país que desee ser miembro debe aceptar un conjunto de normas bastante más amplio que las del GATT original. De hecho, entre los acuerdos del paquete de la OMC se incluye, como uno de los acuerdos, al propio GATT, que por tanto sobrevive como elemento de la OMC. Así el paquete de la OMC comprende acuerdos sobre agricultura; medidas sanitarias y fitosanitarias; textiles y vestido; obstáculos técnicos al comercio; inversiones relacionadas con el comercio; derechos antidumping; valor en aduana; inspección previa a la expedición; normas de origen; licencias de importación; subvenciones y medidas compensatorias; y salvaguardias. A algunos de estos acuerdos nos referiremos al tratar las diversas materias a las que se refieren.

ENLACE

El texto de los Acuerdos de la OMC puede consultarse, en español, en: http://www.wto.org/spanish/docs_s/legal_s/legal_s.htm

Otro avance clave de la OMC estriba en el reforzamiento sustancial del Mecanismo de Solución de Diferencias, que se convierte en algo parecido a un tribunal internacional en materia de comercio, donde los Estados —no los ciudadanos ni las empresas— pueden cuestionar las medidas adoptadas por otro Estado si consideran que esas medidas vulneran las normas de la OMC. El Mecanismo de Solución de Diferencias, con todas sus limitaciones (no hay una 'policía' mundial que obligue a los Estados incumplidores a acatar las normas), ha demostrado una efectividad satisfactoria: baste decir que Estados Unidos, la gran potencia hegemónica, pese a oponer resistencia, hubo finalmente de acatar los resultados de este Mecanismo, que decidieron en su contra en un asunto por un importe de 4.000 millones de dólares anuales, el asunto de las *Foreign Sales Corporations*. Que el país más poderoso se vea forzado a acatar las reglas evidencia que el Mecanismo funciona, de manera que ya no se trata de relaciones internacionales basadas sólo en la fuerza, sino que el Derecho ha ganado un peso importante.

La Solución de Diferencias en la OMC

El Entendimiento sobre Solución de Diferencias prevé una primera fase de negociación —'consultas'— entre las Partes a fin de llegar a una solución amistosa de la disputa entre los Miembros de la OMC implicados. Para los casos en que este medio amistoso fracase, se contemplan dos instancias sucesivas para la solución de las diferencias. La primera es el establecimiento de un Grupo Especial (*panel*) formado por expertos que estudian el problema y formulan un Informe basado en Derecho. Ese Informe se somete a la consideración del Órgano de Solución de Diferencias —OSD— y se adoptará salvo que por consenso se decida no adoptarlo (es decir, hace falta consenso para *rechazar* el Informe, no para adoptarlo). No se procederá a la adopción del Informe si una de las Partes notifica su intención de apelar.

Si una de las partes no se muestra conforme con las apreciaciones y conclusiones del Informe del Grupo Especial, puede apelar contra ellas ante el Órgano de Apelación. La apelación se referirá únicamente a cuestiones de Derecho (ya no se pueden discutir los hechos que fueron fijados por el Grupo Especial) y a las interpretaciones jurídicas del Grupo Especial. De nuevo, el Órgano de Apelación emitirá un Informe, en el que se revisará el Informe del Grupo Especial en aquellos puntos que resulten controvertidos. El Informe del Órgano de Apelación se traslada al Órgano de Solución de Diferencias, que de nuevo lo adoptará a menos que decida por consenso no adoptarlo (cosa nada frecuente en la práctica).

Cuando se determine que un país ha incumplido sus obligaciones derivadas del Derecho de la OMC, la Parte demandante podrá adoptar medidas compensatorias o la suspensión de concesiones. Estas medidas pueden acordarse entre las Partes o puede solicitarse al OSD. En caso de desacuerdo, podrán ser decididas por un árbitro.

Solución de Diferencias y Derecho de la UE

Desde la perspectiva de la UE, en esta materia debe tenerse en cuenta las normas siguientes, relativas al ejercicio de acciones dirigidas a proteger los derechos de la UE derivados del derecho de la OMC:

- Reglamento (UE) 654/2014 del Parlamento Europeo y del Consejo de 15 de mayo de 2014 sobre el ejercicio de los derechos de la Unión para aplicar y hacer cumplir las normas comerciales internacionales y por el que se modifica el Reglamento (CE) nº 3286/94 del Consejo por el que se establecen procedimientos comunitarios en el ámbito de la política comercial común con objeto de asegurar el ejercicio de los derechos de la Comunidad en virtud de las normas comerciales internacionales, particularmente las establecidas bajo los auspicios de la Organización Mundial del Comercio; y
- Reglamento (UE) 2015/1843 del Parlamento Europeo y del Consejo de 6 de octubre de 2015 por el que se establecen procedimientos de la Unión en el ámbito de la política comercial común con objeto de asegurar el ejercicio de los derechos de la Unión en virtud de las normas comerciales internacionales, particularmente las establecidas bajo los auspicios de la Organización Mundial del Comercio.

Otro avance destacable de la OMC respecto del GATT consiste en que, como su propio nombre indica, la OMC es una 'organización' internacional, es decir, una institución —que dispone de sede, personas que trabajan en ella, una estructura...— frente al GATT que era un acuerdo sin institución (o un acuerdo en busca de institución, como señaló algún autor). La institucionalización no cabe duda que refuerza y vivifica las normas que quedan a su amparo, y las dota de mayor estabilidad.

La otra institución internacional de gran relevancia en materia aduanera a la que queremos referirnos es la OMA (Organización Mundial de Aduanas). Los orígenes de la OMA se remontan, como los del GATT, a 1947. Como hemos señalado en el capítulo anterior, la II Guerra Mundial ofreció pruebas sobradas de los demonios que el proteccionismo puede desencadenar, de ahí que no pueda extrañar que justamente tras la conclusión de la guerra se dieran pasos decididos dirigidos a impedir que aquello pudiera repetirse. La OMA nace del embrión del proceso de unidad europeo, pues su primer hito fue la constitución, por parte de los trece países integrantes de la Comisión para la Cooperación Económica Europea, de un grupo de estudio dirigido a analizar la posibilidad de establecer una o más uniones aduaneras en Europa. Ese grupo de estudio creó a su vez dos comités, el comité económico —que fue el embrión de la Organización para la Cooperación y el Desarrollo en Europa, OCDE— y el comité aduanero, que más tarde se convertiría en el Consejo de Cooperación Aduanera, CCA.

La primera sesión del CCA se realizó en 1953 con representantes de 17 Estados miembros europeos, aunque la Convención por la que se estableció es de 1952. El CCA pronto se erigió en catalizador de los esfuerzos de estandarización internacional en materia aduanera y, en su seno, se reunían técnicos aduaneros de los países miembros para tratar de unificar soluciones a problemas comunes. El CCA dejó de ser un proyecto europeo puesto que fue atrayendo cada vez a más países de otras regiones, que estaban interesados por quedar incluidos en las discusiones de soluciones internacionales que se iban generalizando en el comercio mundial. En 1994, de nuevo coincidiendo con una fecha de mutación del GATT hacia la OMC, el CCA pasó a denominarse Organización Mundial de Aduanas. Hoy la OMA cuenta con 182 miembros, la casi totalidad de las naciones, que realizan el 98% del comercio internacional: es una organización global. Asume un papel técnico de colaboración con la OMC en algunas materias de gran relevancia, como por ejemplo la valoración aduanera o las normas de origen. Por otro lado, la OMA promueve acuerdos propios de gran calado para el Derecho aduanero, con un importante componente técnico. Es el caso del Sistema Armonizado, el estándar internacional para la clasificación de las mercancías a efectos aduaneros (que se examina en el capítulo 8); el Convenio ATA, sobre admisión temporal (al que se hace referencia en el capítulo 17); el Convenio de Kioto sobre simplificación y armonización de los procedimientos aduaneros; o más recientemente el Marco Normativo SAFE, el patrón para encauzar los esfuerzos dirigidos a cumplir la función de seguridad de las Aduanas, en cuyo marco destaca la figura del Operador Económico Autorizado (que se analiza en el capítulo 32).

Sin perjuicio de que nos refiramos al contenido de estos acuerdos al tratar las materias correspondientes, interesa apuntar algunas ideas adicionales acerca del Convenio de Kioto, cuyo contenido es relevante para diferentes materias que se analizan más adelante. Tal y como su nombre indica, se regulan en él los procedimientos aduaneros, así como los regímenes aduaneros, con vistas a su armonización y simplificación. Interesa subrayar que el Convenio de Kioto es de 1973, pero que en 1999 se elaboró una versión revisada. Son muchos los Estados que ratificaron la versión original pero se resisten a ratificar la versión modificada, de modo que en la actualidad conviven ambas versiones.

En su versión revisada el Convenio se estructura en un Protocolo integrado por 9 artículos al que sigue el Apéndice I, en el que encontramos las disposiciones reguladoras y de administración del propio convenio como norma internacional (definiciones, estructura, gestión, condiciones de accesión, aplicación y reservas, solución de diferencias, enmiendas, entrada en vigor...), en tanto que el Apéndice II contiene el anexo general (en el que se regulan materias como las formalidades aduaneras; derechos e impuestos; garantías; control aduanero; uso de las tecnologías de la información; relaciones entre la aduana y terceros; información y resoluciones comunicadas por la aduana; y recursos). Finalmente, el Apéndice III contiene los anexos específicos. En la tabla que sigue recogemos la estructura y contenido de este apéndice III.

Apéndice III del Convenio de Kioto - Anexos Específicos	
Anexo A1	Formalidades aduaneras previas a la presentación de la declaración de las mercancías
Anexo A2	Depósito de las mercancías
Anexo B1	Importación para el consumo
Anexo B2	Reimportación en el mismo estado
Anexo B3	Exoneración de derechos e impuestos a la importación
Anexo C1	Exportación a título definitivo
Anexo D1	Depósitos aduaneros
Anexo D2	Zonas francas
Anexo E1	Tránsito aduanero
Anexo E2	Transbordo
Anexo E3	Transporte de mercancías por cabotaje
Anexo F1	Perfeccionamiento activo
Anexo F2	Perfeccionamiento pasivo
Anexo F3	Drawback
Anexo F4	Transformación de mercancías para consumo
Anexo G1	Admisión temporal
Anexo H1	Infracciones aduaneras
Anexo J1	Viajeros
Anexo J2	Tráfico postal
Anexo J3	Medios de transporte con fines comerciales
Anexo J4	Provisiones
Anexo J5	Envíos de socorro
Anexo K1	Reglas de origen
Anexo K2	Prueba documental de origen
Anexo K3	Control de pruebas documentales de origen

Para la interpretación del Convenio la OMA elabora, además, unas detalladas Directrices (*Guidelines*).

El Convenio contiene 3 tipos de reglas: a) *normas*, que son disposiciones vinculantes; b) *normas transitorias*, que son ciertas normas del Anexo General para las cuales se establece un plazo de aplicación más prolongado; y c) *prácticas recomendadas*, que se definen como "una disposición en un anexo específico reconocida como un progreso hacia la armonización y la simplificación de los regímenes y prácticas aduaneros, y cuya aplicación se desea sea tan amplia como sea posible" (artículo 1).

Por lo que hace al contenido, la versión revisada introduce el principio de transparencia y previsibilidad a favor de los operadores e impulsa el uso de los sistemas electrónicos y la gestión de riesgos.

La CEE ratificó la versión original del Convenio mediante la Decisión (CEE) 199/75 del Consejo, de 18.03.1975 (DO L 100), incluyendo el Anexo General y buena parte de sus Anexos Específicos. La Comunidad ha ratificado asimismo la versión revisada, mediante la Decisión (CE) 2003/231 del Consejo, de 17.03.2003 (DO L 86), si bien únicamente ha aceptado, por el momento, el texto del Convenio y su Anexo General, pero no los Anexos Específicos (el Convenio no admite reservas al Anexo General, conforme al artículo 12.1, pero sí caben reservas a los Anexos Específicos, artículo 12.2; si se ratifica un Anexo Específico todas sus normas y prácticas recomendadas son vinculantes, salvo que se formule expresamente una reserva). A este respecto interesa señalar que el Convenio Revisado dice sustituir tanto el texto del Convenio como sus anexos, por lo que parece que los anexos de la versión original que fueron aceptados por la CEE habrían perdido su vigencia por la aceptación del nuevo convenio.

A nivel internacional, la versión revisada entró en vigor el 3 de febrero de 2006. La web de la OMA informa de que en la actualidad hay 110 Estados parte que la han ratificado (entre ellos los Estados miembros de la UE). Pero, por ejemplo, buena parte de América latina no lo ha ratificado todavía.

En parte los contenidos del Acuerdo sobre Facilitación del Comercio alcanzado en la Ronda Bali de la OMC en 2013 se solapan con los del Convenio de Kioto de la OMA. Este Acuerdo de la OMC entró en vigor el 22 de febrero de 2017.

ENLACE

La web de la OMA está en: http://www.wcoomd.org

A diferencia de la OMC, la OMA es todavía celosa de sus documentos y practica un criticable oscurantismo, impropio de la era de internet. Por otro lado, y de nuevo a diferencia de la OMC, el español no es idioma oficial, por lo que los documentos en español no son versiones auténticas (salvo cuando la OMA actúa como colaboradora de la OMC, como por ejemplo en el Comité Técnico de Valoración en Aduana).

Con defectos que no deben ocultarse, la OMC y la OMA han sido la respuesta —jurídica— de un mundo que descubrió las funestas consecuencias del proteccionismo. Su vigor y su mejora progresiva son nuestra mejor esperanza para protegernos de una espiral de proteccionismo destructivo. Su eficacia es una prueba de la capacidad del Derecho como instrumento para hacer posible un mundo mejor.

3.2. ZONAS DE LIBRE CAMBIO Y UNIONES ADUANERAS

Cuando dos o más países deciden comprometerse para incrementar los beneficios mutuos del comercio entre ellos disponen de distintas opciones técnicas en función del grado de compromiso que estén dispuestos a adquirir. Los dos modelos básicos, entre los cuales hay un buen número de variantes, son la zona de libre cambio y la unión aduanera.

Una zona de libre cambio supone que cada país se compromete con el otro u otros socios a no aplicar derechos de aduana cuando las mercancías del socio se importen en su territorio. El intercambio es libre, sin derechos, entre los socios. Ahora bien, el compromiso sólo se hace respecto a las mercancías del socio. Por eso no toda la mercancía que se importa desde el otro país se beneficia del libre cambio: sólo la mercancía que, importada desde ese otro país, además es *originaria* de ese país, es decir, se ha obtenido, producido o transformado suficientemente en ese otro país.

Si una mercancía de un tercer país se introduce en el país socio y después se importa a otro país de la zona de libre cambio, con ocasión de esta importación deberá satisfacer derechos porque no se beneficia del libre cambio.

> Canadá, Estados Unidos y México han constituido una zona de libre cambio, el USMCA (anteriormente NAFTA). Las mercancías originarias de Canadá pueden introducirse, sin pagar derechos de aduana, en Estados Unidos o en México, y a la inversa. Si un productor indio introduce mercancías en Canadá (pagando los derechos establecidos por Canadá) y luego desea introducir esas mercancías en Estados Unidos, su mercancía no se beneficiará del libre cambio. Estados Unidos le aplicará su propio arancel.

En una zona de libre cambio la norma por la que se decide cuándo una mercancía se considera originaria de uno de los países de la zona es clave: sólo las mercancías originarias se benefician del libre cambio. Por otro lado, la zona de libre cambio permite a cada país mantener su propio arancel y sus propias normas aduaneras. La zona de libre cambio no precisa de normas uniformes: basta con permitir la introducción, libre de derechos, de las mercancías del socio.

> Por eso México puede tener una tarifa distinta de la de Estados Unidos o la de Canadá para, por ejemplo, los televisores. O México puede tener regímenes aduaneros u otro tipo de normas aduaneras de contenido distinto a las de Estados Unidos o las de Canadá.

En una unión aduanera, en cambio, los Estados miembros deciden crear una única y misma barrera frente al exterior, en tanto que suprimen las barreras entre ellos. En una unión aduanera hay un único arancel que se aplica por todos los Estados y unas mismas normas aduaneras, de manera que se levanta una frontera continua que cubre todo el perímetro exterior del territorio de los socios. Por otro lado, desparecen las fronteras entre los socios. Por eso, si la mercancía de un tercer país se importa en un país socio puede a continuación trasladarse, libre de derechos, por el territorio de los demás socios: hay una única barrera frente al exterior, y ésta es uniforme en todo el perímetro.

> La Unión Europea es el ejemplo menos imperfecto de unión aduanera. La UE aplica un mismo arancel frente a las mercancías de terceros países. Una mercancía china pagará los mismos impuestos arancelarios se importe por Hamburgo o por Venecia o por Valencia o por Gdansk. De hecho, a la mercancía china, se introduzca por el país de la UE por el que se introduzca, se le aplicará la misma norma, que es una norma de la UE, no una norma alemana, italiana, española o polaca. Por otro lado, una vez que la mercancía china se importa en un Estado miembro (digamos Polonia) puede moverse por todo el territorio de la UE sin que por ello se le apliquen nuevamente derechos de aduana, a diferencia de lo que hemos visto que ocurre respecto de las zonas de libre comercio.

La unión aduanera supone un compromiso mucho más fuerte entre los Estados que la integran porque les obliga a mantener un arancel común frente al exterior (con lo cual pierden la posibilidad de dirigir de forma autónoma su arancel) y les compromete a aceptar libres de derechos mercancías de terceros países que se han introducido por el territorio de otro socio. Debido a esto último, *dentro* de una unión aduanera no son relevantes las normas de origen, porque no se exigen derechos para las mercancías del socio ni tampoco para las de un tercer país que ha pagado derechos a un socio. Las normas de origen, en cambio, conservan su relevancia frente al exterior, pues las mercancías de terceros países deberán satisfacer derechos cuando se introduzcan en el territorio de la unión aduanera.

Entre el modelo de la zona de libre cambio y el de la unión aduanera pueden aparecer situaciones intermedias. Por ejemplo, un grupo de países que desea establecer una unión aduanera pero no se considera preparado para dar un paso tan grande puede comenzar por establecer una zona de libre cambio. A continuación, puede tratar de aproximar sus normas aduaneras, con vistas a unificarlas (es el estadio en que se encuentra el Mercosur). Pueden avanzar creando un sistema de normas de integración, que no necesitan ser traspuestas a los ordenamientos nacionales, e incluso instituciones de integración, como Tribunales, que vigilen el respeto a esas normas comunes (en este estadio se encuentra la Comunidad Andina de Naciones, por ejemplo). A continuación, pueden decidir aproximar sus tipos de gravamen, con vistas a acercarse a un arancel único (en esta situación se encuentra el Sistema de Integración de Centroamérica, SICA). A continuación, pueden suprimir las barreras interiores y unificar la barrera exterior, con lo cual ya se habría alcanzado una unión aduanera.

La unión aduanera debe distinguirse del mercado único. En relación con las mercancías, un "mercado único" implica, además del contenido de la unión aduanera, la armonización de los estándares técnicos (p.e. regulación de productos químicos, o de productos farmacéuticos, homologación de vehículos...), de manera que los productos que los cumplan puedan ser comercializados en todo el ámbito del mercado único. Más allá de las mercancías, el mercado único de la UE implica el respeto, por parte de los Estados miembros, de las cuatro libertades fundamentales: libre circulación de mercancías, libre circulación de trabajadores, libre circulación de servicios y libre circulación de capitales. Junto a estas libertades se ordena el derecho de establecimiento.

> La libre circulación de servicios se encuentra todavía en un estadio incompleto en la UE. Como curiosidad, interesa señalar que Noruega se integra en el mercado único de la UE pero no en la unión aduanera de la UE, con la que mantiene un acuerdo de libre comercio.

Zona de Libre Comercio	Unión Aduanera	Mercado Único
– No se aplican derechos de aduana entre los socios – No hay un arancel común – Controles de origen – Cada Parte puede negociar sus propios acuerdos comerciales	– No se aplican derechos de aduana entre los socios – Sin controles fronterizos internos – Arancel común – Acuerdos comerciales comunes	– No se aplican derechos de aduana entre los socios ni controles fronterizos – Arancel común y política comercial común – Libre movimiento de mercancías, personas y capitales – Regulación común de mercados

3.3. COMPETENCIA NORMATIVA EN LA UE. LAS RELACIONES ENTRE EL DERECHO ADUANERO DE LA UNIÓN Y EL DERECHO INTERNO

El artículo 149.1.10º de la Constitución declara el "Régimen aduanero y arancelario, y el comercio exterior" competencia exclusiva del Estado. De entre los distintos sujetos titulares de poder financiero que la propia Constitución reconoce, lo anterior supone la eliminación de las Comunidades Autónomas y las Entidades Locales como posibles sujetos con potestad normativa en materia aduanera. De ahí que tan sólo nos resten dos sujetos como posibles titulares de la potestad a que nos estamos refiriendo: el "Estado" y las instituciones de la UE.

Precisamente, la puesta en marcha de un proyecto económico y político cual fue la Comunidad Económica Europea y, el objetivo actual más ambicioso de alcanzar una Unión Europea, ha tenido uno de sus primeros reflejos en la constitución de una Unión Aduanera. Fue el primero de julio de 1968 cuando quedó establecido un Arancel Aduanero Común (AAC). Culminaba así el logro de la Unión Aduanera entre los miembros de la —entonces— Comunidad Económica Europea (CEE), de manera que 2018 marcó el 50 aniversario de esta efeméride.

Frente a terceros países, la Unión Aduanera supone que los Estados miembros mantienen un arancel aduanero común y, para cumplir adecuadamente este objetivo, han renunciado a establecer cualquier tipo de exacción de efecto equivalente a un derecho de aduana. En este sentido, el Artículo 28 del TFUE (Tratado de Funcionamiento de la UE) dispone que "La Unión comprenderá una unión aduanera, que abarcará la totalidad de los intercambios de mercancías y que implicará la prohibición, entre los Estados miembros, de los derechos de aduana de importación y exportación y de cualesquiera exacciones de efecto equivalente, así como la adopción de un arancel aduanero común en sus relaciones con terceros países".

> Respecto al comercio entre los Estados miembros, éstos se comprometen, asimismo, a no establecer restricciones cuantitativas a la importación o la exportación ni cualquier otra medida de efecto equivalente (artículos 34 y 35 TFUE), salvo las que se encuentren justificadas por razones de orden público, moralidad y seguridad públicas, protección de la salud y vida de las personas y animales, preservación de los vegetales, protección del patrimonio artístico, histórico o arqueológico nacional o protección de la propiedad industrial y comercial, excepciones éstas que en ningún caso pueden constituir un medio de discriminación arbitraria ni una restricción encubierta del comercio entre los Estados miembros.

El arancel común no es fijado ya por las autoridades nacionales, sino que su regulación es competencia exclusiva de las instituciones de la Unión, en concreto del Consejo, a propuesta de la Comisión. En este sentido, el artículo 31 TFUE establece que "El Consejo, a propuesta de la Comisión, fijará los derechos del arancel aduanero común". Por otra parte, la Unión se dota de una política comercial común en el comercio con terceros países (artículo 207 TFUE).

Por lo que hace a la circulación de mercancías en el interior del territorio de la Unión, la misma no puede quedar sujeta a derechos de aduana (ni a la "importación" ni a la "exportación") ni a cualquier tipo de exacción que tenga un efecto equivalente a un derecho de aduana. El Artículo 30 TFUE dispone que "Quedarán prohibidos entre los Estados miembros los derechos de aduana de importación y exportación o exacciones de efecto equivalente. Esta prohibición se aplicará también a los derechos de aduana de carácter fiscal". De ahí que, una vez que una mercancía se ha despachado a libre práctica en el territorio de un Estado miembro, puede circular libremente por el territorio aduanero de la Unión, sujeta únicamente al pago de los impuestos internos que correspondan —

fundamentalmente IVA e Impuestos Especiales— y a las medidas dirigidas a asegurar el cumplimiento de esta eventual obligación de pago, pero no a los impuestos arancelarios. Los impuestos internos, además, no podrán resultar discriminatorios (véanse los artículos 110, 111 y 112 TFUE). El diseño del marco de la circulación interna de mercancías en la Unión se completa con lo dispuesto en los artículos 34 a 36 TFUE, que prohíben las restricciones cuantitativas —tanto a la importación como a la exportación— y medidas de efecto equivalente.

> Por lo que hace a las exacciones de efecto equivalente, el TJUE las ha caracterizado señalando que «toda carga pecuniaria, por mínima que sea, impuesta unilateralmente, cualesquiera que sean su denominación y su técnica, que grave las mercancías por el hecho de atravesar la frontera, cuando no es un derecho de aduana propiamente dicho, constituye una exacción de efecto equivalente» (STJUE *Sociaal Fonds Diamantarbeiders*, asuntos acumulados 2/69 y 3/69, de 01.07.1969; *Comisión/Italia*, asunto 24/68, de 01.07.1969). Las exacciones de efecto equivalente quedan prohibidas, tanto respecto de las mercancías de terceros países como en el comercio interior de la UE. Se trata de una materia que no tiene ya la relevancia que tuvo en la fase constitutiva de la unión aduanera, si bien todavía se siguen produciendo algunos casos en los que el TJUE aplica con vigor una doctrina bien asentada (en este sentido véase, p.e., la reciente STJUE *Orgacom*, asunto C-254/13, de 02.10.2014).

ENLACE

> Sobre esta cuestión puede consultarse el trabajo de Juan Jesús Martos García: "Las exacciones de efecto equivalente a los derechos de aduana en la Unión Europea. Análisis jurisprudencial", en Crónica Tributaria, nº 144, 2012, pp. 55-87, disponible a texto completo en:
> https://www.ief.es/vdocs/publicaciones/1/144.pdf#page=55

> Por lo que hace a las medidas de efecto equivalente, en la STJUE *ANRE* (asunto C-648/18, de 17.09.2020) se aprecia la existencia de una medida de efecto equivalente a una restricción cuantitativa a la exportación (se trataba de una norma rumana que obligaba a las compañías generadoras a ofrecer toda la electricidad generada a través de una plataforma única nacional, sin posibilidad de hacer ventas directas de electricidad al exterior), en tanto que en la STJUE *Kohlpharma* (asunto C-602/19, de 08.10.2020) se aprecia la existencia de una medida de efecto equivalente a una restricción cuantitativa a la importación (se trataba de la negativa a aceptar una modificación del prospecto de un medicamento importado, a pesar de que su principio activo era el mismo que el del medicamento autorizado, variando únicamente su presentación y dosificación).

En su versión vigente tras las modificaciones introducidas por el Tratado de Lisboa, contamos con dos Tratados Constitutivos fundamentales: el Tratado de la Unión Europea (TUE) y el Tratado de Funcionamiento de la Unión Europea (TFUE). A su vez estos Tratados, que constituyen lo que se denomina 'derecho originario', establecen la creación de unos órganos —Comisión Europea, Consejo de la UE y Parlamento de la

UE— con capacidad para crear normas europeas. A estas normas que emanan, no de los propios Tratados, sino de los órganos establecidos por los Tratados, las llamamos 'derecho derivado'.

Desde la perspectiva interna, el Derecho de la Unión (originario y derivado), antes denominado 'Derecho comunitario' (expresión que se recoge todavía en normas jurídicas y jurisprudencia anteriores), tiene su engarce con el resto del ordenamiento a través del artículo 93 de la Constitución Española, cuyo primer párrafo dispone que "mediante ley orgánica se podrá autorizar la celebración de tratados por los que se atribuya a una organización o institución internacional el ejercicio de competencias derivadas de la Constitución".

> En lo posible se utilizará la actual denominación 'Unión Europea', pero debe tenerse en cuenta que hay normas anteriores —y jurisprudencia anterior— que utilizan los términos 'Comunidad' y 'comunitario' (comenzando por el Código Aduanero *Comunitario*, CAC, predecesor del CAU). Por ello en ocasiones nos resultará inevitable reproducir esa otra terminología.

A partir de este punto de conexión, previsto en la norma suprema, la atribución de competencias normativas a las instituciones de la Unión Europea —UE— no se realizó mediante la articulación de un listado más o menos exhaustivo de materias, sino que se utilizó fundamentalmente una técnica distinta, consistente en asignarles una serie de fines u objetivos a alcanzar, a partir de los cuales pudiera desprenderse la atribución implícita de las potestades necesarias para darles adecuado cumplimiento. Además, los fines a alcanzar no se definieron de forma precisa, sino que en muchas ocasiones se recurrió a términos ciertamente abstractos (véase el artículo 3 del TUE).

BIBLIOGRAFÍA

Véase Molina del Pozo, C. F.: *Manual de Derecho de la Comunidad Europea*, 2ª edición, Trivium, Madrid, 1990, p. 70.

Atendida la técnica de atribución de competencias que se acaba de señalar, no es de extrañar que el papel del Tribunal de Justicia de la Unión Europea —TJUE—, en su calidad de intérprete máximo del Derecho de la UE, haya sido y sea de enorme trascendencia. En su labor goza de un razonable margen de maniobra a la hora de establecer el contenido concreto de las competencias de la UE. De esta forma, y a partir de lo previsto en los artículos 3, 9, 28 y 113 TCE (los preceptos equivalentes en la actualidad son el 3, 31 TUE y 31 y 207 TFUE) el TJUE —en aquel momento TJCE— asentó una doctrina conforme a la cual las instituciones de la UE ostentan la competencia normativa en materia aduanera. En la actualidad, la competencia exclusiva de las instituciones de la Unión en materia aduanera viene expresamente establecida en el artículo 3 TFUE.

Véanse a este respecto las STJUE de 12 de julio de 1973 (asunto C-8/73, *Massey-Ferguson*) y de 27 de septiembre de 1988 (asunto C-165/87, *Comisión vs Consejo*).

En su redacción original, el art. 3 del TCEE relacionaba, como uno de los ámbitos de la acción comunitaria, "el establecimiento de un arancel aduanero común y de una política comercial común respecto de terceros Estados"; el art. 9 declaraba que "La Comunidad se basará en una unión aduanera" lo que, señalaba a renglón seguido, implicaría "la adopción de un arancel aduanero común en sus relaciones con terceros países"; el art. 28 en su redacción original disponía que "El Consejo decidirá por unanimidad toda modificación o suspensión autónoma de los derechos del arancel aduanero común"; el art. 113 ordenaba que "*tras la expiración del periodo transitorio,* la política comercial común se basará en principios uniformes, particularmente por lo que se refiere a las modificaciones arancelarias, la celebración de acuerdos arancelarios y comerciales, la consecución de la uniformidad de las medidas de protección comercial y, entre ellas, las que deban adoptarse en caso de dumping y subvenciones".

Un estudio del papel del TJUE en cuanto perfilador del contenido de la competencia atribuida a las instituciones comunitarias en el ámbito aduanero puede encontrarse en Galera Rodrigo, S.: *Derecho Aduanero español y comunitario,* Monografías Civitas, 1995, pp. 130 y ss. Como hemos señalado, la cuestión queda plenamente despejada con la incorporación a la literalidad expresa del TFUE, en su artículo 3, de la competencia exclusiva de las instituciones de la Unión en materia aduanera.

Artículo 3 TFUE
1. La Unión dispondrá de competencia exclusiva en los ámbitos siguientes: a) la unión aduanera; (...)

Conforme al artículo 288 TFUE podemos distinguir los siguientes tipos de fuentes formales del Derecho de la UE:

- El reglamento, que tiene un alcance general. Es obligatorio en todos sus elementos y directamente aplicable en cada Estado miembro.

- La directiva, que obliga al Estado miembro destinatario en cuanto al resultado que deba conseguirse, dejando, sin embargo, a las autoridades nacionales la elección de la forma y de los medios.

- La decisión, que es obligatoria en todos sus elementos para todos sus destinatarios.
- Las recomendaciones y los dictámenes, que no son vinculantes.

El Reglamento es la fuente formal por excelencia del Derecho aduanero de la UE. Esta fuente se caracteriza por tener alcance general, ser obligatoria en todos sus elementos y directamente aplicable en cada Estado miembro. Por ello puede afirmarse que el Reglamento es el instrumento de derecho "derivado" que produce efectos jurídicos más potentes, frente a la Directiva, que obliga a los Estados miembros en cuanto al resultado que debe conseguirse, pero deja a las autoridades nacionales la elección de la forma y de los medios para alcanzarlo. Para la adopción de los Reglamentos de base en materia aduanera, como el Código Aduanero de la Unión (CAU), se seguirá el procedimiento legislativo ordinario, que se regula en el artículo 294 TFUE, y en el que la Comisión propone, en tanto que corresponde al Parlamento Europeo y al Consejo decidir, en su caso, la aprobación y las enmiendas a la propuesta presentada.

Respecto del Reglamento de la UE el Tribunal ha predicado el denominado *principio de primacía* del Derecho de la UE, conforme al cual, las disposiciones del Tratado y los actos de las instituciones directamente aplicables tienen como efecto hacer inaplicable cualquier disposición contraria de la legislación nacional preexistente e impedir la validez de nuevas normas nacionales que sean incompatibles con las normas de la UE.

A este respecto véanse, por todas, las STJUE de 15 de junio de 1964 (asunto 6/64, *Costa/ENEL*) y la de 9 de marzo de 1978 (asunto 106/77, *Simmenthal*).

BIBLIOGRAFÍA

Esto significa que, en la medida en que se reconozca a las instituciones de la UE la potestad de dictar disposiciones directamente aplicables y éstas la ejerzan, los Estados ya no podrán establecer normas que impidan, limiten u obstaculicen lo dispuesto por el Derecho de la UE. En caso de que un Estado no respetase esta limitación, recaería sobre las normas dictadas en violación de la misma la sanción consistente en su inaplicabilidad, que deberá ser apreciada por el juez nacional, quien puede asimismo ordenar consecuencias más rigurosas.

De la conjugación de la potestad de la UE para dictar Reglamentos en materia de Derecho aduanero, de una parte, y del principio de primacía que se predica de los mismos, de otra, resulta que, allí donde las instituciones de la UE hayan ejercido esta potestad, los Estados quedan reducidos a dictar normas que desarrollen o complementen lo dispuesto por los preceptos de la UE. Más aún, el principio de primacía tiene también una proyección sobre la interpretación de las normas internas, la cual deberá hacerse conforme al Derecho de la UE. Por su parte, y dado que el TJUE es su máximo intérprete, la doctrina de este Tribunal prevalece sobre la de cualquier órgano jurisdiccional interno. En virtud del principio de primacía, la interpretación del Derecho de la Unión que realiza el TJUE prevalece asimismo sobre los poderes públicos nacionales, incluido el legislativo. De ahí que una norma interna —sea legal o reglamentaria— que sea contraria a una interpretación del TJUE debe considerarse implícitamente derogada.

> El sometimiento del ordenamiento interno a las normas de la UE puede resolverse en la exigibilidad de la devolución de ingresos indebidos por incumplimiento de la normativa de la UE por una norma interna. Al respecto, véase el editorial de Falcón y Tella en *Quincena Fiscal*, nº 13/1999.

Al ser el Derecho aduanero una materia bajo la exclusiva competencia de las instituciones de la UE, interesa poner de relieve asimismo la competencia reconocida al TJUE en el artículo 19 del Tratado UE (el TJUE aparece relacionado como Institución de la UE en el artículo 13 del Tratado UE), conforme al cual el TJUE "garantizará el respeto del Derecho en la interpretación y aplicación de los Tratados". En particular, cuando un órgano jurisdiccional nacional albergue dudas acerca de la correcta interpretación o validez de una norma de la UE en un caso concreto deberá plantear la oportuna cuestión prejudicial ante el TJUE (artículo 267 TFUE). El TJUE también ejerce el control de legalidad de los actos de las instituciones de la Unión (artículo 263 TFUE), que puede ser instado por cualquier persona física o jurídica afectada "directa e individualmente". Hemos de subrayar que los Tribunales nacionales carecen de competencia para dejar sin efecto una norma de la UE; sólo el TJUE puede anular o dejar sin efecto una norma o un acto ("decisión") de la UE. Si un Tribunal nacional considera que una norma o un acto de la UE podría ser contrario a los Tratados y, en consecuencia, ilegal, no puede adoptar tal decisión por sí mismo, sino que debe plantear la oportuna cuestión prejudicial al TJUE para que sea el TJUE quien decida esta cuestión.

> Esta circunstancia explica el contenido del apartado 2 de la Disposición Adicional Vigésima de la LGT (introducida por la Ley 34/2015, que también modifica en el mismo sentido la Ley 29/1998, de la Jurisdicción Contenciosa-Administrativa, introduciendo en ella una nueva Disposición Adicional Novena), que justamente se dirige a impedir, por si alguna duda cupiese, que un órgano revisor en vía administrativa o un Tribunal de justicia puedan adoptar una decisión que contravenga lo establecido en una decisión de la Comisión Europea en materia aduanera o que menoscabe las competencias de la Comisión Europea. Esta cuestión se examina más extensamente en el apartado 8 del capítulo 28.

La determinación del régimen jurídico aplicable ha de partir, por tanto, en todo caso, del examen del Derecho de la Unión en la materia, siendo en ausencia de norma de la UE o ante una laguna en su regulación cuando acudiremos a las disposiciones del ordenamiento interno para completar el régimen jurídico aplicable. Tratándose de materia tributaria, las disposiciones del ordenamiento interno a las que deberemos atender serán las normas generales de Derecho tributario (fundamentalmente, la LGT y sus reglamentos de desarrollo). En igualdad de rango, aplicando el principio de especialidad, aplicaremos de forma preferente la norma específica aduanera, si la hubiera, sobre la más general tributaria. A este respecto debe tenerse en cuenta que, dado que el Derecho de la UE ha regulado de forma profusa los aspectos sustantivos de los impuestos arancelarios, la aplicabilidad de las disposiciones internas se producirá básicamente con relación a los aspectos formales o de aplicación de los mismos (procedimientos tributarios de aplicación, recaudación y revisión). También en el ámbito de las infracciones y sanciones el régimen jurídico vendrá dado por las normas internas (piénsese, por ejemplo, en las infracciones y delitos de contrabando, o en las infracciones y sanciones tributarias).

> La Comisión Europea elaboró una Propuesta de Directiva del Parlamento Europeo y del Consejo sobre el marco jurídico de la Unión para las infracciones y sanciones aduaneras (Documento COM(2013) 884 final/4, de 05.06.2014). Esta Propuesta de Directiva pretende establecer una normativa básica común en este ámbito. En ella se enumeran supuestos de infracción objetiva (que se perfeccionan de forma automática, sin necesidad de elemento subjetivo alguno), supuestos de infracción por negligencia y supuestos de infracción dolosa (artículos 3, 4 y 5). Ahora bien, parece que esta propuesta no tiene visos de prosperar.

Conviene detenerse a precisar una idea que debiera ser una obviedad pero que, a la vista de lo que ocurre en la práctica, no lo es en absoluto. Por mucho que el Derecho aduanero que se aplica en España esté regulado fundamentalmente en normas de la UE, no por ello deja de ser cierto que las normas aduaneras internas españolas siguen las reglas de jerarquía normativa y las reglas de fuentes del ordenamiento español, es decir, del sistema jurídico en el que se incardinan.

En este orden de cosas puede aceptarse, por más que no sea una equivalencia perfecta, que un Reglamento de la UE permite entender cumplido el principio de legalidad, de manera que una norma interna que desarrolle sus preceptos no carecería de cobertura legal. Advirtamos que esto es cierto para los Reglamentos, nunca para las Directivas, puesto que la Directiva impone un resultado, pero el medio para cumplirlo es una decisión nacional, y esa decisión debe formalizarse conforme a las reglas internas. Por tanto, esa decisión *interna* acerca de qué medio utilizar para cumplir el fin impuesto por la Directiva no puede saltarse el requisito de la cobertura legal.

Continuando con esta cuestión, aún admitiendo que la norma interna que desarrolla un Reglamento de la Unión pueda entenderse que cuenta con cobertura legal, debe además verificarse que el sujeto u órgano que dicte la norma interna ostenta competencia reglamentaria en el ámbito interno. Ha de tenerse en cuenta que la Constitución española atribuye potestad reglamentaria únicamente al Gobierno. A esta la llamamos "potestad reglamentaria originaria" porque viene establecida en la propia Constitución (artículo 97). Sujetos distintos al Gobierno pueden recibir potestad reglamentaria 'derivada' cuando una ley o un reglamento del Gobierno les atribuya potestad reglamentaria. La doctrina ha precisado que esa atribución de competencia debe ser expresa y concreta.

Por tanto, un ministro —no digamos el Director de la AEAT o el Director del DAeIIEE, u otros...— no puede desarrollar reglamentariamente un Reglamento de la Unión a menos que una ley o un reglamento del Gobierno le hayan atribuido esa concreta potestad reglamentaria (o en virtud de una delegación de segundo grado; p.e. el Gobierno delega en el Ministro y el Ministro delega a su vez en el Director de la AEAT). Esta elemental regla de fuentes no siempre se respeta en nuestro ordenamiento. Cuando un sujeto dicta una norma careciendo de la atribución de la potestad para dictarla, esa 'norma' carece de eficacia jurídica —aunque se publique en el BOE— y sólo goza de eficacia doméstica, esto es, respecto de los funcionarios jerárquicamente dependientes del sujeto u órgano que la dicte (es una orden o memorando interno; la Constitución establece el principio de jerarquía en la actuación de la Administración, artículo 103).

> Lo contrario sería tanto como pensar que cualquiera que tenga un silbato puede dirigir el tráfico, aunque no sea policía. La 'norma' dictada por quien no tiene atribuida la competencia reglamentaria merece tanta consideración como el buen vecino que compra un silbato y se aventura a dirigir el tráfico: se le podrá hacer caso por convicción, nunca por imperativo jurídico.

BIBLIOGRAFÍA

> La cuestión de la cobertura legal en materias reguladas por normas de la UE se analiza con más detalle en Ibáñez Marsilla, S.: "Las normas tributarias de la UE y el principio de reserva de ley en materia tributaria", *Crónica Tributaria*, nº 80, 1996, pp. 59-73.

3.4. LAS RELACIONES ENTRE EL DERECHO ADUANERO DE LA UNIÓN Y LAS NORMAS INTERNACIONALES

Conforme al artículo 216.2 TFUE "Los acuerdos celebrados por la Unión vincularán a las instituciones de la Unión y a los Estados miembros". Por tanto, los acuerdos internacionales válidamente ratificados tienen eficacia vinculante en el ordenamiento de la UE desde su entrada en vigor.

> Así lo ha venido apreciando también el TJUE. En este sentido, STJUE *Thomson Multimedia*, asunto C-448/05, de 08.03.2007, p. 30, en la que se cita, a su vez, la STJUE *The Queen a instancia de IATA*, asunto C-344/04, de 10.01.2006, p. 36 que, por su parte, cita en el mismo sentido las STJUE *Haegeman*, asunto 181/73, de 30.04.1974, p. 5 y *Demirel*, asunto 12/86, de 30.09.1987, p. 7.

En este sentido, por ejemplo, en la Sentencia *F.T.S. International*, el Tribunal declara inválido un Reglamento dictado por la Comisión por resultar incompatible con el Sistema Armonizado de codificación y designación (Sentencia TJUE de 18.07.2007, asunto C-310/06, *F.T.S. International*; la norma enjuiciada es el Reglamento nº 1223/2002).

Muy similar es la Sentencia *Dinter* (Sentencia TJUE de 29.10.2009, asuntos C-522/07 y C-65/08, *Dinter*), también relativa a un exceso de la Comisión en el ejercicio de sus facultades en materia de clasificación arancelaria con menoscabo del Sistema Armonizado.

BIBLIOGRAFÍA

> Cita en apoyo de esta tesis sus Sentencias de 14.12.1995, asunto C-267/94, *Francia/Comisión*, apartados 19 y 20, y de 27.04.2006, asunto C-15/05, *Kawasaki Motors Europe*, apartado 35.

El "Convenio Internacional relativo al Sistema Armonizado de Designación y Codificación de Mercancías" («SA»), celebrado en Bruselas el 14 de junio de 1983, y su "Protocolo de enmienda" de 24 de junio de 1986 («Convenio del SA») fueron aprobados en nombre de la CEE en virtud de la Decisión 87/369/CEE del Consejo, de 7 de abril de 1987 (DO L 198, p. 1). Con arreglo al artículo 3, apartado 1, del Convenio del SA, las partes contratantes se comprometen a que sus nomenclaturas arancelaria y estadística se ajusten al SA, a utilizar todas las partidas y subpartidas del SA sin adición ni modificación, así como los códigos correspondientes, y a seguir el orden de enumeración de este sistema. La misma disposición establece que las partes contratantes se comprometen igualmente a aplicar las reglas generales para la interpretación del SA así como todas las notas de las secciones, capítulos y subpartidas del SA y a no modificar su alcance. El SA se expone en el capítulo 7, al analizar la clasificación aduanera.

No obstante, la cuestión se complica cuando se trata de normas de la OMC, según vamos a exponer a continuación. En este punto intentaremos determinar si un ciudadano europeo puede basar con éxito su pretensión de invalidez de una norma nacional o de la Unión en la infracción de una norma de la OMC; dicho de otro modo, determinar si una norma nacional o de la Unión puede anularse por contravenir mandatos establecidos en una norma de la OMC.

Para dar respuesta a esta cuestión, señalemos que un primer antecedente lo constituyó la Sentencia *International Fruit* (STJUE de 12.12.1972, asunto 21/72), en la que el Tribunal decidió que el GATT "en sí mismo, no otorga a favor de los justiciables de la Comunidad, el derecho a acogerse a él, ante los órganos jurisdiccionales" (p. 27). Para llegar a esta conclusión observó que el GATT incorpora un peculiar mecanismo de solución de diferencias que no obliga a la Parte infractora a eliminar la norma que incurre en una contravención, sino que una Parte puede mantener tal norma pero con la consecuencia de que la Parte perjudicada pueda adoptar contramedidas disuasorias, mediante la suspensión de concesiones. En la posterior Sentencia *SAMI* (STJUE de 16.03.1983, asunto 267/81) el Tribunal afirmó su competencia para la determinación del alcance y del efecto de las normas del GATT en la UE, a fin de lograr la uniformidad de su interpretación en todo el ámbito de la unión aduanera (p. 15).

El siguiente paso lo constituyó la Sentencia *Nakajima* (STJUE de 07.05.1991, asunto C-69/89), en la que se examinaba la validez del Reglamento (CEE) nº 2423/88 del

Consejo, de 11 de julio de 1988, relativo a la defensa contra las importaciones que sean objeto de dumping o de subvenciones por parte de países no miembros de la Comunidad Económica Europea (DO L 209, p. 1). El Tribunal admitió que este Reglamento "fue adoptado para cumplir las obligaciones internacionales de la Comunidad" en relación con el Acuerdo Antidumping de la OMC, motivo por el cual apreció que "en estas circunstancias procede comprobar si, como afirma Nakajima, el Consejo se excedió en el marco legal delimitado de este modo y si, mediante la disposición que se discute, se infringió lo que disponen los apartados 4 y 6 del artículo 2 del Código antidumping" (párrafos 31 y 32). Por tanto, en aquél asunto el TJUE aceptó que procedía realizar un control de la legalidad del Reglamento antidumping de base 1989 a la luz de las disposiciones del Acuerdo antidumping de la OMC. Dado que el Tribunal concluyó que ese examen no ponía de manifiesto una vulneración de las normas de la OMC, el Reglamento no fue anulado.

Frente a este precedente favorable a la eficacia de las normas de la OMC en el Derecho de la Unión, la posterior jurisprudencia del TJUE ha reiterado que los Acuerdos de la OMC no figuran, en principio, entre las normas a la luz de las cuales controla la legalidad de los actos de la Instituciones de la UE. Esto es, la declaración de un Reglamento como incompatible con el Derecho de la OMC no determina la anulabilidad de ese Reglamento en el ámbito interno de la UE. Sólo en caso de que la UE haya pretendido dar ejecución a una obligación particular asumida en el marco de la OMC, o cuando el acto de la UE remita expresamente a disposiciones precisas de los Acuerdos OMC, el TJUE procederá a controlar la legalidad del acto tomando en consideración las normas de la OMC.

> Esta es la senda marcada por la Sentencia *Alemania-Consejo* (STJUE de 05.10.1994, asunto C-280/93, *Alemania-Consejo* (*Plátanos I*); los hechos del asunto se produjeron con anterioridad al establecimiento de la OMC, por lo que se analizan a la luz del GATT) y posteriormente ratificada en la Sentencia *Portugal-Consejo* (STJUE de 23.11.1999, asunto C-149/96, *Portugal-Consejo*; véanse especialmente los párrafos 46 y 47), *Van Parys* (STJUE de 01.03.2005, asunto C-377/02, *Van Parys*), *Katsivardas* (STJUE de 20.05.2010, asunto C-160/09, *Katsivardas*), *Chiquita* (STJUE (1ª Instancia) de 03.02.2005, asunto T-19/01, *Chiquita*) y *X* (STJUE de 10.11.2011, asunto C-319/10 y C-320/10, *X*, especialmente párrafo 35).

La aludida doctrina tiene como presupuesto que el Derecho de la OMC "se caracteriza por la gran flexibilidad de sus disposiciones, en particular de aquellas que se refieren a las posibilidades de establecer excepciones, a las medidas que pueden adoptarse en caso de dificultades excepcionales y a la solución de discrepancias entre las Partes Contratantes" (STJUE de 05.10.1994, asunto C-280/93, *Alemania-Consejo*, párrafo 106). Destacó además el Tribunal que el GATT dispone de sus propios mecanismos de solución de diferencias y de adopción de medidas, todo lo cual le condujo a sentar la siguiente doctrina (párrafos 109 a 111 STJUE de 05.10.1994, asunto C-280/93, *Alemania-Consejo*):

> "Estas particularidades del Acuerdo General, puestas de manifiesto por este Tribunal de Justicia para señalar que un justiciable de la Comunidad no puede invocarlo ante los Tribunales

con el fin de cuestionar la legalidad de un acto comunitario, se oponen igualmente a que este Tribunal de Justicia tenga en cuenta las disposiciones del Acuerdo General para apreciar la legalidad de un Reglamento en el marco de un recurso interpuesto por un Estado miembro con arreglo al párrafo primero del artículo 173 del Tratado" —artículo que regulaba la cuestión prejudicial—.

"En efecto, las distintas particularidades anteriormente señaladas ponen de manifiesto que las normas del Acuerdo General no son de carácter incondicional y que la obligación de reconocerles valor de normas de Derecho internacional inmediatamente aplicables en los ordenamientos jurídicos internos de las Partes Contratantes no puede basarse en el espíritu, el sistema o en la letra del Acuerdo".

En el párrafo siguiente de la misma Sentencia se condensa el estándar de examen que fija el TJUE a la hora de decidir si la validez de una norma de la UE debe supeditarse a su compatibilidad con una norma de la OMC:

"A falta de tal obligación derivada del propio Acuerdo, únicamente en el caso de que la Comunidad haya pretendido cumplir una obligación concreta asumida en el marco del GATT o cuando el acto comunitario se remita expresamente a disposiciones precisas del Acuerdo General, corresponderá al Tribunal de Justicia controlar la legalidad del acto comunitario de que se trate en relación con las normas del GATT".

Así pues, conforme a esta doctrina, una norma de la UE será inválida si es incompatible con una norma de la OMC únicamente en dos supuestos:

a) Cuando la UE haya pretendido cumplir una obligación concreta asumida en el marco de la OMC; o bien

b) Cuando el acto de la UE se remita expresamente a disposiciones precisas de los Acuerdos OMC.

Por otra parte, no son ajenas a esta solución consideraciones de orden práctico, que atienden a que tampoco otros Estados deciden la legalidad de sus normas internas a la luz de su compatibilidad con las normas de la OMC.

La STJUE de 01.03.2005, asunto C-377/02, *Van Parys,* en su párrafo 53 lo expone así:
"Consta que algunas de las Partes contratantes, entre las cuales se encuentran los socios más importantes de la Comunidad desde el punto de vista comercial, han llegado precisamente a la conclusión, a la luz del objeto y de la finalidad de los Acuerdos OMC, de que tales Acuerdos no se incluyen entre las normas con respecto a las cuales los órganos jurisdiccionales controlan la legalidad de sus normas jurídicas internas. Si se admitiera esta falta de reciprocidad, ésta entrañaría el riesgo de que se produzca un desequilibrio en la aplicación de las normas de la OMC".

Ni siquiera cuando la solución de una diferencia en el marco del sistema de la OMC revela que la norma de la UE es incompatible con el Derecho de la OMC cabe concluir que esa norma es inválida en el ámbito jurídico de la UE. En la Sentencia *Van Parys,* el Tribunal aprecia que, al asumir el compromiso de acatar las normas de la OMC tras la adopción de la resolución del OSD, "la Comunidad no tenía el propósito de asumir una obligación particular en el marco de la OMC, que pueda justificar una excepción a la imposibilidad de invocar normas de la OMC ante el órgano jurisdiccional comunitario y permitir que éste controle la legalidad de las disposiciones comunitarias controvertidas en relación con las citadas normas" (párrafo 41). El Tribunal recuerda que, en el marco de la solución de diferencias en la OMC, existe un amplio margen para la negociación, y que las Partes pueden incluso optar por la compensación o la suspensión de concesiones si deciden no retirar la norma declarada incompatible. Y, a partir de estas consideraciones, estima:

> "En tales circunstancias, imponer a los órganos jurisdiccionales la obligación de abstenerse de aplicar las normas jurídicas internas que sean incompatibles con los Acuerdos OMC tendría como consecuencia privar a los órganos legislativos o ejecutivos de las Partes contratantes de la posibilidad de alcanzar, siquiera fuera con carácter temporal, una solución negociada, posibilidad que les confiere en particular el artículo 22 de dicho Memorándum" (Sentencia TJUE *Van Parys*, apartado 48; cita en este sentido la Sentencia *Portugal/Consejo*, a que antes nos hemos referido, en su apartado 40).

Por ello se decide que "el Reglamento n° 1637/98 y los Reglamentos adoptados para su aplicación, que son objeto del asunto del procedimiento principal, no pueden considerarse medidas destinadas a ejecutar en el ordenamiento jurídico comunitario una obligación particular asumida en el marco de la OMC. Estos actos tampoco se remiten expresamente a disposiciones precisas de los Acuerdos OMC", de modo que no procede controlar su legalidad en relación con las normas de la OMC (Sentencia TJUE *Van Parys*, apartado 52). Por su parte, la Sentencia *Chiquita* aprecia, una vez más, que el compromiso adquirido por la Comunidad tras una resolución desfavorable del OSD no convierte a los Reglamentos comunitarios dictados posteriormente en medidas destinadas a ejecutar en el ordenamiento comunitario una obligación particular asumida en el marco de la OMC (Sentencia TJUE (1ª Instancia) de 03.02.2005, asunto T-19/01, *Chiquita*).

> En el mismo sentido, la STJUE *CIVAD* (asunto C-533/10, de 14.06.2012, pp. 36-44) decide que la declaración de un Reglamento de la UE como contrario al Derecho de la OMC por el Órgano de Solución de Diferencias de la OMC no convierte en indebidos los ingresos exigidos en aplicación de ese Reglamento, puesto que sólo el Tribunal de Justicia es competente para declarar la invalidez de un acto de la Unión.

La STJUE *X* (asunto C-319/10 y C-320/10, citada *supra*) colocó al Tribunal en la encrucijada entre su doctrina relativa a la limitada eficacia de las normas de la OMC y su doctrina general que reconoce eficacia a los demás acuerdos internacionales, entre los que se encuentra el relativo al Sistema Armonizado (recuérdese que el SA es un acuerdo promovido por la OMA, no por la OMC). El Tribunal ha afirmado en otras ocasiones la invalidez de Reglamentos de la UE contrarios al SA. Ahora bien, en este caso se trataba de una decisión del OSD de la OMC que decidió que un Reglamento de la Comisión en materia de clasificación arancelaria contravenía el Sistema Armonizado y era incompatible con el Derecho de la OMC. La solución no era fácil para el Tribunal, dado que la vulneración del SA por la Comisión es puesta de manifiesto por el OSD de la OMC, a quien en realidad le ocupaba decidir si la Unión había incumplido sus compromisos en materia de concesiones arancelarias y fue justamente para despejar este interrogante que debió previamente establecer si los criterios de clasificación arancelaria aplicados en el Derecho de la Unión eran o no conformes con el SA. Esta particular circunstancia complicaba el análisis, dado que reconocer eficacia directa a una decisión del OSD, por más que se hiciera expresa la restricción de que ello sólo ocurría por tratarse de una cuestión atinente a la clasificación arancelaria, suponía admitir que una norma de la UE podía ser inválida por oponerse al sistema de la OMC. Por ello, el Tribunal decidió que, si una norma de la OMC no puede ser la base en la que fundar la invalidez de un Reglamento de la UE, con mayor motivo tampoco una apreciación del OSD —que desarrolla su actividad en un marco normativo creado por las normas de la OMC— puede determinar la invalidez de un Reglamento de la UE.

El TJUE ha justificado esta solución en que el sistema de la OMC establece un amplio margen para la negociación a la hora de aplicar las decisiones del OSD, por lo que un operador no puede pretender, ni ante los tribunales nacionales ni ante el propio TJUE, que un Reglamento de la UE es incompatible con determinadas normas de la OMC aun cuando el OSD así lo haya declarado (STJUE de 10.11.2011, asunto C-319/10 y C-320/10, *X*; párrafo 36, en el que remite a lo expresado en el párrafo 54 de la STJUE C-377/02, *Van Parys*). Señala el Tribunal que la decisión del OSD no debe distinguirse fundamentalmente de las normas sustantivas de la OMC que traducen las obligaciones contraídas por un miembro en el marco de la OMC. Así como no cabe basar la ilegalidad de una norma de la Unión en una norma de la OMC, tampoco cabe hacer lo propio basándose en una decisión del OSD. En definitiva, un Estado puede incumplir indefinidamente una norma de la OMC y ello únicamente determinará, en su caso, que deba soportar que los Estados que se consideren perjudicados por esta conducta y prevalezcan en el OSD le apliquen medidas compensatorias, pero esos otros Estados no le pueden imponer que derogue la norma de que se trate. De este modo, no puede pretenderse que una decisión del OSD prevalezca sobre una norma de la Unión —es decir, que la derogue—, dado que se limita a determinar que esa norma no es conforme con el Derecho de la OMC, pero de ello no se sigue su nulidad en el ámbito interno. La consecuencia jurídica de la no conformidad con el Derecho de la OMC consiste en que el Miembro infractor (en este caso, la UE) debe modificar la medida para hacerla compatible o bien, de no hacerlo, soportar que el Miembro que se identifique como perjudicado le imponga medidas compensatorias.

La STJUE *Clark/Puma* (de 04.02.2016, asunto C-659/13) completa el viraje de 180 grados respecto a sentencia *Nakajima* al apreciar que "Se debe concluir por tanto que el Acuerdo antidumping de la OMC no puede ser invocado para impugnar la validez del Reglamento definitivo" (p. 92; véanse los pp. 80 a 100 de esta Sentencia, donde se reitera la doctrina que hemos expuesto aquí y que permite llegar a esta conclusión).

Por otra parte, conviene subrayar que el Tribunal ha reiterado que, en cualquier caso, las normas de la UE deben interpretarse, "en la medida de lo posible", de conformidad con las normas internacionales.

> Dice así la Sentencia de 07.06.2007, asunto 335/05, *Řízení Letového Provozu*, en su apartado 16:
> "*Respecto a la influencia que puede tener un acuerdo internacional del que forma parte la Comunidad, como el AGCS, sobre la interpretación de una disposición de Derecho derivado, es jurisprudencia reiterada que la primacía de los acuerdos internacionales celebrados por la Comunidad sobre las disposiciones de Derecho comunitario derivado impone interpretar éstas, en la medida de lo posible, de conformidad con dichos acuerdos*".
> Cita en apoyo de esta doctrina las Sentencias de 10.09.1996, asunto C-61/94, *Comisión/Alemania*, apartado 52; de 01.04.2004, asunto C-286/02, *Bellio F.lli*, apartado 33; de 12.01.2006, asunto C-311/04, *Algemene Scheeps Agentuur Dordrecht*, apartado 25, y de 08.03.2007, asuntos C-447/05 y C-448/05, *Thomson y Vestel France*, apartado 30.

Esta doctrina ha venido posteriormente confirmada en la Sentencia *X* (STJUE de 10.11.2011, asunto C-319/10 y C-320/10, *X*, párrafo 44). Así pues, en el momento de *interpretar* las normas europeas, los operadores jurídicos deben decantarse por aquellas soluciones que permitan compatibilizar del mejor modo posible la norma de la UE con el contenido de la norma internacional, sea esta de la OMC o de otra fuente.

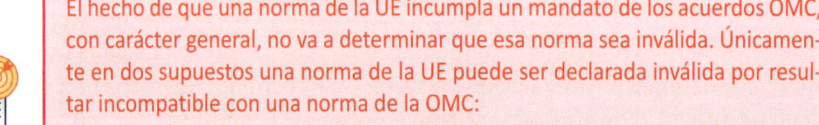

> Artículo 216.2 TFUE "Los acuerdos celebrados por la Unión vincularán a las instituciones de la Unión y a los Estados miembros". Ahora bien, los acuerdos OMC son un tipo peculiar de acuerdo internacional.
> El hecho de que una norma de la UE incumpla un mandato de los acuerdos OMC, con carácter general, no va a determinar que esa norma sea inválida. Únicamente en dos supuestos una norma de la UE puede ser declarada inválida por resultar incompatible con una norma de la OMC:
> a) Cuando la UE haya pretendido cumplir una obligación concreta asumida en el marco de la OMC; o bien
> b) Cuando el acto de la UE se remita expresamente a disposiciones precisas de los Acuerdos OMC.
> Las normas de la UE deben interpretarse, en la medida de lo posible, de conformidad con las normas internacionales suscritas por la UE.

Hasta ahora se ha examinado la relevancia que el Derecho de la OMC alcanza en relación con las normas de la UE. La STJUE *Comisión/Hungría* (asunto C-66/18, de 06.10.2020) examina una cuestión distinta, a saber, si un Estado miembro de la UE incurre en incumplimiento del Derecho de la UE cuando una norma de ese Estado es contraria al Derecho de la OMC. A este respecto, ha de tenerse en cuenta que un acuerdo internacional celebrado por la Unión forma parte integrante, a partir de su entrada en vigor, del ordenamiento jurídico de la UE, de modo que incumplir una norma de la OMC es incumplir una norma de la UE (concretamente, supone incumplir la Decisión 94/800, en virtud de la cual la UE aprobó incorporarse a la OMC). Aunque la cuestión que se dilucidaba en aquél asunto versaba sobre el GATS (Acuerdo General sobre Comercio de Servicios de la OMC), las consideraciones que realiza el TJUE sobre la cuestión referida son relevantes para cualquier acuerdo OMC. Y lo que el TJUE decide es que una norma nacional que se oponga al Derecho de la OMC supone un incumplimiento del Derecho de la UE por parte de ese Estado miembro, habida cuenta de la competencia exclusiva sobre la política comercial que el artículo 3 TFUE atribuye a la UE y habida cuenta, también, del riesgo que ese incumplimiento puede generar para la UE, que asume la responsabilidad internacional frente a terceros países, dado que estos podrían suscitar una diferencia ante la OMC. El Tribunal, además, decide su propia competencia para determinar si una norma nacional infringe el Derecho de la OMC a los efectos de apreciar si ese Estado miembro ha incurrido en un incumplimiento del Derecho de la UE. En consecuencia, no es necesario, a estos efectos, que el incumplimiento del Derecho de la OMC haya sido determinado en el marco del mecanismo de solución de diferencias de la propia OMC.

> Obsérvese, entonces, que la eficacia de las normas OMC es distinta frente a una norma de la UE (en cuyo caso, con carácter general, la norma de la OMC no puede provocar la invalidez de la norma de la UE) que frente a una norma nacional (en cuyo caso el Estado miembro que la ha dictado se considera que incurre en un incumplimiento del Derecho de la UE). Parece que, si se aplicase el mismo criterio, habría que considerar que una norma de la UE que vulnere el Derecho de la OMC contraviene la Decisión 94/800 igualmente, de modo que si esa norma de la UE es de rango inferior a la referida Decisión tendría que considerarse inválida por contravenir la jerarquía de fuentes.
>
> En la STJUE *Comisión/Hungría* se trataba de una ley húngara que establecía requisitos adicionales para prestar servicios de educación superior a los centros establecidos fuera de Hungría respecto de los centros que sí se encontraban establecidos en Hungría. Esta diferencia de trato podría colisionar con la norma OMC de Trato Nacional, que también se establece en el GATS respecto de los servicios. El TJUE decide que el incumplimiento de la norma de Trato Nacional del GATS es un incumplimiento de un acuerdo que forma parte del Derecho de la UE y, por tanto, un incumplimiento del Derecho de la UE; y que corresponde al TJUE determinar, a los efectos del ordenamiento de la UE, si una norma nacional incumple una norma OMC (apartados 58 a 93 de la Sentencia).

3.5. LAS FUENTES DEL DERECHO ADUANERO DE LA UNIÓN

Como resultado del ejercicio por las instituciones de la UE de su poder normativo en materia aduanera, contamos con un amplio repertorio de normas en este ámbito. Precisamente, la dispersión normativa galopante fue el motivo que condujo a realizar un esfuerzo de codificación, que fructificó con la elaboración del Código Aduanero Comunitario (CAC), que fue aprobado mediante Reglamento (CEE) nº 2913/92 del Consejo, de 12 de octubre de 1992 (DO L 302, de 19/10/1992, p. 1).

> Aunque gozó de una destacable estabilidad, el CAC fue modificado en diversas ocasiones. La última versión consolidada (es decir, un texto vigente completo, en el que se incorporan todas las modificaciones de que fue objeto durante su vigencia) es de 1 de enero de 2007.
> Las disposiciones del CAC fueron desarrolladas por el Reglamento (CEE) nº 2454/93, de la Comisión, de 2 de julio de 1993 (DO L 253 11.10.93 p. 1; corrección de errores en DO L 268, de 19.10.1994), por el que se fijan determinadas disposiciones de aplicación del Reglamento (CEE) nº 2913/92 del Consejo por el que se establece el Código Aduanero Comunitario (RACAC). Por tanto, teníamos una norma de base (el CAC) y una norma de desarrollo (el RACAC). Dado que el RACAC se modificó con cierta frecuencia, cada año se publicaba en la serie C del DO una nueva versión consolidada que permitía disponer, en un único instrumento, del texto vigente con todas las modificaciones incorporadas. Mientras que el CAC fue derogado por el CAU, el RACAC fue derogado por el Reglamento de Ejecución 2016/481 (DO L 87, de 02.04.2016, p. 24).

ENLACE

> Las normas de la UE pueden consultarse en el sitio de Eur-Lex:
> http://eur-lex.europa.eu
> Eur-Lex es un sitio de las instituciones europeas.

Un nuevo paso en el esfuerzo codificador lo supuso el Reglamento (UE) 952/2013, del Parlamento Europeo y del Consejo, por el que se establece el Código Aduanero de la Unión (que abreviaremos en lo sucesivo como **CAU**) que se publicó en el DO L 269, de 10.10.2013. Esta es, actualmente, la norma básica en materia aduanera en la UE.

> Este Reglamento, aunque entró en 'vigor' a los 20 días de su publicación (es decir, el 30.10.2013) no fue aplicable hasta el 1 de mayo de 2016, fecha en que quedaron derogados el CAC y el RACAC (hasta 1 de mayo de 2016 se aplicaron las normas del CAC y del RACAC). Se puso así el último clavo en el ataúd del desventurado Código Aduanero Modernizado. En efecto, en el Diario Oficial de la UE del 4 de junio de 2008 (serie L nº 145) se publicó el "Reglamento (CE) nº 450/2008, del Parlamento Europeo y del Consejo, de 23 de abril de 2008, por el que se establece el Código Aduanero Comunitario (Código Aduanero Modernizado)", al que nos referiremos en lo sucesivo por su acrónimo, **CAM**, que entró en 'vigor' el 24 de junio de 2008, pero cuyas disposiciones no eran 'aplicables' conforme a lo dispuesto en su artículo 188 (tan sólo eran aplicables aquellos preceptos que atribuían competencia a la Comisión para dictar un Reglamento de aplicación, es decir, de desarrollo). Para entendernos, pues, no entró realmente en vigor, de igual forma que ocurrió al

CAU hasta el 1 de mayo de 2016. Sin que hubiera llegado a ser aplicable, el Reglamento 952/2013, por el que se establece el Código Aduanero de la Unión (**CAU**), ordenó la derogación del CAM.

Como normas de desarrollo del CAU tenemos las siguientes:

- El **Reglamento Delegado (UE) 2015/2446** de la Comisión, de 28 de julio de 2015, por el que se completa el Reglamento (UE) nº 952/2013 del Parlamento Europeo y del Consejo con normas de desarrollo relativas a determinadas disposiciones del Código Aduanero de la Unión (al que nos referiremos en lo sucesivo como "**RDCAU**");

- El **Reglamento de Ejecución (UE) 2015/2447** de la Comisión, de 24 de noviembre de 2015, por el que se establecen normas de desarrollo de determinadas disposiciones del Reglamento (UE) nº 952/2013 del Parlamento Europeo y del Consejo por el que se establece el código aduanero de la Unión (al que nos referiremos en lo sucesivo como "**RECAU**"); y

- **Reglamento Delegado (UE) 2016/341** de la Comisión, de 17 de diciembre de 2015, por el que se completa el Reglamento (UE) nº 952/2013 del Parlamento Europeo y del Consejo en lo que se refiere a las **normas transitorias** para determinadas disposiciones del Código aduanero de la Unión mientras no estén operativos los sistemas electrónicos pertinentes y por el que se modifica el Reglamento Delegado (UE) 2015/2446 (al que nos referiremos en lo sucesivo como "**RDTCAU**").

Código Aduanero de la Unión y Reglamentos de desarrollo	
CAU	**Reglamento (UE) 952/2013**, por el que se establece el Código Aduanero de la Unión
RDCAU	**Reglamento Delegado (UE) 2015/2446**, por el que se completa el CAU con normas de desarrollo
RECAU	**Reglamento de Ejecución (UE) 2015/2447**, por el que se establecen normas de desarrollo de determinadas disposiciones del CAU
RDTCAU	**Reglamento Delegado (UE) 2016/341**, por el que se completa el CAU en lo que se refiere a las **normas transitorias** mientras no estén operativos los sistemas electrónicos pertinentes y por el que se modifica el RDCAU

Como se puede observar, cabe distinguir tres tipos de Reglamentos:

- **Reglamentos de Base.** Estos Reglamentos son elaborados por la Comisión y aprobados por el Consejo y por el Parlamento Europeo (de ahí la denominación "procedimiento de co-decisión", porque interviene el Consejo y el Parlamento), siguiendo el denominado "procedimiento legislativo ordinario", que se regula en el artículo 294 TFUE. El Código Aduanero de la Unión (CAU) es un Reglamento de este tipo (artículos 33, 114 y 207 TFUE). A lo largo de su articulado, el CAU atribuye competencias a la Comisión para adoptar Reglamentos Delegados y Reglamentos de Ejecución.

- **Reglamentos Delegados (RD).** Estos Reglamentos los elabora la Comisión (artículo 290 TFUE). Se discuten en el Grupo de Expertos de Aduanas (Customs Expert Group, CEG), en el que están representadas las Administraciones de Aduanas nacionales. Y en el Grupo de Contacto de Comercio (Trade Contact Group, TCG), en el que están representadas las asociaciones de comercio. A partir de esta discusión, la Comisión adopta el RD cuando lo considera oportuno. El RD sólo puede entrar en vigor si, en el plazo de dos meses tras su notificación, ni el Consejo ni el Parlamento Europeo formulan objeciones. El RDCAU es un Reglamento de este tipo.

- **Reglamentos de Ejecución (RE).** Estos Reglamentos los elabora la Comisión (artículo 291 TFUE). De forma análoga a los RD, estos Reglamentos se discuten en el CEG y el TCG. A partir de esta discusión, la Comisión lo remite al Comité del Código Aduanero (Customs Code Committee, CCC), en el que están representadas las Administraciones de Aduanas nacionales, donde se adoptará el RE a menos que una mayoría cualificada del CCC se oponga a él. El RECAU es un Reglamento de este tipo.

Al Comité del Código Aduanero (CCC) no sólo se le atribuyen competencias en el CAU para adoptar Reglamentos de Ejecución, sino que también otros Reglamentos le atribuyen competencias normativas. En este sentido:
- Artículo 10 del Reglamento 2658/87 ("Reglamento del Arancel");
- Artículo 3 del Reglamento 3050/95 (sobre suspensiones de derechos en productos destinados a la construcción, mantenimiento y reparación de aeronaves);
- Artículo 10 del Reglamento 32/2000 (sobre gestión de contingentes arancelarios).
El artículo 290 TFUE regula los actos legislativos delegados, en tanto que el artículo 291 TFUE regula los actos legislativos ejecutivos. Lo hacen en los términos siguientes:

Artículo 290 TFUE. 1. Un acto legislativo podrá delegar en la Comisión los poderes para adoptar actos no legislativos de alcance general que completen o modifiquen determinados elementos no esenciales del acto legislativo.

Los actos legislativos delimitarán de forma expresa los objetivos, el contenido, el alcance y la duración de la delegación de poderes. La regulación de los elementos esenciales de un ámbito estará reservada al acto legislativo y, por lo tanto, no podrá ser objeto de una delegación de poderes.

2. Los actos legislativos fijarán de forma expresa las condiciones a las que estará sujeta la delegación, que podrán ser las siguientes:

a) el Parlamento Europeo o el Consejo podrán decidir revocar la delegación;

b) el acto delegado no podrá entrar en vigor si el Parlamento Europeo o el Consejo han formulado objeciones en el plazo fijado en el acto legislativo.

A efectos de las letras a) y b), el Parlamento Europeo se pronunciará por mayoría de los miembros que lo componen y el Consejo lo hará por mayoría cualificada.

3. En el título de los actos delegados figurará el adjetivo «delegado» o «delegada».

Artículo 291 TFUE. 1. Los Estados miembros adoptarán todas las medidas de Derecho interno necesarias para la ejecución de los actos jurídicamente vinculantes de la Unión.

2. Cuando se requieran condiciones uniformes de ejecución de los actos jurídicamente vinculantes de la Unión, éstos conferirán competencias de ejecución a la Comisión o, en casos específicos debidamente justificados y en los previstos en los artículos 24 y 26 del Tratado de la Unión Europea, al Consejo.

3. A efectos del apartado 2, el Parlamento Europeo y el Consejo establecerán previamente, mediante reglamentos adoptados con arreglo al procedimiento legislativo ordinario, las normas y principios generales relativos a las modalidades de control, por parte de los Estados miembros, del ejercicio de las competencias de ejecución por la Comisión.

4. En el título de los actos de ejecución figurará la expresión «de ejecución».

Por otro lado, ni el CAU ni sus Reglamentos de desarrollo condensan en su seno la totalidad de la regulación en materia aduanera. De carácter fundamental, en este sentido, es el Reglamento (CE) 2658/1987, del Consejo, de 23 de julio de 1987 (DO 07.09.1987), relativo a la nomenclatura arancelaria y estadística y al arancel aduanero común, en el que se recoge la nomenclatura utilizada para la clasificación aduanera de las mercancías, así como el conjunto de medidas arancelarias y de política comercial que se aplican con ocasión de la importación de cada una de ellas.

Las normas de la UE en materia aduanera vienen en muchas ocasiones condicionadas o predeterminadas por normas de carácter internacional (bilaterales o multilaterales), como las que integran el paquete de acuerdos de la Organización Mundial de Comercio (OMC) o las alcanzadas en el marco de la Organización Mundial de Aduanas, según hemos hecho referencia.

Véase la Decisión 94/800/CE del Consejo, de 22 de diciembre de 1994, relativa a la celebración en nombre de la Comunidad Europea de los acuerdos resultantes de las negociaciones multilaterales de la Ronda Uruguay (1986-1994) (DO L 336 de 23. 12. 1994, p. 1), que recoge como anexo el texto de los Acuerdos. También puede verse en el suplemento al BOE nº 20, de 24 de enero de 1995.

Al margen de las normas aduaneras emanadas de instituciones multilaterales, otra fuente muy relevante de acuerdos bilaterales o multilaterales en materia aduanera viene dada por los acuerdos por los que se establece una unión aduanera o una zona de libre comercio. La Unión Europea es muy activa en este sentido, y tiene acuerdos por los que se establece una de unión aduanera con:

Acuerdos de unión aduanera de la UE	
Andorra	DO L 374, de 31.12.1990, p. 13
San Marino	DO L 359, de 09.12.1992, p. 13
Turquía	DO L 35, de 13.02.1996, p. 1; DO L 227, 1992, p. 3; DO L 86, 1998, p. 1; DO L 98, 2001, p. 31

Por otro lado, la Unión Europea tiene acuerdos de libre comercio, en ocasiones en el marco de Tratados de más amplio contenido —como Acuerdos de Asociación—, con gran número de países, tanto de carácter bilateral como multilateral. La referencia más completa a estos acuerdos se ofrece en el capítulo 7.

En otro orden de cosas debemos señalar que, en ocasiones, es posible detectar discrepancias lingüísticas entre distintas versiones de una misma norma de la UE, problema que quizá aparece con más frecuencia en materia de clasificación arancelaria. Ha de tenerse en cuenta que las diferentes versiones lingüísticas de las normas de la UE, en cada uno de los idiomas oficiales, son igualmente válidas, lo que plantea la dificultad de decidir qué versión debe prevalecer en caso de discrepancia. A este respecto la doctrina fundamental del TJUE en esta materia queda sintetizada en el siguiente párrafo:

"Según reiterada jurisprudencia, por un lado, la formulación utilizada en una de las versiones lingüísticas de una disposición de Derecho de la Unión no puede constituir la única base de la interpretación de esta disposición ni tampoco se le puede reconocer, a este respecto, un carácter prioritario frente a otras versiones lingüísticas. Por otro lado, las distintas versiones lingüísticas de una norma de la Unión Europea deben ser objeto de interpretación uniforme, por lo cual, en caso de discrepancia entre las citadas versiones, dicha disposición debe ser interpretada en función de la sistemática general y de la finalidad de la normativa de la que forma parte" [STJUE *Pacific World*, asunto C-215/10, de 28.07.2011 (párrafo 48; cita en el mismo sentido la STJUE C 230/09 y C 231/09, párrafo 60 y jurisprudencia allí citada)].

Pasamos ahora a analizar el engarce entre las normas aduaneras de la UE y los ordenamientos nacionales. Como se ha indicado más arriba en el capítulo 3.3, la regulación europea no cubre de manera plena la regulación del Derecho aduanero, quedando especialmente lagunas en materia de procedimientos (procedimientos tributarios de aplicación, recaudación y revisión) y en materia de infracciones y sanciones, tanto administrativas como penales. Debemos por ello prestar atención también al ordenamiento interno de cada país para completar esos aspectos no regulados o regulados de forma incompleta. Ha de tenerse en cuenta, en este sentido, que cuando el artículo 5.2 CAU define la expresión "legislación aduanera" nos dice que comprende, entre otros elementos, "a) el código y las disposiciones para completarlo o para su ejecución, adoptadas a nivel de la Unión o a nivel nacional". Por tanto, cuando en la normativa aduanera encontremos esta expresión, "legislación aduanera", debemos tener en cuenta que puede estar haciendo referencia, no sólo a normas de la UE, sino también a normas nacionales.

> Conforme al artículo 2.1 TFUE "Cuando los Tratados atribuyan a la Unión una competencia exclusiva en un ámbito determinado, sólo la Unión podrá legislar y adoptar actos jurídicamente vinculantes, mientras que los Estados miembros, en cuanto tales, únicamente podrán hacerlo si son facultados por la Unión o para aplicar actos de la Unión". La unión aduanera y la política comercial común son competencias exclusivas de la UE (artículo 3 TFUE).

En el caso de España, por lo que hace a la normativa nacional específica en materia aduanera, debemos advertir que nos encontramos con un panorama lamentable. Quienes ostentan la potestad normativa se han dedicado a acumular disposiciones sin concierto, algunas carentes incluso de cobertura legal y/o de norma de atribución de competencia normativa reglamentaria y, en consecuencia, carentes de eficacia normativa. A ello hay que añadir que ningún responsable se ha tomado la molestia de derogar aquellas normas internas que contradicen las disposiciones europeas en la materia. Es cierto que esto es técnicamente innecesario pues, en virtud del principio de primacía, la norma de la UE prevalece sobre la norma interna incompatible, pero no es menos cierto que para llegar a este resultado se obliga al intérprete a decidir en cada caso si existe tal incompatibilidad o cabe una interpretación que permita mantener la eficacia de la norma interna. Esa dificultad interpretativa es a veces de gran enjundia y provoca una inseguridad jurídica indeseable y perfectamente evitable. Quizá lo deseable, a la vista de la peligrosa acumulación de normas vagantes de dudosa vigencia, fuera declarar a buena parte de ellas, si no a casi todas, derogadas de forma expresa. Y ya puestos en labor, emprender una regulación interna de nueva planta a la luz de las disposiciones de la UE.

> Quizá la mención de algunas de estas normas vagantes ilustre mejor a qué nos referimos. Tenemos, por ejemplo, el Decreto de 17 de octubre de 1947, por el que se aprueban las Ordenanzas

Generales de Aduanas, dictado en un tiempo lejano bajo el telón de una España autárquica. O la Ley 1/1960, Arancelaria, de 1 de mayo. El RD 511/1977, de 18 de febrero, por el que se aprueba el Texto Refundido de los Impuestos Integrantes de la Renta de Aduanas —TRII-RA— (correcciones de errores en BOE de 13.05.1977 y BOE de 26.05.1977). Ya de la era 'moderna', en fase de preparación de nuestro ingreso en la CEE, encontramos la Ley de Bases 47/1985, de 27 de diciembre, de delegación al gobierno para la aplicación del Derecho de las Comunidades Europeas. Siguen el RDL 1.299/1986, de 28 de junio, de modificación del TRIIRA (BOE de 30.6.1986, RCL 2110/86) y el RD 2.095/1986, de 25 de septiembre, de modificación de las Ordenanzas de Aduanas (¡luego estaban vivas!).

En buena medida la norma interna aplicable será la Ley General Tributaria (Ley 58/2003, BOE 18.12.2003) y sus reglamentos de desarrollo, a saber:

- ☞ **Liquidación:** Real Decreto 1065/2007, de 27 de julio, por el que se aprueba el Reglamento General de las actuaciones y procedimientos de gestión e inspección tributaria y de desarrollo de las normas comunes de los procedimientos de aplicación de los tributos (BOE 05.09.2007).

- ✓ **Recaudación:** Real Decreto 939/2005, de 29 de julio, por el que se aprueba el Reglamento General de Recaudación (BOE 02.09.2005).

- ✓ **Revisión:** Real Decreto 520/2005, de 13 de mayo, por el que se aprueba el Reglamento General de desarrollo de la Ley 58/2003, de 17 de diciembre, General Tributaria, en materia de revisión en vía administrativa (BOE 27.05.2005).

- ✓ **Infracciones y sanciones:** Real Decreto 2063/2004, de 15 de octubre, por el que se aprueba el Reglamento General del régimen sancionador tributario (BOE 28.10.2004).

En materia penal, la normativa interna viene contenida en:

- ✓ Ley Orgánica 10/1995, de 23 de noviembre, del Código Penal (BOE 24.11.2005).

- ✓ Ley Orgánica 12/1995, de 12 de diciembre, de Represión del Contrabando (BOE 13.12.1995).

Como norma sancionadora no penal, específica en materia aduanera, debe destacarse el Real Decreto 1649/1998, de 24 de julio, por el que se desarrolla el Título II de la Ley Orgánica 12/1995, de 12 de diciembre, de Represión del Contrabando, relativo a las infracciones administrativas de contrabando (BOE 07.09.1998).

A un nivel inferior al del Real Decreto (Órdenes, Resoluciones, Instrucciones) nos encontramos un buen número de normas aduaneras internas a las que, en su caso, iremos haciendo referencia a medida que expongamos las materias a las que afectan.

ENLACE

> Puede verse un repertorio de normas aduaneras internas españolas, ordenadas tanto de forma cronológica como por materias, en la sección de 'normas' del sitio web: http://www.derechoaduanero.com/

Debemos advertir que el maridaje entre normas de la Unión y normas internas no resulta en absoluto sencillo. Piénsese que el Derecho de la Unión crea sus propias categorías y conceptos, que no coinciden con los acuñados por los diferentes ordenamientos nacionales. A ello debe añadirse, en materia aduanera, que el legislador interno —es el caso español, pero también el de otros Estados de la UE— no ha prestado atención a la necesidad de establecer las conexiones necesarias que permitan coordinar adecuadamente las normas de la Unión con las normas internas o, en el caso de existir estas normas de coordinación, aparecen no obstante dificultades no previstas, y de ello se hace referencia a algún ejemplo a lo largo de los capítulos sucesivos.

El ámbito de aplicación, esto es, el territorio en el cual se aplican las normas aduaneras de la UE, es el Territorio Aduanero de la Unión, TAU. Este territorio se constituye así en una Unión Aduanera, que aplica unas mismas normas a las mercancías procedentes del exterior, mientras que en el interior se configura un Mercado Único, de modo que quedan proscritas las barreras internas al tráfico de mercancías.

Como tendremos ocasión de analizar más adelante al ocuparnos del hecho imponible, el Territorio Aduanero de la Unión (TAU) aparece definido en el artículo 4 CAU. En el caso de España, todo el territorio nacional está incluido, excepto las ciudades de Ceuta y Melilla.

En el momento de la adhesión de España a la Comunidad (CEE) tampoco las Islas Canarias se integraron en el TAU (artículo 25 del Acta de Adhesión y Protocolo nº 2), que en aquel momento gozaban de un régimen de franquicia. Ahora bien, España dejó abierta la posibilidad de tomar la iniciativa para introducir modificaciones en el régimen de Canarias en el sentido de incluirla en el TAU y de aproximar su régimen al de la Unión.

En aplicación de esta posibilidad se llegó al Reglamento 1911/1991, del Consejo (de 26.06.1991, DO L 171, de 29.06.1991, objeto de una pequeña modificación posterior por parte del Reglamento 284/1992, DO L 31, de 07.02.1992). Este Reglamento supone, entre otras cosas, la inclusión de Canarias en el TAU, lo que significa que, a partir de este Reglamento, a Canarias sí se le aplican las normas aduaneras de la Unión. Las peculiaridades del régimen aplicable en las Islas Canarias se examinan en el capítulo 39, en tanto las particularidades de Ceuta y Melilla se tratan en el capítulo 40.

3.6. LAS COMPETENCIAS DE APLICACIÓN

Dentro de la Comisión Europea, la Dirección General (DG) con competencia en materia de Aduanas es TAXUD (Impuestos y Unión Aduanera). Por su parte, la negociación de los acuerdos comerciales es competencia de DG TRADE (Comercio). Ahora bien, la Unión Europea no cuenta con una organización administrativa propia que se encargue de aplicar las normas de Derecho aduanero que a ella le corresponde dictar, ni de órganos jurisdiccionales que se ocupen de fiscalizar los actos dictados por las Administraciones nacionales. Por ello son las administraciones y tribunales de cada Estado miembro los que, con carácter general, desempeñan esta función.

> Ello no obstante, las normas de la Unión reservan a favor de la Comisión Europea algunas decisiones críticas por su cuantía o porque cuestionan la actuación de las propias Instituciones de la Unión, como ocurre en determinados supuestos en materia de condonación o devolución (artículo 116.3 CAU), pero en general el papel de la Comisión para la aplicación de las normas aduaneras es fundamentalmente de coordinación (como, por ejemplo, en materia de gestión de contingentes arancelarios, artículos 49 a 54 RECAU).
>
> Con todo, la competencia de aplicación es fundamentalmente nacional, lo cual evidentemente supone dar entrada a la cultura jurídica y operativa cada una de estas Administraciones. Atendido este factor, al que hay que añadir que, según hemos señalado, debemos acudir a las normas internas para completar lagunas normativas en la regulación común europea, nos encontramos ante un fondo de regulación europea uniforme sobre el cual se superponen matices de diversidad nacional. Por ello, no puede sorprender que en la práctica las discrepancias a la hora de aplicar una misma norma no sean insignificantes. Esta circunstancia no ha pasado desapercibida al Tribunal de Cuentas de la Unión, que la ha puesto de manifiesto en alguno de sus informes. Así, el Informe especial nº 23/2000 sobre la valoración de mercancías importadas a efectos de aduana (valoración en aduana), o el Informe especial nº 2/2008 sobre la Información arancelaria vinculante (IAV). Tampoco esta circunstancia pasó desapercibida para los Estados Unidos, que basaron en este motivo el planteamiento de una diferencia ante el Órgano de Solución de Diferencias de la OMC (Diferencia WT/DS315, *Comunidades Europeas - Determinadas cuestiones aduaneras).* Estados Unidos alegó que la Comunidad Europea incumplía el apartado 3 del Artículo X del GATT 1947, que exige que los Miembros apliquen de modo uniforme las leyes, reglamentos, decisiones judiciales y disposiciones administrativas cubiertas por el GATT, basando esta alegación justamente en constataciones del Tribunal de Cuentas de la CE y en casos de discrepancias en la aplicación del ordenamiento aportadas por empresas estadounidenses. Tanto el Grupo Especial como el Órgano de Apelación del Órgano de Solución de Diferencias de la OMC resolvieron en contra de la pretensión de Estados Unidos, básicamente porque no había aportado suficientes pruebas como para acreditar una falta sistemática de uniformidad, si bien concedieron que la CE había incurrido en incumplimientos por falta de uniformidad en cuestiones específicas, como la clasificación arancelaria de monitores de cristal líquido con interfaz videodigital, cuestiones respecto de las cuales los Estados Unidos sí habían aportado pruebas suficientes.

El análisis del reparto de competencias de aplicación en la UE requiere que nos refiramos asimismo al hecho de que los impuestos arancelarios constituyen un recurso propio de las Instituciones de la Unión, lo cual significa que la recaudación obtenida mediante la aplicación de estos impuestos debe ser entregada a la Hacienda de la UE. Así lo dispone el artículo 2.1.a) de la Decisión (UE, Euratom) 2020/2053, del Consejo, de 14 de diciembre de 2020 sobre el sistema de recursos propios de la Unión Europea (DO L 424, de 15.12.2020), si bien las Administraciones nacionales retienen un 25% en concepto de costes de recaudación (art. 9.2 Decisión 2020/2053).

> La regulación del actual sistema de recursos propios se completa con el Reglamento (UE, Euratom) 2021/768 del Consejo, de 30 de abril de 2021, por el que se establecen medidas de ejecución del sistema de recursos propios de la Unión Europea (DO L 165 de 11.05.2021). Anteriormente la Decisión sobre el sistema de recursos propios era la Decisión 2014/335/ UE, Euratom, del Consejo, de 26 de mayo de 2014 sobre el sistema de recursos propios de la Unión Europea (DO L 168, de 07.06.2014) que, en su artículo 2.3, fijaba una retención del 20% en concepto de costes de recaudación en favor de las Administraciones nacionales (frente al 25% actual). La regulación anterior se completaba con el Reglamento (UE, Euratom) 608/2014 del Consejo, de 26 de mayo de 2014, por el que se establecen medidas de ejecución del sistema de recursos propios de la Unión Europea (DO L 168 de 07.06.2014) y el Reglamento (UE, Euratom) 609/2014 del Consejo, de 26 de mayo de 2014, sobre los métodos y el procedimiento de puesta a disposición de los recursos propios tradicionales y basados en el IVA y en la RNB y sobre las medidas para hacer frente a las necesidades de tesorería (Refundición) (DO L 168 de 07.06.2014).
> Al constituir los impuestos arancelarios un recurso propio de la UE, resulta relevante el Reglamento (CE, Euratom) 2988/95 del Consejo, de 18 de diciembre de 1995, relativo a la protección de los intereses financieros de las Comunidades Europeas y la Directiva (UE) 2017/1371 del Parlamento Europeo y del Consejo, de 5 de julio de 2017, sobre la lucha contra el fraude que afecta a los intereses financieros de la Unión a través del Derecho penal.

De este modo, tenemos normas de la Unión que deben coordinarse con normas nacionales, competencias de aplicación en manos de las Administraciones nacionales y recaudación resultante que acrece al presupuesto de la Unión. Si tenemos en cuenta que las normas aduaneras se aplican por las Administraciones nacionales pero la recaudación, en su mayor medida, constituye un recurso de la Unión, no resulta complicado entender que pueden producirse conflictos de intereses. Un Estado podría encontrar ventajoso actuar de forma poco escrupulosa en la aplicación de las normas aduaneras (materia de su competencia) con el objetivo de atraer una cuota del tráfico comercial superior a la que obtendría con una aplicación rigurosa de las mismas. Quizá ello le suponga una menor recaudación en concepto de IVA a la importación, pero las ganancias derivadas del mayor tráfico comercial que atraería pueden compensar este factor (más actividad económica, más impuestos sobre la renta, más cotizaciones sociales...). Las arcas de la Unión serían las sacrificadas en tal caso, al descender la recaudación en el conjunto de la UE por los impuestos arancelarios respecto a lo que resultaría de una aplicación óptima de sus normas. También el resto de países integrantes de la UE se verían perjudicados, pues sufrirían una desviación de parte del tráfico internacional que anteriormente se dirigía a su territorio.

La Comisión Europea ha cobrado conciencia de la existencia de un conflicto de intereses en las autoridades nacionales y ha reaccionado llevando ante el TJUE a aquellos Estados que incumplen o aplican incorrectamente la normativa aduanera. Esta exigencia de responsabilidad a los Estados ante incumplimientos de la normativa aduanera que repercuten en el presupuesto de la Unión tiene su punto de arranque en la STJUE de 16 de mayo de 1991, asunto C-96/89, *Comisión-Holanda*, en la que se condena a este Estado por aplicar un beneficio arancelario improcedente, causando con ello una pérdida de recaudación de 'recursos propios'. Posteriormente, la STJUE de 15 de junio de 2000, asunto C-348/97, *Comisión-Alemania*, condenó a Alemania porque, al incumplir los requerimientos de control aduanero en el comercio intra-alemán (antes de la incorporación de la RDA a la UE), permitió que se cometiera un fraude al presupuesto de la UE consistente en exportar productos agrícolas desde Holanda a la RDA, que se beneficiaron de una restitución a la exportación, siendo a continuación estos productos re-introducidos en la UE a través de Alemania (RFA) sin someterse al pago de una exacción reguladora (que hubiera neutralizado la restitución a la exportación).

La siguiente Sentencia del TJUE en esta senda es la de 14.04.2005, asunto C-460/01, *Comisión-Holanda*, que se suscita cuando, tras llevar a cabo una inspección, la Comisión descubre que las autoridades holandesas demoran la liquidación de los derechos de aduana en supuestos de ultimación irregular del régimen de tránsito externo comunitario. Análogo es el problema que se discute en la STJUE de 14.04.2005, asunto C-104/02, *Comisión-Alemania*. En ambos casos el Tribunal exigió a los Estados miembros el pago de intereses por la demora en la puesta a disposición de los recursos a favor de las instituciones de la UE.

> La STJUE de 19.03.2009, asunto C-275/07, *Comisión-Italia*, se refiere también a un problema análogo, pero en este caso el Tribunal decide en contra de la Comisión porque el régimen sí se ultimó en tiempo hábil, lo que ocurrió fue que las autoridades encargadas de liquidar recibieron esta información con posterioridad. Al no nacer deuda aduanera, no cabe la exigencia de una prestación accesoria como son los intereses.

La posterior STJUE 15.11.2005, asunto C-392/02, *Comisión-Dinamarca*, supone un paso importante en esta evolución en la exigencia de responsabilidad a los Estados, pues se trata en ella de un error cometido por las autoridades aduaneras de Dinamarca que impidió liquidar de nuevo para recaudar el importe debido de los derechos de aduana (conforme al entonces vigente artículo 220.2.b) CAC; hoy esta circunstancia legitimaría la condonación de derechos conforme a lo dispuesto en el artículo 119 CAU, que se analiza en el capítulo 28). El Tribunal decidió que, por más que Dinamarca no había obtenido el ingreso correspondiente del deudor, el presupuesto de la UE no puede resultar perjudicado por un error cometido por las autoridades de Dinamarca, de manera que estas debían poner los recursos correspondientes a disposición de las instituciones de la UE.

Interesante es la STJUE de 23.02.2006, asunto C-546/03, *Comisión-España*. En ella se discutió si España incumplía las normas de la UE puesto que, conforme a su ordenamiento interno, las autoridades realizaban una propuesta de liquidación que notificaban al obligado y, sólo transcurrido un cierto plazo desde la notificación de la propuesta, procedían a notificarle la liquidación del tributo. Se trata así de dar cabida al derecho de defensa del obligado para que sea oído antes de que la Administración dicte la resolución que pone fin al procedimiento ("derecho de audiencia previa" o "derecho a ser oído"). La Comisión entendió que este proceder no era conforme con lo que, en aquél momento, disponía el apartado 1 del artículo 220 CAC, que ordenaba a las autoridades aduaneras contraer la deuda en un plazo de dos días a partir del momento en que se hubieran percatado de que procedía la regularización, estuvieran en condiciones de calcular su importe y de determinar el deudor. El Tribunal acogió en su Sentencia la tesis de la Comisión y, en consecuencia, ordenó a España abonar intereses por el lapso de tiempo que excediera de dos días desde que se dictase la propuesta de liquidación.

> Casos similares al español que hemos expuesto se plantearon posteriormente respecto de Italia (asunto C-423/08, de 17.06.2010) y Finlandia (asunto C-405/09, de 07.04.2011), decidiendo el TJUE, de forma análoga, que se había producido un incumplimiento por parte de estos Estados. En la actualidad, no obstante, es la propia norma europea (concretamente el artículo 22.6 CAU; se examina en el capítulo 21.3.2), la que regula el derecho de audiencia previa a nivel de la Unión (se dispone para ello de un plazo de 30 días, artículo 8.1 RDCAU), de manera que proporcionar a los obligados la oportunidad para ser escuchados antes de adoptar una decisión no va a suponer que el Estado tenga que abonar intereses a la Hacienda de la Unión por la dilación que esto pueda causar a la hora de aportarle los recursos correspondientes.

En fin, la exigencia de responsabilidad a los Estados por el incumplimiento del ordenamiento aduanero de la UE cobró nuevo vigor en 2009, alrededor de una cuestión en la que se vieron involucrados seis Estados miembros (Finlandia, Suecia, Alemania, Italia, Grecia y Dinamarca). Se trataba de la omisión del deber de recaudar derechos respecto de las importaciones de material militar en fecha anterior al establecimiento expreso de una exención por norma de la UE para este tipo de mercancías. El Tribunal decide a favor de la tesis de la Comisión y condena a estos Estados a ingresar las deudas que indebidamente no liquidaron, con sus intereses correspondientes.

> Las STJUE a que nos referimos son todas de fecha 15.12.2009, y los asuntos son los siguientes: C-285/05, Comisión-Finlandia; asunto C-294/05, Comisión-Suecia; C-372/05, Comisión-Alemania; C-387/05, Comisión-Italia; C-409/05, Comisión-Grecia; C-461/05, Comisión-Dinamarca; C-239/06, Comisión-Italia.

Más recientemente, la STJUE de 03.04.2014, asunto C-60/13, *Comisión-Reino Unido*, decidió que el Reino Unido debía pagar a las Instituciones Europeas las cuantías que dejó de ingresar a consecuencia de la aplicación de una información vinculante errónea que constituyó un error de las autoridades británicas (las informaciones vinculantes se analizan en el capítulo 9; se trata de un criterio de interpretación de la norma que vincula a las autoridades frente al operador que las solicita). Esta información vinculante permitió importar mercancías sin el pago del arancel correspondiente, provocando una pérdida de recursos propios a la Unión. El hecho de que el error en que incurrieron las autoridades británicas impidiera recaudar de los importadores las cantidades dejadas de ingresar no las libera de poner a disposición de la Unión los recursos que hubieran debido recaudarse, de forma análoga a como ya se había decidido en el asunto C-392/02, *Comisión-Dinamarca*. El Tribunal decide, además, que Reino Unido debe abonar también los intereses de demora por el tiempo transcurrido.

> El Informe Especial nº 19 de 2017 del Tribunal de Cuentas de la UE, *Regímenes de importación: las insuficiencias en el marco jurídico y una aplicación ineficaz afectan a los intereses financieros de la UE*, señala un posible efecto perverso derivado de responsabilizar a los Estados miembros por una aplicación inadecuada de las normas aduaneras al constatar que "Los Estados miembros no están suficientemente incentivados desde el punto de vista financiero para realizar controles aduaneros. Aquellos que efectúan controles aduaneros pero no consiguen recuperar las pérdidas para los intereses de la UE pueden sufrir consecuencias financieras, mientras que aquellos que no los llevan a cabo pueden no sufrir tales consecuencias" (párrafo VII del Resumen), en tanto que la distinta intensidad en los controles aduaneros pueden provocar desviaciones del tráfico, dado que "unos controles aduaneros gravosos pueden influir en la elección por los operadores de la aduana de importación y los puertos o aeropuertos con menos controles aduaneros pueden atraer más tráfico" (párrafo 6).

La doctrina del TJUE analizada revela la existencia de dos relaciones jurídicas paralelas en el caso de los impuestos arancelarios en la UE: una relación entre la Administración pública y los operadores por la que se exige a estos últimos el pago de los impuestos a la importación; y una segunda relación jurídica, entre la Administración nacional y las Instituciones de la Unión, en virtud de la cual la primera debe hacer llegar a las segundas los importes que, conforme al ordenamiento, deben ser recaudados. Esta segunda relación jurídica coloca a las Administraciones nacionales ante la responsabilidad, muy visible, del desarrollo diligente de su actividad, y puede traducirse en un exceso de celo en la aplicación de las normas aduaneras o en una sistemática interpretación de las mismas en contra del contribuyente.

> Es muy importante tener en cuenta la existencia de estas dos relaciones jurídicas para comprender correctamente algunas normas aduaneras de la UE como, por ejemplo, la distinción entre las normas relativas a la determinación de la deuda aduanera (artículos 101 a 103 CAU, relación Administración nacional-obligado) y las normas relativas a la contracción (artículos 104 y 105 CAU, relación Administración nacional-Hacienda de la UE). De este modo, y

siguiendo con este ejemplo, el incumplimiento de los plazos para contraer no puede ser alegado por el obligado puesto que su relevancia se refiere a la relación Administración nacional-Hacienda de la UE, no a la relación Administración nacional-obligado. Estas cuestiones son tratadas en el capítulo 25.

Descendiendo al análisis de la atribución de competencias, en el caso español debemos distinguir dos órdenes dentro de la esfera administrativa. De un lado, la aplicación de los tributos es competencia de la Agencia Estatal de Administración Tributaria (AEAT), que cuenta para este fin con órganos especializados. De otro lado, la resolución de los recursos en vía administrativa, que tienen carácter preceptivo para poder acceder al orden jurisdiccional, es competencia con carácter general de los Tribunales Económico Administrativos (TEA).

Integrado en la Agencia Estatal de Administración Tributaria se encuentra, con competencia en todo el territorio estatal, el Departamento de Aduanas e Impuestos Especiales (DAeIIEE, sucesor de la Dirección General de Aduanas e Impuestos Especiales), cuyas funciones comprenden la dirección de la gestión y la inspección de los tributos y gravámenes que recaigan sobre el tráfico exterior, de los Impuestos Especiales, y la dirección y coordinación en el ámbito superior de la lucha contra el fraude aduanero en general, incluido el contrabando.

El artículo 7 de la Orden PRE/3581/2007 es el que regula en detalle la funciones y competencias del Departamento de Aduanas e Impuestos Especiales (Orden PRE/3581/2007, de 10 de diciembre, por la que se establecen los departamentos de la Agencia Estatal de Administración Tributaria y se les atribuyen funciones y competencias, BOE 11.12.2007; el artículo 7, que se refiere al DAAeIIEE, ha sido modificado en diversas ocasiones, la última por el art. único.3 de la Orden PCM/3/2021, de 11 de enero).

La Orden de 27 de julio de 1998 desarrolla la estructura del Departamento de Aduanas e Impuestos Especiales de la Agencia Estatal de Administración Tributaria (BOE 30.07.1998).

Pasando a un nivel territorial inferior, nos encontramos con los Servicios Territoriales, que a su vez están constituidos por:

• La Dependencia Regional de Aduanas e Impuestos Especiales, en el ámbito territorial de la Delegación Especial de la Agencia.

Tiene como función principal la gestión e inspección de aduanas e IIEE en el ámbito regional, así como la dirección y coordinación de las actividades de los órganos, equipos y unidades de su ámbito territorial. El Jefe de la Dependencia es la persona que se encuentra en el vértice de la organización, contando con la asistencia de uno o más adjuntos. Puede estructurarse en áreas (de inspección e investigación; de intervención de IIEE; de coordinación de la gestión; de vigilancia aduanera; químico-tecnológica; pueden además contar con oficinas técnicas, todo ello en función de la carga de trabajo que les competa).

- Ya en el ámbito territorial de la Delegación de la Agencia, podemos distinguir:

  ✓ La dependencia de Aduanas e Impuestos Especiales, con el ámbito territorial de la Delegación en la que se integren.

  ✓ Las Administraciones de Aduanas e Impuestos Especiales.

Respecto de la organización y estructura del Área de Aduanas e Impuestos Especiales, véase la Resolución de 13 de enero de 2021, de la Presidencia de la Agencia Estatal de Administración Tributaria, sobre organización y atribuciones de funciones en el Área de Aduanas e Impuestos Especiales (BOE 15.01.2021; esta Resolución ha sido modificada por la Resolución de 25 de febrero de 2021, de la Presidencia de la AEAT, BOE 03.03.2021). Las Dependencias Regionales se regulan en el apartado Tercero, en tanto que el Cuarto se refiere a la Jefatura de las Dependencias Regionales, y del Quinto al Noveno se regulan las diversas áreas regionales (control e investigación; gestión aduanera; gestión e intervención de IIEE; vigilancia aduanera; y químico-tecnológica). Las Dependencias se regulan en el apartado Décimo. Las Administraciones se regulan en el apartado Undécimo.

En materia de organización del Departamento AAeIIEE ténganse en cuenta también las siguientes Resoluciones:

- Resolución de 14 de diciembre de 2016, del Departamento de Aduanas e Impuestos Especiales de la Agencia Estatal de Administración Tributaria, por la que se delegan competencias en órganos de las delegaciones especiales de la Agencia Estatal de Administración Tributaria (BOE 30.12.2016, con modificaciones posteriores);
- Resolución de 14 de diciembre de 2016, del Departamento de Aduanas e Impuestos Especiales de la Agencia Estatal de Administración Tributaria, por la que se delegan competencias en subdirecciones generales (BOE 30.12.2016)
- Resolución de 27 de abril de 2017, del Departamento de Aduanas e Impuestos Especiales de la Agencia Estatal de Administración Tributaria, por la que se modifica la de 14 de diciembre de 2016, por la que se delegan competencias en órganos de las delegaciones especiales de la Agencia Estatal de Administración Tributaria (BOE 04.05.2017, corrección de errores en BOE 05.06.2017).

Siguiendo todavía en la esfera administrativa, hemos señalado anteriormente que la competencia para resolver los recursos en esta vía está atribuida con carácter general a los Tribunales Económico Administrativos. En materia de recursos, tanto en vía administrativa como jurisdiccional, no hallamos reglas especiales de atribución de competencia distintas de las que rigen en el resto del ordenamiento tributario. Nótese que al decir que no se encuentran especialidades nos referimos tan sólo a reglas especiales de atribución de competencias, que es la cuestión que ahora nos ocupa.

Con todas las objeciones que puedan hacerse a la existencia del requisito de la vía administrativa previa al acceso a la vía jurisdiccional, no podemos dejar de señalar que la competencia procesal en materia aduanera es en España, por comparación a otros Estados miembros de la UE, óptima. En este sentido, por ejemplo, es un dato a tener en cuenta que en Bélgica la jurisdicción competente en materia aduanera es siempre la penal, y sólo en tiempo relativamente reciente se introdujo una vía administrativa previa. Este es el resultado de la vigencia de una ley del siglo pasado ciertamente obsoleta.

También hemos de citar a Francia como país cuya situación procesal en materia aduanera es manifiestamente mejorable. Y ello porque, aunque se reconoce la competencia tanto a la jurisdicción civil como a la penal, las infracciones no precisan de la concurrencia de elemento intencional para poder apreciarse (son objetivas), de manera que, de nuevo, con carácter general, la competencia está atribuida a los tribunales de orden penal.

BIBLIOGRAFÍA

En torno a la no necesidad de elemento intencional para aplicar las sanciones en materia aduanera, véase el artículo 399 CD y Cass. Crim. 7 diciembre 1987, Bull. Crim. 446, p. 1180, y Cass. crim. 28 noviembre de 1988, Bull. crim. nº 399, p. 1055. Además, no fue hasta la entrada en vigor del artículo 23 de la Ley nº 87-502, de 8 de julio de 1987, que derogó el artículo 369-2 del CD, que se permite a los tribunales tomar en consideración la buena fe probada por las partes para mitigar las sanciones. (Fuente: Droit Douanier, Memento Francis Lefebvre, París, 1993).

BIBLIOGRAFÍA

Véase también el análisis crítico de Guardia, Philippe de: "L'element intentionnel dans les infractions douanières", *Revue de Science Criminelle et le Droit Pénal Comparé*, vol. 1990, p. 487. Aunque data de 1974, el Informe del Prof. Claude Berr, Le contentieux Douanier, Etude comparée de la situation dans les Etats membres de la Communauté, puede resultar ilustrativo de la diversidad en esta materia de los sistemas normativos de los Estados miembros, lo cual no les impide compartir una nota común cual es la "severidad de la represión" (p. 7).

Deseamos destacar que, tratándose de una materia sobre la cual ya hemos señalado que la competencia normativa recae en las instituciones de la UE, debe necesariamente atenderse a las competencias reconocidas al TJUE en el artículo 19 TUE.

Dice así este precepto:

"**Artículo 19.** 1. El Tribunal de Justicia de la Unión Europea comprenderá el Tribunal de Justicia, el Tribunal General y los tribunales especializados. Garantizará el respeto del Derecho en la interpretación y aplicación de los Tratados.

Los Estados miembros establecerán las vías de recurso necesarias para garantizar la tutela judicial efectiva en los ámbitos cubiertos por el Derecho de la Unión.

2. El Tribunal de Justicia estará compuesto por un juez por Estado miembro. Estará asistido por abogados generales.

El Tribunal General dispondrá al menos de un juez por Estado miembro.

Los jueces y abogados generales del Tribunal de Justicia y los jueces del Tribunal General serán elegidos de entre personalidades que ofrezcan plenas garantías de independencia y que reúnan las condiciones contempladas en los artículos 253 y 254 del Tratado de Funcionamiento de la Unión Europea. Serán nombrados de común acuerdo por los Gobiernos de los Estados miembros para un período de seis años. Los jueces y abogados generales salientes podrán ser nombrados de nuevo.

3. El Tribunal de Justicia de la Unión Europea se pronunciará, de conformidad con los Tratados:

a) sobre los recursos interpuestos por un Estado miembro, por una institución o por personas físicas o jurídicas;

b) con carácter prejudicial, a petición de los órganos jurisdiccionales nacionales, sobre la interpretación del Derecho de la Unión o sobre la validez de los actos adoptados por las instituciones;

c) en los demás casos previstos por los Tratados".

De especial trascendencia es el cauce que se regula en el artículo 267 TFUE, conocido como la "cuestión prejudicial". En virtud de este precepto, los jueces nacionales *pueden* plantear una cuestión prejudicial ante el citado Tribunal allí donde, para resolver un asunto, se planteen dudas acerca de la validez e interpretación que deba darse a un precepto de Derecho de la UE en un caso concreto (sea un precepto de los Tratados constitutivos o un precepto de 'derecho derivado'). El planteamiento de cuestión prejudicial se convierte en un *deber* cuando se trate de un "órgano jurisdiccional nacional, cuyas decisiones no sean susceptibles de ulterior recurso judicial de Derecho interno". El TJUE, en respuesta a la cuestión prejudicial planteada, proporcionará al juez nacional la interpretación auténtica de la norma de la UE, pero se abstendrá de resolver el asunto: eso le corresponde al juez nacional. Lo que hará el juez nacional, una vez dictada la correspondiente Sentencia por el TJUE, será resolver el asunto aplicando la norma a la luz de la interpretación que el TJUE ha señalado como correcta.

LEGISLACIÓN

Dice así este precepto:

"**Artículo 267.** El Tribunal de Justicia de la Unión Europea será competente para pronunciarse, con carácter prejudicial:

a) sobre la interpretación de los Tratados;

b) sobre la validez e interpretación de los actos adoptados por las instituciones, órganos u organismos de la Unión;

Cuando se plantee una cuestión de esta naturaleza ante un órgano jurisdiccional de uno de los Estados miembros, dicho órgano *podrá* pedir al Tribunal que se pronuncie sobre la misma, si estima necesaria una decisión al respecto para poder emitir su fallo.

Cuando se plantee una cuestión de este tipo en un asunto pendiente ante un órgano jurisdiccional nacional, cuyas decisiones no sean susceptibles de ulterior recurso judicial de Derecho interno, dicho órgano *estará obligado* a someter la cuestión al Tribunal.

Cuando se plantee una cuestión de este tipo en un asunto pendiente ante un órgano jurisdiccional nacional en relación con una persona privada de libertad, el Tribunal de Justicia de la Unión Europea se pronunciará con la mayor brevedad" (la cursiva es nuestra).

Es muy criticable la conducta sistemática de los Tribunales españoles, al menos en materia aduanera, consistente en rehuir el planteamiento de la cuestión prejudicial cuando ésta procede. En vano se buscarán cuestiones prejudiciales planteadas por órganos jurisdiccionales españoles en materia aduanera, circunstancia que contrasta con la normalidad y habitualidad con la que sus homólogos alemanes las formulan. Debe ser porque los alemanes carecen de la claridad de visión que al parecer adorna a nuestros jueces. Nuestra experiencia en la docencia, no obstante, nos lleva a la apreciación de que típicamente sólo los buenos alumnos preguntan. Y el mal tino de muchas Sentencias españolas (en algunos casos incurriendo en errores flagrantes, normalmente en contra del ciudadano, pero a veces también en contra de la Administración) corrobora esta apreciación. La cuestión se vuelve de extrema gravedad cuando se trata de asuntos penales de Derecho aduanero. Causa sonrojo leer en una Sentencia del orden penal, por ejemplo, que los derechos antidumping no tienen naturaleza tributaria.

El TJUE también ejerce el control de legalidad de los actos de las instituciones de la UE (artículo 263 TFUE), que puede ser instado por cualquier persona física o jurídica afectada "directa e individualmente". Se trata en este caso de la vía de impugnación directa, tanto de normas de la Unión (algo relativamente poco frecuente, pero que va ganando relevancia en materias como el establecimiento de derechos antidumping) como, también, de impugnación de las decisiones de las Instituciones de la Unión, como aquellas por las que la Comisión Europea determina que no procede la condonación o devolución de derechos. Insistamos en que el TJUE tiene la competencia exclusiva para dejar sin efecto un acto de las instituciones de la UE, de manera que un juez nacional no puede hacerlo por sí mismo, sino que, en su caso, debe instar una cuestión prejudicial al TJUE para que sea éste quien decida al respecto.

HECHO IMPONIBLE, DEVENGO Y DEUDOR

ÍNDICE

4   Hecho imponible, devengo y deudor

4.1.   LOS DERECHOS DE ADUANA A LA IMPORTACIÓN

Los derechos de aduana a la importación son el impuesto arancelario por excelencia, son el impuesto típico que se exige con ocasión de la importación de mercancías. Nos vamos a ocupar ahora de analizar de forma ordenada sus elementos estructurales, esto es, las piezas de las que se compone. Ha de tenerse en cuenta que la regulación del resto de los tributos aduaneros se basa en gran medida en la regulación de los derechos de aduana a la importación, que por tanto constituyen algo así como el tronco común del sistema de tributos aduaneros.

En todo tributo se repiten una serie de elementos estructurales que son: 1) Hecho imponible; 2) Exenciones; 3) Base imponible; 4) Tipo de gravamen; 5) Cuota. Los derechos de aduana pueden analizarse también siguiendo este esquema general, sobre el cual deberemos introducir alguna pieza adicional para dar entrada a elementos que son peculiares de los impuestos arancelarios, como el origen de las mercancías y la clasificación. Procederemos a iniciar nuestro análisis, siguiendo este orden, por el hecho imponible.

4.2.   HECHO IMPONIBLE

La LGT define el hecho imponible en su artículo 20, conforme al cual "el hecho imponible es el presupuesto fijado por la ley para configurar cada tributo y cuya realización origina el nacimiento de la obligación tributaria principal".

Si bien existe coincidencia en calificar a la importación —o la exportación, en su caso— como el hecho imponible de los tributos aduaneros, el contenido que deba incluir la acción de "importar" es una cuestión acerca de la cual se han mantenido posiciones bastante diversas, tratándose además de un debate que aún hoy no puede darse por zanjado. El Glosario de Términos Aduaneros Internacionales del Consejo de Cooperación Aduanera (en la actualidad, Organización Mundial de Aduanas), define importación como "el acto de introducir o de actuar para que se introduzca en un territorio aduanero cualquier mercancía".

En España se han ocupado de la cuestión, entre otros, Cortés Domínguez, M.: "Introducción al Derecho aduanero", *Aduanas*, nº 160, 161 y 166; 1967; y de este mismo autor, "Aspectos de la relación aduanera", *RDFyHP*, nº 51, 1963; Sánchez González, I.: "El hecho imponible del impuesto aduanero", *Aduanas*, nº 174, 1968, pp. 3 y ss.; Felipe Garre: "Importación, mercancía, territorio", *Estudios Aduaneros*, IEF, 1974, pp. 156 y ss.; Agulló Agüero, A.: *La renta de aduanas: configuración técnico jurídica y aspectos penales*, IEF, Madrid, 1978; Márquez y Márquez: *Renta de Aduanas*, Editorial Revista de Derecho Privado, 1979, pp. 63 y ss.; González Grajera, F. J.: *Procedimiento de Gestión Aduanera*, EHP, 1988, pp. 77 y ss.; Muñoz Merino, A.: *El delito de contrabando*, Aranzadi, 1992, pp. 218 y ss.; Galera Rodrigo, S.: *Derecho aduanero español y comunitario*, Civitas, 1995, pp. 277 y ss.; y Clavijo Hernández, F. en *Curso de Derecho tributario (Parte Especial)*, Marcial Pons, 12ª Edición, pp. 678 y ss.

Podemos sintetizar del siguiente modo las concepciones más importantes mantenidas al respecto:

- Quienes equiparan la importación al *paso de la línea aduanera*. GIANNINI (*Il raporto giuridico d'imposta*, Giuffré, Milán, 1937) es uno de los valedores de esta corriente, que hallaba su justificación en el tenor de la Ley Aduanera italiana del momento, pero que ha sido posteriormente criticada desde el entendimiento de que la importación es más que un hecho de la realidad, es un procedimiento que integra en su seno actividades y voluntades. Para sus críticos no puede compartirse que el mero hecho físico del traspaso de la línea aduanera determine, por sí mismo, la importación en sentido jurídico de la mercancía. CORTÉS DOMÍNGUEZ añade que configurar de este modo el hecho imponible obligaría a sostener que existe un gran número de exenciones, entre las que se encontrarían las correspondientes a los distintos regímenes aduaneros que no dan lugar a la exigencia del impuesto ("Introducción al Derecho aduanero", *Aduanas*, nº 161, p. 7).

- Quienes equiparan la importación con el *destino a consumo* interior de la mercancía. A esta idea responde la definición que nos ofrece DI LORENZO (*Corso di Diritto Doganale*, Milano, 1947), según la cual "La importación es, en el sentido técnico aduanero, la operación mediante la cual se somete una mercancía extranjera a los permisos y controles prescritos y a las consiguientes fiscalizaciones tributarias, para poderla después, libremente, destinar a una función económica de uso, producción o consumo". Sólo el destino a consumo interior hace nacer el derecho del Estado a la percepción del impuesto, de manera que hasta que la mercancía no se despacha no surge para el Estado ningún derecho al impuesto. El acto al que se concede trascendencia para determinar si unas mercancías se destinan al consumo es la propia declaración de quien las importa. De este modo, la declaración adquiere, en esta concepción, un peso que es criticado por otros autores, que señalan que la misma es un acto debido que lo que hace es iniciar un procedimiento complejo, en el que debe producirse la aceptación de la Administración. La obligación tributaria, concluyen los autores que critican esta posición, nace con posterioridad a la presentación de la declaración.

- Quienes equiparan la importación con la *nacionalización* de la mercancía, esto es, la entrada de la mercancía en el mercado nacional. Teoría defendida por MAFEZONI y recogida en nuestro país por GUASP y CORTÉS DOMÍNGUEZ ("Introducción al Derecho aduanero", *Aduanas*, nº 160, 161 y 166; 1967; y "Aspectos de la relación aduanera", *RDFyHP*, nº 51, 1963), quien describe la mercancía nacionalizada como aquella que es "susceptible de un tráfico mercantil idéntico al de cualquier otra mercancía del país importador". Frente a esta concepción se sitúa GARRE ("Importación, mercancía, territorio", *Estudios Aduaneros*, IEF, 1974, pp. 167-168), quien recuerda que es preciso distinguir entre hecho imponible y nacimiento de la obligación tributaria, siendo la nacionalización el efecto normal del proceso de importación, no la importación misma.

La asimilación del concepto importación al de nacionalización como hecho imponible de los impuestos aduaneros da lugar a que estemos, conforme a esta teoría, ante un impuesto que se liquida antes de que se realice el hecho imponible (vid CORTÉS DOMÍNGUEZ, citado supra, en *Aduanas*, nº 161, p. 9).

- Quienes equiparan la importación con la *entrada* de la mercancía *sancionada por el derecho*. Esta es la tesis de GARRE ("Importación, mercancía, territorio", op. cit., p. 169), quien nos dice que la importación "se realiza cuando se produce la incorporación de las mercancías extranjeras a la economía nacional, sancionada por el Derecho, lo que lleva implícito el paso de la línea aduanera y la introducción en el territorio aduanero" Esta concepción, como las anteriores, toma su punto de partida en el ordenamiento positivo (a la sazón, el artículo 3 de la Ley Arancelaria de 1960, incorporado posteriormente al TRIIRA, con la adaptación al Derecho comunitario que del mismo realizó el artículo 2 del RDL 1299/1986).

- Por su parte, AGULLÓ AGÜERO mantiene que la importación es un hecho imponible de naturaleza compleja, observando a este respecto que "el hecho imponible acción de importar, que comienza con la introducción física de las mercancías en territorio aduanero, se entiende completamente realizado con el cumplimiento del último requisito legal a realizar por el sujeto pasivo importador que es la presentación de la solicitud de importación", de donde resulta que una importación ilegal no puede dar lugar a la realización del hecho imponible ("La responsabilidad civil derivada del delito", *Comentarios a la legislación penal*, Tomo III, Edersa, 1984, p. 404).

Al acometer la labor de confrontar las distintas posiciones doctrinales expuestas con la regulación positiva actualmente vigente, debe señalarse en primer lugar que tanto el Código Aduanero de la Unión —CAU— como sus Reglamentos de desarrollo han prescindido de darnos una definición del hecho imponible, limitándose a enumerar supuestos que 'dan origen' a una deuda aduanera (artículos 77 a 83 CAU), lo que en el Derecho tributario español llamamos 'devengo del impuesto'. El devengo identifica un momento temporal en el que concurren dos elementos: 1) Se ha realizado plenamente el hecho imponible, esto es, el hecho imponible se ha 'perfeccionado'; y 2) Puesto que se ha realizado el hecho imponible, nace el derecho de crédito derivado del tributo a favor del ente público. Por tanto, decir que determinados supuestos 'dan origen' a una deuda aduanera es tanto como señalar que en ese momento el hecho imponible se entiende completamente realizado (y, en consecuencia, se ha producido el devengo).

El artículo 5.18 CAU define el concepto de deuda aduanera, de forma análoga a como la hacía el artículo 4.9 CAC, como "la obligación de una persona de pagar el importe de los derechos de importación o de exportación aplicables a mercancías específicas con arreglo a la legislación aduanera vigente".

La regulación de esta materia en el CAU es, en el aspecto formal, distinta de la que se establecía en el CAC. El CAU agrupa los supuestos de nacimiento de la deuda aduanera en dos grandes bloques: 1) Deuda aduanera nacida de forma regular (respecto de las importaciones, artículo 77, despacho a libre práctica e importación temporal; respecto

de las exportaciones, artículo 81, exportación y tráfico de perfeccionamiento pasivo); y
2) Deuda aduanera nacida por incumplimiento (respecto de las importaciones, artículo
79; respecto de las exportaciones, artículo 82).

> El primer gran bloque (deuda aduanera nacida de forma regular) viene a coincidir con el contenido de los anteriores artículos 201 CAC —relativo a la importación— y 209 CAC —relativo a la exportación— de manera que no encontramos aquí novedad destacable, más allá de la supresión de la remisión a "las disposiciones nacionales vigentes". Es en el segundo bloque (deuda aduanera nacida por incumplimiento) donde encontramos una presentación formal que claramente se separa del CAC, como ya hiciera el CAM. Lo que se hace, en realidad, es agrupar el contenido de los anteriores artículos 202, 203, 204, 205 y 208 CAC —respecto de las importaciones— y de los artículos 210 y 211 CAC —respecto de las exportaciones—, lo que permite sistematizar formalmente la redacción.
>
> El CAU sigue prácticamente de forma literal la redacción contenida en esta materia en el CAM (artículos 44 y ss.). Pues bien, en la Propuesta de Reglamento que la Comisión remitió en su día al Parlamento Europeo (Documento COM (2005) 608 final) no se contienen menciones a novedades específicas en materia de nacimiento de la deuda aduanera que afecten a estos preceptos (apenas se alude a una objetivación de las circunstancias de nacimiento de la deuda, pero liga esta idea con una referencia a lo establecido en el Convenio de Kioto en materia de devolución de derechos). Tampoco fueron objeto estos preceptos de enmienda en el trámite parlamentario. Lo mismo se observa respecto del CAU. Estas circunstancias parecen confirmar nuestra apreciación de que estamos ante una nueva organización y presentación de unos contenidos que, en lo sustancial, no quedan alterados.

En el supuesto de deuda aduanera nacida de forma regular la deuda nace en el momento de la "admisión de la declaración en aduana" (artículo 77 CAU para la importación y artículo 81 CAU para la exportación). Ahora bien, la deuda aduanera nace también por la introducción o la exportación que se haya realizado incumpliendo las normas aduaneras (artículos 78 y 82 CAU, respectivamente). A la hora de comprender la variedad de supuestos que quedan comprendidos bajo la rúbrica de "deuda nacida por incumplimiento" puede ser útil hacer referencia a las distintas categorías de incumplimiento que cabe distinguir en el artículo 79.1 CAU. Se trata de los siguientes:

- *Introducción irregular.* Se entiende producida cuando se incumplen las normas relativas a la introducción de las mercancías en el TAU y a su presentación a las autoridades aduaneras, o cuando se incumple lo dispuesto respecto a las mercancías que abandonan una zona franca. Supone, en definitiva, que la entrada de mercancías se realiza por lugares no autorizados o en horarios no autorizados (p.e. se introducen mercancías por una playa desierta en una noche cerrada), o que no se comunica debidamente a las autoridades dónde se encuentran las mercancías en tanto se procede a su despacho.

- *Sustracción a la vigilancia aduanera.* Se entiende producida cuando la mercancía, que se ha introducido inicialmente de forma regular, es objeto, en un momento

posterior, de una conducta ilícita puesto que se traslada o se manipula sin contar
con autorización para ello (p.e. sacar de forma anómala las mercancías del recinto
aduanero sin haber obtenido el levante, es decir, la autorización para retirar las
mercancías), determinando con ello un riesgo de que las mercancías puedan incorporarse de forma irregular al circuito económico de la UE.

El TJUE perfiló el contenido de esta expresión en los siguientes términos:

"debe entenderse que el concepto de sustracción incluye cualquier acto u omisión que tenga como resultado impedir a la autoridad aduanera competente,
aun cuando sólo sea momentáneamente, acceder a una mercancía bajo vigilancia
aduanera y efectuar los controles previstos" (p.e. STJUE *Schenker EOOD*, asunto
C-655/18, de 04.03.2020, p. 27 y jurisprudencia allí referida).

Debe añadirse que la sustracción de una mercancía a la vigilancia aduanera, a efectos del artículo 203, apartado 1, del Código aduanero, no requería la existencia de un elemento intencional, sino que presuponía tan sólo la reunión de una serie de requisitos de índole objetiva,
como eran, en particular, la ausencia física de la mercancía del lugar de depósito autorizado en el momento en que la autoridad aduanera quisiera realizar la inspección de la citada
mercancía (STJUE *Wandel*, asunto C-66/99, de 01.02.2001, pp. 47-48; en el mismo sentido
STJUE *United Antwerp*, asunto C-140/04, de 15.09.2005, p. 28; STJUE *Honeywell*, asunto
C-300/03, de 20.01.2005, pp. 18-19; STJUE *BAT*, asunto C-222/01, de 29.04.2004, p. 47;
STJUE *Liberexim*, asunto C-371/99, de 11.07.2002, p. 55; STJUE *Schenker EOOD*, asunto
C-655/18, de 04.03.2020, p. 30). De modo que, "cuando se sustraen a la vigilancia aduanera
mercancías incluidas en el régimen de depósito aduanero, la responsabilidad del titular de una
autorización de depósito aduanero tiene carácter objetivo y, por lo tanto, es independiente de
la conducta de este titular y de la de terceros" (STJUE *Schenker EOOD*, p. 31), en aquél caso
un hurto de un contenedor y del camión que lo transportaba.

La desaparición de la mercancía debe comportar un riesgo de integración en el circuito económico de la Unión Europea, de modo que si este riesgo no llega a existir podemos estar ante
el incumplimiento de una obligación —que a su vez podía determinar el nacimiento de la
deuda aduanera por incumplimiento de las obligaciones del régimen aduanero solicitado—
pero no ante la sustracción de las mercancías a la vigilancia aduanera (STJUE X, BV, asunto
C-480/12, de 15.05.2014, p. 35 y sentencias allí citadas).

Además del supuesto de ausencia física de las mercancías del lugar de depósito autorizado en el
momento en que la autoridad aduanera pretende someterla a control (STJUE *Liberexim*, asunto C-371/99, de 11.07.2002, p. 60), el Tribunal ha caracterizado asimismo como sustracción
a la vigilancia aduanera la utilización incorrecta de códigos en las declaraciones bajo determinadas circunstancias (STJUE *Terex*, asunto C-430/08, de 14.01.2010; se utilizó el código
de mercancías de la Unión en lugar del correspondiente a mercancías en perfeccionamiento
activo), el robo de mercancías incluidas en un régimen suspensivo (STJUE *Harry Winston*,
asunto C-273/12, de 11.07.2013, p. 31; el robo determina la salida del depósito de mercancías
que no han sido despachadas a libre práctica) o el hecho de que el documento de tránsito T1
se retire temporalmente de las mercancías a que se refiere (STJUE *British American Tobacco*,
asunto C-222/01, de 29.04.2004, p. 53; el documento de tránsito T1 es aquel a cuyo amparo
se efectúa el transporte de las mercancías incluidas en el régimen de tránsito comunitario ex-

terno y debe acompañar a las mercancías para permitir a las autoridades en cualquier momento verificar la corrección de la operación de tránsito). En *Wallenborn* se consideró que la no presentación de las mercancías a la conclusión de un régimen de tránsito externo constituye una sustracción a la vigilancia aduanera, por más que las mercancías se introdujeran en una zona franca (STJUE *Wallenborn*, asunto C-571/15, de 01.06.2017).

- *Incumplimiento* del contenido inherente al *régimen aduanero* económico que hubiese permitido, en su momento, gozar de la exención de derechos o bien de las condiciones a las que se supedite el disfrute de una exención. Nos referiremos a los regímenes aduaneros en la segunda parte de esta obra.

  En la STJUE *Latvijas Dzelzceļš* (asunto C-154/16, de 18.05.2017) se examina el supuesto de unos disolventes incluidos en el régimen de tránsito externo que no llegan al punto de destino porque se produjo una fuga debido a una avería o al cierre incorrecto de una cisterna. El TJUE decide que no estamos ante un supuesto de sustracción a la vigilancia aduanera, al haber desaparecido la mercancía y no haber riesgo de que se integre en el circuito económico de la UE (lo que hace este supuesto diferente a la pérdida por robo; véase un supuesto de robo en la STJUE *Harry Winston*, referida arriba). Ahora bien, el incumplimiento de la obligación de presentar en plazo las mercancías en la aduana de destino de la operación de tránsito sí puede determinar el nacimiento de una deuda aduanera por incumplimiento de las obligaciones del régimen, a menos que se acredite que la destrucción o pérdida de las mercancías se debe a su naturaleza o a un supuesto fortuito o de fuerza mayor, que deben ser objeto de una interpretación restrictiva.

Pues bien, para reconducir esos diferentes supuestos en que nace la deuda aduanera a un único concepto de "importación" que permita comprenderlos a todos ellos debemos convenir que ello sólo es posible con el que identifica "importación" con "paso de la línea aduanera". No parece que pueda concederse eficacia constitutiva a la declaración a libre práctica (como parece hacer la teoría propugnada por DI LORENZO) porque en los supuestos de introducción irregular o de sustracción a la vigilancia aduanera no hay tal declaración, y la deuda sigue devengándose en esos casos. Idéntica objeción cabe formular a las concepciones complejas del hecho imponible, como la que propone AGULLÓ AGÜERO, dado que estas teorías también señalan a la declaración como componente del hecho imponible y hemos señalado que puede nacer la deuda sin que haya declaración. Tampoco pensamos que esté justificado diferir la realización del hecho imponible "importación" a la ulterior nacionalización de las mercancías, un momento además en el que el tributo ya se ha devengado. Complica el esquema jurídico y no vemos en qué estriba su aportación. De hecho, en la sustracción a la vigilancia aduanera no tendremos la certeza de que las mercancías se hayan nacionalizado y, no obstante, la deuda se sigue devengando.

IDEA CLAVE

> El hecho imponible de los impuestos aduaneros, "importación" o "exportación", se realiza cuando las mercancías atraviesan la línea aduanera

La Sentencia del TJUE *Wandel* (asunto C-66/99, de 01.02.2001) niega explícitamente que pueda identificarse la declaración en aduana como hecho imponible (o, en la terminología del TJUE, hecho generador que determina el nacimiento de la deuda aduanera) en sus párrafos 43 y 44.

La STJUE *Krohn* (asunto C-226/18, de 22.05.2019) señala que "el Tribunal de Justicia ha declarado que las exacciones de efecto equivalente consisten en toda carga pecuniaria, impuesta unilateralmente, cualesquiera que sean su denominación y su técnica, que grave las mercancías *por el hecho de atravesar la frontera*, cuando no es un derecho de aduana propiamente dicho" (p. 37, donde cita en el mismo sentido las Sentencias *Koornstra*, asunto C 517/04, de 08.06.2006, p. 15, y *Koninklijke Coöperatie Cosun,* asunto C 248/04, de 26.10.2006, p. 30). Obsérvese que el Tribunal identifica de forma nítida "el hecho de atravesar la frontera" como hecho imponible de las exacciones de efecto equivalente a un derecho de aduana para, a continuación, proyectar esta apreciación sobre los derechos antidumping y los derechos compensatorios, al apreciar que "los derechos antidumping y los derechos compensatorios son cargas pecuniarias impuestas unilateralmente, que *gravan las mercancías por el hecho de que estas atraviesan la frontera de la Unión y entran en el territorio aduanero de la Unión*. Por consiguiente, constituyen exacciones de efecto equivalente a los derechos de aduana" (p. 38).

En su Sentencia 8 de noviembre de 1988 (RA 10119/1988), el TS justifica que el paso de la línea aduanera deba configurarse como el hecho imponible de los impuestos arancelarios, argumentando que "si abandonando este hecho —se refiere a traspasar la línea fronteriza—, se configura como hecho imponible el conjunto de operaciones necesarias para poder determinar la deuda tributaria, se transformaría el presupuesto de hecho, y se asociaría el pago del tributo a la realización por la Administración de una serie de actividades y la prestación de una serie de servicios, de lo que el pago de la deuda tributaria sería una contraprestación, lo que es constitutivo de una tasa". La mentada sentencia también rechaza que el hecho imponible lo constituya la nacionalización de las mercancías o la formulación de la declaración por el sujeto pasivo (FJ 3º).

La identificación del paso de la línea aduanera como hecho imponible de los impuestos arancelarios es la posición que mantiene la doctrina española actual. En este sentido, Hernández Mateo y Portals Pérez-Vizcaíno (*Procedimientos aduaneros II. Tramitación y desarrollo*, Taric, Madrid, 2005, p. 90), funcionarias de la Aduana española, señalan que "el hecho imponible de los derechos de importación lo constituye la entrada de mercancía en el territorio de que se trate, en nuestro caso, en el territorio aduanero de la UE, aunque matizado por ciertas condiciones", condiciones a las que las autoras no hacen referencia alguna en el texto que sigue y que cabe inferir, por el contexto, que tienen que ver con la existencia de exenciones.

En el mismo sentido, tras exponer el contenido de los artículos 201 y siguientes del CAC y del artículo 2 del TRIIRA, Cano Martínez, Inspectora de Hacienda del Estado con destino en aduanas, observa que "un estudio detallado de los artículos que dan lugar al nacimiento de la deuda aduanera de importación, permite concluir que el hecho imponible estaría constituido por la introducción de las mercancías en el territorio aduanero, hecho que subyace en todos los supuestos recogidos tan prolijamente tanto en el Código aduanero como en nuestra normativa interna" (*La deuda aduanera*, Asociación Española de Concesionarios de Zonas y Depósitos Francos, 2010, p. 64).

Por su parte, Pelechá Zozaya, que aúna la condición de Inspector de Hacienda del Estado con la de Profesor universitario, expone: "Ni en el CAM —Código Aduanero Modernizado— ni en el CA —Código Aduanero— figura, sin embargo, como hemos señalado antes, ninguna definición del hecho imponible de los derechos del AAC —Arancel Aduanero Común—; es más, ni siquiera la expresión hecho imponible aparece en ningún lugar de la normativa comunitaria. Obviamente, y como sucede en cualquier tributo, debe existir un hecho imponible del mismo: el AAC no escapa a esta regla; otra cosa es que, siguiendo una sistemática censurable, no se defina ni en el CAM, ni en el CA, ni mucho menos en el RA —Reglamento de Aplicación del Código Aduanero—. Como veremos al hablar del IVA y de los IIEE, tal hecho imponible no es otro que la importación, entendida ésta como la entrada de mercancías no comunitarias en el territorio aduanero de la Comunidad" (*Fiscalidad sobre el comercio exterior: el derecho aduanero tributario*, Marcial Pons, Madrid, 2009, p. 31).

La cuestión sigue siendo punto de controversia en distintos países de Iberoamérica. Un repaso exhaustivo de las distintas posiciones mantenidas en España en el pasado y en Iberoamérica actualmente puede verse en Pardo Carrero, G.: *Tributación aduanera*, Legis, Bogotá, 2009, pp. 323-344. Destaquemos, en cualquier caso, que en México es firme la misma posición que mantiene la doctrina española actual, véase Rohde Ponce, A.: *Derecho aduanero mexicano, vol. 2, Regímenes, contribuciones y procedimientos aduaneros*, ISEF, México, 2005, p. 240.

Así pues, cuando examinamos los diferentes supuestos que 'dan origen' a una deuda aduanera conforme al CAU (pueden verse más abajo, sistematizados en forma de tabla) y confrontamos esos supuestos con las diferentes concepciones mantenidas respecto al hecho imponible de los tributos aduaneros llegamos a la conclusión de que el modelo que permite encajar los diferentes supuestos que enumera la norma es el que define el hecho imponible como el paso de la línea aduanera.

El intento de ofrecer una configuración del contenido del término "importación", en tanto que presupuesto de hecho al que se vincula la aplicación de las normas tributarias aduaneras (hecho imponible), debe partir en nuestra opinión de la consideración de los tributos aduaneros como instrumentos que se enmarcan en el ámbito más amplio del Derecho aduanero.

Tomando este marco más amplio de referencia, no es difícil convenir que el Derecho aduanero comprende el conjunto de medidas de intervención de los poderes públicos sobre el tráfico de mercancías que entran o salen del territorio aduanero, medidas que, consideradas en su conjunto, tienen una finalidad de intervención (fundamentalmente, la regulación de flujos de mercancías). Si ello es así, si para el cumplimiento de sus fines interesa al Derecho aduanero cualquier entrada o salida de mercancías, esta debe ser la perspectiva desde la cual pasemos a analizar el hecho imponible de los tributos aduaneros.

Al avanzar un paso más en nuestro análisis es conveniente retener el carácter extra-fiscal de los impuestos arancelarios, atendida la decisiva influencia que en estos tributos alcanzan consideraciones ajenas a la obtención de recursos a favor de los entes públicos (utilizamos aquí 'impuestos arancelarios' y no 'tributos aduaneros' porque el carácter extrafiscal es una característica de los impuestos arancelarios, pero no del IVA a la impor-tación; en el texto puede verse que alternamos entre estas dos expresiones según la idea que se expresa puede predicarse del conjunto de los tributos aduaneros o sólo de los im-puestos arancelarios). Como hemos señalado, la aplicación de los impuestos arancelarios se dirige fundamentalmente a conseguir la realización de un fin regulador de flujos de mercancías. Ahora bien, este objetivo no siempre y en todo caso precisará que la aplica-ción del impuesto se resuelva en la realización de un ingreso. Ello ocurrirá cuando la exi-gencia de la prestación de pago sea la medida de intervención tributaria más eficaz. Pero el tributo, especialmente el de marcado carácter extrafiscal, no deja de estar presente en aquellos supuestos en los que no se exige una prestación de pago porque justamente esta es la fórmula más adecuada para coadyuvar al objetivo que el tributo está llamado a cum-plir. Para expresarlo en términos expeditos, 'no pago' no puede equipararse a 'no tributo'. En particular, el tributo puede hacer sentir su presencia manteniendo la exigencia de una serie de prestaciones formales accesorias (como la obligación de declarar), ordenando el sometimiento a las potestades de control por parte de las autoridades, imponiendo la exigibilidad de la deuda cuando dejen de cumplirse los requisitos a los que se condiciona la no obligación de pago...

En definitiva, siempre que sea posible encontrar una justificación que permita soste-ner que la no exigencia de la prestación de pago constituye una herramienta eficaz para lograr el fin extrafiscal que subyace como causa del impuesto arancelario, manteniendo en cambio la exigencia de otro tipo de prestaciones, habremos de concluir que el im-puesto se está aplicando y, por ende, habremos de reconocer que el hecho imponible se ha realizado.

Desde estas consideraciones se confirma nuestra defensa de la teoría propugnada por GIANNINI: el hecho imponible de los tributos aduaneros lo constituye el mero paso de la línea aduanera. El Derecho aduanero no va a quedar indiferente a la entrada o sa-lida de mercancías del territorio aduanero y su herramienta fundamental, los impuestos arancelarios, tampoco. En numerosas ocasiones, es cierto, el paso de la línea aduanera no va a generar una obligación de pago, pero en todo caso sí va a suponer la aplicación de la norma reguladora del impuesto y el sometimiento a él.

El impuesto arancelario actúa como herramienta de intervención incluso cuando su aplicación se resuelve en la no exigencia de la realización de un ingreso. Estas ideas podrán aprehenderse de forma más plena cuando nos refiramos a los distintos regíme-nes aduaneros en los que las mercancías que se introducen (o que salen) del territorio aduanero se pueden incluir. Veremos cómo la no exigencia del ingreso en algunos de ellos permite que el objetivo de regulación de flujos de mercancías se consiga de forma más perfecta. La no exigencia del ingreso se acompaña en estos casos de una constelación de obligaciones formales y del sometimiento a potestades administrativas. Estamos, podemos apuntarlo ya, ante supuestos de exención que contribuyen a perfilar el efecto deseado por la norma al diseñar el impuesto, de modo que se logre una mejor adaptación del mismo a los fines que lo inspiran. La exención aparece así, tal y como la doctrina más actual nos la muestra, como elemento codefinidor, junto al hecho imponible, del deber de contribuir. De manera que no estaríamos ante una gran cantidad de "excepciones" al nacimiento de la obligación tributaria, sino ante una definición del hecho imponible que precisa ser completada por una serie de situaciones respecto de las cuales el legislador, para dar mejor cumplimiento a los fines a los que el tributo tiende a dar satisfacción, opta por no exigir la prestación pecuniaria, si bien sí exige el cumplimiento de una serie de obligaciones formales y el sometimiento al ejercicio de las potestades administrativas de aplicación de los tributos.

BIBLIOGRAFÍA

Sobre estas cuestiones, véase Lozano Serrano, C.: *Exenciones tributarias y derechos adquiridos*, Tecnos, 1988.

Si identificamos el paso de la línea aduanera como el hecho imponible de los tributos aduaneros, resta por determinar dónde se sitúa esa línea aduanera. En el caso de la UE, el territorio comprendido por la unión aduanera se denomina 'Territorio Aduanero de la Unión' (TAU). Los territorios comprendidos en el TAU se enumeran en el artículo 4 CAU. Fundamentalmente se trata del territorio de los Estados miembros, si bien con pequeños matices.

De este modo, el TAU queda así:
"Artículo 4. Territorio aduanero.
1. El territorio aduanero de la Unión comprenderá los territorios siguientes, incluidos su mar territorial, sus aguas interiores y su espacio aéreo:
- el territorio del Reino de Bélgica,
- el territorio de la República de Bulgaria,
- el territorio de la República Checa,
- el territorio del Reino de Dinamarca, salvo las Islas Feroe y Groenlandia,
- el territorio de la República Federal de Alemania, salvo la isla de Heligoland y el territorio de Büsingen (Tratado de 23 de noviembre de 1964 entre la República Federal de Alemania y la Confederación Suiza),
- el territorio de la República de Estonia,
- el territorio de Irlanda,
- el territorio de la República Helénica,
- el territorio del Reino de España, salvo Ceuta y Melilla,

- el territorio de la República Francesa, salvo los países y territorios franceses de ultramar a los que se apliquen las disposiciones de la cuarta parte del TFUE,
- el territorio de la República de Croacia,
- el territorio de la República Italiana, salvo el municipio de Livigno,
- el territorio de la República de Chipre, de acuerdo con las disposiciones del Acta de adhesión de 2003,
- el territorio de la República de Letonia,
- el territorio de la República de Lituania,
- el territorio del Gran Ducado de Luxemburgo,
- el territorio de Hungría,
- el territorio de Malta,
- el territorio europeo del Reino de los Países Bajos,
- el territorio de la República de Austria,
- el territorio de la República de Polonia,
- el territorio de la República Portuguesa,
- el territorio de Rumanía,
- el territorio de la República de Eslovenia,
- el territorio de la República Eslovaca,
- el territorio de la República de Finlandia,
- el territorio del Reino de Suecia, y
- el territorio del Reino Unido de Gran Bretaña e Irlanda del Norte, de las Islas Anglonormandas y de la Isla de Man (1).

2. Habida cuenta de los convenios y tratados que les son aplicables, se considerarán parte integrante del territorio aduanero de la Unión los territorios situados fuera del territorio de los Estados miembros que se indican a continuación, incluidos su mar territorial, sus aguas interiores y su espacio aéreo:

a) FRANCIA. El territorio de Mónaco, tal y como se define en el Convenio aduanero firmado en París el 18 de mayo de 1963 (Journal officiel de la République française de 27 de septiembre de 1963, p. 8679);

b) CHIPRE. El territorio de las zonas de soberanía del Reino Unido de Akrotiri y Dhekelia, tal como se definen en el Tratado relativo al Establecimiento de la República de Chipre, firmado en Nicosia el 16 de agosto de 1960 [United Kingdom Treaty Series N. 4 (1961), Cmnd. 1252]".

(1) Respecto del Reino Unido de Gran Bretaña e Irlanda del Norte, de las Islas Anglonormandas y de la Isla de Man debe tenerse en cuenta el *Acuerdo sobre la retirada del Reino Unido de Gran Bretaña e Irlanda del Norte de la Unión Europea y de la Comunidad Europea de la Energía Atómica*, que fue aprobado por parte de la UE mediante la Decisión (UE) 2020/135 del Consejo de 30 de enero de 2020 relativa a la celebración del Acuerdo sobre la retirada del Reino Unido de Gran Bretaña e Irlanda del Norte de la Unión Europea y de la Comunidad Europea de la Energía Atómica (DO UE L 29, de 31.01.2020). La relación futura se regula en el *Acuerdo de comercio y cooperación entre la Unión Europea y la Comunidad Europea de la Energía Atómica, por una parte, y el Reino Unido de Gran Bretaña e Irlanda del Norte, por otra* (DO UE L 444, de 31.12.2020), por el que se establece una zona de libre comercio entre la UE y el Reino Unido. Se han establecido adaptaciones en la normativa aduanera de la UE atendido que el Reino Unido ha dejado de formar parte del TAU:

– Reglamento de Ejecución (UE) 2020/2254 de la Comisión de 29 de diciembre de 2020, relativo a la formulación de comunicaciones sobre el origen en función de las declaraciones del proveedor para las exportaciones preferenciales al Reino Unido durante un período transitorio;

– Reglamento de Ejecución (UE) 2020/2038 de la Comisión de 10 de diciembre de 2020 por el que se modifica el Reglamento de Ejecución (UE) 2015/2447 en lo que respecta a los formularios para los compromisos del fiador y a la inclusión de los gastos de transporte aéreo en el valor en aduana a fin de tener en cuenta la retirada del Reino Unido de la Unión; y

– Reglamento Delegado (UE) 2020/2191 de la Comisión de 20 de noviembre de 2020 por el que se modifica el Reglamento Delegado (UE) 2015/2446 en lo que respecta a los plazos de presentación de las declaraciones sumarias de entrada y las declaraciones previas a la salida en caso de transporte de mercancías por vía marítima desde y hacia el Reino Unido de Gran Bretaña e Irlanda del Norte, las Islas Anglonormandas y la Isla de Man.

En España, las implicaciones del Brexit se regulan en el Real Decreto-ley 38/2020, de 29 de diciembre, por el que se adoptan medidas de adaptación a la situación de Estado tercero del Reino Unido de Gran Bretaña e Irlanda del Norte tras la finalización del periodo transitorio previsto en el Acuerdo sobre la retirada del Reino Unido de Gran Bretaña e Irlanda del Norte de la Unión Europea y de la Comunidad Europea de la Energía Atómica, de 31 de enero de 2020 (BOE 30.12.2020) que, en materia aduanera, contiene disposiciones sobre autorizaciones y licencias de importación y exportación (artículos 16 a 18).

Debe observarse que el TAU no coincide exactamente con el territorio de la UE. Ello se debe, por una parte, a que existen territorios que sí forman parte de la UE pero que no forman parte del TAU. Es el caso, en España, de Ceuta y Melilla. Dinamarca, Alemania, Francia e Italia, tienen sus propias excepciones en este mismo sentido. Por otro lado, se incluye en el TAU, aunque no forma parte de la UE, el territorio de Mónaco y las zonas de Akrotiri y Dhekelia en Chipre.

> De este modo, a efectos aduaneros, las mercancías que se introducen en la península procedentes de Ceuta y Melilla suponen la realización del hecho imponible "importación", en tanto que las mercancías peninsulares que salen con destino a Ceuta y Melilla son una exportación, pues son tratadas como territorios terceros, ajenos al TAU. Debe tenerse en cuenta, no obstante, que Ceuta y Melilla tienen un régimen especial, por el cual gozan de un origen preferencial (remisión del artículo 64.4 CAU al artículo 9 del Protocolo nº 2 del Acta de adhesión de 1985).

El 87 CAU establece las reglas por las que se determina el lugar en que se entiende nacida la deuda aduanera (es decir, el lugar de realización del hecho imponible). Este lugar es relevante porque va a determinar quiénes son las autoridades competentes para liquidar la deuda, qué Estado miembro tiene derecho a retener un 25% de la recaudación que se obtenga y qué normas nacionales son las aplicables (en materia de procedimientos o en materia de infracciones y sanciones, entre otras).

El criterio principal, que será el de aplicación normal, nos dirige a atender al lugar en que se haya presentado la declaración aduanera, cuando estemos ante una importación o exportación regular (lícita). Para los demás casos (nacimiento de la deuda aduanera de importación o de exportación por incumplimiento o bien sin presentación de declaración), el criterio principal atiende al lugar en que se produzca el hecho que genera la deuda aduanera.

Si no fuera posible determinar en qué lugar se produjeron los hechos que determinaron el nacimiento de la deuda aduanera (esto puede ocurrir en supuestos de incumplimiento; p.e. se desconoce por qué punto del TAU se introdujeron irregularmente las mercancías), entonces la deuda aduanera se entenderá nacida en el lugar en que las autoridades aduaneras concluyan que las mercancías se encuentran en una situación que ha originado una deuda aduanera.

Junto a los anteriores, se establecen otros criterios para determinar el lugar de realización del hecho imponible:

a) Si las mercancías fueron incluidas en un régimen aduanero que no ha sido ultimado o si el depósito temporal no terminó correctamente, y no puede determinarse el lugar de nacimiento de la deuda aduanera con arreglo a los criterios anteriores en plazo, la deuda aduanera se entenderá nacida en el lugar en que las mercancías fueron, bien incluidas en el régimen de que se trate, bien introducidas en el TAU con arreglo a dicho régimen, o bien en el lugar en el que las mercancías estuvieron en depósito temporal.

b) Si la información disponible permite identificar varios lugares en los que se han producido hechos que hacen nacer una deuda aduanera (es decir, si respecto de unas mismas mercancías se han producido varios incumplimientos, cada uno de los cuales hace nacer la deuda), ésta se entenderá nacida en el lugar en que se haya producido el primero de ellos.

c) Finalmente, por motivos de eficacia, si una deuda aduanera de importe inferior a 10.000 euros nace por incumplimiento, la deuda se entenderá nacida en el lugar en que se descubra el incumplimiento, aunque éste haya tenido lugar en otro Estado miembro.

Un supuesto complejo de aplicación práctica de estos criterios puede verse en la Sentencia TJUE *Militzer*, asunto C-230/06, de 03.04.2008. La STJUE *VS* (asunto C-7/20, de 03.03.2021) examina un supuesto de una introducción irregular que se detectó en un Estado miembro distinto al de introducción en el TAU, siendo la deuda aduanera inferior a 10.000 euros (supuesto de la letra "c" de más arriba). La deuda debía entenderse nacida en el Estado miembro en el que se detectó la irregularidad. El problema que se planteaba en aquél asunto consistía en determinar dónde debía entenderse devengado el IVA a la importación. El TJUE decidió que, habida cuenta de que el vehículo se utilizó fundamentalmente en el Estado miembro en el que se detectó la irregularidad, debe apreciarse que "entró en el circuito económico de la Unión" en ese Estado, por lo que es también en ese Estado donde debe entenderse devengado el IVA (p. 35).

En el marco del IVA, el artículo 30 de la Directiva 2006/112/CE del Consejo de 28 de noviembre de 2006 relativa al sistema común del impuesto sobre el valor añadido (DO L 347 de 11.12.2006, p. 1) caracteriza el hecho imponible 'importación' del siguiente modo:

LEGISLACIÓN

> "Artículo 30. Se considerará «importación de bienes» la introducción en la Comunidad de un bien que no esté en libre práctica a efectos de lo dispuesto en el artículo 24 del Tratado.
> Además de la operación contemplada en el párrafo primero, se considerará importación de bienes la introducción en la Comunidad de un bien en libre práctica procedente de un territorio tercero que forme parte del territorio aduanero de la Comunidad".

Por tanto, la normativa IVA se remite en este punto, de manera implícita, a la normativa aduanera, puesto que es la normativa aduanera la que determina cuándo una mercancía se encuentra en 'libre práctica' (concepto que veremos más adelante). Mientras el primer párrafo recogería los supuestos de mercancías introducidas en el TAU desde terceros países, el segundo párrafo recogería los supuestos de mercancías introducidas en territorio IVA desde partes del TAU que no sean territorio IVA. En efecto, el TAU no coincide con el territorio en que es de aplicación el IVA europeo (como veremos, es el caso, p.e., de Canarias, que se integra en el TAU pero donde no se aplica el IVA, sino el Impuesto General Indirecto Canario, IGIC). Por ese motivo nos encontraremos con supuestos en los que, a efectos del IVA, estaremos ante una 'importación' o ante una 'exportación', pero en cambio no habrá tal 'importación' ni 'exportación' a efectos aduaneros. Estas cuestiones se examinan con más detalle en el capítulo 39, en el que se analiza el régimen de Canarias.

Ejemplo

EJEMPLO

Por ejemplo, cuando se introduce una mercancía procedente de Canarias en la península y Baleares tendremos una 'importación' a efectos de IVA; cuando una mercancía peninsular sale con destino a Canarias estaremos ante una 'exportación' a efectos de IVA; pero no habrá ni 'importación' ni 'exportación' a efectos aduaneros en estos supuestos porque Canarias sí forma parte del TAU.

Interesa subrayar que la normativa del IVA a la importación se remite en numerosos aspectos a la normativa aduanera. Así, por ejemplo, la base imponible del IVA a la importación se calcula añadiendo al valor en aduana de las mercancías unos determinados conceptos. Por tanto, pese a que no se trate de una 'importación' a efectos aduaneros, estaremos aplicando normas aduaneras —las de valor en aduana por ejemplo— por la remisión de la normativa del IVA a ellas.

No queremos dejar de referirnos a otra serie de problemas que se plantean en torno a la caracterización del concepto de importación y, en particular, a la circunstancia de que únicamente se sujete a gravamen la introducción de mercancías (bienes tangibles) y no la prestación de servicios (con las matizaciones que veremos al tratar el valor en aduana). Hace un siglo esta asimetría hubiese podido ser pasada por alto dada su relativamente escasa trascendencia práctica en aquel momento, pero la realidad económica actual nos obliga a planteárnosla con toda su crudeza. Y no sólo porque el comercio internacional de servicios crece de forma sensiblemente más rápida que el comercio de bienes, sino porque las nuevas tecnologías difuminan la aparentemente nítida distinción entre bienes tangibles y bienes intangibles. El Derecho tributario aduanero podría vivir de espaldas a la pujanza del tráfico de servicios y mantener su vigencia únicamente respecto de los bienes tangibles. Ello supondría ciertamente una pérdida de importancia relativa a la hora de servir de instrumento regulador de flujos económicos, en favor de otras figuras (fundamentalmente, las regulaciones proteccionistas acerca de los requisitos y condiciones habilitantes para la prestación de servicios), pero no afectaría a su estructura lógica y le permitiría seguir cumpliendo su cometido dentro de su delimitado ámbito objetivo. En cambio, el segundo factor representa un reto de mayor calado para el Derecho tributario aduanero.

En la actual sociedad digital, cada vez más es posible encontrar bienes intangibles que operan como sustitutivos de bienes tangibles, lo que convierte al tributo aduanero en un factor de discriminación a favor de los intangibles. Hoy pueden adquirirse en formato digital libros, revistas, periódicos, música, películas, programas de ordenador, etc. que compiten con sus gemelos en soporte físico, realidad que no puede ser ignorada por el Derecho tributario aduanero porque constituye un ataque en su misma línea de flotación. La irrupción de las impresoras 3D, capaces de generar objetos a partir de instrucciones informáticas, supone un paso más en esa dirección. La cuestión ha sido tenida en cuenta al regular, por ejemplo, el cálculo de la base imponible de los programas de ordenador que se importan en soporte físico, o el tratamiento que en el cálculo de la base imponible deben recibir los pagos por los derechos de reproducción. Nos tememos, no obstante, que más allá de una serie de respuestas puntuales, el problema exigirá en un futuro próximo un replanteamiento de cuestiones fundamentales.

Finalizamos este punto refiriéndonos a los supuestos de no sujeción, es decir, supuestos en los que el hecho imponible no llega a realizarse. Señala el artículo 20.2 LGT que "la ley podrá completar la delimitación del hecho imponible mediante la mención de supuestos de no sujeción". El CAU no contiene indicaciones expresas en virtud de las cuales determinados supuestos puedan ser considerados como de "no sujeción". Ello no obstante, se plantean dudas acerca de si las zonas francas pudieran constituir un supuesto de no sujeción. Bajo la vigencia del CAC parecía que, efectivamente, existían argumentos fundados para concluir que las zonas francas constituían supuestos de no sujeción. No obstante, consideramos que la situación cambia con el CAU por varias razones. En primer lugar, las zonas francas dejan de ser un régimen aduanero en sí mismas y pasan a ser una modalidad del régimen de depósito aduanero (Capítulo 3 del Título VII). En segundo lugar, y esto es fundamental, se establece la obligación de presentar las mercancías y de cumplir las demás formalidades aduaneras con ocasión de la entrada de las mercancías en la zona franca. Es decir, las mercancías se sujetan a las obligaciones formales del tributo, no así a las obligaciones materiales —de pago—. Estamos aplicando el tributo, pero sin que nazca una obligación de pago. Estas consideraciones nos llevan a concluir que, bajo la normativa del CAU, las zonas francas deben ser consideradas supuestos de exención (el hecho imponible se realiza, aunque no nace obligación de pago) y no supuestos de no sujeción (que sería la calificación que correspondería si el hecho imponible no pudiera entenderse realizado).

> El concepto legal de exención en España se contiene en el artículo 22 LGT. Las exenciones aduaneras se analizan en el capítulo 5.
>
> Al analizar la normativa anteriormente vigente (el CAC), señalaba Pelechá Zozaya diversos supuestos que calificaba como de no sujeción: el régimen de depósito aduanero (98 a 113 CAC) o el régimen aplicable a los productos de la pesca marítima y otros productos extraídos del mar (188 CAC) (*Fiscalidad sobre el comercio exterior: el Derecho aduanero tributario*, Marcial Pons, 2009, pp. 38-44). No compartimos esta apreciación. En ambos casos nos parece que el tributo sí se aplica (las obligaciones formales deben cumplirse), lo que ocurre es que no se exige el pago, por lo que nos parece que estamos ante supuestos de 'exención', y no de 'no sujeción'.

4.3. DEVENGO

El artículo 21 de la LGT define devengo como "el momento en el que se entiende realizado el hecho imponible y en el que se produce el nacimiento de la obligación tributaria principal". A continuación, este precepto de la LGT dispone que "La fecha del devengo determina las circunstancias relevantes para la configuración de la obligación tributaria, salvo que la ley de cada tributo disponga otra cosa".

Tal y como hemos señalado, la normativa europea, artículos 77 a 87 CAU, no contiene una definición general de hecho imponible, sino que regula los presupuestos de hecho que originan el nacimiento de la deuda aduanera (devengo de los derechos). El momento del devengo es importante porque, según señala el artículo 21 LGT, determina las circunstancias relevantes para la configuración de la obligación tributaria. En el mismo sentido, el artículo 85.1 CAU dispone que los elementos de imposición que serán tomados en consideración para calcular el importe de la deuda aduanera, tales como la naturaleza (clasificación, origen), valor y cantidad de mercancía, así como el tipo de gravamen, serán los que sean aplicables en el momento en que nazca la deuda aduanera, es decir, en el momento del devengo.

> No obstante, esta regla general del artículo 85.1 CAU, el artículo 86 CAU establece una serie de reglas especiales para el cálculo del importe de los derechos de importación. A modo de referencia, las recogemos a continuación:
>
> 1) Si se genera una deuda aduanera respecto de unas mercancías no pertenecientes a la Unión previamente incluidas en un régimen aduanero o en depósito temporal y, durante el período de inclusión en ese régimen aduanero o depósito temporal —con las mercancías ya en el TAU—, se incurrió en costes de almacenamiento o se realizaron operaciones usuales de manipulación, dichos costes no se incluirán a los efectos del cálculo del importe de los derechos de importación, siempre que el declarante suministre pruebas satisfactorias de los mismos. Ahora bien, esta regla se supedita a que la deuda aduanera se calcule tomando como base el valor en aduana, la cantidad, la naturaleza —esto es, la clasificación arancelaria— y el origen de las mercancías utilizadas, es decir, que se tomen las bases de cálculo de la deuda pre-existentes al almacenamiento o a la operación de manipulación usual. O dicho de otro modo, no se incluyen en el cálculo de la deuda los costes de almacenamiento ni de las operaciones usuales de manipulación generados ya en el TAU a condición de que se tomen como base de cálculo de esa deuda los factores pre-existentes a la entrada de las mercancías al TAU.
>
> 2) A solicitud del declarante, en caso de que, como consecuencia de operaciones usuales de manipulación en el TAU, cambie la clasificación arancelaria que corresponde a las mercancías incluidas en un régimen aduanero, podrán calcularse los derechos atendiendo a la clasificación arancelaria original de las mercancías incluidas en el régimen. Esta regla puede aplicarse, aunque el declarante no la solicite, a fin de impedir que se eluda la aplicación de otras medidas arancelarias (como derechos antidumping, derechos compensatorios, medidas de política agrícola...).
>
> 3) En el marco del régimen de perfeccionamiento activo (que se examina en el capítulo 18), en caso de que nazca una deuda aduanera respecto de los productos transformados resultantes del régimen, ésta podrá determinarse, a solicitud del declarante, sobre la base de la clasificación arancelaria, el valor en aduana, la cantidad, la naturaleza y el origen de las mercancías de importación en el momento de la admisión de la declaración en aduana por la que las mercancías se incluyeron en el régimen de perfeccionamiento activo. Al igual que hemos señalado en el caso anterior, esta regla puede aplicarse, aunque el declarante no la solicite, a fin de impedir que se eluda la aplicación de otras medidas arancelarias (véanse los artículos 72, 73, 74, 76, 166.1(a), 168, 176.2, 240.3 todos del RDCAU).
>
> 4) En el marco del régimen de perfeccionamiento pasivo (que se examina en el capítulo 19), en caso de que nazca una deuda aduanera respecto de los productos transformados resultantes del régimen o respecto de productos de sustitución en el sistema de intercambios

estándar (artículo 261.1 CAU), el importe de los derechos de importación se calculará basándose en el coste de la operación de transformación llevada a cabo fuera del TAU.

5) Si nace una deuda aduanera por incumplimiento y la legislación aduanera concede un tratamiento arancelario favorable o una franquicia o una exención total o parcial de los derechos de importación o de exportación (en virtud de los artículos 56.2(d) a (g), 203, 204, 205 y 208, 259 a 262 CAU o del Reglamento (CE) nº 1186/2009, de franquicias), ese beneficio podrá seguir aplicándose a pesar del incumplimiento que originó la deuda aduanera, salvo que el mismo haya constituido una tentativa de fraude.

El apartado 2 del artículo 85 CAU establece las reglas a seguir cuando no sea posible determinar con precisión el momento del devengo. Con carácter general, en estos casos se considerará que la deuda nace en el momento en que las autoridades determinen que las mercancías se encuentran en una situación que ha originado una deuda (es decir, en estos casos la deuda no nace cuando se produzcan las circunstancias que determinan el nacimiento de la deuda, sino en el momento en que las autoridades, al constatar que esas circunstancias se han producido en algún momento anterior, determinen que esa deuda ha nacido). Ahora bien, si las autoridades no sólo están en condiciones de constatar que la deuda ha nacido, sino que disponen de información que les permite establecer que las circunstancias que hicieron nacer la deuda ya concurrían en un momento anterior a su determinación, entonces la deuda se entenderá nacida en ese otro momento anterior.

Ofrecemos a continuación, en forma de tabla, cómo regula el CAU los supuestos en que nace la deuda aduanera, el momento en que lo hace (devengo) y el deudor. Se puede observar que, tal y como hemos señalado, se agrupan los supuestos en dos bloques: nacimiento regular de la deuda y nacimiento de la deuda en caso de incumplimiento. En este segundo bloque se agrupan y sistematizan supuestos que en el CAC se regulaban separadamente. Salvada esta novedad en la forma de estructurar y presentar la regulación, los contenidos no sufren variaciones de gran calado. Sí es cierto que se utilizan conceptos más amplios ('incumplimiento de una obligación relativa a la introducción de mercancías'), y resulta difícil anticipar la relevancia práctica que este nuevo lenguaje pueda tener en la práctica. Debemos prevenir que la plena comprensión de estos presupuestos de hecho exige el conocimiento de conceptos que todavía no hemos introducido y que se examinarán más adelante, tales como 'despacho a libre práctica', 'importación temporal', 'zona franca', 'depósito franco', 'régimen aduanero' o 'representación indirecta'. Por ello los ofrecemos a modo de referencia, que permite identificar cuáles son esos supuestos que originan el nacimiento de la deuda aduanera. Cuando los conceptos enumerados queden debidamente expuestos podrá volverse sobre estas tablas para captar su pleno sentido.

Deuda aduanera a la importación (CAU)		
Circunstancias de la importación	*Momento del devengo*	*Deudor*
(77 CAU) - Mercancías despachadas a libre práctica[1] – Régimen de importación temporal con exención parcial de derechos[2]	Admisión de la declaración.	**Declarante.** En caso de representación indirecta, lo será también la persona por cuya cuenta se haga la declaración. Si la declaración se realiza sobre la base de elementos que hagan que no se perciba la totalidad o parte de los derechos exigibles, podrá también ser considerado deudor quien haya proporcionado la información requerida para realizar la declaración y que supiera o debiera razonablemente haber sabido que dicha información era falsa.
(79 CAU) Incumplimiento[3]: a) de una de las obligaciones establecidas en la legislación aduanera relativa a la introducción de mercancías no pertenecientes a la Unión en su territorio aduanero, a la retirada de estas de la vigilancia aduanera o a la circulación, transformación, depósito, depósito temporal, importación temporal o disposición de tales mercancías en ese territorio; b) de una de las obligaciones establecidas en la legislación aduanera relativa al destino final de las mercancías dentro del territorio aduanero de la Unión;	a) el momento en que no se cumpla o deje de cumplirse la obligación cuyo incumplimiento dé origen a la deuda aduanera; b) el momento en que se admita una declaración en aduana para que las mercancías se incluyan en un régimen aduanero, cuando posteriormente se compruebe que de hecho no se había cumplido una de las condiciones que regulan la inclusión de las mercancías en ese régimen o la concesión de una exención de derechos o una reducción del tipo de los derechos de importación en virtud del destino final de las mercancías.	**En los supuestos a) y b):** a) toda **persona** a la que se hubiera exigido el cumplimiento de las **obligaciones** en cuestión; b) toda persona que **supiera o debiera razonablemente haber sabido** que no se había cumplido una obligación con arreglo a la legislación aduanera y que hubiera actuado por cuenta de la persona que estaba obligada a cumplir la obligación, **o hubiera participado** en el acto que condujo al incumplimiento de la obligación; c) toda persona que hubiera **adquirido o poseído** las mercancías en cuestión y que supiera o debiera razonablemente haber sabido en el momento de adquirir o recibir las mercancías que no se había cumplido una obligación establecida por la legislación aduanera.

Deuda aduanera a la importación (CAU)		
Circunstancias de la importación	*Momento del devengo*	*Deudor*
(79 CAU) Incumplimiento[3]: c) de una condición que regule la inclusión de mercancías no pertenecientes a la Unión en un régimen aduanero o la concesión, en virtud del destino final de las mercancías, de una exención de derechos o de una reducción del tipo de los derechos de importación.	Idem que anterior	**En el supuesto c):** – La persona que deba cumplir las condiciones que regulan la inclusión de las mercancías en un régimen aduanero, o la declaración en aduana de las mercancías incluidas en dicho régimen aduanero, o la concesión de una exención de derechos o una reducción del tipo de los derechos de importación en virtud del destino final de las mercancías. – Cuando se presente una declaración en aduana respecto de uno de los regímenes aduaneros referidos y se suministre a las autoridades aduaneras cualquier información requerida con arreglo a la legislación aduanera y relativa a las condiciones que regulan la inclusión de las mercancías en ese régimen aduanero, de modo que ello conduzca a la no percepción de la totalidad o parte de los derechos exigibles, el deudor será también la persona que suministró la información requerida para formular la declaración en aduana y que sabía o debería razonablemente haber sabido que dicha información era falsa.

NOTA

(1) Si nace una deuda aduanera respecto de mercancías despachadas a libre práctica con una reducción del tipo de los derechos de importación debido a su destino final, el importe de los derechos de importación pagados en su día minorará la deuda aduanera. Esta misma regla se aplica si nace una deuda aduanera respecto de los residuos y desechos resultantes de la destrucción de dichas mercancías (artículo 80.1 CAU).

(2) Si nace una deuda aduanera respecto de mercancías que previamente fueron incluidas en un régimen de importación temporal con exención parcial de derechos de importación, el importe de los derechos de importación pagados con arreglo a la exención parcial minorará el importe de los derechos de importación correspondiente a la deuda aduanera.

(3) Véase en el artículo 103 RDCAU un listado de incumplimientos que, ello no obstante, no tienen como consecuencia el nacimiento de la deuda aduanera, siempre que, por otro lado, se verifiquen 3 condiciones: 1) que no tenga efectos significativos para el adecuado funcionamiento del régimen; 2) que no constituya tentativa de fraude; y 3) que se lleven a cabo posteriormente todos los trámites necesarios para regularizar la situación de las mercancías (artículo 124.1(h) CAU).

Deuda aduanera a la exportación (CAU)		
Circunstancias de la exportación.	**Momento del devengo**	**Deudor**
(81 CAU) Inclusión de mercancías sujetas a derechos de exportación en el régimen de exportación o en el régimen de perfeccionamiento pasivo	Momento en que se admita la declaración en aduana	– **Declarante**. – Caso de representación indirecta, será también deudor la persona por cuya cuenta se presente la declaración. – Si se presenta una declaración en aduana sobre la base de una información que lleve a no percibir la totalidad o parte de los derechos exigibles, será también deudor la persona que suministró la información, siempre que supiera o debiera razonablemente haber sabido que era falsa.

Deuda aduanera a la exportación (CAU)		
Circunstancias de la exportación.	**Momento del devengo**	**Deudor**
(82 CAU) Incumplimiento de: a) una de las obligaciones establecidas en la legislación aduanera para la salida de las mercancías;	– Momento en que tenga lugar la salida efectiva del TAU sin declaración. – Momento en que las mercancías alcancen un destino distinto de aquel para el que fueron autorizadas a salir del TAU con exención total o parcial de los derechos de exportación; – En caso de que las autoridades aduaneras no puedan determinar el momento mencionado en el inciso anterior, el vencimiento del plazo fijado para la presentación de pruebas de que se han cumplido las condiciones que permiten a las mercancías beneficiarse de dicha exención.	a) toda persona a la que se hubiera exigido el cumplimiento de la obligación en cuestión; b) toda persona que supiera o debiera razonablemente haber sabido que no se había cumplido la obligación en cuestión y que hubiera actuado por cuenta de la persona obligada a cumplir dicha obligación; c) toda persona que hubiera participado en el acto que llevó al incumplimiento de la obligación y que supiera o debiera razonablemente haber sabido que no se había presentado una declaración en aduana, a pesar de ser preceptiva.
(82 CAU) Incumplimiento de: b) las condiciones con arreglo a las cuales se permitió la salida de las mercancías del TAU con exención total o parcial de los derechos de exportación.	Idem que el anterior	Toda persona que esté obligada a cumplir las condiciones con arreglo a las cuales se autorizó la salida de las mercancías del TAU con exención total o parcial de los derechos de exportación.

La deuda aduanera se genera incluso si la mercancía que se introduce (o se exporta) es objeto de una medida de prohibición o restricción a la importación. Ahora bien, no se genera cuando se introduce ilegalmente moneda falsa o estupefacientes (artículo 83.2 CAU; véase también la STJUE de 06.12.1990, asunto C-343/89, *Witzeman*).

> En ella, sostuvo el Tribunal que "el Derecho comunitario ha de interpretarse en el sentido de que no puede originarse deuda aduanera alguna con ocasión de la importación de moneda falsa en el territorio aduanero de la Comunidad", extendiendo así el alcance de su doctrina anterior en el mismo sentido en materia de estupefacientes. Asimismo, el Tribunal sostuvo que tampoco puede exigirse el IVA por la importación de moneda falsa.

Ello no obstante, a pesar que no se genere la deuda tributaria en los supuestos a que acabamos de referirnos (moneda falsa y estupefacientes), su importe podrá seguir calculándose "a efectos de las sanciones aplicables a las infracciones aduaneras", de manera que se considerará que ha nacido una deuda aduanera cuando, con arreglo a la normativa de un Estado miembro, los derechos de aduana o la existencia de una deuda constituyan la base para determinar las sanciones (artículo 83.3 CAU). El motivo que justifica esta previsión del CAU consiste en impedir la discriminación ilógica que se produciría en caso contrario. Téngase en cuenta que algunos ordenamientos incluyen el importe de la deuda aduanera a los efectos de determinar el valor de las mercancías ilícitamente introducidas (era el caso del ordenamiento español hasta la reforma operada por la Ley Orgánica 6/2011, que modificó la redacción del artículo 10.2 de la Ley Orgánica 12/95, de represión del contrabando). Este valor, por su parte, puede ser relevante para determinar la calificación de la conducta como infracción administrativa o como delito, así como para la graduación de la consecuencia jurídica resultante, dentro de cada una de estas categorías. De esta forma, la introducción de mercancías cuya importación o comercialización está prohibida resultaría privilegiada caso de no existir una norma que ordenase su consideración a efectos sancionadores.

En efecto, hasta la entrada en vigor de la Ley Orgánica 6/2011, el artículo 10.2 de la Ley Orgánica 12/1995, de 12 de diciembre (BOE nº 297, de 13.12.1995), de represión del contrabando, disponía que la fijación del valor de los bienes, mercancías, géneros o efectos objeto de contrabando se haría, "si se trata de mercancías no comunitarias, por aplicación de las normas que regulan la valoración en aduana. *El valor resultante se incrementará con el importe de los tributos exigibles a su importación*". De este modo, si se considerara que no había "tributos exigibles" en estos casos se les trataría mejor, porque se consideraría que la conducta ilícita tenía un importe inferior. La Ley Orgánica 6/2011, consideramos que con buen criterio, suprime la remisión a las normas de valoración aduanera y la inclusión de la cuota tributaria, y la sustituye por precios medios o precios oficiales.

Un supuesto particular de nacimiento de la deuda aduanera es el que se regula en el artículo 78 CAU. Se trata de un supuesto técnico, complejo, cuya comprensión exige algunas nociones acerca del contenido del régimen de perfeccionamiento activo, que se examina en el capítulo 18. Intentamos exponer a continuación de forma sencilla este supuesto, sin perjuicio de que convenga volver sobre él una vez se haya asimilado el contenido del aludido régimen.

Con carácter general, cuando se introducen productos de un tercer país para ser transformados en la UE y reexportar la mercancías resultantes de esa transformación, la importación de los productos del tercer país goza de exención en virtud del régimen de perfeccionamiento activo (p.e. se importa madera tropical de Brasil para fabricar muebles; los muebles se reexportan a Arabia Saudí; se gozaría de exención para la importación de madera tropical porque la madera 'sale' de la UE en forma de mueble). Ahora bien, en determinados acuerdos por los que se establece una preferencia arancelaria se exige que los insumos utilizados para obtener la mercancía que no sean originarios de la otra Parte —en nuestro ejemplo, la madera tropical de Brasil— deberán haber sido gravados para beneficiarse de la preferencia (p.e., supongamos que la UE y Arabia Saudí tuviesen un acuerdo de este tipo; el acuerdo exigiría que las exportaciones de la UE sólo se beneficiarán de la ventaja arancelaria si los insumos que no sean de la UE se gravan en la UE; en este caso, para que el mueble exportado a Arabia Saudí se beneficie de la preferencia arancelaria habría de gravarse la madera tropical de Brasil, que recordemos no se gravó por aplicación del régimen de perfeccionamiento activo). Lo que se hace para cumplir con esta estipulación del acuerdo preferencial es que, cuando sea el caso, al declarar la exportación de la mercancía transformada nacen derechos de aduana respecto de los insumos del tercer país que incorpora, es decir, los insumos que gozaron de exención en virtud de la mecánica del régimen de perfeccionamiento activo (en nuestro ejemplo, al declarar la exportación de los muebles a Arabia Saudí habrían de satisfacerse los derechos de aduana respecto de la madera tropical de Brasil). En definitiva, este supuesto de nacimiento de la deuda aduanera supone la neutralización de la exención disfrutada por aplicación del régimen de perfeccionamiento activo cuando un acuerdo que establezca una preferencia arancelaria exija que los insumos no originarios se graven de forma efectiva.

Por otra parte, lo que no puede ocurrir es que una misma importación pretenda ser gravada dos veces por concurrir más de una circunstancia de las que originan el nacimiento de la deuda (STJUE *Kiwall*, asunto 252/87).

La jurisprudencia del TJUE ha venido a aportar precisiones adicionales acerca del contenido de los diversos supuestos de nacimiento de la deuda aduanera. Así, la STJUE *Wandel* (asunto C-66/99, de 01.02.2001, pp. 47-48) decide que, si se admite una declaración aduanera pero las mercancías se retiran antes de que se conceda el levante, impidiendo de este modo a las autoridades ejercer sus facultades de control, estaremos ante una introducción irregular (en el momento en que se produjeron los hechos era de aplicación el artículo 203 CAC, que regulaba la sustracción a la vigilancia aduanera), y no una introducción regular (en aquél momento era el artículo 201 CAC el que regulaba el despacho a libre práctica). En la Sentencia *Elshani* (asunto C-459/07, de 02.04.2009), también dictada bajo la vigencia del CAC, el Tribunal precisó que "la introducción irregular de mercancías se consuma desde que pasan la primera oficina aduanera situada en el interior del territorio aduanero de la Comunidad sin que hayan sido presentadas en ella" (p. 25) y que "por consiguiente, debe considerarse que han sido objeto de una «introducción irregular» en ese territorio en el sentido del artículo 202 del Código aduanero las mercancías que, habiendo cruzado la frontera terrestre exterior de la Comunidad, se encuentran en dicho territorio más allá de la primera oficina aduanera, sin haber sido conducidas hasta allí y sin que hayan sido presentadas en aduana, con el resultado de que las autoridades aduaneras no han recibido comunicación del hecho de la introducción de esas mercancías por parte de las personas responsables de la ejecución de esa obligación" (p. 26).

Se trataba en aquella Sentencia de la introducción por Italia de cigarrillos camuflados en un autobús de pasajeros, que fue detectada en Austria, donde fueron decomisados y destruidos. El decomiso y la destrucción extinguen la deuda si las mercancías se aprehenden en el momento de la introducción irregular (artículo 233. (d) CAC; actualmente, artículo 124.1(e) CAU; véase también el artículo 124, apartados 1(k) y 6 CAU), pero el TJUE decidió que en este caso la deuda aduanera no quedaba extinguida porque el decomiso se produjo en un momento posterior al de la introducción irregular, dado que esta se produjo tan pronto se rebasó la primera oficina aduanera.

En cambio, si las mercancías se aprehenden y decomisan en la primera oficina aduanera de paso, la deuda aduanera no nace (STJUE *Dansk*, asunto C-230/08, de 29.04.2010).

Otras Sentencias del TJUE que distinguen entre los diferentes supuestos de nacimiento de la deuda bajo la vigencia del CAC pero que han perdido su relevancia conforme a las normas del CAU, son la STJUE *X, BV*, asunto C-480/12, de 15.05.2014 (la falta de presentación de la declaración aduanera en el plazo establecido para ello no determinaba que la deuda aduanera naciera por aplicación del supuesto de sustracción a la vigilancia aduanera —artículo 203 CAC—, sino que en este caso la deuda aduanera nacía en virtud del artículo 204 CAC —incumplimiento de las obligaciones a que queda sujeta una mercancía—); la STJUE *SEK*, asunto C-75/13, de 12.06.2014 (mercancía en depósito temporal que se declara en régimen de tránsito comunitario externo, simulando que las mercancías salían del TAU pese a que continuaban en el depósito; en estas circunstancias, el TJUE decidió que la deuda aduanera nace por sustracción a la vigilancia aduanera). Un análisis de los supuestos de nacimiento de la deuda por incumplimiento, su contenido y la jurisprudencia del TJUE al respecto puede verse en García Heredia, A.: "Las deudas aduaneras nacidas por incumplimiento", *Civitas Revista Española de Derecho Financiero*, nº 162, 2014, pp. 137-174.

4.4. DEUDOR

En su artículo 77 y siguientes, el CAU nos ofrece, junto al listado de situaciones en que nacerá la deuda aduanera, la relación de los sujetos que, respecto a cada una de ellas, ostentarán la posición de "deudor", tal y como también hemos hecho nosotros en las tablas anteriores. La denominación "deudor" no responde a un concepto técnico jurídico-tributario. Nuestra disciplina se sirve de otras denominaciones —como contribuyente o responsable— para referirse a las distintas posiciones pasivas que a los obligados pueden corresponder en la relación tributaria.

A este respecto, debe tenerse en cuenta que el CAU ha evitado la utilización de términos propios de los ordenamientos internos, proceder que se comprende si se tiene en cuenta la disparidad de tradiciones jurídicas y elaboraciones dogmáticas vigentes en los Estados miembros. Así pues, del Derecho de la UE obtenemos un elenco de sujetos que ocupan una posición pasiva, "deudores", categoría genérica acerca de la cual carecemos de una caracterización que nos permita conocer su contenido preciso. Algunas notas al respecto sí podemos, no obstante, señalar:

- Los deudores responden de la prestación tributaria material o de pago de la obligación tributaria, dado que son "deudores" de la deuda aduanera.

Esta idea viene confirmada por lo dispuesto en el artículo 4. 19) CAU que define la expresión "deudor ante la aduana" como "toda persona responsable de una deuda aduanera", definiendo a su vez deuda aduanera como [artículo 5.18 CAU] "la obligación de una persona de pagar el importe de los derechos de importación o de exportación aplicables a mercancías específicas con arreglo a la legislación aduanera vigente".

- Los deudores que concurran entre sí para el pago de una misma deuda aduanera mantendrán entre sí un régimen de solidaridad (artículo 84 CAU).

El contenido genérico que en el derecho común se atribuye al régimen de solidaridad, que el CAU ordena respecto de los distintos deudores de una misma deuda, podemos sintetizarlo en los siguientes puntos:

✓ Cada uno de los deudores es deudor por entero.

✓ El acreedor puede dirigirse indistintamente contra cualquiera de ellos o contra todos simultáneamente.

✓ El pago realizado por uno tiene efectos liberatorios para los demás.

✓ Las reclamaciones contra uno no impiden al acreedor formular nuevas reclamaciones contra los demás mientras la deuda no haya sido cumplida por entero.

✓ La constitución en mora perjudica por igual a todos los codeudores.

✓ La interrupción de la prescripción perjudica por igual a todos los codeudores.

✓ El efecto de cosa juzgada se extiende a todos los codeudores, aunque personalmente no hayan litigado.

Vid Díez-Picazo y Gullón: *Sistema de Derecho Civil*, volumen II, 6ª edición, Tecnos, 1990, p. 139. Es importante tener en cuenta que, por aplicación del principio de personalidad de las sanciones, el obligado solidariamente sólo respondería de aquellas de las que fuera personalmente responsable (vid STC de 12 de mayo de 1994).

La caracterización anterior del régimen de solidaridad debe considerarse meramente indicativa. En este sentido, por ejemplo, el TJUE en su Sentencia *Berel* (asunto C-78/10, de 17.02.2011) decidió que la condonación reconocida a un deudor no extiende sus efectos a los demás deudores, basando su decisión en que la condonación debe ser objeto de interpretación restrictiva y a que la normativa europea la sujeta a unos requisitos subjetivos que deben verificarse por cada sujeto a título individual para poder beneficiarse de ella. Por tanto la nota relativa a que "el efecto de cosa juzgada se extiende a todos los codeudores, aunque personalmente no hayan litigado" no siempre será aplicable en materia aduanera. Una nota, dicho sea de paso, que igualmente se desprende de la LGT (artículo 35.6) y del Reglamento General de aplicación de los tributos (RGGIT,

RD 1065/2007, artículo 106), de manera que nuestra norma interna es incompatible en este punto con la interpretación del TJUE.

Conforme a lo dispuesto en el artículo 36.1 LGT, "en el ámbito aduanero, tendrá además la consideración de sujeto pasivo el obligado al pago del importe de la deuda aduanera, conforme a lo que en cada caso establezca la normativa aduanera". Por tanto, los sujetos a los que el CAU califica como 'deudores' tendrán la consideración de 'sujetos pasivos' conforme a la normativa española. Recordemos que son dos las categorías que participan de la categoría más general de sujeto pasivo: el contribuyente y el sustituto. Puesto que los 'deudores' conforme a la norma europea no se 'sustituyen' o desplazan el uno al otro, sino que más bien se acumulan entre sí (ya hemos destacado que son deudores en régimen de solidaridad), no parece que puedan encajar en la categoría de 'sustitutos', por lo que habrá que considerarlos contribuyentes.

> Dispone así el artículo 36 LGT:
> **"Artículo 36. Sujetos pasivos: contribuyente y sustituto del contribuyente.**
> 1. Es sujeto pasivo el obligado tributario que, según la ley, debe cumplir la obligación tributaria principal, así como las obligaciones formales inherentes a la misma, sea como contribuyente o como sustituto del mismo.
> No perderá la condición de sujeto pasivo quien deba repercutir la cuota tributaria a otros obligados, salvo que la ley de cada tributo disponga otra cosa.
> *En el ámbito aduanero, tendrá además la consideración de sujeto pasivo el obligado al pago del importe de la deuda aduanera, conforme a lo que en cada caso establezca la normativa aduanera.*
> 2. Es contribuyente el sujeto pasivo que realiza el hecho imponible.
> 3. Es sustituto el sujeto pasivo que, por imposición de la ley y en lugar del contribuyente, está obligado a cumplir la obligación tributaria principal, así como las obligaciones formales inherentes a la misma.
> El sustituto podrá exigir del contribuyente el importe de las obligaciones tributarias satisfechas, salvo que la ley señale otra cosa".
> Fíjese que el 'contribuyente' se caracteriza por realizar el hecho imponible. Conforme al ordenamiento español, por cada realización de un hecho imponible nace una deuda tributaria. El problema que nos aparece es que, si aquellos a quienes el CAU califica como 'deudores' deben ser considerados 'contribuyentes' conforme al Derecho español, en caso de que tengamos varios deudores respecto de una misma deuda, pero cada uno de ellos lo sea por una conducta distinta (uno incumple una obligación; otro participa en una irregularidad; otro adquiere o posee las mercancías...) habríamos de convenir que cada uno de ellos realiza un hecho imponible distinto. Pero *ello no obstante, conforme a la normativa europea la deuda tributaria es única* (no nace una deuda aduanera por cada conducta, sino una sola respecto de la cual todos son 'deudores'), lo que no encaja con la caracterización del Derecho español en la que cada hecho imponible diferenciado genera una deuda tributaria. Por otro lado, hemos descartado que el 'deudor' pueda ser un sustituto. Por tanto, el encaje de la categoría de 'deudor' como sujeto pasivo que realiza la LGT no es tan pacífico como a primera vista pudiera parecer.

Conviene aclarar que, conforme a la doctrina reiterada del TJUE, el ordenamiento de la Unión agota la regulación de los sujetos que tienen la condición de deudor, de manera que no pueden los Estados crear en sus ordenamientos internos nuevos supuestos de deudor, esto es, de persona que responde del pago de la deuda aduanera. Sólo a los sujetos que encajen en alguno de los supuestos de los artículos 77 y siguientes del CAU, que nosotros hemos recogido en las tablas de más arriba, se les podrá exigir el pago de la deuda aduanera, y a ninguno más.

En este sentido, STJUE Spedition Ulustrans (asunto C-414/02); STJUE Oliver Jestel (asunto C-454/10, de 17.11.2011).

BIBLIOGRAFÍA

No pretendemos descender al análisis de cada una de las circunstancias que comportan la posición de deudor. En las tablas anteriores puede verse qué sujetos ocupan la posición de deudor en función de las circunstancias que dan origen a la deuda aduanera. En el supuesto típico (despacho a libre práctica o importación temporal, en ambos casos sin incurrir en irregularidades o incumplimientos) el deudor será:

- El declarante.

- En caso de representación indirecta, será deudor el declarante (que será el representante) y también lo será la persona por cuya cuenta se haga la declaración (es decir, el representado).

- Quien suministre información requerida para la realización de la declaración en aduana, cuando esa información sea falsa y lleve a no percibir la totalidad o parte de los derechos exigibles. Se requiere, además, que este sujeto supiera o debiera razonablemente haber sabido que dicha información era falsa.

    Como ejemplo del contenido de este último supuesto, la STJUE de 19.10.2017 (asunto C-522/16, *A*) se refiere a un caso en el que se realizó una cadena de transacciones ficticias para elevar el precio de unas mercancías a fin de escapar de la aplicabilidad de un derecho de importación adicional en el marco de la PAC. Los sujetos que intervinieron en esas ventas ficticias, declaradas abusivas, tienen la consideración de terceros que suministran información falsa (las facturas de compra que se aportan en la declaración en aduana) que lleva a que no se perciban los derechos exigibles.

Observemos por su parte que, para los supuestos en que la deuda nace en caso de incumplimiento, el círculo de sujetos deudores se expande de forma considerable para comprender a las personas que:

- Les fuera exigible el cumplimiento de la norma incumplida,

- Hayan participado en el incumplimiento,

- A quienes hayan actuado por cuenta de quien estaba obligado a cumplir la obligación incumplida, o

- A las personas que hayan adquirido o tenido en su poder la mercancía.

En los últimos tres casos que acabamos de referir deberá verificarse que estas personas conocieron o debieron razonablemente conocer que se había incurrido en un incumplimiento para que asuman la condición de deudoras.

> Además, el TJUE ha interpretado de forma amplia estos conceptos. En su Sentencia *Oliver Jestel* (asunto C-454/10, de 17.11.2011) se cuestionaba si un comisionista de venta que ofrece productos en e-Bay realiza una conducta que pueda calificarse como 'participación' en la introducción irregular. El TJUE aprecia que sí, a pesar que sólo en un sentido ideal puede interpretarse que este intermediario 'participó' en la introducción irregular, dado que no entraba en contacto físico con las mercancías que se importaban, pues se limitaba a anunciarlas en internet y a tramitar pedidos.
> También es relevante, en materia de delimitación del círculo de deudores, la STJUE *Ultra-Brag* (asunto C-679/15, de 25.01.2017). En esta sentencia se extiende la condición de deudor, respecto de una deuda nacida por incumplimiento, a la empresa —persona jurídica— por los actos de sus empleados que actúen en el marco de sus funciones y siguiendo instrucciones de otros empleados con facultades para impartirlas. Concluye además el Tribunal que la apreciación de la existencia de una maniobra fraudulenta o una negligencia manifiesta respecto de una empresa como persona jurídica puede derivar, asimismo, de la conducta de un empleado o empleados que actúen dentro de sus respectivas atribuciones, en nombre y por cuenta de su empresario, respetando el marco de la misión que su empresario les haya confiado.

Sí nos parece interesante detenernos en el supuesto en el que la condición de 'deudor' se deriva de la circunstancia de ser el "declarante". Este término viene definido en el artículo 5. 15) CAU como "la persona que presenta una declaración en aduana, una declaración de depósito temporal, una declaración sumaria de entrada, una declaración sumaria de salida, una declaración de reexportación o una notificación de reexportación en nombre propio, o la persona en cuyo nombre se presenta dicha declaración o notificación". Por tanto, en los impuestos arancelarios se adquiere la condición de deudor (contribuyente) a partir de una circunstancia formal —por el hecho de ser declarante— y no por una situación material —la titularidad de las mercancías—, de manera que ambas pueden quedar disociadas. Es importante captar las profundas implicaciones de esta regla que, entre otras características, no puede decirse que sea la más idónea desde la perspectiva del principio de capacidad contributiva, dado que se puede ser declarante sin que por ello se ponga de manifiesto riqueza alguna —puede que no se sea titular de las mercancías, según acabamos de indicar—.

También es importante destacar el alcance indeterminado del contenido de obligaciones que se asume por el hecho de tener la condición de declarante. Lo revela de forma nítida el TJUE en su Sentencia *Ilumitrónica* (asunto C-251/00, p. 33):

IMPORTANTE

> *"El hecho de que el declarante actúe de **buena fe y con diligencia, ignorando la existencia de una irregularidad** que impide la percepción de derechos que habría debido abonar en otro caso, **carece de influencia alguna** sobre **su condición de deudor**, que se **deriva exclusivamente de los efectos jurídicos vinculados a la formalidad de la declaración"***

Nada salvará al declarante de la obligación de pagar cualquier importe que derive de la importación: ni su buena fe, ni su diligencia, ni su ignorancia de la existencia de irregularidades... Pase lo que pase, venga lo que venga, quien es declarante debe pagar, por los efectos jurídicos que se vinculan a la formalidad de la declaración. Para comprender el alcance de esta apreciación, tengamos en cuenta que el declarante puede haber sido víctima de un engaño por lo que hace al origen de las mercancías (lugar en que se obtuvieron o fabricaron); puede haber confiado en la veracidad del origen que le indicaban, que le permitía disfrutar de una tarifa reducida ('origen preferencial', como veremos al ocuparnos del origen de las mercancías); puede haber introducido importantes cantidades a lo largo de hasta tres años, para descubrir a continuación que le engañaron y debe satisfacer la tarifa plena respecto de todas esas mercancías... que ya vendió y respecto de las cuales no puede ya recuperar la cantidad que ahora se le reclama. Peor todavía puede ser la situación de un declarante que caiga víctima de un engaño respecto del origen de las mercancías cuando resulte que el origen real comporte el pago de abultados derechos antidumping. Pase lo que pase, venga lo que venga, ni su buena fe, ni su diligencia, ni su ignorancia le librarán de la obligación de pagar la deuda aduanera que corresponda.

Los supuestos en que el declarante puede responder como deudor a pesar de que la deuda tenga poco que ver con su conducta pueden ser muy diversos. Por ejemplo, en la STJUE *Latvijas Dzelzceļš* (asunto C-154/16, de 18.05.2017) el declarante es deudor respecto de una deuda que nace porque el transportista no fue todo lo cuidadoso que debiera y hubo una fuga del disolvente que transportaba, impidiendo que se completara correctamente el régimen de tránsito.

En los supuestos de importación o exportación regular, esto es, en ausencia de incumplimientos, junto al declarante puede aparecer, eventualmente, otro sujeto como deudor, el 'representado' en una relación de representación. Esta circunstancia aconseja que analicemos el régimen de representación y las diferentes situaciones que pueden producirse en función de cada tipo de representación. La regulación del derecho de representación se contiene en el artículo 18 CAU, donde se distingue entre:

- Representación directa, en caso de que el representante actúe en nombre y por cuenta ajena. En este supuesto el representante no asumirá la condición de deudor, puesto que ni aparecerá como "declarante" (puesto que actúa en nombre ajeno) ni, por su condición de representante, es la persona por cuya cuenta se haga la declaración.

- Representación indirecta, en el caso de que el representante actúe en nombre propio pero por cuenta ajena. En estas circunstancias el representante sí aparecerá como "declarante", asumiendo por tanto la condición de deudor, solidariamente obligado junto a su comitente (el representado) que será la persona por cuya cuenta se haga la declaración, dado que el representante actúa por cuenta ajena.

Representación aduanera		
Tipos	**Características**	**Obligaciones**
Representación directa	En nombre y por cuenta ajena	No es deudor. En España, es responsable subsidiario del IVA y los IIEE.
Representación indirecta	En nombre propio y por cuenta ajena	Es deudor

Podemos señalar que en la representación indirecta el representante asume aquello que se hace constar en la declaración y por ello responde de la deuda; en cambio, en la representación directa el representante reseña en la declaración aquellos datos que se le refieren, pero cuya realidad material ignora. Por eso en este supuesto el representante no se convierte en deudor (es decir, en contribuyente).

En la STJUE *Militzer* (asunto C-230/06, de 03.04.2008) se cuestionó si calificar como deudor al representante en régimen de representación directa contravenía el principio general de proporcionalidad del Derecho de la UE. Pero el TJUE decidió que "El hecho de considerar al comisionista de aduanas responsable de la deuda aduanera, en su calidad de obligado principal, no es contrario al principio de proporcionalidad". Por su parte, la STJUE *Common Market Fertilizers* (asunto C-443/05 P, de 13.09.2007) consideró que es conforme al Derecho de la UE que se haga responder al declarante de los errores que pueda cometer su agente de aduanas, sin perjuicio de las consecuencias civiles o mercantiles que deriven de tales errores en la relación entre el declarante y su agente de aduanas (p. 187).

Como no podía ser de otro modo, la jurisprudencia asentó el criterio conforme al cual la realización de una provisión de fondos por parte del importador al agente de aduanas, que comprende el importe de los derechos de aduana, no desplaza a aquél de la posición de sujeto pasivo, de modo que la Administración puede dirigirse frente a él para exigirle el pago de la deuda (STS de 13.10.1988, *RJ* 1988\7973; STS 11.11.1989, *RJ* 1989\8501; STS de 30.06.1992, *RJ* 1992\6091; STS de 15.02.1993, *RJ* 1993\562; STS de 30.06.1992, *JT* 1992\6091; SAN de

08.10.1996, *JT* 1996\1400; STSJ Cataluña de 11.02.1997, *JT* 1997\362; STSJ Cataluña de 31.01.1997, *JT* 1997\131; STSJ Valencia de 30.10.1997, *JT* 1997\1568).

El documento informativo del *Customs Expert Group* (documento TAXUD.a.2(2017)3500081) aprecia que un representante en régimen de representación indirecta puede servirse, en las declaraciones que presente, de una autorización para procedimientos simplificados cuando el propio representante sea el titular de la misma, pero en cambio no puede acogerse en sus declaraciones a las simplificaciones que hayan sido autorizadas a favor del importador/exportador por cuya cuenta actúa. Por otra parte, concluye que no se puede utilizar la representación indirecta para las declaraciones relativas a los regímenes especiales de perfeccionamiento (activo o pasivo), destino final, importación temporal o para operar un depósito aduanero, en atención a que el titular del régimen especial debe ser el titular de la autorización. Respecto de la representación directa, aprecia que la simplificación denominada "inscripción en los registros del declarante" sólo será posible si el representante aduanero tiene acceso a los sistemas electrónicos del declarante, lo cual será muy poco frecuente. Finalmente, señala que las mercancías declaradas por un representante directo sí pueden quedar eximidas de ser presentadas en aduana si el declarante ha sido autorizado para esta simplificación.

En España la representación aduanera se regula en RD 335/2010 (BOE 14.04.2010), que fue modificado por el RD 285/2014. Conforme al sistema que se instaura en esta normativa, la capacidad para ejercer la representación aduanera se sujeta a la acreditación de una cualificación técnica adecuada. En este sentido, el RD 335/2010 establece tres requisitos para acceder a la condición de representante aduanero en España, a saber:

1. Ser residente en España o en otro Estado miembro de la UE. El precepto dice "persona *física* residente", pero el TS ha anulado esta mención en sus Sentencias de 28.11.2011 y 22.03.2012, permitiendo así que tanto las personas físicas como las jurídicas puedan actuar como representantes aduaneros. El Auto del TS de 16.07.2010 suspendió la efectividad de los apartados b), c) y d) de la Disposición Derogatoria del RD 335/2010.

2. "Superación de las pruebas de aptitud que se convocarán por la Agencia Estatal de Administración Tributaria sobre cuestiones relativas a la normativa básica tributaria y aduanera en el ámbito del comercio exterior de mercancías, de los impuestos especiales, de la regulación del contrabando, del Régimen Económico y Fiscal de Canarias y regímenes especiales de Ceuta y Melilla y de la regulación básica de los contratos de compra-venta y de transporte internacional de mercancías y las reglas relativas a los pago internacionales. Las pruebas se convocarán al menos con una periodicidad bienal".

La primera convocatoria de estas pruebas de aptitud se realizó mediante la Resolución de 21 de julio de 2016, de la Presidencia de la Agencia Estatal de Administración Tributaria, por la que se convocan pruebas de aptitud para la capacitación como representante aduanero (BOE 28.07.2016). La segunda convocatoria se realizó mediante la Resolución de 26 de julio de 2018 (BOE de 30.07.2018)

3. Estar inscrito en el Registro de Representantes Aduaneros del DAeIIEE de la AEAT. La Orden HAP/308/2013 (BOE 01.03.2013) regula el Registro de Representantes Aduaneros a que hace referencia el RD 335/2010.

Debe observarse que determinados colectivos quedan eximidos del segundo de los requisitos señalados (el relativo a la prueba de aptitud).

> Estos colectivos son:
> 1º Las personas que tengan la consideración de Agentes y Comisionistas de Aduanas.
> 2º Las personas físicas que, a la entrada en vigor del RD 285/2014, se encontraran habilitadas por el DAeIIEE de la AEAT para presentar declaraciones en aduana en nombre propio y por cuenta ajena.
> 3º Las personas físicas que, durante tres años anteriores a la entrada en vigor del RD 285/2014, hubieran firmado, con regularidad, declaraciones como apoderados y mantenido una relación laboral con personas o entidades habilitadas por el DAeIIEE de la AEAT para la presentación de declaraciones en aduana.
> 4º En su totalidad o de forma parcial, las personas que acrediten los conocimientos indicados más arriba en el punto 2), con los títulos o estudios que se determinen en cada convocatoria.

Por otra parte, pueden solicitar el reconocimiento como representantes aduaneros quienes tengan la condición de Operador Económico Autorizado, OEA, modalidad simplificaciones aduaneras, con independencia del Estado miembro en que estén establecidos. Con esta previsión la norma española se anticipó a lo que establece el CAU, cuyo artículo 18.3 impone a los Estados reconocer la capacidad para actuar como representantes aduaneros a los OEA. La figura del OEA y sus modalidades se analiza en el capítulo 33.

> De este modo, la norma permite la prestación de servicios de representación aduanera en España por parte de empresas —de logística, transportes...— establecidas en otro Estado miembro —o establecidas en España—, tanto en régimen de representación directa como indirecta. También pueden solicitar el reconocimiento como representantes aduaneros quienes estén legalmente establecidos en cualquier otro Estado miembro de la Unión Europea y cumplan los criterios previstos en el artículo 39, letras a) a d), del CAU (es decir, sujetos que cumplan los requisitos establecidos para el Operador Económico Autorizado, OEA, modalidad simplificaciones aduaneras, pero no se hayan acreditado como tales; se trataría de un supuesto, que consideramos poco frecuente en la práctica, de un sujeto que cumple los requisitos para ser OEA pero que no ha querido adquirir esta condición).

La modificación del RD 335/2010 por el RD 285/2014 vino a incorporar la posibilidad de que también las personas jurídicas puedan ostentar la condición de representantes aduaneros cuando al menos uno de sus representantes legales sea una persona física que tenga la condición de representante aduanero.

> Para las personas jurídicas se exige, además, que para su representación ante la Aduana hayan apoderado, al menos, a una persona física con contrato laboral indefinido que tenga la con-

dición de representante aduanero. Estos apoderados no pueden ser representantes legales o voluntarios de otros representantes aduaneros, ni prestar servicios de representación aduanera como personas físicas mientras estén vinculados a la persona jurídica.

El CAU y la normativa española actualmente vigente ponen fin así a la reserva de un monopolio limitado de representación a favor de los agentes de aduana.

> Anteriormente el artículo 5.2 CAC permitía a los Estados miembros reservar una de las dos modalidades de representación (directa o indirecta) a favor de los agentes de aduana. En el caso de España, fue el RD 335/2010 (BOE 14.04.2010) el que suprimió la reserva de la representación directa que había sido establecida por el RD 1889/1999 (BOE de 28.12.1999). Por tanto, a partir del RD 335/2010 España no hace reserva de ninguna de las dos modalidades de representación a favor de los agentes de aduanas.
>
> Como hemos señalado, era el RD 1889/1999, de 13 de diciembre (BOE 28.12.1999), por el que se regulaba el derecho a efectuar declaraciones de aduana, el que reservaba en exclusiva para los agentes y comisionistas de aduanas la presentación de declaraciones en nombre y por cuenta ajena (representación directa), que es la modalidad de representación más atractiva por cuanto no convierte en deudor al representante. Por otro lado, cualquier persona podía presentar declaraciones en nombre propio y por cuenta ajena (representación indirecta), pero tengamos en cuenta que ello lleva aparejado la condición de deudor. El RD 1889/1999 fue desarrollado por la OM de 9 de junio de 2000 (BOE de 24.06.2000) y por la Resolución del DAAeIIEE de 12 de julio de 2000 (BOE de 03.08.2000).
>
> Para completar este régimen, conviene asimismo tener presente que, hasta la Ley 4/2008 (BOE 25.12.2008), en los supuestos de representación directa —es decir, los supuestos que en aquél momento quedaban reservados a los agentes de aduanas— el representante se convertía en responsable subsidiario de la deuda aduanera, IVA e IIEE a la importación [artículo 43.1.e) LGT]. Esta regulación era —por lo que se refiere a la deuda aduanera— incompatible con el criterio manifestado por el TJUE en su Sentencia *Spedition Ulustrans* (asunto C-414/02), pues hemos señalado que esta Sentencia sostiene que el ordenamiento de la UE agota la determinación de las personas deudoras de la deuda aduanera. El artículo 10 de la referida Ley 4/2008 eliminó la responsabilidad subsidiaria respecto de la deuda aduanera para los supuestos de representación directa, aunque la mantuvo para las demás deudas tributarias (IVA e IIEE a la importación). Además el precepto mantuvo la alusión a los "agentes y comisionistas de aduanas", cuando la representación directa ya no quedaba reservada a ellos en virtud de lo dispuesto en el RD 335/2010. La modificación de la LGT operada mediante la Ley 34/2015 (BOE 22.09.2015) ha corregido este último defecto apuntado, dando nueva redacción a la letra e) del apartado 1 del artículo 43 LGT, para sustituir la mención a los "agentes y comisionistas de aduanas" por la referencia a "los representantes aduaneros". Por tanto, a día de hoy, los representantes aduaneros que actúen en régimen de representación directa, asumen la condición de responsables subsidiarios por el IVA y los IIEE a la importación.

Cabe que quien se presenta como representante carezca de la acreditación de su representación, es decir, del poder de representación. Para este supuesto se establece que quien actúe sin poder de representación se considerará que actúa en nombre propio y por cuenta propia, de manera que será deudor (artículo 19.1 CAU). Acerca del modo de acreditar la representación, el RD 335/2010 establece las siguientes formas:

a) Mediante documento público o documento privado con firma legitimada notarialmente.

b) Mediante comparecencia personal ante el órgano administrativo competente, que se documentará en diligencia (es el que se denomina como apoderamiento "apud acta").

c) Mediante documento normalizado de representación aprobado por la Administración tributaria que se hubiera puesto a disposición, en su caso, de quien deba otorgar la representación, asumiendo el representante con su firma la autenticidad de la de su representado.

El modelo de documento de atribución de la representación está disponible en la web de la Agencia tributaria (www.aeat.es).

d) Mediante documento emitido por medios electrónicos que cumpla con las garantías y requisitos establecidos por la Administración tributaria.

El poder de representación podrá fijar los límites y alcance de la misma, debiendo indicar su modalidad —directa o indirecta, según hemos señalado—, las operaciones a las que se refiere —pudiendo ser global, para todas las operaciones de un sujeto— y su duración —pudiendo ésta ser indefinida—.

Se establece un régimen específico respecto de las mercancías desprovistas de carácter comercial destinadas o enviadas por particulares, en cuyo caso la representación indirecta se presumirá concedida al representante que presente la declaración en aduana.

EXENCIONES

ÍNDICE

5 Exenciones

5.1. CUESTIONES GENERALES

Hemos señalado que los impuestos arancelarios tienen un marcado carácter extrafiscal, consistiendo su objetivo fundamental en la regulación de los flujos de mercancías. La consecución más perfecta de este objetivo exige la configuración de una serie de supuestos o circunstancias ante los cuales se reduce el contenido obligacional derivado de su aplicación. Lo anterior resulta especialmente evidente cuando se examina el detalle de la regulación a que se someten los diversos regímenes aduaneros, que se analizan en los capítulos 10 a 20. Justamente, atendiendo a estos puntos de partida, sostenemos que los distintos regímenes aduaneros previstos por el ordenamiento que no comportan la exigencia de la deuda aduanera, o que lo hacen en medida inferior al despacho a libre práctica, constituyen supuestos de exención tributaria.

> Los regímenes a los que nos referimos, y que se examinan más adelante, son: 1) Tránsito; 2) Depósito aduanero; 3) Zona franca; 4) Importación temporal; 5) Destino final; 6) Perfeccionamiento activo; y 7) Perfeccionamiento pasivo. En el CAU, las zonas francas pasan a ser una modalidad del régimen de depósito y, con ello, dejan de ser un supuesto de no sujeción para pasar a ser un supuesto de exención. Por otro lado, los beneficios asociados al origen preferencial —del que nos ocuparemos al analizar el origen de las mercancías, en el capítulo 7— son asimismo normas de exención, ya sea total o parcial. Examinaremos estos supuestos de exención más adelante para guardar una sistemática coherente, ahora simplemente damos cuenta de su naturaleza de exenciones y remitimos a un análisis posterior.

A continuación, ofrecemos una aproximación a la naturaleza, contenido y régimen jurídico de una serie de medidas de exención que responden a objetivos diversos, y dejamos para los capítulos 10 a 20 la exposición relativa a los diferentes regímenes aduaneros.

> Recordemos que, conforme al artículo 86.6 CAU, cuando la legislación aduanera conceda un tratamiento arancelario favorable o una franquicia o una exención total o parcial de los derechos de importación o de exportación, este beneficio se aplicará aunque la deuda aduanera nazca por incumplimiento, salvo que ese incumplimiento constituya una tentativa de fraude. Sobre esta cuestión, véase la STJUE *Krohn* (asunto C-226/18, de 22.05.2019), en la que el Tribunal hace una interpretación restrictiva, exigiendo un cumplimiento riguroso de todos los requisitos para que la norma de exención pueda seguir siendo aplicable.

5.2. CONTINGENTES ARANCELARIOS Y SUSPENSIONES

Periódicamente —normalmente con carácter anual— las autoridades de la UE disponen que la entrada de determinados tipos de mercancías se beneficiarán de la aplicación de un tipo arancelario cero o de un tipo reducido, limitando este beneficio a una determinada cantidad de producto y a un período de tiempo. De este modo, una vez superada la cantidad fijada como límite del contingente, o finalizado el período de su vigencia, volverán a exigirse los derechos por su importe normal (artículo 56.4 CAU). El límite cuantitativo puede fijarse, bien por referencia al valor de las mercancías, bien por referencia al volumen físico de las mismas (número de unidades, kilos, etc).

Estas medidas, que reciben la denominación genérica de "contingente arancelario", tienen como objetivo regular el suministro de determinados productos en la Unión, evitando así que se produzcan escaseces o situaciones de desabastecimiento que puedan perjudicar a las actividades económicas que se sirven de las mercancías importadas o bien que se produzcan tensiones inflacionistas en los precios.

> La referencia a la limitación cuantitativa de los contingentes arancelarios aparece en el artículo 56.4 CAU. Los contingentes arancelarios son especialmente frecuentes respecto de los productos agrícolas. Supongamos que no existe producción de aguacates en la Unión entre los meses de octubre y marzo. La entrada de estos productos desde terceros países en ese período permite abastecer el mercado doméstico sin causar perjuicio a los productores internos. Por ello la Unión puede abrir un contingente arancelario con esa duración y con un límite de cantidad (digamos 200 toneladas), este último con la finalidad de evitar que se introduzcan aguacates destinados a ser conservados y comercializados en un momento posterior, cuando los aguacates europeos acceden al mercado.
>
> La finalidad de intervención de los contingentes determina que puedan aplicar discriminaciones muy específicas. Así, p.e., en la STJUE *Heineken* (asunto C-126/04, de 13.01.2005) se discute si establecer un contingente arancelario a favor de la cebada destinada a la producción de cerveza envejecida en barriles de haya constituye una discriminación prohibida dado que esta ventaja no se establece para la importación de cebada para la producción de cerveza por otros métodos. El TJUE apreció que el mercado de la Unión estaba abastecido de cebada para la producción normal de cerveza, pero no de la cebada utilizada para la producción de cebada envejecida en barriles de haya, y por ello concluyó que el distinto trato no constituía una discriminación prohibida.

La competencia para acordar el establecimiento de un contingente corresponde, en principio, al Consejo (artículos 31 y 207 TFUE), aunque una vez establecido un marco normativo cabe que se deleguen competencias a la Comisión. En este sentido, conforme al artículo 58 CAU corresponde a la Comisión adoptar, mediante actos de ejecución, medidas relativas a la gestión uniforme de los contingentes arancelarios y los límites máximos arancelarios. Los contingentes pueden ser de carácter autónomo, cuando son establecidos de forma unilateral por la Unión, y convencionales, cuando resultan de la aplicación de un acuerdo internacional entre la Unión y terceros países. Ha de tenerse en cuenta, en este sentido, que en los Acuerdos de Libre Comercio es frecuente que se establezca la aplicabilidad de contingentes arancelarios respecto de determinados tipos de mercancías (los acuerdos de libre comercio se examinan en el capítulo 7).

La gestión de contingentes se regula en los artículos 49 a 54 RECAU. El procedimiento se inicia con la declaración de despacho a libre práctica, en la que el importador debe indicar que se acoge a este beneficio. Cuando el contingente se limite a las mercancías originarias de un determinado país o grupo de países —algo que es frecuente—, la declaración habrá de acompañarse de la acreditación de un origen para las mercancías que permita su inclusión en el contingente.

> La solicitud de un contingente arancelario debe realizarse, en principio, en la declaración aduanera. Ahora bien, si se omitió en ella la solicitud, ésta todavía puede hacerse en el período de tres años previsto para la condonación y devolución de derechos (artículo 117.2 CAU). En este caso debe tenerse en cuenta, no obstante, que la solicitud sólo será atendida si, en el momento en que se formula, no se ha agotado el contingente de que se trate.
>
> Si la declaración en aduana se presenta en forma de inscripción en los registros (examinaremos esta modalidad de declaración en el capítulo 24), la solicitud de concesión del contingente se formulará en la declaración complementaria y se tramitará una vez presentada ésta, si bien a efectos de asignación del contingente la fecha que se tendrá en cuenta será la de inscripción en los registros del declarante (artículo 236 RECAU). Una disposición análoga se establece para las declaraciones simplificadas en el artículo 223 RECAU (la solicitud de concesión del contingente se entiende formulada cuando el declarante aporte todos los datos necesarios, momento a partir del cual se tramita, si bien a efectos de asignación del contingente se tendrá en cuenta la fecha de la declaración simplificada).
>
> Se exige declaración si se desea aplicar el contingente respecto de mercancías que se introduzcan en zona franca y vayan a ser consumidas allí (artículo 247.2 CAU).
>
> Acerca de la aplicabilidad de contingentes arancelarios a las mercancías incluidas en el régimen de perfeccionamiento activo, véase artículo 74 RDCAU. También la STJUE *Exter*, C-330/19, de 08.10.2020 (no basta con que la medida fuera aplicable en el momento de incluir las mercancías en el régimen de perfeccionamiento pasivo sino que, para beneficiarse de ella, la medida debe seguir siendo aplicable en el momento del despacho a libre práctica de las mercancías).

Una vez recibida la declaración en aduana en la que se formule una solicitud de aplicación de un contingente, las autoridades aduaneras nacionales la examinarán para cerciorarse de que es válida y que, en su caso, se acompaña de la documentación exigible (p.e. certificado de origen). Cuando se haya admitido la declaración en aduana y se hayan presentado todos los documentos justificativos requeridos, las autoridades nacionales comunicarán sin dilación la solicitud de aplicación del contingente a la Comisión precisando el importe exacto de la solicitud.

> Si las autoridades denegaran por error la solicitud de aplicación de un contingente, a pesar de que el declarante hubiera presentado una declaración de despacho a libre práctica completa y

acompañada de todos los documentos requeridos, el deudor podrá solicitar la condonación o devolución de derechos en virtud de lo dispuesto en el artículo 119.2 CAU.

La Comisión será la encargada de realizar las labores de seguimiento y coordinación al objeto de verificar que no se sobrepasen los límites temporal y cuantitativo del contingente. A este fin, se utilizará un sistema electrónico para la gestión de contingentes a través del cual las autoridades nacionales y la Comisión intercambiarán información relativa a solicitudes, situación del contingente, asignación de cantidades, devolución de cantidades asignadas y cualquier otro dato relevante a estos efectos. Para facilitar la gestión, a cada contingente se le identificará en la legislación de la UE con un número de orden (algo así como una matrícula o código de identidad).

Corresponde a la Comisión asignar las cantidades beneficiadas por el contingente siguiendo el orden cronológico de las fechas de admisión de las declaraciones a libre práctica (asignación de contingente por orden de llegada o *first come, first served*) asignación que se hará cada día laborable, salvo festivos en Bruselas o circunstancias excepcionales, para las declaraciones admitidas hasta dos días antes y que hayan sido comunicadas a la Comisión. Si las cantidades solicitadas hasta dos días antes de la asignación superan el saldo disponible, se asignará el contingente a prorrata de las cantidades solicitadas. Cuando se abra un nuevo contingente la Comisión esperará hasta el undécimo día laborable siguiente a la fecha de publicación del acto de la Unión por el que se haya abierto el contingente para asignar cantidades del mismo.

> Se establece una regla específica respecto de las declaraciones de despacho a libre práctica admitidas por las autoridades aduaneras los días 1, 2 o 3 de enero. Estas declaraciones se considerarán aceptadas el 3 de enero, salvo que uno de esos días sea sábado o domingo, en cuyo caso se considerará que la admisión tiene lugar el 4 de enero.
>
> Respecto a la gestión de contingentes, el TJUE es taxativo a la hora de no permitir la extensión de un contingente más allá de la cuantía prevista en él, aun cuando concurran circunstancias excepcionales. Estas circunstancias, no obstante, pueden ser tomadas en consideración para la decidir la condonación o devolución de derechos. Véase STJUE *Bolton Alimentari*, asunto C-494/09, de 17.02.2011; STGUE *Saupiquet*, asunto T-131/10, de 24.11.2011 (apertura de un contingente en domingo, fecha en que se produce su agotamiento, y situación en que se encuentran los operadores establecidos en países en los que las Aduanas permanecen cerradas en domingo). La regla del undécimo día para comenzar a asignar el contingente, que no se establecía en el CAC, parece ser una medida destinada a evitar una situación como la que se produjo en los casos *Bolton Alimentari* y *Saupiquet*.

Si se asigna una cantidad de contingente por error, las autoridades nacionales deben devolverla inmediatamente al sistema electrónico, salvo que la cantidad asignada represente una deuda aduanera inferior a 10 euros y el error se haya descubierto transcurrido un mes desde la finalización del período de validez del contingente. Por otra parte, si las autoridades nacionales invalidan una declaración en aduana en la que se hubiera formulado una solicitud y la Comisión no le hubiera asignado todavía una cantidad del contingente, las autoridades deben cancelar la solicitud en su totalidad; en caso de que la Comisión ya hubiera procedido a asignar el contingente, las autoridades deberán devolverlo inmediatamente al sistema electrónico.

En el momento en que las cantidades introducidas en aplicación del contingente alcancen el 90% de su volumen máximo, se considerará que el contingente ha entrado en nivel crítico. Ahora bien, hay tres casos en los que el contingente puede considerarse en nivel crítico desde su apertura: a) si se abre para menos de tres meses; b) si en los dos años anteriores no se han abierto contingentes arancelarios equivalentes, es decir, que correspondan a las mismas mercancías y orígenes con una duración equivalente a la del contingente arancelario en cuestión; o c) si un contingente arancelario equivalente abierto en los dos años anteriores se hubiera agotado dentro del tercer mes de su vigencia o si su volumen inicial fuera más alto que el contingente arancelario en cuestión.

> Si el contingente tiene por único objeto la aplicación de una medida de salvaguardia o una medida resultante de una suspensión de concesiones (conforme al Reglamento (UE) 654/2014, sobre el ejercicio de los derechos de la Unión para aplicar y hacer cumplir las normas comerciales internacionales), se considerará que se encuentra en un nivel crítico tan pronto se haya utilizado el 90% de la cantidad total, se hayan abierto o no contingentes arancelarios equivalentes en los dos años anteriores.

El estado de los contingentes puede consultarse en la base de datos de la Comisión al efecto, que puede verse en:

ENLACE

> http://ec.europa.eu/taxation_customs/dds2/taric/quota_consultation.jsp?Lang=es

Ha de tenerse en cuenta que, en tanto el contingente no haya alcanzado el nivel crítico, el levante de las mercancías no quedará supeditado a la constitución de una garantía (artículos 195.2 CAU y 153 RDCAU). En cambio, cabe entender que, una vez que el contingente haya alcanzado el nivel crítico, sí que se exigirá la constitución de una garantía para poder proceder a la concesión del levante.

En ocasiones la cantidad contingentada se reparte entre países o productores, mediante la distribución de licencias de importación y/o certificados de exportación. Cuando el contingente se reparte por países, éstos a su vez pueden establecer un mecanismo de reparto interno entre sus productores. Ahora bien, la norma de la Unión no puede impedir la concurrencia efectiva de operadores que realicen importaciones que se beneficien del contingente.

En este sentido, puede verse la STJUE *Egenberger*, asunto C-313/04, de 11.07.2006. La efectiva concurrencia de importadores al contingente prevalece sobre las justificaciones de su limitación basadas en la simplificación de la gestión y la garantía del control de su cumplimiento. Por el contrario, en la STJUE *Accrington Beef*, asunto C-241/95, de 12.12.1996, puede verse un ejemplo de la amplitud de las potestades discrecionales que puede tener atribuidas la Comisión para un correcto funcionamiento efectivo de los mecanismos de asignación del contingente.

En la gestión de contingentes por licencias, los importadores deben presentar en plazo una solicitud de licencia a las autoridades nacionales, junto la documentación acreditativa que se requiera (p.e. prueba de haber realizado importaciones de ese producto en períodos anteriores). A continuación, las autoridades nacionales darán traslado de estas peticiones a la Comisión, que decidirá, normalmente a través de Reglamento, en qué medida pueden atenderse las solicitudes (este Reglamento puede ser recurrido). Las autoridades nacionales emiten entonces las correspondientes licencias de importación o exportación, exigiendo normalmente la constitución de una garantía que asegure que se van a utilizar. La garantía queda liberada una vez se despachan a libre práctica las mercancías o se exportan —según el caso— o se aporta prueba de la concurrencia de fuerza mayor.

La distribución del contingente mediante estos mecanismos plantea riesgos de abusos e ineficiencia. Una ilustración bastante elocuente lo constituye el caso analizado en la STJUE *Cimino*, asunto C-607/13, de 09.07.2015, en el que se asignaba una porción del contingente a "operadores tradicionales" y otra a "operadores recién llegados". Según el relato de hechos, un operador tradicional utilizó a importadores que se acogieron a la condición de "operadores recién llegados" cuando, en realidad, eran hombres de paja utilizados, simplemente, para captar cantidades adicionales de producto acogido al beneficio del contingente a favor del operador tradicional. La operativa consistía en que estos "hombres de paja" compraban el producto del operador tradicional previamente a su importación y se lo revendían, a un precio pactado de antemano, una vez tramitada la importación. El Tribunal decidió que estos operadores interpuestos no cumplían el requisito de ejercer una actividad comercial como importador «por cuenta propia y con carácter autónomo» y, en consecuencia, sus importaciones no podían acogerse al beneficio del contingente (p. 54). Y, por otra parte, califica de abuso de derecho la compra y posterior reventa al vendedor inicial del producto acogido al contingente si estas operaciones han sido "concebidas artificialmente con el fin esencial de acogerse al arancel preferencial" (p. 58; este tipo de transacción ya había sido calificado como abuso de derecho en la STJUE *SICES*, asunto C-155/13, de 13.03.2014).
Excepcionalmente, el contingente puede asignarse mediante una invitación a presentar propuestas.

Una norma fundamental en materia de contingentes es el Reglamento (UE) 1388/2013 del Consejo de 17 de diciembre de 2013, relativo a la apertura y modo de gestión de contingentes arancelarios autónomos de la Unión para determinados productos agrícolas e industriales y por el que se deroga el Reglamento (UE) 7/2010. Este

Reglamento, que se actualiza cada seis meses, ordena la apertura de contingentes respecto de las mercancías que aparecen listadas en su Anexo I, con los límites de cantidad y tiempo que allí se señalan, así como el tipo aplicable, que en ocasiones es cero, pero en otras es un tipo de derechos reducido.

Un caso particular dentro del género de los contingentes lo constituyen los denominados "límite máximo arancelario", también llamado "techo" o "plafond". Su régimen es el típico de los contingentes, exigiéndose en este caso que las mercancías sean originarias de los países incluidos en el Sistema de Preferencias Generalizadas, SPG (la mayoría de los países en desarrollo; nos referiremos al SPG en el capítulo 7). Estos "límites máximos arancelarios" presentan algunas peculiaridades en su gestión, que es más flexible y generosa que en la generalidad de los contingentes. El agotamiento del límite cuantitativo no comporta para estos contingentes la automática aplicación del tipo normal de derechos, sino que para ello será necesario, además, que se dicte un acto normativo de la Unión (p.e. un Reglamento) en el que así se disponga (artículo 56.4 CAU). Esto significa que el "límite máximo arancelario" puede seguir aplicándose aún sobrepasada la cantidad inicial prevista, en tanto no se dicte el acto normativo de la Unión en el que se declare su extinción.

> También respecto de los límites máximos arancelarios el TJUE ha decidido que no cabe su aplicación a posteriori, ya concluida su vigencia, al descubrir que se declaró incorrectamente la clasificación arancelaria (STJUE *Sportgoods*, asunto C-413/96, de 24.09.1998).

Una figura similar a los contingentes es la de las suspensiones. La suspensión consiste en aplicar un tipo cero a la importación de una determinada mercancía en un período de tiempo determinado. La suspensión es, por tanto, una exención del pago de derechos de aduana a la importación que tiene únicamente un límite temporal.

Aunque tanto el contingente arancelario como la suspensión son normas análogas de exención, podemos entresacar dos notas que permiten diferenciarlos nítidamente. En primer lugar, en las suspensiones se aplica siempre un tipo cero a las mercancías beneficiarias, mientras que en el contingente, aunque puede aplicarse también un tipo cero, basta simplemente con que se aplique un tipo reducido. Y, en segundo lugar, mientras que los contingentes se sujetan a una doble limitación (un límite temporal y un límite cuantitativo), de modo que la superación de cualquiera de estos dos límites comporta el agotamiento del contingente, la eficacia de las suspensiones únicamente se determina por referencia a un límite temporal, lo que supone que durante su vigencia puede introducirse una cantidad ilimitada de la mercancía que se beneficie de ella. Por tanto, el contingente arancelario permite un control más perfecto del flujo de mercancías frente a la suspensión, dado que esta última medida es insensible a la cantidad de mercancía que puede resultar beneficiada.

En materia de suspensiones, téngase en cuenta el Reglamento (UE) 1387/2013, del Consejo, de 17 de diciembre de 2013, por el que se suspenden los derechos autónomos del arancel aduanero común sobre algunos productos agrícolas e industriales y por el que se deroga el Reglamento (CE) 1344/2011. Este Reglamento ordena la suspensión de los derechos autónomos del arancel aduanero común para los productos agrícolas e industriales que se enumeran en su anexo.

Por otra parte, es asimismo relevante en esta materia el Reglamento (CE) 32/2000, del Consejo, de 17 de diciembre de 1999, relativo a la apertura y modo de gestión de contingentes arancelarios comunitarios consolidados en el GATT y de otros contingentes arancelarios comunitarios, por el que se definen las modalidades de corrección o adaptación de los citados contingentes y se deroga el Reglamento (CE) 1808/95. Este Reglamento establece la suspensión de derechos para las mercancías que enumera en sus anexos I a V.

La Comisión publicó una *Comunicación de la Comisión relativa a las suspensiones y contingentes arancelarios autónomos* (DO C 128, de 25.04.1998) en la que se ilustra el contenido y los objetivos de las suspensiones, así como los principios orientadores que debe seguir la Comisión a la hora de elaborar sus propuestas al Consejo en materia de suspensiones.

Por lo que hace a la gestión de las suspensiones, para su aplicabilidad bastará con que el importador indique en su declaración que se acoge a este beneficio, pudiendo importar dentro del período de vigencia una cantidad sin límite del producto de que se trate. Para aplicar la suspensión a las autoridades les bastará con verificar que la admisión de la declaración se ha producido dentro del aludido período de vigencia de la misma.

El TSJ Cataluña, en sentencia de 12.03.1998 (*JT* 1998\591), entendió procedente la aplicación *a posteriori* de una suspensión para que ésta cumpla su finalidad.

Por otra parte, conviene destacar las notables diferencias existentes entre los contingentes arancelarios, a los que nos venimos refiriendo, y los contingentes cuantitativos o comerciales, a los que también se les denomina cuotas o cupos. Estos últimos "contingentes" constituyen un límite a la cantidad de una mercancía que puede importarse en un período de tiempo determinado, de modo que una vez alcanzada esta cantidad ya no se permiten más importaciones. Además, las importaciones que se efectúen, dentro del límite cuantitativo, se liquidarán aplicando los tipos arancelarios normales, sin reducciones. Por tanto estamos ante un límite absoluto a la posibilidad de importar y no ante un beneficio fiscal limitado a una cierta cantidad de mercancías. El objetivo que se persigue con este tipo de medida es evitar una entrada mayor de mercancías del tipo de que se trate que pudiera ocasionar graves perjuicios para la producción interna en la UE.

A nivel internacional, la OMC ofrece información acerca de las restricciones cuantitativas aplicadas por sus Miembros, así como, en general, sobre acceso a los mercados.

ENLACE

> Portal OMC con información sobre acceso a los mercados:
> https://www.wto.org/spanish/tratop_s/markacc_s/markacc_s.htm
> Página OMC sobre restricciones cuantitativas, con enlace a una base de datos:
> https://www.wto.org/spanish/tratop_s/markacc_s/qr_s.htm

Contingentes y suspensiones - Cuadro resumen	
Contingente arancelario	Dos límites: tiempo y cantidad. Reducción de tarifa o tarifa 0. 3 formas de gestión: por orden de solicitud; por licencias; por invitación.
Límite máximo, techo o plafond	Idem, pero el límite cantidad sólo se entiende agotado cuando se publica un acto normativo en el DO UE; y sólo pueden ser beneficiarios países SPG.
Suspensión	Sólo límite de tiempo (no de cantidad). Tarifa 0.
Contingente cuantitativo	No es norma de exención, sino barrera comercial. Limita las unidades que pueden ser importadas.

5.3. MERCANCÍAS DE RETORNO

Mercancías de retorno - Regulación		
CAU	*RDCAU*	*RECAU*
203 a 207	158 a 160	253 a 256

Las normas de la Unión dispensan del pago de derechos a aquellas mercancías de la UE que, en su día fueron exportadas fuera del territorio aduanero de la Unión (TAU) y que, posteriormente, regresan a él para ser despachadas a libre práctica (artículos 203 a 207 CAU). La exención a las mercancías de retorno es aplicable aunque sólo retornen una parte de las mercancías que salieron del TAU (artículo 203.1 CAU). Este beneficio debe ser solicitado por quien pretenda obtenerlo, para lo cual deberá cumplir dos requisitos de carácter general:

1) Que no hayan transcurrido más de tres años desde que las mercancías abandonaron la UE (artículo 203.1 CAU); y

   Conforme al artículo 203.2 CAU, el plazo máximo de tres años se podrá superar "atendiendo a circunstancias especiales".

2) Que las mercancías se reimporten en el mismo estado en que fueron exportadas (artículo 203.5 CAU).

Por lo que hace a este requisito, el artículo 158 RDCAU precisa que se considerará que las mercancías se reintroducen en el mismo estado en el que fueron exportadas cuando, tras haber sido exportadas fuera del TAU, hayan sido sometidas a un tratamiento o manipulación necesario para su reparación, su restauración para recuperar su buen estado o su mantenimiento en buenas condiciones; también cuando no hayan sido sometidas a un tratamiento o manipulación distinto de la alteración de su presentación. Cabe que las mercancías hayan sido sometidas a un tratamiento o manipulación distintos de los anteriores, siempre que quedase patente, después de haber empezado dicho tratamiento o manipulación, que estos no eran apropiados para el uso previsto de las mercancías.

Se establece además una cautela a fin de evitar que la exención aplicable a las mercancías de retorno se abuse con el fin de eludir el régimen de perfeccionamiento pasivo. En este sentido se dispone que si el tratamiento o manipulación a que se someten las mercancías hubiera hecho nacer derechos de importación si estas hubieran sido incluidas en el régimen de perfeccionamiento pasivo, solo se considerará que se reintroducen en el estado en que fueron exportadas a condición de que el tratamiento o la manipulación, incluida la incorporación de piezas de repuesto, no exceda de lo que es estrictamente necesario para que las mercancías puedan ser utilizadas de la misma manera que en el momento de la exportación fuera del TAU. Es decir, las manipulaciones que van más allá de la conservación no pueden suponer introducir una mejora o reparación en las mercancías, pues las mercancías deben regresar en el estado en que salieron, no mejor.

Al margen de los requisitos enunciados, debe tenerse en cuenta un requisito implícito, puesto que el tratamiento previsto para las mercancías de retorno se reserva para aquellas mercancías que hubiesen gozado de estatuto de la UE, siendo a continuación exportadas y posteriormente reintroducidas. El beneficiario de esta exención habrá de estar en condiciones de justificar esta circunstancia (artículo 203.6 CAU y 253.1 RECAU).

El apartado 2 del artículo 253 RECAU establece los cuatro medios alternativos a través de los cuales puede establecerse que las mercancías que se introducen son mercancías de retorno. Son los siguientes:

a) el acceso a los datos pertinentes de la declaración en aduana o la declaración de reexportación al amparo de la cual se exportaron o reexportaron inicialmente las mercancías de retorno desde el TAU;

b) una copia impresa, autenticada por la aduana competente, de la declaración en aduana o la declaración de reexportación al amparo de la cual se exportaron o reexportaron inicialmente las mercancías de retorno desde el TAU;

c) un documento expedido por la aduana competente con los datos pertinentes de esa declaración en aduana o de reexportación;

d) un documento expedido por las autoridades aduaneras que certifique que se han cumplido las condiciones para la exención de los derechos de importación (boletín de información INF 3).

El apartado 3 establece que si las autoridades ya disponen de la información que les permita determinar que las mercancías declaradas para su despacho a libre práctica fueron inicialmente exportadas desde el TAU y que a la sazón cumplían las condiciones para acogerse a una exención de los derechos de importación en calidad de mercancías de retorno, no será necesario aportar justificante alguno. Tampoco se exigirá justificante cuando las mercancías de que se trate puedan declararse para el despacho a libre práctica oralmente o mediante cualquier otro acto; ni en caso de circulación internacional de embalajes, de medios de transporte o de determinadas mercancías sujetas a medidas aduaneras particulares, salvo que se disponga en contrario (artículo 253.4 RECAU).

El documento que, de forma más completa e indubitada, acredita que las mercancías que se introducen son mercancías de retorno es el "boletín de información INF 3", por lo que resulta aconsejable disponer de él siempre que ello sea posible. El artículo 255 RECAU regula el uso del "boletín de información INF 3" a estos efectos, disponiendo que corresponde al exportador solicitar su expedición al proceder a la exportación de las mercancías.

Las autoridades lo expedirán cuando se lleven a cabo las formalidades de exportación de las mercancías. Si el exportador solicita el boletín INF 3 una vez se han realizado ya las formalidades de exportación, la aduana de exportación podrá expedirlo si la información relativa a las mercancías consignada en la solicitud del exportador coincide con la información sobre las mercancías exportadas a disposición de la aduana de exportación y no se ha concedido, ni cabe la posibilidad de que se conceda ulteriormente, restitución alguna ni ningún otro importe previsto en el momento de la exportación en el marco de la PAC, respecto de las mercancías. Si se prevé que las mercancías se pudieran reintroducir en el TAU por varias aduanas, el exportador puede solicitar varios boletines INF 3, de modo que cada envío pueda acompañarse de su boletín correspondiente. Si no se solicitaron varios boletines INF 3 al proceder a la exportación, el exportador todavía puede solicitar a la aduana de exportación que sustituya el boletín INF 3 original por varios boletines INF 3, cada uno de los cuales cubra una parte del total de las mercancías del boletín INF 3 original. El exportador puede solicitar la expedición de un boletín INF 3 para una parte solamente de las mercancías exportadas.

Se establece que el boletín INF 3 puede expedirse en papel, utilizando el modelo de formulario establecido en el anexo 62-02 RECAU. En este caso, la aduana de exportación que lo haya expedido debe conservar una copia del mismo. Si un boletín INF 3 expedido en papel fuera robado, extraviado o destruido, la aduana de exportación que lo expidió podrá realizar un duplicado a petición de un exportador. En este caso, la aduana de exportación indicará en la copia del boletín INF 3 en su poder que se ha expedido un duplicado.

El boletín INF 3 puede comunicarse utilizando medios distintos a los electrónicos (artículo 160 RDCAU).

El Anexo 62-01 RDCAU establece los requisitos en materia de datos del Boletín de información INF 3, en tanto que en el Anexo 62-02 RECAU se contiene el modelo del Boletín de información de mercancías de retorno INF 3.

Puesto que bien puede ocurrir que la aduana por la cual se reintroducen las mercancías no coincida con la aduana por la que las mercancías fueron previamente exportadas, se establece que la primera puede solicitar a la segunda que le comunique la información necesaria a fin de verificar que se han cumplido las condiciones exigidas para la aplicación de la exención relativa a las mercancías de retorno (artículo 256 RECAU).

La exención a las mercancías de retorno trata de constituir una medida de neutralidad de los impuestos arancelarios (no se gravan las mercancías de la UE que salieron para más tarde regresar). Por ello, su régimen se completa con una serie de previsiones que tienden a asegurar que de él no pueda derivarse una ventaja, en determinadas situaciones, que pudiese quebrar la aludida neutralidad que se pretende. En particular ello ocurre con las mercancías que, con ocasión de su exportación, se beneficiaron de una serie de ventajas en el marco de la Política Agrícola Común (PAC). De ahí que se establezca, como regla general, que no se concederá la exención prevista para las mercancías de retorno en tal caso (artículo 204 CAU). Ahora bien, el artículo 159 RDCAU regula tres requisitos cumplidos los cuales sí cabe que mercancías que, con ocasión de su exportación se beneficiaron de medidas en el marco de la PAC, puedan acogerse a la exención prevista para las mercancías de retorno.

> Los requisitos cumulativos que deben concurrir conforme al artículo 159 RDCAU a fin de permitir la aplicabilidad de la exención prevista para las mercancías de retorno respecto de mercancías cuya exportación se beneficiara en su día de medidas en el marco de la PAC son tres:
> 1. *Anulación del beneficio.* Que se hayan reembolsado las restituciones u otros importes abonados en virtud de esas medidas; o bien que las autoridades competentes hayan adoptado las medidas necesarias para retener los importes que deban abonarse en virtud de las medidas respecto de dichas mercancías; o bien que se hayan anulado las demás ventajas financieras concedidas;
> 2) *Circunstancia impeditiva.* Que las mercancías se encuentren en una de las situaciones siguientes:
>   a)   no pueden comercializarse en el país de destino;
>   b)   han sido devueltas por el destinatario por ser defectuosas o no contractuales;
>   c)   han sido reimportadas en el TAU como consecuencia de otras circunstancias que impidan la utilización prevista de la mercancía y sobre las que el exportador no haya ejercido ninguna influencia. Esas otras circunstancias son: i) que las mercancías se reintroduzcan en el TAU como consecuencia de daños producidos antes de su entrega al destinatario, en las mercancías mismas o en el medio de transporte en el que habían sido transportadas; b) que las mercancías hayan sido inicialmente exportadas para ser consumidas o vendidas en una feria comercial u otra manifestación similar y no hayan sido consumidas ni vendidas; c) que las mercancías no hayan podido ser entregadas a su destinatario por incapacidad física o jurídica de este último para cumplir el contrato en virtud del cual se exportaron; d) que las mercancías, como consecuencia de hechos naturales, políticos o sociales, no hayan podido ser entregadas a su destinatario o hayan llegado a este después de la fecha de entrega contractual; e) que las frutas y hortalizas sujetas al régimen de organización común de mercado de dichos productos, exportadas y enviadas en el marco de una venta en consignación, no hayan sido vendidas en el mercado del país de destino.
> 3) *Límite temporal.* Que las mercancías se declaren para su despacho a libre práctica en el TAU en los doce meses siguientes a la fecha de conclusión de las formalidades aduaneras

para su exportación. Cabe extender este plazo cuando lo permitan las autoridades aduaneras del Estado miembro de reimportación en circunstancias debidamente justificadas.
Por otra parte, el artículo 254 RECAU dispone que deberán aportarse los documentos que acrediten que se trata de mercancías de retorno (alguno de los que regula el artículo 253.2 RECAU, al que nos hemos referido más arriba) y de un certificado expedido por las autoridades competentes para la concesión de tales restituciones o tales importes en el Estado miembro de exportación. Ahora bien, este certificado no se exigirá si las autoridades de la aduana en la que las mercancías se declaren para su despacho a libre práctica disponen de información que les permita determinar que no se ha concedido, ni cabe la posibilidad de que se conceda ulteriormente, restitución alguna ni ningún otro importe previsto en relación con la exportación en el marco de la PAC.

Otra previsión en la línea de garantizar la neutralidad de esta exención es la que afecta a las mercancías que en su día se despacharon a libre práctica (adquiriendo de este modo el estatuto de mercancía de la UE) acogiéndose al régimen de destino final, beneficiándose así de un derecho reducido o nulo (examinaremos el régimen de destino final en el capítulo 17). En este caso, la exención prevista para las mercancías de retorno se condiciona a que las mercancías continúen recibiendo ese destino final tras su regreso a la UE. Si ello no ocurre, se liquidarán derechos de aduana, minorándose en el importe que eventualmente se satisfizo en el momento de su importación inicial. Si se vuelve a solicitar para las mercancías un destino final, pero ya no el mismo, lo que hubiera podido satisfacerse en su día con ocasión de la importación inicial minorará la deuda que resulte para el nuevo destino final, pero en ningún caso dará derecho a una devolución de derechos (artículo 203.3 CAU).

Un nuevo supuesto específico lo constituyen los productos compensadores originariamente exportados por aplicación del régimen de perfeccionamiento activo (este régimen se examina en el capítulo 18; el régimen de perfeccionamiento activo permite importar mercancías sin pagar derechos de aduana a condición de que los productos obtenidos mediante su transformación sean exportados; p.e. se importa madera sin pagar derechos a condición de que se exporten los muebles fabricados con esa madera). Para estos productos se admite la aplicabilidad del tratamiento previsto para las mercancías de retorno si bien con una particularidad, puesto que en este caso sí se exigirán los derechos de aduana que correspondan por aplicación de este régimen de perfeccionamiento (en nuestro ejemplo, si se re-introducen los muebles, habría que pagar los derechos que correspondan a la madera que se importó sin pagar derechos porque se dejará de cumplir la condición de exportar los muebles).

Los derechos exigibles a que nos referimos se determinarán sobre la base de la clasificación arancelaria, el valor en aduana, la cantidad, la naturaleza y el origen de las mercancías de importación en el momento de la admisión de la declaración en aduana por la que las mercancías se incluyeron en el régimen de perfeccionamiento activo (en nuestro ejemplo, se calcularán los derechos sobre los elementos de la madera cuando esta se introdujo en el TAU en régimen de perfeccionamiento activo). La fecha de admisión de la declaración de reexportación se considerará como la fecha de despacho a libre práctica.

Un caso particular en el régimen de perfeccionamiento activo es el que se suscita con el sistema de mercancías equivalentes con exportación previa. Se trata de una modalidad del perfeccionamiento activo que consiste en que se exporta un producto transformado elaborado a partir de mercancías de la UE y esa exportación da derecho a importar posteriormente una cantidad equivalente de mercancías de un tercer país sin pagar derechos (p.e. se exportan muebles de madera de roble de la UE y esa exportación da derecho a importar posteriormente en la UE madera de roble de terceros países sin pagar derechos). Pues bien, si se permitiera aplicar la exención a las mercancías de retorno en este supuesto (es decir, si permitiésemos que los muebles elaborados con roble de la UE se re-introdujeran en el TAU sin pagar derechos), tendríamos una doble exención: la exención de las mercancías de retorno (los muebles de roble que retornan) y el derecho a importar mercancía de terceros países sin pagar derechos (la madera de roble de terceros países que se importaría sin pagar derechos). Por ello se dispone que la aplicabilidad de la exención prevista para las mercancías de retorno en estas circunstancias se sujeta a que se garantice que no se aplicará el régimen de perfeccionamiento activo, es decir, a que no se aplique la exención que el régimen de perfeccionamiento activo permitiría (artículo 205.3 CAU). En nuestro ejemplo, la exención a los muebles de roble de la UE que retornan se sujetaría a que se garantice que no se va a intentar paralelamente importar madera de roble de terceros países exenta de derechos.

En otro orden de ideas, el artículo 203.4 CAU dispone la aplicabilidad de la exención prevista para las mercancías de retorno respecto de las mercancías que hayan perdido su estatuto aduanero de mercancías de la Unión. Los supuestos de pérdida del estatuto aduanero de mercancías de la Unión se regulan en el artículo 154 CAU.

En conexión con la exención de los derechos de aduana, se establece también una exención para las mercancías de retorno en el IVA en el artículo 63 LIVA, relativo a las reimportaciones de bienes. El precepto condiciona la exención a que: 1) las mercancías se encuentren en el mismo estado en que se exportaron; 2) que se importen por quien las exportó; y 3) que gocen de exención de los derechos de aduana.

5.4. PRODUCTOS DE LA PESCA MARÍTIMA Y OTROS PRODUCTOS EXTRAÍDOS DEL MAR

Productos de la pesca - Regulación		
CAU	RDCAU	RECAU
208 y 209	130 a 133	257; 213 a 215

El artículo 208 CAU contempla la exención de derechos a favor de los productos de la pesca marítima y de otros productos extraídos del mar territorial de un tercer país por buques exclusivamente matriculados o registrados en un Estado miembro y que enarbolen pabellón de dicho Estado. También gozan de exención los productos obtenidos a partir de los anteriores a bordo de buques factoría que cumplan esas mismas condiciones (es decir, el buque factoría, a su vez, debe estar exclusivamente matriculado o registrado en un Estado miembro y enarbolar pabellón de dicho Estado).

> Los apartados 43 y 44 del artículo 1 RDCAU definen las expresiones "buque factoría de la Unión" y "buque de pesca de la Unión", respectivamente. En ambos casos debe tratarse de buques matriculados en una parte del territorio de un Estado miembro que pertenezca al TAU y que enarbolen pabellón de un Estado miembro. Ahora bien, mientras el «buque-factoría de la Unión» no captura productos de la pesca marítima, sino que se ocupa de su transformación a bordo, el «buque de pesca de la Unión» captura productos de la pesca marítima, y, en su caso, se ocupa de su transformación a bordo.

Para gozar de esta exención deberá acreditarse que se cumplen los requisitos que hemos señalado en el párrafo anterior (es decir, que se trata de productos que fueron extraídos del mar territorial de un tercer país por buques exclusivamente matriculados o registrados en un Estado miembro y que enarbolan pabellón de dicho Estado; o bien de productos obtenidos a partir de ellos por buques factoría exclusivamente matriculados o registrados en un Estado miembro y que enarbolan pabellón de dicho Estado). Esta acreditación consistirá en la aportación de alguno de los medios de prueba del estatuto aduanero de mercancías de la Unión de los productos de la pesca marítima y las mercancías obtenidas a partir de dichos productos, que se regulan en los artículos 213, 214 y 215 RDCAU y 130 a 133 RDCAU (entre otros, cuaderno diario de pesca, una declaración de desembarque, una declaración de transbordo y los datos del sistema de localización de buques; también se contempla, en determinadas circunstancias, que se exima de aportar la acreditación cuando las autoridades no tengan duda del estatuto de las mercancías, artículo 213 RDCAU).

> El artículo 130 RDCAU especifica la información mínima que debe contenerse en esos documentos. Se establecen reglas especiales en caso de que las mercancías hayan sido objeto de transbordo (artículo 130.2 —si se transborda a un buque de pesca de la Unión o a un buque-factoría de la Unión—, 131 RDCAU —si se transborda a otro tipo de buque—). Por otra parte, el artículo 133 establece las reglas aplicables para acreditar el estatuto de mercancías de la Unión de los productos de la pesca en caso de que sean transbordados y transportados a través de un país o territorio que no forme parte del TAU, exigiendo que en tal caso se presente una copia del documento de transbordo que debe contener la información que el propio precepto indica (el artículo 133 RDCAU ha sido modificado por el Reglamento 2018/1063). El artículo 214 RECAU añade en este caso —productos de la pesca en caso de que sean transbordados y transportados a través de un país o territorio que no forme parte del TAU— la obligación de presentar un certificado de la autoridad aduanera del tercer país, a realizar en una copia del cuaderno diario de pesca, que acredite que las mercancías han estado bajo su vigilancia aduanera mientras han estado en su territorio y que no han sido objeto de más manipulaciones que las necesarias para su conservación. El artículo 132 RDCAU regula la prueba del estatuto

aduanero de mercancías de la Unión para los productos de la pesca marítima y otros productos extraídos o capturados en el TAU por buques que enarbolen pabellón de un tercer país.

Debe anotarse que estas mercancías cumplen el criterio de origen que se establece en el artículo 31(f) y (g) RDCAU, de ahí que la exención tenga todo el sentido porque no estamos ante mercancías que sean consideradas, jurídicamente, como originarias de un tercer país. Pelechá Zozaya opina que se trataría, en consecuencia, de un supuesto de no sujeción, es decir, entiende que no llega a producirse el hecho imponible (*Fiscalidad sobre el comercio exterior*, p. 43), pero nos parece que el hecho de que estas mercancías se sometan al cumplimiento de las formalidades aduaneras y a control nos señala que el tributo sí se está aplicando, aunque no nazca la deuda.

Con todo, las mayores dificultades las plantea la determinación de lo que deba entenderse por "demás productos extraídos el mar". Ante la falta de precisión de estos preceptos, Marín Ramírez ("Operaciones privilegiadas", Capítulo X de *Código Aduanero*, ed. Castro, p. 24) se decanta por entender que "siempre habrá de tratarse de productos marinos y no de otros productos que pudieran ser sacados del mar, pero que no deban ser calificados como tales". Entendemos que este criterio conduciría, por ejemplo, a negar la exención a los productos minerales extraídos del subsuelo marino de un tercer país desde buques de la UE cuando fueran despachados posteriormente a libre práctica en la UE. En nuestra opinión, parece que esta solución podría encontrar algún respaldo en la literalidad de la norma, que se refiere a los productos "extraídos de las aguas", en tanto que los minerales a los que aludíamos serían extraídos del subsuelo que yace bajo ellas.

En conexión con la exención de los derechos de aduana, se establece una exención para estas mercancías en el IVA en el artículo 59 LIVA. Esta exención se extiende a los productos de la pesca que "se importen en el mismo estado en que se capturaron o se hubiesen sometido a operaciones destinadas exclusivamente a preservarlos para su comercialización, tales como limpieza, troceado, clasificación y embalaje, refrigeración, congelación o adición de sal", de manera que especifica las transformaciones que quedan cubiertas por la exención. No se establece el requisito relativo al país de matrícula y pabellón del buque. Por el contrario, se exige que no hayan sido objeto de una entrega previa a la importación.

En materia de productos de la pesca, téngase también en cuenta lo dispuesto en la Orden ARM/2077/2010, de 27 de julio, para el control de acceso de buques de terceros países, operaciones de tránsito, transbordo, importación y exportación de productos de la pesca para prevenir, desalentar y eliminar la pesca ilegal, no declarada y no reglamentada. (BOE 31.07.2010).

5.5. FRANQUICIAS

Franquicias - Regulación
Reglamento 1186/2009, relativo al establecimiento de un régimen comunitario de franquicias aduaneras

Las franquicias constituyen auténticos supuestos de exención objetiva, en tanto que su delimitación se realiza atendiendo al tipo de operaciones de las que se trata, teniendo por efecto que no nazca la deuda aduanera que se exigiría en ausencia de la norma de exención (derechos de aduana y otros gravámenes que se exigen sobre los productos agrícolas y los productos resultantes de su transformación). En principio, por tanto, la aplicabilidad de una franquicia no libera a las mercancías de que se trate de las limitaciones que resulten de lo establecido en medidas de política comercial.

La norma fundamental en materia de franquicias aduaneras es el Reglamento (CE) nº 1186/2009 del Consejo, de 16 de noviembre de 2009, relativo al establecimiento de un régimen comunitario de franquicias aduaneras (DO L 324 de 10.12.2009, p. 23). Una primera aproximación nos revela la variedad de justificaciones que subyacen a cada una de las franquicias, que en algunos casos son de carácter técnico o pragmático (mercancías de escaso valor, mercancías de valor simbólico, mercancías utilizadas en las actividades de transporte), en otros de fomento de la actividad económica (franquicias para el fomento de la actividad económica, franquicias relacionadas con las actividades agrícolas, documentos) y en otros responden a otras consideraciones de política fiscal (mercancías de carácter personal, franquicias relacionadas con las actividades de investigación y la salud, materiales funerarios). Atendido el carácter detallista de la regulación de las franquicias, fundamentalmente por el acusado casuismo de los requisitos y límites para acogerse a ellas, y con el objetivo de no alargar más de lo necesario esta exposición, hemos optado por ofrecer un cuadro donde se contienen las distintas rúbricas relativas a las operaciones que gozan de franquicia aduanera, indicando para cada una: 1) artículo que la regula; 2) requisitos; 3) limitaciones; 4) artículo de la Ley IVA que regula una exención equivalente.

> Los artículos 28 a 61 de la Ley del IVA regulan exenciones a las importaciones que son análogas (aunque con diferencias de detalle por lo que hace a los requisitos, límites y condiciones) a las exenciones arancelarias que se establecen en el Reglamento de franquicias. Por ello, cuando se importan mercancías a las que resulte aplicable una franquicia es importante tomar en consideración también su trato en el IVA, teniendo presente que el IVA es un impuesto armonizado, no uniforme, lo que significa que pueden existir diferencias en su regulación entre los diferentes países de la UE, cosa que no ocurre con los derechos de aduana dado que su regulación es uniforme en toda la UE.

Ver el "Cuadro de franquicias - Reglamento 1186/2009", continuación en este capítulo, a partir de la página siguiente.

Dos anotaciones previas de carácter general sí parece conveniente realizar. Por un lado, la carga de la prueba del cumplimiento de los distintos requisitos a los que supedita el disfrute de la franquicia recae sobre el sujeto que pretenda beneficiarse de ella. De otra parte, debe tenerse en cuenta que, en aquellos casos en que la franquicia quede condicionada a la aplicación de las mercancías a un uso determinado, ésta sólo podrá ser aplicada por las autoridades del Estado miembro en cuyo territorio vayan las mercancías a ser aplicadas a tal uso.

Como señalaremos en el capítulo 23, el hecho de que les resulte aplicable a las mercancías importadas una franquicia aduanera es presupuesto para que se brinde la posibilidad de utilizar formas de declaración más sencillas (véanse, p.e. los artículos 104, 135, 137, 138 y 141 RDCAU, que permiten la declaración oral o mediante otro acto, como transitar por el circuito "nada que declarar").

En las declaraciones aduaneras, la solicitud de aplicación de una franquicia se realizará mediante la mención de un código "Cxx" (letra C seguida de dos dígitos) en el elemento de dato "régimen adicional". Los dígitos que corresponden a cada tipo de franquicia se recogen en el Título II del Anexo B RECAU.

FRANQUICIAS A LA IMPORTACIÓN

ARTS.	TIPO	REQUISITOS	LIMITACIONES	IVA
3-11	Bienes y efectos personales (1, 2) por traslado de residencia	– Haber sido poseedor durante 6 meses – Haber residido fuera de la UE durante 12 meses – Que los bienes se despachen en los 12 meses siguientes al cambio de residencia a la UE (también en los 6 meses anteriores al cambio de residencia si se presta garantía) – Si, por motivos profesionales, se abandona la residencia anterior pero no se adquiere residencia normal en la UE, puede aplicarse la franquicia en las condiciones del art. 10 – Cabe flexibilizar los requisitos y limitaciones cuando el cambio de residencia se deba a circunstancias políticas excepcionales	– Pueden imponerse cargas aduaneras/fiscales si no se soportaron en el país de origen – No se aplica respecto de tabaco, alcoholes, medios de transporte comerciales, materiales de uso profesional distintos de los instrumentos portátiles de artes mecánicas o liberales. – Los bienes no podrán ser objeto de préstamo, entrega en prenda, alquiler o cesión a título oneroso o a título gratuito en el plazo de 12 meses tras el despacho	Art. 28-29 LIVA - Importaciones de bienes personales por traslado de residencia habitual
12-16	Regalos, ajuar y mobiliario por traslado de residencia por matrimonio	– Acreditar matrimonio – Haber residido fuera de la UE durante 12 meses – El despacho debe realizarse desde dos meses antes del matrimonio (prestando garantía) hasta 4 meses después del matrimonio.	– El valor de cada regalo admitido con franquicia no podrá exceder de 1.000 EUR – No se aplica respecto de tabaco ni alcoholes – Los bienes no podrán ser objeto de préstamo, entrega en prenda, alquiler o cesión a título oneroso o a título gratuito en el plazo de 12 meses tras el despacho.	Art. 31 LIVA - Importaciones de bienes personales por razón de matrimonio

FRANQUICIAS A LA IMPORTACIÓN

ARTS.	TIPO	REQUISITOS	LIMITACIONES	IVA
17-20	Bienes personales (1) recibidos en herencia	– El despacho debe realizarse en los dos años siguientes a la fecha de acceso a la titularidad de los bienes (plazo prorrogable en casos especiales) – Puede aplicarse asimismo por personas jurídicas sin ánimo de lucro	– No se aplica respecto de tabaco, alcoholes, medios de transporte comerciales, materiales de uso profesional distintos de los instrumentos portátiles de artes mecánicas o liberales, los stocks de materias primas y de productos elaborados o semielaborados, los ganados y los stocks de productos agrícolas que sobrepasen las cantidades correspondientes a un aprovisionamiento familiar normal.	Art. 32 LIVA - Importaciones de bienes personales por causa de herencia
21-22	Equipo, material de estudio y demás mobiliario de alumnos y estudiantes	– Mobiliario usado que constituya el mobiliario normal de una habitación de estudiante – La franquicia se concederá al menos una vez por año escolar	– Durante el periodo de estudios en la UE	Art. 33 LIVA - Importaciones de bienes muebles efectuadas por estudiantes
23-24	Envíos sin valor estimable (3)	– Expedidos directamente desde un tercer país a un destinatario que se encuentre en la UE	– Mercancías cuyo valor intrínseco no supere los 150 euros en total por envío – No se aplica respecto de tabaco, alcoholes ni perfumes	Art. 34 LIVA - Importaciones de bienes de escaso valor
25-27	Envíos entre particulares	– Importaciones desprovistas de carácter comercial: ocasionales; que comprendan exclusivamente mercancías reservadas para el uso personal o familiar de los destinatarios, sin que su naturaleza o cantidad reflejen intención alguna de carácter comercial; que se remitan sin pago de ninguna clase.	– Valor máximo total del envío de 45 euros. – Se aplican límites específicos para tabaco, alcoholes y perfumes.	Art. 36 LIVA - Importaciones de pequeños envíos

FRANQUICIAS A LA IMPORTACIÓN

ARTS.	TIPO	REQUISITOS	LIMITACIONES	IVA
28-34	Bienes de inversión y otros bienes de equipo importados con ocasión del traslado de actividades desde un tercer país a la UE	– Cese de actividades en un tercer país y traslado de la actividad a la UE – Con carácter general, los bienes deben haberse usado durante al menos 12 meses antes de la fecha de cese de la actividad – Las mercancías deben declararse a libre práctica dentro de un plazo de 12 meses contados a partir de la fecha de cese de la actividad de la empresa en el tercer país de procedencia. – Puede asimismo aplicarse por profesionales liberales y por personas jurídicas sin ánimo de lucro que trasladen su actividad.	– No se aplica a las empresas cuyo traslado al territorio aduanero de la Comunidad tenga como causa o por objeto una fusión con —o una absorción por— una empresa establecida en el territorio aduanero de la Comunidad, sin que se produzca la creación de una actividad nueva. – Están excluidos de la franquicia: a) los medios de transporte que no tengan el carácter de instrumentos de producción o de servicios; b) las provisiones de cualquier clase destinadas al consumo humano o a la alimentación de los animales; c) los combustibles y los stocks de materias primas o de productos elaborados o semielaborados; d) el ganado en posesión de tratantes de ganado. – Los bienes no podrán ser objeto de préstamo, entrega en prenda, alquiler o cesión a título oneroso o a título gratuito en el plazo de 12 meses tras el despacho.	Art. 37 LIVA - Importaciones de bienes con ocasión del traslado de la sede de actividad
35-38	Productos obtenidos por agricultores comunitarios en fincas situadas en un tercer país	– Incluye productos de agricultura, ganadería (derivados de animales originarios de la UE), apicultura, horticultura, silvicultura, pesca y piscicultura. – El tercer país debe ser limítrofe con la UE	– Los productos no deben ser transformados y deberán introducirse por el productor o por su cuenta	Art. 38 LIVA - Bienes obtenidos por productores agrícolas o ganaderos en tierras situadas en terceros países

FRANQUICIAS A LA IMPORTACIÓN			
ARTS.	TIPO	REQUISITOS	LIMITACIONES	IVA
39-40	Simientes, abonos y productos para el tratamiento del suelo y las plantas importados por productores agrícolas de terceros países para ser utilizados en sus propiedades limítrofes con estos países		– Se limita a la cantidad necesaria para la explotación de las fincas	Art. 39 LIVA - Semillas, abonos y productos para el tratamiento del suelo y de los vegetales
41	Mercancías contenidas en el equipaje personal de los viajeros	En las mismas condiciones que las que se determinen a efectos del IVA en la normativa nacional.		Art. 35 LIVA - Importaciones de bienes en régimen de viajeros

FRANQUICIAS A LA IMPORTACIÓN

ARTS.	TIPO	REQUISITOS	LIMITACIONES	IVA
42-52	Objetos de carácter educativo, científico o cultural; instrumentos y aparatos científicos	1.– Respecto a las mercancías enumeradas en el Anexo I del Reglamento 1186/2009, será indiferente quién sea el destinatario y el uso que se vaya a hacer de ellos. 2.– Respecto a las mercancías enumeradas en el Anexo II del Reglamento 1186/2009, deberán destinarse a establecimientos u organismos públicos o de utilidad pública de carácter educativo, científico o cultural; o bien a los establecimientos u organismos que, para cada producto, se señala en la columna 3 del Anexo II y que hayan sido autorizados. 3.– Otros instrumentos o aparatos científicos (no comprendidos en los artículos 43 ni 45 a 49) importados exclusivamente con fines no comerciales. Deben tener como destinatarios a establecimientos u organismos públicos o de utilidad pública o privados (en este caso, previa autorización a efectos de la franquicia) que tengan como actividad principal la enseñanza o la investigación científica. La franquicia se extiende a repuestos, accesorios y herramientas de los instrumentos o aparatos científicos. 4.– Equipos importados con fines no comerciales para o por cuenta de un establecimiento o un organismo de investigación cuya sede esté situada en el exterior de la Comunidad, en los términos del artículo 51.	– Los bienes de los puntos 2, 3 y 4 tienen limitaciones al préstamo, alquiler o cesión a título oneroso o a título gratuito. – La franquicia puede retirarse para determinados productos cuando pueda perjudicar los intereses de la industria comunitaria.	

FRANQUICIAS A LA IMPORTACIÓN

ARTS.	TIPO	REQUISITOS	LIMITACIONES	IVA
53	Animales de laboratorio y sustancias biológicas o químicas destinadas a la investigación	– Animales especialmente preparados para ser utilizados en laboratorio. – Sustancias biológicas o químicas listadas que se importen exclusivamente con fines no comerciales.	– Deben destinarse a establecimientos públicos o de utilidad pública, o dependientes de ellos, o a establecimientos privados autorizados. Todos ellos deben tener como actividad principal la enseñanza o la investigación (4).	Art. 40 LIVA - Importaciones de animales de laboratorio y sustancias biológicas y químicas destinadas a la investigación
54-56	Sustancias terapéuticas de origen humano y reactivos para la determinación de los grupos sanguíneos y el análisis de tejidos humanos	– Sustancias terapéuticas de origen humano (sangre humana y sus derivados). – Reactivos para la determinación del grupo sanguíneo. – Reactivos para el análisis de tejidos humanos. – Envases, disolventes y accesorios de los productos anteriores.	– Deben destinarse a organismos o laboratorios reconocidos por las autoridades. – Deben utilizarse con fines médicos o científicos, con exclusión de cualquier operación comercial. – Acompañados de certificado de conformidad expedido por el país de procedencia. – Contenidos en recipientes con etiqueta identificativa.	Art. 41 LIVA - Importaciones de sustancias terapéuticas de origen humano y de reactivos para la determinación de los grupos sanguíneos y de los tejidos humanos.

FRANQUICIAS A LA IMPORTACIÓN

ARTS.	TIPO	REQUISITOS	LIMITACIONES	IVA
57-58	Instrumentos y aparatos destinados a la investigación médica, al establecimiento de diagnósticos médicos o a la realización de tratamientos médicos	– Se extiende asimismo a las piezas de recambio, elementos, accesorios y herramientas (de mantenimiento, control, calibración o reparación) que se importen al mismo tiempo o que pueda determinarse que se destinan a productos anteriormente importados con franquicia. – Deben ser, o bien: a) objeto de donación por una entidad caritativa o filantrópica; o b) donados por una persona privada; o c) comprados por el propio destinatario con fondos proporcionados por una entidad caritativa o filantrópica o con contribuciones voluntarias (excluye intención comercial del donante y éste no debe tener relación con el fabricante).	– El destinatario debe ser un organismo sanitario, hospital o instituto de investigación médica autorizado. – Se establecen limitaciones al préstamo, alquiler o cesión a título oneroso o a título gratuito. – La franquicia puede retirarse para determinados productos cuando pueda perjudicar los intereses de la industria comunitaria.	
59	Sustancias de referencia para el control de la calidad de los medicamentos	– Muestras de sustancias de referencia autorizadas por la OMS destinadas al control de las materias utilizadas para la fabricación de medicamentos.	– El destinatario debe estar autorizado para recibir estos productos con franquicia.	Art. 42 LIVA - Importación de sustancias de referencia para el control de la calidad de los medicamentos

FRANQUICIAS A LA IMPORTACIÓN

ARTS.	TIPO	REQUISITOS	LIMITACIONES	IVA
60	Productos farmacéuticos utilizados con ocasión de manifestaciones deportivas internacionales	– Para la medicina humana o veterinaria. – En la cantidad necesaria para cubrir sus necesidades durante el plazo de permanencia en el territorio aduanero comunitario.		Art. 43 LIVA - Importaciones de productos farmacéuticos utilizados con ocasión de manifestaciones deportivas internacionales
61-65	Mercancías dirigidas a organismos de carácter benéfico y filantrópico	– Mercancías de primera necesidad para su distribución gratuita a personas necesitadas o mercancías de cualquier clase para la recaudación de fondos durante actos benéficos en beneficio de personas necesitadas. – También equipo y material de oficina para el funcionamiento de organismos benéficos o filantrópicos reconocidos.	– Los organismos receptores deben llevar una contabilidad que permita a las autoridades el control.	Art. 44 LIVA - Importaciones de bienes destinados a organismos caritativos o filantrópicos
66-73	Objetos destinados a ciegos y otras personas disminuidas	– Objetos destinados a la promoción educativa, científica o cultural de ciegos; en el caso de otros disminuidos, además para el empleo y la promoción social. – La franquicia se extiende a herramientas, recambios y accesorios.	– Importados tanto por los ciegos o disminuidos como por instituciones u organizaciones autorizadas a los efectos de la franquicia.	Art. 45 LIVA - Bienes importados en beneficio de personas con minusvalía

FRANQUICIAS A LA IMPORTACIÓN

ARTS.	TIPO	REQUISITOS	LIMITACIONES	IVA
74-80	Mercancías en beneficio de las víctimas de catástrofes	– Deben destinarse a ser distribuidas gratuitamente a las víctimas o a ser puestas gratuitamente a su disposición. – También mercancías importadas por las unidades de socorro para cubrir sus necesidades.	– Importadas por organismos estatales u otros organismos benéficos o filantrópicos reconocidos. – Los organismos receptores deben llevar una contabilidad que permita a las autoridades el control.	Art. 46 LIVA - Importaciones de bienes en beneficio de las víctimas de catástrofes
81	Condecoraciones y recompensas concedidas a título honorífico	– Incluye recompensas, trofeos y recuerdos de carácter simbólico y escaso valor sin carácter comercial distribuidos de forma gratuita con ocasión de congresos internacionales.	– Operaciones desprovistas de carácter comercial.	Art. 47 LIVA - Importaciones de bienes efectuadas en el marco de ciertas relaciones internacionales
82-84	Regalos recibidos en el marco de las relaciones internacionales	– Regalos recibidos de las autoridades tras realizar una visita oficial a un tercer país. – Regalos introducidos al realizar una visita oficial a la UE – Regalos de amistad o buena voluntad entre autoridades, colectividades públicas o agrupaciones que realicen actividades de interés público.		
85	Mercancías destinadas al uso de soberanos y jefes de Estado	– Regalos ofrecidos a soberanos y Jefes de Estado y mercancías que estos introduzcan para utilizar o consumir durante su estancia oficial (puede quedar supeditada a reciprocidad). – Se extiende a personas que gocen de prerrogativas análogas a soberanos y jefes de Estado.		

FRANQUICIAS A LA IMPORTACIÓN

ARTS.	TIPO	REQUISITOS	LIMITACIONES	IVA
86	Muestras de mercancías sin valor estimable	– Con fines de prospección comercial.	– Que sólo puedan servir para gestionar pedidos relativos a mercancías de la misma especie.	
87-89	Impresos y objetos de carácter publicitario	– Impresos referidos a mercancías en venta o en alquiler o a prestaciones de servicios de transporte, seguros o banca. – Impreso debe identificar a la empresa que produce, alquila o vende; el peso bruto total no debe exceder de 1 kg; no debe tratarse de envíos agrupados de un mismo expedidor a un mismo destinatario. – También objetos publicitarios sin valor comercial de proveedores a sus clientes.		
90-94	Productos utilizados o consumidos durante una exposición o una manifestación similar	– La franquicia comprende: a) Pequeñas muestras para ser distribuidas gratuitamente al público, identificables como de carácter publicitario y no susceptibles de comercialización; b) mercancías importadas exclusivamente para demostraciones; c) materiales de poco valor utilizados en los stands que se destruyan por su propia utilización; d) impresos, catálogos, prospectos, listas de precios, carteles... y otros objetos suministrados gratuitamente para ser utilizados como publicidad en la exposición o manifestación, destinados a ser distribuidos gratuitamente al público.	– No es aplicable respecto a alcoholes, tabaco o combustibles. – Aunque el concepto de exposición o manifestación se define de forma amplia, no es aplicable respecto a exposiciones a título privado en almacenes o locales comerciales. – Las mercancías deben consumirse o destruirse durante la manifestación o exposición. – Deben guardar relación de cantidad y valor con la manifestación a que se refieren.	Art. 48 LIVA - Importaciones de bienes con fines de promoción comercial

ARTS.	TIPO	REQUISITOS	LIMITACIONES	IVA
		FRANQUICIAS A LA IMPORTACIÓN		
95-101	Mercancías importadas para examen, análisis o ensayos	– Los exámenes, análisis o ensayos deben tener por objeto determinar la composición de las mercancías, su calidad u otras características técnicas, con fines informativos o de investigación de carácter industrial o comercial. – La franquicia se limita a la cantidad de mercancía estrictamente necesaria. – Las autoridades fijarán un plazo para la realización del examen o análisis.	– Las mercancías deben consumirse o destruirse durante el examen o análisis. Si quedaran restos, bajo control de las autoridades, deberán: a) destruirse; o b) abandonarse a favor del tesoro público, o c) exportarse fuera de la Comunidad. En otro caso, se exigirán derechos de aduana sobre los restos. – El examen o análisis no debe constituir, por sí mismo, operación de promoción comercial.	Art. 49 LIVA - Importaciones de bienes para ser objeto de exámenes, análisis o ensayos
102	Envíos destinados a organismos competentes en materia de protección de los derechos de autor o de protección industrial o comercial	– Se aplica respecto de marcas, modelos, dibujos, expedientes de registro, expedientes de solicitud de patentes de invención o similares.		Art. 50 LIVA - Importaciones de bienes destinados a los organismos competentes en materia de protección de la propiedad intelectual o industrial

FRANQUICIAS A LA IMPORTACIÓN

ARTS.	TIPO	REQUISITOS	LIMITACIONES	IVA
103	Documentación de carácter turístico	– La franquicia comprende: a) documentos de propaganda de carácter general destinados a ser distribuidos de forma gratuita que no contengan más del 25% de publicidad comercial privada; b) listas y anuarios de hoteles, horarios de transportes, destinados a ser distribuidos de forma gratuita que no contengan más del 25% de publicidad comercial privada; c) material técnico, no destinado a ser distribuido, enviado a los representantes acreditados o corresponsales de organismos oficiales de turismo.	– Esta franquicia no limita lo previsto en los arts. 42-50 respecto a objetos de carácter educativo, científico o cultural; instrumentos y aparatos científicos.	Art. 51 LIVA - Importaciones de documentos de carácter turístico
104	Documentos y artículos diversos	– La franquicia contiene un listado de los diversos tipos de documentos a los que se aplica. Comprende algunos supuestos en los que el soporte de la información no es papel.		Art. 52 LIVA - Importaciones de documentos diversos
105	Materiales auxiliares para la estiba y protección de las mercancías durante su transporte	– Comprende la protección térmica. – A título de ejemplo, comprende cuerdas, paja, lonas, papeles, cartones, madera, materias plásticas, que se utilicen para la estiba y protección.	– Los materiales no deben ser normalmente susceptibles de nuevo empleo.	Art. 55 LIVA - Importaciones de materiales para el acondicionamiento y protección de mercancías

FRANQUICIAS A LA IMPORTACIÓN

ARTS.	TIPO	REQUISITOS	LIMITACIONES	IVA
106	Camas de paja, forraje y alimentos para los animales durante su transporte	– Deben tener por objeto ser distribuidos a los animales durante el viaje.		Art. 56 LIVA - Importaciones de bienes destinados al acondicionamiento o a la alimentación en ruta de animales
107-111	Carburantes y lubricantes a bordo de vehículos terrestres a motor y en los contenedores para usos especiales	– Debe tratarse del carburante contenido en depósitos normales instalados por el fabricante. Debe usarse por el mismo vehículo y no puede extraerse ni almacenarse.	– Los Estados pueden limitar la franquicia a 200 litros por vehículo. También pueden establecerse limitaciones para destinos fronterizos o residentes en la frontera. – No se admite la cesión (ni gratuita ni a título oneroso).	Art. 57 LIVA - Importaciones de carburantes y lubricantes

FRANQUICIAS A LA IMPORTACIÓN

ARTS.	TIPO	REQUISITOS	LIMITACIONES	IVA
112	Materiales destinados a la construcción, conservación o decoración de monumentos conmemorativos, o de cementerios, de víctimas de guerra	– La importación debe realizarse por organizaciones autorizadas a este fin. – El monumento o cementerio debe ser en todo caso de víctimas de guerra.		Art. 58 LIVA - Importaciones de ataúdes, materiales y objetos para cementerios
113	Ataúdes, urnas funerarias y objetos de ornamentación funeraria	– Ataúdes que contengan cuerpos o urnas que contengan ceniza de difuntos. – También objetos de ornamentación (flores, coronas, etc.), tanto si acompañan a los anteriores como si son traídos desde un tercer país para un funeral o tumba ubicado en la Comunidad, sin carácter comercial.		
128-132	Otras franquicias	Estos preceptos remiten a otras normas que contienen franquicias adicionales.		

NOTAS:

(1) «Bienes personales»: los bienes destinados al uso personal de los interesados o a las necesidades de su hogar. Constituirán especialmente bienes personales: a) los efectos y mobiliario, b) las bicicletas y motociclos, los vehículos automóviles de uso privado y sus remolques, las caravanas de camping, las embarcaciones de recreo y los aviones particulares. Constituirán igualmente bienes personales las provisiones del hogar que correspondan a un aprovisionamiento familiar normal, los animales domésticos y de silla de montar, así como los instrumentos portátiles de artes mecánicas o liberales necesarios para el ejercicio de la profesión del interesado. Los bienes personales no deberán reflejar, por su naturaleza o su cantidad, ninguna intención de carácter comercial.

Respecto de los vehículos como bienes personales, véase la STJUE *Feron*, asunto C-170/03, de 17.03.2005 (cabe que se trate de un vehículo de empresa que se utilizó por el declarante en el tercer país antes de la importación y que se adquiere con ocasión del traslado).

(2) «Efectos y mobiliario»: los efectos personales, la ropa blanca y el mobiliario y equipo destinado al uso personal de los interesados o a las necesidades de su hogar.

(3) Véase la STJUE *Har Vaessen* (asunto C-7/08, de 02.07.2009). Cabe aplicar la franquicia respecto de envíos agrupados de mercancías cuyo valor intrínseco total exceda del límite establecido, pero que, consideradas separadamente, no posean un valor estimable, siempre que cada paquete del envío conjunto esté dirigido individualmente a un destinatario establecido en la UE.

(4) Véase la STJUE *Utopia* (asunto C-40/14, de 20.11.2014). El Tribunal decide que el requisito consiste en que las mercancías se *destinen* a las entidades que señala el precepto, pero ello no exige necesariamente que el importador/declarante deba ser una entidad de ese tipo. Por otra parte, decide que las jaulas que sirven para el transporte de animales vivos destinados a la investigación en laboratorio no están comprendidas en la categoría de los envases que deben clasificarse con las mercancías que contienen y, en consecuencia, la franquicia no se extiende a ellas.

FRANQUICIAS A LA EXPORTACIÓN			
114	Envíos sin valor estimable	– El valor global de las mercancías no debe exceder de 10 euros	– Envíos por correo, carta o paquete postal.
115	Animales domésticos exportados con ocasión de un traslado de explotación agrícola desde la Comunidad a un tercer país	– Animales del ganado de una explotación que cesa su actividad en la Comunidad y se traslada fuera de ella.	– Su número debe corresponder a la explotación que se traslada.
116-118	Productos obtenidos por productores agrícolas en fincas situadas en la Comunidad	– Productos, tanto agrícolas como ganaderos, obtenidos por productores de un tercer país en fincas fronterizas. No deben haberse sometido más que al tratamiento habitual tras la recolección o producción.	– Los productos obtenidos de animales deben proceder de animales originarios del tercer país o en libre circulación en él. – Los productos deben introducirse en el tercer país considerado, por el propio productor o por su cuenta.
119-120	Simientes exportadas por productores agrícolas para ser utilizadas en fincas situadas en terceros países	– Deben ser utilizadas en fincas contiguas de la frontera, en la cantidad necesaria para la explotación de la finca.	– Exportadas por el propio productor o por su cuenta.
121	Forrajes y alimentos que acompañen a los animales durante su exportación	– Deben tener por objeto ser distribuidos a los animales durante el viaje.	

VALOR EN ADUANA

ÍNDICE

6 Valor en aduana

6.1. IDEAS GENERALES

Una vez identificamos que se ha realizado el hecho imponible, allí donde no resulte aplicable una exención deberemos proceder a cuantificar el tributo. El primer paso en el proceso que nos ha de permitir esa cuantificación del tributo consiste en determinar la base imponible. El artículo 50 de la LGT define la base imponible como "la magnitud dineraria o de otra naturaleza que resulta de la medición o valoración del hecho imponible". Se trata, por tanto, de establecer con qué intensidad se ha realizado el hecho imponible.

En el Impuesto sobre la Renta de las Personas Físicas (IRPF), la base imponible respondería a la pregunta: ¿Cuánta renta se ha obtenido? En el Impuesto sobre Transmisiones Patrimoniales, la base imponible respondería a la pregunta: ¿Cuál es el valor de los bienes transmitidos? La magnitud que resulte de responder a esas preguntas será la que utilizaremos para avanzar en el proceso que nos permite determinar el importe del impuesto a satisfacer.

La base imponible de los derechos de aduana viene constituida, en la práctica totalidad de los supuestos, por el valor en aduana de las mercancías (derechos *ad valorem*). En algunos supuestos, poco frecuentes, los derechos de aduana se calculan en función de alguna cualidad física de los bienes (peso, volumen, número de unidades, etc.), y en este caso decimos que se trata de derechos "específicos". También puede utilizarse una combinación de un derecho *ad valorem* más un derecho específico. Cuando así ocurra, se deberá pagar en concepto de derechos de aduana un porcentaje sobre el valor de la mercancía más una determinada cantidad por cada unidad de una magnitud distinta (peso, volumen, número de unidades, etc.), en caso de que el derecho *ad valorem* y el derecho específico sean cumulativos, o bien el que arroje un importe superior, en caso de que sean alternativos. En estos casos decimos que se trata de un derecho de aduana "compuesto".

EJEMPLO

> ## Ejemplo
>
> Por ejemplo: La carne de animales de la especie porcina, fresca, refrigerada o congelada, fresca o refrigerada, en canales o medias canales, de animales de la especie porcina doméstica (código NC 0203 11 10) se grava con un derecho específico de 53,6 €/100 kg/net
>
> Por su parte, la carne de animales de la especie bovina, fresca o refrigerada, en canales o medias canales (código NC 0201 10 00) se grava con un derecho ad valorem del 12,8% y, además, con un derecho específico de 176,8 €/100 kg/net.

La utilización de una base imponible *ad valorem* presenta varias ventajas sobre los derechos específicos, así:

- Permite exigir un mayor gravamen por los productos que, siendo de un mismo tipo, ello no obstante tienen un valor superior (son de mayor calidad, prestigio, etc.). Los derechos específicos no permiten esta diferenciación, por lo que tienen efectos regresivos.

- Dota de flexibilidad al tributo, dado que a medida que los productos aumentan su valor, mayor gravamen soportarán. La importancia de esta característica se percibe mejor si tenemos en cuenta dos factores: 1) la inflación torna obsoletas las bases tributarias que no se actualizan a medida que la misma se produce, circunstancia que obliga a constantes revisiones de los derechos específicos y que en los derechos *ad valorem* se produce de forma autónoma y automática; 2) los avances tecnológicos permiten que un mismo tipo de producto pueda incorporar cada vez un mayor valor añadido; los derechos específicos son inadecuados para dar respuesta a esta realidad.

- La imposición *ad valorem* permite controlar el grado de neutralidad económica del tributo, esto es, en qué medida distorsiona las decisiones de compra en el mercado.

- La imposición *ad valorem* ofrece una información muy útil para la confección de estadísticas de comercio exterior.

Por su parte, los derechos específicos, así como los compuestos, se utilizan fundamentalmente respecto de las materias primas. Con su uso se trata de evitar que, con ocasión de una bajada brusca de precios que provoca una avalancha de importaciones, los derechos *ad valorem* sólo permitan una protección inferior (al calcularse sobre el valor, cuando los precios bajan, baja el valor y, en consecuencia, los derechos de aduana *ad valorem* aplicables), todo ello en un momento en que precisamente se necesita mantener una protección que limite el impacto de la avalancha. Los derechos específicos y compuestos aseguran una protección constante, ajena a las variaciones en el valor, que es oportuna ante este tipo de situaciones.

Centrándonos ya en los derechos *ad valorem*, comencemos por señalar que, si bien el artículo 69 CAU no utiliza la denominación "base imponible", establece que "Para la aplicación del arancel aduanero común y de las medidas no arancelarias establecidas por disposiciones de la Unión que regulen ámbitos específicos relacionados con el comercio de mercancías, el valor en aduana de estas se determinará de conformidad con los artículos 70 y 74" del CAU. En principio, por tanto, como regla general las normas de valor en aduana se aplican respecto de las medidas arancelarias y respecto de las medidas no arancelarias (a efectos estadísticos, por ejemplo).

Cuando procedemos al examen del resto de impuestos arancelarios observamos, en primer lugar, que los impuestos establecidos en el marco de la PAC (derechos adicionales, elemento agrícola y derechos y exacciones a la exportación) utilizan en ocasiones el valor en aduana como base imponible, pero en ellos es más frecuente que en los derechos de aduana recurrir a la fórmula de los derechos específicos.

> En la STJUE *X BV* (asunto C-160/18, de 11.03.2020) se trata de determinar la base de cálculo de unos derechos adicionales sobre carnes de ave de corral congelada, que se aplican cuando el precio CIF de importación se sitúa por debajo de un valor umbral. El importador declaró un precio CIF de importación por encima del umbral, de modo que inicialmente no se aplicaron derechos adicionales. Ahora bien, en un control posterior se averiguó que las mercancías se revendieron en la UE por precios inferiores al precio CIF de importación declarado y al valor umbral. Esta circunstancia llevó a las autoridades a exigir derechos adicionales al considerar que el declarante había manipulado el precio CIF de importación declarado, puesto que la sociedad importadora era una sociedad vinculada con la exportadora.
> El Tribunal decide que el hecho de que las autoridades descubran que el precio declarado en una transacción entre partes vinculadas sea superior al subsiguiente precio de reventa en la UE es un indicio de que el precio CIF declarado no se corresponde con la realidad. En virtud de este indicio, la carga de la prueba de que ese precio CIF de importación es real pasa a la sociedad importadora, que deberá justificar qué razones de mercado pueden justificar que sea inferior al precio exigido en una venta subsiguiente. En caso de que el importador no logre aportar esa prueba, a fin de cuantificar los derechos adicionales debe establecerse un nuevo valor para las mercancías importadas. A este respecto, el Tribunal decide que los derechos de importación adicionales deben considerarse «gravámenes a la importación establecidos en el marco de la política agrícola común» que forman parte de la deuda aduanera (p. 55), de modo que les son aplicables las normas de valoración en aduana (p. 56). Si el valor en aduana no puede determinarse por el método del valor de transacción, se deben utilizar los métodos de valoración alternativos siguiendo su orden jerárquico. Por tanto, esto es lo que debe hacerse para determinar el precio CIF de importación y, en caso de que el valor resultante quede por debajo del valor umbral, exigir derechos adicionales.

Por su parte, en los derechos compensatorios la base imponible se determina en función de la magnitud de la subvención recibida por el producto que se importa, no en

función del valor en aduana de la mercancía. En los derechos antidumping la base imponible se fija en cada ocasión en que se decide su imposición respecto de una determinada
mercancía (es decir, en teoría al menos, cada derecho antidumping puede decidir una
base distinta). La base imponible más habitual de los derechos antidumping (la que se
utiliza casi siempre) es el "precio neto franco frontera de la Unión". Esta magnitud no
coincide con el valor en aduana, aunque el TJUE ha decidido que debe acudirse a las
normas de valoración aduanera para cubrir posibles lagunas.

> Aunque, según acabamos de señalar, el "precio neto franco frontera de la Unión" es una magnitud
> distinta del valor en aduana, se da la circunstancia de que la normativa antidumping no define este
> concepto, es decir, no nos señala qué elementos deben incluirse o excluirse de ese "precio". Ante esta
> ausencia de previsión normativa, el TJUE ha decidido en varias ocasiones que debe acudirse a las
> normas sobre valor en aduana del Código Aduanero (en aquél momento, el CAC y RACAC) para
> salvar esta laguna, atendido que contiene la normativa arancelaria de aplicación general (STJUE
> *Nakajima All Precision*, asunto C-69/89, de 05.07.1991; STJUE *Indústria e Comércio Têxtil*, asun-
> to C-93/96, de 29.05.1997). Como los derechos antidumping tienen naturaleza arancelaria, allí
> donde carezcan de norma propia debe completarse su regulación con lo dispuesto en el Código
> Aduanero. En este sentido, por otra parte, es una regla de estilo que los Reglamentos por los que se
> establece un derecho antidumping dispongan que "salvo que se disponga lo contrario, serán apli-
> cables las disposiciones vigentes en materia de derechos de aduana", de modo que la propia norma
> antidumping contiene una remisión expresa a las normas que regulan los derechos de aduana. Con
> todo, la solución sigue siendo insatisfactoria, dado que la lógica que inspira a los derechos antidum-
> ping (combatir la competencia desleal) es netamente diferenciada de la de los derechos de aduana,
> lo que conduce a que las normas de valor en aduana no siempre encajen con la finalidad de las
> normas antidumping. Examinamos esta cuestión en detalle en Ibáñez Marsilla, S.: "En los derechos
> antidumping, ¿Qué es el 'precio neto franco frontera de la Comunidad'?, *Quincena Fiscal*, nº 10,
> mayo 2008, pp. 71-85.

Por lo que hace a los restantes tributos aduaneros, en el caso del IVA a la importación,
la base imponible se determina por remisión al valor en aduana, si bien introduciendo
ajustes al alza sobre el mismo (artículo 83 LIVA, artículo 85 Directiva 2006/112, véanse
también los artículos 86 a 90 de esta Directiva del IVA). Por su parte, en los IIEE predo-
minan los derechos específicos, así:

Impuesto Especial sobre	Base imponible	Artículo Ley 38/92
Cerveza	Volumen (en hectólitros)	25
Vino y bebidas fermentadas	Volumen (en hectólitros)	29
Productos intermedios	Volumen (en hectólitros)	33
Alcohol y bebidas derivadas	Volumen (en hectólitros)	38

Impuesto Especial sobre	Base imponible	Artículo Ley 38/92
Hidrocarburos	Volumen (miles de litros)/peso/energía	48
Tabaco	Valor (precios máximos de venta)/ Número de unidades	58
Electricidad	Coeficiente 1,05113 sobre base imponible del IVA, excluido el propio impuesto	64ter
Medios de transporte	Base imponible del IVA/Valor de mercado a fecha de devengo	69
Carbón	Poder energético (en gigajulios)	83

Allí donde la norma del IIEE se remita a la base imponible del IVA, cuando el IVA aplicable sea el IVA a la importación, la base imponible del IIEE se calculará sobre el valor en aduana por efecto de la doble remisión (la Ley de IIEE se remite a la normativa IVA y, a su vez, la normativa sobre base imponible de IVA a la importación se remite a la normativa aduanera sobre valor en aduana). Es lo que ocurre en el Impuesto Especial sobre determinados medios de transporte.

Finalmente, el valor en aduana es asimismo relevante en el marco del Impuesto sobre Sociedades, en la medida en que para determinar la renta de una sociedad (su beneficio a efectos fiscales) necesitamos conocer sus costes, y las mercancías importadas son un elemento de coste. Veremos que estamos ante una relación muy compleja, pero afirmamos —y así lo ratifica la jurisprudencia— que esa relación existe y es jurídicamente relevante (p.e. STS de 30.11.2009).

Con todo, debe advertirse que la atribución de un valor a las mercancías que se importan no es una tarea fácil. Al margen de las dificultades de aplicación que plantea, en lo que aquí nos interesa la opción por esta fórmula de imposición exige la elaboración de normas que establezcan un sistema de métodos de valoración, a fin de asegurar que la labor consistente en la atribución de un valor se realice de forma reglada y no arbitraria.

Desde 1979 contamos con un Código internacional que regula de forma exhaustiva la valoración aduanera ('Acuerdo relativo a la aplicación del artículo VII del GATT', usualmente denominado 'Código de Valoración'), lo que sin duda constituye un factor que favorece la seguridad jurídica de los operadores económicos. Esta circunstancia se aprecia especialmente cuando se compara con la situación anterior, en la que convivía un sistema internacional de valoración (la Definición del Valor de Bruselas, DVB), cuya aplicación distaba de alcanzar un grado de homogeneidad óptimo, con un considerable número de sistemas nacionales en aquellos países que no deseaban aplicar la DVB (entre ellos Estados Unidos y Canadá, que mantenían métodos de valoración marcadamente proteccionistas).

La necesidad de contar con un sistema internacional homogéneo de valoración en aduana se hace patente si se tiene en cuenta que, desde el final de la Segunda Guerra Mundial, hemos asistido a un proceso de rebaja negociada de los aranceles (a este objetivo respondían principalmente las rondas negociadoras del GATT), en un contexto de fuerte crecimiento del comercio mundial. Las bajadas en el arancel, laboriosamente conseguidas, podrían quedar en papel mojado si un país pudiese manipular el otro elemento de la cuantificación del tributo: la base imponible. De ahí que se afrontase la tarea de unificar las normas internacionales de valoración.

Ejemplo

EJEMPLO

Por ejemplo, un compromiso de aplicar un arancel del 5% a las máquinas fotocopiadoras quedaría vaciado de contenido si la Aduana decide que el valor de la fotocopiadora es el doble del declarado. Aplicando ese tipo del 5% sobre un valor doble obtenemos una protección equivalente a la que resultaría de aplicar un tipo del 10% sin modificar el valor de la fotocopiadora.

Tras el establecimiento de la Organización Mundial de Comercio (OMC) como resultado de la Ronda Uruguay del GATT, el Código de Valoración es uno de los acuerdos que se recogen en sus anexos, es decir, forma parte del conjunto de acuerdos internacionales que deberán acatar todos aquellos países que deseen formar parte de esta organización. Como quiera que prácticamente todas las naciones del mundo han decidido ser Partes de la OMC, el Código de Valoración es una norma tributaria de eficacia universal (véanse las ideas expuestas en los capítulos 2 y 3 respecto de las normas aduaneras internacionales y los criterios que deben regir su interpretación).

Para lograr el objetivo consistente en evitar una utilización proteccionista de las normas de valoración aduanera, el Código de Valoración establece el principio de la uniformidad en la valoración, de modo que todos los países apliquen la misma norma y, además, lo hagan con los mismos criterios. Nótese que para conseguir que cada Estado mantenga su esfuerzo de coordinación es imprescindible que perciba que los demás Estados también van a colaborar en la misma medida.

Obsérvese que, entre las implicaciones que se derivan de la uniformidad, se encuentra la relevancia que debe otorgarse a los criterios interpretativos que se apliquen en otros países, puesto que interpretar la norma del mismo modo que se interpreta en otros países redunda en el objetivo de la uniformidad. Por eso, el hecho de que una determinada interpretación de la norma de valoración aduanera resulte aceptada en otras jurisdicciones debe ser un factor a considerar a la hora de decidir cómo debe interpretarse esa norma en la UE.

El Código de Valoración establece también la neutralidad como objetivo de la valoración aduanera, de modo que la valoración no quede perturbada por consideraciones de índole proteccionista ni que discrimine en función de la fuente de suministro (es decir, en función del origen de las mercancías). Se desea así que la protección que dispensan los impuestos arancelarios venga condensada en el tipo de gravamen, de forma que sea visible y transparente.

La voluntad del Código de Valoración de erigirse en límite al proteccionismo resulta determinante de su contenido. Justamente ese objetivo es el que explica la opción del Código por basar la valoración en los datos de la propia transacción que se trata de valorar, tomando como punto de partida fundamental el precio pactado por las partes. Esta concepción del valor, denominada 'concepción positiva del valor', se contrapone a la que opta por valorar las mercancías basándose en referentes de mercado (precio de mercado, precios medios, precios 'normales'...), denominada 'concepción teórica del valor'. A este último modelo se ajustaba el anterior sistema de valoración en aduana, la Definición del Valor de Bruselas (DVB). El resultado que arrojó la DVB dejaba patente que un sistema que pretenda una aplicación uniforme no puede basarse en una concepción teórica del valor, porque en el marco de este modelo las autoridades nacionales gozan de un margen de apreciación mucho más amplio que, indefectiblemente, van a terminar utilizando de forma proteccionista, a la par que mengua la seguridad jurídica de los operadores. En cambio, la concepción positiva del valor, al ordenar que este se base en datos reales de la propia transacción y estar basada en los precios acordados por las partes, reduce la discrecionalidad administrativa a su mínima expresión y, con ella, las posibilidades de erosiones proteccionistas de las normas.

> En su sentencia de 12 de julio de 1973, el propio TJUE reconoció que el hecho de que todos los Estados miembros de la Comunidad Europea se hubiesen adherido al Acuerdo por el que se establecía la Definición del Valor de Bruselas (que, como hemos señalado, optaba por la concepción teórica del valor) no era garantía suficiente para lograr una determinación uniforme del valor en aduana, requisito imprescindible para el funcionamiento de la Unión Aduanera. A partir de este razonamiento, el TJUE justificó la necesidad de reconocer a las Instituciones comunitarias la competencia para dictar Reglamentos con este fin, descartando la utilización de las Directivas en atención a que no eran un medio suficientemente eficaz (STJUE *Massey-Ferguson*, asunto 8/73, de 12.07.1973). Las divergencias en el seno de la CEE en la aplicación del sistema basado en la DVB, a pesar de todo, eran relevantes. Saul Sherman señala que los diferentes criterios mantenidos por los Estados miembros de la Comunidad estaban conduciendo a que muchos importadores aprendieran por dónde debían canalizar su comercio con la Comunidad para recibir el trato más ventajoso, así como que los eurócratas actuaban bajo la fuerte presión de poner orden en su propia casa ("Reflections on the new Customs Valuation Code", *Law and Policy in International Business*, vol. 12, 1980, p. 125).

La regulación del Código se ve enriquecida con los criterios de interpretación que emanan del "Comité Técnico de Valoración en Aduana", organismo internacional de carácter técnico previsto en el Anexo II del Código y que está integrado por representantes de las Administraciones de los distintos Estados miembros. Junto a éste, también debemos referirnos al "Comité de Valoración en Aduana", órgano decisorio de carácter político que vela por la correcta aplicación del Acuerdo. Los instrumentos emanados de estos organismos internacionales se encuentran recogidos en la obra "Recopilación. Valor en Aduana", editado en Bruselas por la Organización Mundial de Aduanas (en lo sucesivo nos referiremos a esta obra como 'Recopilación'). Los criterios interpretativos del Comité Técnico de Valoración en Aduana, a los que haremos referencia en esta exposición, no tienen eficacia normativa, aunque son elementos relevantes a la hora de interpretar las normas a las que se refieren.

> En este sentido, el Abogado General Mischo afirma respecto de la eficacia de las opiniones del Comité Técnico de Valor en Aduana que "Incluso si estos asesoramientos tienen un mero carácter consultivo, no por ello dejan de representar la opinión de expertos de la mayoría de los países que participan en el comercio mundial. *El hecho de que la Comunidad adoptara una interpretación contraria a tales asesoramientos correría el riesgo de crear problemas de cierta importancia y la Comunidad no lo hará más que por motivos muy serios*". (Conclusiones en el asunto C-299/90, STJUE de 25.07.1991).
>
> Entre los instrumentos interpretativos del CTVA se distingue entre "Opiniones Consultivas" (que exponen la aplicación del Acuerdo a un conjunto de elementos de hecho reales o teóricos), "Comentarios" (que contienen observaciones sobre elementos del Acuerdo para aclarar una situación, completando la lectura literal del texto con indicaciones suplementarias), "Notas Explicativas" (donde se señala el punto de vista del CTVA sobre una cuestión general que se plantea en relación con una o varias disposiciones del Acuerdo), "Estudios de Casos" (en los que se presenta un conjunto de elementos de hecho basados en una transacción comercial concreta y que puede utilizarse para mostrar la aplicación práctica de una o varias disposiciones del Acuerdo) y "Estudios" (donde se presentan las conclusiones de un examen detallado de alguna cuestión relacionada con el Acuerdo).

España comenzó a aplicar las normas del Código el 1 de enero de 1986, coincidiendo con nuestra incorporación a la CEE. La Comunidad las venía aplicando desde 1980, por lo que estas normas de valoración se integraban en el *acquis comunitaire* recibido por nuestro país con ocasión de la accesión a la condición de Estado miembro. Con anterioridad, España venía aplicando las normas de la Definición del Valor de Bruselas. Las normas de valoración aduanera de la UE son fundamentalmente la incorporación al ordenamiento de la UE de los contenidos del Código de Valoración, con alguna precisión puntual.

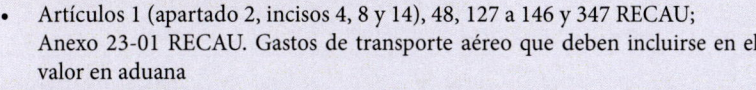

Regulación de la UE sobre valor en aduana:
- *Artículos 5(41) y 69 a 76 CAU;*
- Artículos 1(20) y 71 RDCAU;
  Anexo 22-13 RDCAU: Declaración en factura
- Artículos 1 (apartado 2, incisos 4, 8 y 14), 48, 127 a 146 y 347 RECAU;
  Anexo 23-01 RECAU. Gastos de transporte aéreo que deben incluirse en el valor en aduana
  Anexo 23-02 RECAU. Lista de productos contemplados en el artículo 142, apartado 6

ESPAÑA:
- Instrucción 1/2004 (BOE 13.03.2004; España).

A nivel de la UE, la Sección del Valor del Comité del Código Aduanero (en lo sucesivo, CCA) elabora criterios interpretativos que tienen el carácter de doctrina administrativa de ámbito europeo y que, en consecuencia, no son norma jurídica y carecen de efectos vinculantes. La recopilación de estos criterios se contiene en "Compendio de Textos sobre el Valor en Aduana" (a la que nos referiremos, en lo sucesivo, como 'Compendio').

La última edición del referido "Compendio" de TAXUD es de 2021 y, de momento, sólo está disponible en inglés (la última versión en español es la de 2007). La edición de 2021, además de incluir nuevos Comentarios (14 a 16), ha incorporado los contenidos que anteriormente figuraban en una "*Guidance*" sobre los artículos 128 y 136 RECAU (nuevo Comentario 13). Por lo demás, el "Compendio" incorpora el contenido de los Anexos del Código de Valoración de la OMC (en sus páginas 11 a 22, Sección B), que en la normativa anterior se recogían en el Anexo 23 del RACAC y que ahora se degradan a este instrumento interpretativo. La Sección C incluye los "Comentarios", que tienen carácter explicativo dirigido a favorecer una interpretación compartida que ofrezca herramientas para una aplicación correcta y armonizada de las normas de valoración en la UE; la Sección D recoge las "Conclusiones", que son análisis de aplicación de la norma a casos concretos que pudieran plantear cierta dificultad. El Compendio se completa con la identificación y localización de las normas de valoración aduanera en el ordenamiento de la UE (Sección A), una sinopsis de algunos casos en materia de valoración en aduana del TJUE (Sección D), para concluir con un índice de textos del Comité Técnico de Valoración en Aduana de la OMC (Sección E).

Instrumentos interpretativos		
Ámbito	**Órgano**	**Designación**
OMC	Comité del Valor y Comité Técnico de Valoración en Aduana	"Recopilación"
UE	Sección del Valor del Comité del Código Aduanero	"Compendio"

Estructura del Compendio de TAXUD	
Sección	**Contenido**
A	Referencia a los textos legales de valor en aduana en la UE
B	Notas Interpretativas (Anexos Acuerdo Valor en Aduana OMC)
C	Comentarios del Comité del Código Aduanero y del Grupo Experto Aduanas
D	Conclusiones del Comité del Código Aduanero y del Grupo Experto Aduanas
E	Referencia a Sentencias del TJUE en materia de valor en aduana
F	Índice de textos del Comité Técnico de Valoración en Aduana

Las normas de valoración contienen un método principal (el del valor de transacción) y cuatro métodos alternativos (valor de transacción de mercancías idénticas; valor de transacción de mercancías similares; valor deductivo y valor calculado), además de un "método alternativo", para aquellos casos en que ninguno de los métodos anteriores resulte aplicable. Los distintos métodos guardan entre sí un orden jerárquico, de modo que no puede intentarse la aplicación de uno si no se han agotado las posibilidades de aplicar los que le preceden.

Los métodos de valoración aduanera:
4. Valor de transacción.
5. Valor de transacción de mercancías idénticas.
6. Valor de transacción de mercancías similares.
7. Valor deductivo.
8. Valor calculado (también denominado "Valor reconstruido").
9. Método alternativo (también denominado "Procedimiento de último recurso").

La STJUE *LS Customs Services* (asunto C-46/16, de 09.11.2017) confirma la relación de preferencia jerárquica entre los distintos métodos de valoración y decide que, a fin de aplicar un método alternativo, las autoridades deben justificar por qué no son aplicables los métodos jerárquicamente precedentes.

Expondremos a continuación el contenido de cada uno de estos métodos.

6.2. EL MÉTODO PRINCIPAL. EL MÉTODO DEL VALOR DE TRANSACCIÓN

6.2.1. Precio en una venta para la exportación

El método principal de valoración, que se utiliza en más del 90 por 100 de las importaciones, es el valor de transacción. Para determinarlo debe partirse del precio realmente pagado o por pagar por las mercancías importadas cuando éstas se venden para su exportación al país de importación, sobre el cual han practicarse una serie de ajustes (artículo 70.1 CAU). Varias observaciones deben hacerse a este respecto:

- El valor se basa en el precio pactado por las partes. No existe un parámetro externo que permita rechazar un precio por ser excesivamente bajo o excesivamente alto. El precio declarado puede contrastarse con los valores de mercado para decidir iniciar una investigación si se separa de ellos de forma sensible, pero esa diferencia no puede justificar por sí sola que las autoridades rechacen el precio declarado como base de la valoración. En su Opinión Consultiva 2.1, el Comité Técnico sostuvo que "el mero hecho de que un precio fuera inferior a los corrientes de mercado para mercancías idénticas no podría ser motivo de su rechazo a los efectos del artículo 1, sin perjuicio, desde luego, de lo establecido en el artículo 17 de Acuerdo" (el artículo 17 hace referencia a las posibilidades de la Administración de comprobar e investigar la veracidad o exactitud de las informaciones, documentos o declaraciones). Esta doctrina viene ratificada en el posterior Estudio de Caso 12.1, donde el Comité Técnico señala que el mero hecho de que el precio sea inferior al coste de producción del vendedor y no le produzca beneficios no constituye motivo suficiente para rechazarlo como base para determinar el valor de transacción. Las autoridades podrán rechazar el precio declarado si, a raíz de sus indagaciones, obtienen elementos que acreditan que no se corresponde con el precio realmente pagado o por pagar (p.e. porque se descubren un asiento contable que refleja un pago con tarjeta de crédito en el país de exportación para el cual la empresa no ofrece justificación; o cuando la contabilidad revela asientos incoherentes con lo que se declara). Las autoridades no pueden imponer unos umbrales mínimos de precio para considerar que sólo los precios por encima de ellos son aceptables: los sistemas de precios mínimos han sido declarados expresamente contrarios al Código de Valoración por parte de la OMC.

  Véase en este sentido el Informe del Grupo Especial en la Diferencia WT/DS366, *Colombia - Precios indicativos*, en particular párrafos 1.152 y 1.153. Véase asimismo el Informe del Grupo Especial y el Informe del Órgano de Apelación en el la Diferencia WT/DS371, *Tailandia - Cigarrillos*.

Lo anterior no significa que la Administración quede inerme ante los abusos de un importador que declare precios falsos. Por una parte, porque la Administración puede verificar si ese precio declarado es coherente con los datos que se reflejan en la contabilidad del importador y, a su vez, con sus movimientos financieros. Por otra parte, y esto es algo en lo que la Administración debiera poner mucho más énfasis, porque el importador debe ser coherente con el valor en aduana que declara a la hora de calcular el beneficio que obtiene por su actividad económica. Quien compra muy barato debe estar preparado para justificar cómo es posible que su beneficio no refleje los resultados de la buena operación realizada. En definitiva, el Impuesto sobre Sociedades puede convertirse en la herramienta de control del valor en aduana más eficaz. Otro instrumento de control que debiera potenciarse y que incomprensiblemente no se utiliza con la frecuencia con que se debiera es el intercambio de datos entre la jurisdicción de exportación y la jurisdicción de importación. Los exportadores tienen un incentivo para no infravalorar las mercancías que exportan (las exportaciones gozan en el IVA de exención a la exportación con derecho a deducción). Por ello, el intercambio de información sobre los valores declarados puede ser útil para detectar fraudes, tanto para en el país de exportación como en el país de importación.

> Fruto de la cooperación entre las autoridades chinas y las autoridades de la UE fue la denominada "Operación Snake", que resultó muy fructífera, según se encargaron de hacer notar las autoridades europeas (véase la Nota de Prensa de la Comisión Europea, IP/14/1001). Esta operación ha tenido repercusiones más profundas, que se han traducido en el ulterior descubrimiento de presuntas actividades ilícitas de lavado de dinero negro en España a gran escala por parte del banco chino ICBC.

Parece que las autoridades chilenas son muy activas en esta cooperación para detectar fraude en el IVA a la exportación, con muy buenos resultados.

Una interpretación preocupante en esta materia es la que se contiene en la STJUE *EURO 2004* (Asunto C-291/15, de 16.06.2016), puesto que parece decidir que la Aduana puede rechazar basar el valor en aduana en el precio declarado cuando éste sea anormalmente bajo y ello a pesar que el declarante haya aportado diversas pruebas para acreditar la realidad de ese precio y la Aduana carezca de elementos adicionales para desvirtuarlo.

> Se trata en esta Sentencia de un importador de guantes de algodón para horno y bayetas de microfibra (productos comunes) que, al parecer, se declaran por un precio sensiblemente inferior a los precios medios registrados para mercancías similares (se indica que el precio declarado era inferior hasta en un 50% al precio medio estadístico). Ante la anormalidad del precio, la Aduana requiere al declarante para que acredite que el precio declarado se corresponde con la realidad. El declarante aporta la factura comercial, los libros y documentos contables y la certificación bancaria del pago efectuado, elementos todos ellos que respaldan el valor declarado al concordar con él. A pesar de ello, la Aduana sigue sin considerarse convencida y requiere al declarante elementos de prueba adicionales. El declarante se limita a reafirmar que el valor declarado se corresponde a la realidad y se remite a las pruebas ya aportadas. En estas condiciones, la Aduana considera que no es aplicable el valor de transacción y valora las mercancías por el método del valor de transacción de mercancías si-

milares. Se cuestiona si este proceder de la Aduana es correcto y el TJUE decide que sí, en la medida en que la Aduana puede negarse a aplicar el método del valor de transacción cuando albergue dudas fundadas acerca de la veracidad del precio y, en las circunstancias del caso, considera el Tribunal que cabe apreciar que esta condición se cumple.

Nos parece que el criterio del TJUE en este caso es contrario a la letra y al espíritu del Código de Valoración. La anormalidad del precio puede justificar la realización de averiguaciones y comprobaciones por parte de las autoridades. Pero una vez que el declarante sustenta de forma suficiente el precio declarado (mediante la factura, los registros contables y la acreditación del pago), la duda de la Aduana deja de ser razonable si tan sólo se sustenta en la anormalidad del precio. En estas circunstancias es la Aduana quien debe aportar elementos adicionales que desvirtúen el precio declarado, no bastando con adoptar una posición pasiva consistente en limitarse a pedir más y más elementos de prueba al declarante. En este asunto el declarante aportó los elementos de prueba que cabe esperar de un operador diligente, de manera que cumplió adecuadamente con su carga. La Aduana, si todavía tenía dudas, podía, por ejemplo, haber buscado la colaboración de las autoridades del país de exportación, o indagar acerca del exportador, de forma análoga a como se realiza en materia de verificaciones del origen de las mercancías. Decidir que la aduana puede denegar la aplicabilidad del método del valor de transacción en estas circunstancias supone atribuirle un poder discrecional desmedido, puesto que el método sólo podría aplicarse cuando la Aduana se considere convencida a su satisfacción, para lo cual puede exigir una cantidad indeterminada de elementos probatorios, más allá de los que comúnmente están al alcance de un operador diligente. La discrecionalidad es la enemiga declarada del Código de Valoración: el Código de Valoración lleva al límite la restricción de la discrecionalidad administrativa en la valoración aduanera. Por ello, atribuir a la Aduana un margen de discrecionalidad amplísimo a la hora de decidir si el principal método de valoración, el del valor de transacción, es aplicable o no supone contrariar la lógica que inspira la regulación del Código de Valoración, su sistemática y sus fines.

Tememos que el TJUE no ha calibrado adecuadamente el alcance e implicaciones de su doctrina en esta Sentencia. Cabe suponer que rechazaríamos que otros países aplicaran este mismo rasero a las mercancías exportadas desde la UE, denegando la aplicabilidad del método del valor de transacción simplemente sobre la base de que el precio se considera anormalmente bajo (concepto totalmente indeterminado) y a pesar de las pruebas suficientes aportadas para respaldarlo. Más todavía, a la luz de esta Sentencia, ¿podrá la UE quejarse si un tercer país aplica precios de referencia mínimos a las exportaciones de la UE? Nos tememos que esta Sentencia es un grave error puesto que, al erosionar gravemente el Código de Valoración, abre una caja de Pandora que pudiera traer consecuencias muy indeseables.

- Aunque el valor de transacción se basa en el precio, no coincide con él, no son una misma cosa. El precio es el punto de partida de este método de valoración. Sobre él debemos practicar ajustes, tanto al alza como a la baja, para llegar al valor de transacción.

- El precio es el pago total al vendedor o en beneficio de éste. Cualquier pago que el comprador realice al vendedor como condición de la venta debe integrarse en el valor en aduana, tanto si se realiza al propio vendedor como si se realiza a un tercero para satisfacer una obligación del vendedor (por ejemplo, el comprador paga a un acreedor del vendedor; artículo 70.2 CAU y 129.1 RECAU). Atención porque hay pagos del comprador al vendedor que no se realizan como condición de la venta: por ejemplo, el vendedor puede ser accionista del comprador y, por este motivo, percibir dividendos derivados de los beneficios del comprador. En este caso se retribuye una participación en el capital, no la compra de las mercancías, por lo que ese importe no formará parte del precio.

La STJUE *5th Avenue Products* (asunto C-775/19, de 19.11.2020) decide que el pago que el importador hace al vendedor por el derecho de distribución en exclusiva de la mercancía importada constituye un pago que se realiza como condición de la venta de las mercancías importadas y, en consecuencia, debe integrarse en el valor de transacción.

En la Sentencia *5th Avenue Products* el TJUE rechaza que el pago por el derecho de distribución en exclusiva pueda ser calificado como un canon o derecho de licencia, al considerar que en esta última categoría se comprenden los derechos de propiedad intelectual o industrial, en tanto que el derecho de distribución en exclusiva no puede ser incluido en ninguno de ellos. El TJUE aprecia, asimismo, que la expresión "condición de la venta" tiene el mismo significado en el artículo 29.3(a) CAC —actualmente, artículo 70.2 CAU, que define el precio como el pago total al vendedor, que incluye cualquier pago como condición de la venta— que en el artículo 32.1(c) CAC —actualmente, artículo 71.1(c) CAU, que regula la adición por cánones—. El significado de la expresión "condición de la venta" se examina más abajo, al analizar la adición al precio de los cánones.

Por otra parte, las actividades que emprenda el comprador por su propia cuenta, salvo aquéllas para las que se ordena expresamente un ajuste (nos referimos a los ajustes más adelante en este capítulo), no se considerarán un pago indirecto al vendedor, aunque le puedan beneficiar o aunque se hayan realizado con su consentimiento. Por ello, estos importes no se integrarán en el valor en aduana (artículo 129.2 RECAU).

Entre los que, cuando se emprenden por cuenta del comprador, no se incluyen en el valor en aduana, figuran en particular los gastos de marketing o comercialización (que comprende publicidad, promoción de ventas, garantía prestada por el comprador...). Estos gastos no se incluyen ni siquiera en el caso de que sean el resultado de una obligación contraída por el comprador en virtud de un acuerdo con el vendedor.

El artículo 1.2(8) RECAU define «actividades de marketing», en el contexto de la valoración en aduana, como "todas las actividades ligadas a la publicidad y a la promoción de ventas de las mercancías de que se trate, así como cualquier actividad relacionada con las garantías correspondientes a dichas mercancías".

EJEMPLO

> ## Ejemplo
>
> Supongamos que el comprador realiza una campaña de publicidad de los productos que importa. Aún en el caso de que se haya comprometido contractualmente con el vendedor a realizarla, el importe de este gasto no forma parte del valor en aduana. Y ello a pesar de que la campaña publicitaria beneficia al exportador, dado que si tiene éxito conseguirá que se venda más su mercancía. La solución sería distinta si quien controlase esa publicidad fuera el exportador (si la contratara y pagara el exportador y luego recuperase su importe del importador); en ese caso ya no se trataría de una actividad que el comprador emprende por su cuenta. En esa situación, en la medida en que el vendedor exigiera el pago de esos gastos como condición de la venta, habrían de incluirse esos importes como cantidades abonadas al vendedor como condición de la venta de las mercancías. Con ello se constata que para la valoración aduanera es muy relevante cómo las partes articulen jurídicamente su relación: dos operaciones comerciales sustancialmente análogas pueden resultar en valores en aduana diferentes en función de cómo se articulen las relaciones entre comprador y vendedor.

- El precio es una suma de dinero. Por ese motivo pueden plantearse dificultades cuando se pacte una contraprestación no dineraria —en especie—, como en las operaciones de trueque o en el denominado "comercio de compensación" (que consiste en una restricción en virtud de la cual una norma o una práctica administrativa impide el pago en dinero de las importaciones, que deben saldarse con cargo a mercancías de valor equivalente) y, en general, todas aquellas transacciones en las que la contraprestación no consiste en una cantidad de dinero sino que comprende otro tipo de retribuciones no pecuniarias. También son problemáticas las ventas relacionadas (*tie-in sales*), dado que el precio (o la propia venta) en tales operaciones viene condicionado por la realización de otras ventas o por prestaciones de diversa índole que, en definitiva, impiden conocer cuál es realmente el precio de las mercancías que se importan. Si no es posible establecer un precio cierto de las mercancías en dinero el método del valor de transacción no podrá aplicarse.

Si se adquiere mediante una operación única una cantidad determinada de mercancías y, en la operación de importación que debe valorarse, sólo se introduce parte del total de las mercancías adquiridas, el artículo 131.1 RECAU ordena que el valor en aduana se calcule en proporción al precio pactado para el total de las mercancías adquiridas.

Para poder aplicar este método necesitamos, obviamente, contar con una venta. El concepto de venta es, en este contexto, ciertamente amplio, pues incluye cualquier transmisión de la propiedad de las mercancías a cambio de un precio. En su Opinión Consultiva 1.1, el Comité Técnico apreció que, dado que el Código de Valoración requiere que se utilice para la valoración en aduana, en la medida de lo posible, el valor de transacción de las mercancías importadas, el objetivo de uniformidad de interpretación y aplicación se logra realizando una interpretación en su sentido más amplio de la noción de "venta". En este sentido, la STJUE *Christodoulou* (asunto C-116/12, de 12.12.2013) decidió que el método del valor de transacción debe seguir aplicándose cuando, a pesar de no tratarse de un contrato de venta sino de un contrato de elaboración o de transformación, éste permite establecer un precio para las mercancías importadas, justificando esta solución en la voluntad del Código de Valoración de aplicar el método del valor de transacción en la mayor medida posible. Por otro lado, ha de señalarse que debe existir alteridad para poder calificar una operación como venta, es decir, dos sujetos con personalidad jurídica diferenciada. No existe alteridad, por ejemplo, cuando una matriz "vende" a una de sus sucursales que carece de personalidad jurídica (así lo pone de relieve la Opinión Consultiva 1.1 del Comité Técnico, en 'Recopilación'; véase también la Conclusión nº 5 en 'Compendio' de TAXUD).

Basándose en el criterio de la STJUE *Christodoulou*, el Comentario 16 del Compendio de TAXUD aprecia que, en una operación de perfeccionamiento pasivo, los productos transformados deben valorarse aplicando el método del valor de transacción, aun cuando el exportador tan sólo preste servicios de transformación y no "venda" propiamente las mercancías.

• La venta que tomaremos como base de la valoración debe ser "para la exportación". Ello significa que, como consecuencia de tal venta, las mercancías deben tener a la UE como destino inalterable.

Un ejemplo de ausencia de una venta para la exportación es el que se analiza en la STJUE *LS Customs Services* (asunto C-46/16, de 09.11.2017). Se trataba de mercancías introducidas en el TAU en régimen de tránsito externo, que tenían un destino fuera del TAU. Debido a una irregularidad en la operación de tránsito nació una deuda aduanera, lo que obligaba a determinar un valor en aduana para calcularla. Como las mercancías no se habían vendido a la UE sino a un tercer país (el país de destino del tránsito), el método del valor de transacción no era aplicable.

Ahora bien, antes de que se realice la importación pueden concluirse varias ventas (del fabricante al exportador; del exportador a un comercializador; del comercializador a un distribuidor en la UE; del distribuidor a mayoristas...). La pregunta que surge entonces es el precio de cuál de esas ventas debe constituir el punto de partida del valor de transacción. Es evidente que al importador le interesa que el valor de transacción se base en la venta realizada por el precio más bajo posible y, normalmente, eso significa basar el valor en aduana en la venta realizada entre el fabricante y el exportador. A estos supuestos se les denomina "ventas sucesivas" y pueden alcanzar una cierta complejidad. Además, esta cuestión tiene importantes implicaciones en la imposición sobre la renta, de manera que ha atraído la atención de las multinacionales, dado que una configuración adecuada de las operaciones permite obtener considerables ahorros fiscales.

En el año 2007 el Comité Técnico de Valoración en Aduana se ocupó del problema en su Comentario 22.1 (en Recopilación). Entiende el Comité que subyace en el Artículo 1 del Código la asunción de que, normalmente, el comprador estará localizado en el país de importación y que el valor de transacción se basará en el precio pagado por este comprador. Más taxativo se muestra el Comité al señalar que, ante situaciones de ventas sucesivas, el precio pagado en la última venta para la exportación anterior a la introducción de los bienes es la que debe servir de base para determinar el valor de transacción, y no una venta anterior.

El ordenamiento de la UE ha incorporado el criterio del Comité Técnico en artículo 128.1 RECAU, donde se dispone que:

"128.1 El valor de transacción de las mercancías vendidas para su exportación al territorio aduanero de la Unión se determinará en el momento de la admisión de la declaración en aduana basándose en la venta que se produzca inmediatamente antes de que las mercancías hayan sido introducidas en ese territorio aduanero".

Por tanto, en caso de que se produzcan ventas sucesivas de las mercancías antes de su importación, el valor de transacción se basará en el precio pactado en la última venta para la exportación que se produzca inmediatamente antes de la introducción de las mercancías en el TAU.

Puesto que la venta en que se basa el valor en aduana debe ser una venta que cause la exportación de las mercancías, no cabe tomar una venta concluida entre dos sujetos establecidos en el TAU, aunque esa venta sea la última acaecida antes de la introducción de las mercancías en el TAU, cuando esa venta no haya sido la que determine el desplazamiento de las mercancías a la UE, porque esa venta no es "para la exportación". Así se reconoce también en el Compendio de TAXUD, Comentario 13, apartado 2.1. Una venta en la que las dos partes (vendedor y comprador) estén establecidos en la UE sólo podrá ser una venta para la exportación en circunstancias muy particulares. Un supuesto podría consistir en que el vendedor, a pesar de estar establecido en la UE, tenga las mercancías en un establecimiento situado en un tercer país —digamos, p.e. Canadá— y que, al vender las mercancías, pacte con el comprador —que también está establecido en la UE— que las mercancías se introduzcan en la UE. La venta entre estos dos sujetos, en las circunstancias descritas, determinaría que las mercancías se desplazaran hacia la UE.
El Comentario 13 del Compendio de TAXUD ofrece nueve ejemplos para ilustrar cuál es la venta para la exportación en las distintas situaciones que se proponen en cada uno de ellos. La

más sencilla (ejemplo 1) es aquella en la que un vendedor de un tercer país vende a un comprador establecido en la UE y, a consecuencia de esta venta, las mercancías se introducen en la UE. En este caso, esa es la venta para la exportación relevante.

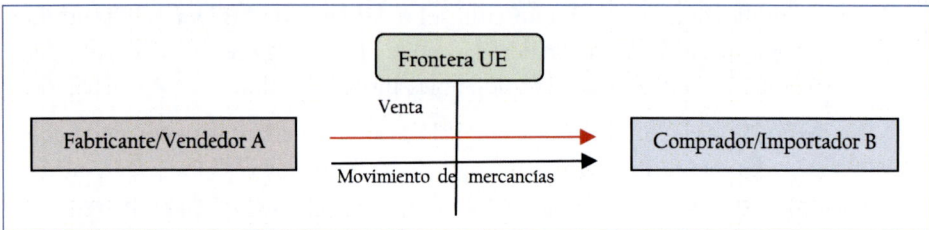

En el ejemplo 2 un fabricante A vende a un intermediario B, el cual a su vez vende a un comprador C establecido en la UE. La venta para la exportación es la venta concluida entre B y C, no la acordada entre A y B.

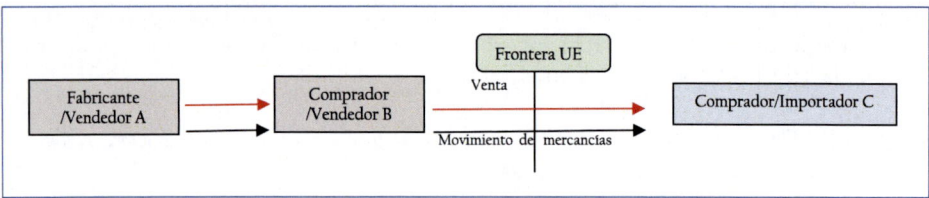

En el ejemplo 3.a un fabricante A vende a un intermediario B, el cual a su vez vende a un comprador/importador C establecido en la UE. El comprador/importador C vende a otro comprador, en la UE, D. La venta para la exportación es la venta concluida entre B y C, no la acordada entre A y B ni la acordada entre C y D.

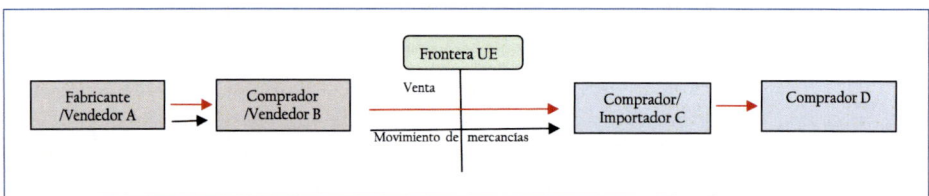

En el ejemplo 3.b la situación es igual que en el ejemplo 3.a, con la única diferencia de que D es el importador (quien realiza la declaración de importación). Se señala que esta circunstancia no altera la venta que se toma como base de la valoración (que sigue siendo la venta entre B y C), si bien se observa que, para poder aplicar el método del valor de transacción, quien aparece como el declarante/importador (D) debe estar en posesión de la factura de esa venta (la concluida entre B y C), lo cual puede ser un inconveniente en la práctica porque normalmente B no deseará que D conozca los términos de su transacción.

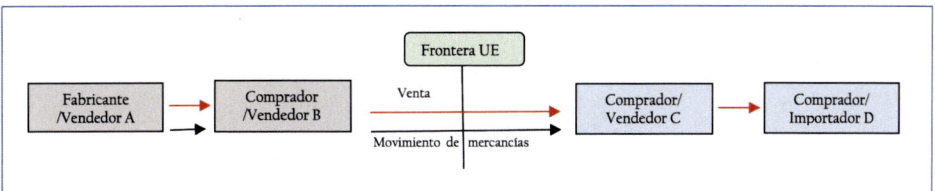

En el ejemplo 4.a un fabricante A vende a un intermediario B establecido en la UE. A su llegada a la UE las mercancías se colocan en un depósito aduanero. Durante la estancia de las mercancías en el depósito, B vende las mercancías a C, un intermediario. C actúa como importador y declara las mercancías a libre práctica. A su vez, C vende las mercancías a D. En estas circunstancias se señala que la venta para la exportación sigue siendo la acordada entre A y B, pues es la venta que ocurre antes de que las mercancías se introduzcan en el TAU.

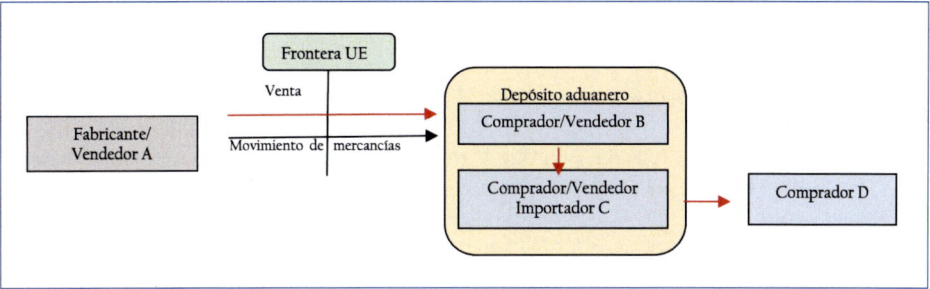

En el ejemplo 4.b la situación es igual que en el ejemplo 4.a, con la única diferencia de que D es el importador (quien realiza la declaración de importación). Se señala que esta circunstancia no altera la venta que se toma como base de la valoración (que sigue siendo la venta entre A y B), si bien se observa que, de forma análoga a lo señalado en el ejemplo 3.b, para poder aplicar el método del valor de transacción, quien aparece como el declarante/importador (D) debe estar en posesión de la factura de esa venta (la concluida entre A y B), lo cual puede ser un inconveniente en la práctica porque normalmente B no deseará que ni C ni D conozcan los términos de su transacción.

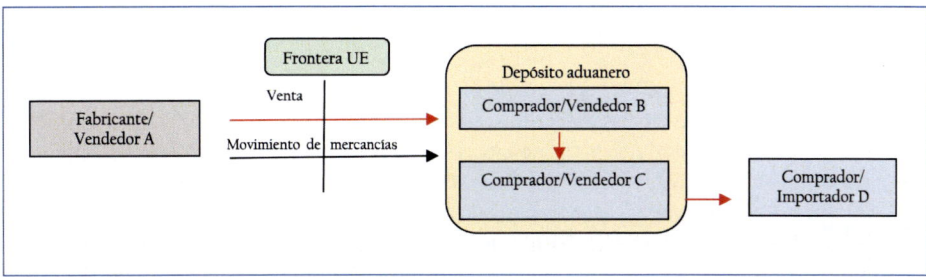

En el ejemplo 5 hay una cascada de pedidos que ocasionan una cadena de ventas. Un comprador D establecido en la UE realiza un pedido a su proveedor C, quien a su vez hace el pedido
correspondiente al intermediario B, quien a su vez hace un pedido al fabricante A (p.e. D
podría ser el cliente que compra un automóvil, C el concesionario de automóviles, B la filial de
la marca en la UE y A el fabricante del automóvil). En este ejemplo se indica que la venta en la
que se basa el valor de transacción es la acordada entre A y B (tanto B, como C y D se supone
que están establecidos en la UE).

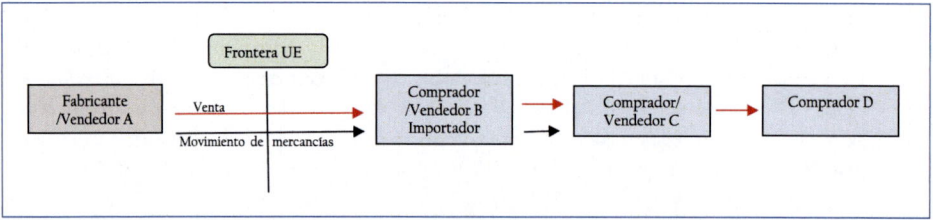

En el ejemplo 6, el operador A traslada mercancías de su titularidad desde un tercer país a la
UE, colocándolas en un depósito aduanero. Durante la estancia de las mercancías en el depósito aduanero, A vende las mercancías a B, un intermediario. B actúa como importador y declara
las mercancías a libre práctica. A su vez, B vende las mercancías a C. En estas circunstancias se
señala que la venta para la exportación, por aplicación del artículo 128.2 RECAU, es la concluida entre A y B (como se expone más abajo, cuando no haya una venta para la exportación
antes de que las mercancías se introduzcan en la UE, pero las mercancías se venden durante su
estancia en un depósito aduanero a su introducción en la UE, esta venta se considerará venta
para la exportación).

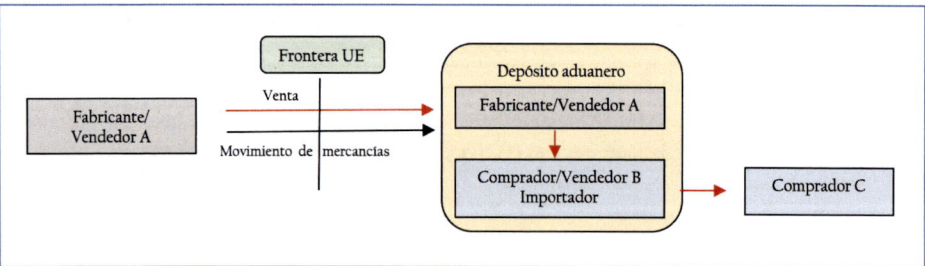

El ejemplo 7 es una variante del ejemplo 6, introduciendo a un operador adicional. El operador A traslada mercancías de su titularidad desde un tercer país a la UE, colocándolas en
un depósito aduanero. Durante la estancia de las mercancías en el depósito aduanero, A
vende las mercancías a B, un intermediario. B a su vez vende las mercancías a otro operador,
C, dentro del depósito. C, por su parte, actúa como importador y declara las mercancías
a libre práctica. Finalmente, C vende las mercancías a D. En estas circunstancias se señala
que la venta para la exportación, por aplicación del artículo 128.2 RECAU, sigue siendo la
concluida entre A y B.

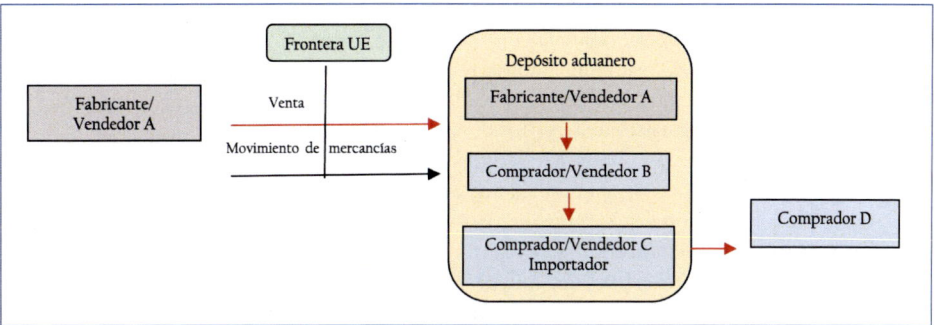

El apartado 2 del artículo 128 RECAU regula el supuesto en que las mercancías no se venden para su exportación al TAU antes de ser introducidas en él, sino mientras se encuentran en depósito temporal o incluidas en un régimen especial distinto del de tránsito interno, destino final o perfeccionamiento pasivo. Para este supuesto, ordena que el valor de transacción se determine sobre la base de esa venta realizada mientras las mercancías se encuentran en depósito temporal o incluidas en alguno de los regímenes especiales referidos.

Véase el Comentario 13 del Compendio de TAXUD, apartado 2.3. Para que se aplique esta regla no debemos disponer de una venta para la exportación previa a la introducción de las mercancías en el TAU. Por otro lado, debemos insistir en que una venta en la que las dos partes están establecidas en el TAU no es una venta para la exportación cuando, como ocurre con carácter general, no causa el desplazamiento de las mercancías desde un tercer país a la UE.

En la regulación europea anterior, el artículo 147.1 RACAC admitía que el valor de transacción se determinase a partir del precio registrado en una venta anterior a la última cuando el importador estuviese en condiciones de probar que tal venta era para la exportación al TAU. Véase también, en materia de ventas sucesivas, el supuesto que hubo de resolver el TJUE en su Sentencia *Carboni* (asunto C-263/06, de 28.02.2008). Se trata de una Sentencia con elementos bastante particulares, porque se discutía en ella acerca de la imposición de derechos antidumping. Un fabricante ruso de hematites vendía su mercancía a un intermediario de un tercer país. Este intermediario, a su vez, vendía a un operador de la UE (CMP), quien por su parte vendía a Carboni, el declarante. El derecho antidumping se calculaba en el importe que faltara al valor en aduana de la mercancía para alcanzar 149 ecus. Carboni declaró el valor en aduana basándose en el precio pactado entre CMP y él, de 151 ecus. Las autoridades italianas pidieron que se rechazara este valor puesto que determinaba que no se aplicasen derechos antidumping (puesto que el valor en aduana era superior a 149 ecus). Entendían que el derecho antidumping debía basarse en un valor en aduana calculado a partir del precio pagado por CMP (130,98 ecus), puesto que CMP era ya un operador establecido en la UE y ello determinaba que el producto frente al cual se habían establecido derechos antidumping había sido introducido en la UE por debajo del precio de referencia. El TJUE rechazó las pretensiones de las autoridades italianas al apreciar que las normas de valoración en aduana ofrecían al declarante la opción de utilizar una venta anterior, opción que no correspondía ejercer a las autoridades. Por otro lado, el Tribunal aprecia que debe examinarse si la venta entre CMP y

Carboni es una venta de buena fe y no una simulación dirigida a eludir la aplicación de derechos antidumping; en este último caso, el precio en esa venta habría de rechazarse como base de valoración. El Tribunal también observa que debe examinarse si el precio declarado por Carboni se corresponde al realmente pagado o por pagar, pues si no fuera así habría igualmente de rechazarse. Finalmente, el TJUE señala que, en caso de rechazar la aplicabilidad del método del valor de transacción, los métodos intermedios de valoración en aduana no parecen adecuados a los fines de la aplicabilidad de los derechos antidumping, por lo que procedería acudir a la utilización del método alternativo. En el contexto de este método alternativo, el Tribunal observa que constituiría una flexibilidad razonable utilizar como base de valoración el precio pactado entre el intermediario de un tercer país y CMP. Insistamos, por nuestra parte, en que determinar la base de cálculo de los derechos antidumping, como en el caso de las mercancías importadas por Carboni, en función de un valor de referencia es absolutamente infrecuente y, más todavía, a la vista de la vulnerabilidad que esta Sentencia puso de manifiesto. En la práctica los derechos antidumping se calculan generalmente, según hemos destacado ya, sobre el precio neto franco frontera de la Unión.

Dado que el RECAU introduce un cambio de criterio en esta cuestión respecto de la regulación anterior, se establece en el artículo 347 RECAU una norma transitoria para proteger la confianza legítima de quienes hubiesen adquirido compromisos contractuales tomando en consideración la regulación anterior.

Conforme al referido artículo 347 RECAU, hasta el 31 de diciembre de 2017 el valor de transacción de las mercancías podía determinarse sobre la base de una venta anterior (esto es, anterior a la que se produzca inmediatamente antes de que las mercancías se introduzcan en el TAU) cuando la persona por cuya cuenta se presentase la declaración se hallase vinculada por un contrato concluido antes del 18 de enero de 2016. En el Comentario 13 del Compendio de TAXUD se observa que un contrato marco, que no necesariamente debe referirse a un único producto, ni establecer fechas ciertas de envío, ni cantidades ni precio, podía servir de base para acogerse a esta disposición transitoria.

No podemos dejar de llamar la atención sobre la desafortunada circunstancia de que esta cuestión se omitiera en el CAU y haya sido el RECAU (un Reglamento de Ejecución de la Comisión) el que haya terciado en un asunto de tal alcance, y ello a pesar de que el problema fuese objeto de debate en la tramitación del CAU. En el Informe del Parlamento Europeo sobre la 'propuesta de Reglamento del Parlamento Europeo y del Consejo por el que se establece el código aduanero de la Unión (refundición) [COM(2012)0064 - C7 0045/2012 - 2012/0027(COD)]', se incluía una propuesta de enmienda —la número 52— del entonces artículo 64.4 de la propuesta para incluir de forma expresa el mantenimiento de la regla que permitía basar el valor en aduana en el precio acordado en una venta anterior cuando el declarante demostrase que se trataba de una venta para la exportación. Esa mención no prosperó y el texto del CAU omite cualquier referencia a esta cuestión.
Interesa también poner de relieve el estado de la cuestión en Estados Unidos. En aquél país la Administración aplicó el criterio conforme al cual el valor en aduana debía basarse en la venta que más directamente causara la exportación a Estados Unidos (*most direct cause of exportation*). Este criterio conducía, de forma sistemática, a basar el valor en la última venta registrada antes de la importación. Los Tribunales consideraron este criterio contrario al Código de Valoración, en la medida

en que conduce de forma sistemática a optar por el más alto entre dos valores posibles (Sentencias de la *Court of Appeals for the Federal Circuit* en los asuntos *E.C. McAfee*, CAFC, 842 F.2d 314 [Fed. Cir. 1988) y *Nissho Iwai*, CAFC, 982 F.2d 505 (1992)]. Cuando el Comité Técnico aprobó el Comentario 22.1, al que nos hemos referido antes, la Administración intentó retomar el criterio que la jurisprudencia le había corregido, dictando para ello una norma reglamentaria; un grupo de senadores tomó la iniciativa y en la *Food, Conservation and Energy Act* de 2008 se introdujo un precepto en virtud del cual cualquier cambio de criterio de la Administración en esta cuestión exigiría la obtención del oportuno permiso de parte del Congreso, con lo que la iniciativa quedó frenada en seco. Bien podría ocurrir ahora que Estados Unidos reaccione al posicionamiento adoptado por la UE adoptando también el criterio del Comité Técnico, como sin duda ansía la Administración aduanera (*Customs and Border Protection*, CBP).

Acerca de cómo podía acreditarse que una venta fuese 'para la exportación' a la UE, ha de advertirse que se trataba de una cuestión casuística. La venta del fabricante al exportador podía considerarse para la exportación, por ejemplo, si el producto se fabricaba siguiendo unas especificaciones propias de un cliente en la UE; o si el producto se fabricaba con unas características que hicieran que su uso sólo fuera posible en la UE; o si el exportador sólo vendía mercancías a la UE...

Aclaremos, de otro lado, que quien aparece como comprador en la venta en cuyo precio se basa el valor de transacción no necesariamente debe residir o estar establecido en la UE (STJUE *Unifert*, asunto C-11/89).

Bajo la vigencia de la normativa anterior, el artículo 147.3 RACAC disponía que "el comprador no tendrá que cumplir más condiciones que la de ser parte del contrato de venta". Nada dice a este respecto el CAU o el RECAU. La cuestión es relevante porque, en virtud de este precepto, se derivaba que quien apareciese como comprador en la venta en cuyo precio se basara el valor de transacción no necesariamente debía residir o estar establecido en la UE (STJUE *Unifert*, asunto C-11/89). Entendemos que, ante el silencio del CAU y del RECAU, no puede añadirse un requisito a la condición del comprador que no viene expresamente dispuesto y que tampoco se contiene en el Código de Valoración, por lo que consideramos que debe seguir manteniéndose que nada exige que el comprador esté establecido en el TAU.

- El precio es el "realmente pagado o por pagar", de manera que debe atenderse a la cantidad finalmente pagada, no a lo que pudo pactarse en un momento determinado si, con posterioridad, las partes alteran el contenido de su relación y deciden fijar un precio diferente. Aunque el Código de Valoración define el valor de transacción como "el precio realmente pagado o por pagar por las mercancías *cuando* éstas se venden para su exportación al país de importación ajustado de conformidad con lo dispuesto en el artículo 8", la utilización de la palabra "cuando" no introduce un elemento temporal en la definición. No cabe interpretar (como hace la Administración estadounidense, siguiendo la inercia de su sistema de valoración anterior al Código) que el precio que sirve de base para la valoración queda fijado en el momento en que las mercancías salen del país de exportación, porque entonces podría ocurrir que no se tratara del precio "realmente pagado o por pagar", dado que las partes pueden alterar este elemento del contrato en un momento posterior. La apreciación de que la palabra "cuando" en la definición del valor de transacción tiene un contenido temporal acarrea toda una serie de consecuencias indeseables en la interpretación, que nos aleja de la concepción positiva del valor que inspira el Código y que da pie a situaciones poco equitativas. Por ello debe combatirse este tipo de interpretaciones, que introducen un elemento extraño que perturba la coherencia y sistemática del Código.

La primera y reveladora incoherencia de la Administración estadounidense consiste en que, si el precio se altera después de la exportación, pero al alza, entonces ese precio superior sí es tenido en cuenta para la valoración. En cambio, si la modificación es a la baja, no se acepta que pueda tener efecto en la valoración.

El criterio conforme al cual la palabra "cuando" introduce un elemento temporal en la definición produce distorsiones en otros aspectos, como la aceptación de disminuciones en el precio por defectos en las mercancías o en materia de descuentos reconocidos posteriormente.

Por si alguna duda cupiera al respecto, la Nota Interpretativa 1.1 del Comité Técnico ha venido a zanjar la cuestión. Conforme a ella, no puede verse en la regulación del valor de transacción una referencia al elemento tiempo, externo a la transacción efectiva, que sirva como patrón. Añade que la expresión "cuando éstas se venden para su exportación" no debe entenderse "como si indicara el momento que ha de tenerse en consideración para determinar la validez del precio". Para el Comité esta expresión se limita a indicarnos que el precio relevante a los efectos de la valoración es aquel que se pacta en una venta para la exportación.

Por este motivo, lo dispuesto en el artículo 130 RECAU nos parece que introduce una deriva peligrosa de implicaciones inciertas. Nos referiremos a él más abajo al tratar de los descuentos sobre el precio.

- El precio es "por las mercancías". No siempre es fácil determinar qué elementos se integran en el precio de las mercancías y qué pagos corresponden a elementos distintos de ellas y, por lo tanto, no deben formar parte del valor en aduana. En este sentido, como ejemplos de elementos problemáticos podemos reseñar los siguientes:

  1. **Cláusulas penales**. En ocasiones los contratos establecen consecuencias en caso de que se incumpla por una de las partes alguna o algunas de sus estipulaciones, y a ese tipo de consecuencias por incumplimiento pactadas por las partes nos referimos como 'cláusulas penales'.

EJEMPLO

> ### Ejemplo
>
> Supóngase que el comprador se compromete a adquirir un mínimo de trescientas mil unidades del producto en el primer año, y que si no alcanza esta cantidad mínima deberá compensar al vendedor con 20.000 euros. Si el comprador no alcanzara el volumen de compras pactado, el pago de los 20.000 euros habría de realizarse en aplicación de la 'cláusula penal' pactada.

La Administración estadounidense, en este caso pensamos que con buen criterio, sostiene que el importe de estas cláusulas penales no forma parte del valor de transacción porque son un pago por algo distinto de las mercancías, dado que derivan de un incumplimiento de una estipulación contractual.

En este sentido, HR 544121, de 24 de junio de 1988; 543924, de 29 de mayo de 1987; 543770, de 10 de febrero de 1987; 544205, de 12 de diciembre de 1988; 543088, de 28 de junio de 1983; 543445, de 23 de octubre de 1985; 544340, de 11 de septiembre de 1990; 544031, de 19 de enero de 1988. A la misma solución han llegado los tribunales de aquel país [*Chrysler Corporation vs. United States*, 17 CIT 1049 (1993)].

2. **Mercancías no conformes con las estipulaciones del contrato**. Cuando las mercancías introducidas no sean conformes con lo pactado por las partes (mercancías averiadas o defectuosas; o mercancías que, por entregarse con retraso, han perdido parte de su valor comercial), el precio pactado no podrá utilizarse para fijar el valor de transacción, sino que deberá minorarse para tomar en consideración el impacto de la avería o el defecto.

La Nota Explicativa 3.1 del Comité Técnico nos señala la distinción entre mercancías averiadas y mercancías que, simplemente, no se ajustan a las estipulaciones del contrato. Para las mercancías averiadas apunta que únicamente bajo dos circunstancias podremos evitar acudir al método del último recurso:

✓ O bien cuando sólo una parte de las mercancías esté averiada, y pueda seguir aplicándose al resto el valor de transacción, en la proporción que corresponda.

✓ O bien cuando las mercancías se revendan en el estado en que se importen, y pueda aplicarse el método deductivo.

Situados, fuera de estos dos casos, ante el método del último recurso, el Comité sugiere una aplicación flexible del artículo 1, consistente en tomar alguno de estos valores:

✓ Precio renegociado a la vista de la avería.

✓ Precio inicialmente pactado minorado por:

- Estimación de un perito independiente o,

- Costo de las reparaciones o de la restauración o,

- La indemnización satisfecha por la compañía de seguros.

En la UE, el artículo 131.2 RECAU ordena realizar un 'cálculo proporcional' "en caso de pérdida parcial de un envío o cuando las mercancías hayan sido dañadas antes de su despacho a libre práctica". Parece que está pensando en una avería que deja a cero el valor de las mercancías afectadas. El artículo 132 RECAU establece que el ajuste del precio por el vendedor "podrá tomarse en consideración para la determinación del valor en aduana" cuando se cumplan los siguientes requisitos: 1) las mercancías eran defectuosas en el momento de la admisión de la declaración en aduana; y 2) el vendedor efectuó el ajuste para compensar el defecto, bien sea en cumplimiento de una obligación contractual contraída antes de la admisión de la declaración en aduana, bien sea en cumplimiento de una obligación legal aplicable a las mercancías. Obsérvese, por tanto, la importancia de que el contrato de venta contemple las consecuencias económicas en caso de defecto o avería de las mercancías.

El TJUE se enfrentó a una situación de este tipo en su Sentencia *Mitsui* (asunto C-256/07, de 19.03.2009). El importador había pactado con el vendedor que este último se haría cargo de los costes que para el primero se derivaran de prestar un servicio de garantía de tres años en caso de defectos técnicos o mal funcionamiento de los vehículos importados. El vendedor abonó mensualmente los costes incurridos por el importador por este concepto. El importador pretendía que esos abonos del vendedor fueran tenidos en cuenta para minorar el valor de las importaciones a las que tales abonos se referían (las de los vehículos cuyos defectos originaron los gastos por garantía). El Tribunal entendió que, cumplidos los tres requisitos que establece el artículo 145.2 RACAC (análogo al artículo 132 RECAU al que nos hemos referido), los abonos en cumplimiento de la cláusula de garantía deben tomarse en consideración para revisar el valor en aduana declarado en su día. Interesa destacar que el Tribunal argumenta que, si un vehículo "tenía un defecto en el momento de su importación, su valor económico real es inferior al valor de transacción declarado en el momento de su despacho a libre práctica" (p. 22). Y añade "el precio efectivamente pagado o por pagar es un factor que debe eventualmente ser objeto de ajustes cuando esta operación sea necesaria para evitar determinar un valor en aduana arbitrario o ficticio" (p. 24). Este enfoque del problema nos parece acertado, pues el Código define el valor de transacción como el "precio realmente pagado o por pagar por las mercancías". Estimamos por ello que no puede pretenderse una configuración restrictiva del requisito establecido en el artículo 132(b) RECAU, conforme al cual la modificación del precio ha de derivar del cumplimiento de una obligación contractual contraída antes de la admisión de la declaración o en cumplimiento de una obligación legal. Es posible que la obligación de indemnizar por parte del vendedor no derive de una cláusula expresa que la establezca, sino del conjunto del contenido del contrato y de las obligaciones asumidas por las partes en el marco de su relación. Por eso entendemos que podría basarse, por ejemplo, en un modo de proceder habitual que no tiene reflejo documental, pero que las partes acatan.

Por otro lado, en su Sentencia *Reppening* (asunto 183/85, de 12.06.1986) el TJUE determinó la aplicabilidad de una reducción proporcional del precio respecto de una importación acaecida antes de la entrada en vigor de la redacción del artículo 145 RACAC, antecedente del artículo 132 RE-CAU que hemos analizado.

La STJUE *X BV* (asunto C-661/15, de 12.10.2017) se refiere nuevamente a defectos en dos tipos de vehículos por los que el fabricante debe reembolsar al importador los costes de reparación. Ahora bien, respecto del primer tipo de vehículos el defecto era potencial, no necesariamente efectivo (era un caso de "recall" de vehículos por posibles problemas derivados de un fallo en el embrague de dirección). El TJUE decide que este defecto, aunque sea simplemente potencial, debe comportar una re-determinación del valor que tome en cuenta las cantidades reembolsadas por el fabricante, dado que "un producto es defectuoso cuando no ofrece la seguridad que legítimamente cabe esperar" (p. 29). Respecto del segundo tipo de vehículos la dificultad que se planteaba era que el defecto se descubrió pasado el plazo de 12 meses que se estipula en la norma para reclamar una revisión del valor en aduana basada en defectos de las mercancías (en aquél momento el plazo de 12 meses se establecía en el artículo 145.3 RACAC; en la normativa del CAU este mismo plazo se establece en el artículo 132(c) RECAU). Ante esta situación el TJUE apreció que el referido plazo de 12 meses es inválido porque contradice lo dispuesto en los artículos 78 CAC (actualmente, artículo 173.3 CAU) y 236.2 CAC (actualmente, artículo 117 y 121.1(a) CAU), donde se establece un plazo de tres años para solicitar la devolución de las cantidades indebidamente ingresadas. El TJUE declaró ilegal el límite de 12 meses a pesar que ya el CAC establecía este plazo para la devolución o condonación basada en defectos de las mercancías (artículo 238 CAC, actualmente artículo 118 y 121.1(b) CAU), por lo que cabía concluir que el plazo que establecía el artículo 132(c) RECAU era asimismo ilegal. Atendida la doctrina de esta Sentencia, el Reglamento de Ejecución 2020/893 (DO L 206, de 30.06.2020) derogó el referido artículo 132(c) RECAU.

> Para que pueda afectar a la valoración, el defecto o avería debe existir con anterioridad al despacho de las mercancías, esto es, debe ser pre-existente, pues recordemos una vez más la regla general conforme a la cual las mercancías se valoran en el estado en que se importan. Cuestión distinta es que el descubrimiento de la existencia del defecto o avería pueda acaecer con posterioridad al despacho. En cualquier caso, debe tenerse en cuenta que la carga de la prueba de su existencia incumbe al importador. Es indiferente quién (comprador o vendedor) haya asumido el riesgo de la mercancía en el momento de producirse la avería (en este sentido, STJUE *Sönnichsen*, asunto C-59/92, de 29.04.1993).

3. **Pagos por garantías**. El comprador puede adquirir las mercancías acompañadas de una garantía que cubra el riesgo de defectos, mal funcionamiento, averías u otros análogos. La pregunta que se suscita es si ese pago por la garantía es un pago 'por las mercancías' o por algo distinto de ellas. El criterio

dominante sostiene que los pagos por garantía deben incluirse en el precio de las mercancías (así lo entiende el Comentario 20.1 del Comité Técnico; y ello aunque su importe se distinga en la factura; aunque se expida factura separada por la garantía; y aunque el vendedor contrate con un tercero la prestación de la garantía). La coherencia con esta solución debe conducir a considerar que la eventual importación ulterior de piezas de repuesto, en ejecución de la garantía, habría de realizarse por un valor cero cuando el vendedor las facilite sin pago adicional en cumplimiento de la garantía, a fin de evitar incurrir en una doble imposición, en la medida en que, si ya se gravó la garantía, no cabría gravar después las piezas que se importan en ejecución de la misma.

Véase respecto de las garantías el Comentario 20.1 del Comité Técnico, en *Recopilación*.

En aquellos supuestos en que la garantía se preste por un tercero y sea el importador quien contrate directamente con ese tercero la garantía, no estaríamos ante un pago al vendedor y, además, procede considerar que se trataría de un pago por una actividad por cuenta del comprador respecto de la que no se establece un ajuste (artículo 129.2 RECAU). Por ello habría que concluir que el pago por la garantía en estas circunstancias no habría de incluirse en el valor en aduana.

4. **Pagos por cuotas**. En el capítulo 5 se examinan los contingentes arancelarios y los contingentes cuantitativos. En los contingentes cuantitativos se establece un cupo o cuota de mercancía que puede ser importada en la UE, superado el cual se impide la importación de mercancías. Esos cupos o cuotas pueden ser distribuidos entre países o fabricantes. En ese caso, si un fabricante agota su cupo y tiene la oportunidad de realizar una venta, puede adquirir el cupo o cuota de otro fabricante que no la haya agotado. La pregunta que se plantea entonces es si el coste de compra de ese cupo o cuota, que permite vender las mercancías en la UE, debe integrarse en el valor en aduana. El TJUE ha mantenido en varias sentencias que los pagos por la adquisición de cuotas a un tercero no deben incluirse en el precio de las mercancías, tanto si se pagan al vendedor como si se pagan a un tercero. El criterio del Tribunal parece bien fundado, dado que los contingentes cuantitativos son una medida de protección establecida por la UE; si se gravaran los pagos por cuotas, cuyo objeto es superar este obstáculo, estaríamos admitiendo que una medida unilateral de protección (el contingente) puede a su vez determinar una mayor protección en el valor en aduana (al sumarse al precio).

Véanse al respecto las STJUE *TextilGesellschaft*, asunto 7/83, de 09.02.1984; *Thierschmidt*, asunto C-340/93, de 09.08.1994; *Ospig Textil-Gesellschaft*, asunto C-29/93, de 19.05.1994.

En Estados Unidos el criterio es diferente. Se considera en aquél país que si el comprador paga al vendedor por la cuota, ésta debe incluirse en el precio. Para que la cuota no se añada al precio el comprador debe adquirirla de un tercero.

En el capítulo 5 hemos señalado que los contingentes arancelarios —dejamos atrás los contingentes cuantitativos— pueden distribuirse mediante licencias. En la Sentencia *Malt* (asunto C-219/88, de 28.03.1990), nos encontramos con un supuesto en que, para poder acogerse al beneficio del contingente, era necesario presentar el certificado de autenticidad de la mercancía. En ese asunto, el Tribunal decidió que los pagos por unos certificados de autenticidad que se refieren a las mercancías y que van indisolublemente unidos a ellas sí se integran en el valor en aduana.

El elemento que aparece como decisivo en esta Sentencia es que el certificado se refiere a una determinada mercancía, y no sirve más que para la mercancía a la que se refiere. Por lo demás el asunto es plenamente equivalente a los asuntos de cuotas que acabamos de referir. Discrepamos del criterio de esta Sentencia porque nada en el Código indica que cuando un elemento sólo tenga sentido respecto de una mercancía, ese elemento, por esa circunstancia, debe integrar el valor de transacción. Hay intangibles que no se integran en el valor de transacción a pesar que, sin ellos, la mercancía no sería posible. Por tanto, ese elemento diferencial en el que el TJUE basó su solución distinta nos tememos que no justifica tal cambio de criterio.

5. **Controles de calidad**. Parece que ningún problema debe haber en excluir los gastos incurridos por el comprador cuando éste decide contratar con un tercero que, con carácter previo a la exportación de las mercancías, efectúe respecto de estas un examen para verificar que su calidad y características se corresponden con lo pactado (estaríamos ante una actividad que por su cuenta emprende el comprador y, al retribuirse a un tercero distinto del vendedor, parece claro que no habría de incluirse este importe en el precio, artículo 129.2 RECAU). Más problemático es, en cambio, el supuesto en que el control de calidad es realizado por el propio vendedor. En este caso nos parece lo más razonable que lo satisfecho por el control de calidad sí se incluya en el precio por varios motivos: a) porque cabe suponer que un fabricante diligente verifica la calidad de sus productos, de manera que no se retribuye algo distinto de las mercancías sino algo que típicamente queda comprendido en la adquisición de las mismas; b) porque si se admitiera la no inclusión en el precio de estos importes, sería muy difícil identificar su cuantía real y se abriría, además, una posibilidad de fraude difícilmente combatible.

Una situación particular es la que se planteó en la Sentencia *Sommer* del TJUE (asunto C-15/99, de 19.10.2000). Las partes habían pactado que las mercancías importadas (miel) debían cumplir unos criterios de calidad fijados por la normativa interna del país de importación. Por ello las mercancías eran sometidas a análisis para verificar su calidad, a realizar por cuenta del vendedor pero con posterioridad a su introducción en la UE, comprometiéndose el comprador en virtud de unas cláusulas adicionales a retribuir al vendedor separadamente por estos gastos. El Tribunal sostuvo que, en estas circunstancias, el coste del análisis forma parte del valor de transacción de las mercancías porque constituye una condición de la venta e incrementa el valor de las mercancías. Y ello a pesar de que los servicios de control de calidad se prestaban materialmente con posterioridad a la importación y por sujetos establecidos en la UE. El problema que plantea la fundamentación del Tribunal estriba en que estamos ante una condición impuesta por el comprador para comprar (que la miel cumpla unos requisitos de calidad), no una condición impuesta por el vendedor para vender. En el marco de las normas de valoración aduanera, "condición de la venta" significa condición impuesta por el vendedor para vender, y no era ese el caso. Tal y como señaló Sommer, el pago por los controles de calidad no difiere del pago por la descarga, el almacenamiento y el transporte de las mercancías dentro de la UE; y, al igual que estos gastos (cuya exclusión del valor en aduana no planteaba dudas), no parece justificado que los gastos por control de calidad —que se realizan por un tercero— se incluyan en el valor de transacción. Por otra parte, la compra no se condicionaba al pago al laboratorio; a lo que se condicionaba la compra era al resultado positivo del análisis. Al laboratorio había que pagarle en todo caso, aun cuando el análisis de las mercancías diera un resultado negativo y, en consecuencia, se rechazase su importación.

6. **Subvenciones**. Las mercancías importadas han podido beneficiarse de una subvención en el país de fabricación o en el país de exportación. Ahora bien, el hecho de que el vendedor se haya beneficiado de una subvención por las mercancías que exporta no afecta a la valoración aduanera: seguirá utilizándose el precio realmente pagado o por pagar en la venta para la exportación. De este modo, cabe suponer que una mercancía subvencionada podrá tener un valor en aduana inferior, dado que al vendedor le basta un precio menor para obtener la misma rentabilidad.

Véase en este sentido el Comentario 2.1 del Comité Técnico, en *Recopilación*. Apuntemos, no obstante, que el hecho de que unas mercancías gocen de subvenciones puede tener como consecuencia que se apliquen derechos compensatorios, dirigidos precisamente a neutralizar la ventaja competitiva desleal que la subvención introduce. Nos referiremos a los derechos compensatorios en el capítulo 37.

7. **Intereses**. En la práctica comercial es frecuente que el vendedor ofrezca facilidades para el pago de las mercancías, de modo que habitualmente estas no se pagan en el momento de la adquisición sino en un momento posterior. Esas facilidades de pago suelen comportar —de forma explícita o implícita— el pago de una retribución por el diferimiento. Pues bien, cuando esa retribución se pacta de forma expresa en forma de intereses, estos no se incluirán en el

precio de las mercancías siempre que se cumplan los 3 requisitos siguientes: 1) que el acuerdo de financiación se haya concertado por escrito; 2) que el comprador pueda acreditar que las mercancías se venden efectivamente al precio declarado; y 3) que el comprador pueda acreditar que el interés exigido no excede del aplicado corrientemente a tales transacciones en el país y en el momento en que se haya proporcionado la financiación (artículo 72(c) CAU).

Acerca del primer requisito (relativo a que el acuerdo de financiación se haya concertado por escrito) debe señalarse que el TJUE ha introducido cierta flexibilidad, admitiendo que la existencia de este acuerdo pueda desprenderse de cualquier documento comercial, como pueda ser a partir de una mención adecuada en la factura comercial. Por otro lado, ha de destacarse que las autoridades son en ocasiones reticentes a aceptar que los descuentos por pronto pago puedan ser tomados en consideración para la valoración en aduana. Por este motivo sería aconsejable fijar siempre un precio de contado para las mercancías, complementado con un cargo por financiación en función del período de pago pactado por cada cliente. De este modo, si la operación se formaliza correctamente, sólo el precio de contado computará para el cálculo del valor en aduana.

Sobre esta cuestión, véase la Sentencia del TJUE *Wünsche* (asunto C-21/91, de 04.06.1992). En ella, el TJUE rechaza que pueda restringirse el concepto de pagos por intereses a aquellos que se abonan por retrasos en el pago que exceden de lo que es habitual en la práctica comercial; incluso cuando el plazo de pago pactado es el habitual para la industria de que se trate, las partes pueden pactar un precio de contado y fijar un acuerdo de financiación por el diferimiento en el pago pactado.

Por su parte, la STJUE *Kyocera Electronics* (asunto C-152/01, de 20.11. 2003) decide que basta con que el importador declare el precio neto para entender cumplido el requisito de que los intereses se distingan del precio. Tampoco es necesario que los intereses aparezcan reflejados en la propia factura de las mercancías presentadas a las autoridades, sino que pueden reflejarse en una factura distinta. Interpreta asimismo el Tribunal, respecto al requisito de que el acuerdo de financiación se haya concertado por escrito, que esta es una formalidad que debe ceder ante la evidencia del contenido material de la relación, de modo que su falta puede ser suplida por otros medios de prueba que acrediten la realidad del acuerdo de financiación (párrafo 37).

Véase también el Comentario nº 5 del CCA en *Compendio*.

En una muestra de los efectos perturbadores de atribuir un valor temporal a la palabra "cuando" de la definición del valor de transacción, la Administración en Estados Unidos no entiende cumplido el requisito si el acuerdo de financiación por escrito no existía en el momento de la transacción (HR 548332, de 31.10.2003).

8. **Descuentos**. Con carácter general y, dado que el punto de partida de la valoración por este método lo constituye el "precio realmente pagado o por pagar", los descuentos no forman parte del valor de transacción.

Debe tenerse precaución, no obstante, con los descuentos por pronto pago. Será conveniente que las partes establezcan por escrito un acuerdo general de financiación que fije un interés que regirá los descuentos por pronto pago y los incrementos por pago diferido (el tipo de interés puede establecerse de forma genérica en función de un tipo referencial, como por ejemplo "Euribor + 2%"). Estos intereses, adecuadamente desglosados en factura, no se integrarán en el valor en aduana (artículo 72.c) CAU).

En la UE, la Sección del Valor del CCA señala en su Comentario nº 8 (en *Compendio*) que el descuento por pronto pago facturado y válido en el momento de la valoración se aceptará aun cuando no se haya hecho efectivo, siempre y cuando sea un descuento generalmente aceptado (a la luz de este criterio, véase el artículo 130.3 RECAU). Además, si se ofrecen diferentes descuentos en función de la premura en el pago podrá aceptarse el descuento máximo. Si el descuento es superior al habitual, el importador deberá acreditar que el precio realmente pagado o por pagar se corresponde con el declarado.

Mayores problemas plantean los denominados "descuentos retroactivos". Son aquellos que consisten en reducir el precio en una importación para compensar un crédito anterior del comprador frente al vendedor (p.e. imaginemos que se sirve con retraso un pedido; el vendedor reduce en 1.000 euros el precio del siguiente pedido para compensar al comprador por el retraso padecido en el envío anterior). Recordemos que las mercancías deben valorarse en el estado en que se importan y que el valor de una mercancía no puede quedar contaminado por elementos relativos a otras operaciones. En estos supuestos en los que las partes compensan en una transacción elementos derivados de otra distinta se está incumpliendo esta regla de carácter general, de ahí que sea correcto que la Administración rechace estos descuentos. El descuento relativo a una operación debe aplicarse a esa operación y no a otra distinta; lo que debe hacerse en estos casos es solicitar a la Administración que revise la declaración que en su día se presentó, aportando la acreditación del descuento recibido (artículo 173.3 CAU; véase el análisis de este precepto en el capítulo 25).

Sí se aceptan los descuentos por cantidad o rappel. Respecto de ellos, debe evitarse en lo posible que el rappel adopte una forma que lo aproxime a un descuento retroactivo (p.e. un rappel del tipo "en el pedido en el que se adquiere la unidad 10.000, se practica un abono de 2.000 euros"), puesto que podría rechazarse por las razones que acabamos de exponer respecto de los descuentos retroactivos. Por ello es preferible utilizar fórmulas prospectivas del tipo "cuando se alcanzan las 10.000 unidades, el precio de las unidades adicionales pasa a ser un 3% inferior". La Opinión Consultiva 15.1 del Comité Técnico sostiene que tales descuentos deben considerarse para determinar el valor en aduana, sin que sea obstáculo que el derecho al descuento venga generado por compras anteriores, y tanto si existe un acuerdo particular para efectuar el descuento como si éste se deriva de la aplicación de las condiciones generales de la empresa vendedora.

El artículo 130 RECAU ha introducido un requisito adicional para que un descuento pueda ser tomado en consideración. Exige este precepto que, en el momento de la admisión de la declaración en aduana, el contrato de venta debe prever su aplicación e importe. Y añade que los descuentos que se deriven de las modificaciones del contrato tras el momento de la admisión de la declaración en aduana no se tendrán en cuenta. Como ya hemos apuntado antes, este nuevo requisito supone introducir un elemento temporal en el precio que sirve de base al valor de transacción que no deriva del Código de Valoración y que contradice criterios explícitos del Comité Técnico. No alcanzamos a ver la justificación para este criterio restrictivo ¿Acaso la Aduana no ordenará incluir en el valor de transacción una revisión al alza del precio que acaezca tras la admisión de la declaración? Entonces, si las revisiones de precios al alza sí se toman en consideración ¿por qué no las revisiones a la baja? Este precepto nos empuja a una dinámica de incoherencias y dificultades interpretativas.

6.2.2. Adiciones al precio

La definición del valor de transacción nos señala que, sobre el precio que sirve de base para la valoración, deben practicarse una serie de ajustes, que se contienen en el artículo 8 del Código de Valoración (artículo 71 CAU). En este precepto se contemplan una serie de adiciones al precio cuando en el mismo no figuren incluidos los elementos que allí se relacionan, siempre que corran de cuenta del comprador. El listado de adiciones posibles constituye una lista cerrada, de modo que no se permiten más adiciones sobre el precio que las taxativamente previstas, y para practicarlas será necesario contar con datos objetivos y cuantificables.

> Hemos señalado que el Código establece un listado cerrado de adiciones al precio. Esta metodología es coherente con la filosofía del Código: se trata de limitar las posibilidades de que la Administración pueda manipular la valoración con fines proteccionistas. Si por un lado el punto de partida es el precio (que deciden los operadores y, en consecuencia, escapa a la influencia de la Administración) y, por otro lado, se cierra el listado de posibles adiciones, se corta de raíz la posibilidad de que la Administración recurra a artificios que permitan inflar los valores. Obsérvese ahora que los esfuerzos del Código de Valoración resultarían burlados si, por vía interpretativa, se permitiera una expansión de las adiciones sobre el precio más allá de los términos de la norma que las regula. E igualmente quedarían burlados si se permitiera una interpretación expansiva de lo que significa un 'pago en beneficio del vendedor', que hemos visto que se integra en el concepto de precio de las mercancías. Estos dos elementos son los contrafuertes que sujetan todo el edificio del Código: si cualquiera de ellos se debilita, el edificio no podrá quedar indemne.

Ajustes sobre el precio	
Adiciones	**Minoraciones**
1. Comisiones y gastos de corretaje...	Salvo las comisiones de compra
2. Costo de envases que, a efectos aduaneros, se considere que forman un todo con la mercancía	1. Gastos de transporte y conexos de las mercancías importadas después de su entrada en el TAU
3. Coste de embalado, tanto por la mano de obra como por los materiales	2. Derechos de importación y otros gravámenes pagaderos en la Unión como consecuencia de la importación o la venta de las mercancías
4. Aportaciones	3. Derechos de reproducción en la Unión de las mercancías importadas
5. Cánones y derechos de licencia	4. Importe de los intereses derivados de un acuerdo de financiación
6. Valor que revierte al vendedor	5. Pagos que efectúe el comprador por el derecho de distribución o reventa de las mercancías
7. Gastos de transporte y conexos hasta el punto de entrada en el TAU	6. Gastos de construcción, instalación, montaje, mantenimiento o asistencia técnica, realizados después de la entrada en el TAU de las mercancías importadas, tales como instalaciones, máquinas o material industrial

Antes de adentrarnos en el análisis de estas adiciones, conviene señalar que en la UE se prevé una norma simplificadora que matiza la afirmación anterior, que se aplica a petición del importador, para aquellos casos en que se desconoce el importe exacto de los ajustes o el importe de todos los pagos al vendedor o en beneficio de éste (artículo 73 CAU y 71 RDCAU). Con esta simplificación se desea evitar acudir al mecanismo de la declaración simplificada (que se analiza en el capítulo 24) y a la utilización de métodos alternativos de valoración, que comportan mayores cargas tanto para el operador como para la Administración (limitación de los costes de gestión aduanera), así como para evitar demorar la valoración. El contenido de la simplificación consiste en calcular un ajuste "sobre la base de criterios específicos", es decir, un ajuste estimado, no basado en la magnitud real. La simplificación se sujeta a la condición de que acudir al mecanismo de la declaración simplificada represente un coste administrativo desproporcionado y a que el valor en aduana determinado no difiera significativamente del determinado en ausencia de una autorización.

Adicionalmente, la simplificación a que nos referimos requiere el cumplimiento, por parte del solicitante, de tres requisitos: 1) inexistencia de infracciones graves o reiteradas de la legislación aduanera y de la normativa fiscal; 2) tener un sistema de contabilidad que sea coherente con los principios contables comúnmente aceptados y que facilite el control aduanero mediante auditoría,

incluyendo un registro cronológico de los datos que facilite una pista de auditoría desde el momento en que los datos se introducen en el archivo; c) tener una organización administrativa que corresponda al tipo y al tamaño de la empresa y que sea adecuada para la gestión del flujo de mercancías, y llevar a cabo controles internos que permitan detectar las transacciones ilegales o irregulares.
El cuadro de requisitos en materia de datos para la solicitud de esta simplificación se contiene en el Título V del Anexo A del RDCAU.

Hecha esta precisión, podemos ya proceder al análisis de las adiciones a practicar, que son las siguientes:

- En primer lugar debe añadirse el importe de las **comisiones y gastos de corretaje, salvo las comisiones de compra**. Por tanto, se añaden al precio las comisiones de venta y los gastos de corretaje; en cambio, no se añaden al precio las comisiones de compra. Comencemos nuestro análisis por la no inclusión en el valor de transacción de las comisiones de compra, que es una cuestión que ha suscitado una casuística muy rica. La comisión de compra retribuye una serie de servicios que son llevados a cabo por un sujeto que actúa a las órdenes de su principal (en este caso, el comprador). Los servicios de un comisionista de compra incluyen, entre otros: búsqueda de proveedores, recopilar información del mercado, obtener muestras, traducción, hacer pedidos basándose en las órdenes de su principal, procurar la mercancía, ayudar en las negociaciones con las factorías, inspeccionar y embalar los bienes y acordar el embarque, gestión de los seguros, almacenamiento, etc. La razón que subyace a esta exclusión es que nos encontramos ante actividades que el comprador puede realizar por sí mismo y que encarga a un intermediario que controla: el comisionista de compra es un brazo ejecutor del que se sirve el comprador.

  En materia de comisiones de compra, véase el Comentario 17.1 del Comité Técnico. El artículo 5. (41) CAU define «comisión de compra» como "el importe pagado por un importador a un agente por representarlo en la compra de las mercancías objeto de valoración".

  Dado que se trata de un sujeto controlado por el comprador y que sirve a sus intereses, una comisión de compra no puede ser percibida, salvo situaciones excepcionales, por el exportador-vendedor de las mercancías que se importan.

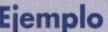

Ejemplo

EJEMPLO

Un ejemplo de esas situaciones excepcionales lo encontramos en un supuesto planteado a la Administración de Estados Unidos, que admitió que el vendedor de las mercancías importadas (prendas de vestir) actuaba como comisionista de compra por lo que se refería a las telas a partir de las cuales se elaboraban esas prendas, de manera que la retribución que el comprador le satisfacía por este concepto no debía incluirse en el valor en aduana (HR 547239, de 29.03.1999).

A la hora de identificar la existencia de una retribución que corresponde a una comisión de compra hay diversos elementos a considerar, ninguno de los cuales es por sí solo decisivo. En este sentido, un comisionista de compra actúa a las órdenes del comprador; no asume el riesgo de la operación ni de las mercancías; actúa en beneficio del principal y no en el suyo propio; comunica a su principal la identidad de los fabricantes y los precios que le exigen; percibe una cantidad por las mercancías que está en función de lo que los fabricantes exigen por ellas; no está vinculado con el vendedor.

A partir de la casuística a la que ha tenido que enfrentarse la Administración y los Tribunales en los Estados Unidos, podemos señalar los siguientes factores como elementos que se ha apreciado que tienden a desvirtuar la existencia de una comisión de compra por denotar una falta de control por el principal de la actividad del agente (y, a sensu contrario, la no presencia de estos factores tiende a corroborar que estamos ante una comisión de compra): 1) La ausencia de un contrato en el que se establezcan las obligaciones de las partes; 2) Que en las facturas aparezca el nombre del agente como vendedor; 3) Que en las facturas no se identifique al fabricante; 4) Que el importador no ejerza un control sobre las cantidades que finalmente percibe el fabricante; 5) Que el agente mantenga stocks; 6) Que el agente esté vinculado al vendedor; 7) Que el agente asuma riesgos; 8) Que el agente pueda hacer pedidos o cambiar las condiciones de compra sin consultar previamente; 9) Que no se pueda adquirir el producto si no es mediando la actuación del agente; 10) Que el fabricante desconozca la identidad del importador; 11) Que el agente asuma el coste del embarque y manipulación.

Nótese que lo relevante es el tipo de actividades y servicios que se retribuyen: en la medida en que esas actividades sean propias de un comisionista de compra y se verifique el control por parte del principal que es típico de este tipo de relaciones, el importe que retribuya esos servicios debe excluirse del valor en aduana. Las formas jurídicas no son decisivas, lo decisivo es la sustancia de la operación; las formas jurídicas serán un elemento más para determinar la sustancia de la operación. En este sentido, el hecho de que el comisionista re-facture las mercancías, o que aparezca formalmente como vendedor, no determina que deje de tratarse de una comisión de compra.

Por eso no podemos compartir la doctrina de la sentencia *Unifert*, en la que el TJUE sostuvo que si el valor se determinaba a partir del precio percibido por el comisionista, la comisión debía incluirse en el valor de transacción (STJUE *Unifert*, asunto 219/88, de 06.06.1990). Esta solución nos parece criticable porque entendemos que todo pago que responda a servicios que sean típicos de una comisión de compra debe poder excluirse del valor de transacción, independientemente de que jurídicamente la operación se articule como una venta en la que el comisionista retransmita la propiedad a su principal. En cambio, en la posterior sentencia *Hepp*, el TJUE analizó la naturaleza de la actividad y decidió que la comisión no debía añadirse al precio, a pesar de que de nuevo figuraba el comisionista como vendedor, de modo que pensamos que el TJUE rectificó su criterio anterior (STJUE *Hepp*, asunto C-299/90, de 25.07.1991).
Véase también la Conclusión 14 del CCA (en *Compendio*), en la que se aprecia que una comisión de compra no debe incluirse en el valor de transacción aun cuando la factura que se aporte para la valoración sea la del comisionista y no la del fabricante/proveedor.

Por lo que hace a las comisiones de venta, que sí se añaden al precio si este no las comprende, se trata en este caso del reverso de la comisión de compra. Estaremos ante un agente del vendedor, que actúa bajo sus órdenes y poder de organización, sin asumir riesgos, transmitiendo toda la información que consigue obtener... Su objetivo primordial será la promoción de ventas, aunque también puede asumir otras tareas conexas relativas al transporte, el seguro, la entrega, control de calidad, gestión de pedidos... El corretaje, en cambio, es la figura de un intermediario que se limita a aproximar a las partes, que actúa en beneficio de ambas, y cuya labor fundamental consiste en identificar la existencia de un interés mutuo entre dos sujetos, uno por vender una mercancía que encaja con la que el otro desea adquirir. Por su condición de intermediario a favor de ambas partes de la transacción, el corredor goza de mayor independencia que el comisionista.

Concluyamos este punto poniendo de relieve que la inclusión de la comisión de venta y la paralela no inclusión de la comisión de compra conduce a un resultado contra-intuitivo. Fijémonos en que el comisionista de compra típicamente desarrollará su labor en el país de exportación, donde busca proveedores: es un valor que se añade en el tercer país y que, ello no obstante, no se considera 'importado' a efectos aduaneros. Por el contrario, el comisionista de venta típicamente tendrá su lugar de trabajo en el territorio de importación, donde visita a sus clientes, de manera que es un valor que se añade en el propio territorio de importación y, a pesar de ello, se considera un mayor valor de la 'importación'. Esta constatación nos conduce a concluir que, como veremos con otros elementos del valor en aduana, no es técnicamente correcto suponer que el valor en aduana grava todos los elementos de valor añadidos en el tercer país; y que tampoco es correcto suponer que cualquier elemento de valor añadido en el propio territorio de importación deba quedar excluido del valor en aduana de forma automática por esta sola circunstancia.

- El coste de los **envases** que formen un todo con las mercancías, así como los costes de **embalaje**, tanto por la mano de obra como por los materiales. Aun en el caso de los envases reutilizables, entendemos que debe incluirse en el valor de transacción el importe del coste que la reutilización representa para el importador.

  De la problemática que plantean los envases reutilizables se ocupa la STJUE *Schmid* (asunto 357/87, de 05.10.1988). En ella el Tribunal decide que los costes asociados a la reutilización de barriles de cerveza, tales como gastos de limpieza y desinfección, se integran en el valor en aduana como "costes de envases y embalajes" aunque propiamente no sean, en sí mismos, ni envases ni embalajes. Nos parece correcto el criterio del Tribunal, pues sí estamos ante 'costes de envases y embalajes': el envase no se puede reutilizar sin incurrir en esos gastos, luego se trata de un coste del envase. Ni el CAU, ni el RDCAU, ni el RECAU incorporan lo que se disponía en el artículo 154 RACAC. Este precepto ordenaba que el coste de los envases y embalajes reutilizables se debía distribuir, a petición del declarante, de manera adecuada conforme a los principios de contabilidad generalmente aceptados. Esta cláusula ofrecía al importador la siguiente alternativa:
  O bien imputar el coste de los envases reutilizables a la primera importación en la que se utilizasen.
  O bien realizar imputaciones parciales en cada envío de mercancías de los envases reutilizables, siguiendo criterios contables "generalmente aceptados", lo que significaba repartir este coste entre los envíos que se previera realizar a lo largo de la vida útil de los envases, y efectuar correcciones cuando la vida útil real del bien no coincidiese con la inicialmente prevista (destrucción, deterioro, pérdida).
  Consideramos que, aún tras la supresión de este precepto, a la misma solución cabe llegar por aplicación de los criterios sistemáticos del Código de Valoración.

  En cambio, no se encuadran en la categoría de envases y embalajes que dan lugar a una adición los contenedores (*containers*) u otros receptáculos propios del transporte internacional, los cuales además suelen tener una naturaleza que permite su reutilización por tiempo indefinido, dado que no forman un todo con las mercancías.

- Las **aportaciones**, que son elementos suministrados directa o indirectamente por el importador al vendedor, gratuitamente o por precios reducidos, para que los utilice en la producción o venta de las mercancías importadas. Cuando decimos que se trata de elementos suministrados directa o indirectamente por el importador nos referimos a que la aportación la puede suministrar el propio importador o bien que el importador puede pagar a un tercero para que suministre la aportación (en este caso se trataría de un suministro indirecto). Si el comprador entrega dinero al fabricante para que se procure elementos necesarios para la producción no estaríamos ante una aportación, sino ante una parte del precio de las mercancías. El valor de la aportación debe añadirse al precio si éste no la comprende. Por otro lado, debe destacarse que la aportación dará lugar a una adición cualquiera que sea el origen del elemento que se aporta, lo que implica que la adición se practica incluso cuando el elemento que se suministra es una mercancía de la UE (veremos, no obstante, que esta regla tiene una excepción para los intangibles). Estaremos ante un componente doméstico que, a pesar de ello, se integra en el valor en aduana, una situación contra-intuitiva análoga a la que hemos visto respecto de las comisiones de compra y de venta.

Por lo que hace a la valoración de la aportación, el artículo 135 RECAU dispone que se atenderá a su precio de compra (que incluye todos los pagos que deban realizarse para su adquisición) o bien su coste de producción, en caso de que sea el propio comprador o una persona vinculada a él quien los produzca. En cualquier caso, el valor de las aportaciones deberá determinarse sobre la base de otros datos objetivos y cuantificables. En caso de que los bienes aportados hayan sido utilizados por el comprador antes de su entrega, su valor se ajustará para tener en cuenta la depreciación que hayan podido experimentar.

Añadamos sobre lo anterior que el Comentario nº 1 del CCA (*Compendio*) nos indica que no debe incluir el coste que representa transportar la aportación desde el lugar en que se encuentre hasta las instalaciones del fabricante-exportador, basando tal solución en que el Código habla del "precio de adquisición o coste de producción" y nada dice del coste de su transporte y gastos asociados (seguro, carga, descarga, manipulación...). Ahora bien, si el precio de adquisición de la aportación incluye el transporte, entonces sí formaría parte este componente de su valor. Por el contrario, la Administración estadounidense utiliza el criterio de valorar la aportación por su coste de adquisición o producción más el coste del transporte hasta las instalaciones del fabricante-exportador. Por su parte, el Comentario 24.1 del Comité Técnico interpreta que en el valor de la aportación deben incluirse todos los costes en que incurre el importador al *adquirir* la prestación.

Existen cuatro categorías de aportaciones:

1. Materiales, piezas y elementos, partes y artículos análogos incorporados a las mercancías importadas.

   Este es el supuesto más sencillo de aportación y el que menos complejidad jurídica plantea. Se trata de un comprador que suministra un insumo —input— al fabricante de forma gratuita o por precio reducido, que éste utiliza para fabricar la mercancía que se importa. Sería el supuesto, por ejemplo, de un comprador que suministra unos tejidos con los cuales el fabricante confecciona prendas de vestir; o de un comprador que suministra un microchip que se utiliza para fabricar una alarma antiincendios. En el Estudio de un caso 5.1 el Comité Técnico nos ofrece el ejemplo de un empresario que suministra vehículos a un fabricante para que los convierta en vehículos blindados.

   En estos supuestos el elemento suministrado (la aportación) es tangible y puede ser identificado como componente de la mercancía importada. Si el elemento aportado es originario de la UE (o se encontraba a libre práctica en la UE en el momento en que se suministró), aunque su valor dará lugar a una adición, cabrá aplicar en paralelo los beneficios que derivan del régimen de perfeccionamiento pasivo, que se examina en el capítulo 19. Ello es así porque, según hemos señalado, en esta categoría de aportaciones el elemento suministrado regresa como componente de la mercancía importada y es identificable en ella, a diferencia de lo que ocurre en las aportaciones de la segunda y tercera categorías a las que nos referimos a continuación, respecto de las cuales, en consecuencia, no cabrá aplicar los beneficios del régimen de perfeccionamiento pasivo.

La STJUE *BMW*, asunto C-509/19, de 10.09.2020, viene a trastocar la interpretación del contenido de esta categoría de aportaciones al apreciar que un intangible (como un programa de software) puede incluirse en ella, esto es, tener la consideración de "elemento" o "parte" que se "incorpora" a la mercancía importada. En aquél asunto se trataba de un programa informático que el importador suministraba a los fabricantes para que lo incorporasen en el proceso de fabricación de las mercancías importadas.

Contrariamente a la interpretación del TJUE, entre los autores parece que existe acuerdo respecto a que en esta primera categoría de aportaciones sólo pueden incluirse elementos tangibles, en tanto que los intangibles sólo pueden calificarse como aportaciones de la cuarta categoría (ver más abajo, número 4).

2. Las herramientas, matrices, moldes y elementos análogos utilizados para la producción de las mercancías importadas.

Esta segunda categoría presenta dificultades adicionales sobre la anterior. Se trata de elementos susceptibles de ser utilizados para producir un número indeterminado de unidades, lo que complica el reparto de su valor entre las importaciones a realizar. Téngase en cuenta que un molde, por ejemplo, puede utilizarse para fabricar mercancías que posteriormente se van a vender en todo el mundo, no sólo en la UE; por tanto, a la hora de calcular el reparto de su coste, ni siquiera podemos asumir que su total importe debe quedar sujeto en las importaciones que vayan a realizarse en la UE. En cualquier caso, debe utilizarse un criterio razonable de reparto (p.e. repartirlo entre el número de unidades previsto importar durante el primer año; o durante la vida útil de la aportación). Lo que, evidentemente, es inadmisible es que el criterio de reparto conduzca a un gravamen doble o excesivo: una vez se haya incluido el total valor de la aportación no podrá practicarse adición alguna por este concepto, aunque se sigan importando unidades adicionales de la mercancía en cuya fabricación se utiliza. El apartado 6 del artículo 135 RECAU se limita a señalar que las aportaciones deben repartirse "a prorrata de los bienes importados".

Por otro lado, el carácter duradero de este tipo de aportaciones posibilita que se suministren usadas al productor, lo que obliga a utilizar un criterio de valoración suplementario a fin de cuantificar la depreciación, que bien puede resultar de los datos de amortización que figuren registrados en la contabilidad.

Finalmente aparece una dificultad práctica añadida, derivada de la circunstancia de que la aportación no es aquí identificable como componente de la mercancía que se importa. Este factor puede facilitar la ocultación a las autoridades de este componente del valor en aduana.

3. Los materiales consumidos en la producción de las mercancías importadas.

Aquí se incluirían reactivos, combustibles, lubricantes, etc. A diferencia de la aportación anterior, en este caso la aportación se consume en el proceso de fabricación. A diferencia de la aportación de la primera categoría, por otra parte, no aparece como componente en la mercancía importada, porque se ha consumido en la producción. Deberemos identificar qué cantidad de aportación debe atribuirse a cada unidad de mercancía (reparto). Señalemos, en cualquier caso, que se trata de una aportación de escasa relevancia en la práctica.

4. Trabajos de ingeniería, de desarrollo, artísticos y de diseño, planos y croquis, realizados fuera de la UE y necesarios para la producción de las mercancías importadas.

Apuntemos que el inciso iv) del artículo 71.1 CAU dice "de desarrollo" en lugar de "de creación y perfeccionamiento" que dice el Código de Valoración.

Esta es sin duda la categoría de aportaciones que plantea mayores dificultades. Como las aportaciones de la segunda categoría, se trata de elementos susceptibles de ser utilizados para producir un número indeterminado de unidades, lo que complica el reparto de su valor. También tienen carácter duradero. Como nota específica de este tipo de aportaciones, debe destacarse que únicamente se añadirán al precio si se realizaron fuera del territorio de importación (en nuestro caso, de la UE).

Probablemente uno de los elementos que genera mayor conflictividad es el relativo a la identificación de las prestaciones que quedan comprendidas por esta categoría de aportaciones. Recordemos que las adiciones al precio se enumeran en el Código de Valoración como un listado cerrado, de manera que no cabe extenderlas más allá de sus propios términos. En consecuencia, la primera idea que conviene fijar es que sólo los intangibles que se relacionan en el listado pueden dar lugar a una adición como aportaciones. La lista no es ilustrativa sino taxativa; y tampoco cabe inducir a partir de ella elementos análogos si estos no aparecen expresamente mencionados. Por ello sólo los intangibles consistentes en trabajos de ingeniería, desarrollo, artísticos, diseños, planos y croquis pueden dar lugar a una adición como aportación.

Al hilo de esta última idea, nos parecen criticables las consideraciones de la AN en su sentencia de 02.04.1996 (JT 1156\1997), en la que trata de establecer una distinción entre los trabajos de investigación pura y los de investigación aplicada, para someter a gravamen a estos últimos. Debe tenerse en cuenta que el Código ordena la inclusión de los costes de perfeccionamiento, pero en ningún caso los de investigación, por lo que los razonamientos del Tribunal en reiteradas sentencias pensamos que abren una senda peligrosa.

El apartado 4 del artículo 135 RECAU precisa que deben incluirse los costes de las actividades de desarrollo infructuosas en la medida en que estas se deriven de proyectos o pedidos correspondientes a las mercancías importadas. Por otro lado, el apartado 5 de este mismo precepto dispone que los costes de investigación y de los croquis de diseño preliminares no se incluirán en el valor en aduana.

Debemos observar que, conforme al Código de Valoración, un requisito para que esta aportación dé lugar a una adición al precio consiste en que sea "necesaria" para la producción de las mercancías importadas. Herrera Ydáñez y Goizueta Sánchez entienden que ello supone excluir, automáticamente, las ingenierías de proyecto y las funcionales (*Valor en aduana de las mercancías según el Código del GATT*, ESIC, 1985, p. 168).

El suministro por el comprador de forma gratuita de bienes y servicios no subsumibles en este listado no puede ser calificado de aportación (p.e. suministro de una patente). Esta circunstancia obliga a las Administraciones aduaneras a efectuar un control que impida, especialmente en las transacciones entre partes vinculadas, que se utilice la vía de las aportaciones no gravadas para lograr así unos precios más bajos.

La Sentencia del TJUE *Compaq* (asunto C-306/04), con criterio que no compartimos, decide que los derechos pagados por el comprador para la adquisición de un sistema operativo (*Windows*) deben añadirse al valor en aduana como aportación cuando el comprador ordena al fabricante (sujeto no vinculado con el vendedor del sistema operativo) que lo incorpore en los ordenadores portátiles que le vende. Según se desprende de los peritajes que fueron tomados en consideración en el proceso, un sistema operativo no puede calificarse de "ingeniería" ni de ninguno de los demás elementos del listado.

Se ha indicado más arriba que, conforme a la STJUE *BMW* (asunto C-509/19, de 10.09.2020), un intangible puede calificarse como aportación de la primera categoría. Ahora estamos en condiciones de apreciar tres importantes consecuencias que se derivan de esta apreciación. La primera es que la cuarta categoría de aportaciones contiene una lista de elementos comprendidos (trabajos de ingeniería, de desarrollo, artísticos y de diseño, planos y croquis), mientras que en la primera categoría se incluiría cualquier "elemento" o "parte" que, al ser términos bastante más indeterminados, configuran un ámbito mucho más abierto. Nótese que el software no cabría en la cuarta categoría de aportaciones (dado que no se considera que el software sea "ingeniería" ni "desarrollo"); pero en cambio sí puede considerarse un "elemento", al ser este un concepto mucho más indeterminado.

La segunda consecuencia relevante del criterio del TJUE deriva del hecho de que en las aportaciones de la cuarta categoría sólo se incluyen las realizadas fuera de la UE, de modo que no se incluyen aquellas que se hayan realizado en la UE. Esta regla, en cambio, no se establece para las aportaciones de la primera categoría. El motivo es técnico. Las aportaciones tangibles pueden acogerse a los beneficios del régimen de perfeccionamiento pasivo y, por esta vía, se puede lograr que no queden gravadas cuando se han realizado en la UE. Ahora bien, los elementos intangibles no se pueden acoger a los beneficios del régimen de perfeccionamiento pasivo porque no son mercancías. Justamente ese es el motivo por el cual, sólo para las aportaciones de la cuarta categoría, se establece la regla de que sólo las aportaciones realizadas fuera de la UE se incluyen en el valor en aduana: para compensar el hecho de que los intangibles no pueden acogerse a los beneficios del perfeccionamiento pasivo. Teniendo en cuenta este factor se comprende que la interpretación del TJUE viene a crear una asimetría entre elementos tangibles e intangibles que no existiría en caso de interpretar que los intangibles sólo pueden incluirse en la cuarta categoría de aportaciones.

La tercera consecuencia que deriva de la interpretación que hace el TJUE consiste en alterar el efecto de la cuarta categoría de aportaciones. Obsérvese que, en la práctica, si seguimos el criterio del TJUE cualquier intangible puede ser considerado aportación (basta que pueda ser calificado de "elemento"), pero sólo las aportaciones que aparecen en el listado de la cuarta categoría (trabajos de ingeniería, de desarrollo, artísticos y de diseño, planos y croquis) pueden quedar excluidas del valor en aduana cuando se hayan realizado en la UE. Es decir, la interpretación del TJUE nos lleva a concluir que la lista de la cuarta categoría es una lista de aportaciones "privilegiadas", puesto que el resto de intangibles se van a incluir en la primera categoría y no van a poder acogerse a esta ventaja. El criterio de los autores lleva a la apreciación contraria: puesto que consideran que sólo los intangibles de la lista de la cuarta categoría pueden incluirse en el valor en aduana, "privilegiados" son todos los demás intangibles, es decir, los que no están en la lista.

Conviene precisar que, conforme al criterio del Comité Técnico en su Comentario 18.1, cuando para la fabricación de una aportación de la segunda categoría (herramientas, matrices, moldes, etc.) se hayan realizado trabajos de ingeniería, diseño, etc (aportación de la cuarta categoría), debe prevalecer la calificación de aportación de la segunda categoría, esto es, el tangible prevalece sobre el intangible. Esta apreciación tiene una importante consecuencia, dado que las aportaciones de la segunda categoría se incluyen aunque se hayan producido en la UE, a diferencia de lo que ocurre con las aportaciones de la cuarta categoría. De este modo, el suministro de un elemento tangible puede arrastrar a practicar una adición cuyo valor incluirá los intangibles necesarios para producirlo, aun cuando esos intangibles se hayan elaborado en la UE. Para evitar este resultado los importadores deben adoptar las medidas que les permitan separar de forma clara ambas aportaciones (facturas separadas, proveedores distintos...).

Ejemplo. Supóngase que un importador encarga un diseño de zapatos que resulta en la elaboración de un molde. El molde se suministra al fabricante. En el valor en aduana se añadiría, en principio, el valor del molde y el del diseño del mismo como una única aportación. Ahora bien, si el importador hubiera encargado el diseño a una empresa (que emite la factura correspondiente) y, una vez dispone de ese diseño, hubiera encargado a otra empresa la elaboración de un molde que incorporase ese diseño (en este caso el molde tiene su propia factura), cabría apreciar la existencia de dos aportaciones diferenciadas (el diseño, por una parte, y el molde, por otra), cada una de las cuales seguiría su propio régimen.

Debe matizarse que, en su Opinión Consultiva 22.1, el Comité Técnico entendió que, cuando se suministran unos documentos en los que se recogen los resultados de unos trabajos de ingeniería, debe determinarse un valor para tales documentos por tratarse de bienes tangibles, pero se sugiere que la valoración se base en el "coste en el que se incurre directamente al transcribir a papel los trabajos de diseño y creación e imprimirlos como documentos", no sobre el valor total de los propios trabajos de ingeniería. En particular, se concluye que el valor de los documentos no ha de basarse en la retribución por los servicios suministrados.

En una peligrosa deriva, la Conclusión 26 del CCA (en *Compendio*), sostiene que, aún si la aportación es de un intangible, debe tratarse como aportación de la segunda categoría (herramientas, matrices, moldes y *elementos análogos* utilizados para la producción de las mercancías importadas), lo que comporta que deban incluirse en el valor en aduana aunque el intangible se haya generado en la UE, cuando el referido intangible, a pesar de no ser estrictamente necesario para la producción de las mercancías, se instale en el producto importado y sea parte constitutiva del producto final, mejore sus capacidades o añada una nueva funcionalidad y, de tal modo, contribuya de forma significativa al valor de las mercancías. Eso supone una interpretación muy extensiva —y de efectos proteccionistas— de los términos "herramientas, matrices, moldes y elementos análogos", pues todos los elementos referidos son tangibles y aquí se quieren asimilar a ellos los intangibles como "elementos análogos", aun cuando ya tienen su propia regla en la cuarta categoría de aportaciones. Además la interpretación genera una inseguridad jurídica considerable cuando contrapone estos intangibles a los que son necesarios para el proceso de producción de las mercancías, como patentes diseños o modelos, que indica que sí seguirían encuadrados en la cuarta categoría. El criterio de distinción que se propone para distinguir unos intangibles de otros, según sean o no "necesarios para la producción de las mercancías", no es en absoluto claro, más todavía cuando se reconoce que los que no son necesarios para producir las mercancías son, no obstante, parte constitutiva del producto terminado.

La Conclusión 28 del CCA (en *Compendio*) concluye que un diseño CAD para proporcionar patrones para el corte de textiles, que se facilita por medios electrónicos al fabricante (se facilitan por e-mail, sin soporte físico), debe considerarse una aportación de la segunda categoría ("herramientas, matrices, moldes y elementos análogos"), a pesar de que la cuarta categoría explícitamente incluye trabajos "artísticos y de diseño, planos y croquis", que es de lo que manifiestamente se trata en este caso. De este modo, la lógica emprendida en la Conclusión 26 del CCA se lleva a sus últimas consecuencias en la Conclusión 28 del CCA para terminar en una contradicción con la literalidad clara y taxativa del Código de Valoración.

El criterio de los autores, conforme al cual las aportaciones de la segunda categoría son todas ellas tangibles y que la cuarta categoría de aportaciones es la que rige para los intangibles, ofrece mayor seguridad jurídica y parece más respetuoso con el espíritu del Código de Valoración.

• Otro elemento que puede motivar una adición al precio son los **cánones y derechos de licencia.** Los cánones (royalties en inglés), concepto ciertamente amplio, comprensivo de un gran y variopinto elenco de derechos, tienen una importancia creciente en el comercio de bienes, a medida que éstos incorporan un mayor valor añadido. De otra parte, son elementos de naturaleza intangible, lo que dificulta su tratamiento en un impuesto diseñado para sujetar a gravamen la importación de mercancías. Las normas de valoración aduanera no contienen una definición de canon, sino una enumeración abierta de elementos que lo son. Por ello hemos de recurrir a definiciones contenidas en otras normas internacionales, como el Modelo de Convenio de Doble Imposición de la OCDE, a fin de perfilar su contenido.

> Entre los elementos que pueden quedar comprendidos en el concepto de canon figuran los pagos por servicios referentes a la fabricación de la mercancía importada (como patentes, dibujos, modelos y conocimientos técnicos de fabricación), o a la venta para la exportación de la mercancía importada (en especial, marcas de fábrica o de comercio, modelos registrados), o a la utilización o la reventa de la mercancía importada (como derechos de autor, procedimientos de fabricación incorporados a la mercancía importada de forma inseparable).
>
> Las definiciones contenidas en los Modelos de Convenio de Doble Imposición de la OCDE pueden ser utilizadas como indicativas para delimitar el concepto de cánones y derechos de licencia a efectos de la valoración aduanera. Un exhaustivo estudio al respecto del concepto de canon en este contexto puede verse en Buitrago Díaz: *El concepto de cánones y/o regalías en los convenios para evitar la doble tributación sobre la renta*, CISS, 2008.

Para perfilar el concepto de canon a efectos de valoración aduanera interesa destacar que, conforme al artículo 72 CAU, letras (d) y (g), no se incluyen en el valor en aduana los gastos relativos al derecho de reproducción de la mercancía en la UE ni los pagos como contrapartida del derecho de distribución o de reventa de las mercancías importadas, salvo que constituyan una condición de la venta.

> En la UE el CCA, en un Caso que fue suprimido en la versión de 2018 del *Compendio* (se contenía en una Sección D, Otras Medidas, que ha desaparecido), fue un paso más allá al equiparar el derecho de difusión de grabaciones de sonido y cinematográficas destinadas a ser transmitidas por redes de televisión al derecho de reproducción, de manera que concluía que "no deben tenerse en cuenta estas cantidades —las que retribuyen el derecho a la transmisión o distribución— siempre que se distingan del precio pagado o por pagar por el soporte".

La adición del canon al precio se sujeta a la concurrencia de tres requisitos, que son (artículo 71.1(c) CAU y 136 RECAU):

a) Que *guarden relación con las mercancías importadas*. Este requisito será relativamente fácil de determinar, pues un canon 'guarda relación' con una mercancía cuando no sea posible concebir el producto tal y como es sin el intangible que el canon retribuye. El artículo 136.1 RECAU dispone que el canon se entenderá relacionado con las mercancías, en particular, si los derechos transferidos en virtud del acuerdo de licencia *se incorporan* a las mercancías. Por ejemplo, no es posible concebir una prenda de vestir que lleva estampada una marca sin el canon relativo a esa marca (en este caso el derecho retribuido por el canon se incorpora a la mercancía). O no es posible concebir un reproductor MP3 sin las patentes que hacen posible esta tecnología.

La verificación de este requisito se complica cuando el canon se refiere, no directamente a las mercancías importadas, sino a un producto obtenido a partir de ellas. Se trata de una cuestión a resolver caso por caso en función de las distintas circunstancias que concurran y, obviamente, a medida que la elaboración resulte más compleja y menos reconocible la incidencia que en el resultado final tenga el producto importado, más dificultoso será sostener la "relación" del canon con las mercancías importadas (véanse, en este sentido, las Opiniones Consultivas 4.9 y 4.12 del Comité Técnico). El apartado 3 del artículo 136 RECAU se refiere a esta cuestión y dispone que, si el canon se refiere en parte a las mercancías importadas y en parte a otros componentes o elementos constitutivos incorporados a las mercancías después de su importación o con prestaciones o servicios posteriores a la importación, dado que el canon sólo se refiere parcialmente a las mercancías importadas, se practicará un ajuste adecuado.

La STJUE *GE Healthcare* (asunto C-173/15, de 09.03.2017) decide que, para poder considerar que un canon guarda relación con la mercancía importada, el canon puede referirse a ella sólo en parte. En estas circunstancias, a fin de poder identificar qué parte del canon debe imputarse a las mercancías importadas y qué parte a otras mercancías o servicios, debe disponerse de datos objetivos y razonables.
Además, decide el Tribunal que el hecho de que el importe del canon todavía no se encuentre decidido en el momento de la celebración del contrato de licencia ni en el momento de originarse la deuda aduanera, sino que se determinará en un momento posterior, no impide que el canon siga guardando relación con la mercancía (en el asunto que se examinaba, no se pagaba el canon por el uso de una marca cuando las mercancías se destinaban a ciertos fines y, en cambio, sí se pagaba en los demás casos; en el momento de la importación se desconocía el uso que se daría a la mercancía importada).

La STJUE *Curtis Balkan* (asunto C-76/19, de 09.07.2020) analiza la adición de un royalty que se paga por una mercancía obtenida en la UE respecto de la cual el producto importado es un componente. Decide que el hecho de que el royalty no se pague por el producto importado, sino por la mercancía en la que el producto importado es simplemente un componente, no impide que pueda considerarse que el royalty está 'relacionado' con el producto importado "cuando los conocimientos técnicos transmitidos en virtud del contrato de licencia sean necesarios para fabricar la mercancía importada. En este sentido, constituye una indicación el hecho de que esta mercancía haya sido diseñada específicamente para ser incorporada al producto licenciado sin que se haya contemplado la posibilidad de ningún otro uso razonable. En cambio, si los conocimientos técnicos solo son necesarios para terminar los productos objeto de licencia, puede concluirse que no existe una relación suficientemente estrecha" (p. 50). Ahora bien, en caso de determinar que el producto importado, que sólo es un componente de la mercancía terminada por la que se paga el canon, guarda 'relación' con el royalty, deberá "efectuarse un reparto adecuado —del importe del royalty— sobre la base de datos objetivos y cuantificables" (p. 53), precisamente para tener en cuenta que es sólo una parte del total de la mercancía por la cual se satisface el royalty.

La Opinión Consultiva 4.17 del Comité Técnico analiza la valoración de la importación de unos productos genéricos (no patentados ni protegidos por derechos de marca) en el marco de un contrato de franquicia. Las mercancías se pueden adquirir del propio franquiciador o bien de cualquier otro fabricante que cumpla unos estándares de calidad, por lo que debe ser previamente aprobado. Por otro lado, se paga un canon por la marca y el sistema de la franquicia. El Comité considera que el pago del canon no guarda relación con las mercancías importadas.

La fórmula de cálculo del canon no es decisiva para determinar si su importe debe añadirse o no al precio. Ahora bien, el hecho de que el canon se calcule por referencia al precio de la mercancía importada conllevará la presunción de que el canon guarda relación con las mercancías importadas (que es el primero de los elementos que deben concurrir para adicionar el canon). Si, en cambio, el canon no se calcula por referencia al precio de la mercancía importada, ese factor no impide que el canon pueda todavía estar relacionado con las mercancías (artículo 136 RECAU, apartados 1 y 2).

b) Que *constituya una condición de la venta*. Este es quizá el requisito más problemático, entre otras razones porque no siempre se le atribuye un mismo contenido. Subrayemos en primer lugar que, según opinión unánime de la doctrina, 'condición de la venta' significa condición impuesta por el vendedor de las mercancías para venderlas. Esa condición puede figurar en el mismo contrato en que se pacta la venta de las mercancías o en otro distinto, este factor es irrelevante. 'Condición de la venta' no puede interpretarse como 'elemento sin el cual la venta no sería posible' ('prerrequisito o presupuesto objetivo sin el cual la venta no sería posible'), porque en ese caso el contenido de este requisito vendría a coincidir con el requisito anterior, que el canon guarde relación con las mercancías. Ahora bien, el apartado 3 del artículo 136 RECAU viene a enturbiar la cuestión al disponer que se entiende que el pago del canon ha constituido una condición de la venta en cualquiera de las tres situaciones que enumera, que son:

a) el vendedor, o una persona vinculada al vendedor, requiere del comprador que efectúe el pago;

b) el comprador realiza el pago para satisfacer una obligación del vendedor, conforme a las obligaciones contractuales;

c) *las mercancías no pueden venderse al comprador o ser adquiridas por él, sin el pago* de los cánones o derechos de licencia a un licenciante.

Los términos en que aparece redactada esta tercera circunstancia nos parecen muy desafortunados, pues pudieran dar pie a mantener posiciones que consideramos incompatibles con el Código de Valoración, puesto que, de hecho, vaciarían de contenido este requisito al hacer coincidir su contenido con el primero (esto es, que el canon guarde relación con las mercancías), pues qué duda cabe que, siempre que un canon guarde relación con las mercancías, las mercancías no pueden venderse sin el canon. Por ello abogamos por una interpretación de esta tercera circunstancia que no la haga incompatible con el criterio que debe guiarla, que no es otro que examinar si el vendedor de las mercancías es quien impone el pago del canon.

El Comentario 13 del Compendio de TAXUD, en el apartado 3.6, intenta hacer creer que el artículo 136.4 RECAU (recordemos, un Reglamento de Ejecución, en el que no le está permitido a la Comisión introducir mandatos nuevos, sino únicamente ejecutar los existentes) meramente explicita una idea que ya se contiene en el artículo 71.1(c) CAU, que se refiere a la "condición de la venta". Sostiene que condición de la venta es tanto la impuesta por el vendedor como la impuesta por el comprador, a lo que llama "una clarificación útil". Es evidente que ello no es así, porque el Comité Técnico ha elaborado una multitud de instrumentos en los que se atribuye a la expresión "condición de la venta" un significado distinto, como condición impuesta por el vendedor para vender, no por el comprador, que es también el criterio unánime de la doctrina. Además, ha de tenerse en cuenta que el Código de Valoración dispone que: "Se considerará que las actividades que por cuenta propia emprenda el comprador, salvo aquellas respecto de las cuales deba efectuarse un ajuste conforme a lo dispuesto en el artículo 8, no constituyen un pago indirecto al vendedor, aunque se pueda estimar que benefician a éste. Por lo tanto, los costos de tales actividades no se añadirán al precio realmente pagado o por pagar a los efectos de la determinación del valor en aduana" (punto 2 de la Nota al artículo 1; la transposición que realiza el artículo 129.2 RECAU de esta norma es bastante insatisfactoria, pero recordemos que las normas de la UE deben interpretarse, en la medida de lo posible, de forma compatible con los acuerdos internacionales suscritos por la UE). Así pues, cuando es el comprador quien toma la iniciativa de adquirir el canon, su importe no debe sumarse al precio.

Los "casos" ilustrativos que se proponen en el Comentario 13 del Compendio de TAXUD (pp. 74-76) dejan claro que se opta por la concepción 'objetiva' de la condición de la venta (la que la interpreta como 'presupuesto objetivo sin el cual la venta de las mercancías importadas no es posible', 'prerrequisito para que la venta pueda tener lugar'), y no por la concepción 'subjetiva' (esto es, que la condición haya sido impuesta a iniciativa del vendedor de la mercancía importada).

Por tanto, el RECAU introduce aquí un cambio normativo fundamental y no una mera clarificación, lo que consideramos supone un exceso en sus potestades por parte de la Comisión y, al mismo tiempo e igual de grave, supone contravenir el mandato de uniformidad del Código de Valoración.

La anterior regulación era consciente de esta realidad y, por esa razón y para evitar equívocos, disponía que, cuando los cánones se abonasen a terceros, el vendedor —o una persona vinculada a él— debía exigir al comprador que abonara el canon para que procediese practicar una adición (artículo 160 RACAC). En caso de no mediar esta exigencia, el canon no se debía incluir en el valor de transacción.

En este sentido, el Comentario 25.1 del Comité Técnico se refiere a los cánones abonados a terceros y observa que, en este caso, si el tercero es un sujeto no vinculado, será menos probable que constituya una condición de la venta. El Comentario expone los elementos a tomar en consideración para resolver este tipo de situaciones.

La Opinión Consultiva 4.15 del Comité Técnico examina un supuesto en el que es el licenciante quien controla la operación, pues determina quién puede fabricar el producto. Existe un contrato de licencia entre el licenciante y el importador (que son partes vinculadas), en tanto que el contrato de venta entre el importador y el fabricante-exportador (que no están vinculados) no contiene referencias al pago de la licencia. El Comité aprecia que, en estas circunstancias, el pago del canon o licencia debe añadirse al precio pagado por las mercancías puesto que el importador no podría adquirir las mercancías sin pagar el canon. Nos parece correcta esta solución en la medida en que el licenciante tiene el control total de la operación de venta y es quien impone el pago de la licencia. Cabría dar una interpretación que confiera un significado útil a la letra (c) del artículo 136.3 RECAU entendiendo que se dirige únicamente a dar respuesta a este tipo de situaciones. En relación con este tipo de situaciones, el Comentario 16 del Compendio de TAXUD considera que un canon por una marca debe añadirse al precio cuando se estipula que el licenciante controla la producción (puede supervisarla más allá del mero control de calidad; puede imponer medidas correctivas; debe ser informado si hay un cambio de fabricante; y, además, suministra un componente clave).

La Opinión Consultiva 4.16 del Comité Técnico aclara que el eventual impuesto sobre la renta que grave la percepción del canon por el licenciante no minora su importe a efectos de la valoración aduanera (en el caso estudiado, cuando el importador satisfacía el canon al licenciante debía aplicarle una retención del 25% en concepto de impuesto sobre la renta de no residentes; a efectos de la valoración aduanera la cuantía del canon a incluir es la total, incluida la retención). La Opinión Consultiva 4.18 del Comité Técnico insiste en esta idea al decidir que el importe de la retención por el impuesto sobre la renta debe añadirse al canon, aunque se haya pactado un importe "neto" del canon y esa sea la cantidad líquida que recibe el licenciante, pues la retención ingresada es un pago indirecto al licenciante y debe añadirse como mayor importe del canon.

La Opinión Consultiva 24.1 del Comité Técnico aprecia que el hecho de que unas mercancías se importen con la marca propia del importador no impide que puedan ser valoradas conforme al método del valor de transacción y, en este caso, el valor de la marca no debe añadirse al precio como canon.

Acerca del significado de la expresión "condición de la venta", véase la STJUE *GE Healthcare* (asunto C-173/15, de 09.03.2017, pp. 55-71; en el p. 60 el Tribunal aprecia que el royalty "constituye una «condición de la venta» de las mercancías objeto de valoración cuando, en virtud de la relación contractual establecida entre el vendedor, o la persona vinculada a él, y el comprador, es de tal importancia ese pago para el vendedor que, de no efectuarse, éste último no realizaría la venta"). También la STJUE *Curtis Balkan* (asunto C-76/19, de 09.07.2020), donde el Tribunal aprecia que la "cuestión determinante es si, teniendo en cuenta todos los factores pertinentes, en defecto de ese pago, se habrían celebrado o no los contratos de compraventa en la forma elegida y, por consiguiente, se habría efectuado o no la entrega de las mercancías" (p. 69). Ideas, ambas, que el Tribunal reitera en la STJUE *5th Avenue Products* (asunto C-775/19, de 19.11.2020, p. 41 y p. 44).

c) Que *el importe del canon no figure incluido en el precio*. Este requisito es de puro sentido común dado que, de otra forma, la adición supondría gravar el canon dos veces (una como componente de un precio que ya lo incluye y otra como adición sobre ese precio).

Obsérvese que ninguno de los requisitos para la adición del canon se refiere a que se haya obtenido en la UE o en un tercer país: esta circunstancia es irrelevante. El artículo 136.5 RECAU lo hace explícito al disponer que el país de establecimiento del beneficiario del canon es irrelevante. De nuevo, pues, podemos encontrarnos con que un valor añadido en la UE puede formar parte del valor gravado como 'importación'.

Una cuestión que no aparece clara es si los cánones pueden dar lugar a una adición, no sólo cuando se verifican los tres requisitos que hemos examinado, sino también por aplicación de una norma distinta sobre adiciones al precio, es decir, como aportación o como importe que revierte al vendedor —a las cantidades que revierten al vendedor nos referimos a continuación—. El Comentario nº 3 del CCA, en un párrafo que se suprimió en la versión de 2018 del *Compendio*, abogaba por la aplicación a los cánones únicamente de su norma específica, descartando especialmente que pudieran ser tratados como cantidad que revierte al vendedor. Ello no obstante, el TJUE, en su sentencia *Baywa* (asunto C-116/89, de 07.03.1991), declaró procedente practicar la adición de un canon al verificar los requisitos para constituir una aportación sujeta.

> La Sentencia *Baywa* trataba sobre la procedencia de una adición por unos derechos de licencia relativos a la obtención de semillas de base. Una empresa de la UE adquiere de otra empresa de la UE unas determinadas semillas (semillas de base). La empresa adquirente facilita estas semillas a un tercero, productor situado en un tercer país, para que obtenga a partir de ellas nuevas semillas (semillas para la siembra). Las semillas de siembra obtenidas se importan en la UE. El pago por las semillas de base es un canon que se calcula como porcentaje sobre el valor de las semillas para la siembra. Analizando este supuesto a la luz de la norma sobre cánones habría que concluir que no procede la adición porque el canon no constituyó una condición de venta de las mismas (el productor de las semillas de siembra no imponía la adquisición de las semillas de base y además no estaba vinculado con el vendedor de las semillas de base). Pero el Tribunal decidió que debía practicarse la adición del canon pagado por las semillas de base como aportación (las semillas de base se suministran de forma gratuita al productor de las semillas de siembra). Por ello cabe suponer que, si un importador adquiere un derecho por el que debe abonar un canon, y ese derecho se incorpora a unos bienes que se suministran gratuitamente o por precio reducido a un fabricante de un país tercero, con vistas a importar lo que aquel fabricante produzca, el canon formará parte del valor de transacción de las mercancías importadas por aplicación de la norma sobre adición por aportaciones.

La Sentencia del TJUE *Compaq* (asunto C-306/04), con criterio que no compartimos, decidió que los derechos pagados por el comprador para la adquisición de un sistema operativo deben añadirse al valor en aduana, en su condición de aportación o en su condición de pago por canon, cuando el comprador ordena al fabricante (sujeto no vinculado con el vendedor del sistema operativo) que lo incorpore en los ordenadores portátiles que le vende. Obsérvese que el vendedor de las mercancías (los ordenadores portátiles) no impone el pago del canon (por el sistema operativo Windows), por lo que no se verifica el segundo de los requisitos a los que se sujeta la adición por cánones.

Por otro lado, la nueva regulación ha suprimido el contenido del artículo 159 RACAC. Este precepto establecía una regla específica referida a las marcas, al disponer que se sumará al precio efectivamente pagado o a pagar por la mercancía el canon o derecho de licencia relativo al derecho a su utilización únicamente si: a) el canon o el derecho de licencia afectan a las mercancías revendidas en el mismo estado en que se importaron o que hayan sido objeto de una operación sencilla después de su importación; b) las mercancías se comercializan con la marca —puesta antes o después de la importación— por la que se paga el canon o el derecho de licencia; y c) el comprador no goza de libertad para adquirir esas mercancías a otros proveedores no vinculados al vendedor. Entendemos que, aún en ausencia de esta regla explícita, a idéntica solución debe llegarse a partir de una interpretación sistemática del Código de Valoración.

La Conclusión 30 del CCA (en *Compendio*), de nuevo sobre la peligrosa base que sientan las Conclusiones 26 y 28 que se han comentado al analizar las aportaciones, da un paso más allá y considera que un royalty puede incluirse en el valor de transacción como aportación de la segunda categoría ("herramientas, matrices, moldes y elementos análogos") aun cuando se suministre como intangible, es decir, sin soporte físico. Esto supone ir más allá de la doctrina del TJUE, pues en el caso *Baywa* se trató un royalty como aportación porque el royalty se había aplicado en la producción de un elemento que sí constituía una aportación tangible y no se distinguía de él. Con ello el CCA cierra el círculo que lleva a desvirtuar completamente el régimen previsto en el Código para los intangibles, puesto que la regla de adición prevista para los royalties (que exige tres condiciones para su adición) va a ser sustituida de forma masiva por la regla de adición de aportaciones de la segunda categoría, que es automática. Si la voluntad del Código de Valoración hubiera sido esa —que los royalties se añadan *siempre* al precio— lo hubiera hecho explícito y no se hubiera molestado en establecer tres requisitos. La propia redacción de la Conclusión hace patente la zozobra de sus autores ante la incertidumbre que generan sus criterios y los serios reparos que se plantean. El único criterio subyacente que cabe identificar en todas estas interpretaciones del CCA es un sistemático tacticismo recaudatorio que lleva a optar siempre por la solución que determine un valor en aduana superior, aunque ello obligue a contorsionar las normas de valoración.

La STJUE *Curtis Balkan* (asunto C-76/19, de 09.07.2020) aprecia que "en relación con los cánones y derechos de licencia, el artículo 32, apartado 1, letra c), del código aduanero —se refiere el TJUE al CAC—, cuyos requisitos de aplicación están precisados en los artículos 157 a 162 del Reglamento nº 2454/93 —el RACAC—, *constituye el único fundamento legal que permite ajustar el valor en aduana sumando cánones o derechos de licencia*". Conviene precisar que el equivalente en el CAU del artículo 32.1(c) del CAC, que menciona el TJUE, es el artículo 71.1(c) CAU, que se desarrolla en el artículo 136 RECAU. A partir de esta clara y taxativa apreciación del TJUE podría concluirse que los royalties sólo pueden añadirse al precio en las condiciones que establece el artículo 71.1(c) CAU (dado que, a decir del Tribunal, este precepto *constituye el único fundamento legal que permite ajustar el valor en aduana sumando cánones o derechos de licencia*"), de modo que un royalty no podría dar lugar a un ajuste en virtud de otros preceptos (como el 71.1(b) CAU, relativo a las aportaciones). Ahora bien, mucho nos tememos que el Tribunal no mantenga la coherencia con sus propias apreciaciones en futuras Sentencias porque, lamentablemente, parece carecer de una visión sistemática de la valoración aduanera.

Finalmente, debe tenerse en cuenta que, si un pago por canon verifica los tres requisitos para su inclusión en el valor de transacción que hemos examinado, su importe deberá asimismo incluirse en el valor en aduana, aunque se utilice un método de valoración distinto, incluido el denominado "método alternativo", que también es conocido como "procedimiento de último recurso".

En este sentido, véase la STJUE *GE Healthcare* (asunto C-173/15, de 09.03.2017, pp. 72 a 85).

- Otra adición a practicar es la relativa al **valor que revierte al vendedor**, directa o indirectamente, como consecuencia de la reventa, cesión o utilización posterior de las mercancías importadas. De este modo, aunque las partes utilicen sofisticadas fórmulas de cálculo de la retribución, la cantidad finalmente percibida por el vendedor por las mercancías se integrará en el valor de transacción.

Estos pagos deben distinguirse de los pagos por dividendos, que no se incluyen en el valor en aduana (en este sentido, Estudio de un caso 2.2 del Comité Técnico). Los pagos por dividendos no retribuyen la entrega de las mercancías, sino la participación en el capital social de la entidad. Ahora bien, debe distinguirse un pago de dividendos de una participación en beneficios: si, como parte de la retribución por las mercancías, el comprador pacta entregar al vendedor una parte de sus beneficios, esa retribución sí será una cantidad que revierte al vendedor.

EJEMPLO

Ejemplo

Se pacta que el importador pagará al vendedor 10 euros por unidad de producto más el 5 por 100 del beneficio neto de venta. Ese 5 por 100 debe añadirse al precio para determinar el valor de transacción como 'valor que revierte al vendedor'. Quizá es más frecuente basar el cálculo de la cantidad que revierte al vendedor, no en el beneficio de la venta, sino en el precio de reventa.

Debe también destacarse que el Código no exige que la cantidad revierta al vendedor como consecuencia de una condición de la venta, si bien sí deberán guardar relación con las mercancías importadas.

- También deben añadirse al precio, si éste no los comprende, los **gastos de transporte, carga, manipulación y seguro** hasta el lugar de introducción de las mercancías en el TAU (contenido equivalente al de las obligaciones del vendedor en las ventas con cláusulas INCOTERM "CIF"). El concepto de "lugar de introducción de las mercancías en el TAU" se define en el artículo 137 RECAU, que distingue según el medio de transporte empleado.

Sintetizando el contenido del artículo 137 RECAU, los supuestos que contempla quedarían así:
A) Transporte por vía marítima: el puerto donde la mercancía llegue en primer lugar al TAU;
B) Transporte por vía marítima a uno de los departamentos franceses de ultramar que formen parte del TAU y transportadas directamente a otra parte del TAU, o viceversa: el puerto donde la mercancía llegue en primer lugar al TAU, siempre que sean descargadas o transbordadas en él;
C) Transporte por vía marítima y luego, sin transbordo, por vías navegables interiores: primer puerto donde pueda llevarse a cabo una descarga;
D) Transporte por ferrocarril, por vías navegables interiores o por carretera: lugar donde esté situada la primera aduana de entrada;
E) Otros modos de transporte: lugar de cruce de la frontera del TAU.
En caso de que las mercancías se introduzcan en el TAU y posteriormente se transporten a un lugar de destino en otra parte del mismo a través de territorios situados fuera del TAU, el lugar de introducción de las mercancías en el TAU será aquel en que las mercancías se introdujeron por primera vez en el TAU, siempre que las mercancías se transporten directamente a través de esos territorios por una ruta normal hacia su lugar de destino. Esta misma regla se aplica también si las mercancías han sido objeto de descarga, transbordo o inmovilización temporal en territorios situados fuera del TAU por razones exclusivamente inherentes al transporte.
En caso de que no se cumplan los requisitos de alguno de los supuestos enumerados, el lugar de introducción de las mercancías en el TAU será, para las mercancías transportadas por vía marítima, el puerto de descarga, en tanto que para las mercancías transportadas por otros medios de transporte, el lugar previsto en las letras C), D) o E) de más arriba, situado en la parte del TAU a donde se expidan las mercancías.
Los gastos de transporte deben añadirse al precio aunque se camuflen bajo otro concepto por motivos comerciales (véase, en este sentido, la Conclusión 32 del CCA, en *Compendio*).

Parece claro que, si se vende por un precio que ya incluye los gastos de transporte, los gastos de transporte no deben añadirse al precio. En la STJUE *Lifosa* (asunto C-75/20, de 22.04.2021) el Tribunal mantuvo este criterio aún en el caso de que los gastos de transporte realmente incurridos habían sido superiores al precio total de las mercancías, transporte incluido.

La STJUE *Lifosa* tiene un calado mucho más profundo que la mera decisión acerca de la inclusión de los gastos de transporte. Se trataba en ella de la importación de una mercancía (ácido sulfúrico técnico) que el fabricante no podía transformar ni almacenar y cuyo reciclado hubiera generado gastos muy elevados. Por este motivo el vendedor estuvo dispuesto a vender por un precio que no alcanzaba si quiera a cubrir los gastos de transporte, que corrían de

cuenta del propio vendedor (la venta era en condiciones DAF, Entregado en Frontera). La
Aduana lituana consideró que no era aceptable un valor de transacción que ni siquiera cubría
los gastos efectivos de transporte hasta el punto de entrada en la UE, basando este rechazo
en la apreciación (que el TJUE ha repetido en gran número de Sentencias, y también en esta,
en p. 24) de que el valor en aduana debe reflejar todos los elementos de las mercancías que
tienen valor económico. Esta apreciación coloca al Tribunal en una posición comprometida
en relación con su propia doctrina en materia de valoración, acentuada si cabe por la alegación
de la Comisión Europea al señalar el "riesgo" de que el operador económico pudiera "eludir
las obligaciones relativas a la determinación del valor en aduana de las mercancías importadas
invocando su autonomía contractual" (p. 34). Este último párrafo pone de manifiesto que la
discusión de fondo es, ni más ni menos, si la determinación del valor en aduana debe basarse
en una concepción positiva del valor (valor basado en el precio, tal y como las partes lo han
acordado) o en una concepción teórica del valor (valor basado en un precio normal de mercado). El TJUE opta por la concepción positiva del valor (a pesar de sus abundantes guiños, en
sentencias previas, hacia la concepción teórica, incluyendo sus insistentes referencias al "valor real" de las mercancías, en un camino de regreso a la Definición del Valor de Bruselas) y
decide que la adición de los gastos de transporte no procede cuando tales gastos ya han sido
incluidos en el precio (salvo que el transporte se realice gratuitamente o por cuenta del importador, artículo 138 RECAU). Señala que "una interpretación diferente de estas disposiciones
equivaldría a exigir que el importador abone por partida doble los gastos de transporte de las
mercancías importadas y, en consecuencia, a considerar que las importaciones sometidas a
condiciones de venta que establecen la inclusión de dichos gastos en el precio de venta de esas
mercancías deben ser objeto de oficio de una corrección del valor de transacción" (p. 32). De
manera que este asunto, aparentemente menor, coloca al Tribunal ante el espejo de sus propias
contradicciones en materia de valoración. Y, afortunadamente y contra la tendencia marcada
en Sentencias previas, el Tribunal opta por atenerse al precio, tal y como este es decidido por
las partes, a la hora de determinar el valor de las mercancías.

El RECAU contiene reglas específicas en materia de gastos de transporte para tres
supuestos particulares (apartados 2 y 3 del artículo 138 RECAU y artículo 139 RE-
CAU). El primero es el relativo al transporte aéreo, incluido el correo aéreo rápido. En
este caso los gastos a incluir son los que resulten conforme a lo dispuesto en el anexo 23-
01 del propio RECAU. El segundo de los supuestos es el que se presenta cuando se trate
de un transporte gratuito o bien se realice por los propios medios del comprador. En este
caso se incluirán en el valor en aduana los gastos que correspondan a la tarifa general que
suela aplicarse a los mismos modos de transporte. El tercer supuesto es el de mercancías
enviadas por correo. En este caso se prevé que se incluyan en el valor en aduana las tasas
postales hasta el lugar de destino, con excepción de las tasas postales suplementarias que
eventualmente se perciban en el TAU.

Por lo que hace al análisis de los gastos accesorios al transporte, debemos señalar
que no se incluyen en el valor en aduana los gastos de descarga. En cuanto a los costes
de sobrestadía, que son aquellos que se producen cuando el buque debe esperar en el
muelle para que se le carguen o descarguen las mercancías, el TJUE ha sostenido que

los gastos de sobrestadía previa a la carga sí forman parte del valor de transacción y que, por lo tanto, deben añadirse al precio cuando éste no los comprenda (STJUE *Unifert*, asunto C-11/89, de 06.06.1990; en el mismo sentido, Conclusión n° 18 del CCA, en *Compendio*).

> La STJUE *Shirtmakers* (asunto C-59/16, de 11.05.2017), decide que se integran en el valor en aduana, como gastos de transporte, "el suplemento facturado por el transitario al importador, equivalente a su margen de beneficio más los costes en que haya incurrido, por sus servicios prestados en la organización del transporte de las mercancías importadas al territorio aduanero de la Unión Europea". Esta solución no deja de suscitar dudas, dado que la organización del transporte es una de las actividades que puede llevar a cabo un comisionista de compra y, como ya se ha analizado, la comisión de compra no se añade al precio por mandato expreso del Código de Valoración. Por ello, parece que la cantidad adicional que perciba un intermediario por organizar el transporte sólo habría de añadirse al precio cuando la relación que ese intermediario mantenga con el importador incumpla las condiciones para poder ser considerada una comisión de compra (porque, p.e., el intermediario oculta al importador quién es el transportista o las cantidades percibidas por éste; o el intermediario no actúa a las órdenes del importador; o asume riesgos, etc.).
>
> Son gastos accesorios al transporte los gastos incurridos por el pesaje de los contenedores que se exige en virtud de la normativa de la Organización Marítima Internacional (Conclusión 33 del CCA, en *Compendio*). También deben añadirse al precio, como accesorios al transporte, los gastos de almacenamiento incurridos para permitir dar un tratamiento a las mercancías con vistas a su transporte (p.e. calentar el aceite de palma para hacerlo fluido a fin de cargarlo en depósitos; véase la Conclusión 34 del CCA, en *Compendio*).
>
> Por contra, la Conclusión 27 del CCA (en *Compendio*) concluye que las cantidades pagadas como retribución por la presentación de la declaración sumaria de entrada (ENS) no se deben añadir al valor en aduana en tanto que no son gastos de transporte, ni de carga o manipulación. Y la Conclusión 8 del CCA (en *Compendio*) aprecia que los honorarios que el transportista percibe, no por el propio transporte, sino por realizar la gestión de cobro del transporte al destinatario, no se integran en el valor de transacción. Este último criterio es más dudoso a la luz de la doctrina de la STJUE *Shirtmakers*.
>
> Por lo que hace a la utilización de un medio de transporte diferente para poder cumplir la fecha de entrega comprometida por el vendedor (p.e. estaba previsto transportar las mercancías por barco, pero finalmente se transportan en avión para poder cumplir la fecha de entrega estipulada), si el total a abonar por el comprador no se altera, debe conducir a reducir el precio de las mercancías de modo que, sumándole el coste del transporte en el medio finalmente utilizado, siga resultando la misma cantidad total abonada por el comprador (Comentario 12 del CCA, en *Compendio*).

Por lo que hace a los costes de almacenamiento, en principio deberán incluirse en el valor de transacción todos aquellos incurridos hasta el "lugar de introducción de las mercancías en el TAU". Esta regla general, no obstante, cabría excepcionarla cuando se haya incurrido en tales costes de almacenamiento por iniciativa del importador, dado que, según hemos señalado ya, no se incluyen en el valor en aduana los gastos por las actividades que emprenda el comprador por su propia cuenta. Esta podría ser la situación que se produjera, por ejemplo, si el comprador desea demorar la llegada de las mercancías y, para ello, contrata el almacenamiento las mercancías por un tiempo en el puerto de salida.

> No queremos abandonar este punto sin destacar que el Código de Valoración da la opción a cada Miembro de decidir en qué medida deben incluirse en el valor en aduana los gastos de transporte y conexos. Esta renuncia a regular esta cuestión se debió a que la CEE y Estados Unidos aplicaban criterios diferentes en sus sistemas de valoración anteriores y ninguno de los dos estuvo dispuesto a modificar su criterio al respecto. De este modo, cada país puede decidir hasta qué punto deben incluirse los gastos de transporte y conexos. En el caso de Estados Unidos, los gastos de transporte y conexos no se incluyen desde la entrega en el puerto de exportación (lo que coincide con los términos del INCOTERM FOB, *Free On Board*) e incluso se admite que no se incluyan gastos de transporte y conexos desde el almacén del exportador si las mercancías se transportan desde allí hasta Estados Unidos mediante un único contrato de transporte (lo que coincide con los términos del INCOTERM *ExWorks*). La mayoría de países siguen el criterio europeo, de manera que incluyen los gastos de transporte y conexos hasta el punto de entrada en su respectivo territorio aduanero.

6.2.3. *Elementos que no deben incluirse en el valor en aduana*

Junto a las adiciones al precio, el Código de Valoración también dispone que una serie de elementos no formarán parte del valor en aduana siempre que se distingan de aquél, circunstancia que corresponde acreditar al importador (esta norma se recoge en el artículo 72 CAU). A diferencia de las adiciones, que hemos señalado que se regulan de forma taxativa, como numerus clausus, no se establece que no puedan establecerse por cada Miembro minoraciones no contempladas en el Código, lo cual es coherente con su filosofía, que se dirige a limitar el proteccionismo (la creación de nuevas minoraciones no supone riesgo de proteccionismo alguno, más bien al contrario).

Para practicar las minoraciones se exige que su importe se distinga del precio de las mercancías. La distinción del precio ha de tener un reflejo formal en la documentación comercial del vendedor, de manera que se acredite suficientemente su importe efectivo. En el ordenamiento de la UE, el CCA ha dictado el Comentario nº 5 (en *Compendio*) acerca del significado de la expresión "siempre que sean diferentes". A título general, se señala en él la necesidad de que el importador lo refleje adecuadamente en la declaración y esté en condiciones de establecer la naturaleza del elemento y su importe.

> Junto al requisito señalado cabe plantear si existe también un requisito temporal, esto es, si la minoración no puede ser alegada más allá del momento de la admisión de la declaración. En ese sentido parece apuntar la STJUE *Brown Bovery* (asunto C-79/89, de 18.04.1991). Ahora bien, la idea anterior debe ser matizada puesto que el TJUE también ha reconocido el derecho de los declarantes a solicitar que su declaración sea revisada por las autoridades (STJUE *Overland Footwear II*, asunto

468/03, de 20.10.2005), y en esa revisión nada parece que deba impedir que se alegue la procedencia de las minoraciones que correspondan.

Procedemos a continuación a analizar los conceptos por los que el Código de Valoración establece la procedencia de practicar minoraciones:

- En primer lugar, las normas de valoración se refieren a los **gastos de construcción, armado, montaje, mantenimiento y asistencia técnica realizados después de la importación**. Respecto de esta minoración interesa comenzar por destacar que la expresión "después de" no debe entenderse en un sentido temporal sino lógico, esto es, se refiere a los gastos por estos conceptos en que se incurra en el interior del territorio de importación, ya sea antes o después de la importación (en este sentido, Comentario 9.1 del Comité Técnico). Por otro lado, interesa subrayar que la minoración no queda impedida por el hecho de que las operaciones que se relacionan constituyan una condición de la venta.

El precepto ilustra el tipo de supuestos a los que se refiere (instalaciones, máquinas o material industrial). Se trata de situaciones en las que la mercancía importada va a ser incorporada como un componente de una transacción de mayor envergadura que comprende elementos que no son importados. El supuesto típico es el de la planta industrial contratada con una fórmula 'llave en mano', en virtud de la cual el vendedor se obliga a facilitar un resultado final que, eventualmente, puede incluir elementos importados. El precio pactado será por el conjunto que ese resultado final representa y, a efectos aduaneros, de lo que se trata es de identificar qué parte de ese precio global corresponde a las mercancías importadas. Para conseguirlo debe partirse nuevamente del precio pactado, detrayendo de él todos los elementos que nos son importados.

La casuística, como siempre, puede ser más rica. Por ejemplo, la Conclusión nº 4 del CCA (en *Compendio*) da este tratamiento a las tareas de revelado y montaje fotográfico a realizar con posterioridad a la importación.

En segundo lugar, los **gastos de transporte y conexos en el interior del TAU** también podrán deducirse del precio si éste los comprende. El principal problema en tal caso consiste en determinar la parte de los gastos de transporte que corresponde al trayecto en el interior del TAU cuando se pacta un precio único para todo el transporte. En estas circunstancias, si el medio de transporte es único para todo el transporte, el artículo 138.1 RECAU establece un criterio razonable consistente en prorratear el coste total en función de la longitud respectiva del trayecto hasta el punto de introducción en el TAU y la longitud del trayecto desde el punto de introducción en el TAU hasta el punto de entrega de las mercancías. El precepto admite también que el declarante aporte la justificación de una tarifa general por el transporte de las mercancías hasta el lugar de introducción en el TAU, con lo que todo lo pagado por el transporte que exceda de ella no habría de incluirse en el valor en aduana.

Véase el Comentario nº 9 del CCA (en *Compendio*). Si el transporte se realiza en dos tramos, por dos transportistas diferentes y con dos documentos de transporte distintos, el primer tramo del transporte (todo él fuera del TAU) debe incluirse en su totalidad en el valor en aduana y no tenerse en cuenta a la hora de prorratear la parte del coste de transporte imputable al interior del TAU.

Más compleja es la situación que se plantea cuando se utilizan distintos medios de transporte, uno hasta el punto de introducción en el TAU y otro distinto para el trayecto en el interior del mismo. Para estas situaciones, el TJUE, en su sentencia *Olivetti* (asunto C-17/89, de 06.06.1990), ha dejado a las autoridades nacionales la opción entre deducir del coste total del transporte la tarifa habitual por el medio de transporte empleado en el trayecto en el interior del TAU, o bien deducir el importe que resulte de la diferencia entre el coste total del transporte y la tarifa habitual hasta el punto de introducción en el TAU. A la luz de lo dispuesto en el artículo 138.1 RECAU, parece que esta última es la opción adoptada en la norma.

- Finalmente, tampoco formarán parte del valor en aduana los **derechos e impuestos aplicables en el interior de la UE** (lo que comprende, por ejemplo, a la cuota de los propios derechos de aduana), de manera que el valor en aduana no quede a merced de los impuestos que el territorio de importación pueda establecer. Si se pacta un precio que ya incluye el importe de estos tributos (p.e. se pacta un precio en condiciones de "libre práctica" o un precio en condiciones de "despacho a consumo"), éste deberá deducirse.

La STJUE *Gaston* (asunto C-354/09, de 15.07.2010) decidió que basta la mención de los términos DDP ('Delivery Duty Paid', 'Entrega con derechos pagados') en la declaración en aduana para que deba considerarse que los derechos de aduana deben deducirse del precio, aunque las partes no hubieran cuantificado el importe de tales derechos. En aquél asunto se declaró un origen preferencial que se determinó inaplicable tras una investigación, por lo que debía satisfacerse un importe de derechos de aduana superior al que resultaba de los datos de la declaración. Se trataba de determinar si las partes tenían derecho a que se recalculara el valor en aduana, deduciendo del precio ese importe superior de los derechos de aduana, de manera que el precio recalculado más los derechos correspondientes coincidieran con el importe DDP pactado. El TJUE consideró que así debía hacerse, pues la mención DDP en la declaración en aduana basta para considerar que los derechos figuran incluidos en el precio y deben detraerse para calcular el valor de transacción.

6.3. REQUISITOS PARA LA APLICACIÓN DEL MÉTODO DEL VALOR DE TRANSACCIÓN

Además de los requisitos que derivan de la propia definición del método del valor de transacción (para aplicar este método necesitamos contar con una venta; que esa venta sea para la exportación; que el precio de la venta sea cierto; que contemos con datos objetivos y cuantificables que permitan practicar los ajustes que la norma establece...), la aplicabilidad del método queda sujeta a que se cumplan una serie de requisitos adicionales que se disponen de forma expresa (artículo 70.3 CAU). Procedemos a su análisis a continuación.

a) Que no existan restricciones a la cesión o utilización de las mercancías

El primero de estos requisitos a los que se condiciona de forma expresa la aplicabilidad del método del valor de transacción consiste en que no existan restricciones a la cesión o utilización de las mercancías por el comprador. Ahora bien, el propio Código excepciona una serie de restricciones que no comportan el abandono del método del valor de transacción:

✓ las que impongan o exijan la ley o las autoridades del país de importación;

✓ las que limiten el territorio geográfico donde puedan revenderse las mercancías; o

✓ las que no afecten sustancialmente al valor de las mercancías;

La última de las excepciones enumeradas es una cláusula residual que trata de impedir que una condición con escasa trascendencia pueda tener como consecuencia el abandono del método del valor de transacción. El Comité Técnico se ha referido a ella en su Comentario 12.1.

Por lo demás, este requisito cuyo incumplimiento determina que debamos acudir a los métodos de valoración alternativos debe destacarse que constituye una norma que resulta extraña en un sistema de valoración que, por lo demás, se muestra siempre pegado a la realidad comercial. Si esto es así a lo largo de su regulación, es llamativo que el criterio se rompa en este punto: si las partes pactan este tipo de condiciones, el precio no puede aceptarse. La explicación de su existencia parece residir únicamente en la normativa estadounidense anterior, que contemplaba un requisito análogo en su sistema de valoración para el método del *American Value*. Si ese es el origen del requisito, parece razonable abogar por una interpretación estricta del mismo.

La Nota Interpretativa al artículo 1 ofrece como ejemplo el supuesto de un vendedor de automóviles que exige al comprador que el modelo no se comercialice antes de cierta fecha, señalando que este tipo de condición no debe impedir aplicar el método del valor de transacción [esta regla se recogía en el Anexo 23 RACAC, nota al inciso iii) de la letra a) del apartado 1 del artículo 29; aprovechemos para señalar que el RECAU, a diferencia de lo que hacía el RACAC en su Anexo 23, ha omitido incorporar buena parte de los contenidos de las Notas Interpretativas que el Código de Valoración contiene en su Anexo I, que gozan de la misma eficacia vinculante que su texto articulado; en su lugar, se ha optado por incluir estos contenidos en la nueva versión del *Compendio*, en su sección B]. Por su parte, el Comité Técnico nos señala en su Comentario 12.1 que la imposición, por parte de un vendedor de cosméticos, de que su producto se venda exclusivamente a través de representantes comerciales que hacen la venta de casa en casa, tampoco debe impedir que se utilice el método del valor de transacción. En cambio, aprecia el Comité Técnico que este método dejaría de poder utilizarse si el vendedor de un producto lo vendiera por un precio simbólico a condición de que se utilice sólo con fines benéficos. Por otro lado, en el Estudio de un Caso 3.1 del Comité Técnico se observa en general que las restricciones que son normales en el sector de que se trate no impiden la utilización del método del valor de transacción.

b) Que la venta o el precio no dependan de ninguna condición o contraprestación cuyo valor no pueda determinarse con relación a las mercancías a valorar

Este mandato se incorpora en el artículo 70.3.b) CAU. Tres son los elementos cumulativos de este requisito, a saber:

1. que se pacte una condición o contraprestación;

2. que de ella dependa la venta o el precio;

3. y que el valor de esa condición o contraprestación no pueda determinarse.

La Nota Interpretativa al artículo 1 del Código de Valoración (contenido incluido en la Sección B del *Compendio* en la UE) nos ofrece algunos ejemplos de condiciones o contraprestaciones de este tipo:

• El vendedor establece el precio de las mercancías importadas a condición de que el comprador adquiera también cierta cantidad de otras mercancías.

• El precio de las mercancías importadas depende del precio o precios a que el comprador de las mercancías importadas venda otras mercancías al vendedor.

• El precio se establece condicionándolo a una forma de pago ajena a las mercancías importadas, por ejemplo, cuando éstas son mercancías semiacabadas suministradas por el vendedor a condición de recibir cierta cantidad de las mercancías acabadas.

Añade la Nota que, sin embargo, otras condiciones o contraprestaciones relacionadas con la producción o la comercialización de las mercancías importadas no conducirán a descartar el valor de transacción (ofrece dos ejemplos en este sentido: el suministro por el comprador de elementos de ingeniería o planos realizados en el país de importación —que, recordemos, constituye un supuesto de aportación no gravada— y las actividades de comercialización que por su cuenta emprenda el comprador).

Esta norma trata de asegurar que el valor no se vea influido por elementos extraños a las mercancías que se importan, como puede ocurrir cuando la venta se inserta en un entramado de relaciones entre el comprador y el vendedor (distinto de la vinculación) que afecta a los precios o que mueve a las partes a contratar entre ellas, un ejemplo de lo cual lo representan las ventas relacionadas (*tie-in sales*).

Si el valor de la condición puede cuantificarse, éste se tendrá en cuenta y no habrá necesidad de utilizar un método de valoración alternativo. El artículo 133 RECAU dispone que, cuando el valor de la condición o contraprestación pueda determinarse, ese valor se considerará parte del precio, salvo que se trate de una actividad que emprenda por su cuenta el comprador o bien de un concepto de adición —ajuste al alza— sobre el precio.

En este sentido, véase la Opinión Consultiva 16.1 del Comité Técnico, donde se señala que, caso de conocer el valor de la condición, su importe formará parte del precio realmente pagado o por pagar si la condición está relacionada con las mercancías.

c) Que no revierta directa ni indirectamente al vendedor parte alguna del producto de la reventa o de cualquier cesión o utilización ulteriores de las mercancías por el comprador, a menos que pueda efectuarse el oportuno ajuste al alza

Recordemos que las cantidades que revierten al vendedor son motivo de una adición al precio. Ahora bien, cuando tal adición no pueda practicarse (aun teniendo en cuenta que, a tal fin, puede demorarse la valoración), la consecuencia será que el valor de transacción no podrá determinarse y que, en consecuencia, deberá acudirse a la utilización de otro método.

d) Que, caso de existir vinculación entre las partes, ésta no haya influido en el precio

Este último requisito para la aplicación del método del valor de transacción es, con diferencia respecto al resto, el de mayor trascendencia práctica. Se dilucida aquí, ni más ni menos, el trato que debe dispensarse a las transacciones entre partes vinculadas, que representan más del 60 por 100 del comercio internacional. Téngase en cuenta que, cuando existe vinculación entre dos sujetos, el precio pactado puede que no sea la única consideración que determine la venta de las mercancías, dado que el entramado de relaciones existentes entre los dos sujetos va más allá de la transacción que se valora. Sólo si ese precio pactado no queda contaminado por la existencia de esas relaciones puede ser admitido como base para la valoración.

No basta que exista vinculación para que pueda rechazarse el valor de transacción: para que ello ocurra, esta vinculación, además, ha debido influir en el precio. Se trata de una norma perfectamente lógica puesto que, de no preverse así, las personas vinculadas tendrían vía libre para fijar el precio que más conviniese a sus intereses, afectando de este modo al importe del impuesto a satisfacer.

Para definir el concepto de partes vinculadas, se nos ofrece un listado de situaciones en que se entiende que existe vinculación (artículo 127.1 RECAU):

"a) si una de ellas forma parte de la dirección o del consejo de administración de la empresa de la otra;
b) si ambas tienen jurídicamente la condición de asociadas;
c) si una es empleada de otra;
d) si una tercera persona posee, controla o tiene directa o indirectamente el 5% o más de las acciones o títulos con derecho a voto de una y otra;
e) si una de ellas controla, directa o indirectamente, a la otra;
f) si ambas son controladas, directa o indirectamente, por una tercera persona;
g) si juntas controlan, directa o indirectamente, a una tercera persona;
h) si son miembros de la misma familia".

Con criterio muy discutible, la STJUE *Stretinskis* (asunto C-430/14, de 21.01.2016) decidió que debían considerarse personas vinculadas, a efectos de valoración en aduana, un comprador, persona física, y un vendedor, persona jurídica, en el seno del cual un pariente del comprador dispone efectivamente de la facultad de influir en el precio de las mercancías. Este supuesto de parentesco entre el comprador y un directivo de la sociedad vendedora no se recoge como supuesto de vinculación en la norma, por lo que el TJUE crea un supuesto de vinculación por vía interpretativa, lo que se opone al objetivo de uniformidad del Código de valoración de la OMC. Con esta interpretación el TJUE pretendía posibilitar que las autoridades pudieran realizar el examen general —que se examina a continuación— a fin de verificar si el precio declarado es aceptable a efectos de valoración. Pero ese mismo resultado se hubiera podido conseguir, sin separarse de la literalidad del Código de valoración de la OMC, acudiendo a la cláusula de "duda razonable" (artículo 140 RECAU) que también se examina más abajo.

A este respecto conviene destacar las dificultades que representa la utilización, en tres de ellas, de la palabra "control". Éste se define, a su vez, como la posibilidad, de hecho o de derecho, de imponer limitaciones o impartir directrices (artículo 127.3 RECAU). Ahora bien, debe tratarse de una capacidad cualificada, que afecte a cuestiones esenciales de la actividad de la otra entidad. La Nota Explicativa 4.1 del Comité Técnico pone como ejemplos en este sentido la facultad para tomar las decisiones respecto:

✓ a la composición y a las actividades de la junta de directores;

✓ a la selección de personal directivo;

✓ y a diversos aspectos de la estrategia comercial.

Otro punto problemático lo representa el tratamiento de los agentes, distribuidores y representantes exclusivos. La mera existencia de esta relación no constituirá un supuesto de vinculación, a menos que además concurra alguna de las situaciones que figuran en el listado a que hemos aludido (artículo 127.2 RECAU). El problema de nuevo, más agudo si cabe, se plantea por el contenido que la palabra "control" deba tener en este contexto. En cualquier caso, debe ser un control que exceda del que es habitual en este tipo de contratos.

Por lo que hace a los lazos familiares que suponen la existencia de vinculación, el artículo 143.1.h) RACAC precisaba cuál era el grado de parentesco relevante a estos efectos, a saber: marido y mujer; ascendiente y descendientes en línea directa, en primer grado; hermanos y hermanas (carnales, consanguíneos o uterinos); ascendientes y descendientes en línea directa, en segundo grado; tío o tía y sobrino o sobrina; suegros y yerno o nuera; cuñados y cuñadas. El RECAU ha omitido regular este detalle. Ante la incomprensible ausencia de regulación parece razonable mantener el criterio que fijaba el RACAC.

Una vez constatada la existencia de vinculación entre las partes, procede determinar si la misma ha influido en el precio. A este fin se ordenan dos tipos de medidas: el denominado "examen general" y los "valores criterio" (que el artículo 134.4 RECAU traduce incorrectamente como "valores de ensayo").

Por lo que hace al **"examen general"**, estamos ante un mecanismo que tiene como destinatario a la Administración, y mediante el cual deben analizarse las circunstancias de la venta a fin de determinar si la vinculación ha influido en el precio (artículo 134.1 RECAU). La Nota Interpretativa al artículo 1 del Código de Valoración nos proporciona elementos adicionales acerca del contenido de este examen, al ofrecernos tres situaciones en las que habrá de concluirse que la vinculación no ha influido en el precio:

1. Cuando el precio se ajuste de manera conforme con las prácticas normales de fijación de precios en la rama de producción de que se trate;

2 Cuando el precio se ajuste de manera conforme con el modo en que el vendedor ajuste los precios a compradores no vinculados; y

3. Cuando el precio permite al vendedor recuperar todos los costes y obtener un beneficio en consonancia con el obtenido en ventas de mercancías de la misma especie o clase.

El análisis de estas tres vías nos descubre que no sólo nos interesa el cuánto del precio, sino también, y fundamentalmente, el cómo del precio ("de manera conforme"). Tengamos en cuenta que una misma mercancía puede tener precios muy diferentes en función de circunstancias ajenas a ella (p.e. un juguete inspirado en un personaje de una película de éxito puede tener un valor muy superior antes de la campaña navideña que una vez concluida esta; un ordenador puede tener un precio bastante más elevado en el momento de su lanzamiento que seis meses más tarde; también suele ocurrir que los fabricantes minoren su precio en respuesta a una bajada de su cuota de mercado...). Cuando se detectan diferencias de precios debe prestarse atención, por tanto, a la posible concurrencia de circunstancias que las justifiquen. El tercero de los ejemplos que nos proporciona la Nota al artículo 1 (que el precio permita recuperar costes y un beneficio estándar) nos remite a los datos de la contabilidad de costes, con la complejidad que ello implica (criterios de imputación de coste, metodología de cálculo de costes...). En particular, debe tenerse en cuenta a este respecto que pueden existir costes en los que se incurre en las ventas a sujetos independientes que no son necesarios en las ventas a sujetos vinculados (gastos de promoción y comercialización, garantías, necesidad de mantener stocks, volumen de ventas...). Como veremos al tratar a continuación los 'valores criterio', el Código de Valoración acepta que esos costes en los que no se incurre en las ventas a sujetos vinculados se detraigan a efectos de establecer la comparabilidad con las ventas a sujetos no vinculados.

En cualquier caso, si la Administración encuentra motivos para pensar que la existencia de vinculación ha influido en el precio, procederá a comunicarlo al importador y le dará la oportunidad razonable de contestar. Interesa observar, no obstante, que la Administración no está obligada a comunicar al interesado la realización de indagaciones.

La doctrina más reciente afirma que, a la hora de determinar si las partes establecen los precios en condiciones normales (cuestión que constituye el objeto del "examen general"), debe concederse trascendencia, en su caso, a la existencia de un Acuerdo sobre Precios de Transferencia en el marco de la imposición societaria. Como señalaremos más adelante, los métodos de valoración aduanera guardan un estrecho paralelismo con los principales métodos de valoración de las transacciones entre partes vinculadas en el Impuesto sobre Sociedades, de modo que generalmente la aceptación por parte de la Administración tributaria de los precios a efectos del IS debe comportar, paralelamente, la aceptación de unos precios coherentes a efectos aduaneros.

El Comentario 23.1 del Comité Técnico (en Recopilación) señala, en este sentido, que un estudio sobre precios de transferencia puede ser una fuente de información relevante a la hora de determinar si la existencia de vinculación ha influido en el precio.

Además del "examen general", el Código de Valoración pone a disposición del importador tres vías alternativas para disipar las dudas de la Administración, los denominados **"valores criterio"** (artículo 134.2 RECAU). En efecto, si el valor que se declara se aproxima suficientemente a un valor previamente aceptado por la Administración, en el mismo momento o en otro cercano, para mercancías idénticas o similares (que se hayan valorado por el método del valor de transacción, el método del valor deductivo o el método del valor calculado), el valor declarado por el importador deberá ser aceptado. En esta tarea la Administración debe facilitar al importador la información precisa, y convendrá aclarar que los valores antedichos se utilizarán únicamente a efectos de establecer una comparación, no de sustituir al valor declarado. Además, debe tenerse en cuenta que, para que los valores tomados como referentes resulten comparables, es muy posible que deban efectuarse ajustes en razón de las diferencias en (artículo 134.3 RECAU):

- las cantidades vendidas (es frecuente en la práctica comercial ofrecer mejores precios cuanto mayor es el número de unidades adquiridas),

- en el nivel comercial (es frecuente en la práctica comercial ofrecer precios distintos en función de la condición del cliente, distinguiendo entre mayoristas, distribuidores,...),

- en las adiciones a practicar (comisiones de venta o corretaje; aportaciones; cánones; cantidades que revierten al vendedor; gastos de transporte y conexos); y

- por los costes que soporte el vendedor en ventas a terceros en los que no incurra en ventas a sujetos vinculados. Se trata de gastos como los de comercialización y promoción de ventas, gastos por garantía, mantenimiento de stocks, etc. Nos parece importante destacar este elemento, en particular, porque en España en ocasiones la jurisprudencia ha sostenido el criterio de que la alegación del interesado acerca de la existencia de costes en los que se incurre en las ventas a sujetos independientes que no se soportan en ventas a sujetos vinculados ha llevado a considerar que constituía una evidencia de que la vinculación había influido en el precio. No puede aceptarse ese argumento porque justamente el Código de Valoración establece que por esas diferencias debe practicarse un ajuste, lo cual supone admitir que pueden darse y que es razonable neutralizar su impacto, sin que por ello deba abandonarse el método del valor de transacción.

Interesa asimismo aclarar que los valores que se toman como referencia serán los aceptados por una Administración aduanera de la UE, no necesariamente la Administración española. Con todo, quizá la mayor dificultad estriba en determinar cuándo un valor se aproxima "mucho" a otro. La Nota Interpretativa al artículo 1 del Código de Valoración nos señala que, a este fin, se deben tomar en consideración una serie de factores, sobre todo, la naturaleza de las mercancías importadas, la índole de la rama de producción de que se trate, la estación durante la cual se importen las mercancías y si la diferencia de valor es significativa desde el punto de vista comercial, teniendo en cuenta que estos factores pueden variar de un caso a otro, de manera que sería improcedente aplicar en todas las ocasiones una norma uniforme como un porcentaje fijo.

EJEMPLO

> ### Ejemplo
>
> Por ejemplo, para determinar si el valor de transacción se aproxima mucho a un 'valor criterio', una pequeña diferencia de valor podría ser inaceptable en el caso de un cierto tipo de mercancía (tales como ciertas materias primas, como el cobre), en tanto que una diferencia importante podría, quizá, ser admisible en el supuesto de otra clase de mercancía (un teléfono móvil de última generación para el cual el margen comercial es grande).

Si, como resultado del análisis que se realice (examen general, valores criterio), se establece que la existencia de vinculación ha influido en el precio, la consecuencia no será, como en la Definición del Valor de Bruselas —DVB, el sistema internacional de valoración anterior—, la práctica de un ajuste, sino el abandono del método del valor de transacción y la búsqueda, en el orden jerárquico correspondiente, de un método alternativo que resulte aplicable.

A la posibilidad de abandonar el método del valor de transacción se refiere también una Decisión ministerial acordada en la Ronda Uruguay del GATT (Decisión ministerial relativa a los "casos en que las administraciones de aduanas tengan motivos para dudar de la veracidad o exactitud del valor declarado", cuyo contenido se recoge en el artículo 140 RECAU). En concreto, ello podrá tener lugar cuando la Administración tenga dudas fundadas de la veracidad o exactitud de los datos o documentos presentados por el importador. Ahora bien, antes de proceder a utilizar un método alternativo, la Administración debe ofrecer al importador la oportunidad de aportar documentación adicional o las explicaciones que estime convenientes y, si no resultara convencida, motivará por escrito las razones que justifican su duda razonable.

Se trata de una norma alcanzada en las negociaciones a petición de los países en desarrollo, que de este modo pretenden impedir abusos por parte de importadores poco escrupulosos. Esta circunstancia nos hace sostener que no puede hacerse una aplicación generalizada de su contenido, del cual además debe hacerse una interpretación estricta, atendida la peligrosidad para el sistema que entrañaría la solución contraria.

Las consideraciones anteriores nos obligan a indagar qué carga corresponde a cada una de las partes, Administración e importadores, en la determinación del valor en aduana. A los importadores incumbe el suministro de la información que se les requiera, y este deber se extiende también a los terceros que tengan relación con la transacción que se valora. Se trata de un deber que es exigible en la medida en que se corresponda con lo que cabe esperar de un sujeto que actúa diligentemente. Esto significa que no sería razonable exigir al importador documentación de la que un comerciante diligente no dispondría, como ocurriría si se le pidiese, por ejemplo, la prueba de hechos negativos. A la luz de estas ideas debe interpretarse lo dispuesto en el artículo 15 CAU, que dispone las responsabilidades que conlleva la presentación de una declaración en aduana. La no aportación de documentos básicos, que todo comerciante diligente debe tener a disposición de las autoridades (como la contabilidad; o el contrato de compra, si se ha establecido su existencia), puede ser apreciada como el incumplimiento de una obligación que compromete o impide la aplicación del método del valor de transacción.

Véase el Estudio de Caso 13.1 y el Estudio de Caso 13.2 del Comité Técnico, donde se ilustran supuestos en los que la Administración tiene motivos para abandonar el método del valor de transacción. Véase también el Comentario 6 del CCA (en *Compendio*), relativo a los documentos e información que la Aduana puede requerir como prueba para determinar el valor en aduana.

A partir de esta información será la Administración quien habrá de acreditar la falta de veracidad de la declaración, debiendo señalarse que no puede ser justificación suficiente la anormalidad del precio, puesto que la normativa de valoración descarta que este factor pueda, por sí mismo, conducir al abandono del método del valor de transacción.

6.4. LOS MÉTODOS DE VALORACIÓN ALTERNATIVOS

Hemos indicado que, a fin de aplicar el método del valor de transacción, deben concurrir una serie de circunstancias y requisitos (debemos contar con una venta para la exportación y conocer su precio, debemos disponer de datos objetivos y cuantificables para practicar los ajustes que correspondan y se deben verificar los requisitos a que acabamos de hacer referencia en el apartado anterior). Cuando esto no ocurre, hemos de acudir a una serie de métodos alternativos de valoración previstos por la norma, que guardan entre sí un orden jerárquico. Esto significa que sólo cuando no resulte posible aplicar el método jerárquicamente superior puede recurrirse a la valoración conforme al siguiente de los métodos previstos. Ofreceremos a continuación un recorrido por el contenido de los distintos métodos de valoración existentes siguiendo el orden en que los mismos deben ser aplicados.

Encontramos así, en primer lugar, el **método del valor de transacción de mercancías idénticas** y el **método del valor de transacción de mercancías similares**. Son dos métodos distintos, que guardan entre sí un orden jerárquico (con preferencia por el método del valor de transacción de mercancías idénticas). Nos referiremos a ellos de forma conjunta en atención a la circunstancia de que el único factor que les diferencia, amén de su distinta posición jerárquica, es que, mientras el primero valora las mercancías importadas tomando como referente una transacción que tiene por objeto mercancías idénticas, para el segundo basta con que las mercancías de la transacción que sirve de referente sean similares. A estos efectos, mercancías idénticas son aquellas que son iguales en todo, incluidas sus características físicas, calidad y prestigio comercial; ahora bien, se señala que las pequeñas diferencias de aspecto no impiden que dos mercancías se consideren idénticas. Por su parte, mercancías similares son las que tienen características y composición semejantes, lo que les permite cumplir las mismas funciones y ser comercialmente intercambiables. Para determinar si unas mercancías son similares habrá que tomar en consideración, entre otros factores, su calidad, su prestigio comercial y la existencia de una marca de fábrica o de comercio (la definición de mercancías idénticas y similares se contiene en los incisos 4 y 14 del artículo 1.2 RECAU). Observemos que la definición de mercancías similares introduce una noción finalista (cumplir las mismas funciones, ser comercialmente intercambiables) que está ausente en la definición de mercancías idénticas, que se circunscribe a la identidad física.

Para poder ser consideradas idénticas o similares las mercancías deben haberse producido en el mismo país que las mercancías que se valoran. Por otro lado, no pueden considerarse mercancías idénticas ni mercancías similares aquellas que incorporen o contengan, según el caso, aportaciones de la cuarta categoría (aportaciones de intangibles) por las cuales no se hayan hecho ajustes por haber sido realizadas en la UE (artículo 141.4 RECAU, artículo 15 del Código de Valoración). A lo anterior debe añadirse que tendrán preferencia las mercancías producidas por el mismo sujeto (artículo 141.5 RECAU).

Dado que los conceptos de mercancías idénticas y de mercancías similares son definidos de forma bastante restrictiva, esto permite limitar considerablemente el número de ajustes a practicar para tener en cuenta las diferencias entre la transacción que se valora y la que sirve de referente. De tal forma que únicamente se admiten los ajustes por diferencias en la cantidad, el nivel comercial y en los gastos de transporte y conexos (carga, manipulación y seguro). Con la aludida limitación se consiguen reducir las posibilidades de apreciación discrecional por parte de la Administración, asegurando así que no se produzca una erosión proteccionista de las normas de valoración. Lo anterior significa que, si dos mercancías son similares, pero podemos detectar una diferencia que justificaría un ajuste —por ejemplo, diferencias en el envasado—, el ajuste sólo puede realizarse si corresponde a uno de los expresamente contemplados (dado que no se establece un ajuste por diferencias en el envasado, no cabría practicarlo en este caso). Por otro lado, en relación al ajuste por diferencias en gastos de transporte y conexos, el Código de Valoración nos señala que sólo se practicarán ajustes por diferencias 'apreciables' derivadas de diferencias de distancia y/o de medio de transporte. Por tanto, si se exportó desde el mismo puerto y por el mismo medio (p.e. transporte marítimo) no cabría practicar un ajuste por las diferencias entre las tarifas de los transportistas en uno y otro caso.

El artículo 141.1 RECAU intenta hacer innecesarios los ajustes cuando ello sea posible. A este fin ordena tomar, si lo hubiera, el valor de transacción de mercancías idénticas o similares vendidas al mismo nivel comercial y sustancialmente en las mismas cantidades que las mercancías objeto de valoración. Y sólo a falta de tal venta permite determinar el valor en aduana a partir del valor de transacción de mercancías idénticas o similares vendidas a un nivel comercial diferente o en cantidades diferentes.

En caso de que se disponga de más de un valor de transacción de mercancías idénticas o similares, se utilizará el valor de transacción más bajo para determinar el valor en aduana (artículo 141.3 RECAU).

La metodología para practicar los ajustes consiste en identificar cómo quedaría alterado el precio en la transacción parámetro (no en la transacción que tenemos que valorar) si esa operación se hubiera producido con las características de la que intentamos valorar (por lo que hace a cantidad, nivel comercial, coste de transporte y conexos). En la medida en que, al introducir los factores diferenciales entre las dos transacciones, podamos identificar que el precio de la transacción parámetro hubiera variado, tomaremos en cuenta el precio así alterado.

Como elemento perturbador en este método ha de señalarse que la comparabilidad de las transacciones se decide también en función de la proximidad temporal de la exportación de ambas (de la que se valora y de la que sirve de parámetro). Para decidir la 'proximidad' entre dos momentos de exportación, el Comité Técnico, en su Nota Explicativa 1.1, nos indica que debe ser un período en el que las prácticas comerciales y las condiciones de mercado que afecten al precio permanezcan idénticas. Ahora bien, ha de tenerse en cuenta que el precio puede haberse acordado en momentos muy diferentes (bajo condiciones también diferentes) y que ello no obstante las mercancías se exporten de forma más o menos simultánea. A ello hay que añadir que no se prevé un ajuste que permita corregir este factor.

> ## Ejemplo
>
> Supóngase un comprador de cacao que, informado de las escasas lluvias en las regiones productoras, decide adquirir el grano de forma anticipada. Otro operador, en cambio, espera a la cosecha para adquirir el cacao, cuando los precios se han elevado ante la constatación de una peor cosecha. Los cargamentos de ambos se exportan en un momento próximo.
>
> A efectos del método del valor de transacción de mercancías idénticas (o similares, según fuera el caso), el precio de compra del cacao de uno de ellos podría ser comparable para determinar el valor en aduana del otro, a pesar que sabemos que sus precios pueden ser, en realidad, sensiblemente distintos. Y no se prevén ajustes por el hecho de que la compra se realizara en momentos distintos, porque lo relevante para decidir la comparabilidad es que el momento de la exportación sea próximo.

EJEMPLO

El siguiente método de valoración es el del **valor deductivo**, que consiste en tomar el precio al que las mercancías importadas (u otras idénticas o similares) se venden en el país de importación (artículo 74.2(c) CAU y 142 RECAU).

Antes de proceder a su análisis, no obstante, debemos advertir que el Código de Valoración da la opción al importador de alterar el orden de aplicación de este método con el método del valor calculado. Así pues, un importador —no así las autoridades— puede solicitar que se le aplique el método del valor calculado con preferencia sobre el método del valor deductivo (artículo 74.1, segundo párrafo CAU).

Hecha esta matización, observemos que para obtener el valor deductivo se atiende a las ventas efectuadas en la UE a sujetos independientes de las mercancías importadas (u otras idénticas o similares) en el mismo estado en que se importaron —sin someterse a operaciones de transformación— y en un momento próximo a la importación (como máximo, 90 días después de ella, si bien se da preferencia a las ventas realizadas en el momento de la importación o en un momento muy cercano).

La STJUE *Oribalt* (asunto C-1/18, de 20.06.2019) examina el significado de la expresión "mercancías similares" en este contexto y decide que, para identificarlas, debe tomarse en consideración "cualquier elemento pertinente, como la composición respectiva de esas mercancías, su carácter sustituible en relación con sus efectos y su intercambiabilidad comercial, procediendo así a una apreciación pormenorizada que tenga en cuenta cualquier elemento que pueda incidir en el valor económico real de dichas mercancías, incluida la posición en el mercado de la mercancía importada y de su fabricante". Se trataba en aquél asunto de medicamentos genéricos en los que la marca del fabricante puede alcanzar relevancia comercial. Esta misma Sentencia decide que el plazo de 90 días para registrar ventas de mercancías es imperativo y no puede ser excedido, de modo que si no se registran ventas en ese plazo debe acudirse a otro método de valoración. Téngase en cuenta que en el marco del denominado "método alternativo" (o procedimiento de último recurso) sí cabría tomar ventas acaecidas en plazos más dilatados.

Puede que tengamos varias ventas que cumplan estos requisitos. A este respecto parece que debe darse preferencia a las ventas de las mismas mercancías importadas sobre las ventas de mercancías idénticas o similares; y, por otro lado, en ausencia de ventas de las mismas mercancías importadas, parece que debe darse preferencia a las ventas de mercancías idénticas sobre las ventas de mercancías similares. El fundamento de esta preferencia no se encuentra en una disposición expresa, sino que deriva de la propia jerarquía de métodos de valoración que establece el Código de Valoración (la preferencia del método del valor de transacción sobre el método de valor de transacción de mercancías idénticas y de éste sobre el método del valor de transacción de mercancías similares). Ello no obstante, parece que debe ponderarse también la distancia temporal entre la importación y las ventas que se seleccionan, dado que debe evitarse que en ese lapso —que ya hemos señalado que tiene una duración máxima de 90 días— se produzca un cambio en las condiciones del mercado, lo cual contaminaría la valoración. Por tanto, la selección de las ventas que se toman en consideración debe determinarse caso por caso, ponderando los criterios señalados. El Comité Técnico, en su Comentario 15.1 nos señala, además, que debe concederse prioridad a las ventas de mercancías idénticas o similares del propio importador sobre las ventas de mercancías idénticas o similares de otros operadores.

El artículo 142.4 RECAU, además de excluir la toma en consideración de las ventas realizadas entre personas vinculadas, excluye asimismo otras ventas: a) las que se realicen a un nivel comercial que no sea el primero después de la importación; b) las realizadas a favor de las personas que suministren aportaciones; c) las realizadas en cantidades insuficientes para poder determinar el precio unitario.

Una vez identificadas las ventas a tomar en consideración, si fueran varias se tomará el precio al que se haya vendido el mayor número de unidades. Aquí conviene advertir que no vamos a tomar un valor promedio o a realizar una media ponderada de precios; por razones que nadie alcanza a ver el Código de Valoración ordena tomar el precio al que se venda el mayor número de unidades, esto es, el precio más repetido, término que en estadística se conoce como valor 'moda', que es distinto de la media.

EJEMPLO

> ## Ejemplo
>
> Supongamos que se importan 100.000 relojes. Las transacciones rea-
> lizadas son como sigue: 1) 20.000 unidades a 124 euros; 2) 7.000
> unidades a 125 euros; 3) 12.000 unidades a 126 euros; 4) 10.000
> unidades a 127 euros; 5) 11.000 unidades a 128 euros; 6) 18.000
> unidades a 130 euros; 7) 22.000 unidades a 131 euros. El precio que
> se tomará como base de la valoración es el de 131 euros, dado que es
> el precio al que se ha vendido un mayor número de unidades de relojes,
> 22.000. Descartamos así la media, que en este caso —debidamente
> ponderada— sería de 127,67 euros. Imaginemos el valor dispar que
> hubiese resultado si esas 22.000 unidades se hubiesen vendido a 100
> euros por unidad; o a 150 euros por unidad. Una sola transacción, de
> un volumen suficientemente grande, puede alterar de manera radical el
> precio que se toma como punto de partida.

De este precio que se toma como punto de partida se deducen una serie de elementos, a fin de aproximarse al valor de las mercancías en el momento de la importación,
tales como:

✓ las **comisiones** pagadas o convenidas usualmente **o, alternativamente**, los **márgenes por beneficios y gastos generales** cargados habitualmente, en ventas en el
TAU de mercancías importadas de la misma especie o clase (que sean mercancías
clasificadas en un grupo o en una gama de mercancías producidas por un sector
concreto de producción);

Para este elemento de ajuste se tomarán las cifras del importador, a menos que no
concuerden con las usuales en ventas de la misma especie o clase. La opción entre
la alternativa por la comisión o la determinación de beneficios y gastos generales
dependerá de los datos disponibles, en función de cómo estructuren las partes su
relación. Tengamos en cuenta que estamos hablando de mercancías que se venden en el mismo estado en que se importan, por lo que la figura del comisionista
será relativamente frecuente. En caso de que, por el contrario, se utilicen cifras de
beneficio y gastos generales, conviene precisar que ambas partidas se considerarán de forma unitaria, lo que simplificará su determinación y su comparabilidad
para establecer si se corresponden con los que son 'habituales'. Por otro lado, la
alusión a lo 'habitual' y a lo 'usual' nos sugiere asimismo que debe rechazarse un
cálculo de estas magnitudes a partir de una única transacción, sino que deberán
obtenerse estas magnitudes a partir de la consideración de un período relevante.

Por lo que hace al concepto de 'mercancías de la misma especie o clase', el artículo
15.3 del Código de Valoración dispone que designa a "mercancías pertenecien-

tes a un grupo o gama de mercancías producidas por una rama de producción determinada, o por un sector de la misma, y comprende mercancías idénticas y similares". A fin de acotar este ámbito, la Nota Interpretativa al artículo 5 nos señala que "se examinarán las ventas que se hagan en el país de importación del grupo o gama más restringidos de mercancías importadas de la misma especie o clase que incluya las mercancías objeto de valoración y a cuyo respecto puedan suministrarse las informaciones necesarias".

La Conclusión 16 del CCA (en *Compendio*) aprecia que la deducción por comisión debe practicarse aun cuando la importación se realice por una sucursal (las sucursales carecen de personalidad jurídica).

√ Los **gastos habituales de transporte y seguros**, así como los gastos conexos en que se incurra en el TAU;

Esta deducción, al igual que la siguiente, es análoga a la que se establece en el marco del método del valor de transacción, con la diferencia de que en el método del valor deductivo nos aparecerá de forma sistemática, en tanto que en el método del valor de transacción sólo eventualmente. Se trata de deducir elementos de coste en los que se ha incurrido con posterioridad a la importación.

√ los **derechos de aduana y otros gravámenes** pagaderos por la importación o venta de las mercancías.

Además de la cuota de los derechos de aduana, habrá que deducir aquí el importe de los restantes tributos aduaneros en los que se haya incurrido con ocasión de la importación o la venta de las mercancías (véase la enumeración de tributos aduaneros que se ofrece en el capítulo 1).

La STJUE *Oribalt* (asunto C-1/18, de 20.06.2019) decide que no cabe deducir determinados descuentos comerciales practicados por el vendedor, pero ni la Sentencia ni las Conclusiones del Abogado General permiten identificar a qué correspondían esos descuentos a los que se refiere, por lo que resulta difícil determinar el alcance de esta doctrina. Por el contexto, es posible que los descuentos se ofrecieran por el hecho de que, al retrasarse la venta en algunos casos, los medicamentos tenían una fecha de caducidad más próxima. Si fuera así parece correcto el criterio del Tribunal, pues las mercancías deben valorarse en el estado en que se importan, no en el estado en que posteriormente se venden en la UE.

Hemos señalado que uno de los requisitos para que el método del valor deductivo pueda aplicarse consiste en que las mercancías se vendan en el mismo estado en que se importaron. En caso de que las mercancías hayan sido objeto de una transformación previa a su venta en el país de importación —la UE, en nuestro caso—, la aplicación del método del valor deductivo sólo será posible si el importador así lo solicita, y en tal caso habrá de deducirse también el coste de dicha transformación (artículo 142.3 RE-

CAU). Para estos supuestos se ha acuñado la denominación de 'método superdeductivo'. La aplicabilidad del método queda entonces condicionada a que se disponga de datos objetivos y cuantificables acerca del coste de esa transformación. Se prevé, en favor de los países en desarrollo, que el método se aplique en estas circunstancias, aunque el importador no lo haya solicitado.

La valoración de determinadas mercancías perecederas (las que aparecen en el listado del Anexo 23-02 RECAU) presenta algunas especialidades. Se trata de productos agrícolas que frecuentemente se venden en consignación. En este tipo de operaciones no se puede aplicar el método del valor de transacción al carecer de una venta (las ventas en consignación no se consideran una "venta" a los efectos del método del valor de transacción).

Pues bien, si al acudir a los métodos de valoración alternativos hubiera de utilizarse el método del valor deductivo, el artículo 142.6 RECAU configura un sistema optativo de determinación del valor, basado en precios unitarios de referencia para 100 kg netos de producto, obtenidos a partir de los precios registrados en determinados mercados representativos de forma periódica (cada 14 días) y que los Estados miembros harán llegar a la Comisión, que se encarga de determinar a partir de ellos los referidos precios unitarios de referencia y de hacerlos públicos mediante la base de datos TARIC. La Conclusión 31 del CCA (en *Compendio*) ilustra en detalle esta materia.

> Los precios unitarios se calculan a partir del producto bruto de las ventas registradas en el primer nivel comercial tras su importación, deduciendo de este importe los elementos con los que debe reducirse el precio, con carácter general, en el método del valor deductivo, es decir: (a) un margen de comercialización para los centros de comercialización; (b) los gastos de transporte, seguro y gastos conexos en el interior del TAU (los Estados miembros pueden establecer la cuantía de este ajuste mediante cantidades a tanto alzado); y (c) los derechos de importación y demás gravámenes que no formen parte del valor en aduana. El precio debe expresarse en euros, por lo que, en caso de que sea necesario, deberá utilizarse el tipo de cambio que se regula en el artículo 146 RECAU. Los mercados representativos en los que se toman las referencias para determinar los precios unitarios se deciden anualmente por la Comisión a partir de estadísticas de importación anuales, teniendo también en cuenta la proporción de operaciones de venta en consignación. El período de referencia durante el cual los Estados deben determinar los precios unitarios tiene una duración de catorce días, terminando el jueves anterior a la semana durante la cual se deberán establecer nuevos precios unitarios. Una vez calculados, los Estados miembros los deben notificar a la Comisión en euros, a más tardar, a las 12 horas del lunes de la semana durante la cual la Comisión los difunda, indicando las cantidades aproximadas de producto que se utilizaron como base para calcularlos. Tras revisar estas cifras, la Comisión las difundirá a través del TARIC. La Comisión puede rechazar los precios unitarios para uno o más productos y, en consecuencia, no difundirlos, si difieren significativamente de los anteriores precios publicados, teniendo particularmente en cuenta factores como la cantidad y la estacionalidad. Los precios unitarios solo se aplicarán si se difunden por la Comisión, que también puede decidir prorrogar el período de validez de unos precios unitarios por otro pe-

ríodo de catorce días más en circunstancias "particulares". Una vez difundidos, los nuevos precios unitarios comenzarán aplicarse, por períodos de 14 días, a partir de ese viernes.

El último de los métodos previstos por el Código es el del **valor calculado**, que se sirve de los datos de costes del productor para determinar el valor de las mercancías importadas (artículo 74.2(d) CAU y 143 RECAU). A diferencia del valor deductivo, que parte del precio de la mercancía en un momento posterior —el de la venta en el interior de la UE— y a partir de él retrocede deduciendo los elementos agregados tras el momento de la importación, el método del valor calculado se coloca en un momento anterior a la importación, el de la obtención de la mercancía por el exportador, y a partir de él añade los elementos de valor posteriores que se han aplicado a las mercancías hasta su importación.

Para que este método sea aplicable, las autoridades aduaneras habrán de tener acceso a los datos de costes, sin poder obligar a proporcionar ese acceso a una persona no establecida en el TAU, y contar con la posibilidad de verificar si la información suministrada es veraz. Además, debe tenerse en cuenta que la contabilidad de costes no se encuentra todavía normalizada, esto es, que existen diferentes estándares de contabilidad de costes que pueden ser utilizados alternativamente por la empresa. Ello es así porque la información que ésta proporciona, a diferencia de lo que ocurre con la contabilidad financiera, no tiene por destinatarios a los terceros, sino que su fin es suministrar datos que ayuden en la toma de decisiones en el seno de la propia empresa. Estos factores determinan que la utilización de este método sea muy escasa, prevista únicamente respecto de ventas en el seno de grupos multinacionales en las que no plantee problemas para la Administración recabar datos exhaustivos del vendedor.

> El método del valor calculado tiene su antecedente en el método del *contructed value* del sistema de valoración estadounidense anterior al Código de Valoración. Los Estados Unidos presionaron para lograr que un equivalente a este método se incorporara al sistema internacional y, pese a las reticencias europeas —entre otras— lograron finalmente su objetivo. Es un método complejo (requiere un análisis detallado de los costes del exportador), que supone utilizar información preparada conforme a las reglas de otro sistema jurídico (normas y praxis contable del país de exportación), que dificulta el control de la veracidad material de la información proporcionada (se carece de jurisdicción en el país exportador y de fuentes para contrastar la calidad de la información proporcionada). No puede sorprender, entonces, que este método despierte escaso entusiasmo.

Los elementos que integran el valor calculado son: a) el costo o valor de los materiales y de la fabricación u otras operaciones efectuadas para producir las mercancías importadas; b) una cantidad en concepto de beneficios y gastos generales igual a la que suele añadirse en ventas de mercancías de la misma especie o clase que las mercancías objeto de valoración efectuadas por productores del país de exportación en operaciones de exportación al país de importación; y c) los gastos de transporte y conexos.

Entre los costes de materiales y fabricación se incluyen conceptos de ajuste al alza en el valor de transacción como los costes de envases y embalajes y las aportaciones. Los gastos de fabricación o elaboración comprenden todos los gastos contraídos para crear, completar o mejorar sustancialmente bienes económicos. Para determinar los costes de materiales y fabricación se tomarán en todo caso datos de coste del propio productor, siempre que sean conformes con los Principios de Contabilidad Generalmente Aceptados, PCGA (los PCGA aparecen definidos en el apartado 20 del artículo 1 RDCAU).

Por lo que hace al segundo componente —beneficios y gastos generales, considerados como un todo—, conviene anotar que en los gastos generales deben incluirse los costes directos e indirectos de la producción y comercialización de las mercancías para su exportación que no se hayan incluido como coste de los materiales y de fabricación. Para determinar el importe de los beneficios y gastos generales sólo se tomarán las cifras del productor si éstas son conformes con las usuales en ventas de mercancías de la misma especie o clase. Esta divergencia por lo que hace a la fuente de los datos con los costes de materiales y fabricación puede plantear algunas dificultades, puesto que los criterios para incluir cada elemento de coste en una u otra rúbrica pueden variar de un productor a otro.

De esta forma, debe prestarse especial atención a fin de impedir que un coste acabe imputándose dos veces (primero como coste de fabricación, al tomar esta cifra de la contabilidad del productor, y después como gasto general, al recurrir a la contabilidad de otro sujeto para obtener los costes que se consideren usuales en ventas de mercancías de la misma especie o clase) o que, por el contrario, no se tenga en cuenta ni como coste de fabricación ni como gasto general. No es posible realizar una determinación ex-ante de los concretos conceptos de coste que deben incluirse en cada apartado.

Cuando ninguno de los métodos anteriores puede aplicarse, debe acudirse al denominado **método alternativo (o "procedimiento de último recurso")**. En el marco de esta cláusula de cierre del sistema, el Código de Valoración nos señala una serie de bases de valoración que no se permiten en ningún caso (artículo 144.2 RECAU):

1. el precio de venta en el TAU de mercancías producidas en el propio TAU;
2. un sistema que prevea la aceptación del más alto de dos valores posibles;
3. el precio de mercancías en el mercado nacional del país exportador;
4. un costo de producción distinto de los valores calculados que se hayan determinado para mercancías idénticas o similares conforme al método del valor calculado;
5. el precio de mercancías vendidas para la exportación a un tercer país;
6. valores en aduana mínimos;
7. valores arbitrarios o ficticios.

A estos mecanismos de valoración prohibidos los podríamos denominar la delimitación "negativa" del "método alternativo", esto es, el ámbito de lo que no es admisible ni siquiera en una situación en la que la valoración se ha complicado de tal modo que ninguno de los métodos del Código resulta aplicable. Paralelamente, el Código nos ofrece una delimitación "positiva", esto es, nos señala bajo qué criterios debe procederse a la valoración en estas circunstancias. En este sentido, se nos señala que ha de intentarse la aplicación de los métodos de valoración ya expuestos de forma flexible, utilizando criterios razonables. Por tanto, debe volverse sobre los métodos que no se han podido aplicar —en su orden jerárquico—, pero esta vez flexibilizando los requisitos a que se sujeta su aplicación, esto es, identificando la causa que impidió la aplicación de cada método y tratando de determinar una flexibilización de ese impedimento de forma que pueda ser razonablemente salvado. El Código ordena que la valoración se base en criterios razonables (lo cual, por una parte se opone a lo arbitrario y, por otra parte, supone decantarse por la solución mejor fundada de entre las que se barajen) y que el valor se base en datos disponibles en el país de importación —la UE en nuestro caso—. Nótese que se habla de 'disponibilidad' en el país de importación, lo cual no prejuzga que deba tratarse de información 'generada' en el propio país de importación; por tanto, si el importador pone a disposición de la Administración datos del país de exportación, esa información ya cumple el requisito de disponibilidad que el Código está estableciendo.

> La Nota Interpretativa al artículo 7 nos proporciona alguna ilustración respecto a lo que puede entenderse por flexibilidad razonable en el marco del ahora denominado "método alternativo". Así, respecto del método del valor de transacción de mercancías idénticas/similares:
> a) el requisito de que las mercancías idénticas/similares hayan sido exportadas en el mismo momento que las mercancías objeto de valoración, o en un momento aproximado, podría interpretarse de una manera flexible;
> b) la base para la valoración en aduana podría estar constituida por mercancías importadas idénticas/similares, producidas en un país distinto del que haya exportado las mercancías objeto de valoración;
> c) podrían utilizarse los valores en aduana ya determinados para mercancías idénticas/similares importadas conforme a lo dispuesto en los artículos 5 y 6, que recordemos regulan, respectivamente, el método del valor deductivo y el método del valor calculado. Por lo que hace al método del valor deductivo: a) el requisito previsto en el artículo 5, párrafo 1 a), de que las mercancías deben haberse vendido "en el mismo estado en que son importadas" podría interpretarse de manera flexible; b) el requisito de los "90 días" podría exigirse con flexibilidad.

6.5. CASOS ESPECIALES DE VALORACIÓN

Nos ocupamos en este apartado de supuestos cuya valoración de forma típica plantea cierta complejidad y respecto de los cuales se ha consensuado un criterio internacional (valoración del software) o bien criterios administrativos. Conviene destacar que no se trata de supuestos cuya valoración siga reglas distintas de las que el Código de Valoración establece con carácter general; se trata más bien de la especificación que esas reglas deben tener en los supuestos concretos de que se trata.

- Por lo que hace a los **programas informáticos**, la Decisión 4.1 del Comité de Valoración establece la posibilidad de gravar únicamente el soporte físico en que se contengan y no el programa informático propiamente dicho. Se considera que el intangible no debe quedar sujeto por su mera incorporación a un soporte físico, criterio que la explosión de internet ha convertido en una realidad que no puede ser obviada: los datos que integran un programa informático pueden ser transmitidos por vía electrónica —y, de hecho, esta es la vía por la que suelen ser facilitados—, por lo que el intento de gravarlos al atravesar la frontera aprovechando la circunstancia de que se recogen en un soporte físico constituiría un intento vano. Cabe plantearse si no habría que aplicar idéntica solución respecto de otros productos que disponen de una vía de distribución electrónica equivalente (música, libros, películas para consumo doméstico...). No estará de más recordar, en todo caso, que, según señalamos al analizar el método del valor de transacción, no se gravan los derechos de reproducción.

  El criterio expresado por esta Decisión es aplicado, entre otros, por la UE y por los Estados Unidos. En la UE, regula esta cuestión la Decisión 97/359/CE del Consejo (DO L 155, de 12.06.1997).

- **Valoración de vehículos de motor usados.** Los vehículos de motor usados plantean dificultades de valoración si su importación no acaece como consecuencia de una venta (si se adquiere un vehículo e, inmediatamente tras ella, se introduce el vehículo, no debiera haber problema en aplicar el método del valor de transacción, siempre que el declarante pueda acreditar el precio pagado mediante la correspondiente factura). El problema aparece cuando la introducción se produce en circunstancias diferentes a la descrita. De esta cuestión se ocupa el Estudio 1.1 del Comité Técnico, que nos señala la dificultad que en la práctica tendrá la aplicación de los métodos del valor de transacción de mercancías idénticas o similares, dado que el uso convierte al vehículo en una mercancía específica (es decir, carece de mercancías idénticas o similares). Puede intentarse el método del valor deductivo si el vehículo se vende tras su introducción. En caso de que no sea así, el Comité Técnico sugiere distintas posibilidades en el marco del método alternativo.

  En España, la Instrucción 1/2004 (para la cual, dicho sea de paso, no encontramos habilitación normativa alguna, lo que nos hace pensar que carece de eficacia normativa) opta por una de las alternativas que postula el Comité Técnico, incluyendo unas tablas de depreciación que, aplicadas sobre el valor del vehículo nuevo, nos ofrece porcentajes de valor en función de su antigüedad (Instrucción

Cuarta, apartado 1). Por más que la solución es razonable, la asignación de los concretos porcentajes de depreciación no deja de ser discutible (tanto por exceso como por defecto, según sea el caso).

Tabla de depreciación para vehículos usados	
	Porcentaje
Hasta un año.	100%
Por más de un año de uso o antigüedad, menos de dos años.	84%
Por más de dos años de uso o antigüedad, menos de tres años.	67%
Por más de tres años de uso o antigüedad, menos de cuatro años.	56%
Por más de cuatro años de uso o antigüedad, menos de cinco años.	47%
Por más de cincos años de uso o antigüedad, menos de seis años.	39%
Por más de seis años de uso o antigüedad, menos de siete años.	34%
Por más de siete años de uso o antigüedad, menos de ocho años.	28%
Por más de ocho años de uso o antigüedad, menos de nueve años.	24%
Por más de nueve años de uso o antigüedad, menos de diez años.	19%
Por más de diez años de uso o antigüedad, menos de once años.	17%
Por más de once años de uso o antigüedad, menos de doce años.	13%
Por más de doce años de uso o antigüedad.	10%

- **Maquinaria y efectos comerciales usados y embarcaciones usadas**. De forma análoga a la señalada para los automóviles usados, la Instrucción 1/2004, en su Instrucción Cuarta señala unas tablas de valoración en las que se indica, para cada uno de los tipos de bienes señalados, el porcentaje respecto del valor nuevo que debe aplicarse para obtener su valor, porcentaje que se fija función del número de años de antigüedad.

Respecto de aviones usados, la Instrucción considera inapropiado fijar una tabla de valoración análoga, señalando que "la valoración de los aviones que se importen usados se realizará siguiendo la normativa general" (habrá que suponer que de ello no debe desprenderse que la Instrucción pretenda subvertir la aplicabilidad de 'la normativa general' en los demás supuestos). La Instrucción se limita a indicar, de forma lacónica, que "Para

efectuar la comprobación del valor declarado, pueden ser de utilidad las revistas profesionales en las que figuran los precios de cotización de aviones usados".

Tabla de depreciación para maquinaria y efectos comerciales usados	
	Porcentaje
Por el primer año de uso.	80%
Por más de un año de uso, hasta dos años.	64%
Por más de dos años de uso, hasta tres años.	58%
Por más de tres años de uso, hasta cuatro años.	52%
Por más de cuatro años de uso, hasta cinco.	46%
Por más de cinco años de uso.	40%

Tabla de depreciación para motores marinos, yates y embarcaciones de recreo o deportes, usados			
Años de uso	Embarcaciones (sin motor)		Motores marinos con su transmisión
	A vela	A motor	
Hasta 1 año.	100	100	100
Más de 1 año, hasta 2.	95	85	85
Más de 2 años, hasta 3.	89	72	72
Más de 3 años, hasta 4.	78	61	61
Más de 4 años, hasta 5.	70	52	52
Más de 5 años, hasta 6.	60	44	44
Más de 6 años, hasta 7.	55	37	37
Más de 7 años, hasta 8.	40	32	32
Más de 8 años, hasta 9.	38	27	27
Más de 9 años, hasta 10.	35	23	23
Más de 10 años, hasta 11.	30	19	19
Más de 11 años, hasta 12.	25	16	16
Más de 12 años, hasta 13.	20	14	14

Tabla de depreciación para motores marinos, yates y embarcaciones de recreo o deportes, usados			
Años de uso	**Embarcaciones (sin motor)**		**Motores marinos con su transmisión**
	A vela	**A motor**	
Más de 13 años, hasta 14.	15	12	12
Más de 14 años.	10	10	10

- **Mercancías importadas en alquiler u objeto de leasing.** Ya hemos señalado que para este tipo de mercancías no es posible aplicar el método del valor de transacción, dado que carecemos de una venta. En caso de que los métodos secundarios de valoración tampoco puedan ser aplicados, el Estudio 2.1 del Comité Técnico nos ofrece criterios a utilizar en el marco del método alternativo. Así, nos indica que podremos recurrir a listas de precios vigentes para mercancías, nuevas o usadas, para la exportación al país de importación. Caso de tratarse de listas de mercancías nuevas, habrá de practicarse el oportuno ajuste para tener en cuenta el estado en que se encuentren las mercancías que se importan. Otra posibilidad consistirá en recurrir a un perito independiente, aceptable tanto para la Administración como para el importador.

Cuando el contrato incorpore una opción de compra, hay que distinguir según la opción pueda ejercerse al comienzo del contrato (en cuyo caso el valor podrá basarse en el precio por el que pueda ejercitarse la opción) o en su transcurso o a su vencimiento (en estos casos el valor podrá basarse en la suma de los pagos por alquileres más el importe residual que la opción representa).
Cuando, por el contrario, el contrato no prevea una opción de compra, el valor podrá basarse en la suma total de los alquileres previstos, teniendo en cuenta que los primeros años puede fijarse un alquiler más elevado para asegurarse una amortización más rápida de las mercancías. Para la determinación de la vida útil, cuando resulte problemática, puede consultarse a empresas especializadas. En cualquier caso, el Comité Técnico nos indica que, si las mercancías se reexportan antes de vencer la vida útil prevista, la legislación nacional podría prever la devolución de los derechos de aduana y gravámenes a la importación.
Ha de tenerse en cuenta que, puesto que los pagos por alquiler suponen la existencia de una operación financiera de renta temporal, para eliminar la parte de los pagos que corresponde a los intereses (que no deben formar parte del valor en aduana) habrá que calcular el valor actual de tal renta.

La Instrucción 1/2004 se refiere a las mercancías importadas en régimen de alquiler o en virtud de un contrato de leasing en la Instrucción Cuarta, apartado 5, en los siguientes términos:

Para obtener el valor al contado de la suma de alquileres, son aplicables las fórmulas que siguen a continuación:

Vc: valor actual que pretende hallarse.

A: importe del alquiler (anual, semestral, trimestral, etc.).

r: tanto por uno de interés (anual, semestral, trimestral, etc., según el plazo que cubra A).

t: número de años, semestres, trimestres, etc. de duración probable de la mercancía.

El tipo de interés que se tomará, a estos efectos, será el interés legal en vigor en el momento de la valoración:

(a) Con alquileres pagaderos en plazo anticipados:

$$Vc = \frac{A\,[\,(1 + r)^t - 1\,]}{r\,(1 + r)^{t-1}}$$

(b) Con alquileres pagaderos en plazo vencidos:

$$Vc = \frac{A\,[\,(1 + r)^t - 1\,]}{r\,(1 + r)^t}$$

Una vez obtenido el valor al contado de la suma de alquileres, se deberán deducir del mismo aquellos elementos, también reducidos a su valor al contado, que no forman parte del valor en aduanas y que pudieran estar incluidos en los alquileres, según se deduzca del respectivo contrato de arrendamiento. Como más frecuentes, se pueden enumerar como deducibles los siguientes conceptos:

(a) Gastos de conservación y reparación de la mercancía para mantenerla en estado normal de funcionamiento.

(b) Gastos de explotación a cargo del importador.

(c) Beneficio normal del importador.

(d) Gastos de despacho, transporte después de la importación y, en general, todos los necesarios para situar la mercancía a disposición del usuario.

(e) Derechos, impuestos y gravámenes de importación.

- **Especialidades de la valoración en los distintos regímenes aduaneros**. Veremos más adelante los diferentes regímenes aduaneros. En este punto nos limitaremos a ofrecer la referencia a las especialidades que para algunos de ellos presenta la valoración aduanera.

El artículo 86 CAU señala, en primer lugar, que no se incluyen en el valor en aduana los costes de almacenamiento o el incremento de valor que pueda derivarse de las operaciones usuales de manipulación, realizadas en el TAU respecto de mercancías incluidas en un **régimen aduanero o en depósito temporal**. La no inclusión se supedita a que el declarante suministre pruebas satisfactorias de dichos costes. Por el contrario, sí se incluye en el valor en aduana el valor correspondiente a las mercancías no pertenecientes a la Unión que pudieran utilizarse en el curso de tales operaciones

En el caso del **régimen de perfeccionamiento activo**, el declarante puede solicitar que, en caso de nacer una deuda aduanera para productos transformados resultantes de este régimen, ésta se calcule tomando como valor en aduana el que correspondiera a las mercancías en el momento de la admisión de la declaración en aduana de inclusión en el régimen de perfeccionamiento activo. Esta regla puede ser aplicada de oficio por la Administración en determinados casos con el fin de evitar que se eluda la aplicación de medidas arancelarias (véase el artículo 76 RDCAU).

En el caso del **régimen de perfeccionamiento pasivo**, la deuda aduanera que pueda nacer respecto de los productos transformados resultantes del régimen o respecto de los productos de sustitución en el marco del sistema de intercambios estándar, se calculará tomando como valor en aduana el coste de la operación de transformación llevada a cabo fuera del TAU. Si el derecho de aduana adopta la forma de derecho específico (no *ad valorem*), la fórmula de cálculo de los derechos será la siguiente (artículo 75 RDCAU):

$$\frac{(VA - VE) \times DI}{VATr}$$

Donde:

VA: Valor en aduana de los productos transformados en el momento de la admisión de la declaración en aduana para despacho a libre práctica.

VE: Valor estadístico de las mercancías de exportación temporal correspondiente en el momento en que hayan sido incluidas en el régimen de perfeccionamiento pasivo.

DI: Derechos de importación aplicables a los productos transformados o los productos de sustitución.

VATr: Valor en aduana de los productos transformados o los productos de sustitución.

> Véase el artículo 261 CAU respecto del sistema de intercambios estándar.

El "Compendio" de TAXUD, en sus Comentarios 14 y 15, se ocupa de la valoración de los trofeos de caza y de los desechos/desperdicios/residuos, respectivamente.

Por lo que hace a los **trofeos de caza**, tras señalar que frecuentemente deberá acudirse al método alternativo (o "procedimiento de último recurso"), observa que no todos los gastos en que se incurre para acceder a un trofeo de caza deben integrarse en el valor en aduana. Así, por ejemplo, no pueden incluirse gastos como los de viaje, estancia, manutención y similares del cazador. Tampoco deben incluirse los gastos de permisos y licencias de exportación/importación u otros como permisos CITES (para el control de especies protegidas), aunque se generen en relación con el propio trofeo de caza (para los permisos y licencias se aplica una lógica análoga a la que rige para las cuotas de importación, por tratarse de costes impuestos por la propia normativa aduanera, bien sea del país de exportación o de la UE). En cambio, sí deben incluirse otros gastos directamente relacionados con el trofeo de caza, como el permiso de caza, la tarifa por el propio trofeo que exige la empresa organizadora (no por otros servicios), los gastos de preparación, taxidermia o embalado del trofeo, el coste de la base del trofeo y los gastos de transporte y conexos (como seguro).

Por lo que hace a los **desechos/desperdicios/residuos** ("waste" en inglés), se distinguen varios supuestos. Se señala, por ejemplo, que los residuos que contienen materiales recuperables suelen ser objeto de una venta y, en consecuencia, podrán valorarse normalmente por el método del valor de transacción. Si no hay una venta, el método del valor deductivo podrá emplearse si los materiales recuperables se venden en la UE. En caso de no venderse en la UE, podría utilizarse el método alternativo (p.e. tomar la cotización de los metales obtenidos, si fuera el caso, u otro tipo de materia prima cotizada en un mercado organizado). El Comentario 15 incluye, a modo de ilustración, un caso de valoración de los residuos de fertilizantes (donde se decide tomar el precio de venta en la UE de esos residuos de los fertilizantes como punto de partida en el marco del método alternativo). Por otra parte, los residuos que se introducen en la UE para su destrucción o neutralización no suelen ser objeto de una venta porque, de hecho, muchas veces es el exportador quien debe pagar por su tratamiento. En este supuesto la mercancía importada tendría un valor en aduana simbólico.

6.6. OTRAS DISPOSICIONES EN MATERIA DE VALORACIÓN

Para concluir el examen de las normas de valoración en aduana nos referiremos a tres cuestiones adicionales: las reglas sobre conversión de divisas, documentación justificativa y formalidades para la declaración del valor.

a) Por lo que hace a la **conversión de divisas**, las disposiciones que encontramos en el Código de Valoración son ciertamente parcas, probablemente porque esta materia, a la que el Artículo VII del GATT ya dedicó cierta atención, no había sido conflictiva. Su artículo 9 se limita a disponer que:

✓ El tipo de cambio a utilizar debe haber sido publicado por las autoridades competentes del país de importación de que se trate.

✓ El tipo de cambio debe reflejar con la mayor exactitud posible, para cada período que cubra la publicación, el valor corriente de dicha moneda en las transacciones comerciales, expresado en la moneda del país de importación.

✓ Cada Miembro podrá decidir si el tipo de cambio a utilizar será el correspondiente al momento de la exportación o al de la importación, incluyendo en este último el momento de la declaración en aduana.

El tipo de cambio se aplicará siempre que el precio aparezca expresado en moneda extranjera. Es importante tener en cuenta que el momento relevante para realizar la conversión, que la normativa europea fija en el momento de admisión de la declaración, no tiene por qué coincidir con el momento en el que las partes realizan efectivamente la conversión para proceder al pago. La situación sería distinta si las partes hubieran convenido un tipo de cambio de la moneda extranjera a la moneda del país donde se efectúa la valoración, puesto que en tal caso se procederá como si el precio viniera expresado en la moneda nacional, aplicando el tipo de cambio pactado por las partes.

En la UE, la conversión de divisas la encontramos en el artículo 146 RECAU, que completa lo dispuesto en el artículo 53.1(a) CAU. Dispone este precepto que, para los Estados miembros de la UE cuya moneda sea el euro, se deberá utilizar a los fines de la conversión de divisas a efectos de la valoración en aduana el tipo de cambio publicado por el Banco Central Europeo.

Para aquellos Estados miembros cuya moneda no sea el euro, se utilizará el tipo de cambio publicado por la autoridad nacional competente o, en caso de que la autoridad nacional haya designado a un banco privado a los efectos de publicar el tipo de cambio, el tipo de cambio publicado por el banco privado.

La Conclusión 30 del CCA (en *Compendio*) aprecia que no procede realizar una conversión de divisas cuando se pacta un precio en una divisa extranjera pero las partes pactan un tipo de conversión predeterminado a la moneda del país de importación (en nuestro caso, el euro). Esta Conclusión, por otra parte, advierte del riesgo de pactar un precio en criptomonedas (como el bitcoin), dado que carecen de tipo de cambio oficial, lo que podría conducir a rechazar el precio y, en consecuencia, a la imposibilidad de aplicar el método del valor de transacción.

Concretamente, el tipo de cambio que debe utilizarse es el publicado el penúltimo miércoles de cada mes. De no haberse publicado ningún tipo de cambio ese día, se aplicarán los tipos publicados en la fecha más reciente.

Si no se hubiera publicado un tipo de cambio, entonces se utilizará el que sea fijado por el Estado miembro de que se trate, que deberá reflejar el valor de la divisa del Estado miembro de que se trate, en la medida de lo posible. El Comentario nº 4 CCA (en Compendio) ilustra las situaciones en las que el tipo de cambio no se publica en el penúltimo miércoles de mes (p.e. festividades navideñas) e indica que debe tomarse entonces el tipo registrado el último día disponible anterior a ese miércoles. (señala que, si el 24 de diciembre es el penúltimo miércoles, pero los mercados están cerrados del 20 de diciembre al 1 de enero, entonces debe tomarse el tipo registrado el último día disponible anterior a ese miércoles 24, que sería el del viernes 19 de diciembre puesto que se indica que el 20 ya se cierran los mercados).

El tipo de cambio así determinado se aplicará durante un mes, a partir del primer día del mes siguiente.

El artículo 146 RECAU, que regula la conversión de divisas a efectos de la valoración en aduana, no establece un mecanismo de revisión del tipo de cambio en caso de oscilaciones significativas en el valor de las divisas, por lo que el tipo de cambio publicado el penúltimo miércoles de cada mes se aplicará durante todo el mes siguiente, aunque se produzcan cambios relevantes en los tipos de cambio. El artículo 48.1 RECAU sí regula un mecanismo de revisión del tipo de cambio en caso de oscilaciones significativas en el valor de las divisas, pero este precepto regula la conversión de divisas a efectos de la clasificación arancelaria. En el referido artículo 48.1 RECAU se dispone que, si el tipo aplicable al comienzo del mes difiere en más de un 5% del tipo fijado por el Banco Central Europeo con anterioridad al día 15 de ese mismo mes, se aplicará este último tipo desde el día 15 hasta el final del mes de que se trate.

Las autoridades deben publicar y/o divulgar en internet el tipo de cambio aplicable.

b) **Documento justificativo del valor.** Conforme a lo dispuesto en el artículo 145 RECAU, se exigirá la factura relativa al valor declarado de la transacción a modo de documento justificativo. Interesa subrayar que este precepto se dicta al amparo del artículo 163.1 CAU, que dispone los documentos que "deberán hallarse en posesión del declarante y a disposición de las autoridades aduaneras en el momento en que se presente la declaración en aduana". Por tanto, no parece que deba ser aportado en cada caso, sino únicamente a requerimiento de la Administración.

c) En cuanto a las formalidades para la **declaración del valor**, señalemos simplemente que los datos relativos al valor que deben facilitarse se integran en el grupo 4 ("Información sobre valor/impuestos") dentro del Anexo B del RDCAU. El detalle de los elementos de datos requeridos puede verse en la tabla que se incluye en la Sección 1 del capítulo 3 del Anexo B del RDCAU para este grupo 4. El valor estadístico aparece en el grupo 8 (elemento 8/6). Las notas aclaratorias de los diferentes requisitos en materia de datos se contienen en Título 2 del Anexo B del RDCAU.

Por otra parte, en España la AEAT ha establecido un modelo de "Solicitud de simplificación de la determinación de los importes que integran el valor en aduana de las mercancías" y unas instrucciones para su cumplimentación.

6.7. VALOR EN ADUANA E IMPUESTO SOBRE SOCIEDADES

6.7.1. *Un mismo concepto de valor, intereses contrapuestos*

Cuando unas mercancías se importan, lo habitual es que se incorporen a la actividad económica de una empresa (ya sea como circulante o como bienes de capital). A su vez, esta actividad económica generará unos beneficios que serán gravados por el Impuesto sobre Sociedades —IS—, o por el Impuesto sobre la Renta de las Personas Físicas —IRPF—, si se trata de un empresario individual o un profesional; señalemos aquí que en lo sucesivo nos referiremos al IS en el entendimiento de que las normas sobre determinación del rendimiento de actividades económicas en el IRPF remiten, en lo fundamental, a las disposiciones del IS.

Tanto el IS como los derechos de aduana precisan atribuir un valor a las mercancías importadas a fin de determinar la cuantía del impuesto. Ambos comparten un mismo concepto de valor, dado que el precio en una venta en condiciones normales de mercado es el punto de partida. Cuando el precio es el acordado en una venta entre sujetos vinculados, ambos impuestos se dirigen a analizar si se trata de un precio *arm's lenght*, esto es, si se corresponde con el que hubieran pactado en condiciones normales de mercado. Si este análisis conduce a apreciar que el precio acordado entre los sujetos vinculados no es *arm's lenght*, ambos impuestos rechazarán ese precio como base de la valoración y recurrirán a métodos de valoración alternativos, lo cual implicará puntos de partida diferentes para determinar el valor. En el marco del IS se denomina 'precio de transferencia' al precio acordado entre partes vinculadas.

A la hora de decidir el valor de los bienes, podemos detectar un interés contradictorio en cada uno de los sujetos implicados. El importador preferiría un valor en aduana bajo para minimizar el importe de los derechos de aduana; pero al propio tiempo ese importador desearía un valor elevado para esos bienes a los efectos del cálculo del IS porque de ese modo minorará el importe a satisfacer por este impuesto. Téngase en cuenta que en el IS se grava el beneficio de la entidad y el valor de las mercancías importadas es, desde esta perspectiva, un elemento de coste que, cuanta mayor cuantía suponga, en mayor medida reducirá el beneficio. Debe observarse, no obstante, que la afirmación anterior es una simplificación, porque cabe imaginar supuestos de transacciones entre partes vinculadas en las que al importador le interesa, también a efectos del IS, que el valor de las mercancías importadas sea elevado.

Supongamos por ejemplo que en el país de exportación se aplica el sistema de exención de la renta extranjera y que el tipo que rige en ese país es más elevado que el del país de importación. En estas circunstancias, al importador le interesa acreditar un valor bajo para esa mercancía a efectos del IS, porque de ese modo una mayor porción de renta se considerará obtenida en el país de importación, que aplica tipos más bajos, evitando así que la renta se entienda obtenida en el país de exportación, que aplica tipos más elevados, en tanto que la repatriación de esa renta no determina un gravamen en el país de exportación porque hemos supuesto que ese país exime la renta de fuente extranjera. Los factores relevantes que afectarán a las preferencias fiscales para la fijación de precios por partes de los sujetos vinculados son: 1) la diferencia entre los tipos de gravamen entre el país de exportación y el país de importación; 2) La existencia o no de un Convenio de Doble Imposición —CDI— y, en caso afirmativo, su contenido; 3) el régimen fiscal aplicable a la renta extranjera en el país de exportación (régimen de exención, o de imputación con crédito fiscal en cuota, o de imputación con crédito fiscal en base); 4) la posible existencia de pérdidas de años anteriores pendientes de compensación, tanto en la sociedad exportadora como en la importadora... Puede verse un análisis de distintos escenarios posibles en función de estos factores y el interés fiscal prevalente de los sujetos vinculados para cada uno de ellos en Martín Jovanovich: "Precios de transferencia en materia aduanera e impositiva. El uso de las directrices de la OCDE en el contexto del artículo 1.2.a) del Acuerdo de Valoración de mercaderías de la OMC", Instituto Argentino de Estudios Aduaneros, 2007.

El interés de las autoridades será justo el opuesto: un mayor valor en aduana permitirá incrementar la recaudación de los derechos de aduana mientras que, de forma paralela aunque contradictoria, un bajo valor a efectos del IS permitirá atribuir un mayor beneficio y, en consecuencia, determinará un mayor importe a ingresar por este concepto.

Las ideas anteriores ya nos permiten anticipar una primera conclusión: si establecemos que los valores que se determinan en ambos impuestos deben guardar una relación entre sí, esto es, que no caminan por sendas separadas, la coherencia en la valoración es un justo término medio entre los intereses de las partes implicadas, que a un tiempo son encontrados —del importador frente a la Administración— y contradictorios —atendida la incompatibilidad entre lo que se desea para un impuesto y lo que se desea para otro—.

6.7.2. Comparación entre los métodos de valoración

Tal y como hemos señalado, ambos impuestos van a tomar como base de valoración el precio determinado en una transacción realizada en condiciones *arm's lenght*, es decir, sin que haya quedado contaminado por la eventual existencia de vinculación entre las partes (en condiciones normales de mercado).

Dado que ya hemos expuesto las normas de valoración aduanera, vamos a dirigirnos ahora a examinar las normas de valoración relevantes para esta discusión en el ámbito del IS. En este sentido, el análisis debe partir de la consideración de lo dispuesto en el artículo 10.3 de la Ley 27/2014, del Impuesto de Sociedades (LIS en lo sucesivo, BOE 28.11.2014, con modificaciones posteriores) establece:

> "10.3. En el método de estimación directa, la base imponible se calculará, corrigiendo, mediante la aplicación de los preceptos establecidos en esta ley, el resultado contable determinado de acuerdo con las normas previstas en el Código de Comercio, en las demás leyes relativas a dicha determinación y en las disposiciones que se dicten en desarrollo de las citadas normas".

Por su parte, el artículo 17.1 de esta misma Ley dispone:

> "Artículo 17. Regla general y reglas especiales de valoración en los supuestos de transmisiones lucrativas y societarias.
> 1. Los elementos patrimoniales se valorarán de acuerdo con los criterios previstos en el Código de Comercio, corregidos por la aplicación de los preceptos establecidos en esta Ley".

En apartados sucesivos, el artículo 17 nos ofrece un listado de situaciones en las que los bienes deben valorarse conforme a su valor normal de mercado, tal y como éste es definido en el artículo 18.1 y 18.4. Son supuestos caracterizados por la ausencia de una venta. En el ámbito de la valoración aduanera la ausencia de una venta también conduce al abandono del método del valor de transacción en favor de otros métodos de valoración alternativos, de manera que el contraste entre estos métodos de valoración aduanera y sus correlativos en el Impuesto sobre Sociedades lo habremos de efectuar al ocuparnos del concepto de valor normal de mercado, del que trataremos, al igual que hace la Ley del IS, al referirnos a las transacciones entre partes vinculadas. Dejando al margen esta última cuestión aludida, no encontramos en la LIS ni en el Reglamento que la desarrolla (Real Decreto 634/2015, BOE 11.07.2015, que en lo sucesivo abreviaremos "RIS") ninguna otra previsión de carácter general acerca de cómo deban valorarse las mercancías, sean estas importadas o no, de manera que hemos de acudir, según lo dispuesto en el artículo 10.3 LIS, a las normas mercantiles que disciplinan la llevanza de la contabilidad.

Dado que el artículo 17.1 LIS, según hemos visto, nos remite a los criterios del Código de Comercio (CC), hemos de acudir a la Segunda Parte del Plan General de Contabilidad (PGC), que desarrolla al CC en esta materia y contiene las normas de valoración, las cuales tienen un carácter obligatorio según reza el apartado 2 de la norma primera. Especialmente interesantes al objeto de nuestra discusión son las normas de valoración números 2 (inmovilizado material), 3 (normas particulares sobre inmovilizado material), 5 (normas particulares sobre el inmovilizado inmaterial), 10 (existencias) y 11 (moneda extranjera). No pudiendo efectuar un análisis exhaustivo de sus contenidos, podemos no obstante subrayar como notas más destacadas:

1. Los bienes se valorarán por su precio de adquisición o coste de producción (normas 2, 3 y 10). Así pues, la valoración conforme a las normas contables presupone la adquisición mediante precio, o bien, alternativamente, la existencia de un coste de producción. Necesitaremos contar entonces, o bien con una venta, o bien con unos costes de producción. El concepto de valor que ha quedado descrito es compartido por el método del valor de transacción, que igualmente requiere contar con una venta, mientras que el método aduanero del valor calculado responde, por su parte, al coste de producción. Podemos afirmar, por tanto, que las valoraciones aduaneras practicadas en aplicación de los métodos del valor de transacción y del valor calculado comparten el mismo concepto de valor que las normas contables, y a este respecto es conveniente retener que más de un 90 por 100 de las importaciones realizadas se valoran aplicando el método del valor de transacción. Por lo que hace a los restantes métodos de valoración en aduana alternativos, ya hemos apuntado que el artículo 17 LIS detalla una serie de situaciones en las que, en ausencia de una venta, resulta de aplicación el valor normal de mercado, de manera que hemos de remitirnos a consideraciones que efectuaremos más adelante en torno a esta cuestión.

2. En el precio de adquisición se incluyen una serie de gastos adicionales hasta la puesta en condiciones de funcionamiento o de utilización (normas 2, 3 y 10). Entrando en un análisis más particularizado de estos gastos adicionales observamos unas primeras diferencias entre el valor en aduana y el valor que resulta por aplicación de las normas contables (al cual, para simplificar, denominaremos indistintamente "valor de adquisición"). Así, los costes de transporte que se integran como precio de adquisición no serán aquellos en los que se incurra hasta el punto de entrada en la UE, como ocurre en aplicación de las normas aduaneras, sino los habidos hasta el lugar en que se encuentren las instalaciones del adquirente. También habrán de incluirse los propios impuestos aduaneros, los costes de instalación o montaje, etc. Esta observación nos permite avanzar una primera conclusión: de existir, la relación entre el valor en aduana y el valor de adquisición no es de identidad sino, en todo caso, de similitud.

Admitida la presencia de diferencias en los elementos que integran el valor en uno y otro caso, resta por determinar si es posible obtener un valor a partir de lo que resulte del otro, es decir, si podemos fijar unas reglas tales que, determinado el valor en un impuesto, posibiliten fijar el valor correspondiente en el otro. Tratando de precisar más en este sentido, cabe sistematizar del siguiente modo, a título ilustrativo, los elementos que habrían de incluirse en el valor contable y que no lucirían en el valor de transacción:

A) Elementos que a su vez se integran en la base imponible del IVA a la importación:

- Impuestos y gravámenes exigidos a la importación, salvo el IVA a la importación.

- Comisiones del agente de aduanas y otros gastos relacionados con la importación.

- Gastos de sobrestadía en el puerto de llegada.

- Gastos del transporte y conexos ulteriores a la importación, incluida la descarga, hasta el primer lugar de destino en la UE.

- Otros gastos accesorios en los que se incurra antes de que las mercancías lleguen a su primer lugar de destino en el interior de la UE.

B) Elementos que no se integran en la base imponible del IVA a la importación pero que sí forman parte del valor de los bienes según las normas contables:

a) Aportaciones gratuitas del comprador al vendedor de los inputs "ingeniería, creación y perfeccionamiento, trabajos artísticos, diseños y planos y croquis", realizados en la UE.

b) Comisiones de compra.

c) Coste de las cuotas de importación abonadas por el importador.

d) Resto de los gastos de transporte y conexos más allá del primer lugar de destino en la UE.

e) Gastos de construcción, armado y montaje, así como los de entretenimiento y asistencia técnica que se activen.

f) Los costes por actividades que por su cuenta emprenda el importador y que quepa imputar a las mercancías importadas. Entre ellos se incluyen, en todo caso, los costes incurridos por las actividades relativas a la comercialización, que comprenden todas las actividades ligadas a la publicidad y a la promoción de ventas de las mercancías de que se trate, así como cualquier actividad relacionada con la garantía correspondiente a dichas mercancías.

g) Los pagos por los derechos de distribución y de reventa de las mercancías importadas que no se hayan incluido en el valor de transacción por no constituir una condición de la venta.

h) Cánones y derechos de licencia relacionados con las mercancías que no se hayan incluido en el valor en aduana por no haber constituido una condición de venta de las mercancías.

Como puede apreciarse, algunos de estos elementos se habrán incluido en la base imponible del IVA a la importación y nos hemos servido de esta circunstancia como criterio de clasificación. A efectos prácticos, podremos llegar al valor de adquisición partiendo, no ya del valor en aduana, sino de la base imponible del IVA a la importación añadiendo aquellos elementos que no se integran en la misma, de manera que el número de los elementos a considerar se verá reducido. Otro aspecto interesante de esta clasificación es que pone de relieve que, así como es incuestionable la trabazón existente entre el valor en aduana y la base imponible del IVA a la importación, a pesar que existen algunos elementos que forman parte del segundo y no del primero, también es posible justificar la existencia de una conexión entre el valor en aduana y el valor de adquisición cuando las diferencias entre ambos no sean de concepto de valor sino únicamente de los elementos que cada uno integra para calcularlo.

Volviendo la vista sobre las normas de valoración contable, podemos extraer otra idea relevante, a saber:

3. El coste de producción se obtiene añadiendo al precio de adquisición de las materias primas y otras materias consumibles, los demás costes directamente imputables a dichos bienes y la parte que razonablemente les corresponda de los costes indirectamente imputables (normas 2 y 10). La regla es básicamente coincidente con la que se contiene en el método del valor calculado, si bien las observaciones formuladas en el apartado anterior acerca de los elementos adicionales que integran el valor contable son de nuevo plenamente válidas.

Hechas estas observaciones acerca de las respectivas reglas de valoración, conviene que pongamos de manifiesto que hemos venido considerando hasta este momento que el valor de las mercancías constituye para el sujeto que las adquiere un importe que afecta a la determinación de la base imponible del IS o, en términos más generales, del impuesto que, en su caso, grave la obtención de renta (sea el IRPF o el Impuesto sobre la Renta de No Residentes). Esto ocurrirá cuando el importador-adquirente sea una entidad residente o una entidad no residente que actúe en España a través de un establecimiento permanente. En cambio, cuando el importador-adquirente sea un sujeto pasivo no residente que no actúe en España a través de un establecimiento permanente, el valor de las mercancías importadas no afectará en todo caso a la determinación de su base imponible. Recuérdese en este sentido que las normas de valoración en aduana admiten, en determinadas circunstancias, que la venta en la que se base la valoración sea la realizada en favor de un sujeto no establecido en la UE.

Tratándose de incrementos de patrimonio la base imponible del sujeto no residente sin establecimiento permanente sí que se determinará por diferencia entre el valor de la transmisión del elemento de que se trate y su valor de adquisición (artículo 24.4 TRLIRNR, RDLeg. 5/2004). También en el caso de actividades o explotaciones económicas serán deducibles los gastos de "aprovisionamiento de materiales" (art. 24.2 TRLIRNR). Pero los rendimientos que el no residente sin establecimiento permanente obtenga en España de las mercancías importadas no siempre recibirán esta calificación, quedando rota entonces toda conexión entre la valoración aduanera y la valoración de esas mercancías a efectos de la determinación de la base imponible en su imposición sobre la renta (IRNR).

Todavía es posible plantear otro supuesto en el que la conexión entre el valor en aduana y el 'valor de adquisición' a efectos de la imposición sobre la renta puede verse rota. Así, puede ocurrir que la que sea considerada como "venta para la exportación" por la valoración aduanera resulte ser, conforme a las normas españolas, una operación no sujeta al realizarse fuera de España por un sujeto no residente. Esta circunstancia puede ocurrir cuando la importación tenga lugar en otro país de la UE y, posteriormente, el importador, que no tributa por su renta en España, venda esas mercancías a una entidad residente o con establecimiento permanente en nuestro país. También puede aparecer esta situación en los supuestos de ventas sucesivas, cuando la valoración aduanera se base en el precio pactado por un sujeto establecido en un tercer país, fuera de la UE, cuando ésta venta sea la última venta para la exportación antes de que las mercancías entren en el TAU.

Ejemplo
Un intermediario de Hong-Kong, por ejemplo

EJEMPLO

Como puede apreciarse, en esta situación la conexión quedará rota porque el valor en aduana se habrá determinado a partir del precio en una venta en favor de una entidad que no tributa por su renta en España, la cual a su vez retransmite a una entidad que sí lo hace. La venta relevante para la imposición sobre la renta en España (sea aplicable el IS, el IRPF o el IRNR) es ésta última, pero el precio fijado en ella no guardará ya una relación necesaria con el registrado en la venta anterior, que es la que se ha utilizado para fijar el valor en aduana.

6.7.3. La valoración en las transacciones entre partes vinculadas

La Ley del Impuesto sobre Sociedades (LIS) dedica su artículo 18 a disciplinar la valoración de las operaciones realizadas entre personas o entidades vinculadas. El interés de la norma por dotar a estas operaciones de una regulación específica respecto a la general (que, como hemos visto, se basa en el precio de adquisición o en el coste de producción) se encuentra plenamente justificado.

Las transacciones entre partes vinculadas tienen en el mercado una referencia únicamente indirecta, en tanto que los productos y servicios producidos por el grupo deberán competir finalmente en él. De ahí que las transacciones que efectúen internamente entre los propios sujetos vinculados pueden desviarse, intencionadamente o no, de lo que resultaría si la transacción se realizase entre partes independientes la una de la otra. Esta desviación no resulta indiferente al Impuesto sobre Sociedades.

Centrándonos en las transacciones efectuadas con países terceros relativas a mercancías (importaciones), que son las que aquí nos interesan, podemos fácilmente advertir que la fijación de un precio para las mercancías superior al de mercado supondrá una correlativa minoración de los resultados de la entidad en nuestro país, puesto que las mercancías adquiridas se incorporan como mayor coste a efectos de la determinación del beneficio gravable por el impuesto. En definitiva, la fijación del precio tiene un efecto directo sobre la imputación de la renta, de suerte que, llevado al extremo, una entidad podría concentrar toda su renta en un territorio por motivos puramente fiscales. Sin llegar tan lejos, las distorsiones pueden deberse también a prácticas internas de la entidad en las que esté ausente cualquier intención de provocar una deslocalización de las fuentes de renta, puesto que, a los efectos de la aplicación de la norma de valoración contenida en el artículo 18 LIS, es irrelevante cuál haya sido la intención de las partes. Convendrá que aclaremos desde este momento que lo que aquí nos interesa no es tanto localizar la fuente de renta cuanto determinar el valor de las mercancías de que se trate.

> Al analizar las normas de valoración aduanera hemos subrayado que existen elementos que se añaden —o se pueden añadir— en el territorio de importación y que, ello no obstante, van a computarse para determinar el valor en aduana de las mercancías importadas (p.e. comisiones de venta; aportaciones; cánones que constituyan condición de la venta...). Por ello no puede presuponerse que cualquier elemento que se integre en el valor en aduana genere renta exclusivamente en el extranjero y que, por tanto, no puede gravarse desde la imposición sobre la renta del territorio de importación. A eso nos referimos cuando indicamos que la valoración de las mercancías importadas y la localización de la fuente de renta son cuestiones distintas.

Nuestro objetivo ahora no es (no puede ser) adentrarnos en el detalle del análisis de la valoración de las transacciones entre partes vinculadas que resulta de la normativa del IS. Lo que trataremos de hacer es poner de manifiesto las similitudes y diferencias entre este sistema de valoración y la valoración aduanera. Bajo estas premisas, conviene que nos adentremos ya en el estudio del artículo 18 LIS. Una tarea previa ha de consistir, necesariamente, en delimitar los sujetos a quienes puede aplicarse la norma transcrita, lo que nos conduce al examen del concepto de personas o partes vinculadas en la LIS. Es así como hemos de acudir a su artículo 18.2, que nos ofrece un listado de situaciones en las que la norma entiende que existe la vinculación, técnica que por lo demás es coincidente con la empleada en el ámbito aduanero por el Código OMC en su artículo 15.4 (cuyos contenidos recoge, en el ordenamiento de la UE, el artículo 127 RECAU, según hemos visto). El análisis comparativo del artículo 18.2 LIS y del 15.4 del Código OMC nos revela que, a pesar de que los supuestos de vinculación que enumeran difieren, en la práctica podemos esperar que los resultados de su aplicación serán bastante similares.

> En algunas jurisdicciones (p.e los Estados Unidos) la existencia de vinculación puede apreciarse a partir, no sólo de una relación jurídica formalizada, sino también a partir de una relación económica (lo que se denomina 'control económico'). Ahora bien, este elemento no nos parece que suponga tampoco una diferencia esencial en el concepto de partes vinculadas de ambos sistemas puesto que el Código de Valoración incluye varios supuestos en los que la palabra clave es 'control' y su alcance no se identifica de forma precisa, dejando por tanto un margen de adaptación suficiente que, pensamos, permitiría superar esta diferencia apuntada.

Cuando nos encontramos ante partes vinculadas, la regla de valoración la establece el artículo 18.1 LIS, que dispone:

> "**Artículo 18. Operaciones vinculadas.** 1. Las operaciones efectuadas entre personas o entidades vinculadas se valorarán por su valor de mercado. Se entenderá por valor de mercado aquel que se habría acordado por personas o entidades independientes en condiciones que respeten el principio de libre competencia".

En la valoración aduanera, para decidir si un precio pactado entre partes vinculadas es aceptable acudiremos a la técnica del 'examen general' y de los 'valores criterio'. En el marco del IS no se establecen este tipo de técnicas, pero la Administración realizará verificaciones análogas. En caso de que, conforme a la norma aduanera, se determine que el precio no es aceptable como base de la valoración, habremos de acudir a los métodos secundarios de valoración que hemos expuesto. Por su parte, en el IS el artículo 18.4 regula una serie de métodos para establecer el valor normal de mercado que ordena el apartado 1 del mismo precepto:

> "4. Para la determinación del valor de mercado se aplicará cualquiera de los siguientes métodos:
> a) Método del **precio libre comparable**, por el que se compara el precio del bien o servicio en una operación entre personas o entidades vinculadas con el precio de un bien o servicio idéntico o de características similares en una operación entre personas o entidades independientes en circunstancias equiparables, efectuando, si fuera preciso, las correcciones necesarias para obtener la equivalencia y considerar las particularidades de la operación.
> b) Método del **coste incrementado**, por el que se añade al valor de adquisición o coste de producción del bien o servicio el margen habitual en operaciones idénticas o similares con personas o entidades independientes o, en su defecto, el margen que personas o entidades independientes aplican a operaciones equiparables, efectuando, si fuera preciso, las correcciones necesarias para obtener la equivalencia y considerar las particularidades de la operación.
> c) Método del **precio de reventa**, por el que se sustrae del precio de venta de un bien o servicio el margen que aplica el propio revendedor en operaciones idénticas o similares con personas o entidades independientes o, en su defecto, el margen que personas o entidades independientes aplican

a operaciones equiparables, efectuando, si fuera preciso, las correcciones necesarias para obtener la equivalencia y considerar las particularidades de la operación.

d) Método de la **distribución del resultado**, por el que se asigna a cada persona o entidad vinculada que realice de forma conjunta una o varias operaciones la parte del resultado común derivado de dicha operación u operaciones, en función de un criterio que refleje adecuadamente las condiciones que habrían suscrito personas o entidades independientes en circunstancias similares.

e) Método del **margen neto operacional**, por el que se atribuye a las operaciones realizadas con una persona o entidad vinculada el resultado neto, calculado sobre costes, ventas o la magnitud que resulte más adecuada en función de las características de las operaciones idénticas o similares realizadas entre partes independientes, efectuando, cuando sea preciso, las correcciones necesarias para obtener la equivalencia y considerar las particularidades de las operaciones.

La **elección del método de valoración** tendrá en cuenta, entre otras circunstancias, la naturaleza de la operación vinculada, la disponibilidad de información fiable y el grado de comparabilidad entre las operaciones vinculadas y no vinculadas.

Cuando no resulte posible aplicar los métodos anteriores, se podrán utilizar **otros métodos** y técnicas de valoración generalmente aceptados que respeten el principio de libre competencia".

Los métodos de valoración de las operaciones entre partes vinculadas que establece la norma española siguen el modelo de la OCDE, que ofrece un análisis detallado del contenido de cada uno de ellos y de los criterios para su aplicación en OECD: *Transfer Pricing Guidelines for Multinational Entreprises and National Administrations*, 2017.

La descripción de los métodos establecidos en el artículo 18.4 LIS nos permite identificar una clara equivalencia con los métodos del Código de Valoración, según la tabla de correspondencia que reproducimos a continuación:

Tabla de equivalencia entre métodos de precios de transferencia del IS y métodos de valoración aduanera	
Impuesto sobre Sociedades	*Valoración aduanera*
Método del "precio libre comparable"	Métodos del "valor de transacción de mercancías idénticas" y "de mercancías similares"
Método del "precio de reventa"	Método del "valor deductivo"
Método del "coste incrementado"	Método del "valor calculado"

Ahora bien, cuando los métodos anteriores no permiten determinar el valor de las mercancías, hemos señalado que las normas de valoración aduanera ordenan volver sobre ellos con "flexibilidad razonable" a fin de hacer posible la valoración. Por el contrario, la normativa del Impuesto sobre Sociedades regula dos métodos adicionales ("método de la distribución del resultado" y "método del margen neto del conjunto de operaciones"), los cuales carecen por tanto de un equivalente en las normas de valoración aduanera.

Estos métodos se aplicarán en función de la "naturaleza de la operación vinculada, la disponibilidad de información fiable y el grado de comparabilidad entre las operaciones vinculadas y no vinculadas". Cuando este sea el caso, no podrá establecerse una conexión entre el valor en aduana y el precio de transferencia para unas mismas mercancías.

Aun cuando se apliquen los métodos de valoración equivalentes (los recogidos en la tabla), existen algunas diferencias de detalle entre ellos. Con carácter general, ha de señalarse que los métodos de valoración aduanera guardan entre sí un orden jerárquico, de manera que sólo puede pasarse al siguiente método cuando sea imposible aplicar el anterior. En cambio, los métodos del IS no guardan entre sí una relación jerárquica, y la aplicación de uno u otro dependerá de la naturaleza de la operación vinculada, la disponibilidad de información fiable y el grado de comparabilidad entre las operaciones vinculadas y no vinculadas. No obstante, en la mayoría de las ocasiones, los mismos factores que conduzcan a aplicar un método aduanero probablemente lleven a utilizar su análogo en el IS, lo que limita la incidencia de este factor diferencial.

Hecha esta primera observación, presentamos a continuación una síntesis de las diferencias de detalle entre los métodos de valoración del IS y sus equivalentes en el sistema de valoración aduanera en las tablas que siguen:

Impuesto sobre Sociedades Método del "precio libre comparable"	Valoración aduanera Métodos del "valor de transacción de mercancías idénticas" y "de mercancías similares"
– No establece una preferencia explícita entre mercancías idénticas o similares para determinar el "precio libre comparable", aunque cabe suponer que se preferirá la comparación con mercancías idénticas.	– Regula dos métodos de valor de transacción distintos: el de mercancías idénticas y el de mercancías similares, y sólo puede acudirse al segundo cuando no pueda aplicarse el primero (orden jerárquico entre ellos).
– No es imprescindible que los bienes de la transacción comparable se hayan producido en el mismo país que los de la operación que se valora.	– Los bienes deben haberse producido en el mismo país para que la transacción sea comparable.
– Las operaciones que sirven de comparable pueden ser del mismo vendedor o de otro operador.	– Se debe dar preferencia a ventas realizadas por el mismo vendedor ("comparables internos").
– Los ajustes entre el precio comparable y el precio de transferencia que se intenta determinar se basan en un análisis de las funciones desempeñadas, los riesgos asumidos y los activos utilizados.	– Se restringen los conceptos de ajuste que se admiten por las diferencias entre la transacción de mercancías idénticas o similares y la que se valora (sólo se admiten ajustes por diferencias en el nivel comercial, cantidad y gastos de transporte)

Impuesto sobre Sociedades Método del "precio libre comparable"	Valoración aduanera Métodos del "valor de transacción de mercancías idénticas" y "de mercancías similares"
– La Administración tomará como transacción comparable una acaecida en su propia jurisdicción.	– La transacción que se toma como comparable puede haberse realizado en cualquier lugar del Territorio Aduanero de la Unión (TAU), por tanto en un país distinto de aquél en el que se produce la importación.
– Operaciones con divisa extranjera: se aplicará el tipo de cambio de contado del momento en que se produzca la transacción (cuando se cumplan las reglas para su reconocimiento, apartado 1.1 de la Norma de Registro y Valoración 11ª del PGC2007).	– Tipo de cambio: el vigente en el momento de presentar la declaración aduanera.
– Tiempo para establecer que una transacción es comparable: momento de la venta.	– Tiempo para establecer que una transacción es comparable: momento de la exportación.
– Si se detectan varias transacciones comparables no se establece cuál de ellas tiene preferencia.	– Si se detectan varias transacciones comparables, debe tomarse la de valor más bajo.

Impuesto sobre Sociedades Método del "precio de reventa"	Valoración aduanera Método del "valor deductivo"
– No se establece expresamente un límite temporal para que se produzca la reventa que sirve de base de cálculo, aunque las directrices de la OCDE recomiendan que el lapso de tiempo sea mínimo.	– La reventa debe producirse dentro de los 90 días a contar desde la importación. Si en ese plazo no se revenden las mercancías importadas, se puede tomar el precio de reventa de mercancías idénticas o similares.
– No se establece una regla expresa que ordene cómo actuar cuando se registren varios precios de reventa.	– Cuando existan varias reventas, debe tomarse como referente el precio unitario al que se vende la mayor cantidad de mercancías, no un precio promedio (valor estadístico "moda").
– El margen de beneficio se determina a partir de la función realizada, teniendo en cuenta el inmovilizado implicado y los riesgos asumidos.	– El margen de beneficio, de forma conjunta con los gastos generales, se determina por referencia al que sea "habitual" en ventas en el territorio de importación de mercancías importadas de la misma especie y clase.
– No se deducen los gastos de transporte y conexos tras la entrada de las mercancías en la UE.	– Deben deducirse los gastos de transporte y conexos tras la entrada de las mercancías en la UE.

Impuesto sobre Sociedades Método del "coste incrementado"	Valoración aduanera Método del "valor calculado"
– El beneficio del productor se analiza separadamente de sus gastos generales.	– Calcula de forma conjunta los gastos generales y el beneficio del productor del tercer país.

Algunas de estas diferencias que hemos señalado entre los métodos examinados pueden salvarse determinando en qué medida inciden en las respectivas valoraciones, es decir, mediante ajustes.

> ## Ejemplo
>
> Así ocurrirá, por ejemplo, respecto a la diferencia al establecer el momento relevante para decidir el tipo de cambio aplicable, lo que puede conducir a adoptar tipos de cambio diferentes.

EJEMPLO

Ahora bien, algunas de estas diferencias en los respectivos métodos pueden determinar resultados que no resulten ya comparables, de modo que no podremos ya fijar la equivalencia entre un valor y otro mediante un ajuste. Ello puede ocurrir, por ejemplo, si hay una importante oscilación de precios entre el momento de la exportación de las mercancías y el momento de la venta, y se aplica el método del precio libre comparable en el IS —que toma como referente un precio registrado en el momento de la venta— y el método del valor de transacción de mercancías idénticas a efectos aduaneros —que toma como referente un precio registrado en el momento de la exportación—.

Si este es el caso, la conexión entre el valor en aduana y el precio de transferencia queda rota, por lo que podemos enfrentarnos a valores diferentes para unas mismas mercancías que son el resultado de aplicar dos normas divergentes.

A modo de conclusión en este punto, podemos señalar que los métodos de valoración aduanera y los métodos de determinación de precios de transferencia son fundamentalmente coincidentes. Ello no obstante, cabe apreciar entre ellos diferencias de detalle que, en algunos casos, deberán salvarse mediante el cálculo de ajustes que cuantifiquen el impacto de esas diferencias normativas sobre las mercancías a valorar, pero que en otros casos deberán hacernos reconocer que la conexión entre ambos valores ya no puede seguir manteniéndose. En particular, esta conexión queda completamente rota cuando, en el marco del Impuesto sobre Sociedades, debe recurrirse a los métodos "de la distribución del resultado" y "del margen neto del conjunto de operaciones", o cuando en el marco de la valoración aduanera el valor de transacción se basa en una venta en la que el comprador es un sujeto establecido en otro Estado de la UE.

A nivel internacional, el CTVA ha elaborado dos instrumentos interpretativos (el Estudio de Caso 14.1 y el 14.2) particularmente interesantes en esta materia, al subrayar la trascendencia de la documentación elaborada a los efectos de la determinación de los precios de transferencia. En el Estudio de Caso 14.1 se señala que la información contenida en un estudio sobre precios de transferencia, aun cuando el método utilizado a estos efectos haya sido el del Margen Neto Transaccional (que no tiene equivalente en la valoración aduanera), puede ser relevante para determinar que la vinculación no ha influido en el precio y, en consecuencia, que el método del valor de transacción puede utilizarse. Por su parte, en el Estudio de Caso 14.2 la información contenida en un estudio sobre precios de transferencia permite determinar que el precio declarado no se había ajustado de manera conforme con las prácticas de fijación de precios seguidas por la rama de producción correspondiente, de modo que había que concluir que la vinculación había influido en el precio y que, en consecuencia, debía rechazarse la utilización del método del valor de transacción.

6.7.4. Un intento de superación de las divergencias entre el valor en aduana y el valor de adquisición: la Sección 1059A del IRC en Estados Unidos

El ordenamiento estadounidense contiene una norma que, a partir de las similitudes fundamentales existentes entre los métodos de valoración aduanera y los utilizados para valorar las operaciones entre partes vinculadas en el marco de la imposición sobre la renta, fija en términos concretos la conexión que debe existir entre el resultado de ambas valoraciones. Nos estamos refiriendo a la Sección 1059A del *Internal Revenue Code* (IRC), que podemos traducir así:

> "Sec. 1059A. Límite, en la base o en el coste de inventario del contribuyente, en mercancías importadas de partes vinculadas.
>
> (a)   En general.– Si una mercancía es importada en los Estados Unidos en una transacción (directa o indirectamente) entre partes vinculadas (en el sentido de la sección 482), el importe de cualquier coste:
>
> (1)   Que sea tomado en cuenta al computar el valor de adquisición o coste de inventario de tal mercancía por el comprador, y
>
> (2)   Que sea también tenido en cuenta al computar el valor en aduana de tal mercancía, no podrá, a los efectos de computar el valor de adquisición o coste de inventario a los propósitos de este capítulo, ser mayor que la cantidad de tales costes tomada en consideración al computar el valor en aduana.
>
> (b)   Valor en aduana; importación.– A los efectos de esta sección

(1) Valor en aduana.– El término valor en aduana significa el valor tenido en cuenta con el propósito de determinar la cuantía de cualquier tributo aduanero o cualquier tributo que pueda ser impuesto a la importación de cualquier mercancía.

(2) Importación.– Excepto en lo previsto en los reglamentos, el término "importación" significa la entrada, o retirada del almacén, para el consumo".

Este precepto fue introducido por la *Tax Reform Act* de 1986 [Pub.L. 99-514, Title XIII, 1248(a), oct. 22, 1986, 100 Stat. 2584]. El desarrollo reglamentario de este precepto, inicialmente establecido como *Temporary Regulation*, se contiene actualmente en 26 CFR 1.1059A-1 (T.D. 8260, 54 FR 37311, sept. 8, 1989).

Del precepto interesa destacar las siguientes notas:

- Tan sólo se aplica a las transacciones entre partes vinculadas.

- En él se establece un límite máximo al valor de adquisición o coste de inventarios de mercancías importadas.

- Este límite se fija en relación a los costes que hayan sido tenidos en cuenta al fijar el valor en aduana de las mercancías, y viene determinado precisamente por el valor que a esos efectos se haya considerado.

Lo que se pretende evitar con esta norma es que, en las operaciones entre partes vinculadas, se manipulen los valores en aduana a la baja. De ahí que la norma no se aplique a las mercancías por las que no se haya exigido derechos de aduana a la importación [T.R. 1.1059A-1, (c)]. Es precisamente en las transacciones entre partes vinculadas donde la manipulación resulta más fácil. El medio que se utiliza para impedir tales manipulaciones pasa por conceder trascendencia a la valoración en aduana cuando se trata de determinar el valor de adquisición o coste de inventarios de las mercancías a efectos de la imposición sobre la renta.

Hemos destacado que la conexión con el valor en aduana se utiliza para determinar un límite máximo. El IRS (el equivalente en Estados Unidos a nuestra Agencia Tributaria) no queda vinculado por ese límite máximo, sino que puede revisar el valor a la baja; el límite se establece para el contribuyente, a quien podría convenirle fijar un valor de adquisición de las mercancías más alto que minorase los beneficios obtenidos. En virtud de esta norma, no podrá fijar un valor superior al que resulte de la valoración aduanera. Ahora bien, la limitación únicamente se establece respecto de aquellos elementos de coste que se hayan integrado en el valor en aduana y que también formen parte del que nosotros venimos denominando "valor de adquisición". Esta es una matización importante por cuanto que hemos visto que los elementos incluidos en uno y otro no son totalmente coincidentes. Esta circunstancia obliga a la norma a introducir el concepto de ajuste. Lo que pone de manifiesto este reconocimiento es, precisamente, las divergencias que se producen entre el valor en aduana y el valor de adquisición; si existen conceptos que no integran el primero pero que, ello no obstante, deben ser tenidos en cuenta a la hora de determinar el valor de adquisición, es lógico que por tales conceptos se establezca la posibilidad de corregir el límite que se pretende que el valor en aduana represente para el valor de adquisición. De otro lado, las divergencias entre las normas de valoración en aduana y las normas de valoración en la imposición sobre la renta permiten algunos efectos de los que un importador informado puede beneficiarse. En concreto, se han destacado las oportunidades que se presentan cuando la venta para la exportación, que determina el valor en aduana, no es la realizada en favor de un sujeto residente en los Estados Unidos (supuestos de ventas sucesivas). Aquí tendremos un valor en aduana relativamente bajo —el determinado a partir del precio registrado en la venta al sujeto no establecido en los EEUU— pero que no constriñe las posibilidades de elevar el valor a los efectos de la imposición sobre la renta para el ulterior adquirente de las mercancías establecido en aquél país.

> La constatación de la existencia de estas posibilidades motivó que la *General Accounting Office* (GAO) se ocupase, en un profuso informe dedicado a la aplicación de la Sección 1059a (General Accounting Office: *IRS'Administration of Tax-Customs Valuation Rules in Tax Code Section 1059A*, GAO/GGD-94-61, 2/9/94), de la cuestión relativa a las vías para superar las divergencias entre las normas de valoración en aduana y las normas correlativas en la imposición sobre la renta. A este respecto, el Informe propuso una modificación normativa, al objeto de impedir pérdidas de recaudación, la cual alternativamente podría afectar: 1) O bien al propio Código de valoración de la OMC, a través de su renegociación multilateral; 2) O bien a la norma interna que incorpora en el ordenamiento estadounidense la normativa del Código (19 U.S.C. Section 1401a); 3) O bien a la Sección 1059A del IRC (la que ahora nos ocupa).

Otras administraciones se han planteado también la posible conexión entre el valor en aduana y el valor de adquisición. Así, la Administración canadiense ha hecho saber que no puede entenderse que se encuentre vinculada al determinar un precio de transferencia por el valor determinado a efectos aduaneros, si bien ha reconocido la importante similitud entre ambos sistemas de valoración, posición que aquí compartimos. La Administración canadiense se muestra favorable a aceptar que aquellos contribuyentes que hayan concluido con la Administración tributaria un acuerdo sobre precios de transferencia (APA por sus siglas en inglés) vean aceptados precios coherentes con aquellas fórmulas a efectos aduaneros, si bien advierte de la necesidad de practicar los ajustes que la norma aduanera establece. También otorga relevancia a la información preparada por la empresa a efectos de precios de transferencia en su análisis acerca de la aceptabilidad del precio declarado a efectos aduaneros (en el marco del denominado "examen general").

> Canada Border Services Agency Memorandum D-13-3-6 "Income tax transfer pricing and customs valuation", 2006; y Memorandum D-13-4-5 "Transaction value method for related persons", 2001.

Por su parte, la Administración australiana destaca la necesidad de disponer de datos desagregados a efectos aduaneros, a fin de estar en condiciones de valorar cada concreta importación, así como del nivel de detalle por producto que esos datos deben alcanzar. También subraya la necesidad de que se le aporte la información preparatoria del acuerdo sobre precios de transferencia, en su caso. Finalmente, la Administración italiana ha puesto el acento en la diferencia en el momento que sirve para determinar la comparabilidad de las transacciones como motivo que justifica las diferencias entre el valor en aduana y el precio de transferencia (factor que, a nuestro parecer, tendrá alguna relevancia sólo en determinados casos), para, a renglón seguido, aclarar que ello no impide que la Administración tributaria pueda tener en cuenta el valor en aduana a los efectos de la fijación del precio de transferencia. Como puede comprobarse, se trata de posicionamientos cautelosos pero que, ello no obstante, atendidas las similitudes en el concepto de valor y en los métodos para su determinación, no niegan la posible trascendencia que el uno pueda tener en la fijación del otro.

En Australia, Australian Customs and Border Protection Service: Practice Statement No. PS2009/21, Applying for a valuation advice relating to transfer pricing. En Italia, Circolare n. 9/2267, del 22 settembre 1980 - Direzione Generale Imposte Dirette, Cap. II, apartado 3.

6.7.5. La conexión por vía interpretativa en España

En sus sentencias de 30.11.2009 y de 11.12.2009 el Tribunal Supremo (España) hubo de enfrentarse a la cuestión de si la Administración puede separarse del valor, previamente determinado por ella para unas mercancías a efectos aduaneros, al determinar el beneficio gravable en el Impuesto sobre Sociedades.

Los respectivos números de recurso de estas sentencias son 3582/2003 y 4113/2003.
Los elementos fácticos de los supuestos sobre el que se pronuncian estas Sentencias los podemos describir como sigue: El recurrente es una empresa que firmó en conformidad un acta por la que se regularizaban los derechos de aduana. En el acta, la Administración determinó un valor en aduana distinto al declarado. Posteriormente la Administración comprueba la declaración del Impuesto sobre Sociedades de esa empresa y pretende asimismo su regularización en la medida en que considera que se han imputado unos costes en concepto de adquisición de las mercancías importadas improcedentes por excesivos. La empresa se opone al considerar que se ha limitado a reflejar los valores determinados por la propia Administración a efectos aduaneros. Pero ante esta alegación la Administración responde que la valoración aduanera no es determinante para el Impuesto sobre Sociedades, en el seno del cual debe atenderse a su propia normativa, tratándose, además, de un supuesto de transacciones entre partes vinculadas, materia sobre la cual el Impuesto sobre Sociedades tiene reglas propias.
Las importaciones a las que se refiere el asunto planteado se realizaron entre el 1 de mayo de 1987 y noviembre de 1989, discutiéndose la liquidación del Impuesto sobre Sociedades correspondiente

al ejercicio de 1989, que debe determinarse aplicando las disposiciones de la Ley 61/1978, de 27 de diciembre, del Impuesto sobre Sociedades ("LIS"), desarrollada por el Reglamento aprobado por Real Decreto 2631/1982, de 15 de octubre ("RIS"), normativa que ya no está vigente (en la actualidad esta materia regulada por las disposiciones de la Ley 27/2014, LIS, y del Real Decreto 634/2015, RIS).

El Tribunal Supremo, en contra del criterio mantenido por la Inspección —que fue ratificado por el TEAC y la Audiencia Nacional—, se pronunció decididamente por la coincidencia entre la regulación de las normas de valoración aduanera y las normas sobre precios de transferencia de la Ley 61/1978, concluyendo que:

"Ambos bloques normativos, cuando se trata de operaciones entre partes vinculadas, conducen al mismo puerto, pues, por uno u otro cauce, quieren que el montante de la operación se determine en función a los precios normales en un entorno competitivo. Las reflexiones anteriores evidencian que en los dos supuestos (renta de aduanas cuando no se acepta el valor declarado e impuesto sobre sociedades para precios de transferencias) el legislador quiso que la transacción se valorase conforme al valor corriente en el mercado entre operadores independientes o, si se quiere, no vinculados".

Si la regulación de las reglas de valoración en ambos tributos —Derechos de aduana a la importación e Impuesto sobre Sociedades— es fundamentalmente coincidente, la Administración hubiera debido valorar las mercancías conforme a lo dispuesto en la letra (d) del artículo 169.1 del entonces vigente RIS ("Valor asignado a efectos de otro tributo"). Y ello porque, si bien el referido artículo 169 no predeterminaba qué método debía utilizar la Administración en cada caso, esa elección por parte de la Administración queda predeterminada cuando ella misma ya ha verificado, a efectos de otro tributo, el valor de esos mismos bienes, en virtud del principio jurídico conforme al cual nadie puede actuar en contra de sus propios actos. En palabras del propio Tribunal Supremo:

"Así las cosas, principios básicos de nuestro sistema jurídico, como el de que nadie —tampoco la Administración— puede ir contra sus propios actos, de modo que conducido de una determinada manera su autor crea en los destinatarios una suerte de confianza de que no lo hará en el futuro contradiciéndose, reflexión que trae a primer plano la idea fundamental de la seguridad jurídica (artículo 9.3 de la Constitución), apuntalan la tesis de —la recurrente—, pues no resulta admisible que la Hacienda tase el contenido de un mismo negocio de forma divergente según el tributo de que se trate cuando las normativas aplicables piden en ambos casos la aplicación de los mismos parámetros de valoración".

Por tanto, la decisión del Tribunal Supremo se articula alrededor de dos ideas fundamentales:

a) Las normas de valoración aduanera y las normas sobre precios de transferencia en la Ley 61/1978 son fundamentalmente coincidentes.

b) Atendido lo anterior, si la Administración ha determinado el valor en aduana para unos bienes, el principio jurídico que impide ir contra los propios actos exige que aplique después ese mismo valor a la hora de determinar el precio de transferencia de los bienes importados en el Impuesto sobre Sociedades.

Debemos comenzar por reconocer que compartimos totalmente el criterio del TS en la sentencia a que venimos refiriéndonos. Defendemos la existencia de una coincidencia fundamental entre las reglas de valoración aduanera y las reglas de valoración del Impuesto sobre Sociedades, también en los supuestos de operaciones vinculadas. Nos parece que esa coincidencia fundamental entre las respectivas regulaciones no puede ser desconocida por ninguna de las dos partes —Administración y obligados tributarios—, debiendo extraer de la misma las consecuencias jurídicas correspondientes, como hace el TS en esta Sentencia.

Con todo, la primera idea que nos gustaría destacar consiste en que sería erróneo concluir que la doctrina del Tribunal Supremo permita afirmar, de forma genérica y sin matices, que la Administración deba aplicar a efectos del Impuesto sobre Sociedades el valor que se haya determinado a efectos de la valoración aduanera. Esa conclusión no cabe extraerla de la sentencia del Tribunal Supremo y tampoco la compartimos. Hemos puesto de relieve las diferencias en el detalle de la regulación de ambos sistemas y también hemos señalado supuestos en los que la relación entre ambos valores quedará rota.

Puesto que ya hemos examinado la cuestión atinente a la conexión existente entre las normas de valoración aduanera y las normas sobre precios de transferencia en el IS, convendrá profundizar en la segunda de las ideas clave en la decisión del Tribunal Supremo, a saber, el principio jurídico que impide ir contra los propios actos. En el asunto enjuiciado, la Administración había regularizado el valor en aduana declarado por la recurrente, es decir, se había separado del valor declarado y había determinado de forma expresa un valor distinto. Por ello, por elemental aplicación del imperativo de la buena fe, debía quedar sujeta a ese valor a efectos de otro tributo —el Impuesto de Sociedades— que configura una regla de valoración equivalente.

Cuando tratamos de determinar el alcance de esta doctrina surge una cuestión de gran relevancia, y es que debe recordarse que los tributos aduaneros son de liquidación administrativa. Ciertamente la declaración aduanera incluye manifestaciones sobre los elementos de cuantificación del tributo e incluso una cuantificación del mismo, aproximándose así a la figura de las autoliquidaciones, que son la forma normal de gestión de los impuestos estatales. Ahora bien, en todo caso, la liquidación en materia aduanera va a ser administrativa, teniendo la cuantificación del declarante mero carácter "indicativo", de ahí que no podamos hablar en puridad de una "autoliquidación". Entre otras cosas, esta diferencia explica que el declarante no efectúe el ingreso a la par que presenta su declaración, pues habrá de esperar a que la Administración liquide el tributo. El esquema se complica porque la liquidación administrativa puede ser meramente presunta, en la medida en que la concesión del levante sin que la Administración comunique su liquidación constituye indicación suficiente de que la Administración dicta una liquidación presunta cuyo contenido es coincidente con el cálculo "indicativo" del tributo formulado por el declarante en su declaración (artículo 102.2 CAU). Así las cosas, cabe cuestionarse si una liquidación administrativa —expresa o presunta— que se limita a cuantificar la deuda a partir de los datos aportados por el declarante, sin venir precedida de actividad de comprobación ni separarse de la cuantificación indicada por el declarante, podría ser base suficiente para que resultase aplicable la doctrina de los "actos propios" que el Tribunal Supremo asienta en esta Sentencia.

La respuesta se nos antoja difícil. Por un lado, no puede desconocerse que las posibilidades efectivas de dictar la liquidación aduanera por parte de la Administración con pleno conocimiento de la información que le sirve de presupuesto son limitadas, por más que la declaración en aduana debe contener un buen número de datos en materia de valoración aduanera. Por otro lado, tampoco parece satisfactorio negar toda eficacia jurídica al hecho de que la Administración haya dado por bueno un valor —aunque ello se haga por medio de un acto presunto—, puesto que eso sería tanto como aceptar que la Administración ejerce de hecho su potestad de dictar resoluciones administrativas sin asumir ninguna responsabilidad respecto a su contenido, pues sólo así puede justificarse que la voluntad contenida en tales resoluciones no le sea después oponible.

Ante este difícil equilibrio de bienes jurídicos, nos parece que la solución más razonable consiste en exigir diligencia a la Administración —y, por tanto, considerarla vinculada por sus propios actos— respecto de la información de la que ya dispuso al dictar la liquidación aduanera —sea esta expresa o presunta—. En cambio, la Administración no puede quedar vinculada por la voluntad manifestada en la liquidación respecto de información de la que no dispuso al dictarla. De este modo, la Administración podrá separarse de la valoración aduanera al liquidar el Impuesto sobre Sociedades cuando justifique haber tenido acceso a información previamente desconocida por ella, y en la medida en que esa nueva información legitime una valoración distinta.

Si convenimos, como aquí proponemos, que la mera liquidación por la Administración a partir de un valor en aduana declarado puede determinar para ésta un efecto vinculante —aunque sólo en la medida en que no pueda justificar su cambio de voluntad en el conocimiento de información previamente desconocida—, el siguiente paso lógico ha de ser constatar que la Administración debe poder revisar también a la baja un valor en aduana declarado, puesto que de no ser así los importadores podrían declarar valores en aduana artificialmente altos con el simple propósito de servirse de ellos posteriormente para oponerlos a la Administración en el Impuesto sobre Sociedades. Este corolario de la construcción que proponemos supone que debe pasarse página respecto de la doctrina del TJUE en la Sentencia *Chatain* (asunto 65/1979, de 24.04.1980). En aquél asunto la Administración francesa pretendía revisar a la baja el valor declarado por el importador, aduciendo que este valor era excesivo. El interés de la Administración francesa en minorar el valor en aduana consistía en acreditar que el importador se había servido de la deformación del precio de las mercancías importadas para disimular una transferencia ilegal de capitales al exterior. El Tribunal, aplicando las normas de valoración vigentes en ese momento —basadas en la denominada "Definición del Valor de Bruselas", y no en el Código de Valoración— decidió que "la reducción por parte de las autoridades competentes de un Estado miembro del precio facturado por las mercancías importadas de un Estado tercero no responde a la finalidad perseguida por las normas relativas a la determinación del valor en aduana de las mercancías". Esto es, el objetivo de las normas de valoración aduanera conforme a esta sentencia se limitaría a combatir la infravaloración, pero no la sobrevaloración.

> En la Sentencia *Carboni* (asunto C-263/06, de 28.03.2008; ya nos hemos referido a esta Sentencia al tratar de la cuestión de las ventas sucesivas) podemos identificar evidencias claras de que el TJUE ya no mantiene que las normas de valoración aduanera se dirijan a combatir exclusivamente la infravaloración, pero no la sobrevaloración. Cuando se discute si las autoridades pueden basar el cálculo de los derechos antidumping en una venta anterior, el TJUE no responde que ello no es posible porque las normas de valoración aduanera impidan combatir la sobrevaloración; en su lugar argumenta que la facultad de decidir sobre qué venta, de entre varias sucesivas, se basa el valor en aduana es una facultad que el ordenamiento reconoce al declarante, no a las autoridades aduaneras. Cuando, más adelante en la Sentencia, se discute si las autoridades pueden cuestionar que el precio declarado por Carboni sea *bona fides*, es decir, que sea el realmente pagado o por pagar por Carboni, el Tribunal no niega a las autoridades la posibilidad de atacar ese precio que consideran que incurre en sobrevaloración. Por el contrario, les señala que ese precio sería rechazable si se acreditase que no se corresponde con el precio realmente pagado o por pagar por Carboni por las mercancías. Por tanto, el Tribunal está implícitamente dando por bueno que las normas de valoración se oponen igualmente a la sobrevaloración —y no sólo a la infravaloración, como sostuvo en *Chatain*— cuando el precio declarado no se corresponde con el realmente pagado o por pagar. En definitiva, el Tribunal nos parece que asume la apreciación, que ya antes habíamos formulado nosotros, que la definición del valor de transacción como "precio realmente pagado o por pagar" queda vulnerada, tanto cuando el precio declarado es inferior al realmente pagado —infravaloración— como cuando el precio declarado es superior al realmente pagado —sobrevaloración—. O, dicho de forma más general, la sobrevaloración es una vulneración del Código de Valoración.
>
> Ibáñez Marsilla, S.: "La trascendencia de la valoración aduanera en el Impuesto sobre Sociedades. Especial referencia al 'transfer pricing'", *Civitas, REDF*, nº 113, enero-marzo 2002.

Conviene no perder de vista que la conexión entre el valor en aduana y el valor de las mercancías importadas a efectos del cálculo del Impuesto sobre Sociedades produce un efecto asimétrico que favorece a la Administración. No es este el caso en circunstancias como las que examina la Sentencia del TS a que venimos refiriéndonos, en el que la existencia de tal conexión conduce a estimar las pretensiones del contribuyente. Pero ha de tenerse en cuenta que la situación sobre la que se dicta la Sentencia no será la más común: una vez partimos de la conexión entre los dos valores, la Administración incurría en una flagrante contradicción porque había comprobado y modificado el valor en aduana, de modo que no podía después pretender imponer un valor distinto e inconexo a efectos del Impuesto sobre Sociedades. La situación más típica será otra: lo frecuente es que la Administración no cuestione el valor en aduana declarado. El importador tiene un incentivo para que ese valor sea bajo, pues de esta forma minora la base imponible de los derechos de aduana a la importación. Pero ese importador puede verse después atrapado por ese valor bajo cuando proceda a determinar la base imponible del Impuesto de Sociedades porque, en este contexto, ese valor supone unos menores costes y, en consecuencia, un beneficio superior. Así pues, esta Sentencia no debe ser sólo una llamada de atención a la Administración en el sentido de que debe considerar cuidadosamente los valores en aduana que determina porque esos valores pueden vincularla después a la hora de liquidar el Impuesto sobre Sociedades; fundamentalmente debe verse también en esta Sentencia una llamada de atención a los operadores económicos, en el sentido de que sus declaraciones de valor en aduana pueden volverse en su contra a la hora de calcular el Impuesto sobre Sociedades. La declaración aduanera es un acto jurídico del importador que éste no puede desconocer al formular su autoliquidación del Impuesto sobre Sociedades, de modo que también a él le alcanza el efecto de la doctrina de los actos propios. El corolario es que la valoración aduanera adquiere para todos —Administración y operadores económicos— una nueva relevancia, y resulta fundamental ante esta realidad conocer con detalle el contenido y los límites de la conexión entre ambos valores.

> Existe otro factor que introduce asimetría a favor de la Administración, y es el que deriva del plazo de caducidad de tres años del ejercicio de la potestad de liquidación y de la posibilidad de solicitar la devolución de ingresos indebidos en materia aduanera, a partir del nacimiento de la deuda aduanera (artículos 103 y 121 del CAU), en tanto que el Impuesto sobre Sociedades en España puede ser revisado dentro del plazo de prescripción de 4 años que establece el artículo 66 LGT. El importador se encontrará que la Administración le revisa el valor a efectos del Impuesto sobre Sociedades en un momento en que ya no puede discutir la liquidación de los derechos de aduana.

Lamentablemente, la modificación de la normativa del Impuesto sobre Sociedades, mediante la Ley 27/2014, de 27 de noviembre, del Impuesto sobre Sociedades (BOE 28.11.2014), se aprovechó para introducir un nuevo apartado 14 en el artículo 18 (que regula las operaciones vinculadas), en virtud del cual se niega cualquier eficacia en el Impuesto sobre Sociedades a los valores determinados a efectos de otros impuestos, del mismo modo que se niega cualquier eficacia en otros impuestos para los valores de mercado determinados a efectos del Impuesto sobre Sociedades, salvo disposición expresa en contrario. De este modo, se echa por la borda la valiosa labor del TS y se renuncia a exigir a los operadores que mantengan la coherencia entre el valor que declaran a efectos aduaneros y el que utilizan a efectos del cálculo de la base imponible del Impuesto sobre Sociedades, todo ello por mor de permitir que la Administración pueda mantener valoraciones contradictorias en ambos impuestos. Dice así el referido apartado 14 del artículo 18 LIS:

> "14. El valor de mercado a efectos de este Impuesto, del Impuesto sobre la Renta de las Personas Físicas o del Impuesto sobre la Renta de no Residentes, no producirá efectos respecto a otros impuestos, salvo disposición expresa en contrario. Asimismo, el valor a efectos de otros impuestos no producirá efectos respecto del valor de mercado de las operaciones entre personas o entidades vinculadas de este impuesto, del Impuesto sobre la Renta de las Personas Físicas o del Impuesto sobre la Renta de no Residentes, salvo disposición expresa en contrario".

6.7.6. Valor en aduana e Impuesto sobre Sociedades: ¿Cuál es el siguiente paso?

La doctrina del TS a que nos hemos referido supone dar un gran paso en el reconocimiento de la existencia de una conexión entre la valoración en el ámbito aduanero y en el del Impuesto sobre Sociedades, reconocimiento que se efectúa a la luz de la anterior Ley del Impuesto sobre Sociedades pero que entendemos que en absoluto ha perdido vigencia bajo la nueva regulación del Impuesto. Cuando esa conexión entra en contacto con el principio de buena fe y la doctrina de los actos propios, su trascendencia jurídica cobra un nuevo vigor.

Sobre estas premisas, nos parecen destacables dos ideas que se han propuesto recientemente desde la doctrina internacional. La primera de ellas, de Martín Jovanovich, postula que la existencia de un acuerdo sobre precios de transferencia entre la Administración y el contribuyente debe conducir a aceptar, a efectos aduaneros, los valores declarados por ese contribuyente que sean coherentes con las fórmulas de cálculo establecidas en ese acuerdo. A este respecto, ha de recordarse que las normas de valoración aduanera ordenan como primer método, en orden jerárquico, el del valor de transacción, que toma como punto de partida el precio pactado por las partes, y este método debe utilizarse incluso cuando estemos ante una transacción entre partes vinculadas, disponiendo en este sentido que

> "se examinarán las circunstancias propias de la venta y se admitirá el valor de transacción, siempre que la vinculación no haya influido en el precio".

Pues bien, la existencia de un acuerdo sobre precios de transferencia debe alcanzar relevancia en este análisis "de las circunstancias propias de la venta", en el sentido de confirmar la aceptabilidad de los precios que sean conformes con él.

La segunda propuesta, más osada, es la formulada por Richard T. Ainsworth. Este autor sugiere que las autoridades certifiquen programas informáticos que, aplicando los métodos de cálculo establecidos en el marco de un acuerdo sobre precios de transferencia, permitan determinar de forma automatizada valores que sean en todo caso aceptados por la Administración, tanto a efectos aduaneros como del Impuesto sobre Sociedades. En esta propuesta, la Administración despliega su poder de control al verificar la operativa de los programas informáticos —el autor propone programas informáticos "certificados" por las autoridades, si bien podría tratarse de programas creados por las propias autoridades— y al acordar con el contribuyente la metodología para el cálculo de los precios de transferencia: es decir, se trata en ambos casos de controles ex ante, y no ex post, con lo que el operador ve reforzada su seguridad jurídica, sin menoscabo para la Administración. Para reforzar las garantías de veracidad que el sistema debe proporcionar a la Administración, lo que a su vez permite que ésta pueda aceptar de forma automática los valores que se le suministren, el autor señala que este sistema informático debiera funcionar interconectado con los programas de gestión de la compañía, asegurando así que la información en la que se basa el cálculo de los valores es la misma que la empresa utiliza internamente para su gestión (que puede comprender no sólo información contable, sino p.e. la información sobre medios y formas de pago). El programa debiera contener mecanismos de seguridad y alerta para evitar que pueda romperse esta conexión entre la información que se suministra a este programa y la que se utiliza con fines de gestión interna.

> Martín Jovanovich: "Precios de transferencia en materia aduanera e impositiva. El uso de las directrices de la OCDE en el contexto del artículo 1.2.(a) del Acuerdo de Valoración de mercaderías de la OMC" (2007).
> Ainsworth, Richard T.: "IT APAs: Harmonizing inconsistent transfer pricing rules in Income Tax-Customs-VAT, Boston University School of Law, Working Paper Series, Law and Economics, N. 07-23 (2007).

Nos parece una propuesta muy sugerente. De hecho no resulta difícil imaginar que este es el camino que el sistema tributario en general pudiera comenzar a transitar en un futuro no muy lejano: el control tributario que automatiza la explotación de la información generada por el propio obligado tributario a través de la utilización por éste de herramientas de tecnologías de la información. Es una visión que provoca el temor a un *Big Brother* tributario, en la medida en que la Administración accede —aunque de forma limitada e indirecta— a la información que el obligado genera para sus propios fines.

La STJUE *Hamamatsu Photonics* (asunto C-529/16, de 20.12.2017) supone un jarro de agua fría para los intentos de conciliar la valoración aduanera y los precios de transferencia. El Tribunal decide que, cuando el precio inicialmente acordado puede ser objeto de ajustes a tanto alzado debidos a la mecánica de aplicación de los precios de transferencia, que sólo podrán conocerse a la conclusión del período impositivo, y se desconoce asimismo si los referidos ajustes tendrán por efecto incrementar o reducir el precio inicial, entonces no puede aceptarse como valor en aduana un valor de transacción basado en ese precio. Tal y como se formula, esta decisión puede poner en peligro la aplicabilidad del método del valor de transacción respecto de precios determinados conforme a las metodologías establecidas para los precios de transferencia, pues en ellas es común que se proceda a la revisión de precios al final del período a fin de asegurar que los resultados globales sean coherentes con los parámetros predefinidos.

Estamos ante una sentencia especialmente desafortunada. En primer lugar, parece incurrir en una confusión por el uso del término "ajuste", que tiene significados distintos en el ámbito de los precios de transferencia y en la valoración aduanera. En precios de transferencia "ajuste" es la diferencia que resulta al re-calcular o re-determinar el precio o el beneficio; en materia aduanera, como hemos señalado, los "ajustes" se refieren a elementos relacionados con la mercancía, pero distinguibles de ella, que se añaden al precio (comisiones; aportaciones; royalties; cantidades que revierten; gastos de transporte...). El Tribunal aprecia que la valoración aduanera no contempla un "ajuste" como el que se practica en el ámbito de los precios de transferencia. Pero eso es un error: el valor de transacción se define como el *precio realmente pagado o por pagar* y lo que implican estos ajustes que se practican en precios de transferencia es una revisión de la cantidad que debe ser pagada. Por tanto, son una nueva determinación del precio, no un ajuste en sentido aduanero. Por otro lado, el Tribunal observa que el importador no estaría obligado a comunicar un "ajuste" que supusiera incrementar el valor en aduana, lo que comportaría el riesgo de que sólo se hicieran valer los "ajustes" a la baja (p. 33), pero eso no es cierto: a los efectos de la valoración aduanera el importador está obligado a declarar el *precio realmente pagado o por pagar*, de manera que si omitiese comunicar que la revisión en precios de transferencia conduce a un precio más elevado estaría incumpliendo la norma de valoración aduanera al ocultar el *precio realmente pagado o por pagar*.

El declarante tiene derecho a que se revise su declaración a la vista de nuevos datos, así lo establecía el artículo 78 CAC y lo establece actualmente el artículo 173.3 CAU. El Tribunal deniega tal posibilidad en este caso con argumentos artificiosos que incluyen omitir que en su Sentencia *Overland Footwear II* (asunto 468/03, de 20.10.2005) se ordenó revisar el valor en aduana para tener en cuenta que el mismo debía reducirse en el importe de una comisión de compra que el importador no había desglosado del precio. No se alcanza a entender qué hace diferente al re-cálculo de los precios para alinearlos con los parámetros predefinidos de la metodología de precios de transferencia. El Tribunal podía haber denegado la revisión del valor de transacción sin adentrarse en una discusión compleja. El importador pretendía aplicar una revisión de los precios basándose en un promedio calculado para todas las mercancías importadas durante el período, cuando además había importado mercancías de distinto tipo. En materia aduanera es imprescindible conocer el valor de cada mercancía de cada concreta importación, de modo que no puede admitirse una minoración de precios a tanto alzado obtenida a partir de un promedio global. De hecho, a ese aspecto problemático apunta la cuestión prejudicial planteada. Cabe concluir entonces que la revisión del valor en aduana hubiera debido denegarse, pero no por los motivos aducidos por el Tribunal.

Conforme a la parte dispositiva de la Sentencia, las normas de valoración aduanera "no permiten aceptar como valor en aduana un valor de transacción pactado que se compone, por una parte, de un importe inicialmente facturado y declarado y, por otra, de *un ajuste a tanto alzado* efectuado tras concluir el período de facturación, sin que sea posible saber si, al final del período de facturación, tal

ajuste se efectuará al alza o a la baja" (la cursiva no está en el original). Obsérvese que, afortunadamente, se contiene la referencia a un "ajuste a tanto alzado", lo que quizá permita limitar los daños
que, para el futuro, podrían acarrear los fundamentos jurídicos de la Sentencia.

La medida que se ha sugerido, a fin de mantener la aplicabilidad del método del valor
de transacción en las transacciones entre partes vinculadas, consiste en declarar el precio
inicialmente acordado como valor provisional, recurriendo a este fin a la presentación de
una declaración simplificada (artículo 166 CAU) en el momento de la importación, a la
que deberá seguir una declaración complementaria (artículo 167 CAU) en el momento
en que se conozca el precio de transferencia definitivo, una vez se hayan calculado los
ajustes de precios de transferencia que procedan. A este respecto, ha de tenerse en cuenta
que, conforme a lo dispuesto en el artículo 146.3ter RDCAU, el plazo para presentar la
referida declaración complementaria puede prorrogarse hasta un máximo de dos años
desde la fecha del levante de las mercancías "en circunstancias excepcionales debidamente justificadas relacionadas con el valor en aduana de las mercancías". De este modo se
salvaría la objeción de que el valor en aduana se base en un precio cuya alteración, al alza
o a la baja, se desconoce, dado que el propio declarante estará poniendo de manifiesto su
carácter provisional y aportando, cuando la información disponible lo permita, el precio
definitivo.

La declaración simplificada y la declaración complementaria se analizan en el capítulo 24.

ORIGEN DE LAS MERCANCÍAS

ÍNDICE

7 Origen de las mercancías

7.1. RELEVANCIA DEL ORIGEN DE LAS MERCANCÍAS A EFECTOS ADUANEROS

Dos mercancías aparentemente idénticas pueden recibir, con ocasión de su importación, un distinto tratamiento en función del país en el que se hayan obtenido (país de origen). Las razones que motivan estas diferencias de trato son diversas y van, desde la voluntad de favorecer a ciertos países en atención a que padecen una situación de bajo nivel de desarrollo económico, hasta la imposición de restricciones cuantitativas a la importación en virtud de políticas comerciales, pasando por la exigencia de derechos antidumping o anti-subvención para determinados productos que procedan de un país determinado, o la existencia de acuerdos comerciales que establezcan un trato más ventajoso en las relaciones entre dos o más Estados, etc.

> En lengua española se ha ocupado monográficamente del estudio de las reglas de origen Navarro Varona, E.: *Las reglas de origen para las mercancías y servicios en la CE, EEUU y el GATT*, ed. Civitas, 1995; y Pelechá Zozaya, F.: *El origen de las mercancías en el régimen aduanero de la Unión Europea*, Marcial Pons, Barcelona, 1999.

De esta forma, el régimen arancelario y, en particular, las consecuencias tributarias que se derivarán para unas mercancías por su importación, van a depender de cuál se determine que es su origen. El origen también puede determinar la aplicabilidad de medidas de política comercial (p.e. controles sanitarios —sanidad humana, animal o vegetal— para mercancías procedentes de un determinado país o región; o prohibición de importar mercancías de determinados países sometidos a embargo económico). Este factor pone claramente en evidencia el carácter extrafiscal de los impuestos arancelarios, puesto que un elemento que no cabe encajar en la estructura típica del tributo va a condicionar fuertemente su contenido, pudiendo incluso llegar a anularlo. Desde la perspectiva tributaria, la atribución de un origen a las mercancías, que tiene trascendencia precisamente respecto a la cuantificación de la prestación tributaria, puede producir efectos de exención (aplicación de tipo 0), de beneficio fiscal (aplicación de un tipo inferior al general) o, por el contrario, puede desplegar los efectos contrarios o no favorables (por ejemplo, aplicación de derechos antidumping).

> Las normas de origen pueden desplegar efectos en otros ámbitos, como la defensa de los derechos del consumidor. Así, la STJUE *Prime Champ* (asunto C-686/17, de 04.09.2019) decide

que, para definir el concepto de «país de origen» al que se refieren los Reglamentos en materia de organización común de mercados agrícolas, ha de estarse a lo dispuesto en los Reglamentos en materia aduanera para la determinación del origen no preferencial de las mercancías (véase el punto 1 del fallo de la Sentencia). Lo anterior le lleva a decidir que el país de origen de los champiñones cultivados es su país de recolección, con independencia de qué fases esenciales de producción se lleven a cabo en otros Estados miembros de la Unión (punto 2 del fallo).

La Convención de Kioto (manejamos la versión revisada) dedica su Anexo K a las reglas de origen. Define "país de origen de las mercancías" como "el país donde las mercancías fueron producidas o fabricadas, de acuerdo con el criterio establecido a los efectos de la aplicación de la tarifa aduanera relativa a las restricciones cuantitativas o a cualquier otra medida relativa al comercio", en tanto que define "reglas de origen" como "las disposiciones específicas desarrolladas a partir de los principios establecidos por la legislación nacional o por convenios internacionales ("criterios de origen"), aplicados por un país a fin de determinar el origen de las mercancías". Lo relevante para establecer el origen es, por tanto, dónde se hayan producido o fabricado las mercancías (la norma europea utiliza también el término 'obtenido', además de 'producido o fabricado'). Por tanto, el origen de las mercancías no debe confundirse con el lugar desde el que se exportaron o desde el que se transportaron; ni tampoco con el lugar en que se vendieron.

> Destaca Timothy Lyons que la intervención de un intermediario en una transacción internacional puede ser relevante a efectos de la imposición directa o a efectos de otros impuestos indirectos pero que, a efectos aduaneros, un intermediario que se limita a comprar y vender —sin transformar la mercancía— no es relevante para la determinación del origen, por más que el intermediario re-facture las mercancías. Cita en este sentido la STJUE *Perles Eurotool*, asunto 156/85, p. 9 (*EC Customs Law*, Oxford University Press, 2008, p. 228).

> Interesa subrayar que origen de las mercancías es distinto de "procedencia" de las mercancías, concepto que hace referencia al lugar desde el cual se han transportado las mercancías para su exportación a la UE, es decir, es un concepto relacionado con el transporte, pero no con el origen. Veremos, no obstante, que en el marco de los denominados 'regímenes preferenciales' se establece un requisito de 'transporte directo', de manera que, en este contexto, el lugar de procedencia puede ser relevante para establecer si es aplicable o no un determinado origen preferencial.
> Por otro lado, interesa diferenciar asimismo 'origen de las mercancías' de 'estatuto aduanero de las mercancías'. El estatuto aduanero sólo presenta dos casos: "mercancías de la UE" o "mercancías no pertenecientes a la UE" (véase artículo 5 CAU, apartados 23 y 24). Las mercancías de la UE son: a) las totalmente obtenidas en la UE; b) las mercancías de un tercer país que se hayan despachado a libre práctica; y c) las obtenidas en la UE a partir de mercancías de las letras (a) y (b) anteriores. Las mercancías de la UE se encuentran en libre práctica en la UE (pueden incorporarse al circuito económico sin ninguna restricción aduanera). Las mercancías no pertenecientes a la UE son las que no se encuentren en alguno de los tres casos anteriores o bien aquellas que hayan perdido su estatuto de mercancías de la UE. Las mercancías no

pertenecientes a la UE no pueden circular a libre práctica en la UE. El estatuto aduanero de las mercancías se analiza en el capítulo 11.

Hemos dicho que el origen, que afecta a la cuantía de la obligación tributaria, responde a una finalidad extrafiscal y que, en consecuencia, su incidencia sobre la cuantía de la obligación tributaria no guarda relación con el principio de capacidad económica. Ahora bien, esta circunstancia no altera que, respondiendo la medida a un fin extrafiscal, su incorporación a una figura tributaria obliga a reconducir su régimen jurídico al que es propio de las categorías tributarias. Lo que queremos decir es que, por el hecho de pasar a ser elemento integrante del tributo, la medida extrafiscal consistente en la atribución del origen debe seguir el régimen jurídico que es propio de la institución tributaria que, de forma típica, produce los efectos que ella (de forma atípica por su naturaleza extrafiscal) está llamada a desplegar (efectos de exención o de mayor gravamen).

En particular esta idea nos parece interesante porque nos permite disponer de un conjunto de criterios, decantados respecto de instituciones tales como la exención tributaria, que nos permiten contar con un diseño más acabado de su régimen jurídico-tributario.

> ## Ejemplo
>
> Por ejemplo los criterios relativos al devengo de la exención, o a su relación con los derechos adquiridos; o respecto a la atribución del origen que produce efectos desfavorables, la doctrina sobre la retroactividad en materia tributaria, etc

EJEMPLO

La determinación del origen de las mercancías que se importan puede, en determinados casos, parecer una cuestión relativamente simple. Por ejemplo, cuando nos encontramos ante mercancías fabricadas en cierto país a partir de materias primas que igualmente son originarias de ese país (supuestos que se denominan como 'mercancías totalmente obtenidas'). Ahora bien, es fácil imaginar supuestos en los que las circunstancias dificultarán acudir a una solución sencilla. Supóngase, en este sentido, que en el ejemplo anterior las mercancías son fabricadas en cierto país pero a partir de materias primas que proceden enteramente de un país distinto. La complejidad que puede alcanzar este ejercicio es, en ocasiones, difícilmente exagerable: piénsese en un automóvil, cuyas piezas pueden ser de la más diversa procedencia, ¿de dónde diremos que es originario el automóvil resultante?

La complicación que la determinación del origen puede representar, unida a la trascendencia que se deriva de la atribución de un origen a las mercancías, ha hecho necesario introducir en el ordenamiento unas normas que regulen los criterios que habrán de utilizarse para acometer esta tarea, de modo que los operadores económicos puedan conocer de antemano con relativa certeza el origen que va a atribuirse a las mercancías que importan. Como puede colegirse de lo anterior, se trata de ofrecer unas pautas, más o menos precisas, que deben necesariamente guiar la actuación administrativa en este ámbito, intentando asimismo fortalecer la seguridad jurídica de los sujetos afectados por tal actividad.

Otro mecanismo dirigido a reforzar la seguridad jurídica en esta materia lo constituye la previsión de las Informaciones Vinculantes sobre el Origen (IVO), que se examinan en el capítulo 9.

Puesto que nos estamos refiriendo a operaciones de comercio internacional, uno de los factores que influirán decisivamente en el grado de seguridad jurídica alcanzado por el sistema consistirá en el nivel de coincidencia entre los distintos países o territorios aduaneros al establecer y aplicar los criterios que hayan de servir para determinar el origen de las mercancías. Se entiende así que hayamos asistido a un esfuerzo internacional que tiene por objetivo lograr una aproximación de los antedichos criterios. Los resultados alcanzados a este respecto se recogen en el "Acuerdo sobre Normas de Origen", que se encuentra en el Anexo 1A del "Acuerdo por el que se establece la Organización Mundial de Comercio", es decir, forma parte del paquete de acuerdos de la OMC (véase lo señalado al respecto en el capítulo 3). El Acuerdo sobre normas de origen de la OMC encauza el impulso hacia una mayor aproximación en este ámbito con la creación de dos órganos internacionales, el Comité de Reglas de Origen (de carácter político) y el Comité Técnico de Reglas de Origen (de carácter técnico), a semejanza de los órganos previstos (y que vienen funcionando durante más de tres décadas) en el Acuerdo sobre valoración aduanera, el Código de Valoración.

Dada la novedad del Acuerdo sobre normas de origen, en él se prevé un desarrollo en dos fases, a saber:

- Una primera fase, transitoria, durante la cual se continuarán aplicando las normas sobre origen pre-existentes, propias de cada territorio aduanero (la UE, en nuestro caso). Ahora bien, se dictan unas reglas acerca de cómo deberán aplicarse esas normas, entre las que podemos destacar ahora la exigencia de coherencia, uniformidad, imparcialidad y razonabilidad; se proscribe que las normas sobre origen puedan ser utilizadas como instrumentos de la política comercial o que puedan surtir por sí mismas efectos de restricción, distorsión o perturbación del comercio internacional; se exige publicidad de las disposiciones de carácter general en materia de origen, que no podrán tener efecto retroactivo.

- Una segunda fase, tras el período de transición, en la que se armonizarán las normas de origen conforme a los criterios que habrán sido previamente elaborados por el Comité Técnico de Reglas de Origen en colaboración con el Comité de Reglas de Origen y aprobados por la Conferencia Ministerial de la OMC. El resultado de esta labor de armonización, debidamente aprobado, se incluirá en un Anexo que pasará a formar parte del Acuerdo internacional (artículo 9.4).

Un análisis crítico de los resultados del acuerdo puede verse en Philippe G. Nell: "WTO negotiations on the harmonization of rules of origin- A first critical appraissal", *Journal of World Trade*, vol. 33, 1999, nº 3, p. 45.

A fecha de hoy todavía no se ha superado la primera fase transitoria, a pesar que se han cumplido sobradamente los plazos inicialmente establecidos para pasar a la segunda fase. La lectura del Informe (2013) del Comité de Normas de Origen al Consejo del Comercio de Mercancías (documento OMC G/L/1047, de 10.10.2013) nos presenta un escenario de falta de acuerdo y de rumbo en las negociaciones, con países que consideran su abandono la opción adecuada. Por tanto, no parece que en un futuro próximo vayamos a contar con normas internacionales de origen no preferencial (no digamos ya de origen preferencial). Lo cual es una desgracia para el comercio internacional, que padece la inseguridad jurídica y la hiperinflación normativa que deriva de esta ausencia.

El artículo 2 del Acuerdo sobre normas de origen regula una serie de reglas aplicables durante el período transitorio. Entre ellas podemos señalar la conminación a:

- que las normas de origen definan claramente las condiciones a cumplir para conferir origen;

- que las normas de origen no se utilicen como instrumentos para perseguir directa o indirectamente objetivos comerciales;

- que las normas de origen no surtan por sí mismas efectos de restricción, distorsión o perturbación del comercio internacional, que no impongan condiciones indebidamente estrictas ni exijan el cumplimiento de una determinada condición no relacionada con la fabricación o elaboración como requisito previo para la determinación del país de origen;

- que no sean más rigurosas que las que apliquen para determinar si un producto es o no de producción nacional, ni discriminen entre otros Miembros, sea cual fuere la afiliación de los fabricantes del producto afectado;

- que se administren de manera coherente, uniforme, imparcial y razonable;

- que se basen en un criterio positivo. Las normas de origen que establezcan lo que no confiere origen (criterio negativo) podrán permitirse como elemento de aclaración de un criterio positivo o en casos individuales en que no sea necesaria una determinación positiva de origen;

- dar publicidad a las normas de origen;

- emitir informaciones vinculantes sobre el origen (utiliza la denominación 'dictámenes de origen') en el plazo más breve posible y nunca después de los 150 días siguientes a la solicitud, siempre que se hayan presentado todos los elementos necesarios, con una validez por tres años;

- Irretroactividad de las normas aduaneras;

- posibilidad de recurrir y pronta revisión por los tribunales;

- confidencialidad de la información proporcionada a los efectos de establecer el origen.

Por otro lado, las normas de origen han sido objeto asimismo de un esfuerzo de aproximación internacional, en el marco del Convenio Internacional para la Simplificación y Armonización de los Regímenes Aduaneros (comúnmente denominado "Convenio de Kioto"). En su versión original, era el Anexo D del Convenio de Kioto el que contenía reglas en materia de origen; en la actualmente vigente versión revisada del Convenio de Kioto se ocupa de esta materia el Anexo K. Haremos referencia a su contenido a lo largo de la exposición.

> Respecto al Convenio de Kioto, recordemos que la Unión Europea se adhirió a la versión revisada, salvo al Apéndice III, que contiene los Anexos Específicos (entre estos Anexos Específicos se encuentra el Anexo K, relativo al origen, de modo que la UE no se ha comprometido a respetar su contenido; el artículo 2 del Protocolo de Enmienda dispone que el Anexo General y los Anexos Específicos de la versión revisada reemplazan a los anexos del Convenio original; véase capítulo 3.1). El texto de la Decisión 2003/231 (CE), relativa a la adhesión de la Comunidad Europea al Protocolo de Enmienda del Convenio Internacional para la Simplificación y Armonización de los Regímenes Aduaneros (Convenio de Kioto), que incorpora el texto de la versión revisada del Convenio y de su Anexo General, se publicó en el DO L 86, de 03.04.2003 (modificada por Decisión 2004/485 (CE), publicada en DO L 162, de 30.04.2004).

Estructuraremos nuestro estudio de las normas de origen refiriéndonos en primer lugar a la distinción entre regímenes preferenciales y no preferenciales, para ofrecer posteriormente un análisis de su contenido respectivo y, en particular, de los distintos criterios que se utilizan o pueden utilizarse a la hora de determinar el origen de las mercancías. Concluiremos el capítulo con el examen de los medios para acreditar el origen y el control del origen declarado.

Regulación del origen: artículos 59 a 68 CAU; artículos 31 a 70 y Anexos 22-01 a 22-13 RDCAU; artículos 57 a 126 y Anexos 22-06 a 22-20 RECAU.
Acuerdos por los que se establecen preferencias arancelarias: véase apartado 7.4.2.

Anexos del RDCAU en materia de origen	
Anexo 22-01	Notas introductorias y lista de las operaciones de elaboración o transformación que confieren carácter de origen no preferencial
Anexo 22-02	Solicitud de un certificado de información INF 4 y certificado de información INF 4
Anexo 22-03	Notas introductorias y lista de las operaciones de elaboración o transformación que confieren carácter originario
Anexo 22-04	Materias excluidas de la acumulación regional
Anexo 22-05	Elaboración excluida de la acumulación regional del SPG (productos textiles)
Anexo 22-11	Notas introductorias y lista de las elaboraciones o transformaciones a que deben someterse las materias no originarias para que el producto fabricado pueda adquirir el carácter de originario
Anexo 22-13	Declaración en factura

Anexos del RECAU en materia de origen	
Anexo 22-02	Certificado de información INF 4 y solicitud de un certificado de información INF 4
Anexo 22-06	Solicitud para la obtención del estatuto de exportador registrado
Anexo 22-07	Comunicación sobre el origen
Anexo 22-08	Certificado de origen Modelo A
Anexo 22-09	Declaración en factura
Anexo 22-10	Certificado de circulación EUR.1 y solicitudes pertinentes
Anexo 22-13	Declaración en factura
Anexo 22-14	Certificado de origen para determinados productos que disfrutan de regímenes especiales de importación no preferenciales
Anexo 22-15	Declaración del proveedor relativa a los productos que tengan origen preferencial
Anexo 22-16	Declaración del proveedor a largo plazo relativa a los productos que tengan origen preferencial
Anexo 22-17	Declaración del proveedor para productos que no tengan origen preferencial
Anexo 22-18	Declaración del proveedor a largo plazo para productos que no tengan origen preferencial
Anexo 22-19	Requisitos para la redacción de certificados de origen modelo a sustitutivos
Anexo 22-20	Requisitos para la redacción de comunicaciones sobre el origen sustitutivas

7.2. CLASIFICACIÓN DE LAS NORMAS DE ORIGEN

Hemos señalado que de la determinación acerca del origen de las mercancías se derivarán unas consecuencias arancelarias (o de otro tipo) distintas para las mismas. Esta distinción en torno a los efectos de la atribución del origen permite la clasificación entre origen preferencial y no preferencial, en función de si del origen se deriva un trato más favorable en los derechos de aduana ("preferencial") o el trato común o por defecto ("no preferencial"). Importa destacar, por tanto, que la distinción 'preferencial'/'no preferencial' se proyecta exclusivamente sobre la figura de los derechos de aduana, de modo que otras discriminaciones de trato no van a tener reflejo en esta clasificación.

> De hecho, dentro del origen 'no preferencial' podemos diferenciar dos niveles: por un lado el trato general —es decir, en ausencia de preferencia específica— que se dispensa a los Estados miembros de la OMC (en virtud de la cláusula de Nación Más Favorecida y como resultado de las rebajas arancelarias comprometidas en las sucesivas rondas); y, por otro lado, el trato a países no miembros de la OMC que, además, carezcan de preferencia específica. Frente a estos últimos no existen compromisos que establezcan un límite máximo a las tarifas, lo que posibilita que puedan adoptarse medidas de penalización cuando se considere oportuno. Tras el acceso, primero de China y después de Rusia, a la OMC, esta categoría de países apenas tiene relevancia hoy en día (comprende a países como Corea del Norte).
>
> El origen no preferencial debe determinarse para todas las mercancías, aunque les resulte aplicable una preferencia arancelaria, puesto que existen determinadas normas que se basan, en todo caso, en el origen no preferencial, como por ejemplo las normas de marcaje (*Made in*).

Las normas preferenciales pueden, a su vez, subdividirse en dos clases, según sean el resultado de una decisión unilateral del territorio de importación (en nuestro caso, de la UE) sin reciprocidad por parte de los Estados beneficiarios de las preferencias, o bien el resultado de un convenio entre la UE y terceros países (en este caso se establecerán ventajas recíprocas, también a favor de las exportaciones de la UE a esos países). A las primeras las denominamos 'preferencias unilaterales' (o también 'preferencias autónomas'), en tanto que a las segundas las denominamos 'preferencias convencionales'. Las preferencias unilaterales las decide el territorio que las concede —la UE en nuestro caso—, que puede alterarlas o retirarlas en cualquier momento. Las preferencias convencionales se rigen por lo establecido en un acuerdo entre las partes implicadas (que pueden ser la UE y un Estado tercero, en cuyo caso hablamos de preferencias bilaterales, o bien entre la UE y varios Estados terceros, en cuyo caso estaremos ante unas preferencias plurilaterales).

Clasificación de las normas de origen		
Normas de origen no preferencial	–	Trato NMF (OMC)
	–	Trato a países no miembros de la OMC
Normas de origen preferencial	–	Preferencias unilaterales (o "autónomas")

	–	Preferencias convencionales:
		  – Bilaterales
		  – Multilaterales

Las normas que establecen las ventajas que el origen preferencial confiere se ocupan asimismo de establecer los criterios que se utilizarán para determinar tal origen. Téngase en cuenta que, a consecuencia de lo anterior, respecto de un mismo tipo de mercancías, no hay simplemente dos normas sobre determinación de origen (las preferenciales y las no preferenciales), sino que, dentro de las preferenciales puede haber diferentes normas de origen (en teoría, puede haber tantas como normas que establezcan tales preferencias). No se olvide, especialmente por lo que se refiere a las preferencias convencionales, que estas reglas van a ser el resultado de una negociación y un acuerdo entre partes con intereses diversos.

Ejemplo

Por ejemplo, en el acuerdo UE-Corea se exige que, para poder considerar un aparato receptor de televisión (partida 8528) como originario, se haya producido una fabricación en la que el valor de todas las materias utilizadas no sea superior al 45% del precio franco fábrica del producto; en cambio, en el acuerdo UE-Colombia y Perú se permite que ese porcentaje alcance el 50%.

Al no coincidir los criterios que se han de utilizar para establecer el origen entre estos distintos grupos de normas (una norma preferencial puede acoger el criterio de la variación en la clasificación arancelaria, mientras que otra puede acoger el criterio de listado de transformaciones que confieren origen) pueden plantearse conflictos entre normas de origen en aquellos casos en que unas mismas mercancías son susceptibles de recibir un origen distinto en función de la norma que se aplique, lo que obliga a determinar cuál de ellas debe tener prioridad.

Este tipo de conflictos no parecen ser frecuentes en la práctica. El conflicto entre normas preferenciales es difícil que se produzca porque en este tipo de normas suele exigirse que las mercancías se transporten directamente desde el país de origen a la UE ('requisito de transporte directo'), lo que dejará como único posible origen preferente el país desde el cual se expidieron las mercancías con destino a la UE. Por lo que hace al posible conflicto entre normas preferenciales y no preferenciales, la situación más complicada la representaría la aplicabilidad (en el régimen no preferencial) de derechos antidumping. El conflicto suele resolverse desde las propias normas preferenciales, disponiendo que en tales casos el derecho antidumping sí podrá exigirse.

La regulación de las normas de origen no preferenciales se encuentra en el CAU, RDCAU y RECAU. También se contienen en ellos disposiciones relativas a las normas de origen preferencial de carácter unilateral. Por el contrario, para conocer el contenido de los regímenes preferenciales convencionales es necesario acudir a otras normas dispersas, que pueden adoptar la forma de Reglamentos o de Decisiones del Consejo. Cada régimen preferencial convencional tendrá su norma o conjunto de normas reguladoras propias.

> Debe advertirse, además, que el artículo 14.3 del Reglamento de base sobre medidas antidumping (Reglamento (UE) 2016/1036, DO L 176, de 30.06.2016), como ya hicieran sus antecesores en esta materia, permite que se adopten en este marco "disposiciones especiales, en particular en lo relativo a la definición común del concepto de origen".

El Acuerdo sobre normas de origen de la OMC restringe su ámbito de aplicación a las normas de origen no preferenciales (Artículo 1). Esta medida aparece justificada porque las normas preferenciales, en tanto que son un instrumento de la política comercial y, además, normalmente son el resultado de convenios internacionales (bilaterales o multilaterales), presentan muchas más dificultades a la hora de intentar su armonización. Ello no obstante, en la medida en que se logren unos criterios de atribución del origen armonizados (aunque sea en el ámbito de las normas de origen no preferenciales) será inevitable que los mismos se conviertan en un importante referente a la hora de dotar de contenido a futuras normas de origen preferenciales. Por otra parte, el propio Acuerdo recoge en su Anexo II una "Declaración común acerca de las normas preferenciales", en la que se contienen una serie de criterios y principios que este tipo de normas deberán respetar.

La UE, gracias a su poder de negociación, suele utilizar un marco general común de reglas de origen en sus acuerdos comerciales bilaterales o multilaterales que establecen preferencias arancelarias. Con ello se avanza en una suerte de armonización unilateral, resultado del peso relativo que la UE alcanza en el contexto internacional. Lo que es propio de cada régimen preferencial es el detalle, producto a producto, del criterio específico que le confiere origen. Veremos esta cuestión con más detalle cuando analicemos un ejemplo de acuerdo preferencial que nos servirá de modelo.

7.3. ORIGEN NO PREFERENCIAL

7.3.1. *Criterios para la determinación del origen. Introducción*

Hemos señalado antes que la clasificación entre 'origen preferencial'/'origen no preferencial' se basa en la aplicabilidad o no de determinadas ventajas en los derechos de aduana a la importación. Hemos señalado también que otras diferencias de trato que no se proyecten sobre los derechos de aduana no afectan a esta clasificación. Ahora bien, sobre las normas de origen se basa un complejo entramado de discriminaciones que van más allá de la cuantía de los derechos de aduana, como la aplicabilidad de otro tipo de medidas tributarias (como, por ejemplo, los derechos antidumping, derechos compensatorios, medidas de salvaguardia o algunos contingentes arancelarios), así como también de política comercial (embargos comerciales, medidas de retorsión, restricciones cuantitativas, controles sanitarios) o para medidas de diversa índole (para las estadísticas de comercio, para licitaciones públicas, para el marcaje —'Made in'—, y otros fines diversos, como p.e. criterio para la determinación del riesgo en una importación, que se tendrá en cuenta para efectuar los oportunos controles). Por otro lado, las restituciones a la exportación de la UE en el marco de la política agrícola común (PAC) se basan a menudo en las reglas de origen no preferencial. Por tanto, la determinación de un origen específico, aun cuando se trate de un origen no preferencial, es una operación jurídica cargada de relevancia, tanto en aspectos tributarios como en otra clase de aspectos que podemos denominar 'comerciales'. O dicho de otro modo, dentro del 'origen no preferencial' hay muchos grados de diferencia (de discriminación, en suma), por lo que en muchos casos no resulta para nada indiferente de qué origen se trate en cada caso.

> TAXUD ha elaborado una *Guidance* sobre reglas de origen no preferenciales (diciembre de 2018; no hay versión en español).

La atribución de un origen a las mercancías es una operación cuya complejidad depende de las circunstancias que concurran en las mercancías de que se trate. Es pues, en definitiva, una actividad sometida a un importante casuismo, de manera que resulta prácticamente imposible ofrecer unas normas precisas de las que, de forma inequívoca, quepa concluir en cada ocasión el origen a atribuir. Como fórmula para salir al paso de estas dificultades, hemos asistido a la elaboración de una serie de criterios que tienen precisamente por objeto guiar la decisión a adoptar al respecto. Nos referiremos brevemente a ellos a continuación.

Precisamente la labor armonizadora del Comité Técnico sobre normas de origen se dirigirá fundamentalmente a dotar de un contenido uniforme a los criterios de los que vamos a ocuparnos a continuación, de manera que la determinación del origen por parte de las distintas administraciones se realice utilizando unas reglas que, en la medida de lo posible, sean comunes a todos los países. El artículo 9.2 del Acuerdo fija las líneas maestras en las que deberá basarse tal armonización.

7.3.2. Obtención total en un sólo Estado

Allí donde las condiciones permitan considerar que las mercancías importadas han sido obtenidas en un sólo Estado, la atribución del origen no plantea, en principio, mayores complicaciones, puesto que resulta bastante inmediato que habrá que concluir que las mercancías son originarias de aquél Estado en el que fueron totalmente obtenidas. Con todo, y pese a su aparente simplicidad, habrá que fijar algunas reglas acerca de lo que constituye la obtención total y del lugar donde se entiende que la misma se produce en algunos supuestos que pudieran resultar conflictivos.

En el marco del régimen no preferencial, el artículo 60.1 CAU dispone que se considerará que las mercancías enteramente obtenidas en un solo país o territorio tienen origen en ese país o territorio. A estos efectos, el artículo 31 RDCAU contiene el listado de casos en los que una mercancía se considera obtenida enteramente en un país o territorio, que es el siguiente:

"a) los productos minerales extraídos en dicho país o territorio;

b) los productos vegetales en ellos recolectados;

c) los animales vivos en ellos nacidos y criados;

d) los productos procedentes de animales vivos en ellos criados;

e) los productos de la caza y de la pesca en ellos practicadas;

f) los productos de la pesca marítima y otros productos extraídos del mar por buques matriculados en el país o territorio de que se trate y que enarbolen pabellón de ese país o territorio fuera de las aguas territoriales del país;

g) las mercancías obtenidas o producidas a bordo de buques-factoría a partir de productos contemplados en la letra f), originarios de dicho país o territorio, siempre que dichos buques-factoría estén matriculados en dicho país o territorio y enarbolen su pabellón;

h) los productos extraídos del suelo o subsuelo marino situado fuera de las aguas territoriales, siempre que dicho país o territorio ejerza derechos exclusivos de explotación sobre dicho suelo o subsuelo;

i) los desperdicios y desechos resultantes de operaciones de fabricación y los artículos usados, siempre que hayan sido recogidos en dicho país y solo puedan servir para la recuperación de materias primas;

j) las mercancías en ellos producidas a partir exclusivamente de los productos mencionados en las letras a) a i)".

Podemos señalar algunas diferencias con la enumeración que a este fin contiene el Anexo K de la Convención de Kioto (Norma 2). Así, en la letra b) la norma europea opta por 'recolectados' en lugar de 'cosechados o recogidos'; en la letra d) la norma europea añade la coletilla 'criados en él'; en la letra f) la norma europea precisa 'por barcos matriculados o registrados en dicho país y que enarbolen su pabellón' donde la Convención se limita a señalar 'embarcaciones de este país', precisión que se reitera en la letra g) [señalemos que, conforme al artículo 5 de la Convención de Ginebra de 29 de abril de 1958 sobre Alta Mar, publicada en España en el BOE de 27.12.1971, y al artículo 91 de la Convención de las Naciones Unidas sobre el Derecho del Mar, el cumplimiento de los requisitos que cada Estado establezca para que el barco goce de una nacionalidad permite la inscripción en el registro y, a su vez, la inscripción permite enarbolar la bandera]; se opta por una redacción distinta en la letra i).

Por lo que hace al significado de la expresión "extraídos del mar" en la letra f), véase STJUE *Comisión/Reino Unido*, asunto 100/84 (barco que realice la parte esencial de la operación de captura y no el barco en que tenga lugar la fase final de extracción del mar).

Nótese que el precepto ya se ha visto en la necesidad de acotar algunos supuestos que, en su ausencia, pudieran suscitar alguna dificultad. Puede observarse, en este sentido, que respecto de los productos de la pesca practicada en alta mar (más allá de las "aguas territoriales"), el factor a considerar será el país en el cual el buque esté matriculado, así como el pabellón que enarbole (letras f y g).

EJEMPLO

> ## Ejemplo
>
> Fijémonos, por ejemplo, que una vaca neozelandesa criada en Estados Unidos no puede llegar a ser considerada por la UE originaria de Estados Unidos porque para conferir origen al animal se exige que sea "nacido y criado"; en cambio la leche de esta vaca sí podría ser considerada originaria de Estados Unidos porque para los productos procedentes de animales vivos basta con que esos animales se hayan "criado" en el país de que se trate.

La evolución de la estructura económica internacional permite cada vez en menor medida la aplicación del criterio de obtención total, puesto que asistimos a un proceso de globalización económica que tiene, como una de sus manifestaciones, la distribución internacional del trabajo, de manera que, no sólo en función de las riquezas naturales de cada Estado sino que, fundamentalmente, a partir de la consideración de factores tales como el coste de la mano de obra, su capacitación, la disponibilidad de capitales y la existencia de estructuras adecuadas de producción... se determinan las funciones del proceso productivo a desarrollar en cada país.

7.3.3. Última "Transformación sustancial"

Cuando en la elaboración o producción de las mercancías que se importan han intervenido dos o más países necesitamos contar con criterios que nos permitan atribuirles un origen. En el marco de las reglas de origen no preferencial, el criterio para decidir el origen es el de la última transformación sustancial, de manera que las mercancías se considerarán originarias de aquél Estado en que hayan sufrido la última transformación de estas características. Nótese que hemos aludido a "la última" de estas características. Puesto que una mercancía puede haber sufrido diversas transformaciones sucesivas que quepa calificar como "sustanciales", lo que nos interesa no es indagar cuál de ellas sea la más importante, o la de mayor alcance, sino cuál acaeció en último lugar. Precisamente el ordenamiento de la UE se hace eco expresamente de esta sutil pero trascendente apreciación en el artículo 60.2 CAU, al disponer:

> "Artículo 60.2. Se considerará que las mercancías en cuya producción intervenga más de un país o territorio tienen su origen en aquel en el que se haya producido su última transformación o elaboración sustancial, económicamente justificada, efectuada en una empresa equipada a tal efecto, y que haya conducido a la fabricación de un producto nuevo o que represente un grado de fabricación importante".

> Véase la doctrina del TJUE en el asunto 34/78, *Yoshida Nederland* [transformación sustancial es aquella que resulta en un producto nuevo y original, en contraposición a sus elementos constitutivos; no se requiere que el elemento constitutivo esencial sea originario, cuando ese elemento carece de utilidad si no se combina en un conjunto armónico —p. 10—; señala a continuación el Tribunal que "El requisito de que prácticamente todos los componentes de un producto deban ser originarios (...), incluso los de poco valor que no son de utilidad en sí mismos, a menos que se incorporen a un todo, equivaldría a repudiar el objetivo mismo de las normas relativas a la determinación del origen" (p. 12; la traducción es nuestra)], y en el asunto 114/78, *Yoshida Gmbh* [reitera las ideas de la anterior].

Si lo que buscamos no es la transformación más trascendente a que han sido sometidas las mercancías, sino la última de entre las que son susceptibles de ser calificadas como "sustanciales", el problema que se suscita a continuación estriba en determinar el significado que debe atribuirse al término "sustancial" en este contexto. El precepto transcrito ya nos proporciona algunas indicaciones a este respecto, al exigir como características que distinguen a una transformación sustancial:

- Que esté económicamente justificada.

  Por tanto, la transformación debe tener como consecuencia un incremento en el valor comercial de los bienes.

7 Origen de las mercancías

295

- Que haya sido efectuada en una empresa equipada a este efecto.

Véase más abajo la referencia a la STJUE *Brother International* (asunto C-26/88).

- Que haya conducido a la fabricación de un producto nuevo o que represente un grado de fabricación importante.

El TJUE exigió que, para poder calificar una transformación como sustancial, el producto resultante de la misma debía presentar propiedades o una composición específica que no poseía antes.

> STJUE *Gesellschaft für Überseehandel*, asunto 49/76, de 26.01.1977 (el último proceso u operación sólo es «sustancial», si el producto resultante de la misma tiene sus propias propiedades y una composición propia, que no poseía antes de ese proceso u operación; las actividades que afectan a la presentación del producto a los fines de su uso, pero que no suponen un cambio cualitativo importante en sus propiedades, no son de naturaleza tal como para determinar el origen de dicho producto —p. 6—); STJUE *Zentralgenossenschaft*, asunto 93/83, de 1984 (en su p. 13 reitera la doctrina de la anterior; las actividades que facilitan la comercialización sin alterar las propiedades y composición del producto o que permiten aumentar su período de conservación no constituyen transformaciones sustanciales, aunque incrementen el valor del producto en un 22% —p. 14—).

Para poder ser calificada de sustancial, la transformación no puede afectar únicamente a la presentación del producto, sino a sus cualidades intrínsecas o materiales (véanse, en este sentido, las sentencias *Yoshida* y *Zentralgenossenschaft*, citadas más arriba).

Aún con estos requisitos a que hemos hecho referencia, la determinación acerca de si una transformación es o no "sustancial" presenta todavía un grado de indeterminación que, en muchas ocasiones, podría resultar excesivo, sobre todo si tenemos en cuenta que, a pesar de disponer de una regulación uniforme para toda la Unión Europea, la misma debe ser aplicada por 27 administraciones diferentes, lo que aconseja mantener en niveles razonables el grado de discrecionalidad en favor de cada una de ellas. Por eso el artículo 32 RDCAU ordena que, para poder considerar una transformación como "sustancial", ésta deberá ajustarse al criterio específico que, para cada categoría de mercancía, se establece en el Anexo 22-01 RDCAU. En el referido Anexo 22-01 RDCAU encontramos un listado de categorías de mercancías que sigue el orden de la Nomenclatura Combinada, el sistema de clasificación arancelaria de las mercancías de la UE. Y, para cada una de estas mercancías, que se identifican mediante un código numérico y una descripción, se establece el contenido que debe alcanzar la transformación para poder considerarla sustancial. Para conseguir este propósito la norma se sirve, en función del tipo de mercancías de que se trate, de distintos criterios que son, en definitiva, la especificación del contenido de la transformación sustancial. En algunos casos, la norma utiliza un solo criterio, pero en otros utiliza la combinación de más de uno, lo que puede tener como resultado distintas combinaciones.

Podemos clasificar en tres tipos los criterios específicos que se utilizan para concretar el contenido de la transformación sustancial. Son los siguientes:

7.3.3.1. Listado de transformaciones

La norma puede utilizar un sistema de listado de transformaciones específicas a que pueden ser sometidas las mercancías, estableciendo que tales transformaciones confieren origen (delimitación positiva) o, por el contrario, ordenando que no lo confieren (delimitación negativa).

Así, en sentido negativo y en materia de origen no preferencial, el artículo 34 RD-CAU enumera una serie de transformaciones ("operaciones mínimas") que, en ningún caso, se consideran suficientes para conferir origen.

> Las operaciones mínimas que relaciona el referido artículo 34 RDCAU son las siguientes:
> a) las operaciones destinadas a garantizar la conservación de los productos en buen estado durante su transporte y almacenamiento (ventilación, tendido, secado, separación de partes deterioradas y operaciones similares) o facilitar las operaciones de traslado o transporte;
> b) las operaciones simples de desempolvado, cribado, selección, clasificación, preparación de surtidos, lavado y troceado;
> c) los cambios de embalaje y la división y agrupamiento de bultos, el simple envasado en botellas, latas, frascos, bolsas, estuches y cajas, la colocación sobre cartulinas o tableros, etc., y cualquier otra operación sencilla de embalaje;
> d) la presentación de mercancías en juegos o conjuntos o la puesta en venta;
> e) la colocación de marcas, etiquetas y otros signos distintivos similares en los mismos productos o en sus embalajes;
> f) el simple montaje de partes de productos para hacer un producto completo;
> g) el desmontaje o el cambio de uso;
> h) la combinación de dos o más operaciones especificadas en las letras a) a g).
> La práctica recomendada 6 del Anexo K del Convenio de Kioto, en materia de transformaciones que no confieren origen, establece que "no se debería considerar como perfeccionamiento o transformación sustancial a las operaciones que no contribuyan o que contribuyan en menor medida a proporcionar las características o propiedades esenciales de las mercancías, y especialmente, las operaciones que incluyan uno o más de las siguientes operaciones:
> (a) operaciones necesarias para la preservación de las mercancías durante su transporte o su almacenamiento;
> (b) operaciones destinadas al mejoramiento del embalaje o de la calidad de comercialización de las mercancías o destinadas su acondicionamiento para ser enviadas como la división o

el agrupamiento de bultos, la combinación y la clasificación de las mercancías; el cambio de embalaje;

(c) operaciones simples de ensamblaje; y

(d) mezcla de mercancías de diferentes orígenes, a condición que las características del producto resultante no difieran esencialmente de las características de las mercancías mezcladas".

Respecto de la especificación de transformaciones que no confieren origen, téngase en cuenta que, ya para el período transitorio, el Acuerdo sobre normas de origen de la OMC exige que las mismas se basen en criterios positivos, de modo que las normas de origen que establezcan lo que no confiere origen se permiten únicamente como elemento de aclaración de un criterio positivo o en casos individuales en que no sea necesaria una determinación positiva de origen [Artículo 2 g)].

> Los "principios generales" de clasificación que postula la UE en el marco del Grupo de Trabajo de Armonización (y que se pretende que guíen la decisión relativa al origen no preferencial en la UE en tanto no se alcance un consenso internacional) establecen una serie de operaciones que, por sí solas, no confieren origen por más que determinen una variación en la clasificación arancelaria: a) variaciones resultantes del desmontaje; b) variaciones resultantes del envasado o re-envasado; c) variaciones resultantes de la aplicación de la Regla General de Interpretación 2(a) del Sistema Armonizado (cualquier referencia a un artículo en una partida determinada alcanza al artículo incluso incompleto o sin terminar, siempre que este presente las características esenciales del artículo completo o terminado) respecto de colecciones o partes que se presentan desmontadas o desarmadas; d) variaciones resultantes simplemente de formar lotes.

En sentido positivo, encontramos en el listado del Anexo 22-01 RDCAU diferentes supuestos en los que una determinada transformación se considera una transformación sustancial y, en consecuencia, confiere origen a las mercancías de que se trate. Para las mercancías listadas en este Anexo se considera transformación sustancial la que se indica específicamente para ellas en el mismo. Las mercancías que no aparecen listadas en el referido Anexo carecen de criterio específico de transformación sustancial y se les aplicarán únicamente las reglas generales de origen previstas para el origen no preferencial. Para estas mercancías, la Comisión Europea ha publicado una guía específica en la web, que no tiene eficacia normativa.

Ejemplo

Un ejemplo de transformaciones que confieren origen lo podemos ver en el listado del Anexo 22-01 RDCAU. Allí encontramos, entre otros, este caso:

(1)	(2)	(3)
5604	Hilos y cuerdas de caucho, recubiertos de textiles; hilados textiles, tiras y formas similares de las partidas 5404 o 5405, impregnados, recubiertos, revestidos o enfundados con caucho o plástico:	
	Hilos y cuerdas de caucho, revestidas de materias textiles	Fabricación a partir de hilos o cuerdas de caucho, sin revestir de textiles
	Los demás	Impregnación, recubrimiento, revestimiento o enfundado de hilos textiles, tiras y formas similares, crudos

En la tabla anterior, la columna (1) nos ofrece el código de clasificación de la mercancía que se importa (la clasificación arancelaria de las mercancías se examina en el capítulo 8); la columna (2) nos indica la designación de la mercancía que se importa; la columna (3) nos señala la transformación que confiere origen a esa mercancía. Por tanto, en la columna (3) encontramos qué operación debe realizarse respecto de ese tipo de mercancías en un país para que las mercancías puedan considerarse originarias de él.

EJEMPLO

Ejemplo
Otro ejemplo de transformaciones que confieren origen lo podemos ver, en el Anexo 22-01, respecto de la partida 6101:

(1)	(2)	(3)
6101	Abrigos, chaquetones, capas, anoraks, cazadoras y artículos similares, de punto, para hombres o niños (excepto los artículos de la partida 6103)	Tal como se especifica para las subdivisiones de partidas
	ex 6101 (a) – obtenidos cosiendo o ensamblando dos piezas o más de tejidos de punto cortados u obtenidos en formas determinadas	Confección completa
	ex 6101 (b) – Los demás	Fabricación a partir de hilados

Una de las transformaciones que más dificultades suscita es la que consiste en el ensamblaje. En relación a las operaciones de ensamblaje (las denominadas "plantas destornillador" o *screwdriver operations*), el TJUE ha recurrido a los criterios contenidos en los Anexos de la Convención de Kioto, a la hora de identificar transformaciones que no confieren origen. Así, en su Sentencia *Brother International* (asunto C-26/88) el TJUE observó que, conforme a lo establecido en ella, las 'operaciones simples de ensamblaje' no confieren origen. Si bien en la Convención de Kioto no se ofrece una definición de este concepto, el TJUE elaboró su contenido como sigue:

> "Deben considerarse operaciones simples de ensamblaje aquellas que no exigen personal con una cualificación especial para los trabajos de que se trate, ni unas herramientas perfeccionadas ni fábricas especialmente equipadas a tal fin. En efecto, no puede considerarse que semejantes operaciones contribuyan a dar a las mercancías de que se trate sus características o propiedades esenciales" (p. 17).

A partir de lo anterior, el TJUE ha elaborado un criterio más general para examinar este tipo de transformaciones, como puede advertirse en las particularmente claras apreciaciones del TJUE en su Sentencia *Thomson & Vestel* (asunto C-447/05 y C-448/05, de 08.03.2007, p. 26):

> "En lo que atañe a la cuestión de determinar si una operación de ensamblaje de diversos elementos constituye una transformación o elaboración sustancial, el Tribunal de Justicia ya ha declarado que tal operación puede considerarse constitutiva del origen cuando, considerada desde un punto de vista técnico, y teniendo en cuenta la definición de la mercancía de que se trate, representa la fase de producción determinante en el curso de la cual se concreta el destino de los componentes utilizados y se confiere a la mercancía de que se trate sus propiedades cualitativas específicas" (cita en el mismo sentido las sentencias *Yoshida*, asunto 114/78, de 31.01.1979, y *Brother International*, asunto C-26/88, de 13.12.1989, p. 19; véase también STJUE *Renesola*, asunto C-209/20, de 20.05.2020, p. 38).
>
> El TJUE también ha observado que el valor añadido por el ensamblaje puede constituir un criterio accesorio (STJUE *Brother International*, pp. 20 y 21; y STJUE *Thomson & Vestel*, p. 28; en esta última sentencia el Tribunal acude asimismo al Acuerdo sobre Origen de la OMC como criterio interpretativo). Para determinar la relevancia del valor añadido se opera en términos porcentuales sobre el total valor de la mercancía, no en términos absolutos (STJUE *Brother International*, pp. 21 a 23). La implicación de una 'operación intelectual propia' en el ensamblaje es irrelevante a los efectos del origen de las mercancías (STJUE *Brother International*, p. 24).

Una operación de ensamblaje puede considerarse constitutiva del origen cuando, examinada desde un punto de vista técnico, y teniendo en cuenta la definición de la mercancía de que se trate, representa la fase de producción determinante en el curso de la cual se concreta el destino de los componentes utilizados y se confiere a la mercancía de que se trate sus propiedades cualitativas específicas (véase sentencia *Yoshida*, asunto 114/78, de 31.01.1979, p. 151).

En la STJUE *Renesola* (asunto C-209/20, de 20.05.2020) se decide que la Comisión no vulneró el criterio de "última transformación sustancial" al establecer —mediante el Reglamento de Ejecución 1357/2013— que el montaje de módulos solares en un país (India) a partir de células solares producidas en otro país (China) no es una transformación suficiente para conferir origen, sino que el origen corresponde al país en que se han obtenido las células solares a partir de obleas de silicio. En esta Sentencia el TJUE examina los requisitos que la Comisión debe cumplir al especificar el criterio de "última transformación sustancial" para una mercancía concreta, articulándolos en tres elementos: 1) el acto de la Comisión debe estar justificado por objetivos tales como garantizar la seguridad jurídica y la aplicación uniforme de la normativa aduanera de la Unión; 2) el acto debe motivarse; y 3) la Comisión no debe incurrir en error de Derecho en la interpretación y aplicación de dicho criterio general a la situación concreta de que se trate (apartados 34 a 37). En aquél caso Renesola alegó que el montaje en módulos solares "permite obtener productos con propiedades diferentes de las de las células solares que los componen, en particular, en términos de capacidad de producción de electricidad, de potencial de resistencia a los elementos externos y de vida útil" (p. 47). Ahora bien, la Comisión consideró que la transformación de las obleas de silicio en células solares es la que permite obtener los productos aptos para captar la energía solar y convertirla en electricidad, de manera que las mejoras que puedan introducirse posteriormente en las células solares, al montarlas en módulos o paneles solares, tales como incrementar la capacidad de producción, resistencia o vida útil son, en comparación, de menor importancia (p. 48). El Tribunal señala que la apreciación de la Comisión "no resulta manifiestamente errónea", en la medida en que identifica el elemento que confiere las propiedades esenciales al producto y determina su destino, de modo que la Comisión actuó dentro del margen de discrecionalidad que tiene atribuido (pp. 49-50). Así pues, en esta Sentencia se identifican —de forma generosa— los límites a la potestad de la Comisión cuando establece criterios específicos de transformación para unas mercancías determinadas. Conviene finalmente destacar un elemento preocupante en el concreto asunto analizado, consistente en la reiterada argumentación por parte de la Comisión, ya desde los propios Considerandos del Reglamento impugnado, acerca de que la transformación sustancial se había decidido por ser la más "decisiva" o la "más importante", pareciendo que subyace a esta argumentación que, en un proceso productivo, no puedan concurrir varias "transformaciones sustanciales" y que lo que corresponde es identificar la "última" de ellas, que no tiene por qué ser ni la más "decisiva" ni la "más importante". Quizá por eso el TJUE decide mantener las distancias cuando se limita a señalar que la opción adoptada por la Comisión "no resulta manifiestamente errónea".

La previsión en la norma de listados de transformaciones tiene como principal virtud despejar las dudas acerca de qué tipo de transformaciones van a conferir origen, con lo cual, no cabe duda, se consigue mejorar sensiblemente el grado de seguridad jurídica. Ahora bien, no siempre es posible elaborar estos listados. Los procedimientos para obtener las mercancías de que se trate pueden ser diversos, lo que dificulta especificar qué concreta transformación se considera relevante, o la transformación en cuestión puede producirse en grados diversos, de manera que no siempre tenga la misma trascendencia. De otra parte, se trata de un sistema que obliga a la elaboración de normas prolijas y complejas, que permitan alcanzar la precisión suficiente respecto a cada tipo de mercancías en función de las transformaciones a las que son sometidas de forma típica. Y es bien sabido que, a la postre, seguridad jurídica y profusión normativa no siempre caminan de la mano.

7.3.3.2. Variación en la clasificación arancelaria aplicable a las mercancías

Puesto que el Derecho aduanero precisa realizar una detallada y minuciosa clasificación de las mercancías a fin de fijar tipos de gravamen —tarifas— diferenciados para cada una de ellas, y lograr de este modo la más perfecta regulación de los flujos comerciales, esa clasificación puede ser aprovechada para disponer que una mercancía se considere originaria cuando la transformación operada sobre los materiales que la integran tenga como resultado un producto cuya clasificación resulte diferente de la que corresponde a los materiales no originarios que se utilizaron para obtenerla. En esto consiste precisamente el criterio de variación en la clasificación arancelaria. Frente al criterio anterior, este segundo criterio presenta el aliciente de su simplicidad, que en principio no exige un incremento considerable de la información que la norma debe suministrar, dado que no hace falta un criterio específico producto por producto.

> En este sentido, la práctica recomendada 4 del Anexo K del Convenio de Kioto establece que "a los efectos de la aplicación del criterio de la transformación sustancial se debería emplear la Convención Internacional sobre el Sistema Armonizado de Designación y de Codificación de Mercancías", es decir, que la clasificación conforme a la cual se determine la existencia o no de un cambio de partida arancelaria sea la establecida en el Sistema Armonizado (que es el estándar internacional que se aplica en casi todo el mundo, la UE incluida, según se expone en el capítulo 8).

En el ordenamiento de la UE, generalmente la variación relevante para conferir origen es la que se produce a nivel de partida arancelaria del Sistema Armonizado (el concepto de partida arancelaria se expone en el capítulo 8). Esta es también la práctica habitual en otros ordenamientos cuando utilizan el criterio de la variación en la clasificación arancelaria como criterio para conferir origen. Como, además, la clasificación arancelaria a nivel de partida arancelaria está establecida en una norma internacional, el Sistema Armonizado, un operador puede anticipar si sus mercancías cumplen o no los requisitos de origen cuando se utilice este criterio, sin necesidad para ello de poseer conocimientos especializados acerca de las normas de origen del territorio de importación.

Ejemplo

Un ejemplo de criterio específico de origen basado en el cambio de partida arancelaria lo podemos ver, en el Anexo 22-01, respecto de la partida 7218:

(1)	(2)	(3)
7218	Acero inoxidable en lingotes o demás formas primarias; productos intermedios de acero inoxidable	CTH*

(*) CTH: Change of Tariff Heading, Cambio de Partida Arancelaria. Además de esta notación se utilizan también estas otras (punto 3 de las Notas Introductorias del Anexo 22-01 RDCAU):
CC: cambio al capítulo de que se trate desde cualquier otro capítulo.
CTSH: cambio a la subpartida de que se trate desde cualquier otra subpartida o desde cualquier otra partida.
CTHS: cambio a la subdivisión de partida de que se trate desde cualquier otra subdivisión de esa partida o desde cualquier otra partida.
CTSHS: cambio a la subdivisión de subpartida de que se trate desde cualquier otra subdivisión de esa subpartida o desde cualquier otra subpartida o partida.

Ejemplo

El criterio de cambio en la clasificación arancelaria puede acompañarse de alguna restricción o limitación. Un ejemplo lo podemos ver, en el Anexo 22-01 RDCAU, respecto de la partida 7214

EJEMPLO

(1)	(2)	(3)
7214	Barras de hierro o acero sin alear, simplemente forjadas, laminadas o extrudidas, en caliente, así como las sometidas a torsión después del laminado	CTH, excepto desde la partida 7213

Este criterio tiene, no obstante, un importante inconveniente. Como hemos señalado, la clasificación arancelaria se establece a los fines de articular sobre ella una discriminación en los tipos de gravamen. Por tanto, basar sobre ella la determinación del origen puede producir resultados indeseables, en el sentido de que una mínima transformación puede dar lugar a un cambio en la clasificación suficiente como para conferir origen. El TJUE ha sido perfectamente consciente de esta realidad y ha mostrado la cautela con la que este criterio debe ser aplicado:

"No parecería suficiente buscar criterios para definir el origen de las mercancías en la clasificación arancelaria de los productos elaborados, dado que la Arancel Aduanero Común ha sido concebido para cumplir fines especiales y no para la determinación del origen de los productos.
Al contrario, a fin de cumplir los fines y requisitos del Reglamento 802/68, la determinación del origen de las mercancías debe basarse en una distinción verdadera y objetiva entre materia prima y producto elaborado, dependiendo fundamentalmente en las cualidades ma-

teriales específicas de cada uno de tales productos" (STJUE *Überseehandel*, asunto 49/76, de 26.01.1977, la traducción es nuestra; el Reglamento 802/68 al que se hace referencia es el antecedente del CAC en la regulación del origen no preferencial)

Aprovechamos el párrafo reproducido para destacar la preeminencia que el TJUE concede a las "cualidades materiales específicas" de las mercancías a los fines de la determinación del origen. Pues bien, en respuesta a la vulnerabilidad apuntada de este criterio, se acude frecuentemente a la combinación de este criterio con una regla de transformaciones mínimas que no confieren origen en ningún caso, o bien a la combinación con otros criterios (como, por ejemplo, exigir una determinada transformación, o un valor añadido mínimo...). También se establecen listados específicos de variaciones en la clasificación que no confieren origen.

El TJUE ha sostenido que la combinación del requisito de variación en la clasificación arancelaria, suplementado con algún elemento adicional, sí constituye un criterio aceptable para la determinación del origen (STJUE *Paul Cousin*, asunto 162/82, párrafo 17; *Thomson & Vestel*, asunto C-447/05 y C-448/05, de 08.03.2007)

7.3.3.3. Incremento del valor de las mercancías

Para conferir origen puede exigirse que se haya producido en un Estado un incremento determinado en el valor de las mercancías, que normalmente se determina como porcentaje del valor total. Este criterio puede utilizarse también en combinación con otros (por ejemplo, puede combinarse con el sistema de listados de transformaciones, exigiendo que, para conferir origen, éstas supongan la adición de un determinado porcentaje sobre el valor total de la mercancía; o puede también aparecer, por ejemplo, como requisito cumulativo respecto del criterio de variación en la clasificación arancelaria).

El problema que plantea este criterio es que, a fin de poder conocer el valor añadido, necesitamos conocer el valor final, después de la transformación, y el valor "pre-existente" a la transformación (de distinto origen). Mientras que contaremos con información relativa al primero, a partir de la que se suministre a los efectos de la valoración aduanera de los bienes (si bien habrá que efectuar algunos ajustes, para detraer el importe de los gastos de transporte y conexos), en la mayoría de las ocasiones será difícil disponer de información fiable acerca del valor pre-existente o no originario.

Conforme a la práctica recomendada 5 del Anexo K del Convenio de Kioto, "cuando se exprese el criterio de transformación sustancial mediante la regla de porcentaje *ad valorem*, los valores a tomar en consideración deberían ser:
– para los materiales importados, su valor aduanero en la importación o, en el caso de materiales de origen indeterminado, el primer precio verificable pagado por esos productos en el territorio del país donde se llevó a cabo la fabricación;

– para las mercancías resultantes, el precio de fábrica o el precio de exportación, conforme a las disposiciones de la legislación nacional".

Ejemplo
Un ejemplo de la utilización del criterio valor lo podemos encontrar en el listado del Anexo 22-01 RDCAU. Allí encontramos, entre otros, este caso:

(1) Código NC	(2) Descripción del producto	(3) Elaboración o transformación llevada a cabo sobre las materias no originarias que les otorga la calidad de productos originarios
5810	Bordados en pieza, en tiras o en aplicaciones	Fabricación en la que el valor de todas las materias utilizadas no exceda del 50% del precio franco fábrica del producto

7.3.4. Fraude de ley

Las normas de la UE sobre origen no preferencial contienen también una disposición que incorpora la regla general de lucha contra el fraude de ley (norma antielusión). En concreto, el artículo 33.1 RDCAU dispone como sigue:

> "Cualquier operación de elaboración o transformación efectuada en otro país o territorio no se considerará justificada desde el punto de vista económico si se demuestra, sobre la base de los datos disponibles, que la finalidad de dicha operación era evitar la aplicación de las medidas a que se refiere el artículo 59 del Código".
> El artículo 59 CAU que menciona este apartado 33.1 RDCAU establece que las normas de origen son relevantes a efectos de la aplicación del arancel aduanero común, de las medidas no arancelarias y de otras medidas de la Unión relacionadas con el origen de las mercancías.

Se trata, a través de este precepto, de combatir la realización de determinadas transformaciones o elaboraciones cuyo único propósito sea el de obtener un origen para las mercancías. Podemos identificar en este precepto los elementos típicos del fraude de ley, especificados en materia de origen de las mercancías:

– *Norma defraudada:* La atribución del origen que se pretende evitar.
– *Norma de cobertura:* La que dispone que determinada transformación o elaboración confiere origen.

– *Conducta de elusión:* Inexistencia de otra justificación para la conducta del sujeto que la de evitar los efectos de la norma defraudada (en este caso, conseguir alterar el origen).

No obstante, en este particular supuesto de fraude de ley no identificamos la existencia de un abuso de las formas, es decir, la utilización de un medio atípico y artificioso para lograr un fin para el cual el ordenamiento establece formas típicas que las partes evitan, justamente con el propósito de eludir así la consecuencia jurídica que el ordenamiento vincula a esa forma típica. Lo atípico y artificioso no se identifica en la forma elegida, sino en la realización de unas transformaciones o elaboraciones que carecen de otra justificación que no sea la de eludir la aplicación del origen que en otro caso correspondería a las mercancías. Así pues, lo atípico y artificioso se concreta en este caso en un elemento material (la transformación o elaboración de las mercancías), no en un elemento formal (como pudiera ser la selección de una determinada forma contractual).

La debilidad de la norma se produce en el tercero de los elementos señalados, el relativo a la conducta elusiva. Dado que "la finalidad" de la conducta del sujeto ha de ser la de evitar el origen que en otro caso correspondería a las mercancías, cabría pensar que la identificación de otros fines para las operaciones de transformación o elaboración permitirán evitar que la regla del artículo 33.1 RDCAU se aplique (por ejemplo, porque de este modo se abaratan los costes). No obstante, cabe suponer que el TJUE no hará una interpretación literal del precepto sino finalista, de manera que no admitirá justificaciones accesorias de menor entidad para apreciar que el artículo 33.1 RDCAU deja de ser aplicable.

> Señala Timothy Lyons (*EC Customs law*, Oxford University Press, 2008, p. 245) que la norma antifraude también cabe derivarla de la doctrina general antiabuso del TJUE, reproduciendo en este sentido el párrafo 69 de la STJUE *Halifax* (asunto C-255/02, de 21.02.2006): "la aplicación del Derecho comunitario no puede extenderse hasta llegar a cubrir las prácticas abusivas de los operadores económicos, esto es, las operaciones que no se realicen en el marco de transacciones comerciales normales, sino únicamente para beneficiarse abusivamente de las ventajas establecidas en el Derecho comunitario (véanse, en este sentido, en particular, las sentencias de 11 de octubre de 1977, *Cremer*, 125/76, Rec. p. 1593, apartado 21; de 3 de marzo de 1993, *General Milk Products*, C-8/92, Rec. p. I-779, apartado 21, y *Emsland-Stärke*, antes citada, apartado 51)".

Los apartados 2 y 3 del artículo 33 RDCAU distinguen según estemos ante mercancías incluidas en el anexo 22-01 RDCAU o no (el anexo 22-01 RDCAU contiene las notas introductorias y lista de las operaciones de elaboración o transformación que confieren carácter de origen no preferencial), y fija una regla adicional en cada uno de estos casos:

- ✓ Para mercancías cubiertas por el anexo 22-01 RDCAU. En este caso se aplicarán las normas residuales del capítulo para dichas mercancías.

- ✓ Para las mercancías no cubiertas por el anexo 22-01 RDCAU. En este caso se considera que la transformación o elaboración sustancial se ha producido en el país o territorio en que la mayor parte de las materias tenga su origen, determinado sobre la base del valor de las materias.

7.3.5. Otras normas en materia de origen no preferencial

El artículo 36 RDCAU regula los "elementos neutros" y el embalaje. Se denominan "elementos neutros" a los elementos que no se tienen en cuenta para determinar el origen, esto es, que ni favorecen ni entorpecen que a las mercancías se les asigne un origen determinado. El apartado 1 del artículo 36 RDCAU enumera como elementos neutros para el origen no preferencial los siguientes: a) la energía y el combustible; b) las instalaciones y el equipo; c) las máquinas y herramientas; d) los materiales que no entren ni se tenga previsto que entren en la composición final de las mercancías.

Ejemplo
De este modo, el hecho de que para fabricar aluminio en Japón se utilice energía y combustibles de otro país o maquinaria de otro país, es irrelevante a la hora de determinar el origen del aluminio.

EJEMPLO

Si se cumplen algunas condiciones, los envases y embalajes se clasifican conjuntamente con la mercancía a la que acompaña. Si ese es el caso, el apartado 2 del artículo 36 RDCAU dispone que, como regla general, no se tendrá en cuenta el origen de los envases y embalajes a la hora de determinar el origen de las mercancías de que se trate, es decir, con carácter general, los envases y embalajes que se clasifican conjuntamente con la mercancía a la que acompañan operan como un elemento neutro. Ahora bien, si el criterio específico de origen para esa mercancía conforme a las reglas del Anexo 22-01 RDCAU se basa en el criterio valor, entonces el valor del envase o embalaje sí que computará a efectos de determinar si se cumple el criterio valor de que se trate.

En el capítulo 8 se examinan las normas de clasificación arancelaria. Conforme a la Regla General de Interpretación 5ª, los envases se clasifican conjuntamente con la mercancía a la que acompañan cuando sean de los tipos normalmente utilizados para esa clase de mercancías, salvo que sean susceptibles de ser utilizados razonablemente de manera repetida. También se clasifican conjuntamente con la mercancía a la que acompañan los estuches para cámaras fotográficas, instrumentos musicales, armas, instrumentos de dibujo, collares y continentes similares, especialmente apropiados para contener un artículo determinado o un juego o surtido, susceptibles de uso prolongado y presentados con los artículos a los que están destinados, cuando sean de los tipos normalmente vendidos con ellos (esta regla no se aplica cuando el continente confiera al conjunto su carácter esencial).

El artículo 35 RDCAU se refiere a los accesorios, piezas de repuesto o herramientas y regula el régimen de estos elementos en relación con mercancías de las secciones XVI, XVII y XVIII de la nomenclatura combinada.

> Sin perjuicio del examen de la clasificación arancelaria en el capítulo 8, señalemos aquí que las secciones aludidas se refieren a las categorías de mercancías siguientes:
>
> XVI.– Máquinas y aparatos, material eléctrico y sus partes; aparatos de grabación o reproducción de sonido, aparatos de grabación o reproducción de imágenes y sonido en televisión, y las partes y accesorios de estos aparatos.
>
> XVII.– Material de transporte.
>
> XVIII.– Instrumentos y aparatos de óptica, fotografía o cinematografía, de medida, control o de precisión; instrumentos y aparatos médicoquirúrgicos; aparatos de relojería; instrumentos musicales; partes y accesorios de estos instrumentos o aparatos.

Conforme a este precepto, los accesorios, piezas de repuesto o herramientas que se entreguen con cualquiera de estas mercancías y que formen parte de su equipo normal se considerará que tienen el mismo origen que dichas mercancías. Un supuesto que recibe regulación particular es el de piezas de repuesto esenciales destinadas a cualquiera de estas mercancías y que se introducen posteriormente a que las mismas ya hubieran sido despachadas a libre práctica en la Unión. En este supuesto, se considerará que las piezas de repuesto esenciales tienen el mismo origen que las mercancías a las que van destinadas si la incorporación de las piezas de repuesto esenciales en la fase de producción no habría modificado su origen.

> El apartado 3 del artículo 35 RDCAU define la expresión «piezas de repuesto esenciales» a estos efectos como las piezas que:
>
> a) son componentes sin los cuales no puede asegurarse el correcto funcionamiento de un equipo, máquina, aparato o vehículo que hayan sido despachados a libre práctica o exportados previamente, y
>
> b) son características de esas mercancías, y
>
> c) están destinadas a su mantenimiento normal y a sustituir a piezas de la misma especie dañadas o inutilizadas.

EJEMPLO

Ejemplo

Supongamos que se importa un automóvil para el cual se determina origen Estados Unidos. Con posterioridad, se produce una avería de una pieza del motor y se importa una pieza de recambio (pieza de repuesto esencial). La pieza se considerará originaria de Estados Unidos, aunque este no sea el origen que le corresponda en sí misma. Ahora bien, eso será a condición de que el automóvil hubiera sido considerado igualmente originario de Estados Unidos en caso de que, en lugar de utilizar la pieza original, se hubiera utilizado en su producción la pieza de repuesto que ahora se introduce.

Como ilustra este ejemplo, esta regla sólo puede alcanzar relevancia cuando la pieza original y la pieza de recambio sean de distinto origen y, además, ese cambio pueda determinar que el criterio de origen deje de cumplirse para la mercancía principal (en nuestro ejemplo, para el automóvil).

7.4. ORIGEN PREFERENCIAL

7.4.1. Aspectos generales

El artículo 64 CAU regula el origen preferencial, estableciendo una distinción entre varios casos posibles:

1. Por una parte, para el origen preferencial convencional dispone que será el acuerdo respectivo el que establezca las normas de origen preferencial aplicables.

2. Para el origen preferencial unilateral se dispone que sea la Comisión la que regule las reglas de origen, basándose en los criterios de obtención total o de elaboración o transformación suficiente.

3. Para Ceuta y Melilla se dispone que las reglas de origen se establecerán conforme a lo que dispone el artículo 9 del Protocolo nº 2 del Acta de Adhesión de España a la CEE (competencia del Consejo por mayoría cualificada, a propuesta de la Comisión).

4. Por lo que hace a los Países y Territorios de Ultramar —PTU—, se dispone que su origen se determinará conforme a lo dispuesto en el artículo 203 TFUE (adopción por el Consejo por unanimidad, a propuesta de la Comisión; si es aplicable el procedimiento legislativo especial requerirá, además, consulta al Parlamento Europeo).

5. Finalmente, el apartado 6 regula con cierto detalle las excepciones temporales a la aplicabilidad de las normas de origen que un país tercero puede solicitar y las condiciones y límites con los cuales la Comisión puede acordarlas.

Aunque cada norma o acuerdo preferencial establece sus propias reglas de origen, existe un conjunto de elementos estructurales que se repiten en ellas. Vamos a exponer estos elementos estructurales a que nos referimos, ilustrándolos cuando convenga con referencias a las reglas de origen del Acuerdo comercial UE - Colombia y Perú, que nos servirá de ejemplo, del modo siguiente:

Carácter originario: El carácter originario se define de forma abstracta en función del concepto de "completamente obtenidos" o de "transformación suficiente". Los productos completamente obtenidos son aquellos en los que no se han utilizado insumos de terceros países, y se concretan con un listado en términos análogos a lo que ya hemos señalado al respecto para el origen no preferencial (véase el punto 7.3.2). Por lo que hace a transformación suficiente, se trata de un concepto análogo al de 'transformación sustancial' que hemos visto para el origen preferencial (véase el punto 7.3.3), si bien este concepto abstracto se acompaña de un sistema de listado en el que se indica, producto por producto (siguiendo el orden de la clasificación arancelaria), qué requisito o requisitos específicos debe cumplir una transformación o elaboración para poder ser considerada suficiente. Usualmente este listado viene precedido de unas notas generales que ordenan las reglas de funcionamiento del listado.

> La clasificación arancelaria se expone en el capítulo 8. Hemos señalado que la lista de transformaciones sigue el orden del sistema armonizado de clasificación. La lista puede indicar los requisitos de origen a nivel de producto (subpartida) o bien para agrupaciones de productos (para un capítulo, para un grupo de partidas, para una partida...). Un tipo de agrupación particular es aquella que viene precedida de la expresión "ex", que precede a una cifra. Esta "ex" nos indica que, del nivel de clasificación que corresponde a la cifra que sigue, sólo se aplica la regla que detalla a los productos que se enumeran en la columna a la derecha, la columna 2.

Una vez tenemos identificada la clasificación arancelaria que corresponde al producto terminado, acudiremos a la lista (que sigue la clasificación arancelaria en orden numérico creciente) hasta localizar, en la primera columna, la fila en la que se incluye el código numérico correspondiente a esa clasificación arancelaria. A continuación, la segunda columna nos identificará la descripción de los productos comprendidos en esa clasificación. La columna 3 nos señalará qué requisitos debe verificar una transformación para ser considerada 'suficiente' y, en consecuencia, para conferir el origen preferencial de que se trate. Encontraremos una cuarta columna que habitualmente se encuentra en blanco. Cuando en esa cuarta columna se detalle un texto será para señalarnos un requisito alternativo para poder considerar una transformación como 'suficiente'. Por ello, cuando la cuarta columna contenga texto, habrá dos reglas alternativas que permitirán considerar una transformación suficiente: la de la columna 3 y la de la columna 4, y corresponderá a los interesados elegir cuál de ellas cumplen las mercancías en cada caso. Un producto puede todavía ser originario si el valor de los materiales originarios no excede del umbral que se establezca en la llamada "regla de tolerancia general", a la que nos referiremos más adelante.

Por lo que hace al contenido de los requisitos para conferir origen (que, según hemos señalado, encontraremos en las columnas 3 y 4 de la lista) estos corresponderán a alguno de los tipos siguientes:

- Que sólo se puedan utilizar materiales enteramente obtenidos
- Que no puedan utilizarse materiales no originarios clasificados en ciertas subpartidas (o, por el contrario, que pueden utilizarse materiales no originarios clasificados en ciertas subpartidas);
- Que debe llevarse a cabo una determinada operación de elaboración o transformación.
- Que la elaboración o transformación suponga una variación en la clasificación arancelaria respecto de los materiales no originarios utilizados.
- Que debe añadirse un cierto porcentaje del valor, o bien que la transformación no puede exceder de un determinado umbral de valor.
- Una combinación de varias de las reglas anteriores.

Se tratará, en definitiva, de diferentes especificaciones de los criterios para conferir origen a los que ya nos hemos referido en el punto 3.3 (listados de transformaciones, variación de la clasificación arancelaria, valor añadido).

EJEMPLO

Ejemplo
Veamos un caso concreto de criterios de atribución del origen en el Acuerdo comercial UE-Colombia y Perú:

Partida SA (1)	Descripción del producto (2)	Elaboración o transformación aplicada en los materiales no originarios que confiere el carácter originario	
		(3)	(4)
ex 2811	Trióxido de azufre	Fabricación a partir del dióxido de azufre	Fabricación en la cual el valor de todos los materiales utilizados no exceda el 40 por ciento del precio franco fábrica del producto

En este ejemplo podemos ver que el criterio para considerar que el 'trióxido de azufre' es originario de alguna de la Partes (de la UE, de Colombia o de Perú) y que, por tanto, puede acogerse a las preferencias que se establecen en este acuerdo, consiste, o bien en que se fabrique a partir de dióxido de azufre (columna 3; criterio de transformación), o bien que el valor de todos los materiales no originarios utilizados no exceda el 40 por 100 del precio franco fábrica del trióxido de azufre (columna 4; criterio valor). Aunque esto no es lo más frecuente, en ocasiones, como en este caso, se nos ofrecen dos criterios alternativos para la obtención del origen (el de la columna 3 y el de la columna 4). En estos supuestos, basta con cumplir las condiciones de una de esas dos columnas para que el producto pueda considerarse originario.

Para comprender la diversidad y complejidad de las normas de origen, tomemos ahora el Acuerdo UE-Corea del Sur y busquemos el criterio de origen para el trióxido de azufre. Nos encontramos que, en este acuerdo, se establece un criterio único para todas las mercancías del capítulo 28 (es decir, para todas las mercancías cuya clasificación comienza por 28), criterio aplicable, entre otros, al trióxido de azufre. El criterio de origen es:

Partida SA (1)	Descripción del producto (2)	Elaboración o transformación aplicada en los materiales no originarios que confiere el carácter originario	
		(3)	(4)
Capítulo 28	Productos químicos inorgánicos; compuestos inorgánicos u orgánicos de metal precioso, de elementos radiactivos, de metales de las tierras raras o de isótopos	Fabricación a partir de materias de cualquier partida, excepto la del producto. No obstante, podrán utilizarse materias de la misma partida que el producto siempre que su valor total no exceda del 20% del precio franco fábrica del producto	Fabricación en la que el valor de todas las materias utilizadas no sea superior al 50% del precio franco fábrica del producto

Aquí el criterio es el de la variación en la clasificación arancelaria (columna 3) o bien el de valor añadido, que en este caso es del 50 por 100. Por tanto, si fuésemos una empresa que se dedica a importar 'trióxido de azufre' habríamos de tener en cuenta que el criterio de origen aplicable es distinto en el caso de importar de Colombia o de Perú que en el caso de importar de Corea del Sur. Curiosamente, en este caso el criterio utilizado en el acuerdo comercial con Colombia y Perú coincide con el criterio que se utiliza para el régimen general del SPG (véase el Anexo 22-03 RDCAU) y con el que se utiliza en el Acuerdo UE-México, pero en principio no tendría por qué coincidir. Cada origen preferencial puede tener una regla distinta para atribuir origen.

Ejemplo		
EJEMPLO	Otro ejemplo tomado del Acuerdo comercial UE-Colombia y Perú:	

Partida SA (1)	Descripción del producto (2)	Elaboración o transformación aplicada en los materiales no originarios que confiere el carácter originario	
		(3)	(4)
6112.31	Bañadores, de punto de fibras sintéticas, para hombres y niños	Fabricación a partir de hilados de nailon o hilados elastoméricos de las partidas 5402 y 5404	

En este ejemplo sólo se nos señala un criterio de origen, el de la columna 3, que es lo habitual. Se trata de un supuesto de utilización del criterio de transformación.

Cuando comparamos esta misma mercancía en el Acuerdo UE-Corea, de nuevo nos encontramos con que se establece un criterio único para todas las mercancías del capítulo 61, criterio aplicable, entre otros, a los "Bañadores, de punto de fibras sintéticas, para hombres y niños". El criterio de origen en este caso es:

Partida SA (1)	Descripción del producto (2)	Elaboración o transformación aplicada en los materiales no originarios que confiere el carácter originario	
		(3)	(4)
Capítulo 61	Prendas y complementos (accesorios), de vestir, de punto	Hilatura de fibras naturales y/o sintéticas o artificiales, o extrusión de filamentos sintéticos o artificiales, acompañadas de confección de punto (confeccionados con forma determinada) (5) o Confección de punto y confección que incluya el corte (y la unión de dos o más piezas de tejidos de punto que hayan sido cortadas u obtenidas en formas determinadas) (5) (6)	

IMPORTANTE

De estos ejemplos se extrae con claridad la idea de que es importante tener en cuenta que cada régimen preferencial tiene su propia regla de origen para cada producto, que puede coincidir con la de otro régimen preferencial, pero que no tiene por qué hacerlo. Por tanto, para cada mercancía y para cada origen debemos consultar la norma aplicable para averiguar cuál es el criterio de atribución de origen aplicable.

Acumulación. Con el término "acumulación" se designa a la posibilidad que concede la norma de computar como elemento originario un material, componente o transformación que en realidad no lo es pero que es a su vez originario de un país o territorio determinado definido por la norma. De este modo, por ejemplo, un material del país H puede computar a la hora de cumplir un requisito de origen de una mercancía del país C. Estas reglas tratan de flexibilizar las exigencias para conferir el origen, de manera que éste no venga imposibilitado cuando en la producción de las mercancías hayan intervenido países cuya actividad económica se desea igualmente incentivar o hayan intervenido operadores económicos de la propia UE.

EJEMPLO

Ejemplo

Imaginemos que la regla de origen para una determinada mercancía exige que el valor añadido debe ser de, al menos, un 40%. Supongamos que en el país C sólo se ha añadido un 30% de valor, pero que en el país H se ha añadido un 20% de valor y la norma preferencial para el país C admite la acumulación con el país H. La mercancía en cuestión cumpliría el requisito de origen puesto que, al acumular el 30% de valor añadido en C más el 20% de valor añadido en H se supera el umbral del 40% que hemos supuesto que exigía la norma para considerar la mercancía originaria de C.

Es importante tener en cuenta que, en el caso de la acumulación, la elaboración o transformación llevada a cabo sobre los materiales originarios no necesita ser 'suficiente' conforme a los requisitos de la lista. Lo que se exige es que, considerados conjuntamente (acumulados) el total de elaboraciones o transformaciones sí cumplan este requisito.

Podemos diferenciar cuatro tipos de normas de acumulación:

– *Acumulación bilateral:* Es el tipo básico de acumulación, común a todos los sistemas preferenciales (tanto unilaterales como convencionales). En virtud de esta regla se permite la acumulación de una Parte con la otra Parte. Sólo los productos o materiales originarios pueden acogerse a esta norma de acumulación.

EJEMPLO

Ejemplo
En el acuerdo UE-Corea del Sur, se permite la acumulación bilateral entre la UE y Corea, de modo que las elaboraciones y transformaciones llevadas a cabo en la UE pueden computarse a la hora de considerar que una mercancía es originaria de Corea a los efectos de este acuerdo y a la inversa, las elaboraciones y transformaciones llevadas a cabo en Corea pueden computarse a la hora de considerar que una mercancía es originaria de la UE, de cara a su exportación a Corea.

– *Acumulación diagonal:* La acumulación diagonal es aquella que opera entre más de dos países. Para ello, deberán haber establecido entre sí Tratados de Libre Comercio que contengan normas de origen idénticas y que establezcan este tipo de acumulación entre ellos. Al igual que hemos señalado para la acumulación bilateral, sólo los productos o materiales originarios pueden beneficiarse de la acumulación diagonal.

La mercancía se considerará originaria del país en el que se realice la última operación de elaboración o transformación, siempre que ésta suponga más que una mínima manipulación (no debe tratarse de una elaboración o transformación insuficiente, según exponemos más abajo).

EJEMPLO

Ejemplo
Un ejemplo de acumulación diagonal es el que se establece entre la UE y la llamada "zona pan-euro-mediterránea".

– *Acumulación regional:* La acumulación regional es una variante de la acumulación diagonal que se caracteriza por comprender a varios países de una región, como ocurre en el marco del Sistema Generalizado de Preferencias (SGP) regulado por la UE. Permite la acumulación entre los miembros de un grupo regional de países beneficiarios del SPG (por ejemplo, ASEAN).

EJEMPLO

> ## Ejemplo
>
> En el Acuerdo comercial UE-Colombia y Perú se permite la acumulación, no sólo entre las Partes (UE, Colombia y Perú), sino también con Costa Rica, El Salvador, Guatemala, Honduras, Nicaragua, Panamá, Venezuela o con un país Miembro de la Comunidad Andina —Bolivia, Ecuador— (artículo 3 del Anexo II). Además se disponen cauces para posibilitar en el futuro la acumulación con otros países centroamericanos (incluyendo a México), suramericanos o del Caribe (artículo 4 del Anexo II). Esta acumulación ampliada debe ser solicitada por una de las Partes y se sujeta a que el Estado que se incorpore mantenga un TLC tanto con la UE como con Colombia y Perú, TLC que debe incluir una regla de acumulación equivalente, y se debe publicar un anuncio de la aplicabilidad de esta acumulación ampliada en la serie C del DO de la UE. Se establece que el Subcomité de Aduanas, que el propio Acuerdo crea, sea el encargado de decidir si se cumplen estos requisitos así como que pueda establecer requisitos adicionales.

– *Acumulación total:* La acumulación total permite a las partes de un acuerdo computar las operaciones de elaboración o transformación de los productos no originarios llevados a cabo en la zona formada por ellos. Mientras que las otras formas de acumulación exigen que los productos sean originarios antes de ser exportados de una Parte a otra para su posterior elaboración o transformación, en la acumulación total computan incluso las elaboraciones o transformaciones sobre productos no originarios. La acumulación total simplemente exige que los requisitos establecidos en la lista de origen se lleven a cabo en la zona de acumulación sobre las materias no originarias para que el producto final se considere originario.

La UE aplica acumulación total, por ejemplo, con los países del Espacio Económico Europeo (EEE), Magreb, Países y Territorios de Ultramar (PTU) o el grupo ACP (África, Caribe y Pacífico; más abajo listamos los países que integran cada una de estas agrupaciones).

Operaciones de elaboración o transformación insuficientes. Los acuerdos por los que se establecen preferencias arancelarias suelen contener una enumeración de operaciones de elaboración o transformación que se consideran, en todo caso, insuficientes para conferir origen. Esta norma prevalece sobre las reglas del listado de origen, de modo que, si mediante una operación incluida en la enumeración de elaboraciones insuficientes, se lograse cumplir el requisito de la lista para considerar el producto originario, el producto no lo sería a pesar de ello en la medida en que la única elaboración o transformación operada en ese país fuese la que se considera insuficiente.

Ejemplo

Supongamos que mediante una elaboración que aparece en la relación de las 'elaboraciones insuficientes' se lograse la variación en la clasificación arancelaria. Supongamos que para esa mercancía el criterio de atribución de origen en la lista fuera justamente el de variación en la clasificación arancelaria. Aunque en este caso se cumpliría el requisito de la lista (se ha producido una variación en la clasificación arancelaria), no se obtendría el origen porque la norma que califica a esa elaboración como insuficiente prevalece sobre el criterio de la lista.

Las operaciones enumeradas como elaboración o transformación insuficiente son también relevantes para determinar la aplicabilidad de los sistemas de acumulación. Para ser originario de un país, el producto debe haber sido sometido en él a una elaboración que vaya más allá de las que se enumeran como insuficientes, pues sólo entonces entran en juego los sistemas de acumulación.

Ejemplo

En el Acuerdo comercial UE-Colombia y Perú la enumeración de elaboraciones o transformaciones insuficientes (artículo 7 del Anexo II) es la siguiente:

(a) operaciones de conservación para garantizar que los productos se mantengan en buenas condiciones durante el transporte y almacenamiento;

(b) divisiones y agrupaciones de bultos;

(c) lavado, limpieza, retiro de polvo, óxido, aceite, pintura u otros revestimientos;

(d) planchado o prensado de textiles;

(e) operaciones de pintura y pulido simples;

(f) desgranado, blanqueo parcial o total, pulido, y glaseado de cereales y arroz;

(g) operaciones de coloración o adición de saborizantes al azúcar o confección de terrones de azúcar; molienda total o parcial de cristales de azúcar;

(h) descascarillado, extracción de semillas y pelado de frutas, nueces y vegetales;

(i) afilado, triturado simple o corte simple;

> ## Ejemplo (Cont.)
>
> (j) tamizado, cribado, selección, clasificación, graduación, preparación de conjuntos (incluyendo la formación de juegos o surtidos de artículos);
>
> (k) envasado simple en botellas, latas, frascos, bolsas, estuches, cajas, colocación sobre tarjetas o tableros y otras operaciones de envasado simples;
>
> (l) colocación o impresión de marcas, etiquetas, logotipos y otros signos distintivos similares en los productos o sus envases;
>
> (m) mezcla simple de productos, sean o no de diferentes clases; mezcla de azúcar con cualquier material;
>
> (n) simple ensamble de partes de artículos para formar un artículo completo o el desensamble de productos en piezas;
>
> (o) sacrificio de animales; y
>
> (p) la combinación de dos operaciones o más de las señaladas en los subpárrafos (a) a (o).

– **Regla de tolerancia general.** En los regímenes preferenciales se permite a los fabricantes utilizar materiales no originarios, hasta un valor que se expresa como un porcentaje respecto del precio franco fábrica. Ahora bien, cuando el requisito de la lista para la mercancía de que se trate ya establezca un porcentaje de materiales o productos no originarios tolerable, la regla de tolerancia general no se aplicará, de manera que no cabe elevar el umbral de tolerancia específico añadiendo sobre él el general.

> ## Ejemplo
>
> En el Acuerdo comercial UE-Colombia y Perú se permite que los materiales no originarios que no deberían ser utilizados en la fabricación de un producto, conforme a las condiciones establecidas en la lista, alcancen hasta un 10% del precio franco fábrica del producto (artículo 6.3 del Anexo II).

Para las mercancías de la partida 7116 [que comprende "Manufacturas de perlas finas (naturales) o cultivadas, de piedras preciosas o semipreciosas (naturales, sintéticas o reconstituidas)"], el Acuerdo comercial UE-Colombia y Perú establece el criterio "Fabricación en la que el valor de todas las materias utilizadas no sea superior al 50% del precio franco fábrica del producto". Como para estas mercancías ya se establece un margen específico (el 50%) no cabría incrementarlo con el margen general del 10%.

Por su parte, para las mercancías de la partida 7308 (que, entre otros, comprende las "Construcciones y sus partes"), el Acuerdo comercial UE-Colombia y Perú establece el criterio "Fabricación a partir de materias de cualquier partida, con exclusión de la del producto. Sin embargo, no podrán utilizarse perfiles, tubos y similares de la partida 7301". Aquí la regla de tolerancia general sí puede aplicarse.

La regla de tolerancia general no se aplica a los productos textiles (clasificados en los capítulos 50 a 63 del Sistema Armonizado de clasificación arancelaria), productos para los cuales se establecen normas de tolerancia específicas en las notas introductorias a las reglas de la lista.

Ejemplo

La Nota 6.1 del Apéndice 1 del Anexo II del Acuerdo comercial UE-Colombia y Perú dispone que: "Cuando, en la lista, se hace referencia a esta nota, los materiales textiles que no cumplan la regla enunciada en la columna 3 para los productos fabricados de que se trate podrán utilizarse, siempre y cuando estén clasificados en una partida distinta de la del producto y su valor no sea superior al 8 por ciento del precio franco fábrica de este producto". Por su parte, la Nota 6.2 establece: "Sin perjuicio de la nota 6.3, los materiales que no estén clasificados en los Capítulos 50 al 63 podrán ser utilizados libremente en la fabricación de productos textiles, contengan materiales textiles o no". Véanse también las Notas 5.1 a 5.4 de este Acuerdo.

EJEMPLO

Regla de "no reintegro" (*'no drawback'*). Esta regla (también llamada de 'no reembolso') impide que puedan reembolsarse los derechos de aduana que, en su caso, se hubieran satisfecho por los materiales no originarios cuando se importaron. El reembolso referido —que puede ser también una exención de gravamen— se producirá por aplicación del régimen de perfeccionamiento activo (el régimen de perfeccionamiento activo se examina en el capítulo 18). Esta regla no aparece en todos los regímenes preferenciales (p.e. no se recoge en el Acuerdo comercial UE-Colombia y Perú, ni tampoco en el SPG). Cuando se incluye, su objetivo es impedir que se produzca una competencia desleal sobre los productores domésticos.

Obsérvese que si un productor de la UE incorpora estos insumos de un tercer país en sus mercancías, deberá satisfacer los derechos de aduana correspondientes. Por ello, se produciría una situación de competencia anómala si un productor de la otra Parte pudiera incorporar esos mismos insumos sin satisfacer derechos de aduana en su país y, a continuación, introducir el producto resultante en la UE gozando de preferencias arancelarias. Este productor de la otra Parte estaría obteniendo, gracias a la extensión de la preferencia arancelaria respecto de insumos de terceros países, una ventaja competitiva respecto de los productores de la UE.

El reembolso de los derechos de aduana respecto de los insumos importados normalmente se deberá a la aplicabilidad del régimen de perfeccionamiento pasivo (que se examina en el capítulo 18). Justamente para asegurar que, allí donde esté prevista, se respete la regla de "no reintegro", el artículo 78 CAU regula el nacimiento de una deuda aduanera en el momento de admisión de la declaración de reexportación en estos supuestos (véase al respecto el capítulo 4.3).

Existen también regímenes en los que se permite un reembolso parcial por un período limitado.

La razón de este reembolso parcial por un período limitado estriba en que hay países que aplican tarifas sensiblemente superiores a las que aplica la UE. Este desequilibrio colocaría a los productores de la UE en posición de ventaja, dado que pueden utilizar un insumo de un tercer país pagando un arancel bajo y, a continuación, exportar el producto transformado resultante a la otra Parte beneficiándose de las preferencias arancelarias. Mientras tanto, los productores de esa otra Parte deben pagar una tarifa elevada para poder incluir ese mismo insumo en su producto. A fin de corregir este desequilibrio, se permite un reembolso parcial, que tiende a compensar las diferencias entre las tarifas de la UE y las del país con el que se establece la preferencia.

ENLACE

En España la AEAT ha elaborado un documento informativo que, a fecha de 31.12.2020, sistematiza de forma sucinta las reglas en materia de "no drawback" en cada uno de los regímenes preferenciales de la UE:
https://www.agenciatributaria.es/static_files/Sede/Tema/Aduanas/Deuda_aduanera/origen/ProhReint_ExencDerechos2.pdf

Para dar cumplimiento a la regla de no reintegro se establece el supuesto de nacimiento de la deuda aduanera del artículo 78 CAU, al que se ha hecho referencia en el apartado 3 del capítulo 4.

Elemento neutro. Se establece que una serie de elementos utilizados en la fabricación no computan a los efectos de la determinación del origen.

EJEMPLO

Ejemplo

En el Acuerdo comercial UE-Colombia y Perú se enumeran como elementos neutros: (a) energía y combustible; (b) plantas y equipos; (c) maquinarias y herramientas; o (d) mercancías que no formen parte o que no se tenga previsto que formen parte de la composición final del producto (artículo 11 del Anexo II). Eso significa que a la hora de determinar si una mercancía es colombiana o no, no tendremos en cuenta, por ejemplo, si las máquinas utilizadas para producirla son colombianas o no.

Principio de territorialidad. Conforme a este principio, la elaboración o transformación que confiere origen debe llevarse a cabo en el territorio de las Partes. Si la mercancía se envía inicialmente a un tercer país, es devuelta y posteriormente exportada a una Parte, será considerada no originaria a menos que pueda acreditarse que la mercancía devuelta es la que anteriormente se exportó y que no ha sido objeto de más operaciones que las necesarias para su conservación. El principio de territorialidad, por tanto, se opone a que una fase de la transformación final del producto se lleve a cabo en el territorio de un tercer país no Parte, cosa que ocurre cada vez con mayor frecuencia debido a la creciente globalización de la producción. En algunos tratados se estipulan condiciones bajo las cuales se permiten excepciones a la regla de territorialidad.

Ejemplo
En el Acuerdo comercial UE-Colombia y Perú el principio de territorialidad se establece en el artículo 12 del Anexo II.

EJEMPLO

NOTA

> Véase un ejemplo de excepción al principio de territorialidad en el apartado 3 del artículo 12 del Protocolo relativo al origen del Acuerdo UE-Corea del Sur.

– Requisito de transporte directo. A fin de poder acogerse al trato preferencial, las mercancías deben transportarse directamente desde el país de exportación hasta la UE. Se permite que, en este transporte, se atraviesen terceros países (o incluso que las mercancías se almacenen temporalmente en ellos), bajo la vigilancia aduanera de las autoridades de esos países, sin que puedan someterse en ellos a operaciones distintas de la descarga, carga o conservación. El propósito de este requisito, de cuyo cumplimiento puede exigirse acreditación, consiste en asegurar que las mercancías que se importan son aquellas que salieron del país de exportación.

> Sobre el requisito de transporte directo, en España la AEAT ha elaborado la Nota Interpretativa NI GA 11/2019. Obsérvese que el requisito de transporte directo (desde el país de origen a la UE) impide que unas mismas mercancías puedan cumplir simultáneamente las condiciones para disfrutar de dos orígenes preferenciales distintos.

> ### Ejemplo
>
> Véase el artículo 13 del Anexo II del Acuerdo comercial UE-Colombia y Perú. Veremos que en el SPG se ha suprimido este requisito, sustituyéndolo por el requisito de identidad entre las mercancías que se exportan del país beneficiario y las que se importan en la UE.

Una vez concluida esta presentación de los elementos estructurales comunes que aparecen en los regímenes preferenciales, convendrá señalar que en 2003 la Comisión adoptó un Libro Verde sobre "El futuro de las normas de origen en los regímenes comerciales preferenciales" (Documento COM(2003) 787 Final). Tras someter este documento a información pública, se elaboró el documento "Las normas de origen en los regímenes comerciales preferenciales. Orientaciones de cara al futuro" (Documento COM(2005) 100 Final). Se trata, en definitiva, de articular una estrategia europea de cara a afrontar la regulación —en los regímenes preferenciales unilaterales— o la negociación —en los regímenes preferenciales convencionales— de las normas de origen con miras a lograr una racionalización y, en lo posible, una armonización, de las mismas.

Por lo que hace a la aplicación de las normas de la UE sobre origen, también se intenta lograr la uniformidad a través de la Sección del Origen (anteriormente, Comité del Origen) del Comité del Código Aduanero (CCA). Se trata de un órgano consultivo, integrado por funcionarios de la Comisión y de las Administraciones nacionales, en el seno del cual tratan de buscarse soluciones comunes que aseguren una aplicación homogénea de las normas de origen existentes. Sus decisiones no vinculan a los tribunales, pero ello no obstante constituyen opiniones autorizadas que serán tenidas en cuenta. Cuando se estime conveniente, la Comisión podrá dar forma de Reglamento a los criterios emanados de este órgano.

Para concluir este punto debemos volver sobre la idea de que el origen de las mercancías es un instrumento para la discriminación. Es interesante observar que, una vez se establecen discriminaciones entre distintos orígenes al conceder a alguno de ellos preferencias, esa discriminación puede extenderse a los operadores que desarrollan su actividad económica sirviéndose de mercancías de uno u otro origen, generando de este modo lo que puede ser apreciado como un trato desigual. La Sentencia del TJUE *Alemania/Consejo* (asunto C-122/95, de 10.03.1998) se hizo claro eco de esta idea al observar que (p. 56):

> "Hay que recordar también que no existe en el Derecho comunitario un principio general que obligue a la Comunidad, en sus relaciones exteriores, a conceder un trato igual en todos los sentidos a los diferentes países terceros. Por consiguiente, como señaló el Tribunal de Justicia en el apartado 25 de la sentencia de 28 de octubre de 1982, *Faust/Comisión* (52/81, Rec. p. 3745), si una diferencia de trato entre países terceros no es contraria al Derecho comunitario, tampoco

puede considerarse contraria a este Derecho una diferencia de trato entre operadores económicos comunitarios que no sea más que una consecuencia automática de los diferentes tratos concedidos a los países terceros con los que dichos operadores hayan establecido relaciones comerciales".

7.4.2. Los regímenes preferenciales de la UE

La UE es muy activa en la promoción de acuerdos por los que se establecen preferencias arancelarias, casi siempre en el marco de acuerdos de contenido más amplio, que a veces se limita a materias comerciales y otras veces alcanza un contenido de mayor calado político, llegando a su expresión máxima con los acuerdos preparatorios de la adhesión de Estados a la UE. Por otro lado, la UE también mantiene sistemas preferenciales unilaterales, esto es, sin reciprocidad. De hecho, la proliferación de regímenes preferenciales ha llevado a que en la actualidad la UE sólo aplique el régimen NMF de la OMC a 9 países, según recoge algún documento de la OMC. La UE es, por tanto, un enjambre de preferencias, lo cual genera no poca inseguridad jurídica a los operadores.

BIBLIOGRAFÍA

> Sutherland, Peter y otros: *El futuro de la OMC. Una respuesta a los desafíos institucionales del nuevo milenio*, Informe del Consejo Consultivo al Director General Supachai Panitchpakdi, OMC, disponible en www.wto.org

Sistematizamos en los cuadros que siguen los regímenes preferenciales vigentes en la UE, señalando para cada uno de ellos los países que comprenden, la norma básica en que se establecen y la referencia de su publicación en el Diario Oficial. Cuando la norma de origen que permite gozar de la preferencia no se contiene en la norma básica (porque se ha modificado, por ejemplo) se indica mediante nota la norma de determinación del origen vigente y la referencia de su publicación en el Diario Oficial. Para la mayoría de países se ha señalado también el sistema de acumulación que rige (bilateral, diagonal, regional o total). La información sobre los sistemas de acumulación se completa mediante unas notas finales sobre acumulación que se ofrecen tras las tablas. Presentamos los regímenes preferenciales en el siguiente orden: en primer lugar los regímenes unilaterales; a continuación los convencionales, comenzando por los países con los que se establece una unión aduanera; siguen los países europeos, los mediterráneos, países de América, países ACP (África, Caribe y Pacífico), para concluir con un apartado de 'otros países'. En los puntos siguientes ofreceremos ideas adicionales en materia de regímenes preferenciales (el sistema de acumulación paneuromediterráneo, la unión aduanera con Turquía, las preferencias en el marco del sistema SPG —Sistema de Preferencias Generalizadas—, el sistema PTU —Países y Territorios de Ultramar— y el régimen de Ceuta y Melilla).

ENLACE

TAXUD ofrece información sobre regímenes preferenciales en la página web:
http://ec.europa.eu/taxation_customs/business/calculation-customs-duties/rules-origin/
general-aspects-preferential-origin/arrangements-list_en
En España pueden verse las Notas Informativas que publica la Agencia Tributaria
(AEAT), muchas de ellas en materia de origen, en:
https://sede.agenciatributaria.gob.es/Sede/normativa-criterios-interpretativos/normati-
va-aduanera/notas-informativas.html

ORIGEN PREFERENCIAL PREFERENCIAS UNILATERALES		
PAÍS	**NORMA**	**DIARIO OFICIAL**
Ceuta y Melilla (1)	Acta de Adhesión de España	L 302, de 15.11.1985
Balcanes (2)	Reglamento (CE) 1215/2009	L 328, de 15.12.2009
PTU (3)	Decisión 2013/755/UE	L 344, de 19.12.2013
SPG (4)	Reglamento (UE) 978/2012	L 303, de 30.10.2012

(1) **Ceuta y Melilla**: Protocolo nº 2 del Acta de Adhesión de España. El Reglamento (CE) 82/2001 regula el concepto de productos originarios (DO L 20, de 20.01.2001).

(2) **Balcanes.** Albania, Bosnia y Herzegovina, Kosovo, Macedonia del Norte, Montenegro y Serbia. El Reglamento 1215/2009 ha sido objeto de modificaciones posteriores, véase la versión consolidada. Normas de origen en artículos 59 a 70 y Anexo 22-11 RDCAU. Acumulación bilateral.

(3) **PTU**: Países y Territorios de Ultramar, última versión consolidada con corrección de errores de la Decisión 2013/755/UE es de 01.01.2014 (corrección de errores en DO 76, de 15.03.2014). Se integran en el régimen PTU los países enumerados en el Anexo II del TFUE: Groenlandia, Nueva Caledonia y territorios dependientes, Polinesia francesa, Territorios australes y antárticos franceses, Islas Wallis y Futuna, Mayotte, San Pedro y Miquelón, Aruba, Antillas Neerlandesas (Bonaire, Curaçao, Saba, San Eustaquio, San Martín), Anguila, Islas Caimán, Islas Malvinas (Falkand), Islas Georgia del Sur y Sandwich del Sur, Montserrat, Islas Pitcairn, Islas Santa Helena, Ascensión y Tristan da Cunha, Territorio Antártico Británico, Territorio Británico del Océano Índico, Islas Turcas y Caicos, Islas Vírgenes Británicas y Bermudas. Acumulación bilateral, total, con países SPG y extendida.

(4) **SPG.** Países beneficiarios. Anexo II Reglamento 978/2012: Afganistán, Angola, Armenia, Bangladesh, Benín, Bolivia, Bután, Burkina Faso, Birmania/Myanmar, Burundi, Cabo Verde, Camboya, Comoras, Congo, Chad, Eritrea, Etiopía, Filipinas, Gambia, Guinea, Guinea-Bissau, Haití, India, Indonesia, Islas Cook, Islas Salomón, Kenia, Kirguistán, Kiribati, Laos, Lesoto, Liberia, Madagascar, Malawi, Malí, Mauritania, Micronesia, Mongolia, Mozambique, Nepal, Níger, Nigeria, Niue, Pakistán, República Centroafricana, República Democrática del Congo, Ruanda, Samoa, Santo Tomé y Príncipe, Senegal, Sierra Leona, Siria, Somalia, Sri Lanka, Sudán, Sudán del Sur, Tanzania, Tayikistán, Timor Oriental, Togo, Tuvalu, Uganda, Uzbekistán, Vanuatu, Vietnam, Yemen, Yibuti, Zambia. El Reglamento Delegado (UE) 1421/2013 (DO L 355, de 31.12.2013) sacó de esta lista

a China, Ecuador, Maldivas y Tailandia. El 01.01.2016 salieron de esta lista Botsuana, Colombia, Costa Rica, Guatemala, Honduras, Namibia, Nicaragua, Panamá, Perú, El Salvador y Turkmenistán (Reglamentos 1015 y 1016/2014, DO L 283, de 27.09.2014). El Reglamento 2017/217 incluye a Tonga (con efectos 01.01.2017) y excluye a Ucrania (con efectos de 01.01.2018). El Reglamento 2018/148 excluye a Costa de Marfil Ghana, Guinea Ecuatorial, Paraguay y Suazilandia. El Reglamento 2020/128 excluye a Nauru, Samoa y Tonga (con efectos de 01.01.2021). El Reglamento 2020/550 excluye a Camboya respecto de determinadas mercancías (con efectos de 12.08.2020).

SPG Desarrollo sostenible y gobernanza (SPG +). Anexo III Reglamento 978/2012: Armenia, Bolivia, Cabo Verde, Mongolia, Filipinas, Pakistán, República Kirguisa y Sri Lanka. Costa Rica, Guatemala, Perú, Panamá y El Salvador han salido de esta lista con efectos de 01.01.2016 (Reglamento 1015/2015). El Reglamento 2017/836 incluye a Sri Lanka. El Reglamento 2018/148 excluye a Paraguay (con efectos de 01.01.2019). El Reglamento 2021/576 añadió a la República de Uzbekistán (con efectos de 10.04.2021).

SPG "Todo Menos Armas" (TMA). Anexo IV Reglamento 978/2012: Afganistán, Angola, Bangladesh, Benín, Bután, Burkina Faso, Birmania/Myanmar, Burundi, Camboya, Comoras, Chad, Eritrea, Etiopía, Gambia, Guinea, Guinea-Bissau, Haití, Islas Salomón, Kiribati, Laos, Lesoto, Liberia, Madagascar, Malawi, Malí, Mauritania, Mozambique, Nepal, Níger, República Centroafricana, República Democrática del Congo, Ruanda, Samoa, Santo Tomé y Príncipe, Senegal, Sierra Leona, Somalia, Sudán, Sudán del Sur, Tanzania, Timor Oriental, Togo, Tuvalu, Uganda, Vanuatu, Yemen, Yibuti, Zambia. El Reglamento Delegado (UE) 1421/2013 (DO L 355, de 31.12.2013) sacó de esta lista a las Maldivas (para la que estableció un período transitorio de 3 años) e incluyó a Sudán del Sur. El Reglamento 2020/148 excluye a Guinea Ecuatorial. El Reglamento 2020/550 excluye a Camboya respecto de determinadas mercancías (con efectos de 12.08.2020).

En relación con las listas de países SPG, consúltense los Anexos II, III y IV de la versión consolidada del Reglamento 978/2012 y téngase en cuenta, además, que las listas SPG pueden ser modificadas por la Comisión, que puede proporcionar una lista actualizada.

En España la AEAT ha publicado la Nota Interpretativa NI GA 14/2019 en relación con el SPG.

REGÍMENES PREFERENCIALES CONVENCIONALES (BILATERALES O MULTILATERALES)			
Unión Aduanera			
PAÍS	NORMA	DIARIO OFICIAL	ACUMULACIÓN
Andorra (1)	Decisión 90/680/CEE	L 374, de 31.12.1990	Bilateral
San Marino	Decisión 92/561/CEE	L 359, de 09.12.1992	
Turquía (2)	Decisión 96/142/CE	L 35, de 13.02.1996	Bilateral, diagonal

(1) **Andorra:** Normas de origen modificadas por Decisión nº 1/2015 del Comité Mixto UE-Andorra de 11 de diciembre de 2015 (DO L 344, de 30.12.2015). Anteriormente normas de origen para productos agrícolas modificadas por Decisión 1/1999 del Comité Mixto UE/Andorra (99/482/CE; DO L 191, de 23.07.1999); normas de origen para productos industriales modificadas por Decisión 1/2003 del Comité Mixto UE/Andorra (2003/692/CE; DO L 253, de 07.10.2003).

(2) **Turquía:** Respecto de productos agrícolas, Decisión 1/98 del Consejo de Asociación CE-Turquía (DO L 86, de 20.03.1998), modificada por Decisión 3/2006 del Consejo de Asociación CE-Turquía. Respecto de productos industriales, Decisión 1/95 del Consejo de Asociación CE-Turquía (DO L 35, de 13.02.1996), modificada por Decisión 1/2006 del Comité de Cooperación Aduanera CE-Turquía (DO L 265, de 26.09.2006, modificada en DO L 267 de 27.09.2006). Respecto de productos CECA, Acuerdo CECA-Turquía (DO L 227, de 07.09.1996), modificado por Decisión 1/2009 del Comité Mixto CECA-Turquía (2009/403/CECA; DO L 143, de 06.06.2009).

Europa			
PAÍS	**NORMA**	**DIARIO OFICIAL**	**ACUMULACIÓN**
Albania (1)	Decisión 2009/330/CE	L 107, de 28.04.2009	Bilateral, diagonal
Bosnia Herzegovina (2)	Decisión 2015/997/UE	L 164, de 30.06.2015	Bilateral, diagonal
Georgia (3)	Decisión 2014/494/UE	L 261, de 30.08.2014	Bilateral, diagonal
Islandia (4)(5)	Reglamento (CEE) nº 2842/72	L 301, de 31.12.1972	Bilateral, diagonal
Islas Faroe (6)	Decisión 97/126/CE	L 53, de 22.02.1997	Bilateral, diagonal
Kosovo (7)	Decisión 2016/342	L 71, de 16.03.2016	Bilateral, diagonal
Lietchtenstein (4)	Reglamento (CEE) nº 2840/72	L 300, de 31.12.1972	Bilateral, diagonal
Macedonia del Norte (8)	Decisión 2004/239/CE	L 84, de 20.03.2004	Bilateral, diagonal
Moldavia (9)	Decisión 2014/492/UE	L 260, de 30.08.2014	Bilateral, diagonal
Montenegro (10)	Decisión 2010/224/UE	L 108, de 29.04.2010	Bilateral, diagonal
Noruega (4) (11)	Reglamento (CEE) nº 1691/73	L 171, de 27.06.1973	Bilateral, diagonal
Serbia (12)	Decisión 2013/490/UE	L 278, de 18.10.2013	Bilateral, diagonal
Suiza (4)(13)	Reglamento (CEE) nº 2840/72	L 300, de 31.12.1972	Bilateral, diagonal
Ucrania (14)	Decisión 2014/295(UE)	L 161, de 29.05.2014	Bilateral, diagonal
Reino Unido (15)	Decisión (UE) 2020/2252	L 444, de 30.12.2020	Bilateral

(1) **Albania:** Son aplicables las normas de origen PanEuroMediterráneas (PEM) en virtud de la Decisión 1/2016 del Consejo de Estabilización y Asociación UE-Antigua República Yugoslava De Macedonia de 20 de enero de 2016 por la que se sustituye el Protocolo nº 4 del Acuerdo de Estabilización y Asociación entre las Comunidades Europeas y sus Estados miembros, por una parte, y la antigua República Yugoslava de Macedonia, por otra, relativo a la definición de la noción de «productos originarios» y métodos de cooperación administrativa (DO UE L 293, de 28.10.2016, p. 58).

(2) **Bosnia Herzegovina:** Son aplicables las normas de origen PanEuroMediterráneas (PEM) en virtud de la Decisión 1/2016 del Consejo de Estabilización y Asociación entre la UE y Bosnia y Herzegovina

de 9 de diciembre de 2016 por la que se sustituye el Protocolo 2 del Acuerdo de Estabilización y Asociación entre las Comunidades Europeas y sus Estados miembros, por una parte, y Bosnia y Herzegovina, por otra, relativo a la definición del concepto de «productos originarios» y métodos de cooperación administrativa (DO UE L 22, de 27.01.2017, p. 82).

(3) **Georgia.** Son aplicables las normas de origen PanEuroMediterráneas (PEM) en virtud de la Decisión 1/2018 del Subcomité Aduanero UE-Georgia de 20 de marzo de 2018 por la que se sustituye el Protocolo I del Acuerdo de Asociación entre la Unión Europea y la Comunidad Europea de la Energía Atómica y sus Estados miembros, por una parte, y Georgia, por otra, relativo a la definición del concepto de «productos originarios» y a los métodos de cooperación administrativa (DOUE L 140, de 06.06.2018, p. 107).

(4) **Islandia, Lietchtenstein y Noruega**: Para productos industriales y agrícolas transformados normas de origen en Protocolo 4º del Acuerdo sobre el Espacio Económico Europeo —EEE— (DO L 1, de 03.01.1994), modificadas por Decisión del Comité Mixto CE-EEE 136/2005 (DO L 321, de 08.12.2005); modificadas por Decisión 4/2011 (DO L 117, de 05.05.2011).

EEE (Espacio Económico Europeo). Decisión del Comité Mixto del EEE nº 71/2015 de 20 de marzo de 2015 por la que se modifica el Protocolo nº 4 (normas de origen) del Acuerdo EEE (DO UE L 129, de 19.05.2016, p. 56). En el marco del EEE se aplica acumulación bilateral, diagonal y total.

(5) **Islandia**: Son aplicables las normas de origen PanEuroMediterráneas (PEM) en virtud de la Decisión del Comité Mixto UE-Islandia 1/2016 de 17 de febrero de 2016 por la que se modifica el Protocolo nº 3 del Acuerdo entre la Comunidad Económica Europea y la República de Islandia relativo a la definición de la noción de «productos originarios» y a los métodos de cooperación administrativa (DO UE L 72, de 17.03.2016, p. 66).

(6) **Faroe:** Son aplicables las normas de origen PanEuroMediterráneas (PEM) en virtud de la Decisión 1 del Comité Mixto UE/Dinamarca-Islas Feroe de 12 de mayo de 2015 que sustituye el Protocolo 3 del Acuerdo entre la Comunidad Europea, por una parte, y el Gobierno de Dinamarca y el Gobierno local de las Islas Feroe, por otra, relativo a la definición de la noción de «productos originarios» y a los métodos de cooperación administrativa (DO UE L 134, de 30.05.2015, p. 29).

(7) **Kosovo.** Son aplicables las normas de origen PanEuroMediterráneas (PEM), véase Protocolo III en p. 310 del DO UE L 71, de 16.03.2016.

(8) **Macedonia del Norte**: Modificado por Protocolo del Acuerdo de Estabilización y Asociación (DO L 99, de 10.04.2008). Son aplicables las normas de origen PanEuroMediterráneas (PEM) en virtud de la Decisión 1/2016 del Consejo de Estabilización y Asociación UE-Antigua República Yugoslava de Macedonia de 20 de enero de 2016 por la que se sustituye el Protocolo nº 4 del Acuerdo de Estabilización y Asociación entre las Comunidades Europeas y sus Estados miembros, por una parte, y la antigua República Yugoslava de Macedonia, por otra, relativo a la definición de la noción de «productos originarios» y métodos de cooperación administrativa (DO UE L 293, de 28.10.2016, p. 58).

(9) **Moldavia**: Son aplicables las normas de origen PanEuroMediterráneas (PEM) en virtud de la Decisión 1/2016 del Subcomité Aduanero UE-República De Moldavia de 6 de octubre de 2016 por la que se sustituye el Protocolo II del Acuerdo de Asociación entre la Unión Europea y la Comunidad Europea de la Energía Atómica y sus Estados miembros, por una parte, y la República de Moldavia,

por otra, relativo a la definición del concepto de «productos originarios» y a los métodos de cooperación administrativa (DOUE L 39, de 16.02.2017, p. 45).

(10) **Montenegro:** Son aplicables las normas de origen PanEuroMediterráneas (PEM) en virtud de la Decisión 1/2014 del Consejo de Estabilización y Asociación UE-Montenegro de 12 de diciembre de 2014 por la que se sustituye el Protocolo no 3 del Acuerdo de Estabilización y Asociación entre las Comunidades Europeas y sus Estados miembros, por una parte, y la República de Montenegro, por otra, relativo a la definición del concepto de «productos originarios» y a los métodos de cooperación administrativa (DO L 28, de 04.02.2015, p. 45).

(11) **Noruega:** Son aplicables las normas de origen PanEuroMediterráneas (PEM) en virtud de la Decisión del Comité Mixto UE-Noruega 1/2016 de 8 de febrero de 2016 por la que se modifica el Protocolo nº 3 del Acuerdo entre la Comunidad Económica Europea y el Reino de Noruega relativo a la definición de la noción de «productos originarios» y a los métodos de cooperación administrativa (DO UE L 72, de 17.03.2016, p. 63).

(12) **Serbia:** Son aplicables las normas de origen PanEuroMediterráneas (PEM) en virtud de la Decisión 1/2014 del Consejo de Estabilización y Asociación UE-Serbia de 17 de diciembre de 2014 por la que se sustituye el Protocolo no 3 del Acuerdo de Estabilización y Asociación entre las Comunidades Europeas y sus Estados miembros, por una parte, y la República de Serbia, por otra, relativo a la definición del concepto de «productos originarios» y a los métodos de cooperación administrativa (DO UE L 367, de 23.12.2014).

(13) **Suiza:** Para productos agrícolas, véase el Acuerdo sobre comercio de productos agrícolas (DO L 114, de 30.04.2002). Son aplicables las normas de origen PanEuroMediterráneas (PEM) en virtud de la Decisión 2/2016 del Comité Mixto UE-Suiza de 3 de diciembre de 2015 por la que se modifica el Protocolo no 3 del Acuerdo entre la Comunidad Económica Europea y la Confederación Suiza, relativo a la definición de la noción de «productos originarios» y a los métodos de cooperación administrativa (DO L 23, de 29.01.2016, p. 79).

(14) **Ucrania.** Son aplicables las normas de origen PanEuroMediterráneas (PEM) en virtud de la Decisión 1/2018 del Subcomité Aduanero UE-Ucrania de 21 de noviembre de 2018 por la que se sustituye el Protocolo I del Acuerdo UE-Ucrania relativo a la definición del concepto de «productos originarios» y métodos de cooperación administrativa (DOUE L 20, de 23.01.2019, p. 40). Véase el Reglamento 374/2014, relativo a la reducción o la eliminación de derechos de aduana sobre mercancías originarias de Ucrania (DO UE L 118, de 22.04.2014).

(15) **Reino Unido.** TAXUD tiene una página dedicada a ofrecer información sobre el origen en el Acuerdo Comercial y de Cooperación con el Reino Unido:

https://ec.europa.eu/taxation_customs/uk_withdrawal/united-kingdom_en

La Aduana española ha elaborado un buen número de Notas Informativas que analizan diversas cuestiones técnicas específicas sobre el referido acuerdo. Entre otras:

- NI GA 27/2020 de 3 de noviembre, relativa a la gestión de los números EORI ante la retirada de Reino Unido de la Unión Europea;
- NI GA 34/2020 de 14 de diciembre, sobre el retorno al Territorio Aduanero de la Unión de mercancías enviadas a Reino Unido antes del 1 de enero de 2021;

- NI GA 38/2020 de 23 de diciembre, sobre movimientos de mercancías entre la Unión Europea y el Reino Unido iniciados antes del 1 de enero de 2021 y finalizados después de esa fecha;
- NI GA 39/2020 de 30 de diciembre, sobre los códigos a emplear en las declaraciones aduaneras en el tráfico entre la Unión Europea y Reino Unido;
- NI GA 01/2021 de 18 de enero, relativa al acuerdo de comercio y cooperación entre la Unión Europea y el Reino Unido;
- NI GA 02/2021 de 21 enero, relativa al acuerdo de reconocimiento mutuo (ARM OEA) de la Unión Europea con el Reino Unido de la Gran Bretaña y de la aplicación del programa OEA de la Unión Europea en Irlanda del Norte;
- NI GA 03/2021 de 10 de febrero, relativa a la franquicia por traslado de residencia desde Reino Unido a España a partir del 1 de enero de 2021;
- NI GA 04/2021 de 11 de febrero, relativa a la elaboración de declaraciones de origen sobre la base de las declaraciones del proveedor para las exportaciones preferenciales al Reino Unido durante un período transitorio;
- NI GA 07/2021 de 26 de febrero, relativa a la situación de los automóviles tras el Brexit; y la NI GA 09/2021 de 9 de marzo, relativa a los centros de distribución en el marco del Acuerdo de comercio y cooperación entre la Unión Europea y el Reino Unido y los envíos de mercancías a Reino Unido para su reparación antes del 1 de enero de 2021 que retornan después de dicha fecha.

EuroMed			
PAÍS	NORMA	DIARIO OFICIAL	ACUMULACIÓN
Argelia (1)	Decisión 2005/690/CE	L 265, de 10.10.2005	Bilateral, diagonal, total
Egipto (2)	Decisión 2004/635/CE	L 304, de 30.09.2004	Bilateral, diagonal
Israel (3)	Decisión 2000/384/CE	L 147, de 21.06.2000	Bilateral, diagonal
Jordania (4)	Decisión 2002/357/CE	L 129, de 15.05.2002	Bilateral, diagonal
Líbano (5)	Decisión 2006/356/CE	L 143, de 30.05.2006	Bilateral
Marruecos (6)	Decisión 2000/204/CE	L 70, de 18.03.2000	Bilateral, diagonal, total
Palestina (Territorios Ocupados) (7)	Decisión 97/430/CE	L 187, de 16.07.1997	Bilateral, diagonal
Siria (8)	Acuerdo de Cooperación	L 269, de 27.09.1978	Bilateral
Túnez (9)	Decisión 98/238/CE	L 97, de 30.03.1998	Bilateral, diagonal, total

(1) **Argelia**: Normas de origen modificadas por Decisión 2007/713/CE (DO L 297, de 15.11.2007).

(2) **Egipto**: Son aplicables las normas de origen PanEuroMediterráneas (PEM) en virtud de la Decisión nº 1/2015 del Consejo de Asociación UE-Egipto de 21 de septiembre de 2015 (DO L 334, de 22.12.2015).

(3) **Israel**: Normas de origen modificadas por Decisión 2/2005 del Consejo de Asociación CE-Israel (2006/19/CE; DO L 20, de 24.01.2006). Véase el aviso de la Comisión a importadores respecto de mercancías de asentamientos (DO C 232 de 03.08.2012, p. 5)

(4) **Jordania**: Normas de origen modificadas por Decisión 1/2006 del Consejo de Asociación CE-Jordania (2006/508/CE; DO L 209, de 31.07.2006).

(5) **Líbano**: Normas de origen modificadas por Decisión 2006/356/CE (DO L 143, de 30.05.2006).

(6) **Marruecos**: Normas de origen modificadas por Decisión 2005/904/CE (DO L 336, de 21.12.2005), modificadas por Decisión 1/2011 (DO L 141/66, de 27.05.2011). Véase la STJUE *Frente Polisario*, asunto C-104/16P, de 21.12.2016.

(7) **Palestina:** Son aplicables las normas de origen PanEuroMediterráneas (PEM) en virtud de la Decisión 1/2016 del Comité Mixto UE-OLP de 18 de febrero de 2016 que sustituye el Protocolo 3 del Acuerdo Euromediterráneo interino de asociación en materia de comercio y cooperación entre la Comunidad Europea, por una parte, y la Organización para la Liberación de Palestina (OLP), actuando por cuenta de la Autoridad Palestina de Cisjordania y la Franja de Gaza, por otra, relativo a la definición del concepto de «productos originarios» y métodos de cooperación administrativa (DO UE L 205, de 30.07.2016, p. 24).

(8) **Siria:** Normas de origen en Protocolo nº 2, DO L 269, de 27.09.1978.

(9) **Túnez**: Normas de origen modificadas por Decisión 1/2006 del Consejo de Asociación UE-Túnez (2006/612/CE; DO L 260, de 21.09.2006).

En España la AEAT publica Notas Interpretativas con actualizaciones periódicas sobre el estado de aplicación de los convenios Paneuromed, p.e. la NI GA 25/2020.

América			
PAÍS	**NORMA**	**DIARIO OFICIAL**	**ACUMULACIÓN**
Canadá (1)	Decisión 2017/37/UE	L 11, de 14.01.2017	Bilateral
Chile (2)	Decisión 2002/979/CE	L 352, de 30.12.2002	Bilateral
Colombia	Decisión 2012/735/UE	L 354, de 21.12.2012	Bilateral, regional
Costa Rica	Decisión 2012/734/UE	L 346, de 15.12.2012	Bilateral, regional
Ecuador (3)	Decisión 2016/2369/UE	L 356, de 24.12.2016	Bilateral, regional
El Salvador	Decisión 2012/734/UE	L 346, de 15.12.2012	Bilateral, regional
Guatemala	Decisión 2012/734/UE	L 346, de 15.12.2012	Bilateral, regional
Honduras	Decisión 2012/734/UE	L 346, de 15.12.2012	Bilateral, regional
México (4)	Decisión 2000/658/CE	L 276, de 28.10.2000	Bilateral
Nicaragua	Decisión 2012/734/UE	L 346, de 15.12.2012	Bilateral, regional
Panamá	Decisión 2012/734/UE	L 346, de 15.12.2012	Bilateral, regional
Perú	Decisión 2012/735/UE	L 354, de 21.12.2012	Bilateral, regional

(1) **Canadá:** Decisión (UE) 2017/38 del Consejo, de 28 de octubre de 2016, relativa a la aplicación provisional (DO L 11, de 14.01.2017); Notificación de Aplicación Provisional (DO L 238, de 16.09.2017). En España la AEAT ha publicado la Nota Interpretativa NI GA 16/2019 en relación con el Acuerdo UE-Canadá.

(2) **Chile**: Normas de origen modificadas por Decisión 2005/106/CE (DO L 38, de 10.02.2005).

(3) **Ecuador**: Notificación de aplicación provisional, DO L 358, de 29.12.2016.

(4) **México**: Normas de origen modificadas por Decisión 1/2007 (DO L 279, de 23.10.2007). La UE y México han acordado un nuevo acuerdo comercial que está pendiente de ratificación.

Países ACP (1)		
PAÍS	**NORMA**	**DIARIO OFICIAL**
Botsuana	Decisión (UE) 2016/1623	L 250, de 16.09.2016
Camerún	Decisión 2009/152/CE	L 57, de 28.02.2009
CARIFORUM (2)	Decisión 2008/805/CE	L 289, de 30.10.2008
Costa de Marfil (3)	Decisión 2009/156/CE	L 59, de 03.03.2009
Ghana (4)	Decisión 2016/1850	L 287, de 21.10.2016
Islas Comoras (5)	Decisión 2012/196/CE	L 111, de 24.04.2012
Islas Fiyi	Decisión 2009/729/CE	L 272, de 16.10.2009
Islas Salomón (6)	Decisión (UE) 2020/409	L 85, de 20.03.2020
Lesoto	Decisión (UE) 2016/1623	L 250, de 16.09.2016
Madagascar (5)	Decisión 2012/196/CE	L 111, de 24.04.2012
Mauricio (5)	Decisión 2012/196/CE	L 111, de 24.04.2012
Mozambique	Decisión (UE) 2016/1623	L 250, de 16.09.2016
Namibia	Decisión (UE) 2016/1623	L 250, de 16.09.2016
Papúa Nueva Guinea	Decisión 2009/729/CE	L 272, de 16.10.2009
Reino de Esuatini (antigua Suazilandia)	Decisión (UE) 2016/1623	L 250, de 16.09.2016
Samoa (6)	Decisión (UE) 2018/1908	L 333, de 28.12.2018
Seychelles (5)	Decisión 2012/196/CE	L 111, de 24.04.2012
Sudáfrica (7)	Decisión 1999/753/CE Decisión (UE) 2016/1623	L 311, de 04.12.1999 L 250, de 16.09.2016
Zambia	Decisión 2012/196/CE	L 111, de 24.04.2012
Zimbabue (5)	Decisión 2012/196/CE	L 111, de 24.04.2012

(1) **Países ACP.** Véase la versión consolidada del Reglamento (UE) 2016/1076 del Parlamento Europeo y del Consejo de 8 de junio de 2016 por el que se aplica el régimen previsto para las mercancías originarias de determinados Estados pertenecientes al grupo de Estados de África, del Caribe y del Pacífico (ACP) en los acuerdos que establecen acuerdos de asociación económica o conducen a su establecimiento. Este Reglamento (denominado "Market Access Regulation", MAR) se aplica a los países que se enumeran en su Anexo I (Antigua y Barbuda, Commonwealth de las Bahamas, Barbados, Belice, República de Botsuana, República de Camerún, Unión de las Comoras, República de Costa de Marfil, Commonwealth de Dominica, República Dominicana, República de Fiyi, República de Ghana, Granada, República Cooperativa de Guyana, Jamaica, República de Kenia, Reino de Lesoto, República de Madagascar, República de Mauricio, República de Mozambique, República de Namibia, Estado Independiente de Papúa Nueva Guinea, Federación de San Cristóbal y Nieves, Santa Lucía, San Vicente y las Granadinas, Estado Independiente de Samoa, República de Seychelles, Islas Salomón, Reino de Esuatini, República de Surinam, República de Trinidad y Tobago, República de Zimbabue).

Véase también la Comunicación sobre acumulación en el marco ACP publicada en el DO UE C 69, de 22.02.2019, p. 2.

(2) **CARIFORUM**: Antigua y Barbuda, Commonwealth de las Bahamas, Barbados, Belice, Commonwealth de Dominica, República Dominicana, Granada, República Cooperativa de Guyana, Haití, Jamaica, Federación de San Cristóbal y Nieves, Santa Lucía, San Vicente y Granadinas, República de Surinam y República de Trinidad y Tobago.

(3) **Costa de Marfil**. Normas de origen modificadas por Decisión nº 2/2019 del Comité del AAE creado por el Acuerdo de Asociación Económica Preliminar entre Costa de Marfil, por una parte, y la Comunidad Europea y sus Estados miembros, por otra, de 2 de diciembre de 2019 sobre la adopción del Protocolo nº 1 relativo a la definición del concepto de «productos originarios» y a los métodos de cooperación administrativa (DO UE L 49, de 21.02.2020). En España la AEAT ha elaborado la NI GA 05/2020 de 26 de febrero, relativa al protocolo 1 sobre las normas de origen del acuerdo preliminar UE/Costa de Marfil.

(4) **Ghana**. Reglas de origen en DO UE L 350 de 21.10.2020. En España la AEAT ha publicado la Nota Interpretativa NI GA 26/2020 en relación con el protocolo de normas de origen del acuerdo preliminar UE/Ghana.

(5) **Estados del África Oriental y Meridional.** Normas de origen modificadas por Decisión nº 1/2020 del Comité del AAE de 14 de enero de 2020 por la que se modifican determinadas disposiciones del Protocolo 1 relativo a la definición del concepto de «productos originarios» y a los métodos de cooperación administrativa del Acuerdo interino por el que se establece un marco para un Acuerdo de Asociación Económica entre los Estados del África Oriental y Meridional, por una parte, y la Comunidad Europea y sus Estados miembros, por otra (DO UE L 93, de 27.03.2020). La NI GA 21/2020 de la Agencia Tributaria (AEAT), relativa a la modificación del acuerdo interino entre la UE y los Estados de África oriental y meridional (AOM), ofrece una síntesis de los aspectos más relevantes y observaciones prácticas de estas normas de origen.

(6) **Islas Salomón, Samoa**. Reglas de origen aplicables en DO UE L 272, de 16.10.2009.

(7) **Sudáfrica**: Normas de origen modificadas por Decisión 2008/74/CE (DO L 22, de 25.01.2008).

Otros países			
PAÍS	NORMA	DIARIO OFICIAL	CLAVE ACUMULACIÓN
Corea del Sur	Decisión 2011/265/UE	L 127, de 14.05.2011	Bilateral
Japón (1)	Decisión 2018/1907	L 330, de 27.12.2018	Bilateral
Singapur (2)	Decisión 2019/1875	L 294, de 14.11.2019	Bilateral, regional
Vietnam (3)	Decisión 2020/753	L 186, de 12.06.2020	Bilateral, regional

(1) El Acuerdo de Asociación Estratégica entre la Unión Europea y sus Estados miembros, por una parte, y Japón, por otra, se publicó en el DO UE L 216, de 24.08.2018 (Decisión (UE) 2018/1197, en el mismo DO), que establece el marco para el Acuerdo entre la Unión Europea y Japón relativo a una asociación económica (DO L 330, de 27.12.2018).

En España la AEAT ha publicado diversas Notas Interpretativas en relación con el Acuerdo UE-Japón (NI GA 01/2019, NI GA 04/2019, NI GA 05/2019, NI GA 06/2019, NI GA 07/2019, NI GA 01/2020, NI GA 03/2020 y NI GA 04/2020).

(2) En España la AEAT ha publicado la Nota Interpretativa NI GA 15/2019 en relación con el Acuerdo UE-Singapur.

(3) Vietnam: El Acuerdo entró en vigor el 01.08.2020 (DO L 207, de 30.06.2020, p. 3). En España la AEAT ha publicado la Nota Interpretativa NI GA 17/2020 en relación con el Acuerdo UE-Vietnam. La NI GA 22/2020 advierte acerca de certificados de circulación EUR-1 emitidos en Vietnam no conformes.

Notas sobre regímenes de acumulación:

(1) En el SPG la acumulación bilateral se aplica entre la UE y el país beneficiario; la acumulación diagonal se aplica entre la UE, Noruega y Suiza y el país beneficiario; la acumulación regional se aplica entre los países beneficiarios que pertenecen a un mismo grupo regional de los 4 existentes. Una misma operación puede combinar varios tipos de acumulación.

(2) La acumulación diagonal en la zona de los Balcanes Occidentales abarca los productos originarios de la UE y de los países o territorios que participan en el Proceso de estabilización y asociación de la Unión Europea según lo definido en las Conclusiones del Consejo de Asuntos Generales de abril de 1997 y en la Comunicación de la Comisión de mayo de 1999 sobre el establecimiento del Proceso de Estabilización y Asociación con los países de los Balcanes occidentales. Véase la Comunicación de la Comisión relativa a la fecha de aplicación de los protocolos sobre las normas de origen que establecen la acumulación diagonal del origen entre la Unión Europea, Albania, Bosnia y Herzegovina, Croacia, la Antigua República Yugoslava de Macedonia, Montenegro, Serbia y Turquía (DO C 63, de 02.03.2012, p. 8). En este sistema se aplica la regla de prohibición del reembolso.

7.4.3. El sistema Pan-Euro-Mediterráneo de acumulación

El sistema paneuromediterráneo surge como evolución del sistema de acumulación paneuropeo, creado en 1997 y que comprendía a la Comunidad Europea, la EFTA (Islandia, Liechtenstein, Noruega y Suiza), los países de Europa central y del este y los países bálticos, extendiéndose en 1999 a Eslovenia y a los productos industriales de Turquía. Posteriormente, con el denominado "proceso de Barcelona" (por iniciarse en una reunión ministerial celebrada en esa ciudad en 1995), que tuvo por objetivo fortalecer el diálogo y una amplia cooperación en el Mediterráneo, el proyecto cobró impulso para cubrir un espacio geográfico mayor en el que se pretende que opere una zona de libre cambio, tanto en el comercio entre la UE y los países de la zona como también en el comercio entre ellos. Para avanzar en este propósito, se concluyeron acuerdos de asociación euro-mediterráneos bilaterales con los diferentes países (Argelia, Túnez, Marruecos, Israel, Jordania, Líbano, Palestina y Egipto). Estos acuerdos bilaterales establecen preferencias arancelarias, y vinieron a sustituir a los acuerdos de cooperación alcanzados en la década de los 70 (que se basaban en un sistema de preferencias unilaterales; Siria se encuentra todavía en este estadio).

El siguiente paso consistió en avanzar en un sistema de acumulación paneuromediterráneo. A este fin, el Consejo de la UE de 11.10.2005 aprobó una propuesta de la Comisión relativa a la modificación de los respectivos protocolos de origen anexos a los diversos acuerdos. El problema que aparece es que un sistema de acumulación exige que todos los partícipes apliquen unas mismas normas de origen. Ahora bien, debido a que la estructura paneuromediterránea está basada en gran medida en acuerdos bilaterales de la UE con cada uno de los países, lograr que todos esos acuerdos compartan unas mismas reglas de origen implica modificarlos todos ellos, uno a uno (país por país). La Comisión preparó unas "Notas Explicativas a los protocolos paneuromediterráneos sobre las reglas de origen" (DO C 83, de 17.04.2007). A partir de aquí se avanzó en la modificación de los acuerdos para alinearlos con unas reglas de origen uniformes. Cuando se cumpla este objetivo, el sistema de acumulación se aplicará entre la UE y Argelia, Egipto, Israel, Jordania, Líbano, Marruecos, Siria, Túnez, Palestina, los países del Espacio Económico Europeo (Islandia, Noruega, Suiza, Liechtenstein; anteriormente países EFTA), las Islas Faroe y Turquía (incluyendo carbón, acero y productos agrícolas).

Podemos identificar, en primer lugar, un sistema de acumulación diagonal entre los productos originarios de los 42 países de la zona (incluyendo los miembros de la UE), de modo que la utilización en uno de esos países de materiales que sean originarios de otro país de la zona no perjudica su estatuto originario a los efectos de los intercambios paneuromediterráneos. Esta acumulación regional se denomina "de geometría variable", en la medida en que los países de la zona sólo pueden aplicar la acumulación en tanto rija entre ellos un acuerdo de libre cambio que incluya unas normas de origen conforme al modelo paneuromediterráneo. Es decir, de cara a las importaciones en la UE nos interesa identificar qué países tienen un acuerdo con la UE que incluya estas reglas de origen, pero el objetivo es que esa acumulación también opere cuando se produzcan intercambios comerciales entre dos países que no sean miembros de la UE, como Noruega y Marruecos, p.e., para que de este modo pueda avanzarse hacia una gran zona de libre cambio. De este modo, un país que no logre establecer acuerdos de libre cambio con los demás países de la zona (y no sólo con la UE) queda en la práctica fuera de los beneficios de la acumulación.

> La acumulación diagonal del área Pan-Euro-Mediterránea cubre los productos originarios de la UE, Suiza (incluido Liechtenstein), Islandia, Noruega, Turquía, Argelia, Egipto, Israel, Jordania, Líbano, Marruecos, Siria, Túnez, Palestina, así como también los productos industriales de los capítulos 25 a 97 del SA, originarios del Principado de Andorra y los productos originarios de la República de San Marino.

En principio, la acumulación diagonal en esta zona se sujeta a la regla de no reembolso.

La Comisión publica en el Diario Oficial, de forma periódica, una 'matriz' en la que pueden identificarse los sistemas de acumulación que cada país de la zona puede aplicar, a medida que se avanza en el proceso unificador de reglas de origen y en la finalización de acuerdos de libre comercio.

> La más reciente es la Comunicación de la Comisión relativa a la fecha de aplicación del Convenio regional sobre las normas de origen preferenciales paneuromediterráneas (DO C 322, de 30.09.2020, p. 3), donde también se recopila el régimen de acumulación de otros países y territorios del área.

En España la AEAT publica Notas Interpretativas con actualizaciones periódicas sobre el estado de aplicación de los convenios Paneuromed, p.e. la NI GA 25/2020.

En segundo lugar, ya se ha conseguido alcanzar un sistema de acumulación total entre la UE y los países del Espacio Económico Europeo (Islandia, Noruega y Liechtenstein) y también entre la UE y Argelia, Marruecos y Túnez. De manera que estos países aplican acumulación total entre ellos y acumulación diagonal con los demás países de la zona paneuromediterránea.

No resulta difícil percibir que una estructura basada en acuerdos bilaterales no es la más adecuada para lograr un sistema multilateral como el que pretende crearse en la zona paneuromediterránea. Por ejemplo, si se desea modificar una regla de origen, debe procederse a modificar esta regla en todos los acuerdos bilaterales para que todos ellos sigan estableciendo una regulación uniforme. Por este motivo, hace ya unos años la Comisión propuso reemplazar los alrededor de 60 protocolos bilaterales por los que se regulan las reglas de origen en la zona por un convenio regional que estableciera (en una única norma aplicable a todos) las normas de origen para todo el sistema paneuromediterráneo. En 2011 se acordó el texto de este convenio regional, que quedó abierto a la firma el 15.06.2011.

> "Convenio regional sobre las reglas de origen preferenciales paneuromediterráneas" (Decisión del Consejo 2013/94/UE, publicada en DO L 54 de 26.02.2013). El texto del Convenio se publicó en este mismo DO.

El Convenio está ya en vigor para la UE, Suiza, Liechtenstein, Noruega, Islandia, Islas Faroe, Albania, Bosnia Herzegovina, Macedonia, Montenegro, Serbia, Egipto, Israel, Jordania, Palestina, Túnez, Moldavia, Turquía, Argelia, Marruecos, Georgia, Ucrania y Líbano. No lo han firmado todavía Kosovo ni Siria.

> En la web del Consejo de la UE hay una página dedicada a ofrecer, de forma actualizada, la situación de cada país en relación al convenio de normas de origen paneuromediterráneas (firma, ratificación y fecha de entrada en vigor), en la siguiente dirección:

ENLACE

> http://www.consilium.europa.eu/en/documents-publications/agreements-conventions/agreement/?aid=2010035

7.4.4. La unión aduanera con Turquía

Cumpliendo los planes que se trazaron en el Acuerdo de Asociación de Ankara de 1963, el 31.12.1995 entró en vigor una unión aduanera entre la CE y Turquía. La unión aduanera rige para mercancías en libre práctica (es decir, mercancías con estatuto de la UE o con estatuto turco) y no se aplica a los productos agrícolas (según la definición de los mismos que se contiene en el Anexo I del Tratado de Amsterdam) ni al carbón ni al acero. A estas categorías de productos excluidas de la unión aduanera se les aplican acuerdos preferenciales (lo cual supone que deben aplicárseles reglas de origen para determinar que pueden considerarse turcas o de la UE).

> El Acuerdo de Asociación de Ankara, de 12.09.1963, se publicó en el DO 217, de 29.12.1964. Su Protocolo Adicional, de 23.11.1970 (publicado en el DO L 293, de 29.12.1972) define el ámbito y contenido de la relación de asociación. La fase final de unión aduanera se define en la Decisión 1/95 del Consejo de Asociación, de 22.12.1995 (DO L 35, de 13.02.1996).

La unión aduanera implica:

- Libre circulación de mercancías (eliminación de los derechos de aduana y de las restricciones cuantitativas) para los productos obtenidos en el territorio de las Partes o bien para productos de terceros países despachados a libre práctica en la UE o Turquía. La acredita-

ción de que los productos se encuentran en libre práctica se realiza mediante un certificado A.T.R. Se establecen condiciones especiales para los productos agrícolas procesados.
– Aplicación por parte de Turquía del arancel aduanero común de la UE, incluyendo acuerdos preferenciales, así como la armonización de las medidas de política comercial.
– Aproximación de las normas de Derecho aduanero, en particular a través de las decisiones del Comité de Cooperación Aduanera UE-Turquía y asistencia mutua en materia
   aduanera.
– Aproximación de otra normativa (propiedad intelectual, competencia, tributaria...).

La Decisión 1/2006 del Comité de Cooperación Aduanera CE-Turquía de
26.07.2006 (DO L 265, de 26.09.2006) establece las reglas aplicables al comercio de
mercancías entre las dos Partes de la unión aduanera y con terceros países.

El régimen preferencial aplicable a los productos agrícolas excluidos del ámbito de la
unión aduanera se establece en la Decisión 1/98 del Consejo de Asociación UE-Turquía
de 25.02.1998 (DO L 86, de 20.03.1998), cuya última modificación fue realizada por
la Decisión nº 3/2006 del Consejo de Asociación, de 19.12.2006, que modifica el Protocolo 3, sobre normas de origen (alineándolo con el protocolo paneuromediterráneo).

Puede verse la relación de las mercancías agrícolas excluidas del ámbito de la unión
aduanera en:

ENLACE

https://ec.europa.eu/taxation_customs/document/download/
f543d1bc-355a-4524-b4c6-78214808d95c_en

Por lo que hace al carbón y al acero, su régimen se establece en un acuerdo entre
Turquía y la CECA de 25.07.1996 (DO L 227, de 07.09.1996). Las reglas de origen
para estos productos se establecen en el Protocolo 1 de este acuerdo, cuya última modificación fue realizada por la Decisión nº 1/2009 del Comité Conjunto CECA-Turquía (DO L 143, de 06.06.2009; estas normas de origen están en línea con el protocolo
paneuromediterráneo).

7.4.5. El Sistema de Preferencias Generalizadas (SPG)

Desde 1971 la CEE ha venido estableciendo preferencias arancelarias unilaterales a
favor de los países en desarrollo en el marco del Sistema de Preferencias Generalizadas
(SPG), que tienen como objetivo prioritario erradicar la pobreza. Estas preferencias se
establecen al amparo de la 'Decisión sobre trato especial y diferenciado, reciprocidad
y mayor participación de los países en desarrollo' (conocida como "Cláusula de Habi-

litación") adoptada en el marco del GATT en 1979 e incorporada posteriormente a la OMC.

Desde 01.01.2014 las preferencias aplicables en virtud del SPG se establecen en el Reglamento (UE) nº 978/2012 del Parlamento Europeo y del Consejo de 25 de octubre de 2012 por el que se aplica un sistema de preferencias arancelarias generalizadas y se deroga el Reglamento (CE) nº 732/2008 del Consejo (DO L 303, de 31.10.2012). Las normas de origen del SPG se contienen en los artículos 41 a 58 RDCAU.

> Desde 01.01.2008 hasta 31.12.2013 el régimen del SPG se establecía en el Reglamento (CE) 732/2008, del Consejo, de 22.07.2008 (DO L 211, de 06.08.2008; el período de vigencia de este Reglamento fue extendido por el Reglamento 512/2011).

El SPG contiene tres modalidades: 1) El régimen general; 2) El régimen especial de estímulo del desarrollo sostenible y la gobernanza (denominado 'SPG+'); y 3) El régimen especial a favor de los países menos desarrollados (denominado "Todo Menos Armas" o 'TMA').

El **régimen general** es el régimen por defecto, es decir, es el que se aplica a cualquier país beneficiario al que no le resulte aplicable alguno de los dos regímenes especiales, y es el más común por el número de países que quedan incluidos en él. El listado de países beneficiarios del régimen general se contiene en el Anexo II del Reglamento 978/2012. Por cierto que, para evitar equívocos, convendrá aclarar que en el Anexo I encontramos un listado de 'países elegibles' para las preferencias del SPG, que es una lista de potenciales beneficiarios del SPG, pero un país puede ser país elegible sin que se le apliquen estas preferencias porque, por ejemplo, incurra en graves incumplimientos de los derechos humanos. Por ello la lista de países elegibles no debe confundirnos, y debemos acudir al listado de cada régimen SPG a fin de identificar a qué países se aplica. También debe tenerse en cuenta que la Comisión puede sacar a un país del listado de beneficiarios en determinados supuestos (por haber mejorado el Banco Mundial su clasificación atendido su nivel de riqueza o bien por acceder a un sistema preferencial que, considerado globalmente, resulte más favorable) si bien se establece un período de carencia en tales casos (de un año o de dos años, respectivamente).

Las preferencias del régimen general se aplican sobre las mercancías que aparecen listadas en el Anexo V del Reglamento 978/2012 (Anexo que la Comisión puede modificar). Es importante observar que en este anexo se distingue entre 'productos sensibles' y 'productos no sensibles'.

Ejemplo

Reproducimos a continuación un recorte del Anexo V, donde se aprecia que para cada mercancía (que se identifica con su código y su descripción) se señala si tiene carácter sensible ("S") o no sensible ("NS").

EJEMPLO

Sección	Capítulo	Código NC	Descripción	Sensibles/no sensibles
		0802 61 00 0802 62 00	Nueces de macadamia, frescas o secas, incluso sin cáscara o mondadas	NS
		0802 90 50	Piñones, frescos o secos, incluso sin cáscara o mondados	NS
		0802 90 85	Los demás frutos de cáscara frescos o secos, incluso sin cáscara o mondados	NS
		0803 10 10	Plátanos hortaliza	S
		0803 10 90 0803 90 90	Bananas o plátanos, secos	S
		0804 10 00	Dátiles, frescos o secos	S

Las ventajas a favor de estos países se establecen en el artículo 7 del Reglamento 978/2012. Para los productos no sensibles se suspenden totalmente los derechos de aduana (es decir, se les aplica un tipo cero en tanto la norma SPG esté vigente). Para los productos sensibles, el contenido de la preferencia puede esquematizarse así:

1) Si la mercancía de que se trate tiene establecido un derecho *ad valorem*, este derecho se reduce en 3,5 puntos porcentuales.

Esta reducción es del 20% para los productos de las secciones S-11a y S11b del Anexo V (que comprenden productos textiles del Capítulo 50 al 63 de la Nomenclatura Combinada).

En cualquier caso, si el derecho resultante de la reducción coincide con un tipo máximo, este no se reducirá. En cambio, si coincide con un tipo mínimo, no se aplicará.

Además, debe compararse el resultado que se obtenga de estas reducciones (de 3,5 puntos o del 20%) con la reducción que se establecía en el artículo 6 del Reglamento 732/2008 (el anterior SPG), de manera que si la preferencia de este último era más favorable, se mantiene esa preferencia más favorable.

2) Si la mercancía de que se trate tiene establecido un derecho específico, se reducirá un 30%, salvo que se trate de un derecho que se califique como derecho mínimo o máximo.

Si el derecho resultante de la reducción coincide con un tipo máximo, este no se reducirá. En cambio, si coincide con un tipo mínimo, no se aplicará.

3) Si la mercancía de que se trate tiene establecido un derecho compuesto (derecho *ad valorem* + derecho específico), se aplicará la reducción correspondiente al componente *ad valorem*, pero el derecho específico no se reducirá.

El sistema establece algunas protecciones para regular su buen funcionamiento, impidiendo que pueda dar lugar a una entrada excesiva en la UE de un determinado producto. En este sentido, se establecen en el Anexo VI unos umbrales, por cada tipo de producto, que si se superan durante tres años consecutivos conducirán a que se suspendan las preferencias para el país de que se trate (artículo 8 Reglamento 978/2012).

El **régimen especial de estímulo del desarrollo sostenible y la gobernanza (SPG+)** se aplica a los países que se enumeran en el Anexo III del Reglamento 978/2012. Para gozar de este régimen especial los países beneficiarios deben cumplir una serie de requisitos que enumera el artículo 9 del Reglamento 978/2012:

> Los requisitos a que nos referimos son los siguientes:
>
> a) Ser vulnerables, entendido como falta de diversificación en su comercio internacional (concentra sus exportaciones a la UE en pocos productos) e integración insuficiente en el comercio internacional (el volumen de sus exportaciones a la UE es irrelevante en términos relativos).
>
> La definición de estos conceptos se contiene en el Anexo VII. Así, se considera que concurre falta de diversificación cuando las importaciones en la UE de las siete mayores secciones de los productos enumerados en el anexo IX originarias de un país representen un valor superior al umbral del 75% del valor de sus importaciones totales de los productos de dicho anexo, como media de los tres últimos años. Por su parte, se considera que un país padece una integración insuficiente en el comercio internacional cuando las importaciones en la UE originarias del mismo de los productos enumerados en el anexo IX representen menos del umbral del 6,5% del valor de las importaciones totales en la UE de los productos de dicho anexo originarios de países beneficiarios del régimen general del SPG (enumerados en el anexo II), como media de los tres últimos años.
>
> b) Haber ratificado todos los convenios enumerados en el anexo VIII (sin reservas prohibidas o reservas que se consideren incompatibles con el objetivo y finalidad del convenio de que se trate) y que no se hayan identificado incumplimientos graves de los mismos por parte de los organismos de seguimiento de dichos convenios.
>
> Además, el país debe asumir el compromiso vinculante de mantener la ratificación de estos convenios y garantizar su aplicación efectiva; así como aceptar sin reservas los requisitos de información impuestos por cada convenio y asumir el compromiso vinculante de aceptar el seguimiento y la revisión regulares de su historial de aplicación (tanto conforme a los mecanismos de seguimiento del propio convenio de que se trate como por parte de la Comisión).

Para que el SPG+ sea aplicable el país candidato debe formular una solicitud a este efecto, que será examinada por la Comisión. Tras efectuar el oportuno análisis, la Comisión decide acerca de la inclusión de ese país entre los beneficiarios del SPG+, publicándose entonces una modificación del Anexo III del Reglamento 978/2012. La Comisión puede asimismo modificar este listado, incluyendo a nuevos países o excluyendo a alguno previamente incluido, atendiendo al cumplimiento o incumplimiento de los requisitos de inclusión que hemos señalado.

Las preferencias del SPG+ se proyectan sobre los productos listados en el Anexo IX, que puede ser modificado por la Comisión. Respecto de estos productos, las preferencias consisten en (artículo 12 Reglamento 978/2012):

1) Suspensión de los derechos de aduana *ad valorem*.

2) Suspensión total de los derechos específicos.

3) Para aquellas mercancías que tengan establecido un derecho compuesto (derecho *ad valorem* + derecho específico), se suspenderá el derecho *ad valorem*, pero se mantendrá el derecho específico.

Para la subpartida 1704 10 90 (que comprende ciertos artículos de confitería) se establece que el derecho específico no podrá superar el 16% del valor en aduana.

El **régimen especial a favor de los países menos desarrollados** (conocido como "Todo Menos Armas" o **TMA**) es aplicable a aquellos países clasificados por Naciones Unidas como 'país menos desarrollado', que se contienen en el listado del Anexo IV, que la Comisión mantendrá actualizado conforme a los nuevos datos que resulten disponibles.

La ventaja que se concede a estos países consiste en que se suspenden todos los derechos de aduana para todas las mercancías excepto las del capítulo 93 de la Nomenclatura Combinada, es decir, las que tienen la consideración de armas, municiones, sus partes y accesorios, de ahí la denominación común de este régimen especial como "Todo Menos Armas".

Conforme a lo dispuesto en el artículo 4.2, los TMA pueden simultanear el régimen SPG con otras preferencias derivadas de un acuerdo preferencial.

El Reglamento 978/2012 contiene además una serie de **disposiciones generales**, comunes a los tres regímenes, en materia de salvaguardia y de vigilancia, que se dirigen a establecer medidas correctivas frente a situaciones en las que, por el volumen de las importaciones y/o por los precios de las mismas, se pueda causar dificultades a los productores de la UE. Se establece un régimen de salvaguardia específico en los sectores textil, agrícola y pesquero (artículos 29 a 31) y la vigilancia en los sectores agrícola y pesquero (artículo 32). El Reglamento establece asimismo unas disposiciones comunes (artículos 33 a 41; el artículo 33 remite a las normas de origen que se establecen en el RACAC, que habrá que entender referido al RDCAU; el artículo 34 dispone que si un derecho *ad valorem* queda reducido al 1% se suspenderá por completo, así como un derecho específico correspondiente a una importación inferior a 2 euros) y unas disposiciones finales (artículo 42 y 43, este último regula la entrada en vigor y aplicabilidad).

Por lo que hace a las **normas de origen** para gozar de las preferencias SPG, estas se recogen en los artículos 41 a 58 RDCAU. El artículo 41 RDCAU recoge la distinción entre productos enteramente obtenidos y aquellos en cuya elaboración ha intervenido más de un país. El artículo 44 RDCAU enumera los productos que se consideran enteramente obtenidos, de forma análoga a como hemos visto que el artículo 31 RDCAU hace para el origen no preferencial.

> Debemos destacar algunas diferencias, no obstante. Así, para los vegetales (letra b), además de los recolectados se añaden los 'cultivados'. Se añaden además dos supuestos: el de la letra (e), que comprende 'los productos procedentes de animales sacrificados nacidos y criados en él' y el de la letra (g), que comprende 'los productos de la acuicultura consistentes en pescado, crustáceos y moluscos nacidos y criados en él'. Por lo que hace a los productos de la pesca y otros productos extraídos del mar, se define el concepto de 'sus buques', y para conferir origen no basta su registro y enarbolar bandera, sino que se incluyen requisitos relativos a la propiedad del buque. En este sentido, aunque no era un asunto suscitado en el marco del SPG, puede verse una discusión acerca de los requisitos de origen adicionales para los productos de la pesca en los regímenes preferenciales en la Sentencia *Faroe Seafood* (asuntos acumulados C-153/94 y C-204/94, de 14.05.1996).

Para los productos que no sean totalmente obtenidos, el artículo 45 RDCAU remite a la lista del Anexo 22-03 RDCAU, donde se detallan los criterios específicos para conferir origen.

> En relación a esta lista, el artículo 46 RDCAU dispone que, para aquellos productos para los que se establezca una regla de contenido máximo de materias no originarias, a fin de reducir el impacto de las fluctuaciones de los costes y los tipos de cambio, se podrá entender cumplido este requisito si la relación de contenido máximo de materias no originarias se verifica para un promedio de las ventas, calculado a partir de los datos del ejercicio fiscal precedente (o, si se carece de esta información, a partir de los datos de un período más breve que no puede ser inferior a 3 meses).

Se dispone que si un producto que cumple con los requisitos de origen de la lista se incorpora como material para la elaboración de otro producto en ese mismo país, a la hora de determinar el origen de ese otro producto no se tendrán en cuenta las materias no originarias que se utilizaron en la fabricación del primero.

Ejemplo

Supongamos que en el país beneficiario H se fabrica un circuito integrado que contiene un 35% de materiales no originarios (partida 8542; en ella se permite hasta un 50% de materiales no originarios en el SPG). Como sólo el 35% de los materiales no son originarios, el circuito integrado tiene la consideración de originario del país H. Ahora supongamos que ese circuito se utiliza en H para fabricar una motocicleta (partida 8711; para considerar originaria la motocicleta las materias no originarias no deben superar el 50%). A los efectos de determinar el origen de la motocicleta, el circuito integrado se consideraría originario al 100% del país H (a pesar que, según hemos dicho, un 35% de él son materiales no originarios).

El artículo 42 RDCAU contiene la regla de territorialidad. El artículo 43 RDCAU, en lugar de establecer el requisito de transporte directo, dispone el requisito de identidad del producto importado a la UE con el exportado desde el Estado beneficiario, cuya aplicabilidad se extiende a los insumos que vayan a beneficiarse del régimen de acumulación (regla de "no manipulación"). El artículo 47 RDCAU enumera las transformaciones insuficientes para conferir origen. El artículo 52 RDCAU regula el elemento neutro.

La regla de tolerancia general se regula en el artículo 48 RDCAU. Ésta se fija en el 15% (que será del peso neto, para los capítulos 2 y 4 a 24, salvo los productos de la pesca transformados del capítulo 16; será del precio franco fábrica para los demás productos, excepto los de los capítulos 50 a 63; en tanto que para los capítulos 50 a 63, que comprenden a los textiles, se aplican las reglas específicas de tolerancia de las notas 6 y 7 de la parte I del anexo 22-03 RDCAU).

El artículo 49 RDCAU dispone que la unidad de calificación será el producto, matizando que, en aquellos supuestos en los que el envase deba clasificarse con el producto, se le incluirá también a efectos de la determinación de su origen. De forma análoga el artículo 50 RDCAU se refiere a los accesorios, piezas de recambio y herramientas. Dispone que si se entregan con su principal (material, máquina, aparato o vehículo), son parte de su equipamiento normal y se incluyen en el precio franco fábrica, se considerarán parte integrante del principal (a efectos de la determinación del origen). Por su parte, para los surtidos el artículo 51 RDCAU establece que se consideran originarios si el valor de los productos no originarios integrados en el surtido no excede del 15% del precio franco fábrica del surtido.

Los artículos 53 a 58 RDCAU regulan los sistemas de acumulación. Para poder activar cualquiera de ellos debe realizarse en el país cuyo origen se pretende una transformación que vaya más allá de las calificadas como insuficientes por el artículo 47 RDCAU.

El artículo 53 RDCAU se refiere a la acumulación bilateral entre países SPG y la UE. El artículo 54 RDCAU establece las reglas para la acumulación diagonal con Noruega, Suiza y Turquía. Para que resulte aplicable el precepto requiere, análogamente, que en el país beneficiario SPG se lleve a cabo, sobre el producto originario de Noruega, Suiza o Turquía, una transformación que vaya más allá de las calificadas como insuficientes por el artículo 47 RDCAU. Ahora bien, en cualquier caso, este tipo de acumulación no se puede aplicar a las mercancías de los capítulos 1 a 24 de la nomenclatura combinada (estos capítulos comprenden a los animales vivos y productos del reino animal; productos del reino vegetal; grasas y aceites animales o vegetales; productos de su desdoblamiento; grasas alimenticias elaboradas; ceras de origen animal o vegetal; productos de las industrias alimentarias; bebidas, líquidos alcohólicos y vinagre; tabaco y sucedáneos del tabaco elaborados).

El artículo 55 RDCAU regula la acumulación regional. A estos efectos se definen 4 grupos regionales: a) Grupo I: Brunei, Camboya, Indonesia, Laos, Malasia, Birmania/Myanmar, Filipinas, Tailandia y Vietnam; b) Grupo II: Bolivia, Colombia, Costa Rica, Ecuador, El Salvador, Guatemala, Honduras, Nicaragua, Panamá, Perú y Venezuela; c) Grupo III: Bangladés, Bután, India, Maldivas, Nepal, Pakistán y Sri Lanka; y d) Grupo IV: Argentina, Brasil, Paraguay y Uruguay (MERCOSUR).

La activación del sistema de acumulación regional se sujeta al cumplimiento de diversos requisitos por parte de los países participantes, que deben ser beneficiarios del SPG en el momento de la exportación a la UE: 1) Deben aplicarse reglas de origen SPG de la UE; 2) se debe adquirir el compromiso de respetar las reglas de acumulación y de facilitar la cooperación administrativa para su control, notificándose así a la Comisión. Se excluyen de esta acumulación a las materias listadas en el anexo 22-04 RDCAU cuando la preferencia otorgada por la UE no sea idéntica para todos los países del grupo y la acumulación permita un trato más favorable que el que estas materias recibirían si se exportasen directamente a la UE.

> El artículo 55.4 RDCAU, además de reiterar la regla común a todos los sistemas de acumulación del SPG, conforme a la cual para poder aplicar esta acumulación debe realizarse en el último país una transformación que vaya más allá de las calificadas como insuficientes por el artículo 47.1 RDCAU, dispone que, tratándose de textiles, la transformación en el último país debe ir más allá de las operaciones que relaciona el anexo 22-05 RDCAU. Si no se cumple este requisito se atribuirá el origen que corresponda al país del grupo que aporte mayor porcentaje del valor de las materias utilizadas originarias.
>
> Para controlar el uso correcto del mecanismo de acumulación, se establece que resultarán aplicables a las exportaciones de un país beneficiario a otro a efectos de la acumulación regional las disposiciones, no sólo relativas a la determinación del origen en el marco SPG (artículos 41 a 52 RDCAU), sino también las relativas a la expedición o extensión de pruebas de origen y las relativas a la comprobación de las pruebas de origen (artículo 55.8 RDCAU).

Se establece un cauce, con limitaciones, para la acumulación entre los grupos regionales I y III, que comprenden ambos a países asiáticos (apartados 5 y 6 del artículo 55 RDCAU). Para que esta posibilidad de acumulación se active la Comisión deberá publicar en el DO UE, serie C, la fecha en que surta efecto, los países participantes y, en su caso, la lista de materias a las que se aplique.

> En este sentido, el Reglamento de Ejecución (UE) nº 1328/2013 de la Comisión, de 12 de diciembre de 2013 (DO L 334, de 13.12.2013), concede la acumulación interregional entre Indonesia (del Grupo I) y Sri Lanka (del Grupo III) en lo relativo a las normas de origen SPG.

El artículo 56 RDCAU regula el cauce para acordar una acumulación ampliada con otros países con los que la UE tenga un TLC a petición de un país beneficiario, y ordena que esta acumulación en ningún caso alcanzará a las materias clasificadas en los capítulos 1 a 24 de la clasificación arancelaria. Esta acumulación exige que las materias del tercer país hayan sido objeto de una transformación ulterior o hayan sido incorporadas a un producto fabricado en el país beneficiario (artículo 37.9 RDCAU).

El artículo 57 RDCAU se refiere a la posibilidad de combinación de diferentes sistemas de acumulación (acumulación bilateral o acumulación con Noruega, Suiza o Turquía en combinación con la acumulación regional) disponiendo que, para determinar el origen en tal caso, se aplicarán las reglas del 55.4 RDCAU (en general) o del 55.6 RDCAU (si hay acumulación regional entre países de los grupos I y III).

Por su parte, el artículo 58 RDCAU permite, a solicitud del operador, que se aplique la forma de gestión mediante el método de separación contable —sin necesidad de separación física— respecto de materias fungibles originarias y no originarias que se utilicen en la elaboración o transformación de un producto.

> Los artículos 59 a 70 RDCAU regulan otro sistema de normas de origen preferencial, que se completa con el listado de criterios específicos del Anexo 22-11 RDCAU, aplicable a otros países o territorios a los que la UE aplique preferencias unilaterales, distintas de las establecidas en el marco del SPG. Respecto a los países a los que se aplican estas normas de origen, véase el Reglamento 1215/2009, relativo a las medidas comerciales excepcionales para los países y territorios participantes o vinculados al proceso de estabilización y asociación de la Unión Europea.

7.4.6. Las preferencias a favor de los Países y Territorios de Ultramar (PTU)

Los territorios comprendidos en la categoría de 'países y territorios de ultramar' (PTU) los relaciona el Anexo II del TFUE, y son los siguientes: Groenlandia, Nueva Caledonia y sus dependencias, Polinesia francesa, tierras australes y antárticas francesas, Islas Wallis y Futuna, Mayotte, San Pedro y Miquelón, Aruba, Antillas neerlandesas (Bonaire, Curaçao, Saba, San Eustaquio, San Martín), Anguila, Islas Caimán, Islas Malvinas (Falkland), Georgia del Sur e Islas Sandwich del Sur, Montserrat, Pitcairn, Santa Elena y sus dependencias, territorio antártico británico, territorios británicos del Océano Índico, Islas Turcas y Caicos, Islas Vírgenes británicas y Bermudas.

La Cuarta Parte del TFUE (artículos 198 a 204) regula la asociación de países y territorios de ultramar (PTU). Se trata de países y territorios no europeos que mantienen relaciones especiales con Dinamarca, Francia, Países Bajos y Reino Unido, y su listado se recoge en el Anexo II del TFUE. El artículo 199 TFUE enumera los objetivos de la asociación con los PTU, entre los que señala que los Estados miembros aplicarán a sus intercambios comerciales con los PTU el régimen que se otorguen entre sí en virtud de los Tratados (apartado 1), en tanto que cada PTU aplicará a sus intercambios comerciales con los Estados miembros y con los demás PTU el régimen que aplique al Estado europeo con el que mantenga relaciones especiales (apartado 2). El artículo 200 TFUE ordena la prohibición de los derechos de aduana a las importaciones de mercancías originarias de los PTU, en los términos aplicables entre los Estados miembros de acuerdo con las disposiciones de los Tratados. Por su parte, se prohíbe la aplicación de derechos de aduana por los PTU respecto de las importaciones procedentes de los Estados miembros y de los demás PTU, pero esta prohibición queda matizada por cuanto se permite que puedan percibir derechos de aduana para satisfacer las exigencias de su desarrollo y las necesidades de su industrialización o derechos de carácter fiscal destinados a nutrir su presupuesto. En cualquier caso, tales derechos de aduana no podrán ser superiores a los que graven las importaciones de productos procedentes del Estado miembro con el que cada PTU mantenga relaciones especiales. El artículo 200 TFUE concluye en su apartado 5 disponiendo que el establecimiento o la modificación de los derechos de aduana que graven las mercancías importadas por los PTU no deberá provocar, de hecho o de derecho, una discriminación directa o indirecta entre las importaciones procedentes de los distintos Estados miembros de la UE. El artículo 203 TFUE atribuye al Consejo la potestad para adoptar, por unanimidad, a propuesta de la Comisión, las disposiciones relativas a las modalidades y el procedimiento para la asociación de los países y territorios a la Unión.

La Decisión 2013/755/(UE) del Consejo supone el ejercicio de la potestad atribuida por el referido artículo 203 TFUE (anteriormente, artículo 187 TUE), desarrollando el régimen de asociación con los PTU. En materia aduanera (la asociación se extiende a muchas otras materias), son de particular interés los artículos 42 a 49. Tras señalar los objetivos generales de comercio y cooperación comercial ente la Unión y los PTU en el artículo 42, el artículo 43 reitera el mandato del TFUE conforme al cual los productos originarios de los PTU se importarán en la UE libres de derechos de importación, remitiendo a su anexo VI por lo que hace al concepto de productos originarios.

La STJUE *Leplat* (asunto C-260/90, de 12.02.1992) interpretó que la prohibición de derechos de aduana debe interpretarse que comprende asimismo a las exacciones de efecto equivalente a un derecho de aduana, pues de otro modo la prohibición podría quedar vaciada de significado (párrafo 18).

El artículo 44 establece la regla general conforme a la cual la Unión no aplicará restricciones cuantitativas ni medidas de efecto equivalente a las importaciones de productos originarios de los PTU. Ahora bien, la Unión sí podrá adoptar prohibiciones o restricciones sobre las importaciones, exportaciones o mercancías en tránsito cuando las mismas se encuentren justificadas por razones de moralidad u orden público, protección de la salud y de la vida de las personas y animales, preservación de los vegetales, protección del patrimonio artístico, histórico o arqueológico nacional o protección de la propiedad industrial y comercial, y sujeto a que no constituyan un medio de discriminación arbitraria o injustificada o una restricción encubierta del comercio en general. El artículo 45 permite a los PTU mantener o introducir los derechos de aduana o restricciones cuantitativas que consideren necesarios para sus necesidades de desarrollo en relación con las importaciones de productos originarios de la Unión. Ahora bien, no se permite a los PTU otorgar a la Unión un trato menos favorable que el trato más favorable aplicable a cualquier otra economía de mercado importante. Sí se permite, en cambio, a los PTU conceder a otros PTU u otros países en desarrollo determinados un trato más favorable que el que conceda a la Unión.

A estos efectos se define «economía de mercado importante» como cualquier país desarrollado, o cualquier país que represente una proporción de las exportaciones de las mercancías mundiales superior al 1% o cualquier grupo de países que actúen individual, colectivamente o mediante un acuerdo de libre comercio que represente en su conjunto una proporción de exportación de las mercancías mundiales superior al 1,5% (apartado 4 artículo 45).
Las autoridades de los PTU deben comunicar a la Comisión cualquier modificación de los aranceles aduaneros y las restricciones cuantitativas que apliquen de conformidad con la Decisión 2013/755.

Conforme al artículo 46, la Unión no establecerá discriminaciones entre los PTU y, por su parte, los PTU no establecerán discriminaciones entre los Estados miembros.

A estos efectos, no se considera discriminatoria la aplicación de las disposiciones específicas conforme a la propia Decisión y, en particular, en virtud de sus artículos 44.2, y 45, 48, 49, 51 y 59.32.

El artículo 48 permite a la Comisión retirar temporalmente las preferencias al PTU conforme a lo previsto en el anexo VII de la propia Decisión, en supuestos de fraude, irregularidades o deficiencias sistemáticas a la hora de cumplir o hacer cumplir las normas y los procedimientos relativos al origen de los productos, u omisión de la cooperación administrativa para la aplicación y el control de las preferencias. Antes de acordar la retirada temporal de preferencias la Comisión debe entablar consultas con el PTU y con el Estado miembro con el que el PTU mantenga relaciones especiales.

El artículo 49 permite a la Unión adoptar las medidas de salvaguardia y vigilancia que figuran en el anexo VIII.

La regulación en materia de origen se contiene en el Anexo VI de la Decisión 755/2013. Conviene observar que los territorios de los PTU se consideran a efectos de origen como un único territorio (artículo 2.3 del Anexo VI), lo cual alcanza relevancia en materia de acumulación puesto que supone que, para la fabricación de un producto, es indiferente que los materiales que se utilicen sean del propio país o bien de otro PTU, dado que ello no va a alterar el origen. Se permite la acumulación (bilateral, diagonal y total) con la UE (artículo 7 Anexo VI) y con los países ACP que tengan en vigor un Acuerdo de Asociación Económica con la UE (artículo 8 Anexo VI). Ahora bien, esta acumulación no puede aplicarse respecto de las mercancías relacionadas en el Apéndice XIII de este Anexo VI. También se permite la acumulación con países beneficiarios del Sistema de Preferencias Generalizadas que gocen de acceso libre de derechos y de contingentes al mercado de la Unión (artículo 9 Anexo VI). El artículo 10 del Anexo VI permite a la Comisión conceder, a petición de un PTU, la acumulación de origen ampliada, entre un PTU y un país con el que la Unión tenga un acuerdo de libre comercio.

La regla general de tolerancia está fijada en el 15% del precio franco fábrica del producto terminado (15% del peso del producto para los productos clasificados en los capítulos 2 y 4 a 24, distintos de los productos de la pesca transformados del capítulo 16; artículo 6 Anexo VI). No se aplica la prohibición de reembolso de los derechos de aduana.

No se establece el requisito de transporte directo sino que, de forma análoga a lo que se dispone en el marco del SPG, se ordena una regla de no manipulación (artículo 18 Anexo VI).

> Son aplicables diversas 'exenciones temporales', esto es, flexibilizaciones temporales —suelen ser por períodos de 5 años— por las cuales se permite atribuir origen a pesar que no se cumplan estrictamente las reglas aplicables (artículo 16 Anexo VI). Estas derogaciones afectan fundamentalmente a productos de la pesca.

El origen puede acreditarse mediante un certificado EUR.1 o bien mediante una declaración en factura (para exportadores autorizados o bien para envíos cuyo valor total no exceda de 10.000 euros). El período de validez de las pruebas de origen es de 10 meses. No se exige prueba de origen respecto de pequeños paquetes cuyo valor no exceda de 500 euros o del equipaje personal de viajeros hasta 1.200 euros.

7.4.7. Ceuta y Melilla

En virtud del Protocolo 2 del Acta de Adhesión de España a la CEE, Ceuta y Melilla se benefician de un régimen preferencial unilateral que permite a los productos originarios de estas dos ciudades beneficiarse de la mayoría de los sistemas de acumulación existentes entre la UE y terceros países (en el DO C 108, de 04.05.2003 se contiene la lista de países con los que los productos de Ceuta y Melilla pueden beneficiarse de la acumulación). Las reglas de origen preferencial para Ceuta y Melilla se regulan en el Reglamento (CE) 82/2001 (DO L 20, de 20.01.2001). Este Reglamento establece la extensión a Ceuta y Melilla de todos los sistemas de acumulación entre la UE y terceros países que incluyan una norma sobre Ceuta Melilla. Es importante tener en cuenta que sólo podrá aplicarse un sistema de acumulación por producto (para un mismo producto no se puede acumular simultáneamente en virtud de dos regímenes preferenciales distintos). Además se establece una regla general de tolerancia del 10% del precio franco fábrica del producto (artículo 6.2.(a) del Reglamento 82/2001), de manera que, aún cuando una mercancía incorpore elementos de terceros países no permitidos conforme al listado del Anexo B, podrán seguir considerándose originarias de Ceuta o Melilla. Por otro lado, el artículo 7 del Reglamento 82/2001 enumera las transformaciones que se consideran en todo caso insuficientes para conferir a las mercancías origen Ceuta o Melilla. El origen Ceuta y Melilla se acredita mediante un certificado EUR.1 o bien mediante declaración en factura (artículo 16), con un período de validez de 4 meses (artículo 23).

7.5. ACREDITACIÓN DEL ORIGEN

7.5.1. La acreditación del origen en el Convenio de Kioto

La versión revisada del Convenio de Kioto dedica el Capítulo 2 del Anexo específico K a la prueba documental del origen. En él se define "certificado de origen" como "un formulario específico que permite identificar las mercancías y en el cual la autoridad u organismo facultado para concederlo certifica expresamente que las mercancías a las que se refiere el certificado son originarias de un determinado país. Este certificado puede incluir, además, una declaración del fabricante, del productor, del proveedor, del exportador o de otra persona competente". El certificado de origen es, por tanto, un documento típico que acredita un origen para las mercancías a efectos aduaneros. El Convenio de Kioto contempla otros medios de acreditación del origen. Así, se define "declaración certificada de origen", como "declaración de origen' certificada por una autoridad u organismo facultado para ello" y, por otro, lado se define asimismo "declaración de origen" como "una declaración apropiada relativa al origen de las mercancías, establecida en la factura comercial u otro documento relativo a ellas, por el fabricante, productor, proveedor, exportador o por otra persona competente, con motivo de su exportación". Como puede observarse, cada medio definido supone un orden decreciente de intervención de las autoridades: mientras que en el certificado es máximo (el certificado es emitido por las autoridades), en la declaración certificada es medio (las autoridades se limitan a certificar lo declarado por el exportador), y en la declaración de origen es inexistente (el exportador declara un origen). Cualquiera de las tres formas constituye una "prueba documental de origen", por lo que esta es la denominación para referirse indistintamente a cualquier medio de acreditación del origen.

> Como veremos, el ordenamiento europeo se sirve de los certificados de origen (fundamentalmente el EUR.1 y el modelo A, también conocido como FORM A) y de las declaraciones de origen (declaración en factura), y no tanto de fórmula de la declaración certificada. Insistimos en que la UE no ha ratificado hasta este momento, ni el Anexo K, ni ninguno de los Anexos específicos del Convenio de Kioto revisado, en tanto que el Convenio de Kioto revisado declara derogada la versión original del Convenio.
>
> Una materia próxima pero diferente a la que ahora nos ocupa es la que el Convenio de Kioto denomina "certificado de denominación regional" y que define como "un certificado establecido de acuerdo con las reglas prescritas por una autoridad u organismo facultado, certificando que las mercancías allí descritas responden a las condiciones previstas para merecer una denominación propia de una determinada región (por ejemplo, vinos de Champagne, de Oporto, queso Parmesano, etc.)". Se trata, pues, de las denominaciones protegidas, de especial arraigo en la UE y que cobran presencia muy relevante en los acuerdos comerciales de la UE (la UE mantiene una posición muy fuerte en torno a su protección jurídica).

El Convenio de Kioto recomienda que la prueba documental de origen se solicite solamente cuando sea necesaria (Práctica recomendada 2) y señala algunos supuestos específicos en los que tal prueba no debiera solicitarse (pequeños envíos a particulares o equipaje de viajeros; envíos comerciales de valor inferior a 600 $; mercancías en admisión temporal; mercancías en tránsito; ciertos supuestos relativos a mercancías que disponen de un certificado de denominación regional; Práctica recomendada 3). Se recomienda revisar, por lo menos cada tres años, la normas por las que se requiere la acreditación del origen para mantenerlas pegadas a la realidad comercial (Práctica recomendada 4). La exigencia de una prueba de origen emitida por las autoridades —certificado de origen— se recomienda que se limite a los casos de sospecha de fraude (Práctica recomendada 5). El Convenio recomienda un modelo de documento de certificado de origen (Práctica recomendada 6) que se ofrece en el Apéndice I del propio Anexo K, junto con instrucciones detalladas acerca de sus características físicas (tamaño del papel, márgenes, espaciado, etc.), así como sobre la información que debe requerirse en cada casilla y las instrucciones de cumplimentación.

El Convenio dedica cierta atención a la dificultad derivada de los idiomas. Se recomienda que, en cualquier caso, además del idioma del país de exportación, los certificados se emitan en inglés o en francés (Práctica recomendada 7) y que el país de importación no debiera exigir de forma sistemática la traducción de los certificados a su propio idioma (Práctica recomendada 8). Se dispone que las Partes deben comunicar quiénes son las autoridades competentes en su jurisdicción para emitir certificados (Norma 9). Como medida de control, cuando las mercancías atraviesen en su transporte de exportación el territorio de un tercer país, se recomienda que las autoridades de ese país de tránsito puedan otorgar un certificado de origen basado en el certificado del país de exportación (Práctica recomendada 10). Se recomienda asimismo que las autoridades emisoras de certificados conserven, durante un período mínimo de 2 años, las solicitudes o ejemplares de control de los certificados (Práctica recomendada 11).

Por lo que hace a otras formas de prueba del origen, se recomienda que se acepten declaraciones de origen respecto de pequeños envíos a particulares y al equipaje de viajeros (hasta un valor global no inferior a 500$) y en los envíos comerciales de escaso valor (hasta un valor global no inferior a 300$) (Práctica recomendada 12).

Se recomienda sancionar a cualquier persona que otorgue o que haga otorgar un documento conteniendo información falsa con vistas a obtener una prueba documental de origen (Práctica recomendada 13).

El capítulo 2 del Apéndice K del Convenio de Kioto se cierra con algunas indicaciones relativas a la cumplimentación de los certificados, como la de exigir que la escritura sea indeleble y legible, no aceptar borraduras ni sobrescritos (sí en cambio tachaduras con su salvedad correspondiente), no permitir espacios en blanco no obliterados, y emitir copias del certificado cuando la necesidad del comercio lo exija.

7.5.2. Acreditación de un origen no preferencial

En el marco del régimen no preferencial, el artículo 61 CAU dispone que las autoridades aduaneras pueden exigir que el origen no preferencial de las mercancías se acredite. Pese a que en este caso la acreditación de un origen no preferencial no va a permitir gozar de preferencias arancelarias, su exigencia puede todavía responder a finalidades diversas, tales como la aplicación de medidas económicas o comerciales autónomas o convencionales (derechos antidumping o compensatorios, contingentes, bloqueos comerciales, etc.) o de cualquier otra medida de orden público o sanitario (como por ejemplo la detección de alimentos contaminados procedentes de un área geográfica determinada).

Ha de tenerse en cuenta que cada país puede tener sus propios criterios para determinar cuándo considera una mercancía originaria de su jurisdicción. Como se trata de orígenes no preferenciales, en estos supuestos carecemos de compromisos entre los países implicados para aplicar unos criterios predeterminados de origen y, como hemos señalado, el Acuerdo sobre origen de la OMC no ha logrado todavía establecer unas reglas de validez universal en este ámbito. Teniendo en cuenta esta posible disparidad de criterio entre la UE y el país de origen de que se trate, el artículo 61.2 CAU dispone que, en caso de duda fundada, las autoridades podrán exigir cualquier justificante complementario del origen declarado. Se trataría así de establecer con qué fundamento se expidió la acreditación del origen en el país de exportación, a fin de contrastar si ese criterio de origen es aceptable por el ordenamiento de la UE.

Con carácter general, cuando se declara un origen no preferencial no se exige su acreditación. Ahora bien, la acreditación puede exigirse cuando la aplicabilidad de alguna medida dependa del origen de las mercancías. Un supuesto particular en el que se exige la presentación de una acreditación del origen no preferencial es el de los denominados "regímenes especiales de importación no preferenciales", al que se refieren los artículos 57 a 59 RECAU. Estos regímenes especiales de importación no preferenciales no se establecen en el CAU ni en sus reglamentos de desarrollo, sino en normas sectoriales, fundamentalmente relativas a productos agrícolas y textiles.

> El Reglamento (CE) 209/2005 (DO L 34, de 08.02.2005) establece la lista de los productos textiles para los que no se exige prueba del origen en su despacho a libre práctica en la UE.

Cuando una norma de la UE establezca un régimen especial de importación no preferencial deberá aportarse un certificado de origen expedido en el formato que se recoge en el anexo 22-14 RECAU y con las indicaciones que allí se establecen. Este certificado puede ser expedido por las autoridades aduaneras del país de exportación o por otro organismo autorizado por ellas (estos certificados los suelen expedir las cámaras de comercio), que habrán de aplicar las normas de origen no preferencial de la UE. Con carácter general el certificado debe expedirse antes de que los productos que se van a importar en la UE se declaren para la exportación en el país de exportación, pero cabe también que se expidan en un momento posterior (*a posteriori*) si se hubiera incurrido en errores u omisiones involuntarias o en circunstancias especiales.

> Conforme a lo previsto en el anexo 22-14 RECAU, este tipo de certificado de origen tendrá una validez de doce meses a contar desde la fecha de su expedición. Sólo puede haber un original (que contendrá la mención "original") pero pueden solicitarse copias (que contendrán la mención "copia"). Si se expide *a posteriori* contendrá la mención "expedido a posteriori".

Las autoridades expedidoras habrán debido establecer un procedimiento de cooperación administrativa con las autoridades de la UE, en el marco del cual facilitarán a la Comisión los nombres y direcciones de las autoridades expedidoras y de las autoridades gubernamentales encargadas de recibir las solicitudes de comprobación *a posteriori* de los certificados de origen, así como las muestras de los sellos que utilizan. La Comisión, a su vez, distribuirá esta información entre las autoridades aduaneras de la UE. En caso de que la información señalada no se haga llegar a la Comisión, se denegará a ese país la utilización del régimen especial de importación no preferencial.

Las autoridades aduaneras nacionales de la UE podrán comprobar el origen declarado que se haya acreditado mediante este certificado una vez admitida la declaración en aduana (a esta comprobación se le denomina *a posteriori*). Esta comprobación puede realizarse cuando las autoridades alberguen dudas fundadas acerca del origen declarado, pero también cabe en ausencia de ellas, simplemente de forma aleatoria para asegurar que se cumplen adecuadamente las obligaciones aduaneras. Para llevar a cabo la comprobación, las autoridades aduaneras de la UE devolverán el certificado de origen aportado o copia de él a las autoridades gubernamentales del país de exportación encargadas de recibir las solicitudes de comprobación *a posteriori* de los certificados de origen, pudiendo acompañarse además de la factura o copia de ella. En su caso, se indicarán los motivos de duda. Tras este requerimiento, las autoridades del país de exportación deben realizar las verificaciones oportunas e informar de sus resultados a las autoridades de la UE. Disponen para ello de un plazo de seis meses puesto que, si concluye este plazo sin haber recibido respuesta, las autoridades de la UE denegarán la aplicabilidad del régimen especial de importación no preferencial a las mercancías de que se trate.

Por lo que hace a las exportaciones, cuando un operador de la UE exporte mercancías y el país de importación no aplique preferencias al origen UE, el operador puede acreditar su origen mediante un certificado de origen no preferencial que en España emiten las cámaras de comercio. Por otra parte, el artículo 61.3 CAU establece la posibilidad de expedir en la UE acreditaciones del origen conforme a la normativa del país de destino (no conforme a la normativa de origen de la UE) cuando las necesidades del comercio así lo requieran. Esta norma se dirige a evitar que los exportadores europeos puedan encontrarse con dificultades a la hora de comerciar con sus mercancías en países terceros que exijan una acreditación de origen que se ajuste a la normativa de origen de ese país.

7.5.3. Acreditación de un origen preferencial

En el ordenamiento de la UE tradicionalmente la forma típica exigida para acreditar el origen preferencial ha sido el certificado de origen. Este certificado se emite por las autoridades aduaneras del país de exportación siguiendo las prescripciones establecidas en la norma de origen preferencial que corresponda, acreditando que el producto ha sido fabricado de acuerdo con los requisitos fijados en aquélla.

El principal modelo de certificado de origen que establece la UE es el "Certificado de circulación EUR.1", que la UE incluye en la práctica totalidad de los acuerdos preferenciales que negocia. El modelo del EUR.1 se recoge en el anexo 22-10 RECAU. No obstante, en el ordenamiento de la UE se establecen otro tipo de certificados de origen: así, respecto de productos industriales originarios de Andorra, se utiliza el documento TL2 o equivalente; para productos industriales originarios de Turquía, se utiliza el documento A.TR; para productos originarios de Corea del Sur no se utilizan certificados de origen sino la denominada "declaración de origen", a la que nos referimos más adelante. Tampoco en el SPG se utiliza el modelo EUR.1, sino el modelo A, que se recoge en el Anexo 22-08 RECAU.

En el marco del SPG se ha suprimido el sistema de acreditación del origen basado en la utilización de certificados de origen y, en su lugar, se utiliza un sistema basado en comunicaciones expedidas por "exportadores registrados". Para los exportadores de la UE este nuevo sistema se aplica desde 01.01.2017. Para los exportadores de los diferentes países beneficiarios del SPG el sistema se ha implantado a medida que cada país ha dispuesto de su propio "registro de exportadores" y se ha comprometido con la UE al cumplimiento de las obligaciones que se establecen para su correcto funcionamiento.

Esta evolución en el SPG parece anunciar que la UE abandona su sistema tradicional de acreditación del origen basado en certificados de origen. No obstante, puesto que es el sistema principal, al estar previsto en la inmensa mayoría de acuerdos preferenciales de la UE, convendrá que expongamos sus elementos fundamentales.

> Dado que la UE ha impuesto los certificados EUR.1 en casi todos sus acuerdos preferenciales, acabar con el sistema de acreditación del origen mediante certificados de origen exigiría renegociar todos esos acuerdos.

Antes de comenzar esta exposición debemos advertir, no obstante, que cada régimen preferencial incluye peculiaridades en materia de acreditación del origen, por lo que debe examinarse en cada caso la regulación propia del régimen aplicable a fin de establecer los elementos específicos del mismo.

La primera idea que debe destacarse consiste en que corresponde a las autoridades del país de exportación asegurar el respeto a la normativa de origen. En principio, por tanto, a las autoridades del país de exportación les corresponde establecer que el origen pretendido por el exportador se corresponde con la realidad. Esta atribución de potestad y de responsabilidad tiene sentido porque son las autoridades del país de exportación las que gozan de mejor posición para garantizar una correcta aplicación de las normas de origen respecto de las mercancías de su jurisdicción. Obsérvese que lo anterior supone que esas decisiones de las autoridades de un tercer país van a producir efectos jurídicos en un Estado miembro de la UE.

A las autoridades del país de exportación les corresponde asimismo velar por la correcta aplicación de las normas de expedición de los certificados y la asistencia mutua en materia de origen con autoridades de la UE. Deben prestar apoyo en caso de que las autoridades aduaneras europeas requieran que se controle la autenticidad y veracidad de los certificados. En algún caso se establece que las propias autoridades europeas pueden llevar a cabo inspecciones sobre el terreno en el país de exportación (así se dispone en el marco del SPG), pero esto es la excepción.

El certificado de origen se expide a solicitud del exportador, que deberá aportar a este fin la documentación acreditativa que se le requiera. A este efecto, las autoridades pueden requerir cualquier prueba documental o llevar a cabo cualquier control que consideren adecuado. Con carácter general el certificado deberá expedirse cuando se efectúe la exportación de las mercancías, si bien se admite excepcionalmente la emisión de certificados *a posteriori* cuando se detecten errores u omisiones involuntarias o por circunstancias especiales, o en aquellos casos en que el certificado inicialmente expedido no haya sido aceptado por motivos técnicos.

> Un supuesto de 'circunstancia especial' en la que cabe la emisión *a posteriori* de un certificado de origen es el que se presentó al TJUE en el asunto C-368/92, *Solange Chiffre* (STJUE de 24.02.1994).

En el marco del SPG el certificado también puede expedirse *a posteriori* si el destino final de las mercancías se determina durante su transporte o almacenamiento y después de un fraccionamiento del envío (artículo 74.2 RECAU).

En caso de robo, pérdida o destrucción de un certificado se podrá solicitar un duplicado (así se establece, p.e., en el marco del SPG en el artículo 74.4 RECAU).

> Tanto los certificados emitidos *a posteriori* como los duplicados deben incluir una mención que los identifique como tales. Por ejemplo, en el marco del SPG se exige la mención en inglés, francés o español, *'Issued retrospectively'/'Delivré a posteriori'/'Expedido a posteriori'* o *'Duplicate'/'Duplicata'/'Duplicado'*, respectivamente.

Cuando se aplique un sistema de acumulación, las autoridades del país de exportación deben vigilar la correcta acreditación del origen respecto de los productos o materiales que pretendan acogerse a ella e incluir en el certificado una mención que identifique el sistema de acumulación aplicado (p.e., véase el artículo 76 RECAU para el SPG).

Nos hemos referido hasta ahora a la forma típica de acreditar el origen en el ordenamiento de la UE, los certificados de origen. Junto a esta típicamente se establece otra forma de acreditación del origen, la "declaración en factura". En este sistema es el propio exportador quien acredita el origen de las mercancías mediante la inclusión de unas menciones en sus facturas, haciéndose responsable de su veracidad y exactitud. La mención a incluir en factura se establece en cada acuerdo preferencial. En el caso del SPG el modelo de declaración en factura se contiene en el Anexo 22-09 RECAU; en el Anexo 22-13 RECAU, por su parte, se contiene el modelo de declaración en factura para otros regímenes preferenciales unilaterales de la UE. Para otros regímenes preferenciales, debemos acudir a la norma que los regula.

Ejemplo

Reproducimos a continuación el modelo de declaración en factura en el marco del SPG (contenido en el Anexo 22-09 RECAU).

ANEXO 22-09

Declaración en factura

La declaración en factura, cuyo texto figura a continuación, se extenderá de conformidad con las notas a pie de página. Sin embargo, no será necesario reproducir las notas a pie de página.

Versión francesa

L'exportateur des produits couverts par le présent document [autorisation doua-nière n° .... (¹)] déclare que, sauf indication claire du contraire, ces produits ont l'origine préférentielle ... (²) au sens des règles d'origine du Système des préfé-rences tarifaires généralisées de l'Union européenne et ... (³).

Versión inglesa

The exporter of the products covered by this document (customs authorization No ... (¹)) declares that, except where otherwise clearly indicated, these products are of ... preferential origin (²) according to rules of origin of the Generalized System of Preferences of the European Community and ... (³).

Versión española

El exportador de los productos incluidos en el presente documento [autorización aduanera n° ... (¹)] declara que, salvo indicación en sentido contrario, estos productos gozan de un origen preferencial ... (²) en el sentido de las normas de origen del Sistema de preferencias generalizado de la Unión europea y ... (³).

(lugar y fecha) (⁴)

(Firma del exportador; además deberá indicarse de forma legible el nombre y los apellidos de la persona que firma la declaración) (⁵)

EJEMPLO

(¹) Cuando la declaración en factura sea efectuada por un exportador autorizado de la Unión Europea a efectos del artículo 77, apartado 4, del Reglamento de Ejecución (UE) 2015/2447 por el que se establecen normas de desarrollo de determinadas disposiciones del Reglamento (UE) n° 952/2013 (Véase la página 558 del presente Diario Oficial.), en este espacio deberá consignarse el número de autorización del exportador. Cuando la declaración en factura no sea efectuada por un exportador autorizado (como ocurre siempre en el caso de las declaraciones en factura efectuadas en países beneficiarios), deberán omitirse las palabras entre paréntesis o deberá dejarse el espacio en blanco.

(²) Deberá indicarse el país de origen de los productos. Cuando la declaración en factura se refiera total o parcialmente a productos originarios de Ceuta y Melilla a efectos del artículo 112 del Reglamento de Ejecución (UE) 2015/2447, el exportador deberá indicarlos claramente en el documento en el que se efectúe la declaración mediante las siglas «CM».

(³) Cuando resulte oportuno, deberá introducirse una de las siguientes menciones: «EU cumulation», «Norway cumulation», «Switzerland cumulation», «Turkey cumulation», «regional cumulation», «extended cumulation with country x» o «Cumul UE», «Cumul Norvège», «Cumul Suisse», «Cumul Turquie», «cumul regional», «cumul étendu avec le pays x» o «Acumulación UE», «Acumulación Noruega», «Acumulación Suiza», «Acumulación Turquía», «Acumulación regional», «Acumulación ampliada con el país x».

(⁴) Estos datos podrán omitirse si el propio documento contiene esa información.

(⁵) Véase el artículo 77, apartado 7, del Reglamento de Ejecución (UE) 2015/2447 (afecta únicamente a los exportadores autorizados de la Unión Europea). En los casos en que no se requiera la firma del exportador, la exención de firma también implicará la exención del nombre del firmante.

Mediante la inclusión por el exportador de las menciones en factura que se estipulen en la norma de origen preferencial correspondiente se acredita un origen para las mercancías. Como puede suponerse esa posibilidad se condiciona, o bien a que se trate de envíos de un valor limitado (el umbral se suele establecer en 6.000 euros) o bien a que se trate de un operador que resulte fiable para las autoridades aduaneras, lo cual se establece típicamente mediante la figura del 'exportador autorizado' (véase, p.e., el artículo 17 del Protocolo de origen del Acuerdo UE-Corea del Sur, Decisión 2011/265/UE).

Las normas preferenciales no suelen establecer qué requisitos deben cumplirse para poder ser reconocido por las autoridades como 'exportador autorizado'. Tampoco las normas de la UE regulan esta importante cuestión, de manera que son las autoridades nacionales las que deciden al respecto.

El '*Handbook*' preparado por TAXUD sobre reglas de origen preferenciales euromediterráneas ('*Handbook to the Rules of Preferential Origin used in trade between the European Community, other European Countries and the countries participating to the Euro-Mediterranean Partnership*', páginas 89 a 92) señala que para acceder a la condición de 'exportador autorizado' un operador debe: a) realizar operaciones frecuentes respecto de las mercancías de que se trate, con un buen historial de cumplimiento; b) ser capaz de ofrecer suficientes garantías respecto del carácter originario de las mercancías (debe tener un conocimiento suficiente de las normas de origen) y de cumplir las obligaciones resultantes (debe disponer de los documentos acreditativos del origen); c) a la luz de su historial de exportaciones previas, debe estar en condiciones de suministrar las pruebas del origen de las mercancías que exporta; d) en caso de que el exportador sea también el productor, las autoridades deben quedar satisfechas de que los registros de los almacenes de la empresa permiten identificar el origen de las mercancías; e) en caso de exportadores comerciales, las autoridades examinarán los flujos comerciales habituales para verificar si procede la concesión del estatuto de exportador autorizado.

En España la solicitud para acceder a la condición de exportador autorizado debe formularse al Departamento de Aduanas e IIEE de la AEAT (Subdirección General de Gestión Aduanera). No existe un modelo de solicitud, limitándose a señalar que los datos que deben proporcionarse son: 1) Persona responsable ante la Administración y DNI; 2) Confirmación de que los productos que exporte amparados por la declaración de origen son originarios de la UE, adjuntándose a efectos de su control por parte de la Administración los siguientes datos: a) Descripción de los productos fabricados que serán objeto de exportación y partida arancelaria de los mismos a nivel de cuatro dígitos; b) Descripción de las materias primas, componentes, etc., utilizados para la fabricación de cada producto, así como el país de origen de los mismos, y caso de no ser originarios de la Unión Europea, partida arancelaria a nivel de cuatro dígitos; c) Porcentaje que representa las materias no originarias utilizadas sobre el producto fabricado objeto de exportación.

La solicitud puede hacerse mediante certificado electrónico a través de la ventanilla electrónica de la AEAT

El Acuerdo de la UE con Corea del Sur marca un hito importante, dado que en él se contempla la declaración de origen realizada por el exportador como único medio de acreditación del origen (desaparecen los certificados de origen; véase el artículo 15 del

Protocolo de origen del Acuerdo UE-Corea del Sur). Esta línea, no obstante, no se ha seguido en acuerdos posteriores, como el de la UE con Colombia y Perú, donde aparecen los tradicionales certificados de origen EUR.1 junto a las declaraciones de origen (véase el artículo 15 del Protocolo de origen del Acuerdo UE-Colombia y Perú).

El caso del SPG es peculiar y por ese motivo, además de por su relevancia atendido el número de países que comprende, le vamos a prestar una atención especial. El sistema de acreditación del origen en el marco del SPG se basa en "comunicaciones de origen" expedidas por "exportadores registrados". Los conceptos de "exportador registrado" (no confundir con "exportador autorizado") y "comunicación sobre el origen" se definen en el artículo 37 RDCAU, apartados 21 y 22, respectivamente. Las preferencias establecidas en el marco del SPG sólo son aplicables a envíos inferiores a 6.000 euros o bien a los envíos realizados por exportadores registrados (artículo 78 RECAU). Por tanto, adquirir el estatuto de exportador registrado es clave para gozar de estos beneficios.

> Con anterioridad al sistema "REX" que analizamos, se utilizaba en el SPG de la Unión un sistema "tradicional", basado en los certificados de origen modelo A (anteriormente denominado FORM A, por su designación en inglés). Se contemplaba también la acreditación del origen mediante la declaración en factura, pero sólo para envíos de valor inferior a 6.000 euros (artículo 75 RECAU). La posibilidad de utilizar la declaración en factura por parte de exportadores autorizados quedaba muy limitada, únicamente para exportadores de la UE a los efectos de la acumulación bilateral (artículo 77 RECAU).
>
> Este sistema "tradicional" fue sustituido de forma progresiva. Así, para los exportadores de la UE el nuevo sistema rige desde 01.01.2017, fecha de entrada en funcionamiento en la UE del registro de exportadores, denominado REX. Ahora bien, en los países beneficiarios del SPG que, recordemos, son países en desarrollo, el nuevo sistema sólo se introdujo una vez que cada país dispusiera de su propio "registro de exportadores" y se hubiera comprometido con la UE en el cumplimiento de las obligaciones que se establecen para su correcto funcionamiento. La fecha límite de implantación del nuevo sistema era el 30 de junio de 2020 (artículo 79.4 RECAU), de manera que, hasta esa fecha, ambos sistemas —el "tradicional" y el nuevo— estuvieron conviviendo.
>
> La regulación en el RECAU puede resultar poco clara, porque se regulan ambos sistemas de forma intercalada. Es el artículo 81 RECAU el que nos da la clave para desentrañar el galimatías: mientras que el sistema tradicional es el que regulan los artículos 71, 73, 74 a 77, 94 a 98 y 110 a 112 RECAU, el nuevo sistema es el que se configura en los artículos 70, 72, 78 a 80, 82 a 93, 99 a 109 y 112 RECAU. No alcanzamos a entender el motivo por el cual se han entremezclado de este modo los artículos dedicados a un sistema y al otro.
>
> Las reglas transitorias se regulan en el artículo 85 RECAU.

TAXUD mantiene una página de información sobre el sistema REX, que es la denominación que recibe el registro de exportadores:

> https://ec.europa.eu/taxation_customs/business/calculation-customs-duties/rules-origin/
> general-aspects-preferential-origin/arrangements-list/generalised-system-preferences/
> the_register_exporter_system_en

En España la AEAT ha publicado la Nota Interpretativa NI GA 04/2018 en relación con el sistema REX del SPG.

Es el artículo 86 RECAU el que regula la solicitud para la obtención de la condición de exportador registrado, que debe formularse utilizando el modelo contenido en el anexo 22-06 RECAU, si se trata de un exportador de un país SPG, o utilizando el modelo contenido en el anexo 22-06 RECAU, si trata de un exportador de la UE. El estatuto se adquiere de forma automática, pues tan pronto la solicitud completa sea recibida por las autoridades el registro será válido (artículo 86.4 RECAU) y se asignará un número de registro que identificará a ese exportador a efectos del sistema (artículo 80.2 RECAU). Un representante aduanero que se haya dado de alta como exportador registrado no puede utilizar su número de registro para realizar las operaciones de sus clientes, es decir, para gozar de estos beneficios es el exportador quien debe estar registrado y no su representante (artículo 86.5 RECAU).

Un exportador puede asimismo solicitar ser dado de baja en el registro REX (de exportadores registrados) o su registro puede ser revocado por las autoridades cuando concurran determinadas circunstancias, como permitir de forma deliberada o por negligencia la obtención equivocada de un trato arancelario preferencial, o no actualizar debidamente los datos del registro cuando haya cambios en los mismos, entre otras (artículo 89 RECAU). Evidentemente, el registro queda revocado automáticamente si el país desde el que exportan a la UE deja de estar incluido como beneficiario en el SPG (artículo 90 RECAU), mientras que si un nuevo país se incorpora a este sistema de preferencias los exportadores registrados en él pasarán a incluirse en el REX (artículo 88 RECAU).

Las obligaciones de los exportadores registrados se detallan en el artículo 91 RECAU. Se trata de obligaciones formales dirigidas a permitir un adecuado control posterior por parte de las autoridades a fin de asegurar que el sistema se aplica correctamente.

> Las obligaciones a que nos referimos son las siguientes:
> a) llevar los oportunos registros contables comerciales en relación con la producción y el suministro de las mercancías que pueden acogerse a un trato preferencial;
> b) mantener disponibles todas las pruebas relacionadas con las materias utilizadas en la fabricación;
> c) conservar toda la documentación aduanera relacionada con las materias utilizadas en la fabricación;
> d) conservar durante un período mínimo de tres años, a contar desde el final del año civil en que se haya extendido la comunicación sobre el origen, o durante un período más largo si así lo exigiera la legislación nacional:
>   i)   registros de las comunicaciones sobre el origen extendidas,
>   ii)   registros de las materias originarias y no originarias que utilice, así como de su producción y de su contabilidad de existencias.

Esos registros y comunicaciones sobre el origen pueden conservarse en formato electrónico, si bien deben permitir la trazabilidad de las materias utilizadas en la fabricación de los productos exportados y confirmar su carácter originario.

Las obligaciones anteriores se imponen también a todo proveedor que facilite a un exportador declaraciones que certifiquen el carácter originario de las mercancías por él suministradas.

La comunicación sobre el origen debe contener el texto que señala el anexo 22-07 RECAU y debe expedirse en español, francés o inglés. Con carácter general debe expedirse antes de la exportación, si bien se admite la expedición *a posteriori* dentro de un plazo de dos años desde la importación (artículo 92 RECAU). La debe expedir el exportador del país del cual sean originarias las mercancías (que puede no coincidir con el exportador a la UE, en caso de que las mercancías hayan sido sometidas con posterioridad a transformaciones mínimas que no confieren origen).

El artículo 93 RECAU regula las comunicaciones de origen a efectos de la aplicación de sistemas de acumulación (p.e. un exportador europeo provee de un componente a un fabricante de un país beneficiario; para que este fabricante pueda beneficiarse de las reglas de acumulación necesitará acreditar el origen de los insumos que se acogen a ella).

Debe expedirse una comunicación de origen para cada envío (artículo 99 RECAU).

Cabe que una sola comunicación cubra varios envíos si se refieren determinadas importaciones fraccionadas, es decir, a mercancías desmontadas o sin montar que vayan a ser importadas en varios envíos y que se clasifican en la sección XVI o XVII del Sistema Armonizado de clasificación arancelaria (que comprenden los capítulos 84 a 89, relativos a maquinaria y otro tipo de aparatos y a elementos de transporte) o bien en las partidas 7308 (construcciones y sus partes) o 9406 (construcciones prefabricadas). Examinamos el Sistema Armonizado en la lección 8. El plazo en que pueden introducirse los diferentes envíos fraccionados será establecido por las autoridades aduaneras (artículo 105 RECAU)

Por otra parte, si, una vez introducidas, las mercancías se reexpiden sin despachar a libre práctica, el reexpedidor puede sustituir la comunicación sobre el origen inicial por una o varias comunicaciones sobre el origen sustitutivas, expedidas con arreglo a los requisitos del anexo 22-20. Para ello deberán cumplirse los requisitos que establece el artículo 101 RECAU.

La comunicación de origen tiene una validez de doce meses desde su expedición (artículo 99 RECAU).

La comunicación de origen puede ser admitida aún tras la conclusión de su período de validez cuando la inobservancia del plazo de presentación sea debida a circunstancias excepcionales o cuando los productos hayan sido presentados a las autoridades antes de la expiración de dicho período (artículo 104.3 RECAU).

Por su parte, el declarante en la UE debe incluir una referencia a la comunicación sobre el origen en su declaración en aduana, indicando su fecha de expedición y, si el importe de las mercancías es superior a 6.000 euros, el número del exportador registrado (artículo 102 RECAU).

> Si el declarante no se halla en posesión de la comunicación sobre el origen en el momento de la admisión de la declaración en aduana para el despacho a libre práctica, la declaración se considerará incompleta (la declaración incompleta se examina en el capítulo 24).
> No hay obligación de extender ni presentar una declaración de origen de los productos importados sin carácter comercial siguientes (artículo 103 RECAU):
> > a) los productos enviados de particular a particular en bultos pequeños, siempre que el valor total de los mismos no exceda de 500 euros;
> > b) los productos que formen parte del equipaje personal de los viajeros y cuyo valor total no exceda de 1.200 euros.
> Además, debe declararse que los productos reúnen los requisitos para acogerse a las preferencias del SPG y no suscitarse dudas al respecto a las autoridades. Se considera que las importaciones no tienen carácter comercial cuando son ocasionales, consisten exclusivamente en productos para el uso personal de sus destinatarios, o de los viajeros o sus familias y resulte evidente, por su naturaleza y cantidad, que carecen de fines comerciales.

Sobre el declarante recae la responsabilidad de cerciorarse de que se ha cumplido la normativa de origen y, en particular, debe controlar que el exportador está registrado en el sistema REX cuando el valor total de los productos originarios objeto del envío exceda de 6.000 euros, para lo cual dispone de una web que proporciona esta información, y que la comunicación sobre el origen se ha expedido de conformidad con el anexo 22-07 RECAU.

> Las discrepancias ligeras entre los datos consignados en la comunicación sobre el origen y los mencionados en los documentos presentados a las autoridades aduaneras no acarrea ipso facto la nulidad de la comunicación sobre el origen si se determina que ésta corresponde a los productos de que se trate. Tampoco los errores formales evidentes, tales como las erratas de mecanografía, son motivo suficiente para rechazar una comunicación sobre el origen, salvo que puedan generar dudas sobre su exactitud (artículo 104 RECAU).

Las autoridades pueden suspender la aplicación de la preferencia SPG cuando alberguen dudas respecto del carácter originario de los productos, aunque previamente deberán comunicar sus dudas al declarante y requerirle que aporte una acreditación suficiente (artículo 106 RECAU). Las autoridades también pueden denegar la aplicación de las preferencias SPG en los supuestos que establece el artículo 107 RECAU.

La regulación del sistema se completa con normas relativas al funcionamiento y régimen del registro de exportadores y normas relativas a las obligaciones que los países beneficiarios del SPG deben asumir a fin de participar en el sistema, especialmente en materia de control de su correcta aplicación y asistencia mutua.

Así, por lo que hace al REX, el artículo 80 RECAU establece las obligaciones de las autoridades en relación a la base de datos REX; el artículo 82 regula los derechos de acceso a la base de datos; el artículo 83 ordena la protección de datos; el artículo 84 establece las obligaciones de notificación aplicables a los Estados miembros para la aplicación del sistema REX y el artículo 87 regula las medidas de publicidad de la base de datos REX. Por lo que hace a las obligaciones de los Estados en materia de control y asistencia mutua, el artículo 70 establece la obligación de cooperación administrativa en el marco del sistema REX, el artículo 72 dispone las obligaciones de notificación relativas a la aplicación del sistema REX; el artículo 108 se refiere a las obligaciones de las autoridades competentes en materia de control del origen y el artículo 109 a la comprobación *a posteriori* de las comunicaciones sobre el origen.

Conviene destacar, por otra parte, que el artículo 112 RECAU se refiere al status de Ceuta y Melilla en el marco del régimen SPG, permitiendo su participación en la acumulación bilateral y en el sistema REX.

Para concluir este punto, señalemos que la Comisión ha elaborado diversas directrices (*guidelines*) en materia de acreditación del origen.

Las *guidelines* a que nos referimos son:
– "Aplicación en la Comunidad de las disposiciones sobre la validez de las pruebas de origen" (Documento 2267-Final, disponible en el sitio web de TAXUD), en las que fundamentalmente se trata de cuestiones relativas a la presentación de las pruebas de origen en los supuestos de regímenes suspensivos, zonas y depósitos francos.
– "Aplicación en la Comunidad de las disposiciones relativas a los certificados de circulación sustitutorios" (disponible en TAXUD), en el que sugiere los elementos que deben tomarse en consideración respecto de los certificados sustitutivos.
– "Aplicación en la UE de las disposiciones relativas a los requisitos técnicos en materia de impresión de los certificados de circulación de mercancías EUR.1, EURMED y A.TR y de los certificados de origen Modelo A" (disponible en TAXUD), en el que se abordan aspectos técnicos acerca de la presencia física e impresión de los certificados de origen.

7.6. VERIFICACIÓN DEL ORIGEN DECLARADO

7.6.1. *La verificación del origen en el Convenio de Kioto*

La versión revisada del Convenio de Kioto dedica el Capítulo 3 del Anexo específico K al control de pruebas documentales de origen. Se establece en él una regla de reciprocidad, en virtud de la cual una Parte no necesita dar respuesta a una solicitud de control del origen de otra Parte cuando esa otra Parte no fuera capaz de prestar asistencia en la situación inversa (Práctica recomendada 2). La Parte que haya aceptado este Anexo podrá dirigir requerimientos de control del origen a otra Parte que haya aceptado este anexo en supuestos en que: a) haya motivos razonables para dudar de la autenticidad del documento; b) dudas razonables de la exactitud de la información que contiene; o c) de forma aleatoria (Práctica recomendada 3). Las solicitudes de sondeo deben identificarse como tales y reducirse al mínimo necesario para que cumplan su función (Norma 4). Por lo demás, la solicitud de control deberá expresar las razones que la impulsan, precisar las normas de origen aplicables del país de importación y acompañarse de copia del certificado y otra documentación a la que se refiera (Norma 5). La solicitud debe presentarse en un plazo que, excepto casos excepcionales, no debe exceder a un año (Norma 9). A fin de que sea posible identificar a quién debe dirigirse la solicitud, se dispone que la aceptación de este Capítulo comporta el deber de indicar cuáles serán las autoridades competentes para recibir las solicitudes de control y comunicar su domicilio, información que la Secretaría General distribuirá a las otras Partes (Norma 13).

Frente a este derecho a formular solicitudes por parte de las autoridades del país de importación, la norma 6 establece el deber de responder a cargo de las autoridades del país de exportación "después de haber realizado, ella misma, los controles necesarios o de haber confiado las investigaciones necesarias", respondiendo a las preguntas formuladas y proporcionando toda otra información que considere pertinente (Norma 7), todo ello dentro de un plazo que no excederá de 6 meses, informando a la autoridad solicitante si no fuera posible proporcionar la respuesta en este plazo (Norma 8). A estos efectos, los documentos necesarios para el control de la prueba documental de origen emitidos por las autoridades competentes deben ser conservados durante un período de dos años, por lo menos, a partir de la fecha de su emisión (Norma 12). Se establece la confidencialidad de toda información comunicada en virtud del control del origen (Norma 11).

Finalmente, se dispone que la existencia de una solicitud de control no debe impedir el retiro de las mercancías, salvo que sean objeto de prohibiciones o de restricciones a la importación y que no se hubiera sospechado fraude (Norma 10).

7.6.2. La verificación del origen en la UE

Las autoridades aduaneras de importación pueden realizar un control del origen declarado, no sólo cuando éste tenga carácter preferencial —al objeto, en este caso, de verificar si el disfrute de la preferencia arancelaria está justificado— sino también en el caso de que el origen declarado sea no preferencial —porque, por ejemplo, sospechen que la mercancía es originaria de un país respecto del que se han establecido derechos antidumping—. Por otro lado, la verificación del origen normalmente se llevará a cabo por iniciativa de las autoridades aduaneras del país de importación, pero nada impide que sean las propias autoridades del país de exportación las que tomen la iniciativa de realizar controles a fin de constatar que el origen que certifican (o el origen que se declara en las declaraciones en factura) corresponde a la realidad, esto es, constatar la regularidad en las pruebas de origen que acreditan un origen en ese país.

Los controles se realizarán, tanto cuando se tengan motivos fundados para sospechar la posible existencia de irregularidades, como por sondeo, es decir, de forma aleatoria para alcanzar un nivel satisfactorio de certeza estadística de que las normas de origen se están aplicando correctamente. Los controles aleatorios obligan a todos los operadores a ser cuidadosos, pues en cualquier momento el azar puede determinar que sean sus importaciones las que sean sometidas a escrutinio.

Por lo que hace al aspecto temporal, los controles relativos a las pruebas de origen pueden realizarse coetáneamente a la emisión de las pruebas de origen a que se refieren o con posterioridad, dentro del período de caducidad de tres años para la determinación de la deuda aduanera (artículo 103 CAU). Este segundo caso será el más frecuente, y los operadores deben estar precavidos ante la posibilidad de que las operaciones realizadas dentro de ese período puedan deparar alguna sorpresa desagradable a resultas de la realización de ulteriores comprobaciones.

Es importante retener, en este sentido, que la aportación de una prueba de origen (sea en la forma de un certificado de origen, una declaración de origen o una comunicación de origen) no protegen al importador —más técnicamente, al declarante— frente a la posible eventualidad de que se determine que el origen declarado es incorrecto o falso. Será el "deudor" el sujeto que responda de las diferencias que arroje la liquidación pues, según se expuso en el capítulo 4, el declarante es deudor de las cantidades que se determinen independientemente de que actuara de buena fe, de que fuera diligente, de que fuera inducido a error... por el simple hecho de haber realizado la declaración aduanera y asumido su contenido. Como puede suponerse, estamos ante una grave responsabilidad, dado que muchas veces resultará poco menos que imposible detectar engaños o fraudes en materia de origen (piénsese en pequeñas sociedades que importan mercancías comunes, susceptibles de ser fabricadas en gran cantidad de países, y que creen las afirmaciones del vendedor acerca de su origen, las cuales vienen además respaldadas por un certificado emitido por las autoridades del país de exportación). Ello no obstante, el TJUE ha declarado que el riesgo que entraña la posibilidad de que un certificado de origen haya sido obtenido con engaño forma parte del riesgo comercial que todo operador económico viene obligado a soportar en el curso de su actividad. Por su parte, conforme a lo dispuesto en el art. 77.3 CAU, el sujeto que suministró la información requerida para realizar la declaración y que conocía, o debía razonablemente conocer, que tal información era falsa, puede ser considerado deudor (aunque sin desplazar al declarante), todo ello sin perjuicio de la posible reclamación de carácter civil que el importador pueda dirigir contra él. Finalmente, si se establece la existencia de fraude, será el ordenamiento interno el que deba establecer los sujetos que han de responder de él.

Entre las muchas Sentencias pronunciadas en esta materia (a bastantes de ellas se hace referencia en el capítulo 28) podemos destacar las siguientes: STJUE *Acampora*, asunto 827/79, de 11.12.1980; *Faroe Seafood*, asuntos acumulados C-153/94 y C-204/94, de 14.05.1996; *Pascoal & Filhos*, asunto C-97/95, de 17.07.1997.

Sobre los riesgos que asume el deudor y, en particular, el declarante, en materia de origen al responsabilizarse del contenido de la declaración en aduana, véase el capítulo 28, relativo a la condonación y devolución de derechos.

Christian Amand y Darragh Noone, que analizan los problemas que se plantean cuando se comprueba a posteriori que a las mercancías no les corresponde el origen que se indica en el certificado, denuncian la difícil posición en la que la doctrina del "riesgo comercial" coloca a los importadores y a otros sujetos implicados en la importación de mercancías (como pueda ser el representante que declara en su nombre pero por cuenta de otro, puesto que recordemos que también en tal caso ostenta la posición de deudor). Los autores ponen de manifiesto que este sistema de responsabilidad reduce de forma considerable el estímulo que las normas preferenciales están llamadas a ofrecer y que constituye la razón de su existencia. Los operadores económicos van a sopesar el riesgo que asumen al adquirir mercancías de origen supuestamente preferencial, a lo que hay que añadir los nada despreciables costes formales que comporta acreditar tal origen ("The origin of goods muddle: for a defence of the Community importers", *EC Tax Review*, 1998, nº 3, pp. 187 y ss.).

En un asunto en el que no se comunicó al importador que sus declaraciones estaban siendo objeto de comprobación, el TJUE decidió que tampoco esta circunstancia obsta a que sea llamado a satisfacer cualquier importe adicional que se determine para la deuda aduanera:

"Debe reconocerse que la posibilidad de comprobar a posteriori sin haber advertido de ello previamente al importador puede causarle dificultades cuando hubiera pensado de buena fe que estaba importando mercancías que se beneficiaban de preferencias arancelarias confiando en unos certificados que, sin que lo supiera, eran incorrectos o falsos. Debe no obstante señalarse que, en primer lugar, la Comunidad no tiene que soportar los efectos adversos de actos ilícitos de los proveedores de sus nacionales, en segundo lugar, que el importador puede intentar obtener una compensación de quien perpetró el fraude y, en tercer lugar, que al calcular los beneficios del comercio con mercancías que puedan disfrutar de preferencias arancelarias, un comerciante prudente conocedor de las normas debe ser capaz de determinar los riesgos inherentes al mercado que está considerando y aceptarlos como riesgos normales del comercio" (STJUE *Acampora*, asunto 827/79, de 11.12.1980, p. 8; versión original en inglés; la traducción es nuestra)

Cada régimen preferencial establece su propia regulación en materia de comprobación del origen, que suele responder a un patrón común. Quizá puede advertirse alguna diferencia entre los regímenes preferenciales unilaterales, de una parte, y los regímenes preferenciales convencionales, de otra. Como no podemos analizar aquí el régimen de comprobación en cada uno de esos regímenes, vamos a examinar la regulación de esta materia en el marco del SPG como modelo (recordemos que el SPG es un sistema de preferencias unilateral) y procederemos a señalar algún elemento que suele ser diferente en los regímenes convencionales. Nos referiremos al que hemos designado "nuevo" sistema de origen SPG, dado que el que hemos denominado "tradicional" ya no es aplicable.

En el marco del SPG, el artículo 109 RECAU dispone que las comunicaciones sobre el origen se comprobarán a posteriori (tras el despacho de las mercancías) por sondeo o cada vez que las autoridades alberguen dudas fundadas acerca de la autenticidad del documento, del carácter originario de las mercancías o de la observancia de los demás requisitos a los que se condiciona la aplicabilidad de las preferencias. A estos efectos, dirigirán un requerimiento de comprobación a las autoridades del país de origen, acompañada de la prueba de origen aportada y demás documentación pertinente, identificando los motivos de la comprobación. Las mercancías podrán ser despachadas salvando las medidas cautelares que puedan aplicarse (que consistirán típicamente en la exigencia de una garantía para cubrir los derechos que pudieran resultar exigibles en caso de que la preferencia no fuese aplicable). El plazo para contestar a este requerimiento se fija en seis meses (ocho meses si se trata de las autoridades de Noruega, Suiza o Turquía), y deberá permitir determinar si la prueba de origen es válida y si las mercancías son originarias. En caso de que no se obtenga respuesta o esta sea incompleta, se enviará un nuevo requerimiento a las autoridades de origen, que dispondrán en este caso de un plazo adicional de no más de seis meses para darle respuesta. Si no se obtiene respuesta o ésta no permite establecer la autenticidad de la prueba aportada o el origen de las mercancías, se denegará la aplicabilidad de la preferencia.

> Esta solución en caso de falta de respuesta o respuesta incompleta es claramente insatisfactoria. Nos encontraremos aquí con un importador a quien se le deniega una preferencia por la desidia o incumplimiento de unas autoridades de un tercer país sobre las que este sujeto carece de toda influencia y responsabilidad. De hecho, son las instituciones de la UE las que establecen qué países gozan de preferencias y quienes deciden reconocer competencia a las autoridades de origen. Por tanto, quien erró al confiar en esas autoridades fueron las instituciones europeas, no el importador que nada tuvo que ver en todo ello. Pero a pesar de ello, será el importador quien pague.

Siguiendo con el sistema previsto en el marco del SPG, cuando se detecte una transgresión de las normas de origen se llevará a cabo la oportuna investigación, disponiéndose que la Comisión o las autoridades nacionales de los Estados miembros podrán participar en la misma. A fin de permitir estas comprobaciones, los exportadores y las autoridades de origen deberán conservar la documentación pertinente durante un plazo de, al menos, tres años a contar desde el final del año en que se expidiera la comunicación sobre el origen. Curiosamente se omite aquí hacer referencia a que la misma obligación de conservación —en este caso a cargo del exportador únicamente— debe existir en caso de acreditación del origen mediante declaración en factura.

La regulación de la posibilidad de participación de autoridades europeas en las investigaciones de origen es un elemento peculiar del SPG, dado que la regla habitual es que corresponda en exclusiva a las autoridades de origen la realización de estas investigaciones. La peculiaridad se explica porque estamos ante un sistema de preferencias unilaterales, sin reciprocidad, de manera que no puede darse el caso contrario, es decir, que las autoridades de un país beneficiario pretendiesen participar en una investigación de origen en la UE.

Por otro lado, no podemos dejar de señalar que, en los supuestos de desidia o incumplimiento de las autoridades de origen, es difícil creer que unas autoridades que omitieron responder a un requerimiento van después a poner en marcha una investigación para esclarecer lo ocurrido.

Estas mismas reglas de comprobación del origen en el marco del SPG rigen cuando se vean implicadas autoridades de otros países por haberse aplicado algún sistema de acumulación.

Por otra parte se establece, en el artículo 108 RECAU, que las autoridades del país de origen beneficiario deberán realizar comprobaciones del origen, tanto a iniciativa propia de forma sistemática, como a petición de los Estados de la UE. Se establece que la acumulación ampliada sólo se autorizará si el país con el que la UE tiene un TLC acepta la cooperación administrativa con los países beneficiarios.

Dejando atrás la exposición de la comprobación del origen en el marco del SPG, nos centraremos ahora en el reparto de competencias entre las autoridades del país de exportación y las autoridades aduaneras de la UE en materia de comprobación del origen. La STJUE *Pascoal & Filhos* (asunto C-97/95, de 17.07.1997) expone de forma muy clara este deslinde de competencias y su razón de ser (párrafos 32 y 33):

"De la referida jurisprudencia —se refiere el Tribunal a las sentencias *Les Rapides Savoyards y otros*, asunto 218/83, de 12.07.1984; *Huygen y otros*, asunto C-12/92, de 07.09.1993; *Anastasiou y otros*, asunto C-432/92, de 05.07.1994; *Faroe Seafood y otros*, asuntos acumulados C-153/94 y C-204/94, de 14.05.1996— se desprende que la determinación del origen de las mercancías se basa en un reparto de competencias entre las autoridades del Estado de exportación y las del Estado de importación, en el sentido de que el origen lo certifican las autoridades del Estado de exportación, en su caso a petición de las autoridades del Estado de importación, y el control del funcionamiento del régimen se garantiza en virtud de la cooperación entre las Administraciones interesadas. Dicho sistema se justifica por el hecho de que las autoridades del Estado de exportación están mejor situadas para verificar directamente los hechos que determinan el origen (sentencia *Faroe Seafood y otros*, antes citada, apartado 19).

En esas mismas sentencias, el Tribunal de Justicia estimó también que el mecanismo previsto únicamente puede funcionar si la Administración aduanera del Estado de importación reconoce las apreciaciones legalmente efectuadas por las autoridades del Estado de exportación (sentencia *Faroe Seafood y otros*, antes citada, apartado 20)".

Por tanto, a las autoridades europeas les corresponde la potestad de solicitar comprobaciones. A las autoridades del país de exportación les corresponde el deber de realizar las comprobaciones dirigidas a controlar si el origen declarado es correcto. Una vez obtienen los resultados de esa comprobación, las autoridades del país de exportación los transmiten a las autoridades europeas, para que extraigan de esta información las consecuencias jurídicas correspondientes. Este es el esquema básico, pero la realidad es bastante más complicada.

Para empezar, hemos visto que en el marco del SPG se contempla la posibilidad de que la Comisión o las autoridades nacionales implicadas intervengan en una comprobación del origen. Pero, al margen de esta previsión explícita, la intervención de autoridades europeas en la comprobación del origen en la jurisdicción del país de exportación ha encontrado un apoyo fundamental en la Sentencia del TJUE *Afasia* (asunto C-409/10, de 15.12.2011). En aquél caso no fueron las autoridades del país de exportación las que llevaron a cabo las comprobaciones del origen, a pesar que a ellas se atribuía la competencia en el régimen preferencial correspondiente —se trataba del régimen ACP—, sino que las comprobaciones en el país de exportación —Jamaica— las habían realizado materialmente autoridades de la Comisión. Otro aspecto peculiar de este asunto consiste en que tampoco las autoridades nacionales del Estado miembro de importación habían solicitado una comprobación del origen.

> Las autoridades de la Comisión que llevaron a cabo las comprobaciones fueron funcionarios de la OLAF (Oficina de Lucha Contra el Fraude). La OLAF es una suerte de policía que defiende los intereses financieros de la Hacienda de la Unión y, entre otras áreas de actividad, es competente en materia aduanera. La normativa básica que la regula se contiene en la Decisión 2013/478/UE de la Comisión, de 27 de septiembre de 2013, que modifica la Decisión 1999/352/CE, CECA, Euratom, por la que se crea la Oficina Europea de Lucha contra el Fraude (DO L 257, de 28.09.2013); el Reglamento (CE) nº 1073/1999 del Parlamento Europeo y del Consejo, de 25 de mayo de 1999, relativo a las investigaciones efectuadas por la Oficina Europea de Lucha contra el Fraude (OLAF); y el Reglamento interno del Comité de Vigilancia de la OLAF - (DO L 308 de 24.11.2011, pp. 114/120). Su dirección en la red es:

ENLACE

> https://ec.europa.eu/anti-fraud/

El TJUE recordó las reglas de reparto de competencias y el fundamento del mismo:

> – "el sistema de cooperación administrativa establecido por un protocolo que enuncia, en un anexo de un acuerdo concluido entre la Unión y un Estado tercero, reglas relativas al origen de productos se basa en una confianza mutua entre las autoridades de los Estados miembros de importación y las del Estado de exportación" (párrafo 28, citando en este sentido las Sentencias *Sfakianakis*, C-23/04 a C-25/04, de 09.02.2006, p. 21, y *Comisión/Alemania*, C-442/08, de 01.07. 2010, p. 70).
> – "En particular, respecto del control *a posteriori* de los certificados EUR.1 expedidos por el Estado de exportación, las conclusiones a las que llegan las autoridades de ese último se

imponen a las autoridades del Estado miembro de importación. En efecto, la cooperación establecida por un protocolo relativo al origen de productos únicamente puede funcionar si el Estado de importación reconoce las apreciaciones llevadas a cabo legalmente por las autoridades del Estado de exportación (párrafo 29, citando en este sentido las Sentencias *Pascoal & Filhos*, párrafo 33; *Comisión/Alemania*, párrafos 72 y 73; y *Brita*, C-386/08, de 25.02. 2010, p. 62).

Ahora bien, sobre este fondo, el TJUE apreció en primer lugar que, conforme al art. 32.7 Protocolo ACP, la Comisión podía proceder a un control de origen aunque no lo hubiera solicitado el Estado miembro de importación. Por otro lado, el TJUE observó que el Protocolo permitía al Estado ACP 'invitar' a la Comisión a participar en las investigaciones como, según aprecia el Tribunal, ocurrió en el presente asunto, donde constaba una invitación del gobierno jamaicano, por lo que no se trataba de una intromisión en asuntos internos de Jamaica. Las normas no especificaban cómo podía realizarse esa participación de la Comisión, por lo que observa el TJUE que cabía que la OLAF asumiera la realización de las investigaciones, en cuyo caso el Estado ACP debía reconocer, de modo inequívoco y por escrito, que hacía suyos los resultados de la investigación para que estos fuesen válidos, mediante firma y fecha, siendo irrelevante la circunstancia de que tales extremos constasen en un documento con membrete de la OLAF. El acta de la investigación de la OLAF firmada por el Estado ACP en la que se determinaba la nulidad de los certificados, una vez comunicada a las autoridades nacionales, resulta oponible a estas.

Por tanto, el reparto de competencias queda menos nítido: en principio la competencia de comprobación corresponde a las autoridades del país de exportación, pero cabe que estas autoridades, en ejercicio de esa competencia, 'inviten' a 'participar' a autoridades de la UE, siempre que, en todo caso, los resultados de la investigación sean asumidos por las referidas autoridades del país de exportación.

Además del señalado, otro elemento que complica el reparto de competencias entre autoridades europeas y autoridades del país de exportación es el que deriva de establecer si las autoridades de la UE deben acatar en todo caso las determinaciones de origen que realicen las autoridades del país de exportación o si, por el contrario, pueden llegar a una solución que se separe de lo decidido por aquellas. Esta cuestión se suscitó en la Sentencia *Faroe Seafood* (asuntos acumulados C-153/94 y C-204/94, de 14.05.1996). En aquel supuesto el origen había sido comprobado por las autoridades de Faroe y, también, por una misión de la Comisión. Las autoridades de Faroe, a resultas de la comprobación realizada, se ratificaron en la validez de los certificados de origen que habían emitido. En cambio, la misión de la Comisión llegó a una conclusión distinta.

En aquél asunto, la norma preferencial atribuía la competencia de llevar a cabo la comprobación, como es regla general, a las autoridades del Estado de exportación, Faroe en este caso.

Por otro lado, la Comisión basó su competencia para enviar una misión en aquél caso en el Reglamento 1468/81, y el TJUE consideró correcta esta posición.

Tras reiterar la doctrina a que ya nos hemos referido acerca del reparto de competencias entre autoridades y su fundamento, el TJUE se cuestionó si esas reglas generales eran igualmente aplicables cuando se tratara de regímenes preferenciales unilaterales. Y llegó a la conclusión de que no es así, razonando que "el reconocimiento de las decisiones de las autoridades del Estado de exportación por las Administraciones aduaneras de los Estados miembros resulta necesario para que la Comunidad pueda, a su vez, exigir a las autoridades de los demás Estados vinculados a ella en el marco de regímenes de libre comercio que respeten las decisiones adoptadas por las autoridades aduaneras de los Estados miembros relativas al origen de los productos exportados de la Comunidad a esos Estados" (p. 22). Ahora bien, este fundamento deja de existir cuando no se trata de un régimen preferencial convencional, sino que se trata de un régimen preferencial unilateral, pues desaparece en tal caso la reciprocidad (p. 24); si no es posible que se suscite la posibilidad de que el Estado beneficiario cuestione una determinación de origen de la UE, dado que ese Estado no concede preferencias al origen UE, entonces la necesidad de acatamiento mutuo de las determinaciones de origen decae. El Tribunal concluyó que:

> "Así sucede, con mayor razón aún, cuando las autoridades competentes de un tercer Estado no cuestionan los hechos reseñados por una comisión de investigación, sino la apreciación que ésta hace de tales hechos en relación con la normativa aduanera de que se trata. En efecto, nada permite llegar a la conclusión de que las autoridades del tercer Estado tengan competencia para vincular a la Comunidad y a los Estados miembros a su interpretación de una normativa comunitaria como la del caso de autos" (p. 25).

> Convendrá que aclaremos cuál era el problema de interpretación jurídica que se suscitó. Se trataba de determinar el origen de una importación de pescado. El exportador, sirviéndose de un mismo buque, capturó pescado que cumplía los requisitos de origen de Faroe y también capturó pescado que no cumplía estos requisitos. Ese pescado se acumuló, sin separación física, en el buque. Las autoridades de Faroe certificaron el origen de aquella parte de la pesca que cumplía los requisitos de origen. Ahora bien, las autoridades europeas sostuvieron que, debido a que el exportador no separaba físicamente el pescado originario del que no lo era, no era posible identificar de forma cierta qué pescado en concreto era de origen Faroe y qué pescado no lo era. Las autoridades de Faroe consideraban que bastaba con determinar qué cantidad del pescado total era originaria, siendo irrelevante identificar de forma concreta qué pescado era originario y cuál no (es decir, consideraba el pescado una mercancía fungible). Para la Comisión, la imposibilidad de realizar esa identificación concreta impedía atribuir origen preferencial a toda la carga. Así pues, las autoridades de Faroe y las de la Comisión estaban de acuerdo acerca de los hechos; lo que no compartían era la consecuencia jurídica que debía extraerse de ellos (es decir, si de esos hechos debía desprenderse el carácter originario de parte de la carga o no).

En consecuencia, en el marco de los regímenes preferenciales unilaterales, las autoridades de la UE no están forzadas a aceptar la determinación del origen que realicen las autoridades del país de exportación, especialmente en materia de interpretación jurídica. La solución es distinta en los regímenes preferenciales convencionales, pues en ellos las autoridades de la UE deben acatar las determinaciones del origen que realicen las autoridades del país de exportación porque en esos regímenes rige la reciprocidad, y sólo de ese modo puede asegurarse que también esas autoridades de la otra Parte acatarán las determinaciones de origen que se realicen desde la UE.

Esta última afirmación, no obstante, debe a su vez ser matizada. En la Sentencia *Brita*, el TJUE se enfrentó a un supuesto en que las mercancías se habían importado declarando como origen Israel y aplicando las preferencias correspondientes (el régimen preferencial con Israel es convencional, no unilateral). Cuando las autoridades del Estado de importación —Alemania— requirieron a las autoridades israelíes que confirmaran la validez de la prueba de origen, "la administración aduanera israelí respondió que «según [sus] comprobaciones, las mercancías referidas son originarias de una zona bajo responsabilidad de los servicios aduaneros israelíes. Como tales, constituyen productos de origen israelí, con arreglo al Acuerdo de Asociación CE-Israel, y disfrutan del trato preferencial en virtud de ese Acuerdo» (p. 32). Ello no obstante, las autoridades alemanas, al parecer, descubrieron por otros medios que las mercancías eran originarias de asentamientos israelíes en territorio de Cisjordania, que quedan excluidos del ámbito de aplicación del acuerdo UE-Israel. Por tanto, denegaron las preferencias al considerar que la prueba aportada (una declaración en factura de un exportador autorizado) no era válida, a pesar de que las autoridades israelíes sí lo consideraron válida y de que se trataba de un régimen preferencial convencional.

> De haberse acreditado adecuadamente el origen Cisjordania (mediante una prueba de origen palestina y no israelí) la mercancía hubiese podido beneficiarse de una preferencia equivalente. Pero el TJUE observa que conceder la preferencia en estas circunstancias "equivaldría a negar, de manera general, la necesidad de disponer de una prueba válida de origen emanada de la autoridad competente del Estado de exportación para tener derecho a un régimen preferencial" (p. 56), para observar más adelante que "Este requisito de la prueba válida del origen emanada de la autoridad competente no puede considerarse una mera formalidad que puede inobservarse siempre que el lugar de origen pueda probarse por otros medios" (p. 57).

El TJUE hubo de enfrentarse a la cuestión de si, en el marco de un régimen preferencial convencional como el existente entre la UE e Israel, las autoridades de la UE quedaban o no vinculadas a la determinación del origen hecha por las autoridades del país de exportación (Israel). El TJUE trae a colación su doctrina, que ya hemos expuesto, conforme a la cual las determinaciones de las autoridades del país de exportación sobre el origen de las mercancías sí vinculan a las autoridades de la UE. Pero, a renglón seguido, el TJUE intenta hacer ver que en este supuesto se discute algo diferente:

> "Sin embargo, en el litigio principal la comprobación *a posteriori* en virtud del artículo 32 del Protocolo CE-Israel no se refería a si los productos importados se han obtenido enteramente en una determinada localidad o si han sido objeto de elaboraciones o transformaciones suficientes para poder considerarse originarios de dicha localidad con arreglo a las disposiciones del Acuerdo de Asociación CE-Israel. El objeto de la comprobación *a posteriori* era el propio lugar de fabricación de los productos importados, para apreciar si estaban incluidos en el ámbito de aplicación de territorial del Acuerdo de Asociación CE-Israel. En efecto, la Unión considera que los productos obtenidos en localidades situadas bajo la administración israelí desde 1967 no tienen derecho al régimen preferencial definido en dicho Acuerdo" (p. 64).

A continuación, el TJUE argumenta que las autoridades israelíes no ofrecieron una respuesta concluyente a la cuestión formulada por las autoridades de la UE, que no contenía la información suficiente para determinar el origen real de los productos y, en consecuencia, "la afirmación de dichas autoridades según la cual los productos de que se trata tienen derecho al régimen preferencial del Acuerdo de Asociación CE-Israel no vincula a las autoridades aduaneras del Estado de importación" (p. 67).

> El TJUE también apreció que la respuesta aportada por las autoridades israelíes durante la comprobación no se podía considerar el origen de un litigio entre las partes contratantes relativo a la interpretación del acuerdo dado que, por un lado, esta respuesta no aportó las respuestas solicitadas y, por otro, la controversia no se refiere a la interpretación del acuerdo, sino a la determinación de su ámbito de aplicación territorial (p. 70). De lo anterior concluye el TJUE que "las autoridades aduaneras del Estado de importación no están obligadas a someter al Comité de cooperación aduanera creado por el artículo 39 de dicho Protocolo una controversia relativa a la interpretación del ámbito de aplicación territorial del Acuerdo de Asociación CE-Israel"
>
> Por más que podemos apreciar que la conducta de las autoridades israelíes al arrogarse competencia sobre un enclave expresamente excluido del ámbito territorial del acuerdo constituye un flagrante abuso, los razonamientos del TJUE en este asunto no consiguen convencernos. En cualquier caso, desde 01.02.2005 se exige la identificación del código postal en todas las pruebas de origen israelí, y la Comisión publicó un anuncio en el DO C 232, de 03.08.2012 advirtiendo que las mercancías procedentes de los asentamientos no podrán acogerse a este régimen preferencial (véase asimismo la nota informativa de la AEAT NI GA 8/2012, de 9 de agosto, relativa a importaciones de Israel en la Unión Europea).

Dejando ya la cuestión del reparto de competencias en la determinación del origen, conviene que nos refiramos a otra cuestión de indudable trascendencia práctica. Se trata de establecer los efectos jurídicos que se derivan de una comprobación del origen que no ofrece resultados taxativos, esto es, que no acredita la incorrección plena del origen declarado, pero cierne dudas acerca de su validez. Para ilustrar esta idea convendrá que volvamos sobre la STJUE *Afasia*. Se cuestionaba en ella si un importador puede oponer-se a la exigencia de una cantidad adicional en concepto de deuda aduanera fundándose en que se desconoce si el vicio respecto al origen lo padecen todas o sólo parte de las mercancías importadas. La duda en este caso derivaba del hecho de que el acta de la OLAF señalaba que era posible que algunas de las mercancías fueran efectivamente de origen jamaicano, tal y como se declaró.

A este respecto el TJUE observó que "cuando un control *a posteriori* no permite confirmar el origen de la mercancía que se indica en el certificado EUR.1, procede llegar a la conclusión de que es de origen desconocido y que, por consiguiente, se concedieron indebidamente el certificado EUR.1 y el arancel preferencial" (p. 44, citando en este sentido STJUE *Huygen y otros*, C-12/92, pp. 17 y 18; *Faroe Seafood y otros*, C-153/94 y C-204/94, p. 16, y *Beemsterboer*, C-293/04, p. 34). Por tanto, un importador no puede alegar un origen desconocido para oponerse a la reclamación de cantidades adicionales. La exigencia de una cantidad adicional de derechos de aduana es la reacción normal cuando el control no permite confirmar el origen preferencial.

En relación con la idea anterior, interesa destacar la situación que se plantea cuando una comprobación no puede establecer el origen debido a que los elementos de acreditación del mismo, que debieran estar en poder del exportador y ser conservados durante el plazo que establezca el régimen preferencial correspondiente (que suele ser de 3 años), no están disponibles cuando las autoridades los requieren. Ante estas situaciones, el TJUE ha decidido que no puede exigirse a las autoridades que acrediten que el origen declarado es incorrecto, dado que se les ha privado de un instrumento fundamental para llevar a cabo esa labor, y que pasa a ser el importador quien deberá acreditar el origen que declaró si pretende acogerse a las consecuencias jurídicas que deriven del mismo (STJUE *Beemsterboer*, asunto C-293/04, de 09.03.2006). Como puede fácilmente suponerse, para el importador será imposible acreditar el origen que declaró en estas circunstancias, dado que el punto de partida es que el exportador ya no tiene la documentación en la que ese origen se sustenta.

Señalemos, para concluir, que cuando se constate, en relación a un determinado origen y producto, la existencia de un riesgo sistémico en virtud del cual las pruebas de origen dejen de resultar fiables, la Comisión publicará un anuncio en la serie C del DO advirtiendo de esta circunstancia a los importadores, a fin de que sean conocedores del riesgo al que se exponen si realizan operaciones en las que se vean implicadas las referidas pruebas de origen. A estos efectos, la Comunicación de la Comisión "por la que se fijan, en el contexto de los regímenes arancelarios preferenciales, las condiciones para informar a los operadores económicos y a las Administraciones de los Estados miembros de los casos en que existan dudas fundadas sobre el origen de las mercancías" (Comunicación 2012/C 332/01; publicada en el DO C 332 de 30.10.2012), señala que estos avisos se recopilarán asimismo en la web de TAXUD para mayor difusión y señala que, en estos supuestos de riesgo, las autoridades nacionales deberán adoptar las cautelas adecuadas a fin de garantizar el cobro de los derechos en caso de que las pruebas de origen resulten ser inválidas.

ENLACE

> Actualmente esta lista puede consultarse en la siguiente dirección:
> https://ec.europa.eu/taxation_customs/document/
> download/9945e947-b070-4a49-bf72-cc95cd129643_en

EL ARANCEL: CODIFICACIÓN, DESIGNACIÓN Y TIPO DE GRAVAMEN

ÍNDICE

8 El arancel: codificación, designación y tipo de gravamen

8.1. CONCEPTO Y CONTENIDO

El 1 de julio de 1968 se produjo un hito en el proceso de unificación europeo pues en esa fecha, y con una antelación de 18 meses sobre el plazo previsto por el Tratado de Roma, la entonces Comunidad Económica Europea comenzó a aplicar un "Arancel Aduanero Común" (AAC). En la actualidad, el Tratado de Funcionamiento de la Unión Europea (TFUE) establece en su artículo 28 que la Unión comprenderá una unión aduanera que implicará, entre otros elementos, un arancel aduanero común. El artículo 31 TFUE, por su parte, dispone que el Consejo, a propuesta de la Comisión, fijará los derechos del AAC.

El arancel es el instrumento jurídico en el que se fija el importe de los derechos que deben ser satisfechos con ocasión de la importación o exportación de mercancías. En este sentido, el artículo 56.1 CAU establece que "Los derechos de importación o de exportación adeudados se basarán en el arancel aduanero común".

> Esta norma conecta los conceptos de "arancel aduanero" y "deuda aduanera" (la deuda se basa en el arancel). En el artículo 5, apartados 18, 20 y 21, se definen los conceptos de deuda aduanera, derechos de importación y derechos de exportación, respectivamente. La deuda aduanera se define como "la obligación de una persona de pagar el importe de los derechos de importación o de exportación aplicables a mercancías específicas con arreglo a la legislación aduanera vigente".

En el arancel encontraremos, por tanto, las tarifas o tipos de gravamen de los 'derechos' que se integran en la deuda aduanera. En este sentido, ha de tenerse en cuenta que pueden establecerse distintas tarifas para un tipo de mercancía determinado, en función de su origen, según se señala en el capítulo 7 (recordemos que el origen puede ser no preferencial o preferencial, distinguiendo dentro de este último entre unilateral y convencional). Esa multiplicidad de tarifas (que pueden variar de un régimen preferencial a otro) son un elemento constitutivo del arancel.

Por otro lado, las cuotas arancelarias —que se examinan en el capítulo 5, relativo a las exenciones— en tanto que suponen una reducción de la tarifa (o tipo de gravamen), también son un componente del arancel.

Pero el arancel no sólo contiene las tarifas o tipos de gravamen de los 'derechos' que se integran en la deuda aduanera. También contiene otro elemento fundamental para la cuantificación de esos derechos como es la clasificación de las mercancías, que se examina en este capítulo. Así nos lo indica el artículo 56.2 CAU, que completa la definición abstracta del apartado 1 con una enumeración de los elementos que quedan comprendidos en el arancel aduanero común, a saber:

c) la nomenclatura combinada de las mercancías;

d) cualquier otra nomenclatura que se base total o parcialmente en la nomenclatura combinada, o que introduzca en ésta nuevas subdivisiones, y que sea establecida por un acto de la Unión de ámbito específico con el fin de aplicar medidas arancelarias en el comercio de mercancías;

e) los derechos de aduana autónomos, convencionales o normales, aplicables a las mercancías cubiertas por la nomenclatura combinada;

f) las medidas arancelarias preferenciales contenidas en acuerdos que haya celebrado la Unión con países o territorios situados fuera de su territorio aduanero o con grupos de esos países o territorios;

g) las medidas arancelarias preferenciales que adopte unilateralmente la Unión para países o territorios situados fuera de su territorio aduanero o para grupos de esos países o territorios;

h) las medidas autónomas que establezcan una reducción o una exención de los derechos de aduana por ciertas mercancías;

i) las disposiciones que prevean un trato arancelario favorable para ciertas mercancías en razón de su naturaleza o de su destino final en el marco de las medidas indicadas en las letras c) a f) o h);

j) otras medidas arancelarias contenidas en la normativa de la Unión en el ámbito de la agricultura, del comercio o de otros ámbitos".

Si examinamos los componentes del arancel que enumera el artículo 56.2 CAU observamos que los dos primeros [letras (a) y (b)] se refieren a la clasificación arancelaria, según se expone en este capítulo. Las letras (c), (d), (e), (f) y (g) recogen elementos tarifarios, conforme a lo que ya podíamos extraer por la definición del apartado 1 de este mismo artículo 56 CAU y la conexión que establece con el concepto de deuda aduanera. Nos resta el componente de la letra (h), que es indeterminado: cualquier otra medida establecida en una norma de la UE que pueda calificarse como arancelaria integra asimismo el arancel. Si se observa, este último componente nos aboca a un razonamiento circular: es arancel aquello que quepa calificar como arancel. Es cierto que se fija un límite: para que una medida forme parte del AAC debe estar establecida en una norma de la UE. Pero, por lo demás, la definición no aclara la extensión del concepto, que queda así indeterminado.

Parece que existe consenso en que entre esas otras medidas que integran el arancel en virtud de esta letra (h) se encuentran los derechos antidumping y los derechos compensatorios —que se examinan en los capítulos 36 y 37, respectivamente—.

> En este sentido, p.e., Michael Lux: *Guide to Community Customs Legislation*, Bruylant, 2002, p. 65. Este autor sitúa fuera del AAC las franquicias y la exención aplicable a las mercancías de retorno.
>
> Recordemos que en el capítulo 1 hemos calificado como impuestos arancelarios: 1) los derechos de aduana a la importación; 2) los derechos de aduana a la exportación (si los hubiera); 3) los derechos antidumping; 4) los derechos compensatorios; 5) los impuestos establecidos en aplicación de la Política Agrícola Común, 'PAC' (en esta categoría se integran los derechos adicionales, el denominado 'Elemento Agrícola' y los derechos y exacciones a la exportación); y 6) los derechos que se apliquen como medida compensatoria de un incumplimiento del Derecho de la OMC por un tercer país.
>
> Entendemos que, a fin de paliar la indeterminación a que aboca la letra (h) del artículo 56.2 CAU, sería deseable que para calificar una norma como arancelaria, al menos, se exigiera que la disposición de la UE que la establezca la califique como tal. Desgraciadamente, si se analiza con cuidado la literalidad de lo dispuesto en la letra (h), no es así. Y, de hecho, ni el Reglamento de base de los derechos antidumping (Reglamento 1225/2009) ni el Reglamento de base de los derechos compensatorios (Reglamento 597/2009) se toman la molestia de calificar a estas medidas como "arancelarias".

La aplicación del arancel presupone la determinación de dos elementos: 1) la correcta clasificación de las mercancías, y 2) el origen de las mercancías. El origen de las mercancías se examina en el capítulo 7. Nos referiremos a continuación a la clasificación, para ocuparnos más adelante de la tarifa.

8.2. LA CLASIFICACIÓN ARANCELARIA. EL SISTEMA ARMONIZADO

8.2.1. Concepto

A la hora de caracterizar los impuestos arancelarios hemos señalado que estamos ante tributos extrafiscales que se dirigen, no sólo a obtener una recaudación para los entes públicos, sino que constituyen mecanismos reguladores de los flujos de mercancías.

La cualidad extrafiscal de los impuestos arancelarios se proyecta de forma especialmente nítida en la clasificación de las mercancías. Imaginemos, por ejemplo, un país que produce trigo en abundancia pero que carece de maíz. Si el fin recaudatorio no es primordial, sino que prevalece la regulación de flujos de mercancías, podemos prever que ese país mantendrá unos tipos de gravamen distintos para el trigo —más elevados, dado que su mercado ya se encuentra abastecido de este producto— y para el maíz —más bajos, dado que el maíz procedente de terceros países no va a competir con maíz interno, del que se carece—. Con este sencillo ejemplo podemos constatar la relevancia que en materia aduanera alcanza diferenciar dos productos que pertenecen a una misma categoría —ambos son cereales, productos básicos para la alimentación humana—. Esta característica contrasta con lo que ocurre en el gran tributo sobre el consumo, el Impuesto sobre el Valor Añadido (IVA), en el que se aplica un tipo de gravamen general sobre todos los productos y servicios, con las únicas excepciones de los productos gravados por el tipo reducido y los gravados por el tipo super-reducido. El IVA trata de lograr la neutralidad, es decir, intenta conseguir que su aplicación distorsione en la menor medida posible las decisiones económicas de los operadores. El IVA sólo matiza ese objetivo para favorecer la accesibilidad a los productos y servicios básicos o de primera necesidad, a los que grava a tipos diferenciados y más bajos (con lo cual introduce una distorsión, dado que hace estos productos más atractivos por su menor gravamen). En el caso de los impuestos arancelarios la neutralidad no es un objetivo, sino que el objetivo es más bien el contrario: la discriminación, como herramienta que permite controlar los flujos de mercancías.

La discriminación arancelaria a la que nos referimos puede consistir en un tipo de gravamen diferenciado (tarifa) o bien en otro tipo de medidas tributarias, tales como contingentes arancelarios, preferencias arancelarias, derechos antidumping o compensatorios, etc.

Una vez que se decide discriminar en la tributación de las diferentes mercancías en función de las necesidades de la regulación de sus flujos comerciales, surge la necesidad de erigir un entramado jurídico que regule esa discriminación y permita aplicarla. Del deseo de discriminar la tributación de diferentes mercancías surge, en definitiva, la necesidad jurídica de establecer una clasificación de las diferentes mercancías que, una vez creada, va a permitir fijar tipos de gravamen distintos para cada una de las categorías creadas. Con el paso del tiempo, estas clasificaciones se volvieron cada vez más precisas y detalladas, siempre pegadas a la conveniencia del país importador de que se tratara a la hora de establecer discriminaciones entre mercancías.

La minuciosa clasificación de las mercancías cumple otros objetivos aduaneros en ámbitos distintos del arancelario y, así:

- Identifican los productos sujetos a Impuestos Especiales y, en algunos Estados Miembros de la UE, identifican a los productos a los que se aplican tipos reducidos de IVA.

- Identifican a los productos sometidos a restricciones a la importación o exportación, como por ejemplo cuotas.

- Identifican a los productos respecto de los cuales se conceden restituciones a la exportación o ayudas a la producción.

- Son un elemento al que las normas de origen pueden conceder relevancia para determinar el origen de una mercancía (un criterio para la determinación del origen es el del cambio de partida arancelaria, según hemos señalado al ocuparnos del origen de las mercancías).

- Permiten la elaboración de estadísticas de comercio exterior.

- Eventualmente, las ofertas de suministros a entes públicos pueden servirse de la clasificación arancelaria para identificar los productos a los que se refiere el contrato.

Afortunadamente disponemos de una norma internacional que regula la clasificación arancelaria, como superación de una situación anterior en la que cada país decidía su propia clasificación en atención a sus necesidades específicas. La existencia de una norma internacional proporciona indudables ventajas:

- Ofrece seguridad jurídica a los operadores, puesto que las mercancías se clasifican del mismo modo en el país de exportación que en el país de importación. Tanto el exportador como el importador estarán en condiciones de anticipar las medidas que se aplicarán a sus mercancías.

- Permite el intercambio de datos entre autoridades aduaneras de diferentes países y también entre distintos operadores de la cadena logística y financiera, potenciando además de este modo las posibilidades que ofrecen los medios electrónicos.

- Facilita la identificación de las mercancías respecto de las cuales se establecen diferentes medidas y las negociaciones comerciales (en particular, la identificación de las concesiones que las Partes realizan), así como la resolución de controversias.

- Permite la comparabilidad de estadísticas comerciales y la agregación de datos.

- Permite beneficiarse de la casuística y la experiencia de otras jurisdicciones sobre cuestiones de clasificación complejas.

La norma internacional que regula la clasificación arancelaria es el *Convenio internacional sobre el sistema armonizado de descripción y codificación de las mercancías*, hecho en Bruselas el 14 de junio de 1983, modificado por el Protocolo de Modificación, de 24 de junio de 1986, y que entró en vigor el 1 de enero de 1988. Se alcanzó en el marco del Consejo de Cooperación Aduanera (institución que hoy se denomina Organización Mundial de Aduanas, OMA), y se suele designar "Sistema Armonizado" o, por sus siglas, "SA". Son más de 170 países los que lo aplican, los cuales representan más del 98 por 100 del comercio mundial. Analizamos a continuación su contenido con mayor detalle.

Por parte de la Comunidad, el Convenio fue aprobado por la Decisión del Consejo (CEE) 369/87, de 7 de abril de 1987 (DO L 198, de 30.07.1987).

8.2.2. El Sistema Armonizado

El Sistema Armonizado es una estructura organizada mediante la cual trata de ofrecerse una clasificación de todas las mercancías existentes. La clasificación de las mercancías se consigue mediante un listado en el que se designan diferentes tipos de mercancías en atención a sus características, de manera que se ofrece una descripción sucinta que permite identificar a cada tipo de mercancía ("designación arancelaria"). A cada tipo de mercancía así designada se asocia un código numérico, que en el Sistema Armonizado alcanza hasta los seis dígitos, y de este modo la identifica mediante una cifra ("codificación arancelaria").

A semejanza de lo que ocurre en un árbol, en el que de un tronco surgen distintas ramas que, a su vez, se dividen en ramas menores, para finalmente llegar a la hoja, la clasificación del SA se articula en 21 secciones, las cuales a su vez se subdividen en capítulos, hasta un total de 97 capítulos. Éstos se dividen en partidas (que suman 1.222), que a su vez integran diversas subpartidas (de las que se cuentan 5.387 de segundo orden).

> **21 Secciones.** Se dividen en:
> **97 Capítulos**, que se dividen en:
> **1.222 Partidas**, que se dividen en:
> **Subpartidas**, de primer orden y
> 5.387 de segundo orden.

El recuento de partidas, subpartidas y notas interpretativas puede verse en Carsten Weerth: "HS 2002-HS2017: Notes of the tariff nomenclature and the additional notes of the EU revisited", *World Customs Journal*, vol. 11, nº 1, pp. 49-68.

Las secciones y capítulos del Sistema Armonizado (en la versión de la Nomenclatura Combinada) son:

> I.– Animales vivos y productos del reino animal.
>
> **Capítulo 01.** Animales vivos.
>
> **Capítulo 02.** Carnes y despojos comestibles.
>
> **Capítulo 03.** Pescados y crustáceos, moluscos y otros invertebrados acuáticos.
>
> **Capítulo 04.** Leche y productos lácteos; huevos de ave; miel natural; productos comestibles de origen animal no expresados ni comprendidos en otra parte.
>
> **Capítulo 05.** Los demás productos de origen animal no expresados ni comprendidos en otra parte.

II.– Productos del reino vegetal.

Capítulo 06. Plantas vivas y productos de la floricultura.

Capítulo 07. Hortalizas, plantas, raíces y tubérculos alimenticios.

Capítulo 08. Frutas y frutos comestibles; cortezas de agrios (cítricos), melones o sandías.

Capítulo 09. Café, té, yerba mate y especias.

Capítulo 10. Cereales.

Capítulo 11. Productos de la molinería; malta; almidón y fécula; inulina; gluten de trigo.

Capítulo 12. Semillas y frutos oleaginosos; semillas y frutos diversos; plantas industriales o medicinales; paja y forraje.

Capítulo 13. Gomas, resinas y demás jugos y extractos vegetales.

Capítulo 14. Materias trenzables y demás productos de origen vegetal, no expresados ni comprendidos en otra parte.

III.– Grasas y aceites animales o vegetales; productos de su desdoblamiento; grasas alimenticias elaboradas; ceras de origen animal o vegetal.

Capítulo 15. Grasas y aceites animales o vegetales; productos de su desdoblamiento; grasas alimenticias elaboradas; ceras de origen animal o vegetal

IV.– Productos de las industrias alimentarias; bebidas, líquidos alcohólicos y vinagre; tabaco y sucedáneos del tabaco elaborados.

Capítulo 16. Preparaciones de carne, de pescado o de crustáceos, moluscos o demás invertebrados acuáticos.

Capítulo 17. Azúcares y artículos de confitería.

Capítulo 18. Cacao y sus preparaciones.

Capítulo 19. Preparaciones a base de cereales, harina, almidón, fécula o leche; productos de pastelería.

Capítulo 20. Preparaciones de hortalizas, frutas u otros frutos o demas partes de plantas.

Capítulo 21. Preparaciones alimenticias diversas.

Capítulo 22. Bebidas, líquidos alcohólicos y vinagre.

Capítulo 23. Residuos y desperdicios de las industrias alimentarias; alimentos preparados para animales.

Capítulo 24. Tabaco y sucedáneos del tabaco elaborados.

V.– Productos minerales.

Capítulo 25. Sal; azufre; tierras y piedras; yesos, cales y cementos.

Capítulo 26. Minerales metalíferos, escorias y cenizas.

Capítulo 27. Combustibles minerales, aceites minerales y productos de su destilación; materias bituminosas; ceras minerales.

VI.– Productos de las industrias químicas o de las industrias conexas.

Capítulo 28. Productos químicos inorgánicos; compuestos inorgánicos u orgánicos de metal precioso, de elementos radiactivos, de metales de las tierras raras o de isótopos.

Capítulo 29. Productos químicos orgánicos.

Capítulo 30. Productos farmacéuticos.

Capítulo 31. Abonos.

Capítulo 32. Extractos curtientes o tintóreos; taninos y sus derivados; pigmentos y demás materias colorantes; pinturas y barnices; mástiques; tintas.

Capítulo 33. Aceites esenciales y resinoides; preparaciones de perfumería, de tocador o de cosmética.

Capítulo 34. Jabón, agentes de superficie orgánicos, preparaciones para lavar, preparaciones lubricantes, ceras artificiales, ceras preparadas, productos de limpieza, velas y artículos similares, pastas para modelar, "ceras para odontología" y preparaciones para odontología a base de yeso fraguable.

Capítulo 35. Materias albuminoideas; productos a base de almidón o de fécula modificados; colas; enzimas.

Capítulo 36. Pólvoras y explosivos; artículos de pirotecnia; fósforos (cerillas); aleaciones pirofóricas; materias inflamables.

Capítulo 37. Productos fotográficos o cinematográficos.

Capítulo 38. Productos diversos de las industrias químicas.

VII.– Plástico y sus manufacturas; caucho y sus manufacturas.

Capítulo 39. Plástico y sus manufacturas.

Capítulo 40. Caucho y sus manufacturas.

VIII.– Pieles, cueros, peletería y manufacturas de estas materias; artículos de talabartería o guarnicionería; artículos de viaje, bolsos de mano (carteras) y continentes similares; manufacturas de tripa.

Capítulo 41. Pieles (excepto la peletería) y cueros.

Capítulo 42. Manufacturas de cuero; artículos de talabartería o guarnicionería; artículos de viaje, bolsos de mano (carteras) y continentes similares; manufacturas de tripa.

Capítulo 43. Peletería o confecciones de peletería; peletería facticia o artificial.

IX.– Madera, carbón vegetal y manufacturas de madera; corcho y sus manufacturas; manufacturas de espartería o cestería.

Capítulo 44. Madera, carbón vegetal y manufacturas de madera.

Capítulo 45. Corcho y sus manufacturas.

Capítulo 46. Manufacturas de espartería o de cestería.

X.– Pasta de madera o de las demás materias fibrosas celulósicas; papel o cartón para reciclar (desperdicios y desechos); papel o cartón y sus aplicaciones.

Capítulo 47. Pasta de madera o de las demás materias fibrosas celulósicas; papel o cartón para reciclar (desperdicios y desechos).

Capítulo 48. Papel o cartón; manufacturas de pasta de celulosa, de papel o cartón.

Capítulo 49. Productos editoriales, de la prensa o de las demás industrias gráficas; textos manuscritos o mecanografiados y planos.

XI.– Materias textiles y sus manufacturas.

Capítulo 50. Seda.

Capítulo 51. Lana y pelo fino u ordinario; hilados y tejidos de crin.

Capítulo 52. Algodón.

Capítulo 53. Las demás fibras textiles vegetales; hilados de papel y tejidos de hilados de papel.

Capítulo 54. Filamentos sintéticos o artificiales; tiras y formas similares de materia textil sintética o artificial.

Capítulo 55. Fibras sintéticas o artificiales discontinuas.

Capítulo 56. Guata, fieltro y tela sin tejer; hilados especiales; cordeles, cuerdas y cordajes; artículos de cordelería.

Capítulo 57. Alfombras y demás revestimientos para el suelo, de materia textil.

Capítulo 58. Tejidos especiales; superficies textiles con mechón insertado; encajes; tapicería; pasamanería; bordados.

Capítulo 59. Telas impregnadas, recubiertas, revestidas o estratificadas; artículos técnicos de materia textil.

Capítulo 60. Tejidos de punto.

Capítulo 61. Prendas y complementos (accesorios), de vestir, de punto.

Capítulo 62. Prendas y complementos (accesorios), de vestir, excepto los de punto.

Capítulo 63. Los demás artículos textiles confeccionados; juegos; prendería y trapos.

XII.– Calzado, sombreros y demás tocados, paraguas, quitasoles, bastones, látigos, fustas y sus partes; plumas preparadas y artículos de plumas; flores artificiales; manufacturas de cabello.

Capítulo 64. Calzado, polainas y artículos análogos; partes de estos artículos.

Capítulo 65. Sombreros, demás tocados, y sus partes.

Capítulo 66. Paraguas, sombrillas, quitasoles, bastones, bastones asiento, látigos, fustas, y sus partes.

Capítulo 67. Plumas y plumón preparados y artículos de plumas o plumón; flores artificiales; manufacturas de cabello.

XIII.– Manufacturas de piedra, yeso fraguable, cemento, amianto (asbesto), mica o materias análogas; productos cerámicos; vidrio y sus manufacturas.

Capítulo 68. Manufacturas de piedra, yeso fraguable, cemento, amianto (asbesto), mica o materias análogas.

Capítulo 69. Productos cerámicos.

Capítulo 70. Vidrio y sus manufacturas.

XIV.– Perlas finas (naturales) o cultivadas, piedras preciosas o semipreciosas o similares, metales preciosos, chapados de metal precioso (plaqué) y manufacturas de estas materias; bisutería; monedas.

Capítulo 71. Perlas finas (naturales) o cultivadas, piedras preciosas o semipreciosas, metales preciosos, chapados de metal precioso (plaqué) y manufacturas de estas materias; bisutería; monedas

XV.– Metales comunes y manufacturas de estos metales.

Capítulo 72. Fundición, hierro y acero.

Capítulo 73. Manufacturas de fundición, de hierro o de acero.

Capítulo 74. Cobre y sus manufacturas.

Capítulo 75. Níquel y sus manufacturas.

Capítulo 76. Aluminio y sus manufacturas.

Capítulo 77. (Reservado para una futura utilización en el sistema armonizado)

Capítulo 78. Plomo y sus manufacturas.

Capítulo 79. Cinc y sus manufacturas.

Capítulo 80. Estaño y sus manufacturas.

Capítulo 81. Los demás metales comunes; "cermets"; manufacturas de estas materias.

Capítulo 82. Herramientas y útiles, artículos de cuchillería y cubiertos de mesa, de metal común; partes de estos artículos, de metal común.

Capítulo 83. Manufacturas diversas de metal común.

XVI.– Máquinas y aparatos, material eléctrico y sus partes; aparatos de grabación o reproducción de sonido, aparatos de grabación o reproducción de imágenes y sonido en televisión, y las partes y accesorios de estos aparatos.

Capítulo 84. Reactores nucleares, calderas, máquinas, aparatos y artefactos mecánicos; partes de estas máquinas o aparatos.

Capítulo 85. Máquinas, aparatos y material eléctrico, y sus partes; aparatos de grabación o reproducción de sonido, aparatos de grabación o reproducción de imagen y sonido en televisión, y las partes y accesorios de estos aparatos.

XVII.– Material de transporte.

Capítulo 86. Vehículos y material para vías férreas o similares, y sus partes; aparatos mecánicos, incluso electromecánicos, de señalización para vías de comunicación.

Capítulo 87. Vehículos automóviles, tractores, velocípedos y demás vehículos terrestres, sus partes y accesorios.

Capítulo 88. Aeronaves, vehículos espaciales, y sus partes.

Capítulo 89. Barcos y demás artefactos flotantes.

XVIII.– Instrumentos y aparatos de óptica, fotografía o cinematografía, de medida, control o de precisión; instrumentos y aparatos médicoquirúrgicos; aparatos de relojería; instrumentos musicales; partes y accesorios de estos instrumentos o aparatos.

Capítulo 90. Instrumentos y aparatos de óptica, fotografía o cinematografía, de medida, control o de precisión; instrumentos y aparatos medicoquirúrgicos; partes y accesorios de estos instrumentos o aparatos.

Capítulo 91. Aparatos de relojería y sus partes.

Capítulo 92. Instrumentos musicales; sus partes y accesorios.

XIX.– Armas, municiones, y sus partes o accesorios.

Capítulo 93. Armas, municiones, y sus partes y accesorios.

XX.– Mercancías y productos diversos.

Capítulo 94. Muebles; mobiliario medicoquirúrgico; artículos de cama y similares; aparatos de alumbrado no expresados ni comprendidos en otra parte; anuncios, letreros y placas indicadoras luminosos y artículos similares; construcciones prefabricadas.

Capítulo 95. Juguetes, juegos y artículos para recreo o deporte; sus partes y accesorios.

Capítulo 96. Manufacturas diversas.

XXI.– Objetos de arte o colección y antigüedades.

Capítulo 97. Objetos de arte o colección y antigüedades.

__Capítulo 98.__ Conjuntos industriales (capítulo añadido por la NC).

__Capítulo 99.__ Códigos especiales de la nomenclatura combinada (capítulo añadido por la NC).

Como puede comprobarse, la ordenación de las secciones del SA se efectúa atendiendo al grado de elaboración de las mercancías, de modo que a medida que pasamos a secciones con una numeración superior vamos encontrando mercancías que son el resultado de transformaciones más complejas. Este criterio de ordenación se sigue también a la hora de ordenar los distintos capítulos que integran cada una de las secciones y, de nuevo, dentro de los capítulos, el criterio de ordenación sigue una progresión ascendente de complejidad de la elaboración.

Conforme al Sistema Armonizado, los distintos tipos de mercancías reciben un código numérico que servirá para identificarlas (codificación), el cual se compone de seis dígitos, según la siguiente distribución:

1	2	3	4	5	6
Capítulo					
	Partida				
		Subpartida				

- los **dos primeros dígitos** vienen dados por el número de **capítulo** al que pertenece el tipo de mercancía de que se trate,

- el **tercer y el cuarto dígito** señalan el número de orden de la **partida** dentro del capítulo,

- el **quinto dígito** indica la **subpartida de primer orden** y

- el **sexto dígito** indica la **subpartida de segundo orden**.

- (Si no existen subpartidas, el quinto y el sexto dígito serán ceros).

  Así, por ejemplo, una mercancía cuyo código de 6 dígitos sea 611231 se encuadra en el capítulo 61; en la partida 6112; y en la subpartida de segundo orden 611231. Esta es la subpartida de los bañadores para hombres o niños.

La clasificación a nivel de cuatro dígitos (nivel de partida) tiene relevancia en materia de origen, según se ha señalado en el capítulo 7, cuando para determinar el origen de las mercancías se utiliza el criterio de variación en la clasificación arancelaria, pues la variación en la clasificación arancelaria relevante a estos efectos consiste, generalmente, en que las mercancías se clasifiquen en una partida diferente de los componentes que la integran. Los países que ratifican la convención del Sistema Armonizado (SA) se obligan a utilizar todas las partidas y subpartidas sin adición ni modificación, así como los códigos numéricos que les acompañan y a seguir la secuencia numérica del SA. También se obligan a no modificar el ámbito de las secciones y capítulos en que se divide el SA.

La regulación internacional se completa con una serie de reglas de clasificación, unas generales (reglas generales de interpretación), aplicables para la clasificación de todo tipo de mercancías, y otras particulares o aplicables únicamente a un grupo de mercancías (Notas de sección, de capítulo, de partida o de subpartida). Estas reglas de clasificación son también de obligado cumplimiento para todos los países que ratifican el SA (son norma jurídica).

Los Estados signatarios pueden adoptar en su arancel nacional subdivisiones más detalladas que las que contiene el SA para clasificar las mercancías (a efectos arancelarios, a efectos de cuotas o a efectos estadísticos), siempre que estas subdivisiones partan del nivel de clasificación de 6 dígitos del SA. Normalmente esta codificación nacional adicional se realiza a nivel de ocho dígitos y se denomina "nivel nacional". Tomando como punto de partida el "Sistema Armonizado", la UE ha creado nuevas subdivisiones para poder así obtener una clasificación más precisa, lo que permite tratar de forma distinta, según interese, a mercancías que en el Sistema Armonizado reciben una misma clasificación. Las nuevas subdivisiones establecidas por la UE constituyen el sistema denominado Nomenclatura Combinada.

Observemos que la Convención del SA sólo es auténtica en la versión inglesa y en la versión francesa, no en lengua española. Dado que, como veremos, la clasificación en la UE se rige por el SA, sobre el cual se articulan subdivisiones adicionales, el TJUE ha señalado en alguna ocasión que, en casos de dificultad entre las diversas versiones lingüísticas en la UE (todas ellas oficiales a efectos jurídicos en la UE), se debe prestar atención especial a las versiones inglesa y francesa en materia de clasificación.

En este sentido, p.e., la STJUE *Knubben Speditions* (asunto C-143/96, de 09.12.1997), donde el Tribunal aprecia que "debe observarse que las versiones en lenguas francesa e inglesa de la Nomenclatura Combinada, que procede tomar como punto de referencia en la medida en que la Nomenclatura Combinada fue elaborada tomando como base el sistema armonizado de designación y codificación de mercancías, cuyas versiones francesa e inglesa son las únicas auténticas (...)" (p. 15). Cuando la discrepancia no se produce respecto del SA, sino respecto de las subclasificaciones propias de la UE basadas en ella, debe atenderse al conjunto de las versiones lingüísticas, y será la sistemática y el propósito de la nomenclatura la que se atenderá para decidir la versión más correcta (STJUE *Mecke*, asunto 816/79, de 16.10.1980, p. 3091). Dado que las discrepancias lingüísticas entre distintas versiones de una misma norma de la UE son quizá especialmente frecuentes en materia de clasificación arancelaria, convendrá aprovechar este punto para recoger la doctrina fundamental del TJUE al respecto, que queda sintetizada en el siguiente párrafo:

"Según reiterada jurisprudencia, por un lado, la formulación utilizada en una de las versiones lingüísticas de una disposición de Derecho de la Unión no puede constituir la única base de la interpretación de esta disposición ni tampoco se le puede reconocer, a este respecto, un carácter prioritario frente a otras versiones lingüísticas. Por otro lado, las distintas versiones lingüísticas de una norma de la Unión Europea deben ser objeto de interpretación uniforme, por lo cual, en caso de discrepancia entre las citadas versiones, dicha disposición debe ser interpretada en función de la sistemática general y de la finalidad de la normativa de la que forma parte" [STJUE *Pacific World*, asunto C-215/10, de 28.07.2011 (párrafo 48; cita en el mismo sentido la STJUE C-230/09 y C-231/09, párrafo 60 y jurisprudencia allí citada)].

8.2.3. La clasificación en el Sistema Armonizado (SA)

Al abordar la tarea de clasificar una mercancía debe diferenciarse entre los contenidos normativos del SA y aquellos otros contenidos que se ofrecen únicamente a efectos de referencia, careciendo de eficacia jurídica a los efectos de la clasificación. En este sentido, tenemos que:

> Son norma jurídica dentro del SA: las Reglas Generales de Interpretación (RGI); las notas de sección; las notas de capítulo; las notas de partida; las notas de subpartida.
> Carecen de eficacia jurídica en el SA a efectos de clasificación: los títulos de sección, capítulo y subcapítulo.

Al conjunto de contenidos con eficacia normativa los denominamos la "nomenclatura" del SA. Los contenidos que carecen de eficacia normativa se proporcionan a efectos de referencia únicamente, y no deben ser tenidos en cuenta para la clasificación.

Cuando acudimos a las diferentes descripciones de las mercancías en el SA, puede ocurrir que la mercancía quede determinada o identificada por su denominación común, comercial o técnica en la descripción del artículo o producto (es decir, el texto de una partida o subpartida). Ahora bien, puede ocurrir también que no encontremos una designación que de forma acabada se ajuste a la mercancía que debemos clasificar. En estas situaciones, cuando una mercancía no está expresamente contemplada en el SA, hemos de acudir a lo que se denomina una "posición residual" dentro de la categoría más amplia a la que pertenezca la mercancía. Las posiciones residuales se describen con expresiones como "no especificada ni incluida en otro lugar" o "Las demás".

Por ejemplo, veamos un detalle de la partida 4010:

Nº de Partida	Código S.A.	
40.10		**Correas transportadoras o de transmisión, de caucho vulcanizado**
		– Correas transportadoras:
	4010.11	-- Reforzadas solamente con metal
	4010.12	-- Reforzadas solamente con materia textil
	4010.19	-- Las demás
		– Correas de transmisión
	4010.31	-- Correas de transmisión, sin fin, estriadas, de sección trapezoidal, de circunferencia exterior superior a 60 cm pero inferior o igual a 180 cm
		(sigue...)
El uso de los guiones en el Sistema Armonizado		
Aprovechemos el anterior cuadro para observar el peculiar sistema de que se sirve el SA para presentar formalmente la designación de las mercancías. Fijémonos que algunas designaciones vienen precedidas por un guión (–) y otras por dos guiones (--). El guión es aquí un elemento simbólico que indica el nivel de estratificación que corresponde a la designación a la cual precede. De este modo, la designación completa de las mercancías se obtiene combinando aquella que recibe un mayor número de guiones con las denominaciones inmediatamente antecedentes precedidas por un número decreciente de guiones, hasta llegar a la denominación que carece de guiones. Por ejemplo, tomemos la designación que corresponde al código 4010.12. Nos indica: "Reforzadas solamente con materia textil". Pero, ¿qué mercancía es esa reforzada solamente con materia textil? Observamos que la expresión viene precedida de dos guiones. Eso significa que debemos buscar la designación superior más próxima con un guión ("Correas transportadoras") y, a continuación, la designación más próxima que no venga precedida de guión (es decir, la de la partida, "Correas transportadoras o de transmisión, de caucho vulcanizado"). Ya podemos componer la designación, en orden inverso a nuestra búsqueda. Queda así:		
Correas transportadoras o de transmisión, de caucho vulcanizado, – Correas transportadoras, – Reforzadas solamente con materia textil		

Ahora sí, veamos el concepto de posición residual a través del ejemplo. Podemos observar que esta partida se refiere a las "Correas transportadoras o de transmisión, de caucho vulcanizado". Dentro de las subpartidas de esta partida nos encontramos una subpartida de 5 dígitos (subpartida de primer orden) 4010.1 que se refiere a "- Correas transportadoras" (es decir: "Correas transportadoras o de transmisión, de caucho vulcanizado, Correas transportadoras). Dentro de esta subpartida de 5 dígitos encontramos tres subpartidas de 6 dígitos (subpartidas de segundo orden): la subpartida 4010.11 que se refiere a "-- Reforzadas solamente con metal" (cuya designación completa, por tanto, sería: "Correas transportadoras o de transmisión, de caucho vulcanizado, Correas transportadoras, Reforzadas solamente con metal"); la subpartida 4010.12 que se refiere a "-- Reforzadas solamente con materia textil"; y la subpartida 4010.19 que se refiere a "-- Las demás" (la designación completa sería en este caso "Correas transportadoras o de transmisión, de caucho vulcanizado, Correas transportadoras, Las demás"). De este modo una mercancía clasificable en la subpartida 4010.1 (por tratarse de correas transportadoras de caucho vulcanizado), pero que no verifique los elementos de las otras subpartidas de seis dígitos (no sea de la 4010.11 porque no esté reforzada solamente con metal; que no sea de la 4010.12 porque no esté reforzada solamente con materia textil), habrá de clasificarse en la subpartida residual de seis dígitos 4010.19 (las demás correas transportadoras de caucho vulcanizado).

Así pues, todas las mercancías van a poder clasificarse en el SA dado que, o bien podremos identificar una posición cuya descripción se ajuste a la de las mercancías de que se trate o bien, en caso contrario, para cada categoría más genérica de mercancías encontraremos una posición residual que recoja a las mercancías de esa categoría que carezcan de una descripción más específica.

Interesa destacar que la clasificación en el SA descansa, fundamentalmente, sobre dos pilares. Por un lado se clasifica atendiendo al material del que una mercancía está constituido (esto es especialmente evidente en la mayoría de los primeros capítulos, hasta el 71) y, por otro lado, se clasifica por referencia al uso o función de la mercancía (lo que predomina en los capítulos 84 a 97). El recurso simultáneo a ambos criterios fundamentales es una fuente de dificultades, dado que es inevitable que surjan solapamientos. Por ejemplo, un coche (uso o función) es un producto metálico (material), o una mesa (uso o función) es un producto de madera (material). Esta tensión inherente al fundamento mismo en que se asienta la clasificación genera conflictos. Precisamente para tratar de resolverlos se establecen una serie de reglas de clasificación a las que nos referimos a continuación.

Un ejemplo de las tensiones y dificultades que generan estos dos pilares de clasificación puede verse en la STJUE *Uroplasty* (asunto C-514/04, de 13.07.2006) donde se proponen una multiplicidad de clasificaciones alternativas en función de si se atiende a las características físicas de la mercancía (material) o a su uso objetivo (p. 43).

8.2.4. *Las Reglas Generales de Interpretación (RGI)*

El SA nos proporciona, además del listado de descripciones y sus correspondientes códigos numéricos asociados, unas Reglas Generales de Interpretación (RGI), que son un conjunto de reglas jurídicas que rigen la mecánica que debe seguirse para realizar la clasificación. Debe prestarse gran atención a las RGI porque, en otro caso, una clasificación aparentemente correcta puede resultar ser jurídicamente incorrecta debido a que no se han seguido los pasos establecidos. El SA contiene un total de seis RGI.

Antes de adentrarnos en su exposición, no obstante, convendrá que aclaremos unas ideas preliminares. En el SA la clasificación se realiza por capas. Esto significa que sería incorrecto precipitarse a buscar una subpartida de seis dígitos que se ajuste a las características de las mercancías de que se trate. Lo que debemos hacer es comenzar por identificar en qué clasificación de cuatro dígitos se encuadra la mercancía. La clasificación debe siempre comenzar, pues, al nivel de la partida. La selección de la partida adecuada se decidirá en función de que contenga los términos describan de modo más específico la mercancía (a menos que las RGI requieran o indiquen otra cosa).

A la hora de identificar la partida adecuada no debemos prestar atención a las subpartidas que pueda contener. Sólo debemos comparar designaciones que se sitúen en un mismo nivel de clasificación (es decir, 'partidas' con 'partidas'; no 'partidas' con 'subpartidas'). Cuando clasificamos a nivel de partida debemos actuar como si las subpartidas no existieran.

EJEMPLO

Ejemplo

Un cepillo de dientes eléctrico podría clasificarse en principio en la partida 8509 como aparatos electromecánicos de uso doméstico con motor eléctrico incorporado, y en la partida 9603 como cepillos. Dentro de la partida 9603, la subpartida 9603.21 se refiere a los cepillos de dientes. Ahora bien, no se debe tener en cuenta a esta subpartida a la hora de comparar los términos de las partidas para decidir la partida correcta de clasificación del cepillo de dientes eléctrico (dado que la mercancía debe clasificarse en el SA primero al nivel de partida a la luz de los términos de la partida, independientemente de cuáles sean las subpartidas que contenga).

Observaremos que las RGI 1 a 5 nos ofrecen los criterios a seguir para determinar la partida. Cuando la partida haya quedado correctamente identificada, la RGI 6 nos proporciona las instrucciones a seguir para, dentro de esa partida, avanzar en las siguientes capas de clasificación (subpartida de primer orden, subpartida de segundo orden).

Establecidas estas ideas preliminares, pasaremos a analizar ya las RGI del SA.

IMPORTANTE

La **primera regla general de interpretación** dispone que "Los títulos de las secciones, de los capítulos o de los subcapítulos solo tienen un valor indicativo, ya que la clasificación está determinada legalmente por los textos de las partidas y de las notas de sección o de capítulo y, si no son contrarias a los textos de dichas partidas y notas, de acuerdo con las reglas siguientes" (es decir, las RGI 2 a 6).

La primera RGI tiene preferencia sobre las demás reglas. Exige que la clasificación se determine en primer lugar de acuerdo con los términos de las partidas del SA y los términos de cualquier nota de sección o de capítulo.

Ejemplos de aplicación de la primera RGI:

Ejemplo 1. Conforme a la RGI 1, si una designación a nivel de partida describe un producto de forma específica y completa, ese producto debe clasificarse en esa partida. Por ejemplo, los plátanos se clasifican en la partida 0803 que designa a los "Plátanos (bananas), incluidos los "plantains" (plátanos macho), frescos o secos". En estas circunstancias, el producto se clasifica conforme a los términos de la partida.

Ejemplo 2. La Nota 3 a la Sección XVI del SA indica que la clasificación de las máquinas compuestas de esta sección debe realizarse sobre la base de la "función principal" de las máquinas. Conforme a la RGI 1, estas máquinas deben clasificarse según indica esta Nota. En este caso los productos se clasifican conforme a lo dispuesto en una nota de sección.

Las notas (de sección o de capítulo) resuelven buena parte de los conflictos de clasificación entre diferentes partidas:

- sea derivados de productos fabricados de diferentes componentes o materiales (p.e. la nota 2 del capítulo 16 establece un contenido mínimo de carne del 20% para las preparaciones cárnicas, en tanto que la nota 1.b del capítulo 20 excluye esos productos del capítulo 20);

- sea de productos susceptibles de servir a diferentes usos o funciones (p.e. la nota 4 de la sección XVI dispone que cuando una máquina o una combinación de máquinas estén constituidas por elementos individualizados para realizar conjuntamente una función netamente definida, el conjunto se clasifica en la partida correspondiente a la función que realice); o

- sea para determinar si prevalece la partida que identifica la función a la partida que identifica el material (p.e. la nota 1.a del capítulo 13 dispone que el extracto de regaliz con un contenido de sacarosa superior al 10% en peso o presentado como artículo de confitería se excluye del capítulo 13 y nos remite a la partida 1704).

Conforme a la RGI 1, si con la descripción que se contiene en la partida o con lo que resulte de las notas, no es posible determinar la partida de clasificación que corresponde, la clasificación debe entonces determinarse conforme a las RGI siguientes. Interesa destacar que las RGI 2 a 5 mantienen entre sí un criterio jerárquico, de modo que primero debe intentarse la clasificación conforme a lo que resulte de la regla 2 y sólo si esta tampoco nos permite decidir la clasificación procederemos con la 3 y así sucesivamente. Ahora bien, como veremos, la RGI 5, por su carácter específico, podría decirse que queda al margen de este orden jerárquico. Veamos pues, en su orden, qué disponen estas reglas generales de clasificación.

IMPORTANTE

> La **segunda regla general de interpretación** dispone que:
>
> "a) Cualquier referencia a un artículo en una partida determinada alcanza al artículo incluso incompleto o sin terminar, siempre que este presente las características esenciales del artículo completo o terminado. Alcanza también al artículo completo o terminado, o considerado como tal en virtud de las disposiciones precedentes, cuando se presente desmontado o sin montar todavía.
>
> b) Cualquier referencia a una materia en una partida determinada alcanza a dicha materia incluso mezclada o asociada con otras materias. Asimismo, cualquier referencia a las manufacturas de una materia determinada alcanza también a las constituidas total o parcialmente por dicha materia. La clasificación de estos productos mezclados o de los artículos compuestos se efectuará de acuerdo con los principios enunciados en la regla 3".

Para analizar la RGI 2 debemos descomponerla en sus diversos elementos.

1. En primer lugar, se establece una regla para las *mercancías incompletas o sin terminar* (**primera parte del apartado 'a' de la RGI 2**). Esta regla consiste en ordenar que las mercancías incompletas o sin terminar se clasifican en la partida correspondiente al artículo completo siempre que presente las "características esenciales" del artículo completo o terminado. De este modo, la regla extiende el ámbito de cada partida para comprender, no sólo el producto acabado, sino también las mercancías incompletas o sin terminar que reúnan las características esenciales del producto acabado.

EJEMPLO

Ejemplo
Una estatuilla de cerámica que será pintada tras su importación en general todavía tendrá, a pesar de lo anterior, el carácter esencial de las estatuillas de cerámica de la partida 6913 (es decir, todavía podría reconocerse e identificarse al producto como una estatuilla de cerámica) y se clasificaría en consecuencia, conforme a la RGI 2, como el producto terminado en la partida 6913.

Esta regla 'normalmente no se aplica' a los capítulos 1 a 38 del SA (así se indica en el Comentario de la OMA a esta regla), si bien el TJUE sí ha acudido a ella para mercancías clasificables en partidas de esos capítulos (STJUE *Bruner*, asunto C-290/97, de 10.12.1998, p. 30; el Tribunal decidió que dos cuartos traseros de gallo o gallina deben considerarse «cuartos» aunque todavía estén unidos entre sí por la piel del lomo). En la Sentencia referida, el Tribunal observa que:

"El objeto de la Regla general 2 a), tal y como fue analizada en la sentencia *Boehringer Mannheim*, antes citada —se refiere a la recaída en el asunto C-318/90, de 03.06.1992—, es permitir la asimilación de dos productos que resultan extremadamente cercanos el uno del otro, hasta el punto de ser sustancialmente idénticos desde el punto de vista del usuario, prescindiendo de las diferencias basadas únicamente en la presentación de las mercancías" (p. 32).

Esta doctrina se reitera posteriormente en la STJUE *Stolle* (asunto C-323/10, de 24.11.2011, p. 53). En la STJUE *Metherma* (asunto C 403/07, de 27.11.2008) el Tribunal niega que quepa aplicar esta regla cuando el uso final de las mercancías de que se trate dependa "de los elementos adicionales que se le van a añadir durante el siguiente ciclo de producción" (p. 28).

2. En segundo lugar, se establece una regla para los *artículos completos o terminados que se presenten desmontados o sin montar* (**segunda parte del apartado 'a' de la RGI 2**). Las razones que pueden llevar a que un artículo se presente desmontado o sin montar son diversas, por ejemplo, debido al empaquetado, a la manipulación o al transporte de los artículos. Estos artículos completos o terminados que se presenten desmontados o sin montar deben clasificarse en la misma partida que el artículo completo o terminado siempre que presenten el 'carácter esencial' del artículo completo o terminado.

Ejemplo
Un envío de una construcción prefabricada sin montar (que contiene todas las partes y componentes necesarios para completar una construcción prefabricada) se clasificaría en la partida 9406 como construcción prefabricada tal y como se clasificaría si se introdujera (o importara) montada y acabada.

EJEMPLO

3. En tercer lugar, se establece una regla para las *mezclas y combinaciones de materias o sustancias* (**primera frase del apartado (b) de la RGI 2**). La regla establece que las mezclas y combinaciones de materias o sustancias se deben clasificar, en principio, en la partida que se refiera a la materia o sustancia, pero sólo en tanto que otra partida no se refiera a las mercancías en estado mezclado. Por otro lado, si la adición de otra materia o sustancia priva a las mercancías importadas del carácter del tipo mencionado en la partida que se considera, debe acudirse a la RGI 3 para realizar la clasificación de la mercancía. O, en otras palabras, las mezclas y combinaciones de materias o sustancias, si pueden ser clasificables, en una primera aproximación, conforme a dos partidas o más, se deben clasificar conforme a la RGI 3.

El alcance de esta regla de clasificación arancelaria parece que debe matizarse cuando se trata de determinar la aplicación en la UE de beneficios arancelarios. Así, respecto de la aplicabilidad de una norma de exención de derechos, el TJUE la denegó para una mezcla de productos químicos (deliberadamente añadidos sobre el producto base para mejorar su conservación, cada uno de los cuales tiene su propia clasificación farmacéutica internacional), basando su decisión en las exigencias de la seguridad jurídica, la simplicidad en la gestión y la aplicación uniforme del Derecho de la UE (STJUE *Marishipping*, asunto C-11/10, de 17.11.2011).

4. En cuarto lugar, se establece una regla para las *mercancías que consisten en dos o más materias o sustancias* (**segunda frase del apartado (b) de la RGI 2**). Se ordena, análogamente a lo visto en (3), que las manufacturas que incluyan dos o más materias o sustancias se clasifiquen en la partida correspondiente a la materia o sustancia, en tanto que otra partida no se refiera a las mercancías compuestas por dos o más materias. Por otro lado, si las mercancías son susceptibles de ser clasificadas en dos o más partidas, debe acudirse a la RGI 3.

EJEMPLO

Ejemplo

Conforme a la RGI 2 (b) una taza de acero inoxidable de viaje con mango de plástico se clasificaría en la partida 7323 como artículos de uso doméstico y sus partes, de fundición, hierro y acero, a pesar del mango de plástico (puesto que mantiene su carácter de artículo de uso doméstico de acero a que se refiere la partida 7323). Si una taza de viaje, por el contrario, contuviese cantidades relativamente equivalentes de acero inoxidable y de plástico (por ejemplo, la parte exterior o recubrimiento de la taza fabricada de plástico y la parte interior de la taza fabricada de acero inoxidable), en ese caso la taza de viaje podría clasificarse conforme a dos partidas: la partida 3924 como 'vajilla, artículos de cocina o de uso doméstico y artículos de higiene o tocador, de plástico' o bien la partida 7323 como artículos de uso doméstico y sus partes, de acero (o, contrastando este producto con el inicialmente considerado en este ejemplo, una taza de viaje que se compone de cantidades relativamente equivalentes de acero inoxidable y de plástico no tiene el carácter de un artículo de uso doméstico de acero a los que se refiere la partida 7323). Ante esta situación, la RGI 2 (b) remitiría a lo dispuesto en la RGI 3 para decidir la clasificación del producto.

IMPORTANTE

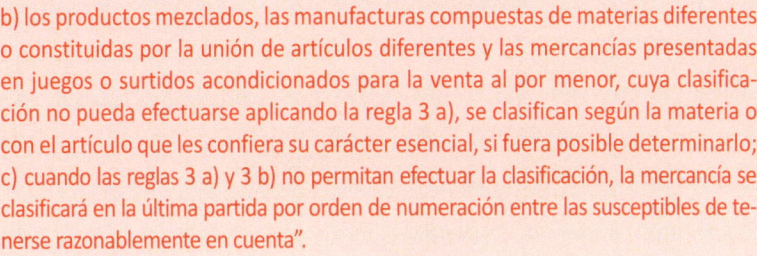

La **tercera regla general de interpretación** dispone que "Cuando una mercancía pudiera clasificarse, en principio, en dos o más partidas por aplicación de la regla 2 b) o en cualquier otro caso, la clasificación se efectuará como sigue:

a) la partida con descripción más específica tendrá prioridad sobre las partidas de alcance más genérico. Sin embargo, cuando dos o más partidas se refieran, cada una, solamente a una parte de las materias que constituyen un producto mezclado o un artículo compuesto o solamente a una parte de los artículos en el caso de mercancías presentadas en juegos o surtidos acondicionados para la venta al por menor, tales partidas deberán considerarse igualmente específicas para dicho producto o artículo, incluso si una de ellas lo describe de manera más precisa o completa;

b) los productos mezclados, las manufacturas compuestas de materias diferentes o constituidas por la unión de artículos diferentes y las mercancías presentadas en juegos o surtidos acondicionados para la venta al por menor, cuya clasificación no pueda efectuarse aplicando la regla 3 a), se clasifican según la materia o con el artículo que les confiera su carácter esencial, si fuera posible determinarlo;

c) cuando las reglas 3 a) y 3 b) no permitan efectuar la clasificación, la mercancía se clasificará en la última partida por orden de numeración entre las susceptibles de tenerse razonablemente en cuenta".

La RGI 3 establece el criterio de clasificación de las mercancías que son, en una primera aproximación, clasificables conforme a dos o más partidas. En estos casos, las mercancías se clasifican siguiendo esta regla que contiene tres criterios, que deben aplicarse por su orden.

1. **Criterio 1.** *Las mercancías deben clasificarse en la partida que proporcione la descripción más específica* (**primera frase apartado (a) de la RGI 3**). Para decidir cuál es la descripción más específica y que, por tanto, debe prevalecer, hay que tener en cuenta que, en general: (1) una descripción por el nombre es más específica que una descripción por la clase y (2) una descripción que más claramente identifica al producto es más específica que otra que es menos completa.

Ejemplo
Un supuesto de una descripción por el nombre que es más específica que una descripción por la clase en otra partida es el siguiente: 'Afeitadoras, máquinas de cortar el pelo o esquilar y aparatos de depilar, con motor eléctrico incorporado' de la partida 8510 es más específico que 'Herramientas neumáticas, hidráulicas o con motor incorporado, incluso eléctrico, de uso manual' de la partida 8467 o que 'Aparatos electromecánicos con motor eléctrico incorporado, de uso doméstico' de la partida 8509. En el mismo sentido, "caballos (vivos)" (0101) es más específica que "los demás animales vivos" (0106).

EJEMPLO

Ejemplo
Un supuesto de descripción en una partida que identifica el producto más claramente que una descripción en otra partida (y, en consecuencia, la primera descripción es más específica que la segunda) es el siguiente: un producto identificado como "cristal de seguridad sin marco hecho de cristal reforzado o laminado que tiene la forma y es identificable para uso en aviones" está más claramente descrito por la descripción 'cristal de seguridad' de la partida 7007 que por la descripción 'partes de los aparatos de las partidas 8801 o 8802' (partes de aeronaves o vehículos espaciales) de la partida 8803.

EJEMPLO

La **segunda frase del apartado (a) de la RGI 3** dispone asimismo que cuando dos o más partidas se refieren cada una solamente a una de las materias o sustancias en una mercancía mezclada o compuesta, o sólo a alguno de los artículos incluidos en un juego o surtido acondicionado para la venta al por menor, esas partidas deben ser consideradas como igualmente específicas en relación con esas mercancías, aun cuando una de ellas ofrezca una descripción de las mercancías más completa o precisa. Si se da esta situación, debe acudirse a la regla del apartado (b) de la RGI 3.

2. **Criterio 2.** Productos mezclados, manufacturas compuestas y mercancías presentadas en juegos o surtidos acondicionados para la venta al por menor (**apartado (b) de la RGI 3**). Se trata, al igual que en la segunda frase del apartado (a) de la RGI 3, de mercancías clasificables en más de una partida debido a que contienen dos o más ingredientes, materias, componentes o artículos diferentes, y ninguna

partida contempla las mercancías en su conjunto. En estos supuestos, el criterio a seguir consiste en que tales mercancías deben clasificarse de acuerdo con el ingrediente, materia, componente o artículo que da a la mezcla, compuesto o juego su "carácter esencial".

Acerca del 'carácter esencial', el TJUE en su Sentencia *Turbon International* (asunto C-276/00, de 07.02.2002, p. 26) aprecia que:

"A este respecto, es jurisprudencia reiterada que, para determinar cuál es, de entre las materias que componen la mercancía, la que le da su carácter esencial, procede preguntarse si dicha mercancía, privada de uno u otro de sus componentes, conservaría o no las propiedades que la caracterizan (véase, en este sentido, la sentencia de 10 de mayo de 2001, *VauDe Sport*, C-288/99, Rec. p. I-3683, apartado 25)". En aquél caso, p.e., apreció que en unos cartuchos de tinta para impresoras el componente esencial era la tinta (aunque los cartuchos pudieran rellenarse).

En esta Sentencia el TJUE elabora un concepto de 'partes' (p. 30) y de 'accesorios' (p. 32) que, aunque inicialmente referidos a partidas determinadas, posteriormente ha hecho extensivas, con el siguiente contenido:

"el Reglamento nº 2658/87, en sus versiones aplicables al litigio principal, no define los conceptos de «partes» y «accesorios» en el sentido del capítulo 90 de la NC. No obstante, el Tribunal de Justicia, al pronunciarse sobre el alcance de estos conceptos en relación con la partida 8473 de la NC a fin de clasificar cartuchos de tinta para impresora, indicó que el concepto de «partes» implica la presencia de un conjunto para cuyo funcionamiento éstas son indispensables y que el concepto de «accesorio» supone que se está ante órganos de equipamiento intercambiables que permiten adaptar un aparato a un trabajo determinado, le confieren posibilidades suplementarias o, incluso, le permiten garantizar un servicio determinado en relación con su función principal (véase la sentencia *Turbon International*, antes citada, apartados 30 y 32)" (STJUE *Unomedical*, asunto C-152/10, de 16.06.2011, p. 29; doctrina reiterada en STJUE *Oliver Medical*, asunto C-547/13, de 04.03.2015, p. 69; y en STJUE *Amoena*, asunto C-677/18, de 19.12.2019, p. 51).

De este modo, el Tribunal aplicó en la STJUE *Unomedical* estos mismos conceptos tras observar que "en el presente asunto, nada permite concluir que los citados conceptos no puedan definirse de idéntica manera en el marco de las partidas 8473 y 9018 de la NC. Además, la aplicación de las mismas definiciones a estas dos partidas garantiza una aplicación coherente y uniforme del Arancel Aduanero Común" (p. 30). La aplicación de estos conceptos llevó al TJUE a interpretar que ni las bolsas de drenaje urinario para catéteres ni las bolsas de drenaje de dializadores son 'partes' o 'accesorios'. Esta conclusión tiene consecuencias arancelarias relevantes, ya que implica que no se pueden clasificar en la posición que corresponde al elemento principal, sino que deben clasificarse de manera independiente.

También la STJUE *Kloosterboer* (asunto C-173/08, de 18.06.2009) aplica la RGI 3 (b) y se ocupa del concepto de 'partes' (decide que un refrigerador para ordenadores es una parte; y que el elemento esencial es el disipador térmico, no el ventilador).

La STJUE *KORADO* (asunto C-306/18, de 15.052019, p. 43), en relación con los capítulos 84 y 85, señala que "para poder calificar un artículo como «parte» en el sentido de dichos capítulos, no basta con demostrar que, sin ese artículo, la máquina o el aparato no pueden satisfacer las necesidades a las que están destinados. *Es preciso demostrar* también *que el funciona-*

miento mecánico o eléctrico de la máquina o del aparato de que se trate *depende de ese artículo*" (cita en el mismo sentido STJUE *HARK*, C-450/12, de 12.12.2013, p. 36).

Respecto de la expresión "mercancías presentadas en juegos o surtidos acondicionados para la venta al por menor", esta significa que las mercancías de que se trate deben: (a) consistir en al menos dos artículos diferentes (es decir, los artículos deben ser de naturaleza o tipo distinto, de modo que, por ejemplo, dos cucharas no son un 'juego') que sean, en una primera aproximación, clasificables en partidas diferentes; (b) consistir en productos o artículos que se reúnen para dar satisfacción a una determinada necesidad o llevar a cabo una actividad específica; y (c) se reúnen de modo adecuado para su venta minorista a clientes finales sin re-envasado. Ejemplos de la RGI 3 (b).

Ejemplo de una mezcla en el ámbito de la RGI 3 (b) sería una mezcla de cebada de la partida 1003 y avena de la partida 1004 en cantidades iguales. En este caso, tendremos un producto que se compone de dos o más ingredientes y para cada ingrediente disponemos de una partida arancelaria en la podría clasificarse y, en cambio, no hay ninguna partida en el SA para la mezcla en su conjunto.

Ejemplo de una manufactura compuesta en el ámbito de la RGI 3 (b) sería una lámpara eléctrica portátil de la partida 8513 y radio de la partida 8527 (ambas contenidas en la misma carcasa). En este caso tenemos un producto que consiste en dos unidades o componentes diferentes que se ubican en una misma carcasa y cada componente tiene su propia partida en la que podría ser clasificado, mientras que no existe una partida en el SA para la manufactura compuesta como conjunto.

Ejemplo de un juego o surtido en el ámbito de la RGI 3 (b) sería un kit de peluquería compuesto de un par de cortadoras de pelo eléctricas de la partida 8510, un peine de la partida 9615, unas tijeras de la partida 8213 y un cepillo de la partida 9603. En este caso nos encontramos ante un producto que consiste en más de un elemento o artículo y para cada artículo disponemos de una partida en la que cabría clasificarlo, en tanto que no existe en el SA una partida para el juego en su conjunto. En este kit de peluquería los artículos reunidos satisfacen una necesidad concreta que es la de llevar a cabo la actividad específica de cuidado del cabello.

La clasificación de los juegos o surtidos (sets) puede deparar sorpresas. La STJUE *Pacific World* (asunto C-215/10, de 28.07.2011) se ocupa de la clasificación de unos sets de uñas postizas integrados por uñas postizas de plástico, adhesivo y otros accesorios. El TJUE entendió que el elemento esencial de los sets eran las uñas postizas, por lo que todo el set debía clasificarse en la posición que se determinara para ellas. El Tribunal decidió que debían clasificarse como "las demás manufacturas de plástico" (3926 90 97) y no como preparaciones para manicuras dado que están diseñadas para pegarse sobre las uñas naturales, no a tratarlas; ni tampoco como herramientas de manicura porque estas se ubican en el capítulo 82, relativo a metales comunes y manufacturas de estos metales, en tanto que las uñas postizas eran de plástico.

En cada uno de los ejemplos que acabamos de exponer habría que realizar un análisis acerca de cuál es el ingrediente, material, componente o artículo que imprime el carácter esencial a la mercancía. La mercancía puede entonces clasificarse como si estuviera integrada completamente por ese ingrediente, material, componente o artículo. En algunos casos, no obstante, ningún ingrediente, material, componente o artículo podrá identificarse que imprima el carácter esencial a la mercancía. En estos casos se debe acudir a la regla contenida en RGI 3 (c) para clasificar la mercancía.

3. **Criterio 3.** El **apartado (c) de la RGI 3** dispone que las mercancías se clasificarán en la partida de más elevada numeración, de entre las susceptibles de tenerse razonablemente en cuenta, cuando no puedan clasificarse aplicando las reglas de los apartados (a) o (b) de la RGI 3.

> ## Ejemplo
>
> *Ejemplo de aplicación de la RGI 3 (c).* En el ejemplo anterior de una mezcla compuesta de cebada y avena a partes iguales, si se determina que ni la cebada ni la avena imprimen al producto el carácter esencial, por aplicación de la RGI 3 (c) el producto se clasificaría en la partida 1004 como si contuviera únicamente avena. Esto se debe a que la partida en la que se clasifica la avena tiene un número de partida (1004) que es superior al número de la partida en la que se clasifica la cebada (1003).

EJEMPLO

El SA no define el concepto de **"carácter esencial"**. Ahora bien, en las Notas Explicativas del SA (que son un elemento auxiliar de interpretación extrínseco al SA) se señala que el factor que determina el carácter esencial de un bien dependerá de los diferentes tipos de bienes, esto es, el carácter esencial se debe determinar caso por caso. El carácter esencial de un bien puede determinarse, por ejemplo, por la naturaleza del material o componente, su masa, calidad, peso o valor, o por el papel de un material constitutivo en relación al uso de la mercancía. Otros factores pueden asimismo considerarse a la hora de determinar el carácter esencial de un producto.

> La **cuarta regla general de interpretación** dispone que "Las mercancías que no puedan clasificarse aplicando las reglas anteriores se clasifican en la partida que comprenda aquellas con las que tengan mayor analogía".

IMPORTANTE

Si las mercancías no pueden clasificarse conforme a lo dispuesto en la RGI 1 a 3, entonces deberemos acudir a la RGI 4, que nos señala que las mercancías deben clasificarse "en la partida que comprenda aquellas con las que tengan mayor analogía". Esta regla debiera aplicarse de forma muy infrecuente dado que las RGI 1 a 3 cubrirán la clasificación de casi todas las mercancías. Cuando, ello no obstante, deba aplicarse esta regla, cualquier determinación relativa a la "analogía" debiera depender de factores tales como la descripción, el carácter, el fin o uso al que se dirige, la designación, el proceso de producción y la naturaleza de la mercancía.

En relación a esta RGI, el TJUE ha sostenido que "la analogía entre las mercancías se determina no solamente por sus características físicas, sino también por su utilización y valor comercial; que, salvo circunstancias especiales, el valor comercial de un producto normalmente está indicado por su precio de mercado" (STJUE *Bollmann*, asunto 40/69, de 18.02.1970, p. 12).

IMPORTANTE

> La **quinta regla general de interpretación** dispone que "Además de las disposiciones precedentes, a las mercancías consideradas a continuación se les aplicarán las reglas siguientes:
> a) los estuches para cámaras fotográficas, instrumentos musicales, armas, instrumentos de dibujo, collares y continentes similares, especialmente apropiados para contener un artículo determinado o un juego o surtido, susceptibles de uso prolongado y presentados con los artículos a los que están destinados, se clasifican con dichos artículos cuando sean de los tipos normalmente vendidos con ellos. Sin embargo, esta regla no se aplica en la clasificación de los continentes que confieran al conjunto su carácter esencial;
> b) salvo lo dispuesto en la regla 5 a) anterior, los envases que contengan mercancías se clasifican con ellas cuando sean de los tipos normalmente utilizados para esa clase de mercancías. Sin embargo, esta disposición no es obligatoria cuando los envases sean susceptibles de ser utilizados razonablemente de manera repetida".

La RGI 5 tiene dos apartados, (a) y (b). Estos apartados tratan diversos tipos de contenedores que se presentan conjuntamente con los bienes a los que están destinados.

El **apartado (a) de la RGI 5** se refiere al trato de estuches, cajas y contenedores susceptibles de uso prolongado en el tiempo que se presentan con los artículos a los que están destinados. Conforme a esta regla los contenedores susceptibles de uso prolongado en el tiempo que se importan con los artículos a los que están destinados se clasifican con los artículos si son un tipo de contenedor de los normalmente vendidos con ellos (p.e. el estuche de una cámara con la cámara; el estuche de un instrumento musical, con el instrumento musical). Esta regla, no obstante, no se aplica en la clasificación de los continentes que confieran al conjunto su carácter esencial (p.e. una bandeja o plato de plata que contiene té o un bol de cerámica ornamental de alta calidad que contiene dulces o caramelos). En este último supuesto la mercancía se clasifica en la partida del contenedor.

El **apartado (b) de la RGI 5** dispone que los envases que no estén normalmente destinados a ser utilizados de manera repetida se clasifican con los artículos con los que se presentan o importan (p.e. las cajas de cartón o envases que contienen productos de alimentación). Esta regla, no obstante, no se aplica a los envases que de modo claro son adecuados para un uso reiterado (p.e. ciertos bidones metálicos o envases de hierro o acero para gases comprimidos o licuados). Estos envases deben clasificarse separadamente de los materiales que alojan.

IMPORTANTE

> La **sexta regla general de interpretación** dispone que "La clasificación de mercancías en las subpartidas de una misma partida está determinada legalmente por los textos de estas subpartidas y de las notas de subpartida así como, mutatis mutandis, por las reglas anteriores, bien entendido que solo pueden compararse subpartidas del mismo nivel. A efectos de esta regla, también se aplican las notas de sección y de capítulo, salvo disposición en contrario".

La RGI 6 es la última de las RGI del SA. Dispone que, a efectos jurídicos, las RGI 1 a 5 regulan, *mutatis mutandi*, la clasificación al nivel de subpartida dentro de la misma partida. O, en otras palabras, que las RGI 1 a 5 deben volverse a aplicar para determinar la clasificación de las mercancías dentro de una partida entre las diferentes subpartidas posibles. Las mercancías deben clasificarse en igual nivel de subpartida (es decir, en el mismo nivel de dígitos; subpartida de primer orden no puede compararse con subpartida de segundo orden) en la misma partida dentro de la subpartida que de forma más específica la describa o identifique (o como de otro modo resulte por aplicación de lo dispuesto en las RGI 1 a 5). Sólo las subpartidas en el mismo nivel de una misma partida son comparables, de modo que no debe atenderse a los términos de una subpartida dentro de otra subpartida de nivel inferior cuando se determine la adecuada clasificación de la mercancía al nivel de subpartida superior.

Ejemplos de la RGI 6.
Ejemplo 1. Se determina que un espejo de cristal enmarcado se clasifica en la partida 7009. Posteriormente debe clasificarse dentro de la estructura de subpartidas de esa partida por aplicación de las RGI 1 a 5 conforme a lo dispuesto en RGI 6:

Nº de Partida	Código S.A.	
70.09		**Espejos de vidrio, enmarcados o no, incluidos los espejos retrovisores**
	7009.10	– Espejos retrovisores para vehículos
		– Los demás
	7009.91	-- Sin enmarcar
	7009.92	-- Enmarcados

Inicialmente debe determinarse si el espejo de cristal enmarcado se clasifica a nivel de subpartida de cinco dígitos (o de primer orden) en la supartida 7009.9 ("Los demás"). Si se determina que el producto debe clasificarse en la subpartida de 5 dígitos 7009.1 (como espejo retrovisor para vehículos), entonces el proceso de clasificación terminaría en ese punto y el producto se clasificaría en la subpartida 7009.10 (dado que la subpartida de cinco dígitos 7009.1 carece de más subdivisiones). En el supuesto que analizamos, el espejo de cristal enmarcado no satisface la descripción de la subpartida de cinco dígitos 7009.1. Por tanto, el producto se clasificaría, a nivel de cinco dígitos, en la subpartida 7009.9 (como espejo de vidrio distinto de los espejos retrovisores para vehículos).

El siguiente paso consiste en determinar si el producto se clasifica a nivel de subpartida de seis dígitos (o de segundo orden), dentro de la subpartida de cinco dígitos 7009.9, en la subpartida de seis dígitos 7009.91 (como espejo de vidrio sin enmarcar distinto de los espejos retrovisores para vehículos) o en la subpartida de seis dígitos 7009.92 (como espejo de vidrio enmarcado distinto de los espejos retrovisores para vehículos). El espejo de vidrio enmarcado se clasificaría en la subpartida 7009.92 por aplicación de la RGI 1 conforme a lo dispuesto en la RGI 6.

Ejemplo 2. Un juego que se compone de una pala, un rastrillo y un pico para uso en jardinería se clasificaría en la partida 8201 dado que cada artículo esta específicamente contemplado en los términos de esa partida. Dentro de la partida 8201, las palas están contempladas en la subpartida 8201.10, los rastrillos en la subpartida 8201.20 y los picos en la subpartida 8201.30. En consecuencia, habría que acudir a la RGI 3 en aplicación de la RGI 6 para clasificar el juego al nivel de subpartida dentro de la partida 8201. Por tanto, habría que determinar cuál de los tres artículos imprime carácter esencial al juego conforme a la RGI 3 (b). Si se establece que ningún artículo imprime carácter esencial al juego, este habría de clasificarse en la subpartida 8201.30 dado que tiene la cifra de subpartida más elevada, según establece la RGI 3 (c).

Como se desprende de cuanto ha quedado expuesto, las RGI establecen que las mercancías deben primero clasificarse al nivel de partida y sólo una vez que la partida apropiada ha sido determinada, se procede por niveles progresivos de subpartida (primero por las subpartidas de cinco dígitos y después por las subpartidas de seis dígitos) dentro de esa partida. Cuando se considera cuál es la clasificación apropiada a un determinado nivel de subpartida no se debe prestar atención a los términos de cualquier subpartida de otro nivel inferior (dado que el análisis de cada nivel de subpartida debe realizarse sin tomar en consideración los términos de cualquier nivel inferior de subpartida). Este análisis paso a paso se aplica sin excepción en todo el SA (y también en los niveles de subclasificación propios del arancel de cualquier país que base su sistema en el SA).

Cuadro Sinóptico Reglas Generales de Interpretación del SA	
Regla	**Contenido**
Regla 1	Términos de las partidas, notas de sección y de capítulo
Regla 2 (a)	Incompletos o sin terminar; desmontado o sin montar
Regla 2 (b)	Mezclas y compuestos
Regla 3	Dos o más partidas:
Regla 3 (a)	– Más específica
Regla 3 (b)	– Carácter esencial
Regla 3 (c)	– Última en el orden numérico
Regla 4	Mayor analogía
Regla 5 (a)	Continentes especiales
Regla 5 (b)	Envases y embalajes
Regla 6	Regla para subpartidas

8.2.5. Herramientas extrínsecas de interpretación del SA

Al interpretar el SA es posible, en ocasiones, que sea necesario acudir a herramientas interpretativas extrínsecas (extrínsecas en el sentido que no integran el contenido del SA). Las principales de entre ellas son (1) Las Notas Explicativas del Sistema Armonizado de Designación y Codificación de las Mercancías ("las Notas Explicativas") y (2) El Compendio de Opiniones de Clasificación del Sistema Armonizado.

Las Notas Explicativas. Representan la interpretación oficial de la Organización Mundial de Aduanas (OMA) acerca del ámbito de cada partida del SA a nivel internacional. Como tales, se dirigen a su aplicación para la clasificación al nivel de cuatro dígitos (partida) de codificación y, en ocasiones, al nivel de seis dígitos de codificación. En algún caso las *Notas Explicativas* proporcionan elementos para guiar la clasificación en los niveles de codificación nacionales (es decir, más allá del nivel de seis dígitos) del sistema arancelario de una Parte contratante.

Aunque no son jurídicamente vinculantes para las Partes contratantes del SA ni se consideran norma jurídica en la interpretación del SA, las *Notas Explicativas* son consideradas como investidas de autoridad en la interpretación del SA (algunos países pueden otorgar a las *Notas Explicativas* una eficacia jurídica equiparada a la del propio texto legal del SA). Las *Notas Explicativas* son modificadas periódicamente por el Comité del Sistema Armonizado (que es el Comité de la OMA que se encarga de interpretar y mantener el SA). Todas estas modificaciones a las *Notas Explicativas* se publican de forma periódica por la OMA como actualizaciones a las mismas.

> En la UE, el TJUE ha señalado que "las notas explicativas elaboradas, por lo que atañe a la NC, por la Comisión, y las redactadas por la Organización Mundial de Aduanas, en lo que respecta al SA, contribuyen de manera importante a la interpretación del alcance de las diferentes partidas aduaneras, sin ser, no obstante, jurídicamente vinculantes" (STJUE *Salutas Pharma*, asunto C-124/15, de 17.02.2016, p. 31, que cita en el mismo sentido STJUE *Data I/O*, asunto C-297/13, de 15.05.2014, p. 33 y jurisprudencia allí citada).

Las *Notas Explicativas* se publican en inglés y en francés (que son los dos idiomas oficiales de la OMA).

> En internet pueden obtenerse traducciones al español realizadas por autoridades nacionales o por autoridades internacionales (como la de la Comunidad Andina). Debe tenerse en cuenta que podrán tener carácter oficial en su jurisdicción, pero desde luego no fuera de ella.

Ver "Extracto de la partida 4010 de las Notas Explicativas © 2007 OMA" en página siguiente.

40.10 CORREAS TRANSPORTADORAS O DE TRANSMISION, DE CAUCHO VULCANIZADO.
    – Correas transportadoras:
4010.11 – – **Reforzadas solamente con metal.**
4010.12 – – **Reforzadas solamente con materia textil.**
4010.19 – – **Las demás.**
    – Correas de transmisión:
4010.31 – – **Correas de transmisión sin fin, estriadas, de sección trapezoidal, de circunferencia exterior superior a 60 cm pero inferior o igual a 180 cm.**
4010.32 – – **Correas de transmisión sin fin, sin estriar, de sección trapezoidal, de circunferencia exterior superior a 60 cm pero inferior o igual a 180 cm.**
4010.33 – – **Correas de transmisión sin fin, estriadas, de sección trapezoidal, de circunferencia exterior superior a 180 cm pero inferior o igual a 240 cm.**
4010.34 – – **Correas de transmisión sin fin, sin estriar, de sección trapezoidal, de circunferencia exterior superior a 180 cm pero inferior o igual a 240 cm.**
4010.35 – – **Correas de transmisión sin fin, con muescas (sincrónicas), de circunferencia exterior superior a 60 cm pero inferior o igual a 150 cm.**
4010.36 – – **Correas de transmisión sin fin, con muescas (sincrónicas), de circunferencia exterior superior a 150 cm pero inferior o igual a 198 cm.**
4010.39 – – **Las demás.**

Esta partida comprende las correas transportadoras o de transmisión totalmente de caucho vulcanizado, las de tejido impregnado, recubierto o estratificado con caucho y las fabricadas a partir de hilados o cuerdas textiles impregnados, recubiertos o enfundados con caucho (véase la Nota 8 de este Capítulo). Comprende también las correas de caucho vulcanizado reforzado con tejidos de fibra de vidrio, con fibra de vidrio o con tela metálica.

Las correas, excepto las que sean totalmente de caucho vulcanizado, están generalmente constituidas por un alma formada por varias capas de tejido cauchutado o sin cauchutar (tejido de trama y urdimbre, de punto, napas de hilados textiles paralelizados, etc.), o por cables o bandas de acero, revestida de caucho vulcanizado que cubre totalmente el alma.

Esta partida comprende tanto las correas de longitud indeterminada destinadas a ser cortadas en dimensiones adecuadas, como las correas ya cortadas en longitudes determinadas y cuyos extremos están o no unidos o provistos de grapas u otros dispositivos de unión; comprende también las correas sin fin.

La sección de estas correas puede ser rectangular, trapezoidal, redonda, etc.

Las correas trapezoidales, son correas cuya sección presenta uno o varios perfiles trapezoidales. Estos perfiles sirven para asegurar una buena sujeción de la correa en la ranura y para evitar el menor deslizamiento a lo largo del juego de poleas. Esta partida comprende las correas cuya sección presente:

A) Un solo perfil trapezoidal.	
B) Un perfil trapezoidal en las caras interna y externa.	
C) Al menos dos perfiles trapezoidales en la misma cara (correas estriadas).	

Una correa estriada es una correa sin fin con la superficie de tracción ranurada longitudinalmente que engrana por fricción en las gargantas de una polea similar. Constituyen un tipo de correa trapezoidal.

Las ranuras (moldeadas o talladas) de las correas trapezoidales reducen la tensión de flexión y ayudan a disipar el calor producido por una rápida flexión, revistiendo especial importancia en las transmisiones donde la correa gira sobre pequeñas poleas a altas velocidades. La presencia de ranuras distintas de las longitudinales no tiene incidencia en la clasificación de las correas trapezoidales.

Extracto (incompleto) de la partida 4010 de las Notas Explicativas © 2007 OMA

El **Compendio de Opiniones de Clasificación del Sistema Armonizado** es la segunda herramienta extrínseca de interpretación del SA. Se trata de una colección de decisiones emitidas por el Comité del Sistema Armonizado. Las decisiones normalmente resultan de problemas de clasificación planteados por Administraciones de aduanas o bien a raíz de disputas entre ellas.

Todas las decisiones de clasificación emitidas como opiniones de clasificación por el Comité del Sistema Armonizado se publican periódicamente por la OMA como suplementos de actualización al *Compendio de Opiniones de Clasificación*. El *Compendio de Opiniones de Clasificación* se publica en inglés y en francés.

Ni las Notas Explicativas ni el Compendio de Opiniones de Clasificación están disponibles de forma gratuita, sino que deben adquirirse (en papel o en formato electrónico) del servicio de publicaciones de la OMA. El sitio web de la OMA se encuentra en

ENLACE

www.wcoomd.org

Como señalaremos más adelante, en la UE, tanto las Notas Explicativas como las Opiniones Consultivas carecen de eficacia normativa, si bien son un criterio interpretativo autorizado. En este sentido, la STJUE *Kawasaki* (asunto C-15/05, de 27.04.2006) aprecia que:

"aún cuando los criterios de la OMA que clasifican una mercancía en el SA no tienen fuerza vinculante en Derecho, constituyen, en el marco de la clasificación de dicho producto en la NC, unos indicios que contribuyen en gran medida a la interpretación del alcance de las distintas partidas de la NC" (p. 36; cita, en este sentido, el auto *SmithKline Beechman*, asunto C 206/03, de 19 de enero de 2005, p. 26). Y continúa: "De la misma forma, las notas explicativas de la NC, así como las del SA contribuyen de manera significativa a la interpretación del alcance de las diferentes partidas arancelarias, sin tener, no obstante, fuerza vinculante en Derecho" (p. 37; cita, en este sentido, la STJUE *DFDS*, asunto C-396/02, de 16.09.2004, p. 28).

8.2.6. Modificación y mantenimiento del SA

Un sistema de clasificación arancelaria internacional, a fin de estar actualizado y ser viable, necesita dotarse de mecanismos que aseguren su mantenimiento y de mecanismos de solución de las eventuales controversias que puedan surgir. La Convención del Sistema Armonizado regula, tanto la modificación y mantenimiento del SA, como la solución de controversias en materia de clasificación entre las Partes contratantes de la Convención.

Por lo que hace al mantenimiento y modificación, el artículo 6 de la Convención del Sistema Armonizado establece el Comité del Sistema Armonizado. El Comité del SA se compone de representantes de las Partes contratantes de la Convención del SA y miembros de la OMA que no son Partes contratantes de la Convención del SA. Puede componerse también de representantes de Estados que no son miembros de la OMA, representantes de cualquier organización intergubernamental o internacional relevante y de cualquier experto cuya intervención se considere deseable. El Comité del SA se reúne dos veces al año en la sede de la OMA en Bruselas. Las cuestiones sometidas a la consideración del Comité del SA se deciden por votación tras la oportuna discusión y debate. Sólo las Partes contratantes de la Convención del SA tienen derecho a voto.

Las funciones del Comité del SA incluyen la emisión de decisiones de clasificación conforme al SA. Las cuestiones de clasificación presentadas a examen por el Comité del SA son habitualmente el resultado de problemas de clasificación planteados por Administraciones de aduanas o bien a raíz de disputas entre ellas. Las decisiones de clasificación requieren una mayoría simple. Pueden adoptar una o varias de las formas siguientes: (1) mención de la decisión en el informe de la sesión del Comité del SA (lo que ocurre con todas las decisiones de clasificación); (2) emisión de una opinión de clasificación para su inclusión en el *Compendio de Opiniones de Clasificación*; o (3) Como enmienda a las *Notas Explicativas*.

El Comité del SA también examina las enmiendas al texto legal del SA. Estas enmiendas requieren una mayoría de dos tercios en la votación. Todas las propuestas de enmienda al SA, no obstante, deben primero ser adoptadas y recomendadas a las Partes contratantes de la Convención del SA por el Consejo (que es el órgano de gobierno, o ejecutivo, de la OMA y está compuesto de representantes de los miembros de la OMA) antes de que las enmiendas puedan entrar en vigor. Debe señalarse, no obstante, que una Parte contratante puede impedir la entrada en vigor de una enmienda recomendada por el Consejo en su jurisdicción. Esto se hará formulando una reserva contra la enmienda por la Parte contratante ante la Secretaría General de la OMA en los seis meses posteriores a la fecha en que el Secretario General haya notificado a las Partes contratantes la enmienda.

Cada reunión del Comité del SA viene precedida de un encuentro del "grupo de trabajo". Este grupo examina la redacción de las enmiendas y de las opiniones de clasificación propuestas que fueron aprobadas en principio en la sesión previa del Comité del SA. La redacción de todas las enmiendas y opiniones examinadas por el grupo de trabajo son enviadas al Comité del SA para su revisión y aprobación final.

A fin de asegurar que el SA se mantiene actualizado se creó el **Subcomité de Revisión del Sistema Armonizado** (SRSA), como subcomité del Comité del SA. Al SRSA le corresponde la revisión periódica del SA y la propuesta de enmiendas al texto legal que reflejen cambios en la tecnología y en los patrones del comercio internacional. El SRSA se compone de los mismos representantes que el Comité del SA y también se reúne dos veces al año en la sede de la OMA en Bruselas.

El SRSA trabaja por consenso. Si no se consigue alcanzar el consenso sobre un asunto determinado, los diferentes puntos de vista y sus fundamentos son referidos al Comité del SA. Todas las enmiendas propuestas por el SRSA deben ser remitidas al Comité del SA para su aprobación. Aquellas enmiendas aprobadas por el Comité del SA deben ser además adoptadas y recomendadas a las Partes contratantes de la Convención del SA por el Consejo antes de que entren en vigor, según se ha expuesto antes.

Al Comité del SA le asiste con frecuencia en su labor técnica el **Subcomité Científico** (SCC). El SCC es un órgano asesor de la OMA en cuestiones que impliquen conocimientos químicos u otros asuntos técnicos o científicos. Está compuesto fundamentalmente de personal de laboratorio de las Administraciones de los miembros. El SCC ayuda al Comité del SA suministrándole consejo técnico en aquellas cuestiones que el Comité del SA le haya referido. El SCC normalmente se reúne una vez al año en la sede de la OMA en Bruselas.

La OMA dispone de personal adscrito a la **Secretaría**. Se trata de personal y expertos permanentes reclutados de las Administraciones de los miembros que son nombrados por períodos determinados. Los asuntos de nomenclatura y de clasificación son gestionados dentro de esta Secretaría por la "Sub-Dirección de Nomenclatura y Clasificación" de la Dirección de Asuntos Arancelarios y Comerciales. Sus tareas incluyen organizar las reuniones del Comité del SA, del SRSA y del SCC (lo cual incluye preparar los documentos de trabajo y los informes de las reuniones), así como suministrar asesoramiento informal a las Administraciones nacionales acerca del SA.

Por lo que hace a la **solución de controversias**, el artículo 10 de la Convención del SA regula el procedimiento a seguir para la solución de disputas en materia de clasificación entre las Partes contratantes. Conforme al artículo 10, se requiere inicialmente a las Partes que intenten resolver el asunto entre ellas. Al hacerlo, las Partes pueden solicitar el punto de vista informal de la Secretaría de la OMA.

Si las Partes no logran resolver la controversia a través de discusiones bilaterales, el asunto puede someterse a la consideración del Comité del SA para que lo decida. A menos que las Partes implicadas acuerden otra cosa, una decisión de clasificación del Comité del SA no es vinculante para las Partes.

Las diferencias pueden asimismo ser remitidas por el Comité del SA al Consejo que realizará recomendaciones según lo dispuesto en la letra (e) del artículo II de la Convención por la que se establece el Consejo de Cooperación Aduanera.

8.3. LA CLASIFICACIÓN ARANCELARIA. LA NOMENCLATURA COMBINADA (NC)

8.3.1. La Nomenclatura Combinada (NC). Concepto y contenido

Como Parte del Convenio sobre designación y codificación de las mercancías, la Unión Europea viene obligada a utilizar el Sistema Armonizado en la clasificación de las mercancías que se importan. Ahora bien, nada impide que, respetados los contenidos del SA, se decida crear subdivisiones dentro de él, de manera que las mismas permitan una utilización operativa, tanto con fines arancelarios como estadísticos. A este objetivo responde la Nomenclatura Combinada, que por lo tanto es una versión que contiene y desarrolla al Sistema Armonizado.

La Nomenclatura Combinada (NC) se regula en el Reglamento (CEE) Nº 2658/87 del Consejo de 23 de julio de 1987, relativo a la nomenclatura arancelaria y estadística y al arancel aduanero común (DO L 256 de 7.9.1987, p. 1), al que podemos denominar el "Reglamento del Arancel". Este Reglamento (y, en particular, su Anexo I, donde se contiene el texto de la Nomenclatura Combinada) ha sido objeto de una gran cantidad de modificaciones.

Allí donde la clasificación del SA se detiene, la Nomenclatura Combinada se limita a establecer nuevas ramificaciones, lo que permite alcanzar un mayor grado de precisión y especificidad. Estas características vienen exigidas por dos tipos de razones:

> – Dado que se partía de una clasificación arancelaria distinta, las mercancías que se incluyen en las subpartidas creadas por el SA no siempre coinciden con las que se integraban en las subpartidas del anterior sistema de clasificación. Como quiera que la clasificación arancelaria se utiliza para poder fijar diferentes tipos de gravamen, ocurre que los tipos de gravamen preexistentes no siempre son coincidentes para todas las mercancías que ahora deben subsumirse en una misma subpartida del SA. A fin de poder mantener estos distintos tipos de gravamen, se hacía necesario crear subdivisiones que separasen las mercancías a las que el sistema anterior aplicaba tipos distintos.
>
> – Las necesidades de la clasificación estadística no son siempre coincidentes con las de la clasificación arancelaria. Esta última persigue la aplicación de distintos tipos de gravamen para maximizar la eficiencia protectora de las medidas arancelarias, mientras que la clasificación estadística persigue la obtención de información relevante acerca de la situación y evolución del comercio exterior. El deseo de utilizar una única clasificación de las mercancías importadas a todos los efectos (arancelarios y estadísticos, fundamentalmente) imponía cohonestar las necesidades dimanantes de sus respectivas finalidades. Así se comprende que distintas subpartidas de la Nomenclatura Combinada se vean sometidas a un mismo tipo de gravamen: la división en unidades de clasificación distintas no responde en estos casos a necesidades derivadas de la aplicación de la tarifa, sino a otro tipo de objetivos a los que la clasificación también debe atender.

En definitiva, para dar cumplimiento a las finalidades que la justifican, la NC crea dos nuevos subestratos de clasificación, a cada uno de los cuales corresponde un dígito. De esta forma, a la codificación del SA, que asigna 6 dígitos a cada división clasificatoria, la NC añade otros dos, con lo que llegamos a los 8 dígitos. Hay más de 9.500 subpartidas en la NC. Ello significa que se está lejos de agotar todas las posibles clasificaciones que un sistema de ocho dígitos permite (hasta 99.999.999). Cuando no se añaden subdivisiones a la clasificación del SA los dos últimos dígitos (los que añade la NC) serán '00'. Adicionalmente, en la UE se utilizan otros dos dígitos más (subpartidas TARIC) que se destinan a identificar diferentes tipos de medidas para unas mercancías dadas, como cuotas arancelarias, regímenes preferenciales, derechos antidumping, derechos compensatorios, aspectos de valoración, así como medidas de restricción o prohibición a la importación [artículo 2 (b) del Reglamento del Arancel, que remite al listado de medidas contenido en el Anexo II]. Hay alrededor de 18.000 subpartidas TARIC. Análogamente a lo señalado para las subpartidas NC, cuando respecto de una clasificación NC no hay subdivisiones TARIC los dos últimos dígitos (dígitos noveno y décimo) serán '00' (véase el artículo 3 del Reglamento del Arancel).

1	2	3	4	5	6	7	8	9	10
Capítulo									
	Partida								
		Subpartida							
			Subpartida NC						
				Subpartida TARIC					

La clasificación en la UE puede incorporar todavía dígitos adicionales. Conforme a lo dispuesto en el artículo 3.3 del Reglamento del Arancel "Excepcionalmente, podrán utilizarse códigos Taric adicionales de cuatro caracteres para la aplicación de medidas comunitarias específicas no codificadas, o no enteramente codificadas en la posición del noveno y décimo dígitos". Estas codificaciones se utilizan en determinados supuestos para la aplicación de derechos antidumping o derechos compensatorios que planteen especial complejidad, para productos farmacéuticos de la Parte Tercera, Sección II de la NC, para productos comprendidos en el ámbito de la Convención sobre el Comercio Internacional de Especies Amenazadas de Fauna y Flora Silvestres —CITES— y para el precio de referencia del pescado.

Por su parte, el artículo 5.3 dispone que "Los Estados miembros podrán insertar subdivisiones o códigos complementarios que respondan a necesidades nacionales. Dichas subdivisiones o códigos complementarios estarán provistos de códigos numéricos que los identificarán, de conformidad con el Reglamento (CEE) nº 2454/93" (el RACAC; en la actualidad habrá que entender que la remisión es al CAU y sus Reglamentos de desarrollo).

Debemos advertir que, de forma poco afortunada, algunas notas de la NC se refieren a la clasificación de 7 dígitos como "partidas" (de la NC) y a la clasificación de 8 dígitos como "subpartidas" (de la NC), creando confusión con las partidas y subpartidas del SA. Este uso inadecuado de los términos sólo puede determinarse a partir del contexto (véase la STJUE *Estron A/S*, asunto C-138/18, de 16.05.2019, pp. 42-48).

La Nomenclatura Combinada incluye, además de la nomenclatura del sistema armonizado y de las subdivisiones de dicha nomenclatura introducidas por normas de la Unión, las disposiciones preliminares, las notas complementarias de secciones o de capítulos y las notas a pie de página que se refieran a las subpartidas NC [véase el Artículo 1.2 c) del Reglamento 2658/1987]. Todas ellas tienen plena validez jurídica y coadyuvan en la tarea de clasificación de las mercancías, en el nivel correspondiente (sección, capítulo, subpartida...). Frente a las anteriores, debemos referirnos a las notas a pie, también llamadas remisiones, cuyo contenido puede ser diverso, gozando de eficacia jurídica cuando se refieran a las subpartidas de la Nomenclatura Combinada, y teniendo meramente un valor indicativo o informativo en otro caso.

La existencia de subdivisiones adicionales en cada territorio aduanero pone de relieve la trascendencia de la metodología de clasificación que hemos señalado al exponer el SA, conforme a la cual debe primero clasificarse a nivel de partida, después a nivel de subpartida de primer orden y finalmente a nivel de subpartida de segundo orden (es decir, capa a capa o escalón a escalón). El SA se detiene en este punto porque clasifica a nivel de subpartida de segundo orden. Aquí es donde arrancan las clasificaciones propias de cada territorio aduanero, que continúan con esa metodología de clasificación, escalón a escalón, hasta llegar al nivel máximo de subdivisión que cada sistema establezca. Eso significa que la clasificación a nivel de seis dígitos debe ser uniforme en todos los países signatarios del SA (a nivel de subpartida de segundo orden). Esto, a su vez, es muy importante también para los exportadores, a los que algunos países (como Estados Unidos) les exigen proporcionar información con antelación a la expedición de las mercancías, entre la cual se encuentra la clasificación de las mercancías a nivel de seis dígitos. El exportador estará en condiciones de cumplir esta obligación sin necesidad para ello de conocer el sistema de clasificación del país de importación, gracias al estándar internacional que el SA establece.

Según hemos señalado, el Anexo I del Reglamento del Arancel contiene la Nomenclatura Combinada (NC). Este Anexo es objeto de modificaciones muy frecuentes para incorporar cambios operados en las diferentes medidas arancelarias aplicables. La necesidad de una actualización constante justifica que, aunque el Reglamento del Arancel es un Reglamento del Consejo, se atribuya a la Comisión la competencia para modificar su Anexo I. De este modo, la Comisión tiene competencia para modificar esta parte sustancial de un Reglamento del Consejo. Por otro lado, se establece que la Comisión deberá publicar una versión consolidada del Anexo I del Reglamento del Arancel cada año, a no más tardar el 31 de octubre, entrando en vigor el siguiente 1 de enero (artículo 12 del Reglamento del Arancel).

Tras el Tratado de Lisboa, estos Reglamentos en los que se recoge la versión consolidada del Anexo I del Reglamento del Arancel, son Reglamentos de Ejecución, y el último dictado (Reglamento 2021/1832) puede verse en el DO L 385, de 29.10.2021. https://eur-lex.europa.eu/legal-content/ES/TXT/PDF/?uri=OJ:L:2021:385:FULL&from=ES

Debemos advertir, además, que la Comisión puede dictar Reglamentos de clasificación específicos respecto de mercancías determinadas, cuando su clasificación haya planteado dificultades. Estos Reglamentos, de carácter disperso, son muy abundantes.

La estructura del Anexo I del Reglamento del Arancel es la siguiente		
Primera Parte. Disposiciones Preliminares	Título I. Reglas Generales	A. Reglas generales para la interpretación de la nomenclatura combinada; B. Reglas generales relativas a los derechos; C. Reglas generales comunes a la nomenclatura y a los derechos
	Título II. Disposiciones Especiales	A. Productos destinados a ciertas clases de buques y de plataformas de perforación o de explotación B. Aeronaves civiles y productos destinados a las aeronaves civiles C. Productos farmacéuticos D. Imposición a tanto alzado E. Continentes y envases F. Tratamiento arancelario favorable en razón de la naturaleza de las mercancías Lista de signos, abreviaturas y símbolos Lista de unidades suplementarias
Segunda Parte. Cuadro de Derechos	Contiene el desarrollo de la Nomenclatura Combinada, en forma de tabla, así como las notas (de sección, de capítulo, de partida, de subpartida y notas a pie).	
Tercera Parte. Anexos Arancelarios	Sección I	Anexos agrícolas [Componentes agrícolas (EA), derechos adicionales para el azúcar (AD S/Z) y derechos adicionales para la harina (AD F/M); Anexo 2 Productos a los que se aplica un precio de entrada].
	Sección II	Listas de sustancias farmacéuticas que reúnan las condiciones para ser admitidas en franquicia
	Sección III	Reservado para una futura utilización en el sistema armonizado
	Sección IV	Tratamiento arancelario favorable en razón de la naturaleza de las mercancías [Mercancías impropias para el consumo (lista de los desnaturalizantes); Certificados; Códigos estadísticos TARIC]

Por lo que hace a los contenidos del Título I de la Primera Parte, señalemos que, en el apartado A ("Reglas generales para la interpretación de la nomenclatura combinada") se contienen las RGI del SA a las que ya nos hemos referido. En los apartados B ("Reglas generales relativas a los derechos") y C ("Reglas generales comunes a la nomenclatura y a los derechos") se contienen reglas relativas a la aplicación de las tarifas de las que nos ocuparemos más adelante al examinar la tarifa.

Por lo que hace al Título II de la Primera Parte, se contienen en ella reglas parti-culares respecto de determinadas mercancías (Productos destinados a ciertas clases de buques y de plataformas de perforación o de explotación, Aeronaves civiles y productos destinados a las aeronaves civiles, Productos farmacéuticos, Continentes y envases) o respecto de situaciones particulares (Imposición a tanto alzado, Tratamiento arancelario favorable en razón de la naturaleza de las mercancías) que, por su carácter específico, no vamos a analizar en este trabajo. Sí conviene llamar la atención, no obstante, acerca de que se contienen en este Título II la "Lista de signos, abreviaturas y símbolos" así como la "Lista de unidades suplementarias", que son materiales de referencia para el manejo de las tablas en las que se contiene la Nomenclatura Combinada y las tarifas que se estable-cen para cada posición arancelaria.

Respecto a la Segunda Parte del Anexo I del Reglamento del Arancel, que contiene el cuadro de derechos, interesa reproducir un extracto para visualizar cómo se estructura en él la información.

Código NC	Designación de la mercancía	Tipo del derecho convencional (%)	Unidad suplementaria
1	2	3	4
8458	Tornos, incluidos los centros de torneado, que trabajen por arranque de metal:		
	– Tornos horizontales:		
8458 11	– – De control numérico:		
8458 11 20	– – – Centros de torneado	2,7	p/st
	– – – Tornos automáticos:		
8458 11 41	– – – – Monohusillo	2,7	p/st
8458 11 49	– – – – Multihusillos	2,7	p/st
8458 11 80	– – – Los demás	2,7	p/st
8458 19 00	– – Los demás	2,7	p/st

Ejemplo

Aprovechemos el cuadro anterior para ofrecer otro ejemplo acerca de cómo se integra la designación completa de una posición arancelaria y el contenido simbólico del guión en la Nomenclatura.

Para el Código 8458.11.41 encontramos como designación de las mercancías: "- - - - Monohusillo".

Al venir la denominación precedida de cuatro guiones (- - - -), ello significa que debemos ascender hasta localizar, en primer lugar, la denominación más inmediata que venga precedida por tres guiones:

"- - - Tornos automáticos".

EJEMPLO

Ahora procedemos de forma análoga para localizar la denominación anterior más inmediata que venga precedida por dos guiones:

8458.11 "- - De control numérico".

Seguiremos con la denominación inmediata anterior que venga precedida de un solo guión:

"- Tornos horizontales".

Finalmente, nos dirigiremos a la denominación anterior más inmediata que aparezca sin guión:

8458 "Tornos (incluidos los centros de torneado) que trabajen por arranque de metal".

Ya podemos componer la designación completa:

8458.11.41.00 "Tornos (incluidos los centros de torneado) que trabajen por arranque de metal; horizontales; de control numérico; automáticos; monohusillo".

Puede observarse que en la primera columna (1) del cuadro de derechos que hemos reproducido se contiene el código numérico de la Nomenclatura Combinada (NC). En la segunda columna (2) se contiene la designación de la mercancía conforme a la NC. Ya hemos indicado que, tanto la designación como la codificación, coinciden con el SA hasta el nivel de seis dígitos. La tercera columna (3) contiene el tipo del derecho convencional. A este respecto debemos introducir la clasificación de los diferentes tipos de tarifa de los derechos de aduana en función de la norma en que se establecen. Son:

1) *"tarifas autónomas"*, que son aquellas que la UE puede fijar sin sujetarse a restricción alguna, por ser aplicables a las mercancías originarias de países que no son miembros de la OMC (y, por tanto, no quedan protegidos por los compromisos adquiridos por la UE en la OMC ni por la cláusula de Nación Más Favorecida) y que tampoco tienen un acuerdo comercial con la UE que incluya una cláusula de Nación Más Favorecida.

2) "*tarifas convencionales*" (OMC), que son las tarifas que establece la UE en cumplimiento de sus compromisos en el marco de la OMC.

3) "*tarifas preferenciales*", que son las que resultan de normas preferenciales unilaterales —también llamadas 'autónomas'— o bien de normas preferenciales convencionales, tanto bilaterales como multilaterales (salvo OMC).

En el cuadro de derechos se contienen, según hemos indicado, las tarifas convencionales, es decir, las tarifas que aplica la UE a las mercancías originarias de países miembros de la OMC que carezcan de una tarifa preferencial. Obsérvese que sólo las posiciones con ocho dígitos tienen asignada una tarifa, no así las posiciones de cuatro dígitos (8458) ni las de seis (8458 11). Eventualmente se recoge, mediante nota al pie del cuadro de derechos, el tipo de derechos autónomos. Puede verse un ejemplo para la posición 9031 80 32, donde en nota a pie se indica "Tipo de los derechos autónomos: Exención". En este caso el derecho autónomo es inferior al derecho convencional (que para estas mercancías se fija en el 2'8% *ad valorem*). Veremos que, en este tipo de situaciones en las que el derecho autónomo es inferior al convencional, el artículo 1.3 del Reglamento del Arancel, así como la regla 1 relativa a los derechos, disponen que no se aplicará el derecho convencional, sino el autónomo, a los países miembros de la OMC.

> Esta situación es infrecuente. Para entender su justificación, ha de tenerse en cuenta que el tipo del derecho convencional es un tipo al que la UE se ha comprometido en el marco de la OMC (recuérdese las cláusulas de *standstill* y *rollback* y las sucesivas rebajas arancelarias en el marco de las rondas negociadoras). La UE puede haberse comprometido con un tipo de gravamen (en este ejemplo, del 2,8%) pero en realidad está dispuesta a permitir la entrada de estas mercancías sin pago de derechos. Lo que está haciendo aquí la UE es reservarse la potestad de exigir un gravamen del 2,8% cuando lo estime conveniente, sin infringir por ello sus compromisos ante la OMC. Le bastaría para ello con elevar el tipo autónomo al 2,8% o por encima de ese valor. Esto, a su vez, le da a la UE una baza negociadora: la UE puede exigir a otro país que rebaje sus aranceles a cambio de bajar la UE el arancel que se ha comprometido a aplicar para estas mercancías, que es del 2,8%.

En la columna cuatro (4) se recogen las "unidades suplementarias". Se trata de magnitudes de las mercancías, distintas del valor (tales como gramos, litros, metros...), que se establecen con fines estadísticos para determinadas posiciones con ocho dígitos (el Reglamento del Arancel, en su artículo 1.3 las denomina 'unidades suplementarias estadísticas'). Las unidades suplementarias, si están previstas, deben consignarse en la declaración aduanera. En el extracto que hemos reproducido aparece en esta columna, para algunas posiciones, el indicativo "p/st". Hemos indicado más arriba que la "Lista de unidades suplementarias" se establece dentro del Título II de la Primera Parte del propio Anexo I del Reglamento del Arancel. Allí podemos ver que el indicativo "p/st" significa "Número de unidades".

Veamos otro detalle del Cuadro de Derechos, donde se establecen los derechos aplicables a las langostas congeladas:

Código NC	Designación de la mercancía	Tipo del derecho convencional (%)	Unidad suplementaria
1	2	3	4
0306	Crustáceos, incluso pelados, vivos, frescos, refrigerados, congelados, secos, salados o en salmuera; crustáceos ahumados, incluso pelados o cocidos, antes o durante el ahumado; crustáceos sin pelar, cocidos en agua o vapor, incluso refrigerados, congelados, secos, salados o en salmuera; harina, polvo y *pellets* de crustáceos, aptos para la alimentación humana:		
	– Congelados:		
0306 11	– – Langostas (*Palinurus* spp., *Panulirus* spp., *Jasus* spp.):		
0306 11 05	– – – Ahumados, incluso pelados, incluso cocidos antes o durante el ahumado, no preparados de otra forma	20	—
	– – – Los demás:		
0306 11 10	– – – – Colas de langostas	12,5	—
0306 11 90	– – – – Los demás	12,5	—

Obsérvese que el ahumado, en este caso, encarece notablemente el importe de los derechos a satisfacer (al 20%, en lugar del 12,5% en las otras posiciones). Antes de realizar una operación comercial debe prestarse atención al arancel: en este caso, por ejemplo, puede ser más conveniente realizar el ahumado en la UE.

Dejando atrás la Segunda Parte del Anexo I, y por lo que hace a los contenidos de la Tercera Parte ("Anexos Arancelarios"), debe indicarse simplemente que se hará referencia a la Sección I ("Anexos Agrícolas") en el capítulo 35, relativo a la imposición sobre productos agrícolas. La Sección II contiene prolijos listados de sustancias farmacéuticas a las que se aplica franquicia (exención de derechos). La Sección III está en blanco, reservada para eventual uso futuro. La Sección IV se refiere al tratamiento favorable en razón de la naturaleza de las mercancías. Recoge un primer anexo (número 8 del Anexo I) de mercancías impropias para el consumo, donde se contiene el listado de estas sustancias (con la codificación y designación de cada una de ellas) y se indica, para cada una de ellas, el desnaturalizante correspondiente (para hacerlas impropias para el consumo) y las cantidades mínimas de desnaturalizante en gramos por 100 kg de producto. El segundo anexo (número 9 del Anexo I) contiene los certificados para la aplicación de un tratamiento arancelario favorable a la uva de mesa (0806), tabacos (2401) y nitratos (3102 y 3105). El siguiente anexo (número 10 del Anexo I) contiene una breve tabla con los códigos estadísticos TARIC.

8.3.2. La Nomenclatura Combinada (NC). El TARIC

Tal y como hemos señalado, sobre los ocho dígitos de la codificación correspondiente a la clasificación de la NC se añaden dos dígitos correspondientes a las subpartidas TARIC. Además de una subclasificación basada en la Nomenclatura Combinada, el término "TARIC" es el acrónimo —en francés— del "arancel integrado de las Comunidades" (véase artículo 2 del Reglamento del Arancel). La elaboración del TARIC corresponde a la Comisión, basándose en la NC, para satisfacer las exigencias del arancel aduanero común, de las estadísticas del comercio exterior de la Unión y de las políticas de la Unión (comerciales, agrícolas o de otra índole) relativas a la importación o exportación de mercancías. Así como los fines a los que sirve son diversos, lo mismo ocurre con sus contenidos, que son de diferente naturaleza. Por una parte encontramos elementos relativos a la clasificación arancelaria (las subdivisiones de la Unión complementarias, denominadas «subpartidas TARIC», necesarias para la ejecución de las medidas específicas de la Unión; así como cualquier otro elemento informativo necesario para la aplicación o la gestión de los códigos TARIC y de los códigos adicionales de cuatro caracteres para la aplicación de medidas de la Unión específicas no codificadas, o no enteramente codificadas en la posición del noveno y décimo dígitos). Por otro lado, el TARIC integra asimismo elementos relativos a los tipos de gravamen, entre los cuales podemos enumerar las tarifas de los derechos de aduana y los tipos de los demás gravámenes sobre la exportación y la importación (cuotas arancelarias, contingentes y límites arancelarios, derechos antidumping, derechos compensatorios, elemento agrícola, derechos adicionales...). Finalmente, el TARIC incorpora otras medidas enumeradas en el Anexo II del Reglamento del Arancel (certificados de importación, valores unitarios para mercancías perecederas, restricciones y medidas cuantitativas, aplicabilidad del Convenio CITES...).

Hemos señalado que, entre los elementos que se recogen en el TARIC, por lo que se refiere a los tipos de gravamen, se encuentran las tarifas de los derechos de aduana. Ya hemos señalado en el punto anterior que las tarifas pueden clasificarse en: 1) autónomas; 2) convencionales; y 3) preferenciales. A diferencia del cuadro de derechos del Anexo I del Reglamento del Arancel, que hemos visto que sólo contiene, en su columna (3) los tipos de la tarifa convencional, el TARIC recoge las tres categorías de tarifas de derechos de aduana que hemos señalado.

El TARIC es, en suma, el instrumento que trata de aglutinar en su seno el conjunto de medidas arancelarias y algunas de las no arancelarias aplicables a la importación y exportación de mercancías. Ahora bien, pese a ser elaborado y difundido por la Comisión (artículo 6 del Reglamento del Arancel), buena parte del TARIC carece de eficacia jurídica y sólo se ofrece a efectos informativos (los códigos de clasificación TARIC sí deben ser utilizados en las declaraciones aduaneras y estadísticas). Esta anotación debe ser tenida muy en cuenta por los operadores, que deberán acudir a las diferentes normas de la UE que regulan cada medida (p.e. un reglamento que regula un derecho antidumping; o un acuerdo comercial por el que se establecen preferencias arancelarias) para poder determinar si la 'información' que proporciona el TARIC se ajusta a las disposiciones en vigor.

El TARIC se publicaba en papel cada año en el DO, pero desde 2004 la Comisión anunció que dejaría de utilizarse este formato a favor de la publicación electrónica. Debe tenerse en cuenta que, al integrar un gran número de medidas, muchas de las cuales son objeto de continuas modificaciones, el TARIC padece de una rápida obsolescencia. Por ello tiene sentido que se ofrezca en formato electrónico, que permite una actualización constante.

ENLACE

> La base de datos TARIC de la Comisión Europea está disponible en la dirección:
> http://ec.europa.eu/taxation_customs/dds2/taric/taric_consultation.jsp
> Esta base de datos ofrece el conjunto de medidas aplicables a partir del código de clasificación de las mercancías y su país de origen.

TARIC es una de las bases de datos en materia aduanera que ofrece la Comisión. Las otras bases son:

AEO: Authorised Economic Operators (Operador Económico Autorizado, OEA), suministrando el nombre del titular de la autorización.

QUOTA: Suministra información sobre la aplicación y disponibilidad de cuotas arancelarias.

VIES: Permite verificar la validez de un número de identificación IVA de cualquier Estado miembro de la UE.

EBTI/IAV: Base de datos sobre Informaciones Arancelarias Vinculantes (en materia de origen y clasificación; véase el artículo 33 del CAU).

ECICS: Base de datos sobre el régimen aduanero aplicable a sustancias químicas.

Customs Offices/Aduanas de Tránsito: Relación de administraciones aduaneras encargadas de gestionar el régimen de tránsito

Suspensions: Suministra información sobre suspensiones arancelarias, su aplicabilidad y disponibilidad.

Surveillance/Vigilancia: Control de mercancías sometidas a vigilancia.

Tránsito/Control del MRN: ("Movement Reference Number") Proporciona información sobre un movimiento en una operación de tránsito a partir del número de referencia que la identifica.

Puede accederse a todas estas bases de datos desde el portal:

ENLACE

> http://ec.europa.eu/taxation_customs/online-services_en

8.3.3. La Nomenclatura Combinada (NC). Las competencias de la Comisión

El artículo 9 del Reglamento del Arancel enumera una serie de competencias, a las que nos referiremos a continuación, que deben ejercerse de conformidad con lo dispuesto en el artículo 10. Por su parte, el artículo 10 establece que la Comisión estará "asistida" por el Comité del Código Aduanero, que está establecido en el artículo 285 CAU. El apartado 2 del artículo 10 dispone que serán de aplicación los artículos 4 y 7 de la Decisión 1999/468/CE, relativa a los procedimientos para el ejercicio de las competencias de ejecución atribuidas a la Comisión.

> Esta Decisión ha sido derogada por el Reglamento (UE) 182/2011 (del Parlamento Europeo y del Consejo de 16 de febrero de 2011 por el que se establecen las normas y los principios generales relativos a las modalidades de control por parte de los Estados miembros del ejercicio de las competencias de ejecución por la Comisión, DO L 55, de 28.02.2011). Conforme al artículo 13 del Reglamento (UE) 182/2011, las referencias hechas al artículo 4 de la Decisión 1999/468/CE deben entenderse realizadas al procedimiento de examen contemplado en el artículo 5 (excepto su apartado 4, párrafos segundo y tercero), en tanto que las hechas a los artículos 7 y 8 de la Decisión 1999/468/CE deben entenderse realizadas a los artículos 10 y 11 del Reglamento (UE) 182/2011.
>
> Conforme a la versión vigente de las reglas a que se remite el artículo 10 del Reglamento del Arancel, la Comisión estará asistida por un comité compuesto por representantes de los Estados miembros, que estará presidido por un representante de la Comisión que no participará en las votaciones del comité. El presidente presentará al comité el proyecto de acto de ejecución que la Comisión deba adoptar, convocando una reunión en un plazo no inferior a 14 días. Cualquiera de los miembros del Comité podrá sugerir modificaciones, y el presidente podrá presentar versiones modificadas del proyecto de acto de ejecución. El presidente procurará hallar soluciones que reciban el apoyo más amplio posible en el comité, e informará de la forma en que se han tenido en cuenta los debates y las sugerencias de modificación. El comité emitirá su dictamen sobre el proyecto de acto de ejecución en un plazo a fijar por el presidente. Los plazos deberán ser proporcionados y brindar a los miembros del comité la oportunidad de examinar con la suficiente antelación y de forma efectiva el proyecto de acto de ejecución y de expresar sus opiniones. En casos debidamente justificados, el presidente podrá obtener el dictamen del comité mediante un procedimiento escrito, aunque si un miembro lo solicita debe convocarse una reunión. En el supuesto de procedimiento escrito se considerará que los miembros del comité que no se hayan opuesto al proyecto de acto de ejecución ni abstenido expresamente de votarlo antes de la expiración del plazo para la emisión del dictamen han otorgado su acuerdo tácito al proyecto de acto de ejecución.
>
> El comité emitirá su dictamen por la mayoría prevista en el artículo 16, apartados 4 y 5, del Tratado de la Unión Europea (mayoría cualificada, con voto ponderado de los representantes de cada Estado miembro) y, cuando proceda, en el artículo 238, apartado 3, del TFUE (supuestos en que, en aplicación de los Tratados, no todos los miembros del Consejo participen en la votación), para los actos que deban adoptarse a partir de una propuesta de la Comisión. El dictamen del comité se hará constar en el acta. Cuando el comité emita un dictamen favorable, la Comisión adoptará el proyecto de acto de ejecución. Si el comité emite un dictamen no favorable, la Comisión no adoptará el proyecto de acto de ejecución. En este caso el presi-

dente del comité podrá modificar su propuesta o bien presentarla al comité de apelación para una nueva deliberación. Finalmente, en ausencia de dictamen, la Comisión podrá adoptar el proyecto de acto de ejecución o bien el presidente podrá presentar al comité una versión modificada del mismo.

Se establecen especialidades procedimentales respecto de la adopción de proyectos de medidas antidumping o compensatorias definitivas en los casos en que el comité no haya emitido un dictamen y una mayoría simple de los miembros que lo componen se oponga al proyecto de acto de ejecución (artículo 5.5 del Reglamento (UE) 182/2011).

Conforme a los artículos 9 y 10 del Reglamento 182/2011, el Comité, para el cual rigen los principios y las condiciones referentes al acceso público a los documentos y las normas sobre protección de datos aplicables a la Comisión, elaborará su propio reglamento de funcionamiento interno, que se publicará en el DO. La Comisión debe llevar un registro de las deliberaciones de los comités (con los elementos de información que señala el artículo 10.1) y publicará un informe anual sobre el trabajo de los comités. Por su parte, se establece que el Parlamento Europeo y el Consejo tendrán acceso a la información de ese registro y, además, la Comisión les debe remitir determinada documentación (órdenes del día de las reuniones, proyectos y proyectos finales de los actos de ejecución).

Las medidas que podrán adoptarse por la Comisión conforme al procedimiento que ha quedado expuesto son:

a) aplicación de la nomenclatura combinada y del TARIC en lo que se refiere, en particular, a: 1) la clasificación de las mercancías en la NC, TARIC o cualquier otra nomenclatura de la UE basada en la NC; 2) las notas explicativas; 3) la creación, en caso necesario y para responder a las necesidades de la Unión, de divisiones de carácter estadístico en el TARIC cuando ello sea más apropiado que en la NC.

b) modificaciones de la nomenclatura combinada para tener en cuenta la evolución de las necesidades en materia estadística o de política comercial;

c) modificaciones del Anexo II (que enumera las reglamentaciones específicas de la Unión para cuya aplicación se crean las subpartidas TARIC);

d) modificaciones de la NC y adaptaciones de los derechos de conformidad con las decisiones adoptadas por el Consejo o la Comisión;

e) modificaciones de la NC con objeto de adaptarla a la evolución tecnológica o comercial o de alinear o clarificar los textos;

f) modificaciones de la NC que resulten de las modificaciones de la nomenclatura del sistema armonizado;

g) cuestiones relativas a la aplicación, al funcionamiento y a la gestión del sistema armonizado, destinadas a ser discutidas en el marco del Consejo de Cooperación Aduanera (OMA), así como a su ejecución por parte de la Unión.

Por el contrario, se dispone que no podrán modificarse por esta vía (y, por tanto, son materias fuera de la competencia de la Comisión):

a) los tipos de los derechos de aduana,

b) los derechos agrícolas, las restituciones o los demás montantes aplicables en el marco de la política agrícola común o en el de los regímenes específicos aplicables a determinadas mercancías que resulten de la transformación de productos agrícolas,

c) las restricciones cuantitativas establecidas de conformidad con las disposiciones de la Unión,

d) las nomenclaturas adoptadas en el marco de la política agrícola común.

La Comisión puede servirse de medidas de distinta naturaleza a la hora de ejercer las competencias que hemos relacionado. Puede dictar un Reglamento de clasificación (bien sea modificando el Anexo I del Reglamento del Arancel, o bien sea dictando un Reglamento independiente, relativo a una determinada mercancía) o puede dictar una Nota Interpretativa. El alcance jurídico en uno y otro caso es distinto: mientras que el Reglamento de clasificación es una norma jurídica vinculante, la Nota Interpretativa constituye un criterio interpretativo autorizado, pero no vinculante.

En relación a estas competencias de la Comisión, el TJUE ha apreciado que:

> "el Consejo confirió a la Comisión, cuando actúe en cooperación con los expertos aduaneros de los Estados miembros, una amplia facultad de apreciación para precisar el contenido de las partidas arancelarías que pueden tenerse en cuenta al clasificar una mercancía determinada. No obstante, la facultad de la Comisión de adoptar las medidas contempladas en el artículo 9, apartado 1, letras a), b), d) y e), del Reglamento nº 2658/87 no le autoriza a modificar el contenido de las partidas arancelarias que han sido establecidas sobre la base del SA instituido por el Convenio y respecto de las cuales la Comunidad se ha comprometido, en virtud del artículo 3 de este último, a no modificar su alcance" (STJUE *Holz Geenan*, asunto C-309/98, de 28.03.2000, p. 13).
>
> Véase asimismo la STJUE *F.T.S. International*, asunto C-310/06, de 18.07.2007, p. 21 (y sentencias allí citadas); STJUE *GROFA*, asunto C-435/15, de 22.03.2017, pp. 49-52 (donde se aprecia que la Comisión ha excedido estas competencias, al igual que en la STJUE *Vision Research Europe*, asunto C-372/17, de 13.09.2018, pp. 49-51); STJUE *Lutz*, asunto C-556/16, de 19.10.2017, p. 38; STJUE *Kubota*, asunto 545/16, de 22.02.2018 (p. 23); y STJUE *Pfizer*, asunto C-182/19, de 26.03.2020, p. 35.
>
> Los Reglamentos de clasificación no surten efectos retroactivos (STJUE *Kreyenhop*, asunto C-471/17, de 06.09.2018, p. 35; STJUE *Panasonic Italia y otros*, asunto C-472/12, de 17.07.2014, p. 58 y jurisprudencia allí citada). Esto les diferencia, según se expone más abajo, de las Notas Explicativas de la NC.

En el mismo sentido, la STJUE *Algemene Scheeps* (asunto C-311/04, de 12.01.2006, p. 25) insiste en la vinculación de la Comisión a lo dispuesto en el Convenio del SA:

"Con carácter preliminar, es preciso recordar que, con arreglo a lo dispuesto en el artículo 300 CE, apartado 7 —actualmente, artículo 216.2 del TFUE—, el Convenio del SA es vinculante para las instituciones de la Comunidad. De conformidad con el artículo 3 de dicho Convenio, ésta se ha comprometido a no modificar el alcance del SA (véase, en este sentido, la sentencia de 28 de marzo de 2000, *Holz Geenen*, C 309/98, Rec. P. I 1975, apartado 13). A este respecto, también procede recordar que la primacía de los acuerdos internacionales celebrados por la Comunidad sobre las disposiciones de Derecho comunitario derivado (sentencia de 10 de enero de 2006, *IATA y otros*, C 344/04, Rec. P. I 0000, apartado 35) impone interpretar éstas, en la medida de lo posible, de conformidad con dichos acuerdos (sentencia de 10 de septiembre de 1996, *Comisión/Alemania*, C 61/94, Rec. P. I 3989, apartado 52, y la de 1 de abril de 2004, *Bellio F.lli*, C 286/02, Rec. P. I 3465, apartado 33)".

Recordemos, no obstante, que en la STJUE X, asunto C-319/10, de 10.11.2011, se decide la validez de un Reglamento de clasificación de la Comisión a pesar de haber sido considerado contrario al SA por el Órgano de Solución de Diferencias de la OMC en un Informe aprobado, siguiendo en este caso el régimen aplicable al Derecho de la OMC.

Parece que cabe interpretar que la Comisión está también limitada por la interpretación del SA que haga la OMA. Así podría desprenderse, a *sensu contrario*, de la STJUE *Goldstar* (asunto C-401/93, de 13.12.1994, p. 18):

> "Procede recordar que, cuando no exista una interpretación de la Nomenclatura por parte del Consejo de Cooperación Aduanera, el legislador comunitario será competente para interpretar, mediante Reglamento y bajo el control del Tribunal de Justicia, la Nomenclatura, tal como debe ser aplicada por la Comunidad (véase la sentencia de 8 de febrero de 1990, Van de Kolk, C-233/88, Rec. pp. 1-265, apartado 10)".

De forma más clara cabe llegar a esta conclusión a partir de la STJUE *Kawasaki* (asunto C-15/05, de 27.04.2006, pp. 44 y 50), donde se declara nulo un Reglamento de la Comisión por establecer un criterio de clasificación más restrictivo que el fijado en un dictamen de la OMA.

Ahora bien, para considerar que un Reglamento de la Comisión es nulo, el TJUE exige que quepa identificar "un error manifiesto de apreciación al clasificar" por parte de la Comisión (STJUE *Goldstar*, asunto C-401/93, p. 20). De este modo, sólo allí donde pueda establecerse que la Comisión vulnera un mandato o criterio del SA (y no simplemente que realiza una interpretación cuestionable del mismo) cabrá que prospere la pretensión de nulidad del Reglamento de que se trate.

> Un ejemplo de STJUE en la que se declara nulo un Reglamento de la Comisión por cuanto "modifica de manera cierta el contenido de las partidas arancelarias de que se trata, rebasando con ello las facultades que el artículo 9 del Reglamento nº 2658/87" es la recaída en el caso *Dinter*, asunto C-522/07 y C-65/08, de 29/10/2009. En la medida de lo posible, las Notas Complementarias introducidas por la Comisión deben interpretarse de forma que resulten compatibles con el texto del SA para impedir que, al entrar en contradicción con él, sean nulas (STJUE *Algemene Scheeps*, asunto C-311/04, de 12.01.2006, p. 34). También la STJUE

GROFA, asunto C-435/15, de 22.03.2017, declara inválido por este motivo un Reglamento de Ejecución de la Comisión (pp. 49-53). Véase también la STJUE *Pfizer*, asunto C-182/19, de 26.03.2020.

Pasando a otra cuestión, entre las competencias de la Comisión que enumera el artículo 9 del Reglamento del Arancel figura la de dictar Notas Explicativas (apuntemos que estas Notas Explicativas deben distinguirse de las que emite la OMA, que tienen un alcance internacional). Cabe cuestionarse si las referidas Notas Explicativas competencia de la Comisión siguen el régimen propio de las normas jurídicas o el de los criterios interpretativos. Esta distinción implica consecuencias muy relevantes, pues si se establece que las Notas Explicativas siguen el régimen propio de los criterios interpretativos se siguen dos consecuencias: 1) las Notas Explicativas no pueden crear un mandato, no pueden innovar el ordenamiento, sino que se deben limitar a precisar el contenido de una norma ya existente; 2) las Notas Explicativas se aplicarían de forma retroactiva desde el momento de entrada en vigor de la norma a la que interpretan, dado que son una mera precisión del contenido que ya estaba ínsito en ella. Pues bien, el TJUE parece que considera que las Notas Explicativas poseen esta naturaleza jurídica de criterios interpretativos y, en este sentido, en su Sentencia *Delphi Deutschland* (asunto C-423/10, de 18.05.2011) apreció que cabía aplicar el criterio de una Nota Interpretativa introducida por el Reglamento 1214/2007 a unos hechos realizados con anterioridad a su entrada en vigor. Véase también la STJUE *JVC* (asunto C-312/07, de 05.06.2008, p. 34), donde se añade que "Si se pone de manifiesto que —las Notas Explicativas— son contrarias al texto de las partidas de la NC y de las notas de sección o de capítulo, las Notas Explicativas de la NC no deben aplicarse" (en el mismo sentido, había aplicado esta solución la STJUE *Sunshine Deutchland,* (asunto C-229/06, de 19.04.2007, p. 31). No obstante, en la STJUE *Kreyenhop,* (asunto C-471/17, de 06.09.2018) se señala que la Nota Explicativa se adoptó con posterioridad a las importaciones para argumentar que no debe ser tenida en cuenta (p. 38, citando en el mismo sentido STJUE *Ecco Sko*, asunto C-165/07, de 22.05.2008, p. 40, a pesar de que en ésta última sí se tuvo en cuenta la versión posterior).

Ahora bien, no cabe extralimitar el alcance de estos Reglamentos interpretativos. El Tribunal ha establecido que "el Reglamento que determina los criterios para la clasificación en una partida o subpartida arancelaria tiene carácter constitutivo y no puede producir efectos retroactivos" (STJUE *Kloosterboer*, asunto C-173/08, de 18.06.2009, p. 21, que cita, en este sentido, las Sentencias *CBA Computer*, asunto C-479/99, de 07.06.2001, p. 31, y *Metherma*, C-403/07, de 27.11.2008, p. 39; STJUE *Panasonic Italia*, asunto C-472/12, de 17.07.2014). En la STJUE *DHL Logistics* (asunto C-810/18, de 30.04.2020) se decide en contra de lo indicado en las Notas Explicativas de la NC, dando preeminencia a la que se determinó como función principal de las mercancías examinadas (pp. 31-33).
La STJUE *Vogel* (asunto C-62/20, de 15.04.2021), tras señalar que "Las notas explicativas elaboradas por la Comisión, por lo que respecta a la NC, y las adoptadas por la OMA, en

lo tocante al SA, contribuyen de manera importante a la interpretación del alcance de las diferentes partidas arancelarias, *sin tener, no obstante, fuerza vinculante en Derecho*" (cursiva añadida), aclara que "Las notas explicativas de la NC no sustituyen a las del SA, sino que deben considerarse complementarias a estas y deben ser consultadas conjuntamente con ellas" (p. 31, donde cita en el mismo sentido STJUE *Vision Research Europe*, asunto C 372/17, de 13.09.2018, p. 23 y jurisprudencia allí citada).

8.3.4. La Nomenclatura Combinada (NC). La jurisprudencia del TJUE

La jurisprudencia del TJUE, generada a partir de las cuestiones prejudiciales planteadas por los órganos jurisdiccionales nacionales, es una herramienta fundamental a la que debe prestarse gran atención a la hora de decidir la clasificación de las mercancías. Son muchas las Sentencias relativas a esta materia y, a través de ellas, el Tribunal nos proporciona elementos interpretativos que, sin duda, trascienden al caso concreto planteado para ofrecernos una doctrina de mayor alcance.

Dentro del análisis de esta jurisprudencia, que necesariamente debe ser aquí somero, interesa comenzar por establecer ciertas ideas acerca de las fuentes normativas e interpretativas y su eficacia jurídica. El Tribunal ha afirmado la eficacia vinculante de las RGI del SA (que el Reglamento del Arancel incluye en su Anexo I, por lo que también se alude a ellas como RGI de la NC), así como de las las notas de sección; las notas de capítulo; las notas de partida y las notas de subpartida.

En cambio, por lo que hace a las Notas Explicativas, tanto de la Nomenclatura Combinada (NC, elaboradas por la Comisión Europea) como del Sistema Armonizado (SA, elaboradas por la OMA) ha apreciado que "contribuyen de manera importante a la interpretación del alcance de las diferentes partidas aduaneras, sin tener, no obstante, fuerza vinculante en Derecho"

> Véanse en este sentido, entre otras, STJUE de 18.05.2011, asunto C-423/10, *Delphi Deutschland* (párrafo 24, en el que además cita en el mismo sentido la STJUE C-423/09, de 28.10.2009 y las STJUE en ella citadas); STJUE de 14.07.2011, asunto C-196/10, *Paderboner* (párrafo 32); STJUE de 24.11.2011, asunto C-323/10 a 326/10, *Stolle* (párrafo 45); STJUE de 14.04.2011, asuntos C-288/09 y 289/09, *BSkyB* (párrafo 63).

Asimismo, ha apreciado el Tribunal que "Las notas que preceden a los capítulos del Arancel Aduanero Común, al igual que las notas explicativas del SA, constituyen medios importantes para garantizar una aplicación uniforme de este Arancel y proporcionan, en cuanto tales, elementos válidos para su interpretación".

Véanse en este sentido, entre otras, STJUE de 16.06.2011, asunto C-152/10, *Unome-dical* (párrafo 33); STJUE de 28.07.2011, asunto C-215/10, *Pacific World* (párrafo 29); STJUE de 10.11.2011, asunto C-319/10 y C-320/10, *X* (párrafo 55).

La STJUE *X* precisa además que el contenido de las Notas de Capítulo de la NC debe ser conforme con las disposiciones de la NC y no puede modificar su alcance.

Siguiendo en materia de Notas Explicativas, el Tribunal ha apreciado que:

"El tenor de las notas explicativas de la NC, las cuales no sustituyen a las del SA, sino que deben considerarse complementarias a éstas y consultarse conjuntamente con ellas, debe, por lo tanto, ser conforme con las disposiciones de la NC y no puede modificar su alcance". "De lo anterior se desprende que, si resulta que son contrarias al texto de las partidas de la NC y de las notas de sección o de capítulo, las notas explicativas de la NC no deben aplicarse".
STJUE de 14.04.2011, asuntos C-288/09 y 289/09, *BSkyB* (párrafos 64 y 65; en el primero de ellos cita en el mismo sentido la STJUE en el asunto C-486/06, párrafo 36, y párrafo 65). En la STJUE *Rensen*, asunto C-162/19, de 11.03.2020, el Tribunal aprecia que "las notas explicativas de la NC, que, aun no siendo jurídicamente vinculantes, constituyen una herramienta importante para interpretar el alcance de las diferentes partidas aduaneras" (p. 35, citando en el mismo sentido la STJUE *TDK*, asunto C-559/18, de 05.09.2019, p. 26 y jurisprudencia allí citada).

Por lo que hace a los Dictámenes de clasificación de la OMA, el TJUE ha apreciado:

"los dictámenes de clasificación emitidos en el marco de la OMA no vinculan a las Partes Contratantes, pero constituyen elementos importantes de interpretación (véase, en este sentido, la sentencia de 19 de noviembre de 1975, *Nederlandse Spoorwegen*, 38/75, Rec. p. 1439, apartado 24). Deben excluirse si la interpretación resulta inconciliable con los términos de la partida de la NC de que se trata o si exceden manifiestamente la facultad de apreciación que se reconoce a la OMA (véase, en este sentido, la sentencia *Nederlandse Spoorwegen*, antes citada, apartado 25)" (Auto TJUE *Smithkline Beecham*, asunto C-206/03, de 19.01.2005, p. 24). Concluyendo más adelante que "un dictamen de la OMA sobre la clasificación de este producto en su sistema armonizado no tiene fuerza vinculante en Derecho y constituye simplemente un indicio que contribuye a la interpretación del alcance de las diferentes partidas aduaneras de la NC. Si este dictamen de clasificación resulta contrario al texto de la partida de la NC, debe, en consecuencia, excluirse" (p. 28).

Por lo demás, el TJUE ha equiparado el valor jurídico de las Notas Explicativas y el de los Dictámenes de la OMA:

"Dado que no se distingue en la jurisprudencia entre el valor interpretativo de los dictámenes de clasificación elaborados en el marco de la OMA y el de las notas explicativas procedentes de dicha Organización (véanse, en particular, las sentencias de 8 de diciembre de 1970, *Bakels*, 14/70, Rec. p. 1001, apartado 11; de 14 de julio de 1971, *Henck*, 12/71, Rec. p. 743, apartado 7; de 14 de julio de 1971, *Henck*, 13/71, Rec. p. 767, apartado 7; de 14 de julio de 1971, *Henck*, 14/71, Rec. p. 779, apartado 3; de 15 de diciembre de 1971, *Gervais-Danone*, 77/71, Rec. p. 1127, apartado 5, y de 23 de octubre de 1975, *Matisa y Maschinen*, 35/75, Rec. p. 1205, apartado 2), procede señalar que, al igual que las notas explicativas, los dictámenes de la OMA que clasifican una mercancía en su sistema armonizado constituyen, en relación con la clasificación de este producto en la NC, indicios que, aunque contribuyan de manera importante a la interpretación del alcance de las diferentes partidas de la NC, no tienen fuerza vinculante en Derecho" (Auto TJUE *Smithkline Beecham*, asunto C-206/03, de 19.01.2005, p. 26).

En este Auto *SmithKline Beecham* el TJUE se apartó del criterio de un Dictamen de la OMA (clasificó unos parches de nicotina en la partida 3004, al considerarlos un medicamento, y no en la partida 3824 como interpretaba el Dictamen de la OMA).

A la vista de lo expuesto hasta ahora, no puede sorprender que el Tribunal niegue asimismo eficacia jurídica a otros criterios interpretativos de más dudosa procedencia, que ni siquiera se formalizan como Notas Explicativas:

"es jurisprudencia reiterada que ni las tomas de posición individuales ni las declaraciones comunes de los Estados miembros pueden ser tenidas en cuenta para la interpretación de un acto comunitario cuando, como en el caso de autos, su contenido no se plasma de algún modo en el texto del acto de que se trate, sin tener, por consiguiente, ningún alcance jurídico" (STJUE *Stolle*, asunto C-323/10 a 326/10, de 24.11.2011, párrafo 66, que cita STJUE asunto 143/83 y asunto C-292/89; sale así al paso el Tribunal de una apreciación de las autoridades alemanas basada en las conclusiones de la "662 reunión del Comité de gestión de los huevos y de la carne de corral").

Por lo que hace a los dictámenes del Comité del Código Aduanero, el TJUE tampoco les reconoce eficacia jurídica sino meramente interpretativa.

Véase, en este sentido, la STJUE *Ecco Sko*, asunto C-165/07, de 22.05.2008, donde se señala que "si bien constituyen medios importantes para garantizar una aplicación uniforme del Código aduanero por las autoridades aduaneras de los Estados miembros y pueden considerarse, en cuanto tales, elementos válidos para la interpretación de dicho Código, carecen de fuerza vinculante" (p. 47, citando en el mismo sentido la STJUE *Friesland Coberco Dairy Foods*, asunto C-11/05, de 11.05.2006, p. 39), decidiendo en contra del criterio del referido dictamen que, dice, "no puede constituir un obstáculo a la clasificación de la sandalia de que se trata en el litigio principal en la posición 6403 de la NC".

Dejando atrás ya la materia de las fuentes, conviene señalar que, en materia de clasificación, debe tenerse en cuenta la proyección del principio de seguridad jurídica que el TJUE ha establecido, en virtud de la cual:

"el principio de seguridad jurídica constituye un principio fundamental de Derecho comunitario (...) que exige, particularmente, que una normativa que establezca gravámenes para el contribuyente sea clara y precisa, con el fin de que éste pueda conocer, sin ambigüedad, sus derechos y obligaciones y, adoptar las medidas oportunas en consecuencia (...)" (STJUE *Gebroeders*, asunto C-143/93, de 16.02.1996, p. 27).

En aquél asunto a las mercancías se les eximió de derechos en virtud de lo dispuesto en el Reglamento del Arancel, pero posteriormente se clasificaron en una partida distinta en virtud de un Reglamento distinto que entró en vigor antes que el Reglamento del Arancel y que se contradecía con él. El TJUE observó que el artículo 15 del Reglamento del Arancel establece la obligación de la Comisión de modificar las normas de la Unión para adaptarlas a la NC ("lo hace con el fin de que los justiciables puedan conocer sin ambigüedades sus derechos y obligaciones y adoptar las medidas oportunas en consecuencia", p. 29). La Comisión no cumplió adecuadamente su obligación en este caso, a la vista de la contradicción detectada y, en consecuencia, la observancia del principio de seguridad jurídica impedía que pudieran exigirse los derechos en estas circunstancias.

Pasando ahora al contenido de las reglas por las que se decide la clasificación, debemos comenzar por resaltar que el Tribunal repite de forma incansable, hasta convertirlo en cláusula de estilo, el criterio decisivo para la clasificación arancelaria. Dice así:

> "Según reiterada jurisprudencia, en aras de la seguridad jurídica y la facilidad de los controles, el criterio decisivo para la clasificación arancelaria de las mercancías debe buscarse, por lo general, en sus características y propiedades objetivas, tal como están definidas en el texto de las partidas de la NC y de las notas de las secciones o capítulos".
>
> Por citar algunas de las más recientes en las que el Tribunal reitera esta consideración, STJUE de 18.05.2011, asunto C-423/10, *Delphi Deutschland* (párrafo 23, en el que además cita en el mismo sentido la STJUE C-423/09, de 28.10.2009 y las STJUE en ella citadas); STJUE de 16.06.2011, asunto C-152/10, *Unomedical* (párrafo 25); STJUE de 14.07.2011, asunto C-196/10, *Paderboner* (párrafo 31); STJUE de 28.07.2011, asunto C-215/10, *Pacific World* (párrafo 28); STJUE de 10.11.2011, asunto C-319/10 y C-320/10, *X* (párrafo 54), STJUE de 24.11.2011, asunto C-323/10 a 326/10, *Stolle* (párrafo 44); STJUE de 14.04.2011, asuntos C-288/09 y 289/09, *BSkyB* (párrafo 60, donde se señala que este criterio favorece la seguridad jurídica y la facilidad de los controles).
>
> La apreciación de las propiedades objetivas puede alcanzar cierta complejidad; p.e. en la STJUE *BS* (asunto C-195/18, de 13.03.2019, p. 39) se trata de determinar si sus características organolépticas corresponden a las de la cerveza.
>
> Las aludidas características y propiedades objetivas de los productos deben poder comprobarse en el momento de efectuar el despacho aduanero (véase STJUE *Panasonic Italia y otros*, asunto C-472/12, de 17.07.2014, pp. 35 y 36 y jurisprudencia allí citada; doctrina reiterada en *SC Alka*, asunto C-653/13, de 23.04.2015, p. 37; STJUE *Rensen*, asunto C-162/19, de 11.03.2020, p. 23).

Si el criterio decisivo para la clasificación debe buscarse, por lo general, en las características y propiedades objetivas de las mercancías, es claro que en la clasificación se debe huir de su contrario, esto es, de los elementos subjetivos. Así lo ha manifestado también el Tribunal:

> "la delimitación de las partidas del AAC no puede basarse en cualidades que se definen esencialmente a partir de criterios subjetivos y variables sino que, al contrario, debe basarse en los criterios objetivos utilizados por el AAC tanto por razones de funcionamiento eficaz como de seguridad jurídica (véanse, sentencias de 27 de octubre de 1977, *Westfälischer Kunstverein*, 23/77, Rec. 1977, p. 1985, apartado 3, y de 13 de diciembre de 1989, *Raab*, C-l/89, Rec. 1989, p. 4423, apartado 25)" (STJUE *Farfalla*, asunto C-228/89, de 18.09.1990, p. 12).

En este sentido, por ejemplo, no puede atenderse al posible valor artístico para decidir la clasificación arancelaria:

> "el posible valor artístico de un objeto se define esencialmente a partir de criterios subjetivos y variables, mientras que la clasificación arancelaria debe basarse en criterios objetivos utilizados por el AAC por razones de funcionamiento eficaz y de seguridad jurídica" (STJUE *Ingrid Raab*, asunto C-1/89, de 13.12.1989, p. 25; la STJUE *Farfalla*, referida arriba, también se refería a la pretendida clasificación en el capítulo 99 como objetos de arte)

Timothy Lyons (*EC Customs Law*, OUP, 2008, pp. 160-166) analiza, a partir de la jurisprudencia del TJUE, una serie de factores en los que cabe descomponer el análisis de las propiedades objetivas. De sus ideas, podemos entresacar las siguientes (también hemos incorporado doctrina del TJUE posterior):

- **Avances en la ciencia médica.** En la clasificación de los medicamentos deben tomarse en consideración los avances médicos, por ejemplo, allí donde estos ponen de manifiesto propiedades de la sustancia previamente no establecidas (STJUE *Bioforce*, asunto C-177/91, de 14.01.1993).

  En la STJUE *Nutricia* (Asunto C-267/13, de 30.04.2014, p. 20) puede verse el concepto de "medicamento" a los efectos del capítulo 30 de la NC.

- **Valor artístico.** El valor artístico es una cualidad subjetiva en la que no puede basarse la clasificación arancelaria (STJUE *Ingrid Raab* y *Farfalla*, referidas más arriba).

- **Métodos de crianza.** Los métodos de crianza de un animal son, en general, irrelevantes para la clasificación. En este sentido, para distinguir entre "carne de cerdos de especie doméstica" o "las demás" (carnes de cerdos) debe atenderse a las características zoológicas y genéticas, no al dato fáctico de si los cerdos de los que procede la carne vivieron en cautividad o en estado salvaje (STJUE *Stanner*, asunto C-393/93, de 09.08.1994). En ese mismo sentido, la Sentencia *Deli Ostrich* (asunto C-559/10, de 27.10.2011) determinó que la correcta clasificación de carne de camello congelada procedente de camellos criados en cautividad que son abatidos (cazados) y procesados como carne es la que corresponde a carne de caza y no a carne de animales de crianza (a pesar que los camellos se criaron en cautividad). El Tribunal alude a la doctrina de su Sentencia *Witt* (asunto 149/73, de 12.12.1973), donde apreció que "el término «caza», en su sentido habitual, se refiere a las categorías de animales que viven en estado salvaje y que se cazan".

- **Funciones del producto.** La independencia funcional de un producto (relevante en el marco del capítulo 84) se determina a partir de sus características objetivas. El hecho de que se pueda identificar que un elemento dota de una funcionalidad añadida a otro producto no le convierte en independiente funcionalmente (STJUE *Peacock*, asunto C-339/98, de 19.10.2000 y *Techex Computer*, asunto C-382/95, de 18.02.1997).

La función de un producto es relevante cuando la norma de clasificación se base en la función a desempeñar por el producto (STJUE *Sprengen*, asunto C-97/15, de 14.07.2016, pp. 33-38).

Cuando la función sea un criterio relevante de clasificación y el producto sea susceptible de cumplir varias funciones a un tiempo, debe determinarse cuál es la función principal. En este sentido, la STJUE *SC OnlineShop* (asunto C-268/18, de 02.05.2019, p. 30) señala que "una máquina concebida para realizar dos o más funciones diferentes, alternativas o complementarias, se clasificará según la función principal que caracterice al conjunto". A fin de determinar cuál es la función principal se ha de tener en cuenta "tanto el grado en que este puede realizar varias funciones como el grado de eficiencia que alcanza en el ejercicio de dichas funciones" (STJUE *Kamino International Logistics*, asunto C 376/07, de 19.02.2009, p. 57; STJUE *XBV*, asunto C-288/18, de 11.04.2019, p. 34). En esta última indica: "Así pues, hay que comparar, por un lado, la aptitud de un monitor para ser utilizado como monitor en un sistema automático para tratamiento o procesamiento de datos y su eficiencia en ese ámbito y, por otro, su aptitud para ser utilizado en otras funciones y su eficiencia en dichas funciones, para declarar cuál es su función principal, que determina, por tanto, su clasificación". En la STJUE *JCM Europe* (asunto C-760/19, de 04.02.2021) puede verse una indagación acerca de cuál es la función principal de un producto (que, en ese caso, se determina que es gestionar el cobro en efectivo de una prestación, siendo el control de la autenticidad de los billetes una función accesoria, pp. 50-53); en la STJUE *DHL Logistics* (asunto C-810/18, de 30.04.2010) el Tribunal debe también determinar la función principal de la mercancía examinada, en este caso entre videocámara o cámara fotográfica digital (pp. 27-33); en la STJUE *Medtronic* (asunto C-227/17, de 12.04.2018) la disyuntiva se plantea entre implantes para compensar un defecto o incapacidad o implantes para cirugía traumatológica.

Cuando ninguna subpartida hace referencia a la función principal de una mercancía, no puede acudirse a clasificar en una subpartida específica que se refiera a una función accesoria, sino que debe optarse por una subpartida de carácter residual (STJUE *Amazon*, asunto C-58/14 de 11.06.2015, pp. 21-26).

El hecho de que se autorice la comercialización de un producto como medicamento no es determinante para su clasificación en el capítulo 30 de la NC (STJUE *LEK*, asunto C-700/15, de 15.12.2016, p. 36 y jurisprudencia allí citada; y STJUE *Samohyl*, asunto C-9410/19, de 10.03.2021, p. 38; esta última Sentencia examina la distinción entre "insecticida" y "medicamento").

- **Origen geográfico.** El origen geográfico del producto o de alguno de sus componentes sólo será relevante allí donde el arancel lo disponga (STJUE *Foods Import*, asunto C-38/95, de 12.12.1996 y *Paul F Weber*, asunto 40/88, de 25.05.1989).

- **Intencionalidad.** Es irrelevante si el producto de que se trate fue creado de forma intencionada o no (STJUE *Günter Henk*, asunto 36/71, de 23.03.1972).

- **Uso al que se destinan los productos.** Respecto a este factor el Tribunal ha apreciado que, si la clasificación no puede realizarse basándose exclusivamente en las características y propiedades objetivas del producto, "el destino del producto puede constituir un criterio objetivo de clasificación, siempre que sea inherente a dicho producto; la inherencia debe poder apreciarse en función de las características y propiedades objetivas de éste" (STJUE *Olicom*, asunto C-142/06, de 18.07.2007, p. 18 y jurisprudencia allí citada; *Metherma*, asunto C 403/07, de 27.11.2008, p. 47; *Schenker*, asunto C-16/08, de 11.06.2009 p. 25; STJUE *Kloosterboer*, asunto C-173/08, de 18.06.2009, p. 26; STJUE *Pärlitigu*, asunto C-56/08, de 16.07.2009; el Tribunal ha reiterado más recientemente este criterio en *BSkyB*, asuntos C-288/09 y 289/09, de 14.04.2011, p. 76; *Panasonic Italia*, asunto C-472/12, de 17.07.2014; *Vario Tek*, asunto C-178/14, de 05.03.2015, p. 23; *GROFA*, asunto C-435/15, de 22.03.2017, p. 40; STJUE *Kubota*, asunto 545/16, de 22.02.2018, p. 25; STJUE *Estron A/S*, asunto C-138/18, de 16.05.2019, p. 64; STJUE *Pfizer,* asunto C-182/19, de 26.03.2020, p. 38).

En ocasiones el uso habitual al que se destina el producto puede ser el único elemento objetivo que permita identificarlo (como el caso de los pijamas frente a otras prendas de vestir; STJUE *Neckermann*, asunto C-395/93, de 09.08.1994). En su Sentencia *Paderboner* (asunto C-196/10, de 14.07.2011), el TJUE sostuvo que "La clasificación de un producto como «bebida» en el sentido de la NC depende de su carácter líquido y de su destino al consumo humano" (p. 33). Este criterio le condujo a rechazar que un líquido denominado "*malt beer base*", que se obtenía a partir de cerveza con un grado alcohólico del 14%, sometida a un proceso de aclarado y posterior filtrado que reducía la concentración de sustancias amargas y proteínas, pudiera ser calificado como 'bebida' dado que era un producto intermedio para la elaboración de otra bebida y no estaba destinada al consumo (aunque era apta para el consumo). También en la STJUE *Kip & Hewlett Packard*, relativo a unos aparatos multifuncionales que imprimen, copian y escanean, la función y su importancia relativa es determinante para decidir la clasificación (asuntos acumulados C-362/07 y 363/07, de 11.12.2008). Ahora bien, en la STJUE *TDK Lambda* (asunto C-559/18, de 05.09.2019, p. 28) el Tribunal aprecia que "en relación con la clasificación de los productos en una partida arancelaria correspondiente a un uso, es decir, una partida que establece un criterio de clasificación basado en un uso particular de las mercancías, no es necesario que el producto de que se trate vaya destinado única o exclusivamente a ese uso. Basta con que el uso mencionado en la partida en cuestión sea su destino esencial".

La STJUE *BSkyB* (asuntos acumulados C-288/09 y C-289/09, de 14.04.2011) inicia una nueva senda al otorgar relevancia, para decidir la función "principal" de un producto, a "lo que resulta principal o accesorio desde el punto de vista del consumidor" (p. 77; doctrina reiterada en STJUE *Vario Tek*, asunto C-178/14, de 05.03.2015, p. 24), lo que puede ser visto como una concesión a criterios subjetivos de clasificación (en este caso, se aprecia que un consumidor que adquiere un decodificador-grabador de la plataforma digital Sky está motivado principalmente por la posibilidad de acceder a los programas de televisión de Sky, y no tanto por la posibilidad de grabarlos, p. 79). Por otro lado, esta Sentencia observa que "el hecho de que una función de un aparato sea indispensable no le confiere, per se, el carácter de función principal en la medida en que una función puede ser indispensable siendo secundaria o accesoria" (p. 74). También la STJUE *Oliver Medical*, asunto C-547/13, de 04.03.2015, concede relevancia al uso al que el fabricante destinó el producto (pp. 52-53 y 72; véase también la STJUE *Pfizer*, asunto C-182/19, de 26.03.2020, pp. 47-52, acerca del uso médico).

Cuando un producto tiene dos usos posibles, pero uno de ellos es una posibilidad meramente teórica, atendidas sus características y propiedades objetivas, ese producto se considera naturalmente destinado al otro uso y, por lo tanto, debe incluirse en la partida arancelaria relativa a ese otro uso (STJUE *Sysmex Europe*, asunto C-480/13, de 17.07.2014, p. 32; doctrina reiterada en STJUE *Vario Tek*, asunto C-178/14, de 05.03.2015, p. 33).

Con todo, debe advertirse que el Tribunal ha matizado la relevancia de este criterio al señalar que "el destino del producto sólo es un criterio pertinente si la clasificación no puede realizarse exclusivamente conforme a las características y propiedades objetivas del producto" (STJUE *Mitnitsa*, asunto C-185/17, de

22.02.2018, p. 36; STJUE *Aramex Nederland*, asunto C 145/16, de 16.02.2017, p. 23; STJUE *MIS*, C 288/15, de 09.06.2016, p. 24 y jurisprudencia allí citada). En la STJUE *Amoena* (asunto C-677/18, de 19.12.2019) se rechaza la clasificación basada en el uso en atención a que las características y propiedades objetivas de las mercancías no excluían otros usos (sostén de masectomía o sostén convencional, pp. 42-45).

- **Procedimientos de fabricación.** Los procesos de fabricación son, en general, irrelevantes para la clasificación, salvo allí donde la propia clasificación se refiera a ellos. En este sentido, el Tribunal ha apreciado que "los procedimientos de fabricación de un producto sólo son determinantes cuando la partida arancelaria lo establezca explícitamente" (STJUE *Paul F Weber*, asunto 40/88, de 25.05.1989, p. 15; más recientemente el Tribunal ha reiterado esta doctrina en STJUE *Pacific World*, asunto C-215/10, de 28.07.2011, párrafos 40 y 41). También en la STJUE *Evroetil* (asunto C-503/10, de 21.12.2011) el Tribunal ha extendido esta misma apreciación a otros factores:

> "Por otra parte, al no establecer esta disposición ningún requisito en cuanto a la tecnología de producción utilizada, a las sustancias que contiene el producto, a las normas a las que se ajusta o a su posible desnaturalización, dichos elementos carecen de incidencia en la posibilidad de calificar un producto como bioetanol en el sentido de dicha disposición" (p. 46).

Véase asimismo la STJUE *Waterman*, asunto C-400/03, de 08.07.2004 (p. 29).

El procedimiento de fabricación sólo es relevante cuando propia clasificación se refiera a él. En la STJUE *Kreyenhop* (asunto C-471/17, de 06.09.2018), por ejemplo, se trata de determinar qué debe considerarse una pasta "seca" y se señala que "no es determinante al respecto el procedimiento que se haya seguido a tal fin" (p. 41).

- **Sabor, olor.** Las cualidades sensibles de los productos pueden ser tenidas en cuenta cuando puedan ser objetivadas, por ejemplo por la existencia de estándares internacionales al respecto (STJUE *Gijs van de Kolk*, asunto C-233/88, de 08.02.1990; STJUE *Lukoyl*, asunto C-330/13, de 12.06.2014, donde además el Tribunal considera distintos los conceptos de 'constituyentes aromáticos' y de 'hidrocarburos aromáticos').

- **Innovación tecnológica.** La aplicación de innovaciones tecnológicas en un producto no determina por sí misma una nueva clasificación del producto si ésta no ha sido contemplada en la norma: la clasificación arancelaria es una actividad jurídica, por más que tenga bases técnicas (STJUE *Analog Devices*, asunto 122/80, de 19.11.1981).

• **Presentación de los productos.** La presentación del producto no tiene valor determinante para su clasificación arancelaria, para la cual prevalecen sus características y propiedades objetivas, tal como están definidas en el texto de las partidas de la NC y de las notas de las secciones o capítulos.

A este respecto, en la STJUE *Juers Pharma*, asunto C-40/06, de 09.01.2007, se trababa de la clasificación de unas cápsulas de melatonina. El importador consideraba que debían clasificarse en la partida 3004 (correspondiente a medicamentos), en tanto que las autoridades lo clasificaron en la 2106 (como preparaciones alimenticias). La etiqueta del producto lo caracterizaba como suplemento dietético, pero ello no obstante el TJUE considera que prevalece su carácter de medicamento de la partida 3004 en tanto que cumple los dos elementos a este respecto: 1) presenta un perfil terapéutico o profiláctico claramente definido, cuyo efecto se concentra en funciones concretas del organismo humano; 2) se presenta dosificado o acondicionado para la venta al por menor.

La presentación puede ser decisiva allí donde las normas de la NC se sirvan de ella para decidir la clasificación.

Además de lo apuntado anteriormente en relación a la STJUE *Juers Pharma,* la STJUE *Uroplasty* (asunto C-514/04, de 13.07.2007) descarta que una mercancía pueda clasificarse en la partida 3004 como medicamento porque, aunque tiene un perfil terapéutico, no se presenta dosificado o acondicionado para la venta al por menor (p. 49).

• **Analogía.** Un Reglamento de clasificación no es directamente aplicable a productos que no sean idénticos, sino sólo análogos, al producto objeto de ese Reglamento. Ahora bien, el Reglamento puede todavía ser aplicable por analogía a los productos análogos. La aplicación por analogía de un Reglamento de clasificación arancelaria a los productos análogos a los contemplados en él contribuye efectivamente a una interpretación coherente de la NC, así como a la igualdad de trato de los operadores. Para que se aplique por analogía un Reglamento de clasificación arancelaria es necesario que los productos que deban clasificarse y aquellos a los que se refiere el Reglamento de clasificación sean suficientemente similares, debiendo tenerse en cuenta también la motivación del Reglamento de clasificación (véase STJUE *GROFA*, asunto C-435/15, de 22.03.2017, pp. 37-38 y jurisprudencia allí citada; STJUE *Oliver Medical*, asunto C-547/13, de 04.03.2015, p. 57; STJUE *Kreyenhop*, asunto C-471/17, de 06.09.2018, pp. 30-33; y la STJUE *Vision Research Europe*, asunto C-372/17, de 13.09.2018, p. 45). La "aplicación analógica no es necesaria ni posible cuando el Tribunal de Justicia, mediante su respuesta a una cuestión prejudicial, ha proporcionado al órgano jurisdiccional remitente todos los elementos necesarios para la clasificación de un producto en la partida adecuada de la NC" (STJUE *DHL Logistics*, asunto C-810/18, de 30.04.2020, p. 37; STJUE *Medtronic*, asunto C-227/17, de 12.04.2018, p. 59 y jurisprudencia allí citada).

Clasificación Arancelaria - Instrumentos vinculantes
Clasificación del Sistema Armonizado (SA)
Notas de sección, capítulo, partida y subpartida del SA
Reglas Generales de Interpretación del SA
Clasificación de la Nomenclatura Combinada (NC)
Disposiciones preliminares de la NC
Notas complementarias de sección o de capítulo de la NC
Notas a pie de la NC referidas a subpartidas de la NC
Reglamentos de clasificación
Sentencias del TJUE
Información Arancelaria Vinculante (para su titular)
Clasificación Arancelaria - Instrumentos NO vinculantes
Títulos de sección, capítulo y subcapítulo del SA
Notas Explicativas del SA
Notas Explicativas de la NC
Opiniones de la OMA
Dictámenes de la OMA
Declaraciones comunes de los Estados miembros o tomas de posición individuales

8.4. LAS TARIFAS

El SA no impone obligaciones a las partes contratantes acerca de los tipos de gravamen o tarifas. Las tarifas son decididas por cada Parte, dependiendo de su legislación propia (que en el caso de la UE, serán normas de la UE, no nacionales). Ya hemos introducido la clasificación de las tarifas en función del carácter de la norma de que derivan (a saber, tarifas autónomas, convencionales y preferenciales, véase más arriba el apartado 8.3.1). Hemos señalado que en el Anexo I del Reglamento del Arancel, en el cuadro de derechos, se recogen los derechos convencionales (en la columna 3) y los derechos autónomos, cuando difieren de los convencionales (mediante notas a pie). No se recogen en el Anexo I del Reglamento del Arancel los derechos preferenciales, que se establecen en el acuerdo o norma preferencial que sea aplicable en función del origen de las mercancías. Insistimos en que los derechos preferenciales son muy frecuentes en la UE por el gran número e importancia de las normas y acuerdos preferenciales que la UE mantiene.

Hemos señalado también que el TARIC, que en la actualidad ya no se publica en papel sino en forma de base de datos que puede ser consultada telemáticamente, recoge los derechos de aduana de los tres tipos (autónomos, convencionales y preferenciales), así como otros gravámenes arancelarios y otras medidas no tributarias, aunque con valor meramente informativo.

Vamos a referirnos ahora a las "Reglas generales relativas a los derechos" que se contienen, según ya hemos avanzado, en el apartado B del Título I de la Primera Parte del Anexo I del Reglamento del Arancel.

- La **primera** de ellas establece que los derechos convencionales (que recordemos que son los que se recogen en el Cuadro de Derechos) se aplicarán a las mercancías originarias de países que sean partes del GATT o con los que la UE mantenga un acuerdo con cláusula NMF. Salvo disposición en contrario, estos derechos convencionales se aplicarán también a las mercancías importadas de otros países. Ello significa que, salvo que se establezca de forma expresa un derecho autónomo (que, recordemos, es el que se aplica a países que no son miembros de la OMC ni tienen un régimen preferencial), el derecho autónomo y el derecho convencional coincidirán. La regla concluye estableciendo que, cuando los derechos de aduana autónomos sean inferiores a los derechos convencionales, se aplicarán los derechos autónomos que figuran en las notas a pie de página. Hemos señalado antes (apartado 8.3.1) que esta situación se produce, por ejemplo, respecto de la posición 9031 80 32, donde en nota a pie se indica "Tipo de los derechos autónomos: Exención", en tanto que el tipo convencional es del 2,8%.

- La **segunda regla** establece una excepción a la regla primera. Conforme a ella, lo dispuesto en la primera regla no se aplicará cuando estén previstos derechos de aduana autónomos especiales para mercancías originarias de determinados países, o cuando sean aplicables derechos de aduana preferentes en virtud de convenios. En definitiva, se está refiriendo, por una parte a derechos autónomos privilegiados que no se desea extender a todos los miembros de la OMC; y, por otra parte, a que los derechos preferenciales prevalecen sobre los convencionales (OMC).

- La **tercera regla** establece una excepción a las dos primeras reglas. Consiste en que aquellas no impedirán la aplicación por los Estados miembros de derechos de aduana distintos de los del arancel aduanero común en la medida en que una disposición de Derecho de la UE justifique esta aplicación.

- Conforme a la **cuarta regla**, cuando los derechos se expresen en porcentaje, debe entenderse que se trata de derechos de aduana *ad valorem*, es decir, se tratará de derechos calculados sobre el valor en aduana de las mercancías.

- La **quinta regla** nos señala que la mención «EA» significa que los productos considerados están sometidos a la percepción de un elemento agrícola fijado de acuerdo con el anexo 1. El "Elemento agrícola" se examina en el capítulo 35, relativo a la imposición sobre productos agrícolas.

- La **sexta regla** se refiere al gravamen de ciertos tipos de azúcar o de harinas (que son objeto de especial protección en la UE). Nos señala que la mención «AD S/Z» o «AD F/M» de los capítulos 17 a 19 significa que el tipo máximo viene constituido por un derecho *ad valorem* además de un derecho adicional aplicable a estos productos. Este derecho se fija de acuerdo con lo dispuesto en el anexo 1 (es decir, el primero de los anexos agrícolas de la Tercera Parte del Anexo I del Reglamento del Arancel; se trata, de nuevo, de una materia relativa a la imposición sobre productos agrícolas, que se analiza en el capítulo 35).

- La **regla séptima** nos indica el significado de unas notaciones que se utilizan en el Cuadro de Derechos respecto del gravamen de las mercancías del Capítulo 22 ("Bebidas, líquidos alcohólicos y vinagre"). Nos señala que la mención «€/% vol/hl» significa que un derecho específico se calcula sobre la base de cierto número de euros (el que aparezca en la posición del símbolo €) por cada porcentaje en volumen del alcohol por hectolitro. La regla nos ofrece un ejemplo. Nos aclara que una bebida alcohólica que tenga un grado alcohométrico del 40% del volumen tributaría de la manera siguiente:

  - «1 €/% vol/hl» = 1 € × 40, dando un derecho de 40 € por hectolitro, o

  - «1 €/% vol/hl + 5 €/hl» = 1 € × 40 + 5 €, dando un derecho de 45 € por hectolitro.

  La regla nos señala, además, que cuando aparece el símbolo «MIN» (por ejemplo «1,6 €/% vol/hl MIN 9 €/hl») significa que el derecho calculado sobre la base de la regla anteriormente indicada debe compararse con el derecho mínimo (por ejemplo, «9 €/hl») y que debe aplicarse el más elevado de los dos. Si el grado alcohométrico fuese del 40%, 1,6 € x 40 = 64 €. Como 64 € es mayor que 9 €, no se aplicaría en nuestro ejemplo este mínimo, sino que tributaría 64 €.

  Junto a las "Reglas generales relativas a los derechos" que acabamos de exponer, el Título I de la Primera Parte del Anexo I del Reglamento del Arancel establece, en su apartado C, unas "Reglas generales comunes a la nomenclatura y a los derechos". El contenido de estas es el siguiente:

- La **primera regla** establece que, salvo disposiciones específicas, las normas sobre valor en aduana se aplicarán para determinar, además de la base imponible de los derechos de aduana *ad valorem*, el valor que se utiliza como criterio de delimitación de ciertas partidas o subpartidas. En este sentido, se ha de tener en cuenta que, en ocasiones, el criterio de subclasificación se basa en el valor (por ejemplo, para "bordados en pieza, en tiras o en aplicaciones" de la partida 5810, en las posiciones 5810 10 10 (frente a la 5810 10 90), 5810 91 10 (frente a la 5810 91 90), 5810 92 10 (frente a la 5810 92 90) y 5810 99 10 (frente a la 5810 99 90) se designa en referencia a un valor (valor superior a 35 €/Kg, a 17,5 €/Kg, 17,5 €/Kg y 17,5 €/Kg, respectivamente). Ese valor, que se incorpora como elemento que identifica y permite clasificar a una mercancía, se determinaría conforme a las normas de valoración aduanera.

- La **segunda regla** nos aclara que, cuando los derechos hacen referencia a un peso, bien para determinar el importe del gravamen (derechos específicos establecidos por referencia al peso), bien como criterio de clasificación (de forma análoga a como hemos visto para el valor en aduana, en ocasiones es el peso lo que se utiliza como criterio de clasificación), se entenderá que si aparece la expresión «peso bruto» significa el peso acumulado de la mercancía y de todos sus continentes o envases; en tanto que si aparece la expresión «peso neto» o «peso» sin más precisión, significa el peso propio de la mercancía sin continentes o envases.

- La **tercera regla** se refiere a la conversión de divisas para aquellos países miembros de la UE que no tengan como moneda el Euro. Téngase en cuenta que los derechos específicos, p.e., se fijan en una cantidad de euros por unidad de la magnitud de que se trate (por tonelada, por 1.000 unidades, por hectólitro...). Ese importe en euros, cuando las mercancías se importan en un Estado de la UE con su propia moneda (p.e. Suecia tiene su propia moneda, la corona sueca) debe ser convertido a la moneda local. También se fijan en euros los valores que sirven para identificar una clasificación (es a lo que nos hemos referido en la regla primera). De nuevo será necesario convertir ese importe a la moneda local si la importación se produce en un Estado que no forma parte de la eurozona. Lo que hace esta regla es remitir, por lo que hace a la conversión de divisas, a lo establecido en el artículo 53 CAU (que se desarrolla en los artículos 48 y 146 RECAU), que es donde se establece el mecanismo para fijar la relación de conversión en materia aduanera.

- La **cuarta regla** se refiere al tratamiento arancelario favorable que puede aplicarse a determinadas mercancías por motivo de su destino final (el régimen especial de destino final se expone en el capítulo 17). Dispone que, cuando el destino final no comporte un derecho inferior, la mercancía seguirá clasificándose en la subpartida que le corresponda por el destino final, pero no le serán de aplicación lo dispuesto por el artículo 254 CAU (que regula este régimen especial y, en particular, el control aduanero a que se someten las mercancías que se acogen a él). Es decir, cuando el destino final no comporte menor tributación, tampoco comportará control especial.

Siguiendo con los tipos de gravamen, debemos apuntar que la Sección D del Título II de la Primera Parte del Anexo I del Reglamento del Arancel dispone que se aplicará un tipo fijo ("derecho único") del 2,5% *ad valorem* a las mercancías introducidas en importaciones desprovistas de todo carácter comercial contenidas, bien sea en los envíos dirigidos de particular a particular, bien sea en los equipajes personales de los viajeros. La aplicabilidad de este tipo fijo se condiciona a que el valor intrínseco de las mercancías sujetas a derechos de importación no exceda, por envío o por viajero, de 700 €. Por otro lado, el tipo fijo no se aplica a las siguientes categorías de mercancías: a) mercancías cuyo tipo de derechos sea «exención» en el cuadro de derechos; b) mercancías del capítulo 24 (tabaco y sucedáneos del tabaco elaborados) que estén contenidas en un envío o en los equipajes personales de los viajeros en cantidades que excedan los límites fijados en el artículo 27 (franquicia aplicable a envíos entre particulares) o de conformidad con el artículo 41 (franquicia aplicable a las mercancías contenidas en los equipajes de los viajeros) del Reglamento (CE) 1186/2009 (Reglamento de franquicias).

Por otro lado, conforme a lo dispuesto en el artículo 177 CAU, en aquellos envíos compuestos de mercancías de diversa clasificación arancelaria, cuando el tratamiento diferenciado que les corresponda suponga una carga de gestión desproporcionada, podrán gravarse aplicando a todo el envío el tipo de gravamen más elevado establecido para una mercancía contenida en él. Esta simplificación debe ser solicitada por el declarante y aceptada por las autoridades.

Determinados productos se gravan con un tipo específico, que se añade al tipo de gravamen *ad valorem*, cuando la mercancía de que se trate no alcanza un valor mínimo. Se trata así de asegurar una protección mínima frente a importaciones de productos que no alcanzan un umbral mínimo de valor. Esto se hace, por ejemplo, respecto al zumo de naranja concentrado (NC 2009 11 11 y 2009 11 19), que cuando se importa con un valor inferior a 30 € por 100 kg se grava, además de con un derecho *ad valorem* del 33,6%, con 20,6 € por cada 100 kg netos (si se declara por un valor superior a 30 € por 100 kg tan sólo se grava con el derecho *ad valorem* del 33,6%).

En ocasiones, en lugar de discriminar por no alcanzar un valor mínimo se discrimina por el momento en que tiene lugar la importación. Es lo que ocurre, por ejemplo, con las patatas (NC 0701 90 50 y 0701 90 90), que se gravan a un tipo distinto según se importen entre el 1 de enero y el 15 de mayo (9,6%), entre el 16 de mayo y el 30 de junio (13,4%), y de 1 de julio a 31 de diciembre (11,5%). Esta diferencia de trato se dirige a regular el mercado atendida la producción de la UE.

Finalmente, el tratamiento arancelario favorable de determinadas mercancías (uvas de mesa del código NC ex 0806, tabacos del código NC ex 2401, nitratos del código NC ex 3102 o 3105) se sujeta a que se presente un certificado conforme al Anexo 9 del Anexo I del Reglamento del Arancel (véase también la Sección F del Título II de la Primera Parte del Anexo I del Reglamento del Arancel, en particular el punto 5).

LA INFORMACIÓN VINCULANTE SOBRE CLASIFICACIÓN ARANCELARIA Y ORIGEN

ÍNDICE

9 La información vinculante sobre clasificación arancelaria y origen

9.1. CONCEPTO

El CAU establece en su artículo 14 la posibilidad, a favor de cualquier persona interesada, de solicitar a las autoridades aduaneras información relativa a la aplicación de la normativa aduanera, que debe referirse a una operación realmente prevista. Se trata de información prospectiva (para actos futuros) y vinculada a planes concretos que se tiene el propósito de materializar.

El precepto, asimismo, ordena a las autoridades aduaneras mantener un diálogo regular con los operadores económicos y promover la transparencia, apartado en el cual incluye la divulgación por internet sin restricciones y, en la medida de lo posible, gratuita, de la legislación aduanera, las resoluciones administrativas generales (es decir, las normas reglamentarias) y los formularios de solicitud.

Esta información aduanera no vincula a las autoridades, si bien en el ordenamiento español parece que, al menos, imposibilitaría la aplicación de sanciones tributarias si el solicitante sigue el criterio que se le indica y éste se determina posteriormente contrario a la norma. A esta conclusión cabe llegar porque las sanciones, en materia tributaria, no pueden aplicarse de forma automática o de plano, no son objetivas, sino que exigen la concurrencia de un elemento subjetivo, al menos en grado de negligencia, que estaría ausente en una situación como la descrita (artículo 183.1 LGT).

> El Convenio de Kioto se refiere al suministro de información por las autoridades a los operadores en las Normas 9.4 a 9.7 del Capítulo 9 del Anexo General. Así, la Norma 9.4 dispone que "A petición de la persona interesada, las aduanas proporcionarán, tan rápido y exactamente como sea posible, información sobre cuestiones específicas planteadas por personas interesadas y referentes a la legislación aduanera". La Norma 9.5 establece que "Las aduanas deberán suministrar no sólo la información que se pida específicamente, sino también cualquier otra información que consideren que la persona interesada debería conocer". La Norma 9.6, por su parte, se refiere a la confidencialidad en los siguientes términos "Cuando las aduanas suministren información, se encargarán de que no se divulguen datos de naturaleza privada o confidencial sobre las aduanas o terceros, a menos que tal revelación esté contemplada o autorizada por la legislación nacional". Por lo que hace a los costes del suministro de información, la Norma 9.7 dispone que "Cuando las aduanas no puedan suministrar la información gratuitamente, su importe estará limitado al coste aproximado de los servicios prestados".

La complejidad de las cuestiones relativas a la clasificación arancelaria y a la determinación del origen de las mercancías genera a los operadores, en no pocas ocasiones, dudas relevantes acerca del régimen jurídico aplicable. Si el operador desea obtener una protección jurídica superior respecto de estas cuestiones, el ordenamiento de la UE le brinda una herramienta de gran utilidad, que recibe el nombre de "información vinculante" (abreviado, IV). En efecto, reconociendo la complejidad de la correcta clasificación arancelaria y de la determinación del origen de las mercancías, el ordenamiento de la UE establece la posibilidad de solicitar información vinculante respecto de estos extremos a las autoridades aduaneras, que quedarán vinculadas por el criterio que expresen en la respuesta.

> La regulación actual del CAU tiene su antecedente inmediato en el artículo 12 CAC y artículos 5 a 14 RACAC. A su vez, estas normas incorporaron lo previamente establecido en el Reglamento (CEE) nº 1.715/90, de 20 de junio de 1990 (DO L 160, de 26.06.1990). Debe apuntarse, no obstante, que la posibilidad de obtener informaciones vinculantes en materia de origen sólo fue introducida por los Reglamentos de modificación de 1997 (Reg. 82/97 y Reg. 12/97). En una Sentencia de 1970 (STJUE *Bollmann*, asunto 40/69, de 18.02.1970, pp. 7 a 10) se le planteó al Tribunal si las autoridades nacionales podían interpretar, con efectos vinculantes, las normas comunitarias de clasificación arancelaria, y el Tribunal decidió que no, dado que si ello se admitiera se pondría en riesgo la aplicación uniforme del Derecho comunitario, de modo que resolvió que las autoridades nacionales no pueden establecer normas de interpretación de carácter obligatorio.
>
> La información vinculante en materia de origen (con la denominación "dictamen de origen") viene contemplada por el artículo 2 h) del Acuerdo sobre normas de origen que acompaña al Acuerdo por el que se establece la OMC. Precisamente el ordenamiento de la UE ha incorporado de este precepto el plazo máximo para la emisión de la información (150 días) y el plazo de validez de la información emitida (3 años).
>
> El Acuerdo sobre Facilitación del Comercio de la OMC (AFC) regula en su artículo 3 las que denomina "resoluciones anticipadas" (así se las denomina en la mayoría de los países de Iberoamérica). Ordena que estas tengan carácter vinculante y que cubran la clasificación arancelaria y el origen. Exhorta a que también se prevean respecto de la valoración aduanera, exenciones (desgravaciones, contingentes) y cualquier otra materia que se considere adecuada. La OMA ha elaborado un documento con directrices sobre informaciones vinculantes, "Technical guidelines on advance rulings for classification, origin and valuation" (actualizado en 2018, dentro del "Revenue Package"), para guiar a las Administraciones aduaneras en el cumplimiento del mandato del AFC. Es interesante observar que incluye las relativas a la valoración aduanera, además de origen y clasificación.
>
> Por su parte, el Convenio de Kioto se refiere a las que denomina 'resoluciones vinculantes' en la Norma 9.9 del Capítulo 9 del Anexo General en los siguientes términos: "Las aduanas publicarán resoluciones vinculantes a petición de la persona interesada siempre que dispongan de toda la información que consideren necesaria".

IAV	Información **Arancelaria** Vinculante
IVO	Información Vinculante sobre el **Origen**

El CAU ha abierto la posibilidad de que se puedan emitir informaciones vinculantes sobre otras materias, además de las ya mencionadas de clasificación arancelaria y origen. El artículo 35 CAU dispone que las informaciones vinculantes podrán hacerse extensivas a "otros elementos a los que se refiere el Título II" del CAU (el Título II comprende los artículos 56 a 76). En la práctica esto significa que cabe extender el ámbito material de las informaciones vinculantes a la valoración aduanera y, cabe interpretar también, a cuestiones atinentes al arancel aduanero común, dado que el Título II del CAU se inicia, precisamente, con el artículo 56 donde se regula el arancel aduanero común. Dependiendo de la generosidad con que se interprete esta delimitación del ámbito de las informaciones vinculantes por referencia al Título II del CAU, podrían quedar comprendidos todos los componentes del arancel aduanero común (los componentes del arancel aduanero común se refieren en el capítulo 8), es decir, cuestiones relativas a tributos a la importación o exportación de productos agrícolas, derechos compensatorios, derechos antidumping, contingentes, suspensiones...

> La Comisión Europea ha iniciado ya los trámites para introducir las Informaciones Vinculantes sobre Valoración (IVV), tras la realización de una consulta pública en la que se puso de manifiesto el interés de los operadores en esta medida.
> Dice así el artículo 35 CAU:
> "Artículo 35. Decisiones relativas a las informaciones vinculantes en relación con otros elementos.
> En casos específicos, las autoridades aduaneras adoptarán, previa solicitud, decisiones acerca de las informaciones vinculantes en relación con otros elementos a los que se refiere el título II, que fundamenten la aplicación de derechos de importación o de exportación y otras medidas respecto del comercio de mercancías".
> El artículo 37 CAU se refiere a la atribución de competencias de ejecución a la Comisión en relación con el artículo 35 (letra (c) del apartado 1), pero contiene un error patente al mencionar una inexistente letra (d) del artículo 36.

Lo cierto, no obstante, es que ni el RDCAU ni el RECAU prevén informaciones vinculantes en materias distintas de la clasificación arancelaria y el origen, de modo que esta posibilidad que abre el CAU puede quedar en mera habilitación de cara a una eventual norma que en el futuro la establezca.

La "Información Vinculante" es una figura similar, por su objeto, a la consulta tributaria prevista en el artículo 88 LGT, si bien veremos que existen diferencias relevantes entre ellas.

> El artículo 88.8 LGT dispone que "La competencia, el procedimiento y los efectos de las contestaciones a las consultas relativas a la aplicación de la normativa aduanera comunitaria se regulará por lo dispuesto en el Código Aduanero Comunitario". Con ello parece que excluye la aplicabilidad en materia aduanera de la consulta tributaria regulada en este precepto, cuestión que, según tendremos ocasión de examinar, requiere matices adicionales.

Procederemos a analizar el régimen de este instrumento al servicio de la seguridad jurídica, siguiendo el iter procedimental que establecen las normas de la UE.

Informaciones Vinculantes - Regulación			
CAU	RDCAU	RECAU	RDTCAU
33 a 37	19 a 22	16 a 23	4, Anexos 2 a 5
España			
Circular del DAAeIIEE nº 5/1992, de 22.05.1992			

ENLACE

> TAXUD mantiene un portal sobre Información Arancelaria Vinculante en el que, entre otra información, se contiene una guía para cumplimentar la solicitud y un enlace a la base de datos de informaciones vinculantes. Puede verse en:
> https://ec.europa.eu/taxation_customs/business/calculation-customs-duties/customs-tariff/ebti-european-binding-tariff-information_en
> TAXUD ha elaborado unas "Directrices administrativas sobre el proceso de información arancelaria vinculante" (de 21 de diciembre de 2018) que puede consultarse en español en:
> https://ec.europa.eu/taxation_customs/system/files/2019-04/bti_guidance_es.pdf
> TAXUD también ha elaborado una Guidance on Binding Origin Information (de 1 de julio de 2017; en lo sucesivo Guidance).

9.2. PROCEDIMIENTO

9.2.1. Solicitud

Dado que las informaciones vinculantes (IV) se califican como "decisiones", la tramitación de las solicitudes para su obtención seguirá el régimen general previsto para las decisiones a solicitud del interesado, que se examina en el capítulo 21. Sobre este régimen general, la normativa específica en materia de IV contiene algunas especialidades a las que vamos a hacer referencia a continuación.

La solicitud de información vinculante deberá formularse por escrito dirigido, bien a las autoridades aduaneras del Estado Miembro o de los Estados miembros en el/los que deba utilizarse, bien a las autoridades aduaneras del Estado miembro en el que esté establecido el solicitante (artículo 19.1 RDCAU).

> En caso de que la solicitud se presente en el Estado miembro en que vaya a utilizarse, las autoridades de este Estado lo deben notificar a las autoridades del Estado en que esté establecido el solicitante en el plazo de siete días a partir de la aceptación de la solicitud, a fin de darles la

oportunidad para que, en el plazo de los 30 días siguientes a la notificación, puedan remitir cualquier información que consideren pertinente (artículo 16.1 RDCAU). No se exige que el solicitante esté establecido en el TAU, pero debe proporcionar un número EORI que lo identifique.

El listado de autoridades competentes en cada Estado miembro de la UE para emitir informaciones vinculantes puede verse en el DO C 261, de 08.08.2015, p. 28. En el caso de España, se indica que la competencia "para impartir" la información vinculante corresponde al Departamento de Aduanas e Impuestos Especiales.

La dirección del referido Departamento es: Avda. Llano Castellano, 17 - 28071 Madrid
Con carácter general, la solicitud debe presentarse por medios electrónicos (artículo 14 de la Ley 39/2015, del Procedimiento Administrativo Común de las Administraciones Públicas; en los supuestos en que quepa hacerlo en soporte físico, se hará en los lugares que señala el artículo 16.4, entre los que se incluyen las Oficinas de Correos y las oficinas de asistencia en materia de registros).

Conviene precisar que no siempre el "solicitante" de la información vinculante coincidirá con el "titular de la decisión" (sujeto en cuyo nombre se expide la información vinculante), dado que cabe la solicitud se presente por medio de un representante.

Debe tenerse en cuenta que, si se utiliza la representación indirecta, las declaraciones en que se haga uso de la IV deben realizarse en nombre del representante indirecto (*Guidance on Binding Origin Information*, p. 5).

Por lo que se refiere al contenido mínimo de la solicitud, ésta deberá incluir los elementos de datos que se señalan en el Anexo A RDCAU (columnas "1a" si se trata de informaciones vinculantes en materia de arancel, IAV; y columnas "1b" si se trata de informaciones vinculantes en materia de origen, IVO).

Hasta la plena implantación de los sistemas electrónicos para los procedimientos de suministro de información vinculante, las autoridades aduaneras podrán permitir la presentación de solicitudes en soporte físico conforme al modelo que se establece en el Anexo 2 RDTCAU —hasta alcanzar la primera fase del sistema electrónico— o en el Anexo 4 RDTCAU —desde la implantación de la primera fase del sistema electrónico y hasta la implantación de la segunda fase— (artículo 4 RDTCAU).

Entre el contenido de la solicitud cabe destacar la inclusión de la descripción detallada de la mercancía que permita su identificación y la determinación de su clasificación en la nomenclatura aduanera, información que puede acompañarse de anejos, muestras, fotografías, planos, catálogos o cualquier otra documentación que pueda ayudar a las autoridades aduaneras a determinar la clasificación correcta de la mercancía en la nomenclatura aduanera o su origen (composición de las mercancías, procedimiento de fabricación o transformación a que se hayan sometido), según el caso.

A este respecto, ha de tenerse en cuenta la importancia de identificar los elementos que deban tener la consideración de confidenciales puesto que, conforme a lo dispuesto en el artículo 19.2 RECAU, la presentación de la solicitud comporta que se considere que el solicitante está de acuerdo con que se divulguen al público a través del sitio internet de la Comisión todos los datos de la decisión, incluidas cualesquiera fotografías, imágenes o folletos informativos, con la excepción de la información confidencial, respetando en todo caso el derecho a la protección de los datos personales.

La *Guidance on Binding Origin Information* contiene indicaciones acerca de los elementos de datos a proporcionar en las solicitudes en materia de origen (pp. 6 a 11). Cada solicitud debe referirse a un único tipo de mercancía (de la misma partida arancelaria) y a un único conjunto de circunstancias (mercancías obtenidas en las mismas condiciones utilizando el mismo proceso de fabricación y materiales equivalentes; *Guidance*, p. 5). Las IAV también deben referirse a un único tipo de mercancías (acerca del significado de la expresión "tipo de mercancías" en este contexto, véase la STJUE *Schenker SIA*, asunto C-199/09, de 02.12.2010).

Las autoridades no aceptarán la solicitud de IV en dos supuestos (artículo 33.1 CAU). El primero se dirige a impedir solicitudes redundantes, y a este fin se rechazarán las solicitudes presentadas por el mismo titular (actúe o no mediante representante) relativas a las mismas mercancías o, tratándose de decisiones IVO, cuando se refieran a las mismas circunstancias que determinaron la adquisición del origen. El segundo supuesto es el relativo a solicitudes que no se ajusten a los fines para los que este mecanismo se establece (p.e. porque se refieran a operaciones ya realizadas; o porque no se refieran a una operación que se planea realizar).

A fin de evitar la admisión de solicitudes redundantes, el artículo 16.4 RECAU dispone que, cuando la solicitud no se presente a las autoridades del lugar en que esté establecido el titular (es decir, cuando la solicitud se presente en el lugar en que se va a utilizar la IV), las autoridades deberán consultar el sistema electrónico IAV y mantener un registro de tales consultas. Las "Directrices administrativas provisionales sobre el sistema de información arancelaria vinculante europea (IAVE) y su funcionamiento" dedican bastante atención a las medidas encaminadas a evitar la existencia de duplicidades o contradicciones en las IAVs emitidas por distintos Estados miembros.

Como se expone con mayor detalle en el capítulo 21, el procedimiento para la adopción de decisiones a solicitud del interesado incluye un trámite de subsanación (si la solicitud adolece de algún dato o defecto) y un trámite de audiencia o "derecho a ser oído", en caso de que se anticipe una decisión desfavorable al interesado.

A efectos de cómputo de los plazos para adoptar la decisión, se toma como fecha de aceptación de la solicitud la de su presentación, salvo que tenga lugar un trámite de subsanación (*Guidance*, p. 13).

9.2.2. *Resolución*

El CAU utiliza la denominación "decisión" para referirse a la respuesta de las autoridades aduaneras a una solicitud de información arancelaria. El término "decisión" aparece definido en el apartado (5) del artículo 39 CAU como:

> "todo acto de las autoridades aduaneras relativo a la legislación aduanera, mediante el que se pronuncien sobre un caso concreto y que conlleve efectos jurídicos para el interesado".

Por tanto, las informaciones vinculantes que regula el CAU son resoluciones administrativas. Esta es una calificación que comporta consecuencias jurídicas relevantes. Supone, por ejemplo, que una información vinculante puede ser impugnada, extremo este que viene confirmado por lo dispuesto en el artículo 44 CAU, que refiere el derecho de recurso a las "decisiones" de las autoridades aduaneras. Estamos, por tanto, ante una diferencia notable respecto de las consultas tributarias que regula el artículo 88 LGT, pues el apartado (4) del artículo 89 LGT dispone que la contestación a la consulta no puede ser impugnado, sino que lo que cabe impugnar será "el acto o actos administrativos que se dicten posteriormente en aplicación de los criterios manifestados en la contestación".

> La STJUE *Kip & Hewlett Packard* (asuntos acumulados 362/07 y 363/07, de 11.12.2008) se dicta justamente a partir de una cuestión prejudicial planteada por un juez nacional que debe resolver la impugnación de informaciones vinculantes que son consideradas contrarias al ordenamiento por sus titulares. Lo mismo ocurre en la STJUE *Juers Pharma* (asunto C-40/06, de 09.01.2007), o en la STJUE *Kawasaki* (asunto C-15/05, de 27.04.2006), entre otras.

Conforme a la normativa general sobre decisiones, las autoridades deben adoptarlas en el plazo de 120 días a contar desde la aceptación de la solicitud.

> El plazo de 120 días se extiende en diversos supuestos (p.e. en caso de haberse requerido subsanación de la solicitud o en caso de haberse concedido trámite de audiencia). También cabe que las autoridades acuerden un plazo suplementario, de hasta 30 días adicionales (que puede extenderse más allá de los 30 días si en ese período no es posible completar el análisis necesario para adoptar la decisión, artículo 20.2 RDCAU), circunstancia que deberá comunicarse al solicitante antes de que expire el plazo de 120 días. Estas ideas se examinan con mayor detalle en el capítulo 21.

El plazo de 120 días para decidir se prorrogará, hasta en 10 meses (o hasta en 15 meses, en circunstancias excepcionales), cuando la Comisión notifique a las autoridades la suspensión de la adopción de decisiones de IV a fin de garantizar su corrección y uniformidad (artículo 20.1 RDCAU).

A fin de asegurar la coherencia entre la IV que las autoridades se disponen a suministrar y las IV previamente adoptadas, el artículo 17 RECAU exige a las autoridades que consulten el sistema electrónico IAV y que mantengan un registro de dichas consultas.

Si se trata de una IVO, la notificación de la decisión se realizará conforme al modelo que se establece en el Anexo 12-02 RECAU, tanto si se realiza en soporte físico como si se utilizan medios electrónicos (artículo 18 RECAU). El número de referencia de la IV deberá indicarse en las declaraciones aduaneras en las que pretenda utilizarse.

> A este respecto, el artículo 21 RDCAU dispone que, si la solicitud de decisión IVO no se ha presentado por medios electrónicos, las autoridades pueden notificar su decisión igualmente por un medio que no sea electrónico. La *Guidance on Binding Origin Information* contiene indicaciones acerca de los elementos de datos a proporcionar en las decisiones en materia de origen (pp. 14 a 18).
>
> En otro orden de ideas, destaquemos que, conforme a lo dispuesto en el artículo 21 RDCAU, las normas relativas al reexamen y la suspensión de decisiones (que se establecen en los artículos 15 a 18 RDCAU) no se aplicarán a las decisiones relativas a las informaciones vinculantes.

9.3. EFECTOS DE LA INFORMACIÓN VINCULANTE

9.3.1. *Eficacia vinculante*

La información vinculante tiene por efecto vincular a las autoridades aduaneras de todos los Estados miembros y al propio titular de la información vinculante respecto de la interpretación que en ella se contenga, en relación al titular de la información vinculante y a la mercancía a la que se refiere (artículo 33.2 CAU). Desgranemos cada uno de los componentes de la aseveración anterior:

✓ A pesar de que la información vinculante se emite por las autoridades nacionales del Estado en que se formula la solicitud, una vez emitida tiene por efecto vincular a las autoridades aduaneras de todos los Estados miembros. Por tanto, el titular podrá formular su solicitud en un Estado y exigir que el criterio de la información vinculante sea respetado por las autoridades de otro Estado de la UE distinto.

> El principio general de validez de las decisiones en toda la UE se establece en el artículo 26 del CAU.

✓ Las autoridades aduaneras sólo quedan vinculadas por el criterio expresado en la información vinculante respecto al titular (artículo 33.2(a) CAU). Ningún otro sujeto puede albergar una confianza jurídicamente protegible por lo que se refiere al criterio de la información vinculante. Ni siquiera otra sociedad integrante del mismo grupo empresarial.

> La STJUE *Intermodal Transports* (asunto C-495/03, de 15.09.2005) ya apreció que "una IAV sólo crea derechos en favor de su titular y con respecto únicamente a las mercancías que en ella

se mencionan" (p. 27). En la posterior STJUE *Sony* (asunto C-153/10, de 07.04.2011) se le planteó la Tribunal si una filial de Sony podía alegar el efecto vinculante de una información vinculante de la que era titular otra filial europea del grupo Sony, relativa a la clasificación arancelaria de la Playstation 2. El Tribunal decidió que sólo el titular (actuando por sí o por representante) puede invocar válidamente una IAV, de manera que las importaciones en las que la otra filial aparecía como declarante en nombre y cuenta propia no quedaban cubiertas por la eficacia de la IAV (p. 35). El Tribunal apreció, no obstante, que "una persona distinta del titular puede invocar una IAV como prueba" (p. 41) y que "un órgano jurisdiccional que conoce de un litigio relativo a la clasificación aduanera de una mercancía y al consiguiente pago de los derechos de aduana puede tomar en consideración como prueba una IAV emitida a favor de un tercero" (p. 43). Así pues, una información vinculante emitida a favor de un tercero puede ser tenida en cuenta como elemento de convicción, pero carece de eficacia vinculante. Aunque el Tribunal no hace otra cosa que aplicar la norma en sus términos hasta sus últimas consecuencias (nos parece técnicamente impecable su decisión), no pueden ocultarse las implicaciones poco razonables que derivan de este régimen jurídico: una Sony Playstation 2 puede ser una cosa distinta a efectos aduaneros, dependiendo de quién sea el importador. Lo cual no deja de causar perplejidad cuando las Constituciones de buena parte de los Estados miembros colocan al principio de igualdad como puntal básico de sus ordenamientos.

La causa de esta regulación que conduce a resultados poco razonables es compleja. Por una parte, los Estados miembros son quienes tienen la competencia para emitir informaciones vinculantes. Esta es una situación anómala, dado que un instrumento que se dirige a proporcionar seguridad jurídica, por coherencia, debiera aspirar a la uniformidad (la uniformidad es un componente elemental de la seguridad jurídica). La uniformidad exigiría que las informaciones vinculantes fuesen emitidas por la Comisión, pero aparentemente es políticamente inviable plantear un incremento de plantilla en Taxud para afrontar esta tarea (a pesar que mantener 27 Administraciones emitiendo informaciones vinculantes es mucho más ineficiente y costoso). Resulta, por otra parte, que el grado de calidad técnica de las informaciones vinculantes es muy dispar, y hay informaciones vinculantes sencillamente equivocadas. Pero no siempre las informaciones vinculantes equivocadas son revocadas o invalidadas (aquí entran en juego, además, consideraciones políticas). Ante esta situación se opta por un enfoque posibilista del problema: se trata de lograr la 'contención de daños'. A fin de limitar los daños que las eventuales informaciones vinculantes pueden causar —a la recaudación, evidentemente—, lo que se hace es limitar su eficacia, de modo que sólo puedan aprovechar a su titular. El resultado es que un importador que obtenga una IAV equivocada puede explotar una ventaja competitiva para lucrarse o dañar a sus competidores. Los competidores no tendrán esa suerte, porque una vez la Comisión conozca la información vinculante emitida, se cuidará de advertir a los Estados miembros que ese criterio es erróneo. De ese modo la recaudación no sufre un revés tan grave. La idea de funcionamiento eficiente de los mercados queda para otro día.

Las empresas han tomado buena nota de esta disfunción del sistema. Su respuesta es que cada filial formula la misma pregunta en un Estado miembro distinto. La filial que obtiene la respuesta más favorable aparece como declarante en todas las importaciones del grupo. Las empresas que carezcan de filiales sólo tienen una bala, así que tendrán que conformarse con lo que les toque. Por si hubiera duda de la ineficiencia del sistema, cada empresa debe preguntar la misma pregunta para lograr quedar protegida por el efecto vinculante de la información; y, a su vez, dentro de cada empresa, cada filial, a ser posible hasta 27, formulará la misma pregunta para intentar pescar la respuesta más favorable (a la lotería aduanera hay que jugar y, cuanto más, mejor). Así, lo que podría ser una pregunta y una respuesta para toda la UE se convierte en un número potencialmente infinito de preguntas y de ocasiones para dar respuestas equivocadas. Al coste burocrático al que este sistema conduce hay que añadir el coste derivado del funcionamiento ineficiente de los mercados que causa. La conclusión es que el sistema pide un cambio a gritos.

Se nos critica a los académicos por nuestra preocupación por cuestiones abstractas —'poco prácticas'— como los principios jurídicos. Pues bien, a la vista está que ignorar los principios —el de igualdad, nada menos— trae malas consecuencias.

P La información sólo tiene efecto vinculante para las autoridades aduaneras respecto de la mercancía y las circunstancias expresadas en la solicitud. El operador debe extremar la cautela a fin de asegurar que los datos contenidos en la solicitud se ajusten totalmente a la realidad y que sean todos los relevantes para la decisión.

El artículo 33.4 CAU dispone que, a fin de poder desplegar su efecto vinculante, el titular deberá ser capaz de probar que las mercancías (y, en caso de origen, las circunstancias determinantes de la adquisición del origen) se corresponden "en todos los aspectos" con la información descrita en la decisión. En este sentido, además, el apartado 2 del artículo 16 RECAU dispone que una solicitud de IAV sólo podrá referirse a mercancías que presenten características similares y cuyas diferencias sean irrelevantes a efectos de su clasificación arancelaria. Análogamente, el apartado 3 dispone que una solicitud de IVO solo podrá referirse a un tipo de mercancías y un conjunto de circunstancias para la determinación del origen.

La STGUE *Recombined* (asunto T-65/11, de 05.06.2011), en un asunto sobre condonación de derechos, toma en consideración como relevante la IAV emitida respecto de mercancías que eran diferentes pero que, a efectos de la clasificación arancelaria, eran idénticas, para apreciar que el error de las autoridades al emitir una IAV errónea proyecta sus efectos sobre mercancías de la misma partida no cubiertas por la IAV. Y dice el Tribunal que "la demandante podía considerar que, aunque para los LGC 131 y 8471 no se hubiera emitido una IAV, debían clasificarse en la misma partida arancelaria que los productos para los que sí se había emitido una IAV" (p. 33). Todo ello conduce al Tribunal a apreciar que las autoridades danesas incurrieron en un error en el sentido del artículo 220.2.b) CAC (actualmente, artículo 119 CAU) y, en consecuencia, la Decisión de la Comisión denegando la condonación fue ilegal.

✓ La información tiene efecto vinculante para el titular (artículo 33.2(b) CAU). Esta es una importante novedad del CAU, dado que bajo la vigencia del CAC la información vinculante vinculaba a las autoridades, pero no al propio titular de la IV. Este efecto vinculante se despliega desde la fecha en que el titular reciba, o se considere que ha recibido, la notificación de la decisión. A fin de controlar que se cumple este mandato, se impone al titular de una decisión IAV que, cuando cumplimente —por sí mismo o a través de representante— una formalidad aduanera respecto de mercancías cubiertas por dicha decisión, debe indicarlo, haciendo constar el número de referencia de la decisión IAV de que se trate (artículo 20 RECAU). De este modo, las autoridades podrán identificar si el titular ajusta su conducta al criterio de la información vinculante o no y, en caso negativo, tomar las medidas correspondientes.

Causa extrañeza que este mandato relativo a la inclusión de la mención de la titularidad de una IV se establezca respecto de la IAV, dejando fuera las IVO.

Para los grupos multinacionales es relativamente fácil evitar que este efecto vinculante tenga efectos perjudiciales. Dado que la IV sólo vincula a su titular, las demás filiales del grupo podrán ignorarla y seguir operando al margen de ella, intentando logar una IV más favorable.

No puede sorprender que el TJUE haya apreciado, en relación a un criterio coincidente sostenido por diversas Administraciones nacionales en la emisión de informaciones vinculantes, que tal coincidencia no altera su naturaleza de mero criterio interpretativo carente de eficacia normativa:

> "una posible aplicación divergente de la normativa en determinados Estados miembros no puede influir en la interpretación del Arancel Aduanero Común, basada en el texto de las partidas arancelarias" (STJUE *Juers Pharma*, asunto C-40/06, de 09.01.2007, p. 20; cita en el mismo sentido las sentencias *Post*, asunto C-120/90, de 07.05.1991, p. 24, e *Intermodal Transports*, asunto C-495/03, de 15.09.2005, p. 36).

De manera que, por mucho que una misma interpretación se reitere en diversas informaciones vinculantes de diferentes Estados miembros, ello no significa que ese criterio adquiera relevancia normativa, sino que debe ceder ante lo que resulte de las normas de clasificación, cuando de ellas se obtenga un resultado distinto (para lo cual parece que no quedará más alternativa que acudir a los tribunales).

Ahora bien, el hecho de que se hayan emitido informaciones vinculantes en otro/s Estado/s miembro/s en sentido diferente al que se examina por un órgano jurisdiccional debe ser un factor de gran relevancia a la hora de decidir el planteamiento de una cuestión prejudicial al TJUE a fin de que pueda pronunciarse, lo cual le permitirá fijar un criterio uniforme para la aplicación de la norma en la UE.

En este sentido, STJUE *Intermodal Transports* (asunto C-495/03, de 15.09.2005). El TJUE señala que, si cabe recurso contra la sentencia del órgano jurisdiccional de que se trate, podrá, aún en estas circunstancias, omitir el planteamiento de una cuestión prejudicial. En cambio, si se trata de un órgano jurisdiccional cuya sentencia no puede ser recurrida, el TJUE señala que "antes de llegar a la conclusión de que la correcta aplicación del Derecho comunitario se impone con tal evidencia que no deja lugar a duda alguna razonable sobre la manera de resolver la cuestión suscitada y de abstenerse, por lo tanto, de plantear la cuestión prejudicial al Tribunal de Justicia, el órgano jurisdiccional nacional debe llegar a la convicción de que esta evidencia se impondría igualmente a los órganos jurisdiccionales de los demás Estados miembros, así como al Tribunal de Justicia" (p. 39; cita en el mismo sentido la STJUE *CILFIT y otros*, asunto 283/81, de 06.10.1982, p. 16). Posteriormente, en el mismo sentido, STJUE *Sony* (asunto C-153/10, de 07.04.2011).

En la STJUE *Amoena* (asunto C-677/18, de 19.12.2019, p. 51) el Tribunal señala que "una IAV sobre una mercancía determinada que parezca reflejar una interpretación de las partidas de la NC distinta de la que dicho órgano jurisdiccional considera que debe aplicar a un producto similar controvertido en ese litigio debe, sin duda alguna, incitar a dicho órgano jurisdiccional a extremar la atención en su apreciación de la posible inexistencia de toda duda razonable en cuanto a la correcta aplicación de la NC" (p. 60).

Debido a que las informaciones vinculantes son emitidas por las autoridades nacionales, la emisión de informaciones divergentes es una fuente de seria preocupación, lo que se ha visto reflejado en la regulación del CAU, que adopta diversas medidas para tratar de paliar este problema. A este respecto, podemos señalar:

– Se atribuye a la Comisión la potestad de suspender la adopción de decisiones IAV e IVO respecto de determinadas mercancías cuando no se garantice que la clasificación arancelaria o la determinación del origen son correctas y uniformes.

La Comisión debe notificar a las autoridades nacionales esta suspensión. La Comisión es también competente para levantar la suspensión previamente acordada (artículo 34.10 CAU).
El artículo 23 RECAU regula en mayor detalle esta potestad de suspender la adopción de decisiones IV atribuida a la Comisión. Además del supuesto en que se hayan adoptado decisiones relativas a informaciones vinculantes incorrectas o no uniformes, cabe también esta medida cuando se produzcan diferencias de opinión presentadas por las autoridades aduaneras que no se hayan podido resolver en un plazo de 90 días. Una vez la Comisión notifique la suspensión no se podrá adoptar ninguna decisión relativa a informaciones vinculantes para las mercancías de que se trate, hasta que pueda garantizarse nuevamente su corrección y uniformidad.
Al fin de lograr este objetivo, la cuestión será sometida a consulta a nivel de la Unión en un plazo máximo de ciento veinte días a partir de la notificación de la Comisión. Una vez que se revoque la suspensión, la Comisión lo notificará inmediatamente a las autoridades aduaneras.
Se precisa que las decisiones IVO no se considerarán uniformes cuando confieran origen distinto a mercancías obtenidas en condiciones idénticas, utilizando el mismo proceso de fabricación y materias equivalentes, a pesar de estar clasificadas en la misma partida arancelaria y a pesar de que su origen deba determinarse por aplicación de unas mismas normas de origen.

– Se atribuye a la Comisión la potestad de requerir a los Estados miembros que revoquen decisiones IAV e IVO, a fin de garantizar la corrección y uniformidad en la clasificación arancelaria y en la determinación del origen (artículo 34.11 CAU).

– Se ordena el intercambio de datos relativos a las decisiones IVO y se establece un sistema electrónico de decisiones IAV.

Por lo que hace al intercambio de datos relativos a las decisiones IVO, el artículo 19 RECAU ordena a las autoridades nacionales transmitir trimestralmente a la Comisión la información pertinente sobre ellas y dispone que la Comisión, a su vez, pondrá esta información a disposición de las autoridades aduaneras de todos los Estados miembros.
El Reglamento de Ejecución 2019/1026 de 21 de junio de 2019, sobre disposiciones técnicas para el desarrollo, el mantenimiento y la utilización de sistemas electrónicos para el inter-

cambio de información y para el almacenamiento de esa información en el marco del Código aduanero de la Unión, en sus artículos 19 a 27, regula el Sistema Europeo de Información Arancelaria Vinculante.

En relación a este sistema electrónico de decisiones IAV, el artículo 21 RECAU establece que se utilizará para intercambiar y almacenar la información relativa a solicitudes y decisiones IAV y a cualquier hecho posterior que pueda afectar a la solicitud o decisión inicial. También se incluirá en este sistema la información relativa a prórrogas del período de utilización de la decisión IAV que se conceda, indicando la fecha de finalización del período de prórroga correspondiente y las cantidades de mercancías por él abarcadas. Las autoridades deben introducir estos datos en el sistema en un plazo máximo de siete días a contar desde que tengan conocimiento de ella. Recordemos que las autoridades nacionales deben consultar este sistema antes de admitir una solicitud de decisión IAV a los efectos de comprobar que no se produzca una duplicidad de solicitudes por un mismo sujeto (artículo 16.4 RECAU) y, también, a efectos de garantizar la coherencia de las IAV en vigor (artículo 17 RECAU). Por otra parte, cuando la Comisión ordene que se someta a vigilancia el despacho a libre práctica o la exportación de determinadas mercancías, deberá señalar los datos que sean pertinentes para el seguimiento de la utilización de las decisiones IAV, informando posteriormente a los Estados miembros de los resultados del seguimiento que se realice. Se dispone que el sistema electrónico IAV debe concebirse de mutuo acuerdo por la Comisión y los Estados miembros.

Por otra parte, conviene destacar que la STJUE *Comisión/Reino Unido*, asunto C-60/13, de 03.04.2014, decide que si, como consecuencia de una información vinculante errónea, dejan de percibirse cantidades correspondientes a la deuda aduanera, el Estado miembro que haya emitido la información vinculante debe ingresar esas cantidades a favor de la Hacienda de la UE —con sus correspondientes intereses, en su caso— aunque no haya podido recaudarlas de los deudores en virtud de la protección jurídica que la información vinculante confiere. Por tanto, se hace responsables de las pérdidas de recaudación que puedan producirse a los Estados que emiten informaciones vinculantes erróneas.

9.3.2. *Eficacia temporal, invalidez, revocación y prórroga*

Con carácter general, la información facilitada por la Administración tendrá un período de validez de tres años *a partir de la fecha en que la decisión surta efecto* (artículo 33.3 CAU; por tanto no podrán beneficiarse de ella las mercancías cuyas formalidades aduaneras hubiesen tenido lugar anteriormente), desplegando su eficacia solamente en favor del sujeto a cuyo favor se expidió ("titular de la decisión") y para mercancías que se correspondan en todos los aspectos con las descritas en la solicitud presentada (y, tratándose de una solicitud de información sobre el origen, que las circunstancias relevantes para determinarlo sean asimismo coincidentes). Ha de tenerse en cuenta, en este sentido, que las decisiones surten efectos desde la fecha de su notificación al solicitante o desde la fecha en que se considere que éste la ha recibido, salvo que en ella se disponga otra cosa. Durante su período de validez, la información proporcionada vincula en las mismas condiciones a las Administraciones de todos los Estados miembros.

La información vinculante tiene carácter prospectivo, es decir, sólo puede utilizarse respecto de formalidades aduaneras que se cumplimenten después de la fecha en que la decisión surta efecto (artículo 33.2(a) CAU), de manera que no producen efectos respecto de operaciones ya concluidas o respecto de las cuales ya se han cumplido las formalidades aduaneras, es decir, respecto de las que ya se ha presentado la correspondiente declaración aduanera.

No obstante el período de validez que hemos señalado, existen una serie de situaciones en las que, aún dentro del plazo de tres años a que se ha aludido, la información vinculante dejará de ser válida, así:

– *En materia de clasificación arancelaria*

Una IAV dejará de ser válidas con efectos desde la fecha de aplicación de:

1. Una modificación de la nomenclatura combinada o cualquier otra nomenclatura que se base total o parcialmente en ella.

Conforme a la doctrina del TJUE en su Sentencia *BSkyB* (asuntos acumulados C-288/09 y C-289/09, de 14.04.2011), debe interpretarse que, a estos efectos, "todo reglamento que determine o afecte a la clasificación de las mercancías en la NC" y no sólo el Reglamento que con carácter anual debe elaborar la Comisión para recoger la versión completa de la nomenclatura combinada, determinará la invalidez de una IAV incompatible (p. 99).

Es responsabilidad del declarante estar atento a la pérdida de validez de la información vinculante. En su Sentencia *Unipak* (asunto C-391/19, de 09.07.2020) el TJUE extrae esta consecuencia del mandato en virtud del cual el declarante debe facilitar información exacta e íntegra (artículo 15.2 CAU), de donde deriva que "un operador económico no puede basarse en el desconocimiento de esta modificación para presentar declaraciones inexactas" (p. 27; y ello a pesar de que las autoridades aduaneras no se percataron durante meses de tal inexactitud). La implicación en aquél caso fue que el operador perdió la posibilidad de acogerse al régimen de destino final (que permite la exención de derechos), a pesar de que cumplía los requisitos materiales para ello, lo que le comportó tener que abonar derechos antidumping.

2. Una medida adoptada por la Comisión para determinar la clasificación arancelaria de las mercancías.

Parece que se refiere a los Reglamentos de clasificación.

– *En materia de origen:*

1. Cuando, como consecuencia de la adopción de un Reglamento o de la celebración de un acuerdo por parte de la Unión Europea, no se ajuste al derecho por éstos establecido;

En este supuesto la IVO dejará de ser válida a partir de la fecha de aplicación del Reglamento o del acuerdo de que se trate.

2. Cuando resulte incompatible con el Acuerdo relativo a las normas de origen elaborado en el seno de la Organización Mundial del Comercio (OMC), o con las notas explicativas o criterios sobre el origen adoptados a efectos de interpretación de dicho Acuerdo.

En este supuesto dejará de ser válida a partir de la fecha de su publicación en el DO UE.

En ningún caso las decisiones IV (sean IAV o IVO) podrán dejar de ser válidas con efectos retroactivos (artículo 34.3 CAU).

Las decisiones IV no pueden modificarse (artículo 34.6 CAU). Ahora bien, sí pueden anularse cuando se hayan basado en información incorrecta o incompleta facilitada por los solicitantes (artículo 34.4 CAU). Las decisiones IV pueden asimismo revocarse, tanto en los supuestos de revocación previstos con carácter general para las decisiones, como en los supuestos que se establecen de forma específica para este tipo concreto de decisiones.

Las decisiones pueden revocarse, con carácter general, cuando no se ajusten a la legislación aduanera (artículo 23.3 CAU) y cuando no se hayan cumplido o hayan dejado de cumplirse una o varias de las condiciones establecidas para su adopción (artículo 28 CAU). En materia de IV no cabe la revocación a solicitud del titular (artículo 34.5 CAU).

Bajo la vigencia del CAC el TJUE tuvo que enfrentarse a un supuesto en el que los operadores alegaban que la revocación realizada por las autoridades era contraria a la seguridad jurídica y, en particular, que la revocación debía realizarse a iniciativa de la Comisión y no de las autoridades nacionales (STJUE *Hoogenboom & Timmermans*, asuntos acumulados C-133/02 y C-134/02, de 22.01.2004). El Tribunal apreció que "Cuando, tras un examen más exhaustivo, las autoridades aduaneras llegan a la conclusión de que dicha interpretación es errónea, como consecuencia de un error de apreciación o de una evolución de los criterios en materia de clasificación arancelaria, éstas pueden legítimamente considerar que una de las condiciones para la adopción de la IAV ya no se cumple y revocar dicha IAV con vistas a modificar la clasificación arancelaria de las mercancías afectadas" (p. 25). La seguridad jurídica queda salvaguardada, en este caso, por la posibilidad de obtener una "prórroga en la utilización" de la IV, a la que nos referimos más abajo, que permite seguir utilizando la IV aún después de su revocación. Por ello el Tribunal decidió, en contra de la pretensión de los operadores, que "el artículo 9, apartado 1, del Código aduanero comunitario, en relación con su artículo 12, apartado 5, letra a), inciso iii), debe interpretarse en el sentido de que constituye una base jurídica que permite a las autoridades aduaneras revocar una información arancelaria vinculante cuando modifiquen la interpretación que en ella se hace de las disposiciones legales aplicables a la clasificación arancelaria de las mercancías afectadas" (p. 28).

A las decisiones IVO no les resultan aplicables las normas sobre reexamen y suspensión de las decisiones de los artículos 15 a 18 RDCAU (*Guidance on Binding Origin Information*, p. 20).

Por lo que hace a los supuestos específicos de revocación de las IV, la norma distingue nuevamente entre IAV e IVO. Así, se revocarán las decisiones IAV en los supuestos siguientes (artículo 34.7 CAU):

1. Cuando dejen de ser compatibles con la interpretación de la nomenclatura combinada, o de cualquier otra nomenclatura que se base total o parcialmente en ella, en virtud de alguna de las circunstancias siguientes:

   a) Las notas explicativas dictadas por la Comisión (que se regulan en el artículo 9.1(a) del Reglamento del Arancel, Reglamento 2658/87, relativo a la nomenclatura arancelaria y estadística y al arancel aduanero común), con efectos a partir de la fecha de su publicación en el DO UE;

   En su Sentencia *BSkyB* (asuntos acumulados C-288/09 y C-289/09, de 14.04.2011) el TJUE apreció que las autoridades nacionales deben emitir IAV conforme a lo que se señale en las Notas Explicativas (aunque estas puedan ser eventualmente contrarias a las normas de clasificación; si las autoridades nacionales consideran que concurre esta circunstancia pueden ponerla de manifiesto en el seno del Comité del Código Aduanero). Corresponderá a los tribunales y, en última instancia, al TJUE, depurar el sistema de IAVs y Notas Explicativas que sean contrarias al ordenamiento (pp. 86 a 96).

> ## Ejemplo
>
> Un ejemplo de revocación de una IAV por la Comisión puede verse en la Decisión de ejecución de la Comisión de 22 de abril de 2013 con respecto a la validez de cierta información arancelaria vinculante (2013/190/UE, DO L 112, de 24.04.2013, p. 30).

EJEMPLO

   b) Una sentencia del TJUE, con efectos a partir de la fecha de la publicación del fallo de dicha sentencia en el DO UE;

   c) Las decisiones de clasificación, los criterios de clasificación o las modificaciones de las notas explicativas de la nomenclatura del sistema armonizado, con efectos a partir de la fecha de publicación de la Comunicación de la Comisión en la serie C del DO UE; o

   Obsérvese que, según se señala en el capítulo 8 (apartado 8.3.4), ni las Notas Explicativas ni los Dictámenes de la OMA tienen valor normativo en el ordenamiento de la UE (carecen de fuerza vinculante en Derecho). Ello no obstante, bajo la vigencia del CAC determinaban que una IAV deviniese inválida (no su revocación, como en la actualidad), según se disponía en su artículo 12.5.a) (ii). Esto introducía cierta complejidad jurídica en el sistema. En su Auto *Smithkline Beecham* (asunto C-206/03, de 19.01.2005) el Tribunal hubo de enfrentarse con una IAV que seguía el criterio de un Dictamen de la OMA (de no haberlo hecho, la IAV hubiera sido inválida) pero que, según interpretó el Tribunal, era contraria a la NC, por lo que consideró esta IAV nula. Si se observa, las autoridades nacionales que dictaron la IAV controvertida se vieron abocadas a dictar una decisión inválida: si seguían el criterio de la OMA, como hicieron, porque era contraria a la NC; si, por el contrario, hubieran seguido el criterio de la NC, la IAV hubiera sido inválida por contradecir un Dictamen de la OMA.

> **Ejemplo**
>
> Un ejemplo de revocación de IAV por dejar de ser compatible con los criterios internacionales puede verse en la Comunicación de la Comisión publicada en el DO C 372, de 01.11.2017 (p. 1), en la que se ordena la revocación de aquellas IAV que resulten incompatibles con las decisiones de clasificación, los criterios de clasificación o las modificaciones de las notas explicativas de la nomenclatura del SA, adoptados por el Consejo de Cooperación Aduanera y que se contienen en el Informe de la 59 sesión del Comité del SA (documento CCA nº NC2373).

2. En otros casos específicos.

Esos otros casos específicos no se detallan ni en el CAU ni el RDCAU ni RECAU.

Por su parte, las decisiones IVO se revocarán en los supuestos siguientes (artículo 34.8 CAU):

1) Cuando dejen de ser compatibles con una sentencia del TJUE, con efectos a partir de la fecha de la publicación del fallo de dicha sentencia en el DO UE; o

2) En otros casos específicos (que no se detallan).

Los supuestos de revocación de las IV determinaban, conforme a la normativa anterior, la invalidez de las decisiones IV. La revocación (que exige la adopción de una decisión en la que ésta se determine) parece técnicamente una solución superior a fin de impedir situaciones como la que hemos descrito en el asunto *Smithkline Beecham*.

EJEMPLO

Ejemplo

Un ejemplo de IAV que deja de ser válida por modificaciones en los criterios interpretativos internacionales puede verse en la Comunicación de conformidad con el artículo 12, apartado 5, letra a), del Reglamento (CEE) nº 2913/92 del Consejo, relativa a las informaciones facilitadas por las autoridades aduaneras de los Estados miembros sobre la clasificación de mercancías en la nomenclatura aduanera (DO C 173 de 07.06.2014; otro ejemplo puede verse en 2012/C 385/03, DO C 385, de 14.12.2012, p. 6).

La incompatibilidad de una información vinculante con las normas o criterios de la UE o internacionales que prevalecen sobre ella puede ser determinada por las propias autoridades y, por supuesto, también por los jueces nacionales:

"si una autoridad competente emitió una información arancelaria vinculante incorrecta, un órgano jurisdiccional nacional está obligado a adoptar, en el ámbito de sus competencias, todas las medidas necesarias, generales o particulares, con el fin de que se anule dicha información y de que se emita una nueva información arancelaria vinculante compatible con el Derecho comunitario" (Auto TJUE *Smithkline Beecham*, asunto C-206/03, de 19.01.2005, p. 54). Más adelante el TJUE precisa que "En este contexto, las modalidades y los efectos de las resoluciones del órgano jurisdiccional nacional adoptadas como consecuencia de la interposición de un recurso se rigen, dentro de los límites de los principios de equivalencia y de efectividad, por el Derecho nacional" (p. 55). Aprecia al Tribunal que "el artículo 12, apartado 5, del Código aduanero comunitario —que disponía que una IAV dejaba de ser válida cuando se opusiera a un criterio de clasificación de la OMA— no se opone a que un juez nacional anule una decisión de una autoridad aduanera que es compatible con un dictamen de clasificación de la OMA y declare que un producto debe clasificarse de forma distinta a lo previsto en el referido dictamen de clasificación" (p. 56).

A fin de proteger la confianza legítima de los operadores, se regula la posibilidad de continuar utilizando una decisión IAV o IVO respecto de los contratos firmes basados en la decisión que se hubieran celebrado antes de que la misma haya dejado de ser válida o haya sido revocada ("prórroga de la utilización" de una decisión IV, artículo 34.9 CAU).

Esta "prórroga de la utilización" (que más bien parece que habría de denominarse extensión de la validez) de una IV no se contempla para los casos en que una IAV haya dejado de ser válida como consecuencia de la adopción de una modificación de la nomenclatura combinada o cualquier otra nomenclatura total o parcialmente basada en ella. Tampoco cabe cuando se trate de una decisión IVO adoptada respecto de mercancías que vayan a ser exportadas. Sí se contempla para los demás supuestos de pérdida de validez y de revocación que hemos enumerado anteriormente. Las "Directrices administrativas provisionales sobre el sistema de información arancelaria vinculante europea (IAVE) y su funcionamiento" (pp. 33-34) especifican supuestos en los que no se concederá una prórroga, así como la operativa a seguir en los supuestos de prórroga.

La "prórroga en la utilización" de la IV no puede exceder de seis meses, a contar desde la fecha en que la decisión IV haya dejado de ser válida o haya sido revocada.

> Si una IAV deja de ser válida como consecuencia de una medida en materia de clasificación arancelaria adoptada por la Comisión, la referida medida podrá establecer un período de "prórroga de la utilización" distinto al general de 6 meses.
>
> Véase a este respecto la STJUE *Lopex Export*, asunto C-315/96, de 29.01.1998. Sostiene el Tribunal que no cabe abrigar "con el único fundamento de una información arancelaria vinculante, una confianza legítima en que la partida arancelaria de que se trata no será modificada por una disposición adoptada por el legislador comunitario", concluyendo que no necesariamente el Reglamento cuya adopción ocasiona la pérdida de validez de la información arancelaria vinculante haya de prever necesariamente un período transitorio en su favor. Un comentario a esta sentencia puede verse en Villar Ezcurra: "Las informaciones arancelarias vinculantes", *Crónica Tributaria*, nº 84, 1997, p. 95.
>
> El TJUE, en su Sentencia *BSkyB* (asuntos acumulados C-288/09 y C-289/09, de 14.04.2011), interpretó que un Reglamento no necesariamente debe prever un plazo de validez transitoria de las IAV que pasen a ser inválidas en virtud de sus disposiciones. Tratándose del Reglamento anual de la Comisión para recoger la versión completa de la nomenclatura combinada, que debe publicarse a más tardar el 31 de octubre y entra en vigor el 1 de enero siguiente, si no se prevé un plazo de validez transitorio para las IAV afectadas, estas deben entenderse inválidas desde la fecha de entrada en vigor del Reglamento (el 1 de enero; el demandante pedía que se aplicara el plazo de extensión de 6 meses que es el que suele disponerse), sin que pueda oponerse a ello el principio de protección de la confianza legítima, dado que es conocida la obligación de la Comisión de dictar este Reglamento anual y el plazo que va del 31 de octubre al 1 de enero ofrece a los operadores tiempo suficiente para adaptarse a la nueva regulación (pp. 104 a 112).
>
> Análogamente, cuando una IVO deja de ser válida como consecuencia de una medida adoptada por la Comisión en materia de origen, la medida de que se trate podrá establecer un período de "prórroga de la utilización" distinto al general de 6 meses.
>
> En el supuesto de que se trate de productos para los que se presenta un certificado de importación o de exportación en el momento del cumplimiento de las formalidades aduaneras, el período de seis meses se sustituirá por el período de validez del certificado en cuestión.

La prórroga de la utilización de una decisión IAV o IVO debe ser solicitada por su titular a la autoridad aduanera que la hubiera adoptado en el plazo de 30 días a partir de la fecha en que dicha decisión haya dejado de ser válida o haya sido revocada, indicando las cantidades para las que se solicita la prórroga de utilización y el Estado miembro o los Estados miembros en los que las mercancías van a ser despachadas durante el plazo de la prórroga de utilización. Si fuera necesario, el solicitante habrá de suministrar los documentos que acrediten que puede beneficiarse de esta posibilidad (contratos firmes y definitivos de compra o venta concluidos con anterioridad).

La autoridad aduanera adoptará una decisión sobre la prórroga de la utilización y la notificará al titular en el plazo máximo de 30 días a partir de la fecha de recepción de toda la información necesaria para poder adoptar dicha decisión. Cuando las autoridades concedan una "prórroga en la utilización" de la IV deberán especificar la fecha en que la misma expira y, si se trata de una IAV, deberán especificar, además, las cantidades de las mercancías que podrán ser despachadas durante el período de la prórroga, de manera que, en cuanto se alcancen esas cantidades deberá cesar la utilización de la decisión IAV. A estos efectos se dispone que la Comisión informará a los Estados miembros tan pronto como se hayan alcanzado esas cantidades (artículo 22 RECAU).

9.4. LAS INFORMACIONES VINCULANTES Y LAS CONSULTAS TRIBUTARIAS

En este apartado vamos a recapitular las diferencias entre el régimen de las informaciones vinculantes y las consultas tributarias y, por otro lado, vamos a explorar la viabilidad del mecanismo de las consultas tributarias LGT en materia aduanera.

Por lo que hace a la primera cuestión, las diferencias más relevantes que conviene no pasar por alto entre el régimen de las informaciones vinculantes y las consultas tributarias, son las siguientes:

1. Las informaciones vinculantes son una resolución ("decisión") y, en tanto que tales, impugnables. Las consultas tributarias, por el contrario, no tienen la consideración de resoluciones y no son impugnables.

2. Las informaciones vinculantes producen efectos en toda la UE, ante cualquier autoridad aduanera.

3. Las informaciones vinculantes sólo producen su efecto vinculante respecto del titular de la información, no sobre terceros. Las consultas tributarias producen efectos vinculantes respecto de cualquier sujeto en identidad de circunstancias fácticas.

4. El titular de una información vinculante queda vinculado por ella y, si se trata de una IAV, debe indicar esta circunstancia al cumplir las formalidades aduaneras. Las consultas tributarias sólo vinculan a la Administración, no al obligado tributario, que no tiene tampoco la obligación de indicar en sus actos la circunstancia de que obtuvo respuesta a una consulta tributaria.

5. Las informaciones vinculantes tienen una vigencia limitada en el tiempo (3 años), en tanto que las consultas tributarias tienen una vigencia indefinida.

Por lo que hace la segunda cuestión, relativa a la viabilidad del mecanismo de las consultas tributarias LGT en materia aduanera, debe comenzar por recordarse que el artículo 88.8 LGT dispone que:

> "La competencia, el procedimiento y los efectos de las contestaciones a las consultas relativas a la aplicación de la normativa aduanera comunitaria se regulará por lo dispuesto en el Código Aduanero Comunitario"

En una primera aproximación, lo dispuesto en este precepto parece que excluye la aplicabilidad en materia aduanera de la consulta tributaria. Esa apreciación debe, no obstante, ser matizada por dos motivos fundamentales:

1. El CAU no agota la regulación en materia aduanera. Según se ha señalado en el capítulo 3 hay materias que, en ausencia de norma de la UE, se rigen por normas nacionales. Es el caso, por ejemplo, de buena parte de las normas en materia procedimental y de las normas en materia de infracciones y sanciones (así como delitos y penas). Respecto de esas materias en las que se aplican normas nacionales parece que la consulta tributaria debe ser procedente.

2. Debe tenerse en cuenta que, en gran medida, el IVA a la importación se regula por remisión a las normas aduaneras. Es indudable que un contribuyente puede formular consultas en materia de IVA a la importación. Parece lógico que el criterio que la Administración española manifieste a efectos del IVA a la importación sea el que aplique también a efectos de la norma aduanera a la que el IVA se remita, cuando este sea el caso. Por tanto, en muchas ocasiones, una duda relativa a una norma aduanera respecto de la que no cabe obtener información vinculante (porque no es sobre clasificación u origen) podrá reformularse como una duda en materia de IVA a la importación para obtener una consulta de la Administración española.

Ejemplo
Una duda sobre valoración aduanera puede reformularse como una duda sobre la base imponible del IVA a la importación.

EJEMPLO

ANEXO 2

| UNIÓN EUROPEA | SOLICITUD DE INFORMACIÓN ARANCELARIA VINCULANTE (IAV) |

1. Solicitante (nombre y apellidos y dirección)	Espacio reservado a la Administración
	Número de registro:
	Lugar de recepción:
	Fecha de recepción:
	Año ☐☐☐☐ Mes ☐☐ Día ☐☐
Teléfono:	Lengua de la solicitud IAV:
Fax	Imágenes que deberán obtenerse por escáner:
ID de la aduana/N° EORI:	Sí ☐ # … No ☐
	Fecha de emisión:
	Año ☐☐☐☐ Mes ☐☐ Día ☐☐
	Funcionario emisor: ....
	Todas las muestras devueltas: ☐
2. Titular (nombre y apellidos y dirección)	**Nota importante**
(Confidencial)	Al firmar la declaración, el solicitante acepta la responsabilidad de la exactitud e integridad de los datos que figuran en este formulario y sobre cualquier hoja u hojas complementarias presentadas con él. El solicitante acepta que esta información y cualesquiera fotografías, croquis, folletos, etc., puedan almacenarse en una base de datos de la Comisión Europea y que los datos, incluidos cualesquiera fotografías, croquis, folletos, etc., presentados con la solicitud u obtenidos por la Administración (o que esta pueda obtener), y que no hayan sido marcados en las casillas n° 2 y 9 de la solicitud como confidenciales puedan ponerse a disposición del público a través de internet.
Teléfono:	
Fax	
ID de la aduana/N° EORI:	
3. Agente o representante (nombre y apellidos y dirección)	**4. Reemisión de una IAV**
	Si se solicita la reemisión de una IAV, complétese esta casilla.
	Número de referencia IAV:
Teléfono:	Válida desde:
Fax	Año ☐☐☐☐ Mes ☐☐ Día ☐☐
ID de la aduana/N° EORI:	Código de nomenclatura: ....
5. Nomenclatura aduanera	**6. Tipo de transacción**
Indique la nomenclatura en que se van a clasificar las mercancías:	¿Se refiere la presente solicitud a una importación o exportación realmente prevista?
☐ Sistema Armonizado (SA)	Sí ☐ No ☐
☐ Nomenclatura combinada (NC)	**7. Clasificación prevista**
☐ TARIC	
☐ Nomenclatura para las restituciones	Indique dónde, en su opinión, están clasificadas las mercancías.
☐ Otras (especifíquense):	Código de nomenclatura ....

8. Descripción de las mercancías

Incluya, en su caso, la composición exacta de las mercancías, el método de análisis utilizado, el tipo de proceso de fabricación seguido, el valor, incluidos los componentes, la utilización de las mercancías, la denominación comercial usual y, en su caso, el envase para la venta al por menor cuando se trate de surtidos de mercancías (*utilícese una hoja aparte de ser necesario*).

9. Denominación comercial e información adicional (*)	(Confidencial)

10. Muestras, etc.

Indique cuáles de los siguientes documentos, en su caso, adjunta a su solicitud.

Descripción

☐ Folletos

☐ Fotografías

☐ Muestras

☐ Otros

¿Desea que se le devuelvan las muestras?

Sí ☐   No ☐

Pueden imputarse al solicitante los costes especiales habidos por las autoridades aduaneras como resultado de análisis, informes de expertos o la devolución de muestras.

11. Otras solicitudes IAV (*) **y otras IAV obtenidas** (*)

Indique si ha solicitado o se le ha emitido IAV para mercancías idénticas o similares en otras aduanas o en otros Estados miembros.

Sí ☐   No ☐

En caso de respuesta afirmativa, concrete la información y adjunte una fotocopia de la IAV:

País en que se presenta la solicitud:	País en que se presenta la solicitud:
Lugar en que se presenta la solicitud:	Lugar en que se presenta la solicitud:
Fecha en que se presenta la solicitud:	Fecha en que se presenta la solicitud
Año ☐☐☐☐ Mes ☐☐ Día ☐☐	Año ☐☐☐☐ Mes ☐☐ Día ☐☐
Referencia IAV:	Referencia IAV:
Fecha de inicio de validez:	Fecha de inicio de validez:
Año ☐☐☐☐ Mes ☐☐ Día ☐☐	Año ☐☐☐☐ Mes ☐☐ Día ☐☐
Código de nomenclatura:	Código de nomenclatura:

12. IAV emitida a otros titulares (*)

Indique si tiene constancia de IAV para productos idénticos o similares ya emitida a otros titulares.

Sí ☐   No ☐

En caso de respuesta afirmativa, concrete la información:

País emisor:	País emisor:
Referencia IAV:	Referencia IAV:
Fecha de inicio de validez:	Fecha de inicio de validez:
Año ☐☐☐☐ Mes ☐☐ Día ☐☐	Año ☐☐☐☐ Mes ☐☐ Día ☐☐
Código de nomenclatura:	Código de nomenclatura:

13.   Fecha y firma

Su referencia:

Fecha:

Año ☐☐☐☐   Mes ☐☐ Día ☐☐

Firma:

Espacio reservado a la Administración:

(*)   *Si necesita más espacio, utilice una hoja aparte.*

SEGUNDA PARTE
REGÍMENES ADUANEROS

10 Introducción a los regímenes aduaneros

La introducción de mercancías en el territorio aduanero puede responder a muy diferentes motivaciones y tener, en consecuencia, finalidades diversas. Esta es la razón por la cual el Derecho aduanero contempla una variada gama de posibilidades que se ofrecen al importador para que éste elija, en función de sus necesidades, el régimen jurídico al que desea que queden sometidas sus mercancías. En la mayoría de las ocasiones el importador deseará que las mercancías que introduce gocen del mismo *status* jurídico que las mercancías de la UE, para poder así disponer de ellas libremente en el mercado o aplicarlas para satisfacer sus propias necesidades. Pero en otras ocasiones al importador le puede bastar con obtener para sus mercancías un *status* menos generoso, pero que a cambio le suponga no tener que satisfacer los tributos aduaneros ni que a sus mercancías deban aplicárseles las medidas de política comercial.

Los regímenes aduaneros son la carta de posibilidades que se abren a los operadores para ofrecerles distintas combinaciones de estatuto jurídico de las mercancías, tributos a satisfacer, medidas de política comercial que cumplir y formalidades que observar. Es decir, una carta de distintas combinaciones de derechos y obligaciones a fin de facilitar distintas opciones en función de las necesidades a las que se van a afectar las mercancías.

A partir de las clasificaciones que realiza el CAU, podemos ofrecer el esquema de regímenes aduaneros que sigue.

CAU. Regímenes aduaneros
1. Despacho a libre práctica
2. Regímenes especiales
A) Tránsito (Interno y Externo)   B) Depósito
i) Depósito aduanero   ii) Zona Franca
C) Destino especial
i) Importación temporal   ii) Destino Final
D) Perfeccionamiento

CAU. Regímenes aduaneros		
		i) Perfeccionamiento activo ii) Perfeccionamiento pasivo
3. Exportación, reexportación		

Como se observa en la tabla superior, en el CAU se establecen 3 regímenes aduaneros: 1) Despacho a libre práctica; 2) Regímenes especiales; y 3) Exportación (artículo 5.16 CAU). A su vez, la categoría de los regímenes especiales está integrada por cuatro regímenes distintos, a saber: A) Tránsito; B) Depósito; C) Destino especial; y D) Perfeccionamiento. Por su parte, varios de estos regímenes especiales tienen diferentes modalidades. El depósito tiene las variantes de depósito aduanero y de zona franca. El destino especial tiene las modalidades de importación temporal y de destino final. El perfeccionamiento tiene las modalidades de perfeccionamiento activo y de perfeccionamiento pasivo.

El CAU y sus reglamentos de desarrollo (RDCAU y RECAU) dedican los títulos VI, VII y VIII a regular los regímenes aduaneros.

Regulación de los regímenes aduaneros			
	CAU	RDCAU	RECAU
Título VI. Despacho a libre práctica y exención de derechos de importación	201-209	155-160	251-257
Título VII. Regímenes especiales	210-262	161-243	258-325
Título VIII. Salida de mercancías del TAU	263-277	244-249	326-344

A nivel internacional, debe señalarse que el "Convenio de Kioto revisado" se refiere a diferentes regímenes aduaneros en su Anexos Específicos (que, recordemos, no han sido ratificados por la UE). Así, el Anexo B se refiere a la importación (libre práctica); el Anexo C se refiere a la exportación; el Anexo D se refiere a los depósitos aduaneros y zonas francas; el Anexo E se refiere al tránsito; el Anexo F se refiere al perfeccionamiento (tanto activo, como pasivo, y a la transformación bajo control aduanero); el Anexo G se refiere a la admisión temporal (importación temporal). La influencia del Convenio de Kioto (tanto en su versión original como en la actual versión revisada) explica que los regímenes aduaneros de los diferentes territorios aduaneros se asemejen entre sí en sus elementos esenciales de forma considerable.

En cada régimen aduanero podemos diferenciar tres momentos que delimitan otras tantas fases:

- **Inclusión:** Es el conjunto de actos a través de los cuales las mercancías quedan sujetas a las normas que regulan un régimen, es decir, se acogen a él. Como hemos señalado, con carácter general la inclusión se realiza mediante la declaración en aduana (artículo 158.1 CAU). Las autoridades aduaneras conceden la inclusión de las mercancías en un régimen mediante un acto que se denomina "levante" (artículo 194 CAU; nos referiremos extensamente al levante como acto en el capítulo 27).

- **Funcionamiento:** Son las reglas —es decir, el régimen jurídico— a que quedan sujetas las mercancías en tanto se encuentran incluidas en el régimen aduanero de que se trate. Son reglas que pueden limitar el uso o la utilización de las mercancías, o que pueden limitar las posibilidades de disponer de ellas, o que obligan a aportar garantías del pago de derechos que pudieran ser exigibles, o que someten a las mercancías a vigilancia aduanera, etc. Hay reglas que son comunes para distintos regímenes aduaneros y, por este motivo vamos a exponer que algunos de ellos se agrupan (los "regímenes especiales") al objeto de establecer normas que se aplican a todos ellos.

- **Ultimación:** Si las mercancías dejan de estar incluidas en un régimen aduanero (p.e. porque pasan a incluirse en otro) debe "ultimarse" el régimen en el que estaban previamente incluidas, es decir, deben cumplirse las formalidades y obligaciones que permitan abandonar su situación anterior para poder así pasar a quedar sujetas a un conjunto de reglas diferente.

  Junto a la ultimación del régimen nos aparece otro concepto, ligado a ella pero no exactamente coincidente, que es el de "liquidación del régimen". La liquidación es un acto que realizan las autoridades cuando han verificado que se han cumplido adecuadamente los requisitos a que se sujeta la ultimación o, en caso de que no se haya producido un cumplimiento adecuado, para exigir al titular las obligaciones a que hubiera lugar. Son por tanto actuaciones dirigidas a asegurar que la ultimación se produce de forma correcta o, en caso de detectar que no es así, a regularizar la situación, permitiendo de este modo el cierre formal del régimen.

Veamos sucintamente en qué consiste cada uno de los regímenes aduaneros:

- La **libre práctica** permite a las mercancías importadas adquirir el mismo régimen jurídico —el mismo "estatuto"— que las mercancías domésticas, es decir, equipararse en derechos y obligaciones y quedar amparadas por la protección que dispensa la cláusula de trato nacional, que impide que puedan ser discriminadas respecto a las mercancías domésticas. Tras la concesión del levante las mercancías no se someterán a vigilancia aduanera.

- El **tránsito** permite el traslado de las mercancías importadas, sin que por ello deban pagarse los derechos, pero sí deben quedar sometidas a vigilancia aduanera. También permite el traslado de mercancías de la UE entre dos Estados miembros atravesando el territorio de un país tercero (p.e. de Alemania a Italia pasando por Suiza) o el traslado de mercancías de la UE dentro de la propia UE entre territorio IVA y territorio no IVA y a la inversa (p.e. de la península a Canarias).

- El **depósito aduanero** permite almacenar las mercancías sin pagar derechos, sometidas a vigilancia aduanera. También permite almacenar mercancías de la UE que van a ser exportadas.

- La **zona franca** permite la introducción de mercancías sin que por ello deban abonarse derechos ni someterse a medidas de política comercial. Si se dispone de autorización para ello, las mercancías podrán ser transformadas o elaboradas en la zona franca para ser incluidas posteriormente en otro régimen aduanero, que frecuentemente será la exportación o el despacho a libre práctica.

- La **importación temporal** permite la entrada temporal de mercancías, sometidas a vigilancia aduanera, que serán posteriormente exportadas en el mismo estado en que se introdujeron. Dependiendo de la clase de mercancías y del fin de la importación temporal, puede quedar totalmente exenta o sólo parcialmente exenta.

- El **destino final** permite la introducción de mercancías con una suspensión o reducción de derechos en atención al fin especial que se proyecta darles. A fin de garantizar que las mercancías se aplican efectivamente a este fin se sujetarán a vigilancia aduanera por un período extendido.

- El **perfeccionamiento activo** permite la importación de mercancías, sin pagar derechos, con objeto de ser transformadas y de exportar el producto que resulte de su transformación. Cabe también otra modalidad del régimen ("exportación anticipada") en la que se altera el orden de la operación, de modo que primero se exportan mercancías del TAU y ello genera el derecho a importar posteriormente, libre de derechos, alguno de los insumos necesarios para producirlas (las mercancías importadas se denominan entonces "mercancías equivalentes").

- El **perfeccionamiento pasivo** permite la exportación, sometida a vigilancia aduanera, de unas mercancías con vistas a importar el producto resultante de su transformación. La posterior importación quedará total o parcialmente exenta.

- La **exportación** permite la salida de mercancías que tienen el estatuto de mercancías de la UE, sometidas a vigilancia aduanera. La **reexportación** permite la salida de mercancías no pertenecientes a la UE.

Obsérvese que, con carácter general, los regímenes especiales no comportan el pago de derechos (exención total) o bien el pago de un derecho reducido (exención parcial). De este modo se logra que cumplan el fin extrafiscal que los justifica.

Respecto a la regulación anterior (la que se contenía en el CAC) podemos observar algunas diferencias, así:

1) Desaparece el régimen de **transformación bajo control aduanero**, que permitía importar una mercancía sin pagar derechos, sometida a vigilancia aduanera, con objeto de transformarla y despachar a libre práctica en la UE el producto transformado. Se utilizaba cuando el derecho aplicable al insumo importado es superior al derecho aplicable al producto transformado. Este tipo de operaciones pasan a ser una modalidad del régimen de perfeccionamiento activo.

2) Aparece el régimen de destino final, que antes se contemplaba como operación exenta pero sin tener la consideración de régimen aduanero.

3) Desaparecen los depósitos francos y, por otra parte, las zonas francas pasan a configurarse como una modalidad del régimen especial de depósito.

4) Desaparecen las agrupaciones de "regímenes suspensivos" y la de "regímenes económicos". En su lugar aparece la de regímenes especiales y, dentro de ella, la de depósito, destino especial y perfeccionamiento.

Entre los regímenes aduaneros encontramos una subagrupación, denominada "regímenes especiales", que comprende a varios de ellos (tránsito, depósito aduanero, zona franca, importación temporal, destino final, perfeccionamiento activo y perfeccionamiento pasivo) que comparten entre sí una serie de notas a las que tendremos ocasión de referirnos, entre las cuales destaca que la inclusión de las mercancías en buena parte de ellos se supedita a la obtención de una autorización (artículo 211 CAU), que se concederá tras examinar el cumplimiento de ciertos requisitos.

La autorización sólo se concederá a:
✓ Personas establecidas en el TAU;
✓ Que ofrezcan todas las garantías de la buena marcha de las operaciones;
✓ Que, en caso de que pueda originarse una deuda aduanera, constituyan una garantía; y
✓ Que sean quienes efectúen o manden efectuar las operaciones de transformación de las mercancías, si se trata de los regímenes de importación temporal o de perfeccionamiento activo.

Por otro lado, las autoridades deben poder garantizar la vigilancia y el control del régimen sin incurrir en costes desproporcionados y, en el caso del perfeccionamiento, no se debe causar un perjuicio a los intereses esenciales de los productores de la Unión (apartados 3 a 6 del artículo 211 CAU). En la autorización se especificarán las condiciones de utilización del régimen. El titular de la autorización debe informar a las autoridades de cualquier elemento sobrevenido que pueda influir en el contenido de la autorización o en su mantenimiento.

Además de los regímenes aduaneros, las mercancías pueden ser abandonadas en beneficio del Estado o destruidas (artículos 158.3, 197 y 199 CAU).

En principio, un operador puede elegir cualquier régimen aduanero. Así lo dispone el artículo 150 CAU, conforme al cual:

> "Salvo que se disponga lo contrario, el declarante podrá elegir libremente el régimen aduanero en el que incluir las mercancías, bajo las condiciones de dicho régimen, independientemente de su naturaleza, cantidad y país de origen, envío o destino".

No obstante, lo anterior no impedirá aplicar aquellas prohibiciones o restricciones que estén justificadas "entre otros motivos, por razones de moralidad, orden o seguridad públicos, protección de la salud y la vida de personas, animales o plantas, protección del medio ambiente, protección del patrimonio artístico, histórico o arqueológico nacional y protección de la propiedad industrial o comercial, incluidos los controles sobre precursores de drogas, mercancías que infrinjan determinados derechos de propiedad intelectual y dinero en metálico, así como a la aplicación de medidas de conservación y gestión de los recursos pesqueros y de medidas de política comercial" (artículo 134.1 CAU).

Con carácter general la inclusión de las mercancías en un "régimen aduanero" requiere la presentación de una declaración (artículo 158.1 CAU). Justamente la petición de un régimen aduanero para las mercancías constituye el contenido esencial de la declaración aduanera, hasta el punto que esta se define como "el acto por el que una persona expresa, en la forma y el modo establecidos, *la voluntad de incluir las mercancías en un determinado régimen aduanero*, con mención, en su caso, de las disposiciones particulares que deban aplicarse" (artículo 5.12 CAU). A su vez, la presentación de la declaración en aduana convierte a su autor (o, en caso de representación, a la persona por cuya cuenta se presente la declaración) en "titular del régimen", que es una condición a la que se asocian diversos derechos y obligaciones, como podrá constatarse al analizar los diferentes regímenes aduaneros. También tiene la consideración de "titular del régimen" la persona a la que se hayan cedido los derechos y obligaciones en el marco de un régimen aduanero (artículo 5.35 CAU).

> La expresión "titular del régimen" se distingue de la expresión "titular de las mercancías". Esta última designa a "la persona que ostente su propiedad o un derecho similar de disposición de ellas o que tenga el control físico de ellas" (artículo 5.34 CAU). Así pues, mientras que el titular del régimen deriva de una condición formal (la declaración en aduana o la cesión de los derechos derivados de la misma), el titular de las mercancías deriva de una condición material (la propiedad u otro derecho de disposición similar).

La aduana competente para incluir las mercancías en un régimen aduanero será la aduana responsable del lugar en que las mercancías se presenten en aduana (artículo 159.3 CAU).

> El artículo 5.33 CAU define la "presentación en aduana" como "la notificación a las autoridades aduaneras de la llegada de las mercancías a la aduana, o a cualquier otro lugar designado o autorizado por aquellas, y de su disponibilidad para los controles aduaneros". Se trata, por tanto, de una formalidad. En aquellos casos en que se exima de la obligación de presentar las mercancías en la aduana (véase el artículo 182.3 CA), la aduana competente para la inclusión

de las mercancías en un régimen aduanero será la aduana supervisora a que hace referencia el aludido artículo 182.3 CAU (artículo 221 RECAU, que establece asimismo la aduana competente para incluir las mercancías en el régimen de exportación).

Respecto de las mercancías que gocen de la franquicia establecida para envíos sin valor estimable o para envíos entre particulares (reguladas en los artículos 23 y 25 del Reglamento 1186/2009, de Franquicias), la aduana competente para el despacho a libre práctica es la aduana situada en el Estado miembro en el que finaliza la expedición o el transporte de las mercancías (imposición en destino), salvo que resulte aplicable el régimen especial de ventas a distancia de bienes importados (artículo 221.4 RECAU). Esta regla se establece fundamentalmente a efectos de IVA, para asegurar que el Estado miembro de consumo (el de destino) dispone de la información necesaria para aplicar el impuesto.

Las mercancías quedarán incluidas en un régimen aduanero a partir del momento en que las autoridades concedan el levante de las mercancías (artículo 194 CAU), que se define como "el acto por el que las autoridades aduaneras pongan las mercancías a disposición de los fines concretos del régimen aduanero en el que se hayan incluido" (artículo 5.26 CAU).

En los capítulos que siguen (11 a 20) se expone en detalle la caracterización, el contenido y el régimen jurídico de cada uno de los regímenes aduaneros previstos por la normativa de la UE.

DESPACHO A LIBRE PRÁCTICA

ÍNDICE

11 Despacho a libre práctica

11.1. CONTENIDO DEL RÉGIMEN

El despacho a libre práctica es, con toda seguridad, el régimen aduanero por excelencia. Establece el artículo 201.3 CAU que "El despacho a libre práctica conferirá a las mercancías no pertenecientes a la Unión el estatuto aduanero de mercancías de la Unión". De manera que, mediante el despacho a libre práctica, se obtiene la "unionización" de las mercancías que se introducen en el territorio aduanero de la Unión (TAU). Con ello la importación produce los efectos más plenos, puesto que coloca a las mercancías procedentes del exterior en pie de igualdad con las mercancías de la Unión o, en la terminología del CAU, con su mismo "estatuto aduanero". Esto significa que, a partir del momento en que las mercancías importadas en el régimen de libre práctica adquieran el estatuto aduanero de "mercancías de la Unión", ya no van a poder ser discriminadas respecto de las mercancías domésticas (es decir, respecto de las mercancías originarias de la Unión), al quedar amparadas por la protección que dispensa la cláusula de Trato Nacional del GATT/OMC. Por ello, el despacho a libre práctica es el régimen aduanero que debe utilizarse cuando las mercancías no pertenecientes a la Unión vayan a ser introducidas en el mercado de la Unión o vayan a destinarse a su utilización o consumo privados (artículo 201.1 CAU).

En esta misma idea abunda el Capítulo 1 del Anexo Específico B del Convenio de Kioto (revisado), que define "mercancías en libre práctica" como "mercancías de las que se puede disponer sin restricciones aduaneras". Obsérvese que en esta definición cabe identificar, nuevamente, una referencia implícita a la cláusula de Trato Nacional del GATT ("disponer sin restricciones aduaneras").

El artículo 29 del TFUE dispone que:

> "Se considerarán en libre práctica en un Estado miembro los productos procedentes de terceros países respecto de los cuales se hayan cumplido, en dicho Estado miembro, las formalidades de importación y percibido los derechos de aduana y cualesquiera otras exacciones de efecto equivalente exigibles, siempre que no se hubieren beneficiado de una devolución total o parcial de los mismos".
>
> Este mandato se contenía en el artículo 10 del Tratado de Roma (en su versión original) y en el artículo 24 del Tratado CE antes de la entrada en vigor del Tratado de Lisboa.

El TJUE ha tenido ocasión de precisar las implicaciones que se derivan de la libre práctica. En su Sentencia *Donckerwolcke* (asunto 41/76, de 15.12.1976), el TJUE observó que los productos se encuentran a libre práctica una vez han sido legalmente importados en cualquiera de los Estados miembros (p. 16) y que "los productos que se encuentran en «libre práctica» se equiparan definitiva y totalmente a los productos originarios de los Estados miembros" (p. 17), ideas que se reiteran en los párrafos 9 y 10 de la posterior STJUE *Houben* (asunto C-83/89, de 22.03.1990), así como en la STJUE *Peureux* (asunto 119/78, de 13.03.1979, p. 26). El Tribunal ha apreciado que diversas circunstancias no alteran los efectos que se derivan de la libre práctica, entre otras:

- El hecho de que se haya aplicado un tipo reducido o de que las mercancías se hayan descargado realmente para ser despachadas (Sentencia *Remo Padovani*, asunto 69/84, de 20.06.1985, p. 18).

- El hecho de que las mercancías se beneficiaran de una contingente arancelario con ocasión de su importación (Sentencia *Comisión/Consejo*, asunto 51/87, de 27.09.1988, p. 10; véanse también las Sentencias allí citadas).

- El hecho de que un tribunal de un Estado miembro haya declarado prescrito el delito de contrabando imputado a un inculpado (Sentencia *Gasparini*, asunto C-467/04, de 28.09.2006, p. 50).

La amplitud de efectos del despacho a libre práctica motiva que la inclusión en este régimen comporte:

a) el nacimiento de la *deuda aduanera* (véase el artículo 77 CAU), no sólo por derechos de aduana a la importación sino, en su caso, por otros impuestos arancelarios que puedan resultar aplicables [el CAU alude a ellos como "otros gravámenes" en su artículo 201.2(b)]:

b) el deber de cumplir los *trámites formales* previstos;

c) la plena aplicabilidad de las *medidas de política comercial* que correspondan a las mercancías de que se trate; y

d) la aplicabilidad, en su caso, de *prohibiciones y restricciones*.

De esta forma el derecho aduanero despliega todo su potencial de protección, lo cual tiene todo el sentido puesto que, una vez que se hayan cumplido adecuadamente los requisitos a que se sujeta la concesión del despacho a libre práctica, no se podrán imponer a las mercancías barreras adicionales de carácter aduanero.

Entrando en más detalle acerca de las obligaciones que, conforme acabamos de señalar, comporta el despacho a libre práctica y, enfocándonos en primer lugar en lo señalado en la letra (a) anterior, es decir, la exigencia de derechos de importación y, en particular, a los tipos de gravamen aplicables, deben tenerse en cuenta las siguientes reglas:

- En principio se aplicará el tipo de los derechos de aduana vigente en el momento de la admisión de la declaración de despacho a libre práctica conforme a la normativa que rija en ese momento (artículos 77 y 85.1 CAU), si bien han de tenerse en cuenta supuestos en los que el cálculo del importe de los derechos sigue las reglas especiales que se regulan en el artículo 86 CAU cuando las mercancías han estado incluidas previamente en determinados regímenes especiales (y que analizaremos al examinar los diversos regímenes aduaneros especiales de que se trata).

- Si un envío comprende mercancías con distinta clasificación arancelaria para las que se establecen tipos de gravamen también distintos, caso de que la aplicación de los tipos correspondientes a cada una de las clases de mercancía supusiese un trabajo y un coste desproporcionado, las autoridades podrán aplicar a todas las mercancías, a petición del declarante, el tipo de gravamen más elevado de entre los que tienen asignados las distintas clases de mercancías del envío (artículo 177 CAU; esta cuestión se analiza más extensamente en el capítulo 23.1).

- Si la introducción de las mercancías se beneficia de un tipo reducido o nulo en consideración a que van a ser destinadas a determinados fines especiales, las mercancías se considerarán en régimen de destino final y continuarán bajo control aduanero aún después del despacho a libre práctica (artículo 254 CAU). Las autoridades podrán exigir, además, que se constituya una garantía en estos casos para asegurar el pago de la deuda aduanera que pudiera devengarse en caso de no respetar las limitaciones impuestas por la utilización para el fin declarado. El régimen de destino final se examina en el capítulo 17.

También por lo que hace a la exigencia de derechos de importación, conviene señalar que la regulación del despacho a libre práctica en el CAU y en sus reglamentos de desarrollo incluye la normativa aplicable a dos supuestos de exención que se analizan en el capítulo 5. Se trata de la exención aplicable a las mercancías de retorno (artículos 203 a 207 CAU, 158 a 160 RDCAU y 253 a 255 RECAU) y de la exención aplicable a los productos de la pesca marítima y demás productos extraídos del mar (artículos 208 y 209 CAU y 257 RECAU). Puede verse lo expuesto en el capítulo 5 al respecto.

Pasando al deber de cumplir las *formalidades aduaneras*, se analizan extensamente en los capítulos 21 a 28. Por ello nos limitaremos a referir en este punto que los artículos 155 a 157 RDCAU y 251 y 252 RECAU (y los Anexos 61-02 y 61-03 RECAU), en el marco de la regulación del régimen de despacho a libre práctica, establecen determinadas disposiciones específicas aplicables al despacho a libre práctica de los plátanos frescos, concernientes al control de su peso, actividad en la que intervienen unos operadores autorizados para la elaboración de los documentos justificativos que certifican el pesaje de plátanos frescos. Esta cuestión se trata más extensamente en el capítulo 23.1.

Por lo que hace a la aplicabilidad de las *medidas de política comercial*, el artículo 202 CAU regula algunas especialidades en su aplicabilidad respecto de los supuestos en que se despachan a libre práctica productos que han sido previamente transformados en el marco del régimen de perfeccionamiento activo o en el marco del perfeccionamiento pasivo.

Sin perjuicio de que volvamos sobre ellas en los capítulos 18 y 19, al analizar los regímenes de perfeccionamiento activo y de perfeccionamiento pasivo, respectivamente, baste señalar ahora que las especialidades a que aludimos son tres, a saber:

1. Si se despachan a libre práctica productos transformados obtenidos en el marco del régimen de perfeccionamiento activo y los derechos de aduana se calculan, a solicitud del declarante, sobre la base de la clasificación arancelaria, el valor en aduana, la cantidad, la naturaleza y el origen de las mercancías de importación en el momento de la admisión de la declaración en aduana por la que se incluyen en el régimen de perfeccionamiento activo, a pesar de ello se aplicarán a esos productos transformados las medidas de política comercial que corresponda al despacho a libre práctica de las mercancías que se incluyeron en el régimen de perfeccionamiento activo (y no las medidas de política comercial que corresponda al despacho a libre práctica de los productos transformados). Ahora bien, esta regla no rige respecto de los desperdicios y deshechos.

2. Si se despachan a libre práctica productos transformados obtenidos en el marco del régimen de perfeccionamiento activo y los derechos de aduana se calculan sin incluir los costes de almacenamiento o de las operaciones usuales de manipulación se hayan generado en el TAU, se aplicarán las medidas de política comercial únicamente cuando las mercancías que se incluyeron en el régimen de perfeccionamiento activo estén sujetas a dichas medidas.

3. En determinados supuestos, en el marco del régimen de perfeccionamiento pasivo, no se aplicarán a los productos transformados las medidas de política comercial previstas para el despacho a libre práctica. Los supuestos aludidos son tres: a) que los productos transformados conserven su origen de la Unión conforme a la normativa de origen no preferencial; b) que el perfeccionamiento pasivo conlleve la reparación, incluido el sistema de intercambios estándar; y c) que el perfeccionamiento pasivo tenga lugar en el marco de operaciones ulteriores de transformación fuera del TAU de conformidad con el artículo 258 CAU.

Finalmente, en materia de *prohibiciones y restricciones* debemos destacar que el Reglamento (UE) 2015/478, sobre el régimen común aplicable a las importaciones, regula el régimen de salvaguardias aplicables a las importaciones. Las salvaguardias son medidas de protección adicionales —que pueden adoptar la forma de contingentes cuantitativos— cuando las importaciones de un determinado producto provoquen o amenacen con provocar un perjuicio grave a los productores de la Unión afectados, ya sea por superar un determinado volumen (crece la cantidad de producto importado) o por causar una caída del precio en el mercado interior de la UE (la entrada de producto importado causa una caída de precios). Las medidas de salvaguardia están reguladas a nivel internacional en el artículo XIX del GATT de 1994 y en el Acuerdo sobre Salvaguardias de la OMC (se analizan en el capítulo 38). La imposición de medidas de salvaguardia requiere la previa realización de una investigación en la que queden acreditados los presupuestos que la legitiman, investigación que debe seguir un procedimiento que se regula en este Reglamento 2015/478. Las medidas de salvaguardia presentan caracteres peculiares en materia de productos agrícolas, a los que nos referiremos en el capítulo 35.

11.2. ESTATUTO ADUANERO DE LAS MERCANCÍAS

11.2.1. *Mercancías de la Unión y mercancías no pertenecientes a la Unión*

Normas sobre el estatuto aduanero de las mercancías			
CAU	**RDCAU**	**RECAU**	**RDTCAU**
153 a 157	119 a 133	194 a 215	

Hemos señalado en el apartado anterior que el despacho a libre práctica confiere el estatuto aduanero de mercancías de la Unión a las mercancías no pertenecientes a la Unión (artículo 201.3 CAU). Vamos a examinar en este apartado el estatuto aduanero de las mercancías, advirtiendo, de entrada, que el estatuto aduanero es una cuestión diferente del "origen" de la mercancía. De hecho, el despacho a libre práctica no convierte en originarias de la UE a las mercancías y, en cambio y según acabamos de señalar, sí les confiere estatuto de mercancías de la Unión.

El estatuto aduanero hace referencia a si las mercancías pueden circular, ser utilizadas, consumidas, transmitidas etc., en el mercado interior de la UE sin restricciones (en caso de tratarse de mercancías con estatuto aduanero de mercancías de la Unión) o no (si se trata de mercancías con estatuto aduanero de mercancías no pertenecientes a la Unión). Dicho de otro modo, el estatuto aduanero nos identifica si las mercancías están cubiertas o no por la protección de la cláusula de Trato Nacional del GATT. Si las mercancías tienen el estatuto aduanero de "mercancías de la Unión" significa que, o bien son originarias de la UE, o bien no son originarias de la UE pero, ello no obstante, están protegidas por la referida cláusula de Trato Nacional y, en consecuencia, deben ser tratadas en igualdad de condiciones que las que sean aplicables a las mercancías domésticas (es decir, que a las mercancías originarias de la UE). En cambio, si las mercancías tienen el estatuto aduanero de mercancías que no son de la Unión (o que "no pertenecen a la Unión"), significa que no quedan protegidas por la cláusula de Trato Nacional y, en consecuencia, pueden ser discriminadas respecto de las mercancías originarias de la UE.

El apartado 22 del artículo 5 CAU nos señala los dos "estatutos" aduaneros que una mercancía puede tener a efectos del Derecho aduanero de la Unión: estatuto de mercancía de la Unión y estatuto de mercancía no perteneciente a la Unión.

> En la normativa anterior estos estatutos se denominaban "mercancía comunitaria" y "mercancía no comunitaria", respectivamente (artículo 4.6 CAC).

Son «mercancías de la Unión» las mercancías (artículo 5.23 CAU):

1. Que se obtengan enteramente en el territorio aduanero de la Unión (TAU), y no incorporen ninguna mercancía importada de países o territorios situados fuera del TAU.

   Ahora bien, en determinados casos las mercancías enteramente obtenidas en el TAU no tienen estatuto aduanero de mercancías de la Unión si se han obtenido a partir de mercancías que se encontrasen en depósito temporal o incluidas en alguno de los regímenes siguientes: tránsito externo, depósito, importación temporal o perfeccionamiento activo (artículo 153.3 CAU).

2. Que se introduzcan en el TAU procedentes de países o territorios situados fuera de él y se despachen a libre práctica;

3. Que se obtengan o produzcan en el TAU a partir de mercancías importadas y despachadas a libre práctica; o bien a partir de estas y de mercancías totalmente obtenidas en el TAU.

Observamos, por tanto, que en los guiones 2 y 3, el despacho a libre práctica es decisivo para conferir estatuto de «mercancía de la Unión» a mercancía que en un principio no lo tenía. En este sentido, la STJUE *Wandel* (asunto C-66/99, de 01.02.2001) precisó que "una mercancía no comunitaria declarada para su despacho a libre práctica no obtiene el estatuto aduanero de mercancía comunitaria sino a partir del momento en que se hayan aplicado las medidas de política comercial, se hayan cumplido todos los demás trámites previstos para la importación de una mercancía y los derechos de importación legalmente devengados no sólo se hayan aplicado, sino también percibido o garantizado" (p. 36). Si, debido a una retirada de las mercancías no autorizada antes de la concesión del levante, las autoridades aduaneras no pudieron llevar a cabo la inspección de una mercancía, esta mercancía no pudo adquirir el estatuto aduanero de mercancía de la Unión al término de un despacho a libre práctica regular, sino que la deuda nace por incumplimiento (en aquél momento, por la sustracción de las mercancías a la vigilancia aduanera, que se regulaba en el artículo 203 CAC). Por tanto, el cambio de estatuto aduanero no se produce al admitir la declaración de despacho a libre práctica, sino en el momento en que las autoridades conceden el levante para el despacho a libre práctica.

   El Tribunal apreció que debía entenderse que la deuda aduanera nació en este supuesto por aplicación del artículo 203 CAC (sustracción a la vigilancia aduanera) y no por aplicación del artículo 201 CAC (despacho a libre práctica). La consecuencia en aquel caso fue que, al nacer la deuda por una sustracción a la vigilancia aduanera, la preferencia arancelaria dejaba de ser aplicable aunque se acreditara el origen preferencial.

Por su parte, las «mercancías no pertenecientes a la Unión» se definen, por exclusión, como las mercancías no comprendidas en la definición de mercancías de la Unión o que hayan perdido su estatuto como mercancías de la Unión (artículo 5.24 CAU).

El supuesto típico de «mercancías no pertenecientes a la Unión» sería, en consecuencia, el de mercancías que se introducen en el TAU desde un tercer país en tanto no se despachen a libre práctica. Por lo demás, veremos más abajo los supuestos en los que las mercancías pierden el estatuto de mercancías de la Unión.

Normas que se refieren al estatuto aduanero de las mercancías.– Al margen de las normas que regulan el estatuto aduanero de las mercancías, a lo largo de la regulación del CAU y sus Reglamentos de desarrollo (RDCAU y RECAU) encontramos diversas normas que contienen referencias al estatuto aduanero de las mercancías. En la tabla que sigue, y a modo de referencia, ofrecemos el listado de esos preceptos y la síntesis de lo que en ellos se dispone.

Referencias al estatuto aduanero	
Artículo	**Contenido**
134 CAU	Las mercancías introducidas en el TAU permanecerán bajo vigilancia aduanera en tanto resulte necesario para determinar su estatuto aduanero. Si se trata de mercancías de la Unión no estarán bajo vigilancia aduanera una vez se haya determinado su estatuto aduanero.
145.9 CAU	Si las mercancías tienen el estatuto aduanero de mercancías de la Unión no es necesario presentar una declaración de depósito temporal si, a más tardar en el momento de su presentación en aduana, éste se ha establecido.
148.4 CAU	El titular de la autorización para explotar un almacén de depósito temporal (ADT) debe llevar unos registros que permitan a las autoridades aduaneras supervisar, entre otros elementos, el estatuto aduanero de las mercancías almacenadas.
203.4 CAU	Si las mercancías pierden su estatuto aduanero de mercancías de la Unión y, posteriormente, se despachan a libre práctica, podrán acogerse a la exención establecida para las mercancías de retorno.
214 CAU	Respecto de una zona franca, el titular de la autorización, el titular del régimen y toda persona que ejerza una actividad de depósito, elaboración o transformación de mercancías o de venta o compra de mercancías, deberán llevar registros que permitan a las autoridades aduaneras supervisar, entre otros elementos, el estatuto aduanero de las mercancías incluidas en el régimen.
227.1 CAU	El régimen de tránsito interno permite la circulación de mercancías de la Unión entre dos puntos del TAU, pasando por un país o territorio no perteneciente a dicho territorio aduanero, sin que su estatuto aduanero se modifique.

Referencias al estatuto aduanero	
Artículo	**Contenido**
246.2 CAU	Respecto de una zona franca y previa solicitud del interesado, las autoridades aduaneras determinarán el estatuto aduanero de mercancías de la Unión de cualquiera de las mercancías siguientes: a) mercancías de la Unión que entren en una zona franca; b) mercancías de la Unión que hayan sido objeto de operaciones de transformación dentro de una zona franca; c) mercancías despachadas a libre práctica dentro de una zona franca.
249 CAU	Las mercancías que salgan de una zona franca y se introduzcan en otra parte del TAU, o que se incluyan en un régimen aduanero, se considerarán mercancías no pertenecientes a la Unión, a menos que se demuestre su estatuto aduanero de mercancías de la Unión. Ahora bien, a los efectos de la aplicación de los derechos de exportación y de las licencias de exportación, así como de las medidas de control de exportaciones en el marco de la política comercial o agrícola común, dichas mercancías serán consideradas mercancías de la Unión, a menos que se establezca que no tienen el estatuto aduanero de mercancías de la Unión.
116.1(e) RDCAU	El titular de la autorización para la explotación de un almacén de depósito temporal debe llevar unos registros que contengan la información y los datos relativos, entre otros, al estatuto aduanero de las mercancías.
148.4(b) RDCAU	La declaración en aduana se invalidará tras el levante de las mercancías, previa solicitud debidamente justificada del declarante, cuando las mercancías hayan sido declaradas por error para un régimen aduanero aplicable a las mercancías no pertenecientes a la Unión, si su estatuto aduanero de mercancías de la Unión se ha demostrado posteriormente mediante un T2L, un T2LF o un manifiesto aduanero de mercancías.
177 RDCAU	Cuando se almacenen mercancías de la Unión junto con mercancías no pertenecientes a la Unión en una instalación de almacenamiento para el depósito aduanero (DA) y sea imposible, o solo sea posible a un coste desproporcionado, identificar en todo momento cada tipo de mercancía, la autorización para la explotación de instalaciones de almacenamiento para el depósito aduanero de mercancías deberá establecer que se proceda a una separación contable con respecto a cada tipo de mercancía, estatuto aduanero y, cuando proceda, origen de las mercancías.
178.1.f) y m) RDCAU	Los registros que se exigen para la autorización de regímenes especiales deben contener la información relativa, entre otros elementos, al estatuto aduanero de las mercancías y, cuando se requiera una separación contable, información sobre el tipo de mercancías, su estatuto aduanero y, cuando proceda, el origen de las mercancías.
182 RDCAU	Cuando el valor total de los animales nacidos en el TAU de animales objeto de una declaración en aduana e incluidos en el régimen de depósito, en el régimen de importación temporal o en el régimen de perfeccionamiento activo, sea superior a 100 euros, dichos animales se considerarán mercancías no pertenecientes a la Unión e incluidas en el mismo régimen que los progenitores.

Referencias al estatuto aduanero	
Artículo	**Contenido**
9.1.(d) RECAU	Las autoridades deben comunicar la apertura del trámite de audiencia previa ("derecho a ser oído") antes de adoptar una decisión que perjudique al solicitante cuando se base, entre otros elementos, en los resultados de una comprobación de la prueba del estatuto aduanero de mercancías de la Unión o, en su caso, los resultados de la comprobación de la solicitud de registro de dicha prueba o de visado de la misma
37.1 RECAU	En los vuelos de tránsito desde un aeropuerto no perteneciente a la Unión en una aeronave que, tras una escala en un aeropuerto de la Unión, prosiga hasta otro aeropuerto de la Unión, el equipaje de mano y facturado estará sometido a la normativa aplicable al equipaje de las personas procedentes de terceros países, salvo que la persona pueda demostrar el estatuto de mercancías de la Unión de las mercancías incluidas en el equipaje que transporta.
37.2 RECAU	En los vuelos de tránsito desde un aeropuerto de la Unión en una aeronave que, tras una escala en otro aeropuerto de la Unión, prosiga hasta un aeropuerto no perteneciente a la Unión, el equipaje de mano podrá ser objeto de control en el último aeropuerto internacional de la Unión en el que la aeronave haga escala a fin de determinar su estatuto aduanero de mercancías de la Unión.
180.1.(b) RECAU	Si la exportación o destrucción de las mercancías se produce sin vigilancia aduanera, la devolución o condonación de los derechos basada en motivos de equidad queda supeditada, entre otros elementos, a que el solicitante devuelva a la autoridad aduanera competente para tomar la decisión cualquier documento que certifique o contenga información que confirme el estatuto aduanero de mercancías de la Unión de las mercancías en cuestión y, al amparo del cual, en su caso, dichas mercancías hayan abandonado el TAU, o presente cualquier prueba que dicha autoridad estime necesaria, con objeto de cerciorarse de que el documento de que se trate no pueda ser utilizado posteriormente en relación con mercancías introducidas en el TAU.
268.2 RECAU	En el marco de los regímenes especiales, en caso de utilización de mercancías equivalentes, éstas podrán almacenarse junto con otras mercancías de la Unión o no pertenecientes a la Unión. En tales casos, las autoridades aduaneras podrán establecer métodos específicos de identificación de las mercancías equivalentes con el fin de distinguirlas de las demás mercancías de la Unión o no pertenecientes a la Unión. Cuando sea imposible identificar en todo momento cada tipo de mercancía, o solo sea posible incurriendo en costes desproporcionados, deberá llevarse a cabo una separación contable en relación con cada tipo de mercancía, estatuto aduanero y, en su caso, origen de las mercancías.
269.2 RECAU	Momento en que las mercancías equivalentes en el marco del perfeccionamiento activo cambian de estatuto aduanero.
289.2 RECAU	Gestión de la prueba del estatuto aduanero de mercancías que circulen en envíos postales que contengan, tanto mercancías de la Unión, como mercancías no pertenecientes a la Unión.

Referencias al estatuto aduanero	
Artículo	**Contenido**
290.2 RECAU	Cuando las mercancías de la Unión circulen incluidas en el régimen de tránsito interno al amparo del sistema postal a partir del TAU con destino a un país de tránsito común para su posterior envío al TAU, deberán ir acompañadas de la prueba del estatuto aduanero de mercancías de la Unión, que deberá presentarse en una aduana en el momento de la reintroducción de las mercancías en el TAU.

Del listado de la tabla precedente destaquemos en este punto que, cuando las mercancías se introducen en el TAU, quedan sometidas a vigilancia todo el tiempo que sea necesario para determinar su estatuto aduanero (artículo 134 CAU).

Presunción de estatuto aduanero de mercancías de la Unión.– A fin de establecer el estatuto aduanero de las mercancías, el artículo 153.1 CAU ordena una presunción operativa, en virtud de la cual se considerará que tienen estatuto de mercancías de la Unión todas las mercancías que se encuentren en el TAU, a menos que se compruebe lo contrario. Ahora bien, esta regla general de presunción de estatuto aduanero de mercancías de la Unión no se aplica a las mercancías siguientes (artículo 119.1 RDCAU):

a) las mercancías introducidas en el TAU que estén sometidas a vigilancia aduanera para determinar su estatuto aduanero;

   Esta excepción impide que se presuman mercancías de la Unión aquellas que consta que se han introducido en el TAU desde un tercer país y respecto de las cuales no puede acreditarse que se hayan despachado a libre práctica (STJUE *Suez*, asunto C-643/17, de 07.03.2019).

b) las mercancías en depósito temporal;

c) las mercancías incluidas en cualquiera de los regímenes especiales, con excepción de los regímenes de tránsito interno, de perfeccionamiento pasivo y de destino final;

d) los productos de la pesca marítima capturados por un buque de pesca de la Unión fuera del TAU, en aguas distintas de las aguas territoriales de un tercer país, que sean introducidos en el TAU, tras ser transportadas directamente hasta él;

e) las mercancías obtenidas a partir de los productos de la pesca marítima referidos en la letra anterior, a bordo de ese buque o en un buque-factoría de la Unión, en cuya producción pudieran haberse utilizado otros productos que posean el estatuto aduanero de mercancías de la Unión, que sean introducidas en el TAU, tras ser transportadas directamente hasta él;

f) los productos de la pesca marítima y otros productos extraídos o capturados por buques que enarbolen pabellón de un tercer país en el TAU.

A los supuestos de las letras (d), (e) y (f) nos referiremos más abajo, en el apartado 11.2.4.

En los supuestos que acabamos de enumerar, en los que se excluye la aplicabilidad de la presunción de estatuto aduanero de mercancías de la Unión, se deberá aportar prueba del estatuto aduanero de las mercancías si se alega que se trata de mercancías con estatuto aduanero de mercancías de la Unión (artículo 153.2 CAU).

Perdida del estatuto aduanero de mercancías de la Unión. – El estatuto de mercancías de la Unión se pierde, es decir, las mercancías dejan de ser consideradas como mercancías de la Unión, en los cuatro supuestos que enumera el artículo 154 CAU. En primer lugar, el estatuto de mercancías de la Unión se pierde cuando las mercancías salgan del TAU, salvo que lo hagan incluidas en el régimen de tránsito interno. En segundo lugar, cuando las mercancías se incluyan en el régimen de tránsito externo, de depósito o de perfeccionamiento activo, siempre que la legislación aduanera así lo establezca. En tercer lugar, cuando las mercancías se incluyan en un régimen de destino final y posteriormente se abandonen en beneficio del Estado o se destruyan y, en ambos casos, terminen como residuos. Y, en cuarto lugar, cuando se invalide la declaración de despacho a libre práctica tras el levante.

La regla de pérdida del estatuto de mercancías de la Unión por la salida de las mercancías del TAU tiene algunas excepciones, que se regulan en los apartados 2 y 3 del artículo 119 RDCAU (que desarrollan la posibilidad que, a este respecto, establece el artículo 155.3 CAU). El apartado dos regula tres supuestos en los que, para ser transportadas de un punto a otro del TAU, las mercancías deban atravesar un territorio fuera del TAU, en una operación de transporte que ofrezca garantías que se consideren suficientes. En estos casos, las mercancías no pierden su estatuto de mercancías de la Unión, sin necesidad para ello de que la operación de transporte se realice al amparo de un régimen aduanero. Los tres supuestos a que nos referimos son los siguientes:

a) cuando las mercancías circulen por vía aérea y hayan sido embarcadas o transbordadas en un aeropuerto de la Unión, con destino a otro aeropuerto de la Unión, siempre que circulen al amparo de un documento de transporte único expedido en un Estado miembro;

b) cuando las mercancías circulen por ferrocarril y hayan sido transportadas a través de un tercer país que sea parte contratante del Convenio relativo a un régimen común de tránsito al amparo de un documento de transporte único expedido en un Estado miembro y esta posibilidad esté prevista en un acuerdo internacional.

c) cuando las mercancías circulen por vía marítima y hayan sido transportadas entre puertos de la Unión por un servicio marítimo regular autorizado;

El artículo 1.34 RDCAU define «documento de transporte único» en el contexto del estatuto aduanero, como "un documento de transporte expedido en un Estado miembro que engloba el transporte de las mercancías desde el punto de partida en el TAU hasta el punto de destino en dicho territorio bajo la responsabilidad del transportista que expida el documento".

Por lo que hace al tercero de los supuestos que acabamos de enumerar, los artículos 120 a 122 bis RDCAU y 195 a 198 RECAU regulan el régimen de los denominados "servicios marítimos regulares", en el marco de los cuales, según acabamos de señalar, se permite el traslado de mercancías de la Unión entre dos puntos del TAU y, temporalmente, fuera del mismo, sin alteración de su estatuto aduanero de mercancías de la Unión y sin necesidad de que las mercancías se hallen al amparo de un régimen aduanero.

Las compañías marítimas deben obtener una autorización de las autoridades aduaneras a fin de poder operar los referidos servicios marítimos regulares. Los requisitos para obtener esta autorización los enumera el artículo 120.2 RDCAU y son los siguientes: a) que estén establecidas en el TAU; b) que tengan un historial de cumplimiento de la legislación aduanera adecuado (en los términos del artículo 39(a) CAU, que regula este requisito en el marco de los OEA, ausencia de infracciones graves o reiteradas); c) que comuniquen a la autoridad aduanera competente la información relativa al nombre de los buques que prestarán el servicio marítimo regular, el primer puerto en el que el buque inicia su servicio marítimo regular y los puertos de escala; y d) que se comprometan a no realizar transbordos en alta mar ni escalas en puertos situados fuera del TAU ni en zona franca del TAU.

Antes de conceder la autorización y tras haber examinado si se cumplen los requisitos que acabamos de enumerar, la autoridad aduanera competente para tomar la decisión consultará a las autoridades aduaneras de los Estados miembros implicados en el servicio marítimo regular y a las autoridades aduaneras de todos los demás Estados miembros en relación con los cuales el solicitante declare tener futuros proyectos de servicios marítimos regulares, a fin de que puedan informar acerca de posibles elementos relevantes para la autorización. Las autoridades consultadas disponen de un plazo de quince días, a partir de la fecha de comunicación, para hacer llegar sus observaciones a la autoridad competente para decidir acerca de la autorización. La autorización fijará los detalles del servicio marítimo regular que puede prestar el operador, que deberá realizarse utilizando buques registrados a este fin.

Por lo que hace al aludido registro de los buques, la compañía marítima ya autorizada para prestar el servicio marítimo regular debe suministrar a la autoridad aduanera competente la información que hemos señalado en la letra (c) anterior (es decir, el nombre los buques que prestarán el servicio marítimo regular, el primer puerto en el que el buque inicia su servicio marítimo regular y los puertos de escala). Este registro surte efecto el primer día hábil siguiente al del registro por la autoridad aduanera competente para tomar la decisión. Si, con posterioridad al registro, se produjera cualquier modificación en los elementos respecto de los cuales se requiere información para proceder al registro, la compañía marítima autorizada debe notificarla a la autoridad aduanera competente para tomar la decisión, indicando la fecha y hora en que la modificación surta efecto (artículo 121 RDCAU). El siguiente día laborable la autoridad aduanera debe incorporar la información que se le haya suministrado en un sistema electrónico a fin de que pueda ser consultada por las autoridades aduaneras competentes para el servicio marítimo regular autorizado (artículo 196 RECAU).

Se regula también el protocolo a aplicar en caso de que se produzcan circunstancias imprevistas durante el transporte mediante servicios regulares de transporte marítimo (artículos 122

RDCAU y 197 RECAU). A este respecto si, a consecuencia de las circunstancias imprevistas, se transbordasen mercancías en el mar, se hiciera escala o se cargase o descargase mercancía en un puerto situado fuera del TAU, en un puerto que no forme parte del servicio marítimo regular o en una zona franca de un puerto de la Unión, el estatuto aduanero de la mercancía no se alterará a menos que se hayan cargado o descargado en esas ubicaciones. Ahora bien, si las autoridades aduaneras tuvieran motivos para dudar de que la mercancía cumpla tales condiciones, se deberá demostrar el estatuto aduanero de la mercancía. Por su parte, en los casos que hemos señalado, la compañía marítima debe informar al respecto sin demora a las autoridades aduaneras de los puertos de escala de la Unión siguientes, incluidos aquellos situados a lo largo de la ruta prevista del buque, comunicando además anticipadamente la fecha en la que el buque reanude sus actividades de servicio marítimo regular.

Las autoridades aduaneras de los Estados miembros realizarán un seguimiento del cumplimiento de las condiciones a las que se sujeta la autorización y operativa de un servicio marítimo regular y del registro de buques. En caso de que se detectara un incumplimiento, la autoridad que tenga conocimiento de él informará inmediatamente a las autoridades aduaneras de los demás Estados miembros en que opere el servicio marítimo regular, a fin de que adopten las medidas oportunas (artículo 198 RECAU).

Se establece la utilización del sistema electrónico relativo a las decisiones (que se regula en el artículo 10 RECAU) para el intercambio de información relativa a servicios marítimos regulares entre las autoridades aduaneras de los diferentes Estados miembros y la Comisión. Hasta la implantación de este sistema se utilizó el sistema electrónico de información y comunicación de los servicios marítimos regulares ya existente. Con efectos para ese período transitorio, el artículo 122bis RDCAU enumera los datos que debían comunicarse utilizando el sistema de información y comunicación relativo a los servicios marítimos regulares (datos de las solicitudes; autorizaciones de servicio marítimo regular y, si procediese, su modificación o revocación; nombres de los puertos de escala y el nombre de los buques que prestaran el servicio; y todos los demás datos pertinentes) a fin de que tuvieran acceso a ellos las autoridades aduaneras de los demás Estados miembros afectados por el servicio marítimo regular. Se debía comunicar y archivar la autorización, en su caso, o la denegación de la misma, así como la eventual revocación de la autorización.

Por su parte, el apartado 3 del artículo 119 RDCAU establece seis supuestos en los que las mercancías de la Unión no pierden su estatuto por el hecho de circular entre dos puntos del TAU, atravesando para ello un territorio fuera de él, a pesar de no hacerlo al amparo de un régimen aduanero. Ahora bien, a diferencia de los tres supuestos del apartado 2 de este mismo artículo 119 RDCAU a que nos hemos referido antes, en este caso se va a exigir que esté acreditado el estatuto de mercancías de la Unión.

Los seis supuestos que establece el apartado 3 del artículo 119 RDCAU son los siguientes:
a) mercancías que hayan circulado entre dos puntos del TAU y hayan salido temporalmente de dicho territorio por vía marítima o aérea,

> ### Ejemplo
>
> Mercancías trasladadas por vía área desde Francia a Grecia atravesando Bosnia, Serbia y Albania.

b) las mercancías que hayan circulado entre dos puntos del TAU a través de un territorio fuera del TAU sin ser transbordadas, y circulen al amparo de un documento de transporte único expedido en un Estado miembro;

> ### Ejemplo
>
> Mercancías trasladadas desde Francia a Grecia atravesando Bosnia, Serbia y Albania, circulando al amparo de un documento de transporte expedido en Francia.

c) las mercancías que, circulando entre dos puntos del TAU a través de un territorio fuera del TAU, hayan sido transbordadas fuera del TAU en un medio de transporte distinto de aquel en el que fueron inicialmente cargadas y se haya expedido un nuevo documento de transporte que cubra el transporte desde el territorio situado fuera del TAU, siempre que el nuevo documento vaya acompañado de una copia del original del documento de transporte único;

> ### Ejemplo
>
> Mercancías trasladadas desde Francia a Grecia atravesando Bosnia, Serbia y Albania. El traslado hasta Serbia se efectúa en ferrocarril. En Serbia de cargan en camión. Deben circular con un nuevo documento de transporte expedido en Serbia hasta Grecia y ha de acompañarse el documento de transporte original entre Francia y Serbia.

d) los vehículos automóviles matriculados en un Estado miembro que hayan salido temporalmente y hayan vuelto a ser introducidos en el TAU;

e) los envases, palés y otros equipos similares, con excepción de los contenedores, que pertenezcan a una persona establecida en el TAU y que sean utilizados para el transporte de mercancías que hayan salido temporalmente y hayan vuelto a ser introducidas en el TAU;

f) las mercancías transportadas en el equipaje de los pasajeros que no estén destinadas a fines comerciales y que hayan salido temporalmente y hayan vuelto a ser introducidas en el TAU.

Finalmente, el artículo 155.2 CAU condiciona el mantenimiento del estatuto de mercancías de la Unión a las mercancías incluidas en un régimen de tránsito interno, salvo el de tránsito interno de la Unión, a que se acredite su estatuto.

11.2.2. Medios de prueba del estatuto aduanero de mercancías de la Unión

El artículo 199.1 RECAU enumera, de forma taxativa, los medios de prueba del estatuto de mercancías de la Unión. La nueva regulación en esta materia se basa en la disponibilidad de un sistema electrónico para la gestión de la prueba del estatuto aduanero de mercancías de la Unión, que ha de permitir el almacenamiento e intercambio de datos, entre los diferentes Estados miembros y la Comisión, a través de una interfaz armonizada (artículo 194 RECAU). Dado que este sistema no se encuentra implantado todavía, el RDCAU y el RECAU se ven forzados a regular dos situaciones distintas: la actual, en ausencia del sistema aludido; y la futura, cuando el sistema ya se encuentre disponible.

> El sistema electrónico a que nos referimos permitirá la implantación del sistema de Prueba del Estatuto de la Unión en el ámbito del CAU (PEU) a que se refiere el anexo de la Decisión de Ejecución 2019/2151/UE (su puesta en funcionamiento completa está programada para junio de 2025).

Los medios de prueba del estatuto aduanero de mercancías de la Unión son los siguientes:

a) Mediante la declaración de tránsito de las mercancías incluidas en el régimen de tránsito interno.

> El régimen de tránsito interno se examina en el capítulo 13.

b) Mediante el documento T2L o T2LF.

> El T2L y el T2LF son documentos (que pueden tramitarse en formato electrónico) que se utilizan para acreditar que las mercancías tienen el estatuto aduanero de mercancías de la Unión. El T2LF es una variante del T2L que se utiliza para acreditar el estatuto aduanero de las mercancías de la Unión con destino a, procedentes de, o entre territorios fiscales especiales (es decir, donde no se aplica el IVA o los IIEE armonizados). Los datos que deben incluirse en los T2L o T2LF se detallan en el anexo B RDCAU, en la columna "E1".
> El estatuto aduanero se prueba mediante la indicación del MRN (*Master Reference Number*) que las autoridades aduaneras suministran como respuesta a la presentación del documento T2L o T2LF (artículo 205.1 RECAU). Esta prueba podrá utilizarse únicamente con motivo de la primera presentación de las mercancías. Si la prueba se utiliza para acreditar el estatuto de una parte de las mercancías comprendidas por el T2L o el T2LF, para la parte restante de las mercancías deberá aportarse una nueva prueba consistente en un documento visado y registrado por la aduana competente y dentro del período de validez del T2L o T2LF. El período de validez del T2L o T2LF es de 90 días a partir de la fecha de registro (artículo 123 RECAU; la aduana puede fijar un período más largo de validez a petición de interesado cuando concurran razones justificadas; si no existe obligación de registrar el manifiesto aduanero de las mercancías, el plazo de 90 días se inicia desde que se establezca el manifiesto).

El artículo 1(22) RDCAU define el «número de referencia master» (MRN, por sus siglas en inglés) como el número de registro asignado por la autoridad aduanera competente a las declaraciones o notificaciones contempladas en los apartados 9 a 14 del artículo 5 del CAU (es decir, declaración sumaria de entrada, declaración sumaria de salida, declaración de depósito temporal, declaración en aduana, declaración de reexportación y notificación de reexportación), a las operaciones TIR o a las pruebas del estatuto aduanero de mercancías de la Unión. Salvo que se trate de un expedidor autorizado (a los que nos referiremos en el apartado 11.2.3, más abajo), la aduana competente deberá visar y registrar el documento T2L o T2LF y comunicar el MRN del mismo al interesado. El interesado puede solicitar a la aduana que le facilite un documento que confirme el registro del documento T2L o T2LF, para lo que la aduana utilizará el formulario que se establece en el anexo 51-01 RECAU. El documento T2L o T2LF deberá presentarse en la aduana competente donde se presenten las mercancías tras su reintroducción en el TAU, indicando su MRN. Por su parte, la aduana competente supervisará su utilización con el fin de garantizar, en particular, que no se emplee en relación con mercancías distintas de aquellas para las que se haya expedido (artículo 200 RECAU).

Se dispone que, una vez se implante el sistema Prueba del Estatuto de la Unión en el ámbito del CAU (PEU), el MRN podrá comunicarse, además de mediante medios electrónicos, mediante un código de barras, o mediante un código de registro del estatuto o por otros medios que la autoridad aduanera de recepción permita (artículo 124 RDCAU).

Hasta la implantación del PEU, en caso de que se permita utilizar medios distintos de los electrónicos, la aduana competente deberá visar los documentos T2L o T2FL y, en caso necesario, cualquier formulario complementario o lista de carga utilizados (artículo 202 RECAU).

El artículo 124bis RDCAU establece los protocolos a seguir hasta que se implante el referido sistema PEU, en aquellos casos en que se utilice un documento «T2L» o «T2LF» en soporte papel.

Los viajeros que no actúen como operadores económicos (es decir, que no estén actuando en el marco de una actividad profesional que tenga por objeto intervenir en actividades a las que se aplique la legislación aduanera) presentarán sus solicitudes de visado del T2L o el T2LF utilizando el formulario que figura en el anexo 51-01 RECAU (artículo 205.2 RECAU). La solicitud se podrá presentar en papel (artículo 125 RDCAU).

c) El manifiesto aduanero de mercancías.

Las autoridades aduaneras pueden aceptar la utilización de sistemas de información comercial, portuaria o relativa al transporte para el envío de la solicitud de visado y registro del manifiesto aduanero de mercancías y para su presentación en la aduana competente, siempre que dichos sistemas contengan toda la información necesaria para dicho manifiesto. A cada manifiesto aduanero de mercancías se le asignará un MRN (*Movement Reference Number*). Si se trata de mercancías que tengan el estatuto aduanero de mercancías de la Unión cargadas en el buque en un puerto de la Unión, a cada manifiesto solo se le podrá asignar un MRN (artículo 206 RECAU).

Al manifiesto aduanero de mercancías se le aplica asimismo lo establecido en los artículos 123 y 124 RDCAU a los que nos hemos referido respecto del T2L y T2LF (es decir, su período de validez es de 90 días a partir de la fecha de registro; la aduana puede fijar un período más largo de validez a petición de interesado cuando concurran razones justificadas; en caso de que no haya obligación de registrar el manifiesto aduanero de las mercancías, el período de 90 días se computa a partir de su establecimiento; y puede transmitirse por medios alternativos a los medios electrónicos, como los códigos de barras, un código de registro del estatuto o por otros medios que la autoridad aduanera de recepción permita) y también se le aplica lo dispuesto en el artículo 200 RECAU (la aduana debe visar el manifiesto aduanero de mercancías y facilitar el MRN al interesado, que puede solicitar un documento que acredite el registro, que se facilitará con el formato que establece el anexo 51-01 RECAU; el manifiesto aduanero de mercancías debe presentarse en la aduana competente donde se presenten las mercancías tras su reintroducción en el TAU, indicando su MRN, en tanto que la aduana supervisará su correcta utilización).

d) La factura o el documento de transporte.

La acreditación del estatuto aduanero de mercancías de la Unión mediante factura o documento de transporte sólo se admite respecto de mercancías cuyo valor no exceda de 15.000 euros. Además, la referida factura o documento de transporte debe cubrir exclusivamente mercancías que dispongan del estatuto aduanero de mercancías de la Unión, es decir, no se admitiría como prueba una factura en la que figurasen a la vez mercancías de la Unión y mercancías que no pertenecen a la Unión (artículo 211 RECAU). Estas pruebas se pueden presentar por medios distintos a los electrónicos (artículo 126 RDCAU). En ellas deberá constar el nombre y la dirección completos del expedidor (de no haber expedidor, la persona interesada), la aduana competente, el número y la clase de bultos, las marcas y numeración de los bultos, la descripción y la masa bruta (kg) de las mercancías, y, en su caso, los números de los contenedores. Se deberá indicar el código «T2L» o «T2LF», según proceda, en la factura o el documento de transporte, junto con la firma de expedidor o, en su defecto, de la persona interesada.

Como medida transitoria hasta la implantación del sistema PEU, se permite que se utilice la factura o el documento de transporte para acreditar el estatuto de mercancías cuyo valor exceda de 15.000 euros. Ahora bien, en este caso, la factura o el documento de transporte deberán ser visados por la aduana competente (artículo 201 RECAU). En estos supuestos, el visado debe incluir el nombre y el sello de la aduana competente, la firma de un funcionario de esa aduana y la fecha del visado. También debe incluir el número de registro o bien el número de la declaración de expedición, si tal declaración fuera necesaria (artículo 126.3 RDCAU).

e) El cuaderno diario de pesca, la declaración de desembarque, la declaración de transbordo y los datos del sistema de localización de buques.

Nos referiremos a las especialidades en materia de estatuto aduanero de los productos de la pesca y demás productos extraídos del mar en el apartado 11.2.4, más abajo.

f) Los cuadernos TIR, ATA o los impresos 302 de la OTAN o de la UE.

El "cuaderno TIR" es un documento utilizado en el transporte internacional por carretera que permite el tránsito de las mercancías a través de los países que estén adheridos a este régimen sin ser sometidas a controles aduaneros. El cuaderno ATA (acrónimo de *Admission Temporaire/Temporary Admission*) es un documento que permite agilizar la importación temporal, y su regulación de contiene en el Convenio de Estambul, de 26 de junio de 1990. El impreso 302 de la OTAN está previsto en el Acuerdo entre los Estados Partes en el Tratado del Atlántico

Norte, relativo al estatuto de sus Fuerzas, firmado en Londres el 19 de junio de 1951. El impreso 302 de la UE es un documento aduanero (el modelo figura en el anexo 52-01 RDCAU) emitido por las autoridades militares nacionales competentes de un Estado miembro o en su nombre, para las mercancías que deban circular o utilizarse en el contexto de actividades militares (véase artículo 1, apartados 50 y 51, RDCAU).

Estas pruebas del estatuto aduanero de mercancías de la Unión podrán presentarse por medios distintos de los electrónicos (artículo 127 RDCAU).

El interesado deberá anotar la sigla "T2L" de manera visible en la casilla reservada para la descripción de las mercancías, junto a su firma, en todas las páginas correspondientes del cuaderno (TIR o ATA) o impreso 302 utilizado, antes de presentar ésta al visado de la oficina de partida (la sigla «T2L» debe estar autenticada en todas las páginas en que se haya utilizado, con el sello de la oficina de partida acompañado de la firma del funcionario competente). Si el cuaderno —TIR o ATA— o el impreso 302 —de la OTAN o de la UE— incluyen a la vez mercancías de la Unión y mercancías que no tienen este estatuto, deberán indicarse estas dos categorías de mercancías por separado y la sigla «T2L» o «T2LF» deberá figurar de manera que sólo se refiera a las mercancías de la Unión (artículo 207 RECAU).

Si el impreso 302 —de la OTAN o de la UE— se presenta de forma electrónica, el titular del régimen también podrá incluir estos códigos («T2L» o «T2LF») en los datos del impreso 302 y la autenticación o visado por parte de la aduana de salida deberá hacerse asimismo por medios electrónicos.

g) Placas y documentos de matriculación.

Este medio de prueba se establece respecto de los vehículos automóviles de carretera matriculados en un Estado miembro que hayan salido temporalmente del TAU y hayan vuelto a entrar en él (artículo 208 RECAU). Los datos que figuren en las placas y documentos deben demostrar inequívocamente que la matriculación ha tenido lugar. Si el estatuto de estos vehículos no se puede considerar acreditado por este medio, habrá de aportarse alguna otra prueba del estatuto de las que enumera el artículo 199 RECAU.

h) Declaración respecto del estatuto de envases, palés y equipos similares con excepción de los contenedores.

Este medio de prueba sólo se admite respecto de las mercancías señaladas (es decir, envases, palés y equipos similares, excepto contenedores) que pertenezcan a una persona establecida en el TAU y que se utilicen para el transporte de mercancías que hayan salido temporalmente del TAU y hayan vuelto a entrar en él (artículo 209 RECAU). Además, deberá poderse determinar que pertenecen a dicha persona y no existir ninguna duda respecto a la veracidad de la declaración en la que se declaren como mercancías con el estatuto aduanero de mercancías de la Unión. Si el estatuto no se puede considerar acreditado por este medio, habrá de aportarse alguna otra prueba del estatuto de las que enumera el artículo 199 RECAU.

i) Declaración del viajero.

Este medio de prueba sólo se admite respecto de las mercancías transportadas en el equipaje de mano de los viajeros que no tengan finalidad comercial y hayan salido temporalmente del

TAU y vuelto a entrar en él (artículo 210 RECAU). Para que resulte eficaz no debe existir ninguna duda respecto a la veracidad de la declaración.

j) Declaración de impuestos especiales.

Este medio de prueba se admite respecto de productos sujetos a impuestos especiales que circulen (es decir, se trasladan del territorio de un país de la UE en que se apliquen los IIEE a otro) al amparo de un documento electrónico (el supuesto que regula el artículo 21 de la Directiva 2008/118/CE, de IIEE), o bien en soporte papel o por otros mecanismos cuando el sistema informático del Estado miembro de expedición no esté disponible (el supuesto que regula el artículo 26 de la Directiva 2008/118/CE, de IIEE). También se admite para los productos sujetos a impuestos especiales ya despachados a consumo en un Estado miembro pero que se mantengan con fines comerciales en otro Estado miembro para ser entregados o utilizados, y que circulan entre los territorios de los distintos Estados miembros al amparo de un documento de acompañamiento (es el supuesto que regula el artículo 34 de la Directiva 2008/118/CE, de IIEE).

k) La etiqueta conforme al modelo que se establece en el anexo 72-02 RECAU.

Este medio de prueba se admite respecto de la circulación de envíos postales al amparo del régimen de tránsito interno en situaciones especiales, que se regula en el artículo 290 RECAU. Este supuesto se presenta en el capítulo 13.

Como medida transitoria, hasta la implantación del sistema de Prueba del Estatuto de la Unión en el ámbito del CAU (PEU), el estatuto aduanero de mercancías de la Unión podrá probarse mediante el manifiesto de la compañía marítima (artículo 199.2 RECAU).

El artículo 126bis RDCAU enumera los datos que, como mínimo, debe contener el manifiesto de la compañía marítima. Este manifiesto debe ser visado por la aduana (artículo 203 RECAU) y en el visado se debe incluir el nombre y el sello de la aduana competente, la firma de un funcionario de dicha aduana y la fecha de visado.

Por otra parte, el artículo 204 RECAU (y 128 quater RDCAU) dispone que las autoridades aduaneras pueden autorizar que el manifiesto de la compañía marítima se cumplimente el día siguiente a la partida del buque ("manifiesto del día siguiente") pero, en cualquier caso, antes de la llegada del buque al puerto de destino. Esta autorización para cumplimentar el manifiesto el día siguiente solamente se concederá a las compañías marítimas internacionales que cumplan las siguientes condiciones (artículo 128 quinquies RDCAU):

a) estar establecidas en la Unión;

b) extender regularmente la prueba del estatuto aduanero de mercancías de la Unión, o que conste a las autoridades aduaneras que pueden cumplir las obligaciones legales para la utilización de dichas pruebas;

c) no haber cometido infracciones graves o reiteradas contra la legislación aduanera o fiscal;

d) utilizar sistemas electrónicos de intercambio de datos para transmitir información entre los puertos de partida y destino en el TAU;

e) realizar un número significativo de travesías entre los Estados miembros según las rutas autorizadas.

Además, la autorización para el "manifiesto del día siguiente" solo se concederá si las autoridades aduaneras son capaces supervisar el régimen y llevar a cabo controles sin tener que realizar un esfuerzo administrativo desproporcionado respecto a las necesidades de la persona afectada, y si el interesado dispone de registros que permitan a las autoridades aduaneras efectuar un control eficaz. Si el interesado es OEA se entenderá que se cumple esta última condición y la de la letra (c) anterior.

Una vez reciban la solicitud, las autoridades aduaneras del Estado miembro en el que esté establecida la compañía marítima deben notificarla a los demás Estados miembros en cuyos territorios respectivos estén situados los puertos de partida y de destino previsto. Se abrirá a partir de esta notificación un plazo de sesenta días para dar la oportunidad de que se formulen objeciones por parte de las autoridades de los demás Estados miembros. Transcurrido este plazo sin recibir objeciones, las autoridades aduaneras concederán la autorización, que será válida en los Estados miembros correspondientes, pudiendo aplicarse únicamente a las operaciones de transporte efectuadas entre los puertos a los que se refiera.

Los apartados 5 y 6 del artículo 128 quinquies RDCAU regulan la mecánica de aplicación de esta autorización del "manifiesto del día siguiente", en el marco de la cual se produce un intercambio de datos entre el puerto de partida y el puerto de destino y se exige que la compañía marítima notifique toda infracción o irregularidad a las autoridades aduaneras. También las autoridades aduaneras del puerto de destino deben notificar lo antes posible toda infracción o irregularidad a las autoridades aduaneras del puerto de partida y a la autoridad que haya extendido la autorización.

En otro orden de cosas, si las mercancías tienen el estatuto de mercancías de la Unión, pero el envase que las contiene no lo tiene, el documento o medio de acreditación del estatuto debe contener una mención que identifique esta circunstancia, concretamente la mención "Envase N - [código 98200]".

También debe incluirse una mención de identificación en caso de que el medio de acreditación del estatuto se haya expedido *a posteriori* ("Expedido a posteriori - [Código 98201]") (apartados 4 y 5 del artículo 199 RECAU).

> Por otra parte, se dispone que los medios de prueba del estatuto aduanero de mercancías de la Unión a que nos hemos referido en este apartado no se utilizarán en relación con aquellas mercancías cuyas formalidades de exportación se hayan cumplido o en relación con aquellas mercancías que hayan sido incluidas en un régimen de perfeccionamiento pasivo (artículo 199.6 RECAU).

Asistencia mutua.– Se ordena a las autoridades aduaneras de los Estados miembros la asistencia mutua a fin de garantizar la correcta aplicación de las normas relativas a la prueba del estatuto aduanero de las mercancías, en aspectos tales como el control de la autenticidad y la exactitud de los medios de prueba, la verificación de que la información y los documentos presentados sean exactos y de que los procedimientos utilizados se hayan aplicado correctamente (artículo 212 RECAU).

11.2.3. Reglas particulares para el expedidor autorizado

La condición de "expedidor autorizado" se obtiene mediante una autorización que puede ser solicitada por cualquier persona que cumpla dos requisitos: a) historial de cumplimiento de la normativa aduanera; y b) alto nivel de control de sus operaciones y del flujo de mercancías. Estos dos requisitos se regulan en el artículo 39 CAU como condiciones para la obtención del estatuto de Operador Económico Autorizado (OEA).

> Puesto que la autorización como "expedidor autorizado" requiere del cumplimiento de requisitos que el OEA ha debido acreditar, un OEA deberá obtener esta autorización sin mayor trámite. Bajo la vigencia del CAC y el RACAC la condición de "expedidor autorizado" se sujetaba a los requisitos establecidos en el artículo 373 RACAC para lograr determinadas simplificaciones en el régimen de tránsito que se regulaban en el artículo 372 RACAC.

Las ventajas de que disfruta el "expedidor autorizado" se establecen en el artículo 128 RDCAU y son las siguientes:

a) Puede expedir el T2L o el T2LF sin tener que solicitar un visado;

b) Puede expedir el manifiesto de mercancías aduaneras sin tener que solicitar un visado y registro de la prueba de la aduana competente.

Por otra parte, se establece también la posibilidad de que las autoridades aduaneras concedan una autorización de simplificaciones en materia de prueba del estatuto aduanero con carácter transitorio hasta la fecha de implantación del sistema PEU. La simplificación consiste en este caso en que los operadores que se beneficien de ella podrán utilizar, sin tener que presentarlos para su visado ante la aduana competente, los medios de acreditación del estatuto aduanero de la Unión consistentes en factura (para mercancías cuyo valor exceda de 15.000 euros), documento de transporte, el documento «T2L» o «T2LF» o el manifiesto de la compañía marítima.

> La simplificación transitoria a que nos referimos se sujeta a los siguientes requisitos (artículo 128.4 RDCAU):
> a) El solicitante debe estar establecido en el TAU.
> b) No debe haber cometido infracciones graves o reiteradas contra la legislación aduanera o fiscal;
> c) Las autoridades aduaneras deben ser capaces de supervisar el régimen y llevar a cabo controles sin tener sin tener que realizar un esfuerzo administrativo desproporcionado respecto a las necesidades del solicitante;
> d) El solicitante debe disponer de registros que permitan a las autoridades competentes efectuar un control eficaz, y
> e) El solicitante debe extender regularmente la prueba del estatuto aduanero de mercancías de la Unión o bien debe constar a las autoridades aduaneras competentes que puede cumplir las obligaciones jurídicas para la utilización de dichas pruebas.

Se considerará que los operadores que tengan la condición de OEA cumplen automáticamente los requisitos (b), (c) y (d).

También con carácter transitorio hasta la implantación del sistema PEU, el artículo 128 ter RDCAU establece que el emisor autorizado podrá quedar dispensado de la obligación de firmar los documentos «T2L» o «T2LF» o los documentos comerciales utilizados provistos del sello especial del expedidor autorizado y que se formalicen mediante un sistema de tratamiento de datos electrónico o automático. En cualquiera de los casos deberá figurar, en lugar de la firma del emisor autorizado, la mención "Dispensa de firma" en alguna de las lenguas oficiales de la UE.

> La dispensa de firma podrá concederse siempre que el emisor autorizado haya remitido previamente a las autoridades un compromiso escrito por el que se reconozca responsable de las consecuencias jurídicas de la emisión de todos los documentos «T2L» o «T2LF» o de todos los documentos comerciales provistos del sello especial.
>
> Además, el emisor autorizado deberá realizar una copia de cada documento «T2L» o «T2LF» emitido, que deberá conservar durante un período mínimo de tres años y presentar a las autoridades si se le requiere. El apartado 2 del artículo 128 bis RDCAU enumera las especificaciones que deberá contener la autorización y la mecánica de su aplicación.

11.2.4. Reglas particulares para los productos de la pesca marítima y otros productos extraídos del mar

Las reglas particulares a que nos vamos a referir se contienen en los artículos 129 a 133 RDCAU y 213 a 215 RECAU. Antes de entrar a exponerlas debemos recordar que estos productos están exentos de los derechos de aduana, conforme a lo dispuesto en el artículo 208 CAU, cuando se extraen por buques matriculados o registrados en un Estado miembro y que enarbolen pabellón de dicho Estado (véase capítulo 5.5).

A fin de que estos productos puedan disfrutar del estatuto de mercancías de la Unión se exige que hayan sido transportados directamente al TAU.

Además, el transporte directo al TAU debe realizarse de alguna de las formas siguientes:

> a) en un buque de pesca de la Unión que haya capturado los productos y, en su caso, llevado a cabo su transformación;
>
> b) en un buque de pesca de la Unión tras el transbordo de los productos desde el buque mencionado en que se hayan capturado y, en su caso, transformado;
>
> c) en el buque-factoría de la Unión que haya transformado los productos tras su transbordo desde el buque en que se hayan capturado y, en su caso, transformado;

d) en cualquier otro buque al que se hayan transbordado los referidos productos y mercancías desde los buques referidos en las letras anteriores, sin proceder a ninguna modificación ulterior;

e) por un medio de transporte al amparo de un documento de transporte único, expedido en el país o territorio que no pertenezca al TAU en el que se hayan desembarcado los productos y mercancías de los buques referidos en las letras anteriores.

El estatuto de mercancías de la Unión de estos productos se acredita mediante la presentación, según corresponda, con arreglo a lo dispuesto en el Reglamento (CE) 1224/2009 del Consejo, de:

– Un cuaderno diario de pesca,

– Una declaración de desembarque,

– Una declaración de transbordo y los datos del sistema de localización de buques.

Reglamento (CE) 1224/2009, de 20 de noviembre de 2009, por el que se establece un régimen comunitario de control para garantizar el cumplimiento de las normas de la política pesquera común.

Estos medios de prueba deberán incluir la información siguiente:

a) el lugar en que los productos de la pesca marítima han sido capturados, que permita establecer que los productos o las mercancías tienen el estatuto aduanero de mercancías de la Unión;

b) los productos de la pesca marítima (nombre y tipo) y su masa bruta (kg);

c) la clase de mercancías obtenidas a partir de los productos de la pesca marítima, descrita de manera que permita su clasificación en la nomenclatura combinada, y la masa bruta (kg).

Para los barcos de eslora total entre 10 y 15 metros se aceptará un cuaderno diario de pesca, una declaración de desembarque o una declaración de transbordo en papel.

Ahora bien, la autoridad aduanera responsable del puerto de descarga al que se hayan transportado directamente estos productos, podrá considerar acreditado el estatuto aduanero de mercancías de la Unión cuando la eslora total del buque de pesca sea inferior a 10 metros o bien cuando no exista duda alguna sobre el estatuto de dichos productos.

Transbordos.– Cuando los productos de la pesca u otros productos extraídos del mar puedan acogerse a la exención de derechos de aduana que establece el artículo 208 CAU, su transbordo se sujeta a una serie de cautelas dirigidas a evitar que esta exención pueda ser abusada.

Si estos productos se transbordan desde el buque de pesca o desde el buque-factoría, el buque receptor acreditará su estatuto aduanero mediante la presentación de un ejemplar de la declaración de transbordo del buque receptor (si hubiera varios transbordos, debe presentarse un ejemplar de la declaración de transbordo de cada uno de ellos). Además, se deberá aportar el ejemplar del cuaderno diario de pesca, la declaración de transbordo y los datos del sistema de localización de buques de la Unión, según corresponda, del buque de pesca de la Unión o del buque-factoría de la Unión desde el que se hayan transbordado los productos.

> En caso de transbordo, los referidos cuaderno diario de pesca, declaración de transbordo y datos del sistema de localización de buques de la Unión deberán contener, además de la información que se exige con carácter general a estos medios de acreditación del estatuto aduanero y que hemos señalado más arriba, el nombre, el Estado de pabellón, el número de matrícula y el nombre y apellidos del capitán del buque receptor al que se hayan transbordado los productos. Por otro lado, el cuaderno diario de pesca o la declaración de transbordo del propio barco receptor debe incluir, además de la información que se exige con carácter general a estos medios de acreditación del estatuto aduanero, el Estado de pabellón, el número de matrícula y el nombre y apellidos del capitán del buque de pesca de la Unión o del buque-factoría de la Unión desde el que se hayan transbordado los productos o mercancías.
>
> Recordemos, asimismo, que la declaración de transbordo podrá presentarse en papel si se trata de barcos de eslora total entre 10 y 15 metros.

Si los productos objeto de transbordo atraviesan, durante su transporte, un país o territorio que no forme parte del TAU, deberá presentarse un certificado de la autoridad aduanera de dicho país que acredite que los productos o mercancías han estado bajo vigilancia aduanera mientras se encontraban en su territorio y no han sufrido más manipulaciones de las necesarias para su conservación. La acreditación de su estatuto aduanero se realizará mediante copia del cuaderno diario de pesca acompañada, en su caso, de una copia de la declaración de transbordo.

> La información que debe constar en estos medios de acreditación es la siguiente:
> a) un visado por las autoridades aduaneras del tercer país;
> b) la fecha de llegada y de partida del tercer país de los productos y mercancías;
> c) el medio de transporte utilizado para su reexpedición hacia el TAU;
> d) la dirección de la autoridad aduanera del tercer país.
> El certificado a emitir por las autoridades del tercer país se debe presentar utilizando cualquier formulario o documento y debe incluir una referencia al cuaderno diario de pesca.

Barcos de un tercer país que pesquen en el TAU.– La prueba del estatuto aduanero de mercancías de la Unión para los productos de la pesca marítima y otros productos extraídos o capturados por buques que enarbolen pabellón de un tercer país en el TAU consistirá en una copia del cuaderno diario de pesca. En su defecto, podrá utilizarse cualquier otro medio de prueba del estatuto aduanero de las mercancías.

11.3. EL DESPACHO A CONSUMO

La distinción entre "despacho a libre práctica" y "despacho a consumo" es de gran importancia. El segundo de los conceptos referidos comporta, además del contenido del primero, que se han satisfecho por las mercancías los tributos internos al consumo que correspondan a las mercancías de que se trate (fundamentalmente, IVA e Impuestos Especiales). Por tanto, el "estatuto de mercancías de la Unión" que confiere el despacho a libre práctica no exime, sino todo lo contrario, de satisfacer los tributos internos a los que se sujeta el tráfico de tales mercancías.

Despacho a libre práctica	Despacho a consumo
– Cumplimiento de las formalidades aduaneras. – Aplicación de las medidas de política comercial. – Pago de los derechos de aduana y demás impuestos arancelarios, en su caso.	– Despacho a libre práctica + – Pago del IVA a la importación. – Pago de los Impuestos Especiales a la importación, en su caso.

A este respecto es importante tomar en consideración algunas observaciones de gran trascendencia:

- El territorio aduanero de la UE no coincide con el ámbito de aplicación del IVA. Ello se debe a que hay territorios que sí forman parte del TAU pero en los que no se exige el IVA (es el caso de Canarias, por ejemplo).

  Al margen de las diferencias conceptuales que pudieran apreciarse, la circunstancia apuntada nos conduce a observar que "importación" en el marco de los impuestos arancelarios no es un fenómeno coincidente con la "importación" como modalidad de hecho imponible del IVA. De esta forma, habrá "importaciones" que generarán una deuda aduanera pero que no supondrán la realización de una "importación" como modalidad del hecho imponible del IVA (por ejemplo, la introducción de mercancías en Canarias). Y al contrario, habrá "importaciones" a efectos del hecho imponible del IVA que no lo serán a efectos arancelarios (por ejemplo, la introducción de mercancías procedentes de Canarias en el territorio peninsular).

- El IVA y los Impuestos Especiales son tributos de normativa armonizada en la UE, pero no de normativa uniforme. Esto significa que la regulación específica de cada uno de ellos experimenta variaciones en función del Estado miembro de que se trate, entre las cuales debe destacarse, por su trascendencia y visibilidad, la que afecta a los tipos de gravamen.

  Los elementos a que acabamos de hacer referencia obligan a arbitrar mecanismos que aseguren la plena eficacia de las normas tributarias propias de cada Estado o de cada territorio. Ocurre así que la circulación de mercancías en el interior de la UE puede tener consecuencias:

  ✓ Arancelarias, cuando se pase de un territorio que no forma parte del territorio aduanero de la Unión a otro que sí forme parte de él, o a la inversa.

Ejemplo
Esto es lo que ocurrirá, por ejemplo, cuando una mercancía procedente de Ceuta y Melilla sea introducida en el territorio peninsular.

✓ Tributarias no arancelarias, cuando:

1. Se pase de un territorio no incluido en el ámbito de aplicación de la Directiva 2006/112/CE ("territorio IVA"; véanse sus artículos 5 y 6) a otro que sí lo esté, realizándose entonces la modalidad del hecho imponible "importación" en el IVA.

Ejemplo
Esto es lo que ocurrirá, por ejemplo, cuando una mercancía procedente de las Islas Canarias sea introducida en el territorio peninsular.

2. Se pase de un ámbito de aplicación del IVA a otro distinto (por ejemplo, del territorio peninsular español al territorio continental de Francia). Estaremos en tales casos ante las denominadas "operaciones intracomunitarias", dentro del sistema del IVA.

La existencia de las aludidas consecuencias tributarias no arancelarias tiene reflejo en la regulación aduanera, como se hace patente, por ejemplo, en la regulación del régimen de tránsito (que se examina en el capítulo 13).

Debemos señalar que el despacho a libre práctica y el despacho a consumo no tienen por qué coincidir en el tiempo. En particular, puede obtenerse la exención del IVA a la importación para unas mercancías despachadas a libre práctica mediante la introducción de las mismas en un depósito distinto de los aduaneros [artículo 24. Uno (e) Ley 37/1992, del IVA].

La definición del régimen de depósito distinto de los aduaneros (DDA) se contiene en el punto Quinto del Anexo a la Ley 37/1992, del IVA.

Ejemplo

Ejemplo de la utilidad de separar despacho a libre práctica del despacho a consumo. Supongamos que ValRon es un importador de ron que introduce una gran partida de este producto por el puerto de Valencia para su comercialización en la UE. En el momento de la importación, ValRon todavía no ha vendido a terceros la mercancía, de manera que desconoce si finalmente sus clientes estarán establecidos en España o en otros Estados miembros de la UE. Si ValRon despachara a libre práctica y, además, despachara a consumo el ron, habría de satisfacer el arancel y, además, el IVA a la importación y el Impuesto Especial sobre bebidas alcohólicas españolas. Si resulta que posteriormente vendiese parte de ese ron a clientes establecidos en otro Estado miembro de la UE, ValRon habría de solicitar la devolución del IVA y del Impuesto Especial españoles, dado que el ron quedará entonces sujeto al IVA y el Impuesto Especial de ese otro Estado miembro (téngase en cuenta que, aunque el IVA y los Impuestos Especiales son impuestos armonizados en la UE, los tipos de gravamen son diferentes en cada país y se aplican y recaudan por la Administración de cada uno de ellos, a diferencia de lo que ocurre con el arancel, que se aplica y recauda de forma única para toda la UE). ValRon soportaría un coste financiero porque la devolución por parte de la Hacienda española se demoraría, en tanto que el otro Estado miembro exigiría de forma inmediata la liquidación del IVA y el Impuesto Especial correspondiente.

Para evitar esta situación, ValRon tiene la opción de despachar las mercancías a libre práctica, pero no a consumo, colocando para ello las mercancías en un depósito distinto de los aduaneros (DDA). Esto le permitirá demorar la liquidación del IVA y del Impuesto Especial. A medida que ValRon venda su mercancía, la sacará del depósito y será entonces cuando deba proceder a liquidar los impuestos correspondientes (IVA e IIEE), en función del país al que vayan destinadas.

Finalmente debe observarse que el hecho de que las mercancías se encuentren a libre práctica no necesariamente supone que desaparezca cualquier limitación a la comercialización de esas mercancías.

Ejemplo

Por ejemplo, puede ocurrir que deban respetarse los derechos de los titulares de una marca (STJUE *EMI*, asunto 51/75, de 15.06.1976, p. 16).

ASPECTOS GENERALES DE LOS "REGÍMENES ESPECIALES"

ÍNDICE

12 Aspectos generales de los "regímenes especiales"

12.1. LOS REGÍMENES ESPECIALES. NOTAS GENERALES

En el capítulo 10 se ofrece la clasificación de los regímenes aduaneros. Dentro de ella se incluyen los regímenes aduaneros especiales, que se desglosan según se indica en el esquema de regímenes aduaneros que sigue.

CAU. Regímenes especiales (artículo 210)	
A) Tránsito	
	i) Tránsito interno
	ii) Tránsito externo
B) Depósito	
	i) Depósito aduanero ii) Zona Franca
C) Destino especial	
	i) Importación temporal ii) Destino Final
D) Perfeccionamiento	
	i) Perfeccionamiento activo ii) Perfeccionamiento pasivo

Como se observa en la tabla, se ordenan cuatro categorías de regímenes especiales (tránsito, depósito, destino especial y perfeccionamiento), cada una de las cuales se descompone en dos modalidades, hasta un total de ocho regímenes especiales.

El capítulo 1 del Título VII del CAU regula una serie de disposiciones generales a los diversos regímenes especiales, que se tratan en profundidad en este capítulo.

Disposiciones generales de los regímenes especiales			
	CAU	RDCAU	RECAU
Título VII. Regímenes especiales. Capítulo 1	210-225	161-183	258-271

Por otra parte, interesa señalar que diversos anexos, tanto del RDCAU como del RECAU, establecen normas relativas a los regímenes especiales.

Anexos RDCAU - Regímenes Especiales	
Anexo 71-01	Documento justificativo cuando las mercancías se declaran oralmente con vistas a la importación temporal
Anexo 71-02	Mercancías y productos sensibles
Anexo 71-03	Lista de manipulaciones usuales autorizadas
Anexo 71-04	Disposiciones especiales relativas a las mercancías equivalentes
Anexo 71-05	Intercambio de información normalizado (INF)
Anexo 71-06	Información que debe facilitarse en el estado de liquidación
Anexo 72-03	TC 11 - Recibo (requisitos comunes en materia de datos)
Anexos RECAU - Regímenes Especiales	
Anexo 72-01	Etiqueta amarilla
Anexo 72-02	Etiqueta amarilla
Anexo 72-03	TC 11 - Recibo
Anexo 72-04	Procedimiento de continuidad de las actividades para el régimen de tránsito de la Unión

Adicionalmente, conviene señalar la existencia de una guía (en lo sucesivo, "*Guidance*") elaborada por la Comisión Europea (TAXUD) en materia de regímenes especiales (documento TAXUD/A2/SPE/2016/001-Rev 11-EN; la última revisión de esta *Guidance* es de 2020). Por el momento sólo está disponible en inglés en:
https://ec.europa.eu/taxation_customs/sites/taxation/files/docs/body/guidance_special_procedures_en.pdf

La introducción de mercancías no siempre tiene por objeto, al menos de forma inmediata, la plena incorporación de las mismas al tráfico económico de la Unión Europea, esto es, su "unionización" o, en terminología tradicional, su "nacionalización", que comporta la plena equiparación en derechos y obligaciones con las mercancías nacionales o domésticas, quedando las mercancías amparadas frente a cualquier discriminación adicional por la cláusula de trato nacional del GATT. El tráfico aduanero no se resuelve únicamente en operaciones de importación a libre práctica y operaciones de exportación, sino que, al margen de ellas, existe además una amplia panoplia de operaciones de diverso contenido. Precisamente la existencia de una serie de tributos y de cargas o barreras no tributarias con ocasión de la importación y, en menor medida, de la exportación de mercancías, condiciona la existencia de unas necesidades de parte de los operadores económicos que precisan, para llevar a cabo su actividad de una forma más eficiente, la previsión de una serie de regímenes que supongan un alivio en las cargas —tributarias y de otro tipo— que el tráfico internacional de mercancías comporta. Estas necesidades vienen agudizadas, si cabe, por la fuerte penetración que en las economías modernas ha alcanzado el fenómeno de división internacional del trabajo, que tiene una manifestación tangible en la circulación de bienes sobre los cuales se realizan actividades económicas en distintos territorios o países a lo largo de su proceso de producción.

Con carácter general, las mercancías incluidas en los regímenes especiales no se sujetan al pago de derechos en tanto no se incurra en irregularidades (salvo por lo que señalaremos al analizar el régimen de importación temporal) y, en contrapartida, no gozan, en tanto permanezcan en ellos, de libre acceso al mercado de la UE, si bien nótese que lo anterior no supone negar en todo caso que las mercancías entren en el circuito económico de la UE: lo que ocurre es que lo hacen sujetas a condiciones y límites.

> En el análisis en detalle cada uno de los regímenes especiales esta idea de condiciones y límites quedará patente.

Precisamente, la exoneración del pago de derechos y, en su caso, del cumplimiento de medidas de política comercial, justifica la forma condicionada y limitada en que las mercancías entran en el circuito económico de la UE, lo que obliga a establecer mecanismos de control y vigilancia que aseguren que las aludidas limitaciones serán respetadas, colocando a este fin al importador en una posición de sumisión respecto de la actividad fiscalizadora de las autoridades aduaneras. Esta es la razón que explica que abunden, en la regulación de los diversos regímenes especiales, la previsión de deberes formales que tienden justamente a este objetivo y que van, desde la necesidad de obtener autorizaciones para realizar multitud de actos (incluyendo la posibilidad de acogerse a ellos), al deber de formular declaraciones, pasando por la llevanza de unos registros específicos, el sometimiento al cumplimiento de unas condiciones económicas, la práctica de comunicaciones a las autoridades, etc. De entre las obligaciones a que acabamos de hacer referencia destaca por su trascendencia y su generalidad la que se refiere a la necesidad de obtener una autorización para acogerse a cualquiera de los regímenes especiales, de la que nos ocuparemos más abajo.

Otra nota característica de estos regímenes estriba en su naturaleza coyuntural. La vocación de los mismos no es de permanencia, sino que su duración viene limitada en tanto que las mercancías completan un ciclo o una fase en su camino hacia su destinatario final, que puede estar situado en el TAU (con lo que finalmente desencadenarán una importación a libre práctica de las mercancías) o bien puede estar situado fuera de él (con lo que pueden desencadenar una exportación o bien una reexportación).

La calificación jurídica que corresponde a estos regímenes no es unánime o, al menos, no siempre lo ha sido. Mientras que para algunos autores estamos ante supuestos de no sujeción, para otros, por el contrario, nos encontramos ante supuestos de exención. La pregunta anterior aparece íntimamente conectada al concepto de importación como hecho imponible de los derechos de aduana, puesto que es justamente la definición del hecho imponible la que delimita un ámbito de sujeción (dentro del cual deben ubicarse necesariamente los supuestos exentos) el cual, a su vez, en sentido negativo, configura un ámbito de no sujeción.

Al aproximarnos a los regímenes especiales observamos que su existencia sólo es explicable atendiendo al carácter extrafiscal de los impuestos arancelarios. Existe un interés positivo en que la introducción de mercancías que se efectúa bajo determinadas modalidades, para cumplir ciertos fines, no resulte gravada. No se trata, por tanto, de una mera renuncia a la posibilidad de exigir el tributo en estos casos. Esta constatación nos conduce necesariamente a calificar de exención el efecto que producen los regímenes especiales, consistente en enervar el nacimiento de la deuda, frente a la no sujeción, puesto que la no exigencia del tributo no se justifica en que los mismos queden fuera del ámbito delimitado por el hecho imponible (como claramente delata su profusa regulación) sino en conseguir que el tributo cumpla de forma más perfecta la finalidad de protección que tiene encomendada.

Así se explica, también, el sometimiento a los deberes formales de aplicación de los tributos que estos regímenes comportan (al margen de los derivados de la política comercial) y que difícilmente podrían justificarse si se les considerase supuestos de no sujeción. Nótese, además, que el incumplimiento de los deberes formales puede acarrear el nacimiento de la deuda aduanera, lo que viene a evidenciar que nos encontramos dentro del ámbito de aplicación del tributo y que es precisamente ésta la razón por la cual el ordenamiento trata de asegurarse de que, sólo en las condiciones previstas, pueda obtenerse el beneficio constituido por la no exigencia de la prestación material (la conocida como "obligación tributaria principal" o de pago del tributo). Si así no fuera, ¿cómo justificar entonces la conexión entre incumplimiento de deberes formales y nacimiento de la deuda tributaria? ¿acaso el incumplimiento de deberes formales habría de calificarse de hecho imponible? No es esa la conclusión a la que nos lleva el análisis de la normativa de la UE y de ahí que propugnemos que los regímenes especiales constituyen verdaderos supuestos de exención tributaria.

Esta apreciación queda confirmada por las apreciaciones que el TJUE realiza en su Sentencia *Wandel* (asunto C-66/99, de 01.02.2001), donde niega que la declaración en aduana o su admisión pueda ser el hecho generador de la deuda aduanera (pp. 43 y 44).

> Un estudio en profundidad sobre el instituto de la exención tributaria puede verse en Lozano Serrano, C.: *Exenciones tributarias y derechos adquiridos*, Tecnos, Madrid, 1988.

12.2. LA AUTORIZACIÓN

12.2.1. *La autorización como requisito de inclusión*

La utilización de determinados regímenes especiales requiere de la previa obtención de una autorización (artículo 211 CAU). Los regímenes especiales sujetos al requisito de autorización son los siguientes:

Regímenes especiales sujetos a autorización
Perfeccionamiento activo
Perfeccionamiento pasivo
Importación temporal
Destino final

> Por tanto, ni el tránsito (interno o externo) ni el depósito (depósito aduanero o zona franca) requieren autorización.
>
> Sí que exige asimismo la obtención de una autorización la explotación de una instalación de depósito aduanero (DA). En este caso se exige autorización, no para colocar mercancías en situación de depósito aduanero, sino para operar una instalación o almacén en el que se coloquen mercancías en situación de depósito aduanero. La autorización no es necesaria, en cambio, si son las propias autoridades aduaneras quienes gestionan la instalación.

Los requisitos a los que se sujeta la concesión de la autorización a que nos referimos son los siguientes (artículo 211 CAU, apartados 3 y 4):

1 El beneficiario debe estar establecido en el TAU;

> Ahora bien, las autoridades pueden conceder la autorización a un sujeto no establecido en el TAU, ocasionalmente y cuando lo consideren justificado, para el régimen de destino final o el régimen de perfeccionamiento activo. La autorización debe solicitarse, en tal caso, a la autoridad aduanera competente del lugar en que los productos vayan a ser utilizados por primera vez, si se trata de una autorización para el régimen de destino final, o a la autoridad aduanera competente del lugar en que los productos vayan a ser transformados por primera vez, si se trata de una autorización para el régimen de perfeccionamiento activo (artículos 161 y 162

RDCAU). La *Guidance* de la Comisión (p. 10) señala que debe hacerse una interpretación restrictiva de esta posibilidad de que el beneficiario no esté establecido en el TAU.

2) **El beneficiario debe asegurar la buena ejecución de las operaciones;**

Se considera que los OEA-Simplificaciones aduaneras cumplen este requisito en la medida en que la actividad relativa al régimen especial de que se trate hubiera sido tenida en cuenta al concederle el referido estatuto OEA. Si el beneficiario no es OEA deberá verificarse su historial aduanero y tributario (*Guidance*, p. 11).

En estrecha conexión con este requisito, la normativa anterior exigía que el titular de la autorización informara a las autoridades de cualquier circunstancia que pudiera afectar al mantenimiento o contenido de la autorización (artículo 87.2 CAC). Este requisito, a su vez, fue objeto de análisis en la STJUE *Eru Portuguesa*, asunto C-187/99.

3) **El beneficiario debe constituir una garantía respecto de mercancías incluidas en un régimen especial en caso de que pueda originarse una deuda (aduanera o por otros gravámenes).**

La garantía se dirige a cubrir la deuda potencial que puede nacer en caso de incumplimiento de las obligaciones del régimen especial y debe aportarse antes del levante. Las garantías se analizan en el capítulo 26. Cabe el uso de una garantía global (en cuyo caso la autorización debe incluir su número de referencia), salvo que la autorización se solicite mediante una declaración en aduana, puesto que en este caso debe aportarse una garantía individual. Al exigirse garantía individual, no cabe aplicar reducciones en el importe de la garantía, ni siquiera para OEAs (*Guidance*, p. 12). No se requerirá garantía para perfeccionamiento activo EX/IM, importación temporal, zona franca y perfeccionamiento pasivo EX/IM (*Guidance*, p. 11).

4) **La vigilancia aduanera requerida para un adecuado control de la actividad no debe obligar a las autoridades a poner en marcha un dispositivo administrativo desproporcionado en relación con las necesidades económicas de que se trate;**

5) **Si los regímenes especiales para los que se pide autorización son los de importación temporal o de perfeccionamiento activo, el beneficiario debe ser quien utilice o mande utilizar las mercancías (importación temporal) o quien efectúe o mande efectuar las operaciones de transformación de las mercancías (perfeccionamiento activo).**

6) **Si el régimen especial para el que se pide autorización es el de perfeccionamiento, este no debe perjudicar los intereses esenciales de los productores de la Unión ("condiciones económicas").**

A fin de poder considerar que los intereses esenciales de los productores de la Unión resultan perjudicados deben constar pruebas en tal sentido. En tal caso, se llevará a cabo un examen de las condiciones económicas a escala de la Unión (artículo 211 CAU, apartados 5 y 6).

11.2.2. *Solicitud de la autorización*

La autorización para utilizar un régimen especial debe ser solicitada por el interesado. A este fin deben aportarse los elementos de datos que se indican en el Anexo A RDCAU (columnas "8a" a "8f").

> La *Guidance* de la Comisión (p. 7) aconseja que, si un mismo operador solicita la utilización de más de un régimen especial, lo haga mediante solicitudes separadas.

La propia declaración en aduana puede hacer las veces de solicitud de autorización para utilizar un régimen especial en determinados supuestos (artículo 163 RDCAU).

> Los supuestos en los que la declaración en aduana puede hacer las veces de solicitud de autorización son los siguientes:
> a) cuando las mercancías vayan a ser incluidas en el régimen de importación temporal, a menos que las autoridades aduaneras exijan una solicitud formal por tratarse de mercancías para las que se solicita exención plena en atención a que son importadas en situaciones especiales sin incidencia económica en la Unión (supuesto contemplado en el artículo 236.(b) RDCAU).
> b) cuando las mercancías vayan a ser incluidas en el régimen de destino final y el solicitante tenga la intención de asignar enteramente las mercancías al destino final de que se trate;
> c) cuando mercancías distintas de las contempladas en el anexo 71-02 RDCAU (que enumera las mercancías y productos sensibles) vayan a ser incluidas en el régimen de perfeccionamiento activo;
> d) cuando mercancías distintas de las contempladas en el anexo 71-02 RDCAU (que enumera las mercancías y productos sensibles) vayan a ser incluidas en el régimen de perfeccionamiento pasivo;
> e) cuando se haya concedido una autorización para utilizar el régimen de perfeccionamiento pasivo y se vayan a despachar a libre práctica productos de sustitución utilizando el sistema de intercambios estándar, sin que ello esté cubierto por dicha autorización;
> f) cuando productos transformados vayan a ser despachados a libre práctica después del perfeccionamiento pasivo y la operación de transformación se refiera a mercancías desprovistas de carácter comercial.
> g) cuando las mercancías enumeradas en el anexo 71-02 RDCAU (que enumera las mercancías y productos sensibles) cuyo valor en aduana no exceda de 150.000 euros estén incluidas o vayan a incluirse en el régimen de perfeccionamiento activo y vayan a destruirse bajo supervisión aduanera debido a circunstancias excepcionales y debidamente justificadas (véase el Considerando (26) del Reglamento 2020/877).
> Ahora bien, no se admite que la declaración en aduana haga las veces de solicitud de autorización cuando el declarante formule su declaración acogiéndose a determinadas simplificaciones (declaración simplificada, despacho centralizado o inscripción en los registros del declarante) y tampoco en determinados supuestos (cuando se solicite una autorización distinta de la importación temporal que implique a más de un Estado miembro; cuando se solicite la utilización de mercancías equivalentes, a las que se refiere el artículo 223 CAU; cuando la autoridad aduanera competente informe al declarante de que se requiere un examen de las condiciones económicas, cuestión que se regula en el artículo 211.6 CAU; cuando se solicite

una autorización con efecto retroactivo, que se regula en el artículo 211.2 CAU, salvo en los supuestos antes referidos de solicitud de utilización de mercancías equivalentes o de información por las autoridades de que se requiere el examen de las condiciones económicas).

Puesto que, en determinados casos, cabe que la declaración en aduana se realice de forma oral o mediante determinados actos (como pasar por el circuito "nada que declarar" de un aeropuerto), se dispone que las autoridades pueden rechazar esta forma de solicitud de autorización si consideran que entrañaría un grave riesgo de incumplimiento de alguna obligación aduanera, en relación con la inclusión de medios de transporte o piezas de recambio, accesorios y equipos para medios de transporte en el régimen de importación temporal. Las autoridades deben comunicar que esta modalidad de declaración no se admite como solicitud de autorización para la inclusión de mercancías en el régimen especial tan pronto se presenten las mercancías en aduana (artículo 163.3 RDCAU). Si, por el contrario, las autoridades permiten que la declaración en aduana oral haga las veces de solicitud de autorización para importación temporal, el declarante deberá presentar un documento justificativo conforme al modelo que se establece en el anexo 71-01 RDCAU en ejemplar duplicado, uno de los cuales será visado por las autoridades aduaneras y entregado al titular de la autorización (artículos 165 RDCAU y 258 RECAU).

Finalmente, indiquemos que los cuadernos ATA y CPD (que son cuadernos regulados en acuerdos internacionales y que se utilizan como formas de declaración en aduana en el marco del régimen de importación temporal) también pueden ser admitidos como solicitud de autorización de importación temporal cuando cumplan cuatro condiciones, a saber: a) que el cuaderno haya sido expedido en una parte contratante del Convenio ATA o del Convenio de Estambul y refrendado y garantizado por una asociación que forme parte de una cadena de garantía; b) que el cuaderno se refiera a mercancías y usos contemplados en el Convenio en virtud del cual haya sido expedido; c) que el cuaderno haya sido certificado por las autoridades aduaneras; d) que el cuaderno sea válido en todo el TAU.

La declaración en aduana y sus diversas formas se analizan en el capítulo 23.

Cuando la declaración en aduana haga las veces de solicitud de autorización para utilizar un régimen especial, debe incluir los elementos de datos adicionales que se señalan en el Anexo A RDCAU.

Ahora bien, la obligación de facilitar elementos de datos adicionales no rige en tres supuestos. En primer lugar, cuando se trate de declaraciones en aduana orales para despacho a libre práctica (los supuestos en que se admite una declaración en aduana oral para despacho a libre práctica se regulan en el artículo 135 RDCAU). En segundo lugar, cuando se trate de declaraciones en aduana orales para importación temporal o reexportación (los supuestos en que se admite una declaración en aduana oral para importación temporal o reexportación se regulan en el artículo 136 RDCAU). Y, en tercer lugar, cuando se trate de declaraciones en aduana para importación temporal o reexportación que se consideren realizadas mediante "otro acto" como, por ejemplo, pasar por el circuito "nada que declarar" de un aeropuerto (que se regulan en el artículo 141 RDCAU; los supuestos son los que enumera el artículo 139 RDCAU).

Si lo que se solicita es la renovación o modificación de una autorización, cabe que las autoridades aduaneras permitan que se presente por escrito, es decir, no de forma electrónica (artículo 164 RDCAU).

12.2.3. *Examen de las condiciones económicas*

Tal y como ya hemos señalado, la concesión de una autorización para incluir mercancías en el régimen especial de perfeccionamiento (activo o pasivo) se sujeta al requisito de que no perjudique los intereses esenciales de los productores de la Unión ("condiciones económicas"). La determinación acerca del cumplimiento de las condiciones económicas comporta la realización de un examen a nivel de la UE. Ahora bien, en determinados supuestos este examen no será necesario si, en virtud de las circunstancias que concurran, las condiciones económicas se consideran cumplidas.

En este sentido, el artículo 166 RDCAU establece la regla general conforme a la cual no se exige el requisito del cumplimiento de las condiciones económicas, tanto para el régimen de perfeccionamiento activo como para el régimen de perfeccionamiento pasivo, y enumera los supuestos que constituyen excepción a esta regla en los que, en consecuencia, sí debe acreditarse el cumplimiento de las condiciones económicas. Tratándose del régimen de perfeccionamiento activo, sí debe realizarse el examen de las condiciones económicas en los tres casos siguientes:

1) cuando (i) el cálculo del importe de los derechos de importación se realice de conformidad con el artículo 86.3 CAU (es decir, tomando en consideración la clasificación arancelaria, valor, cantidad, naturaleza y origen en el momento de admisión de la declaración en aduana por la que se incluyen las mercancías importadas en el régimen); (ii) existan pruebas de que pueden resultar perjudicados intereses esenciales de los productores de la Unión; y (iii) no sea una de las situaciones descritas por el artículo 167.1, letras a) a f), RDCAU;

2) cuando (i) el cálculo del importe de los derechos de importación se realice de conformidad con el artículo 85 CAU (es decir, la regla general conforme a la cual los derechos se calculan conforme a las reglas aplicables en el momento en que nace la deuda); (ii) las mercancías destinadas a ser incluidas en el régimen de perfeccionamiento activo quedarían sujetas, si se despacharan a libre práctica, a una medida de política comercial o agrícola; y (iii) no sea una de las situaciones descritas por el artículo 167.1, letras h), i), m), p) RDCAU;

3) cuando (i) el cálculo del importe de los derechos de importación se realice de conformidad con el artículo 85 CAU; (ii) las mercancías destinadas a ser incluidas en el régimen de perfeccionamiento activo no quedarían sujetas, si se despacharan a libre práctica, a una medida de política comercial o agrícola, un derecho antidumping provisional o definitivo, un derecho compensatorio, una medida de salvaguardia o un derecho adicional resultante de la suspensión de concesiones pero, ello no obstante, existan pruebas de la probabilidad de que resulten perjudicados intereses esenciales de la Unión; y (iii) no sea una de las situaciones descritas por el artículo 167.1, letras g) a s), RDCAU.

El artículo 167 RDCAU enumera un listado de casos en los que se considera que se cumplen las condiciones económicas para el perfeccionamiento activo.

Por su parte, tratándose del régimen de perfeccionamiento pasivo, sí debe realizarse el examen de las condiciones económicas cuando existan pruebas de que pueden resultar perjudicados intereses esenciales de los productores de la Unión de mercancías contempladas en el anexo 71-02 (que contiene el listado de mercancías y productos sensibles) y las mercancías no estén destinadas a ser reparadas.

Conforme a lo dispuesto en la Orden PCI/933/2019 (BOE 13.09.2019), en España se atribuye con carácter general a la AEAT la competencia para adoptar la decisión para autorizar un régimen especial, si bien se atribuye a la Dirección General de Política Comercial y Competitividad el análisis de las condiciones económicas, análisis que se instrumentará mediante la elaboración de un informe vinculante.

En aquellos supuestos en que deba procederse a examinar el cumplimiento de las condiciones económicas, las autoridades aduaneras nacionales deben remitir el expediente a la Comisión, sin demora, solicitando dicho examen (artículo 259 RECAU). A este fin, la Comisión creará un grupo de expertos, compuesto por representantes de los Estados miembros, que le asesorará sobre si se cumplen o no las condiciones económicas. Las conclusiones que se alcancen respecto de las condiciones económicas deben ser tenidas en cuenta, tanto por la autoridad aduanera de que se trate, como por cualquier otra autoridad aduanera que tramite solicitudes y autorizaciones similares, salvo que se indique en ellas que se trata de un caso único y que, por tanto, no puede servir de precedente para otras solicitudes o autorizaciones.

El examen de las condiciones económicas a escala de la Unión también puede realizarse a iniciativa de la propia Comisión, en caso de que disponga de pruebas de que los intereses esenciales de los productores de la Unión pueden resultar perjudicados por el uso de una autorización. Y cabe asimismo que el examen de las condiciones económicas sea instado por las autoridades de otro Estado miembro, cuando dispongan de pruebas de que los intereses esenciales de los productores de la Unión pueden resultar perjudicados por el uso de una autorización que haya sido ya expedida.

El TJUE se ocupó del contenido del examen de las condiciones económicas en la STJUE *Friesland Coberco* (asunto C-11/05, de 11.05.2006), relativa al régimen de transformación bajo control aduanero (un régimen que ha desaparecido como tal en el CAU para convertirse en una modalidad del régimen de perfeccionamiento activo). Observó el Tribunal que, al realizar este examen, "debe tenerse en cuenta no sólo el mercado de productos finales, sino también la situación económica del mercado de materias primas utilizadas para fabricar dichos productos" (p. 52). Por tanto, "el examen de las condiciones económicas (...) tiene por objeto que se tengan en cuenta esos distintos intereses, a saber, los de los transformadores de materias primas y los de los productores comunitarios de mercancías similares" (p. 50). Por otro lado, el Tribunal precisó también que:

"los criterios que se han de tomar en consideración para apreciar «la creación y el mantenimiento de una actividad de transformación», *a efectos del artículo 133, letra e), del Código aduanero y del artículo 502, apartado 3, del Reglamento de aplicación —se refiere a preceptos de la normativa anterior—,* pueden incluir el criterio relativo a la creación, derivada de las actividades de transformación mencionadas, de un número mínimo de puestos de trabajo, pero no se limitan a éste. Dichos criterios dependen de la naturaleza de la actividad de transformación de que se trate y la autoridad aduanera nacional encargada del examen de las condiciones económicas con arreglo a ambas disposiciones debe apreciar globalmente todos los elementos pertinentes, incluidos los relativos al número de puestos de trabajo creados, al valor de la inversión realizada o a la permanencia de la actividad considerada" (STJUE *Friesland Coberco*, p. 59; la cursiva es nuestra).

La STJUE *Thyssenkrupp* (asunto C-572/18P, de 22.04.2021) declara la vigencia de la doctrina de la STJUE *Friesland Coberco* y decide que las conclusiones del examen de las condiciones económicas que realiza la Comisión no son un acto recurrible, en tanto que no vinculan a las autoridades nacionales, que las deben tener en cuenta, pero pueden separarse de ellas, en cuyo caso deben motivar su decisión al respecto.

Si, concedida una autorización, se llevase a cabo un examen posterior para verificar el cumplimiento de las condiciones económicas y en él se llegase a la conclusión de que estas se han dejado de cumplir, la aduana competente debe revocar la autorización de que se trate, surtiendo efecto, a más tardar, en el plazo de un año a partir del día siguiente a la fecha en que el titular de la autorización reciba la notificación de la decisión de revocación.

12.2.4. La decisión de autorización

El trámite de adopción de la autorización sigue el procedimiento general previsto para las decisiones adoptadas a solicitud del interesado. El procedimiento general de adopción de decisiones se analiza en el capítulo 21.

Ha de observarse, no obstante, que en caso de que la autorización afecte a más de un Estado miembro las autoridades aduaneras nacionales deben realizar un procedimiento de consulta entre autoridades aduaneras con carácter previo a la adopción de una decisión de autorización (artículo 260 RECAU).

Este procedimiento se rige por lo dispuesto en los artículos 10 a 14 RECAU para los procedimientos de decisión a solicitud del interesado (en materia de sistema electrónico relativo a las decisiones, deber de las Administraciones nacionales de designar a las autoridades aduaneras competentes para recibir solicitudes, trámite de aceptación de la solicitud, almacenamiento de información relacionada con las decisiones y consulta entre las autoridades aduaneras). Adicionalmente a estas normas, el propio artículo 260 RECAU dispone que la aduana competente para adoptar la decisión debe comunicar la solicitud y el proyecto de autorización a las demás autoridades aduaneras interesadas, en el plazo de treinta días a partir de la fecha de aceptación de la solicitud. Una vez recibida la comunicación, se abre un nuevo plazo de treinta días a fin de que las demás autoridades aduaneras interesadas comuniquen sus objeciones debidamente justificadas, si las hubiere, o manifiesten su acuerdo con el proyecto de autorización. Si en ese plazo no se formulan objeciones, se considerará que han otorgado su conformidad al proyecto de autorización. En caso de que, por el contrario, se formulen objeciones, la autorización será denegada respecto a los aspectos que hayan suscitado objeciones si no se alcanza un acuerdo en los sesenta días siguientes a la fecha de comunicación del proyecto de autorización. Ha de tenerse en cuenta que no se podrá expedir ninguna autorización en que intervenga más de un Estado miembro sin el acuerdo previo de las autoridades aduaneras interesadas en el proyecto de autorización.

Las autorizaciones que afectan a más de un Estado miembro se denominaban "autorizaciones únicas" en la normativa anterior.

No será necesario realizar el procedimiento de consulta entre autoridades aduaneras si la autoridad aduanera competente para tomar la decisión considera que no se cumplen los requisitos para la concesión de la autorización. Por otro lado, el artículo 261 RECAU regula otros supuestos en los que no será necesario realizar el procedimiento de consulta entre autoridades aduaneras como trámite previo a la decisión de autorización.

En determinados supuestos se dispone que no se requiere realizar el procedimiento de consulta entre autoridades aduaneras, sino que basta con poner a disposición de las demás autoridades aduaneras interesadas los datos de la autorización. Se trata de los siguientes supuestos:
a) Cuando la autorización en la que intervenga más de un Estado miembro: i) se renueve, o ii) sea objeto de modificaciones de poca entidad, o iii) se anule, o iv) se suspenda, o v) se revoque;
b) Cuando dos o más de los Estados miembros interesados hayan dado su consentimiento;
c) Cuando la única actividad en la que intervengan diferentes Estados miembros sea una operación en la que la aduana de inclusión y la aduana de ultimación sean distintas;
d) Cuando la solicitud de autorización para la importación temporal que afecte a más de un Estado miembro se efectúe mediante una declaración en aduana normal.

En otros supuestos se dispone que la autoridad aduanera competente puede decidir la autorización sin necesidad de consultar a las demás autoridades aduaneras ni de comunicarles los datos de la autorización. Se trata de los siguientes supuestos:
a) Cuando se utilicen los cuadernos ATA o los cuadernos CPD;
b) Cuando se otorgue una autorización de importación temporal mediante el levante de las mercancías;
c) Cuando dos o más de los Estados miembros interesados hayan dado su consentimiento;
d) Cuando la única actividad en la que intervengan diferentes Estados miembros consista en la circulación de las mercancías.

El plazo para adoptar una decisión relativa a una solicitud de autorización para utilizar un régimen especial es de treinta días, a contar desde la fecha de aceptación de la solicitud, en caso de que la autorización afecte a un solo Estado miembro. Si la autorización se refiere a la explotación de instalaciones de almacenamiento para el depósito aduanero, ese plazo es de sesenta días (artículo 171 RDCAU).

> Ahora bien, el plazo para autorizar la utilización de regímenes especiales se extiende a un año (a contar desde la fecha en que el caso se haya transmitido a la Comisión) si fuera necesario examinar las condiciones económicas. A este fin, las autoridades aduaneras deben informar al solicitante, o al titular de la autorización, de la necesidad de examinar las condiciones económicas.

La decisión de autorización debe precisar las condiciones en que se permite el uso de uno o más regímenes especiales o, en su caso, para la explotación de almacenes de depósito.

Si la declaración en aduana hizo las veces de solicitud de autorización, la autorización se concederá mediante el levante de las mercancías para el régimen aduanero pertinente (artículo 262 RECAU).

> La regla conforme a la cual la concesión del levante constituye la autorización para la utilización de un régimen especial se extiende a todos los supuestos en que una declaración en aduana hace las veces de solicitud de autorización, incluyendo los supuestos de declaración en aduana oral o mediante otro acto y también en los supuestos de declaración en aduana mediante la presentación de un cuaderno ATA o CPD. Cabe suponer que en estos supuestos la autorización se concede en los términos y condiciones en que fue solicitada por el declarante.

La decisión de autorización para incluir las mercancías en un régimen especial tiene un período de validez máximo de cinco años, contados a partir de la fecha en que surta efecto la autorización. Ahora bien, si se trata de mercancías y productos sensibles listados en el anexo 71-02 RDCAU, el período de validez máximo de la autorización será de tres años (artículo 173 RDCAU).

> La *Guidance* de la Comisión (pp. 6-7) indica que estos períodos de validez no rigen para las autorizaciones solicitadas mediante una declaración en aduana que se conceden mediante el levante de las mercancías.

Si se cumplen determinadas circunstancias, se permite que la autorización para acogerse a un régimen especial se conceda con efectos retroactivos (artículo 211.2 CAU).

> Las circunstancias que deben concurrir (deben concurrir todas ellas, pues se trata de circunstancias cumulativas) para que pueda concederse la autorización con efecto retroactivo son las siguientes:
> a) que exista una necesidad económica demostrada;
> b) que la solicitud no esté relacionada con una tentativa de fraude;
> c) que el solicitante haya demostrado, mediante cuentas o registros, que: i) se cumplen todos los requisitos del procedimiento; ii) en su caso, las mercancías pueden identificarse res-

pecto del período de que se trate; iii) tales cuentas o registros permiten que se controle el procedimiento;

d) que puedan efectuarse todos los trámites necesarios para regularizar la situación de las mercancías, entre ellos, en caso necesario, la invalidación de la declaración en aduana correspondiente;

e) que no se haya concedido al solicitante ninguna autorización con efecto retroactivo en un plazo de tres años a partir de la fecha en que fue admitida la solicitud;

   Ahora bien, la *Guidance* de la Comisión (p. 10) señala que sí cabe la posibilidad de realizar más de una solicitud en el plazo de tres años en los supuestos del artículo 163.1(e) y (f) RDCAU.

f) que no se precise el examen de las condiciones económicas, excepto cuando la solicitud se refiera a la renovación de una autorización relativa al mismo tipo de operación y mercancías;

g) que la solicitud no se refiera a la explotación de almacenes para el depósito aduanero de mercancías;

h) cuando la solicitud se refiera a la renovación de una autorización relativa al mismo tipo de operación y mercancías, que la solicitud se presente en un plazo de tres años después de que haya expirado la autorización original.

La STJUE *Unipak*, (asunto C-396/19, de 09.07.2020) examina un supuesto de solicitud de autorización con efecto retroactivo y la deniega por considerar que no concurren los requisitos (se trataba de un caso de pérdida de validez de una IAV; el TJUE consideró que esta circunstancia no legitima la concesión de una autorización retroactiva para el régimen de destino final).

Fuera del supuesto en que concurran todas las circunstancias reseñadas, cabe también que las autoridades aduaneras concedan una autorización con efecto retroactivo de forma discrecional en aquellos casos en que las mercancías que se hayan incluido en un régimen aduanero ya no estén disponibles en el momento en que se admita la solicitud de autorización.

En España, la AEAT ha emitido la NI GA 05/2016 de 6 de julio, relativa a la concesión de autorizaciones retroactivas de regímenes especiales.

Con carácter general, la autorización con efecto retroactivo surte efecto, como pronto, en la fecha de aceptación de la solicitud.

Ahora bien, en circunstancias excepcionales, las autoridades aduaneras pueden permitir que la autorización tenga efectos que se retrotraigan a un momento anterior a la aceptación de la solicitud, hasta en un año, si se trata de mercancías y productos sensibles incluidos en el anexo 71-02 RDCAU, o hasta tres meses, en otro caso. Por otra parte, si se trata de una solicitud de renovación de una autorización (y que se refiera a operaciones y mercancías de la misma naturaleza), esta puede concederse con efecto retroactivo a la fecha de expiración de la autorización original. Si la referida renovación de la autorización requiere un examen de las condiciones económicas, el efecto retroactivo sólo puede proyectarse desde la fecha en que se haya determinado el cumplimiento de las condiciones económicas (artículo 172 RDCAU). El efecto retroactivo máximo de la autorización de renovación es de tres años, por aplicación de lo establecido en el artículo 211.2(h) CAU (*Guidance*, p. 8).

12.2.5. *Régimen transitorio*

Los artículos 250, 251, 254 RDCAU, 345 RECAU y 22 RDTCAU contienen disposiciones transitorias en materia de autorizaciones. Conforme a ellas, las autorizaciones concedidas bajo la vigencia de la normativa anterior (hasta 01.05.2016) mantienen su validez bajo la vigencia del CAU en los siguientes términos:

a) Si la autorización tiene un periodo de validez limitado, hasta el final de dicho periodo, sin que pueda superar el 1 de mayo de 2019;

b) Si la autorización no tiene un periodo de validez limitado, mantendrá su validez, pero deberá ser reevaluada.

Ahora bien, hay dos tipos de autorización que, pese a no tener un periodo de validez limitado, no necesitan ser reevaluadas. Se trata de las autorizaciones de los exportadores para extender las declaraciones en factura (que se regulaban en los artículos 97 *tervicies* y 117 del RACAC) y las autorizaciones para la gestión de materias mediante el método de separación contable (que se regulaban en el artículo 88 del RACAC). Estos dos tipos de autorizaciones mantendrán su validez hasta que las autoridades que las hayan concedido las retiren.

El plazo para realizar la reevaluación de autorizaciones, mediante la adopción de una decisión al respecto, concluyó el 01.05.2019. La decisión resultante de la reevaluación debía revocar la autorización previa y, en su caso, conceder una nueva autorización, que debía notificarse a los interesados.

Las autorizaciones concedidas bajo la vigencia de la normativa anterior que mantuviesen su validez se aplicarían en las condiciones que se establezcan en la materia de que se trate por la nueva normativa y, si en ellas se contuvieran referencias a determinados preceptos, se debe atender al cuadro de correspondencias entre preceptos de la nueva normativa con los de la normativa anterior.

Por otra parte, hasta la implantación del sistema de Decisiones Aduaneras en el ámbito del CAU (que tuvo lugar en 2017), si la solicitud de autorización para un régimen especial o para operar una instalación de depósito aduanero no se presentaba por medios electrónicos, debía formalizarse utilizando el formulario que se recoge en el anexo 12 RDTCAU.

El referido sistema de Decisiones Aduaneras en el ámbito del CAU ya se encuentra implantado desde 2017 (véase el anexo de la Decisión de Ejecución 2019/2151/UE). No se aplicaba esta regla cuando la se utilizaba declaración en aduana como solicitud.

Si la solicitud se presentaba utilizando el formulario que se recoge en el anexo 12 RDTCAU, la autorización también se formalizaba en el modelo que se establece en este mismo anexo.

12.3. OTRAS DISPOSICIONES COMUNES

12.3.1. Registros

El artículo 214 CAU establece, a cargo de determinados sujetos, la obligación de mantener unos registros cuya finalidad es permitir a las autoridades aduaneras la vigilancia del régimen de que se trate.

Personas obligadas a llevar registros
El titular de la autorización
El titular del régimen*
Toda persona que ejerza una actividad de depósito, elaboración o transformación de mercancías en zonas francas
Toda persona que ejerza una actividad de venta o compra de mercancías en zonas francas

* Recordemos que "titular del régimen" es: a) la persona que presente la declaración en aduana o por cuya cuenta se presente esta; o b) la persona a la que se hayan cedido los derechos y obligaciones en el marco de un régimen aduanero (artículo 5.35 CAU).

Tres son los elementos principales a los que debe referirse la información que los registros deben contener: la identificación de las mercancías incluidas en el régimen, su estatuto aduanero y su circulación.

El artículo 178 RDCAU precisa los elementos de datos que deben contenerse en los referidos registros. Son los siguientes:
a) cuando proceda, la referencia a la autorización requerida para la inclusión de las mercancías en un régimen especial;
b) el MRN o, en su defecto, cualquier otro número o código de identificación de las declaraciones en aduana por medio del cual las mercancías se incluyen en el régimen especial y, cuando se haya ultimado el régimen, información sobre la forma de ultimación;
c) datos que permitan la identificación inequívoca de los documentos aduaneros que no sean las declaraciones en aduana, de cualesquiera otros documentos pertinentes para la inclusión de las mercancías en un régimen especial y de cualesquiera otros documentos pertinentes para la ultimación del régimen;
d) datos de las marcas, los números de identificación, la cantidad y naturaleza de los bultos, la cantidad y la designación comercial o técnica habituales de las mercancías y, cuando proceda, las marcas de identificación del contenedor necesarias para la identificación de las mercancías;
e) la ubicación de las mercancías e información sobre su circulación;
f) el estatuto aduanero de las mercancías;
g) datos relativos a las manipulaciones usuales y, en su caso, la nueva clasificación arancelaria resultante de esas manipulaciones usuales;
h datos sobre la importación temporal o el destino final;

i)   datos relativos al perfeccionamiento activo o pasivo, incluida información sobre la naturaleza del perfeccionamiento;

j)   cuando los derechos de aduana se calculen sin incluir los costes de almacenamiento o de las operaciones usuales de manipulación en el TAU, el importe de tales costes;

k   el coeficiente de rendimiento o, en su caso, el modo de fijación del mismo;

l)   datos que permitan la vigilancia aduanera y los controles de la utilización de mercancías equivalentes;

m) cuando se requiera una separación contable, información sobre el tipo de mercancías, su estatuto aduanero y, cuando proceda, el origen de las mercancías;

n)   en los casos de importación temporal que se ultime mediante la inclusión de las mercancías en otro régimen aduanero, se debe incluir la indicación "TA" en la correspondiente declaración en aduana y el número de autorización, si procede;

o)   en los casos de perfeccionamiento activo que se ultime mediante la inclusión de las mercancías en otro régimen aduanero, se debe incluir la indicación "TA" en la correspondiente declaración en aduana y el número de autorización o INF, si procede;

p)   cuando proceda, datos sobre las eventuales transferencias de derechos y obligaciones;

q)   cuando los registros no formen parte de la contabilidad principal a efectos aduaneros, una referencia a esa contabilidad principal a efectos aduaneros;

r)   información adicional para casos especiales, a petición de las autoridades aduaneras por motivos justificados.

Adicionalmente, si se trata del régimen de zona franca, se exige que en los registros se incluyan asimismo los datos siguientes:

1)   datos que identifiquen los documentos de transporte relativos a las mercancías que entran o salen de las zonas francas;

2)   datos relativos a la utilización o el consumo de mercancías cuyo despacho a libre práctica o importación temporal no implique la aplicación de derechos de importación o de medidas establecidas en el marco de la política comercial o agrícola común.

Ha de tenerse en cuenta, no obstante, que los OEA-Simplificaciones aduaneras se considerará que cumplen con su obligación de llevanza de los registros que estamos examinando cuando los registros que ya se les exigen por su condición de OEA resulten, por sí mismos, adecuados al fin de posibilitar el control del régimen especial de que se trate (artículo 214.2 CAU).

En materia de relajación del deber de llevanza de registros debe añadirse que las autoridades pueden dispensar de la obligación de presentar parte de la información que debe contenerse en los registros cuando consideren que ello no afecta negativamente a la vigilancia aduanera y a los controles de la utilización de un régimen especial. Finalmente, si se trata del régimen de importación temporal, los registros sólo deben llevarse si así lo exigen las autoridades (artículo 178 RDCAU, apartados 3 y 4).

12.3.2. Operaciones de transferencia

Conforme a lo dispuesto en el artículo 218 CAU, los derechos y obligaciones del titular de un régimen respecto de las mercancías incluidas en un régimen especial podrán ser transferidos total o parcialmente a otra persona. Esta transferencia se sujeta a dos limitaciones: 1) La persona beneficiaria de la transferencia debe reunir las condiciones establecidas para el régimen de que se trate; 2) La transferencia no cabe respecto de mercancías incluidas en el régimen de tránsito.

La transferencia debe ser autorizada por las autoridades aduaneras, que establecerán en la autorización las condiciones a las que se sujeta (artículo 266 RECAU).

> El Anexo III de la *Guidance* de la Comisión (pp. 67-79) se refiere en detalle a las transferencias (*Transfer Of Rights and Obligations*, que abrevia como "TORO"). En España la AEAT ha emitido la NI GA 01/2018, de 22 de enero, sobre transferencias de derechos y obligaciones en los regímenes especiales (TORO).

12.3.3. Circulación de mercancías incluidas en un régimen especial

El artículo 219 CAU contempla la posibilidad de que las mercancías incluidas en un régimen especial puedan trasladarse de un punto a otro del TAU (a esto se le denomina "circulación de mercancías"). Esta posibilidad no cabe si se trata de mercancías incluidas en el régimen de tránsito o en el régimen de zona franca.

Los artículos 179 RDCAU y 267 RECAU detallan las obligaciones formales a cumplir y las limitaciones que rigen respecto de la circulación de mercancías en función del régimen especial de que se trate.

> En este sentido, se dispone que, si se trata de mercancías incluidas en el régimen de perfeccionamiento activo, de importación temporal o de destino final, la circulación sólo se sujetará al deber de mantener registros relativos a la ubicación de las mercancías e información sobre su circulación. Si se trata de mercancías que circulen al amparo del régimen de destino final hacia la aduana de salida, quedarán sujetas a las disposiciones por las que se hubieran regido de estar incluidas en el régimen de exportación.
> El anexo I de *Guidance* ofrece un ejemplo de circulación entre dos Estados miembros en el marco del régimen de perfeccionamiento activo (p. 62).
> Si se trata de mercancías incluidas en el régimen de depósito aduanero, también podrán circular cumpliendo la referida formalidad (deber de mantener registros relativos a la ubicación de las mercancías e información sobre su circulación), pero únicamente respecto de determinados traslados (concretamente, los traslados entre distintos almacenes de depósito designados en la misma autorización; o desde la aduana de inclusión hasta los almacenes de depósito; o desde los almacenes de depósito hasta la aduana de salida o hasta cualquier aduana indicada en la autorización de un régimen especial, habilitada para conceder el levante de las mercancías para un régimen aduanero ulterior o para recibir la declaración de reexportación con el fin de

ultimar el régimen especial). La circulación al amparo del régimen de depósito aduanero debe finalizar en los treinta días siguientes a la fecha en que las mercancías hayan sido retiradas del depósito aduanero, si bien cabe que, a petición del titular del régimen, las autoridades aduaneras amplíen este plazo. Por otra parte, si las mercancías circulan al amparo del régimen de depósito aduanero desde los almacenes de depósito hasta la aduana de salida, se debe incluir en los registros la información sobre la salida de las mercancías en los cien días siguientes a la fecha en que las mercancías hayan sido retiradas del depósito aduanero, plazo que las autoridades pueden prorrogar a solicitud del titular del régimen. Se establecen plazos en relación a la circulación de mercancías incluidas en el régimen de depósito aduanero porque este régimen no tiene límite temporal.

Por su parte, las mercancías incluidas en el régimen de perfeccionamiento pasivo podrán circular dentro del TAU desde la aduana de inclusión hasta la aduana de salida. En este supuesto las mercancías quedan sujetas a las disposiciones por las que se hubieran regido de estar incluidas en el régimen de exportación.

La circulación de mercancías hacia la aduana de salida con vistas a la ultimación de un régimen especial mediante el traslado de las mercancías fuera del TAU debe efectuarse al amparo de la declaración de reexportación, salvo que se trate del régimen de destino final o de perfeccionamiento pasivo.

No se exigen formalidades aduaneras, salvo la llevanza de registros, para cualquier circulación que no se dirija hacia la aduana de salida. Por otra parte, las mercancías que circulen hacia la aduana de salida permanecerán bajo el régimen especial de que se trate hasta que hayan salido del TAU.

El Anexo IV de la *Guidance* de la Comisión (pp. 80-87) se refiere en detalle a la circulación de mercancías, en tanto que el Anexo V (pp. 88-95) analiza un ejemplo en que se combina la transferencia y la circulación.

En España la AEAT ha elaborado el documento "Guía para la presentación de notificaciones de movimiento de mercancías entre Almacenes de Depósito Temporal - Notificaciones G5".

12.3.4. *Manipulaciones usuales*

Si las mercancías se incluyen en los regímenes especiales de depósito aduanero, perfeccionamiento o zona franca, podrán ser sometidas a las denominadas "manipulaciones usuales". Las referidas "manipulaciones usuales" se enumeran en el anexo 71-03 RDCAU y se dirigen a garantizar la conservación de las mercancías, mejorar su presentación o su calidad comercial o preparar su distribución o reventa (artículos 220 CAU y 180 RDCAU).

El Anexo 71-03 RDCAU establece que "ninguna de las manipulaciones que se enumeran a continuación podrá dar origen a una ventaja injustificada en materia de derechos de importación". A estos efectos, se considera una "ventaja injustificada" un cambio en la clasificación arancelaria o en el origen de las mercancías a consecuencia del cual deje de aplicarse una medida de defensa comercial (un derecho antidumping provisional o definitivo, un derecho compensatorio, una medida de salvaguardia) o un derecho adicional resultante de la suspensión de concesiones que sí se hubieran aplicado si las mercancías se hubiesen despachado a libre práctica en su estado inicial.

Regímenes en los que caben las "manipulaciones usuales"
Régimen de depósito aduanero
Régimen de perfeccionamiento
Régimen de zona franca
Listado de las manipulaciones usuales (anexo 71-03 RDCAU)
1) la ventilación, extensión, secado, limpieza de polvo, limpieza simple, reparación del embalaje, reparaciones elementales de deterioros producidos al transportar o almacenar las mercancías en la medida en que se trate de operaciones simples, colocación o retirada del revestimiento de protección para el transporte;
2) la reconstitución de las mercancías posterior al transporte;
3) el recuento, muestreo, selección, cribado, filtrado mecánico y pesaje de las mercancías;
4) la eliminación de elementos dañados o contaminados;
5) la conservación mediante pasteurización, esterilización, irradiación o adición de agentes conservantes;
6) el tratamiento antiparasitario;
7) el tratamiento antioxidante;
8) el tratamiento: – mediante simple aumento de la temperatura sin ningún otro tratamiento adicional ni proceso de destilación, o   – mediante simple descenso de la temperatura, aunque pueda representar un cambio en el código NC de ocho cifras;
9) el tratamiento electrostático de eliminación de arrugas o planchado de productos textiles;
10) el tratamiento consistente en: – la retirada de tallos o huesos de las frutas, el troceado y recortado de frutos secos o legumbres, la rehidratación de las frutas, o   – la deshidratación de las frutas aunque pueda representar un cambio en el código de ocho cifras;
11) la desalación, limpieza y cruponado de pieles;
12) la adición de mercancías o la adición o sustitución de componentes accesorios, siempre que dicha adición o sustitución sea relativamente pequeña o tenga por objeto garantizar su conformidad con la normativa técnica y no cambie la naturaleza ni mejore las prestaciones de las mercancías originales, aunque pueda representar un cambio en el código NC de ocho cifras de las mercancías añadidas o de sustitución;
13) la dilución o concentración de fluidos sin ningún otro tratamiento adicional ni proceso de destilación, aunque pueda representar un cambio en el código NC de ocho cifras;
14) la mezcla entre sí de mercancías del mismo tipo con una calidad diferente, a fin de obtener una calidad constante o la calidad exigida por el cliente, sin que cambie la naturaleza de las mercancías;

Listado de las manipulaciones usuales (anexo 71-03 RDCAU)
15) la mezcla de gasóleo o fueloil que no contengan biodiésel con gasóleo o fuelóleo que sí lo contengan, clasificados en el capítulo 27 de la NC, a fin de obtener una calidad constante o la calidad exigida por el cliente, sin que cambie la naturaleza de las mercancías, aunque pueda representar un cambio en el código NC de ocho cifras;
16) la mezcla de gasóleo o fueloil con biodiésel, de modo que la mezcla obtenida contenga menos de un 0,5%, en volumen, de biodiésel, y la mezcla de biodiésel con gasóleo o fueloil, de modo que la mezcla obtenida contenga menos de un 0,5%, en volumen, de gasóleo o fueloil;
17) la división o separación en componentes de menor tamaño de las mercancías únicamente si se trata de operaciones sencillas;
18) el empaquetado, desempaquetado, reempaquetado, decantado o simple traslado a contenedores, aunque pueda representar un cambio en el código NC de ocho cifras; la colocación, retirada o modificación de marcas, precintos, etiquetas, espacios para precios u otros símbolos distintivos similares;
19) la prueba, ajuste, regulación o preparación para el funcionamiento de máquinas, aparatos y vehículos con el fin, en particular, de verificar su conformidad con la normativa técnica aplicable, siempre que se trate de operaciones sencillas;
20) el deslustrado de accesorios de tubería para adaptarlos a las exigencias de determinados mercados;
21) la desnaturalización, aunque pueda representar un cambio en el código NC de ocho cifras;
22) cualquier manipulación usual, además de las mencionadas, que tenga por objeto mejorar la apariencia o la calidad comercial de las mercancías importadas o prepararlas para la distribución o la reventa, siempre que estas operaciones no modifiquen la naturaleza o mejoren las prestaciones de las mercancías originales.

12.3.5. Ultimación del régimen especial

Los regímenes especiales tienen una clara vocación provisional, no permanente, de modo que las mercancías deben, más pronto o más tarde, abandonar estos regímenes para ser incluidas en un régimen distinto. En este sentido, el artículo 215 CAU dispone que el régimen de tránsito se ultimará (concluye) cuando las autoridades puedan determinar que el procedimiento ha finalizado correctamente, mediante el cotejo de los datos en poder de la aduana de partida con los de la aduana de destino. Por su parte, los demás regímenes especiales se ultimarán cuando las mercancías de que se trate, o los productos transformados, se incluyan en otro régimen aduanero posterior, o bien hayan salido del TAU, se hayan destruido sin producir residuos o se abandonen en favor del Estado.

La autorización para el régimen especial debe establecer el "período de ultimación", que es el tiempo de que dispone el interesado para proceder a la ultimación. Ahora bien, las autoridades aduaneras pueden prorrogar este plazo, a solicitud del titular del régimen. La prórroga puede acordarse incluso tras la conclusión del plazo inicialmente concedido. Por otra parte, la autorización puede prever que el plazo de ultimación se prorrogue automáticamente para la totalidad de las mercancías que todavía se encuentren al amparo del régimen en la fecha en que este plazo expire, cuando se haya fijado un plazo de ultimación único para el conjunto de las mercancías incluidas en el régimen en un periodo determinado. Las autoridades pueden, no obstante, poner fin a esta prórroga automática respecto a la totalidad o a parte de las mercancías incluidas en el régimen (artículo 174 RDCAU).

> El apartado 23 del artículo 1 RDCAU define la expresión "período de ultimación" y dispone que, si se trata del perfeccionamiento pasivo, será el periodo en que las mercancías exportadas temporalmente podrán ser reimportadas en el TAU en forma de productos transformados e incluidas en el régimen de despacho a libre práctica para poder acogerse a la exención total o parcial de los derechos de importación.

Si no se ultima el régimen debidamente en los plazos establecidos, las autoridades adoptarán todas las medidas necesarias para regularizar la situación de las mercancías.

Se regula el supuesto en que, haciendo uso de una misma autorización, se incluyan mercancías mediante dos o más declaraciones (artículo 264 RECAU). Puesto que estos regímenes tienen un carácter transitorio hacia otro régimen aduanero o bien hacia el traslado de las mercancías fuera del TAU o su destrucción, se aplicará el criterio FIFO (*First In, First Out* o "primero que entra, primero que sale") para determinar cuáles son las mercancías para las cuales se ha ultimado el régimen, en caso de que ello no ocurra de forma simultánea para todas ellas. Es decir, se considerará que se ha ultimado el régimen para las mercancías incluidas mediante la declaración más antigua.

Se establece una salvedad, en virtud de la cual esta regla no puede determinar ventajas injustificadas en materia de derechos de importación. Además, se establece que, en lugar de aplicar el criterio FIFO, el titular del régimen puede solicitar que se identifique en cada momento cuáles son las específicas mercancías que se ultiman. Esta opción exige que el titular del régimen esté en condiciones de identificar —y distinguir del resto— cada conjunto de mercancías que fueron incluidas en el régimen mediante una misma declaración.

Si se produce la destrucción total o la pérdida irremediable de las mercancías incluidas en el régimen, estando estas mercancías depositadas en el mismo lugar que otras mercancías de la misma clase, caben dos casos posibles:

> 1) Si el titular de la autorización puede probar la cantidad real de las mercancías incluidas en el régimen que hubieran sido destruidas o perdidas, se tomará esta cifra.
> 2) Si el titular de la autorización no lo pudiera probar, se determinará que se han destruido o perdido mercancías incluidas en el régimen en la misma proporción en que se encuentre el total de las mercancías incluidas en el régimen respecto del total de las mercancías de la misma clase depositadas.

> ### Ejemplo
>
> Se pierden 20 unidades de mercancía. El total de mercancías incluidas en el régimen de la clase de las destruidas es de 50. El total de mercancías de la misma clase depositadas es de 100. Entonces se considerará que se han perdido 10 unidades de mercancías incluidas en el régimen (20 x 50/100).

12.3.6. Mercancías equivalentes

Como veremos al analizar el régimen de perfeccionamiento, en él la exención de los derechos de aduana a la importación se condiciona a la exportación de productos transformados a partir de mercancías importadas (en el caso del perfeccionamiento activo) o a la importación de un producto transformado obtenido a partir de un producto que goza de estatuto de mercancía de la Unión (en el caso del perfeccionamiento pasivo).

> ### Ejemplo
>
> Se importa madera tropical en régimen de perfeccionamiento activo. No se pagan derechos de aduana a la importación, a condición de que esta madera se exporte en forma de muebles a un país tercero.
>
> Se exporta seda. Con esta seda se confeccionan vestidos en un tercer país, que posteriormente se importan en la UE (perfeccionamiento pasivo).

Ahora bien, bajo determinadas condiciones, se permite alterar este orden normal de operaciones. Así, en el perfeccionamiento activo se permite que el producto transformado se haya obtenido, no a partir de una mercancía importada, sino a partir de una mercancía con estatuto aduanero de mercancía de la Unión, generando entonces el derecho a importar posteriormente, con exención de derechos, mercancía de un tercer país equivalente a la utilizada para obtener el producto transformado que se exporta; mientras que en el perfeccionamiento pasivo se puede permitir que se goce de los beneficios de este régimen a pesar de importar un producto obtenido a partir de mercancías que no gozan del estatuto de mercancías de la UE, a condición de que posteriormente se exporten mercancías equivalentes con estatuto de mercancías de la UE. Cuando se altera el orden de la operativa normal aparecen las "mercancías equivalentes".

Ejemplo

Se exportan muebles de madera tropical (en este caso la madera tiene estatuto de mercancía de la UE). Esta exportación genera el derecho a importar una cantidad equivalente de madera tropical sin pagar derechos de aduana.

Se importan en la UE vestidos de seda. Posteriormente se exporta una cantidad equivalente de seda.

EJEMPLO

El uso de mercancías equivalentes también puede aparecer en el marco de otros regímenes especiales, como el de depósito aduanero, zona franca, destino final o, en determinados supuestos, en la importación temporal.

> En relación con la importación temporal, la utilización de mercancías equivalentes sólo se permite cuando ésta goce de exención total en virtud de lo dispuesto en los artículos 208 a 211 RDCAU (es decir, palés; piezas de recambio, accesorios y equipos para palés; contenedores; piezas de recambio, accesorios y equipos para contenedores, artículo 169.8 RDCAU).
> El régimen de las mercancías equivalentes que exponemos en este punto se regula en los artículos 223 CAU, 169 RDCAU y 268 y 269 RECAU.

Con carácter general, las mercancías equivalentes son, por tanto, mercancías que gozan del estatuto de mercancías de la Unión que ocupan la posición de mercancías que carecen de este estatuto en el marco de un régimen especial, siendo depositadas, utilizadas o transformadas (en nuestro ejemplo, la madera tropical con estatuto de mercancía de la UE). En el supuesto específico del régimen de perfeccionamiento pasivo, no obstante, mercancías equivalentes son las mercancías que no tienen estatuto de mercancías de la Unión que se someten a operaciones de transformación, importándose posteriormente en el TAU el producto resultante de las mismas (en nuestro ejemplo, la seda —no de la UE— con la que se confeccionaron los vestidos).

> Las mercancías no se consideran equivalentes y, en consecuencia, no se autorizará su uso como tales, cuando se trate de mercancías que, si se declarasen para despacho a libre práctica, quedarían sujetas a un derecho antidumping, compensatorio o de salvaguardia provisional o definitivo o a un derecho adicional resultante de la suspensión de concesiones (apartados 2 y 3 del artículo 169 RDCAU; véase también en este sentido, en España, la Nota Informativa de la AEAT NIGA 06/18). El Anexo VI de la *Guidance* de la Comisión (pp. 96-98) expone ejemplos de la aplicación de esta regla, que justifica en aras a asegurar la efectividad de las medidas de defensa comercial de la UE. Los ejemplos incluyen supuestos de almacenamiento conjunto de mercancías de la UE y mercancías que no son de la UE.

Con carácter general, salvo que se disponga lo contrario, las mercancías equivalentes deben tener el mismo código de ocho dígitos de la nomenclatura combinada, ser de idéntica calidad comercial y poseer las mismas características técnicas que las mercancías a las que sustituyan.

> Esta regla general tiene dos excepciones. En primer lugar y, en relación al régimen de perfeccionamiento activo, sí se consideran mercancías equivalentes las siguientes:
> a) las mercancías en una fase de fabricación más avanzada que las mercancías no pertenecientes a la Unión incluidas en el régimen de perfeccionamiento activo, cuando la parte esencial del perfeccionamiento con respecto a esas mercancías equivalentes se lleve a cabo en la empresa del titular de la autorización o en la empresa donde dicha operación se efectúe por su cuenta;
> b) en caso de reparación, las mercancías nuevas en lugar de mercancías utilizadas o las mercancías en mejores condiciones que las mercancías no pertenecientes a la Unión incluidas en el régimen de perfeccionamiento activo;
> c) las mercancías con características técnicas similares a las de las mercancías a las que sustituyan, a condición de que tengan el mismo código NC de ocho cifras y sean de idéntica calidad comercial.
> La segunda excepción se establece en relación a las mercancías listadas en el anexo 71-04 RD-CAU, a las que se aplicarán las disposiciones particulares que figuran en dicho anexo. Las mercancías del referido anexo 71-04 RDCAU son, para los regímenes de depósito aduanero y perfeccionamiento (activo y pasivo), las mercancías producidas de forma convencional y productos ecológicos; para el régimen de perfeccionamiento activo, el arroz, trigo, azúcar, animales vivos y carne, maíz y aceite de oliva; y para el perfeccionamiento pasivo, las mercancías y productos sensibles listados en el anexo 71-02.

La utilización de mercancías equivalentes debe ser autorizada por las autoridades a solicitud del interesado. La autorización se concederá a condición de que se garantice la buena administración del régimen, en particular en lo relativo a la vigilancia aduanera. Esta condición se entenderá cumplida automáticamente si el operador tiene el estatuto de OEA-Simplificaciones aduaneras y la actividad correspondiente al uso de mercancías equivalentes en el régimen especial de que se trate se hubiera tenido en cuenta al concederle el referido estatuto. Por otra parte, debe señalarse que el hecho de que la utilización de mercancías equivalentes sea o no sistemática no es relevante a efectos de la concesión de la autorización.

En determinados supuestos se ordena expresamente que no debe concederse la autorización para utilizar mercancías equivalentes. Esto ocurrirá cuando únicamente se efectúen las "manipulaciones usuales", a que nos hemos referido antes, en el marco del régimen de perfeccionamiento activo. Tampoco debe concederse la autorización cuando resulte aplicable una cláusula de "*no drawback*" en virtud de un acuerdo de origen preferencial; ni tampoco cuando la utilización de mercancías equivalentes pueda dar lugar a una ventaja injustificada en materia de derechos de importación (esto último puede ocurrir, p.e., cuando al despacho a libre práctica de las mercancías de importación le fueran aplicables derechos antidumping, compensatorios, de salvaguardia o cualquier otro derecho adicional resultante de una suspensión de concesiones). Finalmente, la utilización de mercancías equivalentes no se debe autorizar cuando la legislación de la Unión así lo disponga (artículo 223.3 CAU).

> A este respecto, los apartados 4 y 5 del artículo 169 RDCAU añaden dos supuestos adicionales de denegación de la autorización:
> 1. Cuando se trate de mercancías o productos modificados genéticamente o que contengan elementos que hayan sido sometidos a modificación genética.
> 2. En el marco del régimen de depósito aduanero, cuando las mercancías no pertenecientes a la Unión incluidas en el régimen sean mercancías o productos sensibles, listados en el anexo 71-02 RDCAU.

Si, en el marco del régimen de perfeccionamiento activo se utilizan mercancías equivalentes (esto es, que se utilizan para la obtención de los productos transformados que se exportan con carácter previo a la importación de las mercancías a las que sustituyen) y los productos transformados habrían de quedar sujetos a derechos de exportación si su exportación no se produjera en el marco del régimen de perfeccionamiento activo, el titular de la autorización debe constituir una garantía para cubrir la eventualidad de que las mercancías no pertenecientes a la Unión no lleguen a importarse dentro del plazo que a estos efectos señale la autorización del régimen (artículo 223.4 CAU).

Por lo que hace a las formalidades específicas de la utilización de mercancías equivalentes, se dispone que ésta no queda sujeta a las formalidades de inclusión en un régimen especial (artículo 268.1 RECAU). Por otro lado, si se almacenan mercancías equivalentes junto con otras mercancías de la Unión o no pertenecientes a la Unión, las autoridades podrán establecer métodos específicos de identificación de las mercancías equivalentes con el fin de distinguirlas de las demás. En estos casos, si no resultara posible identificar en todo momento cada tipo de mercancía, o solo fuera posible incurriendo en costes desproporcionados, habrá de llevarse a cabo una separación contable en relación con cada tipo de mercancía, estatuto aduanero y, en su caso, origen de las mercancías.

> Respecto del régimen de destino final, se establece que las mercancías que se sustituyan por mercancías equivalentes dejarán de estar bajo vigilancia aduanera en cualquiera de los supuestos siguientes: a) en caso de que las mercancías equivalentes se hayan utilizado a los fines previstos en la solicitud de exención de los derechos o de reducción del tipo de los derechos; b) en caso de que las mercancías equivalentes se hayan exportado, destruido o abandonado en beneficio del Estado; c) en caso de que las mercancías equivalentes se hayan destinado a fines distintos de los previstos en la solicitud de exención o de reducción del tipo de los derechos, y se hayan abonado los derechos de importación exigibles.

La regulación de las mercancías equivalentes se completa con una serie de reglas que determinan el momento en que estas mercancías (y las mercancías que las sustituyen) cambian su estatuto aduanero (artículo 269 RECAU). Estas reglas son necesarias debido a que, cuando se utilizan mercancías de sustitución y mercancías equivalentes, se rompe la dinámica simple a la que se condiciona la exención de los regímenes especiales y, en su lugar, la condición jurídica de las mercancías equivalentes depende de que se cumplan las condiciones establecidas para las mercancías de sustitución. El cuadro que sigue identifica el momento en que, en cada caso, se produce el cambio de estatuto aduanero para unas mercancías y otras.

Momento en que se produce el cambio de estatuto aduanero			
Régimen	*Momento*	*Mercancías equivalentes*	*Mercancías que las sustituyan*
Depósito aduanero e importación temporal	Levante para el régimen aduanero posterior o cuando las mercancías equivalentes salgan del TAU	Adquieren el estatuto de mercancías no pertenecientes a la Unión	Adquieren el estatuto de mercancías de la Unión
Perfeccionamiento activo	Levante para el régimen aduanero posterior o cuando los productos transformados salgan del TAU*	Adquieren el estatuto de mercancías no pertenecientes a la Unión	Adquieren el estatuto de mercancías de la Unión
Perfeccionamiento activo con exportación previa de los productos transformados	– Levante para el régimen de exportación	Adquieren el estatuto de mercancías no pertenecientes a la Unión (con efecto retroactivo)	
	– Levante para el régimen de perfeccionamiento activo		Adquieren el estatuto de mercancías de la Unión

* Si las mercancías incluidas en el régimen de perfeccionamiento activo se comercializan antes de la ultimación del régimen, su estatuto aduanero cambia en el momento de su introducción en el mercado. En casos excepcionales, cuando se prevea que las mercancías equivalentes no van a estar disponibles en el momento de la introducción en el mercado, las autoridades aduaneras podrán permitir, a petición del titular del régimen, que las mercancías equivalentes estén disponibles posteriormente, dentro de un plazo razonable determinado por ellas.

12.3.7. Cuestiones diversas

Presentación de la declaración en otra aduana. La autoridad aduanera puede permitir que la declaración en aduana se presente en una aduana no especificada en la autorización. Esto sólo se admitirá en casos excepcionales y, cuando así sea, la autoridad aduanera competente debe informar de ello sin demora a la aduana supervisora (artículo 263 RECAU).

Dispensa de la obligación de presentar una declaración complementaria. Como se expone en el capítulo 25, cuando un operador se acoge a una simplificación en la declaración aduanera denominada "declaración simplificada" (a la que le faltan algunos datos o documentos de acompañamiento) debe presentar, con posterioridad, una declaración complementaria en la que figuren todos los datos de la declaración en aduana.

El artículo 183 RDCAU dispensa de la presentación de la referida declaración complementaria respecto de las mercancías incluidas en un régimen especial cuando este se haya ultimado mediante la inclusión de tales mercancías en otro régimen especial (segundo régimen especial). Para que proceda la aplicación de esta dispensa, no puede tratarse del régimen de tránsito —ni como régimen especial inicial ni como segundo régimen especial— y, además, deben cumplirse tres condiciones cumulativas:

a) el titular de la autorización del primer y del segundo régimen especial debe ser la misma persona;

b) la declaración en aduana para el primer régimen especial se debe haber presentado en el formulario estándar, o el declarante ha debido presentar una declaración complementaria (que se regula en el artículo 167.1, párrafo primero, CAU) en relación con el primer régimen especial;

c) si la declaración para la inclusión de las mercancías en el segundo régimen especial se ha realizado mediante una declaración en aduana en forma de inscripción en los registros del declarante (esta simplificación se examina en el capítulo 25), ese segundo régimen especial no debe ser ni el perfeccionamiento activo ni el destino final.

Estatuto aduanero de los animales nacidos de animales incluidos en un régimen especial. Si un animal vivo, que haya sido objeto de una declaración en aduana e incluido en un régimen especial (ya sea el régimen de depósito, el de importación temporal o el de perfeccionamiento activo), diera a luz en el TAU durante su permanencia en el régimen especial, entonces el animal nacido se considerará mercancía no perteneciente a la Unión e incluida en el mismo régimen del progenitor si su valor supera los 100 euros (artículo 182 RDCAU).

Almacenamiento común de mercancías. Si en una misma instalación de almacenamiento para el depósito aduanero se almacenan conjuntamente mercancías de la Unión con mercancías no pertenecientes a la Unión (*"almacenamiento común"*), puede resultar imposible o desproporcionadamente costoso identificar en todo momento cada tipo de mercancía. Para estos supuestos, el artículo 177 RDCAU establece que la autorización para operar instalaciones de depósito aduanero debe establecer que se proceda a una separación contable con respecto a cada tipo de mercancía, estatuto aduanero y, cuando proceda, origen de las mercancías.

El *almacenamiento común* tan sólo se permite si las mercancías tienen la misma clasificación arancelaria (a nivel de 8 dígitos), la misma calidad comercial y las mismas características técnicas. En este sentido, no se consideran mercancías "de la misma calidad comercial" aquellas mercancías no pertenecientes a la Unión cuyo despacho a libre práctica, en el momento en el que vayan a almacenarse conjuntamente con mercancías de la Unión, quedaría sujeto a un derecho antidumping —provisional o definitivo—, un derecho compensatorio, un derecho de salvaguardia o un derecho adicional resultante de la suspensión de las concesiones. Esta última regla se dirige a impedir que el almacenamiento común pueda ser aprovechado para eludir el pago de los referidos derechos, mediante la creación de confusión acerca de qué mercancías son de la Unión y qué mercancías no lo son.

El artículo 177bis RDCAU se refiere al supuesto particular del almacenamiento de mezclas de productos sujetos a vigilancia aduanera en virtud del régimen de destino final, comprendidos en los capítulos 27 (en el que se clasifican los combustibles minerales, aceites minerales y productos de su destilación; materias bituminosas; ceras minerales) y 29 (en el que se clasifican los productos químicos orgánicos) de la nomenclatura combinada, o de productos a base de aceites crudos de petróleo comprendidos en el código NC 2709 00. Dispone que la autorización para la utilización del régimen especial en estos casos deberá determinar los medios y métodos de identificación y de control aduanero aplicados al almacenamiento de tales mezclas. Además, ordena que, si los productos de que se trate no están comprendidos en el mismo código NC de ocho dígitos, o no son de la misma calidad comercial ni de las mismas características técnicas y físicas, el almacenamiento de mezclas solo podrá autorizarse si la mezcla está enteramente destinada a uno de los tratamientos mencionados en la nota complementaria 5 del capítulo 27 de la nomenclatura combinada.

Sistema electrónico relativo a los cuadernos ATA electrónicos. Los cuadernos ATA, que se regulan en el Convenio de Estambul, pueden ser utilizados en lugar de una declaración en aduana para incluir mercancías en el régimen de importación temporal (que se examina en el capítulo 16). El artículo 21 bis del referido Convenio de Estambul establece la posibilidad de que estos cuadernos ATA se expidan en forma electrónica. Cuando así ocurra, el artículo 270 RDCAU dispone que las autoridades deben incluir esta información sin demora en un sistema electrónico de comunicación para el intercambio de datos entre autoridades aduaneras y con la Comisión.

TRÁNSITO

ÍNDICE

13 Tránsito

13.1. CARACTERIZACIÓN

	CAU	RDCAU	RECAU
Regulación del régimen de tránsito	226-236	184-200	272-321

Anexos RDCAU	
Anexo B-02	Documento de acompañamiento de tránsito
Anexo B-03	Lista de artículos
Anexo B-04	Documento de acompañamiento de tránsito/seguridad (TSAD)
Anexo B-05	Lista de artículos de tránsito/seguridad (LDA T/S)
Anexo 32-04	Notificación al fiador de la no ultimación del régimen de tránsito de la Unión
Anexo 32-05	Notificación al fiador de una deuda contraída en el régimen de tránsito de la Unión
Anexo 33-01	Reclamación de pago dirigida a la asociación garantizadora de la deuda en el régimen de tránsito al amparo de un cuaderno ATA/E-ATA
Anexo 33-02	Notificación al fiador de la deuda contraída en el régimen de tránsito al amparo de un cuaderno CPD
Anexo 33-03	Modelo de la nota informativa sobre la reclamación de pago dirigida a la asociación garantizadora de la deuda en el régimen de tránsito al amparo de un cuaderno ATA/E-ATA
Anexo 33-04	Formulario de imposición para el cálculo de los derechos y gravámenes derivados de la reclamación de pago dirigida a la asociación garantizadora de la deuda en el régimen de tránsito al amparo de un cuaderno ATA/E-ATA
Anexo 33-05	Modelo de descargo en el que se indica la presentación de una reclamación con respecto a la asociación garantizadora en el Estado miembro de nacimiento de la deuda aduanera en el régimen de tránsito al amparo de un cuaderno ATA/E-ATA
Anexo 33-06	Solicitud de información suplementaria cuando las mercancías se encuentran en otro Estado miembro
Anexo 72-03	TC-11 - Recibo

Anexos RECAU	
Anexo 33-03	Modelo de la nota informativa sobre la reclamación de pago dirigida a la asociación garantizadora de la deuda en régimen de tránsito de conformidad con el cuaderno ATA/e-ATA
Anexo 33-04	Formulario de imposición para el cálculo de los derechos y gravámenes derivados de la reclamación de pago dirigida a la asociación garantizadora de la deuda en régimen de tránsito de conformidad con el cuaderno ATA/e-ATA
Anexo 33-05	Modelo de descargo que indica que se ha interpuesto una reclamación con respecto a la asociación garantizadora en el estado miembro en el que se ha originado la deuda aduanera en régimen de tránsito de conformidad con el cuaderno ATA/e-ATA
Anexo 72-01	Etiqueta amarilla
Anexo 72-02	Etiqueta amarilla
Anexo 72-03	TC 11 - Recibo
Anexo 72-04	Procedimiento de continuidad de las actividades para el régimen de tránsito de la Unión

El régimen de tránsito engloba distintos supuestos que tienden a dar satisfacción a la necesidad que representa el traslado de aquellas mercancías que, por las propias circunstancias de las mercancías o del traslado, deben ser sometidas a control por parte de las autoridades aduaneras. El régimen se dirige a hacer compatible el interés de los operadores en movilizar sus mercancías con el interés público consistente en asegurar el respeto de las normas aduaneras, al objeto de que éstas puedan así cumplir los fines que las justifican. Y todo ello sin exigir el pago de los impuestos arancelarios, aunque con carácter general sí se exige la constitución de una garantía para responder frente a posibles irregularidades.

Las mercancías introducidas en tránsito externo sí pueden quedar sujetas a medidas de política comercial que prohíban la entrada o la salida de mercancías del TAU. En este sentido, pueden aplicarse controles a fin de proteger la propiedad intelectual, conforme a lo dispuesto en el Reglamento (UE) 608/2013 del Parlamento Europeo y del Consejo, de 12 de junio de 2013, relativo a la vigilancia por parte de las autoridades aduaneras del respeto de los derechos de propiedad intelectual y por el que se deroga el Reglamento (CE) nº 1383/2003 del Consejo. El TJUE confirmó su aplicabilidad a las mercancías en tránsito externo en sus Sentencias *Polo/Lauren* (asunto C-383/98, de 16.04.2000) y *X* (asunto C-60/02, de 07.01.2004).

El *Manual de Tránsito* de TAXUD (p. 32, véase referencia más abajo) describe así este régimen:

> "El tránsito es un instrumento aduanero al que pueden acogerse los operadores o las mercancías para atravesar un territorio determinado sin pagar los derechos exigibles, en principio, cuando las mercancías entran (o salen) de ese territorio, necesitando solo una (última) formalidad aduanera (...) El tránsito reviste una especial importancia para la Unión donde un territorio aduanero único se combina con una multiplicidad de territorios fiscales"

El modo en que se asegura el respeto de las normas aduaneras conforma el contenido fundamental de la regulación jurídica del régimen de tránsito. Abundan en ella las disposiciones que tratan de hacer posible el control y seguimiento, por parte de las autoridades aduaneras, de la corrección de las operaciones llevadas a cabo por los interesados. Esta preocupación, que a la postre se materializa en una prolija regulación, se comprende mejor si se tiene en cuenta que este régimen es, por su propia naturaleza, propicio para posibilitar actuaciones fraudulentas con una importante repercusión tributaria. Téngase en cuenta que el traslado de mercancías puede ser una vía, no sólo para distraer el pago de los impuestos arancelarios y evitar la aplicación de las medidas de política comercial, sino también para actividades de defraudación en el marco de otros impuestos. Recuérdese, por ejemplo, que los tipos impositivos del IVA difieren de un Estado miembro a otro; que el territorio aduanero de la Unión no coincide con el ámbito de aplicación del IVA (de modo que, aún tratándose de una mercancía de la Unión, podría escapar de la tributación por IVA si no se estableciesen este tipo de controles); y, en fin, que las divergencias entre los distintos Estados miembros son todavía más importantes en el ámbito de los Impuestos Especiales (justamente las mercancías objeto de estos impuestos plantean una peligrosidad especialmente señalada en este contexto).

La considerable defraudación tributaria detectada ha preocupado, y mucho, a las autoridades de la UE, y su evitación por medio de la introducción de mejoras en la normativa reguladora ha sido la razón de fondo de prácticamente cuantas modificaciones ha sufrido este régimen aduanero. También ha habido modificaciones dirigidas a introducir medios electrónicos de gestión de este régimen, de manera que se sustituyen los documentos en papel por sus equivalentes electrónicos. La introducción del denominado Nuevo Sistema de Tránsito Informatizado (*New Computerized Transit System*, NCTS) parece que redujo el nivel de fraude mediante la implantación de medios electrónicos de gestión aduanera.

> La Comisión Europea se refirió al fraude en el régimen de tránsito en el Documento COM(1997)0188, "Un plan de acción para el tránsito en Europa" (DO C 176, 1997). En este documento se señala también que "El tránsito aduanero es una pieza esencial del edificio comunitario y un elemento fundamental de la estrategia de las compañías europeas". También el Tribunal de Cuentas de la UE se ha referido a esta cuestión en su "Informe Especial n° 8/99 sobre las fianzas y garantías previstas en el código aduanero comunitario para proteger la percepción de los recursos

propios tradicionales, acompañado de las respuestas de la Comisión" (DO C 76, 2000), donde señala que "En el régimen de tránsito, considerado desde hace tiempo uno de los ámbitos aduaneros comunitarios de riesgo elevado, siguen existiendo obvias deficiencias, pese a unas indudables mejoras" (p. 2).

En España se refirió a la implantación del NCTS la Resolución de 19 de junio de 2001, del Departamento de Aduanas e Impuestos Especiales de la Agencia Estatal de la Administración Tributaria, que regula la implantación del Sistema de Tránsito Informatizado Comunitario (NCTS) en España y la creación de modelos de garantías nacionales presentadas por entidades de seguros (BOE 11.07.2001).

El RECAU ordena la implantación de un sistema electrónico más ambicioso de gestión de la información para el control del régimen de tránsito, al que denomina "sistema de tránsito electrónico" (artículo 273 RECAU), que se prevé que esté plenamente disponible en junio de 2025. No obstante, hasta que se disponga de él, los Estados miembros continuarán utilizando el "Nuevo Sistema de Tránsito Informatizado", creado mediante el Reglamento 1192/2008, de la Comisión. Esta falta de disponibilidad de la infraestructura de medios electrónicos obliga a introducir gran cantidad de normas transitorias, aplicables en tanto no se haya logrado implantarla.

> La Decisión de Ejecución 2019/2151, por la que se establece el Programa de Trabajo relativo a la implantación de los sistemas electrónicos previstos en el CAU (DO L 325, de 16.12.2019) establece como fecha final de implantación de la mejora en el Nuevo Sistema de Tránsito Informatizado (NTSI) en el ámbito del CAU junio de 2025. En el análisis del régimen de tránsito distinguiremos, cuando corresponda, entre el régimen jurídico aplicable antes de la plena implantación de la mejora del NTSI y el régimen jurídico aplicable con posterioridad a la misma.

Nos encontramos en el régimen de tránsito con normas detallistas de contenido fundamentalmente formal. A través de la regulación de los deberes formales y de los procedimientos que los interesados deberán observar para acogerse al régimen se pretende que las autoridades puedan disponer de una información normalizada y de fácil comprobación. Especialmente interesante, habida cuenta de las actuales fórmulas de gestión aduanera, es la posibilidad de efectuar controles a posteriori. A este respecto es importante retener la trascendencia que en este marco adquiere la existencia del mercado interior, cuya instauración supuso la desaparición de fronteras interiores. Este factor limita las posibilidades que las autoridades tienen de detectar eventuales irregularidades en la utilización del régimen a través de controles de carácter material (comprobación de la carga, muestras, análisis, etc.), las cuales pueden, no obstante, aflorar en un momento posterior por motivos diversos. El rigor y el detalle con el que se recogen las formalidades a observar y los procedimientos a seguir habrán de permitir, en ese momento posterior, acreditar la eventual comisión de la irregularidad, así como detectar qué eslabón de la cadena ha dado pie a ella.

De otro lado, al descansar fundamentalmente el control sobre la imposición de deberes formales, la detección de las irregularidades puede ser compleja cuando se logra salir del sistema (mediante la falsificación de documentos, sellos, firmas, etc.), debiendo recurrirse entonces a vías alternativas, incluso de carácter policial.

Aunque la inclusión de las mercancías en el régimen de tránsito no comporta la obligación de pago de derechos, con carácter general sí que da lugar a que se exija la constitución de una garantía, en forma de fianza, para cubrir las responsabilidades que pudieran surgir en caso de que el tránsito no concluya según lo previsto en el lugar de destino. El lugar en el que deban entenderse cometidas las posibles "irregularidades" en la utilización del régimen de tránsito es una cuestión de indudable trascendencia en materia tributaria puesto que va a determinar los tributos exigibles y el Estado que tiene derecho a su percepción (IVA e I.I.E.E., fundamentalmente). La fijación del Estado en que se entienden cometidas las irregularidades va a tener otra importante repercusión, puesto que a aquél corresponderá, si ello procediese, reprimir tales conductas. Esta última idea nos enfrenta a la compleja problemática que representa la coordinación de las políticas represoras de los Estados miembros en materias que, como ésta, afectan a la Hacienda de la UE.

En el CAU, el tránsito es un régimen aduanero especial. Según se expone en el capítulo 12, el régimen de tránsito no se sujeta a autorización, pero sí comporta el deber de llevanza de registros.

> Por lo demás, según se señala en el capítulo 12.3.3, se permite la circulación de mercancías incluidas en determinados regímenes especiales, sin necesidad para ello de incluirlas en el régimen de tránsito ni de cumplir las formalidades previstas para éste.

Recordemos que, a las mercancías incluidas en el régimen de tránsito, salvo en el régimen de tránsito interno, no se les aplica la presunción de tener el estatuto aduanero de mercancías de la Unión por el hecho de encontrarse dentro del TAU (artículo 119.1(c) RDCAU). Por tanto, el estatuto aduanero de mercancías de la Unión debe probarse y, en caso de que no sea así, serán consideradas mercancías que no pertenecen a la Unión.

A nivel internacional, el Convenio de Kioto revisado se refiere al tránsito en el Anexo Específico E (recordemos que la UE no ha ratificado todavía los anexos específicos del Convenio de Kioto revisado). Sin perjuicio de las referencias que se hacen a los contenidos del Convenio de Kioto en materia de tránsito a lo largo del capítulo, destaquemos aquí que la norma 3 de este anexo dispone que "Las mercancías transportadas en tránsito aduanero no estarán sujetas al pago de los derechos y los impuestos, siempre que se cumpla con las condiciones establecidas por la Aduana y a condición de que la garantía eventualmente exigible haya sido presentada". Se establece de este modo la regla general conforme a la cual la inclusión de mercancías en el régimen de tránsito conlleva la prestación de la garantía que se determine, pero no el pago de derechos.

ENLACE

> Documentación explicativa de TAXUD sobre el régimen de tránsito disponible en internet:
> • Manual de Tránsito (TAXUD) en inglés (Documento TAXUD/A1/TRA/005/2020-1-EN, de 19.04.2021, 579 páginas):
>   https://op.europa.eu/en/publication-detail/-/publication/6e49a72b-eadb-11eb-93a8-01aa75ed71a1/language-en
> • Página de TAXUD sobre tránsito de la Unión y tránsito común:
>   https://ec.europa.eu/taxation_customs/business/customs-procedures-import-and-export/what-customs-transit/union-and-common-transit_en

13.2. TRÁNSITO INTERNO Y TRÁNSITO EXTERNO. TRÁNSITO DE LA UNIÓN

La necesidad de trasladar las mercancías puede surgir en circunstancias diversas, lo que obliga a diferenciar el tratamiento jurídico que en cada caso resulta aplicable. Así, el operador puede desear trasladar las mercancías desde el punto de entrada en el Territorio Aduanero de la Unión (TAU) hasta su lugar de establecimiento y despachar entonces las mercancías a libre práctica en la Aduana más cercana (caso 1).

EJEMPLO

Ejemplo
Un operador introduce mercancías por Rotterdam porque así consigue mejores precios, pero desea despachar esas mercancías a libre práctica ante la Aduana de Valencia. Para lograr este objetivo, puede incluir las mercancías en el régimen de tránsito a su introducción por Rotterdam con destino a Valencia, donde se despacharán.

Con la implantación del despacho centralizado (que permite realizar todas las formalidades, como la declaración en aduana, en la aduana que corresponda al lugar en que esté establecido el operador, independientemente de cuál sea el lugar del TAU por el que las mercancías se introduzcan) esta utilidad del régimen de tránsito será menos relevante, dado que el despacho centralizado es una herramienta más potente que evita tener que cumplir con las formalidades propias del tránsito. El operador de nuestro ejemplo podría utilizar el despacho centralizado para introducir mercancías por Rotterdam y despacharlas ante la aduana de Valencia, evitando tener que utilizar el régimen de tránsito. El despacho centralizado se examina en el capítulo 24.

Otro supuesto que podemos imaginar es el de un operador que exporta un producto agrícola cuya exportación se beneficia de una ayuda económica. El cliente es una empresa rusa. El exportador puede incluir el producto agrícola en tránsito en Valladolid con destino a Rusia y en ese momento se entiende cumplido el requisito de exportación que le permite obtener la ayuda (sujeto a que las mercancías salgan efectivamente del TAU) (caso 2).

Otro supuesto es el de un operador establecido en Frankfurt que vende mercancías a un cliente italiano. En su traslado desde Frankfurt hasta Italia, las mercancías atraviesan Suiza, que no forma parte de la UE (caso 3).

Otro supuesto es el de un operador establecido en Bilbao que vende mercancías a un cliente establecido en Canarias. Dado que Canarias, aunque forma parte del TAU, no es territorio IVA, debe asimismo aplicarse el régimen de tránsito (caso 4). Lo mismo ocurriría en el supuesto inverso, es decir, si un operador establecido en Canarias vendiese mercancías a un cliente establecido en Bilbao (caso 5).

Según el estatuto aduanero de las mercancías de que se trate y la ubicación del punto de partida y el de destino, podemos distinguir:

"Tránsito externo" (artículo 226 CAU):

Traslado de un punto a otro del territorio aduanero de la Unión (TAU) de:

- Mercancías no pertenecientes a la Unión (caso 1).

  En el marco del régimen de tránsito externo, las mercancías no pertenecientes a la Unión podrán circular de un punto a otro dentro del TAU sin estar sujetas:
  a) a derechos de importación ni a otros gravámenes;
  b) a medidas de política comercial en la medida en que no prohíban la entrada de mercancías en el TAU o su salida de él.

- Mercancías de la Unión sometidas a medidas de exportación o que han gozado de alguno de los beneficios cuyo disfrute se condiciona a la posterior exportación. Se trata de evitar así que los productos sometidos a medidas de exportación o que se beneficien de ellas puedan sustraerse a las mismas o beneficiarse indebidamente de ellas (caso 2).

"Tránsito interno" (artículo 227 CAU):

Traslado de un punto a otro del TAU pasando por el territorio de un país tercero de:

- Mercancías de la Unión (sin que su estatuto aduanero se modifique) (caso 3).

> **"Tránsito interno de la Unión"**
>
> Traslado de mercancías de la Unión:
>
> – Desde una parte del TAU en que se aplique el IVA a otra en la que no se aplique el IVA (caso 4).
> – Desde una parte del TAU en que no se aplique el IVA a otra en la que sí se aplique el IVA (caso 5).
> – Desde una parte del TAU en que no se aplique el IVA a otra en la que tampoco se aplique el IVA.
> – Idem que en los 3 supuestos anteriores, pero respecto de los IIEE armonizados en lugar del IVA.
> – Desde un punto a otro del TAU atravesando el territorio de uno o más países AELC (Asociación Europea de Libre Comercio, que comprende a Noruega, Islandia, Liechtenstein y Suiza) en aplicación del Convenio relativo a un régimen de tránsito común, salvo que sean transportadas exclusivamente por vía marítima o aérea.

Interesa insistir en que la circulación de mercancías de la Unión dentro del TAU (sin atravesar un país tercero) quedará sometida al régimen de tránsito de la Unión cuando se pase de territorio IVA a un territorio donde no se aplique este impuesto, y a la inversa (de territorio no IVA a territorio IVA) y también cuando las mercancías circulen de un territorio donde no se aplique el IVA a otro donde tampoco se aplique este impuesto. Y lo mismo cabe decir respecto de los IIEE armonizados. A aquellas partes del TAU donde no se aplica el IVA y/o los IIEE armonizados se les denomina "territorios fiscales especiales".

El artículo 1(35) RDCAU define «territorio fiscal especial» como una parte del TAU donde no sean de aplicación las disposiciones de la Directiva 2006/112/CE del Consejo, de 28 de noviembre de 2006, relativa al sistema común del impuesto sobre el valor añadido, o de la Directiva 2008/118/CE del Consejo, de 16 de diciembre de 2008, relativa al régimen general de los impuestos especiales, y por la que se deroga la Directiva 92/12/CEE.

Conforme a lo dispuesto en el artículo 188 RDCAU, la utilización del tránsito interno de la Unión es obligatoria cuando las mercancías circulan desde un territorio fiscal especial (como Canarias) con destino a otra parte del TAU —que no sea territorio fiscal especial— en un Estado miembro distinto (en el caso de Canarias, con destino a otro Estado miembro distinto de España). En cambio la utilización del tránsito interno de la Unión es potestativa cuando las mercancías circulan desde un territorio fiscal especial (como Canarias) con destino a otra parte del TAU en ese mismo Estado miembro (en el caso de Canarias, con destino al resto de España, salvo Ceuta y Melilla) o con destino a otro territorio fiscal especial (en el caso de Canarias, con destino a San Marino, por ejemplo). Los requisitos de datos de las declaraciones de expedición de mercancías en el marco del comercio con territorios fiscales especiales se señalan en la columna B4 del Anexo B del RDCAU, en tanto que la columna H5 recoge los datos que se exigen en las declaraciones de introducción de mercancías en el marco del comercio con territorios fiscales especiales.

Por lo demás, obsérvese cómo los distintos supuestos de tránsito exigen un control de parte de las autoridades aduaneras. Cuando las mercancías objeto de tránsito no son de la Unión, su inclusión en este régimen no comporta la exigencia de derechos de aduana ni la aplicación de las medidas de política comercial que en otro caso correspondería a las mercancías introducidas (que sí se aplican cuando se despachan a libre práctica). Por esta razón, su traslado por el interior del territorio aduanero de la Unión (TAU) representa un riesgo, puesto que, caso de escapar al control de las autoridades, podrían entrar en el mercado interno sin sujetarse a los gravámenes y medidas de política comercial aplicables. Por su parte, el desplazamiento de mercancías de la Unión que deben ser exportadas para cumplir así el requisito a que se sometía la concesión de ciertos beneficios puede ser ocasión para distraerlas de ese destino, lo que supondría que se habría obtenido un beneficio al que no se tenía derecho. Finalmente, el traslado de mercancías de la Unión entre dos puntos del TAU, pero cuyo trayecto discurre por un tercer país, debe asimismo ser objeto de escrutinio para asegurar que las mercancías que llegan al destino son las mismas que las que partieron del punto de salida, y no otras. En este último caso puede ocurrir, además, que las mercancías de que se trate tengan restringida la posibilidad de su exportación, supuesto en el cual debe quedar asegurado que lleguen a su destino previsto en el interior de la UE, y no que desaparezcan durante su transporte en el tercer país.

Por otro lado, debe destacarse la existencia de un régimen particular de tránsito entre la UE y los países de la AELC (Asociación Europea de Libre Comercio, que comprende a Noruega, Islandia, Liechtenstein y Suiza), denominado "régimen común de tránsito" (cuyas normas se alinean con las del "tránsito de la Unión", para tener un contenido coincidente). Entre estas dos Partes, UE y AELC, existen dos convenios de 1987 en materia de tránsito:

- Convenio CE-AELC, de 20 de mayo de 1987, relativo a un régimen común de tránsito (DO L 226 de 18.8.1987 y sus sucesivas modificaciones; aprobado en el Derecho de la UE mediante la Decisión del Consejo 415/87).

  La reciente Decisión 1/2016 de la Comisión Mixta UE-AELC sobre el Tránsito Común de 28 de abril de 2016, por la que se modifica el Convenio de 20 de mayo de 1987 relativo a un régimen común de tránsito (DO L 142, de 31.05.2016, p. 25), adapta las normas de este tránsito común a la nueva regulación del tránsito de la Unión establecida por el CAU y sus Reglamentos de desarrollo.

- Convenio CE-AELC relativo a la simplificación de las formalidades en los intercambios de mercancías, incluida la implantación de un documento único administrativo que se utilizará en dichos intercambios, (DO L 134 de 22.5.1987, y sus sucesivas modificaciones), comúnmente conocido como el «Convenio DUA».

Estos convenios facilitan la importación, la exportación y la circulación de mercancías entre la UE y los países de la AELC y también entre estos últimos. El régimen común de tránsito es optativo, no obligatorio, para las mercancías que circulan en este ámbito. En virtud de la introducción del Nuevo Sistema de Tránsito Informatizado (NCTS), que es también aplicado por los países AELC, el régimen común de tránsito se aproximó considerablemente al régimen de tránsito de la Unión.

En el marco del régimen común de tránsito se contemplan dos modalidades, a saber (véanse los artículos 1 y 2 del Convenio):

- La "T1", que se utiliza respecto de mercancías en tránsito, incluyendo mercancías transbordadas, reexportadas o almacenadas, independientemente de su clase u origen.

- La "T2", que se utiliza respecto de mercancías de la Unión en tránsito, incluyendo mercancías transbordadas, reexportadas o almacenadas, que circulan por el TAU. Se utiliza en un país AELC cuando las mercancías llegan a ese país conforme a esta modalidad y se reexportan cumpliendo las condiciones que establece el artículo 9 del Convenio.

El RDCAU integra la regulación del régimen común de tránsito en el marco del régimen de tránsito de la Unión. Así, el artículo 189 RDCAU dispone que circularán al amparo del régimen de tránsito externo de la Unión, en determinados supuestos, las mercancías de la Unión que se exporten a un país participante del tránsito común y, también, cuando se exporten mercancías de la Unión que atraviesen uno o más países participantes del tránsito común. Los supuestos aludidos en que las mercancías deben incluirse en el régimen de tránsito externo de la Unión remiten todos ellos a situaciones en las que se aplica un beneficio con ocasión de la exportación. Son los siguientes:

a) cuando las mercancías de la Unión sean objeto de formalidades aduaneras de exportación con vistas a la concesión de restituciones a la exportación a terceros países en el marco de la política agrícola común;

b) cuando las mercancías de la Unión procedan de las existencias de intervención y estén sometidas a medidas de control en cuanto a su utilización o destino y hayan sido objeto de formalidades aduaneras de exportación a terceros países en el marco de la política agrícola común;

c) cuando las mercancías de la Unión puedan optar a la devolución o a la condonación de los derechos de importación, basada en el carácter de mercancías defectuosas o que incumplan los términos del contrato (este supuesto de devolución o a la condonación se regula en el artículo 118 CAU), a condición de que estén incluidas en el régimen de tránsito externo.

También se incluyen en el régimen de tránsito externo las mercancías de la Unión que vayan a exportarse a un tercer país y que, con ese objeto, circulen dentro del TAU en el marco de una operación TIR o al amparo de un régimen de tránsito de conformidad con el Convenio ATA o el Convenio de Estambul. Por otra parte, pueden incluirse en el régimen de tránsito externo con vistas a su exportación las mercancías sujetas a determinados impuestos especiales (energía, alcohol y tabaco, los comprendidos en el artículo 1 de la Directiva 2008/118) y que tengan estatuto aduanero de mercancías de la Unión (artículo 189 RDCAU, apartados 3 y 4).

Por su parte, el artículo 293 RECAU establece que, en aquellos supuestos en que se utilice el régimen común de tránsito, las mercancías que circulen dentro del TAU se considerarán incluidas en el régimen de tránsito de la Unión. Y ordena que, cuando se aplique el régimen común de tránsito y las mercancías de la Unión atraviesen uno o varios países de tránsito común, las mercancías deben incluirse en el régimen de tránsito interno de la Unión, con la excepción de las mercancías de la Unión que se transporten exclusivamente por vía marítima o aérea (estas últimas no necesitan incluirse en el régimen).

Por tanto, en buena medida la UE da cumplimiento a sus obligaciones contraídas en el marco del Convenio de tránsito común mediante la aplicabilidad a este tránsito de las disposiciones previstas para el tránsito de la Unión, con algunas especialidades.

13.3. VARIANTES DEL TRÁNSITO EN FUNCIÓN DEL DOCUMENTO AL AMPARO DEL CUAL CIRCULAN LAS MERCANCÍAS

El régimen de tránsito experimenta variaciones en función de la documentación al amparo de la cual el traslado pretenda efectuarse. Tenemos que distinguir, en este sentido, entre:

1. Régimen de tránsito de la Unión, en sentido estricto.
2. Tránsito amparado en el denominado "Cuaderno TIR".
3. Tránsito amparado en el denominado "Cuaderno ATA" o "CPD".
4. Tránsito amparado en el denominado "manifiesto renano".
5. Tránsito amparado en el régimen establecido en el marco del Tratado del Atlántico Norte (OTAN), a través del "impreso 302".
6. Tránsito por envío postal.

Modalidades del Tránsito (art. 226.3 y 227.2 CAU)	
Tránsito externo	*Tránsito interno*
1.– Al amparo del régimen de tránsito de la Unión externo/interno	
2.– Al amparo de un cuaderno TIR (1)	
3.– Al amparo de un cuaderno ATA/CPD	
4.– Al amparo de un manifiesto renano	
5.– Al amparo del impreso 302 OTAN	
6.– Mediante envío postal (2)	

(1) En el caso del tránsito externo, sólo en caso de que haya comenzado o vaya a terminar fuera del TAU o bien tenga lugar entre dos puntos del TAU a través del territorio de un país o territorio situado fuera del TAU.

(2) Si las mercancías son transportadas por o para los titulares de derechos en virtud de los actos de la Unión Postal Universal.

A la vista de lo anterior, cuando la norma de la UE califique el régimen de tránsito como "de la Unión" debe entenderse que se está refiriendo a una modalidad, la típica, del régimen de tránsito, que es aquella que tiene lugar utilizando los documentos específicamente instituidos por el ordenamiento de la UE a este fin, frente a otras modalidades en las que lo que se utiliza son documentos a los que el ordenamiento de la UE reconoce efectos, pero que han sido instituidos por una fuente de emanación de normas ajena a él. Ello no obstante debe apuntarse que, en el marco del régimen de tránsito de la Unión, puede aceptarse la utilización de documentos alternativos en sustitución de los establecidos por la norma de la UE (como la carta de porte CIM tratándose de mercancías transportadas por ferrocarril o el manifiesto que se contempla en el apéndice 3 del anexo 9 del Convenio relativo a la aviación civil internacional, para las mercancías transportadas por este medio).

Analizaremos en los apartados sucesivos las peculiaridades del régimen de tránsito en función del documento que ampara la operación, comenzando por el tránsito de la Unión. Omitiremos, no obstante, referirnos al tránsito realizado al amparo del manifiesto renano, que tampoco es regulado en el CAU ni en sus reglamentos de desarrollo.

Antes de comenzar con el análisis referido, interesa subrayar que el TAU constituye un territorio único a efectos de cualquiera de las variantes de tránsito existentes (artículo 228 CAU), ya se realice este tránsito al amparo del Convenio TIR, como al amparo del Convenio ATA/Convenio de Estambul, o al amparo del impreso 302 o al amparo del sistema postal y, por supuesto, en el marco del tránsito de la Unión o del manifiesto renano.

Por otro lado, cualquiera que sea el documento que ampare la operación de tránsito, en caso de que las mercancías salgan del TAU y vuelvan a entrar en él, en el marco de la operación de tránsito, se llevarán a cabo los controles aduaneros y las formalidades aplicables, tanto en el punto de salida del TAU, como en el punto por el que vuelvan a introducirse en él (artículo 272 RECAU). Los controles y formalidades que se apliquen en estos puntos serán los que correspondan según el sistema de tránsito que se utilice (el Convenio TIR, el Convenio ATA, el Convenio de Estambul, el Convenio entre los Estados Partes en el Tratado del Atlántico Norte, o de conformidad con los actos de la Unión Postal Universal).

13.4. EL TRÁNSITO DE LA UNIÓN

13.4.1. *Elementos generales*

El CAU y sus Reglamentos de desarrollo regulan de forma pormenorizada el régimen de tránsito de la Unión (nos referiremos en este punto a él simplemente diciendo "tránsito") en los artículos 184, 185, 188-200 RDCAU; 272, 273, 291-321 RECAU.

En el régimen de tránsito pueden intervenir varias aduanas que cumplen diversas funciones, para lo cual deben llevar a cabo diferentes actividades, a fin de lograr su correcta gestión. Para identificar cada una de esas funciones y actividades, se utilizan las siguientes denominaciones:

✓ *"Aduana de partida"* es la aduana en que se admite la declaración en aduana por la que las mercancías se incluyen en un régimen de tránsito (artículo 1.13 RDCAU).

✓ *"Aduana de destino"* es la aduana en que las mercancías incluidas en un régimen de tránsito se presentan para la ultimación del régimen (artículo 1.14 RDCAU), es decir, la aduana en la que deben presentarse las mercancías en tránsito para poner fin al régimen.

✓ *"Aduana de tránsito"* es (artículo 1.2.13 RECAU):

   a) la aduana competente respecto del punto de salida del TAU cuando los bienes lo abandonan en el transcurso de una operación de tránsito a través de una frontera con un territorio situado fuera del TAU distinto de un país de tránsito común (aduana de salida), o

   b) la aduana competente respecto del punto de entrada en el TAU cuando las mercancías hayan cruzado un territorio situado fuera del TAU en el transcurso de una operación de tránsito (aduana de entrada).

La normativa anterior designaba a la aduana de tránsito "oficina de paso".

El obligado principal del régimen será el titular del régimen, es decir, el sujeto que solicita mediante una declaración la inclusión de las mercancías en el régimen de tránsito o bien la persona a quien éste haya cedido sus derechos y obligaciones en el marco del régimen (artículo 5.35 CAU). Al titular del régimen le corresponde prestar la garantía (que debe cubrir la deuda aduanera y otros gravámenes que pudieran originarse) y responsabilizarse de que el régimen se ultime de forma regular. En este sentido, es quien asume la responsabilidad de que se presenten las mercancías intactas en la aduana de destino, en el plazo señalado y habiendo respetado las medidas dirigidas a garantizar su identificación. Además, se responsabiliza de suministrar la información requerida a la aduana de destino y, en general, de respetar las disposiciones aduaneras relativas al régimen (artículo 233.1 CAU).

> Las garantías se analizan en el capítulo 26. En el régimen de tránsito estaremos ante una garantía potencial (dado que la deuda no nace por la mera inclusión de mercancías en el régimen de tránsito, por lo que la deuda que se trata de cubrir es la que nacería en caso de incumplimiento de las obligaciones que derivan del régimen). En determinados supuestos, si se cumplen los requisitos que exige la norma, el interesado puede beneficiarse de una reducción del importe de la garantía o de una dispensa de garantía.

Sin perjuicio de las obligaciones que corresponden al obligado principal, el transportista (o el destinatario de las mercancías que las acepte sabiendo que están en régimen de tránsito) debe presentarlas intactas en la aduana de destino en el plazo señalado y respetando las medidas de identificación que se hubieren adoptado para controlar que las mercancías que llegan son las que se incluyeron en el régimen (artículo 233.3 CAU).

Se establecen dos supuestos en los que el transporte de mercancías no pertenecientes a la Unión debe realizarse obligatoriamente utilizando el régimen de tránsito de la Unión, de manera que no puede realizarse la operación de tránsito al amparo de otro documento. Se trata del transporte por vía aérea, cuando las mercancías se embarquen o transborden en un aeropuerto de la Unión, y el transporte por vía marítima realizado por servicios marítimos regulares autorizados (artículo 295 RECAU).

Por lo que hace específicamente al tránsito externo de la Unión, hemos señalado que éste permite el traslado de un punto a otro del TAU de mercancías no pertenecientes a la Unión o de mercancías de la Unión sometidas a medidas de exportación o que han gozado de alguno de los beneficios cuyo disfrute se condiciona a la posterior exportación. Pues bien, el artículo 234 CAU ordena asimismo aplicar el tránsito externo de la Unión respecto de mercancías que circulen a través del territorio de un país o territorio situado fuera del TAU cuando se cumpla al menos una de las dos siguientes condiciones:

a) que un acuerdo internacional prevea dicha posibilidad;

b) que el paso a través de dicho país o territorio se efectúe al amparo de un título único de transporte, expedido en el TAU. En este caso, el efecto del régimen de tránsito externo de la Unión queda suspendido mientras las mercancías se encuentren fuera del TAU.

13.4.2. Inclusión en el régimen

El tránsito es un régimen especial que no se sujeta a autorización (artículo 211 CAU). La inclusión de las mercancías en el régimen se realiza mediante la presentación de una declaración en la que se solicita el tránsito y que debe contener los elementos de datos que se señalan en el Anexo B del RDCAU, columnas D1, D2 y D3, dependiendo del tipo de operación de que se trate. Esta declaración ante la aduana de partida, como en general todos los trámites del tránsito, debe realizarse por medios electrónicos.

> La columna D1 se refiere a la declaración de tránsito; la D2 a la declaración de tránsito con un conjunto de datos reducido (transporte por ferrocarril, aéreo y marítimo) y la D3 a la utilización de un documento de transporte electrónico como declaración en aduana (transporte aéreo y marítimo). Adicionalmente, téngase en cuenta la columna B4, respecto de la declaración de expedición de mercancías en el marco del comercio con territorios fiscales especiales, y la columna H5, relativa a la declaración de introducción de mercancías en el marco del comercio con territorios fiscales especiales.

Tan sólo en circunstancias excepcionales se permite la presentación de una declaración en papel.

> Las declaraciones en papel sólo se permiten si se produce un fallo temporal del sistema de tránsito electrónico, o del sistema informático utilizado por los titulares del régimen para la presentación de la declaración de tránsito de la Unión o de la conexión electrónica entre el sistema informático utilizado por los titulares del régimen y el sistema de tránsito electrónico. En los dos últimos supuestos señalados se requiere, además, autorización de las autoridades (artículo 291 RECAU).
> Cuando se presente la declaración en papel se seguirán las instrucciones que se establecen en el anexo 72-04 RECAU, que regula el que denomina "procedimiento de continuidad de las actividades para el régimen de tránsito de la Unión". Estas instrucciones se refieren, no solo a la propia declaración, sino a toda la operación de tránsito.
> No obstante, sí se admite que se cumplan las formalidades en papel de forma transitoria en relación al transporte por ferrocarril, por vía aérea y por vía marítima. Esta cuestión se examina en el apartado 13.10, más abajo.

Un mismo envío puede comprender mercancías que vayan a incluirse en el régimen de tránsito externo de la Unión y mercancías que vayan a incluirse en el régimen de tránsito interno de la Unión ("envíos mixtos"). Para que esta posibilidad se admita cada artículo de mercancías debe consignarse en la declaración de tránsito con la indicación correspondiente (artículo 294 RECAU).

En una declaración para el régimen de tránsito de la Unión tan sólo pueden incluirse mercancías destinadas a ser transportadas desde la misma aduana de partida hasta la misma aduana de destino y cargadas en un medio de transporte único, o en un contenedor o en un bulto (pueden transportarse en varios contenedores o bultos siempre que se carguen en un medio de transporte único). Además, las mercancías incluidas en una declaración deben despacharse conjuntamente.

> Se considera medio de transporte único:
> a) un vehículo de transporte por carretera acompañado de su o de sus remolques o semirremolques;
> b) una composición de coches o de vagones de ferrocarril;
> c) los buques que constituyan un conjunto único.

Si un medio de transporte único se utiliza para cargar mercancías en varias aduanas de partida y/o para descargarlas en varias aduanas de destino, deben presentarse declaraciones de tránsito separadas para cada uno de los envíos (artículo 296 RECAU).

Una vez presentada la declaración, la aduana de partida debe adoptar determinadas medidas. En primer lugar, debe fijar un plazo para presentar las mercancías en la aduana de destino (artículo 297 RECAU). Para fijar ese plazo tendrá en cuenta factores tales como el itinerario, el medio de transporte que vaya a emplearse, la legislación en materia de transportes o cualquier otra legislación que pueda tener incidencia en la fijación del plazo, así como cualquier información pertinente que pueda comunicar el titular del régimen. El plazo que fije la aduana de partida es obligatorio para las autoridades de los Estados miembros que se atraviesen en el tránsito y no podrá ser modificado por ellas.

> El Convenio de Kioto (norma 13 del capítulo 1 del Anexo específico E) establece que el plazo debe ser suficiente y que podrá extenderse por razones válidas (práctica recomendada 14).

En segundo lugar, la aduana de partida puede establecer un itinerario obligatorio a seguir en el transporte de las mercancías hasta la aduana de destino cuando lo estime necesario (artículo 298 RECAU). También puede establecerse un itinerario obligatorio si es el titular del régimen quien lo considera necesario. En cualquier caso, el itinerario obligatorio se decidirá teniendo en cuenta toda la información pertinente comunicada por el titular del régimen. Si se fija un itinerario obligatorio la aduana de partida debe consignar en el sistema de tránsito electrónico, como mínimo, una indicación de los Estados miembros a través de los cuales debe realizarse el tránsito.

> La normativa anterior (artículo 355.2 RACAC) establecía que, en particular, la aduana de partida debía fijar un itinerario obligatorio cuando se incluyesen en el régimen de tránsito mercancías de riesgo (en la regulación actual se las denomina "mercancías y productos sensibles" y se enumeran en el anexo 71-02 RDCAU).
>
> El Convenio de Kioto, en la norma 15 del Capítulo 1 del Anexo Específico E, establece que el itinerario obligatorio o el transporte bajo escolta aduanera deben estipularse únicamente en los casos en que se considere indispensable (norma 15).

Aun cuando no se ordene un itinerario obligatorio, las mercancías deben circular hasta la aduana de destino siguiendo un itinerario que se justifique desde el punto de vista económico.

En tercer lugar, la aduana de partida debe proceder al precintado del espacio donde estén contenidas las mercancías, siempre que considere el medio de transporte o el contenedor adecuado para ser precintado (artículo 299 RECAU).

> Conforme al artículo 300 RECAU deben considerarse idóneos para el precintado el medio de transporte o los contenedores en las siguientes circunstancias:

a) cuando los precintos puedan colocarse en el medio de transporte o el contenedor de manera sencilla y eficaz;
b) cuando el medio de transporte o el contenedor estén construidos de tal manera que, al extraer o introducir las mercancías, estas manipulaciones dejen rastros visibles, lleven aparejada la ruptura de los precintos o muestren señales de manipulación, o un sistema electrónico de supervisión registre la extracción o la introducción;
c) cuando el medio de transporte o el contenedor no contengan ningún espacio oculto que permita esconder las mercancías;
d) cuando los espacios reservados para las mercancías sean fácilmente accesibles a efectos de inspección de la autoridad aduanera.

Asimismo, se considera idóneo para el precintado cualquier vehículo de transporte por carretera, remolque, semirremolque o contenedor autorizado para el transporte de mercancías bajo precinto aduanero de conformidad con las disposiciones de un acuerdo internacional en el que la Unión sea Parte contratante.

Si no se consideran idóneos para ser precintados ni el medio de transporte ni el contenedor, se procederá a precintar cada bulto individual. En cualquier caso, la aduana de partida debe registrar en el sistema de tránsito electrónico el número de los precintos y cada uno de los identificadores de precinto, de manera que las demás oficinas aduaneras que intervengan en la operación conozcan las condiciones en que deben presentarse las mercancías.

El Convenio de Kioto (norma 8 del capítulo 1 del Anexo específico E) establece que la oficina de partida tomará todas las medidas necesarias para permitir la identificación del envío por la oficina de destino y descubrir, si fuera el caso, toda manipulación no autorizada (véase también las normas siguientes, hasta la 18, en materia de sellado e identificación de envíos, así como el apéndice de este capítulo del Convenio de Kioto).

Características de los precintos (artículo 301 RECAU)	
Características esenciales	Deben: i) permanecer intactos y fijados de manera segura en condiciones normales de utilización, ii) ser fácilmente verificables y reconocibles, iii) estar fabricados de modo que toda rotura, manipulación o sustitución deje huellas visibles a simple vista, iv) estar concebidos para un único uso o, en los precintos de uso múltiple, estar diseñados de forma que reciban una identificación clara e individual cada vez que sean reutilizados, v) estar provistos de marcas de identificación individual, fácilmente legibles y permanentes, de numeración única.

Características de los precintos (artículo 301 RECAU)	
Especificaciones técnicas	1) la forma y el tamaño de los precintos podrán variar en función del método de precintado utilizado, si bien sus dimensiones deberán permitir que las marcas de identificación sean fácilmente legibles, 2) las marcas de identificación de los precintos deberán ser imposibles de falsificar y de difícil reproducción, 3) el material utilizado deberá permitir evitar, tanto roturas accidentales, como falsificaciones o reutilizaciones no detectables.
Certificación ISO 17712:2013	Si los precintos han sido certificados de conformidad con la norma internacional ISO 17712:2013 «Contenedores de carga - juntas mecánicas de estanqueidad», se considerará que cumplen los requisitos relativos a "características esenciales" y "especificaciones técnicas" señalados arriba.
Transporte en contenedores	Se deben utilizar, en la mayor medida posible, precintos con dispositivos de alta seguridad.
Menciones en el precinto	Obligatoriamente el precinto debe contener, al menos, las siguientes menciones: a) el término «Aduanas» en una de las lenguas oficiales de la Unión o una abreviatura correspondiente; b) un código de país, que adoptará la forma de ISO-alfa 2, que identifique al Estado miembro en el que se coloque el precinto. c) los Estados miembros pueden añadir el símbolo de la bandera europea.
Elementos de seguridad y tecnología	Los Estados miembros pueden decidir de forma consensuada la utilización de elementos de seguridad y tecnología comunes.
Notificación de precintos	Cada Estado miembro debe notificar a la Comisión los tipos de precinto aduanero en vigor. Por su parte, la Comisión debe facilitar dicha información a todos los Estados miembros.
Retirada de un precinto	Cuando sea necesario retirar un precinto a fin de permitir la inspección en aduana, las autoridades aduaneras deben velar por: – que se efectúe un nuevo precintado con un precinto que reúna, como mínimo, características de seguridad equivalentes y – que se anoten los datos de la operación, incluido el nuevo número del precinto, en la documentación sobre el transporte.

Aunque la regla general es que se debe precintar el espacio en que se contengan las mercancías (medio de transporte o el contenedor) o, en su defecto, cada bulto, el artículo 302 RECAU permite a la aduana de partida omitir la utilización de esta herramienta de control y, en su lugar, incluir la descripción de las mercancías en la declaración de tránsito o en los documentos complementarios. A estos efectos, la descripción debe ser lo suficientemente precisa como para permitir que puedan identificarse fácilmente las mercancías y especificar su cantidad, naturaleza y características particulares (tales como sus números de serie).

Por otro lado se establece la regla general de que no se requiere precintado, salvo que la aduana de partida decida lo contrario, en tres supuestos. El primero se refiere a mercancías transportadas por vía aérea, cuando cada envío lleve colocada una etiqueta en la que conste el número del conocimiento aéreo de acompañamiento, o cuando el envío constituya una unidad de carga en la que se indique el número del conocimiento aéreo de acompañamiento. El segundo supuesto en que el precintado sólo se aplicará si la aduana de partida lo exige es el relativo a mercancías transportadas por ferrocarril, cuando sean las propias compañías de ferrocarril quienes apliquen las medidas de identificación. El tercer supuesto se refiere al transporte de mercancías por vía marítima, cuando se incluya una referencia al conocimiento de embarque de acompañamiento en un documento de transporte electrónico utilizado como declaración en aduana para incluir las mercancías en el régimen de tránsito de la Unión, en las condiciones del artículo 233.4(e) CAU (este precepto exige que el documento de transporte electrónico contenga los datos de la declaración en aduana, que tales datos sean accesibles a las autoridades aduaneras en el momento de la salida de las mercancías así como en el lugar de destino, y que permitan la vigilancia aduanera de las mercancías y la ultimación del régimen).

Una vez se haya realizado el precintado o se haya adoptado la medida de identificación alternativa, la aduana de partida puede proceder a conceder el levante de las mercancías a fin de que puedan incluirse en el régimen de tránsito de la Unión y ser transportadas hasta la aduana de destino (artículo 303.1 RECAU). A este fin, la aduana de partida debe notificar al titular del régimen el levante de las mercancías. Por su parte, el titular del régimen puede solicitar a la aduana de partida un documento de acompañamiento de tránsito o, cuando proceda, un documento de acompañamiento de tránsito/seguridad.

> El modelo del documento de acompañamiento de tránsito se contiene en el anexo B-02 RD-CAU. Si el envío incluye más de un artículo, este documento se debe complementar con la lista de artículos, conforme al modelo que se contiene en el anexo B-03 RDCAU.
>
> Por otro lado, el modelo del documento de acompañamiento de tránsito/seguridad se contiene en el anexo B-04 RDCAU. Si el envío incluye más de un artículo, este documento se debe complementar con la lista de artículos de tránsito/seguridad, conforme al modelo que se contiene en el anexo B-05 RDCAU.
>
> Los requisitos comunes en materia de datos para los cuatro documentos referidos arriba (documento de acompañamiento de tránsito, lista de artículos, documento de acompañamiento de tránsito/seguridad y lista de artículos de tránsito/seguridad) se contienen en el anexo B-02 del RDCAU (artículo 185 RDCAU).

A fin de posibilitar el seguimiento y trazabilidad de la operación, la aduana de partida debe asignar un "número de referencia master" (MRN, por sus siglas en inglés) a la declaración de tránsito. El MRN es un número de registro que asigna la aduana y que servirá para identificar la declaración (artículo 1.22 RDCAU). El MRN se debe presentar en la aduana de destino y, en su caso, en las aduanas de tránsito. La presentación del MRN puede hacerse por medios electrónicos o bien utilizando alguna de las herramientas siguientes:

Formas de presentación del MRN		
1	a)	un documento de acompañamiento de tránsito;
	b)	un documento de acompañamiento de tránsito/seguridad;
2	c)	un código de barras;
	d)	otros medios permitidos por la autoridad aduanera de recepción.

Las herramientas (c) y (d) sólo podrán emplearse una vez que se haya implantado la mejora del Nuevo Sistema de Tránsito Informatizado a que se refiere el anexo de la Decisión de Ejecución 2019/2151/UE. Las herramientas (a) y (b) pueden emplearse tanto antes como después de la implantación de la referida mejora.

Así pues, el documento de acompañamiento de tránsito y el documento de acompañamiento de tránsito/seguridad pueden utilizarse, en lugar de una comunicación electrónica, para cumplir con el requisito de presentar ante la aduana de destino y, en su caso, ante las aduanas de tránsito, el MRN. Este es el motivo por el cual el titular del régimen puede tener interés en solicitar a la aduana de partida que le expida estos documentos.

También con ese mismo objetivo de posibilitar el seguimiento y trazabilidad de la operación, en el momento del levante la aduana de partida debe comunicar los datos de aquella a la aduana de destino declarada y, en su caso, a cada aduana de tránsito declarada. Los datos a comunicar se determinarán a partir de la declaración de tránsito, incluyendo las posibles rectificaciones que hubieran podido hacerse a la misma.

Bajo la vigencia de la normativa anterior al CAU (el CAC), en la STJUE *Codirex* (asunto C-542/11, de 27.06.2013) se planteó la interesante cuestión de en qué momento debe entenderse que las mercancías quedan incluidas en el régimen de tránsito. El TJUE apeló a su Sentencia *Wandel* (C-66/99) para establecer que las mercancías permanecen en depósito temporal hasta que se les concede el levante y que sólo cambian de régimen aduanero cuando son las autoridades aduaneras quienes conceden dicho levante. El TJUE apreció que "la mera admisión de la declaración no basta para que finalice el depósito temporal" (p. 41). Ha de tenerse en cuenta que la admisión de la declaración puede venir seguida de la adopción de medidas, como pueda ser la colocación de precintos. También se exige una garantía como requisito previo al levante. Estas consideraciones conducen al Tribunal a apreciar que "La necesidad o la posibilidad por parte de las autoridades aduaneras de aplicar las medidas de comprobación, de identificación o de garantía no permiten considerar que con la mera admisión de la declaración en aduana se cumplan todas las condiciones del régimen de tránsito comunitario externo" (p. 53). Por ello concluyó el Tribunal que "las mercancías no comunitarias que han sido objeto de una declaración aduanera admitida por las autoridades aduaneras para su inclusión en el régimen aduanero de tránsito comunitario externo y que tienen el estatuto de mercancías en depósito temporal se incluyen en dicho régimen aduanero y, por tanto, reciben un destino aduanero en el momento de la concesión del levante de dichas mercancías". Así pues, sólo a partir del levante quedan las mercancías incluidas en un régimen, y no por la mera admisión de la declaración. En el supuesto planteado en *Codirex* se trataba de dilucidar si el operador era deudor, en tanto que declarante, respecto de unas mercancías que se extraviaron después de presentar la declaración en aduana, pero antes de proceder al precintado. La interpretación del Tribunal supuso que Codirex no era deudor dado que las mercancías todavía no habían salido de la situación de depósito temporal en el momento en que se extraviaron.

Con carácter general, el levante de las mercancías para el régimen de tránsito se supedita a la constitución de una garantía para cubrir la posible deuda que pudiera generarse en caso de que el régimen no concluya de forma regular ("deuda potencial"). Las garantías se examinan en el capítulo 26.

13.4.3. Funcionamiento del régimen durante el traslado de las mercancías

Tras la concesión del levante para el tránsito, el titular del régimen ya puede iniciar el traslado de las mercancías. Si no se ha fijado un trayecto obligatorio, las mercancías deberán conducirse por un trayecto justificado desde el punto de vista económico. Durante el traslado debe acompañar a las mercancías el documento de acompañamiento de tránsito (que, en determinados casos, será un "documento de acompañamiento de tránsito/seguridad").

En cualquier momento posterior al levante las autoridades aduaneras pueden llevar a cabo controles en relación con la información facilitada, los documentos, formularios, autorizaciones o datos relativos a la operación de tránsito, a fin de comprobar la autenticidad de las indicaciones, la información intercambiada y los sellos. Si una autoridad aduanera recibe una solicitud de control posterior al levante debe responder a ella sin demora (artículo 292 RECAU).

> Estos controles pueden llevarse a cabo sobre la base de un análisis de riesgos o de forma aleatoria. También se efectuarán, por supuesto, si surgen dudas acerca de la exactitud y autenticidad de la información facilitada o en caso de que se sospeche la existencia de fraude.

Si durante el tránsito las mercancías salen o entran en el TAU, se deben presentar las mercancías, junto con el MRN de la declaración de tránsito, en cada aduana de tránsito (es decir, en la aduana de salida y en la aduana de entrada). El MRN se puede presentar por cualquiera de las formas señaladas en la tabla de más arriba.

La aduana de tránsito debe registrar el hecho de que las mercancías han cruzado la frontera, tomando en consideración los datos de la operación de tránsito de la Unión recibidos de la aduana de partida, a la que debe notificar este cruce. Si la aduana de tránsito por la que se transportan las mercancías es distinta de la declarada, la aduana de tránsito efectiva debe solicitar a la aduana de partida los datos de la operación de tránsito de la Unión y notificarle que las mercancías han cruzado la frontera. La aduana de tránsito puede inspeccionar las mercancías, tomando en consideración, fundamentalmente, los datos de la operación recibidos de la aduana de partida.

> Si las mercancías se transportan por ferrocarril y la aduana de tránsito puede verificar el cruce fronterizo de las mercancías por otros medios (incluso a posteriori), no se aplican las reglas relativas a la presentación de las mercancías y el MRN en la aduana de tránsito, ni la necesidad de registrar y notificar a la aduana de partida el cruce de frontera.

El artículo 305 RECAU establece determinados supuestos en los que, ante una incidencia, se exige al transportista presentar con celeridad las mercancías y el MRN ante la autoridad aduanera más próxima del Estado miembro en cuyo territorio se encuentre el medio de transporte. Ha de tenerse en cuenta, además, que hasta la implantación de las mejoras en el NSTI a que se refiere el anexo de la Decisión de Ejecución 2019/2151/UE, se exige al transportista que efectúe las anotaciones pertinentes en el documento de acompañamiento de tránsito o en el documento de acompañamiento de tránsito/seguridad. Estos documentos, junto con las mercancías, deben presentarse con celeridad a la autoridad aduanera más próxima del Estado miembro en cuyo territorio se encuentre el medio de transporte.

Los supuestos de incidencia en los que se exige presentar las mercancías y el MRN son los siguientes:

a) cuando el transportista se vea obligado a desviarse del itinerario obligatorio debido a circunstancias ajenas a su voluntad;

b) cuando, durante el transporte, los precintos se rompan o sean objeto de manipulación por causas ajenas a la voluntad del transportista;

c) cuando, bajo la vigilancia de la autoridad aduanera, las mercancías se trasladen de un medio de transporte a otro;

En este supuesto, no obstante, las autoridades aduaneras no exigirán la presentación de las mercancías y el MRN de la declaración de tránsito si se cumplen las tres condiciones siguientes:

1) si el traslado de las mercancías se lleva a cabo desde un medio de transporte que no esté precintado;

2) si el titular del régimen o el transportista por cuenta de este proporcionan información pertinente sobre el traslado a la autoridad aduanera del Estado miembro en cuyo territorio se encuentre el medio de transporte;

3) si dicha autoridad registra la información pertinente en el sistema de tránsito electrónico. Hasta la implantación de las mejoras en el NSTI a que se refiere el anexo de la Decisión de Ejecución 2019/2151/UE, basta que concurran las circunstancias (1) y (2) para que el transportista quede dispensado de presentar las mercancías y el MRN.

d) cuando exista un peligro inminente que exija la descarga inmediata, parcial o total, del medio de transporte precintado;

e) cuando se produzca una incidencia que pueda afectar a la capacidad del titular del régimen o del transportista de cumplir sus obligaciones;

f) cuando se modifique alguno de los elementos constitutivos de un medio de transporte único.

En el supuesto de la letra (f) el transportista podrá proseguir la operación de tránsito de la Unión cuando se retiren uno o varios coches o vagones de una composición de coches o de vagones de ferrocarril debido a problemas técnicos (en este supuesto, hasta la implantación de las mejoras en el NSTI a que se refiere el anexo de la Decisión de Ejecución 2019/2151/UE, el transportista queda dispensado de presentar las mercancías y el MRN). Por otro lado, si se modifica la unidad de tracción de un vehículo de transporte por carretera sin que sus remolques o semirremolques sufran cambios, las autoridades aduaneras no exigirán la presentación de las mercancías y el MRM de la declaración de tránsito si se cumplen las dos condiciones siguientes:

1) el titular del régimen o el transportista por cuenta del titular del régimen proporciona información pertinente sobre la composición del vehículo de transporte por carretera a la autoridad aduanera del Estado miembro en cuyo territorio se encuentre dicho medio de transporte;

2) la aduana registra la información pertinente en el sistema de tránsito electrónico.

Hasta la implantación de las mejoras en el NSTI a que se refiere el anexo de la Decisión de Ejecución 2019/2151/UE, basta que concurran las circunstancia (1) para que el transportista quede dispensado de presentar las mercancías y el MRN.

El Convenio de Kioto (norma 20 del capítulo 1 del Anexo específico E) admite la trasferencia de las mercancías de una unidad de transporte a otra a condición de que se mantengan intactos los sellos o precintos, en su caso.

El Convenio de Kioto (práctica recomendada 22 del capítulo 1 del Anexo específico E) recomienda que se exija que se informe inmediatamente de accidentes o hechos imprevistos.

Si la autoridad aduanera en cuyo territorio se encuentra el medio de transporte estima que la operación de tránsito de la Unión de que se trate puede continuar, debe adoptar todas las medidas que considere oportunas. En cualquier caso, debe registrar en el sistema de tránsito electrónico la información pertinente sobre la incidencia.

No obstante, hasta la implantación de las mejoras en el NSTI a que se refiere el anexo de la Decisión de Ejecución 2019/2151/UE, la información pertinente sobre las incidencias que se produzcan durante la operación de tránsito se deben registrar en el sistema electrónico disponible y ese registro lo puede realizar, tanto la aduana tránsito, como la aduana de destino.

De un incidente de otra naturaleza, como es un robo, se ocupó el TGUE en su Sentencia *Aslantrans* (asunto T-282/01, de 12.02.2004).

Se produjo un robo de un cargamento de cigarrillos que se encontraban en tránsito externo durante su traslado. Al no finalizar regularmente el régimen, la aduana exigió el pago de la deuda aduanera. El titular del régimen pagó pero, acto seguido, solicitó la devolución de lo ingresado al concurrir una situación especial (el robo, que además presentaba ciertos caracteres particulares). El TGUE apreció que el robo no es una situación especial que legitime la devolución de derechos y, en consecuencia, la denegó.

13.4.4. Ultimación del régimen

Cuando las mercancías llegan a su destino deben presentarse ante la aduana de destino, junto con el MRN de la declaración de tránsito y toda la información que exija la aduana de destino.

> La presentación debe llevarse a cabo durante el horario de apertura oficial, si bien la aduana de destino puede autorizar que se realice fuera del horario de apertura oficial o en cualquier otro lugar. Conforme a lo dispuesto en el artículo 233.2 CAU, la disponibilidad de las mercancías incluidas en el régimen de tránsito y de la información requerida en la aduana de destino determina que se consideren satisfechas las obligaciones del titular del régimen y finalizado el régimen. Ahora bien, para ultimar el régimen todavía es necesario que el control subsiguiente a la presentación de las mercancías en la aduana de destino resulte satisfactorio y se comuniquen sus resultados adecuadamente a la aduana de partida.

Si el obligado incumple el plazo que la aduana de partida fijó para llegar a la oficina de destino deberá justificar que no es responsable del retraso para que pueda considerarse que ha cumplido con sus obligaciones. Por otro lado, puede modificarse la oficina de destino respecto de la inicialmente declarada.

> El Convenio de Kioto (norma 19 del capítulo 1 del Anexo específico E) establece que se aceptará un cambio de oficina de destino sin notificación previa, excepto cuando la aduana especifique que es necesario un acuerdo anterior. Por otro lado, su práctica recomendada 25 urge a que no se exija una deuda por el hecho de incumplir el itinerario o el plazo si se han cumplido las demás condiciones a satisfacción de la aduana.
> La STJUE *X, BV* (asunto C-480/12, de 15.05.2014) decidió que el incumplimiento del plazo para la presentación de las mercancías no hace nacer una deuda aduanera por sustracción a la vigilancia aduanera (en aquél momento, artículo 203 CAC) sino por incumplimiento de las obligaciones del régimen (en aquél momento, artículo 204 CAC). Ha de tenerse en cuenta que la deuda nacida por incumplimiento puede considerarse extinguida si se considera que ese incumplimiento carece de consecuencia real sobre el correcto funcionamiento del régimen (artículos 124.1(h) CAU y 103 RDCAU, anteriormente artículo 859 RDCAU). Esta apreciación arrastra asimismo consecuencias sobre el IVA a la importación, como se señala en la misma Sentencia.

La persona que presente las mercancías en la aduana de destino puede facilitar a la aduana de destino un recibo preparado conforme al modelo del anexo 72-03 RECAU para que la aduana lo vise. Este recibo permite acreditar la presentación de las mercancías, incluyendo una referencia al MRN de la declaración de tránsito.

El recibo debe contener los datos que relaciona el anexo 72-03 RDCAU (artículo 190 RDCAU). Ha de tenerse en cuenta que este recibo visado prueba que se han presentado las mercancías a la aduana de destino, pero no constituye una prueba alternativa de que se ha puesto fin al régimen de tránsito de la Unión (artículo 306 RECAU).

El mismo día en que se presenten las mercancías junto con el MRN de la declaración de tránsito, la aduana de destino debe notificarlo a la aduana de partida. Si la aduana de destino efectiva no es la inicialmente declarada, debe igualmente practicar esta notificación, en tanto que la aduana de partida se encargará de notificarlo a la aduana de destino inicialmente declarada (artículo 307 RECAU).

Tras la presentación de las mercancías, la aduana de destino debe llevar a cabo los controles aduaneros correspondientes a fin de cerciorarse de que la operación ha concluido correctamente y, en particular, que las mercancías que se presentan son las mismas que las que se incluyeron en régimen de tránsito de la Unión en la aduana de partida. Por este motivo, una referencia fundamental para estos controles serán los datos de la operación facilitados por la aduana de partida a su inicio. Si la aduana de destino no detecta ninguna irregularidad y el titular del régimen presenta el documento de acompañamiento de tránsito o el documento de acompañamiento de tránsito/seguridad, la aduana debe visar el documento a petición del titular del régimen, mediante el sello de la aduana, la firma del funcionario, la fecha, y la mención «Prueba alternativa - 99202». Ha de tenerse en cuenta que el documento visado a que nos referimos sí constituye prueba alternativa de la correcta ultimación del régimen (artículo 308 RECAU).

La aduana de destino debe notificar los resultados del control a la aduana de partida en el plazo de tres días a contar desde la presentación de las mercancías, si bien en casos excepcionales este plazo puede prorrogarse hasta un máximo de seis días (artículo 309 RECAU).

> El plazo se extiende hasta los doce días si las mercancías se transportan por ferrocarril y, debido a problemas técnicos, uno o varios coches o vagones se retiran de una composición de coches o de vagones de ferrocarril. En este supuesto el plazo comienza a contar desde que se presentan las primeras mercancías. Ahora bien, este plazo especial no rige en tanto no se implanten las mejoras en el NSTI a que se refiere el anexo de la Decisión de Ejecución 2019/2151/UE.
>
> Cuando las mercancías son recibidas por un operador que tiene el estatuto de expedidor autorizado, el plazo de que dispone la aduana de destino para comunicar los resultados del control a la aduana de partida es de seis días, contados desde la entrega de las mercancías al expedidor autorizado. El régimen del expedidor autorizado se examina más adelante en este mismo capítulo.

Obsérvese que es en la aduana de partida en la que descansa el control fundamental del régimen. Cuando esta aduana recibe la confirmación de que las mercancías han llegado a destino (notificación de llegada) y de que no se han producido irregularidades de relevancia (notificación del resultado del control), podrá dar por concluida la gestión aduanera del régimen, pues estos mensajes vendrán a indicar que las mercancías que se colocaron en tránsito han llegado correctamente a su destino, lugar en el que las autoridades aduaneras adoptarán las medidas que corresponda (p.e. si se trata de mercancías importadas que se despachan allí a libre práctica). Así pues, las autoridades aduaneras terminarán el régimen de tránsito cuando estén en condiciones de determinar, sobre la base de la comparación de los datos disponibles en la aduana de partida y de los disponibles en la aduana de destino, que el régimen ha finalizado correctamente. Por el contrario, si estos mensajes no llegan a la aduana de partida habrá que interpretar que se ha producido alguna anomalía en el tránsito.

> Si se hubiera realizado un control posterior al levante en virtud del cual la autoridad aduanera competente del Estado miembro de partida hubiera solicitado a la autoridad aduanera competente del control posterior al levante información relacionada con la operación de tránsito de la Unión, la operación de tránsito no puede considerarse ultimada hasta que esta última autoridad no confirme la autenticidad y exactitud de los datos (artículo 292.3 RECAU).

Si la aduana de partida no recibe de la aduana de destino los resultados del control en los plazos señalados (seis días desde la presentación de las mercancías con carácter general o hasta doce días, en el supuesto especial de transporte por ferrocarril en las circunstancias especiales señaladas arriba) debe solicitarlos inmediatamente a la aduana de destino que le envió la notificación relativa a la presentación de las mercancías. Esta solicitud abre el que se denomina "procedimiento de investigación" (artículo 310 RECAU). La aduana de destino debe remitir los resultados del control inmediatamente, una vez reciba esta solicitud de la aduana de partida.

En tres supuestos, si la aduana de partida no recibe la información necesaria a fin de ultimar el régimen de tránsito o proceder al cobro de la deuda aduanera, solicitará esa información al titular del régimen o bien a la aduana de destino, si esta dispone de información suficiente. Los tres supuestos referidos son los siguientes:

a) si la aduana de partida no ha recibido la notificación de llegada de las mercancías al expirar el plazo concedido para presentarlas;

> En este caso la autoridad aduanera del Estado miembro de partida enviará solicitudes de información en los siete días siguientes a la expiración del aludido plazo para presentar las mercancías. Ahora bien, si es informada de que no se ha puesto fin correctamente a la operación de tránsito de la Unión, o sospecha que así ha sido, enviará la solicitud inmediatamente.

b) si la aduana de partida no ha recibido los resultados del control solicitados a la aduana de destino;

> En este caso la autoridad aduanera del Estado miembro de partida enviará solicitudes de información en los siete días siguientes a la expiración del plazo para recibir los resultados del control.

na de partida. Ahora bien, en ausencia de este mensaje, el régimen puede considerarse asimismo ultimado correctamente si el titular del régimen presenta, a satisfacción de la autoridad aduanera del Estado miembro de partida, alguna de las pruebas alternativas de la terminación del régimen de tránsito de la Unión que establece el artículo 312 RE-CAU. Se trata de los cuatro documentos de identificación de las mercancías siguientes:

a) un documento certificado por la autoridad aduanera del Estado miembro de destino en el que se identifiquen las mercancías y se haga constar que han sido presentadas en la aduana de destino, o que se han entregado a un destinatario autorizado;

b) un documento o registro aduanero, certificado por la autoridad aduanera de un Estado miembro, en el que se haga constar que las mercancías han salido físicamente del TAU;

c) un documento aduanero expedido en un tercer país en el que las mercancías se incluyan en un régimen aduanero;

d) un documento expedido en un tercer país, visado o certificado de otro modo por las autoridades aduaneras de dicho país, en el que se haga constar que las mercancías se consideran en libre práctica en ese país.

Se puede aportar el original de los documentos señalados o bien una copia certificada por el organismo que haya certificado los originales o por las autoridades del tercer país interesado o las autoridades de un Estado miembro. Obsérvese, por otra parte, que la mera notificación de llegada de las mercancías emitida por la aduana de destino no se considera prueba de que se ha puesto fin correctamente al régimen de tránsito de la Unión.

13.4.5. Simplificaciones

Las simplificaciones en el régimen de tránsito de la Unión se enumeran en el artículo 233.4 CAU. Atendido lo dispuesto en este precepto y en el artículo 313 RECAU, podemos sistematizarlas como sigue:

Ámbito en el que se aplican	Tipo de simplificación
Respecto de los tránsitos que se inicien en el Estado miembro concedente	a) estatuto de expedidor autorizado. c) empleo de precintos especiales;
Respecto de los tránsitos que terminen en el Estado miembro concedente	b) estatuto de destinatario autorizado.
En toda la UE	d) utilización de una declaración en aduana con menos requisitos de datos

Únicamente en el Estado miembro que lo haya autorizado	e) empleo de un documento de transporte electrónico como declaración en aduana

Además de las simplificaciones señaladas en la tabla de arriba, con carácter transitorio se mantuvieron:

1) La simplificación consistente en la realización de las formalidades aduaneras en papel para el tránsito de mercancías transportadas por vía aérea, marítima o por ferrocarril;

2) El tránsito basado en un manifiesto electrónico para las mercancías transportadas por vía aérea o marítima.

Estas dos simplificaciones transitorias se exponen en el apartado 13.10, más abajo.

El Convenio de Kioto se refiere, en el Capítulo 1 de su Anexo Específico E, a varias de estas simplificaciones. Así, se alude a la figura de los expedidores y destinatarios autorizados (Práctica recomendada 5); recomienda no utilizar sellos o precintos cuando los documentos de acompañamiento permitan una identificación segura, si bien lo admite si los riesgos implicados, la facilitación de la operación o un acuerdo internacional lo exigen (Práctica recomendada 11); y establece que el itinerario obligatorio o el transporte bajo escolta aduanera deben estipularse únicamente en los casos en que se considere indispensable (norma 15).

Con carácter general, para acceder a las simplificaciones enumeradas debe obtenerse una autorización de las autoridades aduaneras (artículo 233.4 CAU). A este fin, el interesado debe formular por escrito una solicitud de autorización de simplificaciones, con los datos necesarios que permitan a las autoridades verificar el cumplimiento de los requisitos que enumeraremos. La tramitación de la solicitud, así como el régimen para su modificación o revocación, seguirá la regulación general prevista para las decisiones en materia aduanera. Ese procedimiento general se examina en el capítulo 21.

Los requisitos comunes a los que se sujeta la autorización de las simplificaciones son los siguientes (artículo 191.1 RDCAU):

- Debe tratarse de personas establecidas en el TAU;

  - que declaren que van a utilizar regularmente el régimen de tránsito de la Unión;

  - que no hayan cometido infracciones graves o reiteradas de la legislación aduanera y de la normativa fiscal. En particular, que no hayan sido condenas por un delito grave en relación con su actividad económica;

  - que tengan un alto nivel de control de sus operaciones y del flujo de mercancías, mediante un sistema de gestión de los registros comerciales y, en su caso, de los registros de transporte, que permita la correcta realización de los controles aduaneros;

  - que tengan un nivel adecuado de competencia o de cualificaciones profesionales directamente relacionadas con la actividad que ejerzan.

Los tres últimos requisitos se establecen por remisión a los requisitos que se exigen, en el artículo 39 CAU, para obtener el estatuto de Operador Económico Autorizado (OEA). Por tanto, un OEA Simplificaciones aduaneras o un OEA Completo se considera que los cumplen de forma automática. Si se trata de un OEA Seguridad se considera que cumple de forma automática el requisito penúltimo (sistema de gestión de registros) y antepenúltimo (cumplimiento sin infracciones), pero no el último (cualificación profesional), porque a los OEA Seguridad no se les exige este requisito. El OEA se analiza en el capítulo 33.

Por lo que hace al requisito relativo a la utilización regular del régimen, en España la Resolución DAAeIIEE de 24.11.1997 (BOE 09.12.1997) exigía, para entenderlo cumplido, haber utilizado el régimen de tránsito comunitario (antecedente del tránsito de la Unión), en calidad de obligado principal o expedidor, a lo largo de los dos años anteriores a la solicitud, habiendo realizado en ese período una media de cinco operaciones mensuales de tránsito. Ahora bien, obsérvese que la nueva redacción del requisito en el RDCAU se refiere a que el solicitante declare que va a utilizar el régimen (no que haya debido venir utilizándolo en el pasado).

Ha de tenerse en cuenta, no obstante, que el cumplimiento de los requisitos referidos no garantiza que se conceda la autorización de las simplificaciones establecidas para el tránsito de la Unión. Para que eso ocurra debe verificarse, además, que la autoridad aduanera considere estar en condiciones de supervisar las operaciones de tránsito y efectuar los controles correspondientes sin que ello suponga un esfuerzo administrativo desproporcionado en relación a las necesidades de la persona de que se trate (artículo 191.2 RDCAU).

> Como norma de carácter transitorio, téngase en cuenta que las autorizaciones concedidas sobre la base del CAC o del RACAC (la normativa anterior al CAU), relativas al estatuto de expedidor autorizado, destinatario autorizado o utilización de precintos especiales, que fueran válidas el 1 de mayo de 2016 mantuvieron su validez como sigue:
> a) para las autorizaciones que tuvieran un periodo de validez limitado, hasta el final de dicho periodo o hasta el 1 de mayo de 2019, si esta fecha era anterior;
> b) para todas las demás autorizaciones, hasta que la autorización fuera reevaluada (como más tarde, el 30 de abril de 2019).
> Por otra parte, las autorizaciones para la realización en papel de las formalidades del tránsito para los bienes transportados por ferrocarril, transporte aéreo o marítimo debían ser reevaluadas en 2019 (artículo 251.1 RECAU).

A continuación, se ofrece el análisis del contenido y el régimen jurídico particular de cada una de las simplificaciones señaladas.

Expedidor autorizado. El CAU señala que el estatuto de expedidor autorizado permite al titular de la autorización incluir mercancías en el régimen de tránsito de la Unión sin presentarlas en la aduana de partida (artículo 233.4(a) CAU). La solicitud del estatuto de expedidor autorizado debe presentarse a la autoridad competente para tomar la decisión del Estado miembro en que vayan a iniciarse las operaciones de tránsito de la Unión del solicitante (artículo 192 RDCAU). El estatuto de expedidor autorizado solo se concederá a los solicitantes que estén autorizados a constituir una garantía global o a gozar de una dispensa de garantía (artículo 193 RDCAU).

> La garantía global y la dispensa de garantía se examinan en el capítulo 26, donde se señalan los requisitos para obtener estos beneficios. Baste ahora avanzar que la garantía global se sujeta al cumplimiento de tres requisitos: 1) estar establecido en el TAU; 2) inexistencia de infracciones graves o reiteradas de la legislación aduanera y de la normativa fiscal, en particular que no haya habido condena alguna por un delito grave en relación con la actividad económica del solicitante (en los términos en que se establece este requisito para los OEA en el artículo 39(a) CAU); y 3) utilizar habitualmente los regímenes aduaneros de que se trate o ser operadores de instalaciones de depósito temporal o tener un nivel adecuado de competencia o de cualificaciones profesionales directamente relacionadas con la actividad que ejerza (en este último caso, en los términos en que se establece este requisito para los OEA en el artículo 39(d) CAU).

Cada vez que el expedidor autorizado desee incluir mercancías en el régimen de tránsito de la Unión deberá presentar una declaración de tránsito en la aduana de partida. A partir de ese momento deberá esperar, pues el levante no podrá realizarse hasta que no concluya el plazo previsto en la autorización para que las autoridades puedan inspeccionar las mercancías si así lo desean. El expedidor autorizado debe introducir determinados datos en el sistema de tránsito electrónico. Así, debe consignar el itinerario obligatorio en caso de que se haya establecido un itinerario obligatorio. También debe consignar el plazo de presentación de las mercancías en destino y el número de los precintos y el identificador de los mismos.

> En la STJUE *DSV* (asunto C-234/09, de 15.07.2010) se trataba de un expedidor autorizado que incluyó por error dos veces la misma mercancía en el régimen. Las autoridades consideraron que se trababa de dos operaciones y liquidaron una deuda porque una de las operaciones no se ultimó (evidentemente la mercancía sólo llegó una vez). El TJUE apreció que no cabe entender que se produjera el nacimiento de la deuda por incumplimiento de las obligaciones del régimen porque consideró establecido que las mercancías de la segunda operación nunca existieron. Con todo, el Tribunal consideró que la conducta de DSV pudiera ser relevante a la hora de evaluar si debía mantenérsele el estatuto de expedidor autorizado.

El expedidor autorizado debe esperar a imprimir el documento de acompañamiento de tránsito o el documento de acompañamiento de tránsito/seguridad hasta que la aduana de partida le notifique el levante de las mercancías para su inclusión en el régimen de tránsito de la Unión (artículo 314 RECAU).

Ahora bien, hasta la implantación de las mejoras en el NSTI a que se refiere el anexo de la Decisión de Ejecución 2019/2151/UE, el expedidor autorizado deberá imprimir dichos documentos.

Destinatario autorizado. A los sujetos que gozan del estatuto de destinatario autorizado se les permite recibir las mercancías en sus locales o en otros lugares determinados en la autorización, sin presentarlas en la oficina de destino y sin presentar tampoco el documento de acompañamiento del tránsito (artículo 233.4(b) CAU).

Conforme al artículo 115 RDCAU, el lugar en el que el destinatario autorizado haya de recibir las mercancías ("lugar autorizado") debe tener la condición de almacén de depósito temporal (para lo cual se requiere una autorización separada) o tiene que ser un lugar aprobado por las autoridades aduaneras para el almacenamiento temporal (para el almacenamiento de mercancías por un período inferior a 24 horas). Véanse también los artículos 144, 147 y 148 CAU.

La solicitud del estatuto de destinatario autorizado debe presentarse a la autoridad competente para tomar la decisión del Estado miembro en que vayan a finalizar las operaciones de tránsito de la Unión del solicitante (artículo 194 RDCAU). El estatuto de destinatario autorizado solo se concederá a los solicitantes que declaren que recibirán regularmente mercancías incluidas en un régimen de tránsito de la Unión (artículo 195 RDCAU).

Cuando intervienen estos operadores, el régimen de tránsito finaliza correctamente cuando se les entreguen las mercancías intactas y el documento de acompañamiento en plazo, habiéndose respetado las medidas de identificación. El destinatario autorizado debe expedir al transportista, por cada envío y en caso de que éste lo requiera, un recibo en el que se certifique la llegada de las mercancías al lugar especificado en la autorización del estatuto de destinatario autorizado. En ese recibo, que debe extenderse utilizando el modelo que se recoge en el anexo 72-03 RECAU, se incluirá una referencia al MRN de la operación de tránsito de la Unión (artículo 316 RECAU). Los datos que debe contener el recibo se señalan en el anexo 72-03 RDCAU (artículo 196 RDCAU).

La mecánica a seguir por el destinatario autorizado una vez lleguen las mercancías es la siguiente (artículo 315 RECAU):

a) debe notificar inmediatamente a la aduana de destino la llegada de las mercancías (mensaje de "notificación de llegada"), informando además de las eventuales irregularidades o incidencias que se hayan podido producir durante el transporte;

b) esperará a recibir la autorización de la aduana de destino para proceder a descargar (mensaje de "permiso de descarga"; el plazo de espera que debe observar el destinatario autorizado se fijará en la autorización, que puede permitir que se disponga de las mercancías a su llegada sin intervención de la aduana de destino);

c) una vez realizada la descarga, debe consignar sin demora en sus registros los resultados de la inspección y cualquier otra información pertinente relativa a la descarga;

d) debe notificar a la aduana de destino, hasta el tercer día tras la llegada de las mercancías, los resultados de la inspección de las mercancías e informarle de las eventuales irregularidades que se hayan producido (mensaje de "observaciones sobre la descarga");

> Por su parte, la aduana de destino debe comunicar a la aduana de partida la llegada de las mercancías tan pronto reciba la notificación de la llegada de las mercancías emitida por el destinatario autorizado. Más adelante, cuando la aduana de destino reciba del destinatario autorizado los resultados de la inspección de las mercancías, debe asimismo remitirlos a la aduana de partida dentro del plazo de seis días contados desde la entrega de las mercancías al destinatario autorizado.
>
> Respecto de las figuras del expedidor y destinatario autorizado en España, véase la Resolución de 11 de diciembre de 2000, del Departamento de Aduanas e Impuestos Especiales de la Agencia Estatal de Administración Tributaria, por la que se regulan los procedimientos simplificados de expedidor y destinatario autorizado de tránsito comunitario/común, expedidor autorizado de documentos que acrediten el carácter comunitario de las mercancías y expedidor autorizado de documentos de control T-5 (BOE 21.12.2000).

Utilización de precintos de un tipo especial. Esta simplificación permite que, cuando sea necesario el precintado para garantizar la identificación de las mercancías incluidas en el régimen de tránsito de la Unión, se puedan emplear precintos especiales (artículo 233.4(c) CAU).

La autorización para utilizar precintos de un tipo especial en los medios de transporte, contenedores o bultos se concederá cuando las autoridades aduaneras aprueben los precintos que figuren en la solicitud de autorización. A este respecto, las autoridades aduaneras aceptarán los precintos de un tipo especial que hayan sido aprobados por las autoridades aduaneras de otro Estado miembro, a menos que tengan constancia de que el precinto en cuestión no es adecuado a efectos aduaneros (artículo 197 RDCAU).

> La solicitud para obtener la autorización que permite utilizar precintos de tipo especial puede presentarse a la autoridad aduanera competente para tomar una decisión en el Estado miembro en que deban empezar a ejecutarse las operaciones de tránsito de la Unión del expedidor autorizado (artículo 197bis RDCAU).

Los precintos de tipo especial deberán cumplir los requisitos que establece el artículo 301.1 RECAU, que se exponen más arriba en la tabla de "características de los precintos".

> Al igual que se establece para los precintos con carácter general, si los precintos han sido certificados de conformidad con la norma internacional ISO 17712:2013 «Contenedores de carga - juntas mecánicas de estanqueidad», se considerará que cumplen esos requisitos. Y se

establece que, para el transporte en contenedores, se deben utilizar en la mayor medida posible precintos con dispositivos de alta seguridad.

Los precintos de tipo especial deben llevar el nombre de la persona autorizada para utilizarlos o bien una abreviatura o código que permita a la autoridad aduanera del Estado miembro de partida identificar a la persona de que se trate. En la declaración de tránsito el titular del régimen deberá introducir el número de precintos de tipo especial y el identificador de cada uno de ellos. Los precintos se deben colocar, a más tardar, en el momento del levante para la inclusión de las mercancías en el régimen de tránsito de la Unión (artículo 317 RECAU).

> Por su parte, a la autoridad aduanera le corresponde llevar a cabo las siguientes tareas a fin de vigilar el adecuado uso de los precintos de tipo especial (artículo 318 RECAU):
> a) debe notificar a la Comisión y a las autoridades aduaneras de los demás Estados miembros los precintos de tipo especial que se encuentren en uso, así como los precintos de tipo especial que haya decidido no autorizar debido a irregularidades o deficiencias técnicas;
> b) debe revisar los precintos de tipo especial que haya autorizado y se encuentren en uso cuando sea informada de que otra autoridad ha decidido no autorizar un determinado precinto de tipo especial;
> c) debe realizar una consulta recíproca a fin de lograr una valoración común;
> d) debe controlar el empleo de precintos de tipo especial por parte de personas autorizadas.
> La Comisión y los Estados miembros, cuando lo consideren necesario, pueden establecer de común acuerdo un sistema de numeración común, y determinar el uso de medidas de seguridad y de tecnología comunes.
>
> Como norma transitoria, debe tenerse en cuenta que los precintos aduaneros y los precintos de un modelo especial conforme con el anexo 46 bis RACAC (normativa anterior al CAU) pudieron seguir utilizándose hasta agotar las existencias o hasta el 1 de mayo de 2019, si esta fecha fuese anterior (artículo 255 RDCAU).

Utilización de una declaración en aduana con menos requisitos de datos. La autorización para utilizar una declaración en aduana con menos requisitos de datos para la inclusión de las mercancías en el régimen de tránsito de la Unión (artículo 233.4(d) CAU), se concederá para (artículo 198 RDCAU):

a) el transporte de mercancías por ferrocarril;

b) el transporte de mercancías por vía marítima y aérea cuando no se utilice un documento de transporte electrónico como declaración de tránsito.

Los datos que deben contenerse en las declaraciones acogidas a esta simplificación son los que se señalan en la columna D2 del Anexo B del RDCAU.

Utilización de un documento de transporte electrónico como declaración en aduana. Esta simplificación permite el empleo de un documento de transporte electrónico como declaración en aduana para incluir las mercancías en el régimen de tránsito de la Unión.

A este fin, el documento de transporte electrónico deberá contener los datos de la declaración en aduana para el régimen de tránsito de la Unión. Además, esos datos deben ser accesibles a las autoridades aduaneras en el momento de la salida de las mercancías y en el lugar de destino, permitiendo la vigilancia aduanera de las mercancías y la ultimación del régimen (artículo 233.4(e) CAU).

La autorización para el uso de un documento de transporte electrónico como declaración de tránsito sólo se contempla respecto del transporte aéreo (artículo 199 RD-CAU) y respecto del transporte marítimo (artículo 200 RDCAU). Los requisitos para obtener la autorización son dos, a saber:

a) que el solicitante opere un número significativo de vuelos entre aeropuertos de la Unión (en el caso del transporte aéreo) o de travesías entre puertos de la Unión (en el caso del transporte marítimo);

b) que el solicitante demuestre que estará en condiciones de asegurar que los datos del documento de transporte electrónico son accesibles para la aduana de partida en el aeropuerto/puerto de partida y para la aduana de destino en el aeropuerto/puerto de destino y que dichos datos son los mismos en la aduana de partida y en la aduana de destino.

Antes de adoptar la decisión por la que se conceda esta autorización, la autoridad aduanera debe consultar a las autoridades aduaneras de los aeropuertos de partida y de destino (en caso de transporte aéreo), o a las autoridades aduaneras de los puertos de partida y destino (en caso de transporte marítimo).

> El plazo de consulta es de cuarenta y cinco días, contados a partir de la comunicación, por parte de la autoridad aduanera competente para tomar la decisión, de las condiciones y criterios que debe examinar la autoridad aduanera consultada (artículo 319 RECAU). Téngase en cuenta a este respecto que el artículo 14 RECAU regula, con carácter general, el procedimiento de consulta entre autoridades aduaneras.

Cuando se utilice el documento de transporte electrónico como declaración de tránsito, el levante se concederá una vez que los datos del documento de transporte electrónico se hayan puesto a disposición de la aduana de partida en el aeropuerto (en caso de transporte aéreo) o de la aduana de partida en el puerto (en caso de transporte marítimo), de acuerdo con los medios definidos en la autorización.

> Los datos que deben contenerse en el documento de transporte electrónico que se utilice como declaración de tránsito se identifican en la columna D3 del Anexo B del RDCAU.

El titular del régimen debe consignar los códigos apropiados junto a todos los artículos correspondientes en el documento de transporte electrónico.

Si se cometiera una infracción o se produjera una irregularidad en el curso de la operación, el titular del régimen debe notificarlas inmediatamente a las aduanas de partida y de destino.

El régimen de tránsito de la Unión termina en este caso cuando las mercancías se presentan en la aduana de destino en el aeropuerto (en caso de transporte aéreo) o en el puerto (en caso de transporte marítimo) y los datos del documento de transporte electrónico se han puesto a disposición de esa aduana de acuerdo con los medios definidos en la autorización. El régimen de tránsito de la Unión se considera ultimado, salvo que las autoridades aduaneras hayan recibido información o hayan determinado que no se le ha puesto fin correctamente.

13.4.6. *Especialidades respecto de las mercancías transportadas mediante instalaciones fijas*

Las «instalaciones fijas de transporte» se definen en el artículo 1.2(12) RECAU como los medios técnicos utilizados para el transporte continuo de mercancías tales como la electricidad, el petróleo o el gas. El artículo 321 RECAU establece algunas reglas particulares aplicables cuando el transporte en el marco del régimen de tránsito de la Unión se realice mediante instalaciones fijas de transporte.

Inclusión. Si las mercancías que se transportan por este medio ya entran en el TAU a través de dichas instalaciones, se las considerará incluidas en el régimen de tránsito de la Unión en el momento de su entrada al TAU. En este caso el titular del régimen es el responsable de la explotación de la instalación de transporte fija establecida en el Estado miembro a través de cuyo territorio las mercancías entran en el TAU.

Si las mercancías se introducen en la instalación de transporte fija cuando ya se encuentran en el TAU, se las considerará incluidas en el régimen de tránsito de la Unión en el momento de su introducción en la instalación de transporte fija. En este caso el titular del régimen es el responsable de la explotación de la instalación de transporte fija establecida en el Estado miembro en que se inicie la circulación.

El titular del régimen y la autoridad aduanera deben acordar los métodos de vigilancia aduanera de las mercancías transportadas.

Transportista. Al responsable de la explotación de una instalación de transporte fija establecido en un Estado miembro a través de cuyo territorio se transporten las mercancías mediante instalaciones fijas se le considera transportista. Esta consideración comporta que debe responder de la obligación de presentar las mercancías intactas en la aduana de destino, en el plazo señalado y habiendo respetado las medidas tomadas por las autoridades aduaneras para garantizar su identificación.

Terminación. El régimen de tránsito de la Unión se considera terminado cuando:

- se realice la anotación oportuna en los registros mercantiles del destinatario; o

- el responsable de la explotación de la instalación de transporte fija certifique que las mercancías transportadas a través de ella:

    a) han llegado a las instalaciones del destinatario;

    b) han sido aceptadas en la red de distribución del destinatario, o

    c) han salido del TAU.

Una vez terminado el régimen de tránsito de la Unión, se considerará que las mercancías no pertenecientes a la Unión se encuentran en situación de depósito temporal.

13.5. DEUDA ADUANERA EN EL RÉGIMEN DE TRÁNSITO

Si el régimen de tránsito se ultima de forma regular no nacerá una deuda aduanera. La deuda aduanera puede nacer en caso de que, a la conclusión del régimen de tránsito, las mercancías se despachen a libre práctica. La deuda también puede nacer por la comisión de una irregularidad (artículo 79 CAU).

El artículo 87 CAU regula el lugar en que se origina la deuda aduanera. Este lugar es relevante porque determinará qué Estado es el competente para liquidar y recaudar la deuda y, en consecuencia, determinará también las normas nacionales aplicables en aquellos aspectos no regulados por el Derecho de la UE, tales como normas procedimentales y normas sancionadoras (o incluso penales).

En principio se establece la regla, bastante lógica, conforme a la cual la deuda se originará en el lugar en que se produzcan los hechos que originen esa deuda. Esta regla debe conectarse con los supuestos en que nace una deuda aduanera (artículos 77 a 82 CAU). En principio en el régimen de tránsito no nacerá una deuda si éste se realiza de forma regular. Ahora bien, sí nacerá una deuda si se producen incumplimientos relevantes, entre los cuales destaca que las mercancías no lleguen a presentarse en la aduana de destino o de salida. Por tanto, en el marco del régimen de tránsito la deuda aduanera nacerá derivada del incumplimiento de las obligaciones del régimen o de las condiciones a las que el mismo se sujeta (p.e. se incumplirían las condiciones del régimen si se presentaran las mercancías en la oficina de destino, pero los precintos estuvieran rotos y no se ofreciese una explicación satisfactoria para ello).

Es el artículo 79.1 CAU el que se refiere al nacimiento de una deuda aduanera por incumplimiento de las obligaciones de un régimen aduanero o por inobservancia de las condiciones del régimen. Y nos señala que son justamente estas circunstancias (incumplimiento o inobservancia de las condiciones) las que hacen nacer la deuda. Puesto en relación este mandato con la regla del artículo 87 CAU tendremos que la deuda aduanera se entenderá originada en el Estado miembro en que se haya producido el incumplimiento o la inobservancia de las condiciones del régimen.

> La determinación del lugar en que se entiende nacida la deuda depende, entre otros factores, de la identificación de la norma aplicable. En la STJUE *Papismedov* (asunto C-195/03, de 03.03.2005) se trataba de la introducción de tabaco. En la declaración sumaria para incluir las mercancías en el régimen de tránsito externo se declararon "utensilios de cocina". Se trataba de determinar si esta discrepancia determinaba que hubiera que calificar la introducción como irregular (en aquél momento, artículo 202 CAC), con la consecuencia de que la deuda se entendiera nacida en el punto de entrada en el TAU, o bien se trataba de una entrada inicialmente regular que devino irregular en otro momento (y lugar). El TJUE apreció que, en estas circunstancias, debía calificarse la introducción como irregular a pesar de que se hubiera presentado una declaración, pues el error que contenía no permitía considerar que las mercancías se hubieran presentado a las autoridades. Si se considera que la deuda nace por la sustracción de las mercancías a la vigilancia aduanera (en aquél momento, artículo 203 CAC), la competencia corresponde, en principio, al Estado en cuyo territorio pueda identificarse la comisión de la primera irregularidad que pueda ser calificada como constitutiva de la misma (STJUE *Militzer*, asunto C-230/06, de 03.04.2008).

No siempre será posible determinar en qué lugar se produjeron estas circunstancias. Imagínese, por ejemplo, una operación de tránsito en la que deben atravesarse cuatro Estados miembros. Si las mercancías nunca llegan a presentarse en la oficina de destino ¿cómo saber en qué Estado se produjo la irregularidad? Por este motivo, el artículo 87.1 CAU nos señala que, cuando no sea posible determinar el lugar en que se produjeron los hechos que originaron la deuda, la deuda se originará en el lugar en que las autoridades comprueben que la mercancía se encuentra en una situación que ha originado la deuda. Pero de nuevo esta regla secundaria no resuelve el problema de nuestro ejemplo, porque no sabemos dónde se encuentran las mercancías.

El artículo 87.2 CAU nos ofrece una regla adicional para determinar en qué lugar se entiende nacida la deuda. Nos señala que, cuando una mercancía haya sido colocada en un régimen aduanero que no haya sido ultimado, la deuda aduanera nacerá en el lugar en el que la mercancía se colocó bajo dicho régimen o en el lugar en que entró en el TAU bajo dicho régimen. Obsérvese que, en el caso del régimen de tránsito, esta tercera regla supone que la deuda aduanera nacerá en el Estado miembro en que se halle situada la aduana de partida o de entrada (así lo señala también la STJUE *Militzer*, asunto C-230/06, de 03.04.2008). Ahora bien, como esta regla sólo se aplica cuando no resulta posible aplicar las otras dos anteriores, el CAU nos señala que antes de acudir a ella debe esperarse por un plazo determinado.

El artículo 77 RDCAU fija el plazo para determinar el lugar en que ha nacido la deuda en el régimen de tránsito de la Unión en 7 meses, a contar desde que las mercancías hubieran debido presentarse en la aduana de destino. En caso de que la aduana de partida hubiera enviado una solicitud a otras autoridades para que procedieran a liquidar y recaudar, como resultado de la realización de investigaciones, el plazo de 7 meses se prolonga en un mes como máximo. El plazo aludido será en cambio de un mes, contado a partir de la conclusión del plazo concedido al titular del régimen para responder a una solicitud de información, si el obligado principal no proporciona la información solicitada por la aduana de partida o proporciona información insuficiente, cuando además la aduana de partida no haya recibido la notificación de la llegada de las mercancías.

> En una versión anterior de esta norma, se exigía a las autoridades que demorasen 3 meses la liquidación para ofrecerle al obligado principal la oportunidad de probar que el régimen había finalizado de forma regular (artículo 379 RACAC). En la STJUE *Honeywell Aerospace* (asunto C-300/03, de 20.01.2005) el TJUE declaró nula la liquidación de derechos por no respetar este plazo. El aludido plazo de 3 meses debía concederse antes de dictar la liquidación, no siendo admisible interpretar que, aunque inicialmente no se concedió, el deudor dispuso de la oportunidad de aportar la documentación en el período transcurrido entre la liquidación y la conclusión del procedimiento de revisión de la liquidación (STJUE *Gerlach*, asunto C-44/06, de 08.03.2007). La STJUE *Militzer*, asunto C-230/06, de 03.04.2008 también se refiere a este plazo de 3 meses y otras cuestiones procedimentales relacionadas con él. En cambio, ha de señalarse que el incumplimiento de otros plazos, que no se establecen como garantía de los interesados, no impide que la deuda resulte exigible (STJUE *SPQR*, asunto C-112/01, de 14.11.2002).
>
> Por otra parte, si las autoridades nacionales extienden los plazos más allá de lo establecido, las Instituciones de la Unión les podrán exigir intereses de demora por contraer con retraso un recurso propio (STJUE *Comisión/Holanda*, asunto C-460/01, de 14.04.2005; en el mismo sentido STJUE *Comisión/Italia*, asunto C-275/07, de 19.03.2009).

Si nace una deuda aduanera, su importe se determinará aplicando las reglas generales que se establecen en el artículo 85 CAU. De este modo, se atenderá a los elementos de cálculo (origen, valor, clasificación) y las reglas aplicables (p.e. contingentes) que correspondan al momento en que la deuda nazca. Si no fuera posible determinar con precisión el momento en que nace la deuda, se tomará el momento en que las autoridades determinen que las mercancías se encuentran en una situación que ha originado la deuda.

13.6. EL RÉGIMEN DE TRÁNSITO TIR

El régimen de tránsito TIR («*Transport International Routier*», Transporte Internacional por Carretera) se basa en el Convenio aduanero relativo al transporte internacional de mercancías amparadas por los cuadernos TIR (Convenio TIR de 1975), preparado bajo los auspicios de la Comisión Económica para Europa de las Naciones Unidas (CEPE/ONU). El Convenio es igualmente auténtico es sus tres lenguas oficiales, que son el inglés, el francés y el ruso. En la actualidad el Convenio TIR cuenta con 68 Partes contratantes (entre ellas la UE y sus 28 Estados miembros). Ahora bien, no en todos los

Estados contratantes se pueden llevar a cabo las operaciones TIR porque es necesario, además, que se encuentre constituida en cada uno de ellos una asociación garante autorizada. En la actualidad se pueden realizar operaciones TIR en 58 países.

> En la UE el Convenio TIR de 1975 fue aprobado por Reglamento (CEE) 2112/78, del Consejo, de 25.07.1978 (DO L 252 de 1978). El instrumento de adhesión por parte de España es de 14.07.1982, y fue publicado en el BOE de 09.02.1983. El Convenio ha sido objeto de diversas modificaciones. La última de ellas incorporada al ordenamiento de la UE entró en vigor el 10.10.2013 y se publicó en el DO L 245, de 14.09.2013. Hubo un primer Convenio TIR de 1949, de manera que el Convenio en vigor es una versión revisada de 1978 (Japón no ratificó le versión revisada, por lo que sigue aplicando el Convenio original). La Unión Internacional de Transportes por Carretera (IRU) organiza el sistema de garantías (www.iru.org). En esta web puede verse el listado de países en los que pueden realizarse operaciones TIR.
>
> El TJUE se ha declarado competente para interpretar el contenido del Convenio TIR en el ámbito de la UE, dado que la UE es Parte del acuerdo (STJUE *AEBTRI*, asunto C-224/16, de 22.11.2017).

En el artículo 4 del Convenio TIR se establece la regla general conforme a la cual no se puede sujetar a gravamen las operaciones TIR. El precepto lo dispone así: "las mercancías transportadas con arreglo al procedimiento TIR no estarán sujetas al pago o al depósito de los derechos e impuestos de importación o exportación en las aduanas de tránsito". Por su parte, el artículo 5 ordena que no se sometan a inspecciones por las aduanas de tránsito las mercancías transportadas con arreglo al procedimiento TIR en vehículos precintados de transporte por carretera, conjunto de tales vehículos o contenedores precintados. No obstante, su apartado 2 permite que se realicen inspecciones con carácter excepcional, para evitar abusos, y especialmente cuando haya sospechas de irregularidad. Esta regla supone que los países de tránsito y de destino reconocen las medidas de control aduanero aplicadas por el país de partida, por lo que las mercancías transportadas al amparo del régimen TIR en vehículos o contenedores precintados no serán, con carácter general, objeto de control en las aduanas de los países de tránsito. Los artículos 6 a 11 regulan las garantías que deben aportarse en el marco de estas operaciones a fin de asegurar el pago de la deuda que pudiera nacer en caso de irregularidades, deuda que comprende, no sólo el importe de los derechos de aduana, sino también los demás impuestos exigibles y los intereses. Según hemos señalado, estas garantías se prestan por asociaciones garantes autorizadas, conforme un sistema organizado por la Unión Internacional de Transportes por Carretera (IRU). Es esta Unión la que se encarga también de imprimir y distribuir el «cuaderno TIR», que sirve como declaración de aduana y garantía. Por su parte, las asociaciones nacionales garantes, autorizadas por las autoridades competentes (que suelen ser las autoridades aduaneras), lo entregan a los usuarios de cada parte contratante.

Además de una asociación garante autorizada que preste la garantía del régimen TIR respecto del sujeto que pretenda acogerse a él, deben cumplirse otras condiciones básicas a fin de poder realizar un transporte bajo régimen TIR. Son las siguientes:

- La carga no debe incluir mercancías prohibidas para este régimen,
- El vehículo debe llevar una placa TIR,
- El conductor del vehículo debe disponer de un cuaderno TIR,
- El transporte de mercancías se efectúa bajo precinto aduanero en vehículos o contenedores previamente autorizados

La declaración aduanera en forma de cuaderno TIR, que a su vez constituye la prueba de la existencia de la garantía, únicamente tiene validez para un solo transporte TIR. Se empieza a utilizar en el país de partida y permite efectuar controles aduaneros en las Partes contratantes de partida, tránsito y destino.

En la UE sólo pueden acogerse al régimen TIR las operaciones de tránsito que se inician o terminan fuera del TAU, o que tienen lugar entre dos puntos del TAU pero atravesando el territorio de un tercer país. Desde el 1 de enero de 2009, el régimen TIR se procesa electrónicamente en la UE.

Las disposiciones particulares aplicables al régimen TIR en el ámbito del territorio aduanero de la Unión (TAU) se contienen en los artículos 229 y 230 CAU, 184, 186 y 187 RDCAU y en los artículos 274 a 282 RECAU. Esta regulación del régimen de tránsito al amparo del cuaderno TIR es de carácter fragmentario, debiendo completarse con lo establecido en el propio Convenio TIR. Recordemos que, conforme a la regla general expuesta más arriba, el TAU se considera como un solo territorio para el transporte entre dos puntos del TAU al amparo del régimen TIR, lo cual supone que no se realizarán controles con ocasión del paso del territorio de un Estado miembro a otro. En cambio, si en el transporte entre dos puntos del TAU al amparo del régimen TIR se atraviesa el territorio de un tercer país, se efectuarán controles en el punto de abandono del TAU y en el punto de reintroducción en el TAU.

A fin de incluir mercancías en el régimen, el titular debe presentar electrónicamente los datos del cuaderno TIR a las autoridades aduaneras de la aduana de partida (si el transporte se inicia en el TAU) o de entrada (si el transporte se inició en un tercer país). Interesa subrayar que, en caso de discrepancia entre los datos electrónicos y los reflejados en el cuaderno TIR, prevalecen estos últimos (artículo 273.2 RECAU).

> La presentación electrónica de los datos del cuaderno TIR puede dispensarse en tres supuestos que relaciona el artículo 274 RECAU (fallo temporal del sistema de tránsito electrónico o del sistema informático utilizado por el titular del cuaderno TIR o de la conexión electrónica entre el sistema informático utilizado por el titular del cuaderno TIR y el sistema de tránsito electrónico, en estos dos últimos supuestos supeditado a la autorización de las autoridades aduaneras).

Para la gestión y transmisión electrónica de la información se prevé la implantación de un sistema europeo de tránsito electrónico. En tanto este sistema no esté implantado (es decir, hasta la fecha de mejora del sistema de conformidad con el anexo de la Decisión de Ejecución 2019/2151/UE), los Estados miembros utilizarán a este fin el Nuevo Sistema de Tránsito Informatizado creado mediante el Reglamento 1192/2008 (artículo 273 RECAU).

La aduana de partida o de entrada, a su vez, transmitirá los datos de la operación TIR a la aduana de destino (si el régimen finaliza en el TAU) o de salida declarada (si el régimen finaliza fuera del TAU). También fijará un plazo dentro del cual las mercancías deben presentarse en la aduana de destino o de salida.

> Ese plazo se fijará teniendo en cuenta el itinerario, el medio de transporte, la legislación en materia de transportes o cualquier otra legislación que pueda tener incidencia en la fijación del plazo, y cualquier información pertinente comunicada por el titular del cuaderno TIR.

El referido plazo para presentar las mercancías en la aduana de destino o de salida tiene carácter vinculante para las autoridades aduaneras de los Estados miembros por cuyo territorio circulen las mercancías en el transcurso de la operación TIR, y no lo podrán modificar.

La aduana de partida o de entrada debe consignar el MRN de la operación TIR en el cuaderno TIR en el momento de conceder el levante de las mercancías para la operación TIR. La aduana debe notificar al titular del cuaderno TIR el levante de las mismas para la operación TIR. Por su parte, el titular del cuaderno TIR puede solicitar que la aduana de partida o de entrada le facilite un documento de acompañamiento de tránsito o, cuando proceda, un documento de acompañamiento de tránsito/seguridad (artículo 276 RECAU).

> El modelo de formulario del documento de acompañamiento de tránsito figura en el anexo B-02 RDCAU. Si fuera necesario, se complementará con la lista de artículos, ajustada al modelo de formulario que figura en el anexo B-03 RDCAU. Por su parte, el modelo de formulario del documento de acompañamiento de tránsito/seguridad figura en el anexo B-04 RDCAU, que se complementará con la lista de artículos de tránsito/seguridad conforme al modelo de formulario que figura en el anexo B-05 RDCAU.

Las mercancías deben transportarse a la aduana de destino o a la aduana de salida siguiendo un itinerario que se justifique desde el punto de vista económico (artículo 275.1 RECAU). Adicionalmente, las autoridades de la aduana de partida o de entrada pueden establecer un itinerario obligatorio cuando lo consideren necesario (artículo 275.2 RECAU). En la normativa anterior se establecía esta posibilidad, en particular, cuando la operación se refiriese a mercancías de riesgo, que en la normativa actual se enumeran en el anexo 71-02 RDCAU como "mercancías y productos sensibles". Ese itinerario se fijará teniendo en cuenta toda la información pertinente comunicada por el titular del cuaderno TIR y se consignará en el sistema de tránsito electrónico y en el cuaderno TIR con una indicación, como mínimo, de los Estados miembros a través de los cuales se va a realizar la operación TIR.

Si durante el transporte de las mercancías se produce alguna incidencia (artículo 277 RECAU), el transportista debe presentar sin demora injustificada las mercancías junto con el vehículo de transporte por carretera, el conjunto de vehículos o el contenedor, el cuaderno TIR y el MRN de la operación TIR ante la autoridad aduanera más próxima del Estado miembro en cuyo territorio se encuentre el medio de transporte.

> A estos efectos se entiende por incidencia cualquier circunstancia en virtud de la cual el transportista se vea obligado a desviarse del itinerario obligatorio por circunstancias ajenas a su voluntad y también las incidencias o accidentes en el sentido del artículo 25 del Convenio TIR (rotura de precintos, o bien que las mercancías se echen a perder o se dañen).

Si la aduana en que se informe de la incidencia decide que la operación TIR puede continuar, adoptará todas las medidas que considere oportunas y registrará en el sistema de tránsito electrónico la información pertinente sobre la incidencia de que se trate.

> El registro en el sistema electrónico por parte de la aduana en que se informe de la incidencia sólo se realizará una vez que se introduzcan las mejoras en el NSTI a que se refiere el anexo de la Decisión de Ejecución 2019/2151/UE. Hasta esa fecha, será la aduana de destino o de salida la que registrará en el sistema de tránsito electrónico la información pertinente relativa a la incidencia (apartados 3 y 4 del artículo 277 RECAU).

Completado el transporte, las mercancías deben presentarse en la aduana de destino o de salida (artículo 278 RECAU). Debe tenerse en cuenta que la operación TIR puede finalizar en una aduana distinta de la inicialmente prevista en la declaración de tránsito, en cuyo caso esa aduana pasará a considerarse la aduana de destino o de salida. De cualquier modo, junto con las mercancías, debe presentarse el vehículo de transporte por carretera —o el conjunto de vehículos— o el contenedor, así como el cuaderno TIR. También se debe identificar el MRN de la operación TIR y, en su caso, suministrar toda información que requiera la aduana de destino o de salida.

> Con carácter general, la presentación de las mercancías y demás formalidades ante la aduana de destino o de salida deben realizarse durante el horario de apertura oficial. Ahora bien, a petición del interesado, la aduana puede autorizar que la presentación se lleve cabo fuera del horario de apertura oficial o en cualquier otro lugar.
> Por lo que hace a la identificación del MRN, además de mediante la utilización de medios electrónicos, puede hacerse mediante las siguientes fórmulas alternativas, de forma análoga a lo señalado en el caso del tránsito de la Unión: a) un documento de acompañamiento de tránsito; b) un documento de acompañamiento de tránsito/seguridad; c) un código de barras; d) en caso de una operación TIR, un cuaderno TIR; e) otros medios permitidos por la autoridad aduanera de recepción. No obstante sólo las dos primeras fórmulas señaladas [letras (a) y (b)] pueden utilizarse en tanto no

se implante la mejora del Nuevo Sistema de Tránsito Informatizado a que se refiere el anexo de la Decisión de Ejecución 2019/2151/UE.

La presentación de las mercancías en la aduana de destino o de salida debe efectuarse en el plazo que hubiera fijado la aduana de partida o de entrada. Si tiene lugar con posterioridad a la conclusión de este plazo, el titular del cuaderno TIR o el transportista deben demostrar a la aduana de destino o de salida que no son responsables del retraso para que la operación se considere realizada de forma regular.

Una vez presentadas las mercancías en la aduana de destino o de salida y cumplidas las formalidades señaladas más arriba, esta aduana lo notificará a la aduana de partida o de entrada (artículo 279 RECAU). Si la aduana en que se presentan las mercancías para finalizar la operación TIR no es la inicialmente prevista, esta aduana debe notificar ese mismo día la presentación de las mercancías a la aduana de partida o de entrada que, a su vez, lo notificará a la aduana de destino o de salida que figurase en la declaración de tránsito.

Tras realizar los controles oportunos, la aduana de destino o de salida debe notificar sus resultados a la aduana de partida o de entrada. Esta notificación debe practicarse dentro de los tres días posteriores a la presentación de las mercancías, si bien en casos excepcionales este plazo puede prorrogarse hasta los seis días.

> El artículo 280 RECAU regula las medidas a adoptar cuando el intercambio de información entre la aduana de destino o de salida y la aduana de partida o de entrada no se produce siguiendo los plazos generales, articulando el que denomina "procedimiento de investigación". En este sentido, se dispone que, si la aduana de partida o de entrada no recibe los resultados del control en los seis días siguientes a la recepción de la notificación de llegada de las mercancías, los solicitará inmediatamente a la aduana de destino o de salida que haya remitido dicha notificación. La aduana de destino o de salida debe remitir los resultados del control tan pronto reciba la solicitud de la aduana de partida o de entrada.
>
> *Solicitud de información.* Continuando con el "procedimiento de investigación", se establecen tres supuestos en los que la autoridad aduanera del Estado miembro de partida o de entrada debe solicitar al titular del cuaderno TIR o a la aduana de destino o de salida la información necesaria para ultimar la operación TIR o, en su caso, proceder al cobro de la deuda aduanera. Estos tres supuestos son:
>
> 1) cuando la aduana de partida o de entrada no haya recibido la notificación de llegada de las mercancías a pesar de haber concluido el plazo que se determinó para presentar las mercancías en la aduana de destino o de salida, en cuyo caso la solicitud de información se debe enviar en el plazo de siete días tras la conclusión de ese plazo;
>
> 2) cuando la aduana de partida o de entrada no haya recibido los resultados del control a pesar de haberlos reclamado al titular del cuaderno TIR o a la aduana de destino o de salida en cuyo caso la solicitud de información se debe enviar en el plazo de siete días, contados a partir de la expiración del plazo de seis días tras la recepción de la notificación de la llegada de las mercancías sin haber recibido los resultados del control;

3) cuando la aduana de partida o de entrada advierta que la notificación de llegada de las mercancías o los resultados del control se han enviado por error.

En los tres supuestos referidos, si la aduana de partida o de entrada es informada de que la operación TIR no ha terminado correctamente, o sospecha que la operación TIR no ha terminado correctamente, debe enviar la solicitud sin demora, es decir, sin esperar a que expiren los plazos previstos para solicitar la información al titular del cuaderno TIR o a la aduana de destino o de salida.

La respuesta a la solicitud de información a que nos referimos —al titular del cuaderno TIR o a la aduana de destino o de salida— debe remitirse en el plazo de veintiocho días contados desde la fecha de su envío (atención, no de la fecha de su recepción sino la de su envío). Si, a resultas de este requerimiento, la aduana de destino o de salida no facilita información suficiente para la ultimación de la operación TIR, la autoridad aduanera del Estado miembro de partida o de entrada, dentro del plazo de treinta y cinco días contados desde el inicio del procedimiento de investigación, se dirigirá al titular del cuaderno TIR para requerirle que suministre esa información (el plazo que acabamos de mencionar queda fijado en 28 días en tanto no se introduzcan las mejoras en el NSTI a que se refiere el anexo de la Decisión de Ejecución 2019/2151/UE). Por su parte, el titular del cuaderno TIR debe responder a este requerimiento en los veintiocho días siguientes a la fecha de su envío (atención, nuevamente el inicio del cómputo se establece en la fecha del envío, no en la de su recepción por el interesado), plazo que puede prorrogarse por otros veintiocho días a petición del titular del cuaderno TIR.

Operación TIR sin intercambio electrónico de datos. Si no se realizó el intercambio electrónico de datos en el momento de aceptar el cuaderno TIR, la autoridad aduanera del Estado miembro de partida o de entrada debe incoar un procedimiento de investigación a fin de obtener la información necesaria para ultimar la operación TIR si, en el plazo de dos meses a partir de la fecha de aceptación del cuaderno TIR, no ha recibido la prueba de que la operación TIR ha sido terminada. A estos efectos, debe enviar la solicitud de información pertinente a la autoridad aduanera del Estado miembro de destino o de salida, que debe responder en los veintiocho días siguientes a la fecha del envío (no de la recepción). Ahora bien, si antes de que concluya el plazo de dos meses, la autoridad aduanera del Estado miembro de partida o de entrada es informada de que la operación TIR no ha terminado correctamente, o sospecha que así ha sido, debe iniciar el procedimiento de investigación sin demora, es decir, sin esperar al transcurso de los referidos dos meses. También debe incoarse el procedimiento de investigación si la autoridad aduanera del Estado miembro de partida o de entrada dispone de información que pruebe que la terminación de la operación TIR se ha falsificado, cuando este procedimiento sea necesario para determinar si ha nacido o no una deuda aduanera o, en su caso, identificar al deudor y a la autoridad competente para notificar la deuda.

Información a la asociación garante. Si no fuera posible ultimar la operación TIR, la autoridad aduanera del Estado miembro de partida o de entrada debe informar de ello a la asociación garantizadora de que se trate, instándole para que aporte la prueba de que la operación TIR ha sido terminada. Esta información no produce los efectos de la notificación que, dentro del plazo de un año a contar desde la aceptación del cuaderno TIR, las autoridades deben practicar a la asociación garante a fin de poder reclamarle el pago.

Finalización regular de la operación TIR. Si las actuaciones del procedimiento de investigación ponen de manifiesto que la operación TIR ha finalizado correctamente, la autoridad aduanera del Estado miembro de partida o de entrada ultimará la operación TIR e informará de inmediato al respecto a la asociación garantizadora y al titular del cuaderno TIR y, en su caso, a cualquier autoridad aduanera que haya podido iniciar un procedimiento de cobro.

Finalización irregular de la operación TIR. Si las actuaciones del procedimiento de investigación ponen de manifiesto que la operación TIR no puede ultimarse, la autoridad aduanera del Estado miembro de partida o de entrada debe determinar si ha nacido una deuda aduanera o no. En caso afirmativo, debe proceder a identificar al deudor y a determinar cuál es la autoridad aduanera competente para notificar la deuda aduanera. Se debe notificar a la asociación garante que el régimen no se ha ultimado ("que no se ha realizado el descargo", artículo 11.1(b) Convenio TIR) en el plazo de un año desde la admisión del cuaderno TIR. Este plazo se amplía a dos años si el certificado de terminación de la operación TIR se ha falsificado u obtenido de manera abusiva o fraudulenta.

Si el régimen finaliza de forma irregular, la Aduana debe realizar, al menos, una notificación requiriendo el pago de la deuda al deudor. Si la misma resulta infructuosa, puede entonces reclamar el pago de la asociación garante, sin necesidad de completar el procedimiento de apremio contra el deudor principal (STJUE *AEBTRI*, asunto C-224/16, de 22.11.2017).

La reclamación del pago a la asociación garante debe realizarse antes de que transcurran dos años contados a partir de la fecha en que se le hubiera notificado que no se realizó el descargo de la operación o que el certificado de terminación de la operación TIR fue falsificado u obtenido de manera abusiva o fraudulenta. Ahora bien, si la determinación del lugar en que se ha cometido la irregularidad (que, a su vez, determina qué autoridades son competentes para recaudar) se realiza en el curso de un procedimiento judicial, el plazo de dos años para reclamar el pago a la asociación garante del Estado de recaudación no comienza hasta que este Estado no reciba la notificación de la resolución judicial que determina su competencia (STJUE *ASTIC*, asunto C-488/09, de 22.12.2010). En estas circunstancias, la asociación garante no puede alegar la prescripción de su responsabilidad por el transcurso del plazo de dos años desde la comunicación de que el régimen no se ha ultimado correctamente, puesto que el Convenio TIR prevé que si la operación es objeto de un procedimiento administrativo o judicial el plazo para la reclamación de pago es de un año contado a partir de la fecha en que adquiera fuerza ejecutoria la decisión de los órganos judiciales (artículo 11.3 Convenio TIR).

Para dar término a la operación TIR, la aduana de destino o de salida debe certificar la terminación en el cuaderno TIR indicando, si las hubiera, reservas. A estos efectos, debe cumplimentar la matriz nº 2 y conservar la hoja nº 2 del cuaderno TIR. Tras realizar estas formalidades, el cuaderno TIR se devuelve a su titular o a la persona que actúe por su cuenta.

> Si los datos de la operación TIR no se proporcionaron por vía electrónica a la aduana de partida o de entrada, las autoridades aduaneras del Estado miembro de destino o de salida deben devolver la parte pertinente de la hoja nº 2 del cuaderno TIR a la aduana de partida o de entrada en el plazo de ocho días contados a partir de la fecha de terminación de la operación TIR.

La forma normal de terminación de la operación TIR se produce tras el control por parte de la aduana de destino o de salida, a la que sigue la cumplimentación de la matriz nº 2 del cuaderno TIR y la devolución de este a su titular. Ahora bien, la operación TIR también se considera finalizada correctamente, dentro del plazo fijado para presentar las mercancías en la aduana de destino o de salida, cuando el titular del cuaderno TIR o la asociación garantizadora presenten, a satisfacción de la autoridad aduanera del Estado miembro de partida o de entrada, determinados documentos acreditativos (artículo 281 RECAU).

> Estos documentos acreditativos pueden ser de cuatro tipos:
> a) un documento certificado por la autoridad aduanera del Estado miembro de destino o de salida en el que se identifiquen las mercancías y se haga constar que han sido presentadas en la aduana de destino o de salida, o que se han entregado a un destinatario autorizado;
> b) un documento o registro aduanero, certificado por la autoridad aduanera de un Estado miembro, en el que se haga constar que las mercancías han salido físicamente del TAU;
> c) un documento aduanero expedido en un tercer país en el que las mercancías se incluyan en un régimen aduanero;
> d) un documento expedido en un tercer país, visado o certificado de otro modo por las autoridades aduaneras de dicho país, en el que se haga constar que las mercancías se consideran en libre práctica en ese país.
>
> Puede aportarse el original de estos documentos o bien una copia certificada por el organismo que haya emitido los originales, o certificada por las autoridades del tercer país interesado o por las autoridades de un Estado miembro.
>
> Ha de tenerse en cuenta que la notificación de llegada de las mercancías, emitida por la aduana de destino o de salida tan pronto se realiza la presentación de las mercancías ante ella, no es por sí sola prueba suficiente de que la operación TIR ha finalizado correctamente. Es necesario, por tanto, que la autoridad de destino o de salida determine que el control subsiguiente arroja un resultado favorable.

Destinatario autorizado. También en el marco del tránsito al amparo del cuaderno TIR se establecen especialidades cuando el destinatario de las mercancías goza del estatuto de destinatario autorizado.

Para acceder a este estatuto se debe presentar una solicitud en el Estado miembro en que deban terminarse las operaciones TIR del solicitante, ante la autoridad competente para tomar la decisión en ese Estado (artículo 186 RDCAU). La solicitud se concederá cuando el solicitante cumpla los requisitos siguientes (artículo 187.1 RDCAU):

a) Estar establecido en el TAU;

b) Declarar que va a recibir regularmente mercancías que circulen al amparo de una operación TIR;

c) Inexistencia de infracciones graves o reiteradas de la legislación aduanera y de la normativa fiscal. En particular, que no haya habido condena alguna por un delito grave en relación con la actividad económica del solicitante;

d) Alto nivel de control de sus operaciones y del flujo de mercancías, mediante un sistema de gestión de los registros comerciales y, en su caso, de los registros de transporte, que permita la correcta realización de los controles aduaneros;

e) Nivel adecuado de competencia o de cualificaciones profesionales directamente relacionadas con la actividad que ejerza.

> Los requisitos (c), (d) y (e) anteriores se establecen por remisión a los requisitos que se exigen, en el artículo 39 CAU, para obtener el estatuto de Operador Económico Autorizado (OEA). Por tanto, un OEA Simplificaciones aduaneras o un OEA Completo los cumple de forma automática. Si se trata de un OEA Seguridad cumple de forma automática los requisitos (c) y (d) anteriores, pero no el (e), porque a los OEA Seguridad no se les exige este requisito. El OEA se analiza en el capítulo 33.

Ha de tenerse en cuenta, no obstante, que el cumplimiento de los requisitos referidos no garantiza que se conceda la autorización del estatuto de destinatario autorizado a efectos de operaciones TIR. Para que eso ocurra debe verificarse, además, que la autoridad aduanera considere estar en condiciones de supervisar las operaciones TIR y efectuar los controles correspondientes sin que ello suponga un esfuerzo administrativo desproporcionado en relación a las necesidades de la persona de que se trate.

Obsérvese que las condiciones para obtener el estatuto de destinatario autorizado en el tránsito TIR (artículo 187 RDCAU) son las mismas que las que se establecen para obtener la autorización de simplificaciones en el régimen de tránsito de la Unión (artículo 191 RDCAU).

Si se concede la autorización para operar con el estatuto de destinatario autorizado, el régimen previsto para él se aplicará a las operaciones TIR que vayan a terminar en el Estado miembro en que se haya concedido la autorización, y en el lugar o lugares de ese Estado miembro especificados en la autorización (artículo 187 RDCAU).

Cuando las mercancías van a ser recibidas por un operador que dispone del estatuto de destinatario autorizado a efectos de operaciones TIR, no necesitan ser presentadas ante la aduana de destino o de salida, sino que son recibidas por este operador en un lugar autorizado, poniendo término a la operación TIR (artículo 230 CAU). Una vez que las mercancías llegan al referido lugar autorizado, el destinatario autorizado debe llevar a cabo una serie de formalidades, supliendo con ellas las actividades que en una operación normal llevaría a cabo la aduana de destino o de salida (artículo 282 RECAU). Así, debe:

a) notificar inmediatamente a la aduana de destino la llegada de las mercancías e informarle de las eventuales irregularidades o incidencias que se hayan producido durante el transporte;

b) descargar las mercancías, únicamente tras haber sido autorizado por la aduana de destino;

c) una vez realizada la descarga, consignar sin demora en sus registros los resultados de la inspección y cualquier otra información pertinente relativa a la descarga;

d) notificar a la aduana de destino los resultados de la inspección de las mercancías e informarle de las eventuales irregularidades que se hayan producido, a más tardar, el tercer día siguiente a la fecha en que haya recibido la autorización de descarga de las mercancías.

Por su parte, la aduana de destino debe comunicar a la aduana de partida o de entrada la recepción de la notificación de la llegada de las mercancías a los locales del destinatario autorizado. También debe remitir a la aduana de partida o de entrada los resultados de la inspección de las mercancías llevada a cabo por el destinatario autorizado, comunicación que debe realizarse dentro del plazo de los seis días siguientes a la entrega de las mercancías al destinatario autorizado.

Una vez que el titular del cuaderno TIR haya presentado ante el destinatario autorizado, en el lugar especificado en la autorización, el cuaderno TIR, el vehículo de transporte por carretera, el conjunto de vehículos o el contenedor y las mercancías, todos ellos intactos, se considerará que ha cumplido con sus obligaciones relativas a la presentación de las mercancías y demás elementos ante la aduana de destino. A efectos probatorios, el titular del cuaderno TIR puede solicitar al destinatario autorizado que le extienda un recibo que certifique la llegada de las mercancías al lugar especificado en la autorización. Ese certificado debe incluir una referencia al MRN de la operación TIR y al cuaderno TIR. Debe tenerse en cuenta, no obstante, que este recibo no constituye prueba suficiente de que la operación TIR ha finalizado correctamente. Es la aduana de destino la que asume la realización de las formalidades que conducen a la correcta terminación de la operación TIR. A este fin, el destinatario autorizado debe encargarse de que el cuaderno TIR, junto con el MRN de la operación TIR, se presenten en la aduana de destino en el plazo establecido en la autorización. La aduana de destino procederá entonces a cumplimentar la matriz nº 2 y conservar la hoja nº 2 del cuaderno TIR, devolviendo a continuación el cuaderno TIR a su titular o a la persona que actúe por su cuenta.

Personas excluidas de las operaciones TIR. El artículo 38 del Convenio TIR establece la potestad, a favor de las Partes Contratantes, de excluir, temporal o definitivamente, de la aplicación del Convenio a toda persona culpable de una infracción grave de las leyes o reglamentos aduaneros aplicables al transporte internacional de las mercancías. La referida exclusión debe notificarse a las autoridades competentes de la Parte Contratante en cuyo territorio esté establecida o domiciliada la persona de que se trate, a la asociación o asociaciones garantes del país o territorio en que se haya cometido la infracción y a la Junta Ejecutiva TIR. El plazo para practicar esta comunicación es de una semana.

El artículo 229 CAU dispone que, si las autoridades aduaneras de un Estado miembro deciden excluir a una persona de las operaciones TIR, esta decisión es aplicable en todo el TAU y, en consecuencia, los cuadernos TIR presentados por esa persona no serán aceptados por ninguna aduana. A este fin, los Estados miembros deben comunicar su decisión de exclusión a los demás Estados miembros y a la Comisión, indicando la fecha de aplicación.

ENLACE

La Agencia Tributaria ofrece la edición 2018 del Manual TIR de la ONU en su web en: https://www.agenciatributaria.es/static_files/AEAT/Aduanas/Contenidos_Privados/Procedimientos_aduaneros/Transito/Conv_TIR.pdf
TAXUD tiene una página de información sobre el Tránsito TIR:
http://ec.europa.eu/taxation_customs/business/customs-procedures/what-is-customs-transit/tir-transports-internationaux-routiers-international-road-transport_en
Destaquemos que el capítulo IX del Manual de Tránsito de TAXUD (ver más arriba) se dedica al tránsito TIR.

13.7. EL TRÁNSITO ACOGIDO AL CUADERNO ATA

El cuaderno ATA es fruto del "Convenio aduanero relativo al cuaderno ATA para la admisión temporal de bienes" —Convenio ATA—, adoptado en el seno del Consejo de Cooperación Aduanera (precursor de la actual Organización Mundial de Aduanas) el 06.12.1961 (instrumento de ratificación por España de 05.03.1964, publicado en BOE 07.10.1964). ATA es el acrónimo de las expresiones en francés e inglés "*Admission Temporaire/Temporary Admission*". Posteriormente, el cuaderno ATA ha sido recepcionado por el "Convenio relativo a la importación temporal", hecho en Estambul el 26.06.1990 ("Convenio de Estambul", instrumento de ratificación por España de 24.04.1995, publicado en el BOE de 14.10.1997).

El Convenio de Estambul se concluyó bajo los auspicios de la Organización Mundial de Aduanas, que lo administra. La Cámara Internacional de Comercio administra el sistema ATA y la cadena internacional de garantía. Las cámaras de comercio de los Estados Parte emiten y gestionan los cuadernos ATA que son operativos en 73 países.

En la web de la OMA puede consultarse el texto del Convenio de Estambul, incluidos sus anexos, en inglés. En la web de la Cámara Internacional de Comercio (http://www.iccwbo.org) puede verse la lista de los países adheridos al sistema ATA.

El régimen ATA es más bien una modalidad simplificada del régimen de importación temporal, que se examina en el capítulo 16, si bien en el marco de esta importación temporal es lo más frecuente que tenga lugar un traslado de las mercancías, motivo que justifica que nos refiramos al cuaderno ATA en este momento, al igual que lo hace la normativa de la UE. Se regula el régimen ATA en los artículos 283 y 284 RECAU.

El cuaderno ATA permite la entrada temporal en la UE de cualquier tipo de mercancía (que no sea de naturaleza perecedera o que requiera una elaboración/reparación), sin pago de derechos ni aplicación de restricciones o prohibiciones de naturaleza económica, con diversos fines (el Convenio de Estambul contiene una serie de Anexos que establecen reglas particulares en función del fin para el cual se introduzcan temporalmente las mercancías). El cuaderno ATA hace las veces de declaración de importación temporal.

Tal y como hemos señalado para el cuaderno TIR, insistamos en que el TAU se considerará un único territorio a los efectos de la aplicación del tránsito al amparo del cuaderno ATA. Nótese que lo anterior no impide que, si en su trayecto las mercancías atraviesan el territorio de un tercer país, deban efectuarse controles en la aduana de salida y en la aduana por la que de nuevo las mercancías entran al TAU (artículo 272 RECAU).

> Si la operación ATA se desarrolla de forma regular, terminará con la presentación a las autoridades de un documento que acredite la correcta conclusión del régimen (artículo 284 RECAU).
>
> El referido documento que prueba la regularidad de la operación puede adoptar tres formas distintas. Puede tratarse de los documentos a que hace referencia el artículo 8 del Convenio ATA y el artículo del 10 Anexo A del Convenio de Estambul (es decir: la matriz de reexportación del título debidamente cumplimentada y con el sello de las autoridades aduaneras del territorio de importación temporal; o bien los datos consignados por las autoridades aduaneras de otra Parte contratante en los títulos de importación temporal con motivo de la importación o la reimportación; o un certificado de dichas autoridades basado en los datos consignados en un volante separado del título con motivo de la importación o la reimportación en su territorio, siempre que dichos datos se refieran a una importación o reimportación que pueda acreditarse que es posterior; o bien cualquier otra prueba que justifique que las mercancías se encuentran fuera del TAU); o bien el documento certificado por las autoridades aduaneras en el que conste que las mercancías se han presentado en la aduana de destino o de salida; o bien un documento que acredite la inclusión de las mercancías en un régimen aduanero en un tercer país, expedido por las autoridades aduaneras de ese país.
>
> Estos documentos deben presentarse en los plazos que establecen las normas ATA (6 meses; artículo 7.1 y 2 Convenio ATA, y 9 del Anexo A del Convenio de Estambul). Además de los originales de los documentos referidos cabe también presentar copias de los mismos certificadas por el organismo que haya emitido los originales.

Por lo demás, la regulación del RECAU se dirige a establecer el régimen aplicable en caso de que se produzcan irregularidades en el marco del régimen. Se dispone en este sentido que, en el supuesto de que se descubra la comisión de una infracción o irregularidad, la aduana de coordinación del Estado miembro en que se haya cometido una infracción o irregularidad debe proceder a notificarla al titular del cuaderno ATA y a la asociación garantizadora en el plazo de un año a partir de la fecha de expiración de la validez del cuaderno (artículo 283 RECAU, artículo 6 del Convenio ATA, artículo 8 del Anexo A del Convenio de Estambul).

13.8. EL TRÁNSITO AMPARADO EN EL IMPRESO 302

Definiciones (apartados 49, 50 y 51 del artículo 1 RDCAU)	
(50) Impreso 302 de la OTAN	Un documento aduanero establecido en los procedimientos pertinentes de aplicación del Acuerdo entre los Estados Partes en el Tratado del Atlántico Norte, relativo al estatuto de sus Fuerzas, firmado en Londres el 19 de junio de 1951.
(51) Impreso 302 de la UE	Un documento aduanero establecido en el anexo 52-01 RDCAU y emitido por las autoridades militares nacionales competentes de un Estado miembro o en su nombre, para las mercancías que deban circular o utilizarse en el contexto de actividades militares

(49) Mercancías que vayan a circular o a utilizarse en el contexto de actividades militares	Cualquier mercancía que vaya a circular o a utilizarse:
	a) en el contexto de actividades organizadas o controladas por las autoridades militares pertinentes de uno o más Estados miembros o de un tercer país con el que uno o más Estados miembros hayan concluido un acuerdo para llevar a cabo actividades militares dentro del TAU o
	b) en el contexto de cualquier actividad militar llevada a cabo:
	  – en virtud de la Política Común de Seguridad y Defensa de la Unión Europea (PCSD), o
	  – en virtud del Tratado del Atlántico Norte, firmado en Washington D. C. el 4 de abril de 1949

El impreso 302 permite la circulación de mercancías que vayan a circular o a utilizarse en el contexto de actividades militares, ya sea en el marco de la OTAN, para aquellos Estados miembros de la UE que sean, a la vez, integrantes de la OTAN (Impreso 302 de la OTAN) o ya sea en el marco de la propia UE para sus Estados miembros (Impreso 302 de la UE). Al tratarse de mercancías destinadas a cumplir una función relativa a la defensa de los Estados miembros, este tránsito goza de un régimen particular, más generoso que el régimen general de tránsito de la Unión, que se regula en los artículos 286 a 287bis RECAU.

Los Estados miembros de la UE en cuyo territorio se encuentren estacionadas fuerzas de la OTAN con derecho a utilizar el impreso 302 de la OTAN deben designar a la aduana o aduanas responsables de las formalidades y los controles aduaneros aplicados a las mercancías que vayan a circular o utilizarse en el marco de actividades militares. Análogamente, cada Estado miembro debe designar la aduana o aduanas responsables de las formalidades y los controles aduaneros aplicados a las mercancías que vayan a circular o utilizarse en el marco de actividades militares realizadas al amparo del impreso 302 de la UE (apartados 5 y 6 del artículo 221 RECAU).

> Puesto que el régimen jurídico entre ambos tipos de impreso (impreso 302 de la OTAN e impreso 302 de la UE) es coincidente, lo expondremos conjuntamente, señalando el régimen aplicable en el caso de la OTAN y, seguido y entre paréntesis, en el caso de la UE.

La aduana responsable del Estado miembro de partida de la operación de tránsito debe facilitar a las fuerzas de la OTAN (o a las fuerzas militares de un Estado miembro) estacionadas en su zona los impresos 302 de la OTAN (o de la UE) necesarios para cumplir las formalidades de la operación. Estos impresos han de estar previamente autenticados con el sello y la firma de un funcionario de esa aduana, numerados consecutivamente, y en ellos debe constar la dirección completa de la aduana a efectos de posibilitar que, al terminar la operación, pueda remitirse de vuelta una copia del referido impreso 302 (artículo 286 y 286bis RECAU).

En el momento de expedir las mercancías en el marco de este régimen, las fuerzas de la OTAN (o las fuerzas militares del Estado miembro) deben cumplimentar los datos del impreso 302 de que se trate, ya sea por vía electrónica —en la aduana de partida o de entrada— o bien mediante un impreso 302 acompañado de una declaración de que las mercancías van a ser trasladadas bajo su control, declaración que debe autenticarse mediante su firma, sello y fecha.

Si se opta por cumplimentar los datos del impreso 302 por vía electrónica, se aplicarán a la operación determinadas reglas establecidas para el régimen de tránsito de la Unión, asimilándose a una operación en la que el expedidor es un expedidor autorizado y el destinatario es un destinatario autorizado.

> Las referidas reglas son las contenidas en el RECAU en sus artículos 294 (envíos mixtos), 296 (declaración de tránsito y medio de transporte), 304 (presentación de las mercancías que circulen al amparo del régimen de tránsito de la Unión en la aduana de tránsito), 306 (presentación de las mercancías incluidas en el régimen de tránsito de la Unión en la aduana de destino), 314 (inclusión de las mercancías en el régimen de tránsito de la Unión por un expedidor autorizado), 315 (formalidades relativas a las mercancías que circulen al amparo del régimen de tránsito de la Unión recibidas por un destinatario autorizado) y 316 (terminación del régimen de tránsito de la Unión en relación con las mercancías recibidas por el destinatario autorizado).

Si se opta por cumplimentar los datos en el soporte físico del impreso 302, acompañado de una declaración, se debe facilitar a la mayor brevedad una copia del impreso 302 a la aduana designada responsable de las formalidades y de los controles respecto de las fuerzas de la OTAN (o de las fuerzas militares del Estado miembro) que expiden las mercancías o por cuya cuenta se realiza dicha expedición (aduana de partida). Las restantes copias del impreso 302 deben acompañar al envío remitido a las fuerzas de la

OTAN de destino (o a las fuerzas militares del Estado miembro de destino). En el momento de la llegada de las mercancías, las fuerzas de la OTAN de destino (o a las fuerzas militares del Estado miembro de destino) deben sellar y firmar esas copias del impreso 302, entregando a continuación dos copias del impreso a la aduana designada responsable de las formalidades y los controles aduaneros aplicados a las fuerzas de la OTAN (o a las fuerzas militares del Estado miembro) en el lugar de destino (aduana de destino). La aduana del lugar de destino debe retener una copia y devolver la otra a la aduana de partida (artículos 287 y 287bis RECAU).

El impreso 302 (de la OTAN o de la UE) puede utilizarse en regímenes aduaneros distintos del tránsito (artículos 220bis y 220ter RECA). El régimen jurídico que se establece en este caso es prácticamente idéntico al que ha quedado expuesto para el régimen de tránsito.

> Se precisa que la aduana que debe suministrar los impresos 302 (autenticados, numerados consecutivamente y haciendo constar su dirección completa) será en este caso la aduana designada por el Estado miembro en el que se inicia la actividad militar en el TAU. Por su parte, las fuerzas militares (de la OTAN o de la UE) deberán cumplimentar los datos del impreso 302 electrónicamente o en soporte físico, siguiendo en cada caso la tramitación que ya se ha señalado para el régimen de tránsito.

13.9. EL TRÁNSITO AL AMPARO DEL SISTEMA POSTAL

Los artículos 288 a 290 RECAU regulan las especialidades establecidas respecto de la circulación de mercancías en envíos postales en régimen de tránsito.

> El artículo 1.24 RDCAU define «mercancías en envíos postales» como las mercancías distintas de los objetos de correspondencia, contenidas en un paquete o bulto postales y transportadas por un operador postal o bajo su responsabilidad de conformidad con las disposiciones del Convenio de la Unión Postal Universal, adoptado el 10 de julio de 1984 bajo los auspicios de la Organización de las Naciones Unidas. Por su parte, «operador postal» se define como un operador establecido en un Estado miembro y designado por él para prestar los servicios internacionales regulados por el Convenio Postal Universal (artículo 1.24 RDCAU).

En primer lugar, si se trata de mercancías no pertenecientes a la Unión que circulen en régimen de tránsito externo al amparo del sistema postal, tanto el propio envío postal como los documentos de acompañamiento conexos deberán llevar colocada la etiqueta amarilla cuyo modelo se recoge en el anexo 72-01 RECAU. La misma regla se aplica cuando se trate de un envío postal que contenga, a un tiempo, mercancías de la Unión y mercancías no pertenecientes a la Unión. En este caso, debe acreditarse el estatuto aduanero de las mercancías de la Unión contenidas en el envío, mediante la remisión al

operador postal de destino de la prueba del estatuto aduanero de mercancías de la Unión
o una referencia al MRN de ese medio de prueba.

> La referida prueba puede acompañar a las mercancías o remitirse por separado. Si acompaña a las
> mercancías, esta circunstancia debe indicarse claramente en el exterior del bulto. Si, por el con-
> trario, se remite por separado al operador postal de destino, este último deberá presentarla en la
> aduana de destino junto con el envío.

En segundo lugar, si se trata de mercancías de la Unión que circulan a partir de territorios fiscales especiales (en los que no se aplica el IVA y/o los IIEE armonizados) o entre dichos territorios en régimen de tránsito interno al amparo del tráfico postal, el envío
postal y todo documento de acompañamiento conexo debe llevar la etiqueta amarilla, en
este caso conforme al modelo que figura en el anexo 72-02 RECAU.

En tercer lugar, si se trata de mercancías de la Unión que circulan en régimen de tránsito interno al amparo del tráfico postal desde el TAU con destino a un país de tránsito
común para su posterior reentrada en el TAU, deben ir acompañadas de la prueba del
estatuto aduanero de mercancías de la Unión, que se presentará en la aduana en el momento de la reintroducción de las mercancías en el TAU.

> Los medios de prueba del estatuto aduanero de mercancías de la Unión se establecen en el
> artículo 199 RECAU.

13.10. NORMAS TRANSITORIAS

13.10.1. *Aspectos generales. Autorizaciones*

A lo largo de la exposición se han introducido diversas referencias al régimen aplicable antes y después de la implantación de las mejoras en el NSTI a que se refiere el anexo
de la Decisión de Ejecución 2019/2151/UE. Al margen de estas normas de vigencia
transitoria (aquellas que deben aplicarse antes de la implantación de las referidas mejoras), en los artículos 24 al 53 del Reglamento Delegado (UE) 2016/341 (RDTCAU) se
contiene un abundante conjunto de normas de carácter transitorio relativas al régimen
de tránsito. Estas especialidades se refieren al transporte por ferrocarril, al transporte
por vía aérea y al transporte por vía marítima y, más concretamente, a la utilización del
soporte papel o del manifiesto electrónico respecto de las mercancías transportadas por
estos medios.

En primer lugar, se establece que, hasta las fechas de mejora del NSTI a que se refiere
el anexo de la Decisión de Ejecución 2019/2151/UE, las mercancías transportadas por
ferrocarril, por vía aérea o por vía marítima estarán sujetas al régimen de tránsito de la
Unión en soporte papel (artículo 24.1 RDTCAU).

La autorización para utilizar el régimen de tránsito de la Unión en soporte papel en relación con las mercancías transportadas por (1) ferrocarril/(2) vía aérea/(3) vía marítima se concederá a los solicitantes que cumplan las condiciones siguientes (artículos 25 y 26 RDTCAU):

a) que sean una compañía (1) de ferrocarril/(2) aérea/(3) marítima;

b) que estén establecidos en el TAU;

c) que utilicen regularmente el régimen de tránsito de la Unión o, con respecto a los cuales, la autoridad aduanera competente sepa que pueden cumplir las obligaciones inherentes a este régimen, y

d) que no hayan infringido de forma grave o reiterada la legislación aduanera o fiscal.

> Este requisito se considera automáticamente cumplido si el solicitante tiene el estatuto de OEA-Simplificaciones aduaneras.

La autorización para utilizar el régimen de tránsito de la Unión en soporte papel en relación con las mercancías transportadas por ferrocarril es de aplicación en todos los Estados miembros, en tanto que para la autorización en relación al transporte aéreo o marítimo tiene validez en los Estados que se especifiquen en ella.

En segundo lugar, se dispone que los operadores económicos que no hubieran mejorado aún los sistemas necesarios para la aplicación de la simplificación relativa al documento de transporte electrónico como declaración en aduana (que se regula en el artículo 233.4(e) CAU) debían utilizar en su lugar, como simplificación análoga, un manifiesto electrónico en relación con las mercancías transportadas por vía aérea o marítima. Esta posibilidad sólo se mantuvo hasta 1 de mayo de 2018 y no se exigía garantía alguna a los operadores que se acogiesen a ella (artículo 24.2 RDTCAU).

Las condiciones que debían cumplir los solicitantes para obtener la autorización para utilizar el régimen de tránsito de la Unión basado en un manifiesto electrónico eran las siguientes (artículos 27 y 28 RDTCAU).

a) que fueran una compañía aérea/marítima que operase un número significativo de vuelos/travesías entre aeropuertos/puertos de la Unión;

b) que estuviesen establecidos en el TAU o tuviesen su domicilio social, su sede central o un establecimiento comercial permanente en la Unión;

c) que utilizasen regularmente el régimen de tránsito de la Unión o, con respecto a los cuales, la autoridad aduanera competente supiese que podían cumplir las obligaciones inherentes a este régimen, y

d) que no hubiesen infringido de forma grave o reiterada la legislación aduanera o fiscal.

Este requisito se considera automáticamente cumplido si el solicitante tiene el estatuto de OEA-Simplificaciones aduaneras.

Tramitación. Una vez aceptada la solicitud de autorización, las autoridades aduaneras competentes lo notificarán a los demás Estados miembros en cuyo territorio estén situados los aeropuertos/puertos de partida y de destino conectados por los sistemas electrónicos que permiten el intercambio de información. En el supuesto de que no se reciba ninguna objeción en el plazo de 60 días a partir de la fecha de la notificación, las autoridades aduaneras competentes concederán la autorización. La autorización para utilizar el régimen de tránsito de la Unión basado en un manifiesto electrónico en relación con las mercancías transportadas por vía aérea/marítima se aplicará a las operaciones de tránsito de la Unión entre los aeropuertos/puertos especificados en ella.

Tanto la autorización para utilizar el régimen de tránsito de la Unión en soporte papel como la autorización para utilizar el régimen de tránsito de la Unión basado en un manifiesto electrónico se sujeta a dos requisitos adicionales (artículo 29 RDTCAU). El primero estriba en que la autoridad aduanera competente considere que será capaz de supervisar la utilización del régimen de tránsito de la Unión y llevar a cabo controles sin tener que realizar un esfuerzo administrativo desproporcionado respecto a las necesidades de la persona afectada. El segundo consiste en que el solicitante disponga de registros que permitan a las autoridades aduaneras competentes efectuar un control eficaz.

13.10.2. Transporte por ferrocarril

Cuando el transporte de mercancías se efectúe utilizando el ferrocarril en relación con mercancías incluidas en el régimen de tránsito de la Unión,

- ✓ La carta de porte CIM equivaldrá a una declaración de tránsito de la Unión respecto de operaciones efectuadas en cooperación por compañías autorizadas (artículo 30 RDTCAU).

- ✓ La compañía de ferrocarril que acepte el transporte bajo una carta de porte CIM se convertirá en titular del régimen de la operación de tránsito (debe cumplimentar la casilla 58b de la carta de porte CIM, marcando la casilla «sí» y consignando el código UIC). Si las mercancías han sido admitidas al transporte en un tercer país, la compañía de un Estado miembro por cuya cuenta se cumplimente la casilla 58b se convertirá en titular del régimen. En cualquier caso, el titular del régimen asume implícitamente la responsabilidad de que las compañías de ferrocarril sucesivas o alternativas que participen en la operación cumplan también los requisitos del régimen (artículo 31 RDTCAU).

✓ Las diferentes compañías de ferrocarril autorizadas a nivel nacional que acepten el transporte de las mercancías son solidariamente responsables ante la autoridad aduanera de cualquier posible deuda aduanera. Las compañías de ferrocarril autorizadas que se hagan cargo de las mercancías durante la operación de transporte y que figuren en la casilla 57 de la carta de porte CIM son también responsables de la correcta aplicación del régimen de tránsito de la Unión (artículo 32 RDTCAU).

Las compañías de ferrocarril que actúen en colaboración deben utilizar un sistema consensuado para controlar e investigar las irregularidades en la circulación de mercancías. Deben responsabilizarse de liquidar por separado los costes de transporte, de desglosar los costes de transporte entre el territorio de cada uno de los Estados miembros en que se introduzcan las mercancías y de pagar la parte respectiva de los gastos en que haya incurrido cada una de las compañías de ferrocarril autorizadas que hayan cooperado.

Por lo que hace a la mecánica de funcionamiento del régimen en estos casos, señalemos que la carta de porte CIM debe presentarse en la oficina de partida para transportes que se inicien y concluyan en el TAU. La aduana consignará en la carta de porte CIM:

✓ T1 (si se trata de tránsito externo de la Unión),

✓ T2 (tránsito interno de la Unión de mercancías de la Unión, artículo 227.1 CAU), o

✓ T2F (tránsito interno de la Unión en relación con territorios fiscales especiales, conforme al 188 RDCAU).

Dado que implican reconocer el estatuto de mercancías de la Unión, la indicación T2 o T2F se autenticará con sello de la aduana de partida. Todas las copias de la carta de porte CIM se deben devolver a la persona interesada. La compañía de ferrocarril autorizada debe procurar que las mercancías que se transporten en este régimen se distingan mediante etiquetas provistas de un pictograma cuyo modelo figura en el anexo 10 RDTCAU.

Las etiquetas deben colocarse en la carta de porte CIM o imprimirse directamente en ella. También deben colocarse en el vagón de tren pertinente, si se trata de un cargamento completo, o en el bulto o bultos individuales, en los demás casos. Las etiquetas pueden sustituirse por un sello que reproduzca el pictograma que se recoge en el anexo 10 RDTCAU.

Si la operación de transporte se inicia fuera del TAU y debe terminar dentro de él (artículo 33.5 RDTCAU):

✓ La aduana competente de la que dependa la estación fronteriza por la que las mercancías entren en el TAU será la que asuma la función de aduana de partida.

✓ No será necesario cumplir ninguna formalidad en la aduana de partida.

✓ Las mercancías se incluirán en el régimen de tránsito externo de la Unión a menos que se determine que gozan del estatuto aduanero de mercancías de la Unión (artículo 40 RDTCAU).

Si la carta de porte CIM incluye más de un vagón o contenedor, pueden utilizarse las listas de carga establecidas en el formulario que se recoge en el anexo 11 RDTCAU (artículo 34 RDTCAU).

> Las listas de carga que acompañan a la carta de porte CIM forman parte integrante de ella y surten los mismos efectos jurídicos. El original de las listas de carga debe ser autenticado con el sello de la estación de expedición. Las listas de carga deben incluir el número del vagón al que hace referencia la carta de porte CIM o, en su caso, el número del contenedor donde se encuentran las mercancías. Deben confeccionarse listas de carga separadas si se trata de operaciones que se inicien dentro del TAU y comprendan mercancías que circulen al amparo tanto del régimen de tránsito de la Unión externo como interno. Deben consignarse los números de orden de las listas de carga correspondientes a cada una de estas dos categorías de mercancías en la casilla de la carta de porte CIM reservada a la descripción de las mercancías.

No será necesario cumplir ninguna formalidad en la aduana de tránsito (artículo 35 RDTCAU). Cuando las mercancías lleguen a la aduana de destino, la compañía de ferrocarril autorizada debe presentarlas en dicha aduana, junto con las hojas 2 y 3 de la carta de porte CIM. La aduana de destino debe sellar la hoja 2 de la carta de porte CIM y devolverla a la compañía de ferrocarril autorizada, conservando en cambio la hoja 3 (artículo 36 RDTCAU).

> Con carácter general, la aduana competente de la que dependa la estación de destino será la aduana de destino. Ahora bien, si las mercancías se despachan a libre práctica o se incluyen en otro régimen aduanero en una estación intermedia, la aduana de la que dependa esa estación será la que asuma la función de aduana de destino (esta posibilidad no se permite respecto de productos sujetos a IIEE armonizados, que se recogen en el artículo 1.1 de la Directiva 2008/118/CE). Esta aduana debe sellar las hojas 2 y 3, así como la copia complementaria de la hoja 3 de la carta de porte CIM, presentadas por la compañía de ferrocarril autorizada y las debe asimismo visar incluyendo la mención "Despachado de aduana" o su equivalente en alguna de las lenguas oficiales de la UE. Tras realizar estas formalidades, las hojas 2 y 3 se deben devolver a la compañía de ferrocarril autorizada, en tanto que la aduana debe conservar la copia complementaria de la hoja 3.
> La autoridad aduanera competente del Estado miembro de destino puede solicitar un control a posteriori de los visados realizados por la aduana de la estación intermedia en las hojas 2 y 3 de la carta de porte CIM.

Si la operación de transporte se inicia en el TAU y debe terminar fuera del TAU:

✓ Se deberá presentar la carta de porte CIM en la aduana de la que dependa la estación fronteriza por la que las mercancías abandonen el TAU, que asumirá la función de aduana de destino.

✓ Esta aduana debe procesar el cuaderno CIM y devolver todas las copias al interesado.

✓ No será necesario cumplir ninguna formalidad en la aduana de partida.

Se requiere la conformidad previa de la aduana de partida para poder proceder a la ejecución de la modificación del contrato de transporte en virtud de la cual una operación de transporte que estaba previsto que terminase en el exterior del TAU pase a terminar dentro de él, o a la inversa, en virtud de la cual una operación de transporte que estaba previsto que terminase en el interior del TAU pase a terminar fuera de él (artículo 37 RDTCAU). Respecto de otro tipo de modificaciones en el contrato de transporte bastará que la compañía de ferrocarril informe de ellas inmediatamente a la aduana de partida

Si la operación de transporte se inicia y debe terminar fuera del TAU (artículo 38 RDTCAU):

✓ La aduana de partida será la aduana de la que dependa la estación fronteriza por la que las mercancías entren en el TAU. La aduana de destino será la aduana de la que dependa la estación fronteriza por la que las mercancías abandonen el TAU

✓ No será necesario cumplir ninguna formalidad en la aduana de partida ni en la aduana de destino.

✓ Las mercancías se incluirán en el régimen de tránsito externo de la Unión a menos que se determine que gozan del estatuto aduanero de mercancías de la Unión (artículo 40 RDTCAU).

Se establecen algunas especialidades (simplificaciones) en caso de que sean aplicables las disposiciones del Convenio sobre un régimen común de tránsito y las mercancías de la Unión se transporten a través de uno o varios países de tránsito común (artículo 39 RDTCAU).

> Se dispone que, en este caso, las mercancías se incluirán en el régimen de tránsito interno de la Unión durante todo el trayecto, desde la estación de partida en el TAU hasta la estación de destino en el TAU, de conformidad con las modalidades que determine cada Estado miembro, y no será necesario presentar la carta de porte CIM ni las mercancías en la aduana de partida, ni colocar o imprimir las etiquetas que reproducen el pictograma que se recoge en el anexo 10 RDTCAU. No será necesario cumplir ninguna formalidad en la aduana de destino.
> Estas mismas reglas se aplican cuando las mercancías de la Unión se transporten por ferrocarril desde un punto situado en un Estado miembro hasta un punto situado en otro Estado miembro atravesando uno o varios territorios de un tercer país que no sea un país de tránsito común. El régimen de tránsito de la Unión quedará suspendido en el territorio de un tercer país en este caso.

Como requisito general aplicable a esta simplificación para el transporte por ferrocarril se establece que las compañías autorizadas deben conservar los registros en sus departamentos de contabilidad y utilizar el sistema consensuado aplicado en dichos departamentos a fin de investigar las irregularidades, dando acceso a los datos del departamento de contabilidad a favor de la autoridad aduanera del Estado miembro en el que esté establecida la compañía. Además, se debe ofrecer acceso a la autoridad aduanera del Estado miembro de destino a todas las cartas de porte CIM utilizadas como declaración de tránsito (artículo 41 RDTCAU).

Las especialidades que se examinan en este apartado no impiden la utilización de determinadas disposiciones generales previstas para el régimen de tránsito.

> En concreto, no impiden la utilización de lo dispuesto en el artículo 188 RDCAU (en relación al tránsito respecto de territorios fiscales especiales), 189 RDCAU (en relación a la aplicación del Convenio relativo a un régimen común de tránsito en casos especiales) y 190 RDCAU (en relación al recibo visado por la aduana de destino a la persona que presenta las mercancías). Tampoco impiden la utilización de lo dispuesto en los artículos 291 a 312 RECAU (relativos al régimen de tránsito externo e interno de la Unión). En caso de que se apliquen estos preceptos, en el momento de extender la carta de porte CIM se debe hacer referencia, de forma visible, al MRN de la declaración de tránsito en la casilla reservada a la información sobre los documentos de acompañamiento. Además, la hoja 2 de la carta de porte CIM debe ser autenticada por la compañía de ferrocarril competente de la última estación que intervenga en la operación de tránsito de la Unión. Esa compañía autenticará el documento tras asegurarse de que el transporte de las mercancías se realiza al amparo de la declaración de tránsito de la Unión (artículo 42 RDTCAU).

Si el expedidor goza del estatuto de expedidor autorizado, no se le exige que presente la carta de porte CIM como declaración de tránsito ni las mercancías en la aduana de partida. Ahora bien, la aduana de partida debe adoptar las medidas necesarias para garantizar que las hojas 1, 2 y 3 de la carta de porte CIM lleven, según proceda, los códigos «T1», «T2» o «T2F» (artículo 43 RDTCAU).

Si el destinatario goza del estatuto de destinatario autorizado, cuando las mercancías lleguen a sus locales las autoridades aduaneras pueden disponer que la compañía de ferrocarril autorizada o la empresa de transporte entreguen directamente las hojas 2 y 3 de la carta de porte CIM a la aduana de destino (artículo 44 RDTCAU).

Para concluir este apartado sólo resta señalar que se reconoce a los Estados miembros el derecho a continuar aplicando otros regímenes de tránsito de la Unión en soporte papel a las mercancías transportadas por ferrocarril que ya estén establecidos mediante acuerdos bilaterales o multilaterales celebrados entre sí. Además, cada Estado miembro puede continuar aplicando otros regímenes de tránsito de la Unión en soporte papel a las mercancías transportadas por ferrocarril en relación con aquellas mercancías que no sea necesario trasladar al territorio de otro Estado miembro (las llamadas "especialidades nacionales").

En ambos casos estas posibilidades reconocidas a los Estados miembros se condicionan a que quede garantizado el cumplimiento de las medidas de la Unión aplicables a las mercancías incluidas en el régimen de tránsito de la Unión (artículo 45 RDTCAU).

13.10.3. *Transporte por vía aérea*

Cuando el transporte de mercancías se efectúe por vía aérea en relación con mercancías incluidas en el régimen de tránsito de la Unión (artículo 46 RDTCAU),

✓ La compañía aérea puede ser autorizada a utilizar como declaración de tránsito el manifiesto de mercancías cuando este se corresponda en esencia con el modelo que figura en el apéndice 3 del anexo 9 del Convenio sobre Aviación Civil Internacional, firmado en Chicago el 7 de diciembre de 1944.

✓ La autorización para utilizar los regímenes de tránsito de la Unión en soporte papel debe indicar la forma del manifiesto, así como los aeropuertos de partida y de destino de las operaciones de tránsito de la Unión. La compañía aérea autorizada debe enviar una copia autenticada de la autorización a las autoridades aduaneras competentes de cada uno de los aeropuertos afectados.

✓ Si en la operación de tránsito se incluyen, tanto mercancías que circulan al amparo del régimen de tránsito externo de la Unión, como mercancías que circulen desde territorios fiscales especiales (artículo 188 RDCAU), dichas mercancías deberán hacerse constar en manifiestos separados.

El artículo 47 RDTCAU regula las formalidades que debe cumplir la compañía aérea respecto de cada operación.

En este sentido, se establece que la compañía aérea debe hacer constar en el manifiesto la información siguiente: a) el código «T1» cuando las mercancías circulen al amparo del régimen de tránsito externo de la Unión; b) el código «T2F» en operaciones relacionadas con territorios fiscales especiales (artículo 188 RDCAU); c) el nombre de la compañía aérea que transporte las mercancías; d) el número de vuelo; e) la fecha del vuelo; f) el aeropuerto de partida y el aeropuerto de destino. Asimismo, en relación con cada envío la compañía aérea debe hacer constar en el manifiesto la información siguiente: a) el número del conocimiento aéreo; b) el número de bultos; c) la descripción comercial de las mercancías con todos los datos necesarios para identificarlas; d) la masa bruta.
Debe incluirse la mención «Consolidación» en caso de agrupamiento de las mercancías cuando se omita la designación de éstas en el manifiesto. En tal caso, los conocimientos aéreos de estos envíos deben incluir la descripción comercial de las mercancías con todos los datos necesarios para su identificación y deben adjuntarse al manifiesto.
La compañía aérea debe fechar y firmar el manifiesto, presentando dos copias, como mínimo, a la aduana del aeropuerto de partida. Esta aduana debe conservar una copia. Además, una copia del manifiesto se debe presentar a la aduana del aeropuerto de destino.

Por su parte, la aduana de cada aeropuerto de destino debe autenticar, una vez al mes, una lista de los manifiestos elaborados por las compañías aéreas que les hayan sido presentados durante el mes anterior y transmitirla a la aduana de cada aeropuerto de partida (artículo 48 RDTCAU).

> La referida lista de manifiestos debe incluir la siguiente información en relación con cada manifiesto: a) su número; b) el código que lo identifica como declaración de tránsito, c) el nombre de la compañía aérea que haya transportado las mercancías; d) el número de vuelo, y e) la fecha del vuelo. La autorización para utilizar los regímenes de tránsito de la UE en soporte papel en relación con las mercancías transportadas por vía aérea puede establecer que sean las propias compañías aéreas quienes puedan transmitir la lista mensual de manifiestos a las aduanas de cada aeropuerto de partida. En cualquier caso, si se constatan irregularidades en la información sobre los manifiestos que figuran en la lista, la aduana del aeropuerto de destino debe informar de ellas a la aduana del aeropuerto de partida, así como a la aduana que haya concedido la autorización, haciendo referencia en especial a los conocimientos aéreos relativos a las mercancías afectadas.

El artículo 52 RDTCAU regula la posibilidad de utilizar el manifiesto electrónico como declaración de tránsito para la utilización del régimen de tránsito de la Unión en relación con las mercancías transportadas por vía aérea. A este fin, ordena a la compañía aérea remitir por medios electrónicos al aeropuerto de destino el manifiesto elaborado en el aeropuerto de partida.

> Al cumplimentar el manifiesto, la compañía aérea debe utilizar los códigos siguientes junto a cada uno de los artículos: a) «T1» cuando las mercancías circulen al amparo del régimen de tránsito externo de la Unión; b) «T2F» en operaciones relacionadas con territorios fiscales especiales (artículo 188 RDCAU); c) «TD» para las mercancías que ya estén circulando al amparo de un régimen de tránsito de la Unión, o transportadas al amparo de un régimen de perfeccionamiento activo, de depósito aduanero o de importación temporal. En esos casos, la compañía aérea debe incluir también el código «TD» en el conocimiento aéreo correspondiente, junto con la referencia al régimen, el número y la fecha de la declaración de tránsito o del documento de transferencia y el nombre de la oficina de emisión; d) «C» para las mercancías de la Unión que no circulen al amparo de un régimen de tránsito de la Unión; e) «X» para las mercancías de la Unión que vayan a exportarse y que no circulen al amparo de un régimen de tránsito de la Unión.
>
> El manifiesto debe indicar además: el nombre de la compañía aérea que transporte las mercancías; el número de vuelo; la fecha del vuelo; el aeropuerto de partida y el aeropuerto de destino. Y, en relación con cada envío, la información siguiente: el número del conocimiento aéreo; el número de bultos; la descripción comercial de las mercancías con todos los datos necesarios para identificarlas; la masa bruta. Estos datos y los códigos de cada uno de los artículos a que acabamos de hacer referencia deben conservarse en los registros de la compañía aérea para permitir a las autoridades el control aduanero. Si fuera necesario, la aduana del aeropuerto de destino debe transmitir por medios electrónicos a la aduana del aeropuerto de partida los datos pertinentes de los manifiestos recibidos.

La compañía aérea debe notificar a las autoridades competentes toda infracción o irregularidad que conozca. Por su parte, la aduana del aeropuerto de destino debe notificar sin demora toda infracción o irregularidad observada a la aduana del aeropuerto de partida y a la aduana que haya emitido la autorización.

El régimen de tránsito de la Unión se considera finalizado cuando se presenten las mercancías a las autoridades aduaneras del aeropuerto de destino y dispongan del manifiesto, transmitido por medios electrónicos.

13.10.4. Transporte por vía marítima

Las especialidades establecidas para el transporte por vía marítima son equivalentes, *mutatis mutandi*, a las que se han señalado para el transporte por vía aérea. De este modo, cuando el transporte de mercancías se efectúe por vía marítima en relación con mercancías incluidas en el régimen de tránsito de la Unión (artículo 49 RDTCAU),

✓ La compañía marítima autorizada debe utilizar como declaración de tránsito el manifiesto de mercancías.

✓ La autorización para utilizar los regímenes de tránsito de la Unión en soporte papel debe indicar los puertos de partida y de destino de las operaciones de tránsito de la Unión. La compañía marítima autorizada debe enviar una copia autenticada de la autorización a las autoridades aduaneras competentes de cada uno de los puertos afectados.

✓ Si en la operación de tránsito se incluyen, tanto mercancías que circulan al amparo del régimen de tránsito externo de la Unión, como mercancías que circulen desde territorios fiscales especiales (artículo 188 RDCAU), dichas mercancías deberán hacerse constar en manifiestos separados.

El artículo 50 RDTCAU regula las formalidades que debe cumplir la compañía marítima respecto de cada operación.

> En este sentido, se establece que la compañía marítima debe hacer constar en el manifiesto la información siguiente: a) el código «T1» cuando las mercancías circulen al amparo del régimen de tránsito externo de la Unión; b) el código «T2F» en operaciones relacionadas con territorios fiscales especiales (artículo 188 RDCAU); c) el nombre y la dirección completa de la compañía marítima que transporte las mercancías; d) la identidad del buque; e) el puerto de partida f) el puerto de destino; g) la fecha de la operación de transporte marítimo.
>
> Asimismo, en relación con cada envío la compañía marítima debe hacer constar en el manifiesto la información siguiente: a) el número del conocimiento de embarque; b) el número de bultos, su naturaleza, marcas y números de identificación; c) la descripción comercial de las mercancías con todos los datos necesarios para identificarlas; d) la masa bruta; e) en su caso, los números de identificación de los contenedores.

La compañía marítima debe fechar y firmar el manifiesto, presentando dos copias, como mínimo, ante la aduana del puerto de partida. Esta aduana debe conservar una copia. Además, una copia del manifiesto se debe presentar a la aduana del puerto de destino.

Por su parte, la aduana de cada puerto de destino debe autenticar, una vez al mes, una lista de los manifiestos elaborados por las compañías marítimas que les hayan sido presentados durante el mes anterior y la transmitirla a la aduana de cada puerto de partida (artículo 51 RDTCAU).

> La referida lista de manifiestos debe incluir la siguiente información en relación con cada manifiesto: a) su número; b) el código que lo identifica como declaración de tránsito, c) el nombre de la compañía marítima que haya transportado las mercancías; d) la fecha de la operación de transporte marítimo. La autorización para utilizar los regímenes de tránsito de la UE en soporte papel en relación con las mercancías transportadas por vía marítima puede establecer que sean las propias compañías marítimas quienes puedan transmitir la lista mensual de manifiestos a las aduanas de cada puerto de partida. En cualquier caso, si se constatan irregularidades en la información sobre los manifiestos que figuran en la lista, la aduana del puerto de destino debe informar de ellas a la aduana del puerto de partida, así como a la aduana que haya concedido la autorización, haciendo referencia en especial a los conocimientos de embarque relativos a las mercancías afectadas.

El artículo 53 RDTCAU regula la posibilidad de utilizar el manifiesto electrónico como declaración de tránsito para la utilización del régimen de tránsito de la Unión en relación con las mercancías transportadas por vía marítima. A este fin, ordena a la compañía marítima remitir por medios electrónicos al puerto de destino el manifiesto elaborado en el puerto de partida.

> La compañía marítima puede utilizar un único manifiesto para el conjunto de las mercancías transportadas. En tal caso, al cumplimentar el manifiesto, la compañía marítima debe utilizar los códigos siguientes junto a cada uno de los artículos: a) «T1» cuando las mercancías circulen al amparo del régimen de tránsito externo de la Unión; b) «T2F» en operaciones relacionadas con territorios fiscales especiales (artículo 188 RDCAU); c) «TD» para las mercancías que ya estén circulando al amparo de un régimen de tránsito de la Unión, o transportadas al amparo de un régimen de perfeccionamiento activo, de depósito aduanero o de importación temporal. En esos casos, la compañía marítima debe incluir también el código «TD» en el conocimiento de embarque o en cualquier otro documento comercial apropiado, junto con la referencia al régimen, el número y la fecha de la declaración de tránsito o del documento de transferencia y el nombre de la oficina de emisión; d) «C» para las mercancías de la Unión que no circulen al amparo de un régimen de tránsito de la Unión; e) «X» para las mercancías de la Unión que vayan a exportarse y que no circulen al amparo de un régimen de tránsito de la Unión.
>
> El manifiesto debe indicar, además: el nombre y la dirección completa de la compañía marítima que transporte las mercancías; la identidad del buque; el puerto de partida; el puerto de destino; la fecha de la operación de transporte marítimo. Y, en relación con cada envío, la información siguiente: el número del conocimiento de embarque; el número de bultos, así como la naturaleza, las marcas y

los números de identificación de los mismos; la descripción comercial de las mercancías con todos los datos necesarios para identificarlas; la masa bruta; en su caso, los números de identificación de los contenedores. Estos datos y los códigos de cada uno de los artículos a que acabamos de hacer referencia deben conservarse en los registros de la compañía marítima para permitir a las autoridades el control aduanero. Si fuera necesario, la aduana del puerto de destino debe transmitir por medios electrónicos a la aduana del puerto de partida los datos pertinentes de los manifiestos recibidos.

La compañía marítima debe notificar a las autoridades competentes toda infracción o irregularidad que conozca. Por su parte, la aduana del puerto de destino debe notificar sin demora toda infracción o irregularidad observada a la aduana del puerto de partida y a la aduana que haya emitido la autorización.

El régimen de tránsito de la Unión se considera finalizado cuando se presenten las mercancías a las autoridades aduaneras del puerto de destino y dispongan del manifiesto, transmitido por medios electrónicos.

RÉGIMEN DE DEPÓSITO ADUANERO

ÍNDICE

14 Régimen de depósito aduanero

14.1. CARACTERIZACIÓN

El régimen de depósito aduanero permite la introducción de mercancías y su almacenamiento sin que por tal circunstancia se exijan derechos de aduana, que no se devengarán en tanto no se conceda un distinto régimen aduanero que sí comporte la exigibilidad de tales derechos. Tampoco se aplicarán a las mercancías las medidas de política comercial, salvo aquellas que prohíban la entrada o la salida de mercancías en el TAU. La utilidad práctica de este régimen es incuestionable, puesto que da a los operadores económicos la oportunidad de diferir la decisión acerca del régimen que van a solicitar para las mercancías introducidas, gozando durante este tiempo de la posibilidad de no efectuar el ingreso de los tributos aduaneros que, de otro modo, hubieran debido satisfacer.

Paralelamente, este régimen puede utilizarse también para anticipar los efectos jurídicos que se derivan de la exportación de mercancías de la UE, de modo que los posibles beneficios que el ordenamiento eventualmente reconozca a favor de la exportación de determinadas mercancías pueden disfrutarse a partir del momento en que las mismas se incluyan en el depósito aduanero con carácter previo a su exportación. De nuevo aquí el interés práctico para el operador es evidente, puesto que obtiene una ventaja, derivada en este caso del anticipo del disfrute de unos beneficios que, en principio, sólo se consiguen al efectuar la exportación de las mercancías.

> No obstante, debe tenerse en cuenta que el Reglamento (CE) nº 1713/2006, de la Comisión, de 20 de noviembre de 2006, que suprime la prefinanciación de las restituciones a la exportación en el caso de determinados productos agrícolas (DO L 321, de 21.11.2006) derogó el Reglamento (CEE) nº 565/80, relativo al pago por anticipado de las restituciones a la exportación para los productos agrícolas, por considerar que tal pago anticipado ya no se encuentra justificado.
>
> La producción de los efectos jurídicos asociados a la exportación, derivada de la inclusión de las mercancías en el régimen de depósito aduanero, sí puede ser relevante de cara a la obtención de una condonación o devolución de derechos (artículo 237.2 CAU). La condonación y devolución de derechos se examina en el capítulo 28.

Por su propia naturaleza y, siguiendo la nota general que ya hemos avanzado acerca de los regímenes especiales, el régimen de depósito aduanero constituye una situación provisional de las mercancías, a la espera de su despacho a libre práctica o bien la inclusión en algún otro régimen (o a su exportación). Ahora bien, a diferencia de lo que ocurre en el ordenamiento aduanero de otros países, la autorización de la inclusión en el régimen de depósito tiene, en general, un carácter indefinido, con lo que su duración no vendrá limitada *ex ante* (artículo 238.1 CAU). No obstante, se prevé que las autoridades puedan, excepcionalmente, fijar un plazo dentro del cual el depositante deba dar a las mercancías un nuevo régimen aduanero. Esto puede ocurrir, por ejemplo, tratándose de un almacenamiento de larga duración si, atendido el tipo y la naturaleza de las mercancías, estas puedan constituir una amenaza para la salud pública, la sanidad animal o la fitosanidad o para el medio ambiente.

> Por lo que hace a la duración del almacenamiento en régimen de depósito aduanero, el Convenio de Kioto establece que en el caso de mercancías no perecederas no será inferior a un año (norma 11 del Capítulo 1 del Anexo Específico D).

En el CAU el régimen de depósito aduanero se encuadra entre los regímenes especiales, dentro del régimen de depósito, en el que también se integra el régimen de zona franca.

2. Regímenes especiales		
	B) Depósito	
		i) Depósito aduanero ii) Zona Franca

Al hilo de su adscripción a los regímenes especiales, conviene recordar, no obstante, que el régimen de depósito (que incluye depósito aduanero y zona franca) no se sujeta a autorización, de modo que para incluir mercancías en este régimen basta con solicitarlo en la declaración en aduana. Distinto es que, para operar un almacén como depósito aduanero, sí se requiere autorización.

Las mercancías incluidas en el régimen de depósito aduanero se deben colocar en lugares autorizados, que generalmente serán los que se denominan "depósitos aduaneros", si bien cabe que la autorización para incluir las mercancías en régimen de depósito aduanero permita que se coloquen en un recinto que no sea un depósito aduanero, como puedan ser los almacenes o instalaciones del propio importador. Por otro lado, ha de tenerse en cuenta que los recintos en los que se colocan mercancías en régimen de depósito aduanero pueden ser utilizados también para colocar mercancías en situación de depósito temporal o mercancías ya despachadas a libre práctica, pero por las que no se ha satisfecho el IVA y/o los Impuestos Especiales que gravan la importación (almacén fiscal).

La regulación europea del régimen de depósito aduanero se contiene en los artículos 237 a 242 del CAU y en los artículos 201 a 203 RDCAU.

	CAU	RDCAU	RECAU
Regulación del régimen de depósito aduanero	237-242	1(32) y (33), 177, 201-203	-

Por otra parte, en el ordenamiento español debemos añadir dos normas en materia de depósito aduanero:

Regulación
- La Orden del M° Economía y Hacienda de 26.11.1992, relativa a los depósitos aduaneros (BOE 17.12.1992); y
- Resolución de 18 de junio de 2003, del Departamento de Aduanas e Impuestos Especiales de la Agencia Estatal de Administración Tributaria, por la que se dictan instrucciones de funcionamiento de los depósitos aduaneros y distintos de los aduaneros (BOE 06.08.2003).

LEGISLACIÓN

Por lo demás, debemos recordar que son aplicables al régimen de depósito aduanero las reglas comunes que se analizan respecto de los regímenes especiales en el capítulo 12. Tanto el régimen de las autorizaciones (para operar un depósito aduanero), como los requisitos en materia de llevanza de registros, el régimen de las operaciones de transferencia y de la circulación de mercancías, el listado de lo que se consideran manipulaciones usuales, la posibilidad de utilizar mercancías equivalentes y la ultimación del régimen, van a seguir las reglas que ya se han expuesto en el capítulo 12, al que debemos remitirnos.

Características fundamentales del régimen de depósito aduanero	
Descripción	*Contenido*
Requiere autorización	No
Pago de derechos de aduana	No
Aplicación de las medidas de política comercial que prohíban la entrada en el TAU	Sí
Aplicación de las demás medidas de política comercial	No
Permite almacenamiento de mercancías	Sí
Permite "manipulaciones usuales"	Sí
Permite transformación	No

14.2. CLASIFICACIÓN DE LOS DEPÓSITOS ADUANEROS

Hemos señalado anteriormente que, con carácter general, las mercancías incluidas en el régimen de depósito aduanero se deben colocar en lugares autorizados, a los que también se suele denominar "depósitos aduaneros". En estos recintos las autoridades aduaneras someterán las mercancías a control.

Atendiendo al régimen jurídico que les resulte aplicable, los depósitos aduaneros pueden ser clasificados como "depósitos privados" o "depósitos públicos". A su vez, los depósitos públicos pueden ser de distintos tipos. El CAU ha modificado la regulación relativa a la clasificación y régimen de los diferentes tipos de depósito aduanero respecto de la normativa anterior (que se contenía en el artículo 525 RACAC). La clasificación de los distintos tipos de depósito que establece el CAU la podemos sistematizar como sigue (artículo 240 CAU y 203 RDCAU):

- *Depósitos públicos.* Se caracterizan porque en ellos puede depositar mercancías cualquier persona (depositante). Su titularidad puede ser pública (gestionado por las autoridades aduaneras) o privada. El titular del depósito es el "depositario". En función de la asunción de las responsabilidades relativas al sometimiento a la vigilancia aduanera y al cumplimiento de las obligaciones que resulten del almacenamiento de las mercancías en régimen de depósito aduanero, podemos distinguir dentro de esta categoría, a su vez:

Sujeto que asume la responsabilidad relativa al sometimiento a la vigilancia aduanera y cumplimiento de las obligaciones que resulten del almacenamiento de las mercancías en régimen de depósito aduanero	Tipo de depósito CAU	Tipo de depósito equivalente en el CAC
Depositario y depositante	Depósito tipo I	Depósito tipo A
Depositante	Depósito tipo II	Depósito tipo B
Depositante (depósito de gestión pública)	Depósito tipo III	Depósito tipo F

El CAU ha modificado las denominaciones pero, como puede verse en la tabla, es posible identificar un equivalente en la nueva normativa para cada uno de los tipos de depósito público que establecía el CAC (el anterior depósito tipo A se corresponde con el nuevo depósito tipo I; el anterior B con el nuevo tipo II; y el anterior F con el nuevo tipo III). Los depósitos de tipo II se conocen coloquialmente también como "depósito holandés".

El artículo 1 RDCAU define «depósito aduanero público de tipo I» en su apartado 32 ("depósito aduanero público cuando las responsabilidades contempladas en el artículo 242, apartado 1, del Código recaen en el titular de la autorización y el titular del régimen", es decir depositario y depositante), en tanto que «depósito aduanero público de tipo II» se define en el apartado 33 ("depósito aduanero público cuando las responsabilidades contempladas en el artículo 242, apartado 2, del Código recaen en el titular del régimen", es decir depositante).

Interesa observar que en España no existen depósitos de tipo III, es decir, del tipo gestionado por las autoridades aduaneras, sino que todos los depósitos son de gestión privada.

- *Depósitos privados.* La nota que los distingue estriba en que únicamente su titular puede depositar en ellos mercancías, de modo que la cualidad de depositante y la de depositario se funden en una misma persona, aunque no necesariamente este sujeto sea a su vez el propietario de las mercancías (su condición de depositante puede tener causa en otro título jurídico). El CAU no establece una subclasificación para este tipo de depósitos, a diferencia de la normativa anterior, que distinguía tres clases.

En la normativa anterior, el RACAC distinguía los siguientes tipos de depósito privado:

Características	Tipo de depósito
Si el despacho a libre práctica se efectuaba con arreglo al procedimiento de domiciliación* y podía ser concedido sobre la base de la especie, el valor en aduana y la cantidad de las mercancías considerados en el momento de su inclusión en el régimen (véase más abajo 14.5.1)	Depósito tipo D
Cuando se aplicase el régimen, aunque las mercancías no fueran necesariamente almacenadas en un lugar autorizado como depósito aduanero	Depósito tipo E
Tipo básico: cuando no fuera de aplicación ninguna de las situaciones particulares enumeradas en los supuestos precedentes	Depósito tipo C

(*) La simplificación de inscripción en los registros del declarante (anteriormente denominada "procedimiento de domiciliación") se examina en el capítulo 24.

> La normativa anterior disponía que las autorizaciones de depósito de tipo E podían permitir utilizar los procedimientos propios del depósito de tipo D. Los depósitos del tipo D eran también conocidos con el sobrenombre de "depósito alemán" y los de tipo E con el de "depósito ficticio".

Con el CAU desaparece el depósito de tipo D. No desaparece en cambio el depósito de tipo E puesto que, aunque no aparece explícitamente recogido como una variante de los depósitos privados, como hemos señalado antes cabe la posibilidad de autorizar la inclusión de mercancías en régimen de depósito aduanero en un lugar autorizado que no tenga la condición de depósito aduanero.

La autorización para operar un depósito aduanero señalará el tipo de depósito que se autoriza y designará el local o emplazamiento delimitado en que se localiza.

La *Guidance* de TAXUD sobre regímenes especiales señala que un lugar puede ser autorizado para operar a la vez como depósito aduanero (DA), como almacén de depósito temporal (ADT, aquellos en que permanecen las mercancías en tanto no se les da un destino aduanero) y/o como lugar de presentación de las mercancías ante la aduana (véase artículo 115 RDCAU), a condición de que pueda asegurarse la supervisión aduanera (p. 36).

La autorización puede decidir que las mercancías que precisen instalaciones especiales —ya sea porque entrañen un peligro, porque puedan alterar las demás mercancías o por otras razones— sólo puedan almacenarse en locales especialmente equipados al efecto (artículo 202 RDCAU).

El artículo 37 del Reglamento (CE) nº 612/2009 de la Comisión de 7 de julio de 2009, por el que se establecen disposiciones comunes de aplicación del régimen de restituciones por exportación de productos agrícolas, se refiere a los "almacenes de avituallamiento", como locales sometidos a control aduanero que permiten obtener al exportador la restitución de forma anticipada mediante prueba de que los productos de que se trate han sido depositados en ellos. El RACAC se refería a ellos en el artículo 526.4, que disponía que los depósitos de los tipos A, C, D y E podían ser autorizados como depósito de avituallamiento. El CAU omite cualquier referencia a ellos, habida cuenta de la supresión de la posibilidad de anticipar la obtención de restituciones.

Régimen transitorio.– Dada la modificación en la normativa que regula la tipología de depósitos aduaneros se ha establecido un régimen transitorio respecto de autorizaciones de depósito aduanero concedidas bajo la vigencia de la normativa anterior, es decir, con anterioridad a 1 de mayo de 2016.

El artículo 251 RDCAU dispone que las autorizaciones concedidas antes de 1 de mayo de 2016 conservan su validez, si bien estas autorizaciones quedarán sujetas en su aplicación al régimen jurídico que dispone el CAU, todo ello según la relación de equivalencia que se dispone en el Anexo 90 RDCAU (artículo 254 RDCAU). Son los apartados 17 a 22 de este Anexo los que establecen el régimen aplicable a cada tipo de autorización de almacén de depósito aduanero, según el detalle que señalamos en la tabla que sigue:

Autorización concedida bajo la vigencia del CAC	Régimen aplicable conforme al CAU
Depósito tipo A	Depósito público tipo I
Depósito tipo B	Depósito público tipo II
Depósito tipo C	Depósito privado
Depósito tipo D	Depósito privado

Autorización concedida bajo la vigencia del CAC	Régimen aplicable conforme al CAU
Depósito tipo E	Depósito privado
Depósito tipo F	Depósito público tipo III

Las autorizaciones concedidas antes de 1 de mayo de 2016 que, como hemos indicado, conservan su eficacia bajo la nueva normativa adaptando su régimen a la nueva regulación según las equivalencias que señalamos en la tabla de arriba, debieron sujetarse a una reevaluación que se realizó hasta el 1 de mayo de 2019 (artículo 250 RDCAU). La reevaluación es un examen a fin de determinar la procedencia de la autorización y, en caso afirmativo, las condiciones que deben aplicarse a la misma. De este modo, el régimen transitorio concluyó en la referida fecha de 1 de mayo de 2019.

14.3. RÉGIMEN JURÍDICO DEL DEPOSITARIO

El "depositario" es la persona (física o jurídica) autorizada para gestionar el depósito aduanero. Salvo en los depósitos gestionados por las propias autoridades aduaneras (depósito de tipo III, a los que la anterior normativa designaba como tipo "F"), la condición de depositario tiene como presupuesto la concesión de una autorización, para cuya obtención deberá formularse la oportuna solicitud por escrito, que en España deberá dirigirse al DAAeIIEE. En ella deberá acreditarse la necesidad de almacenamiento que la justifica, puesto que no debe perderse de vista que la autorización va a comportar un incremento de las labores de control por parte de las autoridades. Se persigue, en definitiva, que el mayor esfuerzo que se pide a las autoridades venga justificado en una necesidad por parte de los operadores económicos de contar con esta nueva oferta de depósito. Por esta misma razón, si bien la autorización para gestionar un depósito tiene en principio validez indefinida, en caso de que las autoridades considerasen que el depósito no se está utilizando o que el grado en que se está utilizando es insuficiente para justificar su mantenimiento, podrán revocar la autorización concedida. En el análisis previo a la concesión de la autorización se tendrá en cuenta, entre otras cosas, el tipo de depósito y los procedimientos que puedan aplicarse. Con carácter general, la autorización no se concederá cuando los locales de un depósito aduanero o las instalaciones de almacenamiento se utilicen para la venta al por menor (artículo 201 RDCAU).

Por excepción a esta regla, sí podrá autorizarse un depósito en el que se vendan mercancías al por menor con exención de derechos de importación a viajeros con destino a terceros países; en supuestos en que resulte aplicable la franquicia prevista en el marco de acuerdos diplomáticos o consulares, así como la prevista a favor de los miembros de organizaciones internacionales o a fuerzas de la OTAN. También cabe autorizar un depósito aduanero que vaya a utilizarse para realizar ventas al por menor cuando se trate de ventas a distancia, incluidas ventas por internet (artículo 201 RDCAU).

La denegación de la autorización para la venta al por menor se dirige, entre otros fines, a evitar que los compradores deban presentar la declaración en aduana de despacho a libre práctica y de IVA a la importación a la salida del depósito. En cambio, en el caso de las ventas a distancia (ventas a consumidores establecidos fuera del ámbito de aplicación del IVA español, incluidas ventas a través de comercio electrónico), las mercancías se despachan por el vendedor a la salida del depósito y también es en este caso el vendedor quien debe liquidar el IVA correspondiente (artículo 68.Tres LIVA).

En España la Resolución del Departamento de Aduanas e IIEE de 18.06.2003 (BOE 06.08.2003) establece los documentos que deben acompañarse a la solicitud de autorización de un depósito. Se exige, por otro lado, que el solicitante utilice medios electrónicos de comunicación con la Administración tributaria.

El régimen jurídico de las autorizaciones en el marco de los regímenes especiales se examina en el capítulo 12, al que ahora nos remitimos para evitar repeticiones innecesarias.

Recordemos, no obstante, que la autorización se sujeta a los requisitos siguientes:
– El beneficiario debe estar establecido en el TAU (aunque este requisito admite alguna excepción);
– El beneficiario debe asegurar la buena ejecución de las operaciones;
– El beneficiario debe constituir una garantía respecto de mercancías incluidas en un régimen especial en caso de que pueda originarse una deuda (aduanera o por otros gravámenes);
– La vigilancia aduanera requerida para un adecuado control de la actividad no debe obligar a las autoridades a poner en marcha un dispositivo administrativo desproporcionado en relación con las necesidades económicas de que se trate.

Asimismo, insistamos en que la autorización para utilizar un régimen especial debe ser solicitada por el interesado, mediante la aportación de los elementos de datos que se indican en el Anexo A RDCAU (columna "8e").

Uno de los requisitos para obtener la autorización de la gestión del depósito consiste en que el depositario debe prestar una garantía suficiente que asegure el cumplimiento de sus responsabilidades, cuyo importe se fijará por las autoridades en cada caso atendiendo a la cantidad y la naturaleza de las mercancías depositadas y a los derechos y gravámenes susceptibles de resultar exigibles (incluyendo IVA e Impuestos Especiales). En España, la Resolución de 18.06.2003 señala que esa garantía deberá ofrecerse en forma de fianza.

Los derechos y obligaciones del depositante pueden cederse a un tercero con el acuerdo de las autoridades aduaneras (véase lo que se expone en materia de operaciones de transferencia en el capítulo 12.2.2).

Por otra parte, una obligación fundamental para la gestión del régimen consiste en la llevanza de registros (lo que en el CAC se denominaba, de forma muy descriptiva, como "contabilidad de existencias"). Entre otras funciones, sin duda, la fundamental que deben cumplir estos registros consiste en permitir la trazabilidad de las entradas y salidas de mercancías del depósito y, por ende, la identificación de las mercancías que permanecen en él en cada momento. La llevanza de registros será obligación del depositario en los depósitos privados y también en los depósitos públicos de tipo I (en los que la responsabilidad es del depositario). En los depósitos públicos de tipo II esta responsabilidad incumbe, en principio, al depositante, en tanto que en los depósitos públicos de tipo III, al ser gestionados por las autoridades, pueden flexibilizarse los requisitos de control. Por lo demás, nos remitimos a las reglas generales sobre registros que se examinan en el capítulo 12.

14.4. RÉGIMEN JURÍDICO DEL DEPOSITANTE

El "depositante" es el sujeto que queda vinculado por la declaración de inclusión en el régimen. Insistimos en que la inclusión de mercancías en el régimen de depósito aduanero no requiere autorización previa. Al declarante —o, en su caso, a la persona que de él haya recibido sus derechos y obligaciones— compete la responsabilidad derivada de las obligaciones que comporta la inclusión en el régimen (artículo 242.3 CAU). Además de esta responsabilidad, tratándose de depósitos públicos, la autorización puede transferir al depositante algunas de las responsabilidades que, en principio, corresponden al depositario, según hemos indicado al referirnos a aquél.

> El Convenio de Kioto establece que se permita la cesión de las mercancías depositadas (norma 12 del Capítulo 1 del Anexo Específico D).

En caso de que, como consecuencia del incumplimiento de las obligaciones del régimen, naciera una deuda aduanera, la posición de responsabilidad del depositante lo convertiría en deudor de esa deuda. Obsérvese que el depositante es quien asume la responsabilidad de sometimiento a la vigilancia aduanera y por el cumplimiento de las obligaciones que resulten del régimen de depósito aduanero en todos los tipos de depósito y, únicamente en el depósito público de tipo I, la comparte con el depositario.

14.5. FUNCIONAMIENTO DEL RÉGIMEN

14.5.1. *Mercancías vinculadas al régimen*

Si las mercancías que se introducen no son de la Unión, se deberán presentar en la aduana de control (o, si se ha obtenido autorización para ello, en otra aduana distinta), y deberá formularse la declaración aduanera en la que se solicita la inclusión en el régimen de depósito aduanero, tras lo cual las mercancías deberán transportarse a la mayor brevedad a los locales del depósito.

Si se trata de un depósito tipo A (es decir, depósito público tipo I, en el que el depositario asume la responsabilidad), la Res. 18.06.2003 exige que el depositario emita un mensaje de aceptación de las mercancías antes de que las mismas se puedan incluir en el régimen.

Hemos señalado que el régimen de depósito puede también servir para anticipar el goce de los beneficios que puedan derivarse de la exportación de mercancías de la Unión. El artículo 237.3 CAU dispone que las mercancías de la Unión almacenadas en un almacén que sirva de depósito aduanero no se consideran incluidas en el régimen de depósito aduanero. Por otro lado, supedita la autorización de esta posibilidad a la existencia de una necesidad económica que la justifique y a que no se comprometa la vigilancia aduanera. En particular, esto último comporta que pueda identificarse en cualquier momento el estatuto aduanero de cada una de las mercancías depositadas.

Para estos supuestos de utilización de una misma instalación de almacenamiento para el depósito aduanero conjunto de mercancías de la Unión y mercancías no pertenecientes a la Unión, el artículo 177 RDCAU establece que la autorización para operar instalaciones de depósito aduanero debe establecer que se proceda a una separación contable con respecto a cada tipo de mercancía, estatuto aduanero y, cuando proceda, origen de las mercancías.

En la normativa anterior cabía no exigir la identificación del estatuto aduanero de cada mercancía si las mercancías depositadas eran equivalentes entre sí, es decir, de la misma subpartida de la nomenclatura combinada, de la misma calidad comercial y de las mismas características técnicas.

Insistimos en que el Reglamento (CE) nº 1713/2006, de la Comisión, de 20 de noviembre de 2006, que suprime la prefinanciación de las restituciones a la exportación en el caso de determinados productos agrícolas (DO L 321, de 21.11.2006) derogó el Reglamento (CEE) nº 565/80, relativo al pago por anticipado de las restituciones a la exportación para los productos agrícolas (al que sigue remitiéndose el artículo 524 RACAC). Ahora bien, la colocación de mercancías de la UE en un depósito aduanero sí puede ser relevante de cara a la condonación y devolución de derechos de aduana.

Téngase en cuenta también que, en virtud del artículo 177bis RDCAU, la autorización para la utilización del régimen de destino final debe determinar los medios y métodos de identificación y de control aduanero aplicados al almacenamiento de mezclas de productos sujetos a vigilancia aduanera comprendidos en los capítulos 27 y 29 de la nomenclatura combinada (relativos, por una parte, a combustibles minerales, aceites minerales y productos de su destilación; materias bituminosas; ceras minerales; y, por otra parte, productos químicos orgánicos), o de productos a base de aceites crudos de petróleo comprendidos en el código NC 2709 00. Si los referidos productos no están comprendidos en el mismo código NC de ocho dígitos, o no comparten la misma calidad comercial ni las mismas características técnicas y físicas, sólo se concederá la autorización para el almacenamiento de mezclas si estas están enteramente destinadas a uno de los tratamientos mencionados en la nota complementaria 5 del capítulo 27 de la nomenclatura combinada.

Acerca del tratamiento de las mezclas en el régimen de depósito aduanero (también en situación de depósito temporal), en España la Agencia Tributaria ha elaborado la Nota Informativa NI DTO-RA 01/2019 de 11 de diciembre, sobre almacenamiento y mezclas de mercancías a granel en depósito temporal y en régimen de depósito temporal y en régimen de depósito aduanero, en la que,

entre otras cuestiones, se determinan las condiciones en las que cabe mezclar o almacenar conjuntamente mercancías en régimen de depósito aduanero y se establecen las condiciones con arreglo a las
cuales se consideran manipulaciones usuales las mezclas de una mercancía perteneciente a la Unión
con otra no perteneciente a la Unión.

Por otra parte, la *Guidance* sobre regímenes especiales observa que, a fin de poder utilizar un sistema de separación contable respecto de materias fungibles originarias y no originarias que se utilicen
en la elaboración o transformación de un producto con vistas a su exportación aprovechando una
norma de acumulación bilateral (supuesto que se regula en el artículo 58 RDCAU), se requiere
una autorización específica, distinta de la autorización general para poder gestionar un depósito
aduanero (pp. 36-37).

A la entrada de las mercancías en el depósito —sean estas de la Unión o no— se procederá a efectuar la correspondiente inscripción en los registros. Esta anotación se realizará en el momento de la llegada de las mercancías a las instalaciones de almacenamiento
del titular si se trata de un recinto que no tiene la condición de depósito aduanero (es
decir, el anteriormente conocido como depósito de tipo E o "depósito ficticio"). En todo
momento los registros deben reflejar el estado de las existencias de mercancías incluidas
en el régimen de depósito aduanero y, como medida de control, el depositario deberá
presentar a la aduana de control, en los plazos fijados por las autoridades aduaneras, una
relación de las existencias.

La STJUE *Eurogate* (asunto C-28/11, de 06.09.2012) decidió que el incumplimiento de la obligación de inscribir en los registros la salida de la mercancía de un depósito aduanero, a más tardar en el
momento en que se produce esa salida, hace nacer una deuda aduanera respecto a dicha mercancía,
aun cuando ésta haya sido reexportada.

Puesto que los depósitos aduaneros pueden ser utilizados para el depósito temporal que media
entre la declaración sumaria y la admisión de la declaración para solicitar un régimen aduanero, las
mercancías que ya figurasen en el depósito con este carácter provisional deberán ser objeto asimismo de la oportuna inscripción si efectivamente se solicita la inclusión en el régimen de depósito
aduanero. En este caso la inscripción en los registros se efectuará en el momento de la aceptación de
la declaración de inclusión en el régimen.

Durante su permanencia en el depósito aduanero las mercancías pueden ser objeto
de una serie de manipulaciones mínimas, denominadas "manipulaciones usuales", que
se relacionan en el anexo 71-03 RDCAU, y que estarán destinadas a garantizar su conservación, a mejorar su presentación o su calidad comercial o a preparar su distribución
o su reventa (artículo 220 CAU y 180 RDCAU). El listado de manipulaciones usuales
se recoge en el capítulo 12.3.4. En cualquier caso, las manipulaciones no deben pre-
dominar sobre la actividad de almacenamiento. Estas deben venir autorizadas por las
autoridades aduaneras, bien sea: a) con carácter genérico, en la propia autorización para
gestionar el depósito respecto de las mercancías que en él se incluyan; o b) caso por caso,
previamente a que las manipulaciones puedan llevarse a cabo, solicitándose por escrito

a las autoridades. Las manipulaciones usuales pueden quedar prohibidas, en casos particulares, respecto de mercancías sometidas a la Política Agrícola Común (PAC), cuando ello esté justificado en el buen funcionamiento de la organización común de mercados.

> En su Sentencia *Comisión/Holanda* (asunto 49/82, de 20.04.1983, p. 10) el TJUE destacó que el propósito esencial del depósito aduanero consiste en facilitar el almacenaje de las mercancías, lo que justifica la restricción de las operaciones de manipulación que pueden llevarse a cabo en este régimen. Conforme al criterio del Tribunal, no se pretende permitir a través de esas manipulaciones que las mercancías pasen de un estadio de comercialización a otro (en aquél asunto se trataba del envasado de mantequilla en pequeños envases) y se requiere una disposición expresa para establecer una excepción a esta regla en caso de determinadas operaciones relativas a productos específicos. Por su parte, la STJUE *Metelmann* (asunto 276/84, de 12.12.1985, p. 9) apreció que las manipulaciones usuales no comprenden el re-envasado en unidades distintas.
>
> El Convenio de Kioto se refiere a las operaciones que pueden autorizarse en el régimen de depósito aduanero en su norma 10 del Capítulo 1 del Anexo Específico D. Se refieren actividades como el reconocimiento de las mercancías, extracción de muestras, las operaciones necesarias para asegurar su conservación, y toda otra operación de manipulación corriente que sea necesaria a fin de mejorar su embalaje o su calidad comercial o de acondicionarlas para el transporte, tales como la división o el agrupamiento de bultos, la calificación y la clasificación de las mercancías y el cambio de embalaje.

Si, respecto de las mercancías depositadas, se generase ulteriormente una deuda aduanera, el declarante podrá solicitar que se calculen los derechos de aduana tomando en consideración la especie, el valor y la cantidad de las mercancías en el momento en que la deuda nazca, pero sin incluir el coste de las manipulaciones usuales (artículo 86.1 CAU). Esto supone que el valor en aduana no comprenderá los gastos de almacenamiento y conservación durante la estancia de las mercancías en el depósito aduanero, siempre que estos gastos se distingan del precio de las mercancías. En este caso, en los registros deberá constar el valor en aduana de las mercancías antes de someterse a las manipulaciones usuales. Por otro lado, cabe también que la clasificación arancelaria de las mercancías se altere como resultado de las manipulaciones usuales llevadas a cabo en el TAU. Para estos supuestos, el artículo 86.2 CAU ordena que, a solicitud del declarante, pueda aplicarse la clasificación original de las mercancías incluidas en el régimen. Esta fórmula de cálculo, no obstante, puede aplicarse también a iniciativa de las autoridades (es decir, "de oficio") cuando con ello se logre impedir la elusión de otras medidas arancelarias, como derechos antidumping, derechos compensatorios, medidas de salvaguardia y también otras medidas específicas en el marco de la PAC.

> En *Guidelines on Customs Debt* (p. 11) se señala que, en caso de que en un primer momento las mercancías se incluyan en el régimen de perfeccionamiento o de destino final, posteriormente se incluyan en el régimen de depósito aduanero y finalmente se despachen a libre práctica, no debe señalarse el régimen de depósito aduanero como régimen previo al de libre práctica sino que, según corresponda, debe señalarse como régimen previo el de perfeccionamiento o de destino final y, de-

pendiendo del régimen de que se trate en cada caso, cabrá aplicar las reglas específicas sobre deuda aduanera establecidas para el mismo en el artículo 86 CAU.

Por otra parte, debe señalarse que el Convenio de Kioto dispone que se permita que las mercancías deterioradas o averiadas como consecuencia de un accidente o por motivos de fuerza mayor antes de su partida del depósito sean importadas para el consumo como si hubieran sido importadas en ese estado de deterioro o estropeadas de esa manera, a condición que el deterioro mencionado sea debidamente probado a satisfacción de la Aduana (norma 13 del Capítulo 1 del Anexo Específico D).

Se contempla la posibilidad de que las mercancías sean retiradas temporalmente del depósito, contando previamente con la oportuna autorización administrativa que, entre otros extremos, fijará el plazo por el que pueden retirarse (la normativa anterior disponía que, en principio, este plazo no excedería de 3 meses, si bien podía ser objeto de prórroga). La autorización para la retirada de mercancías puede obtenerse a posteriori en caso de fuerza mayor (artículo 240.3 CAU). La retirada temporal de las mercancías del depósito deberá hacerse constar en los registros.

De nuevo cuando así se autorice, las mercancías podrán asimismo ser trasladadas de un depósito a otro (o a otro lugar). Durante el período en que las mercancías se encuentren fuera del depósito podrán seguir sometiéndose a manipulaciones usuales, según las reglas generales del régimen. Véase lo señalado respecto de la circulación en el marco de los regímenes especiales en el capítulo 12.2.3.

Como hemos apuntado, el régimen de depósito aduanero es consustancialmente transitorio, por más que pueda tener una duración indefinida. Salvo en supuestos infrecuentes (destrucción total o pérdida irremediable de las mercancías o abandono) su conclusión ("ultimación") se producirá cuando las mercancías sean declaradas para otro régimen aduanero. Al igual que ocurría con la entrada de mercancías en el depósito, la ultimación del régimen se hará constar en los registros, a más tardar, en el propio momento de la salida de las mercancías del depósito aduanero o de las instalaciones de almacenamiento del titular.

En este punto interesa asimismo destacar que el Convenio de Kioto establece unas restricciones a la recomendación general relativa a permitir almacenar en depósitos aduaneros públicos toda clase de mercancías importadas. Estas restricciones son las que derivan de la moralidad u orden público, seguridad pública, higiene o salud pública o por consideraciones veterinarias o fitosanitarias, así como en razón de la protección de patentes, marcas registradas y derechos de autor, todo ello independientemente de su cantidad, país de origen, procedencia o destino. Por otro lado se recomienda que las mercancías que constituyan un peligro o que puedan afectar a otras o que requieran instalaciones especiales deberían ser aceptadas solamente en depósitos aduaneros especialmente diseñados para recibirlas (práctica recomendada 5 del Capítulo 1 del Anexo Específico D).

14.5.2. Mercancías no vinculadas al régimen

En el recinto de un depósito aduanero pueden asimismo almacenarse mercancías —de la Unión o no— que no se encuentren incluidas en el régimen de depósito sino en el régimen de perfeccionamiento activo o en el régimen de destino final (artículo 241 CAU). Para que ello sea posible debe contarse con la oportuna autorización de las autoridades, que examinarán la necesidad económica en que se sustenta esta solicitud y verificarán que no se compromete la vigilancia aduanera.

En estos casos las mercancías no se sujetan a las disposiciones que regulan el régimen de depósito aduanero, dado que no se consideran incluidas en este régimen y, en su lugar, quedarán sujetas a las disposiciones que se establecen para el régimen de que se trate (es decir, para el régimen de perfeccionamiento o para el régimen de destino final). De modo que, por lo que hace a su régimen jurídico (operaciones a que pueden ser sometidas, formalidades que deben cumplirse y, en general, su estatuto aduanero), nos remitimos a lo que se expone en los capítulos 17, 18 y 19. Señalemos, no obstante, que la autorización puede establecer algunas peculiaridades de índole formal, como por ejemplo la inscripción en los registros con ocasión de la entrada física de las mercancías en el depósito, a fin de posibilitar el control aduanero. Y, por otro lado, las anotaciones en los registros deben permitir a las autoridades comprobar en cualquier momento la situación exacta de todas las mercancías o productos que se encuentren incluidos en uno de tales regímenes.

Observemos que el almacenamiento conjunto, en un mismo recinto, de mercancías en régimen de depósito aduanero y de mercancías incluidas en otro régimen comportará la exigencia con mayor rigor de la llevanza de registros, que habrán de permitir la identificación de las mercancías en todo momento y su distinción de las demás, para lo cual se pueden establecer reglas específicas. Puede autorizarse el almacenamiento conjunto de mercancías cuando sea imposible identificar en cualquier momento el estatuto aduanero de cada una de ellas, pero en tal caso las mercancías almacenadas conjuntamente deben compartir la misma clasificación arancelaria al nivel de ocho dígitos, presentar la misma calidad comercial y poseer las mismas características técnicas. Como parece lógico, cuando las mercancías almacenadas conjuntamente incluidas en el depósito aduanero sean declaradas para un régimen aduanero no puede ocurrir que se le asigne estatuto aduanero de la UE a una cantidad superior de mercancías que las que tengan efectivamente este estatuto.

ZONA FRANCA

ÍNDICE

15 Zona franca

15.1. CARACTERIZACIÓN

Tradicionalmente las zonas francas han sido consideradas como lugares situados en el interior del territorio aduanero de la Unión (TAU) que, ello no obstante, recibían un tratamiento muy similar al de los territorios situados fuera de él. Eran como un enclave en el TAU que, a efectos jurídicos, operaba en buena medida como si no formara parte de él.

> El Convenio de Kioto se refiere a las zonas francas en el capítulo 2 del Anexo Específico D. Allí se define zona franca como "una parte del territorio de una Parte Contratante en el que las mercancías allí introducidas se considerarán generalmente como si no estuviesen dentro del territorio aduanero, en lo que respecta a los derechos y los impuestos a la importación". Obsérvese que esta definición, como en general las disposiciones de este capítulo del Convenio de Kioto, omiten referirse al régimen aplicable respecto de las medidas de política comercial, centrándose más bien en las formalidades aplicables y la no sujeción a derechos.

El CAU no define el régimen de zona franca. Como régimen especial, le son aplicables las disposiciones de los artículos 210 a 225 CAU (así como los artículos 161 a 183 RDCAU y 258 a 271 RECAU). Y, puesto que el régimen de zona franca se convierte en una variante del régimen especial de depósito, le son aplicables las disposiciones comunes que, para este régimen, se establecen en los artículos 237 a 239 CAU. De este modo, en la zona franca pueden almacenarse mercancías no pertenecientes a la Unión sin que por ello queden sujetas a derechos de importación ni otros gravámenes y sin que se les apliquen medidas de política comercial, salvo aquéllas que prohíban la entrada de mercancías en el TAU o su salida de él.

También la mercancías de la Unión pueden incluirse en una zona franca, produciéndose entonces los efectos que se establezcan en la normativa aplicable, que puede ser, tanto la propia normativa aduanera (en este sentido, la inclusión de las mercancías en zona franca puede ser un requisito al que se supedite la condonación o devolución de derechos de importación, según se expone en el capítulo 27), como la normativa de otros ámbitos (a este respecto, p.e., la introducción de mercancías en zona franca permite gozar de exención plena en el IVA).

2. Regímenes especiales		
B) Depósito		
		i) Depósito aduanero ii) Zona Franca

Las ventajas descritas comportan un tratamiento muy favorable para las actividades localizadas en estos territorios, fundamentalmente cuando tales actividades tienen en el exterior una parte importante de su mercado. Se explica así su potencial efecto de dinamización, que viene confirmado por el hecho de que el establecimiento de zonas francas constituye una medida que usualmente aparece ligada al fomento de la actividad económica en la región en la que se implantan.

> Las especialidades tributarias de las zonas y depósitos francos no quedan limitadas al ámbito de los tributos aduaneros, ni siquiera al más amplio de la imposición indirecta. Las especialidades alcanzan también a figuras de la imposición directa (Impuesto sobre Sociedades), de manera que la recaudación por este impuesto pasa a engrosar el presupuesto de los Consorcios encargados de su gestión, todo ello con el objetivo de conseguir el fomento de la actividad económica en estas zonas (véase el Real Decreto Legislativo 1/1999, BOE 28.12.1999, modificado por Ley 53/2002).

No obstante lo anterior, las mercancías que se introducen en una zona franca quedan sometidas a una serie de limitaciones que evidencian que no estamos —a diferencia de lo que la concepción tradicional pudiera sugerir— ante una excepción geográfica en el ámbito de sujeción de los tributos aduaneros. Las normas aduaneras, en particular, exigen el respeto de una serie de deberes formales y fijan requisitos y límites respecto de la utilización de las mercancías en el interior de la zona franca. Paralelamente, además, las ventajas que comporta la introducción de mercancías en una zona franca justifican la necesidad de establecer controles que impidan su disfrute inadecuado o el abuso de las mismas, sujetando a este fin a las mercancías a vigilancia aduanera.

Sin perjuicio de entrar en el detalle de estas cuestiones más adelante, sí interesa destacar en este punto, a fin de perfilar el contenido fundamental del régimen, que las mercancías incluidas en el régimen de zona franca, en principio, no pueden ser objeto de transformación, pues, al igual que ya señalamos para el régimen de depósito aduanero, tan sólo caben las actividades de almacenamiento y las denominadas "manipulaciones usuales", dirigidas a conservar las mercancías en buen estado (a las que se refieren los artículos 220 CAU y 180 RDCAU y que aparecen listadas en el anexo 71-03 RDCAU). Ahora bien, las mercancías situadas en zona franca pueden incluirse en otros regímenes aduaneros distintos del de zona franca que sí permitan llevar a cabo esas actividades de transformación. En particular, las mercancías no pertenecientes a la Unión situadas en zona franca pueden ser despachadas a libre práctica o ser incluidas en los regímenes de perfeccionamiento activo, importación temporal o destino final. Ha de tenerse en cuenta que, en ese caso, las mercancías dejarán de estar incluidas en el régimen de zona franca (aunque físicamente sigan estando localizadas en una zona franca) y pasarán a sujetarse a la regulación establecida para el régimen aduanero de que se trate, es decir, a la regulación del despacho a libre práctica o de los regímenes de perfeccionamiento activo, importación temporal o destino final.

Características fundamentales del régimen de zona franca	
Descripción	**Contenido**
Pago de derechos de aduana	No
Aplicación de las medidas de política comercial que prohíban la entrada en el TAU	Sí
Aplicación de las demás medidas de política comercial	No
Permite almacenamiento de mercancías	Sí
Permite "manipulaciones usuales"	Sí
Permite transformación	No (1)

(1) Tal y como hemos señalado, para poder llevar a cabo transformaciones, las mercancías deben incluirse en otro régimen (libre práctica, perfeccionamiento, destino final), dejando de sujetarse entonces al régimen de zona franca, aunque físicamente se encuentren en una zona franca. Si sólo se desea utilizar las mercancías, además de los regímenes anteriores, cabe también la opción de incluirlas en el régimen de importación temporal.

La regulación europea del régimen de depósito se contiene en los artículos 237 a 239, en tanto que la específica del régimen de zona franca se encuentra en los artículos 243 a 249 del CAU. Ni el RDCAU ni el RECAU contienen preceptos específicamente dedicados a regular el régimen de zona franca.

	CAU	RDCAU	RECAU
Regulación del régimen de zona franca	237-239, 243-249	-	-

En España se refiere a las zonas francas la OM de 02.12.1992, por la que se dictan normas sobre zonas y depósitos francos (BOE 17.12.1992).

La referida Orden de 2 de diciembre de 1992 cabe entender que mantiene su vigencia por lo que hace a las disposiciones relativas a la autorización de una zona franca (es decir, su Capítulo 1, que comprende las disposiciones primera a tercera), pero no el resto (donde se regula la entrada, permanencia y funcionamiento, y la salida de las mercancías), en la medida en que no se ajusta al marco regulador que se establece en el CAU.

15.2. CREACIÓN DE UNA ZONA FRANCA

Desde un punto de vista físico, la zona franca es un territorio dentro del TAU cuyo perímetro debe encontrarse perfectamente delimitado y en el que los puntos de acceso y salida habrán sido establecidos por las autoridades de los Estados miembros. La zona franca debe estar cercada y, tanto el perímetro como los puntos de acceso y de salida, deben someterse a vigilancia aduanera. Ha de tenerse en cuenta que las mercancías que se encuentran en la zona franca gozan de exención de derechos de aduana a condición de que se mantengan en ese espacio físico. Si las mercancías salieran de forma irregular de la zona franca podrían introducirse en el mercado de la UE evitando el pago de los tributos aduaneros. Por eso es importante adoptar estas medidas dirigidas a permitir un adecuado control físico. Y, también por ese motivo, la entrada y la salida, tanto de personas, como de mercancías y medios de transporte, se podrán sujetar a controles aduaneros (artículo 243 CAU).

> El CAU ha simplificado la tipología de figuras anteriormente existente. Así, por una parte, ha suprimido la figura de los depósitos francos, que eran inmuebles o locales —no zonas o territorios, como en el caso de la zona franca— en los que se permitía incluir mercancías en régimen de zona franca. Con el CAU los depósitos francos se reconvierten en depósitos aduaneros (punto 25 del Anexo 90 RDCAU).
>
> Por otra parte, la normativa anterior diferenciaba dos tipos de zona franca (la de tipo I y la de tipo II). En el CAU hay un único tipo de zona franca, que corresponde con la anteriormente identificada con el tipo I, de modo que desaparece la modalidad de zona franca que se identificaba como tipo II. Este último tipo de zona franca se asemejaba al régimen de depósito aduanero, motivo por el cual las autorizaciones de zonas francas de tipo II pasan a considerarse autorizaciones de depósito aduanero (punto 24 del Anexo 90 RDCAU), en tanto que las mercancías que hubiesen sido incluidas en una zona franca de tipo II con anterioridad a 1 de mayo de 2016 (fecha de inicio de la aplicación del CAU) se considerarán incluidas, a partir de la referida fecha, en el régimen de depósito aduanero (artículo 349.3 RECAU).

La constitución de zonas francas es una competencia que corresponde a las autoridades de los Estados miembros, reconociéndose a cualquier persona la posibilidad de formular la oportuna solicitud en este sentido. A las autoridades de los Estados miembros corresponde también fijar los límites geográficos de las zonas francas, así como sus puntos de acceso y de salida.

La solicitud de autorización para crear una zona franca debe especificar el tipo de actividad para la que será utilizada y todos los demás datos que permitan a las autoridades aduaneras designadas por los Estados miembros evaluar los motivos que justifiquen la concesión de la autorización. Una vez recibida la solicitud, las autoridades aduaneras competentes concederán la autorización cuando ésta no interfiera en la aplicación de la normativa aduanera.

Las autoridades aduaneras de los Estados miembros deben comunicar a la Comisión las zonas francas existentes. A partir de estos datos, la Comisión publica en la serie C del Diario Oficial de la UE un listado de las zonas francas existentes en los diferentes Estados miembros.

ENLACE

La última lista disponible es de 06.04.2020 y puede consultarse en: https://ec.europa.eu/taxation_customs/document/download/ adcde3a5-4d3b-4c73-b8d2-d0bfd459814b_en

Para España el listado incluye las zonas francas de Barcelona, Cádiz, Vigo, Las Palmas de Gran Canaria, Sevilla, Santander y Tenerife. Entre las zonas francas más recientes, la constitución de la zona franca de Sevilla se autorizó mediante Orden HAP/1587/2013, de 30 de agosto (BOE 31.08.2013); la constitución de la zona franca de Santander se autorizó mediante Orden HAP/449/2016, de 30 de marzo (BOE 04.04.2016); la constitución de la zona franca de Santa Cruz de Tenerife se autorizó como zona franca de Tipo II (Orden EHA/93/2006, de 18 de enero, BOE 28.01.2006), que debían reconvertirse en depósito aduanero en virtud de lo previsto en el punto 25 del Anexo 90 RDCAU, por lo que se decidió su transformación para ajustarse a los requisitos establecidos para las zonas francas por el CAU (deben disponer de cerramiento perimetral) mediante Orden HFP/965/2017, de 05.10.2017 (BOE 10.10.2017). La zona franca de la bahía de Algeciras no figura todavía incluida en el listado, puesto que su constitución fue autorizada mediante la Orden HAC/979/2019, de 16 de septiembre (BOE 01.10.2019), en tanto que su Reglamento de régimen interior se aprobó en la Resolución de 18 de diciembre de 2019, del Departamento de Aduanas e Impuestos Especiales de la Agencia Estatal de Administración Tributaria (BOE 03.01.2020). Ténganse en cuenta también en esta materia la Orden HAC/546/2019, de 17 de abril, por la que se autoriza la ampliación de la Zona Franca de Sevilla (BOE 15.05.2019) y la Orden HAC/877/2019, de 11 de julio, por la que se autoriza la ampliación de la Zona Franca de Las Palmas de Gran Canaria (BOE 09.08.2019).

La regulación española en materia de zonas francas se completa con el Real Decreto Ley de 11 de junio de 1929, actualizado por el Real Decreto Legislativo 1/1999 (BOE 28.12.1999).

En España la competencia para autorizar la constitución de una zona franca corresponde al Ministro de Economía y Hacienda, tramitándose la solicitud ante el DAAeIIEE. A este Departamento compete asimismo conceder la autorización para construir y transformar inmuebles sitos en el interior de la zona franca.

La Orden de 2 de diciembre de 1992 regula el procedimiento de autorización, que se inicia mediante solicitud del interesado que debe incluir los siguientes elementos:

- Nombre y apellidos o razón social, número de identificación fiscal (NIF) y domicilio del solicitate;
- Descripción detallada de la ubicación, límites y accesos de los terrenos y/o de los locales e instalaciones con referencias a planos y croquis, así como características del cierre que los delimitará y acondicionamientos del mismo;

- Justificantes que acrediten la propiedad, arrendamiento o concesión administrativa de dichos terrenos y/o locales;
- Actividades de comercio exterior que se propone promocionar;
- Mercancías que se pretende introducir y, en particular, las que tengan estatuto de mercancías de la Unión, así como los tratamientos a que, en su caso, se someterán;
- Memoria de los tipos de actividades, tráficos y operaciones que pretende realizar;
- Descripción de los sistemas contables e informáticos previstos para la gestión de la zona franca;
- Proyecto de reglamento de régimen interior de la zona franca.

Formulada la solicitud, el DAAeIIEE puede requerir del interesado información complementaria, que de no aportarse en plazo conducirá a considerar que se desiste de la solicitud. También puede solicitar informes de autoridades y organismos competentes. Con todos estos elementos, el DA-AeIIEE debe formular una propuesta motivada que se eleva al Ministro para que resuelva. En su caso, la Orden de aprobación se publica en el BOE.

Conviene observar que, dado que la autorización para crear una zona franca es una "decisión" aduanera (término que se define en el artículo 5(39) CAU), el procedimiento para adoptarla debe ajustarse a las disposiciones que, con carácter general respecto de cualquier decisión aduanera, se establecen en los artículos 22 a 32 CAU. El régimen general de las decisiones se examina en el capítulo 21.3. Entre otros elementos, destaquemos que se prevé un trámite de audiencia previo a la adopción de la decisión de 30 días y que el plazo para resolver es, en principio de 120 días, si bien caben prórrogas, previa notificación al interesado de los motivos que la justifiquen.

En otro orden de cosas, es también competencia del DAAeIIEE autorizar el reglamento de régimen interior que regule las relaciones entre el titular y los operadores, así como el funcionamiento en la zona franca de almacenes de avituallamiento y la posibilidad de que la zona franca opere como depósito fiscal.

Por otra parte, la construcción de inmuebles dentro del perímetro de la zona franca queda asimismo supeditada a la previa obtención de una autorización de las autoridades aduaneras (artículo 244.1 CAU).

El artículo 247.2 CAU hace referencia a la posibilidad de que en las zonas francas opere un almacén de avituallamiento. Esta figura se regula en el artículo 37 del Reglamento (CE) nº 612/2009. Se trata de almacenes establecidos a los efectos de las restituciones por exportación de productos agrícolas, cuyo objeto es el avituallamiento en la UE: a) de buques destinados a la navegación marítima, o b) de aeronaves que cubran líneas internacionales, incluidas las líneas interiores de la UE, o c) de plataformas de perforación o de explotación. La inclusión en estos almacenes permitía al exportador obtener anticipadamente el importe de la restitución establecida en el marco de la PAC, posibilidad que debe entenderse desaparecida una vez que no se permite la anticipación de restituciones.

15.3. FUNCIONAMIENTO DE LAS ZONAS FRANCAS

15.3.1. *Autorización para la realización de actividades*

Ya hemos señalado que el régimen de zona franca no permite la utilización, transformación o consumo de las mercancías (únicamente permite el almacenamiento y las "manipulaciones usuales"), pero que, ello no obstante, es posible incluir mercancías que se encuentran físicamente en una zona franca en un régimen que sí permita llevar a cabo esas actividades (los regímenes de libre práctica, perfeccionamiento activo, destino final e importación temporal). Pues bien, a fin de poder realizar en una zona franca cualquier actividad de tipo industrial, comercial o de prestación de servicios, se debe disponer de una autorización previa de las autoridades (que normalmente será la propia autorización para crear la zona franca), en tanto que el ejercicio de esas actividades debe notificarse previamente a las autoridades (artículo 244.2 CAU). Las autoridades podrán establecer determinadas prohibiciones o limitaciones respecto de las actividades a realizar, atendida la naturaleza de las mercancías a que se refieran o en función de las necesidades de la vigilancia aduanera, así como atendiendo a los requisitos en materia de seguridad y protección. Las autoridades también podrán prohibir el ejercicio de una actividad en una zona franca a las personas que no ofrezcan las garantías necesarias respecto del cumplimiento de la normativa aduanera (artículo 244 CAU, apartados 3 y 4).

A fin de poder llevar a cabo su actividad, el titular del régimen y cualquier persona que efectúe una operación de almacenamiento, elaboración, transformación, compra o venta de mercancías en una zona franca está obligada a llevar unos registros, según se expone en el capítulo 12.2.1 (artículo 214 CAU). Recordemos que estos registros tienen por finalidad permitir a las autoridades aduaneras la vigilancia del régimen mediante la anotación en ellos de unos elementos de información que se detallan en el artículo 178 RDCAU y que se dirigen a identificar las mercancías incluidas en el régimen, su estatuto aduanero y su circulación.

> Entre los elementos de información que deben anotarse en estos registros aparecen, según se expone en el referido capítulo 12.2.1, dos que son exclusivos del régimen de zona franca, a saber, los datos que identifiquen los documentos de transporte relativos a las mercancías que entran o salen de las zonas francas y los datos relativos a la utilización o el consumo de mercancías cuyo despacho a libre práctica o importación temporal no implique la aplicación de derechos de importación o de medidas establecidas en el marco de la política comercial o agrícola común.

Siguiendo en materia de registros, recordemos que los OEA-Simplificaciones aduaneras se considerará que cumplen con su obligación de llevanza de los registros que estamos examinando cuando los registros que ya se les exigen por su condición de OEA resulten, por sí mismos, adecuados al fin de posibilitar el control del régimen especial de que se trate (artículo 214.2 CAU). Y, por otra parte, las autoridades pueden dispensar de la obligación de presentar parte de la información que debe contenerse en los registros cuando consideren que ello no afecta negativamente a la vigilancia aduanera y a los controles de la utilización de un régimen especial.

15.3.2. Entrada de mercancías

Con carácter general las mercancías que hayan de introducirse en una zona franca no precisan ser presentadas ni declaradas en aduana con ocasión de su entrada (artículos 158.1 y 245.2 CAU), bastando con la realización de la oportuna anotación en los registros del operador de que se trate en el momento en que se introduzcan en la zona franca. No obstante, esta regla general no rige en cuatro supuestos, en los que sí se exige la presentación de las mercancías y la realización de las formalidades aduaneras que correspondan (declaración) con ocasión de la introducción en zona franca. Son los siguientes (artículo 245.1 CAU):

- Cuando se trate de mercancías que entren en una zona franca directamente desde el exterior del TAU.

- Cuando las mercancías se encuentren incluidas en un determinado régimen y la entrada en la zona franca determine la finalización o ultimación de dicho régimen.

- Cuando la finalidad de la inclusión de las mercancías en la zona franca sea beneficiarse de una decisión de devolución o de condonación de los derechos de importación.

- Cuando una legislación distinta a la aduanera lo exija.

A este respecto, la regulación anterior incluía el supuesto de que se tratara de mercancías de la Unión para las que una regulación específica previese que podían beneficiarse de las medidas previstas a favor de la exportación con ocasión de su inclusión en zona franca.

Los dos primeros supuestos van a ser bastante frecuentes en la práctica (mercancías de terceros países que se introducen en zona franca directamente desde el exterior del TAU y mercancías para las que la introducción en zona franca supone la ultimación del régimen anterior), de manera que serán numerosas las introducciones de mercancías en zona franca que van a quedar sujetas a la presentación de una declaración en aduana.

> A este respecto ha de tenerse en cuenta que, conforme a lo dispuesto en el artículo 135.2 CAU, "Las mercancías introducidas en una zona franca *lo serán directamente*, bien por vía marítima o aérea o, en caso de que sea por vía terrestre, *sin pasar por otra parte del territorio aduanero de la Unión*, cuando se trate de una zona franca contigua a la frontera terrestre entre un Estado miembro y un tercer país".

Obsérvese, por el contrario, que, con carácter general, no se va a exigir declaración en aduana cuando se introduzcan en zona franca mercancías con estatuto aduanero de mercancías de la Unión (salvo que ello les permita aplicarse beneficios vinculados a la exportación).

Ahora bien, para las mercancías de la Unión que se introduzcan en zona franca lo habitual será solicitar la acreditación de su estatuto aduanero a fin de estar en condiciones de probarlo en un momento posterior.

> La posibilidad de solicitar a las autoridades que determinen el estatuto aduanero de las mercancías de la Unión que se introduzcan en la zona franca se establece en el artículo 246.2(a) CAU.

En cualquier caso, en los registros del operador sí deben consignarse las entradas y salidas de mercancías en la zona franca, a fin de permitir un adecuado control de las mismas.

> Recordemos que es el artículo 214 CAU el que impone la obligación de la llevanza de registros. En el caso de zona franca el obligado será el titular de la autorización, el titular del régimen y toda persona que ejerza una actividad de depósito.

La inclusión de mercancías en régimen de zona franca no queda sujeta a autorización previa, a diferencia de lo que ocurre con otros regímenes aduaneros (artículo 211.1 CAU). Tampoco se establece en la normativa de la UE la obligación de prestar garantía respecto de las mercancías incluidas en zona franca. Adicionalmente, debe tenerse en cuenta que, conforme a lo dispuesto en el artículo 89.7 CAU, están exentos de prestación de garantía los entes públicos respecto de las actividades en que participen como autoridades públicas, regla que puede alcanzar relevancia en relación a los consorcios que ostentan la titularidad de la autorización de la zona franca.

Las mercancías que se introduzcan en una zona franca se consideran incluidas en el régimen de zona franca en el mismo momento en que se produzca la referida introducción. Esta regla tiene tres excepciones (artículo 245.3 y 246.1 CAU). En primer lugar, las mercancías no se consideran incluidas en régimen de zona franca por su mera introducción en la zona franca si han sido incluidas previamente en otro régimen aduanero (recordemos que las mercancías situadas en una zona franca pueden estar en régimen de libre práctica, perfeccionamiento, destino final o importación temporal). En segundo lugar, si las mercancías han estado incluidas previamente en régimen de tránsito, pasarán a considerarse incluidas en el régimen de zona franca, no por la mera introducción en zona franca, sino cuando finalice el régimen de tránsito, salvo que cuando se produzca esta finalización se incluyan inmediatamente en otro régimen aduanero. Y, en tercer lugar, ha de tenerse en cuenta que las mercancías con estatuto aduanero de mercancías de la Unión no se consideran incluidas en régimen de zona franca por su introducción en zona franca.

> En el IVA, la colocación de mercancías en zona franca desde su entrada en el TAU comporta que no se entienda producido el hecho imponible importación, que no acaecerá hasta que las mercancías salgan de la zona franca con dirección al territorio IVA de la UE o bien cuando se incumplan las normas que regulan la entrada y permanencia de las mercancías en zona franca (artículo 18.Dos LIVA). Por otra parte, la entrega de mercancías que vayan a introducirse en zona franca goza asimismo de exención (artículo 23 LIVA).
>
> La *Guidance* de TAXUD sobre regímenes especiales incluye 4 ejemplos de mercancías colocadas en un régimen especial anterior (tránsito externo y perfeccionamiento activo) que se trasladan a una zona franca. Señala que, si previamente al traslado a la zona franca, el operador las presenta a la aduana y ultima el régimen especial previo, las mercancías pasan a considerarse en régimen de zona franca por su mero traslado al interior de ésta; en cambio, si las mercancías no se presentan ante la aduana, el régimen previo no se ultima y las mercancías se siguen considerando incluidas en el régimen especial previo, aunque físicamente se encuentren en una zona franca (pp. 39-40).

15.3.3. Régimen durante la permanencia en la zona franca

En principio, las mercancías pueden permanecer por tiempo indefinido en la zona franca. Ahora bien, cabe la posibilidad de que las autoridades aduaneras fijen un plazo máximo de ultimación. Entre otros supuestos, ello puede ocurrir cuando, atendido el tipo y la naturaleza de las mercancías, un almacenamiento de larga duración pueda constituir una amenaza para la salud pública, la sanidad animal o la fitosanidad o para el medio ambiente (artículo 238 CAU).

Durante el tiempo de permanencia de las mercancías en la zona franca, podrán llevarse a cabo las actividades industriales, comerciales o de prestación de servicios que fueron autorizadas para la zona franca de que se trate. Ha de tenerse en cuenta que, si se trata de mercancías no pertenecientes a la Unión, tanto la transformación como el uso y consumo de las mercancías debe realizarse al amparo de un régimen aduanero distinto al de zona franca (libre práctica, perfeccionamiento activo, importación temporal o destino final), puesto que este régimen tan sólo permite el almacenamiento y las "manipulaciones usuales".

Ahora bien, si no se aplican derechos de aduana ni medidas de política agrícola o comercial común a las mercancías de que se trate, sí cabe la utilización o el consumo de las mercancías, en la medida en que lo permita el régimen aduanero en que las mercancías se encuentren incluidas (cabe suponer, por tanto, que la norma está pensando en el régimen de perfeccionamiento activo o de destino final).

En estas circunstancias, además, no se exige que se presente una declaración en aduana por la que se despachen las mercancías a libre práctica o en régimen de importación temporal. Sí se exige declaración si la aplicabilidad de un arancel cero deriva de la inclusión de las mercancías en un contingente arancelario o en un límite máximo (artículo 247.2 CAU).

En cualquier caso en que se despachen a libre práctica mercancías dentro de una zona franca, el interesado puede solicitar a las autoridades que determinen su estatuto aduanero (artículo 246.2(c) CAU).

Si se trata de mercancías con estatuto aduanero de mercancías de la Unión, estas pueden introducirse, almacenarse, trasladarse, utilizarse, transformarse o consumirse en la zona franca, sin que se consideren incluidas en el régimen aduanero de zona franca a pesar de haber sido introducidas en zona franca. Si las mercancías de la Unión se transforman en el interior de la zona franca, conforme a lo dispuesto en el artículo 246.2(b) CAU, el interesado puede solicitar a las autoridades que determinen su estatuto aduanero a fin de estar en condiciones de acreditarlo cuando se le requiera (p.e. a la salida de las mercancías de la zona franca).

El régimen de circulación de mercancías no se aplica a las mercancías en régimen de zona franca (artículo 219 CAU).

En el IVA, el artículo 23 LIVA regula diversas exenciones en relación con las zonas francas. En este sentido, gozan de exención: 1) las entregas de bienes destinados a ser introducidos en zona franca; 2) las prestaciones de servicios relacionadas directamente con las entregas de bienes destinados a ser introducidos en zona franca, así como con las importaciones de bienes destinados a ser introducidos en zona franca; 3) Las entregas de los bienes que se encuentren en zona franca, así como las prestaciones de servicios realizadas en zona franca.

Con carácter general las exenciones referidas están condicionadas, en todo caso, a que los bienes de que se trate no sean utilizados ni destinados a su consumo final en la zona franca, aunque sí cabe que se incorporen a procesos de transformación sin que se pierda la exención.

15.3.4. Salida de la zona franca

Al igual que ocurre con la entrada de las mercancías, también su salida de los locales utilizados para ejercer la actividad deberá consignarse, a la mayor brevedad, en los registros correspondientes.

Las mercancías que salgan de una zona franca podrán ser:

1. Exportadas o reexportadas fuera del TAU

   En este caso, cuando las mercancías hayan de salir del TAU a partir de una zona franca, las autoridades aduaneras velarán por que se cumplan las disposiciones en materia de exportación, régimen de perfeccionamiento pasivo, reexportación, inclusión en el régimen de tránsito u otro régimen especial, así como las disposiciones relativas a las mercancías que salgan del TAU.

En estos supuestos, en caso de no acreditar el estatuto de las mercancías, estas se considerarán de la Unión a efectos de la aplicación de los derechos de exportación y de las licencias de exportación, así como a efectos de las medidas previstas para la exportación en el marco de la política comercial o agrícola común.

2. O bien introducidas en otras partes del TAU.

Las mercancías que no sean de la UE, si se introducen en el TAU, deberán hacerlo acogiéndose a alguno de los regímenes aduaneros establecidos en la normativa de la UE, cumpliendo para ello las formalidades que en cada caso se prevean, pudiendo ello determinar, además, el nacimiento de una deuda aduanera.

Por su parte, las mercancías de la Unión podrán reintroducirse en el TAU, si bien deberán satisfacer el importe correspondiente a las exenciones, devoluciones o deducciones tributarias correspondientes a gravámenes interiores de que se hubieran beneficiado por su inclusión en la zona franca.

A las mercancías que salgan de la zona franca para ser introducidas en otras partes del TAU se les aplicará lo dispuesto en los artículos 134 a 149 CAU, que regulan cuestiones tales como la introducción de mercancías en el TAU, su sometimiento a vigilancia aduanera, su presentación y la obligación de presentar una declaración de depósito temporal. Si se trata de mercancías no pertenecientes a la Unión se deberá solicitar un régimen aduanero para ellas.

Por lo que hace a su estatuto aduanero, en principio y salvo prueba en contrario, se considerará que las mercancías que salgan de la zona franca para ser introducidas en otra parte del TAU o que se incluyan en un régimen aduanero son mercancías no pertenecientes a la Unión.

En materia de estatuto aduanero, por tanto, la regla es que se presume, salvo prueba en contrario, el que resulte más desfavorable. De este modo, hemos visto que se presume estatuto de mercancías de la Unión a efectos de la aplicación de los derechos y licencias de exportación, así como de las medidas previstas para la exportación en el marco de la política comercial y agrícola común; y se considerará que no pertenecen a la Unión a todos los demás efectos.

15.3.5. Deuda aduanera

El artículo 86 CAU establece reglas particulares para aquellos supuestos en que nazca una deuda aduanera. La primera regla, en materia de valoración aduanera, permite que no se incluya en el valor en aduana de estas mercancías los gastos de almacenaje y de las manipulaciones usuales durante su estancia en la zona franca, siempre que se acredite el importe de los referidos gastos.

Sí deben incluirse, para el cálculo del importe de los derechos de importación, el valor en aduana, la cantidad, la naturaleza y el origen de las mercancías no pertenecientes a la Unión que se hubieran utilizado en las operaciones a que se sometan las mercancías.

La normativa anterior supeditaba la posibilidad de no incluir en el valor en aduana los gastos de almacenaje y de las manipulaciones usuales a un requisito adicional, consistente en que el valor en aduana de la mercancía se basara en un precio efectivamente pagado o por pagar.

La segunda regla particular se refiere a la clasificación arancelaria que se deberá tener en cuenta para la determinación del importe de los derechos de importación en aquellos casos en que las mercancías hayan sido sometidas en una zona franca a manipulaciones usuales (se trata de las manipulaciones usuales previstas en el marco del régimen de depósito, es decir, las destinadas a garantizar la conservación de las mercancías, a mejorar su presentación o su calidad comercial o a preparar su distribución o su reventa) que hayan alterado su clasificación arancelaria. En este supuesto se permite que se aplique, a solicitud del declarante, la clasificación arancelaria original de las mercancías incluidas en el régimen.

Por lo que hace al IVA, las reglas para la determinación de la base imponible dependen de si las mercancías han sido objeto de una entrega exenta previa o no (es decir, de si han cambiado de titularidad durante su estancia en la zona franca). En caso de que las mercancías hayan sido objeto de una entrega exenta previa, la base imponible se calcula a partir de la contraprestación pactada en esa entrega, adicionándole los servicios exentos que se hayan aplicado a las mercancías con posterioridad a esa entrega (artículo 83.Dos.4ª LIVA). Recordemos que los servicios prestados a las mercancías durante su estancia en la zona franca gozan de exención (artículo 23 LIVA).

En caso de que las mercancías no hayan sido objeto de una entrega exenta previa, la base imponible se calcula a partir del valor en aduana de las mercancías, al que se suman los tributos que graven la importación (salvo el propio IVA) y los gastos accesorios incurridos hasta el primer lugar de destino de las mercancías en el TAU (el lugar que figure en la carta de porte o el lugar en que se produzca la primera desagregación de las mercancías). También deberá adicionarse el importe correspondiente a los servicios exentos prestados respecto de las mercancías (artículo 83.Uno y 83.Dos4ª LIVA).

Ha de tenerse en cuenta que el IVA (español) no se devengará si las mercancías salen con destino a otro Estado miembro o se incluyen en un régimen aduanero especial.

Si las mercancías que salen de la zona franca son mercancías de la Unión, se producirá el hecho imponible asimilado a la importación en la medida en que las mercancías se hubieran beneficiado de una exención con ocasión de su introducción en la zona franca o bien con ocasión de una entrega o una prestación de servicios durante su estancia en la zona franca (artículo 19.5º LIVA). El devengo se producirá cuando las mercancías salgan de la zona franca (artículo 77.2 LIVA) y la base imponible se calculará a partir de la contraprestación de la última entrega, adicionándole el importe correspondiente a los servicios exentos prestados respecto de las mercancías.

RÉGIMEN DE IMPORTACIÓN TEMPORAL

ÍNDICE

16 Régimen de importación temporal

16.1. CARACTERIZACIÓN Y CONTENIDO

	CAU	RDCAU	RECAU
Regulación del régimen de importación temporal	250-253	204-238	322-323

Anexo 71-01 RDCAU	Documento justificativo cuando las mercancías se declaran oralmente con vistas a la importación temporal

En España se regula el régimen e importación temporal en la Orden PCI/933/2019, de 11 de septiembre, relativa a la autorización de los regímenes aduaneros especiales de perfeccionamiento activo, de perfeccionamiento pasivo y de importación temporal (BOE 13.09.2019).

> Por su parte, en el Capítulo 1 del Anexo Específico G del Convenio de Kioto se define la "admisión temporal" como "el régimen aduanero que permite recibir en un territorio aduanero con suspensión total o parcial de los derechos y los impuestos a la importación, ciertas mercancías importadas para un propósito específico y con intenciones de ser reexportadas dentro de un plazo determinado, sin que hubieran sufrido una modificación, excepto su depreciación normal debida al uso que se hubiera hecho de ellas".

El contenido del régimen de importación temporal se establece en el artículo 250 CAU, y lo podemos caracterizar a partir de los siguientes elementos:

1.– La importación temporal se concede *para poder usar* temporalmente en el TAU mercancías que no son de la Unión. Las mercancías no deben sufrir cambio alguno, salvo la depreciación normal causada por el uso (artículo 250.2(a) CAU). No puede, por tanto, un operador acogerse a este régimen cuando la introducción de las mercancías tiene un alcance más amplio que su mero uso temporal, uso que no puede producir un cambio en su estado. Únicamente se admiten las operaciones de reparación y mantenimiento, conceptos en los cuales se comprende, en particular, la revisión, la puesta a punto de las mercancías y las medidas adoptadas con el fin de garantizar su conservación o su conformidad con los requisitos técnicos indispensables para permitir su utilización en el régimen (artículo 204 RDCAU).

> Utilizando como ejemplo un medio de transporte, la *Guidance* de la Comisión Europea sobre regímenes especiales (p. 42-44) ilustra esta idea señalando que podrían llevarse a cabo reparaciones (sustitución de baterías, frenos, aceite, ruedas, tubo de escape...), servicios de mantenimiento y revisión (incluyendo mantenimiento del aire acondicionado), pero que excederían del contenido del régimen y, por tanto, no podría admitirse el mismo para realizar mejoras, como instalar un sistema de aire acondicionado a un vehículo que carece de él, o llevar a cabo cambios permanentes que mejoren sus prestaciones o supongan un considerable valor añadido (como repintar completamente el medio de transporte). En este caso habría que acudir al régimen de perfeccionamiento activo.

En principio, y a fin de asegurar que no pueda abusarse del régimen, su utilización sólo se concederá cuando sea posible garantizar la identificación de las mercancías, a menos que las autoridades consideren que tal abuso no se producirá, atendida la naturaleza de aquellas o del destino previsto (artículo 250.2(b) CAU). La identificación de las mercancías tampoco se exige cuando quepa la utilización de mercancías equivalentes (el régimen de las mercancías equivalentes se regula en el artículo 223 CAU y se examina en el capítulo 12.2.6).

> El artículo 182 RDCAU regula una incidencia particular en el marco de los regímenes especiales que puede tener particular relevancia en el marco del régimen de importación temporal (de hecho esta situación se establecía como disposición particular del régimen de importación temporal en la normativa anterior, artículo 553.1 RACAC). Si un animal vivo, que haya sido objeto de una declaración en aduana e incluido en un régimen especial (ya sea el régimen de depósito, el de importación temporal o el de perfeccionamiento activo), diera a luz en el TAU durante su permanencia en el régimen especial, entonces el animal nacido se considerará mercancía no perteneciente a la Unión e incluida en el mismo régimen del progenitor si su valor supera los 100 euros (artículo 182 RDCAU).
> La norma 6 del Capítulo 1 del Anexo Específico G del Convenio de Kioto establece que "se permitirá a las mercancías admitidas temporalmente que sufran las operaciones necesarias para su conservación durante su estadía en el territorio aduanero". Por otro lado, se recomienda que la concesión de la admisión temporal se haga sin tener en cuenta el país de origen, de procedencia o de destino de las mercancías (práctica recomendada 5). Además, se dispone que la admisión temporal no se limite a las mercancías que sean importadas directamente del exterior, sino que también se conceda a mercancías que ya hubieran sido colocadas bajo otro régimen aduanero (norma 4).

2.– Como su propio nombre indica, la importación temporal únicamente se permite por un lapso de tiempo limitado, concretamente durante el período de tiempo que se fije en la correspondiente autorización.

El *plazo de duración del régimen*, que se fijará de modo particular para cada introducción de mercancías en la correspondiente autorización, habrá de ser suficiente para que se pueda alcanzar el objetivo de la utilización autorizada (artículo 251.1 CAU), fijándose con carácter general el límite máximo de 24 meses, que puede ser objeto de prórroga, a solicitud del interesado, en "circunstancias excepcionales" (artículo 251.3 CAU), que se definen como cualquier causa por la que se necesite utilizar la mercancía durante un período adicional para poder cumplir el objetivo que ha motivado la operación de importación temporal. El límite de 24 meses opera como máximo para la permanencia en el régimen de importación temporal —para una misma utilización y bajo la responsabilidad del mismo titular— incluso cuando la inclusión en el mismo quede interrumpida mediante la inclusión de las mercancías en otro régimen aduanero para posteriormente volver a incluirse de nuevo, más tarde, en el régimen de importación temporal (artículo 251.2 CAU). En cualquier caso, prórrogas incluidas, el tiempo total de permanencia de las mercancías en el régimen de importación temporal no puede superar los 10 años, aunque, una vez más, este plazo absoluto puede tener excepciones en caso de circunstancias imprevisibles (artículo 251.4 CAU).

EJEMPLO

Ejemplo
Supongamos que las mercancías se incluyen en el régimen de importación temporal durante 18 meses y el régimen se ultima mediante la inclusión en una zona franca. Si en un momento posterior las mercancías salen de la zona franca mediante su inclusión de nuevo en el régimen de importación temporal, no podrán permanecer en él más de 6 meses, que es el período que resta para completar el máximo total de 24 meses de permanencia en el régimen.

La *Guidance* (p. 47-48) ofrece ejemplos sobre la aplicación del límite temporal con una obra de arte que alterna el régimen de importación temporal y el de depósito aduanero.

Una vez más estamos ante un régimen que limita los efectos que se derivan de la introducción de mercancías; frente a la libre práctica que permite equiparar las mercancías introducidas con las de la UE, los regímenes especiales rebajan las barreras de protección aduanera a cambio de imponer limitaciones a las posibilidades derivadas de la introducción de las mercancías en el TAU. En este caso, tanto por las operaciones que pueden realizarse con las mercancías como por el plazo durante el cual pueden permanecer en la UE.

La práctica recomendada 15 del Capítulo 1 del Anexo Específico G del Convenio de Kioto señala que, cuando las mercancías colocadas en admisión temporal no puedan ser reexportadas como resultado de un embargo, excepto que éste sea a consecuencia de un juicio entablado por particulares, se debería suspender la obligación de reexportación mientras dure el embargo.

3.– La ventaja que reporta acogerse a este régimen aduanero económico estriba en que las mercancías se beneficiarán de una *"exención"* de derechos de importación, que puede ser total o parcial (nótese, por cuanto apuntábamos en una sección anterior acerca del uso no técnico e indiscriminado de los términos, que en este caso sí que tanto el CAU como el RDCAU utilizan el término "exención", en lugar del de "no sujeción"). Tampoco se exigirán otros gravámenes, como el IVA o los IIEE. Por lo que se refiere a las medidas de política comercial, sólo serán aplicables aquellas que prohíban la entrada de mercancías en el TAU (artículo 250.1 CAU).

> Así pues, en materia de medidas de política comercial, la regla es la misma que la que se aplica en el régimen de depósito aduanero y en el de zona franca, que ya han sido examinados en los capítulos 14 y 15, respectivamente.
>
> Por lo que hace al IVA, conforme al artículo 18. Dos LIVA, no se entiende producido el hecho imponible importación si las mercancías se colocan, desde su entrada, en el régimen de importación temporal. La importación a efectos del IVA se entenderá producida, en su caso, cuando las mercancías se despachen a libre práctica, considerándose entonces como una operación asimilada a la importación (artículo 19. 5° LIVA). Si la importación temporal se ultimase mediante la inclusión de las mercancías en otro régimen especial, el hecho imponible seguiría sin producirse. Si, durante su permanencia en régimen de importación temporal, se transmiten las mercancías, estaremos ante una entrega de bienes exenta (artículo 24. Uno.1°(b) LIVA), exención que también se produce aunque los bienes se expidan a otro Estado miembro (artículo 26. Uno LIVA).

Los supuestos de exención total vienen tasados a lo largo de los artículos 208 a 236 RDCAU, en los que se recoge una colección de mercancías de muy heterogénea naturaleza, de difícil o casi imposible sistematización, y cuya exención responde asimismo a consideraciones de distinto orden. Las restricciones para que unas mercancías disfruten de la exención total no se circunscriben a la fijación del tipo de mercancía del que ha de tratarse en cada caso, sino que afectan también, y de forma fundamental, al uso que pueda dárseles y al período de tiempo máximo que pueden permanecer en el régimen.

Importación temporal - Supuestos de exención total		
Artículo RDCAU	Mercancías	Condiciones
208	Palés (*palets*)	Ultimación: mediante exportación o re-exportación (también de palés del mismo tipo e igual valor aproximado)
209	Piezas de recambio, accesorios y equipos para palés	Cuando sean importados temporalmente para ser reexportados por separado o como parte de palés.
210	Contenedores	Deben llevar, en lugar apropiado y bien visible, la identificación del propietario u operador (si se trata de contenedores considerados de uso marítimo o de cualquier otro tipo de contenedor que utilice un prefijo ISO normalizado consistente en cuatro mayúsculas acabadas en U, la identificación del propietario o del operador principal y el número de serie y el dígito de control del contenedor se ajustarán a la norma internacional ISO 6346 y a sus anexos); las marcas y números de identificación del contenedor proporcionados por el propietario u operador; la tara del contenedor.

Importación temporal - Supuestos de exención total		
Artículo RDCAU	Mercancías	Condiciones
210	Contenedores	Si se utiliza la declaración en aduana como solicitud de autorización para incluir mercancías en el régimen, los contenedores deberán ser supervisados por una persona establecida en el TAU o por una persona establecida fuera del TAU que esté representada en el TAU. Si las autoridades lo requieren, esta persona debe facilitar información detallada sobre los movimientos de cada contenedor al que se haya concedido la importación temporal, con indicación de las fechas y los lugares de entrada y descarga.
211	Piezas de recambio, accesorios y equipos para contenedores	Cuando sean importados temporalmente para ser reexportados por separado o como parte de contenedores.
212	Medios de transporte (ferroviarios, por carretera, navegación aérea, marítima y fluvial)	Cuando cumplan las siguientes condiciones: 1) Matriculados fuera del TAU a nombre de persona establecida fuera del TAU (o, si no están matriculados, que pertenezcan a una persona establecida fuera del TAU); 2) utilizados por persona establecida fuera del TAU (véanse excepciones a este requisito más abajo, en arts. 214, 215 y 216 RDCAU); y 3) si una tercera persona establecida fuera del TAU los utiliza a título privado, que esté debidamente autorizada por escrito por el titular de la autorización. *Medio de transporte*: incluye las piezas de recambio, accesorios y equipos normales que acompañan a los medios de transporte. La *Guidance* de TAXUD de regímenes especiales contiene indicaciones detalladas para guiar la identificación de lo que se considera un "medio de transporte" a estos efectos (p. 42 a 46). *Declaración oral o mediante otro acto*: se concederá la autorización a la persona que tenga el control físico de las mercancías en el momento del despacho de las mercancías para el régimen de importación temporal, a menos que dicha persona actúe por cuenta de otra persona, en cuyo caso se concederá la autorización a esta última.

Importación temporal - Supuestos de exención total		
Artículo RDCAU	**Mercancías**	**Condiciones**
212 *(Cont.)*	Medios de transporte (ferroviarios, por carretera, navegación aérea, marítima y fluvial) *(Cont.)*	*Arrendamiento.* Si el medio de transporte se devuelve a una empresa de arrendamiento establecida en el TAU, la reexportación debe efectuarse en el plazo de 6 meses a partir de la entrada del medio de transporte en el TAU (la entrada se entiende producida en la fecha en que concluya el contrato de alquiler en virtud del cual el medio de transporte se haya utilizado en el momento de la entrada en el TAU, salvo que conste de manera fehaciente la fecha de entrada real). Si la empresa de arrendamiento lo vuelve a arrendar a persona establecida fuera del TAU, la reexportación debe efectuarse en el plazo de 6 meses a partir de la entrada del medio de transporte en el TAU y en el plazo de 3 semanas tras la conclusión del nuevo contrato de alquiler (artículo 218.1 RDCAU). La autorización de importación temporal se supedita a que el medio de transporte no se utilice para fines distintos de la reexportación (artículo 218.2 RDCAU).
213	Piezas de recambio, accesorios y equipos para medios de transporte no pertenecientes a la Unión	Cuando sean importados temporalmente para ser reexportados por separado o como parte de medios de transporte.
214	Medios de transporte, personas establecidas en el TAU	Personas establecidas en TAU en alguna de las situaciones siguientes: a) medios de transporte ferroviario puestos a disposición mediante acuerdo que faculte a cada compañía a utilizar el material móvil de las otras; b) enganche de un remolque a un medio de transporte por carretera matriculado en el TAU; c) utilización de un medio de transporte en una situación de emergencia; d) medios de transporte utilizados por empresa arrendadora para reexportación.

Importación temporal - Supuestos de exención total		
Artículo RDCAU	**Mercancías**	**Condiciones**
215	Medios de transporte, personas establecidas en el TAU	1. Utilización ocasional con fines privados por personas físicas residentes en el TAU, a petición del titular de la matrícula, que debe hallarse en el TAU en el momento de la utilización. 2. Vehículo arrendado por personas físicas residentes en el TAU en virtud de contrato por escrito para volver a lugar de residencia o para salir del TAU. El medio de transporte deberá, en el plazo de tres semanas a partir de la conclusión del contrato de alquiler o realquiler, ser (artículo 218.3 RDCAU): – Devuelto a la empresa de arrendamiento establecida en el TAU, cuando el medio de transporte sea utilizado por la persona física para volver a su lugar de residencia en el TAU, o – Reexportado, cuando el medio de transporte sea utilizado por la persona física para salir del TAU. 3. Medio de transporte por carretera arrendado para uso a título privado por personas físicas residentes en el TAU en virtud de contrato por escrito celebrado con un servicio profesional de alquiler de vehículos. 4. Medios de transporte que utilicen personas físicas residentes en el TAU con fines comerciales o a título privado siempre que estén empleadas por el propietario o el arrendatario, con o sin opción de compra, de los medios de transporte y que el empleador esté establecido fuera del TAU (véase nota 1 al final de la tabla). Se autoriza el uso privado de los medios de transporte en los trayectos entre el lugar de trabajo y el lugar de residencia del empleado o para el desempeño por este último de una tarea profesional estipulada en su contrato de trabajo. A petición de las autoridades, la persona que utilice los medios de transporte debe presentar una copia de su contrato de trabajo. En el marco del régimen de importación temporal: *«Uso privado»* significa la utilización de un medio de transporte con exclusión de cualquier uso comercial. *«Uso comercial»* significa el empleo de un medio de transporte para el transporte de personas a título oneroso o para el transporte industrial o comercial de mercancías, sea o no a título oneroso.

Importación temporal - Supuestos de exención total		
Artículo RDCAU	**Mercancías**	**Condiciones**
216	Medios de transporte, demás casos	– Cuando deban ser matriculados provisionalmente en el TAU con vistas a su reexportación a nombre de una persona establecida fuera del TAU o de persona establecida en el TAU pero que está a punto de cambiar su residencia fuera del TAU. – En casos excepcionales, cuando los medios de transporte sean utilizados con fines comerciales por personas establecidas en el TAU durante un periodo limitado

217	Medios de transporte. Plazos generales de ultimación	Los plazos de ultimación serán los siguientes:
		a) Medios de transporte ferroviarios: 12 meses;
		b) Medios de transporte de uso comercial distintos de los medios ferroviarios: tiempo necesario para efectuar las operaciones de transporte;
		c) Medios de transporte por carretera de uso privado:
		  – utilizados por un estudiante: la duración de su estancia en el TAU con el único fin de realizar sus estudios,
		  – utilizados por una persona encargada de la ejecución de una misión durante un período de tiempo determinado: la duración de la estancia de la persona en el TAU con el único fin de cumplir la misión encargada,
		  – arrendado para uso a título privado por personas físicas residentes en el TAU en virtud de contrato por escrito celebrado con un servicio profesional de alquiler de vehículos, 8 días a contar desde su inclusión en el régimen de importación temporal.
		  – en los demás casos, incluidos los animales de monta o de tiro y sus aparejos: 6 meses;
		d) Medios de transporte aéreos de uso privado: 6 meses;
		e) Medios de transporte marítimos y fluviales de uso privado: 18 meses.
		f) Contenedores, sus equipos y accesorios: 12 meses

219	Efectos personales	Aquellos que sean razonablemente necesarios para el viaje y las mercancías que deban utilizarse con un fin deportivo importadas por un viajero que tenga su residencia habitual fuera del TAU ("viajero" se define en el artículo 1(36) RDCAU).

Importación temporal - Supuestos de exención total		
Artículo RDCAU	**Mercancías**	**Condiciones**
220	Materiales de bienestar destinados a las gentes del mar	Material: a) que se utilice a bordo de un buque destinado a tráfico marítimo internacional; b) desembarcado de tales buques para ser utilizado temporalmente en tierra por la tripulación; o c) que lo utilice la tripulación de tales buques en establecimientos de carácter cultural o social administrados por organizaciones con fines no lucrativos, así como en lugares de culto donde se celebren regularmente oficios para las gentes del mar. El solicitante y el titular del régimen pueden estar establecidos en el TAU.
221	Material destinado a ser utilizado para combatir los efectos de las catástrofes	Cuando sea utilizado en el marco de las medidas adoptadas para combatir los efectos de las catástrofes o de situaciones similares que afecten al TAU. El solicitante y el titular del régimen pueden estar establecidos en el TAU.
222	Material médico-quirúrgico y de laboratorio	Cuando sea objeto de un préstamo efectuado a petición de un hospital o de un establecimiento sanitario en situación de gran urgencia para paliar una insuficiencia de sus equipos o instalaciones y se destine a fines diagnósticos o terapéuticos. El solicitante y el titular del régimen pueden estar establecidos en el TAU.
223	Animales	Animales que pertenezcan a una persona establecida fuera del TAU. También se aplica aunque el solicitante y el titular del régimen estén establecidos en el TAU. Plazo de ultimación: no será inferior a doce meses, a partir del momento en que los animales hayan sido incluidos en el régimen (artículo 237.2 RDCAU).
224	Mercancías destinadas a ser utilizadas en zonas fronterizas	Mercancías para actividades en zona fronteriza: a) equipos propiedad de personas establecidas en una zona fronteriza de un país tercero adyacente a la zona fronteriza de la Unión donde vayan a utilizarse las mercancías y utilizados por ellas; b) productos utilizados bajo la responsabilidad de las autoridades públicas para la construcción, reparación o mantenimiento de las infraestructuras en tales zonas fronterizas. En el caso de las mercancías de la letra (b), el solicitante y el titular del régimen pueden estar establecidos en el TAU.

Importación temporal - Supuestos de exención total		
Artículo RDCAU	Mercancías	Condiciones
225	Soportes de sonido, imagen o información y material publicitario	– Suministrados gratuitamente y utilizados para fines de demostración previa a la comercialización, producción de sonido, doblaje o reproducción; y – Material utilizado exclusivamente con fines publicitarios (incluye medios de transporte especialmente equipados para estos fines).
226	Material profesional	Cuando: a) pertenezca a una persona establecida fuera del TAU; b) sea importado por una persona establecida fuera del TAU o por un empleado del propietario, pudiendo dicho empleado estar establecido en el TAU; y c) sea utilizado por el importador o bajo su dirección, salvo en el caso de las coproducciones audiovisuales. Si se trata de instrumentos de música portátiles importados temporalmente por viajeros para su utilización como material profesional, tanto si el viajero tiene su residencia habitual dentro o fuera del TAU. No se concederá la exención total al material destinado a ser utilizado en la fabricación industrial, el embalaje industrial de mercancías, la explotación de recursos naturales, la construcción, reparación o mantenimiento de edificios y para la ejecución de trabajos de movimiento de tierra o proyectos similares. La exclusión no afecta a las herramientas manuales.
227	Material pedagógico y científico	Cuando: a) pertenezca a una persona establecida fuera del TAU; b) sea importado por establecimientos científicos, de enseñanza o de formación profesional, públicos o privados, cuya finalidad sea esencialmente no lucrativa, y sea utilizado bajo su responsabilidad con fines exclusivamente de enseñanza, de formación profesional o de investigación científica; c) sea importado en número razonable teniendo en cuenta el uso a que se destine; y d) no se utilice con fines puramente comerciales. El solicitante y el titular del régimen pueden estar establecidos en el TAU.
228	Envases	Cuando: a) si se hubieran importado llenos, se destinen a ser reexportados llenos o vacíos; b) si se hubieran importado vacíos, se destinen a ser reexportados llenos. El solicitante y el titular del régimen pueden estar establecidos en el TAU.

Importación temporal - Supuestos de exención total		
Artículo RDCAU	Mercancías	Condiciones
229	Moldes, matrices, clichés, dibujos, proyectos, instrumentos de medida, control y verificación, y otros objetos similares	Cuando: a) pertenezcan a una persona establecida fuera del TAU; y b) sean utilizados por una persona establecida en el TAU y que más del 50% de la producción resultante de su utilización se exporte fuera del TAU. El solicitante y el titular del régimen pueden estar establecidos en el TAU.
230	Herramientas e instrumentos especiales	Cuando: a) pertenezcan a una persona establecida fuera del TAU; b) se pongan a disposición de una persona establecida en el TAU para ser utilizados en la fabricación de mercancías; y c) que más del 50% de la producción resultante se exporte fuera del TAU. El solicitante y el titular del régimen pueden estar establecidos en el TAU.
231	Mercancías utilizadas para efectuar ensayos o someterse a ellos	En cualquiera de las situaciones siguientes: a) que deban someterse a ensayos, experimentos o demostraciones; b) que deban someterse a un ensayo de aceptación satisfactoria previsto en un contrato de venta; c) que sean utilizadas para efectuar ensayos, experimentos o demostraciones que no constituyan una actividad lucrativa (en este supuesto el plazo de ultimación es de 6 meses a partir de la inclusión en el régimen, artículo 237.1 RDCAU). El solicitante y el titular del régimen pueden estar establecidos en el TAU.
232	Muestras	Importadas en cantidad adecuada, con el único fin de ser presentadas o de ser objeto de una demostración en el TAU. El solicitante y el titular del régimen pueden estar establecidos en el TAU.
233	Medios de producción de sustitución	Puestos provisionalmente a disposición de un cliente por el proveedor o el reparador, en espera del suministro o de la reparación de mercancías similares. Plazo de ultimación: 6 meses a partir de la inclusión en el régimen (artículo 237.1 RDCAU). El solicitante y el titular del régimen pueden estar establecidos en el TAU.

Importación temporal - Supuestos de exención total		
Artículo RDCAU	Mercancías	Condiciones
234	1) Mercancías de exposición 2) Mercancías que vayan a ser inspeccionadas 3) Objetos de arte, objetos de colección y antigüedades 4) Mercancías de segunda mano	1) Mercancías que se destinen a ser expuestas o a ser utilizadas en una exposición pública no organizada exclusivamente con el fin de venderlas, u obtenidas en un acto de esa naturaleza a partir de mercancías incluidas en el régimen. En casos excepcionales, las autoridades aduaneras podrán autorizar el recurso al régimen para otros tipos de actos públicos. 2) Cuando se suministren por su propietario a una persona en el TAU que tenga el derecho a comprarlas después de la inspección. Plazo de ultimación: 6 meses a partir de la inclusión en el régimen (artículo 237.1 RDCAU). 3) En los términos definidos en el anexo IX de la Directiva 2006/112/CE, del sistema común del IVA, importados para ser expuestos con vistas a su posible venta. 4) Importadas para ser vendidas en subasta. El solicitante y el titular del régimen pueden estar establecidos en el TAU.
235	Piezas de recambio, accesorios y equipos	Destinados a la reparación y el mantenimiento, incluidas la revisión, la puesta a punto y las medidas de conservación de las mercancías incluidas en el régimen. El solicitante y el titular del régimen pueden estar establecidos en el TAU.
235bis	Mercancías que deben circular o utilizarse en el contexto de actividades militares	Mercancías que deban circular o utilizarse en el contexto de actividades militares al amparo de un impreso 302 de la OTAN o un impreso 302 de la UE (las definiciones de estos impresos se contienen en los apartados 50 y 51 del artículo 1 RDCAU). El solicitante y el titular del régimen pueden estar establecidos en el TAU. En este supuesto y a efectos de la ultimación del régimen, se considerará reexportación el consumo o destrucción de la mercancía, a condición de que la cantidad consumida o destruida se corresponda con la naturaleza de la actividad militar (artículo 323bis RECAU). Plazo de ultimación: 24 meses a partir de la inclusión en el régimen, salvo que se establezca un plazo mayor en virtud de acuerdos internacionales (artículo 237.3 RDCAU).

Importación temporal - Supuestos de exención total		
Artículo RDCAU	**Mercancías**	**Condiciones**
236	Otras mercancías	Mercancías distintas de las anteriores o que no cumplan las condiciones, cuando sean importadas: a) ocasionalmente, durante un período no superior a tres meses; o b) en situaciones especiales sin incidencia económica en el TAU. En este caso, el solicitante y el titular del régimen pueden estar establecidos en el TAU.

(1) Nota al artículo 215 RDCAU. Véase STJUE *Fekete* (asunto C-182/12, de 07.03.2013). La exención total de derechos de importación para un medio de transporte utilizado con fines privados por una persona establecida en el TAU sólo puede concederse si dicho uso privado se halla estipulado en un contrato de trabajo entre esa persona y el propietario del vehículo establecido fuera de dicho territorio (no mediante autorización).

(2) El Anexo VII de la *Guidance* de TAXUD sobre regímenes especiales contiene una lista ilustrativa de mercancías que se entienden comprendidas en el ámbito de la exención total regulada en los artículos 219 (efectos personales y mercancías que deban utilizarse con un fin deportivo), 220 (materiales de bienestar destinados a las gentes del mar), 223 (animales), 224 (mercancías destinadas a ser utilizadas en zonas fronterizas), 225 (material publicitario), 226 (material profesional) y 227 (material pedagógico y científico) RDCAU.

(3) En relación con la importación temporal de vehículos, véase la Decisión del Consejo 94/110/CE, de 16 de diciembre de 1993, relativa a la celebración del Convenio sobre formalidades aduaneras para la importación temporal de *vehículos particulares* de carretera (1954) y a la aceptación de la Resolución de las Naciones Unidas, de 2 de julio de 1993, sobre la aplicabilidad de los cuadernos de paso de aduana y de los cuadernos CPD, relativa a los vehículos de carretera de uso privado; y la Decisión del Consejo 94/111/CE, de 16 de diciembre de 1993, relativa a la celebración del Convenio aduanero relativo a la importación temporal de *vehículos comerciales* por carretera (1956) y a la aceptación de la Resolución de las Naciones Unidas, de 2 de julio de 1993, sobre la aplicabilidad de los cuadernos de paso de aduana y de los cuadernos CPD, relativa a los vehículos de carretera de uso comercial (ambas Decisiones en DO UE L 56, de 26.02.1994). Véase asimismo la Enmienda al Convenio sobre formalidades aduaneras para la importación temporal de *vehículos particulares* de carretera, adoptada en Nueva York el 1 de enero de 2015 (BOE 30.07.2015).

Bajo la vigencia de la normativa anterior, la Comisión elaboró unas Directrices relativas a los regímenes aduaneros económicos (DO C 269, de 24.09.2001, páginas 36 a 45) en las que pueden verse listados ilustrativos de mercancías incluidas en las categorías relacionadas, así como aclaraciones sobre el uso de contenedores en el régimen.

La exención parcial, cuyo ámbito de aplicación se define en términos abiertos, goza de *vis atractiva* respecto de la total, de manera que, si unas mercancías para las que sí está prevista la exención total no cumplen todos los requisitos para poder acogerse a ella podrán, no obstante, seguir beneficiándose de la parcial (artículo 206 RDCAU).

> Lo que no se explicita, a diferencia de lo que ocurría en la normativa anterior (artículo 142 CAC), es si pueden acogerse al régimen de importación temporal con exención parcial las mercancías para las que no esté prevista la exención total. Ahora bien, dado que el artículo 236 RDCAU se refiere, de forma abierta, a "otras mercancías", cabe concluir que cualquier tipo de mercancía (cualquier "otra mercancía") puede acogerse a la importación temporal, que será con exención parcial cuando no se cumplan los requisitos de la total.

Ahora bien, no podrán acogerse a la importación temporal con exención parcial de derechos las mercancías fungibles (artículo 206.2 RDCAU). Aquí debemos manifestar que la versión española del RDCAU dice "fungibles" donde la versión inglesa dice "*consumable*" y la francesa "*consomptibles*", situación que ya se producía en su antecedente, el artículo 554 RACAC.

> El Diccionario de la RAE define "fungible" como "que se consume por el uso", en tanto que define "consumible" como "que puede consumirse".
> La norma 3 del Capítulo 1 del Anexo Específico G del Convenio de Kioto establece que "Las mercancías en admisión temporal gozarán de la suspensión total de los derechos y los impuestos a la importación, excepto en los casos en que la legislación nacional determine expresamente que la suspensión sólo podrá ser parcial". Por su parte, la práctica recomendada 23 sugiere que se conceda la admisión temporal con, por lo menos, una suspensión parcial de los derechos y los impuestos a la importación a las mercancías que no sean cubiertas por la práctica recomendada 22 (las mercancías cubiertas por la práctica recomendada 22 son las incluidas en el Convenio de Estambul, al que nos referimos en el punto 16.4, salvo las de su anexo B.4, relativo a mercancías importadas en el marco de una operación de producción) y a las mercancías de la práctica recomendada 22 que no cumplan con todas las condiciones necesarias a los efectos de gozar de una suspensión total.

Cuando la exención aplicable sea la parcial, se exigirá, por cada mes o fracción de permanencia de las mercancías en el régimen, un 3 por 100 de la cuantía de la cuantía de los derechos que, en el momento de la inclusión en el régimen de importación temporal, se habrían exigido si las mercancías hubiesen sido despachadas a libre práctica en la fecha en que fueron incluidas en el régimen de importación temporal, con el límite del 100 por 100 de los derechos (artículo 252 CAU). Puesto que el importe de los derechos depende del período de tiempo de permanencia de las mercancías en el régimen, la liquidación de la deuda se realizará y la deuda será exigible cuando se ultime el régimen, que es cuando podrá determinarse de forma cierta la referida duración (artículo 206.3 RDCAU).

EJEMPLO

Ejemplo

Supongamos que se importa una mercancía con un valor en aduana de 1.000.000 euros y a la que se le aplica una tarifa del 8%. Los derechos por el despacho a libre práctica serían de 1.000.000 x 8% = 80.000 euros. El importe a pagar por cada mes de permanencia de esta mercancía en el TAU en régimen de importación temporal con exención parcial de derechos sería de 80.000 x 3% = 2.400 euros.

Supongamos que las mercancías han estado incluidas en el régimen de importación temporal 3 meses y 6 días. A efectos de cálculo de la deuda, se trata de 4 meses, dado que la fracción computa como un mes. Tendríamos entonces que la deuda por aplicación del régimen sería de: 4 x 2.400 euros = 9.600 euros.

La cuantía de los derechos de importación que se perciban no puede ser superior a la que se hubiese percibido en caso de despacho a libre práctica de las mercancías de que se trate en la fecha en la que se incluyeron en el régimen de importación temporal (artículo 252.3 CAU).

> Por otro lado, en caso de cesión de los derechos y obligaciones derivados del régimen de importación temporal, no necesariamente se aplicará el mismo sistema de exención para cada uno de los períodos de utilización que se tomen en consideración. De este modo, puede ocurrir que el titular inicial pudiese acogerse a la exención plena y, en cambio, el nuevo titular sólo pueda aplicarse la exención parcial (p.e. porque incumple alguno de los requisitos a los que se condiciona la exención plena).

4.– A fin de hacer frente a la deuda que pudiera generarse, la inclusión en el régimen se sujetará, con carácter general, a la constitución de una *garantía*. Ahora bien, el artículo 81 RDCAU establece una serie de supuestos, en relación con el régimen de importación temporal, en los que no se exige constituir garantía. Son los cuatro siguientes:

a) Cuando la declaración en aduana pueda hacerse oralmente o por otro acto que haga las veces de declaración.

> Los actos que hacen las veces de declaración en aduana se regulan en el artículo 141 RDCAU e incluyen supuestos como transitar por el circuito "nada que declarar" de un aeropuerto; este precepto se examina en detalle en el capítulo 23. Más abajo, en el punto 16.2, puede verse una tabla en la que se sistematizan los supuestos en que la declaración en aduana puede presentarse de forma oral o mediante otro acto.

b) En el caso de las materias utilizadas en el tráfico internacional por las compañías aéreas, marítimas o ferroviarias, o por los proveedores de servicios postales, siempre que dichas materias ostenten marcas distintivas;

c) En el caso de los envases importados vacíos, siempre que estén provistos de marcas indelebles e inamovibles;

d) Cuando el anterior titular de la autorización de importación temporal haya declarado las mercancías para el régimen de importación temporal mediante declaración oral (en los supuestos que se regulan en el artículo 136 RDCAU) o mediante otro acto que haga las veces de declaración (en los supuestos que regula el artículo 139 RDCAU) y, posteriormente, esas mercancías hayan sido incluidas en el régimen de importación temporal para el mismo fin.

Como hemos señalado respecto del supuesto de la letra (a) arriba, en el apartado 2 de este capítulo 16 puede verse una tabla en la que se sistematizan los supuestos en que la declaración en aduana puede presentarse de forma oral o mediante otro acto.

5.– Tal y como ordena el artículo 250.1 CAU, la *ultimación del régimen* se produce, generalmente, con la reexportación de las mercancías que se introdujeron para ser usadas temporalmente, aunque cabe también que sean incluidas en otro régimen aduanero.

A fin de permitir un adecuado control —ya que no se han satisfecho derechos por las mercancías o sólo se han satisfecho parcialmente—, cuando el régimen se ultime mediante la inclusión de las mercancías en otro régimen aduanero la declaración en aduana para ese otro régimen debe incluir la mención "TA" (de "*Temporary Admission*", el nombre del régimen en inglés) y, si ha lugar, el número de autorización. Las mismas menciones deben incluirse, en su caso, en la declaración de reexportación, si las mercancías son reexportadas. En cambio, estas menciones no se incluirán si se utiliza un cuaderno "ATA/CPD" (artículo 238 RDCAU).

Respecto de los medios de transporte ferroviarios utilizados en común en virtud de un acuerdo entre compañías de la Unión y no pertenecientes a la Unión, se establece que el régimen también quedará ultimado cuando se exporten o se reexporten medios de transporte ferroviarios del mismo tipo y de igual valor que los que hayan sido puestos a disposición de una persona establecida en el TAU (artículo 322.1 RECAU). Es decir, cabe la sustitución por equivalencia en este caso.
Cuando se trate de palés o bien de contenedores, también cabe la ultimación mediante la exportación o reexportación de palés o contenedores del mismo tipo y de igual valor (artículo 322.2 y 3 RECAU).
Otro supuesto de ultimación que presenta particularidades es el de mercancías destinadas a eventos o a la venta (son las mercancías que aparecen recogidas en el artículo 234.1 RDCAU). Para este tipo de mercancías se considerará reexportación (es decir, se considerará correctamente ultimado el régimen sin que nazca deuda aduanera) su consumo, destrucción o distribución gratuita al público con motivo de un evento (artículo 323 RECAU). Esta regla se sujeta a dos tipos de restricciones: 1) La cantidad de mercancías debe corresponderse con la naturaleza de ese evento, el número de visitantes y el grado de participación del titular del régimen en el mismo; y 2) No debe tratarse de productos energéticos, electricidad, alcohol,

bebidas alcohólicas ni labores del tabaco (es decir, los productos a los que se refiere el artículo 1.1 de la Directiva 2008/118/CEE, de impuestos especiales).

6.– Con carácter general, el régimen de importación temporal sólo puede utilizarse cuando el *titular del régimen esté establecido fuera del TAU* (artículo 250.2(c) CAU). Obsérvese que, en el régimen de importación temporal, el titular de la autorización para utilizar el régimen y el titular del régimen serán la misma persona. Recuérdese, por otra parte, que uno de los requisitos para obtener una autorización para la utilización de un régimen aduanero especial consiste en estar establecido en la UE (artículo 211.3(a) CAU). En el régimen de importación temporal estamos ante una excepción a este requisito, de modo que típicamente será un sujeto no establecido en el TAU quien sea autorizado para utilizar el régimen (*Guidance*, p. 43).

Hemos de señalar, no obstante, que son numerosos los supuestos en los que también se permite que el solicitante de la autorización y titular del régimen estén establecidos en el TAU, supuestos que se han ido ampliando en sucesivas modificaciones del RDCAU hasta convertirse en la regla más frecuente.

> Así, esto ocurre cuando se trate de la importación temporal de palés (artículo 208 RDCAU), piezas de recambio, accesorios y equipos para palés (artículo 209 RDCAU), contenedores (artículo 210 RDCAU), piezas de recambio, accesorios y equipos para contenedores (artículo 211 RDCAU) o bien piezas de recambio, accesorios y equipos para medios de transporte no pertenecientes a la Unión (artículo 213 RDCAU); determinados supuestos en relación con los medios de transporte por carretera (artículo 215 RDCAU); materiales de bienestar destinados a las gentes del mar (artículo 220 RDCAU); animales (artículo 223 RDCAU); mercancías destinadas a ser utilizadas en zonas fronterizas (artículo 224 RDCAU); instrumentos de música portátiles importados temporalmente por viajeros para su utilización como material profesional (artículo 226 RDCAU); material pedagógico y científico (artículo 227 RDCAU); envases (artículo 228 RDCAU); moldes, matrices, clichés, dibujos, proyectos, instrumentos de medida, control y verificación, y otros objetos similares (artículo 229 RDCAU); herramientas e instrumentos especiales (artículo 230 RDCAU); mercancías utilizadas para efectuar ensayos o someterse a ellos (artículo 231 RDCAU); muestras (artículo 232 RDCAU); medios de producción de sustitución (artículo 233 RDCAU); mercancías de exposición, mercancías que vayan a ser inspeccionadas, objetos de arte, objetos de colección y antigüedades, mercancías de segunda mano (artículo 234 RDCAU); piezas de recambio, accesorios y equipos (artículo 235 RDCAU); mercancías que deben circular o utilizarse en el contexto de actividades militares (artículo 235bis RDCAU); y para otras mercancías, en situaciones especiales sin incidencia económica en el TAU (artículo 236 RDCAU).

7.– Por lo demás, debe tenerse en cuenta que la importación temporal es un *régimen aduanero especial*, por lo que le son aplicables las normas generales para estos regímenes que se examinan en el capítulo 12.

En particular, téngase en cuenta la aplicabilidad de las normas relativas a la llevanza de registros a fin de permitir el control del cumplimiento de las obligaciones del régimen.

Características fundamentales del régimen de importación temporal	
Descripción	**Contenido**
Requiere autorización	Sí
Pago de derechos de aduana	No/Sí (1)
Aplicación de las medidas de política comercial que prohíban la entrada en el TAU	Sí
Aplicación de las demás medidas de política comercial	No
Permite "uso" de las mercancías	Sí
Permite transformación	No
Otras características: − Limitación de su duración temporal. − La forma normal de ultimación es la reexportación. − En general sólo pueden acogerse a este régimen los sujetos no establecidos en el TAU.	

(1) Depende de si las mercancías pueden acogerse a la exención plena o sólo a la exención parcial.

16.2. INCLUSIÓN DE LAS MERCANCÍAS EN EL RÉGIMEN

La inclusión de mercancías en el régimen de importación temporal se sujeta a autorización, según se señala en el capítulo 12.2. Destaquemos que la autorización se solicita por el interesado aportando los elementos de datos que se señalan en el Anexo A RDCAU (en el caso de la importación temporal, los datos que se señalan en la columna 8d). La solicitud de autorización de importación temporal debe presentarse a la autoridad aduanera competente del lugar donde las mercancías vayan a ser utilizadas por primera vez (artículo 205.1 RDCAU).

En España la gestión de las solicitudes de autorización del régimen de importación temporal se realiza a través de la web de la AEAT:
https://www.agenciatributaria.gob.es/AEAT.sede/procedimientoini/DC45.shtml

ENLACE

Ahora bien, la autorización para el régimen de importación temporal puede también solicitarse mediante la propia declaración en aduana (artículo 163 RDCAU), posibilidad que queda excluida si así lo disponen las autoridades en supuestos de solicitud de exención plena en situaciones especiales sin incidencia económica en la Unión (el supuesto contemplado en el artículo 236.(b) RDCAU).

La solicitud de autorización para el régimen de importación temporal puede hacerse mediante la propia declaración incluso en aquellos casos en la autorización implique a más de un Estado miembro.

La autorización para el régimen de importación temporal puede solicitarse también mediante una declaración en aduana oral o mediante un acto que haga las veces de declaración en aduana (como transitar por el circuito "nada que declarar").

Se dispone que las autoridades pueden rechazar esta forma de solicitud de autorización, mediante declaración oral o un acto que haga las veces de declaración en aduana, si consideran que entrañaría un grave riesgo de incumplimiento de alguna obligación aduanera, en relación con la inclusión de medios de transporte o piezas de recambio, accesorios y equipos para medios de transporte en el régimen de importación temporal. Las autoridades deben comunicar que esta modalidad de declaración no se admite como solicitud de autorización para la inclusión de mercancías en el régimen especial tan pronto se presenten las mercancías en aduana (artículo 163.3 RDCAU). Si, por el contrario, las autoridades permiten que la declaración en aduana oral haga las veces de solicitud de autorización para importación temporal, el declarante deberá presentar un documento justificativo conforme al modelo que se establece en el anexo 71-01 RDCAU en ejemplar duplicado, uno de los cuales será visado por las autoridades aduaneras y entregado al titular de la autorización (artículos 165 RDCAU y 258 RECAU).

Sin perjuicio de que la declaración en aduana y sus diversas formas se analicen en el capítulo 23, en la tabla que sigue pueden verse los supuestos en que cabe presentar la declaración en aduana oralmente y/o mediante otro acto que haga las veces de declaración.

Supuestos en que cabe el uso de la declaración en aduana verbal y/o mediante otro acto		
Importación temporal y reexportación **Aplicable a la reexportación como ultimación** **del régimen de importación temporal**	**Declaración oral (136 RDCAU)**	**Declaración mediante otro acto (139 RDCAU)**
(1) Palés, contenedores y medios de transporte. Piezas de repuesto, accesorios y equipo para los anteriores (artículos 208 a 213 RDCAU)	Sí	Sí
(2) Efectos personales razonablemente necesarios para el viaje y mercancías destinadas a ser utilizados con fines deportivos (artículo 219 RDCAU)	Sí	Sí
(3) Material de bienestar de las gentes del mar (artículo 220(a) RDCAU)	Sí	Sí
(4) Material médico-quirúrgico y de laboratorio (artículo 222 RDCAU)	Sí	Sí
(5) Animales (artículo 223 RDCAU) siempre que se destinen a la trashumancia, el pastoreo o a la ejecución de un trabajo o al transporte	Sí	No
(6) Equipos (artículo 224(a) RDCAU)	Sí	No

Supuestos en que cabe el uso de la declaración en aduana verbal y/o mediante otro acto		
Importación temporal y reexportación Aplicable a la reexportación como ultimación del régimen de importación temporal	Declaración oral (136 RDCAU)	Declaración mediante otro acto (139 RDCAU)
(7) Instrumentos y aparatos (artículo 226.1 RDCAU) necesarios para atender a pacientes a la espera de transplantes	Sí	No
(8) Material de socorro (artículo 221 RDCAU)	Sí	Sí
(9) Instrumentos de música portátiles (artículo 226 RDCAU)	Sí	Sí
(10) Envases (artículo 228 RDCAU)	Sí	No
(11) Materiales de producción y transmisión de radio y televisión y los vehículos especialmente adaptados para ser utilizados en la producción y transmisión de radio y televisión y sus equipos, importados por organismos públicos o privados establecidos fuera del TAU y aprobados por las autoridades aduaneras	Sí	No
(12) Otras mercancías (artículo 236 RDCAU)	Sí	No

Debe tenerse en cuenta, no obstante, que, conforme a lo dispuesto en el artículo 142 RDCAU, la posibilidad de declarar oralmente o mediante otro acto está excluida en cuatro supuestos. En primer lugar, respecto de las mercancías para las que se haya solicitado la concesión de restituciones u otras ventajas financieras a la exportación en el marco de la política agrícola común (PAC). En segundo lugar, respecto de las mercancías para las cuales se haya presentado una solicitud de devolución de derechos u otros gravámenes. En tercer lugar, respecto de las mercancías sujetas a prohibiciones o restricciones. Y, en cuarto lugar, respecto las mercancías sujetas a cualquier otra formalidad especial prevista en la legislación de la Unión que deban aplicar las autoridades. Se trata de una previsión lógica en los cuatro casos si se tiene en cuenta que se trata de mercancías que demandan un control especial, atendidas las características que se señalan.

En España, la competencia para conceder la autorización de inclusión de mercancías en el régimen de importación temporal se atribuye, en la Orden PCI/933/2019 (BOE de 13.09.2019), a la Agencia Estatal de Administración Tributaria (artículo 2), ante quien debe presentarse la solicitud por medios electrónicos (artículo 4). El procedimiento seguirá las reglas del procedimiento de decisión que se regula en el CAU (artículos 22 y siguientes).

La declaración oral o por cualquier otro acto que constituya, a su vez, solicitud de autorización de inclusión de las mercancías en el régimen, debe realizarse ante la aduana en que se presenten las mercancías y se declaren para el régimen de importación temporal (artículo 205.2 RDCAU).

La *Guidance* de TAXUD sobre regímenes especiales ofrece un esquema explicativo en forma de diagrama de flujo acerca de las circunstancias en que es admisible o no la importación temporal mediante declaración oral o mediante otro acto respecto de medios de transporte (p. 46).

16.3. DEUDA ADUANERA

Nacerá una deuda aduanera cuando sea aplicable a la importación temporal la exención parcial, según hemos señalado arriba en el punto 16.1, inciso 3. En este supuesto, el importe de la deuda se determinará sobre la base de los elementos de imposición correspondientes a las mercancías de que se trate en el momento en que se incluyeron en el régimen de importación temporal (clasificación arancelaria, valor en aduana, cantidad, naturaleza y origen de las mercancías). Ahora bien, la deuda nace y se liquida en el momento en que se ultima el régimen (artículo 206.3 RDCAU), circunstancia que determina su exigibilidad. Si el régimen de importación temporal concluye mediante la declaración a libre práctica de las mercancías de que se trate, se abonarán los derechos correspondientes al despacho a libre práctica. En este caso no nacerá deuda por el régimen de importación temporal (artículo 252.2 CAU).

Véase el documento de TAXUD *Guidelines on Customs Debt*, p. 6. En la p. 13 de este mismo documento se señala que, cuando las mercancías se declaran a libre práctica tras haber estado incluidas en el régimen de importación temporal, las reglas aplicables para calcular la deuda serán las que correspondan al día de admisión de la declaración a libre práctica.
La Sentencia *Laki Dooel* (asunto C-351/10, de 16.06.2011) se refiere a un supuesto de nacimiento de la deuda aduanera en un caso en que se incumplieron las limitaciones a las que se sujetaba la importación temporal con exención total de derechos para un medio de transporte —un camión—. Se discutía allí si la irregularidad se cometió en el Estado en que se inició la actividad que habría de conducir a la comisión de la irregularidad (donde se cargó la mercancía destinada a un Estado miembro para el que se carecía de autorización), o bien en el Estado en que la irregularidad se produce de forma efectiva (al introducir el camión en el Estado para el que se carece de autorización). Esta duda derivaba de que la redacción del artículo 555 RACAC, al introducir la palabra "para" en la definición de tráfico interior, podría entenderse que alude a que bastaría un elemento intencional a fin de que el mismo se verificase. El TJUE apreció, por el contrario, que la irregularidad no se produce hasta que no se materializa el incumplimiento, sin que baste la mera intencionalidad. Por ello, la irregularidad se comete —y la deuda nace— en el Estado en que se introdujo el camión sin autorización, no en el Estado en que se cargaron mercancías con ese destino.

Tal y como ya se ha señalado, el importe de la deuda, cuando resulte aplicable la exención parcial, se calculará aplicando un 3 por 100, por cada mes o *fracción* de permanencia de las mercancías en el régimen, sobre la cuantía de los derechos que, en el momento de la inclusión en el régimen de importación temporal, se habrían exigido si las mercancías hubiesen sido despachadas a libre práctica en la fecha en que fueron incluidas en el régimen de importación temporal, sin que la deuda resultante pueda superar el importe que sería exigible por el despacho a libre práctica de las mercancías (artículo 252 CAU).

Por otro lado, si la deuda nace como consecuencia de un incumplimiento, las cantidades pagadas en aplicación del régimen de importación temporal con exención parcial de derechos minorarán la deuda aduanera que resulte exigible, a fin de evitar una doble imposición (artículo 80.2 CAU). En este supuesto las reglas aplicables para calcular la deuda serán las que correspondan al día en que las mercancías se incluyeron en el régimen o bien al día en que dejaron de cumplirse las condiciones del régimen, según corresponda (*Guidelines on Customs Debt*, p. 13 y 20).

Insistimos finalmente en que, para las mercancías destinadas a eventos o a la venta (las del artículo 234.1 RDCAU), su consumo, destrucción o distribución gratuita al público con motivo de un evento se equipara a la reexportación, de modo que con estos actos se considerará correctamente ultimado el régimen sin que nazca deuda aduanera (artículo 323 RECAU). Se exceptúan de esta posibilidad los productos energéticos, electricidad, alcohol, bebidas alcohólicas y labores del tabaco.

16.4. LA IMPORTACIÓN TEMPORAL AL AMPARO DEL CUADERNO ATA

El cuaderno ATA/CPD tiene por objeto facilitar la importación temporal de mercancías. El cuaderno ATA es el de uso para mercancías en general, en tanto que el cuaderno CPD es el que se utiliza cuando las mercancías son medios de transporte. En cualquiera de estas dos variantes, el cuaderno:

- Equivale a la presentación de una solicitud de autorización, de modo que su admisión constituirá la autorización para utilizar el régimen.

    Según se señala en el capítulo 12.2, los cuadernos ATA y CPD pueden ser admitidos como solicitud de autorización de importación temporal cuando cumplan cuatro condiciones (artículo 163.5 RDCAU), a saber:
    a) que el cuaderno haya sido expedido en una parte contratante del Convenio ATA o del Convenio de Estambul y refrendado y garantizado por una asociación que forme parte de una cadena de garantía;
    b) que el cuaderno se refiera a mercancías y usos contemplados en el Convenio en virtud del cual haya sido expedido;
    c) que el cuaderno haya sido certificado por las autoridades aduaneras;
    d) que el cuaderno sea válido en todo el TAU.

- Se admite asimismo como equivalente a la declaración de inclusión en el régimen, a la que sustituye.

- Incorpora la garantía para la utilización del régimen.

El cuaderno ATA/CPD debe presentarse ante la aduana en que se presenten las mercancías y se declaren para el régimen de importación temporal (artículo 205.2 RDCAU).

El cuaderno ATA es fruto del "Convenio aduanero relativo al cuaderno ATA para la admisión temporal de bienes" —Convenio ATA—, adoptado en el seno del Consejo de Cooperación Aduanera (precursor de la actual Organización Mundial de Aduanas) el 06.12.1961 (instrumento de ratificación por España de 05.03.1964, publicado en BOE 07.10.1964). Posteriormente, al cuaderno ATA ha sido recepcionado por el "Convenio relativo a la importación temporal", hecho en Estambul el 26.06.1990 ("Convenio de Estambul", instrumento de ratificación por España de 24.04.1995, publicado en el BOE de 14.10.1997; en este BOE se contiene el texto íntegro del Convenio de Estambul en español). España ha dictado diversas normas sobre la utilización de este tipo de cuaderno. A 31.10.2013 había 65 países signatarios del Convenio de Estambul.

El Convenio de Estambul define la importación temporal como "el régimen aduanero que permite introducir en el territorio aduanero, con suspensión de los derechos e impuestos de importación y sin aplicación de las prohibiciones o restricciones a la importación de carácter económico, determinadas mercancías (incluidos los medios de transporte) importadas con un objetivo definido y destinadas a ser reexportadas en un plazo determinado sin haber sufrido modificación alguna, excepción hecha de su depreciación normal como consecuencia del uso" [artículo 1.(a)].

Se ha criticado que la Convención de Estambul disponga su propia definición de importación temporal cuando este concepto ya viene definido en la Convención de Kioto, debiendo tenerse en cuenta al respecto que ambos convenios se elaboraron al amparo de la OMA (en este sentido, Lyons, Timothy: *EC Customs Law*, Oxford University Press, 2008, p. 388).

Conforme a su artículo 2, las Partes contratantes se comprometen a conceder la importación temporal a las mercancías mencionadas en los anexos en las condiciones previstas en el Convenio, que dispone la suspensión total de los derechos e impuestos de importación y la no aplicación de las prohibiciones o restricciones a la importación de carácter económico. El artículo 4 dispone, no obstante, que cada Parte contratante tendrá derecho a supeditar la importación temporal de las mercancías a la presentación de un documento aduanero y al depósito de una garantía. El importe de la garantía no deberá ser superior al importe de los derechos e impuestos de importación cuya percepción quede suspendida. Ahora bien, podrá exigirse una garantía complementaria en las condiciones previstas en la legislación nacional para las mercancías (incluidos los medios de transporte) sometidas a prohibiciones o restricciones a la importación como resultado de leyes y reglamentos nacionales. Podrá autorizarse que esta garantía sea global para aquellas personas que efectúen habitualmente operaciones de importación temporal.

Anexos Convenio de Estambul (cuaderno ATA)	
Anexo	**Mercancías**
B.1	Mercancías destinadas a ser presentadas o utilizadas en una exposición, feria, congreso o manifestación similar
B.2	Material profesional
B.3	Contenedores, paletas (*pallets*), embalajes, muestras y otras mercancías importadas en el marco de una operación comercial
B.4	Mercancías importadas en el marco de una operación de producción
B.5	Mercancías importadas con un fin educativo, científico o cultural
B.6	Efectos personales de los viajeros y mercancías importadas con un fin deportivo
B.7	Material de propaganda turística
B.8	Mercancías importadas en tráfico fronterizo
B.9	Mercancías importadas con fines humanitarios
C	Medios de transporte
D	Animales
E	Mercancías importadas con suspensión parcial de los derechos e impuestos de importación

Obsérvese que las mercancías que se recogen en los diversos anexos del Convenio de Estambul son, en general, mercancías cuya importación temporal goza de exención plena en el ordenamiento de la UE conforme a lo dispuesto en los artículos 207 a 236 RDCAU.

Las Partes contratantes se comprometen a aceptar el cuaderno ATA/CPD, que se establece en el Anexo A, en lugar de sus documentos aduaneros nacionales y como garantía para la importación temporal de las mercancías relacionadas en los anexos, con algunas especialidades respecto de las del anexo E (artículo 5). En relación con la función de garantía, debemos señalar que, para que en un país pueda utilizarse el cuaderno ATA/CPD, debe haberse constituido en él una asociación garante autorizada por la Cámara de Comercio Internacional (que, por este motivo, suelen ser las cámaras de comercio). Los términos en que las asociaciones garantes responden del pago de la deuda que pueda nacer se establecen en el propio anexo A.

Cada Estado miembro debe designar una aduana de coordinación responsable de toda medida relativa a deudas aduaneras que nazcan por incumplimiento de obligaciones o condiciones relativas a los cuadernos ATA o CPD, comunicando sus datos y número de referencia a la Comisión, que publicará esta información en su web (artículo 166 RECAU).

En caso de que se incumplieran las obligaciones del régimen, se activaría la responsabilidad de la sociedad garante (artículo 86 RDCAU; el RDCAU y el RECAU no utilizan la expresión "sociedad garante" sino la de "sociedad garantizadora"). A estos efectos, las autoridades aduaneras deben proceder a regularizar los documentos de importación temporal (reclamación de pago dirigida a una asociación garantizadora o notificación del no descargo, respectivamente) de conformidad con los artículos 9, 10 y 11 del anexo A del Convenio de Estambul o, cuando proceda, de conformidad con los artículos 7, 8 y 9 del Convenio ATA. Los derechos de importación y los gravámenes derivados de la reclamación de pago dirigida a una asociación garantizadora se calculan mediante el modelo de formulario de imposición que figura en el anexo 33-04 RECAU. Los datos que deben contenerse en la reclamación del pago dirigida a la asociación garantizadora se recogen en el anexo 33-01 RDCAU. Si se trata de una notificación del no descargo de cuadernos CPD los datos a incluir son los que se relacionan en el anexo 33-02 RDCAU. La reclamación de pago dirigida a una asociación garantizadora y la notificación del no descargo de cuadernos CPD podrán enviarse a la asociación garantizadora correspondiente por medios distintos a los electrónicos.

Si se comprueba que ha nacido una deuda aduanera en relación con mercancías introducidas al amparo de un cuaderno ATA, las autoridades deben presentar sin demora una reclamación a la asociación garantizadora. La aduana de coordinación que presente la reclamación de pago debe enviar simultáneamente una nota informativa sobre la solicitud de pago enviada a la asociación garantizadora a la aduana de coordinación en la jurisdicción en que esté situada la oficina aduanera de inclusión en el régimen de importación temporal, utilizando a este fin el formulario que figura en el anexo 33-03. La nota informativa debe ir acompañada de una copia de la hoja no ultimada, si la aduana coordinadora dispone de ella.

El formulario de imposición (cuyo modelo, según hemos señalado ya, figura en el anexo 33-04 RECAU) puede enviarse con posterioridad a la reclamación a la asociación garantizadora, en un plazo máximo de tres meses a partir de esa reclamación y sin que, a la vez, exceda de seis meses desde que las autoridades aduaneras iniciaron el procedimiento de recaudación (artículo 171 RECAU).

El artículo 170 RECAU (mediante remisión a lo dispuesto en el artículo 169 RECAU) regula el mecanismo de coordinación entre autoridades aduaneras de diferentes Estados miembros cuando las autoridades que notificaron la deuda aduanera o la obligación de pagar otros gravámenes (IVA e IIEE), en relación a mercancías introducidas al amparo de un cuaderno ATA/CPD, obtengan pruebas de que los hechos que originaron estas deudas se produjeron en otro Estado miembro.

Se prevé en estos casos que deben enviarse sin demora todos los documentos necesarios, incluida una copia certificada de los elementos de prueba, a las autoridades competentes respecto del lugar de nacimiento de la deuda. Las autoridades remitentes deben solicitar la confirmación de la competencia de la autoridad receptora para recaudar los demás gravámenes. Las autoridades receptoras deben acusar recibo de esta comunicación, indicando si son competentes para la recaudación de los demás gravámenes, utilizando a este fin el modelo de ultimación que figura en el anexo 33-05 RECAU, indicando que se ha interpuesto una reclamación con respecto a la asociación garantizadora del Estado miembro receptor. Si la autoridad remitente no recibe esta respuesta en el plazo de noventa días, debe reanudar de inmediato el procedimiento de recaudación que hubiera iniciado. Si las autoridades receptoras son competentes, deben iniciar un nuevo procedimiento de recaudación de los demás impuestos transcurrido el referido plazo de noventa días e informar de inmediato a las autoridades remitentes. Corresponde a las autoridades receptoras recaudar, si procede, de la asociación garantizadora con la que estén vinculadas el importe de los derechos y demás gravámenes devengados a los tipos aplicables en ese Estado miembro. Por su parte, tan pronto las autoridades receptoras indiquen que son competentes para la recaudación de los demás gravámenes, las autoridades remitentes deben reembolsar a la asociación garantizadora con la que estén vinculadas las sumas que, en su caso, ya hubiera consignado o pagado provisionalmente. Se establece que la transferencia de procedimiento debe tener lugar en el plazo de un año a partir de la caducidad de la validez del cuaderno, salvo que el pago se haya convertido en definitivo (en virtud de lo dispuesto en el artículo 7, apartados 2 o 3, del Convenio ATA o en el artículo 9, apartado 1, letras b) y c), del anexo A del Convenio de Estambul).

RÉGIMEN DE DESTINO FINAL

ÍNDICE

17 Régimen de destino final

17.1. CARACTERIZACIÓN Y CONTENIDO

	CAU	RDCAU	RECAU
Regulación del régimen de destino final	254	239	-

Conforme a lo que dispone el artículo 254.1 CAU, en el marco del régimen de destino final las mercancías pueden ser despachadas a libre práctica con exención de derechos o con un tipo reducido de derechos atendiendo a su destino especial. Esta descripción ya revela que el destino final, a pesar de su configuración en el CAU como régimen aduanero, no es más que una modalidad del régimen de despacho a libre práctica, que se caracteriza por la aplicabilidad de una exención, total o parcial. Ahora bien, dado que el disfrute de esa exención se supedita al hecho de que las mercancías se utilicen de forma efectiva para el destino especial para el que se establezca ese beneficio, aparece la necesidad de articular un control aduanero que se prolonga en el tiempo más allá del levante, a fin de que las autoridades puedan asegurarse, de forma satisfactoria, que las mercancías se aplican a ese fin y no a otro distinto. Por eso la regulación del régimen de destino final se enfoca a la vigilancia y control aduanero.

Ni el CAU ni sus Reglamentos de desarrollo (RDCAU y RECAU) identifican cuáles son los "destinos especiales" que permiten incluir una mercancía en el régimen de destino final. Para completar este elemento debemos acudir, en primer lugar, al Reglamento del Arancel (Reglamento 2658/87) y, más concretamente, al Título II de su Anexo I. Este Título II se identifica como "disposiciones especiales" y contiene una serie de supuestos de exención que cabe calificar como "destinos especiales". Los sintetizamos en el cuadro que sigue.

Mercancías del Título II del Reglamento del Arancel que pueden acogerse al régimen de destino final	
1	**Productos destinados a** su incorporación en determinados **buques** para su construcción, reparación, mantenimiento o transformación, así como los productos destinados al armamento o al equipamiento de estos buques. Los buques a que hacemos referencia se clasifican en las partidas 8901 a 8906 y concretamente en las posiciones arancelarias siguientes: 8901 10 10; 8901 20 10; 8901 30 10; 8901 90 10; 8902 00 10; 8903 91 10; 8903 92 10; 8904 00 10; 8904 00 91; 8905 10 10; 8905 90 10; 8906 10 00; 8906 90 10.

Mercancías del Título II del Reglamento del Arancel que pueden acogerse al régimen de destino final	
2	Los **productos destinados a** ser incorporados a las **plataformas de perforación o de explotación**, tanto fijas (de la subpartida ex 8430 49, instaladas dentro o fuera de las aguas territoriales de los Estados miembros) como flotantes o sumergibles (de la subpartida 8905 20), para su construcción, reparación, mantenimiento o transformación, así como los productos destinados al equipamiento de estas plataformas. Entre estos productos se incluyen también los carburantes, lubricantes y los gases necesarios para el funcionamiento de las máquinas y aparatos que no estén permanentemente asignados a estas plataformas y no formen, por tanto, parte integrante de ellas y que se utilicen a bordo de las mismas para su construcción, reparación, mantenimiento, transformación o equipamiento. Asimismo, los tubos, cables y sus piezas de unión que enlacen las plataformas de perforación o de explotación con el continente.
3	Las **aeronaves civiles** (aquellas distintas de las que utilizan en los Estados miembros los servicios militares o similares y que llevan una matrícula militar o asimilada), así como determinados productos destinados a ser utilizados en aeronaves civiles y a ser incorporados a ellas durante su construcción, reparación, mantenimiento, reconstrucción, modificación o transformación (incluyendo productos destinados a los aparatos de entrenamiento de vuelo en tierra para usos civiles). También los aparatos de entrenamiento de vuelo en tierra y sus partes y piezas sueltas, destinados a usos civiles. Se detalla el listado de posiciones arancelarias en las que debe incluirse una mercancía para poder acogerse a esta norma de exención. Son las siguientes: 3917 40, 4011 30, 4012 13, 4012 20, 4017 00, 6812 99, 7324 10, 7326 20, 8302 10, 8302 20, 8302 42, 8302 49, 8302 60, 8407 10, 8408 90, 8409 10, 8411, 8412 10, 8412 21, 8412 29, 8412 31, 8412 39, 8412 80 80, 8412 90, 8413 19, 8413 20, 8413 30, 8413 50, 8413 60, 8413 70, 8413 81, 8413 91, 8414 10, 8414 20, 8414 30, 8414 51, 8414 59, 8414 80, 8414 90, 8415 81, 8415 82, 8415 83, 8418 10, 8418 30, 8418 40, 8418 61, 8418 69, 8419 50, 8419 81, 8421 19, 8421 21, 8421 23, 8421 29, 8421 31, 8421 39, 8424 10, 8479 90, 8483 10, 8483 30, 8483 40, 8483 50, 8483 60, 8483 90, 8484 10, 8484 90, 8501 32, 8501 52, 8501 61, 8501 62, 8501 63, 8502, 8504 10, 8504 31, 8504 32, 8504 33, 8504 40, 8504 50, 8507, 8511 10, 8511 20, 8511 30, 8511 40, 8511 50, 8511 80, 8518 10, 8518 22, 8518 29, 8518 30, 8518 40, 8518 50, 8519 81 95, 8521 10, 8526, 8528 42, 8528 52, 8528 62, 8529 10, 8531 10 95, 8531 20, 8531 80, 8539 10, 8544 30, 8801, 8802 11, 8802 12, 8802 20, 8802 30, 8802 40, 8803 10, 8803 20, 8803 30, 9001 90, 9002 90, 9014 10, 9025, 9029 20 38, 9030 31, 9030 33, 9030 89, 9032, 9104. Para algunas de estas posiciones arancelarias se restringe las mercancías que pueden acogerse a la exención (es decir, no toda mercancías clasificada en esa posición goza de exención, sino sólo aquellas que se especifican en una tabla al efecto)
4	Determinados productos farmacéuticos recogidos en los anexos 3, 5 y 6 del Reglamento del Arancel. Véase en el Título II del Anexo I los criterios de identificación de los productos farmacéuticos que pueden acogerse a esta exención.

Mercancías del Título II del Reglamento del Arancel que pueden acogerse al régimen de destino final	
5	Se aplica un derecho reducido del 2,5% *ad valorem* a las mercancías contenidas en los envíos dirigidos de particular a particular, o contenidas en los equipajes personales de los viajeros, siempre que se trate de importaciones desprovistas de todo carácter comercial. La aplicabilidad de este tipo reducido se supedita a que el valor intrínseco de las mercancías sujetas a derechos de importación no exceda, por envío o por viajero, de 700 €.
	No se aplica el tipo único a las mercancías para las cuales esté establecido un tipo 0 ni a aquellas que se clasifiquen en el Capítulo 24 y excedan del límite que se establece para la franquicia de viajeros (artículo 41) o de envíos entre particulares (artículo 27) en el Reglamento de franquicias (1186/2009). Se define a estos efectos la expresión "importaciones desprovistas de todo carácter comercial".
6	Los continentes y envases a que se refiere la Regla General de Interpretación 5 de la clasificación arancelaria.
	Se trata de los estuches para cámaras fotográficas, instrumentos musicales, armas, instrumentos de dibujo, collares y continentes similares, especialmente apropiados para contener un artículo determinado o un juego o surtido, susceptibles de uso prolongado y presentados con los artículos a los que están destinados, que se clasifican con dichos artículos cuando sean de los tipos normalmente vendidos con ellos, salvo que confieran al conjunto su carácter esencial; y los envases que contengan mercancías que se clasifican con ellas por ser de los tipos normalmente utilizados para esa clase de mercancías, salvo que sean susceptibles de ser utilizados razonablemente de manera repetida) Deben despacharse a libre práctica al mismo tiempo que las mercancías con las que se presenten o que contengan.
	Gozarán de exención en tres supuestos:
	– cuando la mercancía esté exenta de derechos de aduana, o
	– cuando adeude sobre una base distinta del peso o el valor, o
	– cuando el peso de estos continentes o envases no deba estar incluido en el peso imponible de la mercancía.
	En cambio, se les aplicará el mismo derecho de aduana que a la mercancía que contienen cuando:
	– la mercancía esté sujeta a un derecho de aduana *ad valorem*, o
	– deban incluirse en el peso imponible de la mercancía;
	Si los continentes o envases contienen o son presentados con varias mercancías de distinta naturaleza, su peso y su valor se repartirá entre todas las mercancías proporcionalmente al peso o al valor de cada una de ellas para determinar el peso o el valor imponible.

Es dudoso que las mercancías de los puntos 4, 5 y 6 de la tabla anterior constituyan en puridad supuestos de destino especial, dado que no se establecen para ellas requisitos o condiciones que deban cumplirse después de la importación y que justifiquen una extensión de la vigilancia aduanera más allá del levante. Obsérvese que, en esos supuestos, se exigen requisitos que deben cumplirse ya en el momento de la introducción de las mercancías, y no tanto relativos al destino que deba dárseles después.

Por esta misma razón no cabe calificar como supuesto de destino final el que se recoge en el apartado F del Título II del Anexo I del Reglamento del Arancel, relativo al tratamiento arancelario favorable en razón de la naturaleza de las mercancías (que comprende a mercancías impropias para el consumo; semillas; gasas y telas para cerner, sin confeccionar; determinadas uvas de mesa, tabacos y nitratos), puesto que la exención se supedita a la naturaleza de las mercancías en el momento de su introducción, no a un fin que deba dárseles con posterioridad a la concesión del levante.

Por otro lado, buena parte de los supuestos de franquicia son también supuestos en los que es aplicable el régimen de destino final, en la medida en que la exención de derechos se supedite a condiciones que deban cumplirse tras la concesión del levante. El cuadro de franquicias se ofrece en el capítulo 5.

17.2 FUNCIONAMIENTO DEL RÉGIMEN

La inclusión de mercancías en el régimen de destino final requiere de autorización, que se solicita mediante la transmisión de los datos que se enumeran en la columna 8c del Anexo A del RDCAU (artículo 211 CAU).

> La autorización previa a la inclusión de mercancías en un régimen especial se analiza con carácter general en el capítulo 12.2.

El artículo 239 RDCAU supedita la autorización del régimen de destino final al compromiso, por parte del solicitante y eventual titular de la misma, de utilizar las mercancías para los fines establecidos para la aplicación de la exención de derechos o del tipo reducido de derechos. Ahora bien, cabe que esa obligación sea transferida a otra persona en las condiciones que establezcan las autoridades aduaneras.

La utilización para el destino especial debe producirse en el TAU.

> La *Guidance* de la Comisión Europea sobre regímenes especiales (p. 37) señala que si se prevé que el uso para el destino especial tendrá lugar fuera del TAU no debe utilizarse el régimen de destino final, sino el de depósito aduanero o depósito temporal para ser posteriormente re-exportadas.

Ha de tenerse en cuenta que la propia declaración en aduana puede hacer las veces de solicitud de autorización para utilizar el régimen de destino final cuando el solicitante tenga la intención de asignar enteramente las mercancías al destino final de que se trate (artículo 163.1(b) RDCAU). La declaración para la inclusión de mercancías en el régimen de destino final debe contener los datos que se enumeran en el Anexo B del RDCAU (columna H1); si además cumple la función de solicitud de autorización debe contener también los datos que se enumeran en la columna 8c del Anexo A del RDCAU.

> Obsérvese que no se admite que la declaración en aduana haga las veces de solicitud de autorización cuando el declarante formule su declaración acogiéndose a determinadas simplificaciones (declaración simplificada, despacho centralizado o inscripción en los registros del declarante) y tampoco en determinados supuestos (cuando se solicite una autorización que implique a más de un Estado miembro; cuando se solicite la utilización de mercancías equivalentes, a las que se refiere el artículo

223 CAU; cuando se solicite una autorización con efecto retroactivo, que se regula en el artículo 211.2 CAU).

> En España la gestión de las solicitudes de autorización del régimen de importación temporal se realiza a través de la web de la AEAT:
> https://www.agenciatributaria.gob.es/AEAT.sede/procedimientoini/DC03.shtml

ENLACE

La declaración de inclusión en el régimen de destino final puede presentarse por personas no establecidas en el TAU cuando tenga carácter ocasional y las autoridades lo consideren justificado (artículo 170.3(b) CAU). En tal caso, la autoridad competente ante la que se debe presentar la solicitud de autorización para utilizar el régimen será la del lugar en que los productos vayan a ser utilizados por primera vez (artículo 162.1 RDCAU).

> La *Guidance* de la Comisión (p. 9) señala que debe hacerse una interpretación restrictiva de esta posibilidad de que el beneficiario no esté establecido en el TAU.

También han de tenerse en cuenta las reglas generales relativas a la llevanza de registros, transferencia, circulación de mercancías y mercancías equivalentes, que se examinan con carácter general en el capítulo 12.3.

> Recordemos a este respecto que el estado de liquidación debe presentarse a la aduana supervisora en los treinta días siguientes a la expiración del plazo de ultimación que fije la autorización, incluyendo los elementos de datos que señala el Anexo 71-06 RDCAU (artículo 175.1 RDCAU). Por otro lado, las mercancías incluidas en el régimen de destino final pueden circular entre distintos lugares del TAU sin sujetarse a formalidades aduaneras, bastando con inscribir en los registros la información relativa a la ubicación de las mercancías y su circulación (artículo 179.1 RDCAU). Como ya se indicó en el capítulo 12.3.7, el artículo 177bis RDCAU se refiere al supuesto particular del almacenamiento de mezclas de productos sujetos a vigilancia aduanera en virtud del régimen de destino final, comprendidos en los capítulos 27 (en el que se clasifican los combustibles minerales, aceites minerales y productos de su destilación; materias bituminosas; ceras minerales) y 29 (en el que se clasifican los productos químicos orgánicos) de la nomenclatura combinada, o de productos a base de aceites crudos de petróleo comprendidos en el código NC 2709 00. Dispone que la autorización para la utilización del régimen especial en estos casos deberá determinar los medios y métodos de identificación y de control aduanero aplicados al almacenamiento de tales mezclas. Además ordena que, si los productos de que se trate no están comprendidos en el mismo código NC de ocho dígitos, o no son de la misma calidad comercial ni de las mismas características técnicas y físicas, el almacenamiento de mezclas solo podrá autorizarse si la mezcla está enteramente destinada a uno de los tratamientos mencionados en la nota complementaria 5 del capítulo 27 de la nomenclatura combinada.

Se prevé que se apliquen las reglas relativas al coeficiente de rendimiento cuando la normativa así lo exija (artículo 254.5 CAU). El coeficiente de rendimiento se analiza en el capítulo 18, puesto que es en el marco del régimen de perfeccionamiento donde alcanza mayor trascendencia.

Las mercancías incluidas en el régimen de destino final tienen el estatuto de mercancías de la Unión a partir del levante. Ello no obstante, quedan sujetas tras él a vigilancia aduanera, dirigida a asegurar que reciben el destino que justifica la exención total o parcial que el régimen permite disfrutar. La aludida vigilancia aduanera finaliza cuando se constate que las mercancías se han destinado al fin establecido, o bien que han salido del TAU o se han destruido o abandonado en beneficio del Estado. También finaliza la vigilancia aduanera en supuestos en que las mercancías se destinen a un fin distinto del establecido, pero se hayan abonado los derechos de importación aplicables (artículo 254.4 CAU).

> La salida autorizada de las mercancías del TAU y la destrucción de las mercancías son formas admitidas de finalización el régimen.
> Conforme al artículo 264 RECAU, si al amparo de una misma autorización se hubiesen incluido varios envíos en el régimen, y no todas las mercancías se han aplicado todavía al fin que legitima el disfrute de la exención, total o parcial, se considerará que las mercancías se van aplicando al fin declarado por orden de llegada (FIFO, *First In, First Out*), de manera que las mercancías van ultimando el régimen en función de la fecha de introducción comenzando por las de fecha más antigua, sin que ello pueda comportar ventajas injustificadas en relación a los derechos de importación. El mismo orden se aplica si el régimen se ultima por la salida de las mercancías del TAU o por su destrucción. Ahora bien, cabe que el titular de la autorización o el titular del régimen soliciten que la ultimación se entienda producida respecto de determinadas mercancías, separándose del criterio FIFO.

Se prevén dos supuestos particulares por lo que hace a la duración e intensidad de la vigilancia aduanera tras el levante para este régimen. El primero se aplica cuando, dada la fase de producción en que se encuentran las mercancías, su único uso económicamente viable es el del destino final declarado, en cuyo caso la autorización puede establecer condiciones específicas, más flexibles, a efectos de considerar cumplido el requisito del régimen (artículo 254.2 CAU). El segundo supuesto es el relativo a mercancías aptas para un uso repetido, circunstancia que lógicamente plantea un riesgo superior dado que alguna de esas utilizaciones podría desviarse del fin declarado. En este caso las autoridades aduaneras pueden decidir mantener la vigilancia aduanera por un período no superior a 2 años desde la fecha de su primera utilización para el fin establecido (artículo 254.3 CAU). El período de 2 años se configura así como la duración máxima de la vigilancia aduanera posterior al levante.

Se regula el régimen jurídico aplicable a los desperdicios y desechos que puedan resultar del proceso de elaboración o transformación de la mercancía al aplicarla al destino declarado. Estos desperdicios y desechos tienen la consideración de mercancías asignadas al destino declarado, al igual que las pérdidas que pudieran acaecer por causas naturales (artículo 254.6 CAU).

> La *Guidance* (p. 37) ofrece el ejemplo de un operador que introduce pescado a tipo cero o reducido para la elaboración de comidas preparadas. Los huesos, escamas y aletas que quedan tras la transformación se consideran desperdicios y desechos incluidos en el régimen de destino final (es decir, se consideran a libre práctica). El operador puede darles el uso que estime conveniente (p.e. transformarlos en pegamento o comida para animales).

En cambio, los desperdicios y desechos que resulten de la destrucción de mercancías se consideran incluidos en el régimen de depósito aduanero y, en consecuencia, no tienen estatuto aduanero de mercancías de la Unión (artículo 254.7 CAU).

> En este caso, los desperdicios y desechos pueden ser re-exportados, incluidos en el régimen de perfeccionamiento activo o despachados a libre práctica con pago de derechos, calculados conforme al artículo 85 CAU (conforme a las circunstancias en que se encuentren en el momento del despacho). La destrucción no requiere autorización de la aduana (Guidance, p. 38).

Si nace deuda aduanera por aplicación del régimen de destino final, esta se devengará en el momento de la admisión de la declaración en aduana, siguiendo las reglas generales del artículo 77 CAU, siendo deudor el declarante. Si la deuda aduanera nace por incumplimiento (por no afectar las mercancías al fin declarado o no hacerlo en el plazo fijado en la autorización), se aplican las reglas del artículo 79.1(b) CAU. En este caso, la deuda se entiende nacida en el momento en que no se cumpla o deje de cumplirse la obligación cuyo incumplimiento da origen a la deuda aduanera o bien en el momento de la admisión de la declaración en aduana, en caso de que posteriormente se compruebe que no se había cumplido alguna de las condiciones que permiten la concesión de una exención de derechos o de una reducción del tipo en virtud del destino final de las mercancías.

Si el destino final inicialmente declarado sólo permitiese gozar de una reducción de derechos (exención parcial), el importe inicialmente devengado reducirá al que resulte exigible al nacer la deuda por incumplimiento (artículo 80.1 CAU).

Recordemos que, conforme a la normativa que regula la exención prevista para las mercancías de retorno y a fin de evitar abusos, si unas mercancías se despacharon con exención de derechos, total o parcial, en aplicación del régimen de destino final y, posteriormente, se exportan para más adelante regresar al TAU, sólo gozarán de la exención como mercancías de retorno si al regresar al TAU se afectan al mismo destino final para el que fueron inicialmente declaradas, pues en otro caso deberán liquidarse los derechos correspondientes (artículo 203.3 CAU). Se trata así de evitar que se eluda dar a las mercancías el destino final que permitió gozar de exención mediante la exportación y posterior regreso de las mercancías en condiciones de mercancías de retorno.

Características fundamentales del régimen de destino final	
Descripción	*Contenido*
Requiere autorización	Sí
Pago de derechos de aduana	No/Sí [1]
Aplicación de las medidas de política comercial que prohíban la entrada en el TAU	Sí
Aplicación de las demás medidas de política comercial	Sí
Permite "manipulaciones usuales"	Sí [2]
Permite la transformación de las mercancías	Sí [2]
Otras características: – Las mercancías deben aplicarse al destino especial de que se trate. – Las mercancías permanecen sujetas a vigilancia aduanera tras el levante (hasta 2 años).	

(1) Depende de si se establece una exención plena o sólo parcial para el destino especial de que se trate.

(2) Conforme a las condiciones que deriven del destino especial aplicable que justifique la exención.

RÉGIMEN DE PERFECCIONAMIENTO ACTIVO

ÍNDICE

18 Régimen de perfeccionamiento activo

18.1. CARACTERIZACIÓN Y CONTENIDO

	CAU	RDCAU	RECAU
Regulación del régimen de perfeccionamiento activo	5(30),(37) y (38); 86(3) y (4); 202; 255-258	72, 73, 74, 76, 166.1, 167, 168, 170, 175, 176, 181, 240, 241	265, 271, 324, 325

Anexos RDCAU	
Anexo 71-03	Lista de formas usuales de manipulación autorizadas
Anexo 71-04	Disposiciones particulares relativas a las mercancías equivalentes
Anexo 71-05	Intercambio de Información Normalizado (INF)
Anexo 71-06	Información que debe facilitarse en el estado de liquidación

Normativa española
Orden PCI/933/2019, de 11 de septiembre, relativa a la autorización de los regímenes aduaneros especiales de perfeccionamiento activo, de perfeccionamiento pasivo y de importación temporal (BOE 13.09.2019).
Orden ECO/2087/2003, de 9 de julio, por la que se regula la presentación por vía telemática de las solicitudes de autorización de los regímenes aduaneros económicos de perfeccionamiento activo y perfeccionamiento pasivo que concede la Secretaría General de Comercio Exterior (BOE 24/07/2003).
Resolución de 16 de febrero de 2020, de la Subsecretaría, por la que se publica el Convenio entre la Agencia Estatal de Administración Tributaria y la Secretaria de Estado de Comercio, en materia de cesión de información de carácter aduanero en relación con los regímenes aduaneros especiales de perfeccionamiento activo y de perfeccionamiento pasivo (BOE 18.02.2020).

El régimen de perfeccionamiento activo trata de atender aquellas situaciones en las que las mercancías importadas van a ser objeto de algún tipo de actividad que suponga un incremento en su valor con vistas, con carácter general, a la exportación del producto resultante (que recibe la denominación técnica de "producto transformado"), o bien de incluirlo en otro régimen aduanero especial (regímenes todos ellos que tienen como nota común que la inclusión en ellos de mercancías no supone el nacimiento de una deuda aduanera). Se trata, por tanto, de unas mercancías que entran en el territorio aduanero sin vocación de permanencia en él. De otro lado, la actividad económica que, en relación con esas mercancías, se desarrolla en el Territorio Aduanero de la Unión (TAU) se vería perjudicada si, en los tributos a que se sujeta la importación, no se tuviese en cuenta que las mercancías que se introducen habrán de permitir una ulterior reexportación de productos obtenidos a partir de ellas. De ahí que la importación de mercancías que, tras la realización de una serie de operaciones en el TAU, hayan de permitir una ulterior reexportación de productos transformados, disfrute de la exención de los derechos de importación y de gravámenes interiores, como IVA e IIEE (artículo 256.1(a) y (b) CAU).

Por lo que hace al IVA, la importación de mercancías que se coloquen en régimen de perfeccionamiento activo no determina la realización del hecho imponible importación, que no se entenderá producido hasta que las mercancías abandonen el régimen para despacharse a consumo en la UE (artículo 18.Dos LIVA). También están exentas de IVA las prestaciones de servicios respecto de los bienes incluidos en el régimen (artículo 24. Uno.2º LIVA). Si las mercancías se reexportan les resulta aplicable la exención prevista en el artículo 21 LIVA.

En palabras del TJUE:

> "el régimen de perfeccionamiento activo se estableció con objeto de no perjudicar internacionalmente a las empresas comunitarias que utilizan mercancías de países terceros para obtener productos destinados a la exportación, dándoles la posibilidad de adquirir estas mercancías en las mismas condiciones que las empresas no comunitarias.
> De esta forma, dicho régimen permite no someter a derechos de aduana mercancías importadas de países terceros cuando en la Comunidad son objeto de determinadas operaciones de elaboración y de transformación y, a continuación, se reexportan como productos compensadores fuera de la Comunidad" (STJUE *Telefunken*, asunto C-437/93, de 29.06.1995, párrafos 18 y 19).

La clara vocación económica de este régimen es expuesta también en la STJUE *Eru Portuguesa* (asunto 325/96, de 16.12.1997, p. 3):

> "este régimen tiene como objetivo, en el marco de la división internacional del trabajo, promover las exportaciones de las empresas comunitarias, dándoles la posibilidad de importar mercancías de terceros países sin pagar derechos de importación cuando tales mercancías, previa transformación, se reexporten fuera de la Comunidad, sin perjudicar por ello los intereses esenciales de los productores comunitarios".

Así pues, el objetivo de este régimen es que las empresas transformadoras europeas puedan adquirir sus insumos en las mejores condiciones disponibles en los mercados internacionales, sin añadir costes impositivos, de manera que esa actividad de transformación pueda competir en los mercados exteriores con mayores posibilidades de éxito.

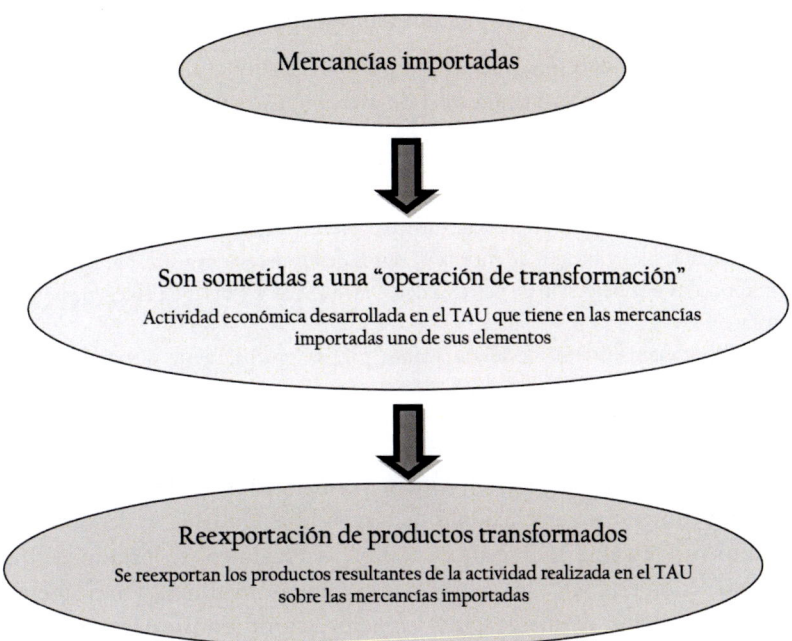

Las características de este régimen ponen de manifiesto, una vez más, el marcado carácter extrafiscal de los impuestos arancelarios. El impuesto no se exige en este caso porque eso es lo que conviene al funcionamiento óptimo del mercado interno, dado que facilita un elemento de competitividad a favor de las actividades económicas de transformación, todo ello sin generar distorsiones internas, en la medida en que las mercancías resultantes se van a destinar a los mercados exteriores.

Las "operaciones de transformación" pueden ser de muy distinta naturaleza, comprendiéndose entre las mismas (artículo 5.37 CAU):

- la manipulación de mercancías, incluidos su montaje o ensamblaje o su incorporación a otras mercancías;

- la transformación de mercancías;

- la destrucción de mercancías;

La destrucción de mercancías no necesariamente ha de tener lugar en el marco del régimen de perfeccionamiento activo, sino que puede ser un modo de disponer de las mercancías (conforme a lo previsto en los artículos 197 y 198 CAU; cuando así lo ordenan las autoridades por motivos razonables). La destrucción de las mercancías deberá realizarse en el marco del régimen de perfeccionamiento activo cuando responda a una necesidad económica del operador (p.e. porque es económicamente inviable comercializar las mercancías y también su reexportación). Véase *Guidance* sobre regímenes especiales, p. 39.

- la reparación de mercancías, incluidas su restauración y su puesta a punto;

- el uso de mercancías que no formen parte del producto transformado pero que permitan o faciliten la producción de este, incluso aunque se consuman total o parcialmente en el proceso (son las denominadas "ayudas a la producción").

No obstante, no se autorizará la inclusión en el régimen de perfeccionamiento activo de las siguientes categorías de ayudas a la producción (artículo 240.2 RDCAU):
a) los combustibles y fuentes de energía distintos de los necesarios para la prueba de productos transformados o la detección de defectos de las mercancías incluidas en el régimen que se deban reparar;
b) los lubricantes distintos de los necesarios para la prueba, ajuste o vaciado de productos transformados;
c) los materiales y herramientas.

Respecto de la anterior regulación (que se contenía en el artículo 114.2(c) CAC), en esta nueva definición de operaciones de transformación (que se denominaban "de perfeccionamiento" en el CAC, de ahí el nombre del régimen) se introducen tres diferencias de detalle. En este sentido, se utiliza la expresión "manipulación de mercancías" en lugar de "elaboración de mercancías", se incluye como transformación la incorporación a otras mercancías y se añade la destrucción de mercancías como operación de transformación.

El régimen de perfeccionamiento activo puede utilizarse, asimismo, para llevar a cabo sobre las mercancías incluidas en él las denominadas "manipulaciones usuales" a que se refiere el artículo 220 CAU, que se enumeran en el anexo 71-03 RDCAU y que se dirigen a garantizar su conservación, mejorar su presentación o su calidad comercial o preparar su distribución o reventa (artículo 256.3(b) CAU). Las "manipulaciones usuales" aparecen detalladas en el capítulo 12.3.4.

Como resultado de las operaciones de transformación se obtendrán los "productos transformados". Precisamente, el artículo 5(30) CAU define "productos transformados" como los productos resultantes de las operaciones de transformación en el marco de los regímenes de perfeccionamiento. Dentro de los productos transformados podemos distinguir dos clases: los «productos transformados principales», que son los productos transformados en relación con los cuales se ha otorgado una autorización de perfeccionamiento activo (artículo 1.2(7) RECAU) y los «productos transformados secundarios», que son los productos transformados que resultan necesariamente de las operaciones de transformación distintos de los productos transformados principales (artículo 1.2(9) RECAU).

En la normativa anterior, a los productos transformados se les denominaba "productos compensa dores" (artículo 114.2(d) CAC). Análogamente, el artículo 496 RACAC [letras (k) y (l)] distinguía entre «productos compensadores principales» y «productos compensadores secundarios».

Con carácter general, las mercancías incluidas en el régimen de perfeccionamiento activo deben poder identificarse en los productos transformados (artículo 256.2 CAU). Esta regla, no obstante, tiene algunas excepciones. Así, por ejemplo, no se exige cuando la transformación a llevar a cabo consiste en la destrucción de las mercancías o en su reparación. Tampoco cuando las mercancías importadas al amparo del régimen sean "ayudas a la producción", es decir, mercancías que no forman parte del producto transformado, pero que permiten o facilitan la producción de este, incluso aunque se consuman total o parcialmente en el proceso (artículo 5.37(e) CAU). Finalmente, el requisito de que las mercancías incluidas en el régimen de perfeccionamiento activo puedan identificarse en los productos transformados tampoco se exige cuando se permita la utilización de mercancías equivalentes (nos referimos a esta posibilidad más abajo).

El régimen de perfeccionamiento activo supone asimismo que no se apliquen las medidas de política comercial a las mercancías importadas, salvo aquellas que tengan como presupuesto simplemente la introducción de mercancías en el TAU o la salida de él (lo que excluiría, p.e., aquellas medidas que tienen como presupuesto la comercialización en la UE, artículo 256.1(c) CAU).

Recordemos que las mercancías físicamente colocadas en un depósito aduanero o en una zona franca pueden estar incluidas en el régimen de perfeccionamiento activo. En este caso, se aplicará a estas mercancías las disposiciones previstas para el régimen de perfeccionamiento activo y no las correspondientes al depósito aduanero o a la zona franca, de modo que podrán ser transformadas.

El Convenio de Kioto se refiere al perfeccionamiento activo en el Capítulo 1 del Anexo Específico F. Recordemos, una vez más, que los anexos específicos no han sido ratificados por la UE.

18.2. VARIANTES

La modalidad típica del régimen de perfeccionamiento activo es el denominado "sistema de suspensión". Esta variante del régimen sigue el esquema general que hemos expuesto en el apartado anterior, es decir, las mercancías objeto de la operación de perfeccionamiento se importan sin abonar derechos de aduana (con suspensión de derechos), se transforman en el TAU y, posteriormente, se reexportan.

El CAU ha suprimido una modalidad que se establecía como alternativa al sistema de suspensión en la normativa anterior, el denominado "sistema de reintegro". Conforme al sistema de reintegro se importaban mercancías, pagando los derechos correspondientes. Las mercancías importadas eran transformadas y, posteriormente, reexportadas. La reexportación generaba el derecho al reembolso o reintegro (de ahí la denominación de esta variante) de los derechos que se hubieran satisfecho en el momento de la importación.

Ahora bien, el régimen de perfeccionamiento activo también permite la utilización de mercancías equivalentes (el concepto de mercancías equivalentes y las especialidades de su régimen jurídico se examina en el capítulo 12.3.6).

El TJUE calificó de excepcional la posibilidad de utilizar mercancías equivalentes en el marco del régimen de perfeccionamiento activo (STJUE *Eridania*, asunto C-103/96, de 13.03.1997, p. 24). Por lo que hace al IVA, si se utilizan mercancías equivalentes de la Unión, la adquisición de las mercancías que vayan a incluirse en el régimen de perfeccionamiento activo queda exenta del impuesto, así como las sucesivas entregas de las mismas mientras estén incluidas en el régimen (artículo 24.Uno.1º(a) LIVA). También se eximen de IVA las adquisiciones intracomunitarias de bienes que vayan a incluirse en el régimen (artículo 26.Uno LIVA). Si, posteriormente, los bienes abandonan el régimen, para despacharse a consumo, se producirá una operación asimilada a la importación (artículo 19.5º LIVA). En cambio, si las mercancías salen del TAU —al ser reexportadas— no se entenderá producida una operación asimilada a la importación, de manera que se consolidan las exenciones previamente disfrutadas.

En este caso, se utilizan mercancías de la Unión que, una vez transformadas, se exportan, generando el derecho a importar, libres de derechos, mercancías que sustituyen a las mercancías equivalentes de la Unión utilizadas en la operación. Cuando se utilizan mercancías equivalentes, la importación libre de derechos puede ocurrir antes o después de la exportación de productos transformados. La operación se denomina "perfeccionamiento activo IM/EX" si la importación de mercancías no pertenecientes a la Unión, al amparo del régimen de perfeccionamiento activo, acaece antes de la exportación de productos transformados (artículo 1.30 RDCAU), en tanto que se denomina "perfeccionamiento activo EX/IM" si la exportación de productos transformados es previa a la importación de las mercancías libre de derechos en aplicación del régimen (artículo 1.29 RDCAU). En este caso los productos transformados, lógicamente, se obtendrán a partir de mercancías de la Unión equivalentes.

Recordemos que, con carácter general, las mercancías equivalentes deben tener el mismo código de ocho dígitos de la nomenclatura combinada, ser de idéntica calidad comercial y poseer las mismas características técnicas que las mercancías a las que sustituyan.

Variantes del perfeccionamiento activo (1)	
Supuesto típico	Se importan, libres de derechos, mercancías no pertenecientes a la Unión que se transforman para ser posteriormente reexportadas. Siempre seguirá la secuencia "IM/EX", la importación precede a la exportación.
Mercancías equivalentes	Se transforman mercancías de la Unión, que se exportan. Esta exportación genera el derecho a importar mercancías libres de derechos, que sustituyen a las mercancías equivalentes utilizadas en la transformación. Caben dos casos: "IM/EX" Primero se importan mercancías, luego se exportan las transformadas a partir de las equivalentes. "EX/IM" Primero se exportan las transformadas a partir de las equivalentes y después se importan mercancías libres de derechos.

Variantes del perfeccionamiento activo (2)	
IM/EX	La importación de mercancías no pertenecientes a la Unión acaece antes de la exportación de productos transformados. Esta modalidad cabe, tanto con mercancías equivalentes, como en el supuesto típico (transformación de mercancías importadas).
EX/IM	La exportación de productos transformados es previa a la importación de las mercancías libre de derechos en aplicación del régimen. Esta modalidad sólo cabe con mercancías equivalentes.

La posibilidad de utilizar mercancías equivalentes puede plantear situaciones complejas. Es interesante, en este sentido, el supuesto que se examina en la Sentencia del TJUE *Agrover* (asunto C-173/06, de 18.10.2007) y en el Auto del TJUE *Euricom* (asunto C-505/06, de 07.12.2007), donde se relaciona el supuesto del artículo 78 CAU (en aquél momento, 216 CAC, regla de "no drawback") con el régimen de perfeccionamiento activo modalidad EX/IM (en aquél momento se le denominaba "sistema de compensación por equivalencia con exportación anticipada"), revelando la creatividad de los operadores para encontrar agujeros en el sistema. En aquellos asuntos el operador exporta un producto transformado producido con insumos de la UE a un tercer país con el que la UE tiene un régimen preferencial. Este régimen preferencial exige que, si los insumos se hubieran beneficiado de exención en virtud del régimen de perfeccionamiento activo, la validación de los documentos de exportación se sujete al pago de los derechos que quedaron exentos (regla de "no reintegro" o "*no-drawback*", que se examina en el capítulo 7.4.1). Como los insumos utilizados por el operador eran mercancías de la UE, no se había aplicado exención alguna que debiera reintegrar. Ahora bien, a continuación, el operador solicita que esa exportación se considere una exportación anticipada que le permita, conforme al régimen de perfeccionamiento activo EX/IM, importar el insumo que incorporan las mercancías exportadas sin pagar derechos. Es decir, quería obtener una ventaja equivalente a la que el artículo 78 CAU niega, pero evitando para ello realizar el supuesto de hecho que se recoge en este precepto. Ante estas circunstancias el Tribunal apreció que "no cabe acoger la interpretación literal del artículo 216 del Código aduanero (actualmente, artículo 78 CAU) que propone Agrover, puesto que conduciría, en todas las operaciones de perfeccionamiento activo en las que el producto compensador se exporta previamente, a privar de efecto útil a los compromisos internacionales contraídos por la Comunidad derivados de cláusulas de no reintegro, y a conferir al beneficiario de una autorización de perfeccionamiento activo un cúmulo de ventajas aduaneras que el legislador ha pretendido impedir" (p. 22).

Respecto de la deuda aduanera en supuestos de aplicación de la cláusula "no-drawback" véanse las *Guidelines on Customs Debt*, pp. 7-10.

La utilización de mercancías equivalentes en el marco de operaciones de perfeccionamiento, dado que se trata de mercancías de la UE, no está sujeta a los procedimientos de inclusión en el régimen (artículo 268.1 RECAU). Por otro lado, debe recordarse que, conforme a lo dispuesto en el artículo 223.3(a) CAU, no se concederá una autorización para utilizar el régimen de perfeccionamiento activo con utilización de mercancías equivalentes cuando únicamente vayan a efectuarse sobre ellas manipulaciones usuales. Por tanto, la transformación a realizar sobre las mercancías equivalentes deberá tener una entidad mayor que la mera manipulación usual. En el capítulo 12.3.6 se analiza, asimismo, la cuestión del momento del cambio de estatuto aduanero de las mercancías cuando se utilizan mercancías equivalentes.

El régimen de perfeccionamiento activo puede utilizarse también para transformar mercancías importadas que, una vez elaboradas, se despachan a libre práctica en el TAU, en lugar de ser reexportadas. Los motivos por los cuales puede ser conveniente despachar las mercancías sólo después de su transformación pueden ser, fundamentalmente, de dos tipos: o bien que el arancel aplicable al producto transformado es inferior al que se aplica a la mercancía importada; o bien que al producto importado se le aplicarían medidas de política comercial (como homologaciones técnicas u otras) que impedirían o dificultarían la obtención del despacho a libre práctica, en tanto que, una vez transformado, el producto puede despacharse sin obstáculos. A esta última situación hace referencia el artículo 256.3(a) CAU.

Obsérvese que, si no se contemplara esta posibilidad, podría resultar más rentable económicamente, por motivos simplemente derivados de la aplicación de las normas aduaneras, importar el producto terminado que el insumo, o dicho de otro modo, podría resultar más rentable económicamente la importación de determinadas mercancías previamente transformadas fuera del TAU que la importación de las mercancías no transformadas de las que se obtienen las anteriores, cuando el tipo de gravamen sea superior para las mercancías no transformadas. Esta variante, según ya hemos adelantado, también puede utilizarse para someter las mercancías importadas a operaciones destinadas a garantizar su conformidad con las normas técnicas establecidas para su despacho a libre práctica, es decir, allí donde una norma técnica impediría importar el insumo en el estado en que se encuentra pero, en cambio, permite importar un producto transformado obtenido a partir de ese insumo. Se intenta lograr así que el fin proteccionista de las normas aduaneras no resulte en un perjuicio a los operadores que realizan operaciones de transformación en la UE.

> Esta modalidad del régimen de perfeccionamiento activo en la que las mercancías se despachan a libre práctica en el TAU tras su transformación tenía, en la anterior normativa, su propio régimen aduanero, denominado "transformación bajo control aduanero". Este régimen se definía en el artículo 130 CAC, en virtud del cual se permitía introducir en el TAU mercancías que no eran de la Unión para someterlas a operaciones que modificasen su especie o estado sin estar por ello sujetas a los derechos de importación ni a medidas de política comercial, y despachar a libre práctica, con los derechos de importación que les correspondiesen, los productos que resultantes de estas operaciones. El CAU ha eliminado este régimen y lo ha reconvertido en una forma de ultimación del régimen de perfeccionamiento activo.
>
> El Convenio de Kioto se refiere a esta variante del régimen de perfeccionamiento activo (bajo la denominación de "régimen de transformación de mercancías para uso doméstico") en el Capítulo 4 del Anexo Específico F, que nos describe el régimen como aquel en "el cual las mercancías importadas puedan sufrir una transformación o una elaboración, bajo el control de la Aduana y antes de su importación para el consumo, de tal modo que el monto de los derechos y los impuestos a la importación aplicables a los productos obtenidos sea inferior al que sería aplicable a las mercancías importadas".

Por tanto, en el CAU, una forma regular de ultimar el régimen de perfeccionamiento activo consiste en despachar a libre práctica las mercancías transformadas. En este sentido, el artículo 170 RDCAU dispone que, a petición del solicitante, la autorización de perfeccionamiento activo IM/EX puede especificar que si, llegada la fecha de expiración del periodo de ultimación del régimen, los productos transformados o las mercancías incluidas en el perfeccionamiento activo IM/EX no han sido declaradas para un régimen aduanero posterior o reexportadas, se consideren despachados a libre práctica en ese momento. Esta posibilidad no cabe si los productos o mercancías de que se trate están sometidos a medidas de prohibición o restricción.

En este supuesto de "despacho a libre práctica automático", por la conclusión del período de ultimación sin que las mercancías se declaren para su inclusión en otro régimen aduanero o se reexporten, la declaración en aduana para el despacho a libre práctica se considerará presentada y admitida, y el levante concedido, en la fecha de expiración del plazo de ultimación. Ahora bien, los productos o las mercancías incluidos en el régimen de perfeccionamiento activo IM/EX se convertirán en mercancías de la Unión en el momento de su comercialización (artículo 325 RECAU).

Interesa hacer referencia al régimen de medidas comerciales aplicables en caso de que los productos transformados obtenidos en el marco del régimen de perfeccionamiento activo sean despachados a libre práctica. Si los derechos de aduana se calculan sobre la base de los elementos de imposición (clasificación arancelaria, valor en aduana, cantidad, naturaleza y origen) de las mercancías de importación en el momento de la admisión de la declaración en aduana por la que se incluyeron en el régimen de perfeccionamiento activo, las medidas de política comercial aplicables con ocasión del despacho a libre práctica de los productos transformados serán las aplicables al despacho a libre práctica de las mercancías que se incluyeron en el régimen de perfeccionamiento activo. Es decir, las medidas de política comercial en este caso son las previstas para la mercancía importada, no las previstas para el producto transformado (artículo 202.1 CAU).

> Esta regla no se aplica a los desperdicios y desechos (artículo 202.2 CAU). Los desperdicios y desechos se definen, en el marco del régimen de perfeccionamiento activo, como las mercancías o productos derivados de una operación de transformación, que tengan ningún o escaso valor económico y que no puedan utilizarse sin una nueva transformación (artículo 1.41 RDCAU).

Si, por el contrario, los derechos de aduana se calculan sobre la base de los elementos de imposición correspondientes a los productos transformados en el momento de la admisión de la declaración para su despacho a libre práctica, las medidas de política comercial aplicables a los referidos productos transformados se aplicarán únicamente cuando las mercancías que se incluyeron en el régimen de perfeccionamiento activo estén, asimismo, sujetas a dichas medidas (artículo 202.3 CAU).

Características fundamentales del régimen de perfeccionamiento activo	
Descripción	**Contenido**
Requiere autorización	Sí
Pago de derechos de aduana	No/Sí [1]
Aplicación de las medidas de política comercial que prohíban la entrada en el TAU	Sí
Aplicación de las demás medidas de política comercial	No
Permite "manipulaciones usuales"	Sí
Permite la transformación de las mercancías	Sí

(1) Deben satisfacerse derechos si el régimen se ultima mediante despacho a libre práctica.

18.3. LA AUTORIZACIÓN

Según se señala en el capítulo 12.2, la utilización del régimen de perfeccionamiento activo está sujeta a la concesión de una autorización que corresponde solicitar a la persona que efectúe o mande efectuar las operaciones de perfeccionamiento (artículo 211 CAU).

> En el caso del perfeccionamiento activo, la propia declaración de inclusión en el régimen puede hacer las veces de solicitud de autorización cuando se refiera a mercancías distintas de las

contempladas en el anexo 71-02 RDCAU (que enumera las mercancías y productos sensibles). No obstante, esta posibilidad tiene excepciones (véase capítulo 12.2.2).

ENLACE

> En España la gestión de las solicitudes de autorización del régimen de perfeccionamiento pasivo se realiza a través de la web de la AEAT:
> https://www.agenciatributaria.gob.es/AEAT.sede/procedimientoini/DC43.shtml

Remitimos a lo expuesto respecto de la autorización en el capítulo 12.2. Insistamos, en particular, en la peculiaridad relativa al examen de las condiciones económicas como trámite previo a la autorización en el marco del régimen de perfeccionamiento y recordemos, también, que la autorización se sujeta a cautelas especiales cuando se solicita la posibilidad de utilizar mercancías equivalentes.

La autorización para utilizar el régimen de perfeccionamiento activo está sometida a algunas condiciones específicas de este régimen (artículo 240.3 RDCAU). En primer lugar, la utilización del régimen no debe ocasionar la elusión de las normas en materia de origen ni de las restricciones cuantitativas aplicables a las mercancías importadas. En segundo lugar, no debe ser económicamente posible, tras la operación de transformación, revertir las mercancías a la especie o el estado que tenían en el momento de su inclusión en el régimen. Esta restricción no se aplica si, con ocasión del nacimiento de una deuda aduanera, los derechos se calculan sobre la base de la clasificación arancelaria, el valor en aduana, la cantidad, la naturaleza y el origen de las mercancías de importación en el momento de la admisión de la declaración en aduana por la que se incluyeron dichas mercancías en el régimen de perfeccionamiento activo.

Por otra parte, la autorización para utilizar el régimen de perfeccionamiento debe especificar las medidas que habrán de permitir acreditar que los productos transformados son resultado de la transformación de mercancías incluidas en un régimen de perfeccionamiento y, en su caso, que se cumplen las condiciones para utilizar mercancías equivalentes (artículo 240.1 RDCAU).

La autorización debe precisar, además, otros elementos. Así, debe indicar el coeficiente de rendimiento y el plazo para ultimar el régimen (que puede ser objeto de prórroga), cuestiones ambas a las que nos referimos más abajo.

En España, conforme a lo dispuesto en la Orden PCI/933/2019 (de 11.09.2019, BOE 13.09.2019), relativa a la autorización de los regímenes aduaneros especiales de perfeccionamiento activo, de perfeccionamiento pasivo y de importación temporal, la solicitud de autorización debe formularse por medios electrónicos a través de la sede electrónica de la Agencia Estatal de Administración Tributaria (AEAT). Cuando la solicitud afecte a varios Estados miembros entre los que se encuentre España, el interesado podrá también presentar la solicitud a través del portal de la Comisión Europea, DG TAXUD. La tramitación de la solicitud se sujetará a las normas del procedimiento para la adopción de decisiones aduaneras (que se examinan en el capítulo 21), dentro de los plazos previstos en el artículo 171 RDCAU (artículo 4 Orden PCI/933/2019). La competencia para autorizar el régimen especial de perfeccionamiento pasivo corresponde a la AEAT, si bien a la Dirección General de Política Comercial y Competitividad le corresponde el análisis de las condiciones económicas y, en su caso, la remisión de la solicitud a la Comisión Europea, a cuyo fin debe tener conocimiento de todas las solicitudes y, en determinados supuestos, debe emitir un informe vinculante (artículos 2 y 3 Orden PCI/933/2019). El intercambio de información entre la AEAT —que recibe las solicitudes— y la Dirección General de Política Comercial y Competitividad se regula en la Resolución de 16 de febrero de 2020, de la Subsecretaría, por la que se publica el Convenio entre la Agencia Estatal de Administración Tributaria y la Secretaría de Estado de Comercio, en materia de cesión de información de carácter aduanero en relación con los regímenes aduaneros especiales de perfeccionamiento activo y de perfeccionamiento pasivo (BOE 18.02.2020).

Además de la autorización a que venimos refiriéndonos, en cada ocasión en que se desee incluir mercancías en el régimen deberá formularse la correspondiente declaración en aduana. Por otra parte, el titular del régimen o el titular de la autorización deben llevar los registros que permitan controlar el buen funcionamiento del régimen, según se examina en el capítulo 12.3.1.

18.4. OPERACIONES DE PERFECCIONAMIENTO FUERA DEL TAU

Como se expone en el capítulo 12.3.3, el movimiento de mercancías entre distintos lugares ("circulación de mercancías") puede realizarse en el marco del propio régimen, sin necesidad de incluir las mercancías en el régimen de tránsito.

Nos vamos a referir ahora a la posibilidad, algo más compleja, de que la totalidad o parte de los productos transformados o de las mercancías sin transformar sean reexportados temporalmente para realizar sobre ellos operaciones de perfeccionamiento complementarias que se deban efectuar fuera del territorio aduanero de la UE (TAU). En estas circunstancias, la referida reexportación temporal deberá realizarse previa concesión de una autorización por las autoridades aduaneras, en las condiciones fijadas por las disposiciones relativas al perfeccionamiento pasivo (artículo 258 CAU). Conviene precisar, además, que la reexportación temporal de productos transformados a que nos referimos no tendrá la consideración de reexportación a los efectos de obtener la devolución o condonación de los derechos, salvo que estos productos no se reimporten en el TAU en el plazo establecido.

Cuando se disponga de la autorización que regula el artículo 258 CAU para realizar una transformación en un tercer país en el marco del perfeccionamiento activo, en caso de que las mercancías de que se trate se despachen posteriormente a libre práctica, para calcular la deuda aduanera correspondiente al valor añadido en ese tercer país se aplicará la regla del artículo 86.5 CAU (coste de la operación de transformación llevada a cabo fuera del TAU), a pesar de que las mercancías se considerará que siguen incluidas en el régimen de perfeccionamiento activo —y no en el de perfeccionamiento pasivo— durante su estancia en el tercer país. Esta aclaración es relevante porque el artículo 86.5 CAU dispone que la regla que establece se aplica cuando nazca una deuda aduanera en relación con productos transformados resultantes del régimen de perfeccionamiento *pasivo* (no del activo). Por tanto, las mercancías se consideran incluidas en el régimen de perfeccionamiento activo, pero pueden quedar sujetas a la regla de cálculo de derechos establecida para el régimen de perfeccionamiento pasivo en caso de que posteriormente se despachen a libre práctica. Este es, al menos, el criterio que manifiesta la *Guidance* de TAXUD sobre regímenes especiales.

La referida *Guidance* de TAXUD sobre regímenes especiales ilustra con ejemplos el cálculo de derechos de aduana para el despacho a libre práctica cuando se produce una operación de transformación en un tercer país (pp. 53-57), tanto en el supuesto de contar con una autorización conforme al artículo 258 CAU, como en el supuesto de no contar con ella, y distinguiendo según el importe de los derechos se calcule conforme a la regla del artículo 86.3 CAU (atendiendo a las circunstancias existentes en el momento de la admisión de la declaración en aduana para el régimen de perfeccionamiento activo) o conforme a la regla del artículo 85.1 CAU (atendiendo a las circunstancias existentes en el momento en que nace la deuda aduanera; en este caso, en el momento del despacho a libre práctica). Téngase en cuenta que la fórmula de cálculo de derechos que se aplica a la operación (bien sea la del 86.3 o bien la del 85.1 CAU) se establece en la autorización del régimen de perfeccionamiento activo. Interesa destacar que, con carácter general, disponer de la autorización que regula el artículo 258 para realizar una transformación en un tercer país en el marco del perfeccionamiento activo resultará ventajoso cuando la fórmula de cálculo aplicable sea la del artículo 86.3 CAU (pues se logra que no compute para el cálculo de derechos el valor añadido en el TAU; se grava el valor de las mercancías al incluirlas en el régimen de perfeccionamiento activo, conforme a lo dispuesto en el artículo 86.3 CAU, más el valor de la transformación en el tercer país, conforme a lo dispuesto en el artículo 86.5 CAU), pero en cambio resulta perjudicial cuando la fórmula de cálculo aplicable sea la del artículo 85.1 CAU (porque en tal caso el valor añadido en el tercer país computa por duplicado, al incluirlo en el valor de los bienes en el momento de despacharlos a libre práctica y, a la vez, al calcular la deuda por la transformación llevada a cabo en el tercer país por aplicación del artículo 86.5 CAU). Por tanto, en el marco de este tipo de operaciones debe prestarse atención a la regla de cálculo de los derechos aplicable conforme a la autorización del régimen porque, en función de ella, los resultados pueden ser sensiblemente diferentes. Si no se dispone de la autorización prevista en el artículo 258 CAU, la salida de las mercancías hacia el tercer país constituye la reexportación que concluye el régimen de perfeccionamiento activo, de modo que cuando las mercancías regresan del tercer país, tras ser transformadas, se inicia un nuevo ciclo de operaciones. De tal modo que, si se despacharan a libre práctica, la base de cálculo sería el total valor en aduana en el momento del despacho.

18.5. COEFICIENTE DE RENDIMIENTO

Hemos señalado que en el perfeccionamiento activo se concede la exención de derechos condicionada a que unas mercancías se transformen y se reexporte el producto resultante de la transformación. A fin de controlar que este requisito se verifica debemos establecer unas tasas de equivalencia entre la mercancía de importación (o, en su caso, la mercancía equivalente) y el producto transformado o, dicho de otro modo, necesitamos unas reglas que nos determinen la cantidad de producto transformado que debe reexportarse a fin de que las mercancías de importación puedan quedar exentas. Con este fin se establecen los coeficientes de rendimiento. En este sentido, el artículo 5.38 CAU define "coeficiente de rendimiento" como la cantidad o el porcentaje de productos transformados que se obtengan de la transformación de una determinada cantidad de mercancías incluidas en un régimen de perfeccionamiento. El artículo 255 CAU dispone que corresponde a las autoridades aduaneras fijar el coeficiente de rendimiento o el coeficiente medio de rendimiento de la operación de perfeccionamiento o, en defecto de los anteriores, el modo en que se determinará ese coeficiente. En cualquier caso, el coeficiente de rendimiento o el coeficiente medio de rendimiento debe determinarse en función de las circunstancias reales en que se efectúen o vayan a efectuarse las operaciones de perfeccionamiento, pudiendo ajustarse, cuando proceda, siguiendo el procedimiento previsto para la revocación y modificación de decisiones favorables al interesado.

> El procedimiento previsto para la revocación y modificación de decisiones favorables al interesado se examina en el capítulo 21, en el contexto del análisis general del régimen jurídico de la decisión. En este sentido, interesa subrayar que, conforme a la doctrina del TJUE en su Sentencia *Eru Portuguesa* (asunto C-187/99, de 22.02.2001, p. 27), "la autoridad aduanera puede modificar unilateralmente el coeficiente de rendimiento que había fijado al expedir la autorización cuando resulte, en el marco del funcionamiento de dicho régimen, que el coeficiente de rendimiento obtenido es superior al fijado en la autorización". El operador no podrá oponer una vulneración del principio de seguridad jurídica frente a esta modificación unilateral "aun cuando se demuestre que dicha autoridad aduanera vigilaba y controlaba la actividad del titular de la autorización antes de expedirla" (p. 36).

La determinación por parte de las autoridades no procederá cuando sea la propia normativa de la Unión la que establezca el coeficiente de rendimiento. Esto ocurre, por ejemplo, en relación con determinados productos agrícolas.

Cuando las autoridades deban determinar el coeficiente de rendimiento, se ha de calcular la proporción existente de mercancías de importación incorporadas a los productos transformados. Esta proporción será relevante para:

- Determinar los derechos de aduana que deban satisfacerse en caso de nacimiento de una deuda aduanera;
- Aplicar las medidas de política comercial.

El detalle de las reglas a aplicar a fin de determinar el coeficiente de rendimiento se establece en el artículo 72 RDCAU. Conviene recordar que no son solamente relevantes para el régimen de perfeccionamiento (activo y pasivo) sino también para otros regímenes especiales, como el de destino final (artículo 254.5 CAU).

La metodología para el cálculo del coeficiente de rendimiento se regulaba, en la normativa anterior, en los artículos 517 y 518 RACAC. Para el régimen de perfeccionamiento activo se establecían reglas particulares en el artículo 119 CAC.

En determinados casos, las autoridades pueden fijar el coeficiente de rendimiento después de la inclusión de las mercancías en el régimen, pero nunca después de que se les dé un nuevo régimen aduanero. En la medida de lo posible, el coeficiente se determinará sobre la base de datos de producción, de las especificaciones técnicas o, en su defecto, datos relativos a operaciones de la misma naturaleza.

El cálculo del coeficiente de rendimiento puede realizarse aplicando dos metodologías, la de la "clave cuantitativa" o, cuando esta no pueda aplicarse, la de la "clave valor". Veamos en qué consiste cada una de ellas:

- *Clave cuantitativa.* Es el sistema de cálculo más sencillo. Básicamente consiste en determinar la proporción física en que las mercancías de importación (perfeccionamiento activo) o las mercancías de exportación temporal (perfeccionamiento pasivo) están presentes en la cantidad total de productos transformados. El método de clave cuantitativa tiene, a su vez, dos variantes:

    1. Clave cuantitativa con una única clase de producto transformado (clave cuantitativa aplicada a las mercancías de importación o de exportación temporal). Es aplicable cuando las mercancías de importación se destinen a la obtención de una única clase de producto transformado.

    En este caso, bastará con determinar, mediante estimación, un porcentaje o relación de mercancías de importación presentes en la cantidad total de productos transformados. Ese porcentaje se aplicará sobre la cantidad de productos transformados por los que se originó la deuda.

Ejemplo

EJEMPLO

Se importan 600 kilogramos de madera tropical en forma de tableros (mercancías de importación) en régimen de perfeccionamiento activo. Los tableros de madera se destinan exclusivamente a elaborar mesas (producto transformado). Se fabrican 24 mesas, con un peso de 480 kg. Supongamos que deben liquidarse derechos respecto de los tableros incluidos en 6 mesas (porque, p.e., finalmente estas 6 mesas no se exportaron), con un peso de 120 kg. Pues bien, la porción de madera presente en las mesas por las que nace deuda es del 25% respecto del total de madera presente en todas las mesas (120 kg dividido por un total de 480 kg y multiplicado por 100). Aplicamos este porcentaje al total de kg de madera en los tableros (25% de 600 tableros) y obtenemos que deben liquidarse derechos respecto de 150 kg de madera.

La expresión matemática que permite obtener la cuantía de mercancías importadas por las que nace deuda aduanera es la siguiente:

$$QT\ MI\ x\ \frac{Q\ PT\ NRE}{QT\ PT}$$

Donde: QT es "cantidad total" MI es "mercancías importadas" Q es "cantidad"
PT es "producto transformado" NRE es "mercancías No Re-Exportadas"

2. Clave cuantitativa con varias clases de producto transformado (clave cuantitativa aplicada a los productos transformados). Se aplica cuando existen varias clases de productos transformados y, por otro lado, todos los componentes de las mercancías de importación se encuentran en cada una de ellas. Necesitamos determinar la cantidad de mercancías de importación imputables a la cantidad de una clase de producto transformado por la que nace deuda (y repetiremos el proceso si nace deuda respecto de más de una clase de producto transformado). Para obtener este resultado seguiremos estos pasos:

a) Calculamos la ratio, en forma de porcentaje, entre la cantidad total producida de una clase de producto transformado y la cantidad total producida de productos transformados de todas las clases.

b) A continuación, calcularemos la ratio, en forma de porcentaje, entre la cantidad de producto transformado de esa clase por la que nace deuda y la cantidad total producida de producto transformado de esa clase.

c) A continuación, tomaremos la cantidad total de mercancías de importación y la multiplicaremos por los dos ratios (porcentajes) obtenidos en los pasos anteriores. El resultado nos identificará la magnitud que buscamos, es decir, la cantidad de mercancía de importación imputable a las unidades de producto transformado de una clase determinada por las que nace deuda aduanera.

Ejemplo

Se importan 1.050 kilogramos de madera tropical en forma de tableros (mercancías de importación) en régimen de perfeccionamiento activo. Los tableros de madera se destinan a elaborar 20 mesas, con un peso de 480 kg, y a elaborar 30 estanterías, con un peso de 450 kg (productos transformados). Del total producido no se exportan 5 mesas (120 kg) ni 15 estanterías (225 kg).

Para calcular los kg de tableros por los que nace deuda aduanera (es decir, los kg de tableros imputables a la producción de 5 mesas y 15 estanterías), comenzaremos por las mesas.

Paso (a). Primero debe determinarse la ratio entre el total de kg en el total de las mesas y el total de kg en el total de productos transformados (mesas + estanterías). El total de kg de las mesas es 480. El total de kg de todos los productos transformados es de 930 kg (480 + 450). Luego la ratio (en porcentaje) es de: 100 x 480/930 = 51,61%.

Paso (b). Ahora calculamos la ratio entre la cantidad de producto transformado de esa clase por la que nace deuda y la cantidad total de ese producto transformado. Nace deuda por 120 kg de mesas, luego (en porcentaje): 100 x 120/480 = 25%.

EJEMPLO

Paso (c). Ahora aplicamos estas ratios sobre el total de mercancías de importación y obtendremos sobre qué cantidad de madera nace deuda por los 120 kg de madera de 5 mesas:

1.050 x 51,61% x 25% = 135,48 kg. Obsérvese que la diferencia entre 120 kg de mesas y los 135,48 kg de mercancías de importación que se atribuyen a esas mesas se debe a las mermas del proceso de producción.

Análogamente, vamos a calcular ahora los kg de tableros por los que nace deuda aduanera respecto de las 15 estanterías (225 kg) que no se exportan.

Paso (a). Primero debe determinarse la ratio entre el total de kg en el total de las estanterías y el total de kg en el total de productos transformados (mesas + estanterías). El total de kg de las estanterías es 450. El total de kg de todos los productos transformados es de 930 kg (480 + 450). Luego la ratio (en porcentaje) es de: 100 x 450/930 = 48,39%.

Paso (b). Ahora calculamos la ratio entre la cantidad de producto transformado de esa clase por la que nace deuda y la cantidad total de ese producto transformado. Nace deuda por 225 kg de estanterías, luego (en porcentaje): 100 x 225/450 = 50%.

Paso (c). Ahora aplicamos estas ratios sobre el total de mercancías de importación y obtendremos sobre qué cantidad de madera nace deuda por los 225 kg de madera de 5 estanterías:

$$1.050 \times 48,39\% \times 50\% = 254,05 \text{ kg.}$$

Las *Guidelines on Customs Debt* de TAXUD ofrecen otros ejemplos de cálculo de la deuda adua-nera por aplicación de la clave cuantitativa y la clave valor en las pp. 33 a 36. Menos recientes, las Directrices de la Comisión sobre regímenes aduaneros económicos (DO C 269, de 24.09.2001) también ofrecen ejemplos de cálculo, aunque su claridad es mejorable.

En el sistema de cálculo de clave cuantitativa no se tienen en cuenta las pérdidas —destrucción o desaparición— para determinar si se cumplen las condiciones de apli-cación, porque el propio sistema de cálculo ya las prorratea (véase el último ejemplo). Las pérdidas son la parte de las mercancías de importación que se destruye o desaparece durante la operación de perfeccionamiento, en particular por evaporación, desecación, sublimación o fuga (artículo 72.5 RDCAU).

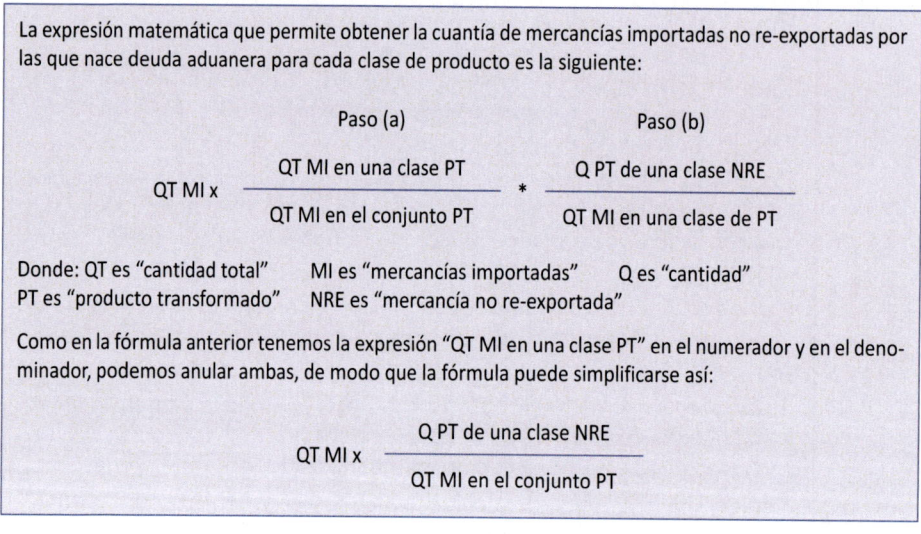

La expresión matemática que permite obtener la cuantía de mercancías importadas no re-exportadas por las que nace deuda aduanera para cada clase de producto es la siguiente:

$$\text{QT MI} \times \underbrace{\frac{\text{QT MI en una clase PT}}{\text{QT MI en el conjunto PT}}}_{\text{Paso (a)}} * \underbrace{\frac{\text{Q PT de una clase NRE}}{\text{QT MI en una clase de PT}}}_{\text{Paso (b)}}$$

Donde: QT es "cantidad total"   MI es "mercancías importadas"   Q es "cantidad"
PT es "producto transformado"   NRE es "mercancía no re-exportada"

Como en la fórmula anterior tenemos la expresión "QT MI en una clase PT" en el numerador y en el deno-minador, podemos anular ambas, de modo que la fórmula puede simplificarse así:

$$\text{QT MI} \times \frac{\text{Q PT de una clase NRE}}{\text{QT MI en el conjunto PT}}$$

- *Clave valor.* Este método se aplica cuando no se cumplan las condiciones a las que se sujeta la aplicación del método de clave cuantitativa que acabamos de exponer. Este método de cálculo supone asumir que el valor de cada producto transformado ob-tenido guarda relación con la cantidad de mercancías de importación que incorpo-ra. Como esta inferencia no es exacta (de hecho, puede alcanzar un margen de error sensible), este método es bastante más impreciso que el de la clave cuantitativa. Su operativa es la siguiente (más abajo ilustramos cada paso con un ejemplo):

1. En primer lugar, calculamos el valor total de los productos transformados de cada clase y el valor total de todos los productos transformados obtenidos (de todas las clases). Determinamos la ratio, en forma de porcentaje, que resulta de dividir el valor total de los productos transformados de una clase (en el nu-merador) por el valor total de todos los productos transformados obtenidos de todas las clases (en el denominador).

2. Calculamos el valor de los productos transformados de una determinada clase por los que nace deuda aduanera. Determinamos la ratio, en forma de porcentaje, que resulta de dividir esta cifra (en el numerador) por el valor total de los productos transformados de esa clase (en el denominador).

3. Multiplicamos la cifra total de mercancías de importación/mercancías de exportación temporal por el porcentaje obtenido en el paso (1) y por el porcentaje obtenido en el paso (2) y el resultado nos identificará la cifra de mercancías de importación/mercancías de exportación temporal imputables a los productos transformados por los que nace deuda.

EJEMPLO

Ejemplo

Supongamos que en el ejemplo anterior no fuese aplicable la clave cuantitativa. Vamos a determinar los tableros imputables a las 5 mesas por las que nace deuda aduanera. Para ello vamos a suponer que el valor de cada mesa es de 300 euros y que el valor de cada estantería es de 700 euros. Recordemos que, a partir de 1.050 kg de tableros se producen 20 mesas y 30 estanterías y que nace deuda respecto de 5 mesas y respecto de 15 estanterías.

(1) Valor total de las mesas: 20 mesas x 300 euros/mesa = 6.000 euros.

Valor total estanterías: 30 estanterías x 700 euros/estantería = 21.000 euros.

Valor total de los productos transformados: 6.000 + 21.000 = 27.000 euros.

Ratio (valor total mesas/valor total productos transformados) x 100:

$$(6.000/27.000) \times 100 = 22,22\%$$

(2) Valor de las mesas por las que nace deuda aduanera:

$$5 \text{ mesas} \times 300 \text{ euros/mesa} = 1.500 \text{ euros.}$$

Ratio (valor mesas por las que nace deuda/valor total mesas producidas) x 100:

$$(1.500/6.000) \times 100 = 25\%$$

(3) Total de kg de tableros utilizados en el régimen imputables a las mesas por las que nace deuda:

$$1.050 \text{ tableros} \times 22,22\% \times 25\% = 58,33 \text{ kg de tableros}$$

Procederíamos de forma análoga para las estanterías. Tendríamos:

(1) Ratio (valor total estanterías/valor total productos transformados) x 100:

$$(21.000/27.000) \times 100 = 77,78\%$$

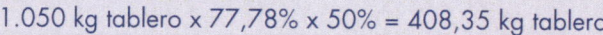

Ejemplo

(2) Valor de las estanterías por las que nace deuda aduanera:

15 estanterías x 700 euros/estantería = 10.500 euros.

Ratio (valor estanterías por las que nace deuda/valor total estanterías producidas) x 100:

(10.500/21.000) x 100 = 50%

(3) Total de kg de tablero utilizados en el régimen imputables a las estanterías por las que nace deuda:

1.050 kg tablero x 77,78% x 50% = 408,35 kg tablero

De manera que habría que calcular los derechos que corresponden a un total de 466,68 kg de tablero (58,33 + 408,35). Obsérvese que este resultado no coincide con el que arroja el método de la clave cuantitativa (que era de 254,05 kg de tablero). La discrepancia se debe, principalmente, a que hemos supuesto que las estanterías tienen un valor de 700 euros, frente a los 300 euros de las mesas, a pesar que las estanterías incorporan menos madera que las mesas (en la clave cuantitativa hemos supuesto que cada estantería incorpora 15 kg de madera, frente a los 24 kg de madera que incorpora cada mesa). Esto podría ocurrir, por ejemplo, porque las estanterías lleven detalles de acabado más sofisticados.

La expresión matemática que permite obtener la cuantía de mercancías no re-exportadas por las que nace deuda aduanera en este caso es la siguiente:

$$QT\ MI\ x\ \underbrace{\frac{VT\ de\ una\ clase\ PT}{VT\ todos\ los\ PT}}_{Paso\ (a)}\ x\ \underbrace{\frac{V\ PT\ de\ una\ clase\ NRE}{VT\ de\ una\ clase\ de\ PT}}_{Paso\ (b)}$$

Donde: QT es "cantidad total"   MI es "mercancías importadas"
VT es "valor total"   PT es "producto transformado" V es "valor"
NRE es "mercancías No Re-Exportadas"

Como en la fórmula anterior tenemos la expresión "VT de una clase PT" en el numerador y en el denominador, podemos anular ambas, de modo que la fórmula puede simplificarse así:

$$QT\ MI\ x\ \frac{V\ PT\ de\ una\ clase\ NRE}{VT\ todos\ los\ PT}$$

Ha de tenerse en cuenta que, a fin de determinar el valor de los productos transformados en el marco del método de clave valor, se tomará como base el precio franco fábrica aplicable en ese momento en el TAU o, en caso de que no sea posible determinarlo, el precio de venta aplicable en ese momento en el TAU para productos idénticos o similares. Si se trata de precios entre partes que estén asociadas o que tengan un acuerdo de compensación entre sí solo podrán utilizarse para la determinación del valor de los productos transformados si se establece que los precios no se ven afectados por la relación.

Interesa apuntar que el RDCAU señala que, además de la metodología de la clave cuantitativa y la metodología de la clave valor que hemos expuesto, también cabe utilizar "cualquier método razonable" cuando no pueda determinarse el valor de los productos transformados (artículo 72.6 RDCAU, último párrafo).

> La normativa anterior (CAC y RACAC) regulaba unos coeficientes de rendimiento a tanto alzado que se aplicaban a operaciones de perfeccionamiento efectuadas tradicionalmente en condiciones técnicas determinadas, relativas a mercancías de características sensiblemente constantes y que condujesen a la obtención de productos compensadores de calidad constante y, también, en otros casos justificados. Los coeficientes de rendimiento a tanto alzado se determinaban basándose en datos reales previamente comprobados. El CAU y sus reglamentos de desarrollo omiten referirse a ellos, aunque cabe cuestionarse si podrían aplicarse en virtud del referido artículo 72.6 RDCAU. Interesa observar que la práctica recomendada 13 del Capítulo 1 del Anexo Específico F del Convenio de Kioto recomienda introducir la operativa de los coeficientes de rendimiento a tanto alzado.
>
> A estos efectos, el anexo 69 RACAC enumeraba las mercancías a las que se aplicaban coeficientes de rendimiento a tanto alzado. Lo hacía mediante un sistema de tabla en el que: 1) se identificaba cada mercancía de importación a la que se aplicaba este sistema (mediante su código de la nomenclatura combinada y designación); 2) se identificaban los productos transformados ("compensadores" se denominaban en la normativa anterior) que se obtenían a partir de las mercancías de importación (de nuevo mediante su código y designación); y 3) se fijaba la cantidad de productos transformados, en kg, obtenida por cada 100 kg de mercancías de importación.
>
> El Anexo 69 RACAC se iniciaba con una observación general en virtud de la cual los coeficientes de rendimiento a tanto alzado únicamente podían aplicarse a las mercancías de importación de calidad sana, genuina y comercial que cumpliesen con la calidad tipo establecida en la normativa de la UE y a condición de que los productos transformados no se obtuviesen mediante la utilización de métodos especiales de perfeccionamiento con el objeto de cumplir algunos requisitos específicos relativos a la calidad.

18.6. ULTIMACIÓN DEL RÉGIMEN

El régimen de perfeccionamiento activo se ultimará, típicamente, mediante la reexportación de los productos transformados (o su exportación, si se han utilizado mercancías equivalentes de la Unión). Cuando así suceda, el régimen habrá culminado del modo que justifica su propia existencia, permitiendo una transformación en la UE que no ha padecido el inconveniente de tener que soportar los costes de los derechos de aduana respecto de los insumos importados.

El artículo 324 RECAU regula seis supuestos en los que las mercancías se consideran reexportadas, a los efectos de poder entender ultimado el régimen de perfeccionamiento activo. Se trata de supuestos en los que, en realidad, las mercancías no salen del TAU pero, ello no obstante, se entiende cumplido el requisito de la reexportación como modo de ultimación típico del régimen de perfeccionamiento activo. Estos supuestos exigen que se trate de una operación IM/EX y que se cumplan dos requisitos. El primero de los requisitos referidos es que el despacho a libre práctica de las mercancías no pertenecientes a la Unión incluidas en el régimen de perfeccionamiento activo IM/EX no quede sujeto a medidas de política agrícola o comercial, derechos antidumping (provisionales o definitivos), derechos compensatorios, medidas de salvaguardia o a un derecho adicional derivado de la suspensión de concesiones. Ahora bien, aún en el caso de que las mercancías queden sujetas a las referidas medidas, el requisito todavía se entiende cumplido si las mercancías de que se trate hubieran de estar sujetas a una vigilancia previa de la Unión y, además, el titular de la autorización de perfeccionamiento activo IM/EX facilite los elementos de datos conforme a la medida de vigilancia que corresponda. El segundo requisito consiste en que, cuando pueda originarse una deuda aduanera por aplicación de la cláusula de "no drawback" respecto de las mercancías no originarias incluidas en el régimen de perfeccionamiento activo IM/EX, el titular de la autorización no debe tener la intención de reexportar los productos transformados (la cláusula de "no drawback" se analiza en el capítulo 7.4.1). Por lo demás, sistematizamos en la tabla que sigue los supuestos que tienen la consideración de reexportación a los efectos de la ultimación del régimen de perfeccionamiento activo.

Supuestos que se consideran reexportación (art. 324 RECAU)
a) el suministro de productos transformados a personas que puedan beneficiarse de las franquicias de derechos de importación derivadas de la aplicación del Convenio de Viena sobre las relaciones diplomáticas de 18 de abril de 1961, del Convenio de Viena sobre las relaciones consulares de 24 de abril de 1963, o del Convenio de Nueva York sobre misiones especiales de 16 de diciembre de 1969 a que se refiere el artículo 128, apartado 1, letra a), del Reglamento de franquicias (1186/2009)
b) el suministro de productos transformados a las fuerzas armadas de otros países estacionadas en el territorio de un Estado miembro, en caso de que dicho Estado miembro conceda franquicias especiales de los derechos de importación de conformidad con el artículo 131, apartado 1, del Reglamento de franquicias (1186/2009).
c) el suministro de aeronaves. La aduana supervisora autorizará la ultimación del régimen de perfeccionamiento activo IM/EX a partir de la primera utilización de las mercancías incluidas en él en la fabricación, reparación (incluido el mantenimiento), modificación o transformación de aeronaves, o de partes de estas, a condición de que los registros del titular del régimen permitan comprobar que el régimen se está aplicando y gestionando de forma correcta. Sobre el supuesto de suministro de aeronaves civiles, véase el documento del Comité del Código Aduanero TAXUD/A2/SPE/2012/047.

Supuestos que se consideran reexportación (art. 324 RECAU)
d) el suministro de astronaves y de equipo conexo. La aduana supervisora autorizará la ultimación del régimen de perfeccionamiento activo IM/EX a partir de la primera utilización de las mercancías incluidas en él en la fabricación, reparación (incluido el mantenimiento), modificación o transformación de satélites, de sus vehículos de lanzamiento y del equipo en tierra, o de partes de estos que sean parte integrante de los sistemas, a condición de que los registros del titular del régimen permitan comprobar que el régimen se está aplicando y gestionando de forma correcta.
e) el suministro de productos transformados principales a los que se aplique un tipo de derecho de importación erga omnes «nulo» o con respecto a los cuales se haya expedido un certificado de aptitud autorizado "formulario EASA 1" o un certificado equivalente contemplado en el artículo 2 del Reglamento (UE) 2018/581 del Consejo de 16 de abril de 2018, por el que se suspenden temporalmente los derechos autónomos del arancel aduanero común sobre determinadas mercancías destinadas a ser incorporadas o utilizadas en aeronaves, y por el que se deroga el Reglamento (CE) 1147/2002 (DO L 98 de 18.4.2018, p. 1). La aduana supervisora autorizará la ultimación del régimen de perfeccionamiento activo IM/EX a partir de la primera utilización de las mercancías incluidas en él en operaciones de transformación relacionadas con los productos transformados suministrados o de partes de estos, a condición de que los registros del titular del régimen permitan comprobar que el régimen se está aplicando y gestionando de forma correcta.
f) la disposición, de conformidad con las disposiciones pertinentes, de los productos transformados secundarios cuya destrucción bajo vigilancia aduanera esté prohibida por motivos ambientales. El titular del régimen de perfeccionamiento activo deberá probar que la ultimación del régimen de perfeccionamiento activo IM/EX de conformidad con las disposiciones aplicables normalmente es imposible o inviable económicamente.

Existen otras formas de ultimación, además de la reexportación, y es a esas otras formas a las que nos enfocamos a continuación. Así, el régimen puede ultimarse mediante la inclusión de las mercancías en otro régimen especial. En este caso se difiere la reexportación que, caso de no producirse, puede dar lugar a que nazca una deuda aduanera.

> Acerca de la discrecionalidad administrativa en la autorización de otro régimen aduanero para las mercancías, es interesante la Sentencia del TJUE *Telefunken* (asunto C-437/97, de 29.06.1995), en la que el Tribunal se enfrentó a una situación en la que el perfeccionamiento activo se ultimó mediante inclusión en otro régimen aduanero (la transformación bajo control aduanero, que ha desaparecido con el CAU para fundirse con el propio perfeccionamiento activo). En aquél caso, si las mercancías importadas para el perfeccionamiento activo resultaban ser defectuosas, el importador extraía de ellas los metales con valor, utilizando para ello el régimen de transformación bajo control aduanero, para después despachar a libre práctica en el TAU esos metales. Las autoridades alemanas limitaron cuantitativamente las mercancías que podían incluirse en el régimen de transformación bajo control aduanero. Interesa destacar que el Tribunal apreció que la autorización para incluir las mercancías en alguno de esos regímenes aduaneros no puede establecer restricciones cuantitativas respecto de las mercancías que pueden incluirse en ellos, afirmando que "al establecer que la autoridad aduanera concederá la autorización de recurrir a otros modos de ultimación cuando las circunstancias lo justifiquen (la norma vigente en aquél momento) no confiere a esta autoridad una amplia facultad de apreciación que le permita restringir el alcance de dicha autorización, sino que establece

cierto automatismo en su concesión: si la autoridad aduanera comprueba que la utilización de los modos alternativos de ultimación del régimen de perfeccionamiento activo (...) no puede dar lugar a abusos otorgando, por ejemplo, al beneficiario una ventaja arancelaria injustificada, está obligada a conceder la autorización; en caso contrario, no podrá sino denegarla" (p. 26).

La declaración en aduana mediante la cual se incluyan mercancías en otro régimen aduanero, tras haber estado incluidas en el régimen de perfeccionamiento activo, debe incorporar determinados elementos de datos específicos que se establecen en el artículo 241 RDCAU. En este sentido, si la ultimación del régimen de perfeccionamiento activo se realiza mediante la inclusión de esas mercancías o de los productos transformados resultantes del régimen en otro régimen aduanero especial, la declaración en aduana para ese otro régimen especial deberá incluir la indicación «IP» y el número de autorización pertinente o INF, si ha lugar (este requisito no se aplica si se utiliza un cuaderno ATA/CPD para incluir las mercancías en el régimen aduanero especial posterior). Si, además, las mercancías incluidas en el régimen de perfeccionamiento activo se sujetan a medidas específicas de política comercial, que continúan siendo aplicables en el momento en que las mercancías se incluyen en un régimen aduanero posterior, la declaración en aduana para el régimen aduanero posterior deberá contener la indicación «CPM». Estos mismos requisitos son exigibles, respecto de la declaración de reexportación, si las mercancías incluidas en el régimen de perfeccionamiento activo se reexportan.

Cuando se utiliza la variante EX/IM (mercancías equivalentes, con exportación anticipada), el régimen se ultimará mediante la declaración de despacho a libre práctica de las mercancías importadas.

Como hemos adelantado más arriba, otra de las formas regulares de ultimación del régimen de perfeccionamiento activo en el CAU es el despacho a libre práctica. Ello se debe a que, en la actual regulación, el régimen de perfeccionamiento activo absorbe al régimen de transformación bajo control aduanero, que pasa a ser una variante del primero. Recordemos en este punto que el solicitante de la autorización puede pedir que las mercancías se consideren automáticamente despachadas a libre práctica si, a la expiración del periodo de ultimación del régimen, los productos transformados o las mercancías incluidas en el perfeccionamiento activo IM/EX no han sido declaradas para un régimen aduanero posterior o reexportadas (artículo 325 RECAU).

> Como hemos señalado más arriba, en este supuesto la declaración en aduana para el despacho a libre práctica se considerará presentada y admitida, y el levante concedido, en la fecha de expiración del plazo de ultimación.

Cabe, asimismo, que la ultimación del régimen de perfeccionamiento activo se produzca por la destrucción de las mercancías —sin producir residuos— o por su abandono en favor del Estado, según se establece con carácter general para los regímenes aduaneros especiales (artículo 215.1 CAU).

En cualquiera de las formas que hemos señalado, el titular del régimen vendrá constreñido por unos plazos dentro de los cuales debe verificarse la ultimación (artículo 257 CAU). La fijación de tales plazos, que se señalará en la autorización, estará en función de la duración estimada de la operación de perfeccionamiento a desarrollar, además de un período que permita la comercialización del producto obtenido. El cómputo de los plazos se iniciará a partir de la fecha de admisión de la declaración de inclusión de las mercancías en el régimen.

> Por razones de simplificación, se podrá decidir que los plazos que empiecen a contarse durante un mes o un trimestre natural finalicen el último día, según el caso, de un mes o de un trimestre natural ulterior (a esta simplificación se le denomina "globalización").
>
> Las autoridades pueden prorrogar el plazo de ultimación a petición justificada del titular de la autorización.
>
> Tratándose de la variante EX/IM (uso de mercancías equivalentes, con exportación anticipada), el plazo de ultimación se referirá al período dentro del cual las mercancías que no son de UE han de ser declaradas para el régimen. Para la fijación de este plazo se tendrá en cuenta el tiempo necesario para la adquisición y su transporte a la UE. El cómputo del plazo se iniciará en la fecha de admisión de la declaración de exportación de los productos transformados obtenidos a partir de las mercancías equivalentes. El plazo a que nos referimos, en esta modalidad EX/IM, se cuantificará en meses, sin que pueda ser superior a seis meses, si bien cabe que se prorrogue a petición del titular, debidamente justificada, sin que su duración total pueda superar los doce meses. Cuando lo requieran las circunstancias, se podrá conceder la prórroga incluso después de la expiración del plazo inicialmente concedido. En la variante EX/IM, el período de que dispone el operador para declarar la inclusión en el régimen de las mercancías que no son de la Unión no se considera que integre el período de ultimación. Lo anterior supone que no es necesario que la autorización para el régimen de perfeccionamiento activo este vigente en el momento en que las mercancías que no son de la Unión se declaren para el régimen, siempre que se cumplan los plazos de ultimación (esta solución se indica en la *Guidance* sobre regímenes especiales, pp. 51-52, donde se refiere a diversas cuestiones en relación a los plazos de ultimación).
>
> En la normativa del CAU desaparecen los plazos de ultimación específicos, de dos a seis meses, que en la regulación anterior se establecían en el artículo 542.3 RACAC para determinados productos agrícolas y animales.

18.7. SISTEMA DE INTERCAMBIO NORMALIZADO DE INFORMACIÓN (INF)

Los artículos 176 y RDCAU y 271 RECAU regulan un sistema dirigido a permitir la coordinación entre diferentes autoridades aduaneras a fin de asegurar una correcta aplicación de las disposiciones del régimen de perfeccionamiento (tanto activo como pasivo). Esta coordinación se articula mediante el intercambio electrónico de unos datos estandarizados, que se concretan en el sistema de intercambio normalizado de información, cuya denominación abreviada es INF.

Ha de tenerse en cuenta, en este sentido, que las operaciones de perfeccionamiento presentan cierta complejidad porque, si se trata del perfeccionamiento activo, tendremos una importación de mercancías y, típicamente, una reexportación, que pueden realizarse en lugares diferentes, lo que determina que puedan quedar implicadas autoridades de diferentes Estados miembros de la Unión (en caso de perfeccionamiento pasivo, tendremos una exportación y una reimportación). La operación puede ser todavía más difícil de controlar cuando el régimen de perfeccionamiento se ultime mediante la inclusión de las mercancías en otro régimen aduanero especial o mediante el despacho a libre práctica.

El artículo 1 RDCAU define las diversas denominaciones que se aplican a una aduana en función del rol que asume en la aplicación de la normativa aduanera. En este sentido, podemos distinguir entre:

- La «aduana de inclusión», que es la aduana indicada en la autorización del régimen especial, facultada para conceder el levante de las mercancías para un régimen especial (artículo 1(17) RDCAU);

- La «aduana supervisora», que es la aduana indicada en la autorización para vigilar el régimen especial de que se trate (artículo 1(36) RDCAU); y

- La «aduana de exportación», que es la aduana en que se presenta la declaración de exportación o la declaración de reexportación para las mercancías que salgan del territorio aduanero de la Unión (artículo 1(16) RDCAU).

Como requisito para la autorización del régimen de perfeccionamiento (tanto activo, en sus variantes IM/EX y EX/IM, como pasivo, en sus variantes EX/IM e IM/EX) en aquellos supuestos en que la autorización implique a varios Estados miembros y, si se trata dela variante EX/IM del perfeccionamiento activo, aunque sólo esté implicado un Estado miembro (artículo 176.1 RDCAU), el titular de la autorización debe facilitar a la aduana supervisora los elementos de datos que se señalan en la sección A del Anexo 71-05 RDCAU. Esta información se debe incorporar al sistema INF, de manera que, en estos supuestos, estaremos ante un intercambio automático de información.

> A estos efectos, se dispone que los operadores económicos utilizarán una interfaz de operadores armonizada a escala de la UE para el intercambio normalizado de información (INF) (artículo 271.1bis RECAU). En España, la Nota Informativa NI GA 29/2020 de la AEAT ofrece indicaciones acerca de la utilización de este sistema y señala que no es necesario su uso en las operaciones que sólo afecten a las aduanas españolas puesto que los sistemas electrónicos propios de la AEAT ya permiten este intercambio de información.
>
> Con anterioridad a la implantación del sistema de Fichas de Información (INF) para los Regímenes Especiales en el ámbito del CAU (operada en junio de 2020) se disponía que la información podía intercambiarse entre las autoridades por medios distintos a los electrónicos.

Se generará un número INF para cada autorización, que la identificará. Ese número INF debe incluirse en las declaraciones o notificaciones siguientes:

1) las declaraciones en aduana para perfeccionamiento activo;

2) la declaración de exportación para perfeccionamiento activo EX/IM o perfeccionamiento pasivo;

3 las declaraciones en aduana para despacho a libre práctica después de perfeccionamiento pasivo;

4) las declaraciones en aduana para la ultimación del régimen de perfeccionamiento;

5) las declaraciones o notificaciones de reexportación.

Cuando una declaración en aduana o una declaración de reexportación o una notificación de reexportación se refiera a un INF, las autoridades aduaneras competentes deben incorporar los elementos de datos que se enumeran en la sección A del anexo 71-05 RDCAU en el sistema INF.

Cuando la autorización para el régimen de perfeccionamiento activo sólo implique a un Estado miembro, no existe obligación de incorporar de forma automática los elementos de datos que se enumeran en la sección A del Anexo 71-05 RDCAU. Ahora bien, la aduana supervisora puede solicitar al titular de la autorización la información necesaria para estar en condiciones de calcular los derechos de aduana sobre la base de los elementos de imposición (clasificación arancelaria, valor en aduana, cantidad, naturaleza y origen) de las mercancías de importación en el momento de la admisión de la declaración en aduana por la que se incluyeron en el régimen de perfeccionamiento activo. Si la aduana responsable de determinar la deuda aduanera (la aduana del lugar en que nazca la deuda aduanera o se considere que ha nacido) lo solicita, la aduana supervisora debe facilitarle los elementos de datos que se enumeran en la sección B del Anexo 71-05 RDCAU. Se trata en este caso, por tanto, de un intercambio de información previa solicitud.

También se reconoce al titular del régimen el derecho a obtener de las autoridades la información actualizada relativa al INF.

Además de permitir el control de las obligaciones en materia de impuestos arancelarios, el sistema INF se utiliza asimismo para asegurar el correcto cumplimiento de las normas de política comercial aplicables.

18.8. ESTADO DE LIQUIDACIÓN

En determinados supuestos, el titular de la autorización debe presentar un estado de liquidación a la aduana supervisora (artículo 175 RDCAU). El estado de liquidación tiene por finalidad "facilitar el cobro de cualquier importe de derechos de importación y, por consiguiente, proteger los intereses financieros de la Unión" (Considerando 52 RDCAU) y, a estos efectos, se integra del conjunto de datos que se enumeran en el anexo 71-06 RDCAU, si bien la aduana supervisora puede introducir alteraciones. La aduana supervisora también puede eximir de esta obligación si la considera innecesaria.

Información que debe contenerse en el estado de liquidación (Anexo 71-06 RDCAU)
a) referencias de la autorización;
b) la cantidad de cada tipo de mercancías incluidas en el régimen especial respecto de las cuales se solicita la ultimación;
c) el código NC de las mercancías incluidas en el régimen especial;
d) el tipo de derechos de importación a que están sometidas las mercancías incluidas en el régimen especial y, cuando proceda, su valor en aduana;
e) los detalles de la declaración o declaraciones en aduana de inclusión de las mercancías en el régimen especial;
f) la naturaleza y cantidad de los productos transformados o de las mercancías incluidas en el régimen, y los detalles de la declaración en aduana posterior o cualquier otro documento relativo a la ultimación del régimen;
g) el código NC y el valor en aduana de los productos transformados, cuando la ultimación se efectúe sobre la base de la clave de valor;
h) el coeficiente de rendimiento;
i) el importe de los derechos de importación que deberán abonarse; cuando el importe resulte del despacho a libre práctica automático por expiración del plazo de ultimación del régimen, se hará constar esta circunstancia (artículo 175.4 RDCAU);
j) los períodos de ultimación.

Los supuestos en que debe presentarse el estado de liquidación son:

✓ Perfeccionamiento activo IM/EX,

✓ Perfeccionamiento activo EX/IM sin el uso del sistema INF,

✓ Destino final

Cuando la autorización de perfeccionamiento activo IM/EX establezca el despacho a libre práctica automático a la conclusión del período de ultimación, el titular de la autorización debe presentar un estado de liquidación. Si las mercancías se han despachado a libre práctica de forma automática a la conclusión del período de ultimación (en los supuestos en que la autorización así lo contemple), en el marco del régimen de perfeccionamiento activo IM/EX, esta circunstancia se debe hacer constar en el estado de liquidación.

El estado de liquidación debe presentarse dentro de los treinta días siguientes a la expiración del plazo de ultimación, plazo que puede ampliarse, si así lo solicita el titular de la autorización, hasta sesenta días (excepcionalmente las autoridades pueden conceder la ampliación tras la expiración del plazo inicial).

> En este sentido, ha de tenerse en cuenta que, conforme a la STJUE *Döhler* (asunto C-262/10, de 06.09.2012), el incumplimiento de la obligación de presentar el estado de liquidación a la aduana de supervisora en un plazo de 30 días tras la expiración del plazo de ultimación "origina una deuda aduanera que se refiere a todas las mercancías de importación que se han de liquidar, incluidas las reexportadas fuera del territorio de la Unión Europea", salvo que se hubiera solicitado una prórroga del plazo. Esta deuda aduanera se entiende nacida por el incumplimiento de las obligaciones del régimen.

Con carácter general el estado de liquidación debe suministrarse por medios electrónicos, si bien las autoridades pueden permitir que se presente por otros medios.

Una vez recibido el estado de liquidación, la aduana supervisora debe supervisarlo sin demora, pudiendo aceptar el importe de los derechos de importación que haya determinado el titular de la autorización. En cualquier caso, el importe de los derechos de importación debe contraerse dentro del plazo de los catorce días siguientes a la fecha en que se haya comunicado el estado de liquidación a la aduana supervisora (artículo 265 RECAU).

18.9. DEUDA ADUANERA

Con carácter general, el régimen de perfeccionamiento activo no hace nacer una deuda aduanera (artículo 256 CAU), siempre que se cumpla con el requisito típico de la reexportación de los productos transformados.

> Recordemos en este punto que el artículo 324 RECAU enumera una serie de supuestos que se asimilan a la reexportación.
> La reexportación debe formalizarse correctamente. La STJUE *Terex* (asunto C-430/08, de 14.01.2010) decidió que "La indicación, en las declaraciones de exportación que son objeto de los litigios principales, del código de régimen aduanero 10 00, que designa la exportación de mercancías comunitarias, en lugar del código 31 51, que se aplica a las mercancías que son objeto del régimen de perfeccionamiento activo, origina, de conformidad con el artículo 203, apartado 1, (CAC), y con el artículo 865, párrafo primero, del (RACAC), una deuda aduanera". De modo que la incorrecta identificación de las mercancías que se reexportan, que no advierte adecuadamente que se trata de las mercancías transformadas, puede dar lugar a que nazca una deuda aduanera por incumplimiento de la obligación de reexportar los productos transformados. Ahora bien, en esta

misma sentencia el Tribunal decidió que el operador puede corregir este error en la declaración acudiendo al mecanismo de revisión de la declaración (artículo 48 CAU, anteriormente artículo 78 CAC), si bien para que no nazca deuda las autoridades deben quedar satisfechas de que el régimen se ha aplicado correctamente y que sus objetivos no se han visto amenazados, "en particular porque las mercancías que son objeto de dicho régimen aduanero han sido efectivamente reexportadas".

Al objeto de establecer si se ha reexportado la cantidad de productos transformados que corresponde a la cantidad de mercancías importadas acogidas al régimen, hemos de contar con unas equivalencias predeterminadas, de modo que podamos establecer *a priori* la cantidad de producto transformado que corresponde a una cantidad dada de mercancías importadas ("coeficiente de rendimiento", que se examina más arriba en el punto 18.5). Disponer de esta información permitirá a las autoridades aduaneras conocer si el importador ha cumplido íntegramente con las obligaciones a que se sujeta el disfrute del régimen (reexportar los productos transformados o incluirlos en otro régimen aduanero autorizado) y, caso de que ello sólo ocurra parcialmente, calcular los derechos devengados.

Tampoco nacerá deuda aduanera si los productos transformados o las mercancías importadas se incluyen en alguno de los otros regímenes especiales autorizados (régimen de tránsito, de depósito aduanero, de importación temporal, zona franca, destino final). En este caso las mercancías continuarán gozando de la exención inicialmente reconocida, en las condiciones a las que en cada uno de estos regímenes se sujeta el disfrute de la misma.

Ahora bien, dado que se ha suprimido el régimen de transformación bajo control aduanero y este tipo de operaciones ha pasado a ser una variante del perfeccionamiento activo que concluye con el despacho a libre práctica de los productos transformados, el nacimiento de una deuda aduanera en el régimen de perfeccionamiento activo deja de ser algo atípico.

Si se produce este último supuesto y los productos transformados se despachan a libre práctica, en principio se aplica la regla general en virtud de la cual el importe de la deuda se determina tomando en consideración los elementos de imposición (recordemos, clasificación, valor, cantidad, naturaleza y origen) existentes en el momento en que nace la deuda o, si este no puede determinarse, en el momento en que las autoridades determinen que ha nacido una deuda (artículo 85, apartados 1 y 2, CAU). Esto significa que, en principio, los derechos se van a calcular sobre los elementos de imposición correspondientes a los productos transformados. Ha de tenerse en cuenta que, según se señala más arriba, el interés a que, en muchos casos, responde la utilización del perfeccionamiento activo respecto de mercancías que, tras su transformación, se van a despachar a libre práctica, consiste justamente en acogerse a los elementos de imposición que resultan aplicables a los productos transformados, cuando estos sean más favorables que los establecidos para los insumos a partir de los cuales se obtuvieron.

Por otra parte, si, en el momento en que las mercancías importadas se introdujeron en el TAU, éstas cumplían los requisitos para acogerse a un contingente arancelario o a un límite máximo arancelario, este beneficio sólo será aplicable si pudieran acogerse a él mercancías idénticas en el momento de la admisión de la declaración de despacho a libre práctica. Esto es, para beneficiarse de un contingente o de un límite máximo arancelario, el mismo debe ser aplicable, tanto en el momento en que se introdujeron las mercancías, como en el momento en que se despachen a libre práctica (artículo 74 RDCAU).

> En este sentido, la STJUE *Exter* (asunto C-330/19, de 08.10.2020) decide que no procede la aplicación de "una medida arancelaria preferencial, mediante la cual se establece un tipo reducido de los derechos de aduana, que se encontraba en vigor en el momento de la admisión de la declaración de inclusión de unas mercancías en el régimen de perfeccionamiento activo, pero que estaba suspendida en la fecha de admisión de la declaración de despacho a libre práctica de esas mercancías".

Cabe asimismo la posibilidad de que las mercancías de importación se hubiesen podido beneficiar, en el momento de la aceptación de la declaración de inclusión en el régimen, de la aplicabilidad del régimen de destino final por tener un destino especial. En tal caso, si se dieran las circunstancias que hacen nacer una deuda aduanera, esta se calculará al tipo previsto para el destino especial de que se trate, siempre y cuando se cumplan dos condiciones. La primera es que se hubiera podido conceder una autorización para incluir las mercancías en el régimen de destino final. La segunda condición consiste en que se hubieran cumplido los requisitos fijados para la concesión de la exención —total o parcial— en el momento de la admisión de la declaración en aduana para la inclusión de las mercancías en el régimen de perfeccionamiento activo (artículo 73 RDCAU).

Ahora bien, el declarante siempre tendrá la opción de solicitar que la deuda se determine a partir de los elementos de imposición correspondiente a las mercancías de importación en el momento de la admisión de la declaración de inclusión de estas mercancías en el régimen de perfeccionamiento activo, es decir, los elementos de imposición que correspondían cuando las mercancías importadas se introdujeron en el TAU, antes de la transformación (artículo 86.3 CAU). Esta posibilidad cabe asimismo cuando las mercancías únicamente se hayan sometido a las manipulaciones usuales pero, como resultado de las mismas, se haya alterado la clasificación arancelaria de las mercancías (artículo 86.2 CAU). La posibilidad a que nos estamos refiriendo puede resultar interesante cuando el motivo por el cual se utilizó el régimen de perfeccionamiento activo fue adecuar las mercancías importadas a la normativa técnica a la que pueda sujetarse su comercialización en la UE.

Téngase en cuenta que las autoridades no están obligadas a aplicar el método de cálculo que resulte más favorable al declarante cuando ese método de cálculo deba ser solicitado. Véase en este sentido la STJUE *ASM Lithography* (asunto C-100/05, de 05.10.2006).

La *Guidance* de TAXUD sobre regímenes especiales (pp. 25-26) señala que, en caso de que se sucedan distintas autorizaciones de perfeccionamiento activo respecto de unas mismas mercancías, la regla de cálculo que se debe aplicar para determinar el importe de los derechos (la regla del artículo 85 o la del artículo 86.3 CAU) será la que se establezca en la primera autorización de perfeccionamiento activo; en caso de que la primera autorización permita utilizar ambas reglas de cálculo, se aplicará la regla del artículo 85 CAU a menos que el declarante solicite la aplicación de la regla del artículo 86.3 CAU.

La regla de cálculo de los derechos a partir de los elementos de imposición que correspondían cuando las mercancías importadas se introdujeron en el TAU, antes de la transformación, puede aplicarse de oficio por las autoridades, aunque no lo solicite el declarante, con el fin de evitar que se eludan determinadas medidas arancelarias, como derechos antidumping, derechos compensatorios, derecho de represalia, salvaguardias, o medidas de política comercial o agrícola (artículo 86.4 CAU). De modo específico se establecen una serie de situaciones en las que esta regla de cálculo se aplicará de oficio. Así, se aplicará de oficio cuando se reúnan todas las condiciones siguientes (artículo 76 RDCAU):

a) los productos transformados resultantes del régimen de perfeccionamiento activo se importan directa o indirectamente por el titular de la autorización en el periodo de un año tras su reexportación;

b) las mercancías, en el momento de la admisión de la declaración en aduana para la inclusión de las mercancías en el régimen de perfeccionamiento activo, hubiesen quedado sujetas a una medida de política comercial o agrícola o un derecho antidumping —provisional o definitivo—, un derecho compensatorio, un derecho de salvaguardia o un derecho adicional resultante de una suspensión de concesiones —"derecho de represalia"— si hubieran sido despachadas a libre práctica en ese momento;

c) no se requiera el examen de las condiciones económicas por aplicación del artículo 166 RDCAU. El Reglamento Delegado 2018/1063 suprimió el apartado 2 del artículo 168 RDCAU. Este precepto era incoherente, puesto que en virtud del mismo bastaba con que se verificase el primero de los requisitos señalados (es decir, que los productos transformados resultantes del régimen de perfeccionamiento activo se importasen directa o indirectamente por el titular de la autorización en el periodo de un año tras su reexportación) para que se aplicara de oficio la regla de cálculo de los derechos a partir de los elementos de imposición que correspondiesen cuando las mercancías importadas se hubieran introducido en el TAU, lo que convertía en superfluos a los otros dos requisitos.

La regla de cálculo del artículo 86.3 CAU también se aplica de oficio si las mercancías a partir de las cuales se obtienen los productos transformados estuvieran sujetas a un derecho antidumping —provisional o definitivo—, un derecho compensatorio, un derecho de salvaguardia o un derecho adicional resultante de la suspensión de las concesiones en el momento de su inclusión en el régimen de perfeccionamiento activo, salvo que se trate de algunas de las situaciones contempladas en las letras h), i), m) o p) del artículo 167.1 RDCAU.

De forma transitoria este último supuesto, introducido por el Reglamento 2020/877, no se aplicará a las mercancías declaradas para perfeccionamiento activo hasta el 16 de julio de 2021 si esas mercancías estaban cubiertas por una autorización concedida antes del 16 de julio de 2020.

Ahora bien, la referida aplicación de oficio del método de cálculo de los derechos conforme a lo dispuesto en el artículo 86.3 CAU (que se establece en los apartados 1 y 2 del artículo 76 RDCAU) no procederá si las mercancías incluidas en el régimen de perfeccionamiento activo han dejado de ser objeto de los derechos de que se trate (derecho antidumping —provisional o definitivo—, derecho compensatorio, derecho de salvaguardia o un derecho adicional) en el momento en que nazca la deuda aduanera para los productos transformados (artículo 76.3 RDCAU).

Si las mercancías importadas únicamente se han sometido a manipulaciones usuales, sin cambio en su clasificación arancelaria, el declarante puede solicitar que la deuda se calcule a partir de los elementos de imposición que correspondan a las mercancías importadas y, en este caso, podrá conseguir que en su valor en aduana no se incluyan los costes de almacenamiento ni los correspondientes a las manipulaciones usuales que se hayan generado en el TAU, aportando las pruebas adecuadas que lo acrediten (artículo 86.1 CAU).

La deuda aduanera en el régimen de perfeccionamiento activo también puede nacer por el incumplimiento de las condiciones que se establecen para el régimen. Tendremos en tal caso un nacimiento de la deuda por incumplimiento (artículo 79 CAU). Las reglas de cálculo de los derechos serán en este caso las mismas que se analizan arriba, con la salvedad de que cualquier beneficio arancelario sólo podrá aplicarse cuando el incumplimiento que haya originado la deuda no haya constituido un intento de fraude (artículo 86.6 CAU).

A estos efectos, bajo la denominación "beneficio arancelario" nos referimos a cualquier tratamiento arancelario favorable, franquicia, exención total o parcial de los derechos de importación o de exportación, en virtud del artículo 56, apartado 2, letras d) a g), los artículos 203, 204, 205 y 208 o los artículos 259 a 262, todos ellos del CAU, o en virtud del Reglamento de franquicias (1186/2009). En la STJUE *Allmänna* (asunto C-476/19, de 08.10.2020) se analiza un supuesto de nacimiento de la deuda aduanera por la irregularidad consistente en la presentación tardía del estado de liquidación. Ahora bien, se aprecia en aquél caso que la deuda debe considerarse extinguida porque se cumplen los requisitos fijados para ello en el artículo 124.1(k) CAU, esto es, se justificó a satisfacción de las autoridades aduaneras que las mercancías no se habían utilizado ni consumido y que habían salido del TAU (la extinción de la deuda se analiza en el capítulo 26). En este contexto, el TJUE interpreta que las mercancías no se entienden "utilizadas" (a efectos de considerar que procede la extinción de la deuda) cuando únicamente se han realizado sobre ellas las operaciones de transformación previstas en la autorización del régimen de perfeccionamiento activo.

RÉGIMEN DE PERFECCIONAMIENTO PASIVO

ÍNDICE

19 Régimen de perfeccionamiento pasivo

19.1. CARACTERIZACIÓN Y CONTENIDO

	CAU	RDCAU	RECAU
Regulación del régimen de perfeccionamiento pasivo	86(5), 202(4), 255, 259-262, 269	1(27) y (28), 75, 169(3), 240, 242,243	-

Anexos RDCAU	
Anexo 71-03	Lista de formas usuales de manipulación autorizadas
Anexo 71-04	Disposiciones particulares relativas a las mercancías equivalentes
Anexo 71-05	Intercambio de Información Normalizado (INF)
Anexo 71-06	Información que debe facilitarse en el estado de liquidación

Normativa española
Orden PCI/933/2019, de 11 de septiembre, relativa a la autorización de los regímenes aduaneros especiales de perfeccionamiento activo, de perfeccionamiento pasivo y de importación temporal (BOE 13.09.2019).
Orden ECO/2087/2003, de 9 de julio, por la que se regula la presentación por vía telemática de las solicitudes de autorización de los regímenes aduaneros económicos de perfeccionamiento activo y perfeccionamiento pasivo que concede la Secretaría General de Comercio Exterior (BOE 24/07/2003).
Resolución de 16 de febrero de 2020, de la Subsecretaría, por la que se publica el Convenio entre la Agencia Estatal de Administración Tributaria y la Secretaría de Estado de Comercio, en materia de cesión de información de carácter aduanero en relación con los regímenes aduaneros especiales de perfeccionamiento activo y de perfeccionamiento pasivo (BOE 18.02.2020).

El artículo 259.1 CAU nos ofrece los caracteres fundamentales del régimen de perfeccionamiento pasivo al disponer que:

> "En el marco del régimen de perfeccionamiento pasivo, las mercancías de la Unión podrán exportarse temporalmente fuera del territorio aduanero de la misma a fin de ser objeto de operaciones de transformación. Los productos transformados resultantes de dichas transformaciones podrán ser despachados a libre práctica con exención total o parcial de derechos de importación (...)".

De este modo, si en el régimen de perfeccionamiento activo nos enfrentábamos a unas mercancías que, procedentes de un tercer país, entran en el territorio aduanero de la Unión —TAU— para ser objeto de transformaciones, tras las cuales se procede, normalmente, a su reexportación, en el régimen de perfeccionamiento pasivo estamos, en cierta medida, ante un fenómeno simétrico, puesto que en esta ocasión son las mercancías de la UE las que salen al exterior, donde serán objeto de una transformación, para ser posteriormente reintroducidas en el TAU.

A las mercancías de la Unión que salen del territorio aduanero de la Unión se las denomina "mercancías de exportación temporal", en tanto que a las mercancías resultantes de la operación de perfeccionamiento (y que son introducidas en la Unión) reciben la denominación de "productos transformados" (en la regulación anterior, a estos últimos se les designaba "productos compensadores").

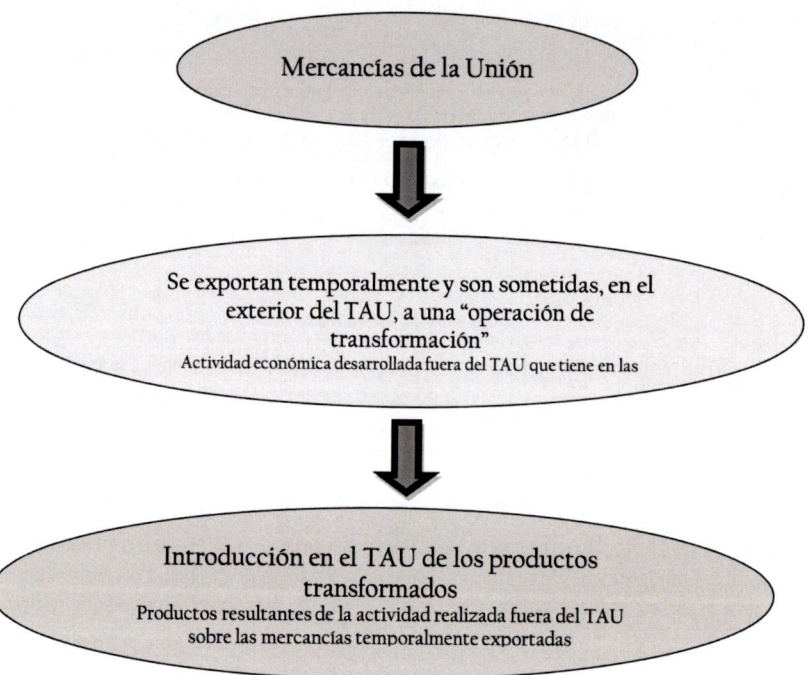

Para que pueda obtenerse el despacho a libre práctica con exención total o parcial de derechos de importación debe formularse previamente una solicitud a este efecto. La solicitud la puede realizar el titular de la autorización y también cualquier otra persona establecida en el TAU que haya obtenido el consentimiento del titular de la autorización. La exención se concederá siempre que se cumplan las condiciones de la autorización (artículo 259.1 CAU).

La finalidad que justifica la existencia de este régimen nos muestra, de nuevo, su paralelismo con el régimen de perfeccionamiento activo. En definitiva, el propósito que se persigue es, nuevamente, impedir que las normas aduaneras puedan constituir un obstáculo para el desarrollo de determinadas actividades económicas en la Unión, cuestión que cobra mayor trascendencia a la vista del fenómeno de división internacional del trabajo. Precisamente estamos ante un fenómeno impulsado por los productores de los países con un grado más elevado de desarrollo económico, que impone que la circulación de las mercancías entre los distintos territorios aduaneros resulte fluida, y que se ve favorecido en la medida en que los costes de esa circulación (incluidos los fiscales), sea de entrada o de salida, se minimicen. Puesto que la Unión es un actor principal del proceso de internacionalización y su actividad económica globalmente considerada se ve favorecida por él, facilitar la circulación de las mercancías a estos fines se convierte, en este contexto, en un interés de la Unión. O dicho en otros términos, el fin de las normas aduaneras, que se dirigen a lograr un funcionamiento óptimo del mercado interior, se consigue de forma más perfecta si se logra que éstas modalicen sus efectos de modo que actividades económicas que responden a estos esquemas organizativos emergentes en la estructura económica internacional no queden perjudicadas o dificultadas.

Sólo las mercancías de la Unión pueden acogerse al régimen de perfeccionamiento pasivo, si bien no todas ellas, ya que la norma de la UE establece una serie de excepciones al objeto de evitar la comisión de posibles abusos. En particular, no pueden incluirse en él las mercancías de la UE que se encuentren en alguno de los siguientes casos (artículo 259.2 CAU):

- aquellas cuya exportación dé lugar a una devolución o condonación de los derechos de importación;
- aquellas que, con anterioridad a su exportación, hayan sido despachadas a libre práctica con exención total de derechos o a un tipo reducido de derechos en razón de su destino final, en tanto en cuanto los objetivos de ese destino final no se hayan cumplido, a menos que dichas mercancías deban ser sometidas a operaciones de reparación;
- aquellas cuya exportación dé lugar a la concesión de restituciones a la exportación;
- aquellas por cuya exportación se conceda, en el marco de la política agrícola común, una ventaja financiera distinta de estas restituciones a la exportación.

Para entender estas limitaciones hay que tener en cuenta que precisamente un elemento que rompe el paralelismo al que nos hemos venido refiriendo respecto del régimen de perfeccionamiento activo viene dado por el hecho de que en el seno de este régimen se produce una salida al exterior de las mercancías, lo cual implica que salen de la jurisdicción de la UE, circunstancia que determina que deban adoptarse una serie de medidas que carecerían de sentido en el régimen de perfeccionamiento activo. De particular trascendencia en este sentido es la aplicación, con ocasión de la exportación temporal de las mercancías, de los derechos de exportación, en su caso, o de las medidas de política comercial y de las demás formalidades previstas para la salida de la mercancía de la UE del territorio aduanero de la Unión.

El Convenio de Kioto se refiere al perfeccionamiento pasivo en el Capítulo 2 de su Anexo Específico F. Allí se define el perfeccionamiento pasivo como:

> "El régimen aduanero según el cual las mercancías que se encuentran en libre circulación en un territorio aduanero, pueden ser exportadas temporalmente a los efectos de su transformación, elaboración o reparación en el exterior y que son luego reimportadas con exención total o parcial de impuestos y derechos de importación"
>
> Por su parte, en el Convenio de Kioto los productos compensadores (o transformados) se definen como "los productos resultantes de la transformación, elaboración o reparación de las mercancías a las cuales les fue autorizado el régimen de perfeccionamiento pasivo"

19.2. VARIANTES DEL RÉGIMEN

La norma de la UE contempla dos sistemas dentro del régimen de perfeccionamiento pasivo: el normal y el denominado de "intercambios estándar", que a su vez tiene dos modalidades, dependiendo de si la importación precede a la exportación o no.

El sistema normal responde al esquema típico al que nos hemos referido antes: se exportan temporalmente mercancías de la Unión, que se someten a una operación de transformación durante su permanencia fuera del TAU y, tras la transformación, se importan en el TAU los productos transformados.

En la autorización para utilizar el régimen las autoridades fijarán el plazo dentro del cual las mercancías exportadas temporalmente deben reimportarse en el TAU en forma de productos transformados y ser despachadas a libre práctica para poder acogerse a la exención total o parcial de derechos de importación. El titular de la autorización puede solicitar una ampliación del referido plazo, que deberá ser justificada y por un tiempo razonable (artículo 259.3 CAU).

Las operaciones de transformación que cabe realizar en el marco del régimen de perfeccionamiento pasivo son las mismas que la que se señalan para el régimen de perfeccionamiento activo (artículo 5(37) CAU).

> Recordemos que se trata de la manipulación de mercancías, incluidos su montaje o ensamblaje o su incorporación a otras mercancías; la transformación de mercancías; la destrucción de mercancías; la reparación de mercancías, incluidas su restauración y su puesta a punto; y el uso de mercancías que no formen parte del producto transformado pero que permitan o faciliten la producción de este, incluso aunque se consuman total o parcialmente en el proceso (es decir, las denominadas

"ayudas a la producción"). A diferencia del perfeccionamiento activo, no se limitan las posibles ayudas a la producción que cabe utilizar, dado que al régimen de perfeccionamiento pasivo no se le aplica lo dispuesto en el artículo 240.2 RDCAU. Por otro lado, según se indica más abajo, en el sistema de intercambios estándar sólo se permite la reparación.

Por su parte, la particularidad que caracteriza al sistema de "intercambios estándar" consiste en que las mercancías que salen del TAU no son las mismas que las que se reintroducen en aplicación del régimen, sino otras "equivalentes" a ellas. Para reflejar esta diferencia, no se denominan "productos transformados" a los que se introducen en el TAU por aplicación del régimen en este caso, sino "productos de sustitución" (artículo 261.1 CAU). Ahora bien, a los productos de sustitución se les aplicarán las disposiciones relativas a los productos transformados (artículo 261.5 CAU).

> Obsérvese el paralelismo entre el sistema de intercambios estándar a que nos estamos refiriendo ahora con las variantes del régimen de perfeccionamiento activo en que se utilizan mercancías equivalentes (que se examinan en el capítulo 18.2).

El sistema de intercambios estándar se sujeta a varias limitaciones. Así, sólo se admite esta variante del régimen de perfeccionamiento pasivo cuando la actividad de transformación consista en una reparación de mercancías de la Unión defectuosas (artículo 261.2 CAU). Por otra parte, están excluidas de esta variante del régimen de perfeccionamiento pasivo las mercancías sujetas a las medidas establecidas por la política agrícola común o a las disposiciones específicas aplicables a determinadas mercancías resultantes de la transformación de productos agrícolas. Tampoco se permite utilizar el sistema de intercambios estándar cuando las mercancías que se utilizan en la transformación para obtener las mercancías de sustitución (es decir, para obtener las que se van a importar en el TAU) quedarían sujetas a un derecho antidumping, compensatorio o de salvaguardia provisional o definitivo o a un derecho adicional resultante de la suspensión de concesiones en caso de que se despacharan a libre práctica en el TAU (artículo 169.3 RDCAU).

Interesa poner de relieve en este punto que, cualquiera que sea la modalidad de perfeccionamiento pasivo de que se trate (es decir, no sólo en caso de que se aplique el sistema de intercambios estándar), cuando el régimen se solicite para efectuar una reparación, deben cumplirse dos condiciones, a saber (artículo 243 RDCAU):

– Las mercancías de exportación temporal deberán poder ser reparadas; y

– No se puede utilizar el régimen para mejorar las prestaciones técnicas de las mercancías. Por tanto, la operación de transformación debe dirigirse al mero restablecimiento de las condiciones de funcionamiento normal, no a una mejora.

Volviendo al sistema de intercambios estándar, señalemos que, si las mercancías defectuosas han sido usadas antes de la exportación, los productos de sustitución también deben haber sido usados. Ahora bien, las autoridades pueden dispensar este requisito si el producto de sustitución se envía gratuitamente como consecuencia de una obligación contractual o legal derivada de una garantía o de la existencia de un defecto material o de fabricación (artículo 261.4 CAU).

De forma análoga a lo que ocurre con las mercancías equivalentes, los productos de sustitución deberán tener el mismo código de ocho dígitos de la nomenclatura combinada, ser de idéntica calidad comercial y poseer las mismas características técnicas que tendrían las mercancías defectuosas de la Unión si hubiesen sido objeto de la reparación prevista (artículo 261.2 CAU).

Precisamente porque el sistema de intercambios estándar permite que las mercancías que salen no sean las mismas que las que entran, sino que basta con que simplemente sean "equivalentes" a ellas, resulta posible la existencia de dos modalidades del mismo: sin importación anticipada y con importación anticipada. La primera de las modalidades responde al esquema general del régimen (primero salen unas mercancías de la Unión y posteriormente, tras la operación de perfeccionamiento, entran unas mercancías en el TAU), en tanto que en la segunda modalidad la entrada de productos transformados es previa a la salida de las mercancías de la Unión. En este segundo supuesto se exige la constitución de una garantía que cubra la cuantía de los derechos de importación que serían exigibles si las mercancías defectuosas de la Unión no llegaran a exportarse (artículo 262.1 CAU).

> La modalidad de intercambios estándar con importación anticipada también está prevista, únicamente, para la reparación de mercancías defectuosas.

Si se utiliza la modalidad de importación anticipada (IM/EX), la exportación de las mercancías de la Unión debe realizarse en el plazo de dos meses tras la importación, es decir, dos meses contados a partir de la fecha de admisión por las autoridades aduaneras de la declaración de despacho a libre práctica de los productos de sustitución (artículo 262.2 CAU). Este plazo puede prorrogarse a solicitud del interesado, cuando lo justifiquen circunstancias excepcionales, y dentro de límites "razonables" (artículo 262.3 CAU).

> El artículo 242 RDCAU, tras incidir en que la autorización debe especificar el plazo en el que las mercancías de la Unión que hayan sido sustituidas por mercancías equivalentes deben incluirse en el régimen de perfeccionamiento pasivo, fija un período máximo de seis meses para este plazo, que puede prorrogarse a petición del titular de la autorización hasta un año, petición que puede atenderse incluso si se formula después del vencimiento del plazo inicial. De modo que parece que el artículo 262.2 CAU y el artículo 242 RDCAU establecen plazos distintos para una misma situación. La *Guidance* de TAXUD sobre regímenes especiales señala que la autorización de perfeccionamiento pasivo debe estar en vigor en el momento de la admisión de la declaración de despacho a libre práctica de los productos de sustitución. En cambio, no es necesario la autorización de perfec-

cionamiento pasivo esté en vigor en el momento de la declaración de exportación de las mercancías de la Unión defectuosas (p. 61).

Variantes del régimen de perfeccionamiento pasivo	
EX/IM	La exportación de mercancías de la Unión al amparo del régimen de perfeccionamiento pasivo tiene lugar antes de la importación de productos transformados (artículo 1(28) RDCAU) Sistema normal y sistema de intercambios estándar (con mercancías equivalentes) Se puede utilizar para realizar reparaciones (artículo 260 CAU)
IM/EX	La importación de productos transformados obtenidos a partir de mercancías equivalentes al amparo del régimen de perfeccionamiento pasivo tiene lugar antes de la exportación de las mercancías a las que sustituyan (artículo 1(27) RDCAU) Sistema de intercambios estándar con importación anticipada

19.3. FUNCIONAMIENTO DEL RÉGIMEN

Como ocurre en general con los regímenes especiales podemos distinguir, a la hora de analizar el funcionamiento del régimen de perfeccionamiento pasivo, tres fases o momentos, a saber: 1) la autorización para utilizarlo; 2) la declaración de inclusión de mercancías en el régimen; 3) la ultimación del régimen. A continuación nos referimos a cada una de ellas de forma individualizada. Antes de entrar a exponer los elementos particulares de este régimen debemos reiterar la remisión a las disposiciones comunes a todos los regímenes aduaneros especiales que se examinan en el capítulo 12.

Autorización. La autorización para poder utilizar el régimen de perfeccionamiento pasivo se rige por las reglas generales de autorización para utilizar un régimen especial. Estas reglas se analizan en el capítulo 12.2. Recordemos que la propia declaración en aduana puede hacer las veces de solicitud de autorización para el régimen de perfeccionamiento pasivo cuando se vayan a incluir en él mercancías distintas de las contempladas en el anexo 71-02 RDCAU (que enumera las mercancías y productos sensibles).

> La referida posibilidad de que la declaración en aduana haga las veces de solicitud de autorización tiene algunas excepciones, que se señalan en el capítulo 12.2.2.
> La norma 3 del Capítulo 2 del Anexo Específico F del Convenio de Kioto establece que la exportación temporal de mercancías para perfeccionamiento pasivo no se limitará al propietario de estas mercancías. Por su parte, la norma 4 dispone que el número de casos en los cuales la exportación temporal para perfeccionamiento pasivo se encuentra subordinada a una autorización previa deberá ser tan bajo como sea posible.
> Tal y como se ha señalado en el capítulo 18 respecto del perfeccionamiento activo, en España, conforme a lo dispuesto en la Orden PCI/933/2019 (de 11.09.2019, BOE 13.09.2019), relativa a la autorización de los regímenes aduaneros especiales de perfeccionamiento activo, de perfeccionamiento pasivo y de importación temporal, la solicitud de autorización debe formularse por me-

dios electrónicos a través de la sede electrónica de la Agencia Estatal de Administración Tributaria (AEAT). Cuando la solicitud afecte a varios Estados miembros entre los que se encuentre España, el interesado podrá también presentar la solicitud a través del portal de la Comisión Europea, DG TAXUD. La tramitación de la solicitud se sujetará a las normas del procedimiento para la adopción de decisiones aduaneras (que se examinan en el capítulo 21), dentro de los plazos previstos en el artículo 171 RDCAU (artículo 4 Orden PCI/933/2019). La competencia para autorizar el régimen especial de perfeccionamiento pasivo corresponde a la AEAT, si bien a la Dirección General de Política Comercial y Competitividad le corresponde el análisis de las condiciones económicas y, en su caso, la remisión de la solicitud a la Comisión Europea, a cuyo fin debe tener conocimiento de todas las solicitudes y, en determinados supuestos, debe emitir un informe vinculante (artículos 2 y 3 Orden PCI/933/2019). El intercambio de información entre la AEAT —que recibe las solicitudes— y la Dirección General de Política Comercial y Competitividad se regula en la Resolución de 16 de febrero de 2020, de la Subsecretaría, por la que se publica el Convenio entre la Agencia Estatal de Administración Tributaria y la Secretaria de Estado de Comercio, en materia de cesión de información de carácter aduanero en relación con los regímenes aduaneros especiales de perfeccionamiento activo y de perfeccionamiento pasivo (BOE 18.02.2020).

ENLACE

En España la gestión de las solicitudes de autorización del régimen de perfeccionamiento pasivo se realiza a través de la web de la AEAT:
https://www.agenciatributaria.gob.es/AEAT.sede/procedimientoini/DC44.shtml

La autorización debe indicar las medidas a emplear para acreditar que los productos transformados resulten de la transformación de las mercancías de exportación temporal o para verificar que se cumplen las condiciones para la utilización del sistema de intercambios estándar (artículo 240.1 RDCAU).

Según se señala en el capítulo 12.2.3, el examen de las condiciones económicas, como trámite previo a la autorización para utilizar el régimen de perfeccionamiento pasivo, sólo se exige cuando existan pruebas de que pueden resultar perjudicados intereses esenciales de los productores de la Unión de mercancías contempladas en el anexo 71-02 (que contiene el listado de mercancías y productos sensibles) y, además, que esas mercancías sensibles se vayan a someter a una transformación distinta de la reparación (artículo 166.2 RDCAU). En los demás casos se establece una presunción general en virtud de la cual las condiciones económicas se entienden cumplidas.

La autorización debe fijar el plazo de ultimación (al que ya nos hemos referido al examinar las variantes del régimen) y el coeficiente de rendimiento de la operación o, caso de no resultar esto último posible, el modo de determinación de este coeficiente. El «coeficiente de rendimiento» en este régimen será la cantidad o porcentaje de productos transformados obtenidos a partir de la transformación de una cantidad determinada de mercancías de exportación temporal.

Declaración de inclusión de las mercancías en el régimen. Es importante retener que las mercancías incluidas en el régimen de perfeccionamiento pasivo, por más que se exportan temporalmente, no se consideran incluidas en el régimen de exportación. Ello se debe a que se establece una excepción a la regla general conforme a la cual las mercancías de la UE que salen del TAU se incluyen en el régimen de exportación (artículo 269.2(a) CAU). Ahora bien, aunque no se les considere incluidas en el régimen de exportación, las mercancías de exportación temporal sí deben cumplir las formalidades relativas a las declaraciones aduaneras de exportación (artículo 269.3 CAU). Estas formalidades se analizan en el capítulo 20.

Ultimación del régimen. La concesión del beneficio del régimen queda supeditada a la presentación de la declaración de despacho a libre práctica de los productos transformados o de los productos de sustitución, según el caso, ante la aduana competente.

> A diferencia de lo que ocurre con el régimen de perfeccionamiento activo, para el régimen de perfeccionamiento pasivo no se establece la obligación de presentar un estado de liquidación (véase el artículo 175 RDCAU).
>
> La *Guidance* de TAXUD sobre regímenes especiales indica que no es necesario que sea el titular de la autorización quien organice la operación de transformación y que, por otra parte, la importación del producto transformado puede realizarse por un tercero que haya obtenido el consentimiento para ello del titular de la autorización (p. 57). Señala, además, que en la solicitud de autorización del régimen debe indicarse el país/es donde se realizarán las transformaciones. Si finalmente la transformación se realiza en un país distinto, esta circunstancia no tiene impacto en la autorización si se rectifica con efecto retroactivo (*Guidance Special Procedures*, p. 13).

19.4. MEDIDAS DE POLÍTICA COMERCIAL

Respecto al régimen de las medidas de política comercial aplicables al perfeccionamiento pasivo, debe señalarse que en el artículo 202.4 CAU se establecen una serie de excepciones a su aplicabilidad en relación con el despacho a libre práctica de productos transformados. En consecuencia, no serán aplicables medidas de política comercial con ocasión del despacho a libre práctica de productos transformados en los casos siguientes:

- Cuando los productos transformados hubieran conservado el origen UE en los términos establecidos por las normas de origen no preferencial (artículo 60 CAU).

- Cuando los productos transformados hubieran sido objeto de una reparación, incluso al amparo del sistema de intercambios estándar.

- Cuando, en el marco de una operación de perfeccionamiento activo, se hubieran realizado operaciones complementarias —de perfeccionamiento pasivo— fuera del TAU (artículo 258 CAU; esta posibilidad se examina en el capítulo 18.4).

19.5. COEFICIENTE DE RENDIMIENTO

En aquellos casos en que los productos transformados correspondientes a unas mercancías de exportación temporal se introduzcan de forma parcial en importaciones separadas (es decir, no se introduzcan todos ellos al mismo tiempo) precisaremos conocer la cantidad de mercancías de exportación temporal que corresponden a cada concreta introducción de productos transformados, al efecto de practicar las oportunas liquidaciones. Adquieren así trascendencia los criterios de reparto, de forma análoga a lo que ocurre en el régimen de perfeccionamiento activo.

> La norma 11 del Capítulo 2 del Anexo Específico F del Convenio de Kioto dispone que se permitirá que los productos transformados sean importados en uno o en varios envíos.

El CAU regula el coeficiente de rendimiento en el artículo 255 como norma común al régimen de perfeccionamiento (que comprende al perfeccionamiento activo y al pasivo) y el artículo 72 RDCAU contiene los detalles técnicos para su determinación. Ambas normas se analizan en el capítulo 18.5, de modo que resulta innecesario reiterar aquí su contenido. Ahora bien, debemos advertir que, allí donde en el capítulo 18.5 aludimos a "mercancías de importación", en el marco del perfeccionamiento pasivo debemos sustituir estos términos por sus paralelos en este régimen, es decir, por "mercancías de exportación temporal". Análogamente, allí donde en el régimen de perfeccionamiento activo se aluda a la exportación de los productos transformados, en el perfeccionamiento pasivo debe entenderse que se trata de la importación de los productos transformados.

> Aunque no creemos necesario, por las razones expuestas, reproducir las ideas acerca del cálculo del coeficiente de rendimiento, quizá sí sea interesante ofrecer la metodología de cálculo de los coeficientes de rendimiento expresada como fórmula matemática.
>
> En este sentido tendremos:
>
> **1. Clave cuantitativa, con una única clase de producto transformado.** La expresión matemática que permite obtener la cuantía de mercancías de exportación temporal por las que nace derecho a deducción es la siguiente:
>
> $$QT\ MET \times \frac{Q\ PC\ LP}{QT\ PT}$$
>
> Donde: QT es "cantidad total"   MET es "mercancías de exportación temporal"   Q es "cantidad"
> PT es "producto transformado"   LP es "despachado a libre práctica"

2. Clave cuantitativa, con varias clases de producto transformado. La expresión matemática en este caso es la siguiente:

Paso (a)   Paso (b)

$$QT\ MET\ x\ \frac{QT\ MET\ en\ una\ clase\ PT}{QT\ MET\ en\ el\ conjunto\ PT}\ X\ \frac{PQ\ PT\ de\ una\ clase\ L}{QT\ MET\ en\ una\ clase\ de\ PT}$$

Donde: QT es "cantidad total" MET es "mercancías de exportación temporal" Q es "cantidad"
PT es "producto transformado" LP es "despachado a libre práctica"
Como en la fórmula anterior tenemos la expresión "QT MET en una clase PC" en el numerador y en el denominador, podemos anular ambas, de modo que la fórmula puede simplificarse así:

$$QT\ MET\ x\ \frac{QT\ MET\ x\ Q\ PT\ de\ una\ clase\ LP}{QT\ MET\ en\ el\ conjunto\ PT}$$

3. Clave valor. La expresión matemática en este caso es la siguiente:

Paso (1)   Paso (2)

$$QT\ MET\ x\ \frac{VT\ de\ una\ clase\ PT}{VT\ todos\ los\ PT}\ X\ \frac{V\ PT\ de\ una\ clase\ LP}{VT\ de\ una\ clase\ de\ PT}$$

Donde: QT es "cantidad total" MET es "mercancías de exportación temporal"
VT es "valor total" PT es "producto transformado" V es "valor"
LP es "despachado a libre práctica"

Como en la fórmula anterior tenemos la expresión "VT de una clase PT" en el numerador y en el denominador, podemos anular ambas, de modo que la fórmula puede simplificarse así:

$$QT\ MET\ x\ \frac{V\ PT\ de\ una\ clase\ LP}{VT\ todos\ los\ PT}$$

19.6. DEUDA ADUANERA

Para conseguir la finalidad de favorecer determinadas actividades de transformación en el exterior, el régimen de perfeccionamiento pasivo comporta el reconocimiento de una exención, que puede ser total o solamente parcial, a favor de las mercancías que se introducen en el territorio aduanero de la Unión como resultado de la operación de perfeccionamiento (productos transformados).

Esta exención total o parcial de los derechos solo se concederá cuando los productos compensadores se declaren para el despacho a libre práctica en nombre o por cuenta:

a) bien del titular de la autorización;

b) bien de otra persona establecida en la UE, siempre que esta última haya obtenido el consentimiento del titular de la autorización y se cumplan los requisitos de la misma.

A los efectos de asegurar la correcta percepción de los derechos de aduana, al igual que ocurre con el régimen de perfeccionamiento activo, se establece el sistema INF para el intercambio de datos entre autoridades. Es obligatorio que el titular del régimen facilite a la aduana supervisora la información que se relaciona en la sección A del Anexo 71-05 RDCAU para obtener una autorización para utilizar el régimen de perfeccionamiento pasivo EX/IM y, si la autorización implica a más de un Estado miembro, también para la autorización que permite utilizar el régimen de perfeccionamiento pasivo IM/EX (artículo 176 RDCAU). Esos datos deben ser introducidos en el sistema INF por la aduana supervisora a fin de que estén disponibles para el resto de autoridades aduaneras (intercambio automático de información, artículo 181 RDCAU).

> Tal y como se señala en el capítulo 18.7 para el perfeccionamiento activo, se generará un número INF para cada autorización, que la identificará. Ese número INF debe incluirse en las declaraciones o notificaciones siguientes: 1) las declaraciones en aduana para perfeccionamiento activo; 2) la declaración de exportación para perfeccionamiento activo EX/IM o perfeccionamiento pasivo; 3) las declaraciones en aduana para despacho a libre práctica después de perfeccionamiento pasivo; 4) las declaraciones en aduana para la ultimación del régimen de perfeccionamiento; 5) las declaraciones o notificaciones de reexportación.
>
> Para el régimen de perfeccionamiento pasivo no se establece el intercambio de información previa solicitud.

En el perfeccionamiento pasivo nacerá una deuda aduanera por el despacho a libre práctica del producto transformado o, si se utiliza el sistema de intercambios estándar, por el despacho a libre práctica del producto de sustitución. Esta deuda se regirá por lo dispuesto en el artículo 77 CAU (es decir, la deuda nace en el momento en que se admita la declaración en aduana y deudor será el declarante y, en caso de representación indirecta, la persona por cuya cuenta se haga la declaración). Para la cuantificación de la deuda debemos acudir a lo dispuesto en el artículo 86.5 CAU, donde se nos señala que, cuando nazca una deuda aduanera en relación con productos transformados resultantes del régimen de perfeccionamiento pasivo o con productos de sustitución, el importe de los derechos de importación se calculará basándose en el coste de la operación de transformación llevada a cabo fuera del TAU. Por tanto, a la importación del producto transformado o del producto sustitutivo sólo se va a gravar el coste de la transformación, no el total valor de la mercancía que se introduce.

Para calcular el coste de la transformación, la *Guidance* de TAXUD sobre regímenes especiales señala que se tomará el valor en aduana de los productos transformados en el momento de su despacho a libre práctica menos el valor estadístico de las mercancías de exportación temporal en el momento que se incluyeron en el régimen de perfeccionamiento pasivo (p. 57).

> La regla de cuantificación de la deuda aduanera que establece el artículo 86.5 CAU es significativamente más sencilla que la que se establecía en la normativa anterior. En aquella se determinaban los derechos de aduana correspondientes al valor total del producto transformado (donde se incluía el valor de la mercancía de exportación temporal, dado que a efectos de valoración aduanera es una aportación, que da lugar a una adición al precio) y, de la cantidad resultante, se deducía el importe de los derechos que se exigirían a la mercancía de exportación temporal si fuera originaria del país en que se hubiera llevado a cabo la transformación.
>
> El TJUE ha apreciado que el objetivo prioritario del régimen de perfeccionamiento pasivo consiste en evitar la tributación aduanera de las mercancías exportadas fuera de la UE con vistas al perfeccionamiento (STJUE *Wacker Werker II*, asunto C-142/96, de 17.07.1997, p. 21; y STJUE *GEFCO*, asunto C-411/01, de 02.10.2003, p. 51).
>
> La práctica recomendada 18 del Capítulo 2 del Anexo Específico F del Convenio de Kioto sugiere que se debería otorgar la exención de los derechos y de los impuestos a la importación cuando los productos transformados hayan sido objeto de una cesión antes de su importación para el consumo.

Por lo que hace al IVA, la salida de las mercancías de la UE no supone una transmisión dado que no se cede el poder de disposición sobre ellas (no se cede la titularidad de las mercancías), de manera que no supone realizar una operación sujeta. El despacho a libre práctica de los productos transformados o de las mercancías de sustitución supone la realización del hecho imponible importación (artículo 18 LIVA) y se gravará conforme a lo dispuesto en el artículo 83.Dos.1ª LIVA, es decir, la base imponible será la contraprestación por la operación de transformación, agregando sobre ella los tributos que se exijan con ocasión de la importación, como aranceles e IIEE, salvo el propio IVA, y los gastos accesorios hasta el primer lugar de destino en la UE. Entre los referidos gastos accesorios se incluyen las comisiones, los gastos de embalaje, transporte y seguro, entre otros.

El artículo 75 RDCAU nos proporciona una regla adicional que se aplica cuando la importación de la mercancía de que se trate esté sujeta a un derecho específico. Debe recordarse que "derecho específico" se opone a "derecho *ad valorem*". Un derecho específico es un derecho que, en lugar de fijarse por referencia al valor de las mercancías, se establece en función de otra magnitud, como el peso, volumen, número de unidades, etc. Pues bien, en estos supuestos el artículo 75 RDCAU dispone que el importe de los derechos debe obtenerse siguiendo los siguientes pasos:

1. Tomamos el valor en aduana de los productos transformados;

2. Deducimos del importe anterior el valor estadístico de las mercancías de exportación temporal en el momento de su inclusión en el régimen;

3. La cifra que resulte del paso anterior se multiplica por el importe de los derechos de importación aplicables a los productos transformados o a los productos de sustitución;

4. La cifra que resulte del paso anterior se divide por el valor en aduana de los productos transformados o los productos de sustitución. El resultado de esta operación nos identificará el importe de los derechos a satisfacer.

Los cálculos referidos los podemos expresar con la siguiente fórmula matemática:

$$(VAPT - VEME) \times DIPT/VAPT$$

Donde:

VAPT	Es el valor en aduana de los productos transformados
VEME	Es el valor estadístico de las mercancías de exportación temporal en el momento de su inclusión en el régimen
DIPT	Es el importe de los derechos de importación aplicables a los productos transformados o a los productos de sustitución

EJEMPLO

Ejemplo

Se exportan temporalmente unas pieles (mercancías de exportación temporal) que se utilizarán para confeccionar prendas de vestir (productos transformados).

El valor en aduana de las prendas de vestir es de 20 euros/unidad. El valor estadístico de las pieles es de 5 euros/unidad. Suponemos que se establecen unos derechos específicos aplicables a las prendas de vestir de 1 euro/unidad. Tendríamos:

$$(20-5) \times 1/20 = 0,75 \text{ euros/unidad}$$

El derecho específico aplicable sería de 0,75 euros/unidad (por prenda de vestir).

La Agencia Tributaria, en la Nota Interpretativa NI GA 08/2013, de 3 de agosto de 2018, ofrece un ejemplo de cálculo de los derechos de aduana y del IVA en el régimen de perfeccionamiento pasivo. Interesa destacar que en el valor en aduana se agregan los gastos de transporte hasta el punto de entrada en la UE. En esta Nota Interpretativa también se especifica qué información debe proporcionarse en cada casilla del DUA a efectos de declarar correctamente la base imponible de la operación de perfeccionamiento pasivo.

Tanto Cano Martínez (en *La deuda aduanera en el CAU*, Fundación aduanera, 2017, pp. 94-95) como Falceto García (en *El CAU*, Aranzadi, 2017, p. 789) dan por supuesto que, cuando el artículo 75 RDCAU se refiere a "derecho específico", lo hace para indicar que se trata del supuesto específico de una deuda aduanera nacida en el marco del perfeccionamiento pasivo, no para referirse a un "derecho específico" como contrapuesto a un "derecho *ad valorem*". La consecuencia que derivan es que la regla del artículo 75 RDCAU es de aplicación general al régimen de perfeccionamiento pasivo, y no sólo cuando se establezca un "derecho específico" para la mercancía de que se trate. Esa interpretación parece dudosa porque, cuando se establece un derecho "*ad valorem*", la regla del artículo 86.5 CAU no precisa de desarrollo adicional: aplicaremos el tipo de gravamen previsto para la mercancía transformada pero únicamente sobre el coste de la operación de transformación (la base imponible es el referido coste). El problema aparece cuando se establecen "derechos específicos", porque el coste de la operación de transformación se expresará en euros, pero en este caso el gravamen se expresa en otra magnitud (peso, volumen, unidades), de manera que necesitamos una regla de conversión. Esa entendemos que es la función que cumple el artículo 75 RDCAU, proporcionar la metodología de cálculo en los supuestos en que el derecho no se expresa por referencia al valor en aduana, es decir, cuando se establece un "derecho específico". Ese es también el criterio que expresa TAXUD en su *Guidance* sobre regímenes especiales (pp. 57-58, donde se facilitan dos ejemplos ilustrativos) así como en el documento de *Guidelines on Customs debt* (p. 15, donde también se ofrece un ejemplo de cálculo).

El artículo 260 CAU establece una norma especial para los supuestos de mercancías reparadas de forma gratuita. Conforme a ella, si el declarante demuestra la gratuidad de la reparación, la importación del producto transformado gozará de exención total de derechos de importación, es decir, no habrá que abonar derechos por el despacho a libre práctica de la mercancía reparada. La gratuidad de la reparación puede responder a diversas causas, como la existencia de una obligación de garantía de carácter contractual o legal, o bien de la existencia de un defecto material o de fabricación que el vendedor debe corregir. Ahora bien, la exención total de derechos a que nos referimos no se aplica si el defecto material o de fabricación ya se hubiera tenido en cuenta en el momento del primer despacho a libre práctica de las mercancías.

> En este último caso estaríamos ante un contrato por el que se adquiere mercancía defectuosa o que el comprador asume el riesgo de que pueda serlo. La mercancía se despacha a libre práctica y, posteriormente, se incluye en régimen de perfeccionamiento pasivo para ser reparada. Cabe suponer que el vendedor no realizará esta reparación de forma gratuita, porque la mercancía se vendió inicialmente como defectuosa o que pudiera serlo, lo que habrá supuesto, con certeza, la fijación de un precio inferior. A fin de evitar que se haga pasar como reparación gratuita una reparación que la lógica comercial indica que no es gratuita, la norma directamente niega la posibilidad de aplicar exención total en estas circunstancias.

De forma análoga, se establece la exención respecto de las mercancías reparadas o modificadas en el marco de acuerdos internacionales (artículo 260bis CAU). En este caso los productos transformados gozarán de exención cuando se reparen o modifiquen en un país o territorio situado fuera del TAU con el que la Unión haya celebrado un acuerdo internacional que la prevea y siempre que se cumplan los requisitos que el acuerdo exija para tal exención.

La exención en aplicación de acuerdos internacionales a que nos estamos refiriendo no puede aplicarse respecto de productos transformados resultantes de mercancías equivalentes ni a los productos de sustitución a que se refieren los artículos 261 (sistema de intercambios estándar) y 262 (importación previa de productos de sustitución) CAU.

La *Guidance* de TAXUD sobre regímenes especiales (pp. 59-61) destaca que, a diferencia del supuesto del artículo 260 CAU, en el caso del artículo 260bis CAU no es necesario que se trate de una reparación, puede ser otro tipo de transformación; lo relevante es que esté prevista la exención, para la operación de que se trate, en un acuerdo de libre comercio. Señala que actualmente los acuerdos de libre comercio con Canadá (artículo 2.10, mercancías reintroducidas tras su reparación o alteración) y con Japón (artículo 2.19) establecen la exención a que se refiere el artículo 260bis CAU.

En los casos en que la deuda aduanera nazca por incumplimiento, las reglas de cálculo serán las que ya se han señalado, pero debe tenerse en cuenta que cualquier beneficio arancelario sólo podrá aplicarse cuando el incumplimiento que haya originado la deuda no haya constituido un intento de fraude (artículo 86.6 CAU). Por tanto, la exención —total o parcial— que el régimen de perfeccionamiento pasivo permite quedaría anulada en caso de que se incurra en intento de fraude.

A estos efectos, bajo la denominación "beneficio arancelario" nos referimos a cualquier tratamiento arancelario favorable, franquicia, exención total o parcial de los derechos de importación o de exportación, en virtud del artículo 56, apartado 2, letras d) a g), los artículos 203, 204, 205 y 208 o los artículos 259 a 262, todos ellos del CAU, o en virtud del Reglamento de franquicias (1186/2009).

RÉGIMEN DE EXPORTACIÓN

ÍNDICE

20 Régimen de exportación

20.1. CARACTERIZACIÓN Y CONTENIDO

	CAU	RDCAU	RECAU
Regulación del régimen de exportación	5(10), (13), (14), (21), (31), 263-277	1(16), (19), 244-249	221, 326-344

Normativa española
Orden ITC/2880/2005, de 1 de agosto, por la que se regula el procedimiento de tramitación de las autorizaciones administrativas de exportación y de las notificaciones previas de exportación (BOE 19.09.2005).

> En esta materia la Comisión Europea ha elaborado una guía sobre "Export and Exit out of the European Union" (la última versión revisada es de 2019, Ref. Ares(2019)4272826, de 4 de julio de 2019). TAXUD ha elaborado también una Guidance sobre la definición de exportador (Documento Taxud.a.2 Ares(2018)4494380, de 30.07.2018).

El CAU (Código Aduanero de la Unión) dedica su Título VIII (artículos 263 a 277) a la salida de las mercancías del TAU. En su capítulo 1 se ocupa de las formalidades previas a la salida, donde destaca los aspectos relacionados con la protección y la seguridad. El capítulo 2 se refiere a las formalidades de salida de las mercancías, donde detalla las medidas aplicables con ocasión de tal salida y el sometimiento de la misma a vigilancia aduanera. El capítulo 3 regula la exportación —de mercancías de la UE— y la reexportación —de mercancías que no son de la UE—. El capítulo 4 se dedica a la declaración sumaria de salida, en tanto que el capítulo 5 a la notificación de reexportación. El Título VIII finaliza con el capítulo 6, que establece la exención de derechos de exportación en caso de que mercancías de la UE se exporten sólo temporalmente, supeditada a la reimportación.

El régimen de exportación es el que permite la salida de mercancías de la Unión fuera del territorio aduanero de la Unión, debiendo ésta realizarse observando las formalidades previstas (artículo 269.1 CAU). La exportación puede ser ocasión, cuando así esté previsto, para la exigencia de derechos de exportación y para la aplicación de medidas de política comercial. Debe tenerse en cuenta, no obstante, que la salida de mercancías de la UE puede quedar asimismo amparada en el régimen de perfeccionamiento pasivo, en el de destino final y en el de tránsito.

Las mercancías que salen del TAU al amparo del régimen de perfeccionamiento pasivo, del régimen de destino final y del de tránsito interno no se incluirán en el régimen de exportación, pero habrán de cumplir las formalidades relativas a las declaraciones aduaneras de exportación. Lo mismo se establece para las mercancías que salgan temporalmente fuera del TAU y para las mercancías que se entreguen para el suministro de aeronaves o embarcaciones, independientemente del destino de la aeronave o de la embarcación, cuando les resulte aplicable la exención del IVA o de impuestos especiales. En este caso se exigirá que se pruebe la entrega (artículo 269, apartados 2 y 3, CAU).

El régimen de exportación no se aplica a las mercancías que no son de la UE. Respecto de estas mercancías, a su salida deberá presentarse una declaración de reexportación ante la aduana competente (artículo 270.1 CAU).

Debe advertirse que, mientras que la exportación es un régimen aduanero, la reexportación no lo es. A la declaración de reexportación se le aplican las disposiciones relativas a la inclusión de mercancías en un régimen aduanero (artículos 158 a 187 CAU) y las relativas a la comprobación y levante de las mercancías (artículos 188 a 195 CAU).

Ahora bien, no se exige declaración de reexportación en tres supuestos. En primer lugar, respecto de las mercancías incluidas en el régimen de tránsito externo que únicamente atraviesen el TAU. En segundo lugar, respecto de las mercancías transbordadas dentro de una zona franca o directamente reexportadas desde una zona franca. Y, en tercer lugar, respecto de mercancías en depósito temporal y que se reexporten directamente desde un almacén de depósito temporal (artículo 270.3 CAU). Véanse los ejemplos de la *Guidance Export and Exit*, p. 9.

Exportación - Reexportación	
Exportación	Salida del TAU de mercancías de la Unión
Reexportación	Salida del TAU de mercancías que no son de la Unión

El "exportador" es la persona establecida en el TAU que está facultada para decidir y ha decidido que las mercancías deben ser conducidas fuera del TAU. Si no se verifican las condiciones anteriores, exportador es cualquier persona establecida en el TAU que sea parte en el contrato en virtud del cual las mercancías vayan a ser conducidas fuera del TAU. Finalmente, también es exportador el particular que transporta las mercancías en su equipaje personal (artículo 1.19 RDCAU). Obsérvese que, salvo en el supuesto del viajero, el exportador ha de ser un sujeto establecido en el TAU.

Si se trata de personas físicas, se considera «persona establecida en el TAU» a cualquier persona que tenga su residencia habitual en el TAU. Si se trata de personas jurídicas y de asociaciones de personas, se considera «persona establecida en el TAU» a cualquier persona que tenga su domicilio social, su sede o un establecimiento comercial permanente en el TAU (artículo 5.31 CAU). A su vez, «establecimiento comercial permanente» se define como un centro de actividades fijo, en el que se hallan disponibles permanentemente los recursos humanos y técnicos necesarios, y a través del cual se realizan, en parte o en su totalidad, las operaciones aduaneras de una persona (artículo 5.32 CAU).

La definición de exportador (que se contiene en el artículo 1.19 RDCAU) fue modificada por el Reglamento 2018/1118. Con anterioridad se exigía que, además de residir en el TAU, el exportador fuera la persona que, en el momento en que se aceptara la declaración, fuera titular del contrato con el destinatario en un tercer país y estuviera facultada para decidir que las mercancías se condujeran a un destino situado fuera del TAU (es decir, se exigían como cumulativos los requisitos que ahora, con carácter alternativo, permiten ostentar la condición de exportador). En caso de que no se presentara declaración o no mediara un contrato para la exportación, exportador era la persona, establecida en el TAU, que estuviera facultada para decidir que las mercancías se condujeran a un destino situado fuera del TAU.

La *Guidance* de TAXUD sobre la definición de exportador (Documento Taxud.a.2 Ares(2018)4494380, de 30.07.2018) observa que, salvo en el caso de los viajeros, sólo una persona residente en el TAU puede ostentar la condición de exportador y, en consecuencia, aparecer como tal en la casilla 2 de la declaración de exportación (con su EORI; véase, en España, la Nota Informativa de la AEAT NI GA 24/2020). Si el sujeto no es residente en el TAU deberán adoptarse otras "disposiciones contractuales" para establecer quién es el exportador (p.e. actuar a través de un representante en régimen de representación indirecta que sí sea residente en el TAU). En este sentido la referida *Guidance* también señala que, en tanto no se implante el Sistema Automatizado de Exportación (AES), en la casilla 2 de la declaración de exportación se pueden identificar los datos del consignador/exportador, en tanto que en la casilla 14 se puede incluir el EORI de su representante aduanero. La implantación del AES está prevista para diciembre de 2023, conforme a la Decisión 2019/2151.

El requisito relativo a "estar facultado para decidir y haber decidido que las mercancías deben ser conducidas fuera del TAU" es un elemento de hecho en el sentido de que se trata de una facultad que se ha ejercido (al asumir el papel de exportador, la persona también ha asumido que tiene el derecho de determinar la exportación de los bienes). El acuerdo entre las partes para asignar a una de ellas la facultad de determinar que las mercancías deben exportarse puede adoptar cualquier forma prevista en el derecho civil del Estado miembro en cuestión. La *Guidance* ofrece tres ejemplos para ilustrar el significado de este requisito relativo a "estar facultado para decidir y haber decidido que las mercancías deben ser conducidas fuera del TAU": 1) una venta directa de una empresa establecida en el TAU a un comprador establecido fuera del TAU; 2) un precio de exportación pagadero contra la entrega del conocimiento de embarque elaborado por el vendedor para el transporte de las mercancías fuera del TAU; 3) contratos con el INCOTERM 'exworks' o similares, cuando la facultad para determinar que las mercancías deben ser llevadas a un destino fuera del TAU corresponda a una persona establecida fuera del TAU conforme al contrato en el que se basa la exportación (p. ej., comprador), pero esta persona decida autorizar a una persona establecida en el TAU para que determine que los bienes se deben llevar a un destino fuera del TAU. Esta última posibilidad implica que una persona que no sea el vendedor puede actuar como exportador a condición de que, por ejemplo, el comprador le haya dado el poder para hacerlo. Las partes en la transacción gozan así de flexibilidad para designar a la persona que tiene que actuar como exportador, siempre que esa persona cumpla con la definición de "exportador".

La *Guidance* señala que "persona establecida en el TAU que sea parte en el contrato en virtud del cual las mercancías vayan a ser conducidas fuera del TAU" puede ser un transportista, un transitario o cualquier otro sujeto que pueda actuar como exportador en tanto que cumpla con el requisito de la definición y acepte asumir ese rol.

Si se trata de una reexportación, el declarante no necesita cumplir con los requisitos de la definición de "exportador" que se establecen en el artículo 1(19) RDCAU (así lo indica la *Guidance* de TAXUD sobre Special Procedures, p. 30).

El tributo al que eventualmente puede sujetarse la exportación responde al objetivo de mantenimiento del buen funcionamiento del mercado interno, dirigiéndose a evitar la situación de posible desabastecimiento de determinadas mercancías, fundamentalmente respecto de las de naturaleza agrícola ("cláusula de penuria"). Más trascendencia tiene la exportación como requisito para gozar de determinadas ventajas fiscales que se condicionan a ella, tanto en el marco arancelario (restituciones y otras medidas incentivadoras de la exportación) como fuera de él (exención de carácter pleno en el IVA, conforme a los artículos 21 y 22 de la Ley 37/1992, del IVA, y devolución de impuestos especiales, conforme al artículo 10 de la Ley 38/1992, de IIEE). De ahí que cobre trascendencia el adecuado cumplimiento de las formalidades establecidas para efectuar las exportaciones, así como la comprobación por parte de las autoridades del correcto cumplimiento de estas obligaciones y de la realidad de las operaciones declaradas.

Las restituciones a la exportación se regulan en el Reglamento (CE) 612/2009 de la Comisión, de 7 de julio de 2009, por el que se establecen disposiciones comunes de aplicación del régimen de restituciones por exportación de productos agrícolas. También deben tenerse en cuenta en esta materia el Reglamento (UE) 1308/2013 del Parlamento Europeo y del Consejo, de 17 de diciembre de 2013, por el que se crea la organización común de mercados de los productos agrarios (artículos 196 a 201), el Reglamento 1187/2009, el Reglamento 1216/2009 y el Reglamento 578/2010. En el capítulo 35.2.4 se exponen las ideas fundamentales acerca de las restituciones a la exportación.

Por lo que hace a las medidas de política comercial, junto a las que tratan asimismo de combatir situaciones de posible desabastecimiento del mercado interno, encontramos también disposiciones que tienen por finalidad impedir la salida del TAU de mercancías sensibles, como puedan ser determinados tipos de armas o productos que incorporen una tecnología susceptible de ser aplicada a usos militares.

Los controles a la exportación (*export control*) se examinan en el capítulo 34. La norma básica de la UE es el Reglamento (CE) nº 428/2009 del Consejo, por el que se establece un régimen comunitario de control de las exportaciones, la transferencia, el corretaje y el tránsito de productos de doble uso. En España, esta materia se regula en la Ley 53/2007, de 28 de diciembre, sobre el control del comercio exterior de material de defensa y de doble uso.

Por lo que hace a otros tipos de controles a la exportación, véase la Orden ITC/2880/2005, de 1 de agosto, por la que se regula el procedimiento de tramitación de las autorizaciones administrativas de exportación y de las notificaciones previas de exportación (BOE 19.09.2005).

Por otra parte, el Reglamento (UE) 2015/479 del Parlamento Europeo y del Consejo de 11 de marzo de 2015, sobre el régimen común aplicable a las exportaciones (DO L 83, de

27.03.2015) regula el régimen de salvaguardias aplicables a las exportaciones. Se trata de medidas dirigidas a prevenir situaciones críticas debidas a la escasez de productos esenciales, que pueden consistir, entre otras, en la exigibilidad de una autorización para exportar o en el establecimiento de restricciones cuantitativas a la exportación. La competencia para la adopción de estas medidas corresponde a la Comisión, que puede hacerlo de oficio o a solicitud de un Estado miembro.

Por su parte, el Convenio de Kioto dedica el Anexo Específico C a la que denomina "exportación a título definitivo", que es aquella que se produce respecto de mercancías que salen de un territorio aduanero destinadas a permanecer definitivamente fuera de él. Este anexo consta de un único capítulo, con tan solo dos normas y una práctica recomendada, y de su contenido podemos destacar la norma 3, en virtud de la cual la aduana no exigirá sistemáticamente una prueba de llegada de las mercancías a un país extranjero.

20.2. LA DECLARACIÓN PREVIA A LA SALIDA Y TRÁMITES DE SALIDA

La mecánica del régimen de exportación (y, por asimilación, de la reexportación) es un tanto peculiar respecto de los demás regímenes aduaneros. En este régimen tendremos, primero, una declaración de inclusión en el régimen (declaración en aduana, de reexportación o declaración sumaria de salida), seguida del control aduanero que, cuando proceda, determinará la concesión del levante. Una vez concedido el levante, las mercancías se tienen que presentar en la aduana para poder proceder a autorizar su salida del TAU, momento en que son nuevamente sometidas a control. El régimen se ultima cuando se verifica la salida de las mercancías del TAU, circunstancia que tendrá reflejo en un documento acreditativo.

> Obsérvese que la secuencia es la opuesta a la del despacho a libre práctica, destacando en particular que la declaración en aduana y la presentación en aduana intercambian su posición. Para el despacho a libre práctica se formulan declaraciones anticipadas a las que sigue la entrada de las mercancías y su presentación en aduana. Se realizan, en su caso, los controles aduaneros y se presenta la declaración en aduana. Tras la declaración en aduana y, a la vista del resultado de los controles aduaneros, se concede el levante, tras el cual las mercancías se introducen libremente en el TAU.

A continuación se expone en detalle el contenido de las diversas fases que han quedado ya esbozadas en su secuencia temporal.

Declaración previa a la salida.– Con carácter general, cuando unas mercancías vayan a salir del TAU debe presentarse una declaración con carácter previo a que tal salida se produzca (artículo 263.1 CAU).

Se establecen dos excepciones a esta regla general, a saber:

a) los medios de transporte y las mercancías que se hallen en ellos que se limiten a atravesar las aguas territoriales o el espacio aéreo del TAU sin efectuar ninguna parada en el mismo; o

b) en otros casos específicos en los que resulte debidamente justificado por el tipo de mercancías o de tráfico o cuando así lo exijan acuerdos internacionales.

La referida declaración previa a la salida puede adoptar tres formas diferentes, en función de las circunstancias que concurran:

a) Una declaración en aduana, en caso de que las mercancías que vayan a salir del TAU estén incluidas en un régimen aduanero que requiera tal declaración;

    La declaración en aduana se examina en el capítulo 23, en tanto que los procedimientos simplificados de declaración se examinan en el capítulo 24.

b) Una declaración de reexportación, cuando salgan mercancías que no son de la Unión;

    El artículo 5(13) CAU define la declaración de reexportación como el acto por el que una persona expresa, en la forma y el modo establecidos, la voluntad de sacar del TAU mercancías no pertenecientes a la Unión, a excepción de las que se hallen en régimen de zona franca o en depósito temporal.
    Como hemos señalado más arriba, se establecen tres situaciones en las que se excepciona esta regla general de modo que, aunque salen del TAU mercancías que no son de la Unión, no existe la obligación de presentar una declaración de reexportación (se trata de mercancías incluidas en el régimen de tránsito externo que únicamente atraviesen el TAU; mercancías transbordadas dentro de una zona franca o directamente reexportadas desde una zona franca; y mercancías en depósito temporal y que se reexporten directamente desde un almacén de depósito temporal).

c) Una declaración sumaria de salida.

    El artículo 5(10) CAU define la «declaración sumaria de salida» ("EXS" en su forma abreviada) como el acto por el que una persona informa a las autoridades aduaneras, en la forma y el modo establecidos, y dentro de un plazo concreto, de que determinadas mercancías van a salir del TAU.
    La declaración sumaria de salida debe presentarse cuando las mercancías vayan a salir del TAU y no se presente una declaración en aduana o una declaración de reexportación como declaración previa a la salida. La declaración sumaria de salida debe presentarse ante la aduana de salida, si bien las autoridades pueden autorizar que se presente en otra aduana, siempre que esta comunique inmediatamente los datos necesarios a la aduana de salida o los ponga a su disposición por vía electrónica (artículo 271.1 CAU). La *Guidance* "Export and Exit out of the EU" ofrece algunos ejemplos de situaciones en las que procederá presentar una declaración sumaria de salida (pp. 14-15).
    En caso de tráfico marítimo, si las mercancías se cargan directamente al buque que las llevará a un destino situado fuera del TAU, la EXS debe presentarse en la aduana que corresponda al puerto de carga. Si ese buque tiene escalas en otros puertos de la UE antes de su salida del

TAU, las mercancías tendrán la consideración de *Freight Remaining On Board* (FROB) y no necesitarán presentarse en los otros puertos de la UE ni habrá de presentarse EXS en ellos. En cambio, en caso de que las mercancías vayan a ser transbordadas a otro buque, la EXS debe presentarse en la aduana del puerto de transbordo y, en tal caso, no se exige presentación de la EXS en el puerto inicial de carga (*Guidance* "Export and Exit out of the EU", p. 20).

El transportista es la persona obligada a presentar la declaración sumaria de salida. Ahora bien, en lugar de él puede presentarla el exportador o expedidor, o cualquier otra persona en cuyo nombre o por cuya cuenta actúe el transportista. También puede presentarla cualquier persona que esté en condiciones de presentar las mercancías de que se trate, o de disponer que se presenten, en la aduana de salida.

Respecto de la declaración sumaria de salida se permiten dos tipos de simplificaciones. Por una parte, las autoridades pueden aceptar que, para presentar una declaración sumaria de salida, se utilicen sistemas de información comercial, portuaria o relativa al transporte. Ello sólo será posible cuando estos sistemas contengan los datos necesarios para la declaración y que estén disponibles con antelación a la salida de las mercancías del TAU (véase más abajo la tabla relativa al momento en que debe presentarse la declaración previa a la salida). Por otra parte, las autoridades pueden permitir que se sustituya la presentación de la declaración sumaria de salida por la presentación de una notificación y el acceso a los datos de la declaración sumaria de salida en el sistema informático del operador económico (artículo 271 CAU, apartados 3 y 4).

La declaración sumaria de salida puede ser objeto de rectificación y de invalidación. La rectificación de los datos se practica a solicitud del declarante, tras la presentación de la declaración. Ahora bien, no se permite la rectificación en tres supuestos: 1) si las autoridades han comunicado al declarante su intención de examinar las mercancías; 2) si las autoridades ya han determinado que uno o más datos de la declaración sumaria de salida son inexactos o están incompletos; y 3) si las autoridades han concedido el levante para la salida de las mercancías. Una vez recibida la declaración sumaria de salida, la aduana en la que ésta se presente debe registrarla inmediatamente, proporcionando al declarante un MRN que la identifique y, si procede, conceder el levante de las mercancías para su salida del TAU (artículo 341 RECAU).

Tipos de declaración previa a la salida
Declaración en aduana Cuando salgan mercancías de la Unión (con excepciones)
Declaración de reexportación Cuando salgan mercancías que no son de la Unión (con excepciones)
Declaración sumaria de salida Cuando salgan mercancías para las que no se exija declaración en aduana o declaración de reexportación

La declaración previa a la salida es un requisito a cumplir a fin de poder sacar mercancías del TAU, salvo que sea aplicable una dispensa de la presentación de dicha declaración (artículo 327 RECAU).

Si se prevé sacar las mercancías del TAU en varios envíos, cada uno de ellos debe ir amparado por una declaración de exportación o de reexportación separada (artículo 336 RECAU).

Supuestos de dispensa de la presentación de la declaración previa a la salida de las mercancías.– El artículo 245 RDCAU regula un extenso listado de supuestos en los que se exime de la obligación de presentar una declaración previa a la salida de las mercancías. Los referidos supuestos se detallan en la tabla que sigue.

Supuestos de dispensa de la presentación de la declaración previa a la salida
Por el tipo de mercancía
a) la energía eléctrica.
b) las mercancías que salgan mediante conductos.
c) los objetos de correspondencia.
d) las mercancías enviadas al amparo de las normas de los actos de la Unión Postal Universal.
e) los efectos y el mobiliario definidos en el artículo 2, apartado 1, letra d), del Reglamento de franquicias (1186/2009), siempre que no sean transportados al amparo de un contrato de transporte.
f) las mercancías contenidas en el equipaje personal de los viajeros.
g) las mercancías a que hace referencia el artículo 140.1 RDCAU (son las mercancías que se consideran declaradas para la exportación mediante un acto que se considere declaración en aduana, como seguir el circuito "nada que declarar" en una aduana, cuando no se hayan declarado por otros medios), con excepción, cuando se transporten al amparo de un contrato de transporte, de: i) los palés, piezas de recambio, accesorios y equipos para palés;   ii) los contenedores, piezas de recambio, accesorios y equipos para contenedores;   iii) los medios de transporte, piezas de recambio, accesorios y equipos para medios de transporte.   El artículo 140.1 RDCAU remite al listado de mercancías del artículo 137 RDCAU, a saber: (a) mercancías desprovistas de carácter comercial; (b) **mercancías de carácter comercial, siempre que su valor no exceda de 1.000 EUR o su masa neta no sea superior a 1.000 kg**; (c) los medios de transporte matriculados en el territorio aduanero de la Unión y destinados a la reimportación, y las piezas de recambio, accesorios y equipos para esos medios de transporte; (d) los animales domésticos exportados con ocasión de un traslado de actividades agrícolas desde la Unión a un tercer país que se puedan acoger a la franquicia de derechos en virtud del artículo 115 del Reglamento de franquicias; (e) los productos obtenidos por productores agrícolas en fincas situadas en la Unión que puedan acogerse a la franquicia de derechos en virtud de los artículos 116, 117 y 118 del Reglamento de franquicias; (f) las simientes exportadas por productores agrícolas para ser utilizadas en fincas situadas en terceros países que puedan acogerse a la franquicia de derechos en virtud de los artículos 119 y 120 del Reglamento de franquicias; (g) los forrajes y piensos que acompañen a los animales durante su exportación y que puedan acogerse a la franquicia de derechos en virtud del artículo 121 del Reglamento de franquicias.

Supuestos de dispensa de la presentación de la declaración previa a la salida
Por el tipo de mercancía
Y en su apartado 2, el artículo 137 RDCAU remite, a su vez, a las mercancías del artículo 136.1 RDCAU cuando tales mercancías estén destinadas a su reimportación. Se trata de las siguientes: 1) los palés, contenedores y medios de transporte, y las piezas de repuesto, accesorios y equipo para esos palés, contenedores y medios de transporte, como se contemplan en los artículos 208 a 213 RDCAU; 2) los efectos personales y las mercancías destinados a ser utilizados con fines deportivos a que se refiere el artículo 219 RDCAU; 3) el material de bienestar de las gentes del mar utilizado a bordo de un buque destinado al tráfico marítimo internacional a que se refiere el artículo 220(a) RDCAU; 4) el material médico-quirúrgico y de laboratorio a que se refiere el artículo 222 RDCAU; 5) los animales a que se refiere el artículo 223 RDCAU, siempre que estén destinados a la trashumancia, el pastoreo o a la ejecución de un trabajo o al transporte; 6) el equipo a que se refiere el artículo 224(a) RDCAU; 7) los instrumentos y aparatos necesarios para que los médicos puedan prestar asistencia a los pacientes que estén a la espera de un órgano para trasplante que cumplan las condiciones establecidas en el artículo 226.1 RDCAU; 8) el material de socorro en caso de catástrofe utilizado en el marco de las medidas adoptadas para combatir los efectos de las catástrofes o de situaciones similares que afecten al TAU; 9) los instrumentos de música portátiles temporalmente importados por viajeros y destinados a un uso como equipo profesional; 10) los envases importados llenos y destinados a la reexportación, ya sea vacíos o llenos, que lleven marcas indelebles e inamovibles que identifiquen a una persona establecida fuera del TAU; 11) los materiales de producción y transmisión de radio y televisión y los vehículos especialmente adaptados para ser utilizados en la producción y transmisión de radio y televisión y sus equipos importados por organismos públicos o privados establecidos fuera del TAU y aprobados por las autoridades aduaneras que hayan concedido la autorización para la importación temporal de dichos materiales y vehículos; 12) otras mercancías, cuando las autoridades aduaneras lo autoricen. Adicionalmente, el artículo 140.1 RDCAU se refiere a los instrumentos de música portátiles de los viajeros.
h) las mercancías al amparo de cuadernos ATA y CPD.
i) las mercancías que circulen al amparo del impreso 302 de la OTAN o del impreso 302 de la UE.
j) las mercancías transportadas en buques que navegan entre puertos de la UE sin efectuar escala en ningún puerto fuera del TAU.
k) las mercancías transportadas en aeronaves que vuelan entre aeropuertos de la UE sin efectuar escala en ningún aeropuerto fuera del TAU.
l) las armas y el equipo militar que las autoridades encargadas de la defensa militar de un Estado miembro saquen del TAU, en transporte militar o en transporte para uso exclusivo de las autoridades militares.
m) las siguientes mercancías sacadas del TAU directamente a instalaciones en alta mar operadas por una persona establecida en el TAU: i) mercancías destinadas a la construcción, reparación, mantenimiento o adaptación de las instalaciones en alta mar; ii) mercancías destinadas al acondicionamiento o equipamiento de las instalaciones en alta mar; iii) provisiones utilizadas o consumidas en las instalaciones en alta mar.
n) mercancías en relación con las cuales se pueda pedir una exención de impuestos de conformidad con la Convención de Viena sobre relaciones diplomáticas de 18 de abril de 1961, la Convención de Viena sobre relaciones consulares de 24 de abril de 1963, otras convenciones consulares o la Convención de Nueva York, de 16 de diciembre de 1969, sobre las misiones especiales.

Supuestos de dispensa de la presentación de la declaración previa a la salida
Por el tipo de mercancía
o) mercancías suministradas para su incorporación como piezas o accesorios en buques y aeronaves y para el funcionamiento de los motores, la maquinaria y otros equipos de buques o aeronaves, así como productos alimenticios y otros artículos para su consumo o venta a bordo.
p) mercancías expedidas desde el TAU a Ceuta y Melilla, Gibraltar, Heligoland, la República de San Marino, el Estado de la Ciudad del Vaticano y el municipio de Livigno.
Por las circunstancias de la salida
a) cuando el buque que transporta las mercancías entre puertos de la Unión vaya a hacer escala en un puerto situado fuera del TAU y las mercancías vayan a permanecer a bordo del buque durante la escala en el puerto situado fuera del TAU.
b) cuando la aeronave que transporta las mercancías entre aeropuertos de la Unión vaya a hacer escala en un aeropuerto situado fuera del TAU y las mercancías vayan a permanecer a bordo de la aeronave durante la escala en el aeropuerto situado fuera del TAU.
c) cuando, en un puerto o aeropuerto, las mercancías no se descarguen del medio de transporte en que se hayan transportado hasta el TAU y en que vayan a conducirse fuera de dicho territorio.
d) cuando las mercancías hayan sido cargadas en un puerto o aeropuerto anterior situado en el TAU en el que se haya presentado una declaración previa a la salida o sea aplicable una exención de la obligación de presentar una declaración previa a la salida y permanezcan a bordo del medio de transporte en que vayan a conducirse fuera del TAU.
e) cuando las mercancías en depósito temporal o incluidas en el régimen de zona franca se transborden del medio de transporte en que han sido conducidas hasta el almacén de depósito temporal o la zona franca en cuestión, bajo supervisión de la misma aduana, a un buque, una aeronave o un tren que las conducirá fuera del TAU, siempre que se cumplen las condiciones siguientes: i) que el transbordo se lleve a cabo en los catorce días siguientes a la presentación de las mercancías en depósito temporal (artículo 144 CAU) o mercancías introducidas en una zona franca (en las condiciones del artículo 245 CAU), o, en circunstancias excepcionales, en un plazo más prolongado autorizado por las autoridades aduaneras cuando el periodo de catorce días no sea suficiente para hacer frente a dichas circunstancias;   ii) que las autoridades aduaneras dispongan de información relativa a las mercancías;   iii) que el transportista no tenga conocimiento de que se hayan producido cambios en cuanto al destino o al destinatario de las mercancías.
f) cuando las mercancías se hayan introducido en el TAU, pero hayan sido rechazadas por la autoridad aduanera competente y hayan sido inmediatamente reexpedidas al país de exportación.

Además de los supuestos de dispensa de la presentación de una declaración previa a la salida señalados, en caso de que el tipo de declaración que resulte exigible sea una declaración sumaria de salida, ha de tenerse en cuenta que los acuerdos de seguridad de la UE con Andorra, Noruega y Suiza prevén la dispensa de esta declaración en su comercio bilateral (véase la *Guidance* "Export and Exit out of the EU", pp. 16-17).

Notificación de reexportación.– El artículo 5(14) CAU define la «notificación de reexportación» como el acto por el que una persona expresa, en la forma y el modo establecidos, la voluntad de sacar del TAU mercancías no pertenecientes a la Unión en régimen de zona franca o en depósito temporal.

Se debe presentar una notificación de reexportación cuando concurren las siguientes circunstancias (artículo 274 CAU):

1. Van a salir del TAU mercancías que no son de la Unión (por eso es de reexportación).

2. Esas mercancías son, o bien mercancías transbordadas dentro de una zona franca o directamente reexportadas desde una zona franca; o bien mercancías en depósito temporal y que se reexporten directamente desde un almacén de depósito temporal.

3. Se dispensa la obligación de presentar una declaración sumaria de salida para dichas mercancías.

La notificación de reexportación se debe presentar en la aduana de salida de las mercancías, que en este caso será la aduana competente respecto del lugar en que las mercancías se encuentren en zona franca o en depósito temporal. La persona que tiene la obligación de presentar la notificación de reexportación es la misma que sea responsable de la presentación de las mercancías a la salida (más abajo se expone quién tiene la obligación de presentar las mercancías en aduana).

La notificación de reexportación debe contener los datos necesarios para ultimar el régimen de zona franca o poner fin al depósito temporal. Las autoridades pueden aceptar que se utilicen sistemas de información comercial, portuaria o relativa al transporte para presentar una notificación de reexportación. Ahora bien, ello queda supeditado a que tales sistemas proporcionen los datos que se exigen a la notificación de reexportación y que esos datos estén disponibles antes de que las mercancías salgan del TAU. Cabe, asimismo, que las autoridades permitan que la presentación de la notificación de reexportación se sustituya por la presentación de una notificación y el acceso a los datos de una notificación de reexportación en el sistema informático del operador económico.

El declarante puede solicitar la rectificación de uno o varios de los datos de la notificación de reexportación después de haberla presentado (artículo 275.1 CAU). Ahora bien, no se permite la rectificación en tres situaciones: 1) cuando las autoridades hayan comunicado a la persona que presentó la notificación de reexportación su intención de examinar las mercancías; 2) cuando las autoridades hayan determinado que uno o más datos de la notificación de reexportación son inexactos o están incompletos; 3) cuando las autoridades hayan concedido el levante para la salida de las mercancías.

Una vez presentada una notificación de reexportación, la aduana de salida debe registrarla inmediatamente, proporcionándole al declarante un MRN que la identifique y, si procede, conceder el levante de las mercancías para su salida del TAU (artículo 343 RECAU).

Aduana competente respecto de la declaración previa a la salida. – Cuando se incluyan mercancías en el régimen de exportación la aduana competente será, en principio, la que corresponda al lugar en que este establecido el exportador (recordemos que el exportador, salvo en el caso de los viajeros, debe estar establecido en el TAU). También puede ser competente la aduana que corresponda al lugar en que las mercancías se embalen o carguen para la exportación. Además, se contempla la posibilidad de que los Estados miembros se doten de una organización administrativa que determine la competencia de las aduanas en función del tipo de operaciones.

Para operaciones de menor entidad (hasta 3.000 euros por envío y por declarante cuando, además, las mercancías no estén sujetas a prohibiciones o restricciones), la aduana que corresponda al punto por el que las mercancías salgan del TAU es competente para la inclusión de las mercancías en el régimen de exportación, adicionalmente a las que resultan competentes conforme a las reglas generales señaladas arriba (artículo 221.2 RECAU).

> Se establecen dos reglas especiales en materia de aduana competente para la inclusión de las mercancías en el régimen de exportación. En primer lugar, se dispone que, en caso de subcontratación, será competente la aduana que corresponda al lugar en que esté establecido el subcontratista, adicionalmente a las que correspondan conforme a las reglas generales. Y, en segundo lugar, cuando las circunstancias concretas del caso así lo justifiquen, será asimismo competente otra aduana que se encuentre en mejores condiciones para la presentación de las mercancías.
>
> La *Guidance* "Export and Exit out of the EU" ofrece ejemplos en los que se indica la aduana competente para la declaración previa a la salida para varias situaciones posibles (pp. 22-23).

Se denomina «aduana de exportación» a la aduana en que se presenta la declaración de exportación o la declaración de reexportación para las mercancías que salgan del TAU (artículo 1(16) RDCAU). La aduana de exportación puede ser distinta de la aduana de salida. Con carácter general, la aduana de salida es la aduana competente respecto del lugar a partir del cual las mercancías salen del TAU hacia un destino fuera de él (artículo 329.1 RECAU). Puede ocurrir que la declaración de exportación o de reexportación se presente en una aduana que no es la que corresponde al lugar de salida puesto que, como se señala arriba, en principio la aduana competente para incluir las mercancías en este régimen es la aduana que corresponde al lugar en que esté establecido el exportador o el reexportador. De este modo, mientras que la "aduana de exportación" viene determinada por el lugar en que se declara, la "aduana de salida" corresponde con el lugar en que se produce la salida física de las mercancías fuera del TAU. A las salidas de mercancías del TAU en las que no coincide la aduana de exportación y la aduana de salida se las denomina "salidas indirectas". En caso de que coincidan ambas aduanas se las denomina "salidas directas". En los supuestos en que no coincida la aduana de exportación y la aduana de salida, a fin de asegurar una adecuada coordinación entre ellas, el artículo 330 RECAU ordena que, en el momento del levante de las mercancías, la aduana de exportación debe transmitir los datos de la declaración de exportación a la aduana de salida declarada, incluyendo, en su caso, las rectificaciones que puedan hacerse a la declaración de exportación. Téngase en cuenta que sobre la aduana de salida recae de forma fundamental la función de control, en tanto que es la aduana de exportación la que recibe la información en la que deben basarse esos controles.

> No se exige la referida obligación, a cargo de la aduana de exportación, de transmitir los datos de la declaración de exportación a la aduana de salida declarada cuando tal declaración adopte la forma de inscripción en los registros del declarante. La inscripción en los registros del declarante es una facilidad para declarar que se regula en el artículo 182 CAU y que se examina en el capítulo 24.

Aduana de salida (artículo 329 CAU)
1. Regla general. La aduana competente respecto del lugar a partir del cual las mercancías salgan del TAU hacia un destino fuera de él.
2. Mercancías que salgan del TAU por una instalación de transporte fija. La aduana de salida será la aduana de exportación.
3. Mercancías que se carguen en un puerto marítimo en un buque que no preste un servicio marítimo regular. La aduana de salida será la aduana competente respecto del lugar donde las mercancías se carguen en el buque.
4. Mercancías que se carguen en un buque o una aeronave para su transporte a un destino fuera del TAU sin transbordo posterior. La aduana de salida será la aduana competente respecto del lugar en que las mercancías se carguen en el buque o la aeronave.
5. Mercancías que se incluyan en un régimen de tránsito externo tras haber sido objeto de levante para la exportación. La aduana de salida será la aduana de partida de la operación de tránsito.

Aduana de salida (artículo 329 CAU)

6. Mercancías se incluyan en un régimen de tránsito, distinto del régimen de tránsito externo, tras haber sido objeto de levante para la exportación.
La aduana de salida será la aduana de partida de la operación de tránsito, siempre que se cumpla una de las siguientes condiciones:
    a)   que la aduana de destino de la operación de tránsito esté situada en un país de tránsito común;
    b)   que la aduana de destino de la operación de tránsito esté situada en la frontera del TAU y que las mercancías salgan de él después de haber atravesado un país o territorio situado fuera del TAU.

7. Mercancías que vayan a salir del TAU por ferrocarril, por correo o por vía aérea o marítima. Si así se solicita, la aduana de salida será la aduana competente del lugar donde se realice la entrega de las mercancías, bajo un único contrato de transporte, para su transporte fuera del TAU por compañías de ferrocarril, operadores postales, o compañías aéreas o marítimas.
8. Supuestos en que deba presentarse una notificación de reexportación (artículo 274.1 CAU). La aduana de salida será la aduana competente respecto del lugar en que las mercancías se encuentren en zona franca o en depósito temporal.

Una vez se implante el Sistema Automatizado de Exportación (AES, previsto para diciembre de 2023) no se aplicará lo previsto en los números 6 y 7 cuando se exporten mercancías de la Unión sujetas a Impuestos Especiales (labores del tabaco, productos energéticos, electricidad, alcohol y bebidas alcohólicas) ni el número 7 cuando se reexporten mercancías no pertenecientes a la Unión.

La aduana de salida es la competente para tramitar las declaraciones en aduana orales de exportación y reexportación (artículo 221.3 RECAU). En este caso sí que, necesariamente, va a coincidir la aduana de exportación y la aduana de salida.

Recordemos que la aduana de salida es también la competente respecto de las declaraciones sumarias de salida y de las notificaciones de reexportación.

Momento en que debe presentarse una declaración previa a la salida.– El artículo 244 RDCAU regula los plazos de antelación a la salida de las mercancías con que debe presentarse la declaración previa a la salida cuando ésta deba presentarse, distinguiendo según el medio de transporte y forma de expedición. Los referidos plazos pueden sistematizarse como sigue:

Medio de transporte	Modalidad	Plazo de antelación
Tráfico marítimo	Contenedores	24 hrs antes de la carga en el buque
	Que no sea de contenedores (p.e. granel)	2 hrs antes salida del puerto
	Circulación entre el TAU y determinados territorios (1)	2 hrs antes salida del puerto
Tráfico aéreo		30 minutos antes de la salida
Tráfico por ferrocarril	Trayecto en tren desde la última estación de constitución del convoy hasta la aduana de salida dure menos de dos horas	1 hr antes de la salida
	En los demás casos	2 hrs antes de la salida
Tráfico por carretera y por vías navegables interiores		1 hr antes de la salida
Reglamento 612/2009	Restituciones a la exportación de productos agrícolas	Momento de la carga (véase artículo 5.7 Reglamento 612/2009)
Transporte intermodal		Plazo aplicable al medio de transporte que salga del TAU
Transporte combinado	Medio de transporte activo sólo transporta otro medio de transporte activo	Plazo aplicable al medio de transporte que cruza la frontera del TAU

(1) Se trata de la circulación de cargamentos en contenedores de corta o media distancia. En concreto, la circulación entre el TAU y Groenlandia, las Islas Feroe, Islandia o puertos del Mar Báltico, del Mar del Norte, del mar Negro o del Mediterráneo, todos los puertos de Marruecos o puertos del Reino Unido (con excepción de los situados en Irlanda del Norte), además de los puertos de las Islas Anglonormandas y de la Isla de Man; y, si la duración del viaje es inferior a veinticuatro horas, también la circulación de cargamentos en contenedores entre los departamentos franceses de ultramar, las Azores, Madeira o las Islas Canarias y un territorio situado fuera del TAU.

Ha de tenerse en cuenta, no obstante, que los plazos que se acaban de señalar no rigen en caso de fuerza mayor (artículo 244.4 RDCAU).

El plazo de antelación de la declaración respecto a la salida de las mercancías del TAU se establece a fin de permitir un adecuado análisis de riesgos por parte de las autoridades, al objeto de determinar qué mercancías deben sujetarse a controles, fundamentalmente a efectos de protección y seguridad (artículo 264 CAU). En este sentido, el artículo 263.4 CAU dispone que la declaración previa a la salida debe contener los datos necesarios para el análisis de riesgos a efectos de protección y seguridad. La aduana ante la que se presente la declaración previa a la salida debe asegurarse de que se realice el análisis de riesgo (por sí misma o por otra aduana) y será quien adopte las medidas que correspondan atendidos los resultados del mismo.

El análisis de riesgos debe realizarse en el tiempo que media entre el final del plazo de presentación de la declaración previa a la salida y la carga o la salida de las mercancías. Si resulta aplicable una dispensa de la obligación de presentar una declaración previa a la salida, el análisis de riesgos debe llevarse a cabo en el momento de la presentación de las mercancías. En este caso tendrá como base la declaración en aduana o la declaración de reexportación que cubra a las mercancías o, en su defecto, cualquier otra información disponible sobre las mercancías (artículo 348 RECAU).

El artículo 337 RECAU se refiere al supuesto en el que las mercancías salen del TAU sin que se haya realizado previamente una declaración de exportación o de reexportación, a pesar de que existiera la obligación de hacerla. Para estas situaciones ordena que el exportador presente una declaración de exportación o de reexportación a posteriori en la aduana competente respecto del lugar en que esté establecido. A partir de esta declaración, la referida aduana certificará la salida de las mercancías al exportador siempre que se verifiquen dos condiciones. La primera es que aprecie que el levante se hubiera concedido igualmente si la declaración se hubiera presentado antes de la salida de las mercancías del TAU. Y, la segunda, que disponga de pruebas de que las mercancías efectivamente han salido del TAU.

> En este supuesto pueden utilizarse medios de intercambio de información distintos de las técnicas de tratamiento electrónico de datos para la presentación a posteriori de la declaración de exportación o de reexportación (artículo 249 RDCAU).

Otra situación particular en la que puede aparecer una declaración a posteriori es la que se presenta cuando las mercancías que salieron del TAU fueron declaradas en ese momento, pero indicando que iban a ser reimportadas, resultando posteriormente que esa reimportación no va a tener lugar. Puede ocurrir que la finalidad de reimportación haya condicionado el tipo de declaración utilizada para la salida de las mercancías del TAU, que hubiese sido otra en caso de no haber tenido intención de reimportar. Cuando eso ocurra, el exportador podrá presentar una declaración de exportación a posteriori, en sustitución de la original, en la aduana de exportación, que certificará al exportador la salida de las mercancías (artículo 337.2 RECAU).

> Si, en este último supuesto, las mercancías salieron del TAU al amparo de un cuaderno ATA o CPD, la aduana de exportación exigirá que la hoja y la matriz de reimportación del cuaderno ATA y CPD se invaliden como requisito para certificar al exportador la salida de las mercancías.

Al hilo de este supuesto, interesa recordar que, tal y como se señala en el capítulo 5.3, si se prevé que las mercancías puedan retornar a la UE (p.e. porque el comprador se reserva el derecho de devolución), es importante adoptar en el momento de la exportación las cautelas oportunas a fin de que, a su regreso, pueda aplicarse a las mercancías exportadas la exención prevista para las mercancías de retorno.

Levante.– El levante para la exportación se concederá condicionado a que las mercancías abandonen el TAU en el mismo estado en que se encontraban en el momento de la admisión de la declaración de exportación, la declaración de reexportación o la declaración sumaria de salida (artículo 267.4 CAU). Insistimos en que, si se trata de una salida indirecta, en el momento del levante la aduana de exportación debe transmitir los datos de la declaración de exportación a la aduana de salida declarada, incluyendo, en su caso, las rectificaciones que puedan hacerse a la declaración de exportación, obligación que no se exige si la declaración adopta la forma de inscripción en los registros del declarante (artículo 330 RECAU).

Tramitación de la salida de las mercancías.– Las mercancías que van a salir del TAU están sometidas a vigilancia aduanera y pueden ser objeto de controles (artículo 267.1 CAU). Una vez que las mercancías hayan sido objeto de levante para su salida, será la aduana de salida la que asumirá su vigilancia hasta que se trasladen fuera del TAU (artículo 333.1 RECAU). A estos efectos, las mercancías que vayan a salir del TAU deben ser presentadas ante la aduana de salida como trámite previo a la salida efectiva y a esta aduana corresponde realizar los controles oportunos en ese momento, que se basarán en un análisis de riesgos y que tendrán como objetivo primordial asegurarse de que las mercancías presentadas coinciden con las declaradas. A fin de que la aduana de salida disponga de la información contenida en la declaración previa a la salida, si la aduana de salida y la de exportación no coinciden, la aduana de exportación debe facilitar esa información a la aduana de salida (artículo 332.2 RECAU).

El artículo 326 RECAU prevé la implantación de un sistema electrónico de intercambio de información, relativa a la salida de las mercancías del TAU, entre autoridades aduaneras, denominado Sistema Automatizado de Exportación en el ámbito del CAU (AES CAU), que aparece en el anexo de la Decisión de Ejecución 2019/2151/UE, cuya aplicación plena está prevista para diciembre de 2023. Entre tanto, el intercambio de información se realiza mediante un sistema electrónico menos ambicioso, el ECS (*Export Control System*).

Recordemos que la «presentación en aduana» es la notificación a las autoridades aduaneras de la llegada de las mercancías a la aduana, o a cualquier otro lugar designado o autorizado por aquellas, y de su disponibilidad para los controles aduaneros (artículo 5(33) CAU).

En el caso particular de las mercancías transportadas a través de una instalación de transporte fija, que salgan por este medio del TAU, la presentación ante la aduana se entiende producida en el momento en que se introduzcan en la instalación de transporte fija (artículo 331.3 RECAU).

Cuando la aduana de exportación y la aduana de salida no coinciden, la aduana de salida debe informar de la salida a la aduana de exportación el día laborable siguiente a que esta se produzca (artículo 333.2 RECAU).

> Se establecen plazos distintos para que la aduana de salida informe de la salida de las mercancías a la aduana de exportación en los casos siguientes (obsérvese que se trata de los supuestos 3 a 7 del cuadro "aduana de salida" que se ofrece más arriba):
> 1) Si se trata de mercancías que se cargan en un buque o una aeronave para su transporte a un destino fuera del TAU o de mercancías que se cargan en un buque que no preste un servicio marítimo regular, el día laborable siguiente a aquel en que el buque o la aeronave en que se hayan cargado las mercancías haya salido del puerto o del aeropuerto de carga;
> 2) Si se trata de mercancías que se incluyan en un régimen de tránsito externo tras haber sido objeto de levante para la exportación, el día laborable siguiente a aquel en que las mercancías hayan sido incluidas en el régimen de tránsito externo;
> 3) Si se trata de mercancías que se incluyan en un régimen de tránsito, distinto del régimen de tránsito externo, tras haber sido objeto de levante para la exportación, el día laborable siguiente a aquel en que se haya ultimado el régimen de tránsito;
> 4) Si se trata de mercancías que vayan a salir del TAU por ferrocarril, por correo o por vía aérea o marítima, el día laborable siguiente a aquel en que se hayan entregado las mercancías al amparo de un contrato único de transporte.
> En los supuestos (2) y (3) y hasta la implantación del sistema electrónico AES CAU, este plazo expirará el primer día laborable siguiente a la fecha en que las mercancías se incluyan en el régimen de tránsito o en que las mercancías salgan del TAU o en que se ultime el régimen de tránsito (artículo 333.7 RECAU).

La obligación de presentar las mercancías antes de su salida corresponde a la persona que saque las mercancías del TAU, o bien a la persona en cuyo nombre o por cuya cuenta actúe la persona que saquen las mercancías del TAU o bien a la persona que asuma la responsabilidad de transportar las mercancías antes de su salida del TAU (artículo 267.2 CAU).

Con ocasión de la presentación de las mercancías a la aduana de salida, la persona que la realice debe facilitar tres tipos de elementos (artículo 331.1 RECAU):

a) El MRN de la declaración de exportación o de reexportación;

> El MRN (o «número de referencia master», MRN, por sus siglas en inglés) es el número de registro asignado por la autoridad aduanera competente a las declaraciones (sumaria de entrada, sumaria de salida, de depósito temporal, en aduana, de reexportación) o notificaciones (de reexportación), a las operaciones TIR o a las pruebas del estatuto aduanero de mercancías de la Unión (artículo 1(22) RDCAU).

b) Debe indicar cualquier discrepancia entre las mercancías declaradas y objeto de levante para la exportación y las presentadas, incluidos los casos en que las mercancías hayan sido reenvasadas o introducidas en contenedores antes de su presentación en la aduana de salida;

c) Cuando solo se presente una parte de las mercancías cubiertas por una declaración de exportación o de reexportación, la persona que presente las mercancías debe indicar asimismo la cantidad de mercancías efectivamente presentadas.

Si las mercancías se presentan envasadas o introducidas en contenedores, se debe notificar el número de bultos y, si se trata de contenedores, sus números de identificación.

> Conforme al artículo 246 RDCAU, pueden utilizarse medios de intercambio de información distintos de las técnicas de tratamiento electrónico de datos a fin de identificar la declaración de exportación y para las comunicaciones referentes a las discrepancias entre las mercancías declaradas y despachadas para el régimen de exportación y las mercancías presentadas.

A partir de la información recibida de la aduana de exportación, de los datos aportados a través del propio acto de presentación de las mercancías y de los controles que pueda llevar a cabo la aduana de salida, pueden presentarse diversas situaciones. Así, si la aduana de salida detecta que la naturaleza de las mercancías despachadas para la exportación, reexportación o perfeccionamiento pasivo no coincide con la de las mercancías que le son presentadas, denegará la salida de las mercancías e informará a la aduana de exportación. La aduana de exportación invalidará la declaración correspondiente. La salida de las mercancías no se autorizará hasta que se presente una nueva declaración de exportación o reexportación que se corresponda con la naturaleza detectada con ocasión de la presentación de las mercancías, declaración que puede presentarse en la aduana de salida (artículo 248.1 RDCAU y 332.4 RECAU). Si lo que se detecta es que faltan mercancías respecto a lo declarado, la aduana de salida debe informar de ello a la aduana de exportación (artículo 332.2 RECAU). Si, por el contrario, lo que se detecta es que las mercancías presentadas exceden de las declaradas, la aduana de salida denegará la salida de las mercancías en exceso hasta que se haya presentado una declaración de exportación o reexportación en relación con las mismas, declaración que puede presentarse en la propia aduana de salida (artículo 332.3 RECAU).

> En los tres supuestos señalados (discrepancia en la naturaleza de las mercancías, falta o exceso de mercancías) la solución es la misma, tanto si es el propio sujeto que presenta las mercancías quien indica que concurre la circunstancia de que se trate, como si es la aduana quien lo detecta.

En la declaración previa a la salida debe indicarse la aduana de salida prevista. Ahora bien, puede ocurrir que la aduana de salida no sea finalmente la que se había previsto en el momento en que se presentó la declaración previa a la salida. El artículo 331.2 RECAU permite entonces que las mercancías se presenten en una aduana de salida distinta de la indicada en la declaración de exportación o de reexportación, pero establece una cautela en caso de que la aduana de salida efectiva esté situada en un Estado miembro distinto del de la aduana de salida inicialmente prevista y consignada en la declaración. Dispone este precepto que la aduana de salida efectiva debe solicitar a la aduana de exportación los datos de la declaración de exportación o de reexportación.

Las mercancías que vayan a salir del TAU pueden quedar sujetas a diversos tipos de medidas (artículo 267.3 CAU). Por ejemplo, la salida puede constituir un requisito para obtener una devolución o condonación de los derechos de importación. O bien puede determinar el pago de restituciones por exportación o, por el contrario, la percepción de derechos de exportación (aunque, en la práctica, la UE no aplica derechos de exportación).

> En el hipotético caso de que fueran aplicables derechos de exportación, el artículo 277 CAU exime de su pago a las mercancías de la Unión que se exporten sólo temporalmente fuera del TAU. Esta exención queda supeditada a la ulterior reimportación de las mercancías, es decir, a que las mercancías vuelvan a ser introducidas, en un momento posterior, en el TAU.

Al margen de los impuestos arancelarios, la salida de las mercancías y las formalidades que la acompañan son relevantes para la aplicación del IVA y de los IIEE, en la medida en que la exportación permite gozar de exención en ambos impuestos. Y, más allá del ámbito tributario, la salida de las mercancías puede ser ocasión para la aplicación de una multiplicidad de prohibiciones y restricciones.

> Por lo que hace a las prohibiciones y restricciones, el artículo 267.3(e) CAU cita las basadas en razones de moralidad, orden o seguridad públicos, protección de la salud y la vida de personas, animales o plantas, protección del medio ambiente, protección del patrimonio artístico, histórico o arqueológico nacional y protección de la propiedad industrial o comercial, incluidos los controles sobre precursores de drogas, mercancías que infringen determinados derechos de propiedad intelectual y dinero en metálico, así como la aplicación de medidas de conservación y gestión de los recursos pesqueros y de medidas de política comercial.

Si se deniega la salida de las mercancías, y la aduana de salida y la de exportación no coinciden (salida indirecta), la aduana de salida debe informar de la denegación a la aduana de exportación, a más tardar, el día laborable siguiente a aquel en que se haya denegado la salida de las mercancías (artículo 333.3 RECAU).

Las autoridades pueden determinar la ruta a utilizar y el plazo que habrá que respetar cuando las mercancías vayan a salir del TAU (artículo 267.1 CAU). Si, debido a circunstancias imprevistas, las mercancías cubiertas por una misma declaración de exportación o reexportación se trasladan a una aduana de salida, pero deben posteriormente abandonar el TAU a través de varias aduanas de salida, cualquiera de las personas a quienes corresponde presentar las mercancías en la aduana de salida (artículo 267.2 CAU) podrá solicitar a la aduana de salida en la que las mercancías se hayan presentado por primera vez que informe a las demás aduanas de salida de donde vaya a salir del TAU parte de las mercancías, correspondiendo a cada aduana de salida supervisar la salida física de las mercancías que salgan del TAU desde esa aduana (artículo 333.5 RECAU).

> A partir de ese momento, la aduana o aduanas de salida subsiguientes informarán a la primera aduana de salida de las mercancías que hayan abandonado el TAU desde dicha aduana o aduanas, utilizando a este fin un mecanismo de intercambio de información de común acuerdo, al margen del AES. Una vez que todas las mercancías hayan abandonado el TAU, la primera aduana de salida informará a la aduana de exportación.

Si, también por circunstancias imprevistas, las mercancías salen todas por la misma aduana de salida, pero en varios envíos, la aduana de salida debe informar a la aduana de exportación cuando hayan salido del TAU todas las mercancías (artículo 333.4 RECAU).

> Recordemos que, según se ha señalado más arriba, si se prevé sacar las mercancías del TAU en varios envíos, cada uno de ellos debe ir amparado por una declaración de exportación o de reexportación separada (artículo 336 RECAU).

A la aduana de salida le corresponde supervisar la salida física de las mercancías. A estos efectos, el transportista debe notificar la salida de las mercancías a la aduana de salida (artículo 332.5 RECAU). Esta obligación no se impondrá en la medida en que las autoridades aduaneras dispongan ya de estos datos a través de los sistemas de información comercial, portuaria o de transporte existentes ni en el supuesto que contempla el artículo 329.7 RECAU.

> El artículo 329.7 RECAU regula el supuesto en que las mercancías se transporten por compañías de ferrocarril, operadores postales, o compañías aéreas o marítimas con destino fuera del TAU, bajo un único contrato de transporte, y se solicite que la aduana de salida sea la aduana competente del lugar donde se realice la entrega de las mercancías.
> En la notificación de salida de las mercancías el transportista debe incluir la información siguiente:
> a) el número de referencia único del envío o el número de referencia del documento de transporte;
> b) si las mercancías se presentan en bultos o en contenedores, el número de bultos y, si se presentan en contenedores, su número de identificación;
> c) el MRN de la declaración de exportación o de reexportación, en su caso.
> A fin de que el transportista pueda cumplir con esta obligación, la persona que entregue las mercancías al transportista debe facilitársela. Por su parte, el transportista puede proceder a cargar las mercancías para su transporte fuera del TAU una vez disponga de esta información (artículo 332.6 RECAU).
> Atendido que el CAU establece en estos términos las obligaciones del transportista, parece que debe considerarse implícitamente derogada la Orden de 18.12.2001 por la que se establecen las instrucciones para la presentación del manifiesto de carga para el tráfico marítimo, BOE 04.01.2002, conforme a la cual, si la salida se producía por vía marítima, la compañía naviera responsable del buque quedaba obligada a presentar un manifiesto de carga, por sí misma

o a través de representante. El manifiesto debía presentarse dentro de un plazo máximo de tres días hábiles desde la salida del buque, por medios telemáticos. La compañía naviera asumía la responsabilidad del contenido del manifiesto. Por el mismo motivo, también quedaría implícitamente derogada la Resolución de 28.02.2002, del Departamento de Aduanas e Impuestos Especiales de la Agencia Estatal de Administración Tributaria, que desarrolla la disposición adicional única de la Orden de 18 de diciembre de 2001, del Ministerio de Hacienda, por la que se establecen las instrucciones para la presentación del manifiesto de carga para el tráfico marítimo (BOE 28.03.2002). La Orden HAC/3741/2003, de 30 de diciembre, modificó los anexos I y II de la Orden de 18.12.2001, por la que se establecen las instrucciones para la presentación del Manifiesto de Carga para el tráfico marítimo (BOE 09.01.2004).

En contra de este parecer se manifiesta Flores Villarejo (*El Código Aduanero de la Unión*, Aranzadi, 2017, p. 839), quien considera que la normativa nacional que exige el manifiesto de carga mantiene su vigencia en la medida en que el CAU y su normativa de desarrollo "no se oponen ni dicen nada al respecto".

El término «transportista» se define en el artículo 5(40) CAU. Conforme a él, en el contexto de la salida de mercancías, transportista es la persona que saque las mercancías o asuma la responsabilidad de su transporte fuera del TAU.

Sobre esta definición general se establecen dos casos particulares. Así, en el caso del transporte combinado, cuando el medio de transporte activo que abandone el TAU se utilice únicamente para transportar otro medio de transporte, el cual, tras la llegada del medio de transporte activo a su destino, circulará por sí mismo como medio de transporte activo, se entenderá por «transportista» la persona que opere aquel medio de transporte que, una vez que el medio de transporte haya abandonado el TAU y haya llegado a su destino, circule por sí mismo. Y, por otra parte, en el caso del tráfico marítimo o aéreo, cuando existe un acuerdo de uso compartido de buque o un contrato de fletamento, se entenderá por «transportista» la persona que concluya un contrato y expida un conocimiento de embarque o un conocimiento aéreo para el transporte real de las mercancías fuera del TAU.

> **Ejemplo.** *Transportista en caso de transporte combinado*
>
> Se transporta por ferrocarril un camión cargado de mercancía. El camión sale del TAU portado por el ferrocarril. El camión será descargado del ferrocarril al llegar a Moscú y, a partir de allí, seguirá su ruta hasta Volvogrado, que es el lugar de destino de las mercancías.
>
> Transportista es la persona que conduzca el camión.

EJEMPLO

Añadamos que, si las mercancías van a salir del TAU por ferrocarril, por correo o por vía aérea o marítima (caso 7 del cuadro "aduana de salida"), el transportista, a petición de la aduana de salida, debe proporcionarle alguno de los elementos de información siguientes: 1) el MRN de la declaración de exportación; b) una copia del contrato de transporte único para las mercancías de que se trate; c) el número de referencia único del envío o el número de referencia del documento de transporte y, en caso de que las mercancías se presenten en bultos o en contenedores, el número de bultos y, cuando se presenten en contenedores, su número de identificación (artículo 333.6 RECAU).

La aduana de exportación es la encargada de certificar la salida del TAU de las mercancías, debiendo informar de ello a la aduana de salida (artículo 334 RECAU). La certificación de la salida de las mercancías se expedirá al exportador o al declarante una vez se produzca alguna de las situaciones siguientes:

a) Que la aduana de salida haya informado de la salida de las mercancías;

b) Que la aduana de exportación y la aduana de salida coincidan y las mercancías hayan salido;

c) Que la aduana de exportación considere que las pruebas presentadas que acreditan la salida de las mercancías son suficientes (el artículo 335.4 RECAU enumera algunas de las pruebas para acreditar la salida de las mercancías).

Téngase en cuenta que, a estos efectos, la prueba de que las mercancías han salido del TAU puede aportarse a la aduana de exportación utilizando medios distintos de las técnicas de tratamiento electrónico de datos (artículo 247 RDCAU).

La aduana de exportación es la encargada de controlar el funcionamiento del régimen y debe ser informada por la aduana de salida de la salida efectiva del TAU de las mercancías. Si esa comunicación de la salida efectiva no es recibida por la aduana de exportación en el plazo de noventa días, contados desde el levante de las mercancías para su exportación, la aduana de exportación puede solicitar al declarante que le comunique la fecha y la aduana de salida a partir de la cual las mercancías han salido del TAU (artículo 335.1 RECAU). El declarante también puede facilitar esta información a la aduana de exportación a iniciativa propia, sin esperar a ser requerido para ello (artículo 335.2 RECAU). En cualquiera de los dos casos, sea a requerimiento de la aduana de exportación o a iniciativa propia, una vez que el declarante facilite la información referida a la aduana de exportación podrá pedirle que certifique la salida. A fin de poder atender esta solicitud, la aduana de exportación procederá a solicitar información sobre la salida de las mercancías a la aduana de salida, que dispone de un plazo de diez días para responder. En caso de que no se reciba su respuesta en ese plazo, la aduana de exportación informará de ello al declarante (artículo 335.3 RECAU). En estas circunstancias, el declarante podrá aportar a la aduana de exportación pruebas de que las mercancías han salido del TAU. A título ilustrativo, el artículo 335.4 RECAU cita los siguientes elementos de prueba de la salida de las mercancías:

a) copia de la nota de entrega, firmada o autenticada por el destinatario fuera del TAU;

b) justificante del pago;

c) factura;

d) nota de entrega;

e) un documento firmado o autenticado por el operador económico que haya transportado las mercancías fuera del TAU;

f) un documento elaborado por la autoridad aduanera de un Estado miembro o de un tercer país, de conformidad con las normas y los procedimientos aplicables en dicho Estado miembro o país;

g) registros de los operadores económicos relativos a las mercancías suministradas a los buques, las aeronaves y a las instalaciones en alta mar.

Si expira el plazo de ciento cincuenta días, contados a partir de la fecha de levante de las mercancías para el régimen de exportación, el régimen de perfeccionamiento pasivo o la reexportación, y la aduana de exportación no ha recibido información sobre la salida de las mercancías ni pruebas de que las mercancías han salido del TAU, la aduana de exportación puede invalidar la declaración de que se trate (artículo 248.2 RDCAU).

> La invalidación de la declaración de exportación se realiza mediante una decisión de las autoridades aduaneras (*Guidance export and exit*, p. 35).

20.3. AUSENCIA DE SALIDA EFECTIVA

Los artículos 340, 342 y 344 RECAU establecen las actuaciones a seguir en caso de que las mercancías para las cuales se concedió el levante para su exportación o para su reexportación, o bien que fueron objeto de una declaración sumaria de salida o de una notificación de reexportación, no verifiquen el destino último previsto en esas formalidades, que es la salida efectiva de las mercancías del TAU. Las actuaciones referidas adquieren mayor complejidad cuando se trate de mercancías que han sido objeto de levante para la exportación o reexportación, puesto que habrá dos aduanas implicadas en caso de una salida indirecta, la aduana de exportación y la aduana de salida. Ambas deben ser informadas de que la salida no va a tener lugar, a fin de que procedan a neutralizar las actuaciones que se realizaron con vistas a la salida. Si se trata de mercancías que fueron objeto de una declaración sumaria de salida o de una notificación de reexportación, dado que estaremos en todo caso ante salidas directas, sólo estará implicada la aduana de salida, a la que deberá informarse de que la salida no se va a producir.

En la tabla que sigue se ofrece el detalle de las situaciones que se contemplan y de las actuaciones concretas que deben realizarse en cada caso.

Actuaciones en caso de que no se verifique la salida efectiva del TAU
Mercancías objeto de levante para la exportación o reexportación (artículo 340 RECAU)
(a) El declarante debe comunicar inmediatamente a la aduana de exportación que ya no se prevé sacar del TAU las mercancías objeto de levante para la exportación o reexportación. (b) Si las mercancías ya se hubieran presentado en la aduana de salida, la persona que saque las mercancías de la aduana de salida para transportarlas a un lugar dentro del TAU informará a la aduana de salida de que las mercancías no van a salir de él, especificando el MRN de la declaración de exportación o de reexportación. (c) Si se invalida la declaración de exportación o reexportación (por diferencias en la naturaleza de las mercancías despachadas respecto de las presentadas a la aduana de salida, o bien por el transcurso de ciento cincuenta días desde el levante sin que la aduana de exportación haya recibido información sobre la salida de las mercancías ni pruebas de que las mercancías hayan salido del TAU, artículo 248 RDCAU), la aduana de exportación debe informar de la misma al declarante y a la aduana de salida declarada. (d) En los supuestos 5, 6 y 7 para los que se prevé una regla especial para determinar cuál es la aduana de salida (véase tabla "aduana de salida" más arriba, se trata de supuestos de inclusión de las mercancías en régimen de tránsito tras la concesión del levante para la exportación y de transporte por ferrocarril, por correo, por vía aérea o marítima), si la introducción de una modificación en el contrato de transporte tiene por efecto la terminación dentro del TAU de una operación de transporte que debería haber concluido fuera de él, las compañías o las autoridades de que se trate deben informar a la aduana de salida de la referida modificación y solo podrán proceder a la ejecución del contrato modificado con el acuerdo previo de la aduana de salida. Por otra parte, una vez se implante el sistema AES, en los supuestos de los apartados (b) y (d) la aduana de salida deberá informar a la aduana de exportación de que las mercancías no han salido del TAU.
Mercancías para las que se haya presentado una declaración sumaria de salida (artículo 342 RECAU)
La persona que saque las mercancías de la aduana de salida para transportarlas a un lugar dentro del TAU informará a la aduana de salida de que las mercancías no van a salir del TAU y especificará el MRN de la declaración sumaria de entrada. Las autoridades procederán sin demora a invalidar la declaración sumaria de salida previa solicitud del declarante o, en ausencia de la misma, una vez hayan transcurrido 150 días desde la presentación de la declaración (artículo 272.2 CAU).
Mercancías para las que se haya presentado una notificación de reexportación (artículo 344 RECAU)
La persona que saque las mercancías de la aduana de salida para transportarlas a un lugar dentro del TAU informará a la aduana de salida de que las mercancías no van a salir del TAU e indicará el MRN de la notificación de reexportación. Las autoridades procederán sin demora a invalidar la notificación, previa solicitud del declarante o, en ausencia de la misma, una vez hayan transcurrido 150 días desde la presentación de la notificación (artículo 275.2 CAU).

En los supuestos del artículo 340 RECAU referidos en la tabla anterior (mercancías objeto de levante para la exportación o reexportación), la aduana de exportación, una vez informada de que las mercancías no han abandonado el TAU, deberá invalidar la declaración correspondiente y, en su caso, el certificado de salida de las mercancías (artículo 248.3 RDCAU).

20.4. EXPORTACIÓN TEMPORAL CON CUADERNO ATA Y CPD

Caracteres propios presenta la exportación al amparo del denominado "cuaderno ATA" o "CPD", de modo paralelo a lo que ocurre con la importación temporal. La expedición del cuaderno ATA comporta una serie de garantías que son prestadas por entidades nacionales en las condiciones impuestas por la Cámara de Comercio Internacional a través del *International Bureau of Chambers of Commerce*.

> El «cuaderno ATA» es un documento aduanero internacional para la importación temporal expedido de conformidad con el Convenio ATA o el Convenio de Estambul (artículo 1(2) RDCAU). El «Convenio ATA» es el Convenio aduanero relativo al cuaderno ATA para la importación temporal de mercancías, hecho en Bruselas el 6 de diciembre de 1961 (artículo 1(3) RDCAU).
>
> Por su parte, el «cuaderno CPD» es un documento aduanero internacional utilizado para la importación temporal de medios de transporte y expedido de conformidad con el Convenio de Estambul (artículo 1(12) RDCAU). El «Convenio de Estambul» es el Convenio relativo a la importación temporal, hecho en Estambul el 26 de junio de 1990 (artículo 1(4) RDCAU).

A fin de que se admita la exportación al amparo de un cuaderno ATA y CPD deben cumplirse dos requisitos. El primero estriba en que el cuaderno ATA de que se trate debe haber sido expedido en un Estado miembro de la UE que sea parte contratante del Convenio ATA o del Convenio de Estambul, visado y garantizado por una asociación establecida en la UE que forme parte de una cadena de garantía, tal como se define en el artículo 1(d) del anexo A del Convenio de Estambul (artículo 339.1 RECAU).

El segundo requisito se refiere a las mercancías que pueden ser exportadas al amparo del cuaderno ATA y CPD. Debe tratarse de mercancías de la Unión que no se encuentren excluidas de esta posibilidad.

> Están excluidas de la posibilidad de utilizar el cuaderno ATA para la exportación las siguientes mercancías:
> - las que hayan debido cumplir formalidades aduaneras de exportación con vistas a la concesión de restituciones instituidas en el marco de la política agrícola común, o
> - las que hayan formado parte de las existencias de intervención y estén sometidas a medidas de control en relación con su utilización o destino y hayan sido objeto de formalidades aduaneras en su exportación a territorios situados fuera del TAU en el marco de la política agrícola común;
> - aquellas que se beneficien de una devolución o de una condonación de los derechos de importación, supeditada a la exportación fuera del TAU;
> - las que circulen en régimen suspensivo dentro del territorio de la Unión, con arreglo a la Directiva 2008/118/CE (se trata de la Directiva relativa al régimen general de los Impuestos Especiales), excepto en caso de que se apliquen las disposiciones del artículo 30 de dicha Directiva.

Se regulan una serie de trámites que deben realizarse por la aduana de exportación en el momento de la presentación de las mercancías al amparo de un cuaderno ATA y CPD para su exportación temporal (artículo 339.3 RECAU).

> Estos son: a) comprobar los datos de las casillas A a G de la hoja de exportación para verificar si corresponden a las mercancías amparadas por el cuaderno; b) rellenar, en su caso, la casilla «Certificación de las autoridades aduaneras» que figura en la página de cubierta del cuaderno; c) rellenar la matriz y la casilla H de la hoja de exportación; d) indicar el nombre de la aduana de exportación en la letra b) de la casilla H de la hoja de reimportación (en esta misma letra de la casilla H se indicará el plazo para la reimportación de las mercancías, artículo 339.5 RECAU); e) conservar la hoja de exportación.
>
> Si la aduana de exportación fuera distinta a la aduana de salida, realizará los trámites indicados pero se abstendrá de rellenar la casilla nº 7 de la matriz de exportación, que deberá rellenarse por la aduana de salida (artículo 339.4 RECAU).

Puesto que el cuaderno ATA y CPD se utiliza para la importación temporal, a una exportación desde el TAU corresponderá una importación temporal en un tercer país. Concluida esa importación temporal, las mercancías retornarán al TAU, de modo que la exportación al amparo de este cuaderno será solamente temporal. En este sentido, el artículo 339.5 RECAU presupone esta reimportación al disponer que "los plazos para la reimportación de las mercancías fijados por la aduana de exportación en la casilla H, letra b), de la hoja de exportación no podrán exceder del plazo de validez del cuaderno". De modo que las mercancías que se exporten al amparo de un cuaderno ATA y CPD deben estar destinadas a volver al TAU, a ser "reimportadas", en un plazo máximo que no puede exceder el de la validez del propio cuaderno (la exportación es, en este caso, un estado temporal).

> En la normativa anterior (artículos 797 y 798 RACAC) la reimportación era un requisito para la utilización de estos cuadernos para amparar una exportación. La normativa anterior también exigía que se presentara cualquier documento necesario para la aplicación correcta de los derechos de exportación y de las disposiciones que regulan la exportación de las mercancías en cuestión (adicionalmente, las autoridades aduaneras podían exigir la presentación del documento de transporte).
>
> El RECAU no regula de forma expresa qué ocurre en caso de que finalmente las mercancías no se reimporten. La normativa anterior establecía que debía presentarse una declaración de exportación y, una vez presentado el cuaderno ATA, la aduana de exportación debía visar el ejemplar nº 3 de la declaración de exportación e invalidar la hoja y la matriz de reimportación.

Es aduana competente para la presentación de una declaración de reexportación de las mercancías al amparo de un cuaderno ATA y CPD, además de las aduanas competentes para incluir las mercancías en el régimen de exportación (artículo 221.2 RECAU), la aduana de salida (artículo 338 RECAU).

20.5. SALIDA EN RÉGIMEN DE TRÁNSITO EXTERNO DE LA UNIÓN

Conforme a lo dispuesto en el artículo 189 RDCAU, las mercancías que se exporten de la UE a un tercer país pueden salir al amparo del régimen de tránsito externo de la Unión, al que se refiere el artículo 226.2 CAU (que dispone que "en casos específicos, las mercancías de la Unión se incluirán en el régimen de tránsito externo").

Para que ello sea posible debe concurrir alguna de las dos circunstancias siguientes:

– El tercer país al que se dirijan las mercancías debe ser parte contratante del Convenio relativo a un régimen común de tránsito; o bien

– Se exportan mercancías de la Unión y estas atraviesan uno o más países de tránsito común y son de aplicación las disposiciones del Convenio relativo a un régimen común de tránsito.

Además de verificarse alguna de las dos circunstancias anteriores, debe concurrir alguno de los supuestos siguientes:

a) Que las mercancías de la Unión sean objeto de formalidades aduaneras de exportación con vistas a la concesión de restituciones a la exportación a terceros países en el marco de la política agrícola común;

b) Que las mercancías de la Unión procedan de las existencias de intervención y estén sometidas a medidas de control en cuanto a su utilización o destino y hayan sido objeto de formalidades aduaneras de exportación a terceros países en el marco de la política agrícola común;

c) Que las mercancías de la Unión puedan optar a la devolución o a la condonación de los derechos de importación a condición de que estén incluidas en el régimen de tránsito externo (supuesto que regula el artículo 118.4 CAU y que se examina en el capítulo 28).

20.6. DISPOSICIÓN DE LAS MERCANCÍAS

	CAU	RDCAU	RECAU
Disposición de las mercancías	197-200	-	248
Destrucción	197-198	-	248, 250
Abandono	199	-	249

Para finalizar el análisis de los regímenes aduaneros, se analizan a continuación una serie de desenlaces que pueden acaecer a las mercancías y que, aunque no tienen propiamente la consideración de regímenes aduaneros, sí suponen un destino definitivo para las mercancías de que se trate (en la regulación anterior, el CAC los consideraba justamente "destinos aduaneros"). Nos referimos a la destrucción, el abandono y el decomiso y venta de las mercancías.

Destrucción.– Las autoridades pueden disponer que se destruyan las mercancías presentadas en aduana cuando tengan motivos razonables para ello. Antes de proceder a la destrucción, deben informar de ella al titular de las mercancías. La destrucción bajo vigilancia aduanera es causa de extinción de la deuda aduanera (artículo 124.1(f) CAU). En cualquier caso, los costes de la destrucción correrán a cargo del titular de las mercancías (artículo 197 CAU). Además, las autoridades pueden exigir un derecho de aduana u otro gravamen aplicable a los desperdicios o desechos derivados de la destrucción de las mercancías cuando se les incluya en un régimen aduanero o sean reexportados. A estos efectos, corresponderá a las autoridades determinar el tipo y la cantidad de los desperdicios y desechos derivados de la destrucción de las mercancías (artículo 248 RECAU).

> En España, véase el artículo 8 del RD 2095/1986. Dispone que la destrucción solicitada antes del levante extingue la deuda, sin perjuicio de las sanciones que fueran aplicables. Tampoco exime de los derechos correspondientes a los productos resultantes de la destrucción.

Un caso particular de destrucción es el que se regula en el Reglamento (UE) nº 608/2013 del Parlamento Europeo y del Consejo, de 12 de junio de 2013, relativo a la vigilancia por parte de las autoridades aduaneras del respeto de los derechos de propiedad intelectual y por el que se deroga el Reglamento (CE) nº 1383/2003 del Consejo (DO L 181, de 29.06.2013). En el artículo 23 de este Reglamento se regula la destrucción de mercancías que violan los derechos de propiedad intelectual. En España este régimen se desarrolla en la Orden EHA/2343/2006, de 3 de julio, relativa a la intervención de las autoridades aduaneras en los casos de declaración de mercancías sospechosas de vulnerar derechos de propiedad intelectual (BOE 19.07.2006).

Recordemos que la destrucción de las mercancías a iniciativa del operador se regula en el marco del régimen de perfeccionamiento activo, como actividad de transformación que cabe realizar en él (artículo 5(37)(c) CAU).

Abandono.– El titular del régimen o, cuando así proceda, el titular de las mercancías, pueden abandonar en beneficio del Estado las mercancías no pertenecientes a la Unión y las mercancías incluidas en el régimen de destino final. Para que el abandono se perfeccione, debe ser autorizado por las autoridades (artículo 199 CAU). Las autoridades pueden denegar su autorización en dos situaciones (artículo 249.1 RECAU):

1) Cuando las mercancías no puedan venderse en el TAU o el coste de su venta resulte desproporcionado con respecto a su valor;

2) Cuando las mercancías deban ser destruidas.

Las mercancías se entienden tácitamente abandonadas (es decir, se considera que el titular del régimen o el titular de las mercancías realizan una solicitud implícita de abandono) cuando las autoridades hayan conminado públicamente al propietario de las mercancías a que se dé a conocer y hayan transcurrido noventa días sin que el propietario lo haya hecho (artículo 249.2 RECAU).

El abandono en beneficio del Estado es causa de extinción de la deuda aduanera (artículo 124.1(f) CAU).

En el ordenamiento interno, se refiere al abandono el artículo 8 del RD 2095/1988, relativo a la modificación de las Ordenanzas de Aduanas (BOE 11.10.1986), que sustituye a lo dispuesto en el artículo 316 de la OOAA. El precepto aludido dispone que la Aduana podrá aceptar el abandono a favor de la Hacienda Pública de las mercancías, a solicitud del interesado, formulada antes de la expedición del levante, que libera del pago de los correspondientes derechos de importación, pero no de las sanciones que pudieran ser aplicables. Ahora bien, el abandono de los efectos realizado por los viajeros les eximirá de las multas que pudieran imponerse por las infracciones cometidas.

El abandono no se perfecciona en tanto que no sea aceptado por la Administración, que a este objeto tramitará un expediente en el que se dará audiencia al interesado, en el seno del cual se reconocerán y aforarán las mercancías. Si se decide la aceptación del abandono, las mercancías serán incautadas y posteriormente vendidas en pública subasta, ingresándose en el erario lo obtenido a través de la enajenación (Ordenanzas de Aduanas, Decreto de 17.10.1947, BOE de 16.12.1947, artículos 317 a 320).

> Es dudoso si esta subasta se regirá por lo dispuesto en el Reglamento General de Recaudación (RGR, RD 939/2005, BOE 02.09.2005, artículos 97 a 107) o por lo dispuesto en las Ordenanzas de Aduanas (Decreto de 17.10.1947, BOE de 16.12.1947, artículos 419 a 423). A las costas del procedimiento se refieren los artículos 113 a 115 RGR.
> En España, véase también el artículo 2.4(b) de la Orden EHA 2343/2006 (BOE 19.07.2006), respecto al abandono de mercancías sospechosas de vulnerar la propiedad industrial, para las cuales se ordena la destrucción.

Junto al abandono expreso, solicitado por el operador, la norma española contempla también el abandono tácito, por el paso del tiempo sin que las mercancías se saquen de la situación de depósito temporal. En este caso la norma española aplicable es el artículo 36 de la Orden de 07.04.1988, sobre procedimiento de despacho de las mercancías (BOE 22.04.1988), precepto relativo a las actuaciones de oficio de la Aduana.

Medidas que deberán tomar las autoridades aduaneras.– El artículo 198 CAU regula las medidas a adoptar por las autoridades aduaneras en determinados casos de grave incumplimiento de obligaciones aduaneras. Estas medidas pueden consistir en la destrucción, el decomiso y venta o cualquier otra medida necesaria. El precepto enumera las situaciones que legitiman la adopción de estas medidas extremas y, para cada uno de ellos, establece quién es el sujeto que debe soportar el coste de tales medidas. La tabla que sigue recoge estos dos elementos.

Supuestos que legitiman la adopción de medidas de disposición	
Supuesto	*Sujeto que debe soportar el coste*
a) Que se haya incumplido alguna de las obligaciones establecidas en la legislación aduanera relativas a la introducción de mercancías no pertenecientes a la Unión en el TAU, o cuando se hayan sustraído las mercancías a la vigilancia aduanera	Toda persona que hubiera debido cumplir las obligaciones de que se trate o que hubiera sustraído las mercancías a la vigilancia aduanera
b) Que no pueda procederse al levante de las mercancías por alguna de las siguientes razones: i) por no haberse podido, por motivos imputables al declarante, realizar o continuar el examen de las mercancías en los plazos establecidos por las autoridades aduaneras; ii) por no haber sido entregados los documentos a cuya presentación se subordine la inclusión de las mercancías en el régimen aduanero solicitado o su levante para dicho régimen; iii) por no haber sido pagados ni garantizados los derechos de importación o los derechos de exportación, según el caso, en los plazos establecidos; iv) por estar sujetas las mercancías a medidas de prohibición o de restricción	El declarante
c) Que las mercancías no hayan sido retiradas en un plazo razonable tras concederse su levante	
d) Que, tras haberse procedido a su levante, se compruebe que las mercancías no han cumplido las condiciones para que se proceda a dicho levante	La persona que deba cumplir las condiciones que regulan el levante de las mercancías
e) Que las mercancías se abandonen en beneficio del Estado	La persona que abandone las mercancías en beneficio del Estado

Las mercancías no pertenecientes a la Unión que hayan sido abandonadas en beneficio del Estado, confiscadas o decomisadas se considerarán incluidas en el régimen de depósito aduanero. El operador del depósito aduanero deberá inscribirlas en los registros. Si obran en poder de las autoridades, serán ellas quienes las inscriban en los registros.

Si se presentó una declaración en aduana respecto de las mercancías para las cuales se va a adoptar una de estas medidas extremas, los registros deben incluir una referencia a la misma. Las autoridades aduaneras deben invalidar esa declaración en aduana.

Las autoridades aduaneras sólo pueden proceder a la venta de las mercancías abandonadas en beneficio del Estado o confiscadas en caso de que el comprador lleve inmediatamente a cabo las formalidades necesarias para su inclusión en un régimen aduanero o su reexportación (artículo 250.1 RECAU). Las mercancías solo se considerarán despachadas a libre práctica en caso de que su precio de venta incluya el importe de los derechos de importación y otros gravámenes, procediendo entonces las autoridades a calcular el importe de los derechos y a anotarlo en la contabilidad. En cualquier caso, la venta se efectuará con arreglo a los procedimientos aplicables en el Estado miembro de que se trate (artículo 250.2 RECAU).

En España, la forma ordinaria de venta será la subasta pública (artículo 100.2 RGR).

Véanse los artículos 97 a 107 del RD 939/2005, RGR, donde se contempla también la subasta a través de empresas o profesionales especializados (artículo 105), la enajenación por concurso (artículo 106) y la enajenación mediante adjudicación (artículo 107).

TERCERA PARTE

GESTIÓN TRIBUTARIA ADUANERA

INTRODUCCIÓN A LOS PROCEDIMIENTOS DE GESTIÓN ADUANERA

ÍNDICE

21 Introducción a los procedimientos de gestión aduanera

21.1. ANTECEDENTES

Los impuestos arancelarios se han aplicado, bajo diversas fórmulas, desde la antigüedad. Se sabe que diferentes ciudades en la antigua Grecia aplicaron impuestos arancelarios, que normalmente tenían un tipo único, si bien está documentado que ciertos productos tuvieron un tipo específico (nada menos que un 33% se aplicaba a las exportaciones de cerámica en Siros). También está documentada la aplicación de impuestos arancelarios en Atenas. Y en un poema de Zenón se puede leer que "En esta ciudad de Orope sólo viven los recaudadores de la aduana y los contrabandistas. Mala suerte para Orope y sus habitantes".

La dinastía de los Ptolomeos en Egipto parece que introdujo impuestos arancelarios sobre determinados productos (como el aceite de oliva, la miel y el vino) con fines proteccionistas (con tipos del 50% y del 25% para los dos primeros), aunque quizá el objetivo no era favorecer la producción interna sino más bien evitar que las mercancías importadas erosionaran la base de la recaudación de los impuestos internos o que erosionaran los monopolios reales, es decir, eran tributos de nivelación.

Los romanos desarrollaron y perfeccionaron los impuestos arancelarios (el *"portorium"*). Los impuestos arancelarios se incardinaban entre los *"vectigalia"* y se piensa que fueron introducidos en el 199 A.C. El *portorium* comprendía tres figuras: 1) el impuesto aduanero recaudado en la frontera de las provincias y Estados a favor del Estado; 2) el *"octroi"*, impuesto que se recaudaba por la entrada o la salida de una ciudad a favor de ésta (un impuesto aduanero municipal, a modo de imposición sobre el consumo); y 3) pagos por el uso de infraestructuras (como las vías o los puentes). En la época del Imperio hay indicios de que el impuesto tuvo gran relevancia, puesto que se conoce que había al menos 20.000 empleados recaudando el *portorium* en las oficinas aduaneras de todo el territorio. La ciudad de Palmira, la ciudad nabatea situada en el desierto de Siria, desarrolló su *"octroi"* mediante la instauración de un sistema de clasificación de las mercancías y tenemos constancia de ello a través de inscripciones en griego y arameo grabadas en una enorme piedra, fechada el 18 de abril del año 137 D.C.

BIBLIOGRAFÍA

Hemos extraído esta información de Hinori Asakura: *World History of Customs and Tariffs*, OMA, 2002.

Sirvan estas ideas para poner de relieve la larga tradición que estos impuestos arrastran. No es cuestión baladí porque nos tememos que algunos elementos de su regulación que hoy perviven son difíciles de explicar si no se tiene en cuenta la fuerte inercia histórica a la que están sujetos. Lo cual, por otra parte, no les ha impedido tampoco colocarse a la vanguardia en el avance de nuevas formas de gestión y, sobre todo, de cooperación internacional. Ya se ha señalado en el capítulo 3 la enorme relevancia que en materia aduanera tienen las normas internacionales, muchas de ellas globales, como en el caso de los acuerdos de la OMC o muchos de los acuerdos de la OMA (como el del Sistema Armonizado, el Convenio de Estambul o el Convenio de Kioto, por mencionar algunos a los que ya nos hemos referido).

21.2. PECULIARIDADES EN LA APLICACIÓN DE LOS IMPUESTOS ARANCELARIOS

21.2.1. *Peculiaridades arraigadas en la inercia histórica*

Podemos comenzar la enumeración de las numerosas peculiaridades en la gestión de los impuestos arancelarios conectando con las ideas expuestas en el punto anterior. Precisamente una de las fuentes de peculiaridades es justamente el acarreo de estructuras arcaicas. En este sentido, no es atípico que en la aplicación de los tributos intervengan profesionales que, desde el ámbito privado, actúen como intermediarios entre los ciudadanos y la Administración pública. La aplicación del Impuesto sobre Sociedades o el IVA, o incluso del IRPF, serían difíciles de concebir sin la actuación de profesionales como los asesores fiscales o los gestores que actúan frente a la Administración en representación de los intereses de sus clientes. Esta intermediación permite al sistema mantener un nivel de complejidad que sería impensable en caso de que no existieran estos intermediarios. En los impuestos arancelarios esta realidad quizá apareció antes y, ante la falta de esquemas para encuadrar jurídicamente a los intermediarios, se les aproximó a la figura de "colaboradores" de la Administración pública. Los agentes de aduanas gozaron así de prerrogativas que el ordenamiento se encargó de asegurar mientras, en paralelo, se les imponían condiciones jurídicas exorbitantes. Recordemos que el representante que actúa en nombre propio pero por cuenta ajena es deudor de la deuda aduanera; e incluso el representante que actúa en nombre ajeno y por cuenta ajena es, en España, responsable subsidiario del IVA a la importación y de los Impuestos Especiales a la importación. Resulta difícil imaginar que, a los profesionales equivalentes en otros tributos, como los asesores fiscales o los gestores, se les exigiera el pago del Impuesto sobre Sociedades o del IVA de sus clientes si estos resultaran ser insolventes, por el mero hecho de haber cumplimentado sus declaraciones tributarias. En materia aduanera es así a día de hoy y nadie parece extrañarse.

El peculiar régimen jurídico de los profesionales que realizan la función de intermediar en la aplicación de los impuestos arancelarios integra otros muchos elementos en los que no podemos entrar aquí.

Ejemplo
Por ejemplo, en materia de garantías, o de anticipo del IVA a la importación por cuenta de sus clientes.

Se trata de peculiaridades más fáciles de entender si se tiene en cuenta que, en la antigüedad, la recaudación de los impuestos arancelarios se solía arrendar a particulares, que entregaban una suma al ente público y se quedaban con el exceso que hubieran podido recaudar. La pervivencia de elementos de ese esquema parece que explicaría las diferencias con respecto al resto del sistema tributario actual.

Las peculiaridades aduaneras que cabe atribuir a la inercia histórica no sólo se refieren a la figura de los intermediarios que intervienen en la relación jurídica aduanera. Quizá la inercia más importante estriba en concebir los impuestos arancelarios como indisolublemente vinculados a la "puerta" (*portorium*, im*portar*, ex*portar*...). Es perfectamente comprensible que, en la Antigüedad, la aplicación de los impuestos arancelarios en el punto de entrada al territorio fuese un imperativo lógico. Una vez que las mercancías se habían introducido (o más todavía, una vez que habían salido) era mucho más complicado, si no imposible, establecer qué mercancías se había introducido y cuáles eran los elementos de imposición, más todavía atendida la penuria en la que los entes públicos operaban en aquellos tiempos.

Hoy, en cambio, la situación es netamente distinta. Los operadores económicos están sujetos a un universo de obligaciones formales (llevanza de contabilidad, facturación, formulación de declaraciones) que permiten un control razonable más allá de la puerta de entrada. Hoy somos capaces de aplicar impuestos tremendamente complejos, como el Impuesto sobre Sociedades (IS), el IVA o el IRPF, sirviéndonos de estos instrumentos. En cambio, en buena medida la inercia en el ámbito arancelario se resiste a reconocer esta nueva realidad y sus implicaciones, para seguir amarrado a la "puerta".

Ejemplo

Por ejemplo, se percibe con clara suspicacia que la valoración aduanera tenga que descansar, fundamentalmente, en aquello que las partes reflejan en una factura comercial, sin caer en la cuenta que esto ocurre, a un nivel mucho más masivo si cabe, en el IVA o en el IS. Las implicaciones son enormes y alcanzan al modo en que debe concebirse el control de la correcta aplicación de los impuestos arancelarios.

EJEMPLO

La inercia de la puerta explica también los efectos jurídicos desorbitados que se atribuyen al "levante" de las mercancías, esto es, al momento en que las autoridades permiten al operador retirar sus mercancías del lugar autorizado en el que se encontraban bajo control aduanero para aplicarlas a los fines del destino aduanero solicitado. Cierto que, colocados en una muralla o en un puerto de la Antigüedad, el levante suponía poco menos que dar por concluida la relación jurídica aduanera. Pero en el mundo actual hay mucha vida después del levante. Al operador no se le pierde el rastro una vez atraviesa la muralla, o al menos no más que lo que ocurre en el IVA o en el IS. Pero en las normas aduaneras es posible detectar, según veremos, una fuerte inercia por dejar atada y bien atada la relación jurídica antes de que se produzca el mágico "levante".

El apego a la puerta, debe reconocerse, es muy razonable en otros aspectos no tributarios de la relación jurídica aduanera. Ciertamente, la evitación de la entrada de productos tóxicos o de armas o de productos que violan los derechos de propiedad intelectual, por poner sólo algunos ejemplos, parece deseable que se produzca en la misma puerta. La preocupación por la seguridad como función de la Aduana, a la que se hace referencia en capítulos posteriores, ha venido a poner de relieve la importancia de vigilar las puertas. Los atentados del 11 de septiembre de 2001 han proyectado una larga sombra sobre la relación jurídica aduanera y, en lo que aquí nos ocupa, han subrayado la necesidad de potenciar los controles en el punto de acceso. Quizá por eso sea más importante señalar que las necesidades de la aplicación de los tributos no tienen por qué coincidir con las necesidades de la seguridad. Es razonable que se haga un creciente esfuerzo de control de seguridad en la frontera (o de control de salud, o de propiedad intelectual...), pero no es razonable que no avancemos hacia una desvinculación física y temporal de la aplicación de los impuestos arancelarios respecto al punto y momento de entrada de las mercancías.

Entendemos que ha perdido relevancia, por ejemplo, el derecho de prenda sobre las mercancías a favor del erario, factor que podría esgrimirse como elemento que indudablemente queda afectado por el levante. De nuevo, al echar un vistazo al resto del sistema tributario, descubrimos que la Hacienda Pública se las apaña razonablemente bien para recaudar cantidades ingentes de dinero sin que en la aplicación de esos tributos se establezca derecho de prenda alguno. Nos parece, en conclusión, que debiera asumirse con naturalidad que la aplicación de los impuestos arancelarios tiene un primer momento en el paso de la frontera, en el que deben liquidarse los derechos de forma expedita para permitir un tráfico comercial fluido y que, tras ese primer momento, se abre un período dilatado (de tres años) durante el cual la Administración puede hacer uso de un potente arsenal de instrumentos que le permiten verificar, por más que sea de forma eventual, la corrección de la liquidación inicial.

> El Acuerdo sobre Facilitación del Comercio de la OMC (que entró en vigor el 22 de febrero de 2017 tras su ratificación por dos tercios de los Miembros de la OMC) constituye un impulso de modernización en este sentido. Nos parece destacable, por ejemplo, que el artículo 7, en su apartado 3, se refiera a la separación del levante y la determinación definitiva de los derechos de aduana, impuestos tasas y cargas (esto es, que se permita a los operadores retirar las mercancías aunque no se haya determinado de forma definitiva todavía el importe a satisfacer), en tanto que el apartado 5, de forma coherente con lo anterior, se dirige a potenciar la auditoría —que en España denominamos comprobación e inspección— posterior al despacho de aduana, de modo que la Administración pueda verificar y determinar el importe debido aún después de la concesión del levante.

Se podrá decir que en buena medida eso ya es hoy así, y hay algo de cierto en ello, pero nos tememos que eso ocurre más por la fuerza de los hechos que por la convicción de quienes intervienen en el proceso o por el diseño de las normas que deben aplicarse. Por poner sólo un ejemplo de lo que apuntamos, llama la atención que hoy se autoliquiden todos los impuestos del sistema estatal menos uno, que resultan ser... los impuestos arancelarios (el Impuesto sobre Sucesiones y Donaciones, el otro rezagado, ya se exige en régimen de autoliquidación en prácticamente todas las Comunidades Autónomas). El Código Aduanero Modernizado consideró una hazaña introducir, como mera posibilidad y a modo de ensayo, las autoliquidaciones respecto de determinadas categorías de contribuyentes, idea que el CAU ha heredado (artículo 185 CAU, bajo la denominación de "autoevaluación").

La cuestión de la liquidación administrativa de los impuestos arancelarios no es baladí, dado que comporta algunas implicaciones lógicas difíciles de soslayar.

Ejemplo
Como por ejemplo las que recientemente puso de relieve el TJUE en materia de intereses de demora en su sentencia *Aurubis* (asunto C-546/09, de 31.03.2011), a la que se hace referencia en el capítulo 25.

21.2.2. Peculiaridades derivadas de la idiosincrasia aduanera

El tratamiento que las mercancías van a recibir va a depender entre otros factores del "estatuto de las mercancías", según ya se ha señalado en capítulos anteriores, en virtud del cual se clasifica a las mercancías entre "mercancías de la Unión" y "mercancías que no son de la Unión" (véase al respecto el capítulo 11). La vigilancia y el control aduaneros se proyectan especialmente sobre estas últimas. Aquí aparece un factor diferencial de los impuestos arancelarios, que tiene su razón de ser en su carácter extrafiscal.

Otra destacable peculiaridad aduanera es la consistente en exigir una declaración inicial, denominada sumaria, con carácter previo a la declaración en aduana propiamente dicha. La declaración sumaria se dirige a permitir a las autoridades iniciar lo más pronto posible su actividad de control y disponer de unos datos básicos que han de permitir analizar el riesgo de la operación, sin esperar para ello a la declaración completa, que puede presentarse en un momento ulterior con todos los detalles que resultan necesarios para liquidar los impuestos y aplicar las medidas aduaneras que corresponda. La declaración sumaria ha venido afectada por la incidencia de la globalización en el ámbito aduanero, como se expone más abajo, en el punto 21.2.4.

Finalmente, en materia aduanera cobran enorme relevancia las garantías del pago de la deuda (que se examinan en el capítulo 26). Con carácter general, las autoridades no van a permitir al operador retirar sus mercancías —no van a conceder el levante— en tanto la deuda aduanera no se garantice de forma adecuada. Por ello la garantía aparece como instrumento de uso generalizado en los procedimientos de aplicación de los impuestos arancelarios. Frecuentemente la garantía es prestada por los intermediarios que actúan por cuenta del importador (agentes de aduana, transitarios u operadores logísticos), lo cual a su vez complica la relación tributaria posterior, dado que estos sujetos, en virtud de una arraigada práctica comercial, asumen la garantía de una deuda que es ajena, con lo que pasan a convertirse en interesados respecto de un procedimiento en el que son terceros. La garantía, de otra parte, permite separar el momento del pago del momento en que se retiran las mercancías, poniendo de relieve que disponemos de instrumentos que hacen posible el distanciamiento respecto de la concepción arcaica de un impuesto que necesariamente debe satisfacerse en el mismo momento en que se cruza la puerta de la ciudad o la frontera estatal.

21.2.3. Peculiaridades derivadas de la regulación europea

En la UE, el Derecho aduanero está regulado fundamentalmente en normas de la Unión, según se señala en el capítulo 3. Advertíamos allí, no obstante, que los aspectos procedimentales no se regulan de forma plena, sino que aquí se produce una necesaria colaboración de las normas nacionales. En el caso de España esas normas internas son básicamente la Ley General Tributaria (Ley 58/2003, LGT) y sus reglamentos de desarrollo (reglamento de aplicación de los tributos, RD 1065/2007; reglamento de recaudación, RD 939/2005; reglamento de infracciones y sanciones, RD 2063/2004; y reglamento de revisión, RD 520/2005). Además de estas, aparecen una serie de normas reglamentarias especiales del ámbito aduanero, comenzando por las Ordenanzas de Aduanas, que deben tomarse en consideración en determinadas materias.

La coordinación entre dos sistemas jurídicos diferentes (el nacional y el de la UE) introduce un factor de complejidad considerable. Las normas de la UE utilizan conceptos y categorías que no son los de las normas nacionales y no siempre es posible identificar una categoría en la norma española que corresponda de forma plena a la que se utiliza en la norma de la UE. Este es un factor perturbador, puesto que dificulta la determinación del régimen jurídico que debe aplicarse.

Ejemplo

EJEMPLO

Por ejemplo, las normas aduaneras de la UE no utilizan el término "prescripción" con el sentido técnico que tiene en el derecho tributario español (p.e. artículo 147.3 RDCAU), sino que más bien se aproxima a lo que nuestro ordenamiento denomina "caducidad" (esta distinción no aparece en otros ordenamientos de países de la UE). A lo anterior aún debe unirse el hecho de que la traducción a las diferentes lenguas de la UE no siempre es perfecta.

La LGT y sus reglamentos de desarrollo no están diseñados con los impuestos arancelarios en mente, sino que su regulación está más bien pensada para responder a las necesidades de los grandes impuestos del sistema interno (IRPF, Impuesto sobre Sociedades, IVA). Las referencias al ámbito aduanero aparecen más bien como derogación o excepción a reglas generales allí donde el legislador tomó en consideración las peculiaridades aduaneras, con desigual fortuna (p.e. ya nos referimos a las dificultades que plantea encajar la figura del "deudor" en la de "sujeto pasivo", como hace el artículo 36.1 LGT, o a la imprecisión del artículo 88.8 LGT al disponer que las consultas relativas a la aplicación de la normativa aduanera de la UE se regirán por lo dispuesto en el CAC, dado que el CAC —y actualmente, el CAU— no sólo contempla las informaciones vinculantes sino también la posibilidad de solicitar "información" a las autoridades y cabe interpretar que las consultas que regula la LGT en los artículos 88 y 89 pueden ser un instrumento que tuviera entrada por esa vía). En algunos ámbitos, como ocurre sobre todo en materia de infracciones y sanciones, es bastante manifiesto que el legislador no calibró adecuadamente las peculiaridades aduaneras. Tampoco la declaración en aduana, según veremos, encaja en la categoría de la "declaración", tal y como se define en el artículo 119 LGT (documento mediante el cual se manifiestan o reconocen hechos), ni en la de la "autoliquidación", que define el artículo 120 LGT (en la que el obligado tributario, además de comunicar los hechos relevantes, los califica jurídicamente, determina el importe del tributo y lo ingresa). La declaración en aduana no es mera "declaración" porque contiene calificaciones jurídicas y una cuantificación estimada del importe del tributo; pero no es "autoliquidación" tampoco porque el tributo no queda determinado por este acto, sino por un acto de la Administración y, en consecuencia, tampoco integra el ingreso de su importe.

Por otro lado, en conexión con ideas anteriores, interesa destacar que el hecho de que el grueso de la regulación atinente a la aplicación de los impuestos arancelarios se contenga en normas de la UE determina un buen número de peculiaridades aduaneras respecto a las reglas generales tributarias españolas.

Ejemplo

EJEMPLO

El plazo de ejercicio por parte de la Administración de la potestad de liquidación caduca, en el caso de los impuestos arancelarios, con el transcurso de 3 años, frente a la regla general del ordenamiento español que fija un plazo de prescripción de 4 años (artículo 66 LGT). De este modo, veremos por ejemplo que el IVA a la importación puede liquidarse en un plazo más amplio que el establecido para los impuestos arancelarios, lo cual puede determinar que, en determinadas circunstancias, la Administración —o el particular— puedan liquidar el IVA a la importación sin que sea posible liquidar de nuevo los impuestos arancelarios correspondientes a esas mismas mercancías, estrechamente conectados con él.

Otra muestra de peculiaridad aduanera es el que se refiere a la condonación y devolución de la deuda, institutos extraños en el ordenamiento interno (el artículo 75 LGT se limita a disponer que "las deudas tributarias sólo podrán condonarse en virtud de ley, en la cuantía y con los requisitos que en la misma se determinen"; en nuestro ordenamiento esta posibilidad está prevista, en el marco del procedimiento inspector, para las actas de conformidad y las actas con acuerdo). También es distinto el régimen relativo a los límites a la posibilidad de que la Administración dicte una nueva liquidación cuando ya hubo una liquidación inicial. Y así otras tantas peculiaridades a las que se hará oportuna referencia en los capítulos que siguen.

Otro grupo de peculiaridades derivadas de la regulación de los impuestos arancelarios mediante normas de la Unión es el que se refiere a la existencia de dos relaciones jurídicas. Una primera es la que se establece entre el operador y la Administración nacional que, en aplicación del impuesto arancelario, le exige al primero el importe correspondiente. Una segunda relación, paralela a la anterior, es la que se establece entre la Administración nacional y las instituciones de la UE, que son acreedoras del 75% del importe de los impuestos arancelarios en concepto de "recurso propio" de la Unión. La existencia de esta doble relación tiene numerosas implicaciones.

EJEMPLO

Ejemplo
Determina que haya dos actos de determinación de la deuda (la "liquidación" en la relación operador-Administración y la "contracción" en la relación Administración-instituciones de la UE). También que haya reglas que se apliquen a una de ellas, pero no a la otra. Y supone que ambas determinaciones pueden sufrir vicisitudes distintas que conduzcan a resultados netamente diferenciados (por ejemplo, si la liquidación no puede practicarse o recaudarse debido a una negligencia de la Administración nacional, las instituciones de la UE seguirán reclamándole a esta el importe que les corresponde respecto de la deuda que debió liquidarse y recaudarse).

21.2.4. *Peculiaridades derivadas de la globalización*

Uno de los efectos especialmente intensos de la globalización económica ha consistido en el incremento sustancial del intercambio internacional de mercancías, que crece de forma sostenida más rápidamente que el Producto Interior Bruto (PIB). Eso significa que el comercio internacional supone una parte creciente de la economía de los diferentes países. Ese crecimiento ha venido acompañado de elementos dirigidos a incrementar la eficiencia del tráfico de mercancías.

EJEMPLO

Ejemplo
Por ejemplo mediante la generalización del uso de los contenedores, la estandarización de los regímenes jurídicos en materias como los INCOTERM o, más conectado con los asuntos que aquí nos ocupan, con la generalización de medios telemáticos de gestión de los tráficos.

El Derecho aduanero, del que antes hemos destacado las fuertes inercias que arrastra, se sitúa a la vez a la vanguardia del Derecho tributario en muchos aspectos, casi siempre sin que se cobre conciencia de los importantes cambios que el Derecho aduanero anticipa para el resto del sistema tributario. Nos encontramos en este ámbito con una creciente aproximación, cuando no uniformización, de la regulación a nivel universal, a impulsos de la Organización Mundial del Comercio (OMC) y la Organización Mundial de Aduanas (OMA). Ya hemos visto que son varias las materias clave que aparecen reguladas por normas internacionales (valor en aduana, origen, clasificación, regímenes aduaneros...) y todavía habremos de referirnos a algunas más (derechos antidumping, derechos compensatorios, régimen de los productos agrícolas...). En materia procedimental cobran especial relevancia el Convenio de Kioto y los acuerdos internacionales de asistencia mutua entre autoridades aduaneras. El Acuerdo de Bali de la OMC en materia de facilitación del comercio también parece llamado a tener un relevante impacto en este ámbito. Los acuerdos preferenciales, examinados en el capítulo 7, son asimismo relevantes en materia procedimental, dado que en ellos se regulan cuestiones tales como las formalidades a observar a fin de gozar del trato preferencial o los cauces jurídicos para realizar la comprobación del origen declarado.

La posición de vanguardia de los impuestos arancelarios se pone así mismo de manifiesto en otros aspectos. En países como España, por ejemplo, la gestión telemática es hoy una realidad cotidiana que ha suplantado a la gestión en papel en materia aduanera. La gestión telemática supone una reducción en los tiempos dedicados a la aplicación de los impuestos arancelarios, un instrumento de eficiencia en la gestión y control que, a la vez, abre la puerta a numerosas posibilidades, algunas de las cuales ya se van materializando y otras que se anticipan.

Ejemplo

La gestión telemática ha permitido la implantación del despacho aduanero centralizado nacional (esto es, que un operador presente su declaración en formato electrónico a la Aduana correspondiente al lugar en el que está establecido a pesar de que las mercancías se introduzcan por un lugar distinto de la geografía española) y las instituciones europeas hace tiempo que han traducido en normas la generalización del despacho centralizado para toda la UE, si bien tales normas no son todavía aplicables (primero lo hizo el CAM y ahora el CAU).

EJEMPLO

Como señalaremos, el despacho centralizado en la UE supondrá una auténtica revolución por sus numerosas implicaciones, tanto jurídicas como, en un sentido más amplio, económicas.

Ligado con lo anterior, el Derecho aduanero se sitúa a la vanguardia de la asistencia mutua entre autoridades aduaneras de distintos países. Esto es particularmente patente en el ámbito de la UE, donde esa asistencia mutua es una potente e intensa realidad coti-diana, dado que las autoridades de las diferentes Administraciones deben actuar conjun-tamente a fin de hacer realidad la Unión Aduanera frente al exterior y el tráfico interior de mercancías en su seno. Piénsese en la intensa colaboración que exigen algunos regí-menes aduaneros, como el tránsito, a los que ya nos hemos referido. Esa cooperación se hará más intensa a medida que se establezcan cauces operativos más potentes de gestión común de riesgos, por ejemplo.

Pero la asistencia mutua en materia aduanera también se sitúa a la vanguardia del sistema tributario en las relaciones con Estados terceros. Disponemos de una serie de normas internacionales en materia de asistencia mutua que establecen disposiciones en este ámbito bastante más desarrolladas que las que actualmente existen en otros tributos. De hecho, determinadas formas de asistencia mutua son ya masivas y de gran relevancia, como es el caso de la certificación del origen (véase el capítulo 7), donde las autoridades de un tercer país van a adoptar una resolución que condiciona el importe de los im-puestos arancelarios. La Organización Mundial de Aduanas (OMA) y la Organización Mundial del Comercio (OMC) son conscientes de la necesidad de extender e intensi-ficar la asistencia mutua entre autoridades de diferentes Estados a fin de conseguir una aplicación de las normas aduaneras más fiable, de mejor calidad y más eficiente.

La asistencia mutua viene también impulsada por la existencia de numerosas normas internacionales mediante las cuales se estandariza el régimen jurídico aplicable en diver-sas materias, como por ejemplo en materia de origen o de valor en aduana (o incluso de procedimientos aduaneros). Una de las materias en las que hemos asistido a un esfuerzo particularmente intenso en los últimos años ha sido la relativa a la función de seguridad de las Aduanas.

La iniciativa SAFE de la OMA supone un conjunto de reglas universales para per-mitir a las Aduanas cumplir de forma adecuada con su función de protección de la se-guridad. Esta materia se trata en los capítulos 32 y 33. Esas reglas universales, que fijan elementos comunes, facilitan a su vez la colaboración entre Administraciones a la hora de conceder relevancia a las resoluciones dictadas por la otra parte.

Ejemplo

Por ejemplo, el reconocimiento mutuo entre programas de Operador Económico Autorizado entre diversos Estados

Nos encontramos, por tanto, ante un proceso que se retroalimenta y avanza de for-ma robusta hacia una colaboración cada vez más estrecha, productiva y eficiente. Los Estados son cada vez más conscientes de la conveniencia de extender la estandarización universal a nuevas materias del ámbito aduanero a fin de obtener todos los beneficios que la cooperación permite.

Todos esos mecanismos de asistencia y colaboración tienen también un reflejo procedimental, que en ocasiones se encuentra en un estado de transición que conduce a resultados insatisfactorios.

Ejemplo
Por ejemplo, en materia de comprobación del origen cuando las autoridades de origen no responden al requerimiento de verificación del origen o proporcionan una respuesta de calidad insuficiente

EJEMPLO

La eficiencia que se demanda de las cadenas logísticas de suministro tiene asimismo implicaciones procedimentales claras en la aplicación de los impuestos arancelarios y del Derecho aduanero en general. Una de ellas, que ha motivado cambios recientes, es la relativa a la exigencia de la declaración sumaria con antelación a la llegada de las mercancías al punto de entrada en el territorio aduanero. Hace unos años la declaración sumaria se presentaba tan pronto como las mercancías arribaban al punto de entrada; hoy esa declaración debe anticiparse a la propia llegada de las mercancías a fin de que las autoridades dispongan de un margen de tiempo razonable con objeto de realizar el análisis de riesgos de la operación y determinar, aún antes de la llegada, si esas mercancías deben sujetarse a medidas de control o si, por el contrario, pueden ser retiradas sin sujetarse a controles. De este modo los operadores pueden disponer de sus mercancías con mucha mayor celeridad si las autoridades determinan, como es lo frecuente, que no se van a efectuar controles sobre las mercancías. Se trata de un elemento de "facilitación" del comercio que exige una adaptación de la cadena logística, dado que ya desde el país de origen deberá procederse a transmitir los datos requeridos a las autoridades europeas por parte del exportador o del operador logístico.

Conectado con lo anterior, la Unión Europea ha dotado a la figura del Operador Económico Autorizado —OEA—, surgida a impulso de los Estados Unidos con un fin estrictamente de seguridad, de una función dirigida a identificar los sujetos confiables a los que pueden otorgarse simplificaciones de los trámites aduaneros, función de la que carecía esta figura en el ordenamiento estadounidense (el programa C-T PAT, *Customs and Trade Partnership Against Terrorism*). Por ello, en la UE, la figura del OEA aparece claramente asociada a los beneficios de la facilitación del comercio y las simplificaciones, por más que esos beneficios no cumplan en muchos casos las expectativas generadas en los operadores. Las simplificaciones aduaneras se examinan en el capítulo 24.

21.2.5. *Peculiaridades en la aplicación de los impuestos arancelarios: recapitulación*

Los procedimientos de aplicación del Derecho aduanero presentan un considerable número de particularidades frente a los procedimientos de aplicación de los tributos. En ellos se puede identificar la participación de unos intermediarios que se sujetan a un régimen muy peculiar, distinto del que se aplica a los intermediarios en el resto de los procedimientos tributarios; nos encontramos con un momento, el del levante, que es idiosincrático del fenómeno aduanero y que marca un antes y un después; con la necesidad de atender a funciones distintas de la tributaria que, en no pocas ocasiones, son de importancia mayor; en los que se articula un derecho de prenda sobre las mercancías importadas a favor de la Hacienda; referidos a impuestos que todavía se exigen en régimen de liquidación administrativa, no de autoliquidación; procedimientos en los que se distingue según el "estatuto" de las mercancías; en los que se exige una declaración sumaria previa a la propia declaración en aduana; en el marco de los cuales, de forma rutinaria, alcanzan un papel trascendente las garantías del pago de la deuda; en cuya regulación deben conjugarse categorías y técnicas de regulación de dos ordenamientos diferentes que deben funcionar de forma armónica; en el que se entrelazan dos relaciones jurídicas derivadas de unos mismos hechos pero que operan en planos distintos y entre sujetos distintos; procedimientos sometidos a una fuerte presión que, por un lado, intenta maximizar la eficiencia y la celeridad y, por otro lado, intenta compaginar ese objetivo con el del mantenimiento de unos elevados niveles de seguridad; en los que se encuentra generalizada la gestión electrónica; con un grado de armonización, cuando no unificación, universal, sin equivalente en el resto del sistema tributario; dotados con mecanismos de asistencia mutua entre autoridades de distintos Estados que funcionan de forma masiva y automática...

Pero las peculiaridades en los procedimientos de aplicación del Derecho aduanero no sólo son llamativas por su número y entidad. También es llamativo que, a un tiempo, pervivan elementos arcaicos de difícil justificación en el entorno actual cuando, de forma paralela, se vive una dinámica de cambio acelerada que supone la incorporación de nuevos modelos de aplicación, nuevas técnicas y una veloz convergencia universal hacia patrones compatibles e interoperables, capaces de dialogar y cooperar entre sí, con una intervención de los particulares que se implican de forma profunda en la consecución de los objetivos públicos (sirva de ejemplo en este sentido la figura del OEA). Nos encontramos, en suma, ante un conjunto de normas en pleno proceso de metamorfosis hacia nuevas realidades que, todo hace sospechar, migrarán hacia la aplicación de otros tributos que hoy se encuentran en un estadio anterior en su evolución a este respecto.

21.3. ELEMENTOS COMUNES DE LOS PROCEDIMIENTOS ADUANEROS

21.3.1. *Presentación*

Procederemos en este punto a introducir el contenido de una serie de disposiciones de alcance general en materia de aplicación del Derecho aduanero que podemos encontrar en los primeros artículos del CAU y de los Reglamentos que lo desarrollan (el Reglamento Delegado 2015/2446 —RDCAU— y el Reglamento de Ejecución 2015/2447 —RECAU—). Se trata de normas comunes que se aplican a los diversos procedimientos que deben seguir las autoridades a la hora de adoptar decisiones en materia aduanera. Nos ocuparemos en los puntos que siguen de cuestiones diversas, como el régimen de las "decisiones" (resoluciones) administrativas (22.3.2), el uso de medios electrónicos en los procedimientos aduaneros (22.3.3), el EORI como mecanismo de identificación de los operadores (22.3.4) y, de forma más breve, al deber de colaboración en la aplicación de las normas aduaneras, la confidencialidad de los datos, el plazo de conservación de los documentos y la prórroga de los plazos (22.3.5).

21.3.2. *Las "decisiones"*

Un concepto de gran relevancia en el marco de los procedimientos de aplicación es el de "decisión". El artículo 5(39) CAU nos lo define como "todo acto de las autoridades aduaneras relativo a la legislación aduanera, mediante el que se pronuncien sobre un caso concreto y que conlleve efectos jurídicos para el interesado". Obsérvese, por tanto, que el término "decisión" designa a lo que en la normativa española es un acto administrativo por el cual se expresa una voluntad, es decir, una resolución, de manera que, allí donde las normas aduaneras de la UE utilicen el término "decisión", habremos de traducir este término por el de "resolución" cuando haya que coordinar la norma de la UE con las disposiciones nacionales.

> Interesa insistir en que las informaciones vinculantes (que se han analizado en el capítulo 9) son decisiones. Esta circunstancia viene confirmada, entre otros elementos, por el hecho de que el artículo 33 CAU lleva por título "decisiones relativas a las informaciones vinculantes".

Los artículos 22 a 32 CAU, 8 a 18 RDCAU y 8 a 15 RECAU contienen disposiciones dirigidas a perfilar el contenido jurídico de las decisiones. Junto a estas disposiciones y con valor interpretativo, TAXUD ha emitido una *General Guidance on Customs Decisions* (Documento taxud.a.2(2016)3945564; en este capítulo nos referiremos a este documento como "Guidance"). El artículo 22 CAU se refiere a las resoluciones dictadas en el marco de los procedimientos iniciados a solicitud de los interesados (lo que se denomina en España "iniciación a instancia de parte", que se contrapone a la "iniciación de oficio", que se produce cuando es la propia Administración quien inicia un procedimiento). Nos señala el CAU que la persona que solicite de las autoridades aduaneras una decisión relativa a la aplicación de la normativa aduanera deberá proporcionar todos los elementos y documentos necesarios para su adopción.

El Anexo I de la *Guidance* de TAXUD contiene una lista, bastante exhaustiva pero no cerrada, de 32 procedimientos en materia aduanera que se inician a instancia de parte.

Presentación y admisión de la solicitud de decisión.– La solicitud puede ser presentada por varias personas y, en ese caso, la decisión puede adoptarse para todas ellas.

En principio y salvo que expresamente se disponga lo contrario, la autoridad aduanera competente para adoptar la decisión y a quien deberá, en consecuencia, dirigirse la solicitud, es la que corresponda al lugar en que se lleve o se encuentre accesible la contabilidad principal del solicitante a efectos aduaneros (esto es, los registros y la documentación que permitan a las autoridades tomar una decisión), y en el que vaya a realizarse, al menos, una parte de las actividades a que se refiere la decisión (artículo 22.1, párrafo tercero, CAU y artículo 12 RDCAU).

En este sentido, el artículo 11 RECAU ordena a los Estados miembros comunicar a la Comisión la lista de las autoridades aduaneras competentes para recibir solicitudes de decisión, así como cualquier modificación posterior de dicha lista.

La solicitud debe presentarse por medios electrónicos. Si la solicitud debe producir efectos en más de un Estado miembro, debe utilizarse el portal del Sistema de Decisiones Aduaneras (*Customs Decisions System*, CDS) para formular la solicitud. En caso de que la solicitud deba producir efectos únicamente en un Estado miembro, el portal a utilizar dependerá de la configuración que ese Estado miembro haya seleccionado, pudiendo ser el mismo portal CDS o bien un portal nacional.

España ha desarrollado un portal nacional que permite tramitar, tanto solicitudes nacionales, como solicitudes que afecten a más de un Estado miembro (el propio portal nacional vuelca en CDS los datos de las solicitudes que deban producir efectos en varios Estados miembros; a esta configuración se le ha denominado "híbrida" y España es el único país que la utiliza). En otros Estado miembros se ha optado por utilizar CDS para tramitar todas las solicitudes (tanto las nacionales como las que deban producir efectos en varios Estados miembros); mientras que un tercer grupo de Estados miembros ha optado por tramitar las solicitudes de decisiones de ámbito nacional en un portal nacional, en tanto que las solicitudes que deban producir efectos en varios Estados miembros deben tramitarse a través del portal CDS, es decir, un sistema de doble portal.

El Reglamento de Ejecución 2019/1026 regula, en sus artículos 4 a 13, el Sistema de Decisiones Aduaneras, distinguiendo un componente común y un componente nacional. Entre otras cuestiones, enumera las decisiones que deben gestionarse a través de este sistema (artículo 5) y regula la autenticación y acceso al sistema (artículo 6), el portal para operadores económicos (artículo 7) o el SGDA (Sistema de Gestión de Decisiones Aduaneras) central (artículo 8). TAXUD ofrece información acerca del portal dedicado a la solicitud de decisiones que afecten a más de un Estado miembro (CDS) en:

https://ec.europa.eu/taxation_customs/business/customs-procedures/customs-decisions_en

Entre otros contenidos, esta página ofrece acceso a un manual de funcionamiento del portal de decisiones y un módulo de *e-learning* acerca del funcionamiento del portal. El acceso al referido portal propiamente dicho se obtiene en la siguiente dirección web:

https://customs.ec.europa.eu/tpui-cdms-web/

Una vez recibida la solicitud, las autoridades aduaneras comprobarán si la solicitud cumple los requisitos a los que se supedita su aceptación, disponiendo para ello de un plazo de 30 días tras la recepción. Las condiciones para la aceptación de una decisión las detalla el artículo 11 RDCAU.

Las referidas condiciones son las siguientes:
a) que, cuando lo requiera el régimen al que se refiere la solicitud, el solicitante esté registrado (registro EORI);
b) que, cuando lo requiera el régimen al que se refiere la solicitud, el solicitante esté establecido en el territorio aduanero de la Unión (TAU);
c) que la solicitud haya sido presentada a la autoridad aduanera competente;
d) que la solicitud no se refiera a una decisión con la misma finalidad que una decisión anterior dirigida al mismo solicitante, que haya sido anulada o revocada, durante el periodo de un año que precede a la solicitud, por no haber cumplido el solicitante las obligaciones impuestas por dicha decisión. El período será de tres años cuando la decisión anterior fuera de anular una previa decisión favorable, o bien si se trata de una solicitud de estatuto OEA.

Si las autoridades detectaran la falta de algún elemento en la solicitud, lo comunicarán al solicitante a fin de que lo aporte, otorgándole para ello un plazo razonable que no puede exceder de 30 días (es lo que se conoce en el ordenamiento español como plazo de subsanación). Si el solicitante no aporta en plazo los elementos requeridos, las autoridades le informarán de que su solicitud ha sido denegada (artículo 12.2 RECAU). Por el contrario, si autoridades aduaneras comprueban que la solicitud contiene toda la información requerida para adoptar la decisión, comunicarán su aceptación al solicitante dentro del plazo de treinta días previsto para el examen de la solicitud (artículo 22.2 CAU). En caso de que las autoridades no comuniquen al solicitante la aceptación o el rechazo de la solicitud, esta se considerará aceptada (artículo 12.3 RECAU).

> La *Guidance* de TAXUD aclara que la admisión de la solicitud requiere el examen de su admisibilidad, esto es, que formalmente aparezca como completa, pero no de su corrección material. La admisión comporta que la solicitud contiene todos los datos necesarios, cumple las condiciones de aceptación y aparece acompañada de los documentos requeridos.

Si las autoridades aceptan la solicitud, se tomará como fecha de aceptación aquella en que las autoridades hayan recibido toda la información requerida, ocurra esta circunstancia en el momento inicial —si no se solicitaron elementos adicionales— o tras dar cumplimiento al requerimiento de elementos adicionales (artículo 12.1 y 12.3 RECAU).

> La *Guidance* de TAXUD aclara que la fecha de admisión de la solicitud, cuando ésta contiene todos los datos y documentos requeridos, es la fecha en que se transmite la solicitud (nótese que es la fecha de transmisión, no la de recepción). Si la solicitud inicial es incompleta, la fecha de admisión es la fecha en que se suministra el último elemento de información.

Derecho a ser oído.– El artículo 22.6 CAU regula el derecho de audiencia o "derecho a ser oído", como lo denomina la normativa de la UE. Dispone que, en caso de que las autoridades se dispongan a adoptar una decisión desfavorable a los intereses del solicitante, las autoridades le deben comunicar los motivos en los que pretenden basar su decisión, dándole la oportunidad de presentar observaciones. Esta comunicación debe incluir, al menos, los siguientes elementos (artículo 8.1 RECAU):

a) Referencia a la documentación y la información en que las autoridades pretendan basar su decisión;

b) Indicación del período de que dispone el interesado para expresar su punto de vista, a partir de la fecha en que reciba la comunicación o en que se ésta se considere recibida;

c) Referencia al derecho del interesado a tener acceso a la documentación y la información en que las autoridades pretendan basar su decisión, de conformidad con las disposiciones aplicables (puesta a disposición del expediente).

Ahora bien, no se concederá trámite de audiencia en los supuestos que enumeran los artículos 22.6 CAU y el artículo 10 RDCAU.

> Los supuestos en los que no se concederá trámite de audiencia que enumera el artículo 22.6 CAU son los siguientes: a) cuando se refiera a una decisión relativa a una información vinculante; b) en caso de denegación del beneficio de un contingente arancelario cuando se alcance el volumen del contingente arancelario especificado (véase el artículo 56, apartado 4, párrafo

primero, CAU); c) cuando así lo exija la naturaleza o el nivel de la amenaza para la seguridad y protección de la Unión y de sus residentes, para la salud humana, la sanidad animal o la fitosanidad, para el medio ambiente o para los consumidores; d) cuando la decisión tenga por objeto velar por la aplicación de otra decisión a la que se haya aplicado el derecho de audiencia, sin perjuicio de la legislación del Estado miembro de que se trate; e) cuando pueda afectar a investigaciones iniciadas para luchar contra el fraude; f) en otros casos específicos. Por su parte, el artículo 10 RDCAU añade los siguientes: a) cuando la solicitud de una decisión no reúna las condiciones para su aceptación que enumera el artículo 11 RDCAU y que hemos enumerado más arriba; b) cuando las autoridades aduaneras notifiquen a la persona que haya presentado la declaración sumaria de entrada que las mercancías no se van a cargar en el caso del tráfico marítimo en contenedor y de tráfico aéreo; c) cuando la decisión se refiera a una notificación al solicitante de una decisión de la Comisión relativa a la procedencia de una devolución o condonación (véase el artículo 116.3 CAU, estas decisiones se examinan en el capítulo 28); d) cuando se vaya a invalidar el número EORI.

El trámite de audiencia puede tener lugar en el marco de un procedimiento de comprobación o control, procedimientos que, en el ordenamiento español, se incardinan dentro de lo que se denominan "procedimientos de aplicación de los tributos", que se exponen en el capítulo 25. En estas circunstancias, la comunicación puede constituir un acto en el seno de tal procedimiento (artículo 9.1 RECAU) cuando las autoridades tengan la intención de tomar una decisión sobre la base de los elementos que se enumeran en ese precepto.

> Los referidos elementos son los siguientes: a) los resultados de una comprobación tras la presentación de las mercancías; b) los resultados de una comprobación de la declaración en aduana previa a la concesión del levante; c) los resultados del control posterior al levante, cuando las mercancías se encuentren todavía bajo vigilancia aduanera; d) los resultados de una comprobación de la prueba del estatuto aduanero de mercancías de la Unión o, en su caso, los resultados de la comprobación de la solicitud de registro de dicha prueba o de visado de la misma; e) la expedición, por parte de las autoridades aduaneras, de una prueba de origen; f) los resultados de un control de mercancías para las que no se haya presentado declaración sumaria, declaración de depósito temporal, declaración de reexportación o declaración en aduana.

La principal especialidad que presenta la comunicación del trámite de audiencia en los casos a que nos estamos refiriendo (esto es, en el marco de un procedimiento de control) consiste en que puede realizarse por medios distintos a los electrónicos (en particular, mediante comunicación verbal del actuario que tendrá reflejo en una diligencia, véase artículo 98 RGGI). Esta misma posibilidad de utilización de medios distintos a los electrónicos para comunicar el trámite de audiencia cabe cuando la solicitud se hubiera presentado o la decisión se deba notificar por medios distintos a los electrónicos (artículo 9 RDCAU).

> El derecho de audiencia, en los casos en que se comunica por medios distintos de los electrónicos en el marco de un procedimiento de comprobación o control, presenta otras especialida-

des (artículo 9, apartados 2 y 3 RECAU). En este sentido, se dispone que el interesado podrá, o bien expresar su punto de vista inmediatamente tras la comunicación, empleando para ello el mismo medio que el empleado para la comunicación (en tal caso, si las autoridades adoptan finalmente una decisión desfavorable, deberán registrar si el interesado ha manifestado su punto de vista por este medio), o bien solicitar que la comunicación del trámite de audiencia se realice en la forma general (por medios electrónicos), posibilidad no obstante excluida en el supuesto señalado en la letra (f) más arriba. Las autoridades deben informar al interesado de estas dos opciones.

Con carácter general, el plazo de que dispone el interesado para ejercer su derecho de audiencia será de treinta días a partir del momento en que reciba la comunicación o esta deba entenderse recibida (artículo 8.1 RDCAU), si bien el plazo puede limitarse a tan sólo veinticuatro horas si trata de una decisión que se refiere a los resultados del control de mercancías para las cuales se ha omitido el deber de declarar (no se ha presentado una declaración sumaria, una declaración de depósito temporal, una declaración de reexportación o una declaración en aduana, artículo 8.2 RDCAU). Una vez que el interesado haga uso de su derecho de audiencia, las autoridades pueden proceder a resolver sin esperar a que concluya el plazo del trámite de audiencia, a menos que el interesado se hubiera reservado la posibilidad de realizar observaciones adicionales (artículo 8.2 RECAU).

Plazo para adoptar la decisión.– A partir de la fecha de aceptación de la solicitud, las autoridades disponen de 120 días para adoptar una decisión y notificarla al solicitante, salvo que expresamente se disponga un plazo distinto. En caso de que las autoridades no puedan cumplir este plazo, informarán de ello al solicitante antes de su vencimiento, exponiéndole los motivos de tal imposibilidad e indicándole el plazo suplementario que consideren necesario para adoptar una decisión, plazo suplementario que, salvo disposición en contrario, no puede exceder de 30 días.

Diversas observaciones deben realizarse acerca de este plazo general de 120 días para resolver y notificar al interesado la resolución. Así, cabe que durante el procedimiento, aceptada ya la solicitud, las autoridades consideren necesario solicitar información adicional al solicitante. En este caso se concederá un plazo de hasta treinta días para que el solicitante pueda aportar la información adicional requerida y ese plazo de aportación concedido al solicitante no computará a los efectos del plazo de 120 días para resolver (artículo 13.1 RDCAU). El plazo de 120 días para resolver también podrá prorrogarse cuando el solicitante pida una prórroga para proceder a realizar ajustes a fin de garantizar el cumplimiento de las condiciones y los criterios que permitan obtener una decisión favorable (artículo 22.3 CAU). La realización del trámite de audiencia también comportará una prórroga de 30 días en el plazo de resolución, de la cual debe informarse al solicitante (artículo 13.2 RDCAU). Otro supuesto de prórroga se produce cuando, en el curso del procedimiento, se haya consultado a las autoridades de otro Estado Miembro y se haya acordado una prórroga del plazo de consulta. También en este caso debe informarse al solicitante de la prórroga (artículo 13.3 RDCAU). Finalmente, cabe una prórroga por el tiempo que resulte necesario, con un máximo de nueve meses, cuando las autoridades tengan razones de peso para sospechar la existencia de una infracción aduanera o tributaria y precisen llevar a cabo investigaciones a este fin. En este caso se informará al solicitante de la prórroga siempre que ello no comprometa las investigaciones (artículo 13.4 RDCAU).

Por lo que hace a los plazos establecidos por normas nacionales, destaquemos que el artículo 104 LGT dispone que "cuando las normas reguladoras de los procedimientos no fijen plazo máximo, éste será de seis meses". En los procedimientos iniciados a instancia del interesado, el plazo se contará desde la fecha en que el documento haya tenido entrada en el registro del órgano competente para su tramitación. En los procedimientos iniciados de oficio, el plazo se contará desde la fecha de notificación del acuerdo de inicio. El momento de finalización del cómputo del plazo es el de la notificación de la resolución al interesado. Estos plazos no son aplicables al procedimiento de apremio (el procedimiento a través del cual la Administración procede a la recaudación forzosa de la deuda), cuyas actuaciones podrán extenderse hasta el plazo de prescripción del derecho de cobro, que es de cuatro años.

En caso de incumplimiento del plazo máximo de duración de los procedimientos iniciados a instancia del interesado se producirán las consecuencias que determine la regulación del procedimiento de que se trate, ya sea atribuir un valor positivo —estimación— o negativo —desestimación— al silencio administrativo. Con carácter general, si no se dispone nada debe atribuirse un valor positivo al silencio administrativo, salvo en los procedimientos de ejercicio del derecho de petición (a que se refiere el artículo 29 de la Constitución) y en los de impugnación de actos y disposiciones, en los que el silencio tendrá efecto desestimatorio. Ahora bien, la Disposición Adicional Vigésima de la LGT, introducida por la Ley 34/2015, dispone en su apartado 1(b) que, respecto de los tributos que integran la deuda aduanera, los efectos del incumplimiento del plazo máximo para dictar resolución y de la falta de resolución serán los previstos en la normativa de la UE y, cuando nada se prevea en ella, se considerará que el efecto del silencio administrativo es siempre negativo. Por si lo anterior no bastase, véase la Disposición Adicional 1ª del RD 1065/2007, donde se establece un valor negativo para el silencio administrativo en numerosos supuestos, incluidos un buen número de ellos en materia de impuestos arancelarios.

Por lo que hace a los efectos del incumplimiento del plazo máximo de duración de los procedimientos iniciados de oficio, véase lo que dispone el artículo 104 LGT en sus apartados 4 y 5. Ahora bien, de nuevo en materia de tributos que integran la deuda aduanera, la Disposición Adicional Vigésima de la LGT, introducida por la Ley 34/2015, dispone en su apartado 1(b) que "no procederá declarar en ningún caso la caducidad del procedimiento, salvo que transcurra el plazo máximo previsto en la normativa de la UE para notificar la deuda al obligado tributario". Es decir, que en ningún caso puede caducar el procedimiento, lo que puede caducar es la deuda. La caducidad de la deuda se analiza en el capítulo 26.

Insistamos, finalmente, en la primacía de la norma de la UE sobre la norma nacional, de modo que allí donde ambas conduzcan a resultados divergentes debe prevalecer lo que disponga la norma de la UE.

Consulta entre autoridades.– En el curso del procedimiento previo a la adopción de una decisión, las autoridades pueden decidir la conveniencia o la necesidad de consultar con las autoridades aduaneras de otro Estado miembro, a fin de verificar el cumplimiento de las condiciones y los criterios necesarios para la adopción de una decisión favorable. Este procedimiento de consulta también puede utilizarse a los fines de la revisión y el seguimiento de una decisión. El procedimiento se inicia mediante una comunicación de la autoridad consultante dirigida a la autoridad consultada en la que se informa de los elementos a verificar y se fija un plazo para la consulta, plazo que se iniciará a partir de la fecha de la comunicación de la consulta. El plazo para atender la consulta formulada puede ser ampliado por la autoridad consultante si, debido a la naturaleza de los exámenes que deban llevarse a cabo, la autoridad consultada solicita más tiempo. También cabe una ampliación del plazo si el solicitante comunica que va a proceder a realizar ajustes a fin de garantizar el cumplimiento de las condiciones y los criterios de que se trate, circunstancia de la cual se informará a la autoridad consultada por parte de la autoridad consultante. Si, tras la realización de las comprobaciones oportunas, la autoridad consultada determina que el solicitante incumple alguno de los elementos para la adopción de una decisión favorable, comunicará los resultados de su examen, debidamente documentados y justificados, a la autoridad consultante. En caso de que, por el contrario, la autoridad consultada no responda dentro del plazo, se considerarán cumplidos las condiciones y los criterios a que se refiera la consulta (artículo 14 RECAU).

Contenido de la decisión.– Por lo que hace al contenido de la decisión, el apartado 7 del artículo 22 CAU establece el requisito de motivación de la decisión, refiriéndolo a aquellas que perjudiquen al solicitante. En estos supuestos, además, la notificación debe contener la mención del derecho de recurso frente a la decisión que se comunica (nos referiremos más adelante al derecho de recurso).

En España, el artículo 103.3 LGT establece el deber de motivar, con referencia sucinta a los hechos y fundamentos de derecho, respecto de los actos de liquidación, los de comprobación de valor, los que impongan una obligación, los que denieguen un beneficio fiscal o la suspensión de la ejecución de actos de aplicación de los tributos, así como cuantos otros se dispongan en la normativa vigente. Con carácter general la motivación, como requisito de los actos administrativos, se regula en el artículo 35 de la Ley 39/2015.

La Sentencia *Combaro* (asunto T-752 de 19.07.2017) del Tribunal General de la UE (TGUE) aprecia que "la motivación debe ser notificada al interesado al mismo tiempo que la decisión lesiva. La falta de motivación no puede quedar subsanada por el hecho de que el interesado descubra los motivos de la decisión en el procedimiento ante el juez de la Unión" (p. 110), lo que le conduce a rechazar, por extemporáneo, un argumento que la Comisión tan sólo formuló en vía de recurso.

Efectos.– Una vez adoptada una decisión, esta surtirá efectos desde la fecha en que se notifique al solicitante, o se le considere notificado, gozando de ejecutividad a partir de ese momento (artículo 22.4 CAU).

No obstante lo anterior, el artículo 14 RDCAU enumera una serie de supuestos en los que la decisión surtirá efecto a partir de una fecha distinta a la de su notificación al interesado. Son los siguientes: a) decisión favorable al solicitante, cuando este haya solicitado otra fecha de efecto posterior a la de la notificación; b) cuando se haya tomado una decisión anterior con efectos temporales limitados y el único objetivo de la nueva decisión sea ampliar su periodo de validez, en cuyo caso la nueva decisión surtirá efecto a partir del día siguiente a la fecha de expiración del periodo de validez de la decisión anterior; c) cuando el efecto de la decisión esté condicionado a la conclusión de ciertas formalidades por el solicitante, en cuyo caso la decisión surtirá efecto a partir de la fecha en que el solicitante sea notificado por las autoridades que se han completado satisfactoriamente las formalidades.

Las autorizaciones, que son un tipo específico de decisión, pueden en determinados casos tener efecto retroactivo (artículo 211.2 CAU y 172 RDCAU). La STJUE *Unipak* (asunto C-396/19, de 09.07.2020) analiza un supuesto de autorización retroactiva y examina la causa habilitante de "circunstancias excepcionales", negando su concurrencia en el caso que se somete a su consideración.

La ejecutividad de las resoluciones de la Administración es un efecto que deriva de la presunción de legalidad de que gozan los actos administrativos. Dado que se presume que la voluntad de la Administración es concreción de la voluntad de la propia ley, la Administración queda apoderada para ejecutar por sí misma sus resoluciones sin necesidad de acudir al auxilio de los Tribunales. Conforme al CAU, la ejecutividad tiene dos excepciones: a) cuando las autoridades tengan razones fundadas para dudar de la conformidad de la decisión impugnada con la legislación aduanera; y b) cuando pueda temerse un daño irreparable para el interesado (artículo 22.4 CAU, por remisión al artículo 45.2 CAU). En estos dos supuestos las autoridades ordenarán la suspensión total o parcial de la ejecución de la decisión.

En España el artículo 38 de la Ley 39/2015 dispone la ejecutividad de los actos administrativos, en tanto que el artículo 39.1 dispone que los actos de las Administraciones Públicas sujetos al Derecho Administrativo se presumirán válidos y producirán efectos desde la fecha en que se dicten, salvo que en ellos se disponga otra cosa.

Interesa subrayar que, con carácter general, conforme al artículo 26 CAU, las decisiones relacionadas con la aplicación de la legislación aduanera se consideran válidas en todo el TAU, salvo que su efecto se limite a uno o varios Estados miembros.

Aparecen combinados en este precepto los conceptos jurídicos de "validez" y "eficacia", que son diferentes. Una resolución es válida cuando reúne todos los requisitos constitutivos que se establecen en el ordenamiento. Una resolución es eficaz cuando, además de ser válida, cumple las condiciones que se establezcan a fin de que despliegue efectos, entre las cuales típicamente destaca la necesidad de que su contenido se notifique a sus destinatarios. Por tanto, la validez no comporta de forma automática la eficacia, sino que esta puede quedar supeditada a condiciones adicionales. Lo que el precepto ordena es que las decisiones en materia aduanera son válidas en todo el TAU, quedando excluidas de esta validez extendida aquellas decisiones que tengan un ámbito territorial de eficacia más limitado.

Por otro lado, la decisión gozará de una validez indefinida —sin limitación temporal—, salvo que se disponga lo contrario en la legislación aduanera (artículo 22.5 CAU).

Durante ese período de validez de la decisión pueden producirse diversas vicisitudes cuyas consecuencias son establecidas en la norma. En este sentido y, en primer lugar, como parece lógico, se ordena que el titular de la decisión deberá cumplir las obligaciones que se deriven de la misma (artículo 23.1 CAU). Deberá asimismo informar sin demora a las autoridades de cualquier elemento que surja tras la adopción de la decisión, que pueda influir en su mantenimiento o su contenido (artículo 23.2 CAU). Por su parte, las autoridades supervisarán las condiciones y los criterios que debe cumplir el titular de la decisión, así como el cumplimiento de las obligaciones que se deriven de la decisión. La supervisión será más estrecha cuando el titular de la decisión lleve establecido menos de tres años, en particular durante el primer año posterior a la adopción de la decisión (artículo 23.5 CAU).

Anulación, modificación, revocación y suspensión de una decisión.– Las autoridades pueden adoptar diversas decisiones que afecten a una decisión previa. De este modo, pueden decidir en cualquier momento anular, modificar, revocar o suspender la decisión previamente adoptada (artículo 23.3 y 23.4 CAU).

En este sentido, el artículo 15 RDCAU regula el reexamen de una decisión, que procederá cuando se produzca una modificación en la legislación de la UE que afecte a la decisión; o bien cuando se considere necesario como resultado de la supervisión llevada a cabo; o bien cuando sea necesario debido a que otras autoridades o el propio titular de la decisión informen de cualquier elemento que pueda influir en el mantenimiento o el contenido de la decisión. El resultado de este reexamen se comunicará al titular de la decisión.

Como resultado del reexamen, además de la anulación, la revocación o la modificación de la decisión, las autoridades pueden acordar su suspensión. La suspensión de una decisión se acordará en tres supuestos. En primer lugar, cuando las autoridades consideren que existen motivos suficientes para la anulación, revocación o modificación de la decisión, pero no dispongan aún de todos los elementos necesarios para ello. En segundo lugar, cuando las autoridades consideren que no se dan las condiciones para la decisión o que el titular de la decisión no cumple las obligaciones impuestas por la misma, y sea conveniente darle tiempo a fin de que tome las medidas que garanticen el cumplimiento de las condiciones o de las obligaciones. Y, en tercer lugar, cuando el titular de la decisión solicite la suspensión por encontrarse, temporalmente, en la imposibilidad de cumplir las condiciones y obligaciones establecidas para la decisión. Cuando el titular de la decisión se proponga adoptar medidas para el cumplimiento de las condiciones y obligaciones de que se trate, debe notificar a las autoridades las medidas que planea adoptar y el tiempo que precisa a tal fin (artículo 16 RDCAU).

El período de suspensión será decidido por las autoridades. En el primero de los supuestos a que acabamos de referirnos, el periodo de suspensión será el tiempo necesario para determinar si se cumplen las condiciones de anulación, revocación o modificación, sin que este periodo pueda exceder de treinta días.

> Si la decisión es relativa a la concesión del estatuto de OEA y se precisa determinar si se cumple el requisito atinente a la inexistencia de infracciones graves o reiteradas de la legislación aduanera o de la normativa fiscal, así como de infracción penal grave (la figura del OEA se analiza en el capítulo 33), el plazo de suspensión se extenderá hasta que pueda determinarse si determinadas personas han cometido infracciones graves o reiteradas (el titular de la decisión, la persona encargada o que ejerza el control de su dirección de la empresa que sea titular de la decisión y el empleado encargado de los asuntos aduaneros en la empresa que sea titular de la decisión).

En los supuestos segundo y tercero, el período de suspensión será el que haya notificado el titular de la decisión para adoptar las medidas pertinentes dirigidas al cumplimiento, período que podrá prorrogarse a petición de éste. El período de suspensión en estos casos podrá también prorrogarse a fin de permitir a las autoridades verificar que las medidas adoptadas aseguran el cumplimiento de las condiciones o las obligaciones de que se trate, sin que esta prórroga pueda exceder de treinta días.

> El artículo 15 RECAU dispone que, si el titular de la decisión no adopta en el plazo señalado las medidas necesarias para cumplir las condiciones establecidas para la decisión o las obligaciones impuestas por ella, la decisión será revocada. Nos ocupamos de la revocación en general más abajo.

En cualquiera de los tres supuestos de suspensión, el período de suspensión puede prorrogarse cuando las autoridades tengan la intención de anular, revocar o modificar la decisión, hasta el momento en que surta efecto la decisión de anulación, revocación o modificación (artículo 17 RDCAU).

Con carácter general la suspensión expirará una vez concluya el período de suspensión. Ahora bien, se establecen tres supuestos para los cuales se dispone un momento de expiración de la suspensión distinto. En primer lugar, la suspensión expirará una vez se retire la misma tras determinar que no existen motivos para la anulación, revocación o modificación de la decisión. En segundo lugar, expirará asimismo la suspensión tan pronto se retire la misma una vez que el titular de la decisión haya adoptado, a satisfacción de las autoridades, las medidas necesarias para garantizar el cumplimiento de las condiciones establecidas para la decisión o de las obligaciones por ella impuestas. En tercer lugar, la suspensión expira sin esperar a agotar el plazo de suspensión desde el momento en que se decida anular, revocar o modificar la decisión. En cualquiera de los casos, las autoridades informarán al interesado de la decisión de poner fin a la suspensión (artículo 18 RDCAU).

Otra determinación que pueden adoptar las autoridades en relación a una decisión previa es la de anularla. A la anulación de decisiones favorables al titular se refiere el artículo 27 CAU. Dispone que la anulación procederá cuando se produzca la concurrencia de tres circunstancias cumulativas, a saber: a) que la decisión adoptada se haya basado en información incorrecta o incompleta; b) que el titular de la decisión supiera o debiera razonablemente haber sabido que la información era incorrecta o incompleta; y c) que la decisión hubiera sido diferente si la información hubiese sido correcta y completa. La anulación debe notificarse al titular de la decisión, produciendo efectos, no desde la notificación, sino desde la fecha en que hubiera comenzado a surtir efectos la decisión inicial, salvo que se disponga lo contrario en la decisión de anulación conforme a la legislación aduanera.

> En el ordenamiento español se distingue entre "nulidad de pleno derecho" (artículo 47 Ley 39/2015) y "anulabilidad" (artículo 48 Ley 39/2015). Se califican como nulos de pleno derecho los actos administrativos siguientes (artículo 47 Ley 39/2015 y artículo 217.1 LGT):
> a) Los que lesionen los derechos y libertades susceptibles de amparo constitucional.
> b) Los dictados por órgano manifiestamente incompetente por razón de la materia o del territorio.
> c) Los que tengan un contenido imposible.
> d) Los que sean constitutivos de infracción penal o se dicten como consecuencia de ésta.
> e) Los dictados prescindiendo total y absolutamente del procedimiento legalmente establecido o de las normas que contienen las reglas esenciales para la formación de la voluntad de los órganos colegiados.
> f) Los actos expresos o presuntos contrarios al ordenamiento jurídico por los que se adquieren facultades o derechos cuando se carezca de los requisitos esenciales para su adquisición.
> g) Cualquier otro que se establezca expresamente en una disposición de rango legal.
> Fuera de estos supuestos, los actos administrativos que padezcan un vicio —infracción del ordenamiento jurídico, incluida la desviación de poder— podrán ser anulados (actos anulables). Debe precisarse que el defecto de forma sólo determinará la anulabilidad cuando el acto carezca de los requisitos formales indispensables para alcanzar su fin o dé lugar a la indefensión de los interesados (artículo 48.2 Ley 39/2015).
> La distinción entre nulidad y anulabilidad es importante por varios motivos. Los actos nulos no producen ningún efecto jurídico, mientras que los actos anulables pueden ser eficaces en tanto no se anulen. Interesa señalar en este punto que el CAU dispone que la anulación que regula surte efecto en la fecha de adopción de la decisión anulada, es decir, que se eliminan los efectos de la decisión anulada desde el inicio y no sólo desde el momento en que se decide la anulación, lo que la aproxima al régimen que en España se establece para la nulidad de pleno derecho.
> Los actos nulos no pueden ser convalidados, en tanto que los anulables sí (artículo 52 Ley 39/2015). La Administración puede decidir por sí misma la nulidad de pleno derecho, en tanto que para decidir la anulabilidad de un acto la Administración debe declarar la lesividad del mismo y proceder contra él ante los órganos jurisdiccionales para que sean estos quienes la determinen (artículo 218 LGT). El artículo 217 LGT regula el procedimiento de declaración de nulidad de pleno derecho, en tanto que el artículo 218 LGT regula el procedimiento de declaración de lesividad de los actos anulables.

El artículo 28 CAU, por su parte, regula la revocación y modificación de decisiones favorables. La revocación y modificación no procederá cuando estemos ante un supuesto de los previstos para la anulación. Se decidirá en aquellos casos en que no se cumplan una o varias de las condiciones establecidas para la adopción de la decisión y, también, cuando el titular de la decisión lo solicite. Cuando se trate de una decisión favorable a varias personas, en principio y, salvo que se disponga lo contrario, la revocación podrá afectar únicamente a aquella que haya incumplido las obligaciones correspondientes. La revocación o modificación de una decisión debe notificarse al titular de la decisión afectada, surtiendo efecto desde la fecha de su recepción o desde la fecha en que se entienda recibida. Ahora bien, en casos excepcionales las autoridades podrán aplazar la fecha en que comience a surtir efecto la revocación o modificación, hasta un máximo de un año, circunstancia que deberá indicarse en la decisión de revocación o modificación.

> El artículo 30 CAU precisa que la revocación, modificación o suspensión de una decisión favorable no afectará, salvo que el interesado lo solicite, a las mercancías que en el momento en que tal medida surta efecto, hayan sido incluidas y se encuentren aún en un régimen aduanero o en depósito temporal en virtud de la decisión revocada, modificada o suspendida.
> Por su parte, la LGT regula la revocación en el artículo 219, donde se contempla respecto de actos en beneficio de los interesados cuando se estime que infringen manifiestamente la ley, cuando circunstancias sobrevenidas que afecten a una situación jurídica particular pongan de manifiesto la improcedencia del acto dictado, o cuando en la tramitación del procedimiento se haya producido indefensión a los interesados. Como límites a la revocación se establece que no podrá constituir, en ningún caso, dispensa o exención no permitida por las normas tributarias, ni ser contraria al principio de igualdad, al interés público o al ordenamiento jurídico. El procedimiento de revocación se iniciará siempre de oficio y sólo será posible mientras no haya transcurrido el plazo de prescripción.

Decisiones adoptadas de oficio.– Hasta ahora nos hemos referido a las decisiones adoptadas a instancia de parte. El artículo 29 CAU se refiere a las decisiones adoptadas de oficio y, para establecer su régimen jurídico, remite a diversas disposiciones previstas para las decisiones adoptadas a instancia de parte, disposiciones que ya hemos expuesto. En concreto, dispone la aplicabilidad de diversos apartados del artículo 22 CAU (apartado 4, conforme al cual la decisión despliega efectos desde su notificación; apartado 5, que ordena la validez indefinida de las decisiones; el apartado 6, que regula el trámite de audiencia previa; y el apartado 7, relativo a la motivación), del apartado 3 del artículo 23 CAU (que permite a las autoridades anular, modificar o revocar una decisión), así como de los artículos 26 (validez de las decisiones en toda la Unión), 27 (anulación de decisiones) y 28 CAU (revocación y modificación de decisiones).

Medios electrónicos y conservación de datos.– Las disposiciones relativas a la regulación general del régimen de las decisiones se completa con dos preceptos del RECAU. El primero de ellos, el artículo 10 RECAU, ordena la implantación de un sistema electrónico, concebido de mutuo acuerdo por la Comisión y los Estados miembros, para el intercambio y almacenamiento de información relativa a solicitudes y decisiones que puedan incidir en más de un Estado miembro, así como la relativa a cualquier hecho posterior que pueda afectar a la solicitud o decisión inicial. Esta información deberá divulgarse en un plazo máximo de siete días desde que se haya tenido conocimiento de ella.

> El mandato de implantación de un sistema electrónico se ha cumplido mediante la creación del que se ha denominado portal CDS (*Customs Decisions System*), al que se hace referencia más arriba.

El segundo de los preceptos aludidos es el artículo 13 RECAU, que establece el deber de las autoridades de conservar todos los datos e información de apoyo que se hayan invocado en la adopción de cualquier decisión durante un plazo mínimo de tres años a partir de la fecha de finalización de su validez.

Recursos.– El artículo 44 CAU establece el carácter recurrible de las decisiones, al disponer que "toda persona tendrá derecho a recurrir una decisión de las autoridades aduaneras relativa a la aplicación de la legislación aduanera, cuando esta le afecte directa e individualmente". También cabe el recurso frente al silencio administrativo, esto es, frente a la falta de resolución en plazo (artículo 44.1 CAU, segundo párrafo). Los recursos en materia aduanera se exponen en el capítulo 31.

21.3.3. *Utilización de medios electrónicos en los procedimientos aduaneros*

En materia aduanera está implantado el sistema de Administración electrónica, lo que supone que la utilización de documentos en papel tiene carácter residual. El artículo 6 CAU ordena que debe efectuarse mediante técnicas de tratamiento electrónico de datos todo intercambio de información entre autoridades y entre autoridades y los operadores económicos, así como el almacenamiento de esa información que deba realizarse conforme a lo que disponga la legislación aduanera. De este modo, las gestiones atinentes a declaraciones, solicitudes o decisiones, entre otras, deberán realizarse por medios electrónicos.

> No obstante, se permite la utilización de medios distintos a los electrónicos en determinados casos. Así, y de forma permanente, esta posibilidad se contempla respecto de aquellos tipos de tráfico o en relación a determinadas formalidades para los cuales resulte debidamente justificado (piénsese, por ejemplo, en las declaraciones de los viajeros al entrar a otro país). Con carácter temporal, se permite utilizar medios distintos a los electrónicos en caso de que fallen temporalmente los sistemas informáticos de las autoridades o de los operadores. Por otro lado, se atribuye a la Comisión la competencia para autorizar a uno o varios Estados miembros, en casos excepcionales, medios distintos a los electrónicos. Esta decisión de autorización se concederá por un período de tiempo limitado y deberá estar justificada por la situación específica del Estado miembro que la haya solicitado. La excepción, que no debe afectar al intercambio

de información entre Estados miembros, se reexaminará periódicamente y podrá ser prorrogada por el Estado miembro de que se trate por nuevos períodos de tiempo previa solicitud, revocándose cuando deje de estar justificada.

Por otro lado, se ordena la colaboración entre los Estados miembros y la Comisión al objeto de desarrollar, mantener y utilizar sistemas electrónicos para el intercambio y el almacenamiento de información (artículo 16 CAU).

Se matiza que este mandato de colaboración queda sujeto a lo que resulte de los términos de la excepción que la Comisión pueda autorizar a un Estado miembro, según acabamos de exponer más arriba.

Encontramos en el RECAU disposiciones adicionales en materia de utilización de medios electrónicos en los procedimientos aduaneros. Así, el artículo 3 RECAU se ocupa de regular la seguridad de los sistemas electrónicos, y a este fin ordena a los Estados miembros que establezcan y mantengan dispositivos de seguridad adecuados para el funcionamiento eficaz, fiable y seguro de los diversos sistemas, así como la aplicación de medidas para controlar la fuente de los datos y garantizar su seguridad ante los riesgos de acceso no autorizado, pérdida, alteración o destrucción. A fin de controlar la calidad de la fuente de los datos y su trazabilidad se establece el deber de registro de toda introducción, modificación y supresión de datos, con indicación de la finalidad de la operación, el momento exacto en que se realiza y la persona que la realiza. Y se ordena a los Estados miembros informar a los demás Estados miembros, a la Comisión y, cuando proceda, al operador económico de que se trate, de todas las violaciones, reales o supuestas, de la seguridad de los sistemas electrónicos.

El artículo 4 RECAU se refiere al deber de conservación de datos por parte de las autoridades. Dispone que, salvo que se especifique otra cosa, todo dato validado por el sistema electrónico debe conservarse durante un mínimo de tres años, a contar desde el final del año en el que haya sido validado.

El artículo 5 RECAU se dirige a asegurar la implantación de los sistemas electrónicos de gestión aduanera. Debe tenerse en cuenta que, desgraciadamente, no se ha conseguido que el sistema electrónico sea único para toda la UE, como sería lógico y deseable, sino que se asume que cada país ha desarrollado o va a desarrollar su propio sistema. Cierto que cada país puede desear especificaciones propias en el sistema informático para adaptarse a las peculiaridades de su ordenamiento, no sólo en materia aduanera, sino también en otros ámbitos (piénsese, por ejemplo, en el IVA a la importación o los Impuestos Especiales, o la aplicación de otras medidas no tributarias). Pero ese objetivo se puede conseguir utilizando un software europeo común sobre el cual se desarrollen aplicaciones nacionales propias a fin de explotar los datos del sistema para otros fines. En lugar de eso, los Estados miembros han preferido mantener cada cual su propio sistema —un buen número de países, entre ellos España, ya disponen de él— y limitarse a establecer las reglas que aseguren que los diferentes sistemas podrán funcionar coordinadamente e intercambiar datos siguiendo un estándar común.

> Así pues, los contribuyentes europeos financiaremos hasta veintisiete sistemas diferentes, que deberán mantenerse actualizados en todo momento y ser capaces de no ocasionar errores de transmisión e interoperabilidad entre ellos. Es, a todas luces, una solución ineficiente. En este sentido y a modo de ejemplo, el *Informe Especial nº 19* del Tribunal de Cuentas de la UE, de 2017, sobre *Regímenes de importación*, pone de manifiesto que la plataforma de software que se utilizaba en Reino Unido no incluía la versión actualizada de TARIC y, además, no incorporaba algunas medidas de prohibición establecidas por la normativa europea (punto 74 y ss.).

Dado que no se va a tratar de un sistema único de ámbito europeo, sino que cada Estado miembro asume la responsabilidad de disponer de su propio sistema electrónico de gestión aduanera, se establece que la Comisión y los Estados miembros deberán celebrar acuerdos operativos a fin de establecer los requisitos prácticos que aseguren la disponibilidad de estos sistemas, su funcionamiento y la continuidad de la actividad —es decir, que estén disponibles en todo momento—. Se precisa que se establecerá un tiempo de respuesta adecuado para el intercambio y el tratamiento de la información en los sistemas electrónicos.

> Respecto de la permanencia en la disponibilidad de los sistemas electrónicos, se dispone que esta obligación no será exigible en caso de fuerza mayor y cuando así resulte para casos específicos de los acuerdos operativos entre la Comisión y el/los Estado/s Miembro/s.

A nivel de la Unión se han desarrollado algunos componentes del sistema informático y está previsto desarrollar algunos más. La implantación de estos componentes del sistema informático sigue el calendario que se marca en la Decisión de Ejecución 2019/2151 de la Comisión de 13 de diciembre de 2019, por la que se establece el programa de trabajo relativo al desarrollo y a la introducción de los sistemas electrónicos previstos en el Código Aduanero de la Unión (DO UE L 325, de 16.12.2019, p. 168).

> Esta materia se reguló inicialmente en la Decisión de Ejecución 2014/255, que a su vez fue derogada por la posterior Decisión de Ejecución 2016/578, que la actual Decisión de Ejecución 2019/2151 deroga. Cada una de las referidas decisiones ha ido retrasando las fechas de implantación de los componentes del sistema informático a la vista de la imposibilidad de cumplir los objetivos fijados para su despliegue en plazo. Cada una de estas Decisiones contiene, en Anexo, el listado de los componentes que está planeado desarrollar y su respectiva fecha prevista de implantación.

El calendario establecido para la plena implantación de los referidos componentes a nivel de la Unión es el siguiente:

Calendario de implantación de sistemas informáticos	
Sistema de Registro de Exportadores REX	01.01.2017
Información Arancelaria Vinculante (IAV)	01.10.2019
Decisiones Aduaneras	02.10.2017
Acceso directo de los operadores económicos a los Sistemas de Información Europeos (Gestión Uniforme de Usuarios y Firma Digital)	02.10.2017
Mejora del sistema de Operadores Económicos Autorizados (AEO)	16.12.2019
Mejora del Sistema de Registro e Identificación de Operadores Económicos (EORI 2)	05.03.2018
Vigilancia 3	01.10.2018
Fichas de información (INF) para los Regímenes Especiales	01.06.2020
Notificación de la llegada, notificación de la presentación y depósito temporal	31.12.2022
Mejora de los Sistemas Nacionales de Importación	31.12.2022
Sistema Automatizado de Exportación (AES)	01.12.2023
Regímenes especiales	01.12.2023
Sistema de Control de la Importación 2 (ICS2)	01.10.2024
Prueba del Estatuto de la Unión (PEU)	02.06.2025
Despacho Centralizado de las importaciones (CCI)	02.06.2025
Gestión de las garantías (GUM)	02.06.2025
Mejora del Nuevo Sistema de Tránsito Informatizado (NCTS)	02.06.2025

El Reglamento de Ejecución 2019/1026 de 21 de junio de 2019, sobre disposiciones técnicas para el desarrollo, el mantenimiento y la utilización de sistemas electrónicos para el intercambio de información y para el almacenamiento de esa información en el marco del Código aduanero de la Unión, regula la operativa de buena parte de los sistemas ya implantados (Sistema de Decisiones Aduaneras, Sistema de Gestión Uniforme de Usuarios y Firma Digital, Sistema Europeo de Información Arancelaria Vinculante, Sistema de Registro e Identificación de los Operadores Económicos, Sistema de Operadores Económicos Autorizados).

No obstante, el grueso de la atención dedicada por el RDCAU y el RECAU a los sistemas electrónicos de gestión aduanera se dirige a establecer los requisitos comunes en materia de datos (artículo 2 RDCAU) y los formatos y códigos comunes a utilizar para hacer posible el intercambio de datos (artículo 2 RECAU). Estamos ante una voluminosa regulación de perfil muy técnico que hubiese sido innecesaria si se hubiera optado por desarrollar un software común a nivel europeo. Pero, como se ha optado por dejar que cada Estado miembro funcione con su propio sistema electrónico, se deben adoptar medidas que aseguren que estos sistemas diferentes puedan intercambiar datos de forma fluida, lo cual exige identificar qué datos deben facilitarse respecto de cada formalidad aduanera y en qué formato deben facilitarse esos datos a fin de que resulten inteligibles a los sistemas de los demás Estados miembros. Así, el artículo 2 RDCAU nos remite a los Anexos A y B del RDCAU para la determinación de los datos que deberán suministrarse para cada tipo de solicitud y decisión —Anexo A— y para cada tipo de declaración, notificación y prueba del estatuto aduanero —Anexo B—. Encontramos en estos anexos listados prolijos y detallados de los datos que deben proporcionarse para cada tipo de formalidad aduanera que se regula en la normativa aduanera. Por su parte, el artículo 2 RECAU nos remite a los Anexos A y B del RECAU para la determinación del formato con el que se debe generar cada dato a ser intercambiado (cuestiones tales como si debe ser un código alfabético o numérico, el número de caracteres que debe tener, qué información debe codificarse en cada carácter... en definitiva, instrucciones que parecen más propias de un manual para desarrolladores de software que una regulación aduanera básica seria para todo un continente).

Por si lo anterior no fuese suficientemente preocupante, aún debe añadirse que cada país va a seguir su propio ritmo en la implantación de estos sistemas electrónicos, de modo que no todos los países van a caminar al mismo ritmo. Ello provoca que tengamos países que puedan funcionar plenamente con sistemas electrónicos, en tanto que otros no lo hagan, lo cual obliga a establecer disposiciones transitorias que regulen las reglas a seguir en medio de esta situación de interinidad.

Además de estas disposiciones, debe tenerse en cuenta lo establecido por el Acto del Consejo de 26 de julio de 1995 por el que se establece el Convenio relativo a la utilización de la tecnología de la información a efectos aduaneros (95/C 316/02) (DO C 316, de 27.11.1995), así como por la Decisión 2009/917/JAI del Consejo de 30 de noviembre de 2009 sobre la utilización de la tecnología de la información a efectos aduaneros (DO L 323, de 10.12.2009). En España la normativa básica en materia de Administración electrónica se contiene en la Ley 39/2015, de 1 de octubre, del Procedimiento Administrativo Común de las Administraciones Públicas (BOE 02.10.2015), que deroga la Ley 11/2007, de acceso electrónico de los ciudadanos a los servicios públicos, y el Real Decreto 1671/2009, de 6 de noviembre, por el que se desarrolla parcialmente la Ley 11/2007, de 22 de junio, de acceso electrónico de los ciudadanos a los servicios públicos (BOE 18.11.2009). El artículo 96 LGT se refiere a la utilización de tecnologías informáticas y telemáticas, así como los artículos 81 a 86 del RD 1065/2007, de aplicación de los tributos. El Real Decreto 1363/2010, de 29 de octubre, por el que se regulan supuestos de notificaciones y comunicaciones administrativas obligatorias por medios electrónicos en el ámbito de la Agencia Estatal de Administración Tributaria (BOE 16.11.2010) configura como personas y entidades obligadas a recibir por medios electrónicos las comunicaciones y notificaciones administrativas, con independencia de su personalidad o forma jurídica, entre otras, a las que tengan una autorización en vigor del Departamento de Aduanas e Impuestos Especiales de la AEAT para la presentación de declaraciones aduaneras mediante el sistema de transmisión electrónica de datos (EDI), de acuerdo con lo dispuesto en el artículo 4 bis del RACAC (artículo 4.2(e) RD 1363/2010).

21.3.4. La identificación de los operadores. El EORI

Entre las medidas para reforzar la seguridad y, al propio tiempo, mejorar el intercambio de datos y el control aduanero, se encuentra la introducción del «número de registro e identificación de los operadores económicos» (número EORI), esto es, un número de identificación, único en el territorio aduanero de la Unión, asignado por una autoridad aduanera a un operador económico o a otra persona con el fin de registrarlo a efectos aduaneros (artículo 1.18 RDCAU).

> El término «persona» se define en el artículo 5(4) CAU como "toda persona física o jurídica, así como cualquier asociación de personas que no sea una persona jurídica pero cuya capacidad para realizar actos jurídicos esté reconocida por el Derecho de la Unión o el nacional". Por su parte, el término «operador económico» se define en el artículo 5(5) CAU como "una persona que, en el ejercicio de su actividad profesional, intervenga en actividades a las que se aplique la legislación aduanera".

El artículo 9 CAU dispone la obligación de todo operador económico establecido en el territorio aduanero de la Unión de registrarse ante las autoridades competentes del lugar en el que esté establecido.

> A estos efectos, el artículo 6 RECAU dispone que los Estados miembros deben designar a las autoridades aduaneras encargadas del registro y comunicar su nombre y dirección a la Comisión, que por su parte publicará esta información en internet.
> De otro lado, conviene apuntar que el artículo 5 (31) CAU define «persona establecida en el territorio aduanero de la Unión», en el caso de las personas físicas, como "cualquier persona que tenga su domicilio habitual en el territorio aduanero de la Unión", en tanto que en el caso de las personas jurídicas y de las asociaciones de personas, lo define como "cualquier persona que tenga su domicilio social, su sede o un establecimiento comercial permanente en el territorio aduanero de la Unión".
> TAXUD ha elaborado una *Guidance* sobre Economic Operators Registration and Identification System (Documento Taxud.a.3(2015) 5707110, DIH 15/009 final).

También se impone la obligación de registro a los operadores económicos que no estén establecidos en el territorio aduanero de la Unión en determinados supuestos. Cuando así sea, deberán registrarse ante las autoridades competentes del lugar en el que presenten por primera vez una declaración o una solicitud de decisión.

> Es el artículo 5 RDCAU el que enumera los supuestos en los que los operadores económicos que no estén establecidos en el TAU deberán registrarse. Deberán hacerlo antes de:
> a) Presentar una declaración en aduana en el TAU. Esta regla, no obstante, tiene excepciones.

Así, no se exige registrarse para presentar alguna de las declaraciones siguientes:

    i)   Una declaración en aduana realizada con arreglo a los artículos 135 a 144 RDCAU (en estos preceptos se regulan las declaraciones orales, declaraciones mediante actos que tienen la consideración de declaración en aduana, declaraciones en papel y declaraciones en aduana para las mercancías en envíos postales)

   ii)   Una declaración en aduana para la inclusión de mercancías en el régimen de importación temporal o una declaración de reexportación para la ultimación de dicho régimen. Ahora bien, sí deberán registrarse cuando el registro sea necesario para la utilización del sistema de gestión común de garantía.

  iii)   Una declaración en aduana realizada en virtud del Convenio relativo a un régimen común de tránsito por un operador económico establecido en un país de tránsito común. Ahora bien, sí deberán registrarse cuando dicha declaración se presente en lugar de una declaración sumaria de entrada o se utilice como declaración previa a la salida.

  iv)   Una declaración en aduana efectuada al amparo del régimen de tránsito de la Unión por un operador económico establecido en Andorra o en San Marino. Ahora bien, sí deberán registrarse cuando dicha declaración se presente en lugar de una declaración sumaria de entrada o se utilice como declaración previa a la salida.

   b)   Presentar una declaración sumaria de entrada o de salida en el territorio aduanero de la Unión;

   c)   presentar una declaración de depósito temporal en el territorio aduanero de la Unión;

   d)   Actuar en calidad de transportista a efectos de transporte por mar, por vías navegables interiores o por aire. Ahora bien, no deberán registrarse cuando se le haya asignado un número de identificación único de tercer país en el marco de un programa de asociación comercial de un tercer país reconocido por la Unión.

   e)   Actuar en calidad de transportista que esté conectado al sistema aduanero y desee recibir cualquiera de las notificaciones previstas en la legislación aduanera relativas a la presentación o la modificación de declaraciones sumarias de entrada.

Para aquellas personas que no tengan la condición de operadores económicos se establece la regla general en virtud de la cual, salvo disposición en contrario, no tendrán obligación de registro ante las autoridades. No obstante, sí deben registrarse cuando así lo exija la legislación de la Unión o de un Estado miembro y también cuando lleven a cabo operaciones en las que deba facilitarse un número EORI con arreglo al anexo A y el anexo B del RDCAU. Ahora bien, si las autoridades lo consideran justificado, podrán no requerir el registro a aquellas personas que no tengan la condición de operadores económicos cuando se limiten a presentar solo ocasionalmente declaraciones en aduana (artículo 9.3 CAU y 6 RDCAU).

En caso de que una persona que no tenga la condición de operador económico deba registrarse, se fijan reglas específicas para determinar ante qué autoridad debe hacerlo. Así, si se trata de una persona establecida en el TAU, deberá registrarse ante las autoridades competentes del lugar en el que estén establecidas. Si, por el contrario, se trata de una persona no establecida en el TAU, deberá registrarse ante las autoridades competentes del lugar en el que presenten por primera vez una declaración o una solicitud de decisión.

En cualquiera de los casos en que se exija registrarse, a fin de obtener la identificación EORI, las autoridades deben recoger y almacenar los datos relativos a la persona a registrar que se especifican en el Anexo 12-01 RDCAU, datos que constituirán el registro EORI (artículo 3 RDCAU). En principio, estos datos deben suministrarse por el operador a las autoridades por medios electrónicos, si bien las autoridades pueden permitir que se haga por otros medios (artículo 4 RDCAU). Ha de tenerse presente que sólo se asignará un número EORI por cada persona (artículo 7.2 RECAU).

> El Reglamento de Ejecución 2019/1026 regula, en sus artículos 28 a 32, el Sistema de Registro e Identificación de los Operadores Económicos. Este mismo Reglamento regula asimismo el Sistema Uniforme de Usuarios y Firma Digital (artículos 14 a 18), que establece las normas relativas a la gestión del acceso a los sistemas.
> Con anterioridad a la fecha de mejora del sistema EORI no se exigían los requisitos comunes en materia de datos establecidos en el anexo 12-01. En su lugar, las autoridades debían recoger y almacenar los datos enumerados en los puntos 1 a 4 del anexo 9, apéndice E, del Reglamento Delegado 2016/341. Cuando así lo exigieran los sistemas nacionales, las autoridades debían recoger y almacenar los datos enumerados en los puntos 5 a 12 del anexo 9, apéndice E, del Reglamento Delegado 2016/341 (artículo 3 RDCAU).

El número EORI debe utilizarse a efectos de la identificación de los operadores económicos y otras personas en sus relaciones con las autoridades aduaneras. En este sentido, el número EORI debe ser utilizado, cuando así se requiera, en todas las comunicaciones de los operadores económicos y otras personas con las autoridades aduaneras y también a efectos del intercambio de información entre las autoridades aduaneras.

> Los Estados miembros pueden utilizar como número EORI un número ya asignado a un operador económico o a otra persona interesada por las autoridades competentes con fines fiscales, estadísticos u otros (veremos que esto es lo que hace España con el NIF).
> Si la autoridad responsable de la asignación del número EORI no fuera la autoridad aduanera, el Estado miembro designará a la autoridad o autoridades responsables del registro de los operadores económicos y otras personas, y de la asignación de números EORI a los mismos. Esta autoridad debe conceder a las autoridades aduaneras de ese Estado miembro acceso directo a los datos de registro EORI.
> En España la Resolución de 28 de enero de 2010, del Departamento de Aduanas e Impuestos Especiales de la Agencia Estatal de Administración Tributaria, en la que se recoge el procedimiento para la asignación del número de Registro e Identificación de Operadores Económicos (EORI) (BOE 16.02.2010) establece la obligación de utilizar el EORI cuando la norma del procedimiento de que se trate así lo disponga y, en particular, en las declaraciones sumarias (en este caso por las personas que las presenten y por quienes se hagan cargo del transporte, como requisito de aceptación de la declaración). El número EORI asignado por la Administración española será el número de identificación fiscal (NIF) precedido de las letras "ES" (como indicativo de España), y la Administración española registrará de oficio con carácter general a quienes dispongan de un NIF español (con las excepciones que se recogen en el apartado cuar-

to de la Resolución; estos sujetos deben solicitar el registro según se establece en el apartado quinto, aportando para ello los datos que relaciona el apartado sexto). La Resolución regula asimismo la comunicación a la Administración española de números EORI asignados por otros Estados miembros respecto de sujetos con NIF español que tengan un EORI asignado por otro Estado.

Dado que la información de registro EORI puede ser relevante para otros Estados miembros y para la Comisión, el artículo 7 RECAU regula el intercambio y el almacenamiento de la información sobre el EORI, disponiendo que se utilizará a estos efectos un sistema electrónico al que denomina «sistema EORI». Este sistema se utilizará para divulgar la información cada vez que se atribuyan nuevos números EORI o se produzcan cambios en los datos almacenados con respecto a los registros ya expedidos. El formato y los códigos de los datos almacenados en el sistema EORI se establecen en el anexo 12-01 RECAU (no confundir con el anexo 12-01 RDCAU, que regula qué datos deben recogerse con ocasión del registro EORI; aquí, en cambio, no nos estamos refiriendo a qué datos se trata, sino al formato y los códigos con los que tales datos se difunden para que resulten disponibles a las demás autoridades).

> Hasta la implantación de la mejora del sistema EORI en 2018, el apartado 4 del artículo 7 RECAU establecía un régimen transitorio. En este sentido, ordenaba que no se aplicaran los formatos y los códigos establecidos en el anexo 12-01 RECAU, sino los establecidos en el anexo 9, Apéndice E, del Reglamento de normas transitorias (Reglamento Delegado 2016/341).

Finalmente, se contemplan dos supuestos en los que las autoridades aduaneras invalidarán el registro EORI previamente realizado. El primero, cuando así lo solicite la persona registrada. El segundo, cuando las autoridades tengan constancia de que la persona registrada ha cesado las actividades que requieren el registro. Si se decide invalidar un registro EORI, las autoridades deben dejar constancia de la fecha y notificar esta circunstancia a la persona inscrita (artículos 9.4 CAU y 7 RDCAU).

21.3.5. *Otras cuestiones procedimentales generales*

Deber de colaboración y suministro de información.– El artículo 15 CAU establece la obligación de suministrar a las autoridades aduaneras, en los plazos que se fijen y previa petición por su parte, todos los documentos y datos, independientemente de su soporte material, y toda la colaboración que sean necesarios. Esta obligación incumbe a toda persona que intervenga directa o indirectamente en la realización de las formalidades aduaneras o en los controles aduaneros. Asimismo, deberá prestar toda la asistencia necesaria para la realización de esas formalidades o controles.

En España LGT regula en su artículo 29 las obligaciones formales. En la regulación de los diferentes procedimientos tributarios se establece la información (sea documental o de otro tipo) que las autoridades pueden requerir en el marco de los mismos.

Se establece una especial responsabilidad a cargo de quienes formulen declaraciones (declaración en aduana, declaración de depósito temporal, declaración sumaria de entrada, declaración sumaria de salida o declaración de reexportación) o realicen determinadas formalidades aduaneras (notificación de reexportación, solicitud de autorización, solicitud de cualquier otra decisión o suministro de información). Esta responsabilidad se proyecta sobre la exactitud y plenitud de la información que contenga la declaración, notificación o solicitud; sobre la autenticidad, exactitud y validez de los documentos justificativos de la declaración, notificación o solicitud; y, en su caso, el cumplimiento de todas las obligaciones derivadas del régimen aduanero en el que se incluyan las mercancías o de la realización de las operaciones que se hayan autorizado.

Se precisa además que, si hubiera sido el representante aduanero quien hubiera presentado la declaración, notificación o solicitud, o facilitado la información, éste quedará igualmente sujeto a la responsabilidad antes señalada.

Confidencialidad.– El artículo 12 CAU establece la obligación, a cargo de las autoridades, de mantener el secreto profesional respecto de cualquier información de naturaleza confidencial o facilitada con tal carácter. Esta información no podrá ser divulgada por las autoridades competentes sin la expresa autorización de la persona o autoridad que la haya facilitado. Esta regla, no obstante, tiene varias excepciones. En primer lugar, se permite el intercambio de datos entre autoridades necesario para la correcta aplicación de la normativa aduanera (véase el artículo 47.2 CAU). En segundo lugar, se permite la comunicación de datos a las autoridades de países terceros a efectos de la cooperación aduanera en el marco de un acuerdo internacional o de la legislación de la Unión en el ámbito de la política comercial común. En tercer lugar, la información podrá ser transmitida cuando las autoridades competentes estén obligadas a hacerlo de conformidad con las disposiciones vigentes, concretamente en el marco de un procedimiento judicial o en aplicación de la legislación sobre protección de datos. En todos estos casos, debe garantizarse un nivel adecuado de protección de datos con pleno respeto de las disposiciones vigentes en la materia.

En cualquier caso, deberán respetarse las disposiciones vigentes en materia de protección de datos, en particular del Reglamento (UE) 2016/679 y el Reglamento (UE) 2018/1725.
El artículo 95 LGT establece el carácter reservado de los datos con trascendencia tributaria y el régimen de confidencialidad de los mismos.

El artículo 13 CAU establece el carácter confidencial de la información que, sin estar exigida expresamente por la legislación aduanera, intercambien entre sí el operador y las autoridades a los fines de la cooperación mutua en la detección y prevención de riesgos, a menos que acuerden lo contrario.

> El artículo 13 CAU indica que tal intercambio de información podrá tener lugar en el marco de un acuerdo escrito e incluir el acceso de las autoridades aduaneras a los sistemas informáticos del operador económico.

Plazo de conservación de los documentos.– El artículo 51 CAU establece la regla general conforme a la cual los interesados deben conservar durante tres años, al menos, todos los documentos y datos necesarios para la aplicación de la normativa aduanera, en una forma que sea accesible y aceptable para las autoridades, al objeto de permitir la realización de los controles aduaneros.

> El plazo de conservación de los documentos empezará a contar desde finales del año durante el cual:
> a) se hayan admitido las declaraciones de despacho a libre práctica o de exportación, cuando se trate de mercancías despachadas a libre práctica en caso distintos de los contemplados en la letra b), o de mercancías declaradas para su exportación;
> b) dejen de estar bajo vigilancia aduanera, cuando se trate de mercancías despachadas a libre práctica que se benefician de un derecho de importación reducido o nulo debido a su utilización con fines específicos;
> c) finalice el régimen aduanero de que se trate, en caso de mercancías incluidas en otro régimen aduanero o en depósito temporal;

Este plazo mínimo de conservación de los documentos, de tres años, se prolongará por otros tres años más cuando la comprobación de una deuda aduanera ponga de manifiesto la necesidad de proceder a una rectificación de la liquidación correspondiente, siempre que la persona interesada sea informada de ello.

> Además, no computará a estos efectos el tiempo transcurrido entre la solicitud de una devolución o condonación que las autoridades concedan erróneamente y el momento en que las autoridades decidan la improcedencia de tal condonación o devolución (véase el artículo 103.4 CAU).

Por otra parte, si se interpone un recurso o se inicia un proceso judicial, la documentación y la información debe conservarse, al menos, hasta que concluya el recurso o el procedimiento judicial.

> Adicionalmente debe tenerse en cuenta que buena parte de la documentación relevante a efectos aduaneros será asimismo necesaria para la correcta aplicación del IVA a la importación. Por ello, los plazos de conservación de la documentación conforme a la normativa nacional deben ser tenidos en cuenta. En este sentido, el artículo 70 LGT ordena conservar la información hasta la expiración del plazo de prescripción (que es de cuatro años, computados conforme a las reglas de los artículos 67 y 68 LGT), aunque la normativa mercantil puede imponer uno superior (que será relevante también en materia de suministro de datos para la compro-

bación tributaria de terceros). Además debe tenerse en cuenta que si un dato es relevante para justificar la deuda tributaria de un período no prescrito, ese dato debe conservarse aunque se refiera a una operación realizada en un período ya prescrito (p.e., aunque haya prescrito el ejercicio en que se adquirió una máquina, si esa máquina se está amortizando, la documentación relativa a la adquisición de la máquina debe conservarse hasta que prescriba el último ejercicio de su amortización, a fin de que la Administración pueda comprobar que la amortización ha sido correcta).

Prórroga de los plazos.– El artículo 55 CAU limita la discrecionalidad de la Administración por lo que se refiere a la modificación de plazos, fechas o términos, al sujetar esta posibilidad a la existencia de una previsión expresa en la norma, de manera que los plazos no podrán prolongarse o reducirse ni las fechas o términos diferirse o adelantarse. Por lo demás, se dispone la aplicabilidad en materia aduanera de las normas relativas a plazos, fechas y términos que establece el Reglamento 1182/71 del Consejo, de 3 de junio de 1971, por el que se determinan las normas aplicables a los plazos, fechas y términos, salvo que se disponga lo contrario en la legislación aduanera.

Repercusión de costes.– El artículo 52 CAU establece la regla general conforme a la cual las autoridades no podrán imponer lo que denomina "gravámenes" por los controles aduaneros y demás actos de aplicación de la normativa aduanera efectuados durante el horario oficial de sus aduanas competentes. Ahora bien, sentada esta regla general, dispone que sí se podrán imponer gravámenes o recuperar costes cuando se presten servicios especiales.

En particular, enumera como supuestos en los que procede la referida imposición los siguientes:
a) los derivados de la presencia que pueda solicitarse del personal de aduanas fuera del horario oficial o en locales que no sean los de aduanas;
b) los derivados de los análisis e informes de expertos sobre las mercancías y de las tarifas postales que deban pagarse en caso de devolución de aquellas a un solicitante, particularmente en el marco de las decisiones sobre Informaciones Vinculantes o en el del suministro de información conforme al artículo 14.1 CAU;
c) los derivados del examen o muestreo de las mercancías para fines de verificación, o de la destrucción de estas, en caso de que se produzcan gastos que no sean los de la utilización del personal de aduanas;
d) los derivados de las medidas de control excepcionales que sean necesarias debido a la naturaleza de las mercancías o a los riesgos potenciales existentes.

LA DECLARACIÓN SUMARIA Y EL DEPÓSITO TEMPORAL

ÍNDICE

22 La declaración sumaria y el depósito temporal

22.1. LA DECLARACIÓN SUMARIA DE ENTRADA

Conforme a lo dispuesto en el artículo 127.1 CAU, antes de la introducción de las mercancías en el TAU (Territorio Aduanero de la Unión) debe transmitirse electrónicamente a las autoridades aduaneras una declaración sumaria de entrada (que se designa con la abreviatura ENS, de *Entry Summary*). El artículo 5(9) CAU define la «declaración sumaria de entrada» como "el acto por el que una persona informa a las autoridades aduaneras, en la forma y el modo establecidos, y dentro de un plazo concreto, de que determinadas mercancías van a entrar en el territorio aduanero de la Unión".

En materia de formalidades de importación la Comisión Europea (Grupo de Expertos en Aduanas) ha elaborado la "*Guidance on Customs Formalities on Entry and Import into the European Union*" (Ref. Ares(2018)6352314, de 11/12/2018).

Las autoridades pueden permitir que se utilicen sistemas de información comercial, portuaria o relativa al transporte para presentar una declaración sumaria de entrada (ENS), siempre que contengan los datos necesarios y se encuentren disponibles en plazo (artículo 127.7 CAU).

En tres supuestos se exceptúa la obligación de presentación de la declaración sumaria de entrada (en lo sucesivo, ENS). En primer lugar, cuando se trata de mercancías transportadas en medios de transporte que se limiten a atravesar las aguas territoriales o el espacio aéreo del TAU sin hacer ninguna parada en él. En segundo lugar, cuando resulte debidamente justificado por el tipo de mercancías o de tráfico. Y, en tercer lugar, cuando así lo exijan los acuerdos internacionales existentes, lo que puede ocurrir, en particular, respecto de acuerdos internacionales en los que se establezca el reconocimiento de las inspecciones de seguridad realizadas en el país de exportación (artículo 127.2 CAU).

Por lo que hace a la segunda de las excepciones señaladas, la ENS no será necesaria cuando se introduzcan las mercancías que enumera el artículo 104 RDCAU.

Mercancías para las que no se exige declaración sumaria de entrada (artículo 104 RDCAU)
a)   energía eléctrica
b)   mercancías que entren mediante conductos
c)   los objetos de correspondencia (1)
d)   los efectos personales, la ropa blanca y el mobiliario y equipo destinado al uso personal de los interesados o a las necesidades de su hogar [artículo 2.1.(d) del Reglamento (CE) 1186/2009, de franquicias], siempre que no sean transportados al amparo de un contrato de transporte
e)   las mercancías en relación con las cuales se permite una declaración en aduana oral conforme a los artículos 135 y 136.1 RDCAU, siempre que no sean transportadas al amparo de un contrato de transporte
f)   Determinadas mercancías declaradas mediante un acto que se considera declaración en aduana (como seguir el circuito verde "nada que declarar", artículo 141 RDCAU), siempre que no sean transportadas al amparo de un contrato de transporte Se trata de: Los productos obtenidos por agricultores de la Unión en fincas situadas en un tercer país y los productos de la pesca, la piscicultura y la caza que puedan acogerse a la franquicia en virtud de los artículos 35 a 38 del Reglamento de Franquicias; Las simientes, abonos y productos para el tratamiento del suelo y las plantas importados por productores agrícolas de terceros países para ser utilizados en sus propiedades limítrofes con estos países que puedan acogerse a la franquicia prevista en los artículos 39 y 40 del Reglamento de Franquicias Los medios de transporte que puedan acogerse a la franquicia de derechos de importación como mercancías de retorno de conformidad con el artículo 203 CAU Los instrumentos de música portátiles reimportados por viajeros que puedan acogerse a la franquicia de derechos de importación como mercancías de retorno de conformidad con el artículo 203 CAU Los órganos y otros tejidos humanos o animales o la sangre humana adecuados para su injerto permanente, su implantación o su transfusión, en casos de urgencia Los órganos y otros tejidos humanos o animales o la sangre humana adecuados para su injerto permanente, su implantación o su transfusión, en casos de urgencia Los animales que pertenezcan a una persona establecida fuera del TAU, siempre que estén destinados a la trashumancia, el pastoreo o a la ejecución de un trabajo o al transporte Los equipos propiedad de personas establecidas en una zona fronteriza de un país tercero adyacente a la zona fronteriza de la Unión donde vayan a utilizarse las mercancías y utilizados por ellas Los instrumentos y aparatos necesarios para que los médicos puedan prestar asistencia a los pacientes que estén a la espera de un órgano para trasplante en las condiciones que establece el artículo 226.1 RDCAU El material de socorro en caso de catástrofe utilizado en el marco de las medidas adoptadas para combatir los efectos de las catástrofes o de situaciones similares que afecten al TAU Los instrumentos de música portátiles temporalmente importados por viajeros y destinados a un uso como equipo profesional Los envases importados llenos y destinados a la reexportación, ya sea vacíos o llenos, que lleven marcas indelebles e inamovibles que identifiquen a una persona establecida fuera del TAU
g)   las mercancías contenidas en el equipaje personal de los viajeros

Mercancías para las que no se exige declaración sumaria de entrada (artículo 104 RDCAU)
h)   las mercancías que circulen o se utilicen en el contexto de actividades militares al amparo de un impreso 302 de la OTAN o un impreso 302 de la UE
i)   las armas y el equipo militar introducidos en el TAU por las autoridades encargadas de la defensa militar de un Estado miembro, en transporte militar o en transporte para uso exclusivo de las autoridades militares
j)   las mercancías que figuran a continuación introducidas en el TAU directamente desde instalaciones en alta mar operadas por una persona establecida en el TAU: i)   mercancías incorporadas a dichas instalaciones en alta mar para su construcción, reparación, mantenimiento o adaptación;   ii)   mercancías utilizadas para el acondicionamiento o equipamiento de las instalaciones en alta mar;   iii)   provisiones utilizadas o consumidas en las instalaciones en alta mar;   iv)   residuos no peligrosos de las referidas instalaciones en alta mar
k)   las mercancías exentas del pago de impuestos de conformidad con la Convención de Viena sobre relaciones diplomáticas de 18 de abril de 1961, la Convención de Viena sobre relaciones consulares de 24 de abril de 1963, otras convenciones consulares o la Convención de Nueva York, de 16 de diciembre de 1969, sobre las misiones especiales
l)   las siguientes mercancías a bordo de buques y aeronaves: i)   mercancías suministradas para su incorporación como piezas o accesorios en dichos buques y aeronaves;   ii)   mercancías para el funcionamiento de los motores, la maquinaria y otros equipos de dichos buques y aeronaves;   iii)   productos alimenticios y otros artículos para su consumo o venta a bordo
m)   las mercancías introducidas en el TAU procedentes de Ceuta y Melilla, Gibraltar, Heligoland, la República de San Marino, el Estado de la Ciudad del Vaticano y el municipio de Livigno
n)   los productos de la pesca marítima y otros productos extraídos del mar fuera del TAU por buques de pesca de la Unión
o)   los buques, y las mercancías en ellos transportadas, que entren en las aguas territoriales de un Estado miembro con el único objetivo de embarcar suministros sin conectarse a ninguna instalación portuaria
p)   las mercancías al amparo de cuadernos ATA o CPD, siempre que no sean transportadas al amparo de un contrato de transporte
q)   los desechos generados por buques, a condición de que la notificación previa de desechos a que se refiere el artículo 6 de la Directiva (UE) 2019/883 se haya realizado en la ventanilla única marítima nacional o a través de otro canal de comunicación de información aceptable para las autoridades competentes, incluidas las aduaneras

(1) El artículo 1(26) RDCAU define «objetos de correspondencia» como "las cartas, tarjetas postales, cecogramas o impresos no sujetos a derechos de importación o de exportación".

Se encuentra pendiente la implantación del Sistema de Control de la Importación 2 ("ICS2"), un sistema electrónico relativo a las declaraciones sumarias de entrada al que se refiere el artículo 182.1 RECAU. La referida implantación se realizará en tres fases, denominadas "entregas" (véase la Decisión 2019/2151). Como medida transitoria hasta la implantación del ICS2, se establece, en los apartados 2 y 4 del artículo 104 RDCAU, una serie de dispensas (esto es, de normas de exención) de la obligación de presentar una declaración sumaria de entrada. Estas dispensas son relativas, por una parte, a las mercancías en envíos postales (hasta la implantación de la entrega 1, prevista para el 15 de marzo de 2021, para los envíos postales que se transporten por vía aérea y tengan un Estado miembro como destino final; hasta la implantación de la entrega 2, prevista para 1 de marzo de 2023, para los envíos postales que se transporten por vía aérea y tengan un tercer país o territorio como destino final; hasta la implantación de la entrega 3, prevista para el 1 de marzo de 2024, para los envíos postales que se transporten por vía marítima, carretera o ferrocarril) y, por otra parte, a las mercancías de un envío cuyo valor intrínseco no exceda de 22 EUR (en este caso sujeto a la condición de que las autoridades aduaneras acepten, con el consentimiento del operador económico, efectuar un análisis de riesgos basado en la información incluida en el sistema utilizado por el operador económico o facilitada por dicho sistema), distinguiendo asimismo tres etapas (hasta la implantación de la entrega 1, dispensa para los envíos urgentes transportados por vía aérea; hasta la implantación de la entrega 2, para las mercancías transportadas por vía aérea en forma distinta a la de un envío postal o un envío urgente; hasta la implantación de la entrega 3, para las mercancías transportadas por vía marítima, vías navegables interiores, carretera o ferrocarril).

Entregas del Sistema de Control de Importación 2 (ICS2)	
Entrega 1	15 de marzo de 2021
Entrega 2	1 de marzo de 2023
Entrega 3	1 de marzo de 2024

Supuestos para los que, de forma transitoria, no se exige presentación de la declaración sumaria de entrada		
Categoría	*Duración del período transitorio*	*Supuestos*
Envíos postales	Hasta la implantación de la entrega 1	Envíos postales que se transporten por vía aérea y tengan un Estado miembro como destino final
	Hasta la implantación de la entrega 2	Envíos postales que se transporten por vía aérea y tengan un tercer país o territorio como destino final
	Hasta la implantación de la entrega 3	Envíos postales que se transporten por vía marítima, carretera o ferrocarril

Supuestos para los que, de forma transitoria, no se exige presentación de la declaración sumaria de entrada		
Categoría	*Duración del período transitorio*	*Supuestos*
Envíos con valor intrínseco inferior a 22 euros	Sujeto a la condición de que las autoridades aduaneras acepten, con el consentimiento del operador económico, efectuar un análisis de riesgos basado en la información incluida en el sistema utilizado por el operador económico o facilitada por dicho sistema:	
	Hasta la implantación de la entrega 1	Envíos urgentes transportados por vía aérea
	Hasta la implantación de la entrega 2	Mercancías transportadas por vía aérea en forma distinta a la de un envío postal o un envío urgente
	Hasta la implantación de la entrega 3	Mercancías transportadas por vía marítima, vías navegables interiores, carretera o ferrocarril

El apartado (46) del artículo 1 RDCAU define «envío urgente» como "un artículo individual transportado por una empresa de transporte urgente o bajo la responsabilidad de una empresa de transporte urgente", en tanto que el siguiente apartado (47) define «empresa de transporte urgente» como "operador que presta servicios integrados de recogida, transporte, despacho de aduanas y entrega de forma urgente y en un plazo concreto, así como la localización y el control de dichos artículos durante la prestación del servicio".

Por otra parte apartado (48) del artículo 1 RDCAU define «valor intrínseco» como "el precio de las propias mercancías cuando se venden para su exportación al territorio aduanero de la Unión, excluido el coste del transporte y los seguros, salvo que se hayan incluido en el precio y no se hayan indicado separadamente en la factura, y cualquier otro impuesto y gravamen que las autoridades aduaneras puedan determinar a partir de cualquier documento pertinente" (si se trata de mercancías de carácter comercial) o "el precio que se habría pagado por las propias mercancías si se hubieran vendido para su exportación al territorio aduanero de la Unión" (si se trata de mercancías desprovistas de carácter comercial). Obsérvese, por tanto, que el "valor intrínseco" es una magnitud distinta del valor en aduana de las mercancías, que parece reducirse al precio en la venta para la exportación, excluyendo todos los ajustes sobre ese precio que se establecen para determinar el valor de transacción.

La obligación de presentar la declaración sumaria de entrada (ENS) corresponde al transportista. El artículo 5(40) CAU define el término «transportista» y nos señala que, en el contexto de la entrada, es la persona que introduzca las mercancías en el TAU o que asuma la responsabilidad del transporte de esas mercancías en dicho territorio.

La definición de «transportista» contenida en el artículo 5(40) CAU contiene dos precisiones adicionales. La primera se refiere a los supuestos de transporte combinado, que es el que se produce cuando el medio de transporte activo que entra en el TAU se utiliza únicamente para transportar otro medio de transporte que, tras su entrada en el TAU, va a circular por sus propios medios como medio de transporte activo (p.e. un buque que transporta camiones). En este supuesto se entenderá por «transportista» la persona que vaya a operar el medio de transporte que, tras su entrada en el TAU, circulará por sus propios medios como medio de transporte activo (en nuestro ejemplo, quien vaya a operar los camiones), y será este sujeto quien deberá presentar la ENS. El plazo de antelación que debe observarse en este supuesto para presentar la ENS será el aplicable al medio de transporte activo que entra en el TAU (en nuestro ejemplo, el aplicable al tráfico marítimo; artículo 110 RDCAU).

La segunda precisión se refiere a los supuestos de acuerdo de uso compartido de buque o un contrato de fletamento en el tráfico marítimo o aéreo. En estos supuestos se entenderá por «transportista» la persona que haya concluido un contrato y expedido un conocimiento de embarque o un conocimiento aéreo para la introducción real de las mercancías en el TAU, y será este sujeto quien deba presentar la ENS.

El Convenio de Kioto (revisado) establece la obligación a cargo del transportista de incluir todas las mercancías en el manifiesto de carga, al que define como "la información presentada con anterioridad o a la llegada o a la partida de un medio de transporte con fines comerciales, a condición que suministre la información solicitada por la Aduana relativa a la carga introducida o retirada del territorio aduanero" (norma 4 del Capítulo 1 del Anexo Específico A).

Aunque la obligación de presentar la ENS corresponde al transportista, se establece que otros sujetos podrán asimismo presentarla. Se trata del importador, el consignatario, cualquier otra persona en cuyo nombre o por cuya cuenta actúe el transportista y, en general, cualquier persona que esté en condiciones de presentar las mercancías de que se trate ante la aduana de entrada o de disponer que se presenten (artículo 127.4 CAU).

El artículo 112.1 RDCAU se refiere al supuesto de mercancías transportadas por vía marítima o por vías navegables, cuando ese transporte se realiza al amparo de más de un contrato de transporte cubierto por uno o varios conocimientos de embarque. Puede ocurrir en estos casos que la persona que expide el conocimiento de embarque no facilite los datos necesarios para la declaración sumaria de entrada a su contraparte contractual. En estas circunstancias, esa persona que no haya facilitado los datos necesarios para la ENS será quien deba facilitarlos a la aduana de primera entrada. Por otra parte se dispone que, si hubiese sido el destinatario indicado en el conocimiento de embarque que no tenga conocimientos de embarque subyacentes quien no hubiera facilitado los datos de la ENS a la persona que hubiera expedido el conocimiento de embarque, entonces será el propio destinatario quien deberá facilitar a la aduana de primera entrada los datos de la ENS. Obsérvese que, en ambos casos, se exige que aporte los datos de la ENS a la aduana de primera entrada a quien no facilitó tales datos, a pesar de disponer de ellos, a la persona que preparó el conocimiento de embarque. Por su parte, para los supuestos a que se refiere el artículo 112.1 RDCAU, el artículo 184 RECAU establece obligaciones formales adicionales dirigidas a facilitar el control, que comenzarán a ser exigibles a partir de la implantación de la entrega 3 del ICS2 (prevista para 1 de marzo de 2024), y mediante las cuales se pretende identificar en la declaración sumaria a la persona que dispone de los datos requeridos. En este sentido, tanto el transportista como cualquier persona que expida un conocimiento de embarque consignarán, en los datos de la declaración sumaria de entrada, la identidad de cualquiera que haya celebrado con ellos un contrato de transporte y no les haya facilitado los datos necesarios para la declaración sumaria de entrada. Por otra parte, en caso de que el destinatario indicado en el conocimiento de embarque como carente de conocimientos de embarque subyacentes no facilite a la persona que expida el conocimiento de embarque los datos necesarios, esta consignará la identidad del destinatario en los datos de la declaración sumaria de entrada. Paralelamente, la persona que expida el conocimiento de embarque debe informar a la persona que celebró un contrato de transporte con él de la expedición de dicho conocimiento de embarque. Y, si se trata de un acuerdo de carga compartida de las mercancías, la persona que expida el conocimiento de embarque debe informar a la persona con la que celebró el acuerdo de la expedición de dicho conocimiento de embarque.

El artículo 113.1 RDCAU contiene reglas análogas a las del artículo 112.1 RDCAU para las mercancías transportadas por vía aérea, cuando ese transporte se realiza al amparo de más de un contrato de transporte cubierto por una o varias cartas de porte aéreo. Puede ocurrir en estos casos que la persona que expida la carta de porte aéreo no facilite los datos necesarios para la ENS a su contraparte contractual. En estas circunstancias, esa persona que no haya facilitado los datos necesarios será quien deba facilitarlos a la aduana de primera entrada. También para los supuestos a que se refiere el artículo 113.1 RDCAU, el artículo 184 RECAU establece obligaciones formales adicionales análogas a las ya señaladas para el artículo 112.1 RDCAU, aunque en este caso comenzarán a ser exigibles a partir de la implantación de la entrega 2 del ICS2 (prevista para 1 de marzo de 2023). De modo que, tanto el transportista como cualquier persona que expida un conocimiento aéreo consignarán, en los datos de la declaración sumaria de entrada, la identidad de cualquiera que haya celebrado con ellos un contrato de transporte, o que haya expedido un conocimiento aéreo respecto de las mismas mercancías, y no les haya facilitado los datos necesarios para la declaración sumaria de entrada. Y, paralelamente, la persona que expida el conocimiento aéreo debe informar a la persona que celebró un contrato de transporte con él de la expedición de dicho conocimiento aéreo. Si se trata de un acuerdo de carga compartida de las mercancías, la persona que expida el conocimiento aéreo debe informar a la persona con la que celebró un contrato de transporte con él de la expedición de dicho conocimiento aéreo.

Con todo, debe observarse que las reglas establecidas en los artículos 112.1 y 113.1 RDCAU no se aplicarán hasta la implantación de la entrega 1 y de la entrega 2 —respectivamente— del Sistema de Control de la Importación "ICS2" (artículos 112.3 y 113.4 RDCAU).

Por lo que se refiere a los envíos postales, a partir de la implantación de la entrega 2 del Sistema de Control de la Importación "ICS2", en caso de que el operador postal no ponga los datos requeridos para la declaración sumaria de entrada de tales envíos a disposición del transportista obligado a presentarla, esos datos deberán ser facilitados a la oficina de primera entrada por el operador de servicios postales de destino (si las mercancías se envían a la Unión), o por el operador de servicios postales del Estado miembro de primera entrada (si las mercancías están en tránsito en la Unión).

Respecto a los envíos urgentes transportados por vía aérea, también a partir de la implantación de la entrega 2 del Sistema de Control de la Importación "ICS2", en caso de que la empresa de transporte urgente no ponga los datos requeridos para la declaración sumaria de entrada de tales envíos a disposición del transportista, será la propia empresa de transporte urgente quien deba facilitar esos datos a la aduana de primera entrada (artículo 113 bis RDCAU, apartados 2 y 3).

En los supuestos referidos, tanto de envíos postales como de envíos urgentes, el transportista debe consignar en los datos de la declaración sumaria de entrada la identidad del operador postal o la empresa de transporte urgente que no le facilite los datos necesarios para la declaración sumaria de entrada (artículo 184.5 RECAU).

En cualquiera de los casos, quien presente los datos de la ENS será responsable de la exactitud y plenitud de la información de que se trate, así como de la autenticidad, exactitud y validez de los documentos justificativos de la misma (apartado 1 del artículo 113 bis RDCAU).

La ENS debe presentarse a la aduana de primera entrada, si bien las autoridades podrán autorizar que se presente en otra aduana, en cuyo caso ésta debe comunicar inmediatamente a la aduana de primera entrada los datos necesarios por vía electrónica o ponerlos a su disposición (artículo 127.3 CAU).

> El artículo 1(15) RDCAU nos define «aduana de primera entrada» como "la aduana competente para la vigilancia aduanera en el lugar en que el medio de transporte que lleva las mercancías llega al territorio aduanero de la Unión desde un territorio situado fuera de dicho territorio".

El artículo 182 RECAU dispone la utilización de un sistema electrónico relativo a las declaraciones sumarias de entrada.

> El referido sistema electrónico relativo a las declaraciones sumarias de entrada (ICS2) se utilizará para la presentación, el tratamiento y el almacenamiento de datos (tanto de los datos de las declaraciones sumarias de entrada y de otra información relativa a estas declaraciones, como de los análisis de riesgos aduaneros —a efectos de la seguridad y protección— y de las medidas que deban adoptarse sobre la base del resultado de dicho análisis), así como para el intercambio de información relativa a las ENS (incluyendo los resultados del análisis de riesgos, medidas adoptadas y las recomendaciones sobre los lugares de control y los resultados de esos controles) y para el intercambio de información en aplicación de los criterios y normas comunes en materia de riesgos de protección y seguridad y medidas de control. Los operadores económicos, por su parte, utilizarán una interfaz de operadores armonizada a escala de la UE, diseñada de común acuerdo por la Comisión y los Estados miembros, tanto para la presentación de los datos de las declaraciones sumarias de entrada, como para las solicitudes de rectificación, las solicitudes de invalidación, el tratamiento y el almacenamiento de tales datos y para el intercambio de información con las autoridades aduaneras.
> Ahora bien, en tanto que estos sistemas no estén plenamente disponibles (su implantación se regula en la Decisión de Ejecución 2019/2151), se dispone que los Estados miembros utilizarán el sistema electrónico desarrollado para la presentación y el intercambio de información relativa a las ENS previsto en el RACAC (Reglamento 2454/93), conocido por el acrónimo "ICS" (*Import Control System*).

Los datos que debe contener la ENS se indican en el Anexo B del RDCAU y las instrucciones acerca de los formatos y códigos que deben utilizarse para cumplimentar las declaraciones se recogen en el Anexo B del RECAU. Si el transportista no dispone de todos los datos requeridos, se le podrán requerir a otras personas que dispongan de ellos, siempre que puedan facilitarlos (artículo 127.6 CAU).

> Los datos que deben reflejarse en la ENS se relacionan en el anexo B del RDCAU, en las columnas "F", de entre las cuales debe identificarse en cada caso la que corresponda dependiendo de las circunstancias de la introducción de las mercancías (acerca de cuál de las columnas "F" debe seleccionarse, véase la Sección 1 "Encabezamiento de las columnas" del Capítulo 2 "Leyenda del cuadro" del Anexo B RDCAU; el cuadro de datos que identifica los que se deben proporcionar en cada tipo de declaración sumaria se recoge en la Sección 1 del Capítulo 3 de este mismo anexo).
>
> Si bien los datos que se exigen en la ENS tienen un nivel de detalle inferior a los que deben incluirse en la declaración en aduana, esta relajación no debe ser extralimitada. En este sentido, TAXUD ha elaborado una "Guidance" acerca de términos adecuados e inadecuados en relación con la descripción de las mercancías en la ENS durante el período transitorio del CAU (*"Guidance on acceptable and unacceptable terms for the description of goods for exit and entry summary declarations during the UCC transitional period"*, documento TAXUD A3 (2015) 5706872).
>
> Alternativamente a la declaración sumaria, la aduana podrá permitir que simplemente se presente una notificación y se proporcione acceso a los datos de la declaración sumaria en el sistema informático del operador económico (artículo 127.8 CAU).
>
> Por otra parte, conforme al artículo 130.1 CAU, la aduana de entrada podrá dispensar la presentación de una ENS respecto a las mercancías para las cuales se presente una declaración aduanera antes del vencimiento del plazo para presentar la ENS. A este fin, la declaración en aduana debe contener, al menos, los datos necesarios para una ENS. Hasta el momento de su admisión, esta declaración en aduana tendrá la condición de ENS. De forma análoga, cabe también que la aduana competente para recibir la ENS dispense su presentación respecto a las mercancías para las cuales se presente una declaración de depósito temporal antes del vencimiento del plazo para presentar la ENS. Para que ello ocurra, la declaración de depósito temporal debe contener, al menos, los datos necesarios para una ENS. La referida declaración de depósito temporal tendrá la consideración de ENS hasta que las mercancías se presenten en aduana (artículo 130.2 CAU).
>
> En España esta materia se regula en la Orden EHA/1217/2011, de 9 de mayo, por la que se regula el procedimiento de entrada y presentación de mercancías introducidas en el territorio aduanero comunitario y la declaración sumaria de depósito temporal, así como la declaración sumaria de salida y la notificación de reexportación en el marco de los procedimientos de salida de las mercancías de dicho territorio (BOE 16.05.2011). Su artículo 3.4 dispone que la ENS se basará en el documento de transporte.

Cuando se exija la declaración sumaria, esta debe presentarse antes de la llegada de las mercancías al TAU. El plazo de antelación depende del medio de transporte y de la modalidad del mismo, según se indica en la siguiente tabla.

Plazo de antelación en que debe presentarse la declaración sumaria de entrada		
Medio transporte	*Modalidad*	*Antelación*
Tráfico marítimo Art. 105 RDCAU	a) cargamentos en contenedores [salvo letras c) o d)]	Al menos 24 horas antes de la carga en el buque en que vayan a ser introducidas en el TAU
	b) cargamentos a granel/a granel en embalajes [salvo letras c) o d)]	Al menos 4 horas antes de la llegada al primer puerto situado en el TAU
	c) mercancías procedentes de Groenlandia, las islas Feroe, Islandia o puertos del mar Báltico, del mar del Norte, del mar Negro o del Mediterráneo, todos los puertos de Marruecos o puertos del Reino Unido (con excepción de los situados en Irlanda del Norte) y puertos de las Islas Anglonormandas y de la Isla de Man	Al menos 2 horas antes de la llegada al primer puerto situado en el TAU
	d) para la circulación, en casos distintos de aquellos a los que se aplica la letra c), entre un territorio exterior al TAU y los departamentos franceses de ultramar, las Azores, Madeira o las Islas Canarias, en que la duración del viaje sea inferior a 24 horas	Al menos 2 horas antes de la llegada al primer puerto situado en el TAU
Tráfico aéreo Art. 106 RDCAU	Con carácter general	Lo antes posible
	a) vuelos de duración inferior a cuatro horas	Al menos en el momento de la salida efectiva de la aeronave
	b) para los demás vuelos	Al menos 4 horas antes de la llegada al primer aeropuerto situado en el TAU

Plazo de antelación en que debe presentarse la declaración sumaria de entrada		
Medio transporte	**Modalidad**	**Antelación**
Tráfico aéreo Art. 106 RDCAU (Cont.)	Normas transitorias aplicables en las 3 etapas ("entregas") de implantación del Sistema de Control de la Importación ("ICS2")	– A partir de la implantación de la entrega 1: los operadores postales y las empresas de transporte urgente deben presentar, al menos, el conjunto de datos mínimo de la declaración sumaria de entrada lo antes posible y, a más tardar, antes de que las mercancías se carguen en la aeronave en la que esté previsto que se introduzcan en el TAU. Hasta la implantación de la entrega 2 el conjunto mínimo de datos de la declaración sumaria de entrada se considerará declaración sumaria de entrada completa para las mercancías en envíos postales cuyo destino final sea un Estado miembro y para las mercancías en envíos urgentes cuyo valor intrínseco no exceda de 22 euros. – A partir de la implantación de la entrega 2: la obligación de presentar, al menos, el conjunto de datos mínimo de la declaración sumaria de entrada antes de que las mercancías se carguen se extiende a los demás operadores económicos. Además, para todos los operadores, en caso de que inicialmente sólo comuniquen el conjunto de datos mínimo de la declaración sumaria de entrada, deberán comunicar los demás datos de la declaración sumaria dentro de los plazos señalados arriba, en las letras (a) y (b).
Tráfico por ferrocarril Art. 107 RDCAU	a) cuando el viaje en tren desde la última estación situada en un tercer país hasta la aduana de primera entrada tarde menos de 2 horas	Al menos, una hora antes de la llegada a la aduana de entrada en el TAU
	b) en los demás casos	Al menos, dos horas antes de la llegada a la aduana de entrada en el TAU
Tráfico por carretera - Art. 108 RDCAU		Al menos, una hora antes de la llegada a la aduana de entrada en el TAU
Transporte por vías navegables interiores - Art. 109 RDCAU		Al menos, dos horas antes de la llegada a la aduana de entrada en el TAU

Sin perjuicio de lo que se disponga en acuerdos internacionales entre la UE y terceros países, los plazos señalados en la tabla no son aplicables en casos de fuerza mayor (artículo 111 RDCAU).

El sistema electrónico ICS2, una vez se encuentre operativo, permitirá que la declaración sumaria, en lugar de presentarse completa de una sola vez, se presente en forma de varios paquetes de datos (paquetes parciales de datos), cada uno de los cuales puede ser facilitado por un operador distinto (artículo 183 RECAU).

Normas transitorias para la implantación de la ENS por paquetes parciales de datos (artículo 183 RECAU)		
Medio transporte	Modalidad	Antelación
Aéreo	Compañía aérea	ENS completa hasta entrega 2 del ICS2
	Transporte urgente	(a) Si el valor intrínseco es superior a 22 euros: ENS completa hasta entrega 2 del ICS2
		(b) Para todos los envíos: conjunto mínimo de datos que regula el artículo 106.2 RDCAU a partir de la entrega 1 del ICS2
	Operadores postales	Conjunto mínimo de datos que regula el artículo 106.2 RDCAU para envíos con destino a un Estado miembro a partir de la entrega 1 del ICS2
	General	A partir de la entrega 2 del ICS2, la ENS podrá presentarse como uno o más conjuntos de datos (paquetes parciales de datos)
Marítimo, vías navegables, carretera, ferrocarril	ENS completa hasta la entrega 3 del ICS2	
	A partir de la entrega 3 del ICS2, la ENS se podrá presentar mediante uno o más conjuntos de datos (paquetes parciales de datos)	
Todos	Han de tenerse en cuenta los supuestos en que se dispensa la obligación de presentar la ENS, que se regulan en el artículo 104 RDCAU	

En los casos en que, conforme a lo dispuesto en el artículo 106.2 y 106.2bis RDCAU, sólo se comunique el conjunto de datos reducido de la declaración sumaria, así como cuando la declaración sumaria se presente en forma de paquetes parciales de datos, la persona que la realice la dirigirá a la aduana que, a su juicio, debería ser la aduana de primera entrada. A este respecto, si desconoce el primer lugar del TAU al que esté previsto que el medio de transporte de las mercancías haya de llegar, podrá determinar la aduana de primera entrada en función del lugar al que se envían las mercancías (artículo 183.2 RECAU).

Una vez recibida la ENS, las autoridades aduaneras le darán registro y lo notificarán inmediatamente a la persona que la presentó. En esa notificación se comunicará un «número de referencia master» (MRN, por sus siglas en inglés) de la declaración y la fecha de registro.

El «número de referencia master» (que se suele designar por sus siglas en inglés, "MRN") se define en el artículo 1(22) RDCAU como "el número de registro asignado por la autoridad aduanera competente a las declaraciones o notificaciones contempladas en el artículo 5, apartados 9 a 14, del Código, a las operaciones TIR o a las pruebas del estatuto aduanero de mercancías de la Unión". El artículo 5(9) CAU se refiere a la declaración sumaria de entrada. El MRN servirá para identificar la ENS hasta que las mercancías declaradas en la misma reciban el tratamiento aduanero que les corresponda (artículo 3 Orden EHA/1217/2011, BOE 16.05.2011).

A partir de la implantación de la entrega 1 del ICS2, si los datos de la ENS se suministran mediante paquetes de datos parciales, o bien sólo se comunica el conjunto de datos reducido de la declaración sumaria (conforme a lo dispuesto en el artículo 106.2 y 106.2bis RDCAU), las autoridades registrarán cada una de las presentaciones de datos en el momento de su recepción, notificándolo a la persona que la haya realizado y comunicándole el MRN de cada presentación y la fecha de registro de cada presentación.

En caso de que el transportista haya solicitado ser informado y tenga acceso al sistema ICS2, si la ENS ha sido presentada por otra persona las autoridades notificarán al transportista el registro. Ahora bien, si esa otra persona de quien se obtienen los datos de la ENS pertenece a la categoría referida en el artículo 127.6 CAU, las autoridades sólo están obligadas a realizar la notificación del registro al transportista a partir de la implantación de la entrega 2 del ICS2 (artículo 185 RECAU).

Las autoridades notificarán inmediatamente el registro de la ENS al transportista cuando la ENS haya sido presentada por persona distinta del propio transportista. Esta notificación queda supeditada a que el transportista de que se trate haya solicitado ser informado y tenga acceso al sistema electrónico de intercambio de información (apartados 3 y 4 del artículo 185 RECAU).

Se distinguen a este respecto dos supuestos. El primero se produce cuando presente la ENS el importador, el consignatario, cualquier otra persona en cuyo nombre o por cuya cuenta actúe el transportista o bien cualquier persona que esté en condiciones de presentar o de disponer que se presenten las mercancías ante la aduana de entrada. El segundo se produce cuando los datos de la ENS se faciliten por otras personas distintas de las anteriores (el supuesto del artículo 127.6 CAU). Pues bien, en este segundo supuesto las autoridades sólo estarán obligadas a realizar la notificación del registro al transportista a partir de la implantación de la entrega 2 del ICS2.

Una vez presentada la ENS, el declarante podrá rectificarla previa solicitud (artículo 129.1 CAU). Ahora bien, esta posibilidad cesa cuando las autoridades lleven a cabo alguna de las tres actuaciones siguientes: a) comuniquen su intención de proceder a un examen de las mercancías; o bien b) comprueben la inexactitud de los datos en cuestión; o bien c) las mercancías hayan sido ya presentadas en aduana.

Las autoridades deben notificar de inmediato su decisión de registrar o denegar las rectificaciones en los datos de la ENS a quien las haya introducido. Si la rectificación se introduce por persona distinta del transportista, las autoridades también le notificarán a él en caso de que lo haya solicitado y tenga acceso al sistema electrónico de intercambio de datos (artículo 188.2 RECAU).

> Si son varias las personas que solicitan la rectificación o la invalidación de los datos de la ENS, cada una de ellas solo puede solicitar la rectificación o invalidación de los datos que haya presentado.
> Una vez esté operativo el sistema ICS2 éste se deberá utilizar para para presentar las solicitudes de rectificación o invalidación de la ENS o de sus datos. En tanto se utilice el sistema anterior (ICS) las autoridades pueden permitir que las solicitudes de rectificación o invalidación de los datos de la ENS se efectúen por medios distintos de los electrónicos.
> Acerca de la modificación de la ENS, véase el apartado 5 del artículo 3 de la Orden EHA/1217/2011.

Si, transcurridos 200 días desde la fecha de presentación de la ENS, no se hubieran introducido las mercancías en el TAU, las autoridades invalidarán la ENS. La ENS puede asimismo invalidarse por las autoridades a solicitud del declarante (artículo 129.2 CAU).

22.2. ANÁLISIS DE RIESGOS, VIGILANCIA ADUANERA Y CONTROL ADUANERO

El propósito al que sirve la declaración sumaria de entrada —ENS— consiste en proporcionar a las autoridades los datos que les permitan realizar un análisis de riesgos respecto de las mercancías que se pretende introducir, principalmente por motivos de seguridad y protección (artículo 127.5 CAU). Por este motivo, la aduana que reciba la ENS debe realizar un análisis de riesgos a partir de los datos contenidos en ella, esencialmente a efectos de seguridad y protección, adoptando las medidas necesarias en función de los resultados de dicho análisis (artículo 128 CAU).

El apartado (7) del artículo 5 CAU define «riesgo» como "la probabilidad de que se produzca un hecho y su impacto en relación con la entrada, salida, tránsito, circulación o destino final de las mercancías que circulen entre el territorio aduanero de la Unión y otros países o territorios situados fuera de aquel, o con la presencia en el territorio aduanero de la Unión de mercancías no pertenecientes a la Unión, que:

a) impida la correcta aplicación de disposiciones de la Unión o nacionales;

b) comprometa los intereses financieros de la Unión y de sus Estados miembros; o

c) constituya una amenaza para la seguridad y protección de la Unión y de sus residentes, para la salud pública, la sanidad animal o la fitosanidad, para el medio
ambiente o para los consumidores".

Por su parte, el apartado (25) del artículo 5 CAU define «gestión de riesgos» como
"la detección sistemática de los riesgos, también mediante controles aleatorios, y la aplicación de todas las medidas que sean necesarias para reducir la exposición a ellos".

Los artículos 186 y 187 RECAU regulan la gestión de riesgos a realizar específicamente con ocasión de la entrada de mercancías en el TAU. Interesa advertir, con todo,
que la gestión de riesgos no sólo se realizará en este primer momento previo a la introducción de las mercancías, sino que se extiende en tanto las mercancías estén sujetas a
vigilancia aduanera. No obstante, examinaremos en este punto las disposiciones relativas
a la gestión de riesgos en general por cuanto el momento inmediatamente previo a la
introducción de las mercancías es crítico a este respecto.

La gestión de riesgos permite distinguir diferentes niveles de riesgo asociado a las
mercancías sujetas a vigilancia o control aduaneros. Ello, a su vez, conducirá a determinar si es necesario realizar controles aduaneros específicos respecto de las mercancías de
que se trate. Finalmente, en caso de que deban practicarse controles, identificará dónde
deben efectuarse (artículo 46.4 CAU). La determinación del nivel de riesgo se basa en
una evaluación de la probabilidad de que ocurra el hecho relacionado con el riesgo, así
como de los efectos que puede tener dicho hecho en caso de que se produzca. Independientemente del riesgo, la selección de envíos o declaraciones sujetos a controles aduaneros también se realiza de forma aleatoria.

A estos efectos, el artículo 46.3 CAU dispone que se debe determinar un marco común de gestión de riesgos en la UE basado en el intercambio de información sobre riesgos. El intercambio de información entre las administraciones aduaneras ha de comprender, asimismo, a la relativa a los resultados de los análisis de riesgos. Además, ordena el
establecimiento de criterios y normas de riesgo comunes, medidas de control y ámbitos
prioritarios de control. La gestión de riesgos aparece aquí como instrumento enfocado a
dirigir las actuaciones de control aduanero que, claro está, pueden asimismo responder
a otras necesidades o al cumplimiento de otras disposiciones en materia aduanera. Por
ello se dispone que los controles aduaneros, salvo aquellos de carácter aleatorio, tendrán
como base principal el análisis de riesgos.

La actividad de análisis de riesgos se dirige a identificar y evaluar los riesgos y, para
cumplir esta función, hace un uso intensivo de las técnicas de tratamiento electrónico
de datos. Incluye actividades tales como la recogida de datos e información, el análisis
y la evaluación de riesgos, la determinación y adopción de medidas, y el seguimiento y
la revisión periódicos del proceso y sus resultados, haciendo uso de criterios establecidos a nivel nacional, de la Unión y, en su caso, internacionales. Se sirve de fuentes de

información y de estrategias que asimismo combinan los referidos tres niveles territoriales (nacional, de la Unión e internacional). Interesa observar que la actividad de gestión de riesgos comprende la determinación y adopción de medidas de respuesta que resulten necesarias para enfrentar los riesgos que puedan detectarse, así como la retroalimentación a fin de depurar y mejorar el sistema (apartados 2 y 4 del artículo 46 CAU).

Una herramienta fundamental para la calidad de la gestión de riesgos es el intercambio de información sobre riesgos y sobre los resultados del análisis de riesgos. Con el fin de operar el sistema común de gestión de riesgos se ordena a los Estados miembros implantar un sistema electrónico, en cooperación con la Comisión. A través del aludido sistema electrónico el artículo 46.5 CAU ordena a las autoridades aduaneras intercambiar información relacionada con el riesgo en dos tipos de circunstancias:

a) cuando la autoridad aduanera considere que existe un "riesgo" significativo que exige un control aduanero y los resultados del control aduanero permitan determinar que se ha producido el hecho que ocasiona el riesgo; o

b) cuando los resultados del control no permitan determinar que se ha producido el hecho que ocasiona el "riesgo", pero la autoridad aduanera correspondiente considere que existe la amenaza de un riesgo elevado en otro lugar de la Unión.

Se identifican los elementos que deben tomarse en consideración a la hora de establecer las normas y criterios de riesgo comunes, las medidas de control y los ámbitos prioritarios de control. Se trata de los elementos siguientes (artículo 46.6 CAU):

a) la proporcionalidad con el riesgo;

b) la urgencia de la necesidad de aplicar los controles;

c) el impacto probable en el flujo comercial, en los distintos Estados miembros y en el control de los recursos.

Se establece que los criterios y normas de riesgo comunes deben incluir los elementos siguientes (artículo 46.7 CAU):

a) la descripción de los riesgos;

b) los factores o indicadores de riesgo que deberán emplearse para seleccionar las mercancías o los operadores económicos que deban someterse a control aduanero;

c) la naturaleza de los controles aduaneros que deban emprender las autoridades aduaneras;

d) el plazo de aplicación de los referidos controles aduaneros.

El propio CAU nos indica cuáles deben ser los ámbitos prioritarios de control comunes (artículo 46.8 CAU). Se trata de regímenes aduaneros particulares, tipos de mercancía, rutas comerciales, modos de transporte u operadores económicos que deban estar sujetos durante un período determinado a unos niveles más intensos de análisis de riesgos y controles aduaneros. Los referidos controles aduaneros efectuados en ámbitos prioritarios de control comunes se harán sin perjuicio de otros controles efectuados de forma habitual por las autoridades aduaneras.

Establecido este marco general, podemos pasar ya a analizar la actividad de gestión de riesgos que debe realizarse con ocasión de la introducción de mercancías en el TAU, partiendo de la idea conforme a la cual la recepción de la ENS constituye un momento crítico en la labor de gestión de riesgos. El análisis de riesgos que sigue a la recepción de la ENS debe realizarse con celeridad, con carácter general antes de que las mercancías lleguen al TAU. Se le asigna a la aduana de primera entrada un rol decisivo en la actividad de análisis de riesgos y en los controles de la declaración sumaria, actividad que debe desarrollar en coordinación con otras aduanas que puedan verse implicadas en la operación (artículo 186 RECAU).

> La «aduana de primera entrada» se define en el apartado 15 del artículo 1 RDCAU como la aduana competente para la vigilancia aduanera en el lugar en que el medio de transporte que lleva las mercancías llega o, cuando proceda, está previsto que llegue, al TAU desde un territorio situado fuera del TAU.

En tanto el sistema ICS2 no se encuentre operativo se establece un régimen transitorio de análisis de riesgos que se regula en el artículo 187 RECAU. Durante este período transitorio se seguirá utilizando el sistema electrónico de la versión anterior (el ICS). En virtud de estas normas transitorias, la aduana debe realizar un análisis de riesgos, fundamentalmente para cumplir las funciones de protección y seguridad, a partir de la información contenida en la declaración sumaria de entrada, antes de que las mercancías lleguen al TAU, siempre que se haya presentado en plazo y no se detecte un riesgo.

En el caso de tráfico marítimo por contenedores, las autoridades deben concluir su análisis en un plazo de 24 horas tras recibir la ENS, de manera que, si se han cumplido los plazos de antelación previstos, el resultado del análisis esté disponible en el momento en que se vaya a proceder a la carga del contenedor en el puerto de exportación. De este modo, si se considera que existe un peligro para la protección y la seguridad de la UE de tal gravedad que requiera una intervención inmediata, las autoridades notificarán, en ese plazo de 24 horas tras recibir la ENS, a la persona que la haya presentado o, si no es la misma, al transportista —si está conectado al sistema electrónico aduanero—, que no se proceda a la carga de las mercancías (artículo 187.3 RECAU).

> El artículo 187.4 RECAU contempla el supuesto particular de un buque o una aeronave que deba hacer escala en más de un puerto o aeropuerto situado en el TAU, siempre que se desplace entre tales puertos o aeropuertos sin hacer ninguna escala intermedia en ningún puerto o aeropuerto situado fuera del TAU. Dispone que, en estas circunstancias, la ENS debe presentarse en el primer puerto o aeropuerto del TAU, cuyas autoridades efectuarán el análisis de riesgos

a efectos de protección y seguridad de todas las mercancías transportadas. Ello no obstante, podrá efectuarse un análisis de riesgos adicional de esas mercancías en el puerto o aeropuerto en que sean descargadas.

En caso de que se detecte un riesgo, la aduana del primer puerto o aeropuerto de entrada adoptará medidas de prohibición si se trata de envíos que se considere constituyen un riesgo de tal gravedad que requiere una intervención inmediata y, en cualquier caso, transmitirá los resultados del análisis de riesgos a los puertos o aeropuertos siguientes, donde por otro lado deberá presentarse una declaración sumaria de depósito temporal.

Hemos señalado más arriba que hay mercancías respecto de las cuales no se exige la presentación de una ENS (véase el cuadro "Mercancías para las que no se exige declaración sumaria de entrada, artículo 104 RDCAU"). Pues bien, si se introducen en el TAU mercancías no amparadas por una ENS (las de las letras "c" a "k", "m" y "n" del cuadro, así como los paquetes postales y envíos cuyo valor intrínseco no exceda de 22 EUR a que se hace referencia en el cuadro de "supuestos para los que, de forma transitoria, no se exige presentación de la declaración sumaria de entrada"), el análisis de riesgos se realizará en el momento de la presentación de las mercancías, basándose en la declaración sumaria de depósito temporal o en la declaración en aduana de las mismas, en su caso. Esto, evidentemente, determinará que se retrase el momento en que el importador pueda retirar las mercancías (levante).

> Dado que las declaraciones anticipadas permiten acelerar la concesión del levante, el Acuerdo sobre Facilitación del Comercio de la OMC, en el apartado 1 de su artículo 7, establece que los Miembros deben adoptar este tipo de mecanismos 'con miras a agilizar el levante de las mercancías a su llegada'.

Una vez realizado el análisis de riesgos, en caso de que éste no revele la existencia de motivos que lo impidan, las mercancías presentadas en aduana ya podrán ser objeto de levante para su inclusión en un régimen aduanero o reexportadas.

> Si se rectificasen los datos de la declaración sumaria de entrada el análisis de riesgos debe realizarse de forma inmediata a la luz de los nuevos datos tan pronto se reciban, a menos que se detecte un riesgo o se considere necesario efectuar un análisis adicional.

El artículo 186 RECAU establece una nueva regulación en materia de análisis de riesgos que se aplicará una vez se implanten las mejoras en el Sistema de Control de las Importaciones (ICS2) a que se refiere el anexo de la Decisión de Ejecución 2019/2151/UE (artículo 187.1 RECAU).

> El régimen de análisis de riesgos que se establece en el artículo 186 RECAU reitera que éste debe realizarse antes de la llegada de las mercancías a la aduana de primera entrada (o, si se trata de mercancías que se introduzcan en el TAU por vía aérea, tan pronto como sea posible), sujeto a que la ENS se haya transmitido en plazo, salvo que se detecte un riesgo o sea preciso efectuar un análisis de riesgos adicional.

Corresponde a la aduana de primera entrada realizar este análisis de riesgos basado en la ENS. Una vez registre la ENS, la aduana de primera entrada debe comunicar sus datos a las autoridades de los Estados miembros que se refieran en ella y a los que hayan introducido en el sistema ICS2 información de riesgos que coincidan con los datos de la ENS. Las autoridades aduaneras que reciban esta información deben realizar su propio análisis de riesgos y, en caso de identificar alguno, facilitar los datos pertinentes a la aduana de primera entrada antes de que las mercancías lleguen al TAU, a fin de permitir a la aduana de primera entrada completar su análisis de riesgos. Una vez completo el análisis de riesgos, la aduana de primera entrada lo hará llegar a su vez a las autoridades de los Estados miembros que hayan contribuido al mismo y a las de los Estados miembros que puedan verse afectados por la circulación de las mercancías, y lo notificará al declarante o su representante y, si fuera persona distinta de los anteriores, al transportista, siempre que hayan solicitado ser informados y tengan acceso al sistema ICS2. La aduana de primera entrada puede requerir información adicional de la persona que haya presentado la ENS (o, en su caso, a la persona que haya remitido los datos de la ENS), informando de ello al transportista si fuera persona distinta, siempre que el transportista lo hubiera solicitado y tuviera acceso al sistema ICS2. El análisis de riesgos sólo se completará tras la recepción de la información adicional requerida.

Se plantea también el tratamiento a dar en aquellas situaciones en las que el análisis de riesgos determine la existencia de un riesgo grave. En este caso, si se trata de un envío por vía aérea, se notificará, antes de la carga con destino al TAU, al declarante —o su representante— y al transportista —si fuera persona distinta de las anteriores— que el envío ha de ser controlado como carga y correo de alto riesgo conforme al punto 6.7 del anexo del Reglamento de Ejecución 2015/1998 y el punto 6.7.3 del anexo de la Decisión C(2015) 8005 final. Tras la notificación, el destinatario debe informar a la aduana de primera entrada acerca del resultado de ese control y demás información pertinente. El análisis de riesgos solo se completará una vez se haya facilitado esa información.

Tanto en el caso de cargamentos en contenedores introducidos por vía marítima como en el de mercancías introducidas por vía aérea, si la aduana de primera entrada considera fundadamente que su introducción en el TAU pudiera plantear una amenaza para la seguridad y la protección de tal gravedad que se requiera una acción inmediata, notificará que no debe procederse a la carga de las mercancías al declarante —o su representante— y al transportista —si fuera persona distinta de las anteriores—. La notificación debe efectuarse inmediatamente después de la detección del riesgo en cuestión y, en el caso de los cargamentos en contenedores introducidos por vía marítima, en el plazo de 24 horas tras la recepción de la ENS. Además, la aduana de primera entrada debe informar inmediatamente a las autoridades aduaneras de todos los Estados miembros de esta notificación y facilitarles los datos pertinentes de la ENS. Si un envío plantea una amenaza de tal naturaleza que exige emprender una acción inmediata en el momento de su llegada, la aduana de primera entrada actuará en el momento de la llegada de las mercancías.

Completado el análisis de riesgos, la aduana de primera entrada podrá recomendar, a través del sistema ICS2, las medidas más adecuadas para efectuar un control. Ahora bien, corresponde a la aduana competente respecto del lugar recomendado como más adecuado para el control la decisión sobre el mismo. Esta aduana debe facilitar los resultados de su decisión a todas las aduanas que puedan verse afectadas por la circulación de las mercancías, a través del sistema ICS2, comunicación que debe realizar, a más tardar, en el momento de la presentación de las mercancías ante la aduana de primera entrada.

Tanto en las circunstancias que describe el artículo 46.5 CAU (cuando se considera que existe un riesgo significativo que exige un control aduanero y los resultados de este último permiten determinar que se ha producido el hecho que ocasiona el riesgo; o bien cuando los resultados del control no permiten determinar que se ha producido el hecho que ocasiona el riesgo, pero la autoridad aduanera correspondiente considera que existe la amenaza de un riesgo elevado en otro lugar de la Unión) como en las que se refieren en el artículo 47.2 CAU (intercambio de información entre autoridades en el marco de los controles), las aduanas facilitarán los resultados de sus controles aduaneros a otras autoridades aduaneras de los Estados miembros a través del sistema ICS2 e intercambiarán la información pertinente relacionada con los riesgos a través del sistema de gestión de riesgos aduaneros.

Si las mercancías que se introducen en el TAU han gozado de ciertas dispensas de la obligación de presentar la ENS, el análisis de riesgos se efectuará en el propio momento de la presentación de las mercancías. Las dispensas a que se aplica esta regla son las referidas en las letras c) a k), m) y n) del cuadro "mercancías para las que no se exige declaración sumaria de entrada (artículo 104 RDCAU)" y los supuestos que se relacionan en el cuadro "supuestos para los que, de forma transitoria, no se exige presentación de la declaración sumaria de entrada".

En todos los casos, sólo una vez se haya efectuado el análisis de riesgos y sus resultados lo permitan podrá concederse el levante de las mercancías presentadas para su inclusión en un régimen aduanero o su reexportación.

Por otra parte, se dispone que deberá realizarse un análisis de riesgos en caso de rectificación de los datos de la ENS, inmediatamente después de la recepción de los datos, a menos que se detecte un riesgo o deba llevarse a cabo un análisis de riesgos complementario.

La gestión de riesgos permite dirigir la vigilancia y el control aduanero. El CAU nos define la «vigilancia aduanera» como las *tareas* desempeñadas generalmente por las autoridades aduaneras para garantizar el cumplimiento de la legislación aduanera y, en su caso, el de otras disposiciones aplicables a las mercancías sujetas a dichas tareas (artículo 5(27) CAU). Por su parte, los «controles aduaneros» son los *actos específicos* efectuados por las autoridades aduaneras para garantizar el cumplimiento de la legislación aduanera y las demás disposiciones sobre entrada, salida, tránsito, circulación, depósito y destino final de las mercancías que circulen entre el TAU y otros países o territorios situados fuera de aquel, así como sobre la presencia y la circulación en el TAU de mercancías no pertenecientes a la Unión y de mercancías incluidas en el régimen de destino final (artículo 5(3) CAU). El artículo 46.1 CAU precisa que los controles aduaneros pueden consistir, en particular, en examinar las mercancías, tomar muestras, verificar la exactitud y plenitud de la información facilitada en una declaración o notificación y la existencia, autenticidad, exactitud y validez de los documentos, revisar la contabilidad de los operadores económicos y otros registros, inspeccionar los medios de transporte y las mercancías y equipajes que transporten las personas facturados o como bulto de mano, y realizar investigaciones oficiales y otros actos similares.

Hemos señalado que, tanto la vigilancia aduanera como el control aduanero, se dirigen a garantizar el cumplimiento de la legislación aduanera. Convendrá recordar que por «legislación aduanera» se entiende, en virtud de la definición de esta expresión que se contiene en el artículo 5(2) CAU, el cuerpo legal integrado por: a) el *código y las disposiciones para completarlo o para su ejecución, adoptadas a nivel de la Unión o a nivel nacional*; b) el arancel aduanero común; c) la legislación relativa al establecimiento de un régimen de la Unión de *franquicias aduaneras*; y d) los *acuerdos internacionales* que contengan disposiciones aduaneras aplicables en la Unión. Por tanto, a la luz de esta definición, la vigilancia y el control se proyectan asimismo sobre las normas nacionales e internacionales, además de las normas de la UE a que se hace referencia.

Cuando los controles deban ser realizados por autoridades distintas de las aduaneras, deberán realizarse en estrecha coordinación con estas últimas y, siempre que sea posible, en el mismo momento y lugar (controles centralizados). En cualquier caso, incumbe a las autoridades aduaneras desempeñar la función de coordinación para lograrlo. Las diferentes autoridades implicadas en el control podrán comunicarse entre sí los datos obtenidos en el marco de su actividad, así como comunicarlos a las autoridades aduaneras de los demás Estados miembros y a la Comisión, cuando resulte necesario a efectos de la aplicación correcta de la legislación de que se trate, al objeto de minimizar los riesgos. Las autoridades aduaneras y la Comisión también podrán intercambiar datos entre sí a los efectos de garantizar una aplicación uniforme de la legislación aduanera (artículo 47 CAU).

> Los datos a intercambiar podrán referirse a la entrada, salida, tránsito, circulación depósito y destino final de las mercancías, incluido el tráfico postal, que circulen entre el TAU y países y territorios situados fuera de dicho territorio, sobre la presencia y la circulación en el TAU de mercancías no pertenecientes a la Unión y de mercancías incluidas en el régimen de destino final, y sobre los resultados de todos los controles.
> Por otra parte, téngase en cuenta lo señalado en relación a la confidencialidad de los datos en el capítulo 21.3.5.

22.3. AVISO DE LLEGADA, PRESENTACIÓN DE LAS MERCANCÍAS Y DEPÓSITO TEMPORAL

Llegada de las mercancías al TAU.– El artículo 133 CAU establece la obligación del operador de un buque marítimo o de una aeronave de notificar a la aduana de primera entrada su llegada al TAU en el momento en que la misma tenga lugar. La notificación, si así lo aceptan las autoridades, podrá realizarse utilizando los sistemas de información de los puertos o aeropuertos o cualquier otro método de información disponible. Por otra parte, la obligación de notificar puede eximirse por parte de las autoridades cuando ya dispongan de esta información.

> El apartado 7 del artículo 4 de la Orden EHA/1217/2011 dispone que el aviso de llegada que debe presentarse en la aduana de entrada en el TAU estará incluido en la cabecera de la Decla-

ración Sumaria de Depósito Temporal (DSDT, nos referimos a ella más abajo), y los datos que forman parte del aviso de llegada se indican en el Anexo de la propia Orden.

El artículo 189 RECAU se refiere a una situación anómala consistente en un desvío no previsto en la ENS del medio de transporte que entra en el TAU. Si, como consecuencia de este desvío, se debe llegar en primer lugar a una aduana situada en un Estado miembro no declarado en la ENS como país de itinerario, el operador del medio de transporte deberá informar de ello a la aduana de primera entrada declarada y presentar una notificación de llegada a la aduana de primera entrada efectiva, salvo que las mercancías se hayan introducido en el TAU al amparo de un régimen de tránsito. A partir de la recepción de esta información, la aduana de primera entrada declarada notificará inmediatamente a la aduana de entrada efectiva del desvío, proporcionándole los datos de la ENS y los resultados del análisis de riesgos.

La operativa que se acaba de señalar cambiará a partir de la entrega 2 del ICS2, si se trata de aeronaves, y a partir de la entrega 3 del ICS2, si se trata de buques marítimos, dado que la aduana de primera entrada declarada ya no quedará sujeta a la obligación de notificar el desvío a la aduana de entrada efectiva, sino que será esta última aduana la que deberá recuperar por sí misma, a través del sistema ICS2, los datos de la ENS, los resultados del análisis de riesgos y las recomendaciones de control formuladas por la aduana de primera entrada prevista.

La Orden EHA/1217/2011, en su artículo 3.5, dispone que la Aduana española no admitirá modificaciones de la ENS después de que se haya enviado y admitido una solicitud de desvío.

Desde el momento de su introducción en el TAU, las mercancías estarán bajo vigilancia aduanera y podrán ser sometidas a controles aduaneros.

El artículo 134.1 CAU enumera los diferentes tipos de control aduanero. Se trata de prohibiciones y restricciones justificadas, entre otros motivos, por razones de moralidad, orden o seguridad públicos, protección de la salud y la vida de personas, animales o plantas, protección del medio ambiente, protección del patrimonio artístico, histórico o arqueológico nacional y protección de la propiedad industrial o comercial, incluidos los controles sobre precursores de drogas, mercancías que infrinjan determinados derechos de propiedad intelectual y dinero en metálico, así como a la aplicación de medidas de conservación y gestión de los recursos pesqueros y de medidas de política comercial.

El momento en que cesa la vigilancia aduanera depende de las circunstancias de la mercancía. Así la vigilancia aduanera cesará (artículo 134.1 CAU):

a) Cuando se determine que las mercancías tienen el estatuto de mercancías de la UE
b) Cuando las mercancías adquieran el estatuto de mercancías de la UE, salvo que lo hagan al amparo del régimen de destino final (que se regula en el artículo 254 CAU)
c) Cuando las mercancías salgan del TAU
d) Cuando las mercancías sean destruidas

El TJUE, en su Sentencia *Wandel* (asunto C-66/99, de 01.02.2001, p. 35), dictada bajo la vigencia del CAC, reafirma la idea de que "conforme al artículo 37, apartado 2, del Código aduanero una mercancía en depósito temporal permanecerá bajo vigilancia aduanera hasta el momento en que la citada mercancía cambie de estatuto aduanero".

Desde el momento de su introducción y hasta la concesión del levante, el derecho de propiedad sobre las mercancías queda sujeto a importantes limitaciones y, por ejemplo, no se pueden retirar las mercancías sin previa autorización de las autoridades aduaneras. Contravenir este mandato puede constituir una sustracción a la vigilancia aduanera, que daría origen a una deuda aduanera, al margen de otras consecuencias en materia de sanciones que pudieran aplicarse. Incluso para examinar las mercancías o tomar muestras, actividades ambas que pueden ser fundamentales a los efectos de realizar una correcta declaración acerca de su clasificación arancelaria, valor en aduana o estatuto aduanero, su titular deberá obtener la previa autorización de las autoridades (artículo 134.2 CAU).

Una vez introducidas en el TAU, las mercancías deberán ser trasladadas sin demora por la persona que las haya introducido —toda persona que se haga cargo del transporte de las mercancías después de que se hayan introducido en el TAU— a alguno de los lugares que señalaremos a continuación, siguiendo, en su caso, las instrucciones y la vía determinada por las autoridades aduaneras (artículo 135 CAU). Los lugares a los que deben trasladarse las mercancías son: a) bien a la aduana designada por las autoridades aduaneras; b) bien a cualquier otro lugar designado o autorizado por dichas autoridades; c) o bien a una zona franca, cuando la introducción de las mercancías en dicha zona franca deba efectuarse directamente, ya sea por vía marítima, por vía aérea, o por vía terrestre. En este último caso la introducción se realizará sin pasar por otra parte del TAU, cuando se trate de una zona franca contigua a la frontera terrestre entre un Estado miembro y un país tercero.

Sobre la regla general anterior se establecen tres matizaciones, de diverso signo. Así, por una parte, cabe la aplicación de normas especiales cuando se trate de mercancías transportadas dentro de zonas fronterizas o por conductos o cables o cualquier otro tráfico de escasa importancia económica (como, por ejemplo, cartas, postales e impresos, así como sus equivalentes electrónicos contenidos en otros medios), o de mercancías transportadas por los viajeros, siempre que la vigilancia aduanera y las posibilidades de control aduanero no se vean comprometidas por ello.

Por otra parte, no existe obligación de trasladar las mercancías a los lugares designados por las autoridades cuando estas se encuentren a bordo de buques o aeronaves que se limiten a atravesar el mar territorial o el espacio aéreo de los Estados miembros, pero sin hacer escala en dichos Estados miembros (si, por caso fortuito o fuerza mayor, se vieran obligados a hacer escala o detenerse de forma temporal en el TAU sin poder cumplir la obligación de traslado, la persona que haya introducido el buque o aeronave en el TAU, o cualquier otra persona que actúe por su cuenta, informará sin demora de esta situación a las autoridades).

Finalmente, se dispone que puedan quedar sujetas al control de las autoridades aduaneras de un Estado miembro mercancías todavía no introducidas en el TAU cuando así se disponga en

una norma y, en particular, en un acuerdo celebrado entre dicho Estado miembro y un país tercero (apartados 4, 5 y 6 del artículo 135 CAU y apartado 2 del artículo 137 CAU).
La norma 5 del Capítulo 1 del Anexo Específico A del Convenio de Kioto (revisado) impone al transportista la obligación de conducir las mercancías por el itinerario determinado, sin demora y sin modificar ni la naturaleza ni el embalaje de las mercancías.

Si, por caso fortuito o fuerza mayor, no pudiera cumplirse la obligación de trasladar las mercancías a un lugar designado por las autoridades, aquel a quien incumba esta obligación o cualquiera que actúe por su cuenta, deberá informar de ello sin demora a las autoridades aduaneras. Si no se hubiera producido la pérdida total de las mercancías, se deberá además informar a las autoridades aduaneras del lugar exacto en el que se hallen. Las autoridades determinarán las medidas que deban cumplirse para facilitar la vigilancia aduanera de las mercancías y garantizar, en su caso, su ulterior presentación (artículo 137 CAU).

En sentido análogo, véase la norma 6 del Capítulo 1 del Anexo Específico A del Convenio de Kioto (revisado).

Buena parte de las disposiciones relativas a la introducción de mercancías en el TAU no se aplican a las mercancías —sean de la UE o no lo sean— que hayan abandonado temporalmente el TAU, circulando entre dos puntos del TAU por vía marítima o aérea, siempre y cuando el transporte se haya efectuado en línea directa y sin escalas fuera del TAU (artículo 136 TAU).

Las disposiciones que no resultan aplicables en estos casos son, concretamente, las relativas a la declaración sumaria, análisis de riesgos, notificación de la llegada, traslado de las mercancías a lugar designado, presentación de las mercancías, descarga y examen, y régimen de depósito temporal (artículos 127 a 130; artículo 133; artículo 135.1; y artículos 137, 139 a 141 y 144 a 149 CAU). En cambio sí se someten a vigilancia aduanera, que se regula en el artículo 134 CAU.

Presentación en aduana de las mercancías.– La introducción de las mercancías en el TAU, incluso en una zona franca, comporta la obligación de realizar otra formalidad, denominada «presentación en aduana» de las mercancías (artículo 139 CAU). No se trata de un acto físico (no consiste en "mostrar" las mercancías a las autoridades), sino formal. El artículo 5(33) CAU nos define la «presentación en aduana» como "la notificación a las autoridades aduaneras de la llegada de las mercancías a la aduana, o a cualquier otro lugar designado o autorizado por aquellas, y de su disponibilidad para los controles aduaneros". La comunicación debe referenciar la declaración sumaria de entrada (ENS) presentada previamente —o la declaración en aduana o declaración de depósito temporal que haga sus veces—, salvo que se trate de mercancías para las cuales se dispense la presentación de la ENS. Esta obligación incumbe a la persona que introduzca las mercancías en el TAU, o a la persona en cuyo nombre o por cuya cuenta actúe quien realiza la introducción o, si procede, a la persona que se haga cargo de su transporte tras su introducción. Aunque no se le impone la obligación de presentar las mercancías, también puede llevarla a cabo cualquier persona que incluya inmediatamente las mercancías en un régimen aduanero, así como el titular de una autorización para el funcionamiento de almacenes de depósito o toda persona que realice una actividad en una zona franca. En cualquier caso, la presentación de las mercancías en aduana no permite todavía su retirada del lugar en que hayan sido presentadas, para lo cual se requiere todavía la autorización de las autoridades.

> Se aplicarán las disposiciones específicas correspondientes en materia de presentación de las mercancías cuando se trate de mercancías transportadas por viajeros, o de mercancías transportadas dentro de zonas fronterizas o por conductos o cables o cualquier otro tráfico de escasa importancia económica (tales como cartas, postales e impresos, así como sus equivalentes electrónicos contenidos en otros medios). En todo caso, no deben quedar comprometidas la vigilancia aduanera y las posibilidades de control aduanero.
>
> Por otro lado, se dispone que las mercancías introducidas en el TAU, por vía marítima o aérea, que permanezcan a bordo del mismo medio de transporte, sin transbordo, solo se presentarán en aduana en los puertos o aeropuertos del TAU en que se hayan descargado o transbordado. No habrán de presentarse en aduana si se descargan, con el fin de permitir la descarga o la carga de otras mercancías, y se vuelven a cargar en el mismo medio de transporte.
>
> Tratándose de mercancías no pertenecientes a la Unión que no estén cubiertas por una ENS, salvo que se trate de un supuesto de exención de la presentación de la misma, el transportista (o bien el importador, el consignatario, cualquier otra persona en cuyo nombre o por cuya cuenta actúe el transportista o cualquier persona que esté en condiciones de presentar o de disponer que se presenten las mercancías de que se trate ante la aduana de entrada) deberá presentar inmediatamente la ENS o, en su lugar cuando así lo permitan las autoridades, una declaración en aduana o una declaración de depósito temporal —que, en todo caso, deberán contener como mínimo los datos que se exigen para una ENS—, ello sin perjuicio de que los datos de la ENS puedan requerirse a otra persona en posición de facilitarlos.
>
> Se prevén especialidades respecto de las mercancías que se introducen en el TAU en régimen de tránsito. Se dispone que, tratándose de mercancías que ya estén en régimen de tránsito en el momento de ser introducidas en el TAU, no se aplicarán a las mismas en el momento de su introducción las disposiciones relativas a la presentación de las mercancías en aduana, descarga y examen, depósito temporal y declaración de depósito temporal (artículo 141.1 CAU por remisión a los artículos 135 —apartados 2 a 6— 139, 140 y 144 a 149 CAU). Por esa razón, será cuando se presenten en la aduana de destino en el TAU cuando se les apliquen las disposiciones relativas a la descarga y examen y las relativas al depósito temporal y declaración de depósito temporal (artículo 141.2 CAU por remisión a los artículos 140 y 144 a 149 CAU).
>
> En España, el apartado 3 del artículo 4 de la Orden EHA/1217/2011 identifica al declarante de la DSDT. Interesa señalar el supuesto, en el tráfico aéreo, de mercancía con diferentes títulos de transporte (Houses) consolidada en un único título (Master), en que el agente desconsolidador sea distinto de la compañía transportista. En este supuesto el agente desconsolidador podrá completar la DSDT con los datos referidos a los conocimientos House y la mercancía que amparan, siendo éste responsable de la exactitud y veracidad de la información

suministrada. En general, el artículo 4 de esta Orden regula la DSDT en España. En Anexo se regulan los datos a incluir en la DSDT para el tráfico marítimo y aéreo.

La norma 8 del Capítulo 1 del Anexo Específico A del Convenio de Kioto (revisado) dispone que "cuando la Aduana exija documentación para la presentación de las mercancías en la Aduana aceptará que la misma no contenga más información que la necesaria para identificar las mercancías y el medio de transporte". La práctica recomendada 9 sugiere que "la Aduana debería limitar la información exigida a la disponible en la documentación corriente del transportista y sus requisitos deberían basarse en las exigencias establecidas en los acuerdos internacionales pertinentes en materia de transporte", en tanto que la práctica recomendada 10 señala que "la Aduana corrientemente debería aceptar un manifiesto de carga como la única documentación exigida para la presentación de las mercancías". Por lo que hace al idioma en que se redacta la documentación, la práctica recomendada 12 apunta a que "la Aduana no debería exigir sistemáticamente una traducción".

Si así lo aceptan las autoridades, la presentación de las mercancías en aduana podrá realizarse utilizando los sistemas de los puertos o aeropuertos o cualquier otro método de información disponible (artículo 190 RECAU). Por otra parte, las autoridades pueden disponer que las mercancías se presenten en un lugar distinto a la aduana competente. Ello será posible en dos situaciones. La primera, cuando el lugar de que se trate ya esté autorizado como almacén de depósito temporal. La segunda, cuando el lugar de que se trate cumpla los requisitos a que se sujeta la autorización para la explotación de los almacenes de depósito temporal (que se establecen en los apartados 2 y 3 del artículo 148 CAU) y las limitaciones a su explotación (que se establecen en el artículo 117 RD-CAU) y, además, las mercancías se declaren para un régimen aduanero o se reexporten, a más tardar, 3 días después de su presentación o, a más tardar, 6 días después de su presentación en el caso de un destinatario autorizado, salvo que las autoridades decidan someterlas a examen (artículo 115.1 RDCAU).

Interesa subrayar que omitir la obligación de trasladar sin demora las mercancías tras su introducción en el TAU a los lugares autorizados u omitir la obligación de "presentar" las mercancías constituyen supuestos en los que nace una deuda aduanera por incumplimiento (artículo 79 CAU; anteriormente se denominaba "introducción irregular" conforme al artículo 202 CAC).

Véase en este sentido la Sentencia TJUE *Papismedov* (asunto C-195/03, de 03.03.2005, pp. 24-32). Observa el Tribunal que "cuando con la presentación en aduana de mercancías, prevista en el artículo 40 del Código aduanero, se presenta una declaración sumaria o una declaración en aduana que contiene una descripción del tipo de mercancías que no corresponde en absoluto a la realidad, no se produce la comunicación a las autoridades aduaneras de la llegada de las mercancías, en el sentido del artículo 4, punto 19, del mismo Código. En estas circunstancias, no puede considerarse que se haya facilitado a dichas autoridades la información necesaria para la identificación de las mercancías por el mero hecho de que se hayan presentado determinados documentos. En efecto, es necesario, además, que las declaraciones contenidas en los documentos facilitados junto con la presentación en aduana sean exactas. Cuando tales declaraciones no mencionan la presencia de una parte significativa de las mercancías presentadas en aduana, debe considerarse que éstas han sido introducidas irregularmente" (p. 31). Por su parte, en la Sentencia TJUE *Viluckas Jonusas* (asunto C-238/02, de 04.03.2004, p. 28) el Tribunal decide que "la introducción se considerará irregular cuando una mercancía, incluso si ha sido escondida en un vehículo sin conocimiento de su conductor, no ha sido objeto de una comunicación de presentación en aduana por parte de este último".

Depósito temporal.– Una vez se presentan en aduana, las mercancías no pertenecientes a la Unión se mantienen en situación de depósito temporal (artículo 144 CAU). El "depósito temporal" es la denominación que recibe la situación jurídica en que se encuentran las mercancías que no son de la Unión desde que son presentadas en aduana y hasta la concesión del levante.

Para colocar las mercancías en situación de depósito temporal se exige que estén cubiertas por una declaración de depósito temporal, que ha de contener todos los datos necesarios para la aplicación de las disposiciones que regulan el depósito temporal. El artículo 5(11) CAU define «declaración de depósito temporal» como "el acto por el que una persona expresa, en la forma y el modo establecidos, que las mercancías están en depósito temporal". Ahora bien, las autoridades pueden aceptar que haga las veces de declaración de depósito temporal una referencia a la ENS completada con los datos de una declaración de depósito temporal, así como también, alternativamente, un manifiesto u otro documento de transporte, siempre que contenga los datos de una declaración de depósito temporal, incluida una referencia a la ENS (artículo 145.5 CAU). Con carácter general la declaración sumaria de depósito temporal, que se designa comúnmente con el acrónimo DSDT, debe incluir una referencia a toda ENS presentada para las mercancías de que se trate (artículo 145.4 CAU).

Esta última regla tiene excepciones, de modo que no se requiere referencia a la ENS cuando se trate de mercancías exoneradas de la presentación de la ENS, o cuando se trate de mercancías que ya hayan estado en depósito temporal, o cuando se trate de mercancías que hayan sido incluidas en un régimen aduanero y no hayan abandonado el TAU.

El artículo 192 RECAU admite que pueda hacer las veces de DSDT una declaración en aduana que se presente antes de la presentación de las mercancías en aduana.

Por otra parte, se dispone que las autoridades pueden aceptar que se utilicen los sistemas de información comercial, portuaria o relativos al transporte para presentar una declaración de depósito temporal (DSDT) siempre que contengan todos los datos necesarios y esté disponible, a más tardar, en el momento de presentar las mercancías (artículo 145.6 CAU).

En este sentido, el artículo 4 de la Orden EHA/1217/2011 establece que la DSDT debe enviarse por medios electrónicos a la Aduana donde llegue el medio de transporte, salvo si se trata de tráfico marítimo en los puertos integrados en el sistema portuario de titularidad estatal, en cuyo caso la declaración se presentará a través de la Autoridad Portuaria.

La norma 4 del Capítulo 2 del Anexo Específico A del Convenio de Kioto (revisado) dispone que "el único documento exigible para la colocación de las mercancías en depósito temporal será el documento descriptivo utilizado en su presentación ante la aduana", en tanto que la práctica recomendada 5 sugiere que "la Aduana debería aceptar el manifiesto de carga u otro documento comercial como el único documento exigido para colocar las mercancías en depósito temporal, a condición que todas las mercancías mencionadas en el manifiesto de carga o en otro documento comercial, sean colocadas en depósito temporal".

No será necesario presentar una DSDT cuando se haya establecido que las mercancías tienen el estatuto aduanero de mercancías de la Unión al tiempo de su presentación en aduana (artículo 145.9 CAU).

Por otro lado, la DSDT puede cumplir otras funciones. Así, puede utilizarse para notificar la llegada de las mercancías. Y también para realizar la presentación de las mercancías en aduana (artículo 145.8 CAU).

La presentación de la DSDT constituye una obligación a cargo de los mismos sujetos que los que deben presentar la ENS, es decir, la persona que introdujo las mercancías en el TAU, la persona en cuyo nombre o por cuya cuenta actúe quien introdujo las mercancías en el TAU o la persona que asumió la responsabilidad del transporte de las mercancías después de que fueran introducidas en el TAU. Debe realizarse, a más tardar, en el momento de la presentación de las mercancías en aduana (artículo 145.3 CAU). Cuando así lo exija la legislación de la Unión o se estime necesario a efectos de control aduanero, deberán asimismo facilitarse a las autoridades los documentos relativos a las mercancías en depósito temporal (artículo 145.2 CAU).

La DSDT puede ser rectificada por el declarante tras su presentación. Ahora bien, la rectificación no permite utilizarla para mercancías distintas de las contempladas originalmente en ella (artículo 146.1 CAU).

> La rectificación ya no será posible una vez que las autoridades hayan comunicado su intención de examinar las mercancías, o bien una vez que las autoridades hayan comprobado la inexactitud de los datos declarados.

Una vez presentada la DSDT las autoridades pueden decidir llevar a cabo comprobaciones a partir de la misma, que se rigen por las disposiciones relativas a la comprobación previa al levante (artículos 188 a 193 CAU). Por otra parte, las autoridades deben conservar la DSDT —o el acceso a ella— para realizar el seguimiento a las mercancías y asegurarse de que se incluyan en un régimen aduanero o se reexporten (artículo 145.10 CAU)

> Se contempla una especialidad en materia de DSDT cuando se trata de mercancías no pertenecientes a la Unión trasladadas en régimen de tránsito. Se dispone que, cuando estas mercancías se presenten en una aduana de destino situada en el TAU, se considerará que los datos de la operación de tránsito hacen las veces de DSDT, siempre que reúnan los requisitos a tal efecto. Ahora bien, el titular de las mercancías podrá presentar una DSDT una vez finalizado el régimen de tránsito (artículo 145.11 CAU).

Si se presenta una DSDT pero las mercancías a las que se refiere la misma no se presentan en aduana en los 30 días siguientes, las autoridades aduaneras invalidarán la DSDT. También la invalidarán a petición del solicitante (artículo 146.2 CAU).

En tanto las mercancías se encuentren en depósito temporal deben almacenarse en los denominados "almacenes de depósito temporal", si bien cabe asimismo que se almacenen en otros lugares designados o autorizados por las autoridades (artículo 147.1 CAU).

> A este respecto, el artículo 115.2. RDCAU establece que las autoridades pueden disponer que las mercancías se almacenen en un lugar distinto de un almacén de depósito temporal. Ello será posible cuando el lugar de que se trate cumpla los requisitos a que se sujeta la autorización para la explotación de los almacenes de depósito temporal (que se establecen en los apartados 2 y 3 del artículo 148 CAU) y los relativos a la explotación de estos almacenes (que se establecen en el artículo 117 RDCAU) y, además, las mercancías se declararen para un régimen aduanero o se reexporten, a más tardar, 3 días después de su presentación o, a más tardar, 6 días después de su presentación en el caso de un destinatario autorizado, salvo que las autoridades decidan someterlas a examen (artículo 115.1 RDCAU).

Mientras las mercancías están en situación de depósito temporal continúan las importantes limitaciones del derecho de propiedad, en la medida que las mercancías están bajo control aduanero. Hasta tal punto es así que, incluso para descargar o trasbordar las mercancías del medio de transporte en el que se hallen se requiere la previa autorización de las autoridades aduaneras, salvo peligro inminente que exija la descarga inmediata de las mercancías, en su totalidad o en parte, en cuyo caso se informará sin demora a las autoridades aduaneras. Por su parte, las autoridades aduaneras pueden exigir en cualquier momento la descarga y desembalaje de las mercancías, a fin de garantizar el control, tanto de las mercancías como del medio de transporte en el que se hallen (artículo 140 CAU).

> La norma 15 del Capítulo 1 del Anexo Específico A del Convenio de Kioto (revisado) dispone que "la legislación nacional determinará los sitios autorizados para descargar", si bien la práctica recomendada 16 señala que "a solicitud de la persona interesada y por razones que la Aduana considere válidas, ésta debería permitir que la descarga se realice fuera de los sitios autorizados a tales efectos", en tanto que la práctica recomendada 18 también sugiere permitir que la descarga se lleve a cabo fuera del horario de la oficina aduanera. Siguiendo en materia de descarga, la norma 17 ordena que "el comienzo de la descarga deberá ser autorizado lo antes posible luego de la llegada del medio de transporte al lugar de descarga".

Durante su estancia en el depósito temporal (que no debe confundirse con el régimen aduanero de depósito) las mercancías no podrán ser sometidas a operaciones de transformación, puesto que únicamente se permiten las manipulaciones destinadas a garantizar que se conserven inalteradas, sin modificar su presentación o sus características técnicas. También se permite examinar las mercancías y tomar muestras, previa autorización a este fin. Es responsabilidad del titular del almacén de depósito temporal (ADT) asegurar que las mercancías que se encuentren en depósito temporal no se sustraigan a la vigilancia aduanera, así como que se cumplan las obligaciones derivadas del almacenamiento de las mercancías en depósito temporal. Cuando las mercancías se depositen en otros lugares designados o autorizados por las autoridades esta obligación le corresponderá a la propia persona que las almacene.

> La norma 7 del Capítulo 2 del Anexo Específico A del Convenio de Kioto (revisado) dispone que "la aduana, por razones que considere válidas, autorizará que se lleven a cabo las operaciones corrientemente requeridas para conservar en buen estado las mercancías colocadas en depósito temporal", en tanto que la práctica recomendada 8 sugiere que las mercancías puedan ser objeto "de las operaciones usuales destinadas a facilitar su salida del depósito temporal y su envío ulterior".

Si, por cualquier motivo, las mercancías no pueden mantenerse en depósito temporal, las autoridades aduaneras tomarán sin demora todas las medidas necesarias para regularizar su situación, sea considerándolas abandonadas, sea ordenando su destrucción o bien adoptando otras medidas, como el decomiso o la venta (artículo 147.4 CAU, que remite a los artículos 197, 198 y 199 CAU).

Los Almacenes de Depósito Temporal (ADT).– Los artículos 148 CAU, 116 a 118 RDCAU y 191 y 193 RECAU se dirigen a regular el régimen jurídico aplicable a los depósitos temporales. La explotación de estos almacenes de depósito temporal (ADT) puede ser llevada a cabo por las propias autoridades o bien por un operador privado, que precisará haber obtenido previamente una autorización a tal efecto. Esa autorización especificará las condiciones de explotación del ADT y sólo se concederá a las personas que reúnan tres requisitos cumulativos: 1) estar establecidas en el TAU; 2) ofrecer fiabilidad respecto a la buena ejecución de las operaciones, considerándose cumplido este requisito cuando se haya obtenido la condición de operador económico autorizado —OEA—, modalidad simplificaciones aduaneras, y el ADT haya sido tenido en cuenta en la evaluación previa (la figura del OEA se examina en el capítulo 33); y 3) constituir una garantía que, si fuera de carácter global, se sujetará a una auditoría a fin de verificar el cumplimiento de las obligaciones inherentes a la garantía.

> En caso de que participen varios Estados miembros en la autorización de la explotación del ADT, el artículo 191 RECAU regula el procedimiento de consulta que deberá seguirse por parte de la autoridad aduanera competente para tomar la decisión a fin de recabar la conformidad de las autoridades consultadas, conformidad que se configura como un requisito necesario para la concesión de la autorización. El procedimiento de consulta a que nos referimos se basa en el procedimiento general de consulta entre autoridades que se regula en el artículo 14 RECAU y que se han expuesto en el capítulo 21 al tratar el procedimiento para la adopción de decisiones. Sobre esas reglas generales, el artículo 191 RECAU especifica que la autoridad competente para tomar la decisión debe comunicar a las autoridades consultadas la solicitud y

el proyecto de autorización, a más tardar, en el plazo de treinta días a partir de la fecha de aceptación de la solicitud. A partir de esta comunicación, en el plazo de treinta días las autoridades
consultadas comunicarán sus objeciones, debidamente justificadas, o bien su conformidad. En
caso de que se comuniquen objeciones en plazo y las autoridades consultadas y consultantes
no alcancen un acuerdo en los sesenta días siguientes a la fecha de comunicación del proyecto
de autorización, la autorización solo se concederá con respecto a la parte de la solicitud que
no haya dado lugar a objeciones. Por el contrario, si las autoridades consultadas no comunican
ninguna objeción en plazo, se considerará que han otorgado su conformidad.

La autorización para operar un ADT sólo se concederá cuando las necesidades económicas que la justifiquen guarden proporción con el coste administrativo que exige
asegurar una vigilancia aduanera adecuada. Además, el titular de la autorización debe
comprometerse a la llevanza de unos registros que permitan a las autoridades controlar
de forma efectiva la explotación del ADT, incluyendo la identificación de las mercancías
almacenadas, su estatuto aduanero y sus traslados.

Los OEA-Simplificaciones aduaneras se considerará que cumplen la obligación de llevanza
de registros si estos son adecuados a efectos del depósito temporal. En materia de registros, el
artículo 116 RDCAU precisa qué datos deben reflejarse en los mismos. Son los siguientes: a)
una referencia a la DSDT de las mercancías almacenadas y una referencia al fin del depósito
temporal correspondiente; b) la fecha y los datos que identifiquen los documentos aduaneros
relativos a las mercancías almacenadas y demás documentos relacionados con el depósito temporal de las mercancías; c) los datos, los números de identificación, la cantidad y naturaleza
de los bultos, la cantidad y la designación comercial o técnica habitual de las mercancías y,
cuando proceda, las marcas de identificación del contenedor necesarias para la identificación
de las mercancías; d) la ubicación de las mercancías y datos de cualquier circulación de las
mercancías; e) el estatuto aduanero de las mercancías; f) los datos sobre las formas de manipulación a que se puedan someter las mercancías; g) en caso de circulación de las mercancías
en depósito temporal entre ADT ubicados en diferentes Estados miembros, los datos sobre la
llegada de las mercancías a los ADT de destino. Las autoridades pueden dispensar el registro
de alguno de los elementos enumerados, siempre que ello no entorpezca la vigilancia aduanera
ni a los controles de las mercancías. En cualquier caso, no se puede dispensar el registro de los
datos relativos a la circulación de las mercancías cuando esta vaya a tener lugar. Por otra parte,
en caso de que los registros enumerados no formen parte de la contabilidad principal a efectos
aduaneros, deberán contener la referencia a la contabilidad principal a efectos aduaneros.

Hemos hecho referencia a la circulación de mercancías entre diferentes ADT como
elemento de información que debe registrarse. La referida circulación de mercancías
debe ser previamente autorizada por las autoridades, permitiendo al titular trasladar
mercancías en situación de depósito temporal entre diferentes ADT. La autorización se
supedita a que tales traslados no aumenten el riego de fraude. Se considera que el riesgo
de fraude no aumenta en tres situaciones: 1) cuando el traslado se efectúa bajo la responsabilidad de una autoridad aduanera; 2) cuando el traslado está amparado solamente
por una autorización expedida a un OEA - Simplificaciones aduaneras; o 3) cuando los

traslados estén cubiertos por diferentes autorizaciones para la explotación de ADT, a condición de que los titulares de esas autorizaciones sean OEA - Simplificaciones aduaneras (véase el artículo 118 RDCAU).

El artículo 193 RECAU establece disposiciones relativas al traslado de mercancías entre diferentes ADT. En primer lugar, se establece la regla relativa al momento de traspaso de la responsabilidad en el traslado de mercancías entre ADT de diferente titular. Se ordena que la responsabilidad recae sobre el titular del ADT desde el cual se trasladen las mercancías (ADT de partida) hasta el momento en que estas se hayan inscrito en los registros del titular de la autorización del ADT de destino, salvo disposición en contrario en la autorización. En segundo lugar, se establecen una serie de reglas aplicables en caso de traslado entre ADT bajo la responsabilidad de distintas autoridades. En estos casos, por una parte, el titular del ADT de partida debe informar a la autoridad competente para la vigilancia de ese ADT, tanto del traslado previsto como, posteriormente, de la llegada al ADT de destino cuando ésta se produzca. También debe informar al titular del ADT de destino de que se va a efectuar la expedición de las mercancías. Por otra parte, el titular del ADT de destino debe notificar la llegada a la autoridad competente para la vigilancia del ADT de destino y debe asimismo informar al titular del ADT de partida. Entre la información que ambos titulares deben incluir se encuentra la referencia a la DSDT y la fecha de finalización del depósito temporal.

En España, la Nota Informativa NI GA 02/2020, de 5 de febrero, indica las condiciones aplicables al movimiento de mercancías en depósito temporal. Señala qué tipos de movimientos son posibles para cada uno de los supuestos que contempla el artículo 148.5 CAU (es decir, bajo responsabilidad de una autoridad aduanera; amparado en una autorización expedida a un OEA-C; y en los demás casos de traslado, para los que remite al artículo 118 RDCAU, donde se exige la condición de OEA-C y autorización caso por caso); se indican las formalidades a realizar para el movimiento de mercancías, informando de que, a partir de 1 de diciembre de 2020, sólo será posible el movimiento de mercancías en depósito temporal siguiendo las instrucciones que expone en su sección III; se identifica al sujeto que asume la responsabilidad del movimiento; y se señalan las instrucciones de cumplimentación de la solicitud de autorización del movimiento de mercancías.

Por otra parte, se establecen una serie de limitaciones en el uso y explotación de los ADT. Así, no se permite que se utilicen estas instalaciones para la venta al por menor. En caso de que se almacenen mercancías que supongan algún peligro, o bien que puedan alterar las demás mercancías o bien que precisen instalaciones especiales por cualquier otra razón, el ADT deberá estar debidamente equipado para este fin. El ADT sólo puede ser explotado por el titular de la autorización (artículo 117 RDCAU).

En materia de explotación del ADT, debemos señalar que, en principio, en estos recintos sólo se pueden almacenar mercancías que no sean de la UE. Ahora bien, se permite que se pueda autorizar el almacenamiento de mercancías de la Unión en un ADT cuando exista una necesidad económica y ello no comprometa la vigilancia aduanera. En cualquier caso, aunque se almacenen en un ADT, las mercancías de la UE no se considerarán en situación de depósito temporal.

En España, la Resolución de 11.12.2000 del DAAeIIEE regula el funcionamiento de los Almacenes de Depósito Temporal (ADT) y de los Locales Autorizados para mercancías declaradas de exportación (BOE 21.12.2000). Entre otros aspectos, se regula la concesión de ADT (que son gestionados por operadores privados autorizados) y sus reglas de funcionamiento.

Finalización de la situación de depósito temporal.– Como su propio nombre indica, el depósito temporal es una situación transitoria en que se encuentran las mercancías previa a su despacho. Las mercancías que no sean de la UE se mantendrán en situación de depósito temporal en tanto no se incluyan en un régimen aduanero. Con carácter general, según se analiza en capítulos anteriores, para incluir las mercancías en un régimen aduanero será necesario, con carácter general, presentar una declaración en aduana. El plazo de que dispone el interesado para incluir las mercancías no pertenecientes a la Unión que se encuentren en depósito temporal en un régimen aduanero o bien para reexportarlas es de 90 días, conforme a lo dispuesto en el artículo 149 CAU.

En España, la Resolución de 11.12.2000 (BOE 21.12.2000) dispone, en su regla Segunda.3 que, transcurridos los plazos establecidos para dar un destino aduanero a las mercancías, "el titular del A.D.T. presentará a la Aduana una relación de las mercancías que hayan superado los plazos de permanencia en situación de depósito temporal, a fin de que sea incoado el expediente de abandono. Cuando se decrete el abandono definitivo, el titular del A.D.T., por su cuenta y a su cargo, deberá trasladar las mercancías afectadas al recinto de la Aduana o al lugar que se designe por ésta".

En la regulación anterior, el límite de permanencia en situación de depósito temporal se contenía en el artículo 49 CAC, que permitía prorrogar este plazo cuando las circunstancias así lo justificaran. Esta posibilidad de prórroga planteó algunas dudas de interpretación y, en la Sentencia *Söhl & Söhlke* (asunto 48/98, de 11.11.1999), el TJUE destacó que "el artículo 49, apartado 1, del Código Aduanero fija plazos breves para que las mercancías presentadas en aduana reciban rápidamente un destino aduanero" (p. 71). A partir de aquí, el Tribunal realizó las siguientes consideraciones:

"no se alcanzaría el objetivo del artículo 49, apartado 1, del Código Aduanero si los operadores económicos pudieran alegar circunstancias desprovistas de cualquier carácter extraordinario para poder obtener una prórroga de plazo. En efecto, tal interpretación del término «circunstancias» que figura en dicha disposición tendría como resultado que el depósito temporal podría prorrogarse habitualmente y amenazaría con transformar, a largo plazo, el régimen del depósito temporal en régimen de depósito aduanero.

En consecuencia, procede señalar que el término «circunstancias» utilizado en el artículo 49, apartado 2, del Código Aduanero debe interpretarse en el sentido de que se refiere a las circunstancias que puedan colocar al solicitante en una situación excepcional con relación a los demás operadores económicos que ejercen la misma actividad.

Pueden constituir tales circunstancias las circunstancias extraordinarias que, aunque no sean ajenas al operador económico, no forman parte de las situaciones a las que todo operador económico se enfrenta normalmente en el ejercicio de su profesión" (pp. 72-74).

En aquél supuesto el TJUE consideró que una situación de sobrecarga de trabajo por cambio a un sistema informático de contabilidad y bajas de trabajadores por enfermedad, entre otros (véase p. 68), no constituyen circunstancias excepcionales que meriten una prórroga.

Por otro lado, el Tribunal admitió la posibilidad de realizar una solicitud global de prórroga relativa a diversas operaciones de importación, al observar que "nada se opone, en principio, a que un operador económico presente una sola solicitud de prórroga del plazo establecido para dar un destino aduanero a mercancías que han sido objeto de varias declaraciones sumarias" (p. 80).

La nueva regulación del CAU evita estos problemas al regular un plazo más extenso, de 90 días (anteriormente el plazo era de 45 días, si las mercancías se introducían por vía marítima y de 20 días en otro caso) pero que no puede ser objeto de prórroga.

La norma 9 del Capítulo 2 del Anexo Específico A del Convenio de Kioto (revisado) dispone que "Cuando la legislación nacional prevea un plazo límite para el depósito temporal, el plazo mencionado deberá ser suficiente como para permitir al importador cumplir con las formalidades necesarias para la colocación de las mercancías bajo otro régimen aduanero", en tanto que la práctica recomendada 10 sugiere que se conceda la prórroga del plazo cuando concurran razones válidas.

Insistimos nuevamente en que, conforme a lo dispuesto en el artículo 79 CAU, la deuda aduanera de importación nace por incumplimiento cuando se incumple una de las obligaciones establecidas en la legislación aduanera relativa a: a) la introducción de mercancías no pertenecientes a la Unión en el TAU; b) a la retirada de estas de la vigilancia aduanera; o c) a la circulación, transformación, depósito, depósito temporal, importación temporal o disposición de tales mercancías en ese territorio.

Por otro lado, conforme a lo dispuesto en el artículo 198 CAU, las autoridades deberán adoptar todas las medidas necesarias, inclusive el decomiso y venta o la destrucción, para disponer de las mercancías cuando se haya incumplido alguna de las obligaciones establecidas en la legislación aduanera relativas a la introducción de mercancías no pertenecientes a la Unión en el TAU, o cuando se hayan sustraído las mercancías a la vigilancia aduanera. Los costes que se generen a raíz de la adopción de estas medidas deberán ser soportados por toda persona que hubiera debido cumplir las obligaciones de que se trate o que hubiera sustraído las mercancías a la vigilancia aduanera.

Bajo la vigencia del CAC, en su Sentencia *Andrade* (asunto C-213/99, de 07.12.2000) el TJUE apreció que "el artículo 53 del Código no se opone a la aplicación automática, sin previa notificación, de un procedimiento como el establecido por la normativa portuguesa, que prevé la puesta a la venta de las mercancías fuera de plazo". El Tribunal también observó que, en ausencia de una armonización de las sanciones, el Derecho de la UE no se opone a que se establezca un recargo del 5% ad valorem para regularizar la situación y evitar la venta, siempre que se establezca en condiciones comparables a las aplicables respecto de infracciones de la misma naturaleza y gravedad en la legislación nacional (pp. 14 a 25).

La norma 13 del Capítulo 2 del Anexo Específico A del Convenio de Kioto (revisado) se limita a establecer que "la legislación nacional establecerá el procedimiento a seguir en los casos en que las mercancías no sean retiradas del depósito temporal dentro del plazo establecido".

Territorios fiscales especiales.– Conforme al artículo 1(35) RDCAU, «territorio fiscal especial» se define como una parte del TAU donde no se aplique el IVA armonizado o los impuestos especiales armonizados. Por su peculiar interés para España, destaquemos que esta disposición es aplicable al comercio entre Canarias y el resto de España.

Es importante destacar que, conforme al artículo 114 RDCAU, a las mercancías que sean objeto de comercio entre un territorio fiscal especial y otra parte del TAU les serán de aplicación las reglas previstas en materia de introducción de mercancías en el TAU (se trata de las disposiciones que hemos analizado en este capítulo relativas al aviso de llegada, vigilancia aduanera, presentación de las mercancías y depósito temporal y que se contienen en los artículos 133 a 152 CAU y 115 a 118 RDCAU).

> Si unas mercancías de la Unión se expiden desde un territorio fiscal especial a otra parte del TAU, situada en el mismo Estado miembro pero que no sea un territorio fiscal especial, la autoridad aduanera puede disponer que, o bien las mercancías se presenten en aduana inmediatamente después de su llegada a esa otra parte del TAU o bien, antes de su salida del territorio fiscal especial, en la aduana designada o en cualquier otro lugar designado. La presentación debe hacerla la persona que transporte las mercancías a la otra parte del TAU o la persona en cuyo nombre o por cuya cuenta se transporten las mercancías a dicha parte del TAU (artículo 114.2 RDCAU).
>
> Se prevé una regla análoga para el supuesto de movimiento inverso (las mercancías de la Unión se expiden desde un territorio que no sea un territorio fiscal especial a otra parte del TAU, situada en el mismo Estado miembro, que sí sea territorio fiscal especial), de modo que la autoridad aduanera puede disponer que, o bien las mercancías se presenten en aduana inmediatamente a su llegada al territorio fiscal especial o bien, antes de su salida del lugar de expedición, en la aduana designada o en cualquier otro lugar designado (artículo 114.3 RDCAU). El artículo 2 de la Orden EHA/1217/2011 (BOE 16.05.2011) dispone que debe presentarse una DSDT en caso de intercambios entre partes del TAU en las que se aplique el IVA y partes en las que no se aplique, o en los casos de intercambios entre partes del TAU en que no se aplique el IVA.

22.4. RÉGIMEN DE VIAJEROS

El artículo 49 CAU ordena que únicamente se someta a control el equipaje facturado y de mano de las personas que realicen un vuelo o un crucero marítimo dentro de la Unión cuando así lo disponga la legislación aduanera. Al margen de este control, el equipaje puede quedar sujeto a controles de seguridad y protección o a controles asociados a prohibiciones o restricciones. En desarrollo de esta norma del CAU, los artículos 37 a 47 RECAU contienen una serie de disposiciones aplicables al tratamiento del equipaje de los viajeros que fundamentalmente se dirigen a determinar en qué aeropuerto o puerto deben realizarse los controles sobre el mismo. A estos efectos se distingue entre equipaje de mano (el que se transporta en la cabina de la aeronave, accesible al viajero) y el equipaje facturado (el que, habiendo sido registrado en el aeropuerto de partida, no sea accesible a la persona durante el vuelo ni, en su caso, durante la escala). En la tabla siguiente señalamos en cada caso el puerto o aeropuerto de control en función del tipo de equipaje y de la localización del punto de origen, escala y destino del transporte.

Tipo equipaje	Origen	Escala	Destino	Control
Equipaje de mano y facturado Art. 37 RECAU	Aeropuerto no del TAU	Aeropuerto del TAU	Otro aeropuerto del TAU	En el último aeropuerto internacional del TAU. Los equipajes estarán sometidos a la normativa aplicable a los equipajes de las personas procedentes de terceros países, salvo que la persona pueda demostrar el estatuto de bienes de la UE de las mercancías incluidas en el equipaje
	Aeropuerto del TAU	Otro aeropuerto del TAU	Aeropuerto no del TAU	En el primer aeropuerto internacional del TAU. Podrá realizarse un control de los equipajes de mano en el último aeropuerto internacional del TAU en que haga escala, con el fin de determinar su estatuto aduanero de mercancías de la UE
Equipaje en aeronaves de turismo o de negocios Art. 38 RECAU	Aeropuerto no del TAU	Aeropuerto del TAU	Otro aeropuerto del TAU	En el primer aeropuerto internacional del TAU
	Aeropuerto del TAU	Otro aeropuerto del TAU	Aeropuerto no del TAU	En el último aeropuerto internacional del TAU
Equipaje facturado en caso de transbordo Art. 39 RECAU Equipaje facturado en caso de transbordo Art. 39 RECAU	Aeropuerto no del TAU	Aeropuerto del TAU. Transbordo	Otro aeropuerto del TAU	En el último aeropuerto internacional del TAU al que llegue el vuelo dentro del TAU. Si el destino está en el mismo EM, puede realizarse el control en el aeropuerto en que se realice el transbordo. Excepcionalmente, en el primer aeropuerto internacional del TAU, cuando se considere necesario tras examinar el equipaje de mano

Tipo equipaje	Origen	Escala	Destino	Control
Equipaje de mano en caso de transbordo Art. 39 RECAU	Aeropuerto no del TAU	Aeropuerto del TAU. Transbordo	Otro aeropuerto del TAU	En el primer aeropuerto internacional del TAU. Sólo excepcionalmente control adicional en el aeropuerto de llegada del vuelo en el TAU, cuando se considere necesario tras examinar el equipaje facturado
Equipaje facturado en caso de transbordo Art. 40 RECAU	Aeropuerto del TAU	Otro aeropuerto del TAU. Transbordo	Aeropuerto no del TAU	En el primer aeropuerto internacional de partida del TAU. Si el aeropuerto de partida y el de transbordo están situados en el mismo EM, el control podrá realizarse en el aeropuerto de transbordo. Sólo excepcionalmente control adicional en el último aeropuerto internacional del TAU, cuando se considere necesario tras examinar el equipaje de mano
Equipaje de mano en caso de transbordo Art. 40 RECAU	Aeropuerto del TAU	Otro aeropuerto del TAU. Transbordo	Aeropuerto no del TAU	En el último aeropuerto internacional del TAU. Sólo excepcionalmente control adicional en el aeropuerto de partida del vuelo en el TAU, cuando se considere necesario tras examinar el equipaje facturado
Equipajes en aeronave de turismo o de negocios Art. 41 RECAU	Aeropuerto no del TAU	Aeropuerto del TAU (se transbordan a aeronave de línea o chárter)	Otro aeropuerto del TAU	En el aeropuerto de llegada de la aeronave de línea o charter
	Aeropuerto del TAU	Otro aeropuerto del TAU (se transbordan a aeronave de línea o chárter)	Aeropuerto no del TAU	En el aeropuerto de partida de la aeronave de línea o charter

Tipo equipaje	Origen	Escala	Destino	Control
Equipajes facturados Art. 42 RECAU	Aeropuerto no del TAU	Aeropuerto internacional del TAU (se transbordan)	Otro aeropuerto internacional del TAU en el mismo EM	En el aeropuerto donde tenga lugar el transbordo
Equipajes facturados Art. 42 RECAU	Aeropuerto internacional del TAU	Otro aeropuerto internacional del TAU en el mismo EM (se transbordan)	Aeropuerto no del TAU	En el aeropuerto donde tenga lugar el transbordo
Equipaje a bordo de embarcaciones de recreo Art. 46 RECAU	Cualquiera	Cualquiera	Cualquiera	En todos los puertos de escala en el TAU
Equipaje en servicios marítimos Art. 47 RECAU	Trayectos sucesivos que hayan comenzado, hagan escala, o terminen en un puerto no del TAU			En el puerto en que dicho equipaje sea embarcado o desembarcado

Por lo demás, el artículo 43 RECAU establece que los Estados miembros deben adoptar las medidas necesarias con el fin de garantizar que no pueda realizarse ningún transbordo de mercancías incluidas en el equipaje de mano:

- a la llegada a un aeropuerto internacional del TAU en que se lleven a cabo controles aduaneros, antes de que se efectúen tales controles;

- a la salida de un aeropuerto internacional del TAU en que se lleven a cabo controles aduaneros, después de que se efectúen tales controles;

Los equipajes facturados registrados en un aeropuerto del TAU deben identificarse mediante una etiqueta que se colocará en dicho aeropuerto, cuyo modelo y características técnicas se establecen en el Anexo 12-03 RECAU (artículo 44 RECAU).

Finalmente, se dispone que los Estados miembros deben comunicar a la Comisión la lista de los aeropuertos de carácter internacional, informándola además de cualquier cambio que se produzca en ella (artículo 45 RECAU).

Por otro lado, interesa reproducir aquí algunas definiciones que se contienen en diversos apartados del artículo 1 RDCAU. Así, el apartado (5) define «equipaje» como "todas las mercancías transportadas por cualesquiera medios en relación con un viaje de una persona física". El apartado (7) define «aeropuerto de la Unión» como "todo aeropuerto situado en el territorio aduanero de la Unión". Análogamente, el apartado (8) define «puerto de la Unión» como "todo puerto marítimo situado en el territorio aduanero de la Unión". El apartado (39) define «transbordo» como la carga o la descarga de productos y mercancías a bordo de un medio de transporte a otro medio de transporte". Y, finalmente, el apartado (40) define «viajero» como cualquier persona natural que: a) entra en el TAU temporalmente y no tiene en él su residencia habitual, o b) regresa al TAU, en el que tiene su residencia habitual, tras una estancia temporal fuera de dicho territorio, o c) sale temporalmente del TAU, en el que tiene su residencia habitual, o d) sale del TAU tras una estancia temporal, sin tener en él su residencia habitual.

LA DECLARACIÓN EN ADUANA

ÍNDICE

23 La declaración en aduana

23.1. LA DECLARACIÓN EN ADUANA

Concepto.– Al exponer la situación jurídica de depósito temporal hemos señalado que el artículo 149 CAU establece un límite temporal a la misma (de 90 días a contar desde la fecha de presentación de la declaración sumaria), superado el cual las autoridades podrán adoptar las medidas necesarias conforme a lo dispuesto en la normativa aplicable. En ese plazo el operador debe incluir las mercancías en un régimen aduanero. A dar satisfacción a ese fin se dirige la declaración en aduana (también denominada "declaración de despacho") a la que el artículo 5(12) CAU define como "el acto por el que una persona expresa, en la forma y el modo establecidos, la voluntad de incluir las mercancías en un determinado régimen aduanero, con mención, en su caso, de las disposiciones particulares que deban aplicarse". El artículo 158.1 CAU expresa esta misma idea en otros términos al disponer que "todas las mercancías que vayan a incluirse en un régimen aduanero, salvo el régimen de zona franca, serán objeto de una declaración en aduana apropiada para el régimen concreto de que se trate".

> Recordemos que las mercancías podrán incluirse en cualquier régimen aduanero independientemente de su naturaleza, cantidad, origen, procedencia o destino, siempre bajo las condiciones de dicho régimen y salvo que se disponga lo contrario (artículo 150 CAU). En este sentido, el artículo 134 CAU contiene una referencia a las prohibiciones y restricciones que estén justificadas, entre otros motivos, por razones de moralidad, orden o seguridad públicos, protección de la salud y la vida de personas, animales o plantas, protección del medio ambiente, protección del patrimonio artístico, histórico o arqueológico nacional y protección de la propiedad industrial o comercial, incluidos los controles sobre precursores de drogas, mercancías que infrinjan determinados derechos de propiedad intelectual y dinero en metálico, así como a la aplicación de medidas de conservación y gestión de los recursos pesqueros y de medidas de política comercial.
>
> La norma 3.23 del Capítulo 3 del Anexo General del Convenio de Kioto (revisado; recordemos que el anexo general sí ha sido ratificado por la UE) dispone que "En los casos en que la legislación nacional fije un plazo para presentar la declaración de mercancías, tal plazo deberá ser suficiente para que el declarante pueda cumplimentar la declaración de mercancías y obtener los justificantes requeridos", en tanto que la norma 3.24 añade que "a petición del declarante y por razones consideradas válidas por la administración de aduanas, ésta ampliará el plazo de presentación de la declaración de mercancías".

En España, el artículo 119.1 LGT dispone que "se considerará declaración tributaria todo documento presentado ante la Administración tributaria donde se reconozca o manifieste la realización de cualquier hecho relevante para la aplicación de los tributos". Obsérvese que, en la LGT, la declaración se concibe como una comunicación de *hechos* (relevantes para la aplicación de los tributos). El Reglamento de Aplicación de los Tributos (RD 1065/2007) en su artículo 117.3 establece que "la *declaración* en aduana se regirá por su normativa específica". Por tanto, desde nuestro ordenamiento se califica como declaración este acto del particular. Ahora bien, debemos observar que la declaración en aduana no encaja con el concepto de declaración que nos ofrece la LGT y no lo hace porque en la declaración en aduana el declarante no se limita a comunicar hechos relevantes, sino que los califica jurídicamente (p.e. determina un origen para las mercancías; determina los ajustes de valor aplicables; identifica los tipos de gravamen aplicables...) y realiza un cálculo "indicativo" de los derechos (véase datos del grupo 4 en Anexo B RDCAU).

La declaración en aduana tampoco es una autoliquidación. La LGT define las autoliquidaciones en su artículo 120 como "declaraciones en las que los obligados tributarios, además de comunicar a la Administración los datos necesarios para la liquidación del tributo y otros de contenido informativo, realizan por sí mismos las operaciones de calificación y cuantificación necesarias para determinar e ingresar el importe de la deuda tributaria o, en su caso, determinar la cantidad que resulte a devolver o a compensar". En la autoliquidación el propio sujeto determina la deuda, que se convierte en líquida y, por ello, debe proceder a ingresarla o, en su caso, determinar un importe a compensar o a devolver. En la declaración aduanera la deuda no es líquida ni exigible en tanto que no es liquidada por la Administración, de modo que son impuestos de liquidación administrativa. El declarante cumple su obligación formal aportando la declaración, en tanto que la obligación material —o de pago— no será exigible en tanto que la Administración no se pronuncie acerca de su importe.

> El esquema se complica porque, según se expone en el capítulo 25, la liquidación por parte de la Administración puede ser tácita —no explícita—, de manera que a la concesión del levante sin que la Administración haya dictado una liquidación expresa debe atribuirse el significado de que la Administración confirma como importe de la deuda el cálculo indicativo realizado por el declarante (artículo 102.2 CAU y 134 RD 1065/2007).

Hemos de concluir, por tanto, que la declaración aduanera se encuentra a medio camino entre las categorías de declaración y autoliquidación que perfila la LGT, excediendo el contenido de la primera, pero sin alcanzar a cubrir todos los elementos de la segunda.

Ahora bien, una de las novedades del CAU consiste, precisamente, en introducir la posibilidad de autorizar el uso de un sistema de autoliquidación a favor de determinados operadores. En este sentido, el artículo 185 CAU permite a los Operadores Económicos Autorizados, modalidad simplificaciones aduaneras, autoliquidar los derechos de aduana. En una traducción discutible, la versión española denomina "autoevaluación" a lo que en la versión inglesa se denomina *self-assessment*, que es el término técnico tributario equivalente a autoliquidación. El artículo 151 RDCAU añade que, a fin de acogerse al régimen de autoliquidación ("autoevaluación"), el sujeto deberá ser titular de una autorización de inscripción en los registros del declarante (modalidad que venía denominándose "despacho domiciliario"). La solicitud de "autoevaluación" sólo se permite respecto de los regímenes que enumera el artículo 150.2 RDCAU (despacho a libre práctica, depósito aduanero, importación temporal, destino final, perfeccionamiento activo, perfeccionamiento pasivo, exportación y reexportación). La autorización de "auto-evaluación" puede tener un contenido más amplio que la posibilidad de autoliquidar el impuesto, puesto que, conforme al artículo 152 RDCAU, puede permitir a sus titulares realizar controles, bajo vigilancia aduanera, del cumplimiento de las prohibiciones y restricciones previstas en la autorización.

> La autoliquidación se configura con carácter periódico, de manera que el titular de la autorización cuantificará los derechos que se hayan devengado en cada período de liquidación, cuya duración se determinará en la autorización. De modo que, concluido cada período de liquidación, el titular dispone de 10 días para cuantificar el importe de los derechos y comunicarlo a las autoridades, considerándose notificada la deuda en el momento en que se produzca esa comunicación. A continuación, el titular deberá proceder al pago en el plazo subsiguiente al trámite anterior que le señale la autorización y, como máximo, en el plazo de 10 días (artículo 237 RECAU; respecto del último plazo indicado, véase el artículo 108.1 CAU). El hecho de que el pago no se produzca en unidad de acto con la presentación de la autoliquidación hace a esta figura peculiar respecto de la autoliquidación que se regula en nuestro ordenamiento, pues en ésta última, si el pago no se hace al tiempo de la presentación, resultan de aplicación los recargos del período ejecutivo que se regulan en el artículo 28 LGT.

Con carácter general la declaración en aduana debe presentarse por vía electrónica (artículo 158.2 CAU). El RDCAU permite la declaración en aduana en papel únicamente para los viajeros respecto de las mercancías que lleven consigo (artículo 143 RDCAU). En algunos supuestos específicos, a los que nos referiremos más adelante, se permite que la declaración sea verbal o incluso que haga las veces de declaración un acto físico (como circular por el circuito verde en un aeropuerto).

> Tal y como se señala en la Resolución de 11 de julio de 2014 del DAAeIIEE, donde se recogen las instrucciones de cumplimentación del DUA (BOE 21.07.2014) "la presentación de declaraciones escritas constituye, actualmente, un porcentaje mínimo frente a la presentación por medios informáticos siendo incluso ésta obligatoria para algunos regímenes, como el tránsito y la exportación". Esta Resolución ha venido actualizada por la de 14.01.2016 (BOE de 25.01.2016; se ha realizado una actualización posterior mediante Resolución de 25.08.2017, BOE de 01.09.2017), que profundiza en ese fenómeno al adaptar el DUA a la ventanilla única aduanera (VUA) que, en palabras de la propia Resolución, "persigue principalmente centralizar la información y la documentación remitida por los operadores económicos a las distintas

autoridades relacionadas con el comercio exterior con países no integrantes de la Unión Europea, evitando duplicidades y facilitando la tramitación administrativa; así como posibilitar un posicionamiento único de la mercancía para su reconocimiento por todos aquellos Servicios de la Administración General del Estado que, en el ejercicio de sus competencias, decidan realizar la inspección física de las mercancías" (ventanilla única y controles centralizados).

Por lo que hace a la declaración en aduana verbal o por cualquier otro acto se trata de supuestos de menor relevancia, como el régimen de viajeros.

Una vez se produzca la mejora de los "Sistemas Nacionales de Importación y de implantación de los Regímenes Especiales en el ámbito del CAU y del Sistema Automatizado de Exportación en el ámbito del CAU" (AES CAU) a que se refiere el anexo de la Decisión de Ejecución 2019/2151/UE, se utilizarán sistemas electrónicos, de acuerdo con lo previsto en el artículo 16.1 CAU, para el tratamiento e intercambio de información relativa a la inclusión de las mercancías en un régimen aduanero (artículo 216 RECAU).

La Comisión Europea ha elaborado una *Guía sobre el DUA durante el periodo transitorio del CAU* (Documento TAXUD A3(2015)5707081; DIH 15/008 - FINAL ES, de 23.04.2016), que está disponible en español.

Contenido de la declaración y documentos de acompañamiento.– Coherentemente con la función esencial de la declaración en aduana, consistente en solicitar un régimen aduanero para las mercancías, el artículo 162 CAU exige que en ella se contengan todos los datos necesarios para la aplicación de las disposiciones que regulan el régimen aduanero para el que se declaren las mercancías. Los datos específicos a suministrar en cada caso se enumeran en el Anexo B del RDCAU (columnas de datos de los grupos B y H del cuadro del Capítulo 3 del Anexo B del RDCAU, según el régimen que se solicite y otras circunstancias; véase la tabla del Capítulo 2 del Anexo B del RDCAU). Los datos a proporcionar dependen, fundamentalmente, del régimen que se solicite.

La Comisión Europea ha elaborado el *Documento de orientación sobre el MDAUE* —Modelo de datos aduaneros de la UE— (Documento TAXUD A3(2016)2696117; Doc. DIH 16/003 final ES), que está disponible en español.

En el caso particular de los operadores postales se permite, en determinadas condiciones, que la declaración en aduana para despacho a libre práctica respecto de las mercancías en un envío postal contenga el conjunto reducido de datos a que hace referencia la columna H6 del anexo B del RDCAU. Esta posibilidad se sujeta al cumplimiento cumulativo de dos condiciones: a) que su valor no exceda de 1.000 euros; y b) que no estén sujetas a prohibiciones o restricciones (artículo 144 RDCAU). La definición de "operador postal" se contiene en el artículo 1(25) RDCAU.

Hasta la implantación de la mejora de los Sistemas Nacionales de Importación, a que se refiere el anexo de la Decisión de Ejecución 2019/2151/UE, la declaración en aduana para el despacho a libre práctica de las mercancías en envíos postales —salvo lo comprendidos en el ámbito del artículo 143bis RDCAU, relativo a envíos cuyo valor intrínseco no supere los 22 euros— se considera presentada y aceptada mediante el acto de su presentación en aduana, a condición de que las mercancías vayan acompañadas de una declaración NC 22 o NC 23.

Aunque veremos que la declaración en aduana puede posteriormente rectificarse, invalidarse o puede pedirse a las autoridades su revisión, conviene subrayar la importancia de extremar la prudencia en su confección. Para ilustrar esta idea puede ser útil tomar en consideración el supuesto analizado en la STJUE *Krohn* (asunto C-226/18, de 22.05.2019). En ella el Tribunal comienza por establecer que los tipos reducidos de derechos antidumping y derechos compensatorios en razón de compromisos adquiridos por el exportador en el curso del procedimiento que conduce a la imposición de estos derechos constituyen "excepciones" al régimen normal y, en consecuencia, deben interpretarse en sentido estricto (p. 46). Sentada esta premisa, identifica dos incumplimientos que le conducen a decidir que no cabe aplicar los tipos reducidos al caso examinado. Uno consiste en que la deuda nació por exceder el plazo previsto para el depósito temporal, en tanto que el derecho reducido exigía que las mercancías se declarasen a libre práctica. Y el segundo consistía en la aportación de una factura que debía contener ciertas menciones. La factura se aportó tardíamente porque la deuda nació por incumplimiento y, además, la factura inicialmente aportada no contenía las menciones exigidas de forma correcta, si bien el importador aportó más tarde una factura rectificada que ya contenía las menciones correctamente. Estos dos incumplimientos conducen al Tribunal —de forma ciertamente rigurosa— a rechazar la aplicabilidad del derecho reducido, a pesar de que no se hubiera producido una tentativa de fraude (véase el artículo 86.6 CAU, anteriormente 212bis CAC). Esto nos permite constatar que una incorrección formal inicial, por más que posteriormente se subsane, puede ser un elemento que, en conjunción con otro u otros, determine consecuencias desfavorables para el declarante. En el mismo sentido, en la STJUE *Unipak*, (asunto C-396/19, de 09.07.2020) se analiza un asunto en el que las mercancías cumplían los requisitos materiales para beneficiarse del régimen de destino final, pero en la declaración no se solicitó este régimen sino el de libre práctica, por lo que se deniega al declarante acogerse a las ventajas del régimen de destino final cuando el declarante intenta pedirlo de forma retroactiva.

La norma 3.12 del Capítulo 3 del Anexo General del Convenio de Kioto (revisado) dispone que "Las aduanas limitarán los datos exigidos en la declaración de mercancías a los que consideren necesarios para el cálculo y recaudación de los derechos e impuestos, la recopilación de estadísticas y la aplicación de la legislación aduanera".

A diferencia de lo establecido en la normativa anterior (es decir, el CAC y el RACAC), con carácter general no se exige que se acompañe a la declaración en aduana de documentos acreditativos de determinados datos contenidos en ella, como pueda ser la factura, el certificado de origen —si se declara un origen preferencial—, los documentos de transporte, etc... En su lugar, lo que la norma exige es que el declarante se encuentre en posesión de los mismos y los tenga a disposición de las autoridades que, cuando lo consideren oportuno, pueden requerir su presentación (artículo 163.1 CAU). Sí que deberán facilitarse los documentos justificativos, en cambio, cuando así lo exija la legislación de la Unión o se estime necesario a efectos de control aduanero (artículo 163.2 CAU). A diferencia de la regulación anterior (artículos 218 a 220 RACAC), no se enumera de forma sistemática en un precepto cuál deba ser la documentación de la que el operador deba disponer o aportar, como hubiera sido deseable, sino que determinar esta cuestión exige analizar toda la normativa aplicable y extraer qué se requiere en cada caso. En este sentido, encontramos que el artículo 145 RECAU exige la factura como documento justificativo del valor declarado de la transacción, en tanto que el artículo 116

RECAU hace lo propio con el documento que pruebe el origen (que puede ser, según el caso, un certificado de origen o una declaración en factura).

> Observamos que, mientras el artículo 145 RECAU (relativo a la factura) cita como norma desarrollada el artículo 163.1 CAU, el artículo 116 RECAU (relativo a la prueba de origen) se refiere simplemente al artículo 163 CAU, sin especificar qué apartado. Esto es relevante porque el apartado 1 del artículo 163 CAU, según hemos señalado, no exige que el documento se presente en cada caso, sino simplemente que el operador disponga de él y, si se le requiere, que lo aporte. En cambio, el apartado 2 del artículo 163 CAU sí exige la presentación del documento sin necesidad de que ésta sea requerida. La duda se resuelve a favor del apartado 163.1 CAU también en el caso de la acreditación del origen, dado que el artículo 165 CAU otorga poderes de ejecución a la Comisión para especificar "b) la disponibilidad de los documentos justificativos a que se refiere *el artículo 163, apartado 1*".
> El artículo 224 RECAU regula un supuesto en el que los documentos justificativos deben presentarse sin necesidad de que se requieran, para el caso de las declaraciones simplificadas. Véase también el artículo 234.1. (e) RECAU (para los supuestos de declaración en aduana en forma de inscripción en los registros).

Se dispone que, en algunos casos concretos, podrán ser los propios operadores quienes elaboren los documentos justificativos, siempre que lo autoricen las autoridades (artículo 163.3 CAU).

> El artículo 155 RDCAU atribuye competencia a las autoridades para autorizar al operador a fin de que pueda elaborar los documentos justificativos relativos a las declaraciones en aduana normales que certifiquen el pesaje de plátanos frescos del código NC 0803 90 10 sujetos a derechos de importación («certificado de pesaje de plátanos»). Esta autorización se sujeta al cumplimiento de cinco requisitos por parte del solicitante, a saber: a) inexistencia de infracciones graves o reiteradas de la legislación aduanera y de la normativa fiscal; b) participar en la importación, el transporte, el almacenamiento o la manipulación de plátanos frescos del código NC 0803 90 10 sujetos a derechos de importación; c) ofrecer la seguridad necesaria en lo que respecta a la buena ejecución de las operaciones de pesaje; d) tener a su disposición equipo adecuado para realizar el pesaje; y e) disponer de registros que permitan a las autoridades aduaneras efectuar los controles necesarios. La decisión relativa a este tipo de autorización debe adoptarse en un plazo máximo de treinta días a partir de la fecha de aceptación de la solicitud (artículo 156 RDCAU). Por otro lado, se permite que las referidas notas de pesaje de plátanos puedan elaborarse y presentarse utilizando medios distintos de las técnicas de tratamiento electrónico de datos (artículo 157 RDCAU). El artículo 251 RECAU contiene la regulación procedimental a que se sujetan estas notas de pesaje. Dispone que el operador autorizado debe informar anticipadamente a las autoridades de la operación de pesaje, facilitando información detallada sobre el tipo de envase, el origen, y la fecha y el lugar de pesaje. La nota de pesaje de plátanos, que se elaborará utilizando el formulario que figura en el anexo 61-02 RECAU, debe hallarse en posesión del declarante y a disposición de las autoridades en el momento de la presentación de la declaración de despacho a libre práctica de los plátanos. El apartado 3 de este mismo artículo 251 RECAU se regulan las condiciones en las que, a solicitud del operador autorizado, las autoridades podrán decidir despachar a libre práctica envíos de plátanos frescos basándose en una declaración provisional del peso. La regulación atinente

a estas notas de pesaje se completa con el artículo 252 RECAU, que ordena a las aduanas controlar, como mínimo, un 5% del total de las notas de pesaje de plátanos presentadas cada año, bien sea asistiendo al pesaje de muestras representativas de plátanos por el operador, bien sea pesando por sí mismas esas muestras, conforme al procedimiento establecido en los puntos 1, 2 y 3 del anexo 61-03 RECAU.

Ha de tenerse en cuenta que, aunque se documente en un único acto, si la declaración en aduana se refiere a varios artículos, se considerará que las indicaciones relativas a cada artículo constituyen una declaración separada (artículo 222.1 RECAU).

Ahora bien, se considerará que constituyen un único artículo las mercancías que se clasifiquen en una única subpartida arancelaria, así como aquellas que sean objeto de una solicitud de la simplificación en virtud de la cual se permite declarar en una misma declaración en aduana mercancías incluidas en diferentes subpartidas arancelarias (esta simplificación se regula en el artículo 177 CAU). Por el contrario, no se considerará que constituyen un único artículo las mercancías que estén sujetas a medidas distintas (artículo 222.2 RECAU).

La simplificación regulada en el artículo 177 CAU a que hemos hecho referencia se aplica cuando en un mismo envío se incluyan mercancías de diferente subpartida arancelaria. Si establecer el tratamiento que le corresponde a cada tipo de mercancía supusiese un trabajo y un coste desproporcionados respecto al importe de los derechos de importación y de exportación aplicables, el declarante puede solicitar que la totalidad del envío sea gravada tomando como base la subpartida arancelaria de las mercancías que estén sujetas al derecho de importación o de exportación más elevado. La solicitud ha de ser aceptada por las autoridades, que la denegarán cuando sea necesario determinar la correcta clasificación arancelaria de las mercancías a fin de aplicarles medidas de prohibición o de restricción, o bien para aplicarles impuestos especiales.

Por su parte, el artículo 228 RECAU establece reglas para calcular, en estos supuestos de envíos de varios artículos, cuál debe ser el gravamen aplicable cuando se establezca un derecho específico (no *ad valorem*) o un derecho compuesto (derecho específico + derecho *ad valorem*). Así, si las mercancías se sujetan a un derecho específico expresado por referencia a la misma unidad de medida, el derecho que gravará el envío en su conjunto será el que resulte aplicable a la subpartida arancelaria sujeta al derecho específico más elevado. Si, por el contrario, las mercancías se sujetan a un derecho específico expresado por referencia a distintas unidades de medida, la metodología de cálculo se vuelve algo más compleja. En primer lugar, separaremos las mercancías del envío en grupos, que se integrarán por mercancías cuyo derecho específico se exprese por referencia a una misma unidad de medida. Tomaremos el derecho específico más elevado para cada uno de los grupos resultantes. En segundo lugar, aplicaremos ese tipo de gravamen a todas las mercancías del grupo, con lo cual calcularemos el impuesto resultante y, a continuación, obtendremos su equivalente en forma de derecho *ad valorem* (dividiendo para ello el impuesto total resultante entre el valor total de las mercancías del grupo). En tercer lugar, tomaremos el tipo de derecho *ad valorem* más elevado que haya resultado y será este tipo el que se aplique al envío en su conjunto.

Algo análogo se dispone en caso de que se establezca un derecho compuesto para las mercancías incluidas en el envío. Habremos de obtener el derecho *ad valorem* equivalente para cada grupo de mercancías y aplicaremos al envío en su conjunto el tipo de derecho *ad valorem* más elevado de entre todos los que resulten.

Declarante.– Con carácter general, el declarante puede ser cualquier persona que se encuentre en condiciones de presentar o de disponer que se presente a la Aduana la mercancía de que se trate y de facilitar todos los datos que se exijan para la inclusión de las mercancías en el régimen aduanero para el cual se declaren. En caso de que la admisión de una declaración en aduana imponga obligaciones particulares a una persona concreta, la declaración deberá ser presentada por dicha persona o por su representante (artículo 170.1 CAU).

> Recordemos que el declarante tiene la condición de deudor de la deuda aduanera (el artículo 5(15) CAU define «declarante» como "la persona que presenta una declaración en aduana, una declaración de depósito temporal, una declaración sumaria de entrada, una declaración sumaria de salida, una declaración de reexportación o una notificación de reexportación en nombre propio, o la persona en cuyo nombre se presenta dicha declaración o dicha notificación). Nos remitimos a lo expuesto al respecto en el capítulo 4.4, y también por lo que hace a la representación, a la que nos referimos seguidamente.

La declaración puede asimismo presentarse a través de un representante (la representación aduanera se regula en los artículos 18 y 19 CAU).

> En España, la Resolución de 5 de marzo de 2015, de la Dirección General de la Agencia Estatal de Administración Tributaria, en relación con el registro y gestión de las autorizaciones de despacho aduanero (BOE 17.03.2015), establece un registro de mandatos de representación aduanera para la presentación de declaraciones por medio de internet (o autorizaciones de despacho, como lo denomina la Resolución), que sólo pueden otorgarse a personas inscritas en el Registro de Representantes Aduaneros de la AEAT. El apartado segundo enumera las formas de acreditar la representación y, de este modo, acceder a la correspondiente inscripción en el registro de la autorización de despacho.
> Precisemos en este punto que el TJUE, en su sentencia *Comisión/Portugal* (asunto C-323/90, de 11.03.1992) declaró contraria al Derecho de la UE una norma portuguesa que, por una parte reservaba a los agentes de aduanas la representación indirecta (actuación en nombre propio pero por cuenta ajena) y, por otro lado, aunque permitía que cualquier sujeto presentara declaraciones en régimen de representación directa (actuación en nombre y por cuenta ajena) disponía que sólo los agentes de aduana podían actuar a las órdenes de más de un mandante, de modo que bloqueaba que sujetos distintos de los agentes de aduana ejercieran de forma profesional la representación por cuenta de sujetos diversos. En el mismo sentido, la Sentencia *Comisión/Italia* (asunto C-119/92, de 09.02.1994) declaró contraria al Derecho de la UE una norma italiana que creaba confusión acerca de si era admisible la representación indirecta.

Sobre la regla general anterior deben realizarse dos precisiones. La primera consiste en que, cuando la admisión de una declaración en aduana implique para determinada persona obligaciones particulares, esa declaración deberá ser realizada por dicha persona o por su representante. La segunda estriba en que, como regla general, se exige que el declarante esté establecido en el TAU.

Esta segunda precisión tiene excepciones (artículo 170.3 CAU). Así, no se requiere estar establecido en el TAU a las personas que hagan una declaración de tránsito o de importación temporal. Tampoco a las que declaren mercancías con carácter ocasional, aún cuando soliciten el régimen de destino final o de perfeccionamiento activo, siempre que las autoridades aduaneras lo consideren justificado. Este segundo supuesto no impide la aplicación por los Estados miembros de los acuerdos bilaterales celebrados con terceros países o de prácticas consuetudinarias de efectos similares, que permitan a los nacionales de dichos países hacer declaraciones aduaneras en el territorio de los Estados miembros de que se trate, en condiciones de reciprocidad. Finalmente, tampoco se exige estar establecido en el TAU cuando se trate de declaraciones presentadas por personas establecidas en un tercer país cuyo territorio sea adyacente al TAU y las mercancías se presenten en una aduana de frontera de la Unión adyacente a ese país. Esta posibilidad se supedita a que ese tercer país otorgue un trato recíproco a las personas establecidas en el TAU.

Conforme a lo dispuesto en el artículo 170.4 CAU, la declaración en aduana deberá estar autentificada. El medio de autentificación en las declaraciones en papel es relativamente sencillo, pues basta para ello la firma del declarante. Este mandato acarrea mayores implicaciones en el caso de la declaración por medios electrónicos, dado que requiere la utilización de protocolos de encriptación y transmisión segura de datos a fin de que pueda establecerse de forma indubitada la identidad del sujeto que envía los datos. La autentificación permitirá identificar al sujeto sobre el cual se hace recaer la responsabilidad que el artículo 15 CAU establece sobre el declarante en relación con el contenido que se declara, según se ha indicado en el capítulo 21.3.5 (Deber de colaboración y suministro de información).

Lugar y tiempo de presentación de la declaración en aduana.– Con carácter general, la declaración en aduana debe presentarse en la aduana competente que corresponda, atendido el lugar en que se hayan presentado o se vayan a presentar ante la aduana las mercancías, salvo disposición en contrario. Esta es la aduana que tiene la competencia para incluir las mercancías en un régimen aduanero (artículo 159.3 CAU).

Cuando se dispense la obligación de presentar las mercancías en aduana en el marco de la simplificación denominada "inscripción en los registros del declarante" (que se examina en el próximo capítulo, el 24), la declaración en aduana deberá presentarse ante la "aduana supervisora" a que se refiere el artículo 182.3(c) CAU que, conforme a la definición que se contiene en el artículo 1(36) RDCAU, es la aduana indicada en la autorización de esta simplificación para vigilar la inclusión de las mercancías en el régimen aduanero de que se trate (artículo 221.1 RECAU).

Por otra parte, si se trata de la inclusión de las mercancías en el régimen de exportación, las aduanas competentes son las siguientes: a) la del lugar en que esté establecido el exportador; b) la del lugar en que las mercancías se embalen o carguen para la exportación; o c) una aduana distinta en el Estado miembro de que se trate que sea competente para la operación en cuestión por razones administrativas. Además, se prevé la posibilidad de que se utilice otra aduana, adicionalmente a las ya señaladas, en un supuesto general y en dos supuestos específicos. En virtud del supuesto general previsto, cuando lo justifiquen las circunstancias del caso, será asimismo competente otra aduana que se encuentre en mejores condiciones para la presentación de las mercancías. Por lo que hace a los supuestos específicos, se dispone, en primer lugar, que si el valor de las mercancías no excede de 3.000 euros por envío y por declarante, y las mercancías no están sujetas a prohibiciones o restricciones, será asimismo competente la aduana del lugar de salida de las mercancías del TAU. Y, en segundo lugar, se dispone que, cuando se recurra a la subcontratación, será asimismo competente la aduana del lugar en que esté establecido el subcontratista (artículo 221.2 RECAU).

Si se trata de declaraciones en aduana orales, ya sea de exportación o de reexportación (nos referiremos a las declaraciones orales más abajo), la aduana competente será la del lugar de salida de las mercancías del TAU (artículo 221.3 RECAU).

A fin de facilitar a los operadores la identificación de la aduana competente en cada caso, se dispone que los Estados miembros deben determinar la localización y las competencias de las distintas aduanas situadas en su territorio, asignándoles un horario oficial que resulte razonable y adecuado, teniendo en cuenta la naturaleza del tráfico, de las mercancías y el régimen aduanero en que se vayan a incluir. Todo ello con vistas a que el flujo del tráfico internacional no se vea entorpecido ni perturbado (apartados 1 y 2 del artículo 159 CAU).

Por lo que hace al tiempo de la declaración, ésta podrá presentarse en cuanto las mercancías sean presentadas o puestas a disposición de las autoridades aduaneras para su control. Ahora bien, la declaración puede presentarse también antes de que se presenten las mercancías. En este caso las mercancías deben presentarse en el plazo de 30 días puesto que, de lo contrario, se considerará que la declaración no se ha presentado (artículo 171 CAU). Aun cuando la declaración se presente de forma anticipada, no podrá aceptarse por las autoridades —y, en consecuencia, desplegar todos sus efectos— en tanto las mercancías de que se trate no se hayan presentado a las autoridades aduaneras o, si así lo establecen las autoridades, en tanto no se hayan puesto a disposición para su control.

> En caso de que la declaración en aduana se presente antes de que las mercancías a que se refiere se presenten en aduana, las autoridades aduaneras deben tratar los datos facilitados antes de la presentación de las mercancías, en particular a efectos del análisis de riesgos (artículo 227 RECAU).

Admisión de la declaración. – Tras la correcta presentación de la declaración en aduana y salvo lo señalado para las declaraciones presentadas con anterioridad a la presentación de las mercancías, las autoridades la admitirán de inmediato, siempre que las mercancías a las que se refiera hayan sido presentadas en aduana (artículo 172.1 CAU).

> Una vez se implante el "Sistema Automatizado de Exportación y el Nuevo Sistema de Tránsito Informatizado y de mejora de los Sistemas Nacionales de Importación", a que refiere el anexo de la Decisión de Ejecución 2019/2151 (lo que está previsto para diciembre de 2023), las autoridades notificarán al declarante la admisión de la declaración en aduana indicando la fecha de tal admisión y le facilitarán un MRN para la declaración (artículo 226 RECAU). Esta

regla no se aplica en caso de que la declaración en aduana se presente oralmente o mediante un acto considerado una declaración en aduana (a estas modalidades de declaración no referimos más abajo), o bien cuando la declaración en aduana adopte la forma de una inscripción en los registros del declarante (a esta simplificación se refiere el capítulo 24).

Cuando se declaren mercancías de la UE para la exportación, tránsito interno de la Unión o el régimen de perfeccionamiento pasivo, estas se someterán a vigilancia aduanera desde el momento de admisión de la declaración hasta el momento en que salgan del TAU, sean abandonadas en beneficio del Estado, sean destruidas o se invalide la declaración en aduana (artículo 158.3 CAU).

Es importante destacar la eficacia jurídica que alcanza la admisión de la declaración en aduana, conforme a la doctrina del TJUE en su sentencia *DP Grup* (asunto C-138/10, de 15.09.2011, p. 39), dictada bajo la vigencia de una norma equivalente contenida en el artículo 63 CAC:

> "cuando las autoridades aduaneras admiten una declaración en aduana firmada por el declarante o por su representante, el artículo 63 del Código aduanero les obliga a realizar exclusivamente un examen de su conformidad con los requisitos previstos en esa disposición y en el artículo 62 del mismo Código. Por consiguiente, al admitir una declaración en aduana esas autoridades no se pronuncian sobre la exactitud de las informaciones presentadas por el declarante, cuya responsabilidad asume éste. En efecto, de la redacción del artículo 68 del Código aduanero se deduce que la admisión de la declaración no priva a esas autoridades de la facultad de comprobar posteriormente, y en su caso incluso después del levante de las mercancías, la exactitud de esas informaciones".

Así pues, la admisión de la declaración únicamente implica una verificación formal por parte de las autoridades acerca de que la declaración se ha cumplimentado en el modelo establecido, contiene los datos necesarios, está firmada y le acompañan los documentos requeridos. Por el contrario, la admisión de la declaración no supone actividad previa por parte de la Administración de indagación material, es decir, acerca de la corrección y veracidad de la información aportada (contraste entre lo declarado y la realidad material).

Conforme al artículo 172.2 CAU, la fecha de admisión de la declaración por parte de las autoridades es la que se tendrá en cuenta para determinar la normativa aplicable al régimen aduanero para el que se declaren las mercancías, salvo que una norma específica establezca lo contrario (p.e. a efectos de cambios en los tipos de gravamen, o aplicabilidad de una suspensión arancelaria, o aplicabilidad de otro tipo de medidas). En este sentido, conviene recordar que la admisión es relevante, entre otras cosas, a efectos de la gestión de los contingentes arancelarios que se asignan por orden de llegada. Por otro lado, según se ha expuesto en el capítulo 4, el momento de la admisión de la declaración en aduana para el régimen de despacho a libre práctica o de importación temporal con exención parcial marca el nacimiento de la deuda aduanera (artículo 77.2 CAU), es decir, es el momento del devengo.

> La idea anterior requiere de precisiones adicionales. La admisión de la declaración en aduana marca el nacimiento de la deuda aduanera cuando las mercancías se despachan a libre práctica. A su vez, el despacho es un conjunto de actos que concluye con el levante. Atendido lo anterior, la admisión de la declaración en aduana determina el devengo en la medida en que se verifiquen posteriormente los actos que desembocan en el levante. En su Sentencia *Wandel* (asunto C-66/99, de 01.02.2001), el TJUE apreció que si, tras la admisión de la declaración y en tanto las mercancías se encuentran en depósito temporal, las autoridades requieren examinar las mercancías y esta comprobación no resulta posible porque el importador ya no las tiene en su poder, el devengo no se produce por la admisión de la declaración, sino por la sustracción de las mercancías a la vigilancia aduanera (es decir, no en virtud del artículo 77 CAU —anteriormente, 201 CAC—, sino en virtud del artículo 79 CAU —anteriormente, 203 CAC—). Esta apreciación tiene importantes consecuencias: en particular, las preferencias arancelarias sólo son aplicables si se produce un despacho a libre práctica regular, de manera que no cabe aplicar preferencias arancelarias si la deuda nace en circunstancias irregulares. Observa el Tribunal que:
>
> "Hacer coincidir, en una situación como la que dio origen al litigio principal, el nacimiento de la deuda aduanera con la aceptación de la declaración en aduana equivaldría, de una parte, a considerar que el hecho generador de la deuda es la aceptación de la declaración en aduana, lo cual iría en contra del propio tenor literal del artículo 201, apartado 1, del Código aduanero, y, de otra parte, supondría privar de efecto útil, en particular, a la facultad de comprobación de las declaraciones atribuido a las autoridades de aduanas por el artículo 68 del Código aduanero y a la concesión, por las citadas autoridades aduaneras, del levante de una mercancía.
>
> Por añadidura, esta interpretación tendría como consecuencia que se viera excluido cualquier nacimiento de una deuda aduanera sobre la base del artículo 203, apartado 1, del Código aduanero, en el supuesto de que la sustracción a la vigilancia aduanera de una mercancía sujeta a derechos de importación sea posterior a la aceptación de la declaración en aduana" (pp. 43-44).
>
> Esta doctrina refuerza nuestra convicción de que el hecho imponible de los impuestos arancelarios es el paso de la línea aduanera. Aunque por razones pragmáticas la norma configure otros presupuestos fácticos para determinar el momento en que se produce el devengo —como pueda ser la aceptación de la declaración—, el hecho imponible se produce concurran estos presupuestos o no, pues si los mismos no llegan a consumarse, debido a irregularidades, el hecho imponible se perfeccionará de igual modo al erigirse entonces la irregularidad en momento del devengo. El Tribunal lo expresa con claridad: "Hacer coincidir (...) el nacimiento de la deuda aduanera con la aceptación de la declaración en aduana equivaldría (...) a considerar que el hecho generador de la deuda es la aceptación de la declaración en aduana". Efectivamente, no es ese el hecho generador, sino que el hecho generador es el paso de la línea aduanera.
>
> En la Sentencia *Schouten* (asunto 113/78, de 21.02.1979), relativa a exacciones agrícolas bajo la vigencia de normas anteriores al CAC, el TJUE apreció que "el día de la importación" es la fecha en que la declaración de importación de la mercancía es aceptada por la Aduana, precisando, no obstante, que la aceptación no puede tener lugar en tanto las mercancías no hayan llegado al lugar determinado por la Aduana para la operación de control y de despacho de aduanas. El hecho de que, por razones no imputables al importador, las mercancías no pu-

dieran conducirse al lugar determinado por la Aduana, no altera el día de la importación, que se basa en hechos determinados objetivamente (pp. 8-12).

En España, de forma análoga a lo que hace el CAU aunque con una terminología más técnica, el artículo 21 LGT dispone que "El devengo es el momento en el que se entiende realizado el hecho imponible y en el que se produce el nacimiento de la obligación tributaria principal. La fecha del devengo determina las circunstancias relevantes para la configuración de la obligación tributaria, salvo que la ley de cada tributo disponga otra cosa".

Rectificación de la declaración.– Ya producida la admisión, el declarante puede solicitar la rectificación de uno o varios de los datos mencionados en la declaración, si bien mediante la rectificación no se podrán incluir en la declaración mercancías distintas de las inicialmente declaradas (artículo 173.1 CAU).

La rectificación ya no se autorizará una vez que las autoridades aduaneras hayan informado al declarante de su intención de proceder a un examen de las mercancías; o bien hayan comprobado la inexactitud de los datos en cuestión; o bien hayan ordenado el levante de las mercancías (artículo 173.2 CAU). El «levante de las mercancías» se define en el artículo 5(26) CAU como "el acto por el que las autoridades aduaneras pongan las mercancías a disposición de los fines concretos del régimen aduanero en el que se hayan incluido" y, según hemos señalado, una vez producido impedirá la rectificación de la declaración. Ahora bien, se matiza que, a solicitud del declarante y dentro del plazo de tres años contados a partir de la fecha de la admisión de la declaración en aduana, podrá permitirse la rectificación de la declaración en aduana a fin de que el declarante pueda cumplir con sus obligaciones relativas a la inclusión de las mercancías en el régimen aduanero de que se trate (artículo 173.3 CAU). La redacción ambigua del precepto genera dudas acerca de en qué casos se va a permitir tal rectificación posterior al levante, dependiendo de qué se entienda por "cumplir con sus obligaciones". Por ejemplo, no queda claro si el declarante podrá instar una rectificación en casos en que considere que cometió un error en su declaración que le condujo a abonar una cantidad excesiva.

Bajo la vigencia del CAC, el TJUE, en su Sentencia *Overland Footwear II* (asunto C-468/03, de 20.10.2005), abrió una posibilidad alternativa a la rectificación para los importadores al interpretar que la Aduana debe aceptar, a menos que pueda justificar su rechazo, la solicitud de revisión de la declaración formulada por el declarante, con posterioridad al levante, en aplicación de lo dispuesto en el artículo 78 CAC. Esta cuestión se trata en el capítulo 25.

En España, la Nota Informativa del DAAeIIEE NI GA 08/2016 de 28 de julio, sobre rectificación e invalidación de declaraciones, aclara que cabrá rectificar la declaración tras el levante "en todos aquellos supuestos en los que no proceda la invalidación" de la declaración, señalando además que este es el criterio de TAXUD.

Invalidación de la declaración.– El declarante puede asimismo solicitar a las autoridades la invalidación de la declaración en aduana ya admitida (artículo 174 CAU).

La solicitud prosperará en dos supuestos. En primer lugar, cuando las autoridades se hayan cerciorado de que las mercancías van a incluirse inmediatamente en otro régimen aduanero. En segundo lugar, cuando las autoridades se hayan cerciorado de que, como consecuencia de circunstancias especiales, la inclusión de las mercancías en el régimen aduanero para el que fueron declaradas ya no está justificada.

Ahora bien, se denegará la invalidación de la declaración si las autoridades aduaneras han informado al declarante de su intención de proceder a un examen de las mercancías, hasta tanto no se haya procedido al referido examen. También se denegará la invalidación de la declaración una vez haya sido concedido el levante de las mercancías, salvo disposición expresa en sentido contrario.

El artículo 148 RDCAU regula en detalle los supuestos en que se admitirá la invalidación de una declaración en aduana después de la concesión del levante de las mercancías.

> En este sentido, un primer supuesto en que se admitirá la invalidación de una declaración en aduana después del levante de las mercancías se produce cuando las mercancías han sido declaradas por error para un régimen aduanero en virtud del cual nazca una deuda aduanera de importación, en lugar de ser declaradas para otro régimen aduanero. En este caso la invalidación se supedita a la concurrencia de las cuatro condiciones siguientes: a) *Plazo:* la solicitud debe presentarse en los noventa días siguientes a la fecha de admisión de la declaración; b) *Uso:* las mercancías no han debido ser utilizadas de manera incompatible con el régimen aduanero para el que deberían haber sido declaradas de no haberse producido el error; c) *Requisitos:* en el momento de la declaración errónea, debían cumplirse las condiciones para la inclusión de las mercancías en el régimen aduanero para el que deberían haber sido declaradas de no haberse producido el error; d) *Forma:* se debe presentar una declaración en aduana para el régimen aduanero en el que las mercancías habrían sido declaradas de no haberse producido el error.
>
> Un segundo supuesto en el que se admitirá la invalidación de una declaración en aduana después del levante de las mercancías se produce cuando las mercancías se declaran por error en lugar de otras mercancías para un régimen aduanero en virtud del cual nace una deuda aduanera de importación. En este caso la invalidación se supedita a la concurrencia de las condiciones siguientes: a) *Plazo:* la solicitud debe presentarse en los noventa días siguientes a la fecha de admisión de la declaración; b) *Uso:* las mercancías declaradas por error no han debido ser utilizadas de manera distinta a aquella para la que hayan sido autorizadas en su estado original y han debido ser restauradas a su estado original; c) *Competencia:* la misma aduana debe ser competente en relación con las mercancías declaradas por error y con las mercancías que el declarante hubiera tenido intención de declarar; d) *Sustitución:* las mercancías van a ser declaradas para el mismo régimen aduanero que las declaradas por error.
>
> Un tercer supuesto en el que se admitirá la invalidación de una declaración en aduana después del levante de las mercancías se produce cuando las mercancías hayan sido vendidas en virtud de un contrato a distancia (tal como se define en el artículo 2, apartado 7, de la Directiva 2011/83/UE del Parlamento Europeo y del Consejo), hayan sido despachadas a libre práctica y, posteriormente, sean devueltas. En este caso la invalidación se supedita a la concurrencia de las condiciones siguientes: a) *Plazo:* la solicitud debe presentarse en los noventa días siguientes a la fecha de admisión de la declaración; b) *Devolución:* las mercancías han debido

ser exportadas con vistas a su retorno a la dirección del proveedor original o a cualquier otra dirección indicada por dicho proveedor.

La invalidación de una declaración en aduana después del levante de las mercancías también procederá en los casos siguientes:

a) cuando las mercancías hayan sido despachadas para exportación, reexportación o perfeccionamiento pasivo y no hayan salido del TAU;

b) cuando las mercancías hayan sido declaradas por error para un régimen aduanero aplicable a las mercancías no pertenecientes a la Unión y su estatuto aduanero de mercancías de la Unión se haya demostrado posteriormente mediante un T2L, un T2LF o un manifiesto aduanero de mercancías;

c) cuando las mercancías hayan sido declaradas por error en más de una declaración en aduana;

d) cuando se conceda una autorización con efecto retroactivo (que se regula en el artículo 211.2 CAU);

e) cuando se hayan incluido mercancías de la Unión en el régimen de depósito aduanero y ya no puedan ser incluidas en dicho régimen (bien porque no les resulte aplicable la legislación de la Unión reguladora de ámbitos específicos, o bien porque no puedan beneficiarse de una decisión que conceda la devolución o condonación de los derechos de importación, véase el artículo 237.2 CAU).

En relación al supuesto recogido en la letra (a) anterior (es decir, mercancías que hayan sido despachadas para exportación, reexportación o perfeccionamiento pasivo y no hayan salido del TAU), en caso de tratarse de mercancías sujetas a derechos de exportación, a una solicitud de devolución de derechos de importación, a restituciones u otros importes de exportación o a otras medidas especiales de exportación, se dispone que deberán cumplirse las condiciones siguientes: a) el declarante debe aportar a la aduana de exportación o, en caso de perfeccionamiento pasivo, a la aduana de inclusión, la prueba de que las mercancías no han salido del TAU; b) si se trata de una declaración en aduana en papel, el declarante habrá de devolver, a la aduana de exportación o, en caso de perfeccionamiento pasivo, a la aduana de inclusión, todas las copias de la declaración en aduana, junto con todos los demás documentos que le hayan sido remitidos tras la admisión de la declaración; c) el declarante debe aportar a la aduana de exportación la prueba de que las restituciones y demás importes o ventajas financieras facilitadas en el momento de la exportación para las mercancías correspondientes han sido reembolsados o que se han adoptado las medidas necesarias por parte de los servicios interesados para que no sean pagados; d) el declarante debe cumplir cualquier otra obligación que le incumba con respecto a las mercancías; e) se han debido anular los eventuales ajustes realizados en una licencia de exportación presentada en apoyo de la declaración en aduana.

En todos los supuestos enumerados de invalidación de una declaración en aduana después del levante de las mercancías que regula el artículo 148 RDCAU incumbe al solicitante la carga de la prueba de que concurren las circunstancias y condiciones a que se sujeta la invalidación en cada caso.

23.2. DECLARACIONES EN ADUANA ORALES O MEDIANTE CUALQUIER OTRO ACTO

23.2.1. Elementos comunes

Los artículos 135 a 137 RDCAU y el artículo 217 RECAU regulan los supuestos en los que cabe formular la declaración en aduana de forma oral, en tanto que los artículos 138 a 142 RDCAU y 218 a 220 RECAU regulan los supuestos en los que cabe formular la declaración en aduana mediante otro acto. Fundamentalmente esta normativa se limita a señalar en qué supuestos cabe una y otra forma de declaración, así como a determinar en qué momento se entiende admitida la declaración y concedido el levante.

> La práctica recomendada 2 del Capítulo 1 del Anexo Específico B del Convenio de Kioto (revisado; los anexos específicos, a diferencia del anexo general, no han sido ratificados por la UE) sugiere que "la legislación nacional debería permitir que las mercancías puedan ser declaradas mediante una forma alternativa a la declaración de mercancías de modelo estándar, a condición que contenga toda la información requerida relativa a las mercancías destinadas a la importación para el consumo".

En cuatro supuestos se excluye la posibilidad de declarar oralmente o mediante otro acto (artículo 142 RDCAU). En primer lugar, respecto de las mercancías para las que se haya solicitado la concesión de restituciones u otras ventajas financieras a la exportación en el marco de la política agrícola común (PAC). En segundo lugar, respecto de las mercancías para las cuales se haya presentado una solicitud de devolución de derechos u otros gravámenes. En tercer lugar, respecto de las mercancías sujetas a prohibiciones o restricciones. Y, en cuarto lugar, respecto las mercancías sujetas a cualquier otra formalidad especial prevista en la legislación de la Unión que deban aplicar las autoridades. Se trata de una previsión lógica en los cuatro casos si se tiene en cuenta que se trata de mercancías que demandan un control especial, habida cuenta de las características que se señalan.

> Los 3 últimos supuestos señalados presentan excepciones, esto es, situaciones en las que sí se admite la declaración oral o por otro acto. Así, respecto de las mercancías para las que se haya presentado una solicitud de devolución de derechos u otros gravámenes, se permite la declaración oral o por otro medio en caso de que tal solicitud esté relacionada con la invalidación de la declaración en aduana para despacho a libre práctica de mercancías sujetas a una franquicia de derechos de importación de conformidad con el artículo 23.1 o 25.1 del Reglamento de Franquicias; respecto de las mercancías sujetas a prohibiciones o restricciones, se permite en caso de mercancías que circulen o se utilicen al amparo de un impreso 302 de la OTAN o un impreso 302 de la UE y también para los desechos generados por buques; respecto de las mercancías sujetas a cualquier otra formalidad especial prevista en la legislación de la Unión que deban aplicar las autoridades aduaneras, se permita para las mercancías que circulen o se utilicen al amparo de un impreso 302 de la OTAN o un impreso 302 de la UE.

23.2.2. Declaración en aduana oral

Presentamos a continuación, en forma de tabla, los supuestos en los que cabe realizar la declaración en aduana de forma verbal.

Supuestos en que cabe el uso de la declaración en aduana verbal	
Despacho a libre práctica (artículo 135 RDCAU)	
(1) Mercancías desprovistas de carácter comercial	• Véase definición (a) al pie de la tabla
(2) Mercancías de carácter comercial contenidas en el equipaje personal de los viajeros	• Su valor no debe exceder de 1.000 EUR • Su masa neta no puede superar los 1.000 kg • Véanse definiciones (b) y (c) al pie de la tabla
(3) Productos obtenidos por agricultores de la Unión	• En fincas situadas en un tercer país • Que puedan acogerse a la franquicia de derechos en virtud de los artículos 35 a 38 del Reglamento de franquicias (1186/2009).
(4) Productos de la pesca, la piscicultura y la caza	• Que puedan acogerse a la franquicia de derechos en virtud de los artículos 35 a 38 del Reglamento de franquicias (1186/2009).
(5) Las semillas, abonos y productos para el tratamiento del suelo y las plantas	• Importados por productores agrícolas de terceros países • Para ser utilizados en sus propiedades limítrofes con estos países • Que puedan acogerse a la franquicia de derechos en virtud de los artículos 39 y 40 del Reglamento de franquicias (1186/2009).
(6) Mercancías mencionadas en el artículo 136 RDCAU (véase más abajo en esta tabla, son las mercancías del apartado 'Importación temporal', números 7 al 18)	• Cuando disfruten de franquicia por su condición de mercancías de retorno.
Importación temporal y reexportación (artículo 136 RDCAU) Aplicable a la reexportación como ultimación del régimen de importación temporal	
(7) Palés, contenedores y medios de transporte. Piezas de repuesto, accesorios y equipo para los anteriores	• En las condiciones que se indican en los artículos 208 a 213 RDCAU, que regulan supuestos de importación temporal de las mercancías señaladas con exención plena
(8) Efectos personales razonablemente necesarios para el viaje y mercancías destinadas a ser utilizadas con fines deportivos	• Mercancías importadas por viajeros que tengan su residencia fuera del TAU
(9) Material de bienestar de las gentes del mar	• Utilizado a bordo de un buque destinado al tráfico marítimo internacional

Supuestos en que cabe el uso de la declaración en aduana verbal	
Importación temporal y reexportación (artículo 136 RDCAU) Aplicable a la reexportación como ultimación del régimen de importación temporal	
(10) Material médico-quirúrgico y de laboratorio	• Que sea objeto de un préstamo efectuado a petición de un hospital o de un establecimiento sanitario en situación de gran urgencia para paliar una insuficiencia de sus equipos o instalaciones y se destine a fines diagnósticos o terapéuticos. • El solicitante y el titular del régimen pueden estar establecidos en el TAU.
(11) Animales destinados a la trashumancia, el pastoreo o a la ejecución de un trabajo o al transporte	• Que pertenezcan a una persona establecida fuera del TAU
(12) Equipo	• Propiedad de personas establecidas en una zona fronteriza de un país tercero adyacente a la zona fronteriza de la Unión donde vayan a utilizarse las mercancías y utilizados por ellas
(13) Instrumentos y aparatos	• Necesarios para que los médicos puedan prestar asistencia a los pacientes que estén a la espera de un órgano para trasplante • Que pertenezca a una persona establecida fuera del TAU • Importado por una persona establecida fuera del TAU o por un empleado del propietario establecido en el TAU • Utilizado por el importador o bajo su supervisión
(14) Material de socorro	• En caso de catástrofe • Utilizado en el marco de las medidas adoptadas para combatir los efectos de las catástrofes o de situaciones similares que afecten al TAU
(15) Instrumentos de música portátiles	• Importados temporalmente por viajeros y destinados a un uso como equipo profesional
(16) Envases	• Importados llenos y destinados a la reexportación, ya sea vacíos o llenos • Que lleven marcas indelebles e inamovibles que identifiquen a una persona establecida fuera del TAU
(17) Materiales de producción y transmisión de radio y televisión y los vehículos especialmente adaptados para ser utilizados en la producción y transmisión de radio y televisión y sus equipos	• Importados por organismos públicos o privados establecidos fuera del TAU • Aprobados por las autoridades aduaneras que hayan concedido la autorización para la importación temporal de dichos materiales y vehículos
(18) Otras mercancías	• Cuando las autoridades aduaneras lo autoricen

Supuestos en que cabe el uso de la declaración en aduana verbal	
Exportación (artículo 137 RDCAU)	
(19) Mercancías desprovistas de carácter comercial	• Véase definición (a) al pie de la tabla
(20) Mercancías de carácter comercial	• Su valor no debe exceder de 1.000 EUR • Su masa neta no puede superar los 1.000 kg
(21) Medios de transporte, sus piezas de recambio, accesorios y equipos	• Matriculados en el TAU y destinados a su reimportación

(22) Animales domésticos	• Exportados con ocasión de un traslado de actividades agrícolas desde la Unión a un tercer país
	• Que puedan acogerse a la franquicia de derechos en virtud del artículo 115 del Reglamento de franquicias, es decir:
	  ✓ Que compongan el ganado de una empresa agrícola que, después de haber cesado su actividad en el TAU, traslade su explotación a un tercer país
	  ✓ Limitada al número de animales que corresponda con la naturaleza y la importancia de la empresa

(23) Productos obtenidos por productores agrícolas	• En fincas situadas en la Unión
	• Que puedan acogerse a la franquicia de derechos en virtud de los artículos 116, 117 y 118 del Reglamento de franquicias (1186/2009), es decir:
	  ✓ Productos de la agricultura o de la ganadería, obtenidos en fincas limítrofes explotadas, en concepto de propietarios o de arrendatarios, por productores agrícolas cuya base de explotación se encuentre en un tercer país y sea contigua al TAU.
	  ✓ Deben proceder de animales originarios del tercer país o que cumplan las condiciones exigidas para circular libremente por él.
	  ✓ Los productos sólo deben haber sido sometidos al tratamiento habitual después de la recolección o la producción.
	  ✓ Sólo respecto de los productos introducidos en el tercer país considerado, por el productor agrícola o por su cuenta.

Supuestos en que cabe el uso de la declaración en aduana verbal	
Exportación (artículo 137 RDCAU)	

(24) Semillas	• Exportadas por productores agrícolas
	• Para ser utilizadas en fincas situadas en terceros países
	• Que puedan acogerse a la franquicia de derechos en virtud de los artículos 119 y 120 del Reglamento de franquicias (1186/2009), es decir:
	  ✓ Que vayan a ser utilizadas en la explotación de fincas situadas en un tercer país contiguas al TAU y explotadas, en concepto de propietarios o de arrendatarios, por productores agrícolas cuya base de explotación se encuentre en dicho territorio y sea contigua al tercer país considerado.
	  ✓ Sólo la cantidad de semillas que sean necesarias para las necesidades de explotación de las fincas.
	  ✓ Sólo respecto de las semillas exportadas directamente fuera del TAU por el productor agrícola o por su cuenta.

(25) Forrajes y piensos	• Que acompañen a los animales durante su exportación • Que puedan acogerse a la franquicia de derechos en virtud del artículo 121 del Reglamento de franquicias (1186/2009), es decir: ✓ Forrajes y alimentos a bordo de los medios de transporte utilizados para llevar a los animales desde el TAU a un tercer país, con objeto de serles distribuidos durante el viaje.
(26) Mercancías del artículo 136 RDCAU *(véase más arriba en esta tabla, son las mercancías del apartado "importación temporal", números 7 al 18)*	• Cuando estén destinadas a la reimportación
Definiciones	
(a) «Mercancías desprovistas de carácter comercial» [artículo 1(21) RDCAU]	

Las mercancías contenidas en envíos dirigidos de particular a particular, cuando dichos envíos:
i)   presenten un carácter ocasional,
ii) comprendan exclusivamente mercancías reservadas para el uso personal o familiar de los destinatarios, sin que su naturaleza o cantidad reflejen ninguna intención de orden comercial,
iii) estén dirigidas sin pago de ningún tipo por el expedidor al destinatario;
Asimismo, tienen la consideración de mercancías desprovistas de carácter comercial las mercancías contenidas en los equipajes personales de los viajeros, cuando:
i)   presenten un carácter ocasional, y
ii) comprendan exclusivamente mercancías reservadas para el uso personal o familiar de los viajeros o destinadas a ser ofrecidas como regalo; sin que su naturaleza o cantidad reflejen intención alguna de que están siendo importadas o exportadas por motivos comerciales.

Supuestos en que cabe el uso de la declaración en aduana verbal
(b) «Equipaje» [artículo 1(5) RDCAU]
Todas las mercancías transportadas por cualesquiera medios en relación con un viaje de una persona física
(c) «Viajero» [artículo 1(40) RDCAU]
Cualquier persona natural que: a) entra en el TAU temporalmente y no tiene en él su residencia habitual, o b) regresa al TAU, en el que tiene su residencia habitual, tras una estancia temporal fuera de dicho territorio, o c) sale temporalmente del TAU, en el que tiene su residencia habitual, o d) sale del TAU tras una estancia temporal, sin tener en él su residencia habitual.

Conforme al artículo 217 RECAU, cuando la declaración en aduana de mercancías sujetas a derechos se presente oralmente, las autoridades extenderán al interesado un recibo contra el pago del importe adeudado en concepto de dichos derechos o gravámenes.

> El precepto precisa los datos mínimos que deberán incluirse en el referido recibo, que son los siguientes:
> a) una descripción de las mercancías lo suficientemente precisa para permitir su identificación;
> b) el valor de la factura o, si no está disponible, la cantidad de mercancías;
> c) el importe percibido en concepto de derechos y demás gravámenes;
> d) la fecha de expedición;
> e) el nombre de la autoridad de expedición.

Recordemos que, si se trata de declaraciones en aduana orales, ya sea de exportación o de reexportación, la aduana competente será la del lugar de salida de las mercancías del TAU (artículo 221.3 RECAU).

23.2.3. Declaración en aduana mediante cualquier otro acto

Presentamos a continuación, en forma de tabla, los supuestos en los que cabe realizar la declaración en aduana de forma implícita mediante la realización de determinados actos materiales.

Supuestos en que cabe el uso de la declaración en aduana mediante otro acto	
Despacho a libre práctica (artículo 138 RDCAU)	
(a) Mercancías de carácter no comercial	Contenidas en el equipaje personal de los viajeros y que disfruten de franquicia (conforme al artículo 41 del Reglamento de franquicias) o bien de exención por tratarse de mercancías de retorno
(b) Mercancías a las que resulten aplicables determinadas franquicias	Se trata de mercancías a las que se apliquen las franquicias relativas a productos obtenidos por agricultores de la UE en fincas situadas en un tercer país; semillas, abonos y productos para el tratamiento del suelo y las plantas importados por productores agrícolas de terceros países para ser utilizados en sus propiedades limítrofes con estos países (véase números 3, 4 y 5 de la tabla de supuestos en que cabe el uso de la declaración en aduana verbal)
(c) Medios de transporte	Que disfruten de exención por tratarse de mercancías de retorno
(d) Instrumentos de música portátiles	Reimportados por los viajeros y que disfruten de franquicia por su condición de mercancías de retorno
(e) Objetos de correspondencia	El artículo 1 (26) RDCAU define «**Objetos de correspondencia**» como "las cartas, tarjetas postales, cecogramas o impresos no sujetos a derechos de importación o de exportación"
(f) Mercancías incluidas en un envío postal	Que puedan acogerse a una franquicia en virtud de lo dispuesto en los artículos 23.1 o 25.1 del Reglamento de franquicias. Este supuesto dejó de ser aplicable desde el 15 de marzo de 2021, con la implantación de la primera entrega del ICS2 El artículo 1 (24) RDCAU define «Mercancías en envíos postales» como "las mercancías distintas de los objetos de correspondencia, contenidas en un paquete o bulto postales y transportadas por un operador postal o bajo su responsabilidad de conformidad con las disposiciones del Convenio de la Unión Postal Universal, adoptado el 10 de julio de 1984 bajo los auspicios de la ONU". Por su parte, el artículo 1 (25) RDCAU define «operador postal» como "Un operador establecido en un Estado miembro y designado por él para prestar los servicios internacionales regulados por el Convenio Postal Universal"
(g) Mercancías de escaso valor	Hasta el 30 de junio de 2021, se permitió la declaración en aduana mediante otro acto para las mercancías cuyo valor intrínseco no excediese de 22 euros. Ver más información en el texto que sigue a esta tabla.
(h) Órganos y tejidos	Los órganos y otros tejidos humanos o animales o la sangre humana adecuados para su injerto permanente, su implantación o su transfusión, en casos de urgencia

Supuestos en que cabe el uso de la declaración en aduana mediante otro acto
Despacho a libre práctica (artículo 138 RDCAU)

| (i) Impreso 302 | Las mercancías amparadas por un impreso 302 de la OTAN o un impreso 302 de la UE que se beneficien de la exención establecida para mercancías de retorno (artículo 203 CAU)

El «**impreso 302 de la OTAN**» se define en el artículo 1 (50) RDCAU como "un documento aduanero establecido en los procedimientos pertinentes de aplicación del Acuerdo entre los Estados Partes en el Tratado del Atlántico Norte, relativo al estatuto de sus Fuerzas, firmado en Londres el 19 de junio de 1951". El «**impreso 302 de la UE**» se define en el artículo 1 (50) RDCAU como "un documento aduanero establecido en el anexo 52-01 y emitido por las autoridades militares nacionales competentes de un Estado miembro o en su nombre, para las mercancías que deban circular o utilizarse en el contexto de actividades militares". El modelo del «impreso 302 de la UE» se establece en el anexo 52-01 RDCAU. |
| (j) Desechos de buques | Los desechos generados por buques, a condición de que la notificación previa de desechos a que se refiere el artículo 6 de la Directiva (UE) 2019/883 se haya realizado en la ventanilla única marítima nacional o a través de otro canal de comunicación de información aceptable para las autoridades competentes, incluidas las aduaneras.

El artículo 1 (52) RDCAU define «**desechos generados por buques**» como "los desechos generados por buques en el sentido del artículo 2, punto 3, de la Directiva (UE) 2019/883", en tanto que el artículo 1 (53) RDCAU define «**ventanilla única marítima nacional**» como "una ventanilla única marítima nacional en el sentido del artículo 2, punto 3, del Reglamento (UE) 2019/1239" |

Importación temporal (artículo 139 RDCAU)

| (k) Respecto de las mercancías enumeradas en los apartados (7) a (10), (14) y (15) de la tabla de supuestos en que cabe el uso de la declaración en aduana verbal | Se trata de los (7) palés, contenedores y medios de transporte, (8) efectos personales razonablemente necesarios para el viaje y mercancías destinadas a ser utilizados con fines deportivos, (9) material de bienestar de las gentes del mar, (10) material médico-quirúrgico y de laboratorio, (14) material de socorro y (15) instrumentos de música portátiles, en las condiciones que se recogen para cada tipo de mercancía (apartados 1 y 2 del artículo 139 RDCAU).
También aplicable a la reexportación como ultimación del régimen de importación temporal |
| (l) Impreso 302 | Cuando no se hayan declarado por otros medios, se considerará que las mercancías al amparo de un impreso 302 de la OTAN o de un impreso 302 de la UE han sido declaradas para importación temporal, para reexportación o para tránsito, según el caso, de conformidad con el artículo 141 (apartados 3 a 5 del artículo 139 RDCAU). |

Supuestos en que cabe el uso de la declaración en aduana mediante otro acto	
Exportación (artículo 140 RDCAU)	
(m) Respecto de las mercancías enumeradas en los apartados (19) a (26) de la tabla de supuestos en que cabe el uso de la declaración en aduana verbal	Se trata de (19) las mercancías desprovistas de carácter comercial, (20) mercancías de carácter comercial, (21) medios de transporte, sus piezas de recambio, accesorios y equipos, (22) animales domésticos, (23) productos obtenidos por productores agrícolas, (24) semillas, (25) forrajes y piensos y (26) mercancías relacionadas en el artículo 136 RDCAU cuando estén destinadas a la reimportación. Véanse los apartados referidos para mayor detalle de las mercancías comprendidas en cada caso.
(n) Instrumentos de música portátiles	De los viajeros
(o) Objetos de correspondencia	Los objetos de correspondencia se definen en el artículo 1(26) RDCAU
(p) Envío postal o urgente	Las mercancías de un envío postal o urgente cuyo valor no supere los 1.000 euros y al que no se puedan aplicar derechos de exportación «**Envío urgente**» se define en el artículo 1(46) RDCAU como "un artículo individual transportado por una empresa de transporte urgente o bajo la responsabilidad de una empresa de transporte urgente". Por su parte, «**empresa de transporte urgente**» se define en el artículo 1(47) RDCAU como "operador que presta servicios integrados de recogida, transporte, despacho de aduanas y entrega de forma urgente y en un plazo concreto, así como la localización y el control de dichos artículos durante la prestación del servicio"
(q) Órganos y tejidos	Los órganos y otros tejidos humanos o animales o la sangre humana adecuados para su injerto permanente, su implantación o su transfusión, en casos de urgencia
(r) Impreso 302	Las mercancías al amparo de un impreso 302 de la OTAN o un impreso 302 de la UE
(s) Mercancías expedidas a Heligoland	Todo tipo de mercancía

Respecto de los envíos de escaso valor (aquellos cuyo valor intrínseco no exceda de 22 euros), desde 1 de julio de 2021 se exige la presentación de una declaración en aduana, debido a que ya no quedan exentos de IVA a la importación. Ahora bien, esta declaración puede contener un conjunto reducido de datos conforme se dispone en el Anexo B RDCAU, siempre que el envío pueda acogerse a la franquicia aduanera prevista para envíos sin valor estimable (hasta un valor intrínseco de 150 euros, artículo 23 Reglamento 1186/2009) o para envíos de particular a particular (hasta un valor intrínseco de 45 euros, artículos 25 y 26 Reglamento 1186/2009) y que se trate de mercancías que no estén sujetas a prohibiciones o restricciones.

La declaración en aduana no puede acogerse al referido conjunto reducido de datos en caso de despacho a libre práctica —o reimportación con despacho a libre práctica— de mercancía cuya importación esté exenta de IVA por la posterior entrega intracomunitaria de las mercancías o, tratándose de mercancías sujetas a IIEE, cuando la importación esté exenta de IIEE por su posterior circulación en régimen suspensivo de IIEE.

Hasta que no se implanten las mejoras de los Sistemas Nacionales de Importación, los Estados pueden exigir una declaración que contenga los datos que señala en Anexo 9 TDTCAU.

En España la AEAT ha preparado la Nota Informativa NI GA 20/2020 de 23 de julio, relativa a la transición del despacho aduanero de mercancías con valor intrínseco que no exceda 22 euros. En ella se indica que, a partir de 1 de junio de 2021 (y no el 1 de julio), el uso de la declaración con un número de datos reducido (la denominada H7, porque es la columna que se refiere a ella en el Anexo B del RDCAU) pasará a ser obligatoria para estos envíos. La AEAT ha preparado una guía para la preparación de declaraciones de mercancías de escaso valor en el formato H7, con indicación de las especificaciones informáticas del sistema web.

Los actos materiales que constituyen una declaración implícita en los supuestos en que se ha señalado que cabe la declaración en aduana mediante otro acto son los siguientes:

Actos que se consideran una declaración en aduana (artículo 141 RDCAU) (1/2)	

Respecto de las mercancías enumeradas en los apartados (a) a (d) y (k) a (s) de la tabla de supuestos en que cabe el uso de la declaración en aduana mediante otro acto	– Seguir el circuito verde o «nada que declarar» en las aduanas en las que exista un doble circuito de control,
	– Pasar por una aduana en la que no exista un doble circuito de control,
	– Colocar un disco de declaración en aduana o un distintivo autoadhesivo con la leyenda «nada que declarar» en el parabrisas de los vehículos de turismo cuando tal posibilidad esté prevista en las disposiciones nacionales
	– el mero hecho de atravesar la frontera del TAU en cualquiera de las situaciones siguientes:
	  i) cuando sea aplicable una dispensa de la obligación de trasladar las mercancías al lugar apropiado por tratarse de mercancías transportadas dentro de zonas fronterizas o por conductos o cables o cualquier otro tráfico de escasa importancia económica como, por ejemplo, cartas, postales e impresos, así como sus equivalentes electrónicos contenidos en otros medios, o de mercancías transportadas por los viajeros (supuestos del artículo 135.5 CAU),
	  ii) cuando las mercancías se consideren declaradas para reexportación en el supuesto (s) de la tabla de arriba,
	  iii) cuando las mercancías se consideren declaradas para exportación en los supuestos (m) a (r) de la tabla de arriba.
	  iv) cuando los medios de transporte cuya importación temporal goce de exención plena (artículo 212 RDCAU) se consideren declarados para importación temporal de conformidad con el artículo 139.1 RD-CAU (relativo a mercancías consideradas declaradas mediante otro acto), en este caso estamos ante un supuesto incluido en la letra (k) de la tabla anterior.

Actos que se consideran una declaración en aduana (artículo 141 RDCAU) (1/2)	
Respecto de las mercancías enumeradas en los apartados (a) a (d) y (k) a (s) de la tabla de supuestos en que cabe el uso de la declaración en aduana mediante otro acto *(Cont.)*	v) Supuesto de la letra (c) de la tabla anterior, es decir, cuando los medios de transporte no pertenecientes a la Unión que cumplan las condiciones para gozar de la exención establecida para las mercancías de retorno (artículo 203 CAU) sean introducidos en el TAU para su despacho a libre práctica mediante otro acto (supuesto del artículo 138(c) RDCAU).
(g) Mercancías de escaso valor	Hasta el 30 de junio de 2021, las mercancías cuyo valor intrínseco no excediese de 22 EUR se consideraban declaradas para su despacho a libre práctica mediante su presentación en aduana, siempre que los datos requeridos fuesen aceptados por las autoridades aduaneras. A partir de 1 de julio de 2021 se exige una declaración en aduana con un conjunto mínimo de datos.
(i), (l) Impreso 302 OTAN	Las mercancías que deban circular o utilizarse en el contexto de actividades militares al amparo de un impreso 302 de la OTAN deben considerarse declaradas para despacho a libre práctica, importación temporal, exportación o reexportación por su presentación en aduana (conforme a lo dispuesto en los artículos 139 o 267.2 CAU), siempre que los datos establecidos en el impreso 302 de la OTAN sean aceptados por las autoridades aduaneras y estén a su disposición. El impreso podrá presentarse por medios distintos de las técnicas de tratamiento electrónico de datos.
(i), (l) Impreso 302 UE	Las mercancías que deban circular o utilizarse en el contexto de actividades militares al amparo de un impreso 302 de la UE deben considerarse declaradas para despacho a libre práctica, importación temporal, exportación o reexportación por su presentación en aduana (conforme a lo dispuesto en los artículos 139 o 267.2 CAU), siempre que los datos establecidos en el anexo 52-01 sean aceptados por las autoridades aduaneras y estén a su disposición. El impreso podrá presentarse por medios distintos de las técnicas de tratamiento electrónico de datos.
(j) Desechos de buques	Los desechos generados por buques se considerarán declarados para despacho a libre práctica por su presentación en aduana (artículo 139 CAU), a condición de que la notificación previa de desechos a que se refiere el artículo 6 de la Directiva (UE) 2019/883 se haya realizado en la ventanilla única marítima nacional o a través de otro canal de comunicación de información aceptable para las autoridades competentes, incluidas las aduaneras.

Actos que se consideran una declaración en aduana (artículo 141 RDCAU) (2/2) Tráfico postal	
(e) Objetos de correspondencia	– Declarados a libre práctica por su entrada en el TAU – Declarados para exportación por su salida del TAU
(f) Mercancías incluidas en un envío postal	– Hasta 1 de julio de 2021 se admitía que se considerasen declaradas a libre práctica por su presentación en aduana, siempre que: a) las autoridades aduaneras hubieran aceptado el uso de ese acto y los datos comunicados por el operador postal; b) que el IVA no se declarase al amparo del régimen especial de ventas a distancia de mercancías importadas de terceros países o terceros territorios, ni haciendo uso del régimen especial de declaración y liquidación del IVA sobre las importaciones; c) las mercancías incluidas en el envío postal se acogiesen a la franquicia de derechos de importación de conformidad con el artículo 23.1 o 25.1 del Reglamento de Franquicias; d) el envío fuese acompañado por una declaración CN22 o una declaración CN23. En este supuesto se consideraba que la declaración en aduana había sido admitida y las mercancías habían sido objeto de levante en el momento en que se entregasen al destinatario. Si no hubiera sido posible entregar las mercancías al destinatario, debía tenerse por no presentada la declaración. Las mercancías que no fueran entregadas al destinatario se consideraban en depósito temporal hasta que fuesen destruidas, reexportadas o cedidas de otra forma, conforme a lo que dispone el artículo 198 CAU (artículo 220 RECAU). Tal y como se ha señalado más arriba en el texto, a partir del 1 de julio de 2021, para las mercancías en envíos postales se exige una declaración en aduana con un conjunto mínimo de datos.
(p) Mercancías incluidas en un envío postal de valor no superior a 1.000 € que no estén sujetas a derechos de exportación	– Declaradas para exportación por su salida del TAU
(p) Mercancías de un envío urgente de valor no superior a 1.000 € que no estén sujetas a derechos de exportación	– Declaradas para exportación por su presentación a la aduana de salida, siempre que los datos del documento de transporte y/o la factura estén a disposición de las autoridades aduaneras y sean aceptados por estas.

Cuando se realizan los actos señalados en las dos tablas anteriores, salvo en el supuesto (f) relativo a mercancías incluidas en un envío postal, en ese momento y en virtud del acto que se señala en cada caso, se considerarán (artículo 218 RECAU):

– Cumplidas las formalidades relativas al traslado de las mercancías,

– Cumplidas las formalidades relativas a su presentación ante la aduana,

- Admitida la declaración en aduana y

- Concedido el levante de las mercancías.

Tanto en el caso del tráfico postal como respecto a los demás supuestos en los que la declaración en aduana se puede suplir por otro acto, si se descubriera, a raíz de un control, que no se han cumplido las condiciones a las que se sujeta la declaración mediante otro acto (porque las mercancías de que se trate no son de las que pueden acogerse a esta posibilidad), se tendrá como no presentada la declaración en aduana, lo que determinará que estemos ante una introducción irregular o una exportación irregular, según el caso (artículo 219 RECAU).

Debe tenerse en cuenta en esta materia el Convenio de la Unión Postal Universal, en particular por lo que hace a la dispensa de la presentación en aduana de las mercancías. En España, la Orden PRE/773/2010 (BOE 29.03.2010) regula el despacho de aduanas de envíos que circulan por el correo cursado a través de las cabeceras de zona aduanera.

> La Orden PRE/773/2010 define "cabecera de zona aduanera" como las oficinas y almacenes del operador al que se encomiende la prestación del Servicio Postal Universal —Correos— en los que existe un servicio de aduanas en los que se presentarán los envíos procedentes o con destino a un lugar no situado en el TAU o en el que no sea aplicable el IVA o los IIEE. Se establecen tales cabeceras en Ceuta, Las Palmas, Madrid, Melilla y Santa Cruz de Tenerife. Se dispone que deben presentarse a los servicios de aduana en las cabeceras de zona:
> ✓ los paquetes postales (PP) y de los postales exprés (PE/EMS), en ambos casos que contengan productos o mercancías sujetos a control aduanero, así como los bienes que circulan en los despachos de cartas certificadas y pequeños paquetes provistos de etiqueta CN22 (EV),
> ✓ con ocasión, tanto de la expedición (envío dentro de la UE, a territorios donde no se aplique el IVA o los IIEE) como de la exportación, la importación, la introducción (desde territorio de la UE donde no se aplique el IVA o los IIEE), la reexpedición o la devolución.
> En materia, no propiamente de envíos postales, sino de envíos urgentes, véase lo dispuesto en el artículo 7.8 del Acuerdo sobre Facilitación del Comercio de la OMC.

23.3. DECLARACIONES EN EL MARCO DEL COMERCIO CON TERRITORIOS FISCALES ESPECIALES

Territorios fiscales especiales
Territorios en los que no se aplique el IVA armonizado y/o los impuestos especiales armonizados

El artículo 134 RDCAU establece la aplicabilidad de una serie de disposiciones al comercio de mercancías con territorios fiscales especiales, es decir, al comercio que se practica entre partes del TAU en que se aplique el IVA armonizado (Directiva 2006/112/

CE) y los impuestos especiales armonizados (Directiva 2008/118/CE) y otras partes del TAU en que no se aplique uno de ellos o ninguno; y también al comercio que practiquen entre sí partes del TAU en que no se aplique el IVA y/o los impuestos especiales armonizados. Las referidas normas aplicables son las que se recogen en la tabla que sigue.

Normas aplicables a las formalidades aduaneras en el marco del comercio con territorios fiscales especiales		
DEL TÍTULO V.– Normas generales sobre el estatuto aduanero, la inclusión de mercancías en un régimen aduanero, la comprobación, el levante y la cesión de las mercancías		
CAPÍTULO 2.– Inclusión de mercancías en un régimen aduanero	Artículos 158 a 187 CAU	Artículos 134 a 152 RDCAU
CAPÍTULO 3.– Comprobación y levante de las mercancías	Artículos 188 a 196 CAU	Artículos 153 y 154 RDCAU
CAPÍTULO 4.– Disposición de las mercancías	Artículos 197 a 200 CAU	
DEL TÍTULO VIII.– Salida de mercancías del Territorio Aduanero de la Unión		
CAPÍTULO 2.– Formalidades de salida de las mercancías	Artículos 267 y 268 CAU	Artículos 246 y 247 RDCAU
CAPÍTULO 3.– Exportación y reexportación	Artículos 269 y 270 CAU	Artículos 248 y 249 RDCAU

Cuando la operación se desarrolle en un mismo Estado miembro (sería el caso de España respecto de Canarias, que forma parte del TAU pero en donde no se aplica el IVA armonizado ni los impuestos especiales armonizados y que, por tanto, es un territorio fiscal especial), sus autoridades pueden autorizar que se utilice un mismo y único documento para declarar la expedición ("declaración de expedición") y la introducción ("declaración de introducción") de las mercancías con destino a, procedentes de, o entre territorios fiscales especiales. En España esta posibilidad se articula a través de la denominada "VEXCAN", que se analiza en el capítulo 39.

Por otra parte, hasta la implantación de los Sistemas Nacionales de Importación, cuando la operación se desarrolle en un mismo Estado miembro (insistamos que sería el caso de España respecto de Canarias), sus autoridades pueden autorizar que se pueda presentar una factura o un documento de transporte, en lugar de la declaración de expedición o de introducción.

PROCEDIMIENTOS SIMPLIFICADOS

ÍNDICE

24 Procedimientos simplificados

24.1. ASPECTOS GENERALES Y TIPOS

El CAU contempla diversas medidas de facilitación y flexibilización del cumplimiento de la obligación de declarar a las que se refiere como "simplificaciones". En la tabla que sigue pueden verse los diferentes tipos de "simplificaciones" y los preceptos (tanto del CAU como del RDCAU y del RECAU) en que se regula cada uno de ellos.

Simplificaciones en la declaración en aduana			
TIPO	**CAU**	**RDCAU**	
1	Declaración simplificada	166-169	145-147	223-225
2	Declaración de mercancías incluidas en diferentes subpartidas arancelarias	177-178		228
3	Despacho centralizado	179-181	149	229-232
4	Inscripción en los registros del declarante	182-184	150	233-236
5	Autoevaluación	185-187	151-152	237

En el capítulo 23 se examinan las simplificaciones nº 2 (simplificación relativa a la declaración de mercancías incluidas en diferentes subpartidas arancelarias) y nº 5 (la "autoevaluación"), por lo que nos remitimos a lo allí expuesto. En este capítulo se analizan las restantes, esto es:

- La declaración simplificada.
- La inscripción en los registros del declarante.

  Anteriormente a esta simplificación se la denominaba "procedimiento de domiciliación".

- El despacho centralizado.

Antes de proceder al análisis del detalle de cada una de ellas, interesa destacar que determinadas disposiciones en materia de declaración en aduana son comunes, es decir, aplicables a todas las modalidades de declaración en aduana. Se trata de disposiciones que se han analizado en el capítulo 23, por lo que no vamos a reiterar ahora la referencia a su contenido. Simplemente vamos a identificar los preceptos que resultan igualmente aplicables a las modalidades simplificadas de declaración y la materia sobre la que versa cada uno de ellos.

Normas aplicables a todas la modalidades de declaración en aduana			
CAU	RDCAU	RECAU	MATERIA
170			Presentación de una declaración en aduana (sujeto, requisito de establecimiento en el TAU, autentificación)
171		227	Presentación de una declaración en aduana previa a la presentación de las mercancías
172		226	Admisión de una declaración en aduana
173			Rectificación de una declaración en aduana
174	148		Invalidación de una declaración en aduana

La Comisión Europea ha elaborado unas *Orientaciones para los Estados miembros y los operadores comerciales en materia de simplificaciones.*

> Documento TAXUD A2/25/09/2019; está disponible en español. Una observación práctica de alcance general para todas las simplificaciones que cabe destacar de estas *Orientaciones* consiste en que, si se desean utilizar simplificaciones para declarar mercancías para un régimen especial que requiera autorización, la obtención de la autorización para incluir mercancías en ese régimen especial debe preceder a la autorización para utilizar simplificaciones (véase punto 2.1.3 *Orientaciones*).
> El Tribunal de Cuentas de la UE examinó el control de las simplificaciones en su Informe Especial nº 1/2010, *¿Se controlan de manera eficaz los procedimientos aduaneros simplificados aplicables a las importaciones?*

Por otra parte, el Grupo de Expertos en Aduanas de la Comisión Europea ha manifestado su criterio acerca de la aplicabilidad de las simplificaciones en los supuestos de actuación a través de representante aduanero, cuestión de indudable trascendencia práctica.

> En su documento "*Customs representation in the context of simplifications and of certain special procedures*" (documento TAXUD.A2(2017)3500081), el Grupo de Expertos en Aduanas aprecia que, cuando el representante aduanero actúa en régimen de representación indirecta (en cuyo caso, recordemos, se convierte en declarante y, por tanto, en deudor), no puede aprovechar una autorización para beneficiarse de simplificaciones concedida al importador/exportador. En cambio, nada impide que el representante indirecto que haya sido autorizado para beneficiarse de simplificaciones se sirva de ellas respecto de las declaraciones que presente por cuenta de sus clientes, aunque estos no gocen de la autorización para acogerse a simplificaciones. Debe puntualizarse, por otra parte, que no cabe acudir a la representación indirecta

para incluir mercancías en un régimen especial que requiera autorización, puesto que el titular del régimen y el titular de la autorización deben ser la misma persona.

Por lo que hace a la representación directa, el Grupo de Expertos en Aduanas considera que, aunque cabe que el representante sea el titular de la autorización para la inscripción en los registros del declarante y pueda utilizarla cuando actúa en nombre y por cuenta de sus clientes, este supuesto cabe suponer que será infrecuente, dado que exigiría que el representante tuviera acceso a los sistemas electrónicos del declarante (es decir, de su cliente). Por lo que hace a la simplificación consistente en la exención de presentar las mercancías en la Aduana, se señala que no plantea dificultades, puesto que es claro que el requisito de tener la condición de OEA debe ser cumplido por el declarante (es decir, por el cliente).

Atendido que a lo largo de esta exposición vamos a utilizar en repetidas ocasiones la expresión "aduana supervisora" ofrecemos en el cuadro que sigue la definición de la misma que, a los efectos de la declaración en aduana simplificada, la inscripción en los registros y el despacho centralizado, se dispone en el artículo 1(36) RDCAU. Ofrecemos asimismo la definición de la expresión "aduana de presentación" que se contiene en el artículo 1.2.2 RECAU.

Definición	
Aduana supervisora	La aduana indicada en la autorización para vigilar la inclusión de las mercancías en el régimen aduanero de que se trate (art. 1(36) RDCAU)
Aduana de presentación	La aduana competente respecto del lugar donde se presenten las mercancías (art. 1.2.2 RECAU)

24.2. LA DECLARACIÓN SIMPLIFICADA

Contenido.– La declaración simplificada es aquella a la que le falta alguno de los datos requeridos o respecto de la cual se carece de alguno de los documentos justificativos requeridos (artículo 166.1 CAU). Los datos que deben aportarse en cada tipo de declaración en aduana se establecen en el Anexo B del RDCAU. Los documentos justificativos requeridos dependen de las circunstancias de la operación. Con carácter general se exige disponer de la factura en que se basa el valor de las mercancías y de la acreditación del origen declarado, en caso de que se declare un origen preferencial.

Uso habitual y autorización.– Si se hace un uso habitual de esta simplificación debe obtenerse una autorización que permita acogerse a ella (artículo 166.2 CAU).

La declaración simplificada que regula el CAU equivale a dos simplificaciones en la anterior regulación del CAC: la declaración incompleta y la declaración simplificada. Mientras que la declaración incompleta se configuraba como esporádica y su uso no requería obtener una autorización previa, la declaración simplificada tenía un carácter habitual y su utilización sí requería autorización previa.

El artículo 145 RDCAU regula las condiciones para la obtención de la autorización que permite hacer un uso habitual de la declaración simplificada. Las condiciones son las siguientes:

a) inexistencia de infracciones graves o reiteradas de la legislación aduanera y de la normativa fiscal, en particular que no haya habido condena alguna por un delito grave en relación con la actividad económica del solicitante;

b) cuando proceda, que el solicitante disponga de procedimientos adecuados para la utilización de licencias y autorizaciones concedidas de conformidad con medidas de política comercial o relativas al comercio de productos agrícolas;

c) que el solicitante garantice que los empleados pertinentes tienen instrucciones de informar a las autoridades aduaneras si se constatan dificultades de cumplimiento y que establezca procedimientos para informar a las autoridades aduaneras de dichas dificultades;

d) cuando proceda, que el solicitante disponga de procedimientos adecuados para la utilización de licencias de importación y exportación vinculadas a prohibiciones y restricciones, incluidas medidas destinadas a distinguir las mercancías sujetas a prohibiciones o restricciones de otras mercancías y a garantizar el cumplimiento de dichas prohibiciones y restricciones.

El precepto precisa que se considerará que los Operadores Económicos Autorizados de la modalidad "simplificaciones aduaneras" (el régimen y tipología de los OEA se analiza en el capítulo 33) cumplen las condiciones de las letras (b), (c) y (d) siempre y cuando sus registros resulten adecuados a efectos de la inclusión de las mercancías en un régimen aduanero sirviéndose de una declaración simplificada. Ha de tenerse en cuenta, por otra parte, que el requisito (a) es uno de los que se exigen para obtener el reconocimiento de la condición de OEA, por lo que un operador OEA se entenderá que lo cumple en todo caso.

En el capítulo 33 en el que, como se ha avanzado, se examina la figura del OEA, se analizará en mayor detalle el contenido del referido requisito de la letra (a).

Declaración complementaria.– Si se presenta una declaración simplificada, el declarante deberá formular posteriormente una declaración complementaria en la que ya se contengan todos los datos necesarios para el régimen aduanero solicitado. Si se presentó una declaración simplificada en la que constaban todos los datos requeridos, pero el declarante no disponía en ese momento de todos los documentos justificativos de respaldo, deberá disponer de tales documentos posteriormente.

La declaración complementaria puede ser de carácter global, periódico o recapitulativo. En este caso mediante una sola declaración complementaria se aportan los datos relativos a diversas declaraciones simplificadas presentadas a lo largo de un período de tiempo que no puede exceder de un mes natural. Por otro lado, en los supuestos de declaración complementaria global, deberá aportarse garantía en caso de que se derive una deuda aduanera de la declaración simplificada.

El documento de *Orientaciones* sobre simplificaciones señala que, si se presenta la declaración complementaria de carácter global, periódica o recapitulativa, se debe entender que se trata de un uso habitual de la declaración simplificada y que, por tanto, la simplificación está sujeta a autorización.

No se exige la presentación de la declaración complementaria en los casos siguientes:

a) cuando las mercancías estén incluidas en el régimen de depósito aduanero;

b) en otros casos específicos. En este sentido, el artículo 183 RDCAU regula un supuesto de dispensa de la obligación de presentar una declaración complementaria, en aquellos casos en que se ultime un régimen especial distinto del de tránsito mediante la inclusión de las mercancías, a su vez, en un régimen especial distinto del de tránsito, sujeto al cumplimiento de tres condiciones cumulativas.

Las condiciones aludidas a las que se sujeta esta dispensa son las siguientes:

i) que el titular de la autorización del primer régimen especial y del régimen especial ulterior sea la misma persona;

ii) que la declaración en aduana para el primer régimen especial se haya presentado en el formulario estándar, o el declarante haya presentado una declaración complementaria conteniendo los datos necesarios para el régimen aduanero considerado en relación con el primer régimen especial (véase el párrafo primero del artículo 167.1 CAU);

iii) que, en caso de presentar la declaración en aduana en forma de inscripción en los registros del declarante, el primer régimen especial se haya ultimado mediante la inclusión de las mercancías en un régimen especial ulterior distinto del régimen de perfeccionamiento activo o de destino final.

Adicionalmente, las autoridades aduaneras están facultadas para dispensar la exigencia de presentación de la declaración complementaria si concurren las circunstancias siguientes:

a) la declaración simplificada se refiere a mercancías cuyo valor y cantidad es inferior al umbral estadístico;

b) la declaración simplificada ya contiene toda la información necesaria para el régimen aduanero solicitado; y

c) la declaración simplificada no se efectúa mediante la inscripción en los registros del declarante.

Si de la declaración presentada se deriva el nacimiento de una deuda aduanera, el plazo para presentar la declaración complementaria, cuando esa declaración sea de carácter global, será de diez días a contar desde la concesión del levante. Si el declarante está en régimen de liquidación periódica (artículo 105.1, segundo párrafo, CAU) o bien de la declaración de que se trate no nace deuda aduanera, y la declaración complementaria tiene carácter periódico o recapitulativo, el período comprendido por la declaración complementaria no podrá ser superior a un mes natural. Una vez concluido el período comprendido en una declaración complementaria de carácter periódico o recapitulativo, el plazo para presentarla es, asimismo, de diez días. Si se trata de una declaración de la que no nace deuda aduanera, la declaración complementaria (en este caso, sin carácter periódico o recapitulativo) debe presentarse en los 30 días siguientes al levante. En todos los casos anteriores las autoridades pueden conceder prórrogas si concurren causas justificadas. Estas prórrogas, con carácter general, tienen como límite el plazo de 120 días a contar desde el levante, salvo en el caso de circunstancias excepcionales debidamente justificadas relacionadas con el valor en aduana, en el que la prórroga puede alcanzar hasta los dos años desde el levante (artículo 146 RDCAU).

El plazo de 2 años para presentar la declaración complementaria en caso de "circunstancias excepcionales debidamente justificadas relacionadas con el valor en aduana" permite resolver situaciones complicadas en materia de valoración, como la que se plantea en relación con las transacciones entre partes vinculadas, cuyo precio puede ser objeto de recalculo (o "ajuste", como se le denomina en el ámbito de los precios de transferencia en el Impuesto sobre Sociedades) bastante tiempo después de haberse realizado la importación, a la vista de la atribución de beneficios que resulte para la sociedad importadora y a la exportadora, a fin de mantener un equilibrio en esa atribución de beneficios que resulte aceptable para las autoridades tributarias del país de importación y del país de exportación. Esta necesidad es, si cabe, más acuciante tras la STJUE *Hamamatsu Photonics* (asunto C-529/16, de 20.12.2017) que, en muchos casos, forzará a las multinacionales a declarar los precios de importación como "provisionales" (mediante una declaración incompleta) y a determinar el precio definitivo una vez se tengan los datos de atribución de beneficios, lo que permitirá presentar la declaración complementaria correspondiente.

Por otro lado debe tenerse en cuenta que, como medida transitoria, hasta la implantación del AES y de la mejora de los Sistemas Nacionales de Importación a que se refiere el anexo de la Decisión de Ejecución 2019/2151 (la fecha final de implantación prevista es diciembre de 2023) y sin perjuicio del plazo para contraer de 14 días que establece el artículo 105.1 CAU, se permite a las autoridades aduaneras podrán autorizar plazos distintos a los señalados en el texto para presentar la declaración complementaria.

Plazo para presentar la declaración complementaria (artículo 146 RDCAU)	
Supuesto	**Plazo**
Declaración de la que nace una deuda aduanera, si la declaración complementaria es de carácter global	10 días a contar desde el levante
Declarante en régimen de liquidación periódica (artículo 105.1, segundo párrafo, CAU), si la declaración complementaria tiene carácter periódico o recapitulativo	10 días a contar desde la conclusión del período comprendido en la declaración complementaria (el cual no puede exceder de un mes natural)
Declaración de la que no nace deuda aduanera, si la declaración complementaria tiene carácter periódico o recapitulativo	10 días a contar desde la conclusión del período comprendido en la declaración complementaria (el cual no puede exceder de un mes natural)
Declaración de la que no nace deuda aduanera	30 días a contar desde el levante
Prórroga. Supuesto general. Con causa justificada	Hasta 120 días a contar desde el levante
Prórroga. Supuesto especial. Circunstancias excepcionales debidamente justificadas relacionadas con el valor en aduana	Hasta 2 años a contar desde el levante
Norma transitoria. Hasta la implantación del AES y de la mejora de los Sistemas Nacionales de Importación (Decisión de Ejecución 2019/2151)	Las autoridades aduaneras podrán autorizar plazos distintos a los anteriores

En estos mismos plazos de tiempo el declarante debe estar en posesión de los documentos justificativos que le hubieran podido faltar, en su caso, en el momento de presentar la declaración simplificada.

En cualquier caso, si se trata de los documentos justificativos a que se refiere el artículo 163.2 CAU, esto es, aquellos cuya presentación debe realizarse junto con la declaración —y no simplemente quedar a disposición de las autoridades—, no se concederá el levante de las mercancías para el régimen solicitado hasta que estos no se presenten (artículo 224 RECAU).

Se contempla un régimen particular por lo que hace a la presentación de la declaración complementaria para aquellos operadores que se beneficien simultáneamente de la simplificación denominada "inscripción en los registros del declarante", de la denominada "autoevaluación" y, además, presenten declaraciones complementarias globales, periódicas o recapitulativas. Estos sujetos podrán presentar la declaración complementaria siguiendo las reglas generales o bien las autoridades podrán autorizarles para que cumplan esta obligación simplemente facilitando a las autoridades el acceso electrónico directo a su sistema (artículo 225 RECAU). Ha de tenerse en cuenta a este respecto que no será infrecuente que un OEA cumpla simultáneamente los requisitos que permiten gozar de las diversas simplificaciones que hemos señalado como presupuesto para esta medida de facilitación.

La declaración complementaria debe presentarse en el lugar en que se haya presentado la declaración simplificada a que se refiera.

La declaración complementaria forma un todo con la declaración simplificada —o declaraciones simplificadas— a que se refiere. Por ello, constituyen un instrumento único e indivisible que surte efecto en la fecha de admisión de la declaración simplificada (no de la complementaria).

El artículo 223 RECAU regula cómo se proyecta esta regla de alcance general en el supuesto específico de mercancías para las que se haya establecido un contingente arancelario que se gestione aplicando el orden cronológico por fecha de admisión de las declaraciones en aduana (esto es, por orden de cola, que es el régimen general). Dispone este precepto que el declarante podrá solicitar la concesión del contingente arancelario únicamente cuando los datos necesarios estén disponibles en la declaración simplificada o en la declaración complementaria. Si la solicitud de concesión del contingente se realiza en la declaración complementaria, la referida solicitud no podrá tramitarse hasta que declaración complementaria se haya presentado. Ahora bien, en cualquier caso, a efectos de asignación del contingente arancelario, la fecha que se tendrá en cuenta será la de admisión de la declaración simplificada.

Régimen transitorio.– El artículo 16 del RDTCAU (Reglamento Delegado (UE) 2016/341) contiene reglas en materia de formularios a utilizar, con carácter transitorio, para las declaraciones en aduana simplificadas. Dispone que, hasta las fechas de mejora de los Sistemas Nacionales de Importación a que se refiere el anexo de la Decisión de Ejecución 2019/2151/UE (la fecha de implantación depende de cada Estado), en caso de que una declaración en aduana simplificada se presente por medios distintos de las técnicas de tratamiento electrónico de datos en relación con los regímenes de despacho a libre práctica, depósito aduanero, importación temporal, destino final o perfeccionamiento activo, deberá efectuarse utilizando los formularios establecidos en el anexo 9, apéndices B1 a B5 del propio RDTCAU.

Por otro lado, hasta esas mismas fechas, en caso de que una persona disponga de una autorización de uso habitual de una declaración simplificada en relación con los regímenes de despacho a libre práctica, depósito aduanero, importación temporal, destino final o perfeccionamiento activo, las autoridades aduaneras podrán aceptar como declaración simplificada un documento comercial o administrativo, siempre que este último contenga, como mínimo, los datos necesarios para la identificación de las mercancías y vaya acompañado de una solicitud de inclusión de las mercancías en el régimen aduanero de que se trate.

24.3. LA INSCRIPCIÓN EN LOS REGISTROS DEL DECLARANTE

La simplificación denominada "inscripción en los registros del declarante" (equivalente a la simplificación anteriormente denominada "procedimiento de domiciliación") permite a un operador sustituir la presentación de la declaración en aduana por la concesión de acceso a las autoridades a los sistemas electrónicos del operador, sistemas en los que debe inscribir —de ahí la denominación de esta simplificación— los datos requeridos para declaración en aduana conforme al régimen aduanero que se solicite. Esta simplificación está sujeta a autorización, en la que se indicarán las condiciones en que se permite el levante de las mercancías.

La declaración se tendrá por presentada en el momento en que las autoridades, sirviéndose del acceso a los sistemas electrónicos concedido por el operador, tengan a su disposición los datos requeridos. Además, la declaración en aduana se considerará admitida en el momento en que las mercancías se inscriban en los registros.

Adicionalmente, esta simplificación puede comportar también que el operador quede eximido de la obligación de presentar las mercancías en aduana. Esta simplificación adicional se concede, a solicitud del operador, cuando se reúnen los siguientes requisitos:

a) Que el declarante sea un OEA, modalidad simplificaciones aduaneras;

b) Que la naturaleza y el tráfico de las mercancías de que se trate sean conocidos por la autoridad aduanera y justifiquen la concesión de esta simplificación;

c) Que la aduana supervisora tenga acceso a toda la información que considere necesaria para poder ejercer su derecho a examinar las mercancías en caso de que resulte necesario;

d) Que, en el momento de su inscripción en los registros, las mercancías no estén sujetas a prohibiciones o restricciones, salvo que la autorización establezca otra cosa.

Ha de tenerse en cuenta que, aunque se haya concedido esta simplificación adicional (la que permite eximir de presentar las mercancías en aduana), la aduana supervisora se reserva la potestad de exigir que se presenten las mercancías en situaciones específicas.

Por otro lado, existen determinados tipos de declaraciones para los cuales no se permite utilizar la simplificación de la declaración en aduana en forma de inscripción en los registros del declarante. Se trata de las declaraciones en aduana que constituyan una solicitud de autorización para un régimen especial (este supuesto se regula en el artículo 163 RDCAU); y de las declaraciones en aduana que se presenten en sustitución de la declaración sumaria de entrada (este supuesto se regula en el artículo 130 CAU).

Condiciones para la autorización.– La autorización para presentar declaraciones en aduana en forma de inscripción en los registros del declarante se sujeta a los requisitos que se establecen para la concesión de la condición de Operador Económico Autorizado, modalidad de simplificaciones aduaneras, salvo el relativo a la solvencia financiera. Esto significa que un OEA de la modalidad simplificaciones aduaneras se entenderá que cumple los requisitos para esta autorización de forma automática. Sin perjuicio de analizar el contenido de los referidos requisitos al analizar la figura del OEA en el capítulo 33, conviene avanzar a qué se refiere cada uno de esos requisitos en la tabla que sigue.

Condiciones para la autorización de la inscripción en los registros
1. Historial de cumplimiento (artículo 39(a) CAU)
Inexistencia de infracciones graves o reiteradas de la legislación aduanera y de la normativa fiscal, en particular que no haya habido condena alguna por un delito grave en relación con la actividad económica del solicitante. Este requisito se regula con mayor detalle en el artículo 24 RECAU.
2. Sistema de gestión de registros comerciales y, en su caso, de registros de transporte (artículo 39(b) CAU)
El solicitante debe demostrar un alto nivel de control de sus operaciones y del flujo de mercancías, mediante un sistema de gestión de los registros comerciales y, en su caso, de los registros de transporte, que permita la correcta realización de los controles aduaneros. Este requisito se regula con mayor detalle en el artículo 25 RECAU.
3. Competencia profesional (artículo 39(d) CAU)
Nivel adecuado de competencia o de cualificaciones profesionales directamente relacionadas con la actividad que ejerza. Este requisito se regula con mayor detalle en el artículo 27 RECAU.

La autorización para poder utilizar la simplificación de inscripción en los registros debe referirse a alguno de los regímenes que enumera el artículo 150.2 RDCAU. Se trata de los que enumeramos en la tabla que sigue, donde recogemos igualmente las limitaciones que rigen respecto de alguno de ellos.

Regímenes para los que puede autorizarse la simplificación de inscripción en los registros
1. Despacho a libre práctica
Ahora bien, no se concederá la autorización para el despacho a libre práctica (ni tampoco para la reimportación con despacho a libre práctica) de mercancías que tengan como lugar de llegada de la expedición o transporte otro Estado miembro y que gocen de la exención prevista en el IVA para las entregas intracomunitarias (la exención de las entregas intracomunitarias se regula en el artículo 138 de la Directiva 2006/112/CE y artículo 25 LIVA) y, cuando proceda, en régimen suspensivo de impuestos especiales por aplicación del régimen de circulación intracomunitaria (que se regula en el artículo 17 de la Directiva 2008/118/CE y artículo 16 Ley IIEE).

Regímenes para los que puede autorizarse la simplificación de inscripción en los registros
2. Depósito aduanero
3. Importación temporal
4. Destino final
5. Perfeccionamiento activo
6. Perfeccionamiento pasivo
7. Exportación y reexportación
La autorización para declaraciones de exportación y reexportación solo se concederá cuando se cumplan las dos condiciones siguientes: a) Que se dispense de la obligación de presentar una declaración previa a la salida; Esta dispensa se regula en el artículo 263.2 CAU y se contempla en dos supuestos: (1) cuando se trate de los medios de transporte y las mercancías que se hallen en ellos que se limiten a atravesar las aguas territoriales o el espacio aéreo del TAU sin efectuar ninguna parada en el mismo; o (2) en otros casos específicos en los que resulte debidamente justificado por el tipo de mercancías o de tráfico o cuando así lo exijan acuerdos internacionales. b) Que la aduana de exportación sea también la aduana de salida, o bien que la aduana de exportación y la aduana de salida hayan tomado medidas para garantizar que las mercancías sean objeto de vigilancia aduanera a la salida. Por otra parte, no se permitirá utilizar esta simplificación para la exportación de mercancías sujetas a impuestos especiales, salvo que sean de aplicación los procedimientos simplificados previstos respecto de la circulación de productos sujetos a impuestos especiales en régimen suspensivo por tener lugar íntegramente en el territorio de un Estado miembro (se refiere a estos procedimientos simplificados el artículo 30 de la Directiva 2008/118/CE).

Se dispone que la autorización de inscripción en los registros no se concederá cuando la solicitud se refiera a un procedimiento normalizado para el que se requiera un intercambio de información entre las autoridades aduaneras (INF), a menos que las autoridades aduaneras acepten que se utilicen otros medios de intercambio electrónico de información.

El intercambio de información normalizado a estos efectos es el que se regula en el artículo 181 RDCAU, que se aplica cuando se trate de un perfeccionamiento activo EX/IM o IM/EX o bien un perfeccionamiento pasivo EX/IM o IM/EX, en el que intervengan uno o varios Estados miembros. También se establece este intercambio cuando una declaración en aduana o una declaración de reexportación o una notificación de reexportación se refiera a un INF. Conforme a los apartados 27 a 30 del artículo 1 RDCAU podemos ofrecer las siguientes definiciones:

El «perfeccionamiento activo EX/IM» consiste en la exportación previa de productos transformados obtenidos a partir de mercancías equivalentes al amparo del régimen de perfeccionamiento activo antes de la importación de las mercancías a las que sustituyan (artículo 223.2(c) CAU);

El «perfeccionamiento activo IM/EX» consiste en la importación de mercancías no pertenecientes a la Unión al amparo del régimen de perfeccionamiento activo antes de la exportación de productos transformados;

El «perfeccionamiento pasivo EX/IM» consiste en la exportación de mercancías de la Unión al amparo del régimen de perfeccionamiento pasivo antes de la importación de productos transformados;

El «perfeccionamiento pasivo IM/EX» consiste en la importación previa de productos transformados obtenidos a partir de mercancías equivalentes al amparo del régimen de perfeccionamiento pasivo antes de la exportación de las mercancías a las que sustituyan (artículo 223.2(d) CAU).

Plan de control.– La autorización de esta simplificación comporta, para las autoridades aduaneras, el establecimiento de un plan de control específico del operador económico de que se trate. Este plan debe incluir la vigilancia de los regímenes aduaneros gestionados al amparo de la autorización, especificando la frecuencia de los controles aduaneros. También debe especificar el control a realizar en caso de que se conceda la simplificación adicional consistente en la dispensa de la obligación de presentar las mercancías en aduana. Si el operador se beneficia asimismo de la simplificación denominada "despacho centralizado" el plan de control debe especificar la distribución de tareas entre la aduana supervisora y la aduana de presentación, teniendo en cuenta a estos efectos las prohibiciones y restricciones aplicables en el lugar en el que esté situada la aduana de presentación.

El plan debe garantizar la posibilidad de realizar controles aduaneros efectivos en todas las fases del procedimiento de inscripción en los registros del declarante.

Evidentemente, los controles tienen un límite temporal en el plazo que la norma de la UE reconoce a las autoridades para notificar la deuda aduanera que, con carácter general, es de tres años a contar desde la admisión de la declaración (artículo 103 CAU).

Obligaciones del titular de la autorización.– El operador a quien se haya concedido la autorización para presentar declaraciones en aduana en forma de inscripción en los registros del declarante debe cumplir las obligaciones siguientes:

a) presentar las mercancías en aduana, salvo que se beneficie de la simplificación adicional consistente en la dispensa de esta obligación. Debe asimismo indicar la fecha de la notificación de presentación en los registros;

Aun cuando el operador disfrute de la simplificación que le exime de presentar las mercancías en la Aduana, ésta le puede requerir en algún caso específico para que las presente de todos modos si se detecta un riesgo financiero o de otro tipo. En tal caso la Aduana indicará el plazo para presentar las mercancías en aduana, la obligación de registrar la fecha de notificación de la presentación en los registros y la obligación de cumplir lo que se señala en las letras (b) a (g) de más abajo, salvo en la letra (f) (artículo 234.3 RECAU).

b) consignar en los registros, como mínimo, los datos de una declaración en aduana simplificada y cualquier documento justificativo necesario;

c) a petición de la aduana supervisora, poner a disposición los datos de la declaración en aduana introducidos en los registros, así como cualquier documento justificativo, excepto cuando las autoridades aduaneras permitan al declarante brindar acceso informático directo a esa información en sus registros;

d) poner a disposición de la aduana supervisora información sobre las mercancías sujetas a restricciones y prohibiciones;

e) proporcionar a la aduana supervisora los documentos justificativos que deben acompañar a la declaración en aduana (los requeridos por aplicación del artículo 163.2 CAU). El levante no se concederá hasta que no se cumpla esta formalidad;

f) en caso de que se beneficie de la simplificación adicional consistente en la dispensa de la obligación de presentar las mercancías en aduana, debe garantizar que el titular de la autorización de explotación de los almacenes de depósito temporal disponga de la información necesaria para demostrar que ha finalizado el depósito temporal;

g) salvo en los casos en que exista una dispensa de la obligación de presentar una declaración complementaria (según hemos señalado en el apartado 23.2, la dispensa se concede cuando las mercancías estén incluidas en un régimen de depósito aduanero y en el supuesto específico que regula el artículo 183 RDCAU), debe presentar la declaración complementaria a la aduana supervisora, de acuerdo con las modalidades y dentro de los plazos establecidos en la autorización.

Declaración complementaria.– Tal y como hemos señalado, la simplificación denominada "inscripción en los registros" puede acumularse con la simplificación denominada "declaración simplificada". En tal caso, el operador debe igualmente presentar una declaración complementaria que, en su caso, podrá ser de carácter global, periódico o recapitulativo. Esta declaración complementaria se rige por las reglas que ya hemos señalado en el apartado 24.2, donde hemos analizado la declaración complementaria en el marco de la declaración simplificada, de modo que nos remitimos allí para el análisis de su régimen jurídico.

Levante.– Por lo que hace al levante en el marco de esta simplificación, pueden presentarse dos situaciones. La primera se producirá cuando la autorización para acogerse a la simplificación establezca un plazo en el que las autoridades deben informar al titular de la autorización de los controles a realizar. En este caso, el levante debe entenderse concedido en la fecha en que venza el referido plazo salvo que, en el curso del mismo, la aduana supervisora haya indicado su intención de llevar a cabo un control. La segunda situación se producirá cuando la autorización para acogerse a la simplificación no determine el plazo a que venimos refiriéndonos (el plazo del que disponen las autoridades para informar al operador de los controles a realizar). En este caso el levante se concederá de acuerdo con la forma prevista con carácter general, que se regula en el artículo 194 CAU. El levante se examina en el capítulo 27.

Contingentes arancelarios.– Se prevé una norma que establece el régimen aplicable cuando se haya establecido para las mercancías importadas un contingente arancelario que se gestione aplicando el orden cronológico por fecha de admisión de las declaraciones en aduana.

En estos supuestos se dispone que el operador deberá solicitar la concesión del contingente arancelario mediante la presentación de una declaración complementaria. La solicitud de concesión del contingente solo podrá tramitarse una vez que se haya presentado la mencionada declaración complementaria si bien, a efectos de asignación del contingente arancelario, se tendrá en cuenta la fecha inicial de inscripción de las mercancías en los registros del declarante.

> Como norma transitoria, el artículo 236.3 RECAU dispone que, hasta las fechas de mejora de los sistemas nacionales de declaración de las importaciones a que se refiere el anexo de la Decisión de Ejecución 2019/2151/UE (la fecha de implantación depende de cada Estado), los Estados miembros podrán disponer que la solicitud para acogerse a este tipo de contingentes arancelarios se realice de otra forma distinta, a condición de que todos los datos necesarios estén disponibles, permitiendo a los Estados miembros estimar la validez de la solicitud.

Régimen transitorio.– El artículo 21 del RDTCAU (Reglamento Delegado (UE) 2016/341) dispone que, hasta las fechas respectivas de mejora de los Sistemas Nacionales de Importación e implantación del AES a que se refiere el anexo de la Decisión de Ejecución 2019/2151/UE (la fecha final de implantación prevista es diciembre de 2023), las autoridades aduaneras podrán permitir la utilización de medios distintos de las técnicas de tratamiento electrónico de datos para la introducción de la notificación de presentación, excepto cuando el operador se beneficie de la dispensa de la obligación de presentar las mercancías en aduana.

Por otro lado, hasta la fecha de la implantación del sistema AES a que se refiere el anexo de la Decisión de Ejecución 2019/2151/UE, a fines de inclusión de las mercancías en el régimen de exportación o reexportación, las autoridades aduaneras podrán permitir la sustitución de la notificación de presentación por una declaración, incluida una declaración simplificada.

24.4. EL DESPACHO CENTRALIZADO

Las dos simplificaciones referidas hasta ahora en este capítulo (la declaración simplificada y la inscripción en los registros) tienen claros antecedentes en la normativa anterior, el CAC. No ocurre lo mismo en la simplificación que vamos a pasar a analizar ahora, el despacho centralizado, que constituye una novedad del CAU.

El despacho centralizado es una simplificación que permite a un operador presentar la declaración en aduana ante la aduana correspondiente al lugar en el que esté establecido aun cuando las mercancías se introduzcan y se presenten en una aduana distinta, que puede estar localizada en un Estado miembro diferente. Esta separación entre el lugar en que se cumplen las formalidades aduaneras y el lugar en que se produce la entrada física de las mercancías sólo es posible gracias al uso intensivo de tecnologías telemáticas, que permiten una comunicación eficaz y masiva entre las diferentes aduanas de todo el TAU para el intercambio de datos y la gestión colaborativa. La aduana en la que se realizan las formalidades debe poder trabajar conjuntamente con la aduana por la que se introducen las mercancías, aunque ambas pertenezcan a países diferentes, a Administraciones diferentes, con idiomas diferentes, y aunque trabajen bajo ordenamientos diferentes (en materia de procedimientos, de infracciones y sanciones...).

Autorización.– Para acogerse a esta simplificación el operador debe obtener la oportuna autorización que, no obstante, puede eximirse cuando la declaración en aduana y las mercancías se presenten en una aduana bajo la responsabilidad de un mismo Estado miembro ("despacho centralizado nacional").

El solicitante de la autorización debe tener la condición de operador económico autorizado (OEA), modalidad simplificaciones aduaneras.

Cuando la solicitud de autorización de despacho centralizado implique a más de un Estado miembro, las autoridades del Estado miembro que reciban la solicitud deben iniciar el procedimiento de consulta que se regula en el artículo 14 RECAU (consultas entre autoridades de diferentes Estados miembros previas a la adopción de una decisión, cuestión que se examina en el capítulo 21). No será necesario iniciar el referido procedimiento de consulta si la autoridad aduanera competente para conceder la autorización considera que no se cumplen los requisitos para su concesión.

El procedimiento a seguir en este caso particular de consultas entre autoridades de diferentes Estados miembros se regula en el artículo 229 RECAU. La autoridad aduanera competente para conceder la autorización debe comunicar a las demás autoridades aduaneras interesadas una serie de datos que se detallan. Esta comunicación debe practicarse dentro de un plazo máximo de cuarenta y cinco días a contar desde la fecha de aceptación de la solicitud.

Los datos que debe contener la comunicación son los siguientes: (a) la solicitud y el proyecto de autorización —incluidos el plazo para que la aduana de presentación de las mercancías informe a la aduana supervisora del resultado de sus controles previos al levante; así como el plazo para que la aduana de presentación acuse recibo de la petición de controles aduaneros por parte de la aduana supervisora y, cuando proceda, informarle asimismo del resultado de sus propios controles—; (b) cuando proceda, un plan de control, en el que se detallen los controles específicos a realizar por las diferentes autoridades aduaneras interesadas una vez concedida la autorización; (c) cualquier otra información pertinente que las autoridades aduaneras interesadas consideren necesaria.

Una vez recibida la comunicación a la que nos estamos refiriendo se abre un plazo de cuarenta y cinco días durante el cual se ofrece a las autoridades aduaneras consultadas la oportunidad de manifestar su conformidad o bien de plantear objeciones debidamente justificadas, comunicando cualquier modificación del proyecto de autorización o del plan de control propuesto. Si se hubieran planteado objeciones y no se alcanza un acuerdo entre las autoridades implicadas en el plazo de noventa días, contados a partir de la fecha de la comunicación del proyecto de autorización, se denegará la autorización a las partes con respecto a las cuales se hayan planteado objeciones. Por el contrario, si las autoridades aduaneras consultadas no plantean ninguna objeción en el plazo prescrito, se considerará que han otorgado su conformidad a la concesión de la autorización.

Como medidas transitorias se dispone que, hasta las fechas de implantación del Despacho Centralizado de las Importaciones y del Sistema Automatizado de Exportación a que se refiere el anexo de la Decisión de Ejecución 2019/2151/UE (la fecha final de implantación prevista es junio de 2025), respectivamente, los plazos del procedimiento a que hemos hecho referencia podrán ser prorrogados en quince días por la autoridad aduanera competente para conceder la autorización (salvo el plazo para llegar a un acuerdo en caso de plantearse objeciones, que puede prorrogarse por treinta días).
Por otro lado, hasta la fecha de implantación del sistema de Decisiones Aduaneras en el ámbito del CAU a que se refiere el anexo de la Decisión de Ejecución 2019/2151/UE (este sistema ya está implantado desde octubre de 2017), era preceptivo comunicar el plan de control.

La autorización para poder utilizar el despacho centralizado debe referirse a alguno de los regímenes que enumera el artículo 149.1 RDCAU. Se trata de los que señalamos en la tabla que sigue:

Regímenes para los que puede autorizarse el despacho centralizado
1. Despacho a libre práctica
2. Depósito aduanero
3. Importación temporal
4. Destino final

Regímenes para los que puede autorizarse el despacho centralizado
5. Perfeccionamiento activo
6. Perfeccionamiento pasivo
7. Exportación y reexportación

Si la declaración en aduana que se presenta en el marco del despacho centralizado adopta la forma de una inscripción en los registros del declarante (es decir, si se utilizan simultáneamente las simplificaciones de despacho centralizado y de inscripción en los registros), la autorización se sujetará a las limitaciones señaladas más arriba en la tabla "Regímenes para los que puede autorizarse la simplificación de inscripción en los registros" (capítulo 24.3).

Tras la concesión de la autorización se articula un sistema de control para asegurar su correcto uso. Así, se dispone que las autoridades de los Estados miembros deben comunicar sin demora a la autoridad aduanera competente para conceder la autorización cualquier circunstancia posterior que pueda influir en su mantenimiento o su contenido; paralelamente, la autoridad aduanera competente para conceder la autorización debe facilitar toda la información pertinente de que disponga a las autoridades aduaneras de los demás Estados miembros en relación con las actividades aduaneras del OEA que se acoja al despacho centralizado.

Funcionamiento operativo del despacho centralizado.– El titular de la autorización de despacho centralizado debe presentar las mercancías en una de las aduanas competentes conforme a lo que resulte de la autorización. La presentación en aduana de las mercancías se realizará mediante la presentación, en la aduana supervisora, de uno de los documentos siguientes:

a) una declaración en aduana normal (que se regula en el artículo 162 CAU);

b) una declaración en aduana simplificada;

c) una notificación de presentación en el marco de la simplificación de inscripción en los registros (se refiere a esta notificación el artículo 234.1(a) RECAU).

Si el operador es beneficiario de la simplificación de inscripción en los registros y, en el marco de la misma, se le ha dispensado de la obligación de presentar las mercancías en aduana, deberá garantizar que el titular de la autorización de explotación del almacén de depósito temporal dispone de toda la información necesaria para demostrar que ha finalizado el depósito temporal a fin de poder acogerse a esta dispensa en el marco del despacho centralizado.

Por otro lado, si la declaración en aduana adopta la forma de una inscripción en los registros del declarante, serán de aplicación las normas relativas a:

- las obligaciones del titular de la autorización de presentación de una declaración en aduana en forma de inscripción en los registros del declarante (artículo 234 RECAU),

- el levante de las mercancías en caso de presentación de una declaración en aduana en forma de inscripción en los registros del declarante (artículo 235 RECAU); y

- las reglas particulares sobre gestión de contingentes arancelarios (artículo 236 RECAU).

A la aduana en que se presente la declaración en aduana (que, recordemos, en el marco del despacho centralizado será la aduana que corresponda al domicilio del operador) le compete llevar a cabo una serie de labores de gestión, a saber:

a) supervisar la inclusión de las mercancías en el régimen aduanero de que se trate (es, por tanto, la aduana supervisora);

b) llevar a cabo los controles aduaneros para la comprobación de la declaración en aduana consistentes en examinar la declaración y los documentos justificativos y, en su caso, exigir al declarante que facilite otros documentos;

c) cuando esté justificado, solicitar a la aduana en que se hayan presentado las mercancías que examine las mercancías y tome muestras para su análisis o para un examen pormenorizado; y

d) llevar a cabo los trámites aduaneros para la recaudación del importe de los derechos de importación o de exportación correspondiente a cualquier deuda aduanera.

La aduana en que se presenta la declaración en aduana (la aduana supervisora) y la aduana en que se presenten las mercancías (aduana de presentación) intercambiarán la información necesaria para la comprobación de la declaración en aduana y para el levante de las mercancías. A estos efectos, tan pronto admita la declaración en aduana o reciba la notificación de inscripción en los registros, la aduana supervisora deberá llevar a cabo los oportunos controles para su comprobación y remitir inmediatamente a la aduana de presentación (es decir, a la aduana en que se presenten las mercancías) la referida declaración en aduana o notificación, así como los resultados del análisis de riesgos realizado respecto de ella. Además, debe informar a la aduana de presentación acerca de si las mercancías pueden ser objeto de levante para el régimen aduanero solicitado o bien se precisan controles aduaneros consistentes en el examen de las mercancías y toma de muestras.

En caso de que la aduana supervisora (que es aquella en que se haya presentado la declaración en aduana) señale a la aduana de presentación que debe llevar a cabo controles, la aduana de presentación debe acusar recibo de esta petición e informar de los resultados de tales controles, así como de los resultados de los controles que haya decidido por su parte (incluidos los relacionados con las prohibiciones y restricciones nacionales), dentro del plazo fijado en la autorización para el despacho de aduanas centralizado.

En caso de que la aduana supervisora informe a la aduana de presentación de que las mercancías pueden ser objeto de levante para el régimen aduanero solicitado, la aduana de presentación deberá informar a la aduana supervisora, dentro del plazo fijado en la autorización de despacho centralizado, acerca de si sus propios controles de las mercancías, incluidos los relacionados con prohibiciones y restricciones nacionales, afectan a dicho levante.

A la aduana supervisora le compete autorizar el levante de las mercancías, tomando en consideración a este fin los resultados de sus propios controles para la comprobación de la declaración en aduana, así como los resultados de los controles llevados a cabo por la aduana de presentación. La concesión del levante se sujetará a las condiciones que se establecen en los artículos 194 y 195 CAU y, en particular, se supedita al pago o a la prestación de garantía en caso de que el régimen solicitado determine el nacimiento de una deuda aduanera (el levante se analiza en el capítulo 27). La aduana supervisora procederá entonces a informar a la aduana de presentación de la concesión del levante para que proceda al mismo.

Si el régimen solicitado es el de exportación, la aduana supervisora pondrá a disposición de la aduana de salida declarada, en el momento del levante de las mercancías, los datos de la declaración de exportación, rectificados si procede. La aduana de salida informará a la aduana supervisora de la salida de las mercancías. La aduana supervisora será la encargada de certificar al declarante la salida de las mercancías.

El artículo 231 RECAU, en sus apartados 9, 10 y 11, contiene diversas medidas transitorias. Así, se dispone que, hasta las fechas respectivas de implantación del Despacho Centralizado de las Importaciones (CCI) y el Sistema Automatizado de Exportación (AES) a que se refiere el anexo de la Decisión de Ejecución 2019/2151/UE (la fecha final de implantación del CCI queda para junio de 2025, en tanto que la del AES está prevista para diciembre de 2023), tratándose de mercancías cubiertas por una autorización de despacho centralizado, el titular de la autorización o el declarante deberá:

a) presentar las mercancías en los lugares establecidos en la autorización y designados o aprobados por las autoridades aduaneras (artículo 139 CAU), salvo en caso de dispensa de la obligación de presentar las mercancías (artículo 182.3 CAU), y

b) presentar una declaración en aduana o inscribir las mercancías en sus registros en la aduana especificada en la autorización.

Por otro lado, se ordena que, hasta las fechas respectivas de implantación del Despacho Centralizado de las Importaciones y el Sistema Automatizado de Exportación a que se refiere el anexo de la Decisión de Ejecución 2019/2151/UE, las autoridades aduaneras competentes aplicarán el plan de control, en el marco del cual se fijará un nivel mínimo de controles.

Finalmente se establece que, hasta las fechas respectivas de implantación del Despacho Centralizado de las Importaciones y el Sistema Automatizado de Exportación a que se refiere el anexo de la Decisión de Ejecución 2019/2151/UE, las aduanas en las que se presenten las mercancías podrán efectuar controles adicionales a los especificados en el plan de control a petición de la aduana supervisora o a iniciativa propia, y comunicarán los resultados a la aduana supervisora.

El artículo 232 RECAU establece algunas reglas adicionales para aquellos supuestos de despacho centralizado en el que intervengan autoridades aduaneras de diferentes Estados miembros. Establece que, en estos supuestos, la aduana supervisora debe transmitir a la aduana de presentación cualquier rectificación o invalidación de la declaración en aduana normal que se haya producido tras el levante de las mercancías. Por otro lado, en caso de que se haya presentado una declaración complementaria, la aduana supervisora debe transmitir a la aduana de presentación dicha declaración y cualquier rectificación o invalidación de la misma. Si, tratándose de supuestos de declaración complementaria de carácter general por sujetos autorizados a la "autoevaluación" e inscripción en los registros (artículo 225 RECAU), la aduana supervisora tiene acceso a la declaración complementaria a través del sistema electrónico del operador, la aduana supervisora transmitirá los datos dentro de los diez días siguientes al final del período cubierto por la declaración complementaria, así como cualquier rectificación o invalidación de esa declaración complementaria extraída.

Régimen transitorio.– Los artículos 18 a 20 del RDTCAU (Reglamento Delegado (UE) 2016/341) contienen diversas disposiciones transitorias en materia de despacho centralizado.

Así, se establece que, hasta las fechas respectivas de implantación del Sistema de Despacho Centralizado de las Importaciones (CCI) y del (AES) en el ámbito del CAU a que se refiere el anexo de la Decisión de Ejecución 2019/2151/UE (insistamos en que la fecha final de implantación del CCI queda para junio de 2025, en tanto que la del AES está prevista para diciembre de 2023), las autoridades aduaneras que intervengan en una autorización de despacho centralizado cooperarán en el establecimiento de medidas que garanticen el intercambio de la información necesaria para la comprobación de la declaración en aduana y para el levante de las mercancías entre la aduana supervisora y la aduana de presentación, así como para que la aduana de presentación realice los controles que corresponda y facilite los resultados de los mismos a la aduana supervisora. A estos efectos, las autoridades aduaneras podrán permitir la utilización de medios distintos de las técnicas de tratamiento electrónico de datos para el intercambio de información entre las autoridades aduaneras y entre estas últimas y los titulares de autorizaciones de despacho centralizado.

Por otra parte, se impone a los Estados miembros que faciliten a la Comisión la lista de las solicitudes y las autorizaciones en materia de despacho centralizado, lista que deberán mantener actualizada. A su vez, la Comisión almacenará las listas en el Centro de Recursos de Información y Comunicación para las Administraciones, Empresas y Ciudadanos (CIRCABC) clasificadas en el grupo de interés pertinente.

Finalmente, se dispone que, hasta las fechas respectivas de implantación de los sistemas CCI y AES a que se refiere el anexo de la Decisión de Ejecución 2019/2151/UE, la autoridad aduanera competente para tomar una decisión podrá denegar las solicitudes de despacho centralizado cuando la autorización pueda acarrear cargas administrativas desproporcionadas. Esta disposición transitoria supone que, en no pocas ocasiones, las autoridades aduaneras podrán postergar la concesión de las autorizaciones de despacho centralizado hasta que los referidos sistemas se implanten.

España.– El Apéndice XII de la Resolución del DUA se refiere al despacho centralizado dentro del ámbito español, estableciendo dos modalidades, dependiendo de dónde se ubiquen la aduana supervisora y la aduana de presentación: el regional y el provincial, por una parte, y el nacional, por otra. Mientras el regional y provincial es aplicable también en el marco de la VEXCAN, el nacional no. El nacional no puede aplicarse tampoco a Ceuta ni a Melilla.

> Resolución de 11 de julio de 2014, del Departamento de Aduanas e Impuestos Especiales de la Agencia Estatal de Administración Tributaria, en la que se recogen las instrucciones para la formalización del documento único administrativo (DUA) (BOE 21.07.2014, con sus modificaciones posteriores).

Esta simplificación se debe solicitar al Jefe de la Dependencia Provincial o Regional correspondiente (si es provincial o regional) o al Director del DAAeIIEE (si es nacional), especificando las Aduanas por donde van a ser introducidas o expedidas las mercancías y la sede de la Dependencia en donde se pretenden centralizar las declaraciones de importación/vinculación a depósito o de exportación. Si se trata de centralizado provincial o regional la solicitud se puede denegar en caso de operadores con incumplimientos o que no tengan un historial satisfactorio de cumplimiento de la normativa aduanera y también a la vista de los costes que comporte su concesión. En caso de centralizado nacional se exige que el operador tenga la condición de OEA, modalidad simplificaciones aduaneras, y que la aduana supervisora esté en condiciones de sobrellevar la carga que pueda suponer.

La autorización sólo se concede respecto de declaraciones de importación, exportación y vinculación a depósito aduanero (no, p.e., tránsito), que deberán presentarse de forma telemática. Si la declaración es asignada a canal naranja o rojo, el interesado deberá presentar electrónicamente la documentación y certificados pertinentes. Si procede, la aduana de presentación podrá realizar el examen físico de las mercancías y extraer muestras, dejando constancia de ello. El declarante podrá hacerse representar en los reconocimientos físicos, para lo cual habrá debido comunicar la representación a la aduana supervisora mediante el "modelo de representación ante la aduana a efectos del control físico de las mercancías al amparo de una autorización de despacho centralizado".

Una vez obtenido el levante, cualquiera que hubiera sido el circuito asignado, el interesado imprimirá el ejemplar 9 con el código de autenticación para su entrega al Resguardo del recinto público o al ADT donde se encuentre la mercancía.

Trascendencia e implicaciones del despacho centralizado.– El desdoblamiento de funciones, entre la Aduana encargada del control físico de las mercancías y la Aduana encargada de realizar las restantes labores de gestión aduanera, permite que el declarante entable una relación administrativa con la aduana de su domicilio aun cuando las mercancías se estén introduciendo por otro país, sujeto a la condición de que obtenga la oportuna autorización para operar de este modo. Esta autorización se condiciona a que el solicitante tenga la condición de OEA 'simplificaciones aduaneras', lo que sin duda añade atractivo a esta figura.

La aduana del domicilio del declarante (del lugar donde esté establecido) llevará a cabo las labores de gestión, impartiendo instrucciones a la aduana de entrada y recibiendo los resultados, en su caso, del control físico de las mercancías realizado por esta. Más relevante todavía desde una perspectiva jurídica: la relación administrativa entre el declarante y la aduana se va a regir por las normas procedimentales y de otro tipo que rijan en el Estado en que se localice la aduana de su lugar de establecimiento, independientemente del Estado por el que las mercancías se introduzcan físicamente. En estos supuestos la deuda aduanera se considerará nacida en el Estado en que se presenta la declaración y se realiza la gestión aduanera, no en el Estado por el que las mercancías son introducidas.

De este modo, el lugar de entrada de las mercancías en la UE ya no determina el régimen jurídico al que se somete la relación aduanera ni la Administración con la que se entabla, con lo que desaparece una importante barrera intangible a la hora de decidir cuál deba ser ese lugar. Porque, a pesar de que las normas aduaneras sustantivas (las que determinan el importe de la deuda tributaria y otras obligaciones no tributarias) y parte de las normas procedimentales son uniformes en el TAU, todavía la mayor parte de las normas procedimentales son nacionales (además de las sancionadoras, claro) y, en consecuencia, distintas de un Estado a otro. Y eso por no hablar de una aplicación no siempre coincidente en los distintos países de las normas comunes. La gestión electrónica, al permitir un funcionamiento telemático, pone en buena medida punto final a las incertidumbres que esta realidad impone a los operadores económicos: el operador se relacionará con su aduana local y su relación jurídica se regirá por el ordenamiento que corresponda a esa aduana, y esto será así independientemente de cuál sea el lugar elegido para introducir las mercancías, de manera que las inseguridades acerca de las normas y los criterios con los que se operan en otro país perderán buena parte de su relevancia a la hora de tomar en consideración la conveniencia económica de realizar la operación en su territorio. De este modo, la gestión aduanera electrónica facilita que la elección del punto de entrada de las mercancías en la UE se vea menos influida por factores ajenos a la eficiencia económica. Lo cual significa, ni más ni menos, que la gestión aduanera electrónica va a ser un factor de impulso a la competencia entre puertos y aeropuertos para conseguir mayores cuotas de mercado. Para los afectados puede verse como una amenaza o como una oportunidad, según el enfoque con el que se enfrente esta nueva realidad.

Pero debe llamarse la atención de que el despacho centralizado también incitará la competencia entre Estados. Tal y como hemos señalado, la deuda aduanera se considerará nacida en el Estado en que se presente la declaración, no en el Estado por el que se introduzcan las mercancías. En principio, el Estado en que se presenta la declaración hará suyo un 25 por 100 de la recaudación obtenida, si bien la mitad de ese importe debe trasladarse al Estado por el que se introduzcan las mercancías.

> El reparto al 50% de las cantidades que los Estados detraen para compensar los gastos de gestión del arancel (que se denominan, inadecuadamente, "gastos de recaudación") se establece en el *Convenio relativo al despacho de aduanas centralizado, en lo que se refiere a la distribución de los gastos de recaudación nacionales que se retienen cuando se ponen a disposición del presupuesto de la UE los recursos propios tradicionales* (publicado en el DO UE C nº 92, de 21.04.2009).

Pero las consecuencias económicas para el Estado van más allá del arancel y tienen implicaciones para otros tributos cuya recaudación no se comparte (IVA, IIEE), y determina mayor actividad económica en su jurisdicción de alto valor añadido (representantes aduaneros, consultores, abogados…) que, a su vez, tiene impacto en la recaudación que se obtiene de los impuestos que gravan la renta de estos operadores. Por ello, en la medida en que el "despacho centralizado" adquiera mayor relevancia y frecuencia en su uso, cabe pensar que asistiremos a una competencia, no sólo entre operadores económicos, sino también entre Estados. Esa competencia entre Estados se decidirá por factores tales como la eficacia y celeridad en la gestión y también por las diferencias normativas. En este sentido, por ejemplo, hemos de tener en cuenta que las normas sancionadoras no están unificadas. Por eso, en caso de que el despacho centralizado se generalice, o bien asistimos a una homogenización normativa o bien podemos anticipar una agitada vida a esta norma.

El cambio también puede anticiparse que tendrá un importante impacto para los intermediarios de la gestión aduanera, como los representantes aduaneros, consultores o asesores. En la medida que un país logre atraer declarantes, estas actividades serán más prósperas; en la medida en que un país resulte poco atractivo y se limite a ver entrar mercancías, pero sin gestionar las declaraciones, estas actividades languidecerán. A este respecto debe tenerse en cuenta que, en algunos países, como en Alemania, es frecuente que las empresas de cierto tamaño cuenten con expertos internos de la propia empresa para realizar la gestión aduanera, frente al modelo mediterráneo de externalización a favor de agentes de aduana (que es la denominación tradicional, si bien actualmente en España la categoría legal es la de "representante aduanero") y otros intermediarios. Cuando conectamos esta realidad con el despacho centralizado no resulta complicado atisbar que aquellas empresas que cuenten con departamentos internos de gestión aduanera tenderán a centralizar el despacho en su país, independientemente del lugar por el que se introduzcan las mercancías.

En definitiva, el despacho centralizado constituye una recepción jurídica de las posibilidades que ofrece el avance tecnológico, pero, a su vez, esa recepción jurídica va a tener una incidencia notable en el modo en que se realizan las operaciones y en el modo en que interactúan los sujetos implicados, entre otras cosas para favorecer la competencia entre ellos. Lamentablemente nos parece que el ordenamiento español no ha calibrado adecuadamente las implicaciones de esta nueva realidad.

> En este sentido deben reconocerse avances positivos en España, como la generalización de la gestión electrónica o la anticipación de los cambios en el régimen de la representación aduanera, con mayor énfasis en la capacitación. Pero hay otros movimientos que delatan que se carece de una estrategia aduanera integral. Por ejemplo, no tiene sentido optar, en este momento, por endurecer el delito de contrabando para hacerlo culposo, en lugar de doloso. Tampoco tiene sentido mantener, durante años, un intento sin sentido por extender la caducidad aduanera de 3 años a un plazo de prescripción de 4 años, con argumentos insostenibles. Podríamos seguir (valores en aduana arbitrarios, controles para-aduaneros descoordinados, tribunales impredecibles...), pero basten estas indicaciones para llamar la atención sobre la necesidad urgente de trazar una estrategia aduanera global. No se trata de predicar la buena nueva del CAU y advertir de los cambios que introduce: se trata de anticiparse de forma sistemática, metódica y coherente a esos cambios para que resulten fructíferos.

ACTUACIONES DE COMPROBACIÓN. LIQUIDACIÓN

ÍNDICE

25 Actuaciones de comprobación. Liquidación

25.1. LA COMPROBACIÓN PREVIA AL LEVANTE

Las declaraciones aduaneras se presumen ciertas, de manera que la Administración sólo podrá separarse de los datos declarados si justifica otros distintos. Esta idea se desprende claramente de lo dispuesto en el artículo 191.2 CAU conforme al cual, cuando no se compruebe la declaración en aduana, se aplicarán las disposiciones que regulen el régimen aduanero en que se incluyan las mercancías con arreglo a los datos que figuren en la propia declaración.

De lo anterior se deriva que las autoridades sólo podrán determinar un régimen distinto al que resulte de la declaración (sea por lo que hace a la cuantía de la deuda o a otro tipo de consecuencias jurídicas) cuando así se desprenda de los resultados obtenidos a través de la realización de actividades de comprobación (artículo 191.1 CAU).

Los artículos 188 a 193 CAU y 238 a 245 RECAU contienen disposiciones relativas a la comprobación de los datos declarados. Aunque no se establece de forma expresa que estas normas se refieran a la comprobación previa al levante, así se desprende en general por su propio carácter y también del dato de su ubicación sistemática, en la Sección 1 del Capítulo 3 del Título V, pues de forma reveladora se dedica al levante la Sección siguiente (la 3).

A partir de lo dispuesto en el artículo 188 CAU podemos trazar una distinción entre control documental y examen material. El primero se proyecta sobre la declaración, los documentos justificativos u otros que las autoridades puedan exigir al declarante. El segundo se proyecta directamente sobre las mercancías, incluyendo la extracción de muestras para un control más detallado o para su análisis.

Por lo que hace al examen de las mercancías, las autoridades aduaneras deben comunicar al declarante su intención de proceder a realizarlo (artículo 238 RECAU). El examen de las mercancías se efectuará en el recinto aduanero y en el horario de apertura oficial de la aduana, si bien las autoridades podrán autorizar el examen de las mercancías en un lugar y horario distintos a petición del declarante. El declarante asume la responsabilidad del transporte de las mercancías hasta los lugares donde vayan a ser examinadas y de las manipulaciones que requiera el examen. Este puede extenderse a todas las mercancías del envío o solamente a una parte de ellas, en cuyo caso las autoridades deberán informar al declarante qué artículos desean examinar.

El declarante tiene derecho a estar presente o representado en el momento en que las mercancías sean examinadas y en el momento en que se tomen las muestras. Ahora bien, ese derecho es, a la vez, un deber cuando las autoridades aduaneras aduzcan motivos razonables a tal efecto, o para que colabore a fin de facilitar el examen o la toma de muestras (artículo 189.2 CAU). Cuando así se requiera, al examen debe asistir el propio declarante o una persona designada por este, que debe prestar a las autoridades la colaboración necesaria para facilitar su tarea. Si el declarante se negara a asistir o designar a una persona que lo haga o a prestar la colaboración requerida, las autoridades fijarán un plazo transcurrido el cual procederán de oficio al examen de las mercancías si lo consideran necesario. En estas circunstancias, el examen se realizará por cuenta y riesgo del declarante, con objeto de regularizar la situación de las mercancías, pudiendo recurrir las autoridades, si lo consideran necesario, a los servicios de un experto. La designación del experto se hará conforme a lo que prevean las normas de la UE, en su caso, o, en defecto de ellas, conforme a lo que dispongan las normas nacionales (artículo 239 RECAU).

Las autoridades pueden decidir examinar únicamente una parte de las mercancías incluidas en un mismo envío (artículo 190 CAU y 239.1 RECAU). En este caso la Aduana comunicará al declarante los artículos que desee examinar. Los resultados del referido examen parcial se extenderán a todas las mercancías comprendidas en la misma declaración. A estos efectos debe tenerse en cuenta, no obstante, que cuando en una misma declaración en aduana se incluyan mercancías clasificadas en diferentes partidas arancelarias, los datos correspondientes a cada una de ellas se considerarán como una declaración distinta. En caso de examen parcial el declarante podrá solicitar un nuevo examen si considera que sus resultados no son extrapolables al resto de las mercancías declaradas. Esta solicitud debe ser atendida, a menos que ya se haya concedido el levante y el declarante no esté en condiciones de acreditar que las mercancías no han sido modificadas en modo alguno.

La Aduana puede también decidir tomar muestras (artículo 240 RECAU). En tal caso, lo comunicará al declarante, requiriéndole para que esté presente en la toma de muestras o para que proporcione su colaboración. En caso de que el declarante se niegue, las autoridades fijarán un plazo para su comparecencia o asistencia, transcurrido el cual sin que el declarante lo haya atendido, se procederá de oficio a tomar las muestras por cuenta y riesgo del declarante. Aunque, con carácter general, la extracción de muestras será realizada por las propias autoridades, se establece que estas pueden exigir que se realicen por el declarante o por un experto bajo su supervisión. De nuevo, la designación del experto se hará conforme a lo que prevean las normas de la UE, en su caso, o, en defecto de ellas, conforme a lo que dispongan las normas nacionales. En cualquier caso, las cantidades extraídas no deben exceder de las necesarias para permitir el análisis o el control detallado de las mercancías, incluyendo un posible contraanálisis ("análisis ulterior"). Las muestras no serán deducibles de la cantidad declarada y, únicamente en caso de declaraciones de exportación o perfeccionamiento pasivo, se permite sustituir las muestras por otras mercancías idénticas a fin de completar el envío.

Si el análisis de las muestras extraídas arrojase un resultado diferente a lo que se desprenda de los datos declarados, que comporte un tratamiento aduanero distinto, se tomarán nuevas muestras si ello todavía fuera posible. Si el nuevo análisis confirma esta discrepancia, se considerará que la mercancía introducida es la que resulte del análisis. A esta misma conclusión se llegará cuando no fuera posible tomar una nueva muestra (artículo 241 RECAU).

> Las ideas que hemos señalado respecto del examen parcial son aplicables, asimismo, respecto de una toma de muestras parcial.
> En España la Orden HAC/2320/2003 reconoce al "interesado" el derecho a solicitar, en el mismo momento de la extracción, que esta se extienda a otras mercancías comprendidas, a fin de mejorar la representatividad de la muestra. La extracción de la muestra quedará documentada en una diligencia que debe ser suscrita por los intervinientes, donde el interesado podrá hacer constar las manifestaciones que tenga a bien realizar, y en la que se deberá recoger la expresa aceptación del "interesado" respecto del carácter representativo de la muestra o bien de los motivos de su disconformidad al respecto.
> Destaquemos, por otra parte, que conforme a Sentencia TJUE *Derudder* (asunto C-290/01, de 04.03.2004), "el declarante en aduana o su representante, aunque haya asistido a la extracción de una muestra de las mercancías importadas por las autoridades aduaneras sin formular objeciones respecto a la representatividad de la muestra, puede impugnar dicha representatividad cuando estas autoridades le insten al pago de derechos suplementarios de importación a raíz de los análisis que estas últimas han efectuado de dicha muestra, siempre que no se haya otorgado el levante de las mercancías controvertidas o, si éste ya ha sido concedido, que no hayan sido alteradas en modo alguno, extremo cuya prueba incumbe al declarante".

En general las mercancías extraídas como muestras serán devueltas al declarante si este lo solicita. No obstante, no se devolverán las muestras si han quedado destruidas como consecuencia del análisis o examen. Tampoco se devolverán si las autoridades aduaneras necesitan conservarlas a fin de realizar un examen adicional o bien de cara a un recurso o procedimiento judicial. Aun cuando el declarante no solicite la devolución de las muestras, las autoridades pueden requerirle que las retire y, en caso de no proceder a hacerlo, las autoridades podrán disponer de ellas y decomisarlas, venderlas o destruirlas, a costa del declarante.

> En España la extracción de muestras y realización de análisis se regula en la Orden HAC/2320/2003, de 31 de julio, de Análisis y Emisión de Dictámenes por los laboratorios de Aduanas e Impuestos Especiales (BOE 16/08/2003). Esta Orden atribuye al DAAeIIEE la competencia para la extracción de muestras y para acordar el examen minucioso de mercancías, actividad que puede llevarse a cabo asimismo por otros organismos o servicios debidamente facultados para ello. Se considera interesado, además de al propietario de las mercancías, al tenedor de las mismas, bien sea en su condición de consignatario, de transportista o de depositario de la mismas, según la situación de que se trate. La Orden parece atribuir al

> que denomina "interesado", así definido, la posición que el CAU atribuye al declarante. Este proceder, de no realizarse una interpretación conciliadora de ambas normas, podría vulnerar las normas de la UE (supóngase, por ejemplo, que no se informase al declarante sino a otro "interesado" que se van a extraer muestras; se vulneraría el mandato del CAU que caracteriza la asistencia a la extracción de muestras como un derecho del declarante).

Por lo que hace a los gastos y costes incurridos en razón del examen y toma de muestras de las mercancías, el CAU establece que, tanto el transporte de las mercancías hasta los lugares donde vayan a ser examinadas y donde se vayan a tomar muestras, así como todas las manipulaciones que requiera dicho examen o toma de muestras, correrán a cargo del declarante (artículo 189.1 CAU). En cambio, los gastos ocasionados por el propio examen o por el análisis de las muestras correrán de cuenta de la Administración. Ahora bien, la extracción de muestras no comporta un deber de compensación o indemnización en favor del declarante (artículo 189.3 CAU).

> La normativa anterior establecía que eran de cuenta del declarante los gastos derivados de realizar el examen en lugares u horarios distintos de los establecidos (artículo 239 RACAC). El CAU no fija una regla al respecto, si bien debe tenerse en cuenta que la decisión acerca de realizar el examen de las mercancías en lugar distinto del recinto aduanero o en hora que no corresponda al horario oficial es potestativa de las autoridades (artículo 238 RECAU), que podrían condicionarla a que el declarante asuma los costes asociados.

Las autoridades deben reflejar documentalmente el resultado de las actuaciones de comprobación llevadas a cabo, tanto si estas son de tipo documental como si son de tipo material (artículo 243 RECAU). Deben reflejarse los elementos comprobados y los resultados obtenidos; en caso de examen parcial se debe registrar las mercancías examinadas. También se detallará, en su caso, la ausencia del declarante, a quien, en todo caso, se dará traslado de los resultados de la comprobación.

En caso de detectar una discrepancia con los datos declarados, se identificarán los elementos relevantes para el cálculo de los derechos —o de las restituciones o de los montantes a la exportación— y para la aplicación de las disposiciones del régimen aduanero aplicable. Si se detecta que el origen no preferencial declarado es incorrecto, se calculará la deuda a partir de la prueba de origen presentada por el declarante o, en caso de no considerar esta suficiente o satisfactoria, a partir de cualquier otra información disponible. Téngase en cuenta que, aunque se haya declarado un origen no preferencial, cabe que las mercancías puedan ser originarias de un territorio para el que, además de no resultar aplicables preferencias arancelarias, puedan resultar exigibles derechos antidumping, derechos compensatorios o derechos derivados de la PAC.

Sea como fuere, si las autoridades concluyen que de la comprobación realizada pudiera derivarse un importe superior de la deuda que el declarado, el levante se supeditará a la constitución de una garantía suficiente que cubra la posible diferencia, si bien el declarante puede optar por ingresar directamente el mayor importe en lugar de aportar la referida garantía (artículo 244 RECAU). En caso de que las autoridades, no sólo estimen que existe la posibilidad de ese mayor importe de la deuda, sino que, a resultas de la comprobación, determinan un importe superior de la misma, el levante para un régimen aduanero que implique el nacimiento de una deuda —salvo que se trate del régimen de importación temporal con exención parcial de derechos— no se concederá hasta que la deuda se ingrese o se garantice; si, por el contrario, el régimen aduanero que se solicita no hace nacer una deuda aduanera, el levante se supeditará en todo caso a la aportación de una garantía que cubra la total cuantía determinada tras la comprobación (artículo 245.1 RECAU). Obsérvese, por tanto, que con carácter general la constatación de discrepancias entre los datos declarados y los resultados de la comprobación no tiene como consecuencia que se obstaculice o demore el levante, sino simplemente que se exijan garantías —que cabe suplir mediante el pago directo— que, una vez aportadas, van a permitir un despacho sin mayores dificultades. La situación es distinta, no obstante, si las comprobaciones realizadas suscitan dudas acerca de si resultan aplicables a las mercancías medidas de prohibición o de restricción y esas dudas no pueden quedar despejadas hasta que se disponga de los resultados de controles adicionales, en cuyo caso no se concederá el levante de las mercancías hasta que las dudas queden descartadas (artículo 245.2 RECAU).

> Evidentemente, si las actuaciones de comprobación conducen a las autoridades a determinar un importe de la deuda superior al que resulta de los datos declarados, la liquidación debe practicarse por ese importe superior y no se concederá el levante a menos que este se pague o se garantice (artículo 245.1 RECAU).
>
> En España la Orden HAC/2320/2003, a modo de velada amenaza, dispone que la Aduana puede denegar la autorización de la disponibilidad de la mercancía si el interesado no acepta la representatividad de la muestra y en tanto no exista pronunciamiento firme sobre su específica determinación. Evidentemente el ejercicio de esa potestad deberá quedar supeditado a lo que establece el artículo 194 CAU, conforme al cual debe concederse el levante aun cuando no hayan podido realizarse las actividades de comprobación de la declaración, cuando tales comprobaciones no puedan realizarse en un plazo razonable y ya no sea necesario que las mercancías estén presentes para llevar a cabo la comprobación.
>
> Por otra parte, la Orden dispone que el dictamen del análisis será remitido por el laboratorio de Aduanas a la Aduana y de ésta al "interesado" o a su representante acreditado. Si el interesado no estuviese conforme con el dictamen analítico emitido por el Laboratorio podrá solicitar, en el plazo de un mes a contar desde su notificación, la práctica de un segundo análisis ante los Servicios de Aduanas que dispusieron la realización del primero. La solicitud debe ser motivada e incorporar la información justificativa de la que se disponga. El interesado puede solicitar que el segundo análisis se lleve a cabo en su presencia o ante representante con poder expreso otorgado al respecto. El plazo de solicitud del segundo análisis puede ser alterado ("acomodado") cuando la naturaleza de la mercancía, por sus características, no permita la conservación de la muestra extraída por encima de un determinado período de tiempo, circunstancia que debe hacerse constar por el Laboratorio en el resultado del análisis. El órgano competente

para la práctica del segundo análisis es el Laboratorio Central de Aduanas, al cual se remitirá la solicitud del interesado y la documentación por la Aduana. A la vista de estos elementos, el Director del Laboratorio decidirá autorizar la práctica del análisis o, por el contrario, denegarla. Si decide la denegación deberá motivarla. La denegación tiene la consideración de acto de mero trámite, por lo que no es susceptible de recurso. El interesado podrá oponerse a ella en la resolución que se base en los resultados del análisis para conformar la voluntad de la Administración (típicamente, la liquidación subsiguiente).

En España el artículo 134 del RD 1065/2007 (que ha sido modificado por el RD 1070/2017, BOE 30.12.2017) regula las especialidades del procedimiento iniciado mediante declaración en el ámbito aduanero. Su apartado 1 enumera cinco fuentes de información de las que la Administración se puede valer para dictar la liquidación. Son las siguientes: 1) los datos declarados; 2) los documentos que aporte el obligado; 3) los documentos que le sean requeridos al obligado; 4) los datos que se deduzcan de las mercancías presentadas a despacho; y 5) cualquier otro dato que obre en poder de la Administración.

El apartado 3 del referido artículo 134 del RD 1065/2007 regula el *iter* procedimental a seguir en caso de que se tomen en consideración —o puedan llegar a tomarse en consideración, como consecuencia de la explotación de las fuentes de información que acabamos de enumerar— datos o elementos distintos de los declarados por el interesado. Dispone este precepto que la Administración deberá formular una propuesta de liquidación conteniendo los hechos y fundamentos de derecho que la motiven, así como su cuantificación, procediendo a su notificación al interesado. En los 30 días naturales siguientes a esta notificación, el interesado podrá alegar lo que convenga a su derecho, así como aportar los documentos o justificantes que considere oportuno. En el período de alegaciones el interesado puede optar también por manifestar expresamente que no efectúa alegaciones ni aporta nuevos documentos o justificantes.

Con carácter general (y no sólo en relación a la liquidación previa al levante), la Disposición Adicional Decimoséptima del RD 1065/2007 (introducida por RD 1070/2017) dispone que son aplicables en el ámbito de la deuda aduanera las disposiciones de este reglamento (es decir, del reglamento general de aplicación de los tributos) en relación a los trámites de audiencia o alegaciones de acuerdo con las especialidades establecidas por la normativa de la UE en relación al derecho a ser oído.

La anterior regulación de la UE (CAC y RACAC) no preveía un trámite de audiencia previo a la liquidación. Ello ocasionó conflictos con aquellos ordenamientos que, como el español, entre otros, sí que regulaban este trámite como garantía de los interesados y como elemento de calidad en el procedimiento de resolución. La previsión de una propuesta de liquidación con apertura de un trámite de alegaciones como fase procedimental previa a la realización de una liquidación que se separa de los datos declarados constituye un elemento de calidad del procedimiento, que permite depurar posibles errores que pudieran cometerse en otro caso si no se diera oportunidad al declarante —al "interesado"— de formular las observaciones que correspondan. Ha de tenerse en cuenta que la liquidación que se dicte va a gozar de la presunción de legalidad y de las consecuencias jurídicas que de ella derivan, lo cual aconseja introducir mecanismos tendentes a garantizar la calidad del proceso de formación de la voluntad administrativa. Bajo la vigencia del CAC, en una acción que consideramos desafortunada, la Comisión Europea llevó a España ante el TJUE por considerar que, al incorporar este trámite al procedimiento conducente a la liquidación —se examinaba en aquél caso la regulación de las liquidaciones posteriores al levante—, demoraba de forma indebida —contraria al Derecho de la UE— la contracción de los importes de los cuales es acreedora la UE y que, en consecuencia, España debía contraer en el momento en que formulara la propuesta de liquidación o bien satisfacer intereses de demora a la UE por el período que mediara entre la propuesta de liquidación y la liquidación. El TJUE, en su Sentencia *Comisión/España* (asunto C-546/03, de 23.02.2006) dio la razón a la Comisión, al apreciar que, aún si el trámite de alegaciones pusiera de manifiesto que la propuesta de liquidación es errónea, nada impide a las autoridades españolas corregir posteriormente el importe contraído. Con posterioridad, también Italia (asunto C-423/08, de 17.06.2010) y Finlandia (asunto C-405/09, de 07.04.2011) fueron llevados ante el TJUE con este mismo fundamento, y con los mismos resultados. El CAU regula en su artículo 22.6 el derecho de audiencia previo a la adopción de una decisión que perjudique al solicitante con carácter general (no sólo si la decisión tiene por contenido una liquidación). No obstante, la regulación de la contracción no hace referencia a las consecuencias de la previsión de este trámite de audiencia sobre el plazo para contraer, si bien cabe entender que la contracción también se demora a fin de dar cumplimiento a este trámite (artículo 105 CAU). Interesa observar, por otra parte, que en su Sentencia *Sopropé* (asunto C-349/07, de 18.12.2008), el TJUE reconoció que, como proyección del principio del derecho fundamental de defensa, las autoridades deben conceder un trámite de audiencia efectivo antes de adoptar una decisión que resulte lesiva para los intereses del destinatario (se trataba en aquél caso de una liquidación posterior al levante de las mercancías o, en la jerga del CAC, de una 'contracción a posteriori'). Consideró el Tribunal que, en principio, un plazo de entre 8 y 15 días es suficiente a este fin, si bien observó que corresponde al juez nacional determinar si ese plazo ha permitido de forma efectiva al interesado ejercer su derecho de defensa. Y, por otro lado, el TJUE encomendó al juez nacional indagar si el plazo que media entre la recepción de las alegaciones formuladas por el interesado y la fecha de resolución por parte de las autoridades permite pensar que las alegaciones han sido debidamente tenidas en cuenta a la hora de adoptar la decisión.

De este modo, bajo la vigencia del CAC, los Estados debían articular un trámite de audiencia —para respetar el principio del derecho fundamental de defensa— pero, paralelamente, la contracción a favor de la Hacienda de la UE debía realizarse sin esperar al resultado de ese trámite de audiencia (así resultaba de la STJUE *Comisión/España* a que acabamos de referirnos). Se separaba así en el tiempo la contracción a favor de la Hacienda de la UE, por una parte, de la liquidación por la que se exigía el importe al deudor, por otra, solución que parecía a todas luces insatisfactoria. Pensamos que la incorporación del trámite de audiencia previo en el CAU resuelve correctamente este conflicto.

Sea cual sea la opción del interesado durante el período de alegaciones, estas posibilidades se entienden sin perjuicio de los recursos o reclamaciones que, en su momento, puedan proceder contra la liquidación que finalmente dicte la Administración.

El apartado 4 del artículo 134 del RD 1065/2007 regula las especialidades aplicables cuando la declaración aduanera se formule acogiéndose a simplificaciones.

Se dispone en este apartado que la declaración simplificada o la inscripción en los registros del declarante formarán parte del mismo procedimiento de declaración que la declaración complementaria que se refiera a ella. Si resulta aplicable una dispensa de la declaración complementaria, lógicamente el procedimiento de declaración se limitará a la declaración simplificada o la inscripción en los registros. Son de aplicación en estos supuestos las reglas del apartado 3 de este artículo 134 del RD 1065/2007, es decir, lo relativo al trámite de audiencia y a la posibilidad de solicitar el levante sin necesidad de esperar a la práctica de la liquidación.

Cabe que el procedimiento iniciado con la declaración en aduana no concluya con la práctica de una liquidación. Esto ocurrirá, por ejemplo, si en la declaración se solicita la inclusión de las mercancías en un régimen especial que no determine el nacimiento de una deuda aduanera. En este tipo de supuestos, el artículo 134.6 del RD 1065/2007 establece que la Administración dictará, en su caso, los actos administrativos que procedan según el régimen aduanero solicitado, sin perjuicio de la exigencia de la garantía que pueda corresponder, considerándose finalizado el procedimiento una vez se dicten dichos actos y se constituya la garantía que corresponda.

La versión vigente del apartado 6 del artículo 134 RD 1065/2007 ha sido introducida por el RD 1070/2017. Anteriormente, era el apartado 5 de este artículo 134 el que se refería a la conclusión sin liquidación del procedimiento iniciado mediante la declaración en aduana. Este apartado ordenaba que en estos casos eran aplicables las normas procedimentales previstas para los procedimientos que debieran concluir con liquidación (es decir, el iter procedimental era el mismo, terminase el procedimiento con liquidación o no), mandato que se omite en la nueva regulación.

Por otra parte, conforme a la redacción dada al artículo 130 LGT por la Ley 11/2021, "en los tributos que se liquiden por las importaciones de bienes" (es decir, los tributos aduaneros) el procedimiento iniciado mediante declaración puede concluir por el inicio de un procedimiento de comprobación limitada o de inspección. De manera que puede concluir con el inicio de un procedimiento que permite a la Administración el ejercicio de potestades inquisitivas más potentes.

Los resultados que se deriven de las actuaciones de comprobación realizadas por las autoridades de un Estado miembro tienen los mismos efectos probatorios en todo el TAU (artículo 191.3 CAU), de modo que tienen plena validez aunque, obviamente, se habrán realizado conforme a las normas de procedimiento y según las reglas de atribución de competencia que rijan en el país en que se hayan llevado a cabo, que con toda probabilidad serán diversas de las que resulten aplicables en otros Estados miembros.

El artículo 192 CAU se refiere a la colocación de medios de identificación en las mercancías, en los embalajes o en los medios de transporte en los que son trasladadas. En este caso, más que ante una actividad de comprobación, estamos ante una actividad de control, pues esa identificación se dirige a garantizar el cumplimiento de las condiciones del régimen aduanero para el que las mercancías hayan sido declaradas. Las medidas de identificación generalmente serán adoptadas por las propias autoridades, pero cabe también que sean adoptadas por operadores económicos autorizados a estos efectos. Las referidas medidas, que tendrán el mismo efecto jurídico en todo el TAU, se adoptarán cuando se consideren necesarias a fin de garantizar el cumplimiento de las disposiciones establecidas para el régimen aduanero para el que hayan sido declaradas las mercancías. Los medios de identificación sólo podrán ser retirados o destruidos por las autoridades aduaneras o con su autorización. No obstante, se permite su retirada o destrucción cuando, por caso fortuito o fuerza mayor, sea indispensable retirarlos o destruirlos para garantizar la protección de las mercancías o de los medios de transporte.

El artículo 194 CAU conecta la comprobación de la declaración con la concesión del levante, al disponer que éste último procederá en cuanto se hayan comprobado, o admitido sin comprobación, los datos de la declaración. Ello siempre que las mercancías no sean objeto de medidas de prohibición o restricción y se reúnan las condiciones de inclusión en el régimen de que se trate. Las actividades de comprobación no pueden demorar de forma injustificada el levante. Por este motivo se dispone que el levante también se concederá cuando la comprobación no haya podido concluir en un plazo razonable y la presencia de las mercancías a efectos de dicha comprobación ya no sea necesaria.

> En el mismo sentido, el artículo 245.2 RECAU ordena que, si las autoridades aduaneras albergan dudas respecto a la aplicabilidad de medidas de prohibición o de restricción y no pueden aclararlas hasta conocer el resultado de los controles que hayan emprendido, las mercancías de que se trate no podrán ser objeto de levante.

En España, para aquellos supuestos en que la declaración en aduana sea objeto de comprobación previa al levante, el artículo 134.3 del RD 1065/2007 dispone que el interesado, sin necesidad de esperar a que se dicte la liquidación, puede solicitar a la Administración que autorice el levante de la mercancía. El levante quedará supeditado a la prestación de la garantía oportuna o, en su caso, al ingreso del importe de la liquidación que pueda proceder (es decir, de la cuantía que se refleje en la propuesta de liquidación). También cabe que el interesado solicite el levante cuando la Administración haya iniciado las actuaciones dirigidas a liquidar pero no disponga aún de los datos necesarios para formular propuesta de liquidación. En este caso la norma no aclara cómo se determina el importe de la garantía o del ingreso a los que se supedita el levante, aunque cabe suponer que la cuantía será la máxima que sea previsible.

> Como hemos señalado más arriba, esta posibilidad de solicitar el levante sin necesidad de esperar a la liquidación se extiende a los supuestos de declaraciones simplificadas e inscripción en los registros del declarante.

El levante se concede de forma unitaria para la totalidad de las mercancías incluidas en una declaración, si bien y según hemos apuntado antes, cuando en un mismo documento de declaración se incluyan mercancías de diferente clasificación, cada una de ellas se considerará como una declaración separada y, en consecuencia, recibirán un levante diferenciado.

25.2. LA LIQUIDACIÓN

El artículo 101 LGT define la liquidación tributaria como "el acto resolutorio mediante el cual el órgano competente de la Administración realiza las operaciones de cuantificación necesarias y determina el importe de la deuda tributaria o de la cantidad que, en su caso, resulte a devolver o a compensar de acuerdo con la normativa tributaria". Se observa, además, que pese a que las declaraciones se presumen ciertas (artículo 108.4 LGT, equivalente en el ordenamiento tributario español del artículo 191.2 CAU), la Administración no estará obligada a ajustar las liquidaciones a los datos consignados por los obligados tributarios en las autoliquidaciones, declaraciones, comunicaciones, solicitudes o cualquier otro documento. Evidentemente, para separarse de los datos declarados la Administración deberá probar los hechos en los que base su decisión.

Mediante la liquidación, la Administración determina qué se debe, por qué concepto se debe y quién debe y, a partir de esta apreciación, expresa su voluntad de hacer efectivo su derecho de crédito frente al obligado tributario. Como resolución administrativa, la liquidación goza de la presunción de legalidad, lo que a su vez comporta su eficacia como título ejecutivo.

> Frente a la liquidación, la autoliquidación es un acto de los particulares (artículo 120 LGT), que no goza de los atributos propios de las resoluciones administrativas. Por ello, por ejemplo, no es impugnable (para lograr su impugnación debe solicitarse su rectificación a la Administración e impugnar la resolución en la que se sustancie esa rectificación, artículos 120.3 LGT y 126 a 130 RD 1065/2007). No obstante, la presentación de una autoliquidación sin ingreso inicia el período ejecutivo, artículo 161.1 LGT y determina la aplicabilidad de los recargos del período ejecutivo, artículo 28 LGT. Recordemos que el artículo 185 CAU permite la "autoevaluación" o autoliquidación a favor de los OEA, modalidad simplificaciones aduaneras, que lo soliciten.

La LGT distingue dos tipos de liquidaciones: las provisionales y las definitivas. Son definitivas "las practicadas en el procedimiento inspector previa comprobación e investigación de la totalidad de los elementos de la obligación tributaria" (salvo en los casos tasados que regula el artículo 101.4 LGT y que desarrolla el artículo 190 RD 1065/2007), así como "las demás a las que la normativa tributaria otorgue tal carácter". En consecuencia, una liquidación es definitiva cuando ha venido precedida de un procedimiento inspector —nos referimos a este procedimiento más abajo, en 25.4.4— de carácter general (el carácter general se opone al carácter parcial), es decir, en el que se hayan comprobado e investigado todos los elementos relevantes del tributo. Provisionales son todas las demás liquidaciones.

Mientras que una liquidación definitiva constituye la última palabra de la Administración sobre la obligación a que se refiere —salvo en vía de revisión, es decir, en vía de recursos—, de modo que ya no podrá alterar el contenido de su voluntad al respecto, la Administración no queda comprometida o sólo de forma muy limitada por una liquidación provisional, que puede ser modificada posteriormente aunque con algunas restricciones a las que nos referiremos más abajo al exponer los procedimientos de comprobación limitada y de inspección. Tanto las liquidaciones provisionales como las definitivas son resoluciones administrativas y, en consecuencia, investidas de la presunción de legalidad y de ejecutividad, y pueden ser impugnadas.

En materia de impuestos arancelarios ("impuestos que integran la deuda aduanera") la letra (a) del apartado 1 de la Disposición adicional vigésima LGT —introducida por la Ley 34/2015— establece una especialidad a este respecto al disponer que:

> "*a*) ***Las liquidaciones de la deuda aduanera****, cualquiera que fuese el procedimiento de aplicación de los tributos en que se hubieren practicado,* ***tendrán carácter provisional*** *mientras no transcurra el plazo máximo previsto en la normativa de la Unión Europea para su notificación al obligado tributario. El carácter provisional de dichas liquidaciones no impedirá en ningún caso la posible regularización posterior de la obligación tributaria cuando se den las condiciones previstas en la normativa de la Unión Europea*".

Por tanto, no caben las liquidaciones definitivas respecto de los impuestos arancelarios, sino que todas las liquidaciones relativas a estos impuestos tienen el carácter de "provisionales". Además, las liquidaciones de impuestos arancelarios no pueden suponer restricción alguna a las posibilidades de regularizar —esto es, de liquidar de nuevo— por parte de la Administración, siendo el plazo de caducidad del ejercicio de la potestad de liquidar el único límite (plazo que, con carácter general, el artículo 103 CAU fija en tres años desde la admisión de la declaración). Por tanto, la Administración podrá variar posteriormente el contenido de su voluntad acerca de por qué concepto se debe, cuánto se debe y quién debe, sin que el hecho de haber comprobado y liquidado anteriormente comporte ninguna limitación.

Con anterioridad a la modificación introducida por la Ley 34/2015, el apartado 6 del artículo 134 RD 1065/2007 (en su versión anterior al RD 1070/2017) dispuso que las liquidaciones previas al levante que hubieran venido precedidas de una actividad de comprobación podían, no obstante, ser objeto de nueva comprobación con posterioridad al levante. La STJUE *Veloserviss* (asunto C-427/14, de 10.12.2015) decidió que sería contraria al artículo 78 CAC (actual artículo 48 CAU) una normativa nacional que restringiese "la posibilidad de que las autoridades aduaneras reiteren una revisión o un control a posteriori y determinen sus consecuencias, liquidando una nueva deuda aduanera". En aquél caso la normativa procedimental nacional letona impedía una nueva liquidación, a pesar de que las autoridades hubieran recibido información previamente desconocida. El TJUE aprecia que el derecho de la UE ya protege adecuadamente la seguridad jurídica mediante el plazo que limita la comunicación de la liquidación (artículo 103 CAU). Parece, por tanto, que una norma nacional no puede establecer límites adicionales a los que establece la normativa de la UE a fin de comprobar y liquidar la deuda aduanera.

Recordemos asimismo que, según se expone en el capítulo 23.1, conforme a la doctrina del TJUE (Sentencia *DP Grup*, asunto C-138/10, de 15.09.2011) la admisión de la declaración no supone la aceptación de su contenido por parte de la Administración, que podrá volver a comprobar los datos declarados aún después de la concesión del levante.

Ni el CAU ni sus Reglamentos de desarrollo utilizan el término liquidación para referirse a la resolución administrativa en la que se cuantifica el tributo (en las ocasiones en que aparece el término liquidar se utiliza con otro significado, como p.e. en el artículo 175 RDCAU o el artículo 265 RECAU). En su lugar se refieren, de forma poco específica, al "cálculo del importe de los derechos" (como en los artículos 85, 86 y 202 CAU, 72, 75, 76, 86, 166, 168 y 176 RDCAU o los artículos 225, 243 y 250 RECAU), a la "determinación" del importe de los derechos o, simplemente, al importe de los derechos o de la deuda.

> Interesa poner de relieve que el término en inglés para "liquidación" tributaria es "*tax determination*" o "*tax assessment*" y el CAU sí utiliza en inglés el término "*determination*" (que en la versión española aparece como "determinación", p.e. en el artículo 101) para referirse al acto por el que se cuantifica la deuda, por lo que podemos estar, simplemente, ante un nuevo caso de traducción inadecuada.

Las autoridades deben liquidar desde el momento en que dispongan de los elementos necesarios, tales como la cuantía de la deuda y la identidad del deudor (artículo 101.1 CAU).

> El artículo 130 LGT dispone que el procedimiento iniciado mediante la declaración puede concluir de tres formas posibles: 1) mediante liquidación provisional; 2) por caducidad (el artículo 104 LGT regula los efectos de esta "caducidad"); y 3) por el inicio de un procedimiento de comprobación limitada o de inspección, en los tributos que se liquiden por las importaciones de bienes (es decir, en los tributos aduaneros) en la forma prevista por la legislación aduanera para los derechos de importación. Por su parte, conforme a lo previsto en los apartados 5 y 6 del artículo 134 del RD 1065/2007, el procedimiento iniciado mediante la declaración en aduana puede finalizar de tres formas diferentes: 1) con una liquidación; 2) con otro acto, distinto de la liquidación, cuando no nazca deuda aduanera; y 3) con el inicio de cualquier otro procedimiento de aplicación de los tributos (como procedimiento de verificación de datos, procedimiento de comprobación limitada o procedimiento inspector). Obsérvese que la terminación mediante caducidad, que el artículo 130 LGT regula con carácter general, se excluye en el RD 1065/2007 en caso de los impuestos arancelarios.
>
> Adicionalmente, se señala que, si la declaración en aduana se hubiera formulado acogiéndose a la simplificación de la declaración simplificada o la inscripción en los registros del declaran-

te y fuera obligatorio presentar una declaración complementaria, tendrá la consideración de liquidación la que se dicte a partir de la declaración complementaria.

Por otra parte, si el obligado hubiera obtenido el levante de forma previa a la liquidación —en los supuestos en que deban realizarse actuaciones de comprobación que puedan demorar la liquidación— las cantidades que haya ingresado para obtener el levante minoran la deuda resultante de la liquidación que posteriormente se practique. Lo mismo sucede respecto de las cantidades ingresadas a partir de una declaración simplificada o una inscripción en los registros con respecto a la liquidación que se dicte a la vista de la correspondiente declaración complementaria, cuando esta deba presentarse. En ningún caso se entiende finalizado el procedimiento por el hecho de que se efectúe el ingreso inicial.

La competencia para liquidar vendrá determinada por el lugar en el que se entienda que se genera la deuda, cuestión que se regula en el artículo 87 CAU (hemos examinado esta materia en el capítulo 4). Normalmente las autoridades determinarán el importe de los derechos a partir de los datos proporcionados en la declaración, salvo que hayan realizado actuaciones de comprobación que arrojen un resultado diferente. El hecho de que las autoridades, en un primer momento, se sirvan de los datos declarados para liquidar no les impedirá que, en un momento posterior al levante, puedan comprobarlos para verificar que se ajustan a la realidad (artículo 101.2 CAU).

> El artículo 101.3 CAU permite a las autoridades redondear el importe de los derechos cuando no sean un número entero (tratándose de importes en euros, hasta el número entero, superior o inferior, más próximo; tratándose de países que no utilicen el euro, podrá aplicar mutatis mutandis la misma regla o bien establecer una excepción, si bien el redondeo no puede tener una incidencia pecuniaria superior a la prevista para los países del euro).

Una vez dictada, la liquidación debe ser notificada al deudor. La notificación es requisito de eficacia de las resoluciones, de manera que estas no son oponibles frente a los obligados tributarios si no han sido debidamente notificadas. La notificación debe realizarse en la forma que se establezca en el lugar en que se considere nacida la deuda aduanera, es decir, conforme a lo que disponga la normativa nacional del Estado miembro en que se origine la deuda. El artículo 87 RDCAU especifica que podrá realizarse por medios distintos de las técnicas de tratamiento electrónico de datos.

> Por lo que hace a la forma de notificación de la liquidación en los casos en que deba hacerse de forma explícita, en España el artículo 102 LGT establece la regla general conforme a la cual las liquidaciones deben notificarse. El apartado 2 de este artículo 102 LGT establece el contenido que deberá reflejarse en la notificación de las liquidaciones (identificación del obligado tributario; los elementos determinantes de la cuantía de la deuda tributaria; la motivación, cuando no se ajusten a los datos consignados por el obligado tributario o a la aplicación o interpretación de la normativa realizada por el mismo, con expresión de los hechos y elementos esenciales que las originen, así como de los fundamentos de derecho; los medios de impugnación que puedan ser ejercidos, órgano ante el que hayan de presentarse y plazo para su interposición; el lugar, plazo y forma en que debe ser satisfecha la deuda tributaria; su carácter de provisional o

definitiva, aunque ya hemos señalado que, en materia de impuestos arancelarios, serán en todo caso provisionales). Por lo demás, las notificaciones en materia tributaria se regulan en los artículos 109 a 112 LGT, donde se dispone que son de aplicación las normas administrativas generales (Ley 39/2015, del Procedimiento Administrativo Común de las Administraciones Públicas) con las especialidades que se establecen en los artículos 110 a 112 LGT (desarrollados por los artículos 114 a 115bis RD 1065/2007). En materia aduanera cobra especial relevancia la notificación por vía electrónica. En particular, quienes ostenten la condición de representantes aduaneros están obligados a admitir la notificación por medios electrónicos (artículo 4.2(e) del RD 1363/2010, modificado por artículo segundo del RD 285/2014).

La STJUE *CEVA* (asunto C-249/18, de 10.07.2019) examinó un supuesto producido bajo la vigencia de la normativa anterior, el CAC y RACAC, en la que no se especificaba que la notificación se sujetaba a la normativa nacional. El TJUE, además de decidir que se debían aplicar las disposiciones nacionales en ausencia de normas de la Unión, precisó que los Estados miembros "deben asegurarse de que las disposiciones nacionales aplicables, por una parte, no sean menos favorables que las de los procedimientos semejantes de naturaleza interna (principio de equivalencia) ni, por otra parte, hagan imposible en la práctica o excesivamente difícil el ejercicio de los derechos conferidos por el ordenamiento jurídico de la Unión (principio de efectividad)", p. 47 (cita en apoyo de esta doctrina la STJUE *Barth*, asunto C 542/08, de 15 de abril de 2010, apartado 17 y jurisprudencia allí citada).

La notificación debe realizarse tan pronto las autoridades se hallen en posición de determinar el importe de la deuda aduanera y conozcan la identidad del deudor (artículo 102.3 CAU), si bien esta regla general tiene una excepción en aquellos casos en que la notificación de la deuda pudiera ser perjudicial para una investigación judicial, en cuyo caso las autoridades pueden demorar la notificación hasta que tal peligro desaparezca.

> Se permite la notificación unitaria de la liquidación periódica que cubra las operaciones de importación o exportación de una misma persona llevadas a cabo dentro de un plazo de tiempo que no puede exceder de 31 días. La duración de ese período de liquidación corresponde determinarlo a las autoridades. La notificación se practicará a la conclusión del período. Esta posibilidad queda sujeta a que se haya aportado una garantía del pago de la deuda (artículo 102.4 CAU).
>
> Por lo que hace a la posibilidad de demorar la notificación de la liquidación cuando ello pudiera ser perjudicial para una investigación judicial, véase en España el artículo 259.2 LGT, que remite a los casos (b) y (c) del artículo 251.1 LGT. Justamente el supuesto de la letra (c) del referido artículo 251.1 se refiere a que la liquidación pudiese perjudicar de cualquier forma la investigación o comprobación de la defraudación.

El CAU no permite que la deuda aduanera se notifique (y, por tanto, impide que esa deuda pueda ser exigida al deudor, con lo que indirectamente está privando de relevancia a cualquier posible liquidación) en cuatro supuestos (artículo 102.1 CAU). Se trata, en primer lugar, del caso en que se haya impuesto una medida de política comercial provisional que adopte la forma de un derecho.

> ## Ejemplo
>
> Un derecho antidumping o compensatorio provisional; como señalamos más abajo, en este caso la liquidación se difiere al momento en que se publique el Reglamento que establezca el derecho definitivo

En segundo lugar, si correspondiese un importe de los derechos superior, pero el declarante estuviera protegido por una información vinculante (en este caso podrá liquidarse únicamente por el importe que resulte conforme a la información vinculante). En tercer lugar, cuando la decisión original de no notificar la deuda aduanera o de notificarla por un importe inferior a la exigible se haya tomado con arreglo a disposiciones generales invalidadas en una fecha posterior por una decisión judicial (se trata aquí de proteger la confianza legítima de un operador en una norma que posteriormente se determina inválida). Y, en cuarto lugar, si el importe a liquidar es inferior a 10 euros (regla *de minimis,* artículo 88 RDCAU; la liquidación en este caso es potestativa para los Estados)

Por otra parte, la notificación de la liquidación puede ser tácita. Las autoridades pueden disponer que la notificación de la deuda se realice de forma expresa únicamente cuando su importe no coincida con el consignado en la declaración por el declarante. Si las autoridades establecen esta posibilidad, la concesión del levante hará las veces de comunicación implícita al declarante de que las autoridades consideran que el importe de la liquidación corresponde con el calculado por él (y que, por tanto, no procede una comunicación explícita de la liquidación; artículo 102.2 CAU).

El ordenamiento español se acoge a esta posibilidad de comunicación tácita de la liquidación mediante la concesión del levante en el artículo 134.2 RD 1065/2007 y, de este modo, la comunicación explícita de la liquidación es excepcional, únicamente cuando el importe liquidado por la Administración no coincida con el calculado por el declarante.

Una regla especial se establece en caso de que el levante se conceda a partir de una declaración simplificada o de una inscripción en los registros del declarante respecto de las cuales deba presentarse una declaración complementaria. En estos casos no será el levante el acto que determine la existencia de una liquidación presunta, sino que la misma se producirá en el momento de admisión de la declaración complementaria, salvo que la Administración decida someterla a comprobación.

La notificación de la liquidación no puede realizarse una vez haya concluido el plazo de caducidad de la deuda aduanera de tres años, a contar desde la fecha de nacimiento de la deuda aduanera (artículo 103 CAU).

Utilizando como argumento la Sentencia *Handlbaurer* (asunto C-278/02, de 24.06.2004, relativa a restituciones a la exportación de productos agrícolas en el marco de la PAC), la Audiencia Nacional en España, en una senda iniciada por su Sentencia de 03.11.2006 y seguida con entusiasmo digno de mejor causa por la Aduana española, entendió que el plazo de 3 años no rige cuando quepa apreciar una "irregularidad", pues en tal caso debía regir el plazo de 4 años del Reglamento 2988/1995, relativo a la protección de los intereses financieros de la Comunidad. Como quiera que siempre que se tiene que volver a liquidar cabrá apreciar una irregularidad, esta doctrina suponía la derogación *de facto* del plazo de caducidad de tres años a favor del plazo de 4 años. Criticamos duramente esta interpretación en "El plazo para liquidar en materia aduanera (y otras peculiaridades aduaneras)", *Tribuna Fiscal*, nº 212, junio 2008, pp. 30-41. En un episodio vergonzante, se ocultó a los ciudadanos que la Comisión Europea comunicó a España que esta interpretación era incorrecta [escrito de 03.12.2007, referencia TAXUD/C2/PT (2007)11327] y, a pesar de ello, parece que se siguió aplicando (quizá alguien debiera dar explicaciones al respecto). Las autoridades de Portugal formularon una consulta a la Comisión Europea para conocer si esta doctrina era correcta y, a diferencia de las autoridades españolas, tuvieron la gallardía de publicar la respuesta negativa en forma de Circular (Circular nº 60/2009). El episodio puede darse por cerrado —de cara al futuro— con la rectificación y cambio de doctrina del TEAC mediante su Resolución de 23.05.2013 (nº resolución 00/3045/2010), donde establece que el plazo aplicable es el de caducidad de tres años, sin ofrecer para ello apenas justificación.

Véase la STS de 14.01.2021 (Roj STS 114/2021; FD Tercero, puntos 2.3 y 2.4), en la que el TS caracteriza el plazo de 3 años como un "concepto autónomo de derecho comunitario", evitando así decantarse entre la caducidad o la prescripción y destacando las peculiaridades de su régimen jurídico, para señalar más adelante que "se aproxima al concepto de caducidad del derecho nacional".

El referido plazo de caducidad de tres años se suspende en tres circunstancias. En primer lugar, por la interposición de un recurso (sea en vía administrativa o jurisdiccional) en tanto no finalice el procedimiento o proceso de recurso. Téngase en cuenta que ha de tratarse de un recurso interpuesto por el obligado (el artículo 103.3(a) CAU se remite al artículo 44 CAU, donde se regula el derecho de recurso de las personas frente a las decisiones de la Administración), no otro tipo de procedimientos administrativos o procesos judiciales. También se suspende durante el plazo de duración del trámite de audiencia previo a la liquidación, es decir, desde el momento en que las autoridades comuniquen al deudor los motivos por los que pretenden notificar la deuda aduanera y hasta el final del período en el que el deudor tenga la oportunidad de presentar alegaciones. Y se suspende, asimismo, desde que se presente una solicitud de devolución o condonación hasta la fecha en que se hubiera decidido conceder la devolución o la condonación, cuando tal devolución o condonación se determinara posteriormente improcedente y, por tal motivo, se decidiera restablecer la deuda previamente devuelta o condonada.

La STJUE *Jumbocarry* (asunto C-39/20, de 03.06.2021) examina el caso de unas importaciones que se realizaron bajo la vigencia de la normativa anterior (el CAC), pero respecto de las cuales se realizó una comprobación y liquidación bajo la vigencia (aplicabilidad) del CAU. En esas circunstancias, el Tribunal decidió que la suspensión del plazo de tres años durante el período previsto para el ejercicio del derecho de audiencia es una norma procedimental que debe aplicarse respecto de un trámite de audiencia que tenga lugar bajo la aplicabilidad del CAU, aunque se refiera a importaciones acaecidas antes de que comenzase la referida aplicabilidad del CAU, siempre que la deuda correspondiente no se encontrase caducada. El plazo de caducidad de tres años y sus supuestos de suspensión, en cambio, se consideran norma sustantiva, de modo que "no puede aplicarse a las situaciones jurídicas nacidas *y definitivamente consolidadas* bajo el imperio del" CAC (p. 36), debiendo entenderse a este respecto por "definitivamente consolidadas" a las deudas ya caducadas.

El plazo de tres años no rige si la deuda aduanera nace como resultado de un acto que, en el momento en que se cometió, fuera susceptible de dar lugar a procedimientos judiciales penales (es decir, que fuera perseguible en la jurisdicción penal en el momento en que se cometió). En este caso la posibilidad de liquidar se extiende por un mínimo de cinco años y por un máximo de diez años, según se disponga en el Derecho nacional.

Si la causa por la cual las autoridades no han podido determinar el importe exacto de los derechos es un acto perseguible judicialmente, las autoridades aduaneras pueden proceder válidamente a la comunicación al deudor del importe de la deuda pese a que haya transcurrido el plazo de tres años contados a partir del nacimiento de la deuda aduanera, aun cuando dicho deudor no sea el autor de ese acto (Sentencia TJUE *Snauwaert*, asuntos acumulados C-124/08 y C-125/08, de 16.07.2009).

La regla conforme a la cual el plazo de caducidad de tres años no rige si la deuda aduanera nace como resultado de un acto perseguible judicialmente en el momento en que se cometió es una norma sustantiva, no procedimental (STJUE *Molenbergnatie*, asunto C-201/04, de 23.02.2006; de esta apreciación deriva el Tribunal que no cabe su aplicación retroactiva a una deuda aduanera nacida antes de la entrada en vigor de esta norma).

Conforme a los apartados 3 y 4 del artículo 221 RACAC, anteriormente vigente, en los supuestos en que la deuda aduanera naciera como consecuencia de un acto que, en el momento de su comisión, fuera perseguible penalmente, no se establecía límite temporal alguno, a diferencia del CAU, donde hemos señalado que en tales supuestos el plazo debe situarse entre cinco años —mínimo— y diez años —máximo—, dependiendo de lo que disponga la legislación nacional. En su Sentencia *Agra* (asunto C-75/09, de 17.06.2010) el TJUE interpretó que los apartados 3 y 4 del artículo 221 RACAC, entonces vigente, no se oponían "a una normativa nacional en cuya virtud, cuando el impago de derechos de aduana sea consecuencia de una infracción penal, el plazo de prescripción comenzará a correr a partir de la fecha en que adquiera firmeza la resolución o sentencia dictada al término del procedimiento penal". Es decir, era admisible una legislación nacional que, en lugar de dejar un plazo ilimitado en estas circunstancias como hacía el RACAC, lo limitara por referencia al momento de la firmeza de la resolución o sentencia dictada al término del procedimiento penal. La solución debe ser distinta bajo la vigencia del CAU puesto que, según acabamos de señalar, establece el plazo de diez años como límite temporal absoluto, de modo que no cabe liquidar agotado tal plazo, aunque la sentencia penal se demore.

En España, el artículo 259 LGT (introducido por la Ley 34/2015) regula el régimen de liquidación de los impuestos arancelarios en supuestos de conducta delictiva. Se establece que, con carácter general, la Administración debe liquidar sin esperar a que se resuelva el proceso penal y solamente en dos supuestos (cuando no pudiera determinarse con exactitud el importe de la liquidación o identificar al deudor; o bien cuando la liquidación pudiese perjudicar de cualquier forma la investigación o comprobación de la defraudación) la Administración puede diferir la liquidación. En cualquier caso, el plazo de 10 años que establece el artículo 103.2 CAU supondrá un límite absoluto, superado el cual la deuda deberá considerarse caducada. En la regulación anterior al CAC (Reglamento 1697/79) en lugar de "acto perseguible judicialmente" se decía "acto que puede dar lugar a la incoación de un proceso judicial punitivo" para referirse al supuesto en que el plazo de caducidad de tres años no fuese aplicable. En relación con aquel Reglamento el TJUE determinó que la calificación de un acto como tal es competencia de las autoridades nacionales (STJUE *ZF Zefeser*, asunto C-62/06, de 18.12.2007). También apreció el Tribunal que "acto que puede dar lugar a la incoación de un proceso judicial punitivo" se refiere sólo a los actos que, según el ordenamiento jurídico del Estado miembro de que se trate, estén calificados como infracciones en el sentido del Derecho penal nacional (STJUE *Meico-Fell*, asunto C-273/90, de 27.11.1991).

Plazo para notificar la liquidación (artículo 103 CAU)		
Momento de inicio del cómputo	**Momento en que nazca la deuda aduanera**	
Plazo general	3 años	
Plazo extendido	Cuando el nacimiento de la deuda aduanera sea consecuencia de un acto susceptible de dar lugar a procedimientos penales	Plazo entre 5 y 10 años (a determinar por la legislación nacional)
Suspensión del plazo	Si se plantean recursos	Desde el planteamiento del recurso y mientras dure el procedimiento
	Si se comunica una propuesta de liquidación	Desde la comunicación de la propuesta de liquidación y durante el período de audiencia (22.6 CAU)
	Restablecimiento de una deuda previamente condonada o devuelta por error	Desde la presentación de la solicitud de devolución o condonación y hasta la fecha en que se adoptara la decisión de devolución o condonación

Hasta ahora nos hemos ocupado de la liquidación (o "determinación") de la deuda aduanera. Distinto de ella es la "contracción" de la deuda. Este es un término técnico que sí aparece de forma reiterada, tanto en el CAU como en sus Reglamentos de desarrollo ("contracción", "*entry in the accounts*" en inglés). A diferencia de la anterior normativa —el CAC—, el CAU no define este término. En el CAC la contracción se definía como la anotación por parte de las autoridades nacionales del importe de los derechos en los registros contables o en cualquier otro soporte que haga las veces de aquéllos (artículo 217.1 CAC). El CAU separa la determinación de la deuda (artículos 101 a 103) de la contracción (artículos 104 y 105). A la luz de la referida definición hemos de observar que el término contracción cobra relevancia en el contexto de la relación financiera entre las Administraciones nacionales y las instituciones de la UE. Debido a que los impuestos arancelarios constituyen un recurso propio de la Hacienda de la UE, las autoridades nacionales deben llevar un registro de las cantidades que adeudan por este concepto a las instituciones de la UE a medida que liquidan deudas aduaneras. La anotación en ese registro es la contracción. De este modo, allí donde haya una liquidación de impuestos arancelarios debe producirse, en paralelo, la contracción por el importe correspondiente. El hecho de que liquidación y contracción aparezcan tan íntimamente conectadas lleva a que muchas veces pueda confundirse la una por la otra, circunstancia favorecida por el hecho de que la normativa aduanera de la UE utiliza de forma casi exclusiva, según hemos apuntado antes, el término contracción y evita acuñar una denominación técnica para el término liquidación. Con todo, la distinción entre estos dos conceptos es muy relevante, porque los sujetos en la relación jurídica en la que se produce la liquidación —Administración nacional y operadores— son distintos de los sujetos de la relación jurídica en la que se produce la contracción —Instituciones de la UE y Administración nacional— y puede ocurrir que determinadas vicisitudes afecten a una relación, pero no a otra.

> ### Ejemplo
>
> El plazo que regula el artículo 105 CAU es relevante para la contracción, pero no para la liquidación, que puede practicarse en cualquier momento dentro del límite temporal que fija el artículo 103 CAU

Bajo la vigencia del CAC el galimatías conceptual llegó a ser considerable. En su Auto *Gerlach* (asunto C-477/07, de 09.07.2008), el TJUE determinó que debe interpretarse que el término "contracción" tenía el mismo contenido en los artículos 217.1 y 221 del CAC, pero que este concepto era distinto al de la "contabilización de los derechos como recursos propios" en el sentido del artículo 6 del Reglamento 1552/89, de aplicación de la Decisión de recursos propios. En el mismo sentido, STJUE *Direct Parcel Distribution*, (asunto C-264/08, de 28.01.2010).

La confusión de términos ha sido una constante en el tiempo. El Auto del TJUE *Antero* (asunto C-203/01, de 08.07.2002), en relación con el Reglamento 1697/79 (uno de los Reglamentos cuyo contenido quedó incorporado en el CAC), apreció que, cuando en los artículos 1.2(c), y 2.1, párrafo segundo, de aquel Reglamento, se utilizaba el término 'contracción' en realidad se refería a la liquidación.

La contracción debe realizarse por las autoridades que hayan liquidado la deuda. No se procederá a contraer en los supuestos en que no deba notificarse el importe de la deuda (se trata de los cuatro supuestos que, según hemos señalado más arriba, se regulan en el artículo 102.1 CAU). Tampoco será necesaria la contracción cuando la deuda aduanera de que se trate haya caducado (artículo 104.2 CAU, que remite a lo dispuesto en el artículo 103 CAU). El CAU dispone que corresponde a las autoridades nacionales determinar la forma en que se realizará la contracción, que puede ser diferente en función de si están seguras o no de poder conseguir recaudar su importe (artículo 104.3 CAU).

Así lo confirma el TJUE en sus Sentencias *Distillerie Smeets Hasselt* (asunto C-126/08, de 16.07.2009); *Direct Parcel Distribution*, (asunto C-264/08, de 28.01.2010); *KHG* (asunto C-351/11, de 08.11.2012). En la Sentencia *KHG* el Tribunal establece que los Estados miembros no tienen la obligación de definir en su normativa interna las modalidades de aplicación de esa contracción, siendo suficientes las medidas internas de la Administración aduanera (p. 24). Por ejemplo, "los Estados miembros pueden prever que la contracción (...) se realice mediante la inscripción de dicho importe en el acta levantada por las autoridades aduaneras competentes para hacer constar una infracción de la legislación aduanera aplicable" (STJUE *Distillerie Smeets Hasselt*, p. 25; *Direct Parcel Distribution*, p. 24; *KHG*, p. 25).

El artículo 105 CAU regula los plazos para contraer. Interesa destacar que estos plazos son de contracción, no de liquidación, es decir, la Administración podrá liquidar más allá de estos plazos (STJUE *Covita*, asunto C-370/96, de 26.11.1998, p. 36; STJUE *De Haan*, asunto C-61/98, de 07.09.1999, p. 34; STJUE *SPKR*, asunto C-112/01, de 14.11.2002, p. 38), lo que ocurre es que se generarán intereses a favor de la Hacienda de la UE por el hecho de haber incurrido la Administración nacional en un retraso en el reconocimiento del derecho de crédito a favor de aquélla (STJUE *Comisión/Holanda*, asunto C-460/01, de 14.04.2005; *Comisión/Alemania*, asunto C-104/02, de 14.04.2005; *Comisión/Dinamarca*. Asunto C-392/02, de 15.11.2005). Con carácter general el plazo de contracción es de 14 días tras la concesión del levante de las mercancías. Ahora bien, se contempla la posibilidad de contraer de forma periódica por el conjunto de operaciones de un sujeto en un plazo determinado —que no puede superar los 31 días—, mediante una contracción única correspondiente a todo el período comprendido. Para realizar esta contracción periódica, que sólo se permitirá si se ha prestado garantía del pago de los derechos, las autoridades disponen de 14 días a partir de la fecha de conclusión del período de que se trate (artículo 105.1, párrafo segundo, CAU).

La regla general que hemos expuesto (contracción en los 14 días siguientes a la concesión del levante) se aplica respecto de deudas aduaneras nacidas de la admisión de la declaración de una mercancía para un régimen aduanero distinto de la importación temporal o de cualquier otro acto que tenga los mismos efectos jurídicos que dicha admisión. No se aplica, pues, si el régimen aduanero que hace nacer la deuda es el de importación temporal con exención parcial de derechos. En este último supuesto y en todos aquellos casos no comprendidos por el supuesto general (es decir, cuando la deuda no nazca de la admisión de una declaración, sino p.e. de una irregularidad), la contracción deberá realizarse en un plazo de 14 días contados desde la fecha en que las autoridades estén en condiciones de calcular el importe de los derechos y de adoptar una decisión (artículo 105.3 CAU; recordemos que, para adoptar una decisión, las autoridades deberán conceder trámite de audiencia al interesado). También se contraerá en este plazo (es decir, 14 días contados desde la fecha en que las autoridades estén en condiciones de calcular el importe de los derechos y de adoptar una decisión) cuando inicialmente no se hubiera contraído debiendo hacerlo o inicialmente se hubiera contraído, pero por un importe inferior al debido (artículo 105.4 CAU).

Otra situación particular por lo que hace a los plazos de contracción se produce cuando sea posible conceder el levante sin que, en ese momento, pueda determinarse el importe de la deuda o su percepción.

Ejemplo
El supuesto de la declaración simplificada; o cuando el importe de la deuda depende de un contingente arancelario, hasta que se determine su aplicabilidad

En este supuesto la contracción debe producirse en los 14 días siguientes a la fecha en que se determine definitivamente el importe de la deuda o la obligación de pago de los derechos que resulten de la misma (artículo 105.2, párrafo primero CAU). Si la deuda aduanera de que se trata deriva de un derecho antidumping o compensatorio provisional, la contracción debe realizarse, a más tardar, dos meses después de la fecha de publicación del Reglamento por el que se establece un derecho antidumping o compensatorio definitivo en el Diario Oficial de la UE (artículo 105.2, párrafo segundo CAU).

Los apartados 5 y 6 del artículo 105 CAU establecen dos situaciones en las que los plazos de contracción referidos anteriormente pueden ampliarse más allá de los 14 días. La primera situación se refiere al caso fortuito o de fuerza mayor, para el que se dispone que no rige el plazo de contracción (y no se establece otro alternativo). La segunda situación es la que se produce cuando la notificación de la deuda aduanera pueda perjudicar la investigación judicial (es la situación que se regula en el artículo 102.3 CAU), supuesto para el que se permite también aplazar la contracción. Encontramos aquí una confusión entre "contracción" y "liquidación", pues en nada puede perjudicar a la investigación judicial que las autoridades contraigan la deuda; lo que puede perjudicarla es que la liquiden y la notifiquen al deudor.

Bajo la vigencia de la normativa anterior (CAC y RACAC) el TJUE interpretó que la notificación al deudor del importe de la deuda sólo podía hacerse válidamente previa contracción de la misma (Sentencias TJUE *Molenbergnatie*, asunto C-201/04, de 23.02.2006; *Snauwaert*, asuntos acumulados C-124/08 y C-125/08, de 16.07.2009; *Direct Parcel Distribution*, asunto C-264/08, de 28.01.2010; Auto TJUE *Gerlach*, asunto C-477/07, de 09.07.2008). A fin de controlar que la contracción había precedido a la comunicación de la deuda, en el asunto *Direct Parcel* se cuestionó si los órganos jurisdiccionales debían presumir que así ocurrió cuando lo declarasen las autoridades o si, por el contrario, las autoridades debían aportar de forma sistemática la prueba escrita de la contracción del importe de los derechos. El Tribunal reiteró al respecto que correspondía al ordenamiento nacional configurar los mecanismos "para garantizar la salvaguardia de los derechos que el efecto directo del Derecho comunitario confiere a los justiciables, siempre que dicha regulación no sea menos favorable que la referente a recursos semejantes de naturaleza interna (principio de equivalencia) ni haga imposible en la práctica o excesivamente difícil el ejercicio de los derechos conferidos por el ordenamiento jurídico comunitario" (p. 33), doctrina que hace extensiva a las reglas sobre la carga de la prueba (p. 34) para, a renglón seguido, afirmar que "Con objeto de garantizar el cumplimiento del principio de efectividad, el órgano jurisdiccional nacional, si constata que el hecho de hacer que recaiga sobre el deudor aduanero la carga de la prueba de la falta de contracción de dicha deuda puede hacer imposible en la práctica o excesivamente difícil la aportación de tal prueba, debido en particular a que ésta versa sobre datos de los que el deudor no puede disponer, está obligado a hacer uso de todos los medios procesales puestos a su disposición por el Derecho nacional, entre los que figura el de ordenar la práctica de las diligencias de prueba necesarias, incluida la aportación por una de las partes o por un tercero de un escrito o documento" (p. 35).

Si las autoridades realizaban inicialmente una contracción incorrecta, debían corregir esa contracción antes de comunicar una nueva liquidación al deudor. Si omitían esta nueva contracción, podían subsanar este vicio dentro del plazo de caducidad de la deuda, de tres años, y proceder entonces a su comunicación al deudor (Auto TJUE *Gerlach*, asunto C-477/07, de 09.07.2008, p. 30; y Sentencias TJUE *Direct Parcel Distribution*, asunto C-264/08, de 28.01.2010, p. 39; y *KHG*, asunto C-351/11, de 08.11.2012, p. 29). Si, para cuando las autoridades se disponían a subsanar el error ya había concluido el plazo de caducidad de tres años, el declarante tenía derecho a que se le devolviese el importe ingresado, aunque la deuda fuera legalmente debida (STJUE *Transport Maatschappij Traffic*, asunto C-247/04, de 20.10.2005).

En cualquier caso, la contracción "deberá efectuarse de modo que garantice que las autoridades aduaneras competentes anotan el importe exacto de los derechos de importación o de los derechos de exportación resultante de una deuda aduanera en los registros contables o en cualquier otro soporte que haga las veces de aquéllos, para permitir, en particular, que la contracción de los importes se establezca con certeza, también respecto al deudor" (Sentencias TJUE *Direct Parcel Distribution*, p. 23; y *KHG*, p. 23 y fallo).

En materia de contracción de recursos propios debe tenerse en cuenta lo dispuesto en las siguientes normas:
– Reglamento (UE, EURATOM) 2021/768 del Consejo de 30 de abril de 2021 por el que se establecen medidas de ejecución del sistema de recursos propios de la Unión Europea y por el que se deroga el Reglamento (UE, Euratom) 608/2014.
– Reglamento (UE, Euratom) No 609/2014 del Consejo de 26 de mayo de 2014 sobre los métodos y el procedimiento de puesta a disposición de los recursos propios tradicionales y basados en el IVA y en la RNB y sobre las medidas para hacer frente a las necesidades de tesorería.
– Decisión de Ejecución (UE, Euratom) 2018/194 de la Comisión de 8 de febrero de 2018 por la que se establecen los modelos de los estados de cuentas relativos a los derechos sobre los recursos propios y una ficha para la notificación de los importes irrecuperables correspondientes a los derechos sobre los recursos propios establecidos en el Reglamento (UE, Euratom) 609/2014 del Consejo.

- Decisión de Ejecución (UE, Euratom) 2018/195 de la Comisión de 8 de febrero de 2018 por la que se establecen las fichas de notificación de los fraudes e irregularidades que afecten a los derechos sobre los recursos propios tradicionales y de las inspecciones relativas a los recursos propios tradicionales en virtud del Reglamento (UE, Euratom) 608/2014 del Consejo.

25.3. LA COMPROBACIÓN POSTERIOR AL LEVANTE

Tradicionalmente la relación aduanera concluía con la concesión del levante de las mercancías, puesto que a las autoridades les resultaba difícil verificar con posterioridad los elementos atinentes a la introducción de las mercancías. En la actualidad, las Administraciones disponen de un conjunto de instrumentos de control (obligación de llevanza de registros contables, obligaciones de facturación, obligación de proporcionar datos con relevancia tributaria de terceros...) que hacen posible que, aún después del levante, pueda comprobarse la corrección de la liquidación, así como el correcto cumplimiento de otras obligaciones o limitaciones a que quedan sujetas las mercancías importadas (en materia de propiedad intelectual, por ejemplo).

A esta cuestión se refiere el artículo 48 CAU, que establece la potestad administrativa para verificar, con posterioridad al levante, la exactitud y plenitud de la información facilitada en los diversos tipos de declaraciones (declaraciones en aduana, declaraciones de depósito temporal, declaraciones sumarias de entrada y de salida, declaraciones de reexportación o notificaciones de reexportación), así como la existencia, autenticidad, exactitud y validez de los documentos justificativos. Se dispone expresamente que, en el marco de estas actividades de comprobación, las autoridades podrán examinar la contabilidad del declarante y otros registros en relación con las operaciones relativas a las mercancías de que se trate o con otras operaciones comerciales anteriores o posteriores que afecten a dichas mercancías. También se atribuye a las autoridades la potestad para examinar las mercancías y tomar muestras, pero se reconoce que ello sólo podrá llevarse a cabo cuando aún sea posible.

La STJUE *Greencarrier* (asunto C-571/12, de 27.02.2014), suscitada bajo la vigencia del CAC, plantea la interesante duda de si las autoridades pueden extender los resultados del análisis de una muestra en el laboratorio, ya no sólo a las restantes mercancías incluidas en la misma declaración, sino a mercancías introducidas anteriormente mediante declaraciones distintas. El Tribunal resolvió que la literalidad del artículo 70 CAC no permitía tal extensión, dado que disponía que "cuando el examen sólo se refiera a una parte de las mercancías objeto de una misma declaración, los resultados del examen se extenderán a todas las mercancías de esta declaración", de manera que limitaba los efectos del examen a las mercancías incluidas en una misma declaración que las examinadas. Ahora bien, aunque el artículo 70 CAC no daba cobertura a esta extensión, el Tribunal decidió que nada impedía a las autoridades extender los efectos del examen a otras declaraciones al amparo de lo dispuesto en el artículo 78 CAC (que permitía la revisión de las declaraciones por las autoridades). Para que esta extensión resultase posible debía establecerse que las mercancías incluidas en las otras declaraciones eran idénticas a las examinadas. Esta circunstancia podía determinarse, aun cuando ya no fuera posible un examen físico de las mismas, a través del control de los documentos y de los datos comerciales, "habida cuenta especialmente de las indicaciones facilitadas por el declarante en aduana según las cuales tales mercancías provienen del mismo fabricante y tienen una denominación, una apariencia y una composición idénticas, extremo que sólo incumbe comprobar al órgano jurisdiccional remitente" (p. 37).

En este sentido, interesa destacar que ya la STJUE *Digitalnet* (asunto C-320/11, de 22.11.2012) había decidido que el artículo 78.2 CAC "debe interpretarse en el sentido de que el control a posteriori de las mercancías y el cambio subsiguiente de su clasificación arancelaria pueden llevarse a cabo basándose en documentos escritos, sin que las autoridades aduaneras estén obligadas a examinar físicamente dichas mercancías".

En la comprobación posterior al levante pueden implicarse autoridades de terceros países. En este sentido, conviene recordar que, según se señala en el capítulo 7 —relativo al origen de las mercancías—, la determinación del carácter originario de una mercancía en el marco de una norma preferencial convencional le corresponde a las autoridades del país de exportación. A las autoridades de importación —en nuestro caso, las autoridades de la UE— les corresponde solicitar esa comprobación, pero no realizarla.

La idea anterior debe ser matizada a la luz de la STJUE *Afasia* (asunto C-409/10, de 15.12.2011). Véase lo expuesto en el capítulo 7.6. Véase allí también la referencia a la Oficina de Lucha contra el Fraude (OLAF).

Por lo que hace al lugar de estas actuaciones, se dispone que pueden realizarse cerca del obligado, ya sea en los locales del titular de las mercancías o de su representante, ya sea en los de otra persona que, de forma directa o indirecta, haya actuado o actúe comercialmente en esas operaciones, ya sea en los de cualquier otra persona que esté en posesión de esos datos y documentos con fines comerciales.

Una duda importante que suscita el artículo 48 CAU, puesto en relación con el artículo 173.3 CAU, estriba en determinar si el interesado puede instar el control de su propia declaración. Piénsese que, tras el levante, el declarante ya no podrá rectificar su declaración (artículo 173.2(c) CAU) ni invalidarla (artículo 174.2 CAU). Si en ella se hubiera cometido algún error, de hecho o de derecho, el declarante podría tener interés en que los defectos de la declaración puedan ser corregidos. A tal fin, podría requerir a las autoridades la comprobación de la declaración, de modo que puedan ellas mismas subsanar los defectos que se aleguen o bien, en caso contrario, adopten una decisión por la que se confirme que la declaración es correcta. Esta decisión abriría la puerta al declarante para recurrir, posibilidad que no cabe contra su propia declaración, ofreciéndole la oportunidad de alegar lo que considere conveniente y llegando, en su caso, a plantear el conflicto ante los órganos jurisdiccionales.

No parece que la literalidad del artículo 48 CAU favorezca la posibilidad que señalamos. Obsérvese que, para empezar, ninguna referencia se contiene a que el declarante u otro interesado pueda instar la comprobación. Y, por otro lado, el artículo 48 CAU regula esta potestad "a efectos de los controles aduaneros" (que se definen en el artículo 5.3 CAU como "los actos específicos efectuados por las autoridades aduaneras para garantizar el cumplimiento de la legislación aduanera..."), no como medio que ofrezca al interesado la oportunidad de obtener un re-examen de su declaración. En cambio, el artículo 173.3 CAU, que establece la facultad del declarante de solicitar la rectificación de la declaración en aduana tras el levante para que "pueda cumplir con sus obligaciones relativas a la inclusión de las mercancías en el régimen aduanero de que se trate", sí parece dar cobertura a esta posibilidad.

La cuestión que suscitamos ya fue objeto de controversia respecto del artículo 78 CAC, antecedente de los artículos 48 y 173.3 CAU que ahora analizamos. El artículo 78 CAC disponía: "tras la concesión del levante de las mercancías, las autoridades aduaneras *podrán*, por propia iniciativa o a petición del declarante, proceder a la revisión de la declaración".

Como vemos, aquí sí se contenía una expresa mención a la posibilidad de que el declarante instase la revisión, si bien la utilización de la palabra "podrán" (y sus equivalentes en otras versiones lingüísticas) suscitó la duda de si se trataba de una decisión plenamente discrecional de las autoridades, que podrían entonces denegar la revisión de la declaración solicitada sin mayor justificación, o si, por el contrario, la decisión de las autoridades al respecto no tenía carácter discrecional. Esta duda fue despejada por el TJUE en su Sentencia *Overland Footwear II* (asunto C-468/03, de 20.10.2005), en el sentido de que las autoridades *debían* proceder a la revisión solicitada por el declarante a menos que pudieran justificar adecuadamente su negativa a hacerlo (esta doctrina fue posteriormente confirmada en la STJUE *Terex*, asuntos acumulados 430/08 y 431/08, de 14.01.2010). En el asunto *Overland* se trataba de un operador que había incluido en el valor en aduana el importe de unas comisiones de compra que, recordemos, no deben incluirse en el valor de transacción si se distinguen del precio. El importador aportó las pruebas que acreditaban la existencia de la comisión de compra, su importe y el hecho de que se habían incluido en el valor de transacción declarado, y solicitaba la reducción correspondiente en el valor en aduana. El TJUE interpretó que, en supuestos como este, las autoridades no podían denegar la revisión. Observó el Tribunal que, a la hora de denegar, en su caso, la revisión, "las autoridades aduaneras deberán tener en cuenta, en particular, la posibilidad de comprobar los datos contenidos en la declaración que haya de revisarse y en la solicitud de revisión. Podrán, por ejemplo, negarse a efectuar una revisión cuando los elementos que hayan de comprobarse requieran un examen físico y, como consecuencia de la concesión del levante de las mercancías, éstas ya no puedan serles presentadas. Por el contrario, si las comprobaciones que hayan de realizarse no requieren la presentación de las mercancías, por ejemplo, cuando la solicitud de revisión implique únicamente el examen de documentos contables o contractuales, será en principio posible una revisión" (párrafos 47 a 49). En la STJUE *Terex* el declarante había utilizado códigos erróneos de régimen aduanero —había utilizado el de exportación en lugar del de reexportación— con ocasión de una reexportación en el marco del perfeccionamiento activo. Si se determina que procede regularizar, los derechos deben condonarse o devolverse, según el caso (STJUE *Overland*, p. 53; STJUE *Terex*, p. 63).

En la STJUE *Südzucker* (asunto C-608/10, de 12.07.2012) el Tribunal aprecia que procede revisar la declaración de exportación con posterioridad al levante —y a la salida de las mercancías del TAU— a fin de modificar la persona que aparece como exportador y, en consecuencia, resulta beneficiario de una restitución a la exportación de azúcar. Esta revisión queda supeditada a que los objetivos de la normativa de la Unión en materia de restituciones a la exportación no se hayan visto amenazados y las mercancías de que se trata hayan sido efectivamente exportadas. Observa, además, el Tribunal que "el mero hecho de que las mercancías hayan salido ya del territorio de la Unión en el momento en que se presenta la solicitud de revisión de la declaración de exportación y de que, por lo tanto, ya no sea posible controlar físicamente tales mercancías antes de su exportación no permite concluir que la revisión de la declaración resulta imposible" (p. 50).

La STJUE *VAEX* (asunto C-387/13, de 16.10.2014) examina un supuesto en el que, por un malentendido, un exportador presenta una declaración de exportación en fecha anterior a la de expedición del certificado de exportación, certificado que le permitía obtener una restitución a la exportación. Para cuando las mercancías salieron del TAU el exportador ya disponía del referido certificado de exportación, pero la norma aplicable exigía que el certificado fuera de fecha anterior a la de la declaración de exportación. Por este motivo, las autoridades le denegaron la restitución a la exportación solicitada. El Tribunal decide que debe atenderse la petición del exportador para que su declaración de exportación se considere presentada en fecha posterior, en un momento en que ya disponía del certificado de exportación, pero anterior a la fecha de salida de las mercancías del TAU, permitiendo de este modo entender cumplido el requisito para gozar de la restitución a la exportación. Observa el Tribunal que "cuando la revisión pone de manifiesto que los objetivos de la normativa controvertida no se han visto amenazados, en particular, porque las mercancías que son objeto de la declaración de exportación han sido efectivamente exportadas y existen pruebas suficientes a disposición de las autoridades competentes que permiten establecer el vínculo entre la cantidad exportada y el certificado que ampara efectivamente la exportación, las autoridades aduaneras deberán, conforme al artículo 78, apartado 3, del Código aduanero, adoptar las medidas necesarias para regularizar la situación, teniendo en cuenta los nuevos datos de que dispongan" (p. 54).

La más reciente STJUE *CEVA* (asunto C-249/18, de 10.07.2019) supone una nueva aplicación de la posibilidad de rectificar la declaración en aduana con posterioridad al levante en virtud del artículo 78 CAC. En este caso se trataba de dirimir si el declarante podía alterar la elección de la venta en cuyo precio se basaba el valor de transacción en supuestos de ventas sucesivas (esta posibilidad, que ya no se contempla en el CAU, se establecía en el artículo 147 RACAC). El Tribunal decide que el declarante sí puede alterar su opción acerca de en qué venta debe basarse el valor de transacción dado que hubo un cambio de circunstancias: en su declaración el operador clasificó las mercancías en una partida para la que se establecía un arancel de tipo 0 (de modo que era irrelevante cuál fuese el valor en aduana porque, en cualquier caso, los derechos de aduana sería 0), pero la comprobación administrativa determinó que esa clasificación era incorrecta y a la clasificación correcta le correspondía un tipo del 13,9%. Ello le hace apreciar que la declaración contiene un elemento "inexacto" que habilita la revisión.

En la STJUE *Capaldo* (asunto C-496/19, de 16.07.2020), el Tribunal decide que debe atenderse la solicitud formulada por el declarante para que se revise la clasificación arancelaria de las mercancías con posterioridad al levante, aún en el supuesto de que las mercancías ya hubieran sido objeto de una inspección física por las autoridades antes del levante y, en aquél momento, el declarante no hubiera expresado su disconformidad con la clasificación resultante. El Tribunal aprecia que "la lógica específica del artículo 78 (...) consiste en ajustar el procedimiento aduanero a la situación real, corrigiendo los errores u omisiones materiales, así como los errores de interpretación del Derecho aplicable" (p. 21), advirtiendo además que "las autoridades aduaneras no pueden desestimar una solicitud de revisión por el mero hecho de que el importador no impugnó un control previo" (p. 26).

En la STJUE *Pfeifer* (asunto C-97/19, de 16.07.2020), el Tribunal estima procedente la revisión de una declaración en la que el declarante omitió hacer constar que actuaba en condición de representante, siendo otra sociedad la importadora. El declarante sí adjuntó a su declaración el poder de representación y, además, las mercancías se beneficiaron de un tipo reducido en virtud del certificado de importación expedido en favor de la sociedad importadora (no del declarante). Fue el propio declarante quien advirtió posteriormente a las autoridades de su error, lo que permitió a éstas percatarse de que el titular del certificado de importación no coincidía con el declarante, procediendo entonces a exigirle el ingreso de la cantidad correspondiente al tipo normal de derechos. El Tribunal observa que "la lógica interna —del artículo 78 CAC— consiste en ajustar el procedimiento aduanero a la situación real" (p. 32), si bien matiza que "es preciso asegurarse de que la revisión solicitada no puede comprometer los demás objetivos de la normativa aduanera, entre los que figura el objetivo de lucha contra el fraude" (p. 45). Tras constatar que la modificación solicitada por el declarante no pone en riesgo la deuda aduanera ni comporta un riesgo de fraude, el TJUE decide su procedencia.

La STJUE *Jebsen & Jessen* (asunto C-543/19, de 15.10.2020) se ocupa de un asunto relativo a derechos antidumping. En ella, el Tribunal decide que las autoridades pueden denegar la solicitud de revisión de una declaración a la que se había omitido adjuntar un documento relevante (se trataba de una factura que acreditaba el cumplimiento de compromisos de precios, que debía presentarse junto con la declaración aduanera a fin de quedar eximido de derechos antidumping) al considerar que su presentación tardía comprometía el logro de la finalidad prevista en la norma aplicable, consistente en permitir un control adecuado por parte de las autoridades de la correcta aplicación de la norma antidumping (pp. 64 a 80). A la hora de calibrar el alcance del criterio que se contiene en esta Sentencia, interesa destacar que el Tribunal examina en este caso el artículo 78 CAC como norma aduanera común que, por tratarse de derechos antidumping, es de aplicación subsidiaria únicamente. Señala, en este sentido, que "la normativa aduanera en su conjunto, tal como se concreta en particular en el código aduanero, solo es aplicable a derechos antidumping o a derechos compensatorios si los reglamentos que establecen tales derechos así lo prevén" (p. 67).

A la luz de la jurisprudencia recaída respecto del artículo 78 CAC, antecedente de los artículos 48 y 173.3 CAU, consideramos que las autoridades *deben* proceder a revisar la declaración cuando el declarante así lo solicite. Llegamos a esta conclusión porque el TJUE estableció que el ejercicio del poder de comprobación no puede tener carácter discrecional, sino que debe ser reglado, mandato que, no dudamos, conserva su vigor en el CAU. Por ello, cuando el declarante solicite la revisión de su declaración las autoridades deben proceder a realizarla salvo que justifiquen la imposibilidad de hacerlo. De otro modo se estaría denegando, de forma indirecta, el acceso a la tutela judicial efectiva (artículo 24 CE), puesto que el declarante carecería de una vía jurídica que le permitiese cuestionar su propia declaración y, por extensión, la adecuación a derecho del contenido de derechos y obligaciones resultantes de ella.

> Entendemos que la doctrina del TJUE en la Sentencia *Overland* y en la sentencia *Terex* tiene un mayor alcance, pues el carácter reglado de la potestad de comprobación que en ellas se afirma no queda alterado por más que se omita el reconocimiento expreso de la posibilidad de que el declarante tome la iniciativa. Allí donde la declaración no se ajuste a la realidad, por el motivo que fuere, el interés de la legalidad no puede ser otro que proceder a regularizarla como corresponda. Si el declarante hace saber a la Administración que la declaración es incorrecta, la Administración no puede ignorar esa información.

Cuando la comprobación posterior al levante llevada a cabo por la Administración revele que no se liquidó en su día la cantidad de derechos que correspondía, la Administración deberá volver a liquidar a fin de regularizar el importe de la deuda aduanera (artículo 105.4 CAU). La notificación de esa nueva liquidación debe producirse antes de que la deuda aduanera caduque.

En materia de comprobación posterior al levante de las mercancías cobran especial relieve las normas sobre asistencia mutua entre autoridades aduaneras. Dentro de la UE contamos, por una parte, con el *Convenio celebrado sobre la base del artículo K.3 del Tratado de la Unión Europea, relativo a la asistencia mutua y la cooperación entre las Administraciones aduaneras, hecho en Bruselas el 18 de diciembre de 1997* (publicado en España en el BOE de 20.08.2002 y conocido como "Convenio de Nápoles II"). Este convenio tiene por objeto prevenir e investigar las infracciones de las normativas aduaneras nacionales, así como perseguir y reprimir las infracciones de las normativas aduaneras de la UE y nacionales. A tenor de la definición de la normativa aduanera de la UE, que se contiene en su artículo 4, el IVA y los IIEE armonizados están comprendidos en su ámbito de aplicación (los IIEE no armonizados están asimismo comprendidos, en este caso como normas aduaneras nacionales). El Convenio contempla la asistencia previa solicitud (artículos 8 a 14, donde se regulan, entre otras cuestiones, las solicitudes de información —artículo 10—, las solicitudes de vigilancia —artículo 11—, las solicitudes de investigaciones —artículo 12—, el régimen de notificación —artículo 13— y la utilización como elemento de prueba —artículo 14—) y la asistencia espontánea (artículos 15 a 18). El Título IV del Convenio se refiere a las formas especiales de cooperación, que se aplican respecto de determinadas infracciones cualificadas que se enumeran en el artículo 19 y que contiene normas relativas a la persecución con cruce de fronteras (artículo 20), la vigilancia transfronteriza (artículo 21), las entregas vigiladas (artículo 22), las investigaciones encubiertas (artículo 23) o los equipos comunes de investigación especial (artículo 24).

> El Convenio de Nápoles II se aplicó de forma provisional desde el 03.05.2002 y entró en vigor el 23.06.2009 (véase BOE 22.08.2009).

Por otra parte, dentro del ámbito de la UE contamos asimismo con el *Reglamento (CE) nº 515/97 del Consejo de 13 de marzo de 1997 relativo a la asistencia mutua entre las autoridades administrativas de los Estados miembros y a la colaboración entre éstas y la Comisión con objeto de asegurar la correcta aplicación de las reglamentaciones aduanera y agraria* (DO L 82 de 22.3.1997, p. 1). Este Reglamento se dirige a regular la asistencia mutua entre las autoridades administrativas de los Estados miembros entre sí y con la Comisión para la aplicación de la normativa aduanera y agraria (los conceptos de "reglamentación aduanera" y de "reglamentación agraria" son definidos a estos efectos en el artículo 2 del propio Reglamento y comprende, no sólo las normas de la UE en estas materias, sino también las normas nacionales de desarrollo). En consecuencia, su ámbito material de eficacia es distinto y considerablemente más amplio que el del Convenio de Nápoles II que, según hemos señalado, se enfoca a la asistencia en materia de infracciones. El Reglamento, por el contrario, comprende cualquier medida relevante para la aplicación de la normativa aduanera y agraria. Su Título I (artículos 4 a 12) regula la asistencia previa petición, en tanto que el Título II (artículos 13 a 16) regula la asistencia espontánea. El Título III (artículos 17 y 18) se dedica a regular las relaciones con la Comisión, en tanto que el Título IV (artículos 19 a 22) hace lo propio con las relaciones con terceros países. El Título V (artículos 23 a 41) regula el Sistema de Información Aduanero, SIA, que es un banco central de datos, mientras que el Título Vbis (artículos 41bis a 41quinquies) regula el fichero de identificación de los expedientes de investigaciones aduaneras, FIDE. El FIDE es una base de datos específica integrada en el SIA en la que se identifican las autoridades competentes de los demás Estados miembros o los servicios de la Comisión que hayan investigado o estén investigando a una determinada persona o empresa. El Reglamento se completa con disposiciones atinentes a la financiación (Título VI, artículo 42 bis) y una serie de disposiciones finales (artículos 43 a 53).

Pasando ya a la asistencia mutua a nivel internacional, nos encontramos con el Convenio de Nairobi de 1977 (Convenio Internacional sobre asistencia mutua administrativa para la prevención, investigación y represión de infracciones aduaneras) y el posterior Convenio de Johannesburgo de 2003 (Convenio Internacional sobre asistencia mutua en materia aduanera), ambos celebrados en el marco de la OMA. El objeto del Convenio de Johannesburgo es la asistencia mutua entre administraciones aduaneras para la correcta aplicación de la normativa aduanera, la prevención, investigación y lucha contra las infracciones y el aseguramiento de una cadena internacional de suministro segura. En buena medida este convenio regula el marco para la conclusión de acuerdos de asistencia mutua bilaterales o multilaterales.

El texto del Convenio de Johannesburgo, al igual que el del Convenio de Nairobi, puede consultarse en la web de la OMA en inglés y en francés (*www.wcoomd.org*). El contenido del Convenio de Nairobi se expone en el capítulo 29. Según datos de la propia OMA, a 05.08.2013, el Convenio de Nairobi, que entró en vigor el 21.05.1980, cuenta con 52 Partes contratantes y

2 signatarios pendientes de ratificación, en tanto que el Convenio de Johannesburgo tan sólo cuenta con 3 Partes contratantes y 7 signatarios pendientes de ratificación. España no es Parte de ninguno de estos dos acuerdos.

La colaboración con terceros países puede también resultar de la aplicación del artículo 12 del Acuerdo de Facilitación del Comercio de la OMC, relativo a la cooperación aduanera, en el que se regula el intercambio de información.

El intercambio de información que regula el artículo 12 ACF se debe realizar previa petición (no es automático) a fin de verificar una declaración de importación o exportación respecto de la cual existan motivos razonables para dudar de su veracidad o exactitud y solamente tras haber llevado a cabo procedimientos apropiados de verificación y haber examinado la documentación a su disposición. En respuesta a la solicitud, el Estado requerido debe facilitar los datos de la declaración presentada en su jurisdicción para esa misma operación (la declaración de exportación, si quien requiere es el Estado de importación, o la declaración de importación, si quien requiere es el Estado de exportación), así como los documentos de respaldo, en su caso. La información puede denegarse si no existe reciprocidad y puede someterse a limitaciones de confidencialidad.

Finalmente, debe tenerse en cuenta que España ha concluido un número considerable de acuerdos bilaterales con terceros países para la asistencia mutua en materia aduanera, según se señala en la tabla que sigue.

Países con acuerdo o protocolo de cooperación y asistencia mutua aduanera
Andorra (01-12-95); Armenia (01-07-99); Azerbaiyán (01-07-99); Bulgaria (01-02-95); Canadá (01-01-98); Chile (01-08-01); China (16-11-04); Corea (01-05-97); EE. UU. (01-08-97); Egipto (30-09-04); Georgia (01-07-99); Hong Kong (01-06-99); India (30-03-04); Islandia (01-01-94); Islas Faroe (01-01-97); Israel (01-01-96); Kazajstán (01-07-99); Kirguizistán (01-07-99); Líbano (17-06-02); Liechtenstein (01-01-94); Macedonia (20-04-04); Marruecos (01-03-00); México (26-03-01); Moldavia (01-07-98); Noruega (01-01-94); Rumania (01-02-95); Rusia (01-12-97); San Marino (01-03-93); Sudáfrica (01-01-00); Suiza (01-07-97); Túnez (01-03-98); Turquía (01-01-96); Ucrania (01-01-98); Uzbekistán (01-07-99).
Convenios de asistencia mutua aduanera suscritos por España, por fecha de ratificación
Convenio de asistencia mutua administrativa entre **Argelia** y España con el fin de prevenir, investigar y reprimir las infracciones aduaneras de 16 de septiembre de 1970 (BOE 04/09/1971);   Convenio entre el Estado de España y la **República Federal de Alemania** para la asistencia mutua entre las administraciones de aduanas de 27 de noviembre de 1969 (BOE 20/08/1971);   Convenio de 30 de noviembre de 1978 de asistencia mutua administrativa entre el Reino de España y la **República de Argentina** con el fin de prevenir, investigar y reprimir las infracciones aduaneras (BOE 14/06/1980);

Acuerdo de mutua asistencia administrativa entre el Reino de España y la **República Italiana** para la prevención y represión de infracciones aduaneras de 1 de diciembre de 1980 (BOE 18/04/1983);

Convenio entre España y los **Estados Unidos Mexicanos** de asistencia mutua administrativa con el fin de prevenir, investigar y reprimir las infracciones aduaneras de 8 de febrero de 1982 (BOE 21/07/1982);

Convenio entre España y la **República de Austria** sobre asistencia mutua administrativa en materia de aduanas de 12 de febrero de 1982 (BOE 18/04/1983);

Convenio de asistencia mutua administrativa entre España y **Portugal** con el fin de prevenir, investigar y reprimir las infracciones aduaneras de 18 de junio de 1982 (BOE 28/06/1982);

Convenios de asistencia mutua aduanera suscritos por España, por fecha de ratificación

Convenio de asistencia mutua administrativa entre el Reino de España y el **Reino de Marruecos** con vistas a prevenir, investigar y reprimir las infracciones aduaneras de 18 de marzo de 1985 (BOE 08/02/1991);

Convenio de asistencia mutua administrativa en materia aduanera entre el Reino de España y el **Reino de Suecia** de 27 de diciembre de 1988 (BOE 14/08/1989);

Acuerdo entre el Reino de España y los **Estados Unidos de América** relativo a la asistencia mutua entre sus administraciones aduaneras de 3 de julio de 1990 (BOE 28/01/1983);

Convenio de asistencia mutua administrativa en materia de aduanera entre el Reino de España y el **Reino de Noruega** de 17 de septiembre de 1991 (BOE 08/07/1992);

Acuerdo entre el gobierno del Reino de España y el Gobierno de la **Federación de Rusia** sobre cooperación y asistencia mutua en materia aduanera de 14 de junio de 2000 (BOE 13/12/2000);

Acuerdo entre el Reino de España y la **República de Turquía** sobre cooperación y asistencia mutua en materia aduanera, hecho en Madrid el 3 de mayo de 2001 (BOE 22/02/2002);

Acuerdo entre el Reino de España y la **República de Cuba** sobre asistencia mutua administrativa entre sus autoridades aduaneras, de 8 de agosto de 2001 (BOE 17/03/2003);

Acuerdo entre el Reino de España y la **República Portuguesa** sobre cooperación transfronteriza en materia policial y aduanera, hecho «ad referendum» en Évora el 19 de noviembre de 2005 (BOE 18/03/2008);

Acuerdo entre el Reino de España y el Gobierno de la **República de Albania** sobre Cooperación y Asistencia Mutua en Materia Aduanera, hecho en Tirana el 20 de mayo de 2009 (BOE 19/11/2009).

Hemos tomado los datos para realizar la tabla anterior de Abad Carrasco, Mª V.: "La asistencia mutua y el intercambio de información entre Administraciones Aduaneras", en *Cuadernos de Formación, Instituto de Estudios Fiscales*, Colaboración 01/07, Volumen 3/2007. Hemos incorporado acuerdos de fecha posterior a la elaboración del artículo citado. Este artículo puede consultarse en:

ENLACE

http://www.ief.es/docs/destacados/publicaciones/revistas/cf/03_01.pdf

25.4. LOS PROCEDIMIENTOS DE COMPROBACIÓN TRIBUTARIA EN ESPAÑA

25.4.1. Introducción

En los puntos que siguen nos disponemos a ofrecer una exposición sucinta de los procedimientos de comprobación tributaria regulados por la normativa española relevantes en materia aduanera. Se trata, en orden creciente de complejidad, del procedimiento de verificación de datos; del procedimiento de comprobación limitada; y del procedimiento de inspección. Debe tenerse en cuenta que su regulación habrá de cohonestarse con las disposiciones de la UE y que, en caso de discrepancia, ha de prevalecer siempre la norma de la UE sobre la norma interna española —principio de primacía de Derecho de la UE—. En este sentido, han de tenerse en cuenta, particularmente, las disposiciones de la Unión sobre el procedimiento de decisión en materia de Derecho aduanero, que se exponen en la unidad 21, que prevalecen sobre las normas procedimentales nacionales. Los procedimientos de comprobación son procedimientos iniciados de oficio, por lo que habrá que tener en cuenta las normas del procedimiento de decisión establecidas para este tipo de procedimientos. Al hilo de la exposición de los procedimientos aprovechamos para señalar alguna peculiaridad derivada de la normativa aduanera de la UE.

No analizaremos el procedimiento de comprobación de valores (artículos 134 y 135 LGT) porque, en virtud de lo dispuesto en el apartado 1(c) de la Disposición adicional vigésima LGT, no es aplicable en materia aduanera. Dispone este precepto que "la comprobación de valores regulada en la subsección 4ª de la sección 2ª del capítulo III del título III de esta Ley no será de aplicación cuando se trate de determinar el valor en aduana, resultando de aplicación lo dispuesto en la normativa de la Unión Europea".

Por lo que hace a su ubicación temporal, los procedimientos que vamos a exponer podrían, en principio, desarrollarse tanto antes como después del levante. No obstante, por sus características, será poco frecuente que la comprobación limitada —y mucho menos el procedimiento de inspección— se lleven a cabo antes de conceder el levante, pues requieren de unos plazos de realización que lo demorarían de forma poco razonable. El procedimiento de verificación de datos, por su agilidad, sí puede desarrollarse tanto antes como después del levante.

25.4.2. Procedimiento de verificación de datos

Como su propio nombre indica, este procedimiento se dirige a comprobar un dato que ya consta a la Administración. Se trata de una actividad de comprobación muy elemental, de escasa profundidad, basada fundamentalmente en el tratamiento de la información por medios informáticos, que permite detectar con facilidad incoherencias. Los supuestos para los que se contempla el procedimiento de verificación de datos son cuatro (artículo 131 LGT). El primero se produce cuando se detectan defectos formales o errores aritméticos en una declaración o autoliquidación. Se trata entonces de una incoherencia interna entre datos proporcionados por el propio interesado. Estamos ante defectos que se ponen de manifiesto con el mero análisis de la información suministrada por el interesado.

Ejemplo
P.E. no cumplimenta determinadas casillas obligatorias en un modelo; incurre en incoherencias en las operaciones aritméticas

El segundo supuesto se refiere a la detección de incoherencias entre los datos declarados y la norma aplicable o incoherencias entre los datos declarados y los justificantes aportados. Este segundo supuesto ya supone un contraste con elementos externos a la declaración (la normativa o los justificantes aportados), si bien se trata de un contraste muy elemental.

El tercer supuesto, en orden de complejidad, es el que se presenta cuando los datos declarados no coinciden con los contenidos en otras declaraciones presentadas por el mismo obligado o con los que obren en poder de la Administración tributaria. Este supuesto es ya el resultado de un examen para verificar la coherencia de la declaración o autoliquidación con un elemento externo a ella (otras declaraciones del obligado o datos obtenidos por la Administración de otra fuente). El cuarto supuesto se configura de forma más abierta que los anteriores, menos precisa. Se trata de aquellas situaciones en las que la Administración requiera la aclaración o justificación de algún dato relativo a la declaración o autoliquidación presentada. Aquí no se nos indica la causa que conduce a la Administración a exigir la aclaración o justificación del dato declarado, de modo que puede ser de cualquier tipo, incluso el mero control aleatorio. La norma establece un límite por la materia, al señalar que el dato cuya aclaración o justificación se exige no puede referirse al desarrollo de actividades económicas. Puesta en relación esta limitación con la materia aduanera, habrá que concluir que allí donde la importación tenga una motivación comercial la Administración no podrá aplicar este supuesto para iniciar un procedimiento de verificación de datos.

La forma normal de iniciación del procedimiento de verificación de datos es mediante un requerimiento en el que la Administración se dirige al obligado tributario para que aclare o justifique la discrepancia observada o los datos relativos a su declaración o autoliquidación. Con ello se dará oportunidad al obligado de que intervenga en el procedimiento, pudiendo concluir el mismo tras una explicación satisfactoria por su parte. No obstante, si se confirma la existencia de un dato controvertido y la Administración está en condiciones de acreditar un contenido distinto del declarado, procederá entonces a notificar una propuesta de liquidación. La propuesta de liquidación provisional debe ser en todo caso motivada con una referencia sucinta a los hechos y fundamentos de derecho que hayan sido tenidos en cuenta en la misma.

El procedimiento puede iniciarse directamente con la notificación de la referida propuesta de liquidación cuando la Administración considere que dispone, ya desde el inicio, de datos suficientes para formularla. Ha de tenerse en cuenta a este respecto que las declaraciones tributarias se presumen ciertas y que los datos consignados en ellas sólo pueden rectificarse mediante prueba en contrario (artículo 108.4 LGT), por lo que la Administración deberá contar con elementos de respaldo que le permitan sustentar una cuantía distinta de la declarada.

La notificación de la propuesta de liquidación abre un nuevo plazo para que el obligado alegue lo que convenga a su derecho, antes de que la Administración dicte una liquidación.

> Si bien en la normativa tributaria española el plazo de alegaciones es de 10 días en el marco del procedimiento de verificación de datos (artículo 155.3 RD 1065/2007), en materia de impuestos arancelarios este plazo debe ser de 30 días a partir del momento en que reciba la comunicación o esta deba entenderse recibida (artículo 8.1 RDCAU). Téngase en cuenta, además, que conforme a la normativa de la UE se establecen determinados supuestos de exclusión del derecho de audiencia.

Concluido este plazo, la Administración ya ha cumplido todas las formalidades previas que le permiten dictar la resolución que pone fin al procedimiento. Esta resolución puede limitarse a constatar que no procede liquidar cantidad alguna. Aún en estas circunstancias, puede ordenarse corregir un defecto advertido (un defecto que no altere la cuantía de la liquidación inicial). La resolución puede consistir también en una liquidación provisional, cuando se determine que el dato controvertido sí afecta a la cuantía de la deuda y que, en consecuencia, debe regularizarse la situación. En este caso se exige expresamente que la liquidación sea motivada.

El procedimiento puede terminar asimismo de otros modos. Puede concluir mediante un acto del obligado por el que se subsane, aclare o justifique la discrepancia o el dato objeto del requerimiento (lo cual vale tanto como asumir que la Administración en estos casos puede omitir dictar una resolución en la que se constate que no procede liquidar cantidad alguna). El procedimiento puede asimismo concluir de forma impropia, por caducidad, es decir, por el transcurso de seis meses sin que se haya notificado liquidación provisional. Los efectos de la caducidad en materia tributaria se establecen en los apartados 4 y 5 del artículo 104 LGT. Ahora bien, la letra (b) de la Disposición adicional vigésima LGT dispone que, respecto de los tributos que integran la deuda aduanera (es decir, respecto de los impuestos arancelarios), "no procederá declarar en ningún caso la caducidad del procedimiento, salvo que transcurra el plazo máximo previsto en la normativa de la Unión Europea para notificar la deuda al obligado tributario". El plazo máximo para notificar la deuda al obligado en los impuestos arancelarios es de tres años, con carácter general (artículo 103 CAU), según ya hemos señalado más arriba en el apartado 2.

> La caducidad del procedimiento sí podrá producirse si se trata de una liquidación de IVA a la importación o de IIEE a la importación.
>
> La caducidad del procedimiento que regula con carácter general la LGT no produce, por sí sola, la prescripción del ejercicio de la potestad de liquidar, lo cual supone que la Administración podrá iniciar de nuevo un procedimiento dentro del plazo de prescripción. A este respecto, además, debe tenerse en cuenta que las actuaciones realizadas en el curso de un procedimiento caducado, así como los documentos y otros elementos de prueba obtenidos en dicho procedimiento, conservarán su validez y eficacia a efectos probatorios en otros procedimientos iniciados o que puedan iniciarse con posterioridad en relación con el mismo u otro obligado tributario. Ahora bien, las actuaciones realizadas en los procedimientos caducados no interrumpirán el plazo de prescripción (circunstancia que es irrelevante para los impuestos arancelarios, dado que en ellos rige la caducidad, que no se interrumpe) ni impiden que una regularización de su situación tributaria llevada a cabo por el obligado pueda considerarse espontánea (véase el artículo 27 LGT; la regularización espontánea por el obligado comporta la imposición de recargos, pero impide la aplicabilidad de sanciones; si bien esta norma no es aplicable a los impuestos arancelarios, apartado 1(d) de la Disp. Ad. 20ª LGT).
>
> La inaplicación del régimen de caducidad del procedimiento en materia de impuestos arancelarios supone una desprotección de los obligados frente a eventuales negligencias administrativas que tengan como resultado dilaciones injustificadas de los procedimientos.
>
> Las normas de la UE sobre el procedimiento de decisión establecen que el plazo máximo para decidir y notificar la decisión es de 120 días, pudiendo acordarse una extensión adicional de 30 días, si bien no se establecen los efectos que derivan del incumplimiento del plazo para decidir.

El procedimiento puede concluir también con el inicio de un procedimiento de mayor alcance, sea el procedimiento de comprobación limitada o el de inspección. En cualquier caso, se dispone que la verificación de datos no impide la posterior comprobación de los datos que ya fueron comprobados en el curso de la misma, es decir, los resultados de este procedimiento no producen ningún efecto vinculante para la Administración.

25.4.3. *Procedimiento de comprobación limitada*

El procedimiento de comprobación limitada tiene un alcance muy superior al de verificación de datos. En su seno la Administración puede comprobar hechos, actos, elementos, actividades, explotaciones y demás circunstancias determinantes de la obligación tributaria. A este fin, la Administración podrá efectuar los siguientes tipos de actuaciones (artículo 136.2 LGT):

1. Examen de los datos consignados por los obligados tributarios en sus declaraciones y de los justificantes presentados o que se requieran al efecto.

2. Examen de los datos y antecedentes en poder de la Administración tributaria que pongan de manifiesto la realización del hecho imponible o del presupuesto de una obligación tributaria, o la existencia de elementos determinantes de la misma no declarados o distintos a los declarados por el obligado tributario.

3. Examen de los registros y demás documentos exigidos por la normativa tributaria y de cualquier otro libro, registro o documento de carácter oficial con excepción de la contabilidad mercantil, así como el examen de las facturas o documentos que sirvan de justificante de las operaciones incluidas en dichos libros, registros o documentos.

   Ahora bien, se dispone que, si el obligado tributario aporta, sin mediar requerimiento previo al efecto, la documentación contable que entienda pertinente al objeto de acreditar la contabilización de determinadas operaciones, la Administración podrá examinarla a los solos efectos de constatar la coincidencia entre lo que figure en la documentación contable y la información de la que disponga. Adicionalmente se establece que el examen de la documentación contable que pudiera hacerse en estas circunstancias no impedirá ni limitará la ulterior comprobación de las operaciones a que la misma se refiere en un procedimiento de inspección.

4. Requerimientos a terceros para que aporten la información que se encuentren obligados a suministrar con carácter general o para que la ratifiquen mediante la presentación de los correspondientes justificantes.

La primera de las actuaciones señaladas se solapa con lo establecido para el procedimiento de verificación de datos. En la segunda ya encontramos las primeras diferencias y un mayor alcance, puesto que la comprobación puede extenderse a datos que no fueron declarados debiendo serlo. Es no obstante el tercer tipo de actuaciones el que marca la diferencia con el procedimiento analizado en el punto anterior. Encontramos aquí que la Administración, no sólo puede explotar los datos que ya le constan a fin de verificar su coherencia con los datos declarados, sino que puede exigir al obligado que proporcione soportes documentales de diversa índole (registros y demás documentos exigidos por la normativa tributaria y de cualquier otro libro, registro o documento de carácter oficial con excepción de la contabilidad mercantil, así como el examen de las facturas o documentos que sirvan de justificante de las operaciones) al objeto de verificar si lo declarado se corresponde con la realidad. Se excluye explícitamente el examen de la contabilidad mercantil, aunque ha de tenerse en cuenta que esta exclusión no comprende otro tipo de registros contables, como el libro diario de la contabilidad simplificada, ya que tiene la consideración de registro fiscal (artículos 29.3 y 164.2 RD 1065/2007). Y, según hemos señalado, nada impide a la Administración examinar los registros contables si es el obligado quien voluntariamente los aporta.

El cuarto tipo de actuación supone asimismo una considerable ampliación respecto del procedimiento de verificación de datos, al permitir acceder a datos suministrados por terceros, a quienes se les puede exigir asimismo que justifiquen los datos aportados. A este respecto, se dispone que no cabrá requerir a terceros información sobre movimientos financieros. En relación con este tipo de movimientos sí cabe, en cambio, requerir al obligado tributario su justificación documental cuando tengan incidencia en la base o en la cuota de una obligación tributaria.

Por su carácter eminentemente documental, la comprobación limitada está diseñada para ser llevada a cabo en las oficinas de la propia Administración y, en este sentido, se establece que, con carácter general, las actuaciones no podrán realizarse fuera de ellas. Ahora bien, se dispone explícitamente una excepción respecto de las actuaciones "que procedan según la normativa aduanera" (artículo 136.4 LGT), sin mayor precisión al respecto. Cabe suponer que la ley está pensando en el examen de las mercancías y toma de muestras previo al levante, en tanto las mercancías se encuentran en los lugares autorizados o designados.

El procedimiento de comprobación limitada se inicia de oficio por la Administración, iniciación que deberá notificarse al obligado expresando la naturaleza y alcance de las actuaciones e informándole de sus derechos y obligaciones en el procedimiento. Al igual que hemos señalado para el procedimiento de verificación de datos, también el de comprobación limitada puede iniciarse directamente mediante la notificación de la propuesta de liquidación, en caso de que la Administración ya disponga en ese primer momento de los datos suficientes para dictarla.

En el curso del procedimiento, el obligado deberá atender y prestar su colaboración a la Administración tributaria. Cuando se le requiera, debe personarse en el lugar, día y hora señalados para la práctica de las actuaciones, así como aportar la documentación y demás elementos que se le soliciten. La Administración irá documentando los resultados de las actuaciones en diligencias (documentos públicos que se extienden para hacer constar hechos, así como las manifestaciones del obligado tributario o persona con la que se entiendan las actuaciones).

La Administración, al igual que hemos visto para el procedimiento de verificación de datos, debe comunicar al obligado tributario la propuesta de liquidación, a fin de darle ocasión de que alegue cuanto convenga a su derecho, para lo cual le concederá un plazo de 10 días (artículo 164.4 RD 1065/2007).

En materia de impuestos arancelarios, no obstante, recordemos que se establece que el trámite de audiencia debe tener una duración de 30 días a partir del momento en que reciba la comunicación o esta deba entenderse recibida (artículo 8.1 RDCAU). Téngase en cuenta, además, que conforme a la normativa de la UE se establecen determinados supuestos de exclusión del derecho de audiencia. Evidentemente, en materia de impuestos arancelarios el plazo establecido en la norma europea debe prevalecer sobre el que ordena la norma nacional.

Por lo que hace a las formas de terminación del procedimiento, se contemplan únicamente tres. Por un lado, tenemos la caducidad, que se produce por el transcurso de seis meses sin que se haya notificado resolución expresa. Según hemos señalado, los efectos de la caducidad tributaria se regulan en los apartados 4 y 5 del artículo 104 LGT (nos remitimos a lo ya señalado para el procedimiento de verificación de datos). Insistamos en que, conforme a lo dispuesto en la letra (b) del apartado 1 de la Disposición adicional vigésima LGT, no cabe aplicar la caducidad del procedimiento respecto de los impuestos arancelarios y que, respecto de estos, el plazo para decidir es de 120 días prorrogables por otros 30, no de seis meses.

Por otra parte, el procedimiento puede terminar también con la iniciación de un procedimiento inspector que comprenda los elementos objeto de la comprobación limitada. Esta situación se producirá cuando la Administración considere, a raíz de las actuaciones realizadas, que pudiera haberse incurrido en irregularidades que hacen necesario acometer actuaciones de mayor calado. La tercera forma de terminar el procedimiento es la prevista como típica. Se trata de la terminación mediante una resolución expresa, la cual debe incorporar el siguiente contenido:

a) Obligación tributaria o elementos de la misma y ámbito temporal objeto de la comprobación.

b) Especificación de las actuaciones concretas realizadas.

c) Relación de hechos y fundamentos de derecho que motiven la resolución.

d) Liquidación provisional o, en su caso, manifestación expresa de que no procede regularizar la situación tributaria como consecuencia de la comprobación realizada.

Con carácter general esta resolución tiene cierta eficacia vinculante para la Administración. En concreto, le impide liquidar en el futuro una cantidad distinta respecto de los elementos comprobados —es decir, el objeto comprobado— a menos que, en el marco de un posterior procedimiento de comprobación limitada o de inspección, se descubra información a la que previamente no se tuvo acceso y que justifique ese diferente importe de la liquidación. Justamente el hecho de que se exija que la resolución especifique el objeto de la comprobación y las actuaciones concretas realizadas permitirá establecer a qué información tuvo acceso la Administración en el curso de este procedimiento y, de rechazo, determinar si la justificación eventualmente aducida para una posterior liquidación descansa realmente en información a la que antes no se tuvo acceso. No podrá en cambio volver a liquidar la Administración si, con posterioridad, descubre que cometió un error, o que no extrajo las consecuencias que corresponden a un dato del que dispuso, o que no aplicó las consecuencias jurídicas correctamente. Por su parte, el obligado también queda en cierta medida vinculado respecto de los hechos y los elementos determinantes de la deuda tributaria respecto de los que haya prestado conformidad expresa, puesto que ya no podrá impugnarlos a menos que pruebe que incurrió en error de hecho, prueba que puede entrañar una dificultad insuperable en muchos casos.

Nuevamente se establece en este punto una especialidad aduanera puesto que, conforme a lo dispuesto en la letra (a) del apartado 1 de la Disposición adicional vigésima LGT, el carácter provisional de las liquidaciones "no impedirá en ningún caso la posible regularización posterior de la obligación tributaria cuando se den las condiciones previstas en la normativa de la Unión Europea", esto es, en relación con los impuestos arancelarios las liquidaciones provisionales carecen de cualquier efecto vinculante para la Administración (lo que la doctrina ha denominado "efecto preclusivo"). Aunque nos encontramos con una nueva especialidad que empeora la situación de los obligados cuando se trata de impuestos arancelarios, consideramos que en este caso se encuentra justificada, puesto que las normas de la UE no parece que permitan restricciones a las posibilidades de liquidar distintas de las que el propio CAU y su normativa de desarrollo establecen, cuando por otra parte esta limitación a la que nos referimos (los efectos vinculantes derivados de una liquidación previa) no figura entre ellos.

25.4.4. Procedimiento de inspección

El procedimiento de inspección, que se regula en los artículos 145 a 157 LGT, sólo puede llevarse a cabo por los órganos inspectores (los dos expuestos anteriormente pueden ser llevados a cabo por los órganos inspectores y también por los órganos gestores). Se trata del procedimiento que permite una comprobación plena y exhaustiva de todos los elementos relevantes para la aplicación del tributo. Comprobación plena porque puede abarcar todos los componentes del tributo, todos los aspectos relevantes para verificar el correcto cumplimiento por parte de los obligados. Comprobación exhaustiva porque para cada uno de esos componentes o elementos se puede recurrir a la utilización del haz de potestades que el ordenamiento pone al alcance de la Administración tributaria, de modo que puedan agotarse todas las fuentes de información respecto de cada elemento (no sólo fuentes documentales, incluyendo la contabilidad mercantil, sino inquirir a testigos, realizar el examen de lugares u objetos; y no sólo del obligado, sino también de terceros, para que presten su colaboración al esclarecimiento de los hechos).

Aunque, según hemos señalado, la comprobación puede tener un alcance pleno, la Administración puede asimismo utilizar el procedimiento inspector para comprobar e investigar sólo alguno o algunos de los elementos relevantes para la aplicación del tributo, y no todos ellos. Estaremos en este caso ante unas actuaciones de alcance parcial. No obstante, el ordenamiento contempla el derecho del obligado a solicitar que las actuaciones que se inicien con carácter parcial amplíen su alcance para que pase a ser pleno ('general', lo llama la LGT). El motivo que puede llevar al interesado a solicitar esta ampliación consiste en lograr un mayor grado de seguridad jurídica. Ha de tenerse en cuenta que, si las actuaciones tienen un alcance parcial, el procedimiento no podrá concluir con una liquidación definitiva, sino que la misma sólo podrá ser provisional. Ello significa que el obligado podría verse sujeto a nuevos procedimientos de comprobación respecto del mismo hecho imponible. Ahora bien, este incentivo para solicitar el alcance general de las actuaciones desaparece en el caso de los impuestos arancelarios pues, según ya hemos señalado, las liquidaciones de estos impuestos tendrán carácter provisional en todo caso.

> Por lo que hace al IVA a la importación debe tenerse en cuenta que, en virtud de lo establecido en la Disposición adicional única de la Ley 28/2014, se establecen algunas especialidades en relación con los procedimientos de inspección, comprobación limitada y verificación de datos que tengan por objeto el IVA devengado en las importaciones de bienes (obsérvese que las especialidades a que no referimos no se limitan al procedimiento inspector sino que, según se ha señalado, se extienden al procedimiento de comprobación limitada y al de verificación de datos). En primer lugar, se dispone que el alcance de estos procedimientos se limitará las obligaciones tributarias derivadas exclusivamente de las operaciones de importación, sin que se reconozca el derecho del obligado a que las actuaciones tengan alcance general. Por tanto, en el IVA a la importación tampoco alcanza relevancia la solicitud de alcance general de las actuaciones, pues las operaciones de importación se comprobarán de forma separada del resto de operaciones del sujeto (entregas de bienes, prestaciones de servicios y operaciones intracomunitarias). En segundo lugar, la aludida DA Única de la Ley 28/2014 también dispone que, si se trata de sujetos pasivos acogidos, en el momento de su realización, al sistema de diferimiento (este sistema se regula en el artículo 167.Dos de la Ley 37/1992, del IVA), el ingreso que, en su caso, resulte de las liquidaciones que pudieran dictarse como resultado de los procedimientos de inspección, comprobación limitada y verificación de datos se efectuará mediante el referido sistema de diferimiento.
>
> Por otra parte, respecto de impuestos distintos de los impuestos arancelarios (como el IVA a la importación o IIEE a la importación) ha de tenerse en cuenta que el artículo 148.3 LGT dispone que, si el procedimiento inspector concluye con una liquidación provisional, con carácter general su objeto (es decir, los elementos que hayan sido comprobados) no podrá regularizarse nuevamente en un procedimiento de inspección que se inicie con posterioridad (sí que pueden regularizarse, en cambio, los elementos que no fueron comprobados). Únicamente se contemplan dos excepciones a esta regla general: a) cuando alguno de los elementos de la obligación tributaria se determine en función de los correspondientes a otras obligaciones que no hubieran sido comprobadas, o bien que hubieran sido regularizadas mediante liquidación provisional o mediante liquidación definitiva que no fuera firme; o b) cuando existan

elementos de la obligación tributaria cuya comprobación con carácter definitivo no hubiera sido posible durante el procedimiento (este supuesto se desarrolla en el artículo 190 RD 1065/2007). Ahora bien, este efecto vinculante para la Administración de las liquidaciones provisionales dictadas a la conclusión de un procedimiento inspector de carácter parcial no se produce si se trata de liquidaciones de impuestos arancelarios (apartado 1(a) de la Disposición adicional vigésima LGT, introducida por Ley 34/2015). Tratándose de liquidaciones de impuestos arancelarios la Administración puede volver a liquidar sin más limitaciones que las establecidas en la normativa de la UE (con carácter general, el plazo de caducidad de la deuda que regula el artículo 103 CAU).

El procedimiento inspector se inicia de oficio. En ese primer momento el obligado tributario debe ser informado sobre la naturaleza y alcance de las actuaciones, así como de sus derechos y obligaciones en el curso del procedimiento. Por lo que hace al alcance de las actuaciones, no sólo se debe comunicar si el mismo es general o parcial, sino también a qué hecho imponible o hechos imponibles se refiere. Si se comunica que las actuaciones tienen un alcance parcial, el obligado dispone de un plazo de 15 días para solicitar que pasen a tener alcance general.

> Ante esta solicitud, la Administración deberá ampliar el alcance de las actuaciones en el procedimiento recién iniciado o bien iniciar la inspección de carácter general en el plazo de seis meses desde la solicitud. Si la Administración no hace ni lo uno ni lo otro, las actuaciones inspectoras de carácter parcial no interrumpirán el plazo de prescripción para comprobar e investigar el mismo tributo y período con carácter general (artículo 149.3 LGT). Ahora bien, en materia de impuestos arancelarios esto es irrelevante porque el plazo no es de prescripción, sino de caducidad, y no se interrumpe.

Las actuaciones inspectoras no pueden prolongarse más allá de los 18 meses, que computan desde la comunicación de inicio hasta que se notifique (o se entienda notificado, por la realización de un intento de notificación del texto íntegro del acto) el acto administrativo resultante de las mismas. Se contemplan dos supuestos en que este plazo se extiende hasta un máximo de 27 meses. Se trata, en primer lugar, de actuaciones respecto de obligados cuya cifra anual de negocios sea igual o superior al requerido para auditar sus cuentas (cinco millones setecientos mil euros, artículo 263 del texto refundido de la ley de sociedades de capital, aprobado por el Real Decreto Legislativo 1/2010, de 2 de julio) y, en segundo lugar, de actuaciones respecto de obligados integrados en un grupo sometido al régimen de consolidación fiscal o al régimen especial de grupo de entidades que esté siendo objeto de comprobación inspectora (artículo 150 LGT).

> En materia de impuestos arancelarios, insistimos una vez más, estos plazos no resultan de aplicación por cuanto el plazo para decidir es de 120 días, prorrogables por otros 30. Los plazos de la LGT sí son relevantes para el IVA y los IIEE a la importación. El cómputo del plazo de duración del procedimiento inspector se suspende en los supuestos que enumera el apartado 3 del artículo 150 LGT, de modo que su duración total puede exceder los 18 o 27 meses iniciales.

El incumplimiento de este plazo ocasionará que no se exijan intereses de demora desde que se produzca dicho incumplimiento hasta la finalización del procedimiento. Por otro lado, los ingresos que realice el obligado, desde el inicio del procedimiento y hasta que se realice la primera actuación posterior a la superación del plazo de duración del procedimiento inspector, tendrán la consideración de espontáneos (es decir, devengarán los recargos del artículo 27 LGT, pero impedirán la imposición de sanciones). Finalmente, el incumplimiento del plazo de duración del procedimiento inspector determina que las actuaciones inspectoras realizadas, desde el inicio del procedimiento hasta la primera actuación posterior a la superación del plazo máximo, no interrumpan la prescripción.

> Nuevamente hemos de señalar que las normas de la LGT sobre los efectos que derivan del incumplimiento de los plazos del procedimiento carecen de relevancia en materia de impuestos arancelarios dado que, según hemos reiterado, estos impuestos no se sujetan al plazo de prescripción que regulan los artículos 66 a 70 LGT, sino al régimen de caducidad que regula el artículo 103 CAU.
>
> Tampoco es aplicable a los impuestos arancelarios lo dispuesto en el artículo 27 LGT (recargos por regularización espontánea extemporánea), en tanto que el régimen de los intereses por pago tardío tiene peculiaridades. Estas cuestiones se examinan en el capítulo 26.

El procedimiento se puede desarrollar tanto en la oficina pública —en el horario oficial de apertura al público— como cerca del obligado —en su jornada laboral u otro horario que se acuerde— o donde se encuentren los elementos de prueba. Las actuaciones se recogerán en diligencias.

A la conclusión de las actuaciones, el actuario elaborará un acta, donde se documenta el resultado del conjunto de las actuaciones y que incorpora una propuesta de liquidación, en caso de que proceda regularizar. El acta puede firmarse con acuerdo (en los supuestos tasados del artículo 155 LGT; permite obtener una reducción del 65% en el importe de las sanciones, art. 188.1(a) LGT; en contrapartida, el contenido del acta se entenderá íntegramente aceptado por el obligado y por la Administración, de manera que la liquidación y la sanción derivadas del acuerdo sólo podrán ser objeto de impugnación o revisión en vía administrativa por el procedimiento de declaración de nulidad de pleno derecho); de conformidad (artículo 156 LGT, cuando el obligado manifieste su conformidad con la propuesta de regularización; permite obtener una reducción del 30% en el importe de las sanciones; en contrapartida, se considerarán aceptados los hechos reflejados en el acta, que sólo se podrán rectificar mediante prueba de haber incurrido en error de hecho); o en disconformidad (artículo 156 LGT, si el obligado no suscribe el acta o manifiesta su disconformidad con la propuesta de regularización; en este caso no se accede a ventaja alguna en materia de reducción de sanciones y, en contrapartida, las posibilidades de impugnación no quedan limitadas).

En función del tipo de acta, la tramitación subsiguiente varía; en el caso del acta con acuerdo y el acta en conformidad la liquidación puede ser presunta por el transcurso de 10 días o un mes, respectivamente, sin que la Administración notifique un acuerdo con otro contenido. En el caso del acta en disconformidad se abre un plazo de alegaciones de 15 días tras la extensión del acta, transcurridos los cuales, el órgano competente podrá decidir reabrir actuaciones o bien dictar la resolución que proceda.

Tratándose de impuestos arancelarios el trámite de audiencia habrá de ser de 30 días.

Es dudoso que la regulación de la LGT sobre actas con acuerdo, actas en conformidad o actas en disconformidad resulte aplicable a estos impuestos. Por una parte, ningún problema plantea la medida consistente en la reducción de las sanciones, dado que las sanciones siguen siendo una cuestión que corresponde regular a los ordenamientos internos. Por otra parte, la normativa sobre el procedimiento de decisión no contempla situaciones como el acuerdo o la conformidad (menores dificultades plantean las actas en disconformidad). Por lo que hace al trámite de audiencia en estos supuestos cabe plantear su encaje en virtud de lo dispuesto en el artículo 8.2 RECAU, en el que se dispone que "Cuando la persona interesada dé su punto de vista antes de la expiración del período contemplado en el apartado 1, letra b)" —esto es, el período del trámite de audiencia—, "las autoridades aduaneras podrán proceder a tomar la decisión, a no ser que la persona interesada manifieste al mismo tiempo su intención de precisar su punto de vista en el período señalado". La firma del acta con acuerdo o en conformidad supondría la manifestación explícita de renuncia al trámite de audiencia, con lo que las autoridades podrían ya proceder a adoptar la decisión.

Aun así, todavía restaría por despejar si encaja en el procedimiento de decisión que ésta sea presunta por el transcurso del plazo de 10 días o un mes, como ocurre en el caso de la liquidación derivada del acta con acuerdo o del acta en conformidad, respectivamente.

Se ha planteado incluso que "La utilización de los procedimientos nacionales para la aplicación de la normativa aduanera es totalmente imposible. No podrán aplicarse, ni directa ni supletoriamente" (Cano Martínez, M.: *La deuda aduanera en el CAU*, Fundación Aduanera, 2017, p. 21). Parece una posición maximalista excesiva puesto que, p.e., la regulación del CAU es insuficiente en materia de recaudación, y no digamos en materia de procedimientos de revisión y de imposición de sanciones (y todo eso es "aplicación de la normativa aduanera"). También en materia de liquidación puesto que, p.e., ¿dónde se regula el detalle del régimen jurídico de la notificación?; ¿no se recogerá el resultado de las actuaciones en diligencias y actas, cuyo régimen jurídico se establece en la LGT?; ¿Cómo se tratará una denuncia tributaria, que el CAU no contempla?; ¿Cuál es el reparto de competencias procedimentales entre órganos gestores y órganos inspectores?; ¿Acaso no es aplicable a la comunicación de inicio de actuaciones el requisito de que informen de su naturaleza y alcance?... Lo que sí queda claro es que las normas nacionales generales del procedimiento tributario deben entenderse modificadas en todo aquello que resulte incompatible con las disposiciones del CAU sobre el procedimiento de decisión.

EL PAGO Y OTRAS FORMAS DE EXTINCIÓN DE LA DEUDA. GARANTÍAS

ÍNDICE

26 El pago y otras formas de extinción de la deuda. Garantías

26.1. GARANTÍAS

Regulación de las garantías		
CAU	**RDCAU**	**RECAU**
89 a 98	81 a 86	147 a 164

En materia de garantías, la Comisión Europea ha publicado la "*Guidance for Member States and Trade - Guarantees for potential or exisiting customs debts - Title III UCC*" (Documento Ref. Ares(2019)7852624, de 20.12.2019; en lo sucesivo en este apartado, "*Guidance*"). Asimismo, ha elaborado un documento de "Questions and answers" relativo a garantías (Ref ARES (2020)3998712, de 29.07.2020).

Mediante la garantía se pretende dotar a las autoridades de un mecanismo jurídico que asegura el pago de la deuda. Se trata de un instrumento de uso generalizado en la aplicación de los impuestos arancelarios, en el marco de los cuales se exige su aportación de forma mucho más frecuente que en el resto de tributos del sistema. Ello justifica que le dediquemos aquí una especial atención.

Diversas normas del CAU y de sus Reglamentos de desarrollo (RDCAU, RECAU) establecen que, en determinados supuestos, las autoridades deben exigir la constitución de una garantía ("garantía obligatoria"). Uno de estos supuestos, que nos interesa especialmente ahora, es el que se produce, con carácter general, una vez admitida una declaración que comporte el nacimiento de una deuda aduanera. En estas circunstancias, la concesión del levante de las mercancías queda condicionada a que el deudor —o la persona que pueda convertirse en deudor— pague o, alternativamente, constituya la oportuna garantía (artículo 195 CAU). Por lo que hace a los supuestos en los que la admisión de una declaración comporta el nacimiento de una deuda aduanera, según se ha señalado en el capítulo 4.2 y 4.3, se trata de aquellos en los que se solicita el despacho de las mercancías a libre práctica, o bien su inclusión en el régimen de importación temporal (con exención parcial) o cuando el destino solicitado sea el de la exportación y la misma se sujete a gravamen.

Si el régimen solicitado es el de importación temporal, no obstante, la regla expuesta según la cual la concesión del levante queda condicionada a que se pague o se constituya la oportuna garantía tiene excepciones (véase el artículo 81 RDCAU, al que nos referiremos más abajo).

Por otra parte, téngase en cuenta que, de no pagar o garantizar la deuda en plazo, las autoridades podrán adoptar todas las medidas necesarias, incluso el decomiso y la venta (artículo 198 CAU).

No es este el único supuesto de garantía obligatoria, a algunos de ellos nos hemos referido en capítulos anteriores. Relacionamos a continuación los supuestos de garantía obligatoria que se establecen en el CAU y sus Reglamentos de desarrollo, con referencia a la norma que la ordena.

Supuestos de garantía obligatoria	
Artículo	**Supuesto**
45.3 CAU	Suspensión de la ejecución de decisiones que determinen la obligación de pagar derechos con ocasión de su impugnación se supedita a la aportación de garantía
102.4 CAU	Notificación de liquidación periódica se sujeta a garantía del pago de la deuda
105.1 CAU	Contracción periódica se sujeta a garantía del pago de la deuda
110 CAU	Aplazamiento de pago se supedita a la aportación de garantía
112 CAU	Las otras facilidades de pago se supeditan a la aportación de garantía (112.1), si bien en determinadas circunstancias puede eximirse la aportación de garantía para acogerse a las otras facilidades de pago (112.3)
148.2 CAU	La autorización para la explotación de los almacenes de depósito temporal se sujeta a la aportación de garantía
195 CAU	Levante tras la admisión de la declaración sin pago de los derechos se sujeta a la aportación de garantía
198 CAU	Las autoridades pueden adoptar determinadas medidas cuando el importe de los derechos no se pague o garantice
211.3 CAU	La autorización para la utilización de los regímenes de perfeccionamiento activo o pasivo, de importación temporal y de destino final, así como para la explotación de instalaciones de almacenamiento para el depósito, requiere aportación de garantía
223.4 CAU	La modalidad de compensación por equivalencia del régimen de perfeccionamiento activo se sujeta a garantía cuando la exportación de los productos transformados estuviese sujeta a derechos de exportación
233 CAU	El titular del régimen de tránsito de la Unión es responsable de la prestación de una garantía
262.1 CAU	En el marco del perfeccionamiento pasivo, la importación previa de productos de sustitución se sujeta a la prestación de garantía

Supuestos de garantía obligatoria	
Artículo	*Supuesto*
89.2 RDCAU	Debe constituirse una garantía cuando las mercancías sujetas a una solicitud de condonación ya no estén bajo vigilancia aduanera en el momento de la presentación de la solicitud, salvo que pueda ocasionar al deudor graves dificultades económicas o sociales
91.2 RDCAU	Salvo los supuestos que se enumeran, se exige garantía para la suspensión del plazo de pago en el caso de deudas aduaneras nacidas por incumplimiento
193 RDCAU	Autorizaciones del estatuto de expedidor autorizado a efectos de la inclusión de mercancías en el régimen de tránsito de la Unión
242.2 RDCAU	Perfeccionamiento pasivo IM/EX en el caso de importación previa de productos transformados
74.2 RECAU	Las autoridades competentes de los países beneficiarios del SPG deberán poner a disposición del exportador el certificado de origen modelo A tan pronto como se haya efectuado o garantizado la exportación
92.1 RECAU	La comunicación sobre el origen puede extenderse en el momento de la exportación a la Unión o cuando se haya garantizado la exportación a la Unión
114.10 RECAU	El certificado EUR.1 se pone a disposición del exportador una vez efectuada la exportación o garantizada su realización
244 RECAU	El levante de las mercancías se supeditará a la constitución de una garantía suficiente cuando las autoridades aduaneras consideren que la comprobación de la declaración en aduana puede revelar un importe a pagar en concepto de derechos de importación o exportación o de otros gravámenes superior al que arrojan los datos de la declaración en aduana
245 RECAU	Cuando de la comprobación de la declaración resulten datos diferentes a los declarados, el levante se supedita a la constitución de una garantía por el importe que resulte de los datos comprobados
251 RECAU	El despacho a libre práctica de envíos de plátanos frescos basándose en una declaración provisional del peso se condiciona a la constitución de una garantía

Por otra parte, a lo largo del articulado del CAU y de sus Reglamentos de desarrollo encontramos diversas referencias a las garantías. Entresacamos algunas de ellas en la tabla que sigue.

Otras normas en materia de garantías	
Artículo	**Supuesto**
5.2 RDCAU	Los operadores económicos no establecidos en el TAU deben registrarse antes de presentar una declaración en aduana para la inclusión de mercancías en el régimen de importación temporal o una declaración de reexportación para la ultimación de dicho régimen cuando el registro sea necesario para la utilización del sistema de gestión común de garantía.
153 RDCAU	Levante no supeditado a la constitución de una garantía
163.5 RDCAU	Los cuadernos ATA y CPD se consideran solicitudes de autorización de importación temporal cuando, entre otros requisitos, el cuaderno venga garantizado por una asociación que forme parte de una cadena de garantía
253 RDCAU	Las decisiones por las que se concede el aplazamiento del pago ya en vigor el 1 de mayo de 2016 serán válidas hasta la reevaluación de la autorización para utilizar una garantía global cuando se hayan concedido para la utilización de los regímenes a que se refiere el artículo 226, letras b) o c), RACAC (mercancías de carácter comercial cuyo valor global no supere, por envío y declarante, el umbral estadístico, siempre que el envío no forme parte de una serie regular de envíos similares y las mercancías no sean transportadas por transportistas autónomos como parte de un transporte de carga más amplio; medios de transporte matriculados en el TAU y destinados a su reimportación; mercancías que gocen de franquicia de exportación)
2.5(b) RECAU	Hasta la fecha de implantación del sistema de Decisiones Aduaneras en el ámbito del CAU (2017), los formatos y los códigos establecidos en relación con las solicitudes y autorizaciones de constitución de una garantía global contempladas en el anexo A RECAU tuvieron carácter facultativo para los Estados miembros
169.2, 3 y 4 RECAU	En el régimen de tránsito de conformidad con el Convenio ATA o el Convenio de Estambul, en el acuse de recibo de la comunicación de recaudación de una deuda aduanera o de otros gravámenes, las autoridades receptoras indicarán que se ha interpuesto una reclamación a la asociación garantizadora del Estado miembro receptor. Las autoridades receptoras recaudarán, si procede, ante la asociación garantizadora. En cuanto las autoridades receptoras indiquen que son competentes para la recaudación de los demás gravámenes, las autoridades remitentes reembolsarán a la asociación las sumas que ya hayan sido consignadas o pagadas provisionalmente.
171 RECAU	Solicitud de pago a la asociación garantizadora en el marco del régimen del Convenio ATA y del Convenio de Estambul
280.7 RECAU	La autoridad aduanera del Estado miembro de partida o de entrada debe informar a la asociación garantizadora de que se trate de que no ha sido posible ultimar una operación TIR.
280.8 RECAU	La autoridad aduanera del Estado miembro de partida o de entrada ultimará la operación TIR tan pronto se determine que se ha puesto fin correctamente a la misma e informará de inmediato a la asociación garantizadora

Otras normas en materia de garantías	
Artículo	*Supuesto*
339 RECAU	Los cuadernos ATA y CPD se asimilarán a declaraciones de exportación cuando hayan sido expedidos en un Estado miembro que sea parte contratante del Convenio ATA o del Convenio de Estambul, y hayan sido visados y garantizados por una asociación establecida en la Unión que forme parte de una cadena de garantía
345.2 RECAU	En los casos contemplados en el artículo 253 RDCAU, si se concede una nueva autorización de utilización de una garantía global como consecuencia de la reevaluación de la autorización, se emitirá simultáneamente de forma automática una nueva autorización de aplazamiento del pago

Clasificación.– Hasta ahora nos hemos referido a la **garantía obligatoria**, que es la que viene exigida por la propia norma, que detalla los supuestos en que debe prestarse. Ahora bien, el CAU también dispone que la exigencia de garantía sea decidida por las autoridades aduaneras en otros supuestos distintos de los relacionados anteriormente. Es lo que denomina **"garantía facultativa"** que, por tanto, es facultativa para las autoridades, no para los interesados. Conforme al artículo 91 CAU, la garantía facultativa se exigirá cuando las autoridades consideren que no existe la certeza de que se pague la deuda aduanera y otros gravámenes en el plazo establecido. Interesa observar que en la expresión "otros gravámenes" a que acabamos de referirnos hay que entender comprendidos al IVA a la importación y a los IIEE a la importación, cuando proceda su exigencia.

> A las garantías facultativas se les aplican las reglas establecidas en los artículos 150 a 158 RECAU, que establecen normas relativas a las diferentes formas de garantía, a la asistencia mutua entre autoridades, al número de referencia de la garantía y código de acceso, al denominado "importe de referencia" de la garantía global y su control por las autoridades, cuestiones todas ellas que vamos a analizar en este capítulo (artículo 149 RECAU).

Por otra parte, la garantía puede prestarse respecto de una operación concreta (**garantía individual**) o bien respecto de dos o más operaciones, declaraciones o regímenes aduaneros (**garantía global**, artículo 95 CAU). La regla general es que las garantías son individuales, respecto de mercancías determinadas o de una declaración determinada. En este caso la garantía cubrirá el importe que corresponda respecto de todas las mercancías incluidas en la declaración o a cuyo levante se haya procedido en virtud de ella, sea o no correcta la referida declaración.

El uso de la garantía global requiere de la previa obtención de una autorización concedida por las autoridades, que sólo la otorgarán a aquellos operadores que cumplan todas las condiciones siguientes:

a) estar establecidos en el TAU;

b) inexistencia de infracciones graves o reiteradas de la legislación aduanera y de la normativa fiscal, en particular que no haya habido condena alguna por un delito grave en relación con la actividad económica del solicitante (en los términos en que se establece este requisito para los OEA en el artículo 39(a) CAU);

c) utilizar habitualmente los regímenes aduaneros de que se trate o ser operadores de instalaciones de depósito temporal o tener un nivel adecuado de competencia o de cualificaciones profesionales directamente relacionadas con la actividad que ejerza (en este último caso, en los términos en que se establece este requisito para los OEA en el artículo 39(d) CAU)

La Comisión puede prohibir temporalmente el uso de la garantía global respecto de mercancías para las que se haya comprobado que son objeto de fraude a gran escala (artículo 96.1(b) CAU).

> Ahora bien, a pesar de esta prohibición temporal, puede autorizarse el uso de la garantía global a aquél operador que pueda demostrar que no se ha originado una deuda aduanera respecto de las mercancías de que se trate durante las operaciones que haya realizado en los dos años anteriores a la decisión de prohibición o que, en caso de que se hubiesen originado deudas aduaneras, estas fueron abonadas en su totalidad en plazo por el deudor o los deudores o por el fiador. Además, el operador deberá cumplir los requisitos del artículo 39, letras (b) y (c) CAU (se trata de requisitos para obtener el estatuto de Operador Económico Autorizado; el de la letra (b) es el relativo a un alto nivel de control de las operaciones y del flujo de mercancías, mediante un sistema de gestión de los registros comerciales y, en su caso, de transporte, que permita la correcta realización de los controles aduaneros, en tanto que el requisito de la letra (c) es el relativo a la solvencia financiera).

La garantía global no cabe cuando la declaración en aduana haga las veces de solicitud de autorización para un régimen especial (en este sentido se pronuncia la *Guidance* de la Comisión sobre regímenes especiales, p. 10).

Otra clasificación de las garantías es la que distingue entre **garantía de una deuda existente** (es decir, de una deuda ya nacida o cierta) y **garantía de una deuda potencial** (es decir, de una deuda que podría no llegar a nacer).

> Por ejemplo, si se solicita el despacho a libre práctica tendríamos una garantía de una deuda existente, porque el despacho a libre práctica hace nacer una deuda. En cambio, si se solicita el régimen de tránsito tendríamos una garantía de una deuda potencial, porque el régimen de tránsito es suspensivo (no hace nacer deuda), pero puede nacer una deuda si se incumple alguna de sus condiciones, requisitos y límites. En este caso la garantía trata de asegurar frente a un incumplimiento, que en la generalidad de los supuestos no llegará a producirse.
>
> Con carácter general, a la garantía de una deuda potencial se le aplican las mismas normas que a la garantía de una deuda existente, salvo disposición expresa en contrario (artículo 89.1 CAU).

Clasificaciones de las garantías	
Dependiendo de si se establece en la norma de la UE o depende de la decisión de las autoridades	
Garantía obligatoria	Garantía facultativa
Dependiendo de si cubre una operación concreta o varias operaciones	
Garantía individual	Garantía global
Dependiendo de si cubre una deuda nacida o una deuda todavía no nacida	
Garantía de una deuda existente	Garantía de una deuda potencial

Sujeto.– La prestación de la garantía es una obligación del deudor o de la persona que pueda llegar a ser deudor. Ahora bien, las autoridades también pueden permitir que otros sujetos distintos de los anteriores (cualquier tercero) constituya la garantía (artículo 89.3 CAU). Interesa destacar que el hecho de prestar la garantía no convierte a estos terceros en deudores, ni siquiera en el caso de que se actúe contra ella.

> En la práctica comercial española no es infrecuente que los representantes aduaneros, aun cuando actúen en régimen de representación directa (lo cual implica que ni son deudores ni pueden llegar a serlo), presten su garantía para cubrir las operaciones de sus clientes. En estos supuestos, el representante aduanero sería un tercero que presta la garantía por una deuda ajena.

Cuantía.– Con carácter general, en los supuestos en que la garantía se utilice para la inclusión de mercancías en el régimen de tránsito de la Unión, o bien cuando la garantía pueda utilizarse en más de un Estado miembro, su importe debe cubrir los derechos de importación o de exportación y otros gravámenes devengados por la importación o exportación de las mercancías (artículo 89.2 CAU). Insistamos en que los "otros gravámenes devengados" incluyen el IVA a la importación y, en su caso, los IIEE a la importación.

En cambio, cuando la garantía no pueda ser utilizada fuera del Estado miembro donde se requiere, siendo válida únicamente en dicho Estado, su importe debe cubrir, al menos, los derechos de importación o de exportación (es decir, en este caso las autoridades pueden eximir de garantizar también el IVA a la importación y, en su caso, los IIEE a la importación).

Importe de la garantía		
Supuestos	*Derechos IMP/EX*	*Derechos IMP/EX + otros gravámenes*
Inclusión de mercancías en el régimen de tránsito de la Unión		X
Garantía que pueda utilizarse en más de un Estado miembro		X
Garantía que no pueda ser utilizada fuera del Estado miembro donde se requiere	X	

Si se trata de una **garantía obligatoria individual**, su importe debe ser igual al importe exacto de los derechos de importación o de exportación y al de otros gravámenes, siempre que dicho importe pueda ser determinado con certeza en el momento en que se exija la garantía (artículo 90.1 CAU).

Si no fuera posible determinar el importe exacto de la deuda aduanera y otros gravámenes, la garantía se fijará en el importe más elevado, estimado por las autoridades aduaneras, de ambos conceptos que haya nacido o pueda llegar a nacer (es decir, real o potencial). Ha de tenerse en cuenta que las autoridades pueden incrementar el importe que la garantía debe cubrir cuando consideren que la comprobación de la declaración pudiera acreditar que la deuda aduanera es superior a la inicialmente declarada.

Si la garantía individual se refiere a una deuda potencial su importe debe cubrir los derechos de importación o exportación que puedan originarse, calculado sobre la base de los tipos máximos de los derechos aplicables a las mercancías del mismo tipo. El cálculo del importe dirigido a cubrir los demás gravámenes devengados por la importación o exportación, en caso de una garantía individual de una deuda potencial, se calcula de forma análoga. A estos efectos, se deben tomar los tipos máximos aplicables a las mercancías del mismo tipo en el Estado miembro en el que las mercancías se incluyan en el régimen aduanero o se encuentren en depósito temporal (artículo 148 RECAU).

Si se trata de una **garantía global**, se denomina "importe de referencia" a la cuantía que esta debe cubrir. El importe de referencia debe establecerse en un nivel que permita cubrir, en todo momento, el importe de los derechos de importación o de exportación correspondiente a deudas aduaneras y otros gravámenes, aun cuando este importe varíe en el tiempo (artículo 90.2 CAU). A la hora de regular la cuantía del importe de referencia la norma trata de asegurar que se corresponda a la suma que arrojarían las garantías individuales "vivas" (es decir, no liberadas) respecto de todas las operaciones sobre las que se proyecte.

Si el importe de los derechos de importación o de exportación y otros gravámenes puede determinarse con certeza en el momento en que se exija la garantía, el importe de referencia debe cubrir ese importe (artículo 155.2 RECAU).

Si, por el contrario, el importe de los derechos de importación o de exportación y otros gravámenes no puede determinarse con certeza en el momento en que se exija la garantía o bien se trata de un importe que varía en el tiempo, el importe de referencia será (artículo 155.3 RECAU):

a) Respecto de deuda nacida, el importe de esa deuda (derechos de importación o de exportación y demás gravámenes exigibles);

b) Respecto de la deuda potencial, el importe de los derechos de importación o de exportación y de los demás gravámenes que puedan llegar a ser exigibles en relación con cada declaración en aduana o declaración de depósito temporal para la cual se constituya la garantía, calculados aplicando los tipos máximos establecidos para mercancías del mismo tipo (en el caso de otros gravámenes, los tipos máximos en el Estado miembro de la aduana de garantía). La garantía debe cubrir cada operación desde el depósito temporal o la inclusión de las mercancías en el régimen aduanero de que se trate y hasta el momento en que el depósito temporal haya finalizado y el régimen se haya ultimado o la supervisión de las mercancías de destino final haya finalizado.

Si la aduana de garantía no dispone de la información para calcular el importe de la garantía en cualquiera de estos dos supuestos (a y b), dicho importe se fijará en 10.000 euros por cada declaración.

Los cálculos del importe de referencia se basarán en la información relativa a las mercancías incluidas en los regímenes aduaneros pertinentes o en depósito temporal en los doce meses anteriores y en una estimación del volumen de las operaciones previstas. Por su parte, el volumen de las operaciones previstas se determinará, entre otros elementos, a partir de la documentación comercial y contable de la persona a la que se exija constituir la garantía. En general, el importe de referencia se determinará por la aduana de garantía en cooperación con la persona obligada a constituir la garantía.

La *Guidance* de la Comisión (32-38) ofrece directrices acerca de cómo calcular la garantía global, detallando además la metodología en función de los regímenes aduaneros en que se incluyan las mercancías.

Una vez determinado el importe de referencia, este debe ser supervisado a fin de cerciorarse de que, en todo momento, es suficiente para cubrir las cantidades cuyo pago se dirige a asegurar. Esta supervisión o control no se encomienda únicamente a las autoridades (artículo 157 RECAU), sino que también se impone esta obligación al propio sujeto obligado a constituir la garantía (artículo 156 RECAU). De este modo, el sujeto obligado a constituir la garantía debe informar a la aduana de garantía si detecta que el importe de referencia es insuficiente para cubrir sus operaciones. Por lo que hace al control del importe de referencia que deben realizar las autoridades, se ordena a la aduana de garantía revisarlo, ya sea de oficio o a instancia de la persona obligada a constituir la garantía, a fin de ajustarlo a las cantidades exigidas en la norma. Por otro lado se establecen reglas específicas según el tipo de operación.

> Así, si se trata de despacho a libre práctica, el control debe realizarse para cada declaración en aduana en el momento de incluir las mercancías en el régimen. Si las declaraciones en aduana para despacho a libre práctica se presentan de forma habitual utilizando la declaración simplificada o bien se utiliza la simplificación de la inscripción en los registros del declarante, el control del importe de referencia se hará sobre la base de las declaraciones complementarias o, si procede, sobre la base de los datos que figuren en los registros.
>
> Si se trata de mercancías incluidas en el régimen de tránsito de la Unión, el control debe realizarse, por medio del sistema electrónico relativo al tránsito (que se regula en el artículo 273 RECAU), para cada declaración en aduana en el momento de incluir las mercancías en el régimen. Ese control no se aplicará a las mercancías que se hayan incluido en el régimen de tránsito de la Unión utilizando un documento de transporte electrónico como declaración en aduana (que se regula en el artículo 233.4(e) CAU), si la declaración aduanera no se gestiona mediante el sistema electrónico relativo al tránsito.
>
> En los demás casos (es decir, salvo que se despache a libre práctica o se incluyan las mercancías en el régimen de tránsito de la Unión) el control del importe de referencia respecto de deuda existente o potencial debe asegurarse mediante auditorías periódicas y adecuadas. Véase al respecto la *Guidance* de la Comisión (pp. 38-42).
>
> El artículo 8 RDTCAU regula medidas transitorias para el control del importe de referencia aplicables hasta la implantación del sistema de gestión de garantías (GUM) a que se refiere el anexo de la Decisión 2019/2151 (la fecha final de implantación está prevista en junio de 2025). Ordena al solicitante que especifique en su solicitud de constitución de garantía global el reparto del importe de referencia entre los Estados miembros en los que realice operaciones cubiertas por la garantía (salvo las de tránsito de la Unión), en tanto que la aduana de garantía debe consultar a los demás Estados miembros relacionados en la solicitud acerca del reparto de la garantía, siendo cada Estado miembro responsable del control de la parte del importe de referencia que le corresponda.

Dejando ya la garantía global y pasando a la **garantía facultativa**, señalemos que la determinación de su importe corresponde a las autoridades, teniendo como límite máximo el nivel que en cada caso se fije para la garantía obligatoria.

> Obsérvese que la norma de la UE fija un máximo, pero no un mínimo. Bajo la vigencia del CAC el Informe Especial Nº 8/99 del Tribunal de Cuentas de la UE *sobre las fianzas y garantías previstas en el Código Aduanero Comunitario para proteger la percepción de los recursos propios tradicionales* (DO C 70, de 10.03.2000, p. 1), puso de relieve la disparidad de criterios al respecto entre las distintas Administraciones, con alguna de ellas fijando el importe a garantizar en el 10% de la deuda.

Para finalizar los aspectos relativos a la cuantía de la garantía señalemos que, en cualquiera de los supuestos de garantía, las autoridades pueden exigir de la persona obligada que constituya una garantía adicional o bien que sustituya la garantía original por una nueva garantía, a su elección, cuando comprueben que la garantía constituida inicialmente no garantiza o ha dejado de garantizar o resulta insuficiente para garantizar el pago, tanto de los derechos de importación o de exportación como de los demás gravámenes (artículo 97 CAU).

Exención, dispensa y reducciones de la garantía. – Sobre las cuantías de la garantía a que nos hemos referido hasta ahora, la norma permite aplicar exenciones (es decir, supuestos en que no es exigible la garantía), reducciones (es decir, minoraciones de su importe) y dispensas (es decir, la posibilidad de liberar de la obligación de constituir una garantía).

Se establece una exención de garantía subjetiva (esto es, en razón del sujeto) a favor de los entes públicos y entes regulados por el Derecho público en relación con aquellas actividades en las que participen como autoridades públicas (artículo 89.7 CAU).

Se establece una exención de garantía objetiva (esto es, en razón del tipo de operación) respecto de determinados supuestos, a saber (artículo 89.8 CAU):

a) Mercancías transportadas por el Rin, las vías navegables del Rin, el Danubio o las vías navegables del Danubio;

b) Mercancías transportadas mediante instalaciones de transporte fijas;

c) En casos específicos en los que las mercancías se incluyen en el régimen de importación temporal;

> Estos "casos específicos" aparecen enumerados en el artículo 81 RDCAU. Son los siguientes:
> i) cuando la declaración en aduana pueda hacerse oralmente o por cualquier otro acto que se considera una declaración en aduana (véase el artículo 141 RDCAU);
> ii) en el caso de las materias utilizadas en el tráfico internacional por las compañías aéreas, marítimas o ferroviarias, o por los proveedores de servicios postales, siempre que dichas materias ostenten marcas distintivas;
> iii) en el caso de los envases importados vacíos, siempre que estén provistos de marcas indelebles e inamovibles;
> iv) cuando el anterior titular de la autorización de importación temporal haya declarado las mercancías para el régimen de importación temporal mediante una declaración oral o mediante otro acto que se considera una declaración en aduana (véanse los artículos 136 y 139 RDCAU) y, posteriormente, esas mercancías hayan sido incluidas en el régimen de importación temporal para el mismo fin.

d) Mercancías incluidas en el régimen de tránsito de la Unión utilizando un documento de transporte electrónico como declaración en aduana (se refiere a esta simplificación el artículo 233.4(e) CAU), y transportadas por aire o por mar entre puertos o aeropuertos de la Unión.

Adicionalmente a los supuestos que enumera el artículo 81 RDCAU, téngase en cuenta que, conforme a lo dispuesto en el artículo 153 RDCAU, el despacho a libre práctica de mercancías acogidas a un contingente arancelario que no haya alcanzado la consideración de crítico en el momento del levante no se sujetará a la prestación de garantía.

Por lo que hace a las reducciones, estas se establecen para los supuestos de garantía global. Así, en primer lugar, respecto de deudas potenciales se establece un sistema de reducciones que pueden llegar a ser totales en función del cumplimiento, por parte del obligado a prestar la garantía, de determinados requisitos. A esta posibilidad se refiere el artículo 95.2 CAU, cuyo contenido viene desarrollado por el artículo 84 RDCAU y 158 RECAU. Las reducciones a que nos referimos deben ser solicitadas por el operador y autorizadas por las autoridades. Al operador incumbe, además, acreditar que se cumplen los requisitos a los que se sujeta la autorización. Las reducciones se aplican sobre el importe de referencia y son las siguientes:

Reducción de la garantía global - Deuda potencial	
Reducción	**Requisitos**
50% (Garantía del 50%)	a) el solicitante mantiene un sistema de contabilidad que es coherente con los principios contables comúnmente aceptados, aplicado en el Estado miembro en el que se lleve la contabilidad, permite el control aduanero mediante auditoría y mantiene un historial de datos que facilita una pista de auditoría desde el momento en que se introducen en el archivo de datos; b) el solicitante tiene una organización administrativa que corresponde al tipo y al tamaño de la empresa y adecuada para la gestión del flujo de mercancías, y lleva a cabo controles internos que permiten prevenir, detectar y corregir los errores y prevenir y detectar las transacciones ilegales o irregulares; c) el solicitante no está incurso en un procedimiento concursal; d) durante los últimos tres años anteriores a la presentación de la solicitud, el solicitante ha cumplido sus obligaciones financieras en relación con el pago de los derechos de aduana y todos los demás derechos, tributos o gravámenes recaudados sobre la importación o exportación de mercancías o en relación con ellas; e) el solicitante demuestra, sobre la base de los registros y de la información disponible para los tres últimos años anteriores a la presentación de la solicitud, que dispone de capacidad financiera suficiente para cumplir sus obligaciones y hacer honor a sus compromisos relativos a la naturaleza y al volumen de las actividades comerciales, en particular no disponer de activos netos negativos, excepto en caso de que puedan cubrirse; f) el solicitante debe disponer de capacidad financiera suficiente (1).
70% (Garantía del 30%)	El solicitante debe cumplir los requisitos del apartado anterior y, además: Garantiza que los empleados pertinentes tienen instrucciones de informar a las autoridades aduaneras si se constatan dificultades de cumplimiento y establece procedimientos para informar a las autoridades aduaneras de dichas dificultades.

Reducción de la garantía global - Deuda potencial	
Reducción	*Requisitos*
100% (Dispensa de garantía)	El solicitante debe cumplir los requisitos de los dos apartados anteriores y, además: i) el solicitante permite a la autoridad aduanera el acceso físico a sus sistemas contables y, en su caso, a sus registros comerciales y de transporte; ii) el solicitante tiene un sistema logístico que identifica una mercancía como mercancía de la Unión o como mercancía no perteneciente a la Unión y que indica, en su caso, su ubicación; iii) cuando proceda, el solicitante dispone de procedimientos adecuados para la utilización de licencias y autorizaciones concedidas de conformidad con medidas de política comercial o relativas al comercio de productos agrícolas; iv) el solicitante aplica procedimientos satisfactorios de archivo de sus registros y de la información de la empresa y de protección respecto a la pérdida de información; v) el solicitante dispone de medidas apropiadas de seguridad para proteger su sistema informático de cualquier intrusión no autorizada, así como para asegurar su documentación.

Nota (1): A fin de determinar si el operador dispone de capacidad financiera suficiente, las autoridades tendrán en cuenta si permite al solicitante el pago de sus deudas aduaneras y otros gravámenes que puedan nacer que no cubra la garantía. A estos efectos, puede también tener en cuenta el riesgo de que se origine esta deuda, atendido el tipo y el volumen de las actividades comerciales de carácter aduanero del solicitante y el tipo de mercancía. Si la capacidad financiera suficiente ya ha sido evaluada en el marco de la acreditación como OEA, las autoridades verificarán únicamente si ésta justifica la concesión de una autorización para utilizar una garantía global con importe reducido o una dispensa de garantía. El requisito de capacidad financiera suficiente fue modificado por el Reglamento Delegado 2018/1118 con la finalidad de flexibilizarlo, teniendo en cuenta, no sólo la disponibilidad de liquidez, sino también de activos fácilmente convertibles.

Interesa observar que el artículo 95.2 CAU condiciona la autorización para constituir una garantía global de importe reducido o la dispensa de garantía al cumplimiento de los criterios establecidos en el artículo 39, letras (b) y (c) del CAU. El artículo 39 CAU regula los requisitos para la concesión del estatuto de Operador Económico Autorizado (OEA). Por tanto, un OEA ha sido ya evaluado de los requisitos que permiten acceder a la dispensa de garantía. La condición de OEA de un representante aduanero que actúe en régimen de representación directa no permite obtener reducciones a favor de sus representados, dado que este representante no es deudor y los requisitos para gozar de la reducción se deben cumplir por parte del deudor (en este sentido se manifiesta también la AEAT en la Nota Informativa NI GA 02/2019 en la que, además, se indican los modelos de aval a aportar por representantes que actúen en régimen de representación directa).

Por otra parte, el importe de referencia sobre el cual se calculan las reducciones en estos casos es el que corresponde a derechos de importación o de exportación y otros gravámenes cuyo importe no pueda determinarse con certeza en el momento en que se exija la garantía o cuyo importe varíe en el tiempo (es el importe de referencia que se regula en el artículo 155.3 RECAU).

La Comisión podrá decidir prohibir temporalmente la garantía global de importe reducido o la dispensa de garantía en el marco de los regímenes especiales o del depósito temporal (artículo 96.1(a) CAU). Ahora bien, a pesar de esta prohibición temporal, puede autorizarse la reducción o dispensa si el operador puede demostrar que no se ha originado una deuda aduanera respecto de las mercancías de que se trate durante las operaciones que haya realizado en los dos años anteriores a la decisión de prohibición o que, en caso de haberse originado deudas aduaneras, estas fueron abonadas en su totalidad por el deudor o los deudores o por el fiador dentro de los plazos establecidos.

Respecto de nuevos operadores, que son aquellos que lleven establecidos menos de tres años, puesto que determinados requisitos para gozar de reducción o dispensa se refieren a un historial de tres años (véase letras (d), (e) en la tabla de arriba), en su lugar se atenderá a los registros y la información disponible (artículo 84.4 RDCAU).

En segundo lugar, cuando se trate de una garantía global respecto de deuda existente (devengada), la reducción sólo la podrán disfrutar aquellos operadores que tengan el estatuto de OEA modalidad simplificaciones aduaneras. La reducción en este caso será del 70% del importe de referencia, esto es, deberán prestar garantía por el restante 30% del importe de referencia (artículo 95.3 CAU y 158.2 RECAU). En estos supuestos el importe de referencia es el que corresponde a los derechos de importación o de exportación y otros gravámenes cuyo importe pueda determinarse con certeza en el momento en que se exija la garantía (es el importe de referencia que se regula en el artículo 155.2 RECAU).

Finalmente, y respecto de toda clase de garantías, conforme al artículo 89.9 CAU las autoridades pueden dispensar (esta dispensa no es automática, sino facultativa) la constitución de una garantía cuando el importe de los derechos de importación o de exportación a garantizar no supere el umbral estadístico de las declaraciones establecido en el artículo 3.4 del Reglamento (CE) nº 471/2009 del Parlamento Europeo y del Consejo, de 6 de mayo de 2009, sobre estadísticas comunitarias relativas al comercio exterior con terceros países.

Se trata, fundamentalmente, de mercancías cuyo valor no sobrepase el umbral estadístico de 1.000 euros o cuya masa neta no supere los 1.000 kilogramos, o de carácter no comercial.

Formas de garantía.– La garantía puede adoptar diversas formas. El artículo 92.1 CAU las enumera del siguiente modo:

a) un **depósito** en metálico o cualquier otro medio de pago admitido por las autoridades aduaneras como equivalente a un depósito en metálico, efectuado en euros o en la moneda del Estado miembro en que se exija la garantía.

b) un compromiso suscrito por un **fiador**;

c) **otra forma de garantía** que proporcione una seguridad equivalente de que se pagarán el importe de los derechos de importación o de exportación correspondiente a la deuda aduanera y los demás gravámenes.

En principio corresponde elegir la forma de garantía a la persona obligada a constituirla, si bien las autoridades aduaneras pueden negarse a aceptar la forma de garantía elegida cuando consideren que resulta incompatible con el adecuado funcionamiento del régimen aduanero de que se trate. Por lo que hace a las 'otras formas de garantía', el artículo 83.3 RDCAU dispone que las autoridades las aceptarán "en la medida en que sean admisibles con arreglo a la legislación nacional". Además, una vez seleccionada una forma de garantía, las autoridades pueden exigir que se mantenga durante el plazo que determinen (artículo 93 CAU).

La Resolución del DUA contiene, en su Anexo I, las Instrucciones relativas a las garantías.

A continuación, vamos a analizar las normas particulares que se establecen para cada una de las tres formas de garantía que hemos enumerado.

Comenzando por la garantía en forma de **depósito** en metálico o cualquier otro medio de pago equivalente, esta se constituirá de conformidad con las normas que se establezcan en el Estado miembro en que se exija la garantía y en ningún caso determinará que las autoridades tengan que pagar interés alguno.

El artículo 150 RECAU dispone que, si se constituye una garantía individual en forma de depósito en metálico respecto de mercancías incluidas en un régimen especial o en depósito temporal, la garantía debe constituirse a favor de las autoridades aduaneras del Estado miembro en el que las mercancías se incluyan en el régimen o se encuentren en depósito temporal. Por otra parte, se ordena proceder a la devolución de la garantía tan pronto como se haya ultimado régimen especial o el depósito temporal haya finalizado correctamente. Si el régimen en el que se han incluido las mercancías es el de destino final la garantía se devolverá tan pronto como haya finalizado la supervisión de las mercancías (recordemos que, en el régimen de destino final, la supervisión se extiende más allá del levante a fin de asegurar que las mercancías efectivamente reciben el destino especial para el que fueron declaradas).

En España el artículo 20.3(b) del RD 939/2005 (Reglamento General de Recaudación, en lo sucesivo RGR) establece que podrán realizarse ingresos directamente en las cajas de las aduanas, siempre que lo autorice el órgano competente, cuando se efectúen depósitos en metálico por importaciones temporales. Por exclusión (*a sensu contrario*) cabe entender entonces que los depósitos en metálico a efectos de garantía no podrán realizarse, por regla general, en las cajas de la aduana salvo en este supuesto. Como señala el apartado 2 del propio artículo 20 RGR, la regla general consiste en que los ingresos —también de cantidades en depósito— se deben realizar a través de las entidades de crédito autorizadas para actuar como colaboradoras de la AEAT en la recaudación. Por eso el artículo 74 RGR, al regular la ejecución de las garantías señala, en su apartado 4, que si la garantía consiste en depósito en efectivo se requerirá al depositario (esto es, a la entidad colaboradora) el ingreso de la deuda, incluidos los recargos e intereses que, en su caso, correspondan. El propio precepto contempla más adelante que el depositario sea la propia Administración, en cuyo caso, como resulta lógico, ordena aplicar directamente el depósito a cancelar la deuda.

Por lo que hace a la garantía consistente en un compromiso suscrito por un **fiador**, el artículo 94 CAU dispone que ese fiador debe ser una tercera persona establecida en el TAU. Además, debe ser aprobado por las autoridades aduaneras que exijan la garantía. El requisito de aprobación no es exigible cuando se trate, o bien de una entidad de crédito, o bien de una institución financiera o bien de una compañía de seguros, en cualquiera de los casos acreditadas en la Unión de conformidad con las disposiciones vigentes del Derecho de la Unión.

> Las autoridades aduaneras pueden negarse a aprobar a un fiador o el tipo de garantía propuestos cuando consideren que no queda suficientemente garantizado el pago, en el plazo establecido, del importe de los derechos de importación o de exportación y de los otros gravámenes (artículo 94.3 CAU).

El fiador debe comprometerse por escrito a pagar el importe garantizado de los derechos de importación o de exportación y los otros gravámenes.

A estos efectos, se deberá utilizar el modelo de impreso que figura en el anexo 32-01 RECAU si se trata de una garantía individual, en tanto que se utilizará el modelo de impreso que figura en el anexo 32-03 RECAU si se trata de una garantía global. Ahora bien, la normativa interna de un Estado miembro puede permitir la utilización de otro documento, diferente del que se establece en los anexos 32-01, 32-02 y 32-03 RECAU, siempre que surta efectos idénticos (artículo 151 RECAU, apartados 5, 6 y 7). Los requisitos de datos correspondientes se establecen en los siguientes anexos del RDCAU: 1) compromiso suscrito por un fiador de aportar una garantía individual (anexo 32-01); 2) garantía individual mediante títulos (anexo 32-02); 3) garantía global (anexo 32-03).

Los artículos 82 RDCAU y 151 RECAU contienen disposiciones adicionales respecto de este tipo de garantía. En este sentido, si la garantía consistente en el compromiso de un fiador puede utilizarse en más de un Estado miembro, el fiador deberá indicar una dirección de servicio o designar un representante en cada Estado miembro en que pueda utilizarse la garantía.

El compromiso suscrito por un fiador debe ser autorizado por la aduana en que se constituya la garantía (a la que se denomina "aduana de garantía"). Esta aduana debe notificar la autorización a la persona a la que se exija constituir una garantía.

La aduana de garantía puede revocar (dejar sin efecto), en cualquier momento, la autorización del compromiso suscrito por un fiador, notificándola al fiador y garante y a la persona a la que se exija constituir una garantía. La revocación de la aprobación del fiador o del compromiso del fiador surtirá efecto el decimosexto día siguiente a la fecha en que el fiador reciba o se considere que ha recibido la decisión relativa a la revocación.

Por su parte, el fiador puede rescindir su compromiso en cualquier momento, debiendo a tal fin notificar la rescisión a la aduana de garantía. La rescisión del compromiso por el fiador surtirá efecto el decimosexto día siguiente a la fecha en que el fiador notifique la rescisión a la aduana de garantía. Ahora bien, la rescisión del compromiso del fiador no afectará a las mercancías que, en el momento en que surta efecto la rescisión, hayan sido incluidas y se encuentren aún bajo un régimen aduanero o en depósito temporal en virtud del compromiso rescindido.

> Lo anterior supone que el compromiso del fiador puede surtir efectos con bastante posterioridad a la rescisión. Su póngase, p.e., que se incluyen mercancías en régimen de perfeccionamiento activo el 01.04.2020. El compromiso de fianza se rescinde el 31.12.2020. El 03.05.2021 nace una deuda aduanera respecto de las referidas mercancías incluidas en régimen de perfeccionamiento activo. El fiador seguiría respondiendo de esta deuda ya que se trata de una operación iniciada en el período cubierto por la fianza (véase *Guidance*, p. 13).

Finalmente se contiene una regla relativa a la garantía consistente en un compromiso del fiador que adopta la forma de títulos (las fianzas en forma de títulos se utilizan, por ejemplo, en el marco del tránsito). Se establece que, cuando se constituya una garantía para una sola operación (garantía individual) en forma de títulos, podrá hacerse utilizando medios distintos de las técnicas de tratamiento electrónico de datos.

> El artículo 152 RECAU contiene dos reglas adicionales aplicables cuando se trate de una garantía individual en forma de compromiso suscrito por un fiador. En primer lugar, un mandato dirigido a las autoridades, en virtud del cual la aduana de garantía debe conservar la prueba de ese compromiso por el período de validez de la garantía. Y, en segundo lugar, un mandato dirigido al titular del régimen, que no podrá modificar el código de acceso asociado al número de referencia de la garantía.
> En España, en materia de avales prestados por entidades financieras, deben tenerse en cuenta las Resoluciones de 15 de julio de 2014 (BOE de 23.07.2014) y de 11 de febrero de 2019 (BOE 20.02.2019), de la Dirección General de la Agencia Estatal de Administración Tributaria, por la que se modifica la de 28 de febrero de 2006 (BOE de 13.03.2006), por la que se establecen las condiciones generales y el procedimiento para la validación mediante un código NRC de los avales otorgados por las entidades de crédito y por las sociedades de garantía recíproca y presentados por los interesados ante la administración tributaria. La validación de avales es un sistema destinado a que los órganos competentes de la Agencia Tributaria puedan comprobar la validez de los avales presentados por los interesados y otorgados por las Entidades de crédito y por las Sociedades de garantía recíproca, que a este fin se sirve del Número de Referencia Completo (NRC), que es un código compuesto por 22 posiciones generado informáticamente por la Entidad avalista mediante un sistema criptográfico.
> También, específicamente en materia aduanera, ha de tenerse en cuenta la Resolución de 5 de febrero de 2004, del Departamento de Aduanas e Impuestos Especiales de la Agencia Estatal de Administración Tributaria, de aprobación del modelo de certificado de seguro de caución para garantizar el pago de la deuda aduanera y fiscal a la importación (BOE de 13.02.2004). Permite la utilización de la figura del seguro de caución como forma de fianza de la deuda aduanera y fiscal a la importación

Por lo que se refiere a la **garantía por otros medios** (distintos del depósito y de la fianza), el artículo 83.1 RDCAU enumera las diferentes posibilidades admisibles a este respecto, que son las siguientes:

a) la constitución de una hipoteca, de una deuda inmobiliaria, de una anticresis o de otro derecho asimilado a un derecho referido a bienes inmuebles;

b) la cesión de créditos, la constitución de una pignoración con expropiación o sin ella, o de una garantía sobre las mercancías, títulos o créditos, o una cartilla de ahorros o sobre títulos de deuda pública del Estado;

c) la constitución de una solidaridad pasiva contractual por parte de una tercera persona autorizada a este efecto por las autoridades aduaneras, o la entrega de una letra de cambio cuyo pago quede garantizado por dicha persona;

d) un depósito en metálico o un medio de pago considerado equivalente, excepto en euros o en la moneda del Estado miembro en que se exija la garantía;

e) la participación, mediante el pago de una contribución, en un sistema de garantía general gestionado por las autoridades aduaneras.

Se dispone que la garantía por otros medios no es admisible para la inclusión de mercancías en el régimen de tránsito de la Unión. Por otra parte, la admisibilidad de estas otras formas de garantía se sujeta a que así resulte de la legislación nacional del Estado de que se trate.

En España el artículo 66.2 del Reglamento General de Recaudación, RD 939/2005 (en lo sucesivo, RGR) dispone que se puede constituir voluntariamente a favor de la Hacienda Pública como garantía: hipoteca inmobiliaria, hipoteca mobiliaria, prenda sin desplazamiento de la posesión o cualquier otro derecho real de garantía. La aceptación de esta garantía se hará por el órgano competente mediante documento administrativo, cuyo contenido se hará constar en el registro correspondiente.

En la nomenclatura del ordenamiento español estamos ante una garantía "voluntaria" en el sentido de que el obligado siempre tiene la opción de pagar y evitar de este modo la constitución de una garantía. La garantía "voluntaria" se contrapone a las garantías "legales", que se regulan en los artículos 77 a 80 LGT y 64 a 67 RGR, a las que nos referiremos más abajo. Las garantías voluntarias se regulan con mayor detalle en relación con el caso particular del aplazamiento y fraccionamiento de pago. En este marco, el artículo 46.4 RGR establece la documentación que debe aportarse cuando se solicite un medio de garantía distinto del que se exige con carácter general, que en este caso es aval de entidad de crédito o sociedad de garantía recíproca o certificado de seguro de caución. La referida documentación está integrada por: justificación de la imposibilidad de obtener las garantías establecidas con carácter general; valoración de los bienes ofrecidos en garantía efectuada por empresas o profesionales especializados e independientes; y balance y cuenta de resultados del último ejercicio cerrado e informe de auditoría, si existe, en caso de empresarios o profesionales obligados por ley a llevar contabilidad. Interesa asimismo subrayar que respecto del aplazamiento y fraccionamiento de pago se admite cualquier medio de garantía que se estime suficiente (artículo 80 LGT), mencionando expresamente, además de los medios principales ya señalados, la hipoteca, la prenda y la fianza personal y solidaria.

Especialidades cuando la garantía pueda utilizarse en más de un Estado miembro.– Hemos señalado más arriba que, cuando la garantía pueda utilizarse en más de un Estado miembro, su importe debe cubrir, no sólo la deuda aduanera, sino también los otros gravámenes (incluido el IVA a la importación y los IIEE a la importación). Al margen de esta especialidad que afecta a la determinación de la cuantía a garantizar, los artículos 147, 153 y 154 del RECAU establecen algunas reglas especiales respecto de las garantías que puedan utilizarse en más de un Estado miembro.

> El documento de TAXUD sobre garantías *"Questions and answers"* (Ref ARES (2020)3998712, de 29.07.2020) dedica buena parte de su atención a las particularidades que se presentan cuando las garantías deben cubrir operaciones de una misma persona en distintos Estados miembros. Recomienda, p.e., que la garantía se preste en el Estado en que la persona haya recibido el estatuto OEA-C (si es el caso). La sección 3.4 del documento examina las garantías con validez en más de un Estado miembro, en tanto que la sección 3.5 se refiere a las garantías en supuestos TORO (*Transfer Of Rights and Obligations*, cesión de derechos y obligaciones) que afectan a más de un Estado miembro y la sección 3.6 realiza algunas observaciones respecto a la acreditación del garante en un Estado miembro distinto a fin de que se admitan las garantías que preste (el garante debe acreditarse en cada Estado miembro).

En este sentido, el artículo 147 RECAU ordena que, una vez se implante el sistema de Gestión de las Garantías en el ámbito del CAU a que se refiere el anexo de la Decisión de Ejecución 2019/2151/UE (está previsto que la plena implantación de este sistema tenga lugar en junio de 2025), las autoridades deberán utilizar un sistema electrónico a fin de intercambiar y almacenar la información relativa a las garantías que puedan utilizarse en más de un Estado miembro.

En caso de utilizar la garantía en más de un Estado miembro, la deuda puede nacer en un Estado distinto de aquél en el que la garantía se haya constituido. Esto puede plantear dificultades particulares si la forma en que se ha constituido la garantía no es la del depósito en metálico —o sus equivalentes— o fianza personal. Para estas situaciones, el artículo 153 RECAU ordena que el Estado miembro en que se haya constituido esa otra forma de garantía transfiera al Estado miembro en el que haya nacido la deuda aduanera el importe de los derechos de importación o de exportación dentro de los límites de la garantía aceptada y de los derechos no abonados. Esta transferencia debe ser solicitada por el Estado en que haya nacido la deuda una vez haya expirado el plazo de pago y debe hacerse efectiva en un plazo de un mes a partir de la recepción de la solicitud.

Para la adecuada gestión y trazabilidad de las garantías que puedan ser utilizadas en más de un Estado miembro, el artículo 154 RECAU ordena que las autoridades de la aduana de garantía comuniquen al obligado o, en su caso, al fiador cuando se trate de una garantía mediante títulos, un número de referencia de la garantía que ha de servir para identificarla (si se trata de una garantía global se utilizará un número de referencia para cada parte del importe de referencia que debe controlarse), así como un código de acceso asociado al número de referencia de la garantía.

> Si se trata de una garantía global la persona que haya constituido la fianza, en su caso, podrá solicitar que la aduana de garantía asigne uno o varios códigos de acceso a la garantía para el interesado o sus representantes.

Haciendo uso de este instrumento de identificación, cada vez que un operador comunique a una autoridad aduanera un número de referencia de la garantía, la autoridad aduanera deberá comprobar la existencia y la validez de la garantía a la que se refiere.

Garantías legales.– Al margen de las garantías que hemos analizado, pasamos ahora a referirnos a lo que en el ordenamiento español se denomina "garantías legales" de la deuda tributaria, que se regulan en los artículos 77 a 80 LGT y 64 a 67 RGR. Por su particular incidencia en materia aduanera nos interesan aquí la afección de bienes y el derecho de retención.

La afección de bienes (artículo 79 LGT, 67 RGR) supone que los bienes transmitidos quedan afectos a la responsabilidad del pago de las cantidades, liquidadas o no, correspondientes a los tributos que graven tales transmisiones, adquisiciones o *importaciones*, cualquiera que sea su poseedor. De esta afección sólo quedará liberado el poseedor que sea un tercero protegido por la fe pública registral o bien, en el caso de bienes muebles no inscribibles, el que justifique la adquisición de los bienes con buena fe y justo título en establecimiento mercantil o industrial.

> Según el Diccionario de la R.A.E., afectar es "imponer gravamen u obligación sobre algo, sujetándolo el dueño a la efectividad de ajeno derecho". Veremos que el RGR conecta el derecho de afección con la inscripción de una nota marginal de afección en un registro público, pero pensamos que el precepto legal puede tener virtualidad asimismo en relación a bienes no inscribibles.

Asimismo, el adquirente de los bienes afectos referidos responderá subsidiariamente con ellos, por derivación de la acción tributaria, si la deuda no se paga.

> El apartado 3 del artículo 79 LGT se refiere al caso particular de disfrute de beneficios fiscales que se determinen posteriormente indebidos como consecuencia de actuaciones de comprobación administrativa (en materia aduanera podría ser el caso, p.e. de un origen preferencial improcedente, o la aplicación de la exención por destino especial si posteriormente ese destino no se verifica, etc). Establece este precepto que, cuando la efectividad definitiva del beneficio fiscal dependa del cumplimiento por el obligado tributario de cualquier requisito futuro, la

Administración hará figurar el importe total de la liquidación que hubiera debido girarse de no mediar el beneficio fiscal.

El problema surge porque esta constancia se establece a los efectos de que "los titulares de los registros públicos correspondientes" la reflejen "por nota marginal de afección", de modo que si ese requisito futuro se incumpliera, se comunicará "al registrador competente a los efectos de que se haga constar dicho mayor importe en la nota marginal de afección". Está por tanto pensando en bienes inscribibles, lo cual será infrecuente en materia aduanera (sería el supuesto de buques y aeronaves, p.e.).

El derecho de retención se regula en el artículo 80 LGT y 67 RGR. Se trata de una garantía legal típica del Derecho aduanero —y ancestral—, que el precepto establece en los siguientes términos:

> **Artículo 80. Derecho de retención.** La Administración tributaria tendrá derecho de retención frente a todos sobre las mercancías declaradas en las aduanas para el pago de la pertinente deuda aduanera y fiscal, por el importe de los respectivos derechos e impuestos liquidados, de no garantizarse de forma suficiente el pago de la misma".

Este derecho supone que la Administración podrá mantener la posesión (no la propiedad) de las mercancías *declaradas* en aduana en tanto no se ingrese o se garantice la deuda aduanera y fiscal (comprendería también los IIEE y el IVA a la importación; STS 21.01.1999). Al referirse a las mercancías declaradas, no sería aplicable en supuestos en que se haya omitido el deber de declarar, como en los casos de introducción irregular. Este es un derecho "frente a todos" (*erga omnes*), de manera que no sólo constituye una limitación para el declarante, sino para el propietario de las mercancías (si no fuera a su vez el declarante), para los acreedores de ambos y para cualquier tercero que pudiera tener un interés legítimo en las mercancías. Ahora bien, como se desprende de su propia denominación, este derecho permite *retener* pero no recuperar las mercancías, de modo que si ya se retiraron de los lugares en los que las mercancías permanecen en situación de depósito temporal se perderá la posibilidad de ejercerlo. El derecho de retención sólo se proyecta respecto de los "derechos e impuestos liquidados" en relación con las mercancías, de manera que no parece que se pueda extender respecto otros importes, como las sanciones pecuniarias.

En su Sentencia *Charalampos Dounias*, el TJUE decidió que "El Derecho comunitario se opone a una normativa nacional que impone a las autoridades aduaneras la obligación de conservar las mercancías importadas en caso de reclamación sobre el importe de los impuestos exigidos, excepto en el caso de que el interesado abone este importe, si este procedimiento es menos favorable que el relativo a recursos similares de naturaleza interna o hace prácticamente imposible o excesivamente difícil para el interesado la importación de productos procedentes de otros Estados miembros". El derecho de retención, en tanto que facultad en manos de la Administración, no parece que suponga la imposición a esta del deber de conservar las mercancías, por más que las facultades administrativas son regladas. Por otro lado, téngase en cuenta que el derecho de retención se hace extensivo a los IIEE y al IVA a la importación.

Tanto respecto del derecho de afección como respecto del derecho de retención, el artículo 67 RGR dispone que su ejercicio requerirá la declaración de responsabilidad subsidiaria. Dispone asimismo que el derecho de retención se ejercerá por los órganos a los que se hayan presentado o entregado las mercancías.

> La responsabilidad subsidiaria comporta la obligación de pagar la deuda tributaria junto al deudor principal, una vez que el deudor principal haya sido declarado fallido —insolvente— en el marco del procedimiento de apremio (artículo 41 LGT). Para dirigirse frente al responsable subsidiario la Administración debe, además, dictar un acto de declaración de responsabilidad subsidiaria. La declaración de responsabilidad subsidiaria se regula en los artículos 174 y 176 LGT. Se trata de una resolución mediante la cual la Administración constata la existencia de un crédito respecto del cual concurre un supuesto de responsabilidad. Tratándose de responsabilidad subsidiaria, la declaración de responsabilidad se dictará una vez declarados fallidos el deudor principal y, en su caso, los responsables solidarios —si los hubiera—, notificándose al responsable subsidiario.
>
> El artículo 67.1 RGR, en relación con el derecho de afección, dispone asimismo que "la nota marginal de afección será solicitada expresamente y de oficio por el órgano competente, a menos que la liquidación se consigne en el documento que haya de acceder al registro; en tal caso, la nota de afección se extenderá directamente por este último sin necesidad de solicitud al efecto". Esta disposición está de nuevo dirigida a bienes inscribibles, por lo que su trascendencia en materia aduanera será limitada.

Liberación de la garantía.– Hemos señalado que la garantía es un instrumento jurídico cuya función radica en asegurar el pago de la deuda. Ese carácter instrumental explica que la garantía quede sin objeto cuando el aseguramiento del pago deja de tener sentido, sea porque el pago ya se ha producido, o porque no va a haber deuda o esta se ha extinguido. Por ello, la garantía queda "liberada" tan pronto como la deuda aduanera o la obligación de pagar otros gravámenes se extinga o ya no pueda originarse (artículo 98.1 CAU). Ahora bien, la liberación de la garantía será solo parcial cuando la deuda aduanera o la obligación de pagar otros gravámenes se haya extinguido parcialmente, o solo pueda originarse respecto de parte del importe que ha sido garantizado. En este caso, el interesado puede solicitar esa liberación parcial (artículo 98.1 CAU). La duda que surge en este punto consiste en determinar bajo qué condiciones las autoridades deben entender que la deuda se ha extinguido —procediendo, en consecuencia, a liberar plenamente la garantía— o que, por el contrario, todavía "pueda originarse" —en cuyo caso deben retener parcialmente la garantía—. Ha de tenerse en cuenta que, aun después del levante, las autoridades pueden realizar labores de comprobación, a resultas de las cuales puede decidirse que procede el pago de alguna cantidad adicional (por ejemplo, porque el valor declarado es incorrecto, o la clasificación arancelaria declarada es incorrecta, o el origen declarado no es el real...). Por ello, cabría pensar que las autoridades siempre

26 El pago y otras formas de extinción de la deuda. Garantías

979

podrían justificar que no puede descartarse que "pueda originarse" una deuda, con lo que se legitimaría retener de forma sistemática una porción de la garantía constituida. En esta idea abunda el apartado 4 del artículo 89 CAU, que señala que la garantía no liberada puede ser aprovechada para el cobro de los importes de los derechos y otros gravámenes exigibles como consecuencia del control posterior al levante de las mercancías. No obstante esta interpretación basada en una prudencia extrema debe ser rechazada de plano. En primer lugar, porque conduciría a la acumulación de garantías por ingentes cantidades de dinero, puesto que habría que mantener este instrumento, siquiera fuese de forma parcial, respecto de todas las introducciones de mercancías de los tres últimos años (el período de caducidad de la deuda). Esta idea ya evidencia que esa interpretación debe ser abandonada, porque implicaría un coste financiero inasumible y supondría un obstáculo injustificado al tráfico de mercancías. En segundo lugar, porque, aunque la garantía es un instrumento jurídico para asegurar el pago, no es el único del que disponen las autoridades. Como veremos en este mismo capítulo, las autoridades disponen de mecanismos de coacción potentes que pueden utilizar para satisfacer adecuadamente su derecho de crédito y la garantía es tan sólo uno de ellos (aunque, ciertamente, uno de los más cómodos desde la perspectiva de las autoridades). La determinación de una deuda con posterioridad al levante es una situación anormal o patológica que no puede legitimar una medida preventiva general que implica costes desproporcionados. Frente a estas situaciones patológicas el ordenamiento jurídico ha puesto en manos de las autoridades otras herramientas, más adecuadas y específicas, que son las que deben utilizarse.

> Por eso, el párrafo tercero del artículo 89.4 CAU no debe ser visto como una invitación a retener una porción de las garantías constituidas con vistas a cubrir una eventual determinación de una deuda adicional sino, más bien, como una regla de puro sentido común en virtud de la cual, si por la razón que fuera la garantía no se hubiera liberado todavía, las autoridades pueden utilizarla para satisfacer una deuda, aunque ésta se haya determinado después del levante. Por tanto, la regla del artículo 89.4 CAU operará típicamente cuando la determinación de una cuantía adicional de deuda se realice en un plazo muy breve tras el levante (p.e. porque las autoridades obtuvieron muestras de las mercancías para ser examinadas en el laboratorio a raíz de sus dudas acerca de la clasificación de las mercancías hecha por el declarante y el análisis de esas muestras confirma las sospechas de las autoridades).

Por lo que hace al límite temporal para ejecutar la garantía, ésta no queda sujeta al plazo de caducidad de 3 años que regula el artículo 103 CAU, sino que se sujeta a los plazos que se establezcan para la recaudación forzosa, conforme a las disposiciones nacionales aplicables (STJUE *BTA*, asunto C-230/20, de 20.05.2021).

> En la referida STJUE *BTA* el Tribunal decide que el garante no tiene la condición de deudor, lo que implica que no se le aplique la limitación de los plazos para comunicar la deuda que regula el artículo 103 CAU. En España esta doctrina del TJUE supone que a la garantía se le aplicará el plazo de prescripción establecido para el ejercicio de la potestad de recaudación, que es de 4 años (letra (b) del artículo 66 LGT) a partir de la conclusión del período volunta-

rio de pago notificación de la liquidación (artículo 67.1 LGT), interrumpiéndose su cómputo en los supuestos que se regulan en el artículo 68 LGT.

Especialidades en el régimen de tránsito y en el marco de los convenios TIR y ATA.– Se establecen una serie de especialidades en materia de garantías cuando la operación cubierta es un tránsito de la Unión, o una operación realizada al amparo del convenio de Estambul o al amparo del Convenio ATA (artículos 85 y 86 RDCAU y 159 a 164 RECAU).

En primer lugar, se dispone que, a efectos del cálculo del importe de la garantía —sea individual o global—, las mercancías de la Unión transportadas en aplicación del Convenio relativo a un régimen común de tránsito se considerarán mercancías no pertenecientes a la Unión (artículo 159 RECAU). Así pues, se exigirá garantía respecto de las mercancías incluidas en el régimen de tránsito común aun cuando se trate de mercancías con estatuto de la Unión.

Respecto de las mercancías incluidas en el régimen de tránsito de la Unión, la garantía individual puede adoptar la forma de compromiso suscrito por el fiador mediante la emisión de títulos expedidos a favor de los titulares del régimen. Estos títulos de garantía deben formalizarse en el modelo que se recoge en el anexo 32-06 RECAU y habrá de expedirse, además, una prueba del compromiso de fianza utilizando el modelo que figura en el anexo 32-02 RECAU. Cada uno de estos títulos formaliza un compromiso de garantía por un importe de 10.000 euros, de los que el fiador se compromete a responder, teniendo este compromiso un período de validez de un año, a contar desde la fecha de expedición del título. De este modo, el titular del régimen deberá depositar en la aduana de partida el número de títulos necesarios para cubrir el importe total de la operación. El fiador, por su parte, debe facilitar a la aduana de garantía todos los detalles exigidos en relación con los títulos de garantía individual que haya emitido. El fiador, además, debe comunicar al titular del régimen, por cada título expedido, el número de referencia de la garantía y el código de acceso asociado a él. El titular del régimen no debe modificar el código de acceso de la garantía que le haya proporcionado el fiador (artículo 160 RECAU). En caso de que, con posterioridad a la emisión de los títulos, las autoridades revocaran la garantía o el fiador rescindiera su compromiso de fianza, las autoridades introducirán esa información en el sistema electrónico de tránsito, indicando la fecha en que tal circunstancia produzca efectos y, a partir del día en que surta efecto la revocación o rescisión, no podrán utilizarse los títulos de garantía individual para la inclusión de mercancías en el régimen de tránsito de la Unión (artículo 161 RECAU).

En tanto este sistema electrónico de tránsito no se encuentre disponible, de conformidad con el anexo de la Decisión de Ejecución 2019/2151/UE (su plena implantación está prevista para junio de 2025), las autoridades deberán utilizar el Nuevo Sistema de Tránsito Informatizado, creado mediante el Reglamento (CEE) 1192/2008.

Si, en el marco del régimen de tránsito de la Unión se opta por utilizar una garantía global, sólo se admitirá la garantía en forma de compromiso suscrito por un fiador. La aduana de garantía debe conservar en este caso la prueba del referido compromiso del fiador durante todo el período de validez de la garantía, en tanto que el titular del régimen no podrá modificar el código de acceso asociado al número de referencia de la garantía (artículo 162 RECAU).

Tanto si se trata de una garantía individual como si se trata de una garantía global, en caso de que la operación de tránsito de la Unión no se ultime correctamente se producirá el nacimiento de una deuda aduanera y, en consecuencia, la activación de la garantía. A estos efectos las autoridades aduaneras del Estado miembro de partida deben notificar al fiador que no se ha ultimado el régimen, disponiendo de nueve meses —a contar desde la fecha en que se hubiesen debido presentar las mercancías en la aduana de destino— para realizar esta notificación. La notificación debe contener los datos que se relacionan en el anexo 32-04 RDCAU. Por su parte, las autoridades aduaneras del lugar en que haya nacido la deuda aduanera (las reglas para determinar el lugar de nacimiento de la deuda aduanera se contienen en el artículo 87 CAU) disponen de un plazo de tres años, a contar desde la fecha de admisión de la declaración de tránsito, para notificar al fiador que se le puede exigir el pago de las cantidades de las que debe responder por la operación de tránsito de la Unión de que se trate. Esta notificación debe contener los datos que se relacionan en el anexo 32-05 RDCAU. Estas dos notificaciones a que nos hemos referido son de importancia trascendental, pues si cualquiera de las dos no llegara a efectuarse en plazo el fiador quedaría liberado de su obligación de garantía (artículo 85.3 RDCAU). Si las notificaciones se practican correctamente las autoridades deben informar posteriormente al fiador acerca de la recaudación de la deuda —que podrá dirigirse contra él— o de la ultimación del régimen (si es que finalmente las mercancías llegaran a presentarse en la aduana de destino o hubiese habido un malentendido).

> Con carácter general las dos notificaciones a que hemos hecho referencia deben realizarse por medios electrónicos. No obstante, podrán utilizarse otros medios en los supuestos a que se refiere el artículo 6.3(a) CAU, es decir, cuando resulte justificado por el tipo de tráfico, o cuando no sea adecuado utilizar medios electrónicos en relación con las formalidades aduaneras de que se trate.

Por lo que hace a las especialidades en el marco de las operaciones realizadas al amparo del Convenio TIR, del Convenio de Estambul o del Convenio ATA, se dispone que, en caso de incumplimiento de una de las obligaciones impuestas en virtud de un cuaderno ATA o de un cuaderno CPD, las autoridades aduaneras regularizarán los documentos de importación temporal (reclamación de pago dirigida a una asociación garantizadora o notificación del no descargo, respectivamente) de conformidad, bien sea con los artículos 9, 10 y 11 del anexo A del Convenio de Estambul o bien sea con los artículos 7, 8 y 9 del Convenio ATA. Para el cálculo del importe de los derechos de importación y los gravámenes derivados de la reclamación de pago dirigida a una asociación garantizadora se utilizará el modelo de formulario de imposición.

> El formulario de imposición figura en el anexo 33-04 RECAU.
>
> Los requisitos comunes en materia de datos para la reclamación del pago dirigida a una asociación garantizadora son los que figuran en el anexo 33-01 RDCAU. Por su parte, los requisitos comunes en materia de datos para la notificación del no descargo de cuadernos CPD son los que figuran en el anexo 33-02 RDCAU. Tanto la reclamación de pago dirigida a una asociación garantizadora como la notificación del no descargo de cuadernos CPD podrán enviarse a la asociación garantizadora correspondiente por medios distintos a los electrónicos.

La notificación válida de no ultimación de un régimen por parte de las autoridades aduaneras de un Estado miembro a una asociación garantizadora constituirá una notificación a cualquier otra asociación garantizadora de otro Estado miembro designado como deudor de un importe de derechos de importación o de exportación u otros gravámenes (artículo 164 RECAU). Por tanto, la notificación de responsabilidad practicada a una entidad garante produce plenos efectos frente a las entidades garantes de todos los Estados miembros.

Por lo que hace específicamente a las operaciones en el marco del Convenio TIR se dispone, además, que cualquier asociación garantizadora establecida en el TAU podrá hacerse responsable del pago de la cantidad asegurada relativa a las mercancías objeto de la operación TIR realizada en el TAU hasta un total de 100.000 euros por cuaderno TIR o una suma equivalente en moneda nacional (artículo 163 RECAU).

26.2. EL PAGO

Regulación del pago		
CAU	**RDCAU**	**RECAU**
108 a 114	89 a 91	165 a 171

El pago es la forma típica de extinción de la deuda aduanera, si bien no la única. Nos referiremos a las otras formas de extinción de la deuda más abajo, en el punto 26.4. Procedemos ahora a analizar el pago descomponiéndolo en sus diversas dimensiones (sujeto del pago, objeto del pago en período voluntario, tiempo del pago, facilidad de pago establecida en la norma de la UE y facilidades de pago establecidas en la normativa nacional española).

Sujeto del pago.– El pago de los derechos es una obligación del deudor (o su categoría equivalente en nuestra LGT, el sujeto pasivo). No obstante, se admite el pago hecho por tercero, en lugar y nombre del deudor, con efecto liberatorio (artículo 109.2 CAU). Interesa subrayar que el tercero no adquiere, por el hecho del pago, la condición de parte en la relación tributaria, de modo que no podrá recurrir posteriormente el importe de la deuda o su procedencia.

> En este sentido, el artículo 17.5 LGT dispone que "Los elementos de la obligación tributaria no podrán ser alterados por actos o convenios de los particulares, que no producirán efectos ante la Administración, sin perjuicio de sus consecuencias jurídico-privadas". Por tanto, cualquiera que sea el motivo que lleve a un tercero a pagar, carecerá de relevancia y será inoponible frente a la Administración, sin perjuicio de que pueda producir consecuencias en la relación jurídico-privada con el deudor.

Objeto del pago en período voluntario.– Si el pago se produce en los plazos establecidos, el importe a pagar será el que haya sido comunicado por las autoridades (artículo 108.1 CAU). Debe tenerse en cuenta que, según se ha indicado en el capítulo 25, la concesión del levante puede comportar la comunicación implícita al deudor, por parte de las autoridades, de que el importe a ingresar coincide con el cálculo estimativo reflejado en la declaración en aduana.

El pago deberá efectuarse en efectivo o mediante cualquier otro medio con poder liberatorio similar, entre los que se menciona expresamente la compensación de créditos, de conformidad con la legislación nacional (artículo 109.1 CAU).

> En España la compensación se regula, como forma de extinción total o parcial de la deuda, en los artículos 71 a 74 LGT y 55 a 60 RGR. La deuda tributaria puede compensarse con créditos reconocidos por acto administrativo a favor del mismo obligado. Puede producirse a instancia del obligado, mediante solicitud de compensación (sus detalles se regulan en el artículo 56 RGR), tanto respecto de las deudas tributarias que se encuentren en período voluntario de pago —en cuyo caso impedirá el inicio del período ejecutivo, pero no el devengo del interés de demora que pueda proceder hasta la fecha de reconocimiento del crédito— como en período ejecutivo. La extinción se declara mediante un acuerdo de extinción y produce sus efectos en el mismo momento de la solicitud respecto de la cantidad concurrente (deuda/crédito), salvo que los requisitos exigidos para las deudas y los créditos no se cumplieran hasta un momento posterior. La resolución debe notificarse en el plazo de 6 meses, pasados los cuales el interesado puede entenderla desestimada por silencio a efectos de proceder a su impugnación o esperar a la resolución expresa.
>
> La compensación también se puede producir de oficio respecto de deudas tributarias que se encuentren en período ejecutivo. En este caso la extinción de la deuda tributaria, que asimismo se declarará mediante un acuerdo de compensación, se produce en el momento de inicio del período ejecutivo o cuando se cumplan los requisitos exigidos para las deudas y los créditos, si este momento fuera posterior.
>
> El artículo 59 RGR establece los efectos de la compensación, entre los que destaca la extinción de la deuda compensada.

Tiempo del pago.– Salvo que se apliquen facilidades de pago —a las que nos referiremos más adelante— el plazo máximo de pago es de 10 días a contar desde la fecha en que se haya comunicado al deudor el importe de los derechos (artículo 108.1 CAU). Cuando se apliquen facilidades de pago, éste deberá efectuarse al vencimiento de tales facilidades.

Si se aplica la contracción periódica —la que permite agrupar en una única liquidación las operaciones de un sujeto en un plazo determinado que no puede exceder de 31 días, véase el párrafo segundo del artículo 105.1 CAU, que se examina en el capítulo 25.2, y a la que el CAU se refiere como "acumulación"—, el plazo de pago debe fijarse de tal modo que no sea posible que el deudor obtenga un plazo de pago más largo que si se hubiera beneficiado de una prórroga de pago (a la que nos referiremos más abajo).

Si el importe de los derechos que deban abonarse se determinó en una liquidación posterior al levante, las autoridades podrán conceder una prórroga a petición del deudor. Esta prórroga no podrá exceder del tiempo necesario para permitir al deudor que adopte las medidas necesarias para cumplir su obligación.

La obligación de pago se suspende en tres supuestos (artículo 108.3 CAU). Son los siguientes:

1) Cuando se presente una solicitud de condonación de la deuda.

La suspensión en este caso se prolongará hasta que hayan tomado una decisión sobre la solicitud de condonación, siempre que la misma se base en alguno de los motivos tasados que la legitiman (que se regulan en los artículos 117 a 120 CAU), que se considere probable que se cumplan los requisitos a los que se sujeta la condonación en cada uno de estos supuestos (si se trata del supuesto de condonación del artículo 117 CAU, que se produce cuando se ha abonado un importe excesivo de derechos, se exige, además, que pueda temerse un daño irreparable para el interesado). Si las mercancías ya no estuvieran bajo vigilancia aduanera en el momento de la presentación de la solicitud, la suspensión se supedita a la constitución de una garantía, salvo que las autoridades consideren que pudiera ocasionar al deudor graves dificultades económicas o sociales (artículo 89 RDCAU).

2 Cuando las mercancías tengan que ser decomisadas, destruidas o abandonadas en beneficio del Estado.

Para que proceda esta suspensión las mercancías deben encontrarse bajo vigilancia aduanera y las autoridades deben considerar que es probable que se reúnan las condiciones para la confiscación, la destrucción o el abandono. La suspensión en este caso se prolongará hasta que se tome la decisión final sobre la confiscación, la destrucción o abandono (artículo 90 RDCAU).

3) Cuando la deuda nazca por incumplimiento y haya más de un deudor.

La suspensión se concederá a favor de la persona que tuviera la condición de deudor en razón de que le fuera exigible el cumplimiento de las obligaciones que fueron incumplidas y se sujeta al cumplimiento de tres condiciones (artículo 91 RDCAU). En primer lugar se ha debido identificar, al menos, a otro deudor que, o bien supiera o debiera razonablemente haber sabido que no se había cumplido una obligación con arreglo a la legislación aduanera y que hubiera actuado por cuenta de la persona que estaba obligada a cumplir la obligación, o hubiera participado en el acto que condujo al incumplimiento de la obligación; o bien hubiera adquirido o poseído las mercancías en cuestión y que supiera o debiera razonablemente haber sabido en el momento de adquirir o recibir las mercancías que no se había cumplido una obligación establecida por la legislación aduanera. En segundo lugar, el importe de los derechos de importación o exportación en cuestión habrá debido ser notificado correctamente a ese otro deudor. Y en tercer lugar, no debe concurrir en el deudor a quien se suspende el pago de la deuda —el que incumplió la obligación de la que deriva el nacimiento de la deuda— intención fraudulenta ni negligencia manifiesta, así como ninguna de las circunstancias señaladas para el otro deudor (es decir, que no sabía o no hubiera podido razonablemente saber que no se había cumplido una obligación, ni hubiera participado en el acto que condujo al incumplimiento de la obligación, ni hubiera adquirido o poseído las mercancías en cuestión sabiendo o debiendo razonablemente saber en el momento de adquirirlas o recibirlas que no se había cumplido una obligación). El beneficiario de la suspensión deberá constituir una garantía, salvo que esta ya exista —sin que el fiador haya sido liberado de sus obligaciones— o que se determine que exigirla podría causarle graves dificultades económicas o sociales. La suspensión se extenderá en este caso por un período de un año, si bien las autoridades podrán prorrogar este plazo si consideran que concurren motivos justificados.

Facilidad de pago establecida en la norma de la UE.– El artículo 110 CAU contempla un aplazamiento de pago al que pueden acogerse los deudores cuya deuda derive de mercancías declaradas para un régimen aduanero —salvo la importación temporal con exención parcial de derechos— que implique la obligación de pago (esto es, cuando la contracción se produce al amparo del artículo 105.1 CAU). Esto significa que la facilidad de pago que vamos a examinar se establece únicamente a favor de operaciones en las que no se haya producido un incumplimiento, dado que en estos casos la deuda no nace de la admisión de una declaración para un régimen. Cuando se trate de una contracción separada (es decir, que no sea acumulada de un período de tiempo), cabe que la contracción que se realice de forma posterior, debido a que, en su momento, no se hubiera liquidado o se hubiera liquidado por un importe inferior al debido, también pueda acogerse al aplazamiento de pago.

> Por tanto, el aplazamiento de pago cabe en los supuestos de contracción conforme a los apartados 1 y 4 del artículo 105 CAU. No cabe, en cambio, cuando la contracción se haya producido al amparo de los apartados 2 y 3 del artículo 105 CAU. Los supuestos de contracción del apartado 1 del artículo 105 CAU incluyen la contracción acumulada de todas las declaraciones realizadas en un período de hasta 31 días, así como el pago único de las contracciones efectuadas a lo largo de un período de hasta 31 días.

Este aplazamiento está condicionado a la aportación de una garantía.

> El artículo 44.3 RGR dispone que "las solicitudes de aplazamiento o fraccionamiento de pago de la deuda aduanera serán tramitadas y resueltas de acuerdo con lo establecido en su normativa específica. Para aquellas solicitudes cuya tramitación, de conformidad con la normativa de organización específica, corresponda a los órganos de recaudación, este reglamento será aplicable de forma supletoria".

El período de aplazamiento es de 30 días, con carácter general (artículo 111 CAU). Ahora bien, debemos distinguir tres situaciones para examinar cómo se determina el período de aplazamiento en cada una de ellas.

El supuesto más sencillo consiste en que se liquide una deuda por cada operación. En este caso se aplica el referido plazo de 30 días, que se computa desde la fecha de notificación de la deuda al deudor.

La segunda de las situaciones que distingue el CAU consiste en que se liquide una deuda por cada operación pero que, a pesar de ello, el aplazamiento se conceda de forma acumulada respecto de las liquidaciones realizadas en un período de tiempo determinado, que no puede exceder de 31 días. En este caso el aplazamiento se calculará a partir del día siguiente al de la fecha en que expire el período de acumulación y su duración se reducirá en un número de días correspondiente a la mitad del número de días que comprenda el período de acumulación. Si el período de acumulación fuera impar, se redondeará por defecto. Alternativamente a esta fórmula de cálculo, si los períodos de acumulación son por semana civil se podrá conceder el aplazamiento hasta el viernes de la cuarta semana siguiente; si los períodos de acumulación son por mes civil se podrá conceder el aplazamiento hasta el día 16 del mes siguiente a dicho mes civil.

Ejemplo

EJEMPLO

Supongamos que las autoridades liquidan operación a operación, pero permiten que el pago se globalice por períodos de 31 días. Si aplicásemos, sin corrección, la regla de que el aplazamiento es por 30 días —ahora para el importe global mensual—, la operación realizada el día 1 del plazo se pagaría a los 30 días tras conocer el importe global del plazo, es decir, 60 días después. Esto supondría que la deuda se beneficiaría de un diferimiento doble que el que corresponde conforme a la regla de los 30 días. Para evitar hacer de mejor condición a los sujetos a los que se exige el pago de forma globalizada, lo que se hace es reducir el aplazamiento en un número de días igual a la mitad del plazo de globalización. Como nuestro plazo es de 31 días, habría que reducir el período de aplazamiento en 15 días (la mitad de 31 son 15,5 pero se redondea por defecto). De este modo, la operación realizada el día 1 del plazo se beneficia de un aplazamiento de 45 días, pero esa ventaja viene compensada porque la operación del día 31 del plazo dispondría de un aplazamiento de sólo 15 días, de manera que este operador recibe un trato equivalente al de la fórmula anterior.

Supongamos ahora que la globalización es mensual. Las liquidaciones de un mes (p.e. marzo) habrían de pagarse hasta el día 16 del mes siguiente (en nuestro ejemplo, hasta el 16 de abril).

La tercera situación que distingue el CAC consiste en que las autoridades liquiden de forma única por un período que no puede superar los 31 días. La diferencia con el supuesto anterior estriba en que en aquél se liquidaba operación a operación, pero el pago se hacía de forma acumulada; aquí la liquidación es única para todo el período (y el pago también, claro está). Por lo demás, se aplican las mismas reglas que hemos visto para la situación anterior por lo que hace a la duración del aplazamiento.

> Respecto de las peculiaridades de los aplazamientos de pagos en supuestos de contracción única, en España la AEAT ha emitido la Nota Informativa NI GA 09/2019, en la que se indica que estos aplazamientos quedan sujetos a la obtención de una autorización específica, que se designa con el código "DPO".

Evidentemente, nada obsta a que el deudor al que se haya concedido una facilidad de pago (sea la que establece el CAU o la que se disponga en la normativa nacional) realice el pago, en todo o en parte, sin esperar al vencimiento del plazo que se le haya concedido (artículo 109.3 CAU).

Facilidades de pago establecidas en la normativa nacional.– Junto a la facilidad de pago que regula el CAU y que acabamos de exponer, su artículo 112 permite que la Administración de cada Estado miembro conceda las facilidades de pago que se establezcan en su ordenamiento nacional. A este fin el CAU impone dos criterios mínimos. Conforme al primero de ellos, tales facilidades deben condicionarse a la constitución de una garantía —salvo que exigirla pudiera provocar, debido a la situación del deudor, graves dificultades de orden económico o social—. En virtud del segundo, las autoridades nacionales deberán exigir "un interés de crédito" cuyo importe, en el caso de los Estados miembros cuya moneda sea el euro, será igual al tipo de interés publicado en el Diario Oficial de la UE, serie C, que el Banco Central Europeo aplique a sus principales operaciones de refinanciación el primer día del mes de vencimiento, incrementado en un punto porcentual. Por tanto, no se aplican las normas nacionales que determinan el importe del tipo de interés exigible por las facilidades de pago.

> No sería de aplicación en España, en consecuencia, la regla que establece el artículo 26.6 LGT, conforme a la cual, en caso de que la totalidad de la deuda aplazada o fraccionada se garantice con aval solidario de entidad de crédito o sociedad de garantía recíproca o mediante certificado de seguro de caución, el interés de demora exigible será el interés legal que corresponda hasta la fecha de su ingreso, siendo en otro caso exigible el interés de demora, que es más elevado. Sí serían aplicables, en cambio, las reglas contenidas en el artículo 53 RGR, que regula los plazos para el cálculo de intereses.
>
> Para los Estados miembros cuya moneda no sea el euro, el tipo de interés de crédito será igual al tipo aplicado el primer día del mes de que se trate por el Banco Central nacional a sus principales operaciones de refinanciación, incrementado en un punto porcentual, o, para aquellos Estados miembros que no dispongan del tipo de interés del Banco Central nacional, el tipo más similar aplicado el primer día del mes de que se trate en el mercado monetario del Estado miembro, incrementado en un punto porcentual.

No se exigirán intereses cuando el importe por cobrar no supere los 10 euros (regla *de minimis*) ni cuando se acredite que la percepción de intereses pudiera provocar al deudor dificultades graves de orden económico o social (artículo 112 CAU, apartados 3 y 4).

En el ordenamiento tributario español se regulan dos facilidades de pago: el aplazamiento y el fraccionamiento (artículo 65 LGT y 44 a 54 RGR). Tanto uno como otro cumplen los dos criterios mínimos que señala el CAU y que acabamos de referir (exigencia de garantía y devengo de intereses). El aplazamiento permite pagar el importe de la deuda en un momento posterior, de una sola vez. El fraccionamiento permite pagar el importe de la deuda en porciones, en momentos futuros sucesivos. Previa solicitud del interesado (los detalles de esta solicitud se regulan en el artículo 46 RGR), pueden aplazarse y fraccionarse las deudas tributarias, tanto si se encuentran en período voluntario como si se encuentran en período ejecutivo, cuando la situación económico-financiera del deudor le impida, de forma transitoria, efectuar el pago en los plazos establecidos. De este modo la iliquidez del deudor —no la insolvencia— es un presupuesto para la concesión de estas facilidades. En este sentido, además, se dispone que, en caso de concurso del obligado tributario, no podrán aplazarse o fraccionarse las deudas tributarias que, de acuerdo con la legislación concursal, tengan la consideración de créditos contra la masa.

Para que puedan concederse, la Administración tributaria podrá exigir que se constituya a su favor aval solidario de entidad de crédito o sociedad de garantía recíproca o certificado de seguro de caución, cuya duración deberá exceder al menos en seis meses al vencimiento del plazo o plazos garantizados. Si el interesado justifica que no le resulta posible obtener dicho aval o certificado o que su aportación compromete gravemente la viabilidad de la actividad económica, la Administración podrá admitir garantías que consistan en hipoteca, prenda, fianza personal y solidaria u otra que se estime suficiente. Asimismo, el obligado tributario podrá solicitar de la Administración que adopte medidas cautelares en sustitución de las referidas garantías (las medidas cautelares se regulan en el artículo 81 LGT). La garantía debe cubrir el importe de la deuda en periodo voluntario, los intereses de demora que genere el aplazamiento o fraccionamiento y un 25 por ciento de la suma de ambas partidas.

La constitución de la garantía podrá dispensarse total o parcialmente en tres supuestos. El primero se produce cuando las deudas tributarias sean de cuantía inferior a 30.000 euros (Orden HAP/2178/2015, BOE 20.10.2015). Ahora bien, la referida Orden dispone expresamente que no es de aplicación respecto de las deudas a que se refiere el CAC (ahora habrá que entender que el CAU), salvo las que se contraigan en aplicación del artículo 220 del mismo (que regulaba la "contracción a posteriori" o liquidación posterior al levante, a la que se hace referencia en el capítulo 27). Esta excepción, no obstante, no cabe en el CAU dado que el artículo 112.1 CAU exige que se preste una garantía para cualquier facilidad de pago (salvo en las circunstancias del 112.3 CAU). El segundo supuesto se refiere a aquellos casos en que el obligado al pago carezca de bienes suficientes para garantizar la deuda y la ejecución de su patrimonio pudiera afectar sustancialmente al mantenimiento de la capacidad productiva y del nivel de empleo de la actividad económica respectiva, o pudiera producir graves quebrantos para los intereses de la Hacienda Pública. El tercer supuesto contiene una cláusula de cierre, al remitirse a "los demás casos que establezca la normativa tributaria". La dispensa de garantías se regula con mayor detalle en el artículo 50 RGR.

Por lo que hace a los aspectos procedimentales, la presentación de una solicitud de aplazamiento o fraccionamiento en período voluntario impedirá el inicio del período ejecutivo, pero no el devengo de intereses. Por su parte, las solicitudes en período ejecutivo podrán presentarse hasta el momento en que se notifique al obligado el acuerdo de enajenación de los bienes embargados y no impiden que la Administración inicie o, en su caso, continúe el procedimiento de apremio durante la tramitación del aplazamiento o fraccionamiento, aunque sí suspenderá las actuaciones de enajenación de los bienes embargados hasta la notificación de la resolución denegatoria, en su caso, del aplazamiento o fraccionamiento (expondremos el procedimiento de apremio más abajo). La tramitación de las solicitudes de aplazamiento y fraccionamiento y la resolución de las solicitudes se regulan, respectivamente, en los artículos 51 y 52 RGR. Por su parte, el artículo 54 RGR regula las actuaciones a realizar en caso de falta de pago del aplazamiento o fraccionamiento concedido.

Colaboración entre autoridades aduaneras. – El artículo 165 RECAU establece unas reglas, dirigidas a las autoridades aduaneras, a fin de asegurar que se prestan entre sí la asistencia mutua necesaria para asegurar un correcto funcionamiento del sistema.

En este sentido, en primer lugar, se establece que las autoridades aduaneras competentes para el cobro deben notificar, a las "demás autoridades aduaneras interesadas", el hecho de que ha nacido una deuda aduanera y las acciones emprendidas con el fin de recaudar la deuda del deudor. Por otra parte, se dispone que los Estados miembros deben prestarse asistencia mutua a fin de lograr la recaudación de la deuda aduanera.

Si las autoridades aduaneras del Estado miembro en el que las mercancías se han incluido en un régimen especial distinto del de tránsito o en depósito temporal obtienen, dentro del plazo de siete meses para determinar el lugar de nacimiento de la deuda aduanera (la fecha de inicio de cómputo de ese plazo depende del régimen de que se trate, véase el artículo 80 RDCAU), la prueba de que los hechos que originaron la deuda aduanera, o se considere que la originaron, se produjeron en otro Estado miembro, enviarán de inmediato y dentro de ese plazo de siete meses, toda la información de que dispongan a la autoridad aduanera del lugar en que se considere nacida la deuda. La autoridad aduanera receptora debe acusar recibo de esta comunicación e indicar si se considera responsable de la recaudación. En caso de no recibir esta respuesta en el plazo de noventa días, la autoridad aduanera remitente procederá de inmediato a la recaudación.

> Esta regla no se aplica si se trata de una deuda de importe inferior a 10.000 euros nacida por incumplimiento, pues en este caso la deuda se considera nacida en el Estado miembro en que se efectuó la verificación que permitió descubrir su existencia, conforme al artículo 87.4 CAU.

Análogamente, si se determina que ha nacido una deuda aduanera respecto a mercancías que no estaban incluidas en un régimen aduanero ni en depósito temporal y las autoridades aduaneras que hayan establecido esta circunstancia obtienen, antes de proceder a notificar esa deuda, la prueba de que los hechos que la originaron, o se considere que la originaron, se produjeron en otro Estado miembro, enviarán de inmediato y antes de la notificación de la deuda toda la información de que dispongan a la autoridad aduanera del lugar en que se entienda nacida la deuda. La autoridad aduanera receptora debe acusar recibo de esta comunicación e indicar si se considera responsable de la recaudación. En caso de no recibir esta respuesta en el plazo de noventa días, la autoridad aduanera remitente procederá de inmediato a la recaudación.

> Esta regla tampoco se aplica si se trata de una deuda de importe inferior a 10.000 euros nacida por incumplimiento.

Especialidades en el marco del régimen de tránsito y de importación temporal.– En una operación de tránsito lo más frecuente es que se encuentren implicadas las autoridades de diferentes Estados miembros. Por ello el RECAU contiene algunas reglas específicas a fin de coordinar su acción al objeto de asegurar la correcta recaudación de las cantidades implicadas, tanto de los derechos de aduana como de otros gravámenes.

El primer supuesto al que debemos referirnos es el que se produce cuando, en el marco de una operación de tránsito de la Unión o de tránsito al amparo del Convenio TIR, las autoridades que notificaron la deuda aduanera y otros gravámenes al deudor obtienen pruebas de que la deuda aduanera se originó en otro Estado miembro (artículo 167 RECAU). En este caso se ordena a estas autoridades suspender el procedimiento de recaudación y enviar sin demora todos los documentos necesarios, incluida una copia certificada de los elementos de prueba, a las autoridades del lugar en que se considera que nació la deuda. Junto a su envío, las autoridades remitentes solicitarán a la autoridad receptora que confirme que es competente para recaudar los demás gravámenes. Por su parte, la autoridad receptora debe acusar recibo de la comunicación e indicar si es competente para recaudar los demás gravámenes. De no recibirse esta respuesta dentro del plazo de veintiocho días, las autoridades remitentes reanudarán de inmediato el procedimiento de recaudación que habían iniciado. Por el contrario, en caso de recibir la respuesta en la que se afirme la competencia para recaudar de la autoridad receptora, se suspenderá el procedimiento de recaudación de otros gravámenes iniciado por las autoridades remitentes. Adicionalmente, una vez que la autoridad receptora aporte la prueba de que la recaudación se ha producido, las autoridades remitentes reembolsarán, en su caso, las sumas que ya hubiesen podido percibir por los demás gravámenes o anularán el procedimiento de recaudación que iniciaron.

> Un mecanismo análogo se establece en el artículo 169 RECAU cuando las mercancías se incluyen en el régimen de tránsito al amparo del Convenio ATA o del Convenio de Estambul. Como especialidades en este caso debemos señalar las siguientes: 1) no se ordena inicialmente suspender el procedimiento de recaudación iniciado por las autoridades remitentes, al menos de forma expresa; 2) la respuesta de la autoridad receptora debe formalizarse en el modelo que figura en el anexo 33-05 RECAU y se debe indicar que se ha interpuesto una reclamación a la asociación garantizadora del Estado miembro receptor; 3) Si las autoridades receptoras son competentes, deben iniciar, una vez transcurrido el plazo de 90 días para responder a las autoridades remitentes, un nuevo procedimiento de recaudación de los demás impuestos, informando de ello inmediatamente a las autoridades remitentes; 4) Las autoridades receptoras deben recaudar, si procede, de la asociación garantizadora con la que estén vinculadas el importe de los derechos y demás gravámenes devengados a los tipos aplicables en el Estado miembro receptor; 5) La transferencia de procedimiento deberá tener lugar en el plazo de un año a partir de la caducidad de la validez del cuaderno, salvo que el pago se haya convertido en definitivo, en aplicación de lo dispuesto en el artículo 7, apartados 2 o 3, del Convenio ATA o en el artículo 9, apartado 1, letras b) y c), del anexo A del Convenio de Estambul; 6) El reembolso, por parte de las autoridades remitentes a la asociación garantizadora con la que estén vinculadas, de las sumas que ya hubieran consignado o pagado provisionalmente se producirá tan pronto las autoridades receptoras indiquen que son competentes para recaudar los demás gravámenes, sin esperar por tanto a la confirmación de que la recaudación se ha producido efectivamente.
>
> Este mismo procedimiento del artículo 169 RECAU se aplicará, *mutatis mutandi*, para la recaudación de otros gravámenes respecto de mercancías incluidas en un régimen de importación temporal de conformidad con el Convenio ATA o el Convenio de Estambul (artículo 170 RECAU).

Por otra parte, se establece la obligación, a cargo de las autoridades competentes para la recaudación, de informar a la aduana de partida de la recaudación de los derechos y otros gravámenes cuando se produzca el nacimiento de una deuda aduanera con respecto a mercancías incluidas en el régimen de tránsito de la Unión o al amparo del Convenio TIR (artículo 168 RECAU).

Por lo que hace a la mecánica para la recaudación de la deuda aduanera nacida respecto de mercancías en el marco del régimen del Convenio ATA y del Convenio de Estambul, son las autoridades aduaneras que constaten que se ha producido el nacimiento de la deuda aduanera quienes deben presentar una reclamación a la asociación garantizadora sin demora.

Cada Estado miembro debe designar una aduana de coordinación, que será responsable de toda medida relativa a deudas aduaneras que nazcan por incumplimiento de obligaciones o condiciones relativas a los cuadernos ATA o CPD (artículo 166 RECAU).

Los Estados miembros deben comunicar a la Comisión la aduana de coordinación junto con su número de referencia, información que la Comisión publicará en su sitio web.

Pues bien, la aduana de coordinación que presente la reclamación de pago dirigida a una asociación garantizadora (a esta reclamación se refiere el artículo 86 RDCAU, al que nos hemos referido en el punto 26.1) debe enviar, al mismo tiempo que la reclamación, una nota informativa a la aduana de coordinación correspondiente al Estado de la aduana de inclusión en el régimen de importación temporal, utilizando a este fin el modelo que figura en el anexo 33-03 RECAU. La nota informativa, que podrá utilizarse cada vez que se estime necesario, debe acompañarse de una copia de la hoja no ultimada, si la aduana coordinadora dispone de ella.

El formulario de imposición (cuyo modelo, según ya hemos señalado en el punto 26.1, se recoge en el anexo 33-04 RECAU) puede enviarse con posterioridad a la reclamación a la asociación garantizadora. El plazo para enviar el formulario de imposición es de tres meses a contar desde la reclamación a la asociación garantizadora, sin que en ningún caso pueda exceder de seis meses a contar desde la fecha en la que las autoridades iniciaron el procedimiento de recaudación.

26.3. INCUMPLIMIENTO DEL PAGO. LA EJECUCIÓN FORZOSA

El artículo 113 CAU regula, de forma escueta, las consecuencias del incumplimiento de la obligación de pagar la deuda aduanera en los plazos establecidos. Dispone que, en caso de producirse esta eventualidad, las autoridades deben hacer uso de todos los medios de que dispongan con arreglo al derecho nacional para garantizar el pago de dicho importe. A renglón seguido, el artículo 114 CAU regula la percepción de intereses de demora que, como regla general, se devengarán desde la fecha en que expire el plazo establecido para el pago hasta la fecha de su realización. El tipo de interés aplicable, en el caso de los Estados miembros cuya moneda sea el euro, será análogo al que hemos señalado para las facilidades de pago, pero, en este caso, incrementado en dos puntos porcentuales, no en un punto como se ordena para las facilidades de pago. En consecuencia, el tipo de interés de demora aplicable será el tipo de interés publicado en el Diario Oficial de la UE, serie C, que el Banco Central Europeo aplique a sus principales operaciones de refinanciación el primer día del mes de vencimiento, incrementado en dos puntos porcentuales.

Análogamente, para los Estados miembros cuya moneda no sea el euro, el tipo aplicable será el tipo aplicado el primer día del mes de que se trate por el Banco Central nacional a sus principales operaciones de refinanciación, incrementado en dos puntos porcentuales, o, para aquellos Estados miembros que no dispongan del tipo del Banco Central nacional, el tipo más similar aplicado el primer día del mes de que se trate en el mercado monetario del Estado miembro, incrementado en dos puntos porcentuales.

El período de devengo de intereses de demora es diferente cuando la deuda nace por incumplimiento y también cuando la deuda derive de un control posterior al levante (el tipo de interés, en cambio, no sufre variación). En este caso el período de generación de intereses no se inicia con la finalización del plazo de pago voluntario, sino desde la fecha en que se produzcan las circunstancias que determinen el nacimiento de la deuda aduanera y hasta su notificación (artículo 114.2 CAU).

Bajo la vigencia del CAC el TJUE ya propició una solución análoga para los supuestos en los que la deuda nace de la comisión de una irregularidad en su STJUE *Hannl* (asunto C-91/02, de 16.10.2003). Se discutía en ella si cabía que el ordenamiento interno estableciera la exigibilidad de intereses de demora en los supuestos que se regulaban en los artículos 202 a 205, 210, 211 y 220 del CAC (todos ellos supuestos de nacimiento de la deuda por comisión de una irregularidad). El TJUE decidió que el CAC y el RACAC "deben interpretarse en el sentido de que no se oponen a una normativa que establece un recargo sobre los derechos de aduana en el supuesto de que se origine una deuda aduanera con arreglo a los artículos 202 a 205, 210 o 211 del Código aduanero comunitario, o en caso de recaudación a posteriori con arreglo al artículo 220 del mismo Código, cuyo importe equivale a los intereses de demora que se habrían devengado durante el período comprendido entre el nacimiento de la deuda aduanera y su contracción, o bien, en caso de recaudación a posteriori con arreglo al artículo 220 del Código aduanero comunitario, entre la fecha de exigibilidad de dicha deuda inicialmente contraída y la contracción a posteriori de la referida deuda, siempre que el tipo de interés se fije en condiciones análogas a las que en Derecho nacional se aplican a las infracciones de la misma naturaleza y gravedad y que confieran a la sanción un carácter efectivo, proporcionado y disuasivo. Corresponde al órgano jurisdiccional nacional apreciar si el recargo controvertido en el asunto principal se ajusta a dichos principios". Interesa llamar la atención sobre el hecho de que el TJUE se refirió a los intereses como "sanción" que se aplica a una "infracción", cuando nuestra doctrina es pacífica acerca de que los intereses tienen naturaleza resarcitoria, no punitiva. Respecto a los argumentos que le llevaron a este fallo, interesa subrayar el relativo a que "la falta de tal medida beneficiaría a los operadores que, adoptando un comportamiento ilegal o negligente, retrasaran la contracción de la deuda aduanera" (p. 21).

En cambio, la aplicación de la regla de generación de intereses desde el nacimiento de la deuda (y no desde la conclusión del período voluntario de pago) a los supuestos de liquidación posterior al levante supone dejar sin efecto la doctrina del TJUE en el caso *Aurubis* (asunto C-546/09, de 31.03.2011). Conviene que expongamos sucintamente el contenido de esta relevante sentencia. Aurubis despachaba unas mercancías a libre práctica y tomaba como precio en el que basar el valor en aduana un precio provisional facturado por el vendedor. Posteriormente el vendedor ajustaba ese precio mediante la emisión de una factura definitiva. Aurubis comunicó a la Administración, de forma espontánea, el nuevo precio a los efectos de que pudiera re-determinar el valor en aduana. Se cuestionó en esta Sentencia si las autoridades podían exigir intereses desde el momento en que nació la deuda (que es el momento en que se aceptó la declaración inicial de despacho) o sólo desde que concluyó el período de pago (tras la práctica de la liquidación por la Administración). El TJUE interpretó que, conforme al art. 232.1.b) CAC (que disponía que se percibiría un interés de demora "cuando no se haya abonado el importe de derechos en el plazo establecido"), los intereses sólo eran exigibles desde la conclusión del período de pago. Argumentó además el Tribunal que el art. 232.2.c) CAC establecía que las autoridades podían renunciar a exigir el pago de intereses cuando el pago se produjera dentro del plazo de cinco días tras el plazo previsto para el pago, lo que indicaba que el plazo en el que se estaba pensando respecto al devengo de intereses era el que se iniciaba con la conclusión del plazo de pago.

La exigencia de intereses de demora puede quedar eximida en dos circunstancias (artículo 114 CAU, apartados 3 y 4). La primera cuando, debido a la situación del deudor, esta exigencia pueda provocar graves dificultades de orden económico o social. La segunda cuando la cuantía por cobrar no supere los 10 euros (regla *de minimis*).

> Los intereses pueden asimismo generarse a favor del operador. En la Sentencia *Wortmann* (asunto C-365/15, de 18.01.2017) el TJUE decidió que, cuando se devuelven importes derivados de impuestos arancelarios que han sido recaudados en contra del Derecho de la Unión, los Estados miembros están obligados a satisfacer los correspondientes intereses, que deben calcularse desde la fecha de pago de los derechos devueltos. En aquél asunto se trataba de unos derechos antidumping que fueron recaudados en virtud de un Reglamento que fue posteriormente declarado nulo.

Ante la parquedad de las disposiciones de la UE a la hora de regular las consecuencias del incumplimiento de la obligación del pago de la deuda, hemos de acudir a lo establecido en los diferentes ordenamientos nacionales.

En el caso de España, la falta de ingreso en el período voluntario de pago subsiguiente a la notificación de una liquidación determina que, al día siguiente a la conclusión de este período voluntario, se inicie el período ejecutivo (artículo 161.1(a) LGT, si bien el plazo voluntario de pago no será en este caso el que se establece en el artículo 62 LGT, al que se remite este precepto, sino el que disponen las normas de la UE). El período ejecutivo no se iniciará si durante el período voluntario se formula una solicitud de aplazamiento o fraccionamiento de pago o de compensación, en tanto se tramiten estos expedientes.

Iniciado el período ejecutivo, la Administración procederá a efectuar la recaudación de la deuda liquidada mediante el procedimiento de apremio, cuyas costas correrán a cargo del deudor. Por otra parte, el inicio del período ejecutivo determinará la exigencia de los intereses de demora y de los recargos del período ejecutivo.

> Conforme al artículo 26 LGT los intereses de demora se exigen, no sólo una vez se inicia el período ejecutivo, sino también cuando se presenta fuera de plazo una declaración de la que

resulte una cantidad a ingresar o se presenta en plazo, pero incorrectamente. Esta regla es equivalente a la que establece el artículo 114.2 CAU para las liquidaciones posteriores al levante.

Intereses de demora. – El artículo 26 LGT caracteriza al interés de demora como una prestación accesoria y dispone que su exigencia no requiere la previa intimación de la Administración ni la concurrencia de un retraso culpable en el obligado, de manera que su devengo es automático. Su cuantía se calcula sobre el importe no ingresado en plazo —o sobre la cuantía de la devolución cobrada improcedentemente—, y resultará exigible durante el tiempo en el que se extienda el retraso del obligado.

> Los intereses no se generan por el período durante el cual la Administración tributaria incumpla, por causa que le sea imputable, alguno de los plazos fijados en la LGT para resolver (p.e. los plazos de 6 meses que señalamos para el procedimiento de verificación de datos, o para el procedimiento de comprobación limitada o los 18 o 27 meses para el procedimiento de inspección; véase el capítulo 25.4), en cuyo caso no se generarán intereses de demora desde el momento en que se incumpla ese plazo y hasta que se dicte la resolución correspondiente o se interponga recurso contra la resolución presunta. Por excepción, los intereses no dejan de generarse si el plazo que incumple la Administración es el de resolución de solicitudes de aplazamiento o fraccionamiento del pago.
>
> El artículo 26.5 LGT se refiere al caso particular de que se anule una liquidación por resolución administrativa o judicial y sea por ello necesario dictar una nueva liquidación. Para este supuesto dispone que se conservarán íntegramente los actos y trámites no afectados por la causa de anulación, con mantenimiento íntegro de su contenido, y exigencia del interés de demora sobre el importe de la nueva liquidación. El inicio del cómputo del interés de demora será el que hubiera correspondido a la liquidación anulada y el interés se devengará hasta el momento en que se haya dictado la nueva liquidación, sin que el final del cómputo pueda ser posterior al plazo máximo para ejecutar la resolución. Esta disposición ha sido muy contestada, dado que quien gana una disputa a la Administración puede encontrarse con la desagradable sorpresa de que la Administración le vuelve a liquidar y, además, le exige intereses por todo el período transcurrido desde la liquidación inicial lo cual, atendida la lentitud de los Tribunales, puede ser un considerable número de años. Recordemos en este punto que, aunque la deuda derivada de los impuestos arancelarios caduca por el transcurso de 3 años, este plazo se suspende (se "para el reloj") por la interposición de un recurso, por toda la duración del procedimiento o del proceso (véase capítulo 25.2).

Puesto que el CAU nada dice respecto a que los períodos de retraso imputables a la Administración no determinen el devengo de intereses, cabe concluir que la Hacienda española deberá incluir esos intereses al calcular la cantidad que debe transferir a la Hacienda de la UE, por más que no pueda repercutirlos al obligado.

Por otro lado, atendido que el artículo 114.1 CAU determina la forma en que se cuantifica el tipo de interés de demora, tampoco serán de aplicación a los impuestos arancelarios las reglas de la LGT en la materia.

SANTIAGO IBÁÑEZ MARSILLA

Conforme a la LGT, para calcular la cuantía del interés de demora se aplicará el tipo de interés legal del dinero vigente a lo largo del período en el que aquél resulte exigible, incrementado en un 25 por ciento, salvo que la Ley de Presupuestos Generales del Estado establezca otro diferente. En la práctica, el tipo de interés legal del dinero, así como el tipo de interés de demora, se regulan cada año en la Ley de Presupuestos Generales del Estado. Por ello, al determinarse de forma explícita el tipo de interés de demora, es éste el que se aplica en general en materia tributaria y no el tipo de interés legal incrementado en un 25 por ciento.

Esta regla general tiene una excepción en los supuestos de aplazamiento, fraccionamiento o suspensión de deudas garantizadas en su totalidad mediante aval solidario de entidad de crédito o sociedad de garantía recíproca o mediante certificado de seguro de caución. En estos casos el interés de demora exigible que establece la LGT es el interés legal (en materia de impuestos arancelarios habría que estar en este caso, según hemos expuesto, al tipo que se regula en el artículo 112.2 CAU, es decir "el tipo de interés de crédito será igual al tipo de interés publicado en el Diario Oficial de la Unión Europea, serie C, que el Banco Central Europeo aplique a sus principales operaciones de refinanciación el primer día del mes de vencimiento, incrementado en un punto porcentual").

Recargos del período ejecutivo. – Por lo que hace a los recargos del período ejecutivo, que hemos señalado que el artículo 161 LGT también ordena aplicar una vez se inicia el período ejecutivo, estos se regulan en el artículo 28 LGT. En este precepto se distinguen tres tipos de recargo en función del momento en que se efectúe el pago:

1. Recargo ejecutivo, que se aplica cuando se satisface la totalidad de la deuda no ingresada en periodo voluntario antes de la notificación de la providencia de apremio (nos referiremos a la providencia de apremio más adelante). Su importe es del cinco por ciento.

2. Recargo de apremio reducido, que se aplica cuando se satisface, la totalidad de la deuda no ingresada en periodo voluntario y el propio recargo, antes de la finalización del período de ingreso que se abre con la notificación de la providencia de apremio. Este período es hasta el día 20 del mes si la providencia de apremio se notifica entre los días 1 al 15 del mes; y hasta el día 5 del mes siguiente si la providencia de apremio se notifica entre los días 16 y último de cada mes. El recargo de apremio reducido se fija en el 10 por ciento.

3. Recargo de apremio ordinario, que se aplica cuando se satisface la deuda incumpliendo los plazos de los dos números anteriores. Su importe se fija en el 20 por ciento.

Estos recargos son incompatibles entre sí y se calculan sobre la totalidad de la deuda no ingresada en período voluntario. El recargo de apremio ordinario es compatible con los intereses de demora. Por el contrario, si resulta exigible el recargo ejecutivo o el recargo de apremio reducido no se exigirán los intereses de demora devengados desde el inicio del período ejecutivo.

La regla que acabamos de exponer, conforme a la cual el recargo ejecutivo y el recargo de apremio reducido son incompatibles con los intereses de demora, plantea dificultades en el seno de los impuestos arancelarios, dado que en el artículo 114 CAU no se establecen excepciones al devengo de intereses. Por ello habría que abogar por reducir proporcionalmente —en la cuantía coincidente— el recargo de que se trate y mantener que se siguen devengando intereses de demora.

Recargos por declaración extemporánea sin requerimiento previo.– Para completar el régimen de las prestaciones de pago accesorias convendrá que nos refiramos, asimismo, a los recargos por declaración extemporánea sin requerimiento previo, que se regulan en el artículo 27 LGT. Como su propio nombre indica, estos recargos se devengan cuando la declaración se presenta fuera de plazo, pero de forma espontánea, es decir, antes de que la Administración haya realizado cualquier actuación administrativa con conocimiento formal del obligado tributario conducente al reconocimiento, regularización, comprobación, inspección, aseguramiento o liquidación de la deuda tributaria. Obsérvese que hablamos de declaración presentada fuera del plazo _para declarar_, no fuera del plazo para ingresar.

> En materia aduanera el plazo inicial para declarar es de 90 días, a contar desde la presentación de la declaración sumaria (artículo 149 CAU).

Ha de tenerse en cuenta, no obstante, que lo dispuesto en el artículo 27 LGT no es de aplicación a "las declaraciones aduaneras", conforme a lo que establece la letra (d) del apartado 1 de la Disposición Adicional Vigésima LGT. El alcance de esta norma no es claro. No plantea dudas que esta regla supone excluir la aplicabilidad del sistema de recargos del artículo 27 LGT respecto de los impuestos arancelarios. Adicionalmente, cabría pensar que, puesto que el IVA a la importación se gestiona asimismo a partir de la declaración aduanera, tampoco cabría aplicar el régimen que el artículo 27 LGT dispone respecto del IVA a la importación. Esa extensión al IVA a la importación, no obstante, queda desmentida por la Exposición de Motivos de la Ley 11/2021 (que introduce la norma a que se hace referencia, es decir, la letra (e) del apartado 1 de la Disposición Adicional Vigésima LGT), puesto que en ella se limita el ámbito de la exclusión que establece "respecto de la deuda aduanera". Por tanto, pese a la desafortunada redacción legal, en materia aduanera los recargos del artículo 27 LGT sí son aplicables respecto del IVA a la importación, además de respecto a los IIEE a la importación.

> El motivo por el cual se ha establecido la exclusión de la aplicabilidad de los recargos del artículo 27 LGT a "las declaraciones aduaneras" consiste en que las normas de la UE establecen la exigibilidad de intereses de demora respecto de la deuda aduanera siempre que ésta se ingresa con retraso (artículo 114 CAU), en tanto que los recargos del artículo 27 LGT suponen una consecuencia jurídica distinta y que además _sustituye_ a los intereses de demora durante los primeros 12 meses de retraso, por lo que el artículo 27 LGT podría considerarse una regulación nacional incompatible. Ahora bien, la norma de la UE referida rige respecto de los impuestos

arancelarios (los que integran la deuda aduanera), tal y como la Exposición de Motivos de la Ley 11/2021 señala, de modo que nada impide mantener la aplicabilidad de los recargos del artículo 27 LGT respecto del IVA a la importación, y esa parece ser la voluntad de la Ley 11/2021.

El artículo 27 LGT establece un recargo inicial del 1 por ciento, que se incrementa en un 1 por ciento mensual por cada mes completo de retraso con que se presente la autoliquidación o declaración (para determinar el referido retraso se toma como referencia el término del plazo establecido para la presentación de la autoliquidación o declaración). La base de cálculo sobre la que se calcula este porcentaje de recargo es el importe a ingresar que resulte de la declaración o de la autoliquidación. El recargo es incompatible con los intereses de demora y con las sanciones.

Ejemplo. Supóngase que se declara tres meses y quince días más tarde del plazo establecido. El recargo aplicable sería del 4% (un 1 por ciento, más un 1 por ciento por cada mes completo; como hay 3 meses completos: 1 +3 = 4).

Si el retraso en la presentación de la autoliquidación o de la declaración supera los 12 meses, el recargo pasa a ser del 15 por 100, excluyendo asimismo las sanciones, pero no los intereses de demora que se generen a partir de la expiración de ese retraso de 12 meses.

El recargo del artículo 27 LGT no se exige si el obligado tributario regulariza una conducta tributaria que lo haya sido previamente por la Administración Tributaria por el mismo concepto impositivo y circunstancias, pero por otros periodos impositivos, no habiendo sido merecedora de sanción, siempre que se regularice en un plazo de seis meses desde la notificación de la liquidación. Además, para quedar eximido del recargo, la cuantía resultante debe pagarse en los términos previstos en el artículo 27.5 LGT (es decir, debe pagarse dentro del plazo de pago que corresponda, sea el establecido para las liquidaciones tributarias en el artículo 62.2 LGT, sea el que resulte del aplazamiento o fraccionamiento solicitado dentro del plazo de pago y concedido con garantía de aval o certificado de seguro de caución); y no debe presentarse solicitud de rectificación de la declaración o autoliquidación, ni se debe interponer recurso o reclamación contra la liquidación dictada por la Administración.
Por otra parte, estos recargos pueden superponerse con los recargos del período ejecutivo a que nos hemos referido antes si, además de presentar la declaración de forma tardía pero espontánea, se incumple después el plazo de pago voluntario una vez se notifica la liquidación.

Los recargos por declaración extemporánea espontánea se reducen en un 25 por ciento si se realiza el ingreso total de la deuda y del importe restante del recargo en el plazo de ingreso voluntario que se abre con la notificación de la liquidación.

También se aplica la reducción del 25 por ciento del importe del recargo si, en el plazo de ingreso voluntario que se abre con la notificación de la liquidación, se formula una solicitud de aplazamiento o fraccionamiento, con aportación como garantía de aval o certificado de seguro de caución, y el obligado paga la deuda en el plazo o fracciones concedidas por la Administración.

Procedimiento de apremio.– Una vez iniciado el período ejecutivo, la Administración pondrá en marcha el procedimiento de apremio para hacer efectiva la recaudación de la deuda (artículos 163 a 173 LGT y 70 a 123 RGR). El procedimiento de apremio es un procedimiento administrativo que se inicia e impulsa de oficio y que, una vez iniciado, sólo se suspenderá en los casos tasados previstos en la normativa tributaria (véanse los supuestos de suspensión en el artículo 165 LGT, entre los que podemos destacar que el interesado demuestre que se ha producido en su perjuicio error material, aritmético o de hecho en la determinación de la deuda, o bien que la misma ha sido ingresada, condonada, compensada, aplazada o suspendida, o bien que ha prescrito el derecho a exigir el pago; en estos casos la suspensión es automática y sin garantía).

El procedimiento de apremio se inicia mediante la *providencia de apremio*. La providencia de apremio es una resolución en la que la Administración constata que hay pendiente de ingreso una deuda, que ha concluido el período voluntario para su pago y que hay identificado un deudor y, a partir de estos elementos, configura su voluntad de proceder de forma ejecutiva contra él. La providencia de apremio se notifica al deudor, identificando la deuda pendiente y los recargos aplicables y requiriéndole el pago.

> Recordemos que el importe de los recargos del período ejecutivo se fija en función del momento en que se ingrese la deuda respecto a la notificación de la providencia de apremio; si se ingresa antes, el recargo es del 5 por 100; si se ingresa en el período de ingreso que se abre tras la notificación de la providencia de apremio el recargo es del 10 por 100; y, finalmente, si se ingresa incumpliendo ambos plazos, el recargo es del 20 por 100 y además compatible con la exigibilidad de intereses de demora.
>
> La providencia de apremio es una decisión en el sentido del artículo 5.(39) CAU y tiene un contenido desfavorable para el interesado. Por ese motivo, en principio le sería aplicable el requisito del trámite de audiencia previo a su adopción que establece el artículo 22.6 del CAU. Ahora bien, entre los supuestos de excepción al trámite de audiencia el artículo 22.6(d) CAU establece el de las decisiones que tengan "por objeto velar por la aplicación de otra decisión". En este sentido, cabría interpretar que la providencia de apremio se dirige a dar efectividad a la liquidación tributaria.

Como proyección de la presunción de legalidad de las resoluciones administrativas, la providencia de apremio tiene la consideración de título ejecutivo —con la misma fuerza ejecutiva que la sentencia judicial, dice el artículo 167.2 LGT—, lo que permite a la Administración proceder por sí misma contra los bienes y derechos de los obligados tributarios, sin necesidad de auxilio judicial.

El procedimiento de apremio es un procedimiento ejecutivo, no declarativo. Esto significa que en el procedimiento ejecutivo no se determina quién debe y qué debe, dado que eso ya queda establecido en el procedimiento de liquidación —que es el procedimiento declarativo, donde se determina qué derecho tiene la Administración y contra quién—. En el procedimiento ejecutivo se trata de hacer efectivo lo determinado en el procedimiento de liquidación. Este es el motivo por el cual aparecen tasadas las causas de oposición del interesado frente a la pretensión formulada por la Administración por medio de la providencia de apremio. Estas causas son:

a) Extinción total de la deuda o prescripción del derecho a exigir el pago.

b) Solicitud de aplazamiento, fraccionamiento o compensación en período voluntario y otras causas de suspensión del procedimiento de recaudación.

c) Falta de notificación de la liquidación.

d) Anulación de la liquidación.

e) Error u omisión en el contenido de la providencia de apremio que impida la identificación del deudor o de la deuda apremiada.

Observemos que, según hemos indicado, no cabe en el marco de este procedimiento discutir cuánto se debe, sino simplemente si se debe.

Ejemplo

Por ejemplo, el deudor no podría impugnar la providencia de apremio alegando que la Administración no le ha aplicado el tipo reducido que corresponde al origen preferencial de las mercancías. Eso se podrá alegar contra la liquidación, pero no contra la providencia de apremio.

Una vez notificada la providencia de apremio se abre un período de pago. Este período de pago será:

• Si la providencia de apremio se notifica entre los días 1 a 15 del mes, hasta el día 20 de ese mes.

• Si la providencia de apremio se notifica entre los días 16 al último del mes, hasta el día 5 del mes siguiente.

En caso de que el interesado no efectúe el pago en este plazo, la Administración procederá al embargo de sus bienes, circunstancia que se hará constar en la providencia de apremio. Antes del embargo, no obstante, la Administración ejecutará las garantías del pago de la deuda que se hubieren constituido, en su caso (artículo 168 LGT). Ahora bien, si la garantía fuera insuficiente o si el obligado lo solicita, la Administración puede optar por el embargo.

El embargo debe ser proporcional a la deuda y suficiente para cubrir su importe, así como: a) los intereses (tanto los ya devengados como los que se devenguen hasta la fecha del ingreso en el Tesoro); b) los recargos del período ejecutivo; y c) las costas del propio procedimiento de apremio. El obligado puede acordar un orden o prelación de bienes para el embargo. En defecto de este acuerdo, el orden de embargo de bienes y derechos será el que se dispone en el artículo 169.2 LGT (donde se ordenan los bienes y derechos con preferencia por los más líquidos, es decir, con preferencia por el dinero o derechos fácilmente convertibles en dinero). La Administración embargará bienes y derechos hasta que considere que podrá cubrir el importe a ejecutar. Para proceder al embargo se dictarán *diligencias de embargo* (una por cada actuación de embargo), que se notificarán a la persona con la que se entienda la actuación de embargo (el poseedor o depositario del bien o derecho). Si se trata de bienes inscribibles en un registro público, la Administración tributaria tendrá derecho a que se practique anotación preventiva de embargo en el registro correspondiente. A este fin, la Administración expedirá mandamiento de embargo, solicitándose, asimismo, que se emita certificación de las cargas que figuren en el registro. Al obligado se le notificará una vez que ya se haya realizado el embargo.

Al igual que hemos visto para la providencia de apremio, también para las diligencias de embargo la LGT tasa los motivos de oposición. Son los siguientes (artículo 170.3 LGT):

a) Extinción de la deuda o prescripción del derecho a exigir el pago.

b) Falta de notificación de la providencia de apremio.

c) Incumplimiento de las normas reguladoras del embargo contenidas en la LGT.

d) Suspensión del procedimiento de recaudación.

Una vez embargados los bienes y derechos, se procederá a su enajenación para satisfacer la deuda con cargo al importe realizado. La enajenación de los bienes embargados se realizará, bien mediante subasta, bien mediante concurso o bien mediante adjudicación directa, con preferencia general por la subasta (artículo 172 LGT y 100 RGR). Esta decisión se adoptará mediante el acuerdo de enajenación, cuyas causas de impugnación son las mismas que hemos señalado para las diligencias de embargo. Hasta el momento en que se adjudiquen los bienes el obligado podrá evitar su enajenación y quedar liberado mediante el pago de la deuda.

El procedimiento de apremio terminará de alguna de las tres formas siguientes:

a) Con el pago de la cantidad debida.

b) Con el acuerdo que declare el crédito total o parcialmente incobrable, una vez declarados fallidos todos los obligados al pago. Ahora bien, el procedimiento de apremio se reanudará, dentro del plazo de prescripción, cuando se tenga conocimiento de la solvencia de algún obligado al pago.

c) Con el acuerdo de haber quedado extinguida la deuda por cualquier otra causa.

26.4. OTRAS FORMAS DE EXTINCIÓN DE LA DEUDA

Regulación de las otras formas de extinción de la deuda		
CAU	**RDCAU**	**RECAU**
124 y 125	103	-

Junto al pago, el artículo 124 CAU enumera las otras formas de extinción de la deuda. Son las siguientes:

- La caducidad del ejercicio de la potestad de liquidación. Ya se ha señalado en el capítulo 25 que este plazo de caducidad se fija en tres años, con carácter general.

  Respecto a los plazos aplicables a las irregularidades que se cometan con ocasión de la importación o la exportación pero no tengan naturaleza aduanera, véase la STJUE *Vosding Schlacht* (asunto C-278/07, de 16.07.2009). Debe advertirse, no obstante, que para calificar una irregularidad como no aduanera, ha de tenerse en cuenta que el CAU y sus Reglamentos de desarrollo son disposiciones aduaneras generales, aplicables con este carácter, por ejemplo, en materia de restituciones a la exportación, STJUE *Stolle* (asunto C-323/10, de 24.11.2011, a la que consideramos una enmienda implícita de su anterior STJUE *Handlbauer*, asunto C-278/02, de 24.06.2004).

- La condonación de los derechos. La condonación se examina en detalle en el capítulo 28.

  Cuando haya varios deudores la condonación solo extinguirá la deuda aduanera respecto de la persona o personas a las que se conceda la condonación (artículo 124.5 CAU; a esta misma solución llegó el TJUE bajo la vigencia del CAC, en ausencia de norma expresa, en su Sentencia *Berel*, asunto C-78/10). Se trata, por tanto, de una excepción a la regla general que establece un régimen de solidaridad entre deudores (artículo 84 CAU).

- Cuando se invalide la declaración en aduana para un régimen aduanero que determine la obligación de pagar derechos.

  La invalidación de la declaración se regula en el artículo 174 CAU (véase capítulo 23.1). Téngase en cuenta, además, que el artículo 148 RDCAU regula los supuestos en los que cabe invalidar una declaración en aduana aún después de la concesión del levante. Véase a este respecto también la STJUE *DP Grup* (asunto C-138/10, de 15.09.2011). Sostiene el Tribunal que el declarante puede solicitar a las autoridades aduaneras —y no a un órgano jurisdiccional— que invaliden la declaración, incluso después de que hayan concedido el levante de la mercancía. Frente a la decisión de las autoridades, que debe ser motivada, se podrá impugnar ante los órganos jurisdiccionales.

- Cuando se determine judicialmente la insolvencia del deudor y esta circunstancia determine la extinción de la deuda conforme a las disposiciones vigentes.

Según hemos señalado al exponer el procedimiento de apremio, una de sus formas de conclusión consiste justamente en la declaración del crédito total o parcialmente incobrable, una vez declarados fallidos todos los obligados al pago. Conforme al artículo 61 RGR, "se considerarán fallidos aquellos obligados al pago respecto de los cuales se ignore la existencia de bienes o derechos embargables o realizables para el cobro del débito". La declaración de fallido puede referirse a la insolvencia total o parcial del deudor (la parcial es la del deudor cuyo patrimonio embargable o realizable conocido tan solo alcance a cubrir una parte de la deuda). A su vez, "son créditos incobrables aquellos que no han podido hacerse efectivos en el procedimiento de apremio por resultar fallidos los obligados al pago", de modo que el concepto de incobrable se aplica a los créditos y el de fallido a los obligados al pago. Si se declaran fallidos los deudores principales y los responsables solidarios, la acción de cobro todavía se dirigirá frente al responsable subsidiario. Si no existieran responsables subsidiarios o, si existiendo, estos resultan fallidos, el crédito será declarado incobrable por el órgano de recaudación. Aunque la declaración total o parcial de crédito incobrable determinará la baja en cuentas del crédito en la cuantía a que se refiera dicha declaración, ello no impide el ejercicio por la Hacienda pública, contra quien proceda, de las acciones que puedan ejercitarse en tanto no se haya producido la prescripción del derecho de la Administración para exigir el pago. En este sentido, el órgano de recaudación vigilará la posible solvencia sobrevenida de los obligados al pago declarados fallidos para, en su caso y de no mediar prescripción, proceder a la rehabilitación de los créditos declarados incobrables, reanudándose el procedimiento de recaudación partiendo de la situación en que se encontraban en el momento de la declaración de crédito incobrable o de la baja por referencia (artículos 61 a 63 RGR).

Observemos que esta regulación española no parece incompatible con la consideración de la insolvencia del deudor como causa de extinción de la deuda, en la medida en que el CAU exige que esa insolvencia haya sido declarada judicialmente. Si se produjera esa circunstancia (la declaración judicial de insolvencia), parece que no cabría en materia aduanera la rehabilitación del crédito que dispone la LGT y el RGR. En este sentido, debe tenerse en cuenta que el artículo 59 LGT dispone que "las deudas tributarias podrán extinguirse por pago, prescripción, compensación o condonación, *por los medios previstos en la normativa aduanera* y por los demás medios previstos en las leyes".

- Cuando unas mercancías sujetas a derechos de importación o de exportación sean confiscadas o bien decomisadas y simultánea o posteriormente confiscadas.

No se considerará extinguida la deuda aduanera cuando el importe de los derechos o la existencia de una deuda aduanera constituyan la base para determinar las sanciones conforme a la normativa interna de un Estado miembro (no es este el caso de España en la actualidad).

Respecto al decomiso, bajo la vigencia del CAC la Sentencia TJUE *Elshani*, (asunto C-459/07, de 02.04.2009) decidió que, para causar la extinción de la deuda aduanera, el decomiso de mercancías introducidas irregularmente en el TAU debe producirse antes de que tales mercancías pasen la primera oficina aduanera situada en el interior de ese territorio. Si el decomiso se produce más allá, aún antes de que las mercancías lleguen a su primer lugar de destino en el TAU, pasada esa primera oficina aduanera, no extingue la deuda. Se trataba en aquel caso de la introducción irregular de tabaco en un autobús de pasajeros que se introdujo en el TAU por Italia, en tanto que la irregularidad se detectó en Austria. En estas condiciones el TJUE entendió que este decomiso no extinguía la deuda aduanera. Apreció el TJUE que "la introducción irregular de mercancías se consuma desde que pasan la primera oficina aduanera situada en el interior del territorio aduanero de la Comunidad sin que hayan sido presentadas en ella" (p. 25). El decomiso figuraba como causa de extinción de la deuda en el artículo 233.d) CAC, pero entendió el Tribunal que ello ocurría cuando la mercancía no hubiera podido ser comercializada y, por tanto, no hubiera constituido una amenaza, en términos de competencia, para las mercancías de la UE. Como causa de extinción de la deuda el decomiso debe ser interpretado de forma estricta (p. 30, citando la Sentencia del asunto C-112/01, *SPKR*). El hecho de que las mercancías se detectaran ya dentro del TAU (habían sido introducidas por Italia y se interceptaron en Austria) entrañaba, en sí mismo, un riesgo muy elevado de que tales mercancías acabasen integradas en el circuito económico de los Estados miembros, puesto que eran más difíciles de detectar. Por ello, consideró el Tribunal que no contradice el principio de igualdad de trato que estos decomisos, ya en el interior del TAU, no determinen la extinción de la deuda, que sí se produce si el mismo se realiza en el punto de entrada en el TAU, que es donde se realiza un control intensivo.

- Cuando unas mercancías sujetas a derechos de importación o de exportación sean destruidas bajo vigilancia aduanera o abandonadas en beneficio del Estado.

- Cuando la desaparición de las mercancías o el incumplimiento de las obligaciones derivadas de la legislación aduanera se derive de la total destrucción o pérdida irremediable de dichas mercancías por causa inherente a la naturaleza misma de las mercancías, caso fortuito o fuerza mayor, o como consecuencia de instrucciones de las autoridades aduaneras.

A estos efectos las mercancías se considerarán irremediablemente perdidas cuando nadie pueda utilizarlas. Serán de aplicación las disposiciones en vigor relativas a los porcentajes normales de pérdidas irrecuperables debidas a la naturaleza de las mercancías cuando el interesado no demuestre que la pérdida real ha sido mayor que la calculada mediante la aplicación del porcentaje normal a las mercancías de que se trate.

Cuando una deuda aduanera se haya extinguido en alguna de estas circunstancias respecto de unas mercancías despachadas a libre práctica con exención de derechos o acogidas a un derecho de importación reducido debido a su destino final, todo residuo o desecho resultante de su destrucción será considerado como mercancías no pertenecientes a la Unión.

- Cuando la deuda aduanera nazca por incumplimiento y se verifiquen las dos condiciones siguientes:

i) el incumplimiento que llevó al nacimiento de la deuda aduanera no tenga efectos significativos para el adecuado funcionamiento del depósito temporal o del régimen aduanero de que se trate y no constituya tentativa de fraude;

El artículo 103 RDCAU enumera los incumplimientos que, a estos efectos, se considera que no tienen efectos significativos para el adecuado funcionamiento del régimen aduanero:

a) cuando se sobrepase un plazo por un periodo de tiempo que no sea superior a la prórroga del plazo que se habría concedido si se hubiese solicitado dicha prórroga.

b) cuando haya nacido una deuda aduanera para mercancías incluidas en un régimen especial o en depósito temporal por un incumplimiento de los señalados en las letras a) o c) artículo 79.1 CAU y dichas mercancías hayan sido despachadas a libre práctica (la letra (a) se refiere al incumplimiento de alguna de las obligaciones establecidas en la legislación aduanera relativa a la introducción en el TAU de mercancías no pertenecientes a la Unión, a la retirada de estas de la vigilancia aduanera o a la circulación, transformación, depósito, depósito temporal, importación temporal o disposición de tales mercancías en el TAU; la letra (c) se refiere al incumplimiento de alguna condición que regule la inclusión de mercancías no pertenecientes a la Unión en un régimen aduanero o la concesión, en virtud del destino final de las mercancías, de una exención de derechos o de una reducción del tipo de los derechos de importación).

c) cuando se haya restablecido posteriormente la vigilancia aduanera para mercancías que no formen parte formalmente de un régimen de tránsito, pero que anteriormente estuvieran en depósito temporal o hubieran sido incluidas en un régimen especial junto con mercancías formalmente incluidas en dicho régimen de tránsito.

d) en el caso de mercancías incluidas en un régimen especial distinto del de tránsito y de zona franca, o en el caso de mercancías que se encuentran en depósito temporal, cuando se haya cometido un error relativo a la información contenida en la declaración en aduana por la que se ultima el régimen o se pone fin al depósito temporal, siempre que dicho error no tenga incidencia alguna en la ultimación del régimen o el fin del depósito temporal.

e) cuando haya nacido una deuda aduanera por un incumplimiento de los señalados en las letras a) o b) artículo 79.1 CAU, siempre que la persona interesada informe a las autoridades aduaneras competentes del incumplimiento antes de que se haya notificado la deuda aduanera o las autoridades aduaneras hayan comunicado a dicha persona su intención de llevar a cabo un control (la letra (a), según acabamos de señalar más arriba, se refiere al incumplimiento de alguna de las obligaciones establecidas en la legislación aduanera relativa a la introducción en el TAU de mercancías no pertenecientes a la Unión, a la retirada de estas de la vigilancia aduanera o a la circulación, transformación, depósito, depósito temporal, importación temporal o disposición de tales mercancías en el TAU; la letra (b) se refiere al incumplimiento de alguna de las obligaciones establecidas en la legislación aduanera relativa al destino final de las mercancías dentro del TAU).

ii) y todos los trámites necesarios para regularizar la situación de las mercancías se lleven a cabo posteriormente.

Aunque la deuda se considere extinguida cuando se cumplan los dos requisitos señalados, nada impedirá a las autoridades nacionales imponer una sanción, si correspondiera, por el incumplimiento de la legislación aduanera (artículo 125 CAU).

- Cuando las mercancías despachadas a libre práctica con exención de derechos, o acogidas a un derecho de importación reducido debido a su destino final, se hayan exportado con autorización de las autoridades aduaneras.

- Cuando la deuda haya nacido en virtud de una regla de "no reintegro" (o "*no drawback*") en cumplimiento de un acuerdo preferencial (que se regula en el artículo 78 CAU, véase el capítulo 7.4.1, donde se expone la regla de "no reintegro") y posteriormente se anulen los trámites efectuados para obtener ese tratamiento arancelario preferencial. Se trata, en definitiva, de supuestos en los que se anula el certificado de origen que acredita unas mercancías como originarias de la Unión, cuando ese certificado permitía obtener un trato preferencial en un tercer país. La deuda a que se refiere es a la que nace en relación con los derechos que se hubieran exigido respecto de los materiales importados incorporados a las mercancías, deuda que debe ser exigida a fin de cumplir con la cláusula de no reintegro del acuerdo preferencial con ese tercer país.

EJEMPLO

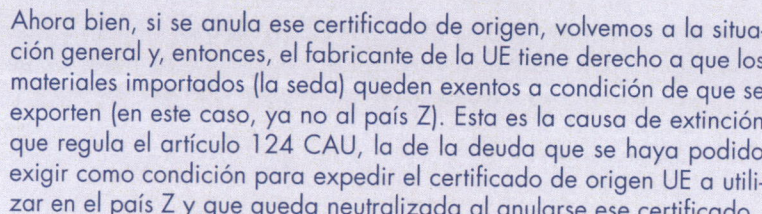

Ejemplo

Se importa en la UE seda para fabricar prendas de vestir. Una vez fabricadas las prendas, se exportan al país Z. En principio, el fabricante de las prendas de vestir de la UE podría acogerse al perfeccionamiento activo, consiguiendo así que la importación de seda quede exenta. Ahora bien, si el tratado preferencial con el país Z exige que no se reintegren los derechos de aduana correspondientes a la materia importada (la seda) a fin de que las mercancías (los vestidos) puedan ser tratados como originarios de la UE, se exigirá a ese fabricante de la UE que renuncie a esta exención si quiere que se le expida el certificado de origen que planea utilizar para exportar a Z (regla de no reintegro o "no drawback").

Ahora bien, si se anula ese certificado de origen, volvemos a la situación general y, entonces, el fabricante de la UE tiene derecho a que los materiales importados (la seda) queden exentos a condición de que se exporten (en este caso, ya no al país Z). Esta es la causa de extinción que regula el artículo 124 CAU, la de la deuda que se haya podido exigir como condición para expedir el certificado de origen UE a utilizar en el país Z y que queda neutralizada al anularse ese certificado.

- Cuando la deuda aduanera haya nacido por un incumplimiento y se justifique a satisfacción de las autoridades aduaneras que las mercancías no se han utilizado ni consumido y han salido del TAU.

Ahora bien, la deuda no se extinguirá en este caso respecto de toda persona o personas que hayan intentado cometer un fraude.

Este supuesto se dirige a impedir que la deuda aduanera pueda erigirse en una sanción impropia, dado que, si las mercancías no se han utilizado ni consumido y, además, se acredita que han salido del TAU, el arancel deja de cumplir su función de mecanismo regulador de flujos de mercancías (las mercancías no se han introducido en el mercado interior) y, en consecuencia, no procede exigir una deuda aduanera. Además, esta norma restituye la coherencia entre los impuestos arancelarios y el IVA a la importación que cierta jurisprudencia del TJUE, en aplicación de la normativa anterior, había roto (Sentencias del TJUE *Eurogate*, asuntos C-226/14 y 228/14, de 02.06.2016; *Wallenborn*, asunto C-571/15, de 01.06.2017; *Federal Express*, asunto C-26/18, de 10.07.2019). En las referidas sentencias se decidió que, en este tipo de situaciones, la deuda aduanera nacía por un incumplimiento de las formalidades aduaneras pero que, por el contrario, el hecho imponible del IVA a la importación no debía entenderse producido en tanto que la mercancía no había entrado en el circuito económico de la Unión, produciéndose así una indeseable desconexión entre el hecho imponible de los impuestos arancelarios y el del IVA a la importación. Con la nueva norma (artículo 124(k) CAU), si bien el hecho imponible de los impuestos arancelarios sigue produciéndose en este tipo de situaciones, no será exigible la deuda aduanera, puesto que se considerará "extinguida". Probablemente hubiese sido técnicamente más correcto establecer que, en este tipo de situaciones, la deuda aduanera no nace.

Según se ha señalado, un requisito para la extinción de la deuda en este supuesto consiste en que las mercancías no se hayan "utilizado". La STJUE *Allmänna* (asunto C-476/19, de 08.10.2020) interpreta, en relación con el régimen de perfeccionamiento activo, que debe entenderse por "utilización" de las mercancías a este respecto "únicamente aquella utilización que va más allá de las operaciones de transformación autorizadas por las autoridades aduaneras en el marco del régimen de perfeccionamiento activo previsto en el artículo 256 del propio código y no incluye la utilización conforme a esas operaciones de transformación autorizadas". Es decir, que si el operador se limita a realizar sobre las mercancías las transformaciones para las que dispone de autorización no estaremos ante una "utilización" que impida considerar la deuda extinguida. De modo que, para que la deuda no se extinga, el operador habría de realizar sobre las mercancías transformaciones distintas de las autorizadas.

Como requisito general aplicable en cualquiera de los supuestos de deuda aduanera nacida por incumplimiento, se dispone que esta sólo se extinguirá con respecto a la persona cuyo comportamiento no haya incluido ninguna tentativa de fraude y que haya contribuido a la lucha contra el fraude.

EL LEVANTE

ÍNDICE

27 El levante

27.1. CONCEPTO

El apartado 26 del artículo 5 CAU define el «levante de las mercancías» como "el acto por el que las autoridades aduaneras pongan las mercancías a disposición de los fines concretos del régimen aduanero en el que se hayan incluido". Esta definición conecta con la que se ofrece para la declaración en aduana, que nos señala que es "el acto por el que una persona expresa, en la forma y el modo establecidos, la voluntad de *incluir las mercancías en un determinado régimen aduanero*, con mención, en su caso, de las disposiciones particulares que deban aplicarse" (artículo 5.12 CAU). Nótese que en ambos casos adquiere un papel protagonista el régimen aduanero en el que vayan a quedar incluidas las mercancías. El levante aparece como un acto de la Administración consistente en poner las mercancías a disposición del declarante. Con este acto, la Administración evidencia su aquiescencia a la voluntad del declarante, en el entendimiento de que se hayan cumplido o se vayan a cumplir las obligaciones que el régimen solicitado comporta. Obsérvese que la definición del levante no lo califica como "decisión" —"resolución", en la terminología del Derecho español—, sino más bien como un acto material, físico: la puesta a disposición. Ahora bien, el levante produce claros efectos jurídicos, dado que restaura las facultades inherentes al dominio que habían quedado enervadas desde la llegada de las mercancías al punto de entrada en el TAU, por más que esa puesta a disposición se sujete a las limitaciones que procedan atendido el régimen aduanero solicitado. Y, por otra parte, el levante debe ser notificado (artículo 154 RDCAU y 246 RECAU).

La concesión del levante se supedita a la concurrencia de varias circunstancias. En primer lugar, las autoridades han debido realizar un análisis de riesgos del que se derive que se puede permitir el levante, en su caso tras la adopción de las medidas que procedan (artículo 186.9 RECAU). Asimismo, han debido comprobar, o admitir sin comprobación, los datos de la declaración. Alternativamente, cabe que la comprobación no haya concluido, pero se determine que su duración será excesiva y que la presencia de las mercancías a efectos de dicha comprobación ya no es necesaria. En cualquier caso, para que pueda concederse el levante se exige que las mercancías no sean objeto de medidas de prohibición o restricción (artículo 194.1 CAU). Si el régimen solicitado implica el nacimiento de una deuda aduanera, la concesión del levante se supedita al pago o garantía de la deuda aduanera; si el régimen solicitado se condiciona a la prestación de una garantía, la concesión del levante se supedita a su constitución (artículo 195.1 CAU).

El levante es, por otra parte, el acto que pone fin al procedimiento de despacho, esto es, al procedimiento que permite la lícita importación de mercancías (en el caso de la exportación será necesaria la salida de las mercancías del TAU). Tras el levante, el declarante puede proceder a retirar las mercancías y, si éstas se han despachado a libre práctica, a partir de este momento se encontrarán en pie de igualdad con las mercancías de la UE (tendrán estatuto de mercancías de la UE), y gozarán de la protección jurídica que dimana de la cláusula de trato nacional del GATT y de las reglas sobre libre circulación de mercancías del Derecho de la UE.

En su Sentencia *Codirex* (asunto C-542/11, de 27.06.2013), el TJUE decidió que:

> "las mercancías no comunitarias que han sido objeto de una declaración aduanera admitida por las autoridades aduaneras para su inclusión en el régimen aduanero de tránsito comunitario externo y que tienen el estatuto de mercancías en depósito temporal se incluyen en dicho régimen aduanero y, por tanto, reciben un destino aduanero *en el momento de la concesión del levante* de dichas mercancías".

Así pues, la inclusión en un régimen no se produce en virtud de la admisión de una declaración para ese régimen, sino que es el levante el que produce ese efecto. En aquella Sentencia las autoridades realizaron actividades de control posteriores a la admisión (colocación de precintos). El Tribunal observó que "la posibilidad por parte de las autoridades aduaneras de aplicar las medidas de comprobación, de identificación o de garantía no permiten considerar que con la mera admisión de la declaración en aduana se cumplan todas las condiciones del régimen de tránsito comunitario externo" (p. 53). Al mantenerse la situación de depósito temporal en tanto no se concede el levante, el declarante, que no puede disponer de las mercancías, no puede ser deudor.

> Entre la doctrina mexicana, Andrés Rohde denomina "desaduanamiento" al acto final del despacho, señalando que "el objeto del desaduanamiento es poner al interesado en posesión de las mercancías, continuar el traslado de éstas a su lugar de destino, suprimir las limitaciones de dominio a que estaban sometidas y permitir que el importador las pueda usar, disfrutar y disponer sin más limitaciones que las que imponga el régimen aduanero al que hayan sido destinadas" (*Derecho aduanero mexicano*, vol. 1, ISEF, México, 2005, p. 527). Nos señala este autor que, en la doctrina, el desaduanamiento se asocia con sus dos principales consecuencias, el retiro de las mercancías —del recinto fiscal— y el levante —de las limitaciones al dominio—. También indica que, aunque no es una opinión unánime, los Tribunales de aquél país han determinado que no debe seguir el régimen de las resoluciones favorables al interesado (lo que tendría como consecuencia que las autoridades tendrían que agotar el juicio de nulidad ante los tribunales, con sentencia de anulación, de forma previa a la realización de una nueva liquidación).

Históricamente el levante ponía fin, quizá más de hecho que de derecho, a la relación jurídica aduanera. No obstante, el Derecho aduanero, especialmente por lo que se refiere a su función tributaria, está evolucionando hacia una pérdida de relevancia jurídica del levante puesto que, según se señala en el capítulo 25, la Administración podrá realizar actuaciones de comprobación posteriores al levante, disponiendo para ello de herramientas potentes que el ordenamiento ha ido poniendo a su disposición y que hacen que ese control posterior pueda alcanzar un elevado nivel de eficacia (obligaciones de facturación, deber de llevanza de contabilidad, trazabilidad de las mercancías, mecanismos de verificación de los certificados de origen...).

El CAU y sus Reglamentos de desarrollo utilizan la denominación de actuaciones "posteriores al levante" en tanto que, en la regulación anterior, el CAC y el RACAC designaban a estas actuaciones simplemente "a posteriori" (empleaban una expresión latina y omitían explicitar que eran posteriores al levante). Esa forma de expresión —que todavía puede encontrarse en algunos preceptos del RECAU— parecía reflejar cierto carácter extraordinario, que afortunadamente el CAU ha dejado atrás (véanse, p.e. los artículos 48, 89.4, 108.1 y 114.2 CAU).

> Especialmente desafortunada era la expresión "recaudación a posteriori" pues con ella no se refería en realidad a la recaudación, sino a la liquidación posterior al levante (así lo denominaba la regulación anterior al CAC, el Reglamento (CEE) 1697/79 del Consejo, de 24 de julio de 1979, referente a la *recaudación a posteriori* de los derechos de importación o de los derechos de exportación que no hayan sido exigidos al deudor por mercancías declaradas en un régimen aduanero que suponga la obligación de pagar tales derechos, DO L nº 197, de 3 de agosto de 1979, p. 1). Esta expresión todavía aparece en la jurisprudencia del TJUE. Liquidar y recaudar no son lo mismo: tal y como ya hemos indicado, en la liquidación se *declara* un derecho; en la recaudación se *ejecuta* un derecho previamente declarado. No se trata de una distinción académica: el plazo de caducidad que regula el CAU se aplica a la comunicación de la liquidación. Por tanto, el CAU no establece un plazo para recaudar la deuda correctamente liquidada. Los plazos para recaudar serán, entonces, los que se establezcan en la legislación nacional. En España el plazo para recaudar es de 4 años y es un plazo de prescripción (no de caducidad; véanse los artículos 66 a 69 LGT). Por tanto, llamar "recaudación a posteriori" a lo que en realidad es "liquidación posterior al levante" (o, en la jerga del CAC, "contracción a posteriori") es sembrar la confusión y crear equívocos peligrosos (véase el capítulo 28).

Interesa destacar que el artículo 348 RECAU establece disposiciones transitorias relativas al levante de las mercancías, si bien cabe suponer que han perdido su relevancia habida cuenta del tiempo que ya ha transcurrido desde que comenzó a aplicarse el CAU.

> Conforme a lo previsto en este precepto, cuando las mercancías hayan sido declaradas para despacho a libre práctica, depósito aduanero, perfeccionamiento activo, transformación bajo control aduanero, importación temporal, destino final, tránsito, exportación o perfeccionamiento pasivo de conformidad con el CAC antes del 1 de mayo de 2016 y al llegar esa fecha no hayan sido objeto de levante, se procederá a su levante para el régimen que figure en la declaración de conformidad con las disposiciones pertinentes del CAU, RDCAU y RECAU. Por otro lado, también en materia de régimen transitorio, téngase en cuenta que, conforme a lo dispuesto en el artículo 349.4 RECAU, cuando las mercancías hayan sido objeto de levante para una operación de tránsito antes del 1 de mayo de 2016 y al llegar esa fecha no hayan sido

ultimadas, se procederá a su ultimación de conformidad con las disposiciones pertinentes del CAC y del RACAC.

27.2. EFECTOS DEL LEVANTE

A lo largo del articulado del CAU y de sus Reglamentos de desarrollo (RDCAU y RECAU) encontramos un buen número de referencias al levante como momento en relación con el cual se establecen diferentes consecuencias jurídicas. En la tabla que sigue relacionamos los preceptos del CAU, RDCAU y RECAU en los que aparece el término "levante" e indicamos el mandato que se contiene en ellos, con el afán de sistematizar la relevancia jurídica que las normas de la UE atribuyen a este acto.

Artículo	Mandato asociado al levante
48 CAU	Control posterior al levante
89.4 CAU	La garantía individual debe cubrir todas las mercancías incluidas en una declaración en aduana o a cuyo levante se haya procedido en virtud de la misma, sea o no correcta dicha declaración Si la garantía no ha sido liberada tras el levante puede utilizarse para el cobro de la deuda aduanera y otros gravámenes que se determinen como consecuencia del control posterior al levante.
102.2 CAU	Cuando el importe de los derechos exigibles sea igual al importe consignado en la declaración en aduana, el levante de las mercancías será equivalente a la notificación al deudor de la deuda aduanera.
102.4 CAU	Posibilidad de notificación periódica de la deuda aduanera correspondiente al importe total de los derechos relativos a todas las mercancías cuyo levante haya sido concedido a una única y misma persona durante un plazo fijado por las autoridades, que no puede ser superior a 31 días, sujeta a que el pago haya sido garantizado
105 CAU	Con carácter general la contracción de la deuda aduanera debe realizarse en los 14 días siguientes al levante
108 CAU	Las autoridades aduaneras pueden ampliar el plazo general de 10 días para el pago de la deuda aduanera a solicitud del deudor cuando el importe de los derechos haya sido determinado durante el control posterior al levante
111.4 CAU	El plazo para calcular el aplazamiento del importe de los derechos objeto de una contracción única que cubra las operaciones realizadas en un período de tiempo comienza el día siguiente a aquel en que finalice el plazo establecido para el levante de las mercancías de que se trate.

Artículo	Mandato asociado al levante
114.2 CAU	Cuando la deuda aduanera nazca por incumplimiento o cuando la notificación de la deuda aduanera se derive de un control posterior al levante, se percibirá un interés de demora, además del importe de los derechos, desde la fecha en que nació la deuda aduanera hasta la fecha de su notificación.
118.1 CAU	Un importe de derechos de importación será devuelto o condonado si la notificación de la deuda aduanera se refiere a mercancías que fueron rechazadas por el importador debido a que, en el momento del levante, eran defectuosas o no cumplían los términos del contrato con arreglo al cual se importaron. Se asimilan a mercancías defectuosas las mercancías dañadas antes del levante.
154(d) CAU	Las mercancías de la Unión perderán este estatuto cuando la declaración de despacho a libre práctica sea invalidada después de haberse efectuado el levante de las mercancías
173.2 CAU	Con carácter general no se permite la rectificación de la declaración en aduana cuando se solicite tras haber autorizado el levante
173.3 CAU	Previa solicitud del declarante en un plazo de tres años a partir de la fecha de la admisión de la declaración en aduana, puede permitirse la rectificación de la declaración en aduana tras el levante de las mercancías para que el declarante pueda cumplir con sus obligaciones relativas a la inclusión de las mercancías en el régimen aduanero de que se trate
174.2 CAU	Salvo disposición en contrario, la declaración en aduana no puede invalidarse tras el levante de las mercancías
179.4 CAU	En el marco del despacho centralizado, la aduana en que se presente la declaración en aduana y la aduana en que se presenten las mercancías intercambiarán la información necesaria para la comprobación de la declaración en aduana y para el levante de las mercancías
179.6 CAU	En el marco del despacho centralizado, la aduana en que se haya presentado la declaración en aduana es la competente para proceder al levante de las mercancías
182.3 CAU	En el marco de la inscripción en los registros del declarante, las autoridades aduaneras pueden dispensar de la obligación de presentar las mercancías, en cuyo caso se considerará que las mercancías han obtenido el levante en el momento de su inscripción en los registros del declarante
182.4 CAU	En el marco de la inscripción en los registros del declarante, la autorización debe indicar las condiciones en que se permite el levante de las mercancías
190.1 CAU	El declarante ya no puede solicitar un nuevo examen o extracción de muestras de las mercancías tras el levante, a menos que pruebe que no han sido modificadas en modo alguno

Artículo	Mandato asociado al levante
194.1 CAU	Las autoridades autorizarán el levante de las mercancías tan pronto hayan sido comprobados los datos de la declaración en aduana, o hayan sido aceptados sin comprobación, siempre que se cumplan las condiciones para incluir las mercancías en el régimen de que se trate, no se haya aplicado restricción alguna a las mercancías, ni sean objeto de prohibición. También se autorizará el levante, aún sin haber comprobado totalmente los datos de la declaración en aduana, cuando la comprobación no pueda llevarse a término en un plazo razonable y ya no sea necesario que estén presentes las mercancías para practicarla
194.2 CAU	El levante se concederá una sola vez para la totalidad de las mercancías que sean objeto de la misma declaración
195.1 CAU	Cuando la inclusión de mercancías en un régimen aduanero implique el nacimiento de una deuda aduanera, el levante de las mercancías estará supeditado al pago del importe de los derechos o a la constitución de una garantía que cubra dicha deuda, salvo que se trate del régimen de importación temporal con exención parcial de derechos de importación. Cuando, con arreglo a las disposiciones que regulan el régimen aduanero para el que se declaren las mercancías, las autoridades aduaneras exijan la constitución de una garantía, solo se podrá conceder el levante de dichas mercancías para el régimen aduanero considerado una vez se haya constituido dicha garantía
195.2 CAU	En casos específicos, el levante de las mercancías no estará supeditado a la constitución de una garantía respecto de las mercancías que sean objeto de una solicitud de utilización de un contingente arancelario
195.3 CAU	En determinados casos, cuando se recurra a una simplificación contemplada en los artículos 166 (declaración simplificada), 182 (inscripción en los registros del declarante) y 185 (autoevaluación) CAU y se constituya una garantía global, el levante de las mercancías no estará supeditado a la supervisión de la garantía por las autoridades
198.1 CAU	Las autoridades aduaneras adoptarán todas las medidas necesarias para disponer de las mercancías, incluidos el decomiso y venta o la destrucción, entre otros, en caso de que: (a) no pueda procederse al levante de las mercancías por alguna de las razones que se enumeran, (b) las mercancías no hayan sido retiradas en un plazo razonable tras la concesión del levante, o (c) tras haberse procedido a su levante, se compruebe que las mercancías no han cumplido las condiciones para que se proceda al mismo
198.3 CAU	El coste de las medidas necesarias para disponer de las mercancías en los supuestos (a) y (b) anteriores correrá de cuenta del declarante y en el supuesto (c) correrá de cuenta de la persona que deba cumplir las condiciones que regulan el levante de las mercancías
267.4 CAU	Las autoridades aduaneras concederán el levante para la salida a condición de que las mercancías correspondientes salgan del TAU en el mismo estado en que se encontraban en el momento de: a) la admisión de la declaración en aduana o la declaración de reexportación; o b) la presentación de la declaración sumaria de salida.

Artículo	Mandato asociado al levante
272.1(c) CAU	No será posible rectificar la declaración sumaria de salida una vez que las autoridades aduaneras hayan concedido el levante para la salida de las mercancías
275.1(c) CAU	No será posible efectuar ninguna rectificación de los datos de la notificación de reexportación una vez que las autoridades hayan concedido el levante para la salida de las mercancías
146.1 RDCAU	La declaración complementaria (de una declaración simplificada o de una inscripción en los registros del declarante) se debe presentar en los diez días siguientes al levante de las mercancías cuando las autoridades aduaneras deban contraer de conformidad con el artículo 105.1, párrafo primero CAU
148 RDCAU	Enumera los supuestos en los que cabe la invalidación de una declaración en aduana después del levante de las mercancías y los requisitos aplicables en cada uno de ellos
153 RDCAU	El levante no está supeditado a la constitución de una garantía en supuestos de aplicabilidad de un contingente arancelario
154 RDCAU	Notificación del levante de las mercancías
179.3(c) RDCAU	Las mercancías incluidas en un régimen de depósito aduanero podrán circular dentro del TAU sin formalidades aduaneras —salvo las enunciadas en el artículo 178.1(e)— en el trayecto desde los almacenes de depósito hasta la aduana de salida o hasta cualquier aduana indicada en la autorización de un régimen especial contemplado en el artículo 211.1 CAU, habilitada para conceder el levante de las mercancías para un régimen aduanero ulterior o para recibir la declaración de reexportación con el fin de ultimar el régimen especial
248.2 RDCAU	Cuando, transcurrido un periodo de ciento cincuenta días a partir de la fecha de levante de las mercancías para el régimen de exportación, el régimen de perfeccionamiento pasivo o la reexportación, la aduana de exportación no haya recibido información sobre la salida de las mercancías ni pruebas de que las mercancías han salido del TAU, podrá invalidar la declaración de que se trate
9.1(c) RECAU	Las autoridades aduaneras podrán realizar la comunicación de los motivos en los que planean basar una decisión desfavorable como parte del proceso de comprobación o control cuando tengan la intención de tomar una decisión sobre la base de los resultados del control posterior al levante (artículo 48 CAU), cuando las mercancías se encuentren todavía bajo vigilancia aduanera
21.7 RECAU	Hasta la fecha de implantación de la primera fase de mejora del sistema para el intercambio y almacenamiento de información relativa a solicitudes y decisiones IAV y del sistema electrónico para la vigilancia del despacho a libre práctica o la exportación de mercancías (artículo 56 RECAU), las autoridades deberán efectuar un seguimiento de la utilización de decisiones IAV con motivo de los controles aduaneros o controles posteriores al levante realizados de conformidad con los artículos 46 (gestión de riesgos y controles aduaneros) y 48 (control posterior al levante) CAU

Artículo	Mandato asociado al levante
55.2 RECAU	Cuando se proceda al levante de las mercancías de conformidad con el artículo 194.1 CAU, las autoridades aduaneras deberán facilitar los datos a la Comisión sin dilación
55.4 RECAU	Cuando se incluyan mercancías en un régimen aduanero sirviéndose de una declaración simplificada o mediante una inscripción en los registros del declarante y los datos que precise la Comisión no estuvieran disponibles en el momento del levante de las mercancías con arreglo a lo dispuesto en el artículo 194.1 CAU, las autoridades aduaneras deberán facilitar a la Comisión dicha información sin dilación tras recibir la declaración complementaria
82.4 RECAU	Las autoridades aduaneras de los Estados miembros dispondrán de acceso para consultar los datos registrados en la base de datos de exportadores registrados al objeto de comprobar las declaraciones en aduana o realizar los controles posteriores al levante
106.3 RECAU	Se debe ofrecer al importador el levante de las mercancías, sujeto a cuantas medidas cautelares se juzguen necesarias, en tanto se espera la información solicitada al declarante relativa a cualquier prueba que permita comprobar el origen declarado o el cumplimiento de las condiciones de no manipulación (que se recogen en el artículo 43 RDCAU), o en tanto se esperan los resultados del procedimiento de comprobación a posteriori de las comunicaciones sobre el origen y de las comunicaciones sobre el origen sustitutivas
110.2 RECAU	Si, en el marco de la comprobación a posteriori de los certificados de origen modelo A y de las declaraciones en factura, las autoridades decidieran suspender la concesión de las preferencias arancelarias a la espera de los resultados de la comprobación, se ofrecerá al importador el levante de las mercancías condicionado a las medidas cautelares que se consideren necesarias
125.2 RECAU	Si, en el marco de la comprobación a posteriori de los certificados de origen EUR.1 y de las declaraciones en factura, las autoridades decidieran suspender la concesión de las preferencias arancelarias a la espera de los resultados de la comprobación, se ofrecerá al importador el levante de las mercancías condicionado a las medidas cautelares que se consideren necesarias
186.9 RECAU	Las mercancías presentadas en aduana podrán ser objeto de levante para su inclusión en un régimen aduanero o reexportadas en cuanto se haya realizado el análisis de riesgos y siempre que los resultados de dicho análisis y, en su caso, las medidas adoptadas, lo permitan.
218(d) RECAU	El levante es una de las formalidades aduaneras que se consideran efectuadas mediante un acto equivalente a una declaración en aduana (los actos equivalentes a una declaración en aduana se regulan en el artículo 141.1 RDCAU)
220.1 RECAU	Se identifican los momentos concretos en los que se considera que la declaración en aduana correspondiente a los objetos de correspondencia y envíos postales (artículo 141.2 y 3 RDCAU) ha sido admitida y las mercancías han sido objeto de levante

Artículo	Mandato asociado al levante
224 RECAU	En caso de que las mercancías se hayan incluido en un régimen aduanero utilizando una declaración simplificada, deberán facilitarse a las autoridades, antes del levante, los documentos justificativos del artículo 163.2 CAU, es decir, los que exija la legislación de la UE o que se estimen necesarios a efectos de control aduanero
231.4 RECAU	En el marco del despacho centralizado, cuando la aduana supervisora haya admitido la declaración en aduana o recibido la notificación de presentación de las mercancías en aduana, deberá informar a la aduana de presentación de que las mercancías pueden ser objeto de levante para el régimen aduanero en cuestión o de que se precisan controles aduaneros
231.5 RECAU	En el marco del despacho centralizado, cuando la aduana supervisora informe a la aduana de presentación de que las mercancías pueden ser objeto de levante para el régimen aduanero en cuestión, esta última deberá informar a la aduana supervisora, dentro del plazo fijado en la autorización de despacho centralizado, de si sus propios controles de las mercancías, incluidos los relacionados con prohibiciones y restricciones nacionales, afectan al levante.
231.7 RECAU	En el marco del despacho centralizado, la aduana supervisora informará a la aduana de presentación del levante de las mercancías
231.8 RECAU	Con motivo de la exportación en el marco del despacho centralizado, la aduana supervisora pondrá a disposición de la aduana de salida declarada, en el momento del levante de las mercancías, los datos de la declaración de exportación
232.1 RECAU	En el marco del despacho centralizado en el que intervengan varias autoridades aduaneras, la aduana supervisora transmitirá a la aduana de presentación cualquier rectificación o invalidación de la declaración en aduana normal que se haya producido tras el levante de las mercancías
234.1(e) RECAU	El titular de la autorización de presentación de una declaración en aduana en forma de inscripción en los registros del declarante deberá proporcionar a la aduana supervisora, antes de que las mercancías declaradas puedan ser objeto de levante, los documentos justificativos del artículo 163.2 CAU, es decir, los que exija la legislación de la UE o que se estimen necesarios a efectos de control aduanero
235 RECAU	Levante de las mercancías en caso de presentación de una declaración en aduana en forma de inscripción en los registros del declarante
244 RECAU	Cuando las autoridades aduaneras consideren que la comprobación de la declaración en aduana puede revelar un importe a pagar, en concepto de derechos o de otros gravámenes, superior al que arrojan los datos de la declaración en aduana, el levante de las mercancías se supeditará a la constitución de una garantía suficiente para cubrir la diferencia entre el importe que se derive de los datos de la declaración y el importe que pueda tener que pagarse en última instancia. No obstante, el declarante podrá solicitar que se le notifique esa deuda aduanera superior en lugar de aportar la referida garantía

Artículo	Mandato asociado al levante
245 RECAU	Levante de las mercancías tras la comprobación
246 RECAU	Registro y notificación del levante de las mercancías
247 RECAU	Mercancías que no son objeto de levante
261.2 RECAU	La autoridad aduanera competente tomará una decisión sobre la solicitud de autorización para regímenes especiales sin necesidad de consultar a las demás autoridades aduaneras interesadas y sin comunicarles los datos de la autorización cuando se otorgue una autorización de importación temporal mediante el levante de las mercancías para su inclusión en el régimen aduanero pertinente de conformidad con el artículo 262 RECAU
262 RECAU	Autorización para utilizar un régimen especial en forma de levante de las mercancías
269.1 RECAU	El levante marca en diversos casos el momento en que las mercancías equivalentes ven alterado su estatuto aduanero en función del régimen aduanero de que se trate
276 RECAU	Cuando se lleve a cabo el levante de las mercancías para la operación TIR, la aduana de partida o de entrada consignará el MRN de la operación TIR en el cuaderno TIR. La aduana de levante de dichas mercancías deberá notificar al titular del cuaderno TIR el levante de las mismas para la operación TIR.
292.1 RECAU	En el marco del régimen de tránsito externo e interno de la Unión, la autoridad aduanera competente podrá llevar a cabo controles posteriores al levante Si la autoridad competente del Estado miembro de partida solicita a la autoridad aduanera competente del control posterior al levante información relacionada con la operación de tránsito de la Unión, no se considerarán cumplidas las condiciones establecidas para la ultimación del régimen de tránsito hasta que se haya confirmado la autenticidad y exactitud de los datos.
303 RECAU	Levante de las mercancías para su inclusión en el régimen de tránsito de la Unión
314.3 RECAU	El expedidor autorizado únicamente podrá imprimir un documento de acompañamiento de tránsito o un documento de acompañamiento de tránsito/seguridad tras haber recibido notificación por parte de la aduana de partida del levante de las mercancías para su inclusión en el régimen de tránsito de la Unión (no obstante, hasta las fechas de introducción de mejoras en el NSTI a que se refiere el anexo de la Decisión de Ejecución 2019/2151/UE, el expedidor autorizado deberá imprimir dichos documentos)
317.3 RECAU	El titular del régimen de tránsito de la Unión consignará el número de precintos de tipo especial y el identificador de cada uno de ellos en la declaración de tránsito y colocará los precintos, a más tardar, en el momento del levante de las mercancías para su inclusión en el régimen
320.1 RECAU	Las mercancías serán objeto de levante para su inclusión en el régimen de tránsito de la Unión cuando los datos del documento de transporte electrónico se hayan puesto a disposición de la aduana de partida en el aeropuerto, en caso de transporte aéreo, o de la aduana de partida en el puerto, en caso de transporte marítimo, de acuerdo con los medios definidos en la autorización.

Artículo	Mandato asociado al levante
325.1 RECAU	En caso de que la autorización de perfeccionamiento activo IM/EX especifique que los productos transformados o las mercancías incluidos en el régimen se consideran despachados a libre práctica si no han sido incluidos en un régimen aduanero posterior o reexportados tras la expiración del plazo de ultimación, la declaración en aduana para el despacho a libre práctica se considerará presentada y admitida, y el levante concedido, en la fecha de expiración del plazo de ultimación.
328.1 RECAU	En relación con la salida de mercancías del TAU, deberá llevarse a cabo un análisis de riesgos previo al levante de las mercancías dentro del plazo correspondiente al período que transcurra entre el final del plazo de presentación de la declaración previa a la salida y la carga o la salida de las mercancías
329.5 RECAU	Cuando, tras haber sido objeto de levante para la exportación, las mercancías se incluyan en un régimen de tránsito externo, la aduana de salida será la aduana de partida de la operación de tránsito
329.6 RECAU	Cuando, tras haber sido objeto de levante para la exportación, las mercancías se incluyan en un régimen de tránsito distinto del régimen de tránsito externo, la aduana de salida será la aduana de partida de la operación de tránsito, siempre que se cumpla alguna de las condiciones que enumera el precepto
330 RECAU	Salvo en los casos en que la declaración en aduana adopte la forma de una inscripción en los registros del declarante, en el momento del levante de las mercancías la aduana de exportación transmitirá los datos de la declaración de exportación a la aduana de salida declarada
331.1 RECAU	La persona que presente las mercancías a la salida deberá indicar, en el momento de la presentación de las mismas en la aduana de salida, cualquier discrepancia entre las mercancías declaradas y objeto de levante para la exportación y las presentadas
333 RECAU	Vigilancia de las mercancías objeto de levante para su salida e intercambio de información entre aduanas
335.1 RECAU	Cuando, transcurridos noventa días desde el levante de las mercancías para su exportación, la aduana de exportación no haya sido informada de su salida, podrá solicitar al declarante que le comunique la fecha y la aduana de salida a partir de la cual las mercancías hayan salido del TAU
337.1 RECAU	Cuando, pese a requerirse una declaración de exportación o de reexportación, las mercancías hayan salido del TAU sin disponer de ella, el exportador deberá presentar una declaración de exportación o de reexportación a posteriori. La declaración deberá presentarse en la aduana competente respecto del lugar en que esté establecido el exportador. Esa aduana certificará al exportador la salida de las mercancías siempre que estime que, de haberse presentado la declaración antes de la salida de las mercancías del TAU, se habría concedido igualmente el levante, y disponga de pruebas de que las mercancías han salido del TAU
340 RECAU	Mercancías objeto de levante para la exportación o reexportación que no salgan del TAU

Artículo	Mandato asociado al levante
341 RECAU	La aduana donde se presente la declaración sumaria de salida deberá, en su caso, conceder el levante de las mercancías para su salida del TAU
343 RECAU	En el supuesto de recepción de una notificación de reexportación, la aduana de salida deberá, en su caso, conceder el levante de las mercancías para su salida del TAU
348 RECAU	Disposiciones transitorias relativas al levante de las mercancías
349.4 RECAU	Cuando las mercancías hayan sido objeto de levante para una operación de tránsito antes del 1 de mayo de 2016 y al llegar esa fecha no hayan sido ultimadas, se procederá a su ultimación de conformidad con las disposiciones pertinentes del CAC y del RACAC

También el artículo 134 RD 1065/2007 (en su versión modificada por el RD 1070/2017) se refiere al levante a la hora de regular el procedimiento a seguir. En este sentido dispone que:

- Si la Administración no toma en consideración datos o elementos distintos de los aportados por el declarante, en caso de que nazca deuda aduanera la liquidación se considerará producida y notificada con el levante de las mercancías.

  De este modo, el artículo 134.2 RD 1065/2007 se acoge a la posibilidad establecida por el artículo 102.2 CAU. Este será el caso más frecuente en la práctica cuando se despachen mercancías a libre práctica.

- Si la Administración toma en consideración datos o elementos distintos de los aportados por el declarante, o pudiera llegar a tomarlos (es decir, si realiza actividad de comprobación antes de liquidar), debe notificar la propuesta de liquidación y abrir un trámite de alegaciones al declarante por un plazo de treinta días. Si el interesado lo solicita, la Administración puede autorizar el levante de la mercancía antes de que se dicte la liquidación, previo el afianzamiento o, en su caso, el ingreso del importe que se señale en la propuesta de liquidación.

- Si la Administración inicia actuaciones de comprobación que se extienden en el tiempo, puede autorizar el levante de la mercancía, aún sin haber formulado la propuesta de liquidación, previo el afianzamiento o, en su caso, el ingreso del importe de la liquidación que pudiera corresponder (cabe suponer que por el importe máximo previsible). Una vez que, ya tras el levante, la Administración notifique la propuesta de liquidación, se abrirá un trámite de alegaciones al declarante por un plazo de treinta días.

- Si el declarante se acoge a las simplificaciones de la declaración simplificada o de la inscripción en los registros del declarante, se aplicarán asimismo las reglas anteriores, si bien el levante no supondrá la existencia de una liquidación tácita o presunta, sino que ello ocurrirá con la admisión de la declaración complementaria.

- En cualquier caso, el procedimiento iniciado mediante la declaración en aduana puede concluir mediante liquidación expresa o mediante el inicio de otro procedimiento de aplicación de los tributos (es decir, procedimiento de comprobación limitada o procedimiento inspector). En este caso, las cantidades inicialmente ingresadas minorarán el importe que resulte de la liquidación que finalmente se practique.

El procedimiento iniciado mediante la declaración en aduana puede concluir mediante una resolución que no sea una liquidación, cuando no nazca una deuda aduanera. En estos casos el levante se concederá previa constitución de la garantía (por la deuda potencial) que proceda.

27.3. EL DEBER DE CONTRAER. CONCEPTO

El artículo 105.4 CAU ordena a las autoridades contraer —y, en consecuencia, liquidar— cuando se percaten de que una deuda aduanera:

1. No ha sido contraída, debiendo haberlo sido; o bien

2. Ha sido contraída, pero por un importe inferior al que legalmente correspondía.

A esta contracción se la denomina "posterior al levante" porque tiene lugar tras la concesión del levante.

Anteriormente, bajo la vigencia del CAC, se la denominaba "contracción a posteriori" (no se explicitaba que era a posteriori del levante). La denominación del CAU supone una mejora por su claridad y por evitar recurrir a términos latinos.

Interesa subrayar que, cuando concurre alguna de las dos circunstancias que hemos señalado, el CAU *ordena* la contracción posterior al levante, lo que queda patente por el uso de la expresión "se procederá a la contracción" que se utiliza en el artículo 105.3, al que se remite el 105.4 CAU. Por tanto, no se trata de una potestad facultativa de las autoridades, sino que se trata de un poder-deber. A este respecto, interesa recordar que la recaudación obtenida por los impuestos arancelarios constituye un recurso propio de la Hacienda de la UE, de manera que la normativa de la UE tiene un interés directo en que este deber de contraer se cumpla.

La normativa de recursos propios en vigor está integrada por la Decisión (UE, Euratom) 2020/2053, del Consejo, de 14 de diciembre de 2020 sobre el sistema de recursos propios de la Unión Europea (DO L 424, de 15.12.2020) y el Reglamento (UE, Euratom) 2021/768 del Consejo, de 30 de abril de 2021, por el que se establecen medidas de ejecución del sistema de recursos propios de la Unión Europea (DO L 165 de 11.05.2021). Anteriormente la Decisión sobre el sistema de recursos propios era la Decisión 2014/335/UE, Euratom, del Consejo, de 26 de mayo de 2014 sobre el sistema de recursos propios de la Unión Europea (DO L 168, de 07.06.2014) que, en su artículo 2.3, fijaba una retención del 20% en concepto de costes de recaudación en favor de las Administraciones nacionales (frente al 25% actual, art. 9.2 Decisión 2020/2053). La regulación anterior se completaba con el Reglamento (UE, Euratom) 608/2014 del Consejo, de 26 de mayo de 2014, por el que se establecen medidas de ejecución del sistema de recursos propios de la Unión Europea (DO L 168 de 07.06.2014) y el Reglamento (UE, Euratom) 609/2014 del Consejo, de 26 de mayo de 2014, sobre los métodos y el procedimiento de puesta a disposición de los recursos propios tradicionales y basados en el IVA y en la RNB y sobre las medidas para hacer frente a las necesidades de tesorería (Refundición) (DO L 168 de 07.06.2014).

El importe a contraer será el que se debió haber contraído y no se contrajo (en caso de que se omitiera inicialmente la contracción); o bien la diferencia entre la cantidad que se contrajo y la que debió haberse contraído (en caso de que se contrajera inicialmente, pero por un importe inferior al legalmente debido).

La contracción posterior al levante debe realizarse en el plazo de catorce días a partir de la fecha en que las autoridades aduaneras: a) se hayan percatado de que concurre una de las dos situaciones en las que la misma procede; b) estén en condiciones de calcular el importe legalmente adeudado; y c) estén en condiciones de adoptar una decisión, para lo cual, entre otros elementos, precisarán haber identificado a un deudor. Este plazo de 14 días no se aplicará en caso fortuito o de fuerza mayor (artículo 105.5 CAU). Insistamos que la relevancia de este plazo se despliega en la relación Administración nacional-Hacienda de la UE, no en la relación Administración nacional-deudor, pues así lo ha interpretado de forma reiterada el TJUE (véanse en este sentido las STJUE *Covita* y *De Haan*, que aparecen referidas en el capítulo 25.2).

Normalmente la contracción posterior al levante será la consecuencia de las actuaciones de comprobación posteriores al levante. Estas actividades de averiguación pueden poner de manifiesto que se debió liquidar por un importe superior al que se exigió en su día o bien que, aunque en su día no se liquidó, sí existe una deuda que exigir. Cuando ello ocurra, las autoridades adoptarán la decisión de exigir el importe correspondiente al deudor mediante la práctica de una liquidación y su consiguiente contracción, regularizando así la situación de manera que se abonen los derechos exigibles atendidas las características de la operación realizada.

A medida que se abandona la percepción del levante como el momento que pone fin a la relación aduanera, la contracción posterior al levante se torna más relevante. Las autoridades pueden limitar los controles previos al levante a fin de lograr que el flujo de mercancías no quede obstruido. En paralelo, el grueso de las averiguaciones puede realizarse, guiado por los resultados del análisis de riesgo, tras la concesión del levante, dado que buena parte de los elementos de información para adoptar la decisión acerca del importe adeudado van a estar disponibles a pesar de que las mercancías se hayan retirado ya del depósito temporal, donde están bajo control directo de las autoridades. La situación que se presenta no es muy diferente de la que acaece en el marco de otros impuestos, como el IVA o los impuestos sobre la renta, en el marco de los cuales la Administración va a desplegar su actividad de control de forma selectiva y siempre tiempo después de la completa realización de los hechos sujetos a gravamen.

Esta es la filosofía que, en esta materia, subyace al Acuerdo sobre Facilitación del Comercio de la OMC, cuyo artículo 7.3 se refiere a la "Separación entre el levante y la determinación definitiva de los derechos de aduana, impuestos, tasas y cargas" en los siguientes términos:

"3.1 Cada Miembro adoptará o mantendrá *procedimientos que permitan el levante de las mercancías antes de la determinación definitiva de los derechos de aduana*, impuestos, tasas y cargas, *si esa determinación no se efectúa* antes de la llegada, o en el momento de la llegada o *lo más rápidamente posible después de la llegada* y siempre que se hayan cumplido todas las demás prescripciones reglamentarias.

3.2 Como condición para ese levante, un Miembro podrá exigir:

a) el pago de los derechos de aduana, impuestos, tasas y cargas determinados antes de o a la llegada de las mercancías y una garantía para la cuantía que todavía no se haya determinado en forma de fianza, depósito u otro medio apropiado previsto en sus leyes y reglamentos; o

b) una garantía en forma de fianza, depósito u otro medio apropiado previsto en sus leyes y reglamentos.

3.3 Esa garantía no será superior a la cuantía que el Miembro requiera para asegurar el pago de los derechos de aduana, impuestos, tasas y cargas que finalmente deban pagarse por las mercancías cubiertas por la garantía.

3.4 En los casos en que se haya detectado una infracción que requiera la imposición de sanciones pecuniarias o multas, podrá exigirse una garantía por las sanciones y las multas que puedan imponerse.

3.5 La garantía prevista en los párrafos 3.2 y 3.4 se liberará cuando ya no sea necesaria.

3.6 Ninguna de estas disposiciones afectará al derecho de un Miembro a examinar, retener, decomisar o confiscar las mercancías o a disponer de ellas de cualquier manera que no sea incompatible por otros motivos con los derechos y obligaciones de los Miembros en el marco de la OMC".

En paralelo y con el mismo fundamento, el apartado 5 de este mismo artículo 7 del ACF se refiere a la "auditoría posterior al despacho de aduana" en los términos siguientes:

"5.1 *Con miras a agilizar el levante de las mercancías*, cada Miembro adoptará o mantendrá una *auditoría posterior al despacho de aduana* para asegurar el cumplimiento de las leyes y reglamentos aduaneros y otras leyes y reglamentos conexos.

5.2 Cada Miembro seleccionará a una persona o un envío a efectos de la auditoría posterior al despacho de aduana *basándose en el riesgo*, lo que podrá incluir criterios de selectividad adecuados. Cada Miembro llevará a cabo las auditorías posteriores al despacho de aduana de manera transparente. Cuando una persona sea objeto de un proceso de auditoría y se haya llegado a resultados concluyentes, el Miembro notificará sin demora a la persona cuyo expediente se audite los resultados, los derechos y obligaciones de esa persona y las razones en que se basen los resultados.

5.3 La información obtenida en la auditoría posterior al despacho de aduana podrá ser utilizada en procedimientos administrativos o judiciales ulteriores.

5.4 Cuando sea factible, los Miembros utilizarán los resultados de la auditoría posterior al despacho de aduana para la aplicación de la gestión de riesgo".

27.4. EXCEPCIONES AL DEBER DE LIQUIDAR Y CONTRAER

En el punto anterior hemos señalado que la regla general que se establece en el artículo 105.4 CAU consiste en que las autoridades aduaneras vienen compelidas a liquidar en dos supuestos: a) cuando en su momento no se hubiese practicado la oportuna liquidación; b) cuando, habiéndose practicado la liquidación, se determine que ésta fue por importe inferior al que corresponde. Ahora bien, la deuda no podrá ser notificada al deudor (y, en consecuencia, no le resultará exigible) en los supuestos que enumera el artículo 102.1 CAU. Son los siguientes:

a) cuando, en espera de la determinación final del importe de los derechos de importación o de exportación, se haya impuesto una medida de política comercial provisional que adopte la forma de un derecho;

Se trata, por tanto, del supuesto de que se haya impuesto un derecho antidumping o compensatorio provisional.

Los derechos antidumping se examinan en el capítulo 36; los derechos compensatorios en el capítulo 37. En esos capítulos expondremos qué es un "derecho antidumping provisional" y qué es un "derecho compensatorio provisional". Señalemos, no obstante, que la liquidación en estos casos queda diferida hasta que se establezca el derecho definitivo (sea antidumping o compensatorio) y que, en tanto el derecho sea provisional, lo que harán las autoridades será exigir una garantía para cubrir el derecho provisional ante la eventualidad de que pueda convertirse en definitivo.

b) cuando el importe de los derechos de importación o de exportación exigibles sea superior al importe determinado sobre la base de una información vinculante.

Así pues, el declarante queda protegido por el criterio expresado en una Información Vinculante, de modo que no se le puede liquidar por un importe superior al que resulte de ese criterio, aunque en el momento de liquidar se considere que es incorrecto a la luz de la norma.

Nos hemos ocupado de las Informaciones Vinculantes en el capítulo 9. Ahora bien, precisemos que no cabe interpretar que el criterio administrativo expresado en una Circular constituya, en este contexto, una "información arancelaria vinculante" (STJUE *Olasagasti*, párrafos 28 a 31; *Behn Verpackungsbedarf*).

c) cuando la decisión original de no notificar la deuda aduanera o de notificar esta con el importe de los derechos de importación o de exportación en una cifra inferior a la del importe de los derechos de importación o de exportación exigible se haya tomado con arreglo a disposiciones generales invalidadas en una fecha posterior por una decisión judicial;

Se trata en este caso de proteger a los operadores frente al efecto desfavorable que se les pudiera derivar de la declaración de una norma como contraria al ordenamiento. Si la invalidación de una norma por una sentencia judicial pudiese tener consecuencias negativas para los operadores que confiaron en su eficacia, la seguridad jurídica quedaría afectada, atacándose la confianza legítima en lo que aparece como el Derecho vigente. Desde otra perspectiva, un ejercicio indebido del poder normativo no puede deparar perjuicios para quienes nada tuvieron que ver con él. Naturalmente, y a falta de mayor precisión, la disposición general que quede invalidada por resolución judicial puede ser tanto interna como de la UE, siempre que su contenido normativo haya influido en la liquidación inicial.

Nótese que la declaración de invalidez únicamente impide notificar una nueva liquidación cuando ello se resuelva en una mayor cantidad a ingresar. En caso de que, por el contrario, la invalidación de la norma se tradujese en considerar excesiva la liquidación original, el cauce jurídico sería el de la condonación o devolución de derechos, de modo que nada impediría regularizar la situación del deudor a fin de aplicarle las consecuencias jurídicas que se deriven de la declaración de invalidez de la norma. Esta asimetría tiene pleno sentido puesto que, insistimos, el fundamento de la norma reside en proteger la seguridad jurídica del operador, imputando al legislador las consecuencias negativas derivadas de un incorrecto ejercicio de sus potestades, fundamento que no permitiría denegar al deudor la regularización cuando la misma le resulte favorable.

La condonación y devolución de derechos serán analizadas en el capítulo 28.

d) cuando las autoridades aduaneras estén dispensadas, conforme a la normativa aduanera, de la notificación de la deuda aduanera.

Este último supuesto viene desarrollado en el artículo 88 RDCAU, conforme al cual las autoridades podrán abstenerse de notificar una deuda aduanera en dos supuestos:

1) Cuando la deuda haya nacido por incumplimiento y el importe de los derechos sea inferior a 10 euros.

2) Cuando se hubiera notificado inicialmente una liquidación y se descubra posteriormente que corresponde liquidar una cantidad adicional, pero esta cantidad adicional sea inferior a 10 euros.

Estamos, por tanto, ante una regla de umbral mínimo (regla *de minimis*), de orden pragmático, dado que se dirige a levantar la exigencia de liquidar en supuestos en los que los costes de gestión van a superar a la recaudación que pudiera obtenerse.

Por eso llama la atención que, en el primer supuesto, el RDCAU limite a las deudas nacidas por incumplimiento la excepción al deber de notificar la deuda, puesto que idéntica situación puede producirse respecto de una deuda nacida sin incumplimiento y parece razonable que tampoco en tal caso se exija su importe.

Dos ejemplos nos ayudarán a ilustrar la diferencia entre los dos supuestos en los que se descompone la regla *de minimis*.

Ejemplo
1.– Supongamos que se importan mercancías a las que corresponden unos derechos de 8 €, incurriéndose además en un incumplimiento de la normativa aduanera. En virtud de lo dispuesto en el artículo 88.1 RDCAU las autoridades aduaneras no procederán a dictar una liquidación, puesto que estamos por debajo del umbral mínimo para liquidar (10 €).

EJEMPLO

Ejemplo
2.– Supongamos ahora que se importan unas mercancías a las que corresponden unos derechos de 75 €. Las autoridades liquidan inicialmente por 70 €. Posteriormente se comprueba que el importe correcto a liquidar es de 75 €. Procedería en principio dictar, por tanto, una liquidación complementaria por importe de 5 €. El artículo 88.1 RDCAU no impediría esta nueva liquidación, puesto que el límite que expresa se refiere al importe total de la liquidación, y ésta superaba los 10 € (hemos supuesto que era de 75 €) y, además, sólo se proyecta sobre deudas aduaneras nacidas por incumplimiento. En cambio, el artículo 88.2 RDCAU se refiere específicamente a las liquidaciones posteriores al levante, impidiendo que estas sean por importe inferior a 10 €. Como en este caso la liquidación posterior al levante que correspondería es de 5 €, no procedería la misma por aplicación del artículo 88.2RDCAU.

EJEMPLO

El precepto aclara que la cuantía mínima de 10 euros en ambos supuestos debe entenderse que se refiere a cada acción de cobro (artículo 88.3 RDCAU). Respecto al contenido de la expresión "acción de recaudación determinada", que era la expresión equivalente que se contenía en el artículo 868 RACAC, antecedente del artículo 88.3 RDCAU, debe señalarse que el TJUE precisó que se refería a cada operación de importación o exportación tomada aisladamente (STJUE *Stinnes AG,* no existe versión en castellano).

> Respecto a esta cuestión, señala Galiano Martos que ello no impide "la práctica de reagrupar en un único requerimiento de recaudación varios actos de recaudación distintos, siempre que cada uno de ellos supere esa cuantía mínima" ("Recaudación a posteriori de la deuda aduanera", *Crónica Tributaria*, nº 74, 1995, p. 30).

A los supuestos anteriores todavía resta por añadir el que se establece en el artículo 103 CAU, conforme al cual "no se podrá notificar ninguna deuda aduanera una vez que haya transcurrido un plazo de tres años contados a partir de la fecha de nacimiento de la deuda aduanera".

> Nos hemos referido al plazo de caducidad para liquidar la deuda aduanera en el capítulo 25.2. Recordemos que el plazo será de entre 5 y 10 años cuando la deuda aduanera nazca como consecuencia de un acto tipificado como delito. Y, por otro lado, que el plazo para contraer se suspende en tres supuestos: 1) Si el interesado recurre; 2) Por el plazo del trámite de audiencia previo a la liquidación; 3) Por el plazo que medie entre la solicitud de una condonación o devolución y la decisión de concesión de la misma, cuando posteriormente se determine que tal condonación o devolución era improcedente.

Tanto en los supuestos del artículo 102.1 CAU como en el del artículo 103 CAU las autoridades no habrán de contraer —ni liquidar— la deuda correspondiente (así se dispone en los apartados 1 y 2 del artículo 104 CAU). Por tanto, no sólo se trata de supuestos en los que la liquidación queda privada de eficacia (recordemos que, al no poderse notificar, la liquidación es ineficaz) sino que estamos ante supuestos en los que la contracción y la liquidación no van a llegar a existir. Este matiz es importante porque significa que, no sólo la deuda no va a ser exigible frente al deudor, sino que la Hacienda de la UE no va a percibir tampoco el ingreso correspondiente. Esto significa que el Estado miembro no va a verse en la situación de tener que aportar a la Hacienda de la UE cantidades que no ha llegado a percibir atendido que, al no poder notificarlas, no puede ya exigírselas al deudor.

> Por tanto, los supuestos del artículo 102.1 y 103 CAU son supuestos en los que: 1) No se debe notificar la deuda; 2) No se debe contraer; y 3) No se debe liquidar.

El CAU básicamente ha mantenido la regulación anterior del CAC y el RACAC en materia de excepciones al deber de liquidar. Todos los supuestos del artículo 102.1 y 103 CAU ya se preveían en el CAC, con pequeños matices de detalle (por ejemplo, por lo que hace al límite temporal para la notificación de la deuda). No obstante, ha desaparecido en el CAU un supuesto de excepción al deber de liquidar que, bajo la vigencia del CAC, ocasionó un buen número de litigios ante el TJUE. Se trata del supuesto en que las autoridades incurrieron en un error en la liquidación inicial, cuando además ese error no hubiera podido ser razonablemente descubierto por el deudor, que debe haber actuado de buena fe. La acumulación de estas tres circunstancias (error de las autoridades, que no pudo ser razonablemente descubierto por el deudor y que el deudor actuase de buena fe) se erigía en el CAC en causa que impedía una contracción posterior al levante y, simultáneamente, en causa que legitimaba la condonación de la deuda —si ésta ya se hubiera liquidado— o en su devolución —en caso de que la deuda no sólo hubiera sido liquidada, sino que también hubiera sido pagada—. El CAU ha optado por mantener este supuesto como caso en el que procede la condonación o devolución de derechos (artículo 119 CAU), pero lo ha suprimido como caso en el que se excepciona el deber de liquidar con posterioridad al levante.

> El motivo por el cual el error de las autoridades deja de incluirse en el CAU como causa impeditiva de la contracción, manteniéndose únicamente como motivo de devolución o condonación, estriba en que se había generalizado la práctica entre las Administraciones nacionales de contraer en estos supuestos —a pesar de lo que disponía la norma— a fin de evitar que transcurrieran los plazos, confiando en que si se determinaba posteriormente que se cumplían los requisitos, siempre quedaba la posibilidad de acordar la oportuna condonación o devolución de derechos. A esta evolución colaboró el hecho de que la Comisión, al exigir que los derechos se contrajesen en todo caso a favor de la Hacienda de la UE (aunque finalmente no se pudieran recaudar del deudor, basándose en que la Hacienda de la UE no debía quedar perjudicada por la negligencia de las autoridades nacionales que incurrieron en error), ejerció presión sobre las autoridades nacionales en el sentido de tratar de recaudar siempre que quedase un resquicio para ello, a fin de evitar verse en la incómoda situación de tener que transferir unos recursos a la Hacienda de la UE respecto de una deuda que no habían conseguido recaudar del deudor. Por otro lado, para determinar la concurrencia de los tres requisitos en determinados supuestos de mayor trascendencia, se establecía la obligación de referir el asunto a la Comisión, a fin de que fuera esta quien adoptase la decisión. Este mecanismo de decisión de la Comisión (que era análogo al que se establece para las decisiones relativas a la condonación y devolución de derechos, al que nos referiremos en el capítulo 28) entrañaba ciertas dilaciones que, habida cuenta de lo perentorio de los plazos para contraer, hacían también recomendable liquidar primero y consultar después. Por ese motivo, a las autoridades les resultaba más conveniente liquidar en todo caso y examinar después si efectivamente esos derechos debían ser satisfechos o no, utilizando a este fin la decisión relativa a la condonación o devolución. De ahí que no pueda hablarse de un cambio normativo de mayor relevancia práctica, atendido que era el proceder común que se había generalizado progresivamente.

27.5. LA REGULACIÓN EN ESPAÑA

Hemos señalado que, salvo en los supuestos que el CAU señala, las autoridades deben liquidar siempre que se detecte la existencia de una deuda que no ha sido liquidada o que, pese a haber sido liquidada, lo ha sido por un importe inferior al debido. Queremos de nuevo subrayar que esto significa que sólo cuando concurra alguna de las circunstancias de los artículos 102.1 o 103 CAU podrán las autoridades abstenerse de liquidar, puesto que ya hemos establecido que la regla general es que *deben* liquidar.

Insistimos en esta idea porque, según señalamos en el capítulo 25.4.3 y 25.4.4, conforme al ordenamiento tributario español las liquidaciones provisionales dictadas a la conclusión de un procedimiento de comprobación limitada o a la conclusión de un procedimiento inspector producen, con carácter general, un determinado efecto vinculante para la Administración conforme a lo dispuesto en la LGT (artículos 140 y 148.3 LGT), más todavía si lo que se dicta a la conclusión de un procedimiento inspector es una liquidación definitiva (véase el capítulo 25.2). Ese efecto vinculante (o "preclusivo", como lo denomina la doctrina) es incompatible, en materia aduanera, con el deber de liquidar con posterioridad al levante que establece el CAU.

> En el mismo sentido se ha pronunciado el TS, que en su Sentencia de 23 de julio de 2002 afirma "El Tratado CEE no deja libertad a los Estados miembros para que puedan dejar de aplicar los derechos de importación (o de exportación), dadas las consecuencias perjudiciales que se pueden derivar para la economía de la Unión Europea. Por tal motivo, impone la obligación de recaudar a posteriori los derechos dejados de percibir, aunque establece dos excepciones (...)" (F.J. 2º; la norma aplicable a los hechos enjuiciados era el R. 1697/79).

Por ese motivo, la reforma de la LGT introducida por la Ley 34/2015 ha incorporado una nueva Disposición adicional vigésima en la que se establecen especialidades en materia aduanera, una de las cuales —la del apartado 1(a)— consiste en que:

> "Las liquidaciones de la deuda aduanera, cualquiera que fuese el procedimiento de aplicación de los tributos en que se hubieren practicado, tendrán carácter provisional mientras no transcurra el plazo máximo previsto en la normativa de la Unión Europea para su notificación al obligado tributario. El carácter provisional de dichas liquidaciones no impedirá en ningún caso la posible regularización posterior de la obligación tributaria cuando se den las condiciones previstas en la normativa de la Unión Europea".

Por tanto:

1) Todas las liquidaciones en materia aduanera tienen carácter provisional (incluyendo, pues, las que puedan dictarse a la conclusión de un procedimiento de inspección);

2) Las liquidaciones en materia aduanera carecen de cualquier efecto vinculante para la Administración (o "preclusivo"), incluso el limitado efecto vinculante que se establece en los artículos 140 y 148.3 LGT. En consecuencia, nada impedirá que una liquidación posterior realice una regularización sin sujetarse a restricción alguna por el hecho de que la operación de que se trate hubiese sido objeto de una liquidación previa, salvo, obviamente, las restricciones que puedan derivar de las normas de la UE.

La modificación introducida en la LGT nos parece plenamente justificada y, de hecho, habíamos insistido en su necesidad. También el TEAC había apuntado esta idea en su Resolución de 6 de septiembre de 2000 (JT 2000\1862). Si bien la STJUE *Faroe Seafood*, había interpretado que las normas procedimentales internas son admisibles "a falta de disposiciones comunitarias", esta posibilidad queda cerrada cuando no es posible detectar dicha "falta de disposiciones" puesto que el Derecho de la Unión ya regula en qué circunstancias debe procederse a dictar una nueva liquidación (párrafo 66). Tampoco parece que cupiese interpretar que la categoría de la liquidación definitiva constituyera una norma nacional de carácter procedimental compatible con el ordenamiento de la UE en tanto que determina "las modalidades y condiciones de la recaudación de las cargas financieras comunitarias", sin hacer esta recaudación de peor condición ni menos eficaz que la de los tributos internos y que, en ningún caso, hace "imposible o excesivamente difícil en la práctica el cumplimiento de la normativa comunitaria" (STJUE *Faroe Seafood*, párrafos 65-71). Al respecto, téngase también en cuenta que la especialidad del Derecho inglés que se examina en la Sentencia *Faroe Seafood* consistía en que este ordenamiento califica de inválida en su totalidad una liquidación única relativa a una cantidad global cuando parte de la deuda liquidada deba considerarse prescrita. El Tribunal determinó que esta norma era compatible con el Derecho de la UE, observando que no provoca por sí misma la extinción de la deuda tributaria ni pone en tela de juicio el fundamento mismo de la norma que obliga a la contracción posterior al levante (párrafo 70). La norma procedimental inglesa permite que se vuelva a liquidar la parte de la deuda no "prescrita", de modo que no colisiona con las disposiciones sobre contracción posterior al levante. En cambio, la categoría de la liquidación definitiva, aunque no tiene por efecto "provocar por sí misma la extinción de la deuda tributaria comunitaria" (párrafo 70), sí que impide que la deuda llegue a nacer (al impedir que se liquide de nuevo). Y al hacerlo contradice la norma de la UE sobre contracción posterior al levante que, al regular los supuestos tasados de excepción al deber de liquidar, no contempla entre ellos la circunstancia de que la liquidación anterior se calificase como "definitiva". Creemos, en suma, que la categoría de la liquidación definitiva no supera el examen de las condiciones que el Tribunal establece en esta Sentencia para apreciar que una norma procedimental interna es compatible con el derecho aduanero de la UE.

La posterior Sentencia del TJUE *Veloserviss* (asunto C-427/14, de 10.12.2015) insiste en esta doctrina. En aquél asunto, las autoridades realizaron una comprobación posterior al levante sin descubrir ninguna irregularidad. Posteriormente, tras recibir un informe de la OLAF sobre irregularidades en los certificados de origen, las autoridades volvieron a comprobar y liquidaron denegando la preferencia arancelaria. Ahora bien, el ordenamiento interno letón impedía en determinadas circunstancias una nueva liquidación cuando ya hubo una liquidación que vino precedida de actuaciones de comprobación. El TJUE decidió que se opone al Código Aduanero una normativa nacional que restringe la posibilidad de que las autoridades aduaneras reiteren una revisión o un control a posteriori y determinen sus consecuencias, liquidando una nueva deuda aduanera. Argumenta que el Derecho de la Unión ya incluye herramientas para proteger la confianza legítima (como el plazo de 3 años para comunicar la deuda; o la posibilidad de obtener la devolución y condonación, entre otros supuestos, cuando concurre un error activo de las propias autoridades) y que, por tanto, no cabe aplicar limitaciones establecidas por derecho nacional a la posibilidad de comprobar y liquidar con posterioridad al levante dentro de ese plazo de 3 años (o, si es acto perseguible penalmente, el plazo entre 5 y 10 años que determine la legislación nacional).

CONDONACIÓN Y DEVOLUCIÓN

28 Condonación y devolución

Regulación de la condonación y devolución		
CAU	RDCAU	RECAU
116 a 123	89 y 92 a 102	172 a 181

TAXUD ha elaborado una Guía sobre devolución y condonación (*Guidance on Repayment and Remission*, de momento disponible en inglés). En este capítulo nos referiremos a ella como la "*Guidance*".

Como quiera que en este capítulo se contienen abundantes referencias a Sentencias del TJUE, a fin de evitar reiteraciones, ofrecemos a continuación el cuadro de todas ellas, ordenadas por fecha, de modo que en el texto las citaremos simplemente por su nombre.

> Bajo la vigencia del CAC, la Comisión Europea preparó un documento informativo sobre la incidencia de la doctrina del TJUE y de la propia Comisión sobre la normativa de condonación y devolución que sigue siendo relevante para la aplicación de la normativa del CAU, dada la similitud entre ambas (el documento se titula *Infomation paper on the application of Articles 220(2) and 239 of the Community Customs Code*).

Jurisprudencia TJUE sobre condonación y devolución		
Nombre de las partes	*Asunto*	*Fecha*
Ciro Acampora	827/79	11.12.1980
Magazzini Generali	186/82 y 187/82	05.10.1983
Papierfabrik	283/82	15.12.1983
Les Rapides Savoyards y otros	218/83	12.07.1984
Van Gend & Loos	98 y 230/83	13.11.1984
Stinnes AG	214/84	12.12.1985
Oryzomyli	160/84	15.05.1986
Coopérative Agricole	58/86	26.03.1987

Jurisprudencia TJUE sobre condonación y devolución		
Nombre de las partes	Asunto	Fecha
Cerealmangini	244 y 245/85	12.03.1987
Foto-Frost	C-314-85	22.10.1987
Padovani	C-210/87	05.10.1988
Top Hit	C-378/87	23.05.1989
Binder	C-161/88	12.07.1989
Bessin et Salson	386/87	09.11.1989
Deutsche Fernsprecher	C-64/89	26.06.1990
Behn Verpackungsbedarf	C-80/89	28.06.1990
Mecanarte	C-348-89	27.06.1991
Meico Fell	C-273/90	27.11.1991
Beirafrio	C-371/90	08.04.1992
Belovo	C-187/91	16.07.1992
Hewlett Packard	C-250/91	01.04.1993
Weis	C-292/91	04.05.1993
Huygen y otros	C-12/92	07.12.1993
Anastasiou y otros	C-432/92	05.07.1994
SEIM	C-446/93	18.01.1996
Faroe	C-153/1994 y 204/1994	14.05.1996
Olasagasti	C-47, 48, 49, 50, 60, 81, 92 y 148/95	12.12.1996
Foods Import	C-38/95	12.12.1996
Pascoal & Filhos	C-97/95	17.07.1997
Consechimica	C-261/96	06.11.1997
Sportgoods	C-413/96	24.09.1998
Covita	C-370/96	26.11.1998
Trans-Ex-Import	C-86/97	25.02.1999
De Haan	C-61/98	07.09.1999
Söhl & Söhlke	C-48/98	11.11.1999

Jurisprudencia TJUE sobre condonación y devolución		
Nombre de las partes	Asunto	Fecha
Sommer	C-15/99	19.10.2000
Bacardi	C-253/99	27.09.2001
William Hinton	C-30/00	11.10.2001
Antero	C-203/01	08.07.2002
Ilumitrónica	C-251/2000	14.11.2002
Comisión/Holanda	C-156/00	13.03.2003
Hannl	C-91/02	16.10.2003
British American Tobacco	C-222/01	29.04.2004
Peter Biegi	C-499/03 P	03.03.2005
Transport Maatschappij	C-247/04	20.10.2005
Comisión/Dinamarca	C-392/02	15.11.2005
Sfiakanakis	C-23/04 a C-25/04	09.02.2006
Beemsterboer	C-293/04	09.03.2006
Conseil Générale de la Vienne	C-419/04	22.06.2006
ASM Lithography	C-100/05	05.10.2006
Common Market Fertilizers	C-443/05P	13.09.2007
Comisión/Dinamarca (2)	C-19/05	18.10.2007
Agrover	C-173/06	18.10.2007
Skoma-Lux	C-161/06	11.12.2007
Road Air Logistics Customs	C-526/06	13.12.2007
CAS	C-204/07P	25.07.2008
Heuschen	C-375/07	20.11.2008
Berel	C-78/10	17.02.2011
Bolton Alimentari	C-494/09	17.02.2011
DP Grup	C-138/10	15.09.2011
Afasia	C-409/10	15.12.2011
Transnáutica	C-506/09P	22.03.2012

Jurisprudencia TJUE sobre condonación y devolución		
Nombre de las partes	Asunto	Fecha
CIVAD	C-533/10	14.06.2012
KHG	C-351/11	08.11.2012
Lagura	C-438/11	08.11.2012
Sandler	C-175/12	24.10.2013
Makro Vestel	C-264/15P, C-265/15P	21.04.2016
Wortmann	C-365/15	18.01.2017
X BV	C-661/15	12.10.2017
AquaPro	C-407/16	26.10.2017
Prenatal	C-589/17	29.07.2019
Rottendorf Pharma	C-92/20	03.02.2021

Jurisprudencia TGUE (TJ 1ª Instancia)		
Nombre de las partes	Asunto	Fecha
France-aviation	T-346/94	09.11.1995
Günzler Aluminium	T-75/95	05.06.1996
Eyckeler & Malt	T-42/96	19.02.1998
Unifrigo	T-10/97 y T-11/97	09.06.1998
Primex Produkte Import-Export y otros	T-50/96	17.09.1998
Mehibas Dordtselaan	T-290/97	18.01.2000
Kaufring	T-186/97 y otros	10.05.2001
Spedition Wilhelm Rotermund	T-330/91	07.06.2001
SCI UK	T-239/00	04.07.2002
Hyper	T-205/99	11.07.2002
Bonn Fleisch	T-329/00	27.02.2003
Biegi	T-309 y T-239/02	17.10.2003
Aslantrans	T-282/01	12.02.2004

Jurisprudencia TGUE (TJ 1ª Instancia)		
Nombre de las partes	**Asunto**	**Fecha**
Nordespedizioneri di Danielis Livio	T-332/02	14.12.2004
Geologistics	T-26/03	27.09.2005
Ricosmos	T-53/02	13.09.2005
Saupiquet	T-131/10	24.11.2011
Van Parys	T-324/10	19.03.2013
Recombined	T-65/11	05.06.2013
España/Comisión	T-466/14	15.12.2016
Combaro	T-752/14	19.07.2017

28.1. CONCEPTO Y ELEMENTOS COMUNES

El artículo 5.28 CAU define «devolución» como "el reembolso de un importe de derechos de importación o de exportación que ha sido pagado". Por su parte, la «condonación» la define el artículo 5.29 CAU como "la dispensa de la obligación de pagar un importe pendiente de derechos de importación o de exportación". De este modo *se condona* un importe liquidado que todavía no ha sido pagado, en tanto que *se devuelve* un importe que ya ha sido ingresado. Obsérvese que tanto la devolución como la condonación de derechos pueden referirse a los derechos de importación o a los derechos de exportación.

En principio se fija para ambas un importe mínimo de 10 euros a condonar o devolver, si bien el interesado puede solicitar la condonación o devolución de un importe inferior (artículo 116.2 CAU).

La norma 4.24 del Anexo General del Convenio de Kioto (recordemos que el Anexo General sí ha sido ratificado por la UE) dispone que "no se concederá la devolución si el importe correspondiente es inferior al mínimo fijado por la legislación nacional"

En su Sentencia *Bessin et Salson* (p. 8) el TJUE apreció que la normativa de la Unión en esta materia "tiene por objeto establecer un régimen comunitario de devolución de derechos de importación o de exportación, *destinado a reemplazar a las legislaciones nacionales* correspondientes". En consecuencia, debe entenderse que, con carácter general, no son aplicables en materia de impuestos arancelarios las disposiciones nacionales relativas a la devolución de ingresos, salvo que la norma de la UE contenga una remisión a ellas.

El CAU regula 4 situaciones en las que debe procederse a ordenar la condonación o devolución de derechos:

1) Cuando los **derechos liquidados sean excesivos** o la deuda haya sido notificada en contra de lo establecido en los apartados (c) y (d) del artículo 102.1 CAU (artículo 117 CAU);

2) Cuando, en relación con los derechos de importación, las **mercancías** importadas sean **defectuosas** o no cumplan con las estipulaciones del contrato (artículo 118 CAU);

3) En caso **de error de las autoridades** competentes, que no pudo ser razonablemente descubierto por un deudor que actuó de buena fe; y

4) Cuando concurran **circunstancias especiales**, distintas de las anteriores, en las que existan motivos de equidad para condonar o devolver la deuda (artículo 120 CAU).

Adicionalmente a los cuatro supuestos referidos, se establece que **si se invalida una declaración** en aduana y ya se hubieran pagado los derechos correspondientes, se procederá a su devolución (artículo 116.1 CAU). La invalidación de la declaración en aduana se regula en el artículo 174 CAU.

Supuestos de condonación y devolución de derechos	
116.1.2º párrafo	Invalidación de una declaración respecto de la cual se hayan pagado los derechos
117	Liquidación de importe excesivo
118	Mercancías importadas defectuosas o que no cumplan con las estipulaciones del contrato
119	Error de las autoridades competentes
120	En circunstancias especiales (equidad)

La condonación o devolución no se concederá cuando la situación que llevó a la notificación de la deuda aduanera sea consecuencia de un acto fraudulento del deudor (artículo 116.5 CAU).

Dado que la condonación o devolución depende de elementos subjetivos (como el que acabamos de señalar, el fraude), si se concede a un deudor su efecto no se extiende de forma automática a los demás codeudores, aunque se disponga que entre ellos se establece un régimen de solidaridad (artículo 84 CAU, anteriormente 213 CAC), sino que debe examinarse para cada uno de ellos si concurren todos los requisitos a los que se sujeta la condonación o devolución

(STJUE *Berel*). En este sentido la condonación o devolución se refiere al deudor, no a la deuda. Las normas que regulan la condonación y devolución "deben interpretarse en el sentido de que se oponen a la aplicación, en el contexto de una obligación solidaria por una deuda aduanera en el sentido de dicho artículo 213, como la que es objeto del litigio principal, de un principio de Derecho nacional del que resulta que la condonación parcial de los derechos concedida con arreglo a dicho artículo 239 —actualmente artículo 120 CAU— a uno de los codeudores puede ser invocada por todos los demás, de manera que la extinción de la deuda contemplada en el artículo 233, párrafo primero, letra b), del mismo Código —actualmente artículo 124.1(c) CAU— se refiere a la deuda como tal y exime, por consiguiente, al conjunto de deudores solidarios del pago de ésta dentro de los límites del importe por el que se concedió la condonación" (STJUE *Berel*, fallo).

La Comisión Europea (TAXUD) mantiene una página web de recursos en materia de deuda aduanera con información de interés en materia de condonación y devolución de derechos, incluyendo enlaces a documentos de trabajo y guías. La página es:

ENLACE

https://ec.europa.eu/taxation_customs/business/
customs-procedures-import-and-export/customs-procedures/customs-debt_en

28.2. DEVOLUCIÓN EN CASO DE INVALIDACIÓN DE LA DECLARACIÓN (116.1, SEGUNDO PÁRRAFO CAU)

Conforme a lo dispuesto en el segundo párrafo del artículo 116.1 CAU, cuando se invalide una declaración en aduana respecto de la cual se hayan pagado derechos de importación o derechos de exportación, se procederá a la devolución de los mismos. Nótese que este es un supuesto únicamente de devolución (cuando ya se haya pagado), pues si todavía no se hubiera pagado no se trataría de una condonación sino de una causa de extinción de la deuda (artículo 124.1(d) CAU).

> La invalidación de la declaración se regula en el artículo 174 CAU (véase el capítulo 23.1). Con carácter general la invalidación debe ser anterior al levante, salvo en los supuestos que enumera el artículo 148 RDCAU, en los que puede realizarse después del levante.

La devolución se concederá a petición del interesado presentada ante las autoridades que notificaron la deuda, dentro de los plazos previstos para la presentación de la solicitud de invalidación de la declaración de aduana (artículo 121.1(c) CAU). La invalidación de la declaración, en los supuestos en que se admite con posterioridad al levante, puede realizarse con carácter general en el plazo de noventa días a contar desde la fecha de aceptación de la declaración (véase el artículo 148 RDCAU).

28.3. LIQUIDACIÓN DE IMPORTE EXCESIVO (ARTÍCULO 117 CAU)

Conforme al artículo 117 CAU procederá la devolución o condonación de los derechos en dos casos:

- Cuando el importe de la deuda aduanera inicialmente notificada exceda del importe exigible;

  La *Guidance* de TAXUD enumera como posibles situaciones en las que esta circunstancia puede darse: 1) que las autoridades incurran en error al liquidar; 2) que la deuda aduanera se hubiera extinguido; 3) la aportación de información inexacta en la declaración en aduana; 4) la aplicación de descuentos sobre el precio inicialmente declarado; 5) la realización de ajustes sobre el precio respecto de mercancías defectuosas o dañadas; 6) la modificación del arancel, que puede tener efecto retroactivo (p.e. cuando se anula un Reglamento de clasificación o cuando se emite un criterio interpretativo).

- Cuando la deuda aduanera haya sido notificada al deudor en contra de lo establecido en las letras (c) o (d) el artículo 102.1 CAU.

  Recordemos que la letra (c) del artículo 102.1 CAU impide notificar la deuda cuando la decisión original de no notificarla o de notificarla por un importe inferior al exigible se haya tomado con base en disposiciones generales que hayan sido posteriormente invalidadas por una decisión judicial (se protege la confianza legítima del deudor en una norma posteriormente invalidada). Por su parte, la letra (d) del artículo 102.1 CAU ordena que no se notifique la deuda cuando la normativa aduanera dispense a las autoridades aduaneras de hacerlo, lo que ocurre cuando la deuda es de importe inferior a 10 euros o la cantidad adicional a liquidar es inferior a 10 euros (regla *de minimis*).
  La norma 4.18 del Anexo General del Convenio de Kioto dispone que "se concederá la devolución cuando se determine que se han aplicado derechos o impuestos excesivos a consecuencia de un error de cálculo".

En este contexto, el TJUE ha considerado que los derechos son "legalmente debidos" cuando haya nacido una deuda aduanera, conforme a lo dispuesto en los artículos 77 a 82 CAU, y cuando el importe de dichos derechos haya podido ser determinado con arreglo al arancel aduanero común, esto es, se hayan podido determinar los elementos de imposición (clasificación, origen, valor). En particular, ha entendido el Tribunal, el importe de los derechos de importación o de los derechos de exportación sigue siendo legalmente debido, en el sentido del artículo 117 CAU, aunque dicho importe no haya sido comunicado al deudor de conformidad con el artículo 102 CAU (STJUE *Transport Maatschappij*). Asimismo, el hecho de que las autoridades aduaneras no hayan determinado el lugar en el que se haya originado la deuda aduanera tampoco impide que el importe de los derechos de aduana sea debido legalmente (STJUE *Road Air Logistics Customs*).

Las ideas anteriores, no obstante, requieren matices adicionales. La Sentencia del TJUE *ASM Lithography* examinó el caso de un importador acogido al régimen de perfeccionamiento activo que despachaba a libre práctica parte de los productos compensadores. Al calcular los derechos respecto de estos productos compensadores que se comercializaban en la UE utilizó una base de cálculo de los derechos que le perjudicaba, cuando podía haber aplicado otra que le hubiera resultado más favorable. Al descubrir que los derechos a satisfacer hubieran sido sensiblemente inferiores si se hubiera acogido a la base de cálculo alternativa, se planteó la cuestión de si el importe ingresado por ASM al aplicar una base de cálculo que le perjudicaba era un importe "indebido" y, en consecuencia, cabía la devolución o si, por el contrario, el importe era debido porque se había liquidado conforme a los datos suministrados por ASM y, por tanto, ASM no tenía derecho a la devolución. Ante esta cuestión el TJUE decidió que la norma sobre condonación y devolución "debe interpretarse en el sentido de que las autoridades aduaneras nacionales deben admitir una solicitud de devolución de derechos de importación cuando se ponga de manifiesto que, debido a un error del interesado y no a una elección, el importe de la deuda aduanera se ha determinado con arreglo al artículo 121 de dicho Código y ya se ha comunicado al interesado, aunque esta solicitud implique que las referidas autoridades deban calcular de nuevo el importe de la deuda con arreglo al artículo 122, letra c), del Código aduanero". Por tanto un importe puede considerarse "indebido" a los efectos del artículo 117 CAU cuando fue liquidado sobre la base de un dato o elemento erróneo facilitado por el declarante.

Debe tenerse en cuenta que la declaración de un Reglamento de la UE como contrario al Derecho de la OMC por el Órgano de Solución de Diferencias de la OMC no convierte en indebidos los ingresos exigidos en aplicación de ese Reglamento, puesto que sólo el Tribunal de Justicia es competente para declarar la invalidez de un acto de la Unión (STJUE *CIVAD*, pp. 36-44).

No procederá la devolución ni la condonación de derechos cuando los hechos que hayan dado lugar al pago o a la liquidación de un importe indebido sean el resultado de una maniobra del interesado.

Un supuesto específico es el que se produce cuando la solicitud de devolución o de condonación se base en la aplicabilidad, en la fecha de admisión de la declaración de despacho a libre práctica de las mercancías, de un derecho de importación reducido o de tipo cero en razón de:

- un contingente arancelario, o
- de un límite máximo arancelario o
- de otra medida arancelaria favorable.

En este supuesto procederá la devolución o condonación únicamente cuando el interesado aporte, junto a su solicitud, los documentos que acrediten (artículo 117.2 CAU):

a) si se trata de un contingente arancelario, que no se ha agotado su volumen;

b) en los demás casos, que no se ha restablecido el derecho normal.

Aún sin cumplir alguno de los requisitos señalados, todavía será posible obtener la condonación o devolución si el motivo por el cual no se hubiera aplicado el derecho reducido o de tipo cero hubiera sido un error cometido por las autoridades aduaneras. En este caso la condonación o devolución se sujeta a que la declaración de despacho a libre práctica contuviera todos los elementos y estuviera acompañada de todos los documentos necesarios para la aplicación del derecho reducido o de tipo cero (artículo 119.2 CAU).

> En la Sentencia *Sportgoods* el Tribunal deniega la aplicabilidad a posteriori de un límite máximo arancelario cuando fue el declarante quien incurrió en un error al clasificar las mercancías en su declaración y, en el momento de rectificar esta clasificación, el límite máximo arancelario se había agotado (pp. 26-34).
>
> En la Sentencia *Sandler,* el importador se había acogido a una preferencia arancelaria mediante la aportación de unos certificados de origen. En una comprobación posterior al levante se determinó que los certificados de origen eran inválidos porque no tenían los sellos adecuados, procediendo las autoridades a contraer los derechos con posterioridad al levante. El declarante, ante la nueva liquidación, aportó unos certificados emitidos a posteriori en los que ya aparecían los sellos correctos. Pero las autoridades le denegaron la condonación con el argumento de que, en el momento de presentar los certificados válidos, la preferencia ya no era aplicable. En este asunto el TGUE decidió que la norma de condonación "debe interpretarse en el sentido de que no se opone a una solicitud de devolución de derechos cuando en el momento de despacharse las mercancías a libre práctica fue solicitado y acordado un régimen arancelario preferencial y sólo posteriormente, en el marco de una verificación a posteriori realizada una vez expirado el régimen arancelario preferencial y restablecido el derecho normalmente debido, las autoridades del Estado de importación procedieron a recaudar la diferencia respecto del derecho de aduana aplicable a las mercancías originarias de terceros países". La decisión del TGUE parece plenamente lógica si se tiene en cuenta que el objetivo del artículo 117.2 CAU (anteriormente, 889 RACAC) consiste en impedir que la aplicación de una preferencia se extienda más allá de lo establecido en ella. En este caso ello no ocurre, pues la preferencia sí se aplicó (y computó) en el momento de la liquidación inicial.
>
> Véase también la Sentencia TJUE *Bacardi*, p. 42, relativo a una importación en la que el declarante no aportó inicialmente el certificado de autenticidad a que se sujetaba un tratamiento arancelario más favorable e indicó una clasificación arancelaria que no era la que correspondía a ese tratamiento arancelario favorable (el Tribunal desestima que quepa condonar la deuda por este motivo en estas circunstancias).

En otro orden de cosas, se plantea una casuística particular respecto a las cantidades ingresadas en virtud de un Reglamento de clasificación interpretativo de la Comisión que determina la aplicabilidad de un tipo de gravamen diferente al anteriormente aplicado. Debe tenerse en cuenta a este respecto que los referidos Reglamentos, por ser de naturaleza interpretativa, tienen eficacia retroactiva. A esta problemática ha tratado de dar respuesta la Comisión en su documento "Impacto de los reglamentos de clasificación arancelaria sobre las disposiciones del Código que regulan la devolución, la condonación y la recaudación a posteriori de los derechos de aduana" (documento

TAXUD/741/2003-FINAL; este análisis se incorpora en el apartado 6 de la sección 3 de la *Guidance* de TAXUD).

Sintetizamos a continuación el contenido del referido documento. Una primera situación se plantea si el nuevo Reglamento altera el criterio fijado en un Reglamento interpretativo anterior. En estas condiciones, si el nuevo tipo es inferior, el operador tendrá derecho a la condonación o devolución si presenta su solicitud dentro del plazo de tres años desde la admisión de la declaración.

Ejemplo
Un operador pagó derechos al tipo del 10%. Se dicta un Reglamento de clasificación interpretativo que determina la aplicabilidad de un tipo del 5%. El operador tiene derecho a la devolución si presenta la solicitud en plazo.

Si, por el contrario, el nuevo tipo es superior, el operador todavía podrá obtener la condonación o devolución respecto de las operaciones anteriores a la publicación del nuevo Reglamento a fin de que se le aplique el tipo inicial inferior que es posteriormente considerado incorrecto, siempre que la solicitud se presente dentro del plazo de tres años desde la admisión de la declaración.

Ejemplo
Un operador pagó derechos al tipo del 8%. El tipo aplicable conforme a un Reglamento interpretativo anterior era del 5%. Se dicta un nuevo Reglamento de clasificación interpretativo que determina la aplicabilidad de un tipo del 10%. A pesar de la eficacia retroactiva del nuevo Reglamento, el operador tiene derecho a la devolución (del 8% – 5% = 3%) si presenta la solicitud en plazo.

Se plantean otros casos posibles si, con anterioridad al Reglamento de clasificación interpretativo, no se había dispuesto un criterio de clasificación específico. Si el operador pagó derechos a un tipo superior del que resulta del Reglamento interpretativo, procederá acordar la condonación o devolución.

> ## Ejemplo
>
> En ausencia de un Reglamento interpretativo que determinara la clasifi-cación aplicable (y, en consecuencia, su tipo de gravamen correspon-diente), un operador pagó derechos al tipo del 10%. Se dicta un Regla-mento de clasificación interpretativo que determina la aplicabilidad de un tipo del 5%. El operador tiene derecho a la devolución si presenta la solicitud en plazo.

Si el operador pagó derechos a un tipo inferior del que resulta del Reglamento interpretativo, la liquidación posterior al levante por la diferencia puede ser condonable por concurrir un error de las autoridades (al clasificar en una posición que determinó unos derechos de cuantía inferior).

Si un operador ya venía pagando derechos al tipo que se deriva del Reglamento interpretativo, no podrá invocar que otros operadores pagaron derechos a un tipo inferior para establecer, por esta sola circunstancia, que concurre una circunstancia especial que legitime la condo-nación o devolución por aplicación del artículo 120 CAU (al que nos referimos más abajo).

El documento de TAXUD a que nos referimos está disponible en:

https://ec.europa.eu/taxation_customs/document/download/
be13bb9a-1847-48fd-abbd-6fe02c6be0f8_en

La resolución de la devolución o de la condonación se adoptará en el marco de un procedimiento que puede iniciarse de oficio —cuando las autoridades se percaten de que concurren los presupuestos que legitiman la devolución o condonación— o bien a iniciativa del interesado, en este caso mediante la presentación de una solicitud al efecto. El plazo para presentar esta solicitud —o para que las autoridades inicien de oficio el procedimiento— es de tres años —coincidente con el de caducidad del ejercicio de la potestad de liquidación—. El cómputo de este plazo se inicia con la notificación de la deuda al deudor y puede prorrogarse en caso de que el interesado pruebe que no pudo presentar su solicitud en tiempo por caso fortuito o de fuerza mayor (artículo 121.1 CAU). La solicitud debe presentarse a las autoridades que notificaron la deuda.

El TJUE se refirió al concepto de "fuerza mayor" en el contexto de la normativa aduanera en su Sentencia *Pascoal & Filhos*, donde apreció que "A falta de disposiciones específicas, este concepto debe interpretarse en el sentido de circunstancias ajenas al operador afectado, anor-males e imprevisibles, cuyas consecuencias no habrían podido evitarse a pesar de toda la dili-gencia observada, de tal manera que determinados comportamientos de las autoridades públi-cas pueden, según las circunstancias, constituir un caso de fuerza mayor" (p. 63). En el mismo sentido, STJUE *Latvijas Dzelzceļš' VAS* (asunto C-154/16, de 18.05.2017, p. 61); STJUE *Denkavit* (asunto C-145/85, de 05.02.1987); STJUE *Edmond Huygens* (asunto C-12/92, de 07.12.1993); STJUE *Bonapharma* (asunto C-334/93, de 23.02.1995).

En su Sentencia *CIVAD*, el TJUE apreció que la posterior invalidación de un Reglamento por el que se establecen derechos antidumping no constituye un supuesto de fuerza mayor que permita ampliar el plazo de solicitud de la devolución más allá de los tres años (pp. 16-35). Para llegar a esta conclusión consideró que no es anormal que un Reglamento sea declarado ilegal (p. 30) y que el operador podía haber evitado esta circunstancia impugnando la validez del Reglamento en cuestión antes de que expirara el plazo de tres años establecido en el artículo 121 CAU (anteriormente, 236.2 CAC).

28.4. MERCANCÍAS DEFECTUOSAS O NO CONFORMES CON EL CONTRATO (ARTÍCULO 118 CAU)

El artículo 118 CAU establece la condonación o devolución de derechos de importación cuando se pruebe que las mercancías que generaron la deuda son mercancías que, en el momento de la admisión de la declaración en aduana, eran defectuosas o no conformes con las estipulaciones del contrato, circunstancia que debe haber llevado al importador a rechazarlas. A estos efectos, las mercancías dañadas antes del levante se asimilan a las mercancías defectuosas.

Se establecen no obstante algunas restricciones a este derecho a la condonación o a la devolución (artículo 118.3 CAU). En primer lugar, no se concederá cuando el carácter defectuoso de las mercancías se hubiera tomado en consideración en el momento de establecer los términos del contrato —en particular el precio de venta— que condujo a incluir las mercancías en el régimen aduanero que hizo nacer la deuda. En segundo lugar, no se concederá la condonación o devolución en caso de que las mercancías hayan sido vendidas por el importador después de haberse comprobado su defecto o su disconformidad con las estipulaciones del contrato. En tercer lugar, tampoco se concederá si, con anterioridad a la declaración en aduana, las mercancías han sido incluidas previamente en un régimen especial con vistas a realizar pruebas. No obstante, esta última causa de exclusión no se aplica si el interesado demuestra que el defecto de estas mercancías o su incompatibilidad con las cláusulas del contrato no podía descubrirse normalmente mediante dichas pruebas.

> La *Guidance* de TAXUD (apartado 4.1.2) observa que la devolución o condonación no se concederá por el simple motivo de que la operación de importación no haya tenido éxito comercial (porque, p.e. no se logra vender las mercancías; no hay mercado para los productos que puede fabricar la máquina importada; las mercancías se contaminan o dañan tras el levante...), indicando que esta circunstancia está comprendida en el riesgo comercial que deben asumir los operadores.

Por otra parte, la concesión de la condonación o devolución en relación con mercancías defectuosas o que no se ajustan a las estipulaciones del contrato se sujeta a una serie de condiciones. La primera de las referidas condiciones estriba en que las mercancías no hayan sido utilizadas (artículo 118.2 CAU). No obstante, si ha sido justamente al comenzar a utilizar las mercancías cuando se ha descubierto el defecto o la disconformidad con las estipulaciones del contrato, sí que cabrá obtener la condonación o devolución a pesar de este uso inicial.

La segunda condición consiste en que las mercancías salgan del TAU (artículo 118.2 CAU). Alternativamente a la salida de las mercancías del TAU y, tras la autorización para ello por parte de las autoridades a petición del interesado, esta segunda condición se entiende asimismo cumplida si las mercancías: a) se incluyen en el régimen de perfeccionamiento activo, incluso para su destrucción; b) se incluyen en el régimen de tránsito externo; c) se incluyen en el régimen de depósito aduanero; o d) se incluyen en zona franca (artículo 118.4 CAU).

> Por lo que hace a la destrucción de las mercancías (letra (a) anterior), ha de tenerse en cuenta que los residuos y desperdicios que se originen se considerarán mercancías que no son de la UE en caso de que se acuerde la condonación o devolución de derechos (artículo 179 RECAU).

El artículo 178 RECAU contempla la circunstancia de que la exportación, la inclusión en un régimen especial, la destrucción o el abandono al Estado no afecte a la mercancía completa sino a partes o elementos de la misma. En este caso el importe de la condonación o devolución será igual a la diferencia entre la cuantía de los derechos de importación correspondientes a la mercancía completa, por una parte, y la cuantía de los derechos de importación que corresponderían a las partes o elementos restantes (es decir, los que no son objeto de exportación, inclusión en un régimen especial, destrucción o abandono al Estado) si se hubieran incluido, sin transformar, en un régimen aduanero que genere una deuda en la misma fecha de inclusión de la mercancía completa, por otra.

> La norma 4.19 del Anexo General del Convenio de Kioto establece:
> "Se concederá la devolución en casos de mercancías importadas o exportadas defectuosas o que de alguna manera no cumplan las condiciones acordadas en el momento de la importación o exportación y que se devuelven al proveedor o a otra persona designada por el proveedor, bajo las siguientes condiciones:
> – que las mercancías no se hayan elaborado, reparado o utilizado en el país de importación y se reexporten en un plazo razonable,
> – que las mercancías no se hayan elaborado, reparado o utilizado en el país al que se exportaron y que se reimporten en un plazo razonable.
> El uso de las mercancías no obstaculizará la devolución si tal uso fuera imprescindible para descubrir los defectos u otras circunstancias que causaron la reexportación o reimportación de las mercancías.

Como alternativa a la reexportación o a la reimportación, las mercancías pueden abandonarse al erario público o, bajo control aduanero, destruirse o tratarse de forma que pierdan su valor comercial, lo que quedará a discreción de las aduanas. Tal abandono o destrucción no debe implicar costes para el erario público".

Respecto al plazo para solicitar la condonación o devolución de los derechos de importación por las causas que recoge el artículo 118 CAU, debe señalarse que este se fija en doce meses, a contar desde la fecha de notificación de la deuda al deudor. No obstante, se permite que las autoridades concedan una prórroga de este plazo si el solicitante acredita un caso fortuito o de fuerza mayor (artículo 121.1 CAU). En este supuesto no se contempla la iniciación de oficio del procedimiento, por lo que deberá en todo caso iniciarse a solicitud del interesado (artículo 116.4 CAU), que se debe presentar ante las autoridades que notificaron la deuda.

La STJUE *X BV*, relativa a una revisión del valor en aduana basada en defectos de las mercancías que se descubren con posterioridad al plazo de 12 meses, decidió que el referido plazo de 12 meses es inválido porque contradice lo dispuesto en los artículos 78 CAC (actualmente, artículo 173.3 CAU) y 236.2 CAC (actualmente, artículo 117 y 121.1(a) CAU), donde se establece un plazo de tres años para solicitar la devolución de las cantidades indebidamente ingresadas. El TJUE declaró ilegal el límite de 12 meses a pesar que ya el CAC establecía este plazo para la devolución o condonación basada en defectos de las mercancías (artículo 238 CAC, actualmente artículo 118 y 121.1(b) CAU), por lo que, tras esta Sentencia, se derogó el apartado (c) del artículo 132 RECAU por el Reglamento 2020/893.

28.5. ERROR DE LAS AUTORIDADES (ARTÍCULO 119 CAU)

El artículo 119 CAU ordena la condonación o devolución de derechos cuando, no concurriendo los requisitos de alguna de las otras causas que legitiman esta medida, se verifique en cambio que la deuda inicialmente notificada sea de importe inferior al exigible debido a las tres circunstancias siguientes:

1. Error de las autoridades competentes.

2. El deudor no pudo haber detectado razonablemente dicho error.

3. El deudor actuó de buena fe.

La norma 4.22 del Anexo General del Convenio de Kioto dispone que "en los casos en que las aduanas determinen que el importe cargado en exceso se debe a un error de las aduanas en el cálculo de los derechos e impuestos, la devolución se hará con carácter prioritario".

Adentrándonos en el análisis de esta causa de condonación o devolución, la primera idea que conviene resaltar es la acumulación de requisitos en cascada para que se active, de manera que no basta con que concurra alguno o algunos de los que se enumeran, sino que tendrán que producirse *todos de forma simultánea* para que del precepto resulte que las autoridades deben condonar o devolver.

> Entre otras, pueden verse al respecto las Sentencias TJUE *Foto-Frost, Top Hit, Mecanarte, Hewlett Packard* o *Foods Import*. En España, el Tribunal Supremo se ha pronunciado en idéntico sentido en diversas Sentencias, sentando jurisprudencia sobre esta cuestión (STS de 8-03-2000, RJ 2000\2804; STS 6-02-2002, RJ 2002\3514; STS 23-07-2002, RJ 2002\7313).
>
> En este punto vamos a utilizar, tanto la jurisprudencia recaída sobre el supuesto de condonación y devolución equivalente bajo la vigencia del CAC (es decir, el supuesto que se regulaba en el artículo 236 CAC) como la jurisprudencia recaída acerca de la excepción al deber de contraer a posteriori que se regulaba en el artículo 220.2(b) CAC (que el CAU ha eliminado), en la medida en que exigía los mismos tres requisitos que vamos a analizar.

Esta consideración es de la máxima importancia, por cuanto limita considerablemente el alcance de la aplicabilidad de este supuesto. Por otra parte, si concurren todos los requisitos que enumera el precepto, las autoridades *deben condonar o devolver*, no se trata de una decisión discrecional, sino reglada (véanse las STJUE citadas arriba). Esta consecuencia se comprende si se toma en consideración que el precepto, según ha señalado reiteradamente el TJUE, tiene por finalidad proteger un interés de los deudores, que radica en la confianza legítima depositada por estos en los actos de las autoridades competentes, confianza que el ordenamiento debe tutelar (entre otras, STJUE *Mecanarte* y *Hewlett Packard*). De ahí que cuando exigir la deuda suponga traicionar esa confianza legítima, el interés fiscal debe ceder para una mejor realización de los fines del ordenamiento en su conjunto.

Analizaremos separadamente el contenido de cada uno de los requisitos a fin de aquilatar criterios que nos permitan determinar cuándo puede entenderse que se han cumplido.

a) El importe de la deuda inicialmente notificado es inferior al exigible como consecuencia de un **error cometido por las autoridades competentes**.

Partimos pues de que, tanto en el caso de que la liquidación inicial no se practicase, como en el caso de que se practicase, pero por un importe inferior al legalmente adeudado, esto haya tenido lugar como consecuencia de un error de las propias autoridades. Destaquemos una vez más que, en virtud del señalado carácter cumulativo de los requisitos que ahora abordamos, el error de las autoridades no implica, por sí sólo, que las autoridades deban condonar o devolver. Ello sólo ocurrirá cuando esta circunstancia concurra con las otras dos, de las que vamos a ocuparnos seguidamente. En definitiva, pues, el error de las autoridades aduaneras es condición necesaria, pero no suficiente, para proceder a la condonación o devolución de la deuda.

Sentada la premisa anterior, convendrá observar que la abundante jurisprudencia emanada por el TJUE nos permite perfilar cuándo puede entenderse cumplido este requisito. Así, por lo que hace al elemento subjetivo del requisito, el precepto establece que el error ha de cometerse por las autoridades competentes. El TJUE ha señalado que ello ocurre también cuando son las autoridades competentes del país de exportación quienes han incurrido en un error, alcanzando el mismo trascendencia para la liquidación aduanera (como puede ocurrir, por ejemplo, al expedir erróneamente un certificado de origen).

STJUE *Mecanarte* (párrafo 22); STJUE *Faroe Seafood* (párrafo 90). La idea se recoge de nuevo en la STJUE *Ilumitrónica*, donde se señala (párrafo 40) que la expresión "autoridad competente" comprende "no sólo las autoridades competentes para efectuar la recaudación, sino toda autoridad que, en el marco de sus competencias, proporcione elementos que se tengan en cuenta a la hora de recaudar los derechos de aduana, y que, de este modo, pueda generar la confianza legítima del deudor". El Tribunal de Justicia precisó que así sucede, en particular, con las autoridades aduaneras del Estado miembro de exportación que intervienen en lo relativo a la declaración en aduana (Sentencia *Faroe Seafood* y otros, antes citada, apartado 88)". En el mismo sentido, véase también la Sentencia TSJ-Valencia de 21.12.1999.

En cambio, el error no es atribuible a "las autoridades competentes" cuando haya sido cometido por las autoridades aduaneras de otro Estado miembro, siempre que las decisiones de estas últimas no deban ser tenidas en cuenta por las autoridades competentes para liquidar la deuda. En definitiva, el error debe haber sido cometido por una autoridad cuyas decisiones hayan alcanzado relevancia jurídica para determinar la deuda aduanera de que se trate (STJUE *Hewlett Packard*, párrafo 16).

STJUE *Hewlett Packard* (párrafos 16, 17, 18). En esta Sentencia se examina la trascendencia de la información arancelaria errónea suministrada por las autoridades alemanas para una deuda que correspondía liquidar a las autoridades francesas. En el momento en que se realizaron las importaciones no había entrado en vigor el sistema de informaciones arancelarias vinculantes (regulado en la actualidad en el artículo 33 CAU), de modo que la solución a este mismo problema en la actualidad sería justamente la inversa, puesto que la información arancelaria vinculante suministrada por las autoridades de un Estado miembro sí vincula jurídicamente a las autoridades aduaneras de todos los Estados miembros.

Por su parte, en la STGUE *Van Parys* se aprecia que los errores que la Comisión pueda cometer en el marco de la gestión de un contingente arancelario no legitiman la condonación o devolución porque esta actividad no permite considerarla como autoridad aduanera en el sentido del CAU (p. 60). Esta apreciación del Tribunal General nos merece reparos. En aquél asunto la cuestión estribaba en el descubrimiento de la falsificación de certificados de importación, por lo que más bien parece que lo que se incumplía era el carácter activo del error, al que nos referimos más abajo.

El Tribunal ha venido exigiendo que el error sea "activo", entendiendo que tal circunstancia no concurre cuando ha sido el propio deudor quien ha inducido a error a las autoridades.

Entre otras, STJUE *Mecanarte*, STJUE *Faroe Seafood*, STJUE *Ilumitrónica* y STJUE *Agrover*. El error tampoco se considera "activo" cuando las autoridades del Estado de exportación fueron inducidas a error por informaciones inexactas del exportador (de modo, por tanto, que la inducción al error que impide considerar cumplido este requisito puede ser tanto del deudor como del exportador), STJUE 1ª Instancia *Unifrigo* (párrafos 58, 59). En la STGUE *Van Parys* se consideró que el incumplimiento, por parte de las autoridades nacionales, del deber de información a la Comisión acerca del cambio del sello utilizado para estampar documentos no constituye un error activo (p. 53).

Ahora bien, es difícil precisar si esta exigencia relativa al carácter "activo" del error puede alcanzar algún contenido adicional. A este respecto resulta de capital importancia determinar si una conducta pasiva, como lo es la mera admisión de la declaración aduanera del deudor, puede constituir un supuesto de "error". La Sentencia *Hewlett Packard* nos proporciona elementos esclarecedores al respecto, pues en ella el Tribunal estima que el hecho de que el error pudiera constatarse directamente mediante el examen de la información suministrada por el importador en sus declaraciones, unido al dato de que estas importaciones se produjeran de forma reiterada en el tiempo, constituye presupuesto suficiente para apreciar que se ha cumplido el requisito del error de las autoridades competentes (STJUE *Hewlett Packard*, párrafo 21). Esta conclusión aparece corroborada en la Sentencia *Foods Import*. En ella el Tribunal se limita a señalar que "de las comprobaciones efectuadas por el órgano jurisdiccional remitente resulta que los derechos no han sido recaudados debido a la *omisión* de la Administración de Aduanas", estimando a partir de este punto que el requisito del "error" se ha cumplido y no merece mayor análisis (párrafo 28). Ha de señalarse, además, que en este asunto la apreciación tiene mayor calado que en el que se examina en la Sentencia *Hewlett Packard,* puesto que en el asunto *Foods Import* el error estriba en una incorrecta clasificación aduanera cuya detección implica cuestiones técnicas relativas a las características objetivas de las mercancías y que, por tanto, ya no es simplemente un error que se desprenda de forma directa de los propios datos aportados en la declaración, como ocurría en *Hewlett Packard*. De ahí que podamos concluir que la mera aceptación de la declaración aduanera sin que se formulen objeciones, cuando se produce de forma reiterada, puede erigirse en conducta en el marco de la cual quepa apreciar el "error" que exige este requisito.

La correcta clasificación de las mercancías exigía determinar la especie concreta de pescado importado, dentro de una misma familia de especies (bacalao). La denominación comercial y usual de la mercancía no resultaba indicativa, por sí sola, de la concreta especie importada, puesto que en el lenguaje comercial especies que en la clasificación científica son distintas reciben una misma denominación.

Es posible que, a la hora de entender que hubo un error en la conducta omisiva de la Administración, el Tribunal valorase también (aunque no lo señale de forma expresa) que las importaciones en las que se produjo la incorrecta clasificación arancelaria se reiteraron a lo largo de tres años, sin que en todo ese tiempo la Administración lo detectase.

Por lo que hace al elemento objetivo del error se ha señalado que, en general, el error puede ser de cualquier tipo y, en particular, comprende los errores en la interpretación y en la aplicación de la norma (STJUE *Mecanarte*; asimismo, se refieren a un error en la interpretación de la norma dos Sentencias del TSJ-País Vasco de 14.06.1996, JT 1996\1608 y JT 1996\1268). También constituye un error suministrar información incorrecta por parte de las autoridades (STJUE *Covita*). Es interesante anotar que debe apreciarse la existencia de error cuando las autoridades cambian de criterio sin aportar para ello elementos nuevos, de modo que podemos establecer la regla general conforme a la cual deberá apreciarse que las autoridades han incurrido en un error siempre que la liquidación posterior se base en informaciones de las cuales la Administración ya dispuso al dictar la liquidación que precedió al levante de las mercancías (STJUE *Foto-Frost*, STJUE *Hewlett Packard*, párrafo 19, 21).

En el mismo sentido, la Sentencia del TGUE *Recombined* apreció que las autoridades habían incurrido en error porque dispusieron de suficientes datos para determinar que la clasificación arancelaria declarada era incorrecta y, a pesar de ello, la aceptaron y no la modificaron (pp. 26-31).

b) Debe resultar razonable que el error padecido por las autoridades no haya podido ser conocido por el deudor.

A la hora de precisar cuándo debe entenderse "razonable" que el error padecido por las autoridades no haya podido ser conocido por el deudor, hemos de tener en cuenta que partimos de una situación en la que el error de las autoridades se ha producido efectivamente (recordemos que ese es precisamente el primer requisito al que acabamos de hacer referencia). Por ello, si pretendemos dotar de un contenido propio y diferenciado a este nuevo requisito habremos de concluir, como hace el TJUE, que si defendiésemos que no se le puede exigir al operador que tenga un conocimiento más perfecto de la norma que el que demostraron las propias autoridades, el efecto que se produciría sería que este requisito quedaría vaciado de contenido. Dicho de otro modo, el hecho de que las autoridades cometiesen un error no puede utilizarse como un argumento suficiente a través del cual trate de justificarse que es asimismo razonable que el deudor incurriese en ese mismo error. De manera que el hecho de que las autoridades se equivoquen no significa que no resulte exigible al deudor haber detectado el error.

Sentencias TJUE *Binder, Deutsche Fernsprecher*, y *Günzler Aluminium*. Véase en el mismo sentido Res. TEAC de 26 de junio de 1996 (*Impuestos*, 1997-I, pp. 671-673).

Así pues, para determinar si el deudor no pudo conocer razonablemente el error nos veremos obligados a realizar un examen concreto, caso por caso, considerando elementos objetivos (por ejemplo, complejidad de la norma) y elementos subjetivos (si el deudor es profesional o no, su grado de experiencia en estas operaciones, diligencia puesta en informarse y buscar aclaraciones, etc.), correspondiendo al órgano jurisdiccional nacional valorar estos elementos.

STJUE *Belovo* (p. 17), *Beirafrio* (p. 21), *Deutsche Fernsprecher* (p. 24), *Hewlett Packard* (p. 22), *Agrover* (p. 32). El Tribunal ha venido aplicando este criterio con cierto rigor. Ejemplo paradigmático en este sentido lo constituye la STJUE *Covita*, en la que no se consideró diligencia suficiente que el deudor confiase en una información suministrada por las propias autoridades que resultó ser contraria a una norma publicada en el DO UE. Véase también la Res. TEAC de 12 de junio de 1997 (JT 1997\955), especialmente sus Considerandos Tercero y Cuarto.
Por lo que hace al grado de experiencia del operador, lo que entendemos que no cabe es aplicar con automatismo el argumento de que, tramitándose los despachos por intermediación de un profesional cual es el agente de aduanas, a éste debe suponérsele el conocimiento de cualquier error en el que la Administración pudiese incurrir, idea que nos parece destila la Res. TEAC de 20.09.2000 (JT 2000\1864) y que ya venía anticipada en Res. TEAC de 26.06. 1996 (JT 1996\1068).

Así, cuando distintas normas utilizan unos mismos términos jurídicos con sentidos distintos, la incorrecta interpretación de la norma por parte del importador puede ser razonable, atendida la complejidad que introduce esa pluralidad de contenidos para un mismo término (STJUE *Weis*, STJUE *Olasagasti*). Especial trascendencia ha tenido en la práctica la polémica cuestión consistente en determinar si al deudor le resulta exigible conocer el error en que incurrieron las autoridades del país de exportación al expedir un certificado de origen que, en un momento posterior, tras la realización de indagaciones adicionales, se considera inválido. A esta cuestión nos referiremos en el siguiente punto.

Cuando las autoridades nacionales han incurrido en un error al dictar una norma interna en una materia regulada por el Derecho de la UE (como pueda ser la clasificación arancelaria), el TJUE ha venido entendiendo que tal error debe ser razonablemente conocido por el deudor, puesto que para su detección basta con la lectura del Diario Oficial de la UE, en el que se publica la norma de la UE que goza de primacía.

Ejemplo

La Sentencia del TJUE Behn Verpackunsbedarf versaba sobre unas importaciones que habían sido liquidadas aplicando una versión oficial editada por la Administración alemana del Arancel. La versión publicada en el Diario Oficial de la UE goza de primacía, de modo que las versiones editadas por las administraciones nacionales (como la de la Administración alemana en este caso) carecen de eficacia si no se ajustan a lo publicado en el DO UE. Posteriormente se descubrieron una serie de erratas en esa versión alemana, por lo que se dictaron nuevas liquidaciones para corregir el defecto padecido. Un importador se opuso a la nueva liquidación que se le giró, alegando que no procedía puesto que venía motivada por un error cometido por las autoridades aduaneras. El TJUE resolvió que sí procedía la liquidación, puesto que el importador debía razonablemente conocer la norma aplicable (el arancel tal y como había sido publicado en el DO UE).

EJEMPLO

Un comentario a esta sentencia puede verse en Sánchez González: "Recaudación a posteriori: normativa nacional versus normativa comunitaria", *Noticias CEE*, nº 79-80, p. 139. Un asunto muy similar es el que trata la STJUE *Binder*. Véase también la STJUE 1ª Instancia *Biegi* (en este caso la normativa omitió recoger la exigencia de un certificado de importación para acogerse a los beneficios de un contingente arancelario, exigencia que sí se establecía en la norma de la UE de aplicación). En el mismo sentido, Res. TEAC de 12.06.1997 (JT 1997\955). Véanse también Res. TEAC de 26.06.1996 (publicada en Impuestos, 1997-I, pp. 671 y ss.), Res. TEAC de 06.06.1996 (JT 1996\991), Sentencia de la AN de 04.03.1999. Contrástese, en cambio, con el criterio mantenido en la Sentencia TSJ-Valencia de 10.02.1998. Por otro lado, en la Sentencia del TSJ-Valencia de 10.10.1998 (JT 1998\1651) se resuelve un asunto de mayor enjundia, pues se trata de un error cometido en la versión oficial en español de una norma de la UE.

También está justificado que el declarante no descubra el error cuando la norma es ambigua, como ocurre cuando se establece un requisito con carácter general pero, a continuación y en un anexo de esa norma, se indica que se especifican los requisitos aplicables a cada posición arancelaria y allí, para las mercancías de que se trata, no se recoge ese requisito (STJUE *Peter Biegi*; se trataba en aquél asunto de la exigibilidad de un certificado de importación para poder acogerse a un contingente).

Conforme a la STGUE *Comisión/España*, la persistencia de las autoridades en el error no es determinante para decidir que el deudor ha sido diligente ("el mantenimiento en el tiempo de la posición de las autoridades competentes no es en sí mismo determinante para estimar que el deudor ha actuado con diligencia, aunque se trate de un aspecto útil para comprobar la existencia de un error de dichas autoridades", p. 156, citando en el mismo sentido la STGUE *Recombined*, pp. 25 y 29).

c) El deudor debe haber actuado de buena fe.

Una vez más estamos ante un requisito a valorar en atención a las circunstancias que concurran en cada caso. Si un órgano jurisdiccional nacional incurrió en el mismo error, resolviendo a favor del deudor, debe entenderse que ello acredita que hubo buena fe (STJUE *Foto-Frost*; estimamos que esta circunstancia también constituye un elemento objetivo que indica que el error no pudo ser razonablemente conocido por el deudor). En todos los casos en que se han cumplido los otros requisitos se ha dado también por cumplido éste, y es razonable que así sea. El segundo requisito ya incluye un elemento subjetivo, y en él se analiza también la diligencia del operador.

La STGUE *España/Comisión* pone de manifiesto hasta qué punto la buena fe es un elemento relevante para determinar si el deudor pudo razonablemente detectar el error e, incluso, para establecer si se trata de un error activo de las autoridades (véanse especialmente los apartados 32 a 65 y el apartado 110 de esta Sentencia).

El deudor debe suministrar toda la información necesaria para posibilitar a las autoridades estar en posición de dictar una liquidación correcta (STJUE *Top Hit*). En particular, el declarante está obligado a proporcionar a las autoridades aduaneras competentes todas las informaciones necesarias previstas en las normas de la UE y en las normas nacionales respecto al tratamiento aduanero solicitado para la mercancía de que se trate (STJUE *Agrover*, p. 33 y *Faroe Seafood*, p. 108). Ahora bien, este deber "no puede ir más allá de proporcionar datos y documentos que sea razonable que el declarante esté en condiciones de conocer y de obtener" (STJUE *Mecanarte*). Más todavía, "basta que dichas indicaciones, incluso si son inexactas, hayan sido facilitadas de buena fe" (STJUE *Hewlett Packard*, párrafo 29, que remite en el mismo sentido a la STJUE *Mecanarte*; STJUE *Faroe*).

En el capítulo 23 se ha expuesto la complejidad de la declaración en aduana y el hecho de que la misma incorpora complejas calificaciones jurídicas y la cuantificación de la cuota. Entendemos que debe existir una relación directa entre el error cometido por las autoridades aduaneras y la incorrecta declaración, esto es, estimamos que el error de las autoridades debe referirse precisamente a una cuestión respecto de la cual se detecte una incorrección en la declaración presentada para considerar incumplido este requisito. Nos parece que no podría alegarse el incumplimiento de este requisito cuando el error de las autoridades versara sobre una cuestión inconexa a aquella acerca de la cual se haya incurrido por parte del deudor en una inobservancia de las disposiciones relativas a la declaración en aduana, de modo que el incumplimiento de la normativa sobre la declaración aduanera en que haya incurrido el deudor debe guardar alguna relación de causalidad con el error cometido por las autoridades aduaneras.

En la Sentencia TJUE *Top Hit*, el Tribunal estima que la insuficiente información suministrada por el importador para determinar la correcta clasificación aduanera, en un asunto en el que el error cometido por las autoridades se refería a esta cuestión, constituye un incumplimiento de las disposiciones que regulan la declaración aduanera.

Dada la complejidad de esta materia, bajo la vigencia del CAC la Comisión elaboró una guía para su aplicación por parte de las autoridades nacionales, "Information paper on the application of Articles 220(2)(b) and 239 of the Community Customs Code", que está disponible en el sitio web de TAXUD.

Concluido el análisis de los requisitos cumulativos a los que se condiciona esta excepción al deber de liquidar, tan sólo nos resta añadir que el TJUE los ha venido interpretando con bastante rigor, lo que ha tenido como resultado un criterio desfavorable a la condonación o devolución en estas circunstancias, en ocasiones de forma muy criticable, puesto que se configura así un régimen muy poco condescendiente con la realidad de los operadores económicos.

El procedimiento para acordar la condonación o la devolución en el supuesto del artículo 119 CAU puede iniciarse de oficio o a solicitud de parte (artículo 116.4 CAU), en este último caso ante la aduana competente (la aduana que notificó la deuda), en el plazo de tres años a contar desde la fecha de comunicación de los derechos al deudor. Si se justifica adecuadamente, las autoridades pueden autorizar una prórroga de este plazo si concurre caso fortuito o fuerza mayor (artículo 121.1 CAU).

28.6. EL ARTÍCULO 119 CAU Y LA PROBLEMÁTICA ESPECÍFICA EN MATERIA DE ORIGEN

La interpretación restrictiva del supuesto de condonación o devolución que hemos expuesto en el punto anterior ha recibido críticas especialmente justificadas en relación con los casos en que se plantean conflictos con los certificados de origen de las mercancías.

Una completa exposición del problema puede verse en Amand, Christian y Noone, Darragh: "The origin of goods muddle: for a defence of the Community importers", *EC Tax Review*, 1998, nº 3, pp. 187-200.

Los medios para acreditar el origen (fundamentalmente, un certificado de origen o una declaración en factura) lamentablemente no garantizan al importador que las mercancías que introduce van ser tratadas como corresponde al origen que se deriva de ellos (p.e., que va a gozar de un trato preferencial). Según se ha expuesto en el capítulo 7, las autoridades de la UE, en el marco de los acuerdos preferenciales o bien en las normas que, de forma unilateral, establecen las preferencias, se reservan la posibilidad de solicitar a las autoridades de origen que hagan las comprobaciones ulteriores que resulten necesarias a fin de establecer si, efectivamente, las mercancías de que se trate son o no son originarias de ese país. En estas condiciones, las averiguaciones realizadas, caso de arrojar un resultado negativo acerca de la validez o autenticidad del certificado, pueden resolverse en la práctica de una liquidación posterior al levante. Varias circunstancias pueden producir este desenlace desfavorable para los intereses del importador: el certificado de origen es falso; el certificado de origen es auténtico, pero fue expedido a partir de informaciones inexactas o falsas del exportador; el certificado de origen es auténtico, pero fue expedido por un error de las autoridades del Estado de origen acerca del contenido de las normas de la Unión en materia de origen aplicables, etc.

Es interesante observar, en primer lugar, que el importador puede ser perfectamente ajeno a las circunstancias que afectan a la validez o autenticidad del certificado de origen. Ya sea por una conducta reprobable del exportador o por una actuación inadecuada de las autoridades del país de origen, el importador puede verse en la desagradable situación de afrontar el pago de unos derechos que consideraba inexistentes, con el agravante de que los resultados de las investigaciones pueden haberse demorado varios meses (hasta tres años), tiempo durante el cual han podido tener lugar importaciones sucesivas. El lapso de tiempo transcurrido es muy probable que torne complicado para el importador trasladar en sus precios el mayor coste que para él supone la deuda que ahora se le reclama, de modo que habrá de hacerle frente con sus propios recursos. La situación puede ser todavía peor. Recordemos que, conforme a la doctrina del TJUE, el declarante es deudor y lo será respecto de cualquier cantidad que se determine exigible, aunque derive de circunstancias que escapen a su control.

Como observa el TSJ-Canarias en su Sentencia de 25.06.1996 (JT 1996\1168), este tipo de argumentos basados en los perjuicios que causa al importador la dilación pueden considerarse "razonables" o "justos", pero carecen de cobertura legal.

En este sentido es ilustrativa la Sentencia TJUE *Ilumitrónica*, en cuyos párrafos 32 y 33 se afirma que "se ha de recordar que el artículo 2, apartado 1, del Reglamento nº 1031/88 establece que el obligado al pago de la deuda aduanera es quien realiza la declaración o, en su caso, la persona en cuyo nombre se haya hecho la declaración" —en la actualidad, artículo 77.3 CAU—, añadiendo a continuación que "el hecho de que el declarante actúe de buena fe y con diligencia, ignorando la existencia de una irregularidad que impide la percepción de derechos que habría debido abonar en otro caso, carece de influencia alguna sobre su condición de deudor, que se deriva exclusivamente de los efectos jurídicos vinculados a la formalidad de la declaración". Más adelante, en el párrafo 65, extrae consecuencias adicionales de esta doctrina: "la condición de deudor está vinculada exclusivamente a la formalidad de la declaración. En consecuencia, el comportamiento de las autoridades del país de exportación no puede tener incidencia alguna en la determinación del obligado al pago de la deuda aduanera y, por tanto, en la posibilidad de que las autoridades del país de importación procedan a la recuperación *a posteriori* de los derechos devengados".

El problema es que el deudor no puede conocer qué deudas se determinarán finalmente como exigibles, dado que ello puede depender de factores que escapan completamente a su control (¿cómo, por ejemplo, controlar la connivencia de exportadores y autoridades de origen corruptas?), de ahí que no baste proclamar que es suficiente con que el declarante conozca que debe responder de todas ellas, cualesquiera que el destino le reserve, para concluir que su estatuto jurídico goza de certidumbre.

Piénsese entonces, por ejemplo, la situación que se le plantea a un declarante cuando se determinan inválidos unos certificados de origen y se atribuye en consecuencia otro origen a las mercancías, el cual comporta la exigencia de derechos antidumping. De otra parte, no pase desapercibido que la liquidación de derechos de aduana y otros impuestos arancelarios (como es el caso de los derechos antidumping) comportan la exigibilidad de un mayor IVA a la importación, puesto que el artículo 83 LIVA incluye entre los componentes de la base imponible en las importaciones a "los impuestos, derechos, exacciones y demás gravámenes que se devenguen fuera del territorio de aplicación de impuesto, así como los que se devenguen con motivo de la importación, con excepción del Impuesto sobre el Valor Añadido". Así pues, con carácter general, cuando quiera que se proceda a contraer con posterioridad al levante resultará asimismo exigible una cantidad adicional en concepto de IVA a la importación.

Por otra parte, según se señala en el capítulo 7.6.2, las autoridades de la UE tienen la potestad de solicitar a las autoridades de origen que realicen comprobaciones para determinar si las mercancías son o no son originarias, y las autoridades de origen se encuentran obligadas a realizar las indagaciones oportunas al respecto (en ocasiones en cooperación con una misión enviada por la propia Comisión, si la importancia del asunto lo aconseja). Pues bien, si la preferencia viene establecida en un acuerdo bilateral o multilateral —es decir, no es unilateral— las autoridades de la UE quedarán vinculadas al resultado de las averiguaciones que les comuniquen las autoridades de origen.

Véanse, entre otras, las Sentencias TJUE *Les Rapides Savoyards y otros*, *Huygen y otros*, *Anastasiou y otros*, y *Faroe-Seafood*. En esta última Sentencia el Tribunal concluye que las autoridades de la UE no quedaban vinculadas a las determinaciones de las autoridades de origen en atención a dos circunstancias: 1) La norma que establecía el origen preferencial era de carácter unilateral, por lo que la UE no se encontraba vinculada por un tratado bilateral y no hay reciprocidad en la concesión de beneficios; 2) La discrepancia entre las autoridades de la UE y las autoridades de origen no era relativa a la determinación de los hechos (respecto de lo cual coincidían) sino sobre la determinación de la consecuencia jurídica que debía aplicarse a los mismos (interpretación jurídica).

En relación con el Acuerdo de Asociación con Hungría previo a su ingreso en la UE, el TJUE decidió en su Sentencia *Sfiakanakis* que "las autoridades aduaneras del Estado de importación están obligadas a tomar en consideración las resoluciones judiciales recaídas en el Estado de exportación en los recursos interpuestos contra los resultados de la comprobación de la validez de los certificados de circulación de las mercancías efectuada por las autoridades aduaneras del Estado de exportación, desde el momento en que las autoridades aduaneras del Estado de importación hayan sido informadas de la existencia de dichos recursos y del contenido de tales resoluciones y con independencia de que la comprobación de la validez de los certificados de circulación se haya realizado o no a solicitud de estas últimas autoridades". La eficacia de este Acuerdo, interpretó el Tribunal, "se opone a las decisiones administrativas que imponen el pago de derechos de aduana, incrementados con impuestos y multas, adoptadas por las autoridades aduaneras del Estado de importación antes de que se les comunique el resultado definitivo de los recursos interpuestos contra las conclusiones de la comprobación a posteriori y sin que las decisiones de las autoridades del Estado de exportación que expidió inicialmente los certificados EUR. 1 hayan sido revocadas ni anuladas".

La vinculación aludida se justifica en el buen funcionamiento de los acuerdos de este tipo, que se basan en la confianza mutua y el respeto recíproco de las determinaciones realizadas por las autoridades competentes de cada Estado parte. Lo que nos interesa ahora, en cualquier caso, es que las autoridades de origen no necesitan motivar las causas por las que deciden la invalidez del certificado de origen y, de hecho, no es infrecuente que así ocurra.

Por citar un ejemplo, la Sentencia TJUE - 1ª Instancia *Unifrigo*, estima suficiente para apreciar la invalidez de unos certificados el dato de que las autoridades de origen se ciñeron a afirmar que los certificados en cuestión eran "falsos", sin justificar ni motivar tal apreciación.

La STJUE *Afasia* decide que "en una situación en la que los certificados EUR. 1 expedidos para la importación de mercancías en la Unión se anulan por considerar que se cometieron irregularidades en la expedición de dichos certificados y que, en un control efectuado a posteriori, no ha podido confirmarse el origen preferencial indicado en los mismos, el importador no puede oponerse a la recaudación a posteriori de los derechos de importación alegando que no puede excluirse que, en realidad, algunas de esas mercancías tienen dicho origen preferencial".

La STGUE *España/Comisión*, citando varias Sentencias en el mismo sentido, afirma que "si un control *a posteriori no permite confirmar el origen* de las mercancías indicadas en un certificado de origen «modelo A» o EUR.1, *procede concluir que es de origen desconocido* y que, por consiguiente, tanto el certificado de origen como el arancel preferencial se concedieron indebidamente" (p. 79).

En la STJUE *Lagura* decide el Tribunal que "cuando las autoridades competentes de un tercer Estado no pueden comprobar, en un control a posteriori, si el certificado de origen modelo A que han expedido se fundamenta en una versión de los hechos correcta facilitada por el exportador, debido a que éste ha cesado su producción, incumbe al deudor la carga de la prueba de que tal certificado se ha basado en una versión de los hechos correcta facilitada por el exportador".

Retomemos en este punto el discurso anterior. El importador puede ver que se le reclama con posterioridad al levante una deuda a partir de unas averiguaciones realizadas por las autoridades del país de origen pero que, cuando trata de conocer los motivos por los cuales se niega la eficacia de los certificados que en su día fueron aportados, la única respuesta que recibe es que, simplemente, los certificados no son válidos porque así lo han resuelto las autoridades del país de origen o que no se aplican las preferencias porque, sencillamente, no se ha podido "confirmar" el origen declarado. La situación de indefensión es palmaria, pues el importador no tendrá la posibilidad de conocer (mucho menos rebatir) los motivos que han determinado la ineficacia del certificado de origen. A ello aún hay que añadir que, como es evidente, con esta escueta información difícilmente logrará el importador que prospere una reclamación contra el exportador basada en un incumplimiento contractual —las mercancías que se compraron en la confianza de que disfrutarían de un trato arancelario preferencial por el origen ven posteriormente rechazado el mismo—. La negación de la eficacia del certificado de origen no implica necesariamente un incumplimiento de parte del exportador, de modo que a falta de mejores argumentos no podrá sostenerse de forma razonable una responsabilidad de su parte.

Las consecuencias injustas que en muchos casos generaban este tipo de situaciones fueron causa de que se trasladasen a las instituciones de la UE repetidas quejas desde los sectores económicos afectados.

Puede citarse como caso paradigmático el analizado en la Sentencia TJUE *Pascoal & Filhos*; doctrina que venía anticipada por la Sentencia TJUE *Faroe Seafood*. Véase también la STJUE 1ª Instancia *Hyper*.

El Consejo ya se hizo eco de las aludidas quejas en su Decisión de 28 de mayo de 1996 (DO C 170, de 14.06.1996), valorando que el ordenamiento "no trata de forma equitativa a los agentes comunitarios que no pueden averiguar, de forma razonable, la irregularidad de los actos de las autoridades de los países terceros", resolviendo por ello solicitar a la Comisión "que estudie de qué forma puede hallarse una solución global para los ya mencionados problemas". También el Dictamen de Comité Económico y Social sobre "la lucha contra el fraude fiscal en el Mercado Único" (DO C 268, de 19.09.2000) alude a esta situación. En su apartado 4.3, que lleva por título "regímenes aduaneros preferenciales" critica a la Comisión en cuanto que "guarda silencio sobre un aspecto que los consumidores conocen bien (y que, por lo demás, dejan translucir los informes sobre los casos descubiertos): los controles de los países exportadores son a menudo deficientes o incluso inexistentes". Por lo demás, la lectura de este Dictamen evidencia las dificultades que la aplicación de los regímenes preferenciales comporta.

El Parlamento Europeo, en su Sesión de 22.10.1998, aprobó una serie de Conclusiones relativas a la gestión de los regímenes arancelarios preferenciales. En estas Conclusiones, el Parlamento Europeo "Pide, por tanto a la Comisión que presente propuestas para establecer una justa distribución de responsabilidades en el caso de que los importadores de la Unión Europea resulten perjudicados en la utilización de los regímenes arancelarios preferenciales a causa de irregularidades probadas, cometidas por las autoridades de los países beneficiarios, de las que razonablemente no puedan estar al corriente" (punto 9). Y añade posteriormente "Subraya que de una utilización más efectiva de los beneficios de los sistemas preferenciales, más concretamente del SPG, depende, en gran medida, la seguridad garantizada a los operadores económicos en su aplicación; estima a este respecto que la totalidad de los riesgos no debe reposar exclusivamente sobre los operadores de la Unión Europea" (punto 11).

La lista de documentos de la UE que recogen el clamor ante la falta de equidad de la situación a la que se veían abocados los importadores de buena fe podría extenderse, pero creemos suficientemente elocuentes los ya reseñados.

En un intento de dar respuesta a estas demandas, se introdujeron por el Reglamento CE 2700/2000 cuatro párrafos adicionales a la letra b) del artículo 220 CAC, en el que se regulaba la excepción al deber de contraer a posteriori basada en el error de las autoridades competentes.

> La STGUE *España/Comisión* considera que "el artículo 220, apartado 2, letra b), del CAC tenía un carácter fundamentalmente interpretativo" (p. 119) y, en consecuencia, "con el nuevo texto del artículo 220, apartado 2, letra b), del CAC no se pretendía ninguna modificación, sino únicamente su esclarecimiento en el caso particular del tratamiento preferencial de mercancías procedentes de terceros países, puesto que el legislador de la Unión consideró necesario definir con más precisión las nociones de «error de las autoridades aduaneras» y «buena fe del deudor»" (p. 120).

Esta norma, *mutatis mutandi*, ha sido incorporada en el artículo 119.3 CAU al regular la condonación o devolución basada en el error de las autoridades competentes. El precepto actualmente aplicable dice así:

> "Cuando se conceda el trato preferencial de las mercancías con arreglo a un sistema de cooperación administrativa en que participen las autoridades de un país o territorio situado fuera del territorio aduanero de la Unión, el hecho de que dichas autoridades expidan un certificado, en caso de que resulte ser incorrecto, constituirá un error que no pudo haber sido detectado razonablemente a efectos del apartado 1, letra a).
>
> No obstante, el hecho de expedir un certificado incorrecto no constituirá un error cuando el certificado se base en una relación de los hechos incorrecta aportada por el exportador, excepto cuando sea evidente que las autoridades expedidoras sabían o deberían haber sabido que las mercancías no cumplían las condiciones establecidas para tener derecho al tratamiento preferencial.
>
> Se considerará que el deudor actuó de buena fe si se puede demostrar que, durante el período de las operaciones comerciales de que se trate, se aseguró adecuadamente de que se cumplieran todas las condiciones para el tratamiento preferencial.
>
> El deudor no podrá alegar su buena fe si la Comisión ha publicado un anuncio en el Diario Oficial de la Unión Europea en el que se declare que existen motivos para dudar de la adecuada aplicación de los acuerdos preferenciales por el país o territorio beneficiario".

El Considerando 11° del Reglamento CE 2700/2000, de 16 de noviembre de 2000 (DO L 311, de 12-12-2000), por el que se añadió un contenido equivalente en el artículo 220.2(b) CAC, decía así:

"Resulta necesario, en el caso particular de los regímenes preferenciales, definir las nociones de "error de las autoridades aduaneras" y de "buena fe del deudor". *No debe considerarse al deudor responsable de los fallos del sistema debidos a errores de las autoridades de un tercer país.* Sin embargo, la expedición de un certificado incorrecto por parte de las citadas autoridades no debería considerarse un error si el certificado se basa en una solicitud que contiene información incorrecta. La naturaleza de la información incorrecta facilitada por el exportador en su solicitud debe valorarse a la vista de todos los elementos factuales consignados en la solicitud. El deudor puede invocar haber actuado de buena fe cuando pueda demostrar que ha actuado con diligencia, salvo cuando se haya publicado en el Diario Oficial de las Comunidades Europeas un aviso que señale dudas fundadas" (la cursiva es nuestra).

El análisis del precepto debe comenzar por destacar el ámbito en el cual despliega eficacia: se trata de controversias en materia de origen de las mercancías en las que deba dilucidarse la procedencia o no de la aplicación de un trato preferencial (arranca la norma diciendo "Cuando se conceda el trato preferencial de las mercancías..."). En principio, por tanto, este régimen jurídico no sería de aplicación a otro tipo de situaciones en las que lo que se decide no es la procedencia del trato preferencial, sino otro tipo de consecuencias jurídicas asociadas al origen de las mercancías (piénsese, por ejemplo, en la aplicación de derechos antidumping o los derechos compensatorios, que suelen restringirse a los productos originarios de determinados países, o la aplicación de otro tipo de medidas de política comercial). Ahora bien, en la medida en que la finalidad del artículo 119.3 CAU es proteger la confianza legítima que los importadores depositan en los certificados válida y legítimamente emitidos por las autoridades del país de origen, podemos concluir que tal confianza es igualmente merecedora de protección frente a otro tipo de consecuencias jurídicas adversas, como pueda ser la imposición de derechos antidumping o de otro tipo de medidas de política comercial.

Las normas de origen se dirigen de forma inmediata a delimitar dos regímenes jurídicos para las mercancías: régimen preferencial y régimen no preferencial. Frente a esta dicotomía, el interés del importador queda perjudicado únicamente cuando, confiando en la eficacia de un certificado, solicita un régimen preferencial para las mercancías. Por el contrario, ningún interés resulta lesionado en este contexto ante el eventual cuestionamiento de un origen declarado no preferencial. De ahí que no resulte extraño que el precepto sólo se dirija a proteger a los importadores que confiaron en la aplicabilidad de un régimen preferencial.

Por otro lado, la imposición de derechos antidumping (por ejemplificar con una cuestión paradigmática de problema asociado al origen) no es consecuencia típica que derive de la determinación del origen de las mercancías. Así como el trato preferencial va indisolublemente unido al sistema de determinación del origen, la imposición de los derechos antidumping puede tener en la fijación del origen uno de sus requisitos de aplicación, pero que no integra sus presupuestos constitutivos.

Introduciéndonos ya en el examen de la compleja regulación que se establece en estos párrafos, consideramos conveniente sistematizarla del siguiente modo:

a) La *regla general* es que cuando el motivo por el cual la liquidación original no se estime correcta sea que se ha determinado que el origen de las mercancías no corresponde al que figura en el certificado de origen que se acompañó en el momento de la importación, se estimará que se ha incurrido en error por parte de las autoridades y que tal error no pudo ser razonablemente conocido por el deudor. De este modo, resta verificar únicamente si el deudor ha actuado de buena fe [veremos más adelante, en la letra d), en qué se concreta este requisito en materia de certificados de origen] y si ha cumplido todas las normas relativas a la declaración aduanera (ya nos hemos referido al contenido de este requisito más arriba) y, en caso de que ambos requisitos se cumplan, procederá la condonación o devolución.

En su Sentencia *Beemsterboer* el TJUE interpretó que "En la medida en que, a raíz de un control a posteriori, no puede confirmarse el origen de las mercancías que figura en un certificado de circulación de mercancías EUR.1, debe considerarse que dicho certificado es un «certificado incorrecto» en el sentido del artículo 220, apartado 2, letra b), del Reglamento nº 2913/92, en su versión modificada por el Reglamento nº 2700/2000".

La STGUE *España/Comisión* afirma que, cuando se expide un certificado de origen incorrecto por parte de las autoridades, "existe la presunción legal del carácter no detectable del error" (p. 92), presunción que, no obstante, puede quedar destruida si hay elementos que así permitan establecerlo. Por tanto, conforme a esta interpretación, la incorrecta expedición de un certificado de origen no supone que, de forma automática, deba considerarse producido un error de las autoridades indetectable para el deudor, sino simplemente la presunción de que así ha sido. Con ello el TGUE limita considerablemente la eficacia a esta norma y aboca de nuevo a la inseguridad jurídica derivada de determinar, caso por caso, si el error cometido al expedir incorrectamente un certificado de origen era o no detectable por el deudor.

b) *Excepción a la regla general.* Ahora bien, si se acredita que lo que causó la expedición del certificado de origen que ahora se considera inválido fueron informaciones "incorrectas" suministradas por el exportador, no cabe la condonación o devolución (párrafo 2). Nótese que en este caso no se trataría de un error "activo" de las autoridades aduaneras, sino de un error inducido por el exportador (véase más arriba el concepto de error activo). Por ello se traslada al importador la responsabilidad que deriva de contratar con sujetos que incumplen la normativa aduanera. Las arcas de la UE no deben resultar perjudicadas cuando el importador no ha sido diligente al elegir al sujeto que le suministra las mercancías y ha elegido a uno que no respeta de forma escrupulosa los requisitos establecidos en las normas de origen. En este caso, el importador debe asumir el mayor importe de los impuestos arancelarios como un riesgo más inherente a su actividad. Si no se previese esta excepción, además, podrían producirse situaciones de connivencia entre el importador y el exportador que resultarían en un perjuicio para la Hacienda de la UE. Para que esta excepción se active basta con que la información suministrada sea "incorrecta", es decir, se trata de una circunstancia objetiva que no precisa la concurrencia de elemento intencional alguno. En consecuencia, cabe esperar que esta excepción venga en la práctica a eclipsar la importancia de la regla general, puesto que en la mayoría de las ocasiones las autoridades de origen podrán señalar alguna "incorrección" de parte del exportador a la que atribuir su cambio de criterio.

Por lo que hace a la carga de la prueba, el TJUE decidió en su Sentencia *Beemsterboer* que "Incumbe al que invoca el párrafo tercero del artículo 220, apartado 2, letra b), del Reglamento nº 2913/92, en su versión modificada por el Reglamento nº 2700/2000, presentar las pruebas necesarias para el éxito de su alegación. De esta forma, corresponde en principio a las autoridades aduaneras (...) demostrar que la expedición de los certificados incorrectos es imputable a la declaración inexacta de los hechos realizada por el exportador. Sin embargo, cuando resulta imposible a las autoridades aduaneras demostrar que el certificado de circulación de mercancías EUR.1 se expidió en virtud de la declaración exacta o inexacta de los hechos realizada por el exportador, debido a una negligencia exclusivamente imputable a éste, corresponde al deudor de los derechos probar que dicho certificado expedido por las autoridades del tercer país se basó en una declaración exacta de los hechos". En aquél supuesto el exportador había incumplido su deber de conservar la documentación acreditativa del origen, impidiendo con ello a las autoridades comprobar la corrección del certificado expedido. En estas circunstancias, en las que las autoridades se ven privadas del ejercicio efectivo de su potestad de control por una negligencia imputable al exportador, la carga de la prueba pasa a recaer sobre el declarante.

Dado que, con carácter general, la STJUE *Beemsterboer* supone que corresponde a las autoridades aduaneras acreditar que el exportador suministró datos inexactos a las autoridades de origen, el Comité del Código Aduanero emitió unas directrices a los Estados miembros para que, cuando se solicite una investigación en el país de origen, se requiera a sus autoridades que precisen si el exportador les suministró datos inexactos (documento TAXUD//2006/1222-final).

c) *Excepción a la excepción*. A su vez, esta excepción a la regla general queda neutralizada cuando las autoridades del país de exportación conocieron o hubieron podido conocer que las mercancías no podían acogerse a un trato preferencial (segunda parte del párrafo 2). Las autoridades del país de exportación pueden haber actuado con poca diligencia al expedir el certificado de origen. Más todavía, no son infrecuentes las situaciones en las que la corrupción está bastante extendida entre los funcionarios de las aduanas de los países menos desarrollados, países que son los que más frecuentemente gozan de preferencias por el origen. Por eso debe protegerse al importador que confió en una apariencia de legitimidad en la que las autoridades del país de exportación han colaborado, aun cuando la protección al importador va a resultar en un perjuicio para las arcas de la UE. Para impedir que estas situaciones se repitan, serán las instituciones de la UE las que deban tomar las medidas oportunas a fin de que las autoridades del país de exportación realicen su labor con diligencia. En definitiva, en estas circunstancias no puede seguir manteniéndose que el error de las autoridades haya sido inducido por el exportador, sino que estaremos ante un error activo.

Véanse las observaciones que se contienen en el Dictamen del Comité Económico y Social sobre "la lucha contra el fraude fiscal en el Mercado Único" (DO C 268, de 19.09.2000), y que hemos reproducido en una nota anterior.

d) *Especificación del contenido del deber de buena fe.* Al analizar más arriba, en el punto 29.5, la causa de condonación o devolución basada en el error de las autoridades (recordemos que la materia que estamos ahora analizando es un desarrollo específico de esta causa en el caso de certificados de origen declarados inválidos) hemos visto que uno de los factores que deben concurrir para que se aplique consiste en que el importador haya actuado de buena fe. Pues bien, en el caso de los certificados de origen este requisito de buena fe es dotado de un contenido más concreto: el deudor debe poder demostrar que, "durante el período de las operaciones comerciales de que se trate, se aseguró adecuadamente de que se cumplieran todas las condiciones para el tratamiento preferencial" (párrafo 3).

La STGUE *Comisión/España* sostiene que "es innegable que el requisito relativo al carácter no detectable del error cometido por las autoridades competentes está vinculado, en cierta medida, a la cuestión de la buena fe del deudor" y que "no se puede admitir que el hecho de que se presuma que el error no es razonablemente detectable (...) tenga como consecuencia automática y necesaria que se constate la buena fe del deudor" (p. 143). Esta Sentencia hace un examen muy restrictivo a la hora de considerar que el deudor ha actuado de buena fe, elemento que conecta con el requisito de diligencia (pp. 128 a 144; véase especialmente el p. 143).

Esta cláusula supone un nuevo giro de tuerca respecto a la "regla general" que hemos tratado en la letra a) anterior. Al importador se le exige una conducta activa y diligente tendente a *asegurarse* de que se cumplieron todas las condiciones exigidas para dispensar el trato preferencial. Es de suponer que estas gestiones habrán de entablarse únicamente con el exportador, pues lo que resultaría a todas luces excesivo es que de este precepto resultase que el importador debe asimismo controlar la actividad de las autoridades del país de exportación. Aún con esta restricción entendemos que la cláusula debe ser objeto de interpretación matizada, poniéndola en relación con el diferente nivel de diligencia que pueda resultar exigible en cada caso (no es una obligación de resultado, sino de medios). Debe tenerse en cuenta, en este sentido, que no sería razonable exigir, especialmente a pequeños y medianos importadores, que acometan costosas indagaciones en el país de origen a fin de controlar el cumplimiento escrupuloso de sus obligaciones por parte del exportador. La diligencia, pensamos, debe restringirse a lo que constituyen las prácticas habituales en el sector.

Consideramos que también en este punto deben cobrar validez las consideraciones vertidas por el TJUE en su Sentencia *Mecanarte*, cuando advierte que el nivel de exigencia "no puede ir más allá de proporcionar datos y documentos que sea razonable que el declarante esté en condiciones de conocer y de obtener".

Con todo, los operadores deben extremar el celo y tratar de lograr garantías contractuales adecuadas de sus contrapartes. En *AquaPro* se planteó una circunstancia interesante a este respecto. El declarante era un distribuidor que adquiría de una empresa alemana, por lo que el declarante no mantenía relación directa con el importador. Se determinó que los certificados de origen presentados para gozar de una preferencia eran inválidos y, frente a ello, AquaPro alegó que su falta de relación directa con el exportador le impedía averiguar la validez de los certificados. Ante esta situación el Tribunal apreció que:

"corresponde a los agentes económicos adoptar, en el marco de sus relaciones contractuales, las disposiciones necesarias para precaverse contra los riesgos de una acción de recaudación a posteriori, y que tal prevención puede consistir, concretamente, en que el deudor obtenga de la otra parte contratante, al celebrarse el contrato o en un momento ulterior, todas las pruebas que confirmen que la mercancía procede del Estado beneficiario del sistema de preferencias arancelarias generalizadas, incluidos los documentos que acrediten este origen" (p. 82) "Por lo tanto, un importador que no ha preguntado, de esta manera, a la otra parte del acuerdo de distribución, con qué fundamento se importan las mercancías de que se trata, para comprobar la exactitud de un certificado de origen modelo A expedido para esas mercancías, no puede invocar la confianza legítima" (p. 86)

e) Por último, el párrafo 4 establece una circunstancia objetiva que impide considerar que el importador ha actuado de buena fe. Se trata de aquellos casos en que la Comisión Europea haya publicado en el Diario Oficial de la UE un aviso advirtiendo de que las autoridades de un determinado país no están aplicando de forma satisfactoria las normas de origen. En la práctica estos avisos se producen de tanto en tanto, lo que obliga a los sujetos que desarrollan actividades de comercio exterior a permanecer atentos a lo dispuesto en el DO UE. Si el importador confía en un certificado expedido por las autoridades de exportación de un país respecto de las cuales la Comisión ha dictado un "aviso" y posteriormente ese certificado de origen se determina que es inválido, la consecuencia será que se le exigirá la deuda correspondiente —para la que no cabrá condonación o devolución— a fin de neutralizar la ventaja que supuso aplicar a esas mercancías el régimen arancelario más beneficioso derivado del origen preferencial.

> **Ejemplo**
>
> EJEMPLO
>
> A modo de ejemplo, puede verse el DO UE serie C n° 132, de 21.05.2010, p. 15. La Comisión comunica el carácter dudoso de los certificados de origen referidos a atunes procedentes de Colombia y El Salvador. Este aviso fue dejado sin efecto por otro aviso posterior, publicado en el DO UE n° 143, de 13.05.2014 (p. 7).

28.7. CONDONACIÓN Y DEVOLUCIÓN EN SITUACIONES ESPECIALES (ARTÍCULO 120 CAU)

El artículo 120 CAU ordena la condonación o devolución de derechos cuando la deuda aduanera nazca en circunstancias especiales en las que no quepa atribuir al deudor ningún fraude ni negligencia manifiesta. Esta condonación o devolución tiene su fundamento en razones de equidad y tiene carácter residual, de manera que sólo es aplicable cuando no resulta de aplicación ninguna de las otras causas de condonación o devolución. Por tanto, estamos ante una cláusula de cierre del sistema (cláusula de equidad).

Fraude y negligencia manifiesta.– Según hemos señalado, la condonación o devolución de derechos en virtud del artículo 120 CAU se supedita, en todo caso, a que no concurra "fraude ni negligencia manifiesta" (su antecedente, el artículo 239 CAC utilizaba los términos "maniobra" y "manifiesta negligencia"). La expresión "negligencia manifiesta" aparece asimismo en el artículo 91.1(c) RDCAU (relativo a la suspensión del plazo de pago en el caso de deudas aduaneras nacidas por incumplimiento).

> Bajo la vigencia del CAC y el RACAC la STJUE *Söhl & Söhlke*, pp. 48-49 apreció que el concepto de "negligencia manifiesta" del artículo 239 CAC era coincidente con el del segundo guion del artículo 859 RACAC y con el del artículo 212bis CAC.

Por otra parte, para determinar si concurre «negligencia manifiesta», en el sentido del artículo 120 CAU cabe aplicar, por analogía, los criterios que estableció el TJUE en la interpretación del artículo 220.2(b) CAC para apreciar si un error cometido por la autoridad aduanera podía ser conocido por el operador económico (STJUE *Söhl & Söhlke*, pp. 54-56; STJUE *Comisión/Holanda*, p. 92; STJUE *Hewlett Packard*, p. 46; STJUE *Heuschen*, p. 59; y Sentencias del TJUE 1ª Instancia *Mehibas Dordtselaan*, p. 85; *Eyckeler & Malt*, pp. 136-137 y *Günzler Aluminium*, pp. 51-55). En particular, esto significa que debe realizarse el análisis relativo a la naturaleza concreta del error, la experiencia profesional y la diligencia del operador (nos remitimos a lo señalado al respecto más arriba, en el punto 5 del capítulo 28).

Los dos requisitos referidos (ausencia de fraude y de negligencia manifiesta) son cumulativos, es decir, deberán cumplirse los dos a fin de que proceda la condonación o devolución (en este sentido, por ejemplo, Sentencia del TJUE *Söhl & Söhlke*, p. 95).

Además, el Tribunal ha considerado que la devolución o condonación de derechos "constituyen una excepción al régimen normal de las importaciones y de las exportaciones y, en consecuencia, que las disposiciones que prevén tal devolución o tal condonación deben interpretarse en sentido estricto". De esta apreciación se deriva de forma inmediata una consecuencia, que consiste en que la falta de «negligencia manifiesta» (así como la ausencia de fraude) es una condición que "debe interpretarse de forma que se limite el número de casos de devolución o de condonación" (STJUE *Söhl & Söhlke*, p. 52).

No basta constatar que se han producido irregularidades en una operación para concluir que ha existido fraude o negligencia grave del interesado, sino que la atribución de cualquiera de ellas debe ser fundada. Por ejemplo, en la STJUE 1ª Instancia *Eyckeler & Malt*, el Tribunal apreció que el hecho de no detectar la falsificación realizada por el exportador de unos certificados de autenticidad no es constitutivo de negligencia grave por el importador dado que éste no tuvo conocimiento de la falsificación y la realización de los controles que la hubieran puesto de manifiesto no estaban a su alcance (pp. 142 y 151). En el mismo sentido, en la STJUE 1ª Instancia *Geologistics* (p. 80) el Tribunal establece de forma clara que las autoridades no pueden inferir de forma automática que, allí donde se produzca una irregularidad, concurre el fraude o la negligencia grave del interesado:

> "Respecto a la primera imputación, basada en la presunta falta de vigilancia de los participantes en las operaciones por parte de la demandante, la Decisión impugnada no precisa en absoluto de qué modo la demandante fue negligente a este respecto. Dado que no existe la más mínima fundamentación de esta imputación, el Tribunal de Primera Instancia debe estimar que no ha quedado probada. Admitir dicha imputación significaría considerar que cualquier operador que sea víctima de maquinaciones fraudulentas por parte de terceros con los que mantenga relaciones comerciales ha actuado necesariamente con negligencia manifiesta" (la misma idea se reitera en STJUE *Bolton Alimentari*, p. 80).

La atribución de una conducta negligente no puede intentar fundarse en alegaciones genéricas, sino que debe aportar elementos concretos:

> "en el marco de su análisis, la Comisión debe indicar las acciones u omisiones concretas del solicitante de la condonación que, apreciadas por separado o en su conjunto, constituyen una negligencia manifiesta con arreglo, en particular, a los criterios mencionados" (STJUE *Bolton Alimentari*, p. 77)

En relación con lo anterior, debe recordarse el principio probatorio en virtud del cual cada parte debe probar aquello que interese a su derecho. En la STJUE 1ª Instancia *Eyckeler & Malt* apreció que "Dado que la manera en que la demandante había celebrado sus contratos de compra y efectuado las importaciones controvertidas formaba parte de una práctica comercial habitual, incumbía a la Comisión aportar la prueba de una negligencia manifiesta por parte de aquélla" (p. 159). En *Bolton Alimentari* el Tribunal también recuerda que incumbe a las autoridades —en aquél caso a la Comisión— probar la negligencia del operador, al señalar que "le correspondía probar, sobre la base de hechos pertinentes, la existencia de un comportamiento manifiestamente negligente de la demandante" (p. 78; idea que reitera la STGUE *Combaro*, p. 112).

> Por otro lado, "cuando las autoridades aduaneras han concluido que no se podía apreciar un intento de fraude ni una negligencia manifiesta por parte del operador económico, correspondía a la Comisión, si pretende distanciarse de esta postura de las autoridades nacionales, probar, sobre la base de hechos pertinentes, la existencia de un comportamiento manifiestamente negligente de dicho operador" (STGUE *Van Parys*, p. 86 y STGUE *Geologistics*, pp. 78 y 82).

Una vez acreditada una negligencia grave, el declarante no puede pretender quedar eximido de ella trasladando toda la responsabilidad a los errores cometidos por su agente de aduana, dado que la responsabilidad en que pudiera haber incurrido éste con respecto al declarante sólo resulta de interés en las relaciones contractuales entre ellos (STJUE *Common Market Fertilizers*, p. 187).

Por otro lado, la negligencia grave debe guardar relación con la situación especial producida para que impida la condonación o devolución de derechos. En su STJUE 1ª Instancia *Ricosmos* (p. 150), el Tribunal observó que:

> "Al contrario de lo que afirma la Comisión, del propio tenor de estas disposiciones se desprende que debe existir una relación entre la negligencia imputada al operador y la situación especial observada. Si no existiese tal relación, sería contrario a la equidad desestimar la solicitud de condonación o de devolución. Sin embargo, al contrario de lo que sostiene la demandante, no es necesario que la situación especial sea consecuencia directa e inmediata de la negligencia del interesado. A este respecto, basta con que la negligencia haya contribuido o facilitado la sustracción de una mercancía a la vigilancia aduanera".

En la sentencia *Van Parys* el TGUE observa que "no puede aceptarse, por regla general, que un operador económico que importa mercancías en la Unión y que, a tal objeto, recurre a los servicios de un intermediario para obtener el uso de certificados de importación, sea considerado carente de prudencia o de diligencia si no efectúa verificaciones con los titulares de los certificados" (p. 102). En general, puede verse en esta Sentencia una discusión esclarecedora acerca del contenido del deber de diligencia.

> Añadamos en este punto que, conforme a la STJUE *Heuschen* (pp. 64-65), si la Comisión ha adoptado una decisión de no condonar y ha apreciado negligencia manifiesta, esa apreciación prevalece y se impone a las autoridades nacionales, incluidas las jurisdiccionales, que no pueden dejar sin efecto esta apreciación de la Comisión más que impugnando la Decisión de la Comisión ante el TGUE o planteando cuestión prejudicial acerca de su validez ante el TJUE.

Situación especial.– Junto a la ausencia de fraude y negligencia manifiesta, el otro componente de esta causa que legitima la condonación o devolución conforme al artículo 120 CAU es la concurrencia de una situación especial, en virtud de la cual resulte equitativo no exigir la deuda aduanera. El apartado 2 del artículo 120 CAU nos proporciona elementos adicionales acerca del contenido de este elemento, al disponer:

> "La existencia de circunstancias especiales en el sentido del apartado 1 se considerará probada cuando las circunstancias de un caso concreto pongan de manifiesto que el deudor se halla en *una situación excepcional con relación a otros operadores* que ejercen la misma actividad *y cuando, de no haber mediado* tales circunstancias, *no habría sufrido el perjuicio* ocasionado por el cobro del importe de los derechos de importación o de exportación".

Debemos partir de la consideración de que estamos ante una cláusula de cierre del sistema de condonación y devolución de derechos y a través de ella se trata de recoger aquellos supuestos en los que existen razones de equidad para acordar la condonación o la devolución. La norma ha optado por acudir a una configuración genérica, abstracta, en lugar de detallar supuestos concretos. A este respecto debe tenerse en cuenta que no resulta posible contemplar en la norma todas las situaciones que pueden darse en la realidad en las que esta medida esté justificada y, por este motivo, lo que se hace es definir una cláusula genérica que permita comprender casos particulares, impredecibles por presentar perfiles muy atípicos. El TJUE se ha referido a esta idea (en relación con el artículo 905 RACAC, de la regulación anterior) en su Sentencia *Trans-Ex-Import* (p. 18), conectando esta idea con el carácter excepcional de la situación que permite la aplicación de esta norma.

Bajo la vigencia del CAC la norma equivalente al actual artículo 120 CAU (el artículo 239 CAC) se completaba con lo dispuesto en los artículos 900 a 905 RACAC. Los artículos 900, 901 y 903 RACAC enumeraban supuestos específicos en los que procedía la condonación o devolución. Por su parte, el artículo 904 RACAC regulaba supuestos en los que la condonación o devolución se consideraba improcedente. Finalmente, el artículo 905 RACAC era la cláusula de cierre que ordenaba la condonación o devolución en situaciones especiales que no supusieran maniobra ni negligencia grave del deudor. Ni el CAU ni sus Reglamentos de desarrollo contienen preceptos equivalentes a los referidos artículos 900, 901 y 903, ni tampoco un precepto equivalente al 904 RACAC. El 120 CAU viene a ser equivalente al 905 RACAC. Ello plantea la duda acerca de si las situaciones específicas que se contemplaban en los referidos preceptos (900, 901 y 903 en sentido positivo, y 904 en sentido negativo) pueden ser ilustrativas de supuestos que hayan de ser considerados "situaciones especiales" a la luz de la nueva normativa. La *Guidance* de TAXUD (apartado 6.1.1) indica que los supuestos del artículo 900 RACAC deben entenderse incluidos en los siguientes preceptos de la nueva regulación: 1) los de las letras (a) y (b) en artículo 79 y 124(h) e (i) CAU; 2) los de las letras (c) y (d) en el artículo 120 CAU; 3) el de la letra (e) en artículo 79 y 124(k) CAU; 4) los de las letras (f) a (m) en el artículo 120 CAU.

El carácter abstracto del presupuesto legitimador (situación especial en la que la equidad justifique la condonación o devolución) obliga a realizar un análisis de las circunstancias caso por caso a fin de determinar su aplicabilidad (STJUE *De Haan*, p. 44). El artículo 905 RACAC, antecedente normativo del artículo 120 CAU, traía a su vez causa del artículo 13 del Reglamento 1430/79, de modo que la jurisprudencia recaída respecto de este precepto también es útil para discernir el contenido que el mandato adquiere en la norma actual. Respecto de este precepto el TJUE apreció que:

> "Este artículo está destinado a ser aplicado cuando las circunstancias características de la relación entre el operador económico y la Administración son tales que no es justo imponer a dicho operador un perjuicio que normalmente no habría sufrido" (entre otras, STJUE *Coopérative Agricole*; también el TJUE 1ª Instancia se ha hecho eco de esta doctrina en diversas sentencias, como por ejemplo la recaída en el caso *Nordespedizioneri di Danielis Livio*).

Como es evidente, a fin de que proceda la condonación o devolución conforme al artículo 120 CAU no es necesario que concurran los presupuestos del artículo 119 CAU, que recordemos consisten en la existencia de un error de las autoridades, que no pudo ser descubierto por el deudor, quien actuó de buena fe (STJUE *Eyckeler & Malt*, p. 135).

> En este sentido, en el fallo de la Sentencia *Bacardi*, el Tribunal decidió que "El hecho de que esté excluida una devolución o una condonación de derechos con arreglo al artículo 236, apartado 1" CAC, antecedente del artículo 119 CAU "porque no se cumple uno de los requisitos legales previstos para dicha devolución o condonación no se opone, por sí mismo, a una devolución o condonación de los mismos derechos al amparo de los artículos 239, apartado 1, del" RACAC, "siempre que se cumplan los requisitos legales para la aplicación de estos últimos artículos". De esta decisión deriva una consecuencia práctica para los operadores consistente en la conveniencia de analizar la posibilidad de simultanear ambas causas en su solicitud de condonación o devolución de derechos.

Por lo que hace a la existencia de una "situación especial", el TJUE ha interpretado de forma reiterada que una circunstancia que se produzca de forma general no puede ser considerada como tal, de manera que si las circunstancias de que se trate afectan a un número indeterminado de operadores no puede hablarse de que se trate de una "situación especial". Como observa el propio TJUE 1ª Instancia en su Sentencia *Spedition Wilhelm Rotermund* (p. 52):

> "según jurisprudencia consolidada, esta disposición constituye una cláusula general de equidad destinada a cubrir una *situación excepcional* en la que se encuentra el operador económico interesado *en relación con los demás operadores que desarrollan la misma actividad*" (cita en el mismo sentido STJUE *Trans-Ex-Import*, p. 21, y *De Haan*, p. 52).
>
> No obstante, véase lo que señalamos más abajo acerca de la STJUE *Bolton Alimentari*.

El análisis de la jurisprudencia recaída en esta materia nos proporciona elementos adicionales para perfilar el concepto de "situación especial". En ella encontramos diversas circunstancias que sí se ha apreciado que incluyen ese elemento excepcional, en tanto que en otros casos se ha rechazado su concurrencia. Veamos una muestra de la referida jurisprudencia, comenzando por aquella que sí aprecia la existencia de una "situación especial".

- *Ocultación deliberada de irregularidades por parte de las autoridades.* En la STJUE *De Haan* la situación especial consistió en que las autoridades no informaron al deudor de que habían detectado irregularidades en las operaciones de tránsito que éste declaraba con el fin de poder identificar a todos los miembros de la trama, de la cual no participaba el propio declarante, y estar en condiciones de acreditar su conducta delictiva a fin de proceder contra ellos (recordemos en este punto que el artículo 102.3 CAU permite a las autoridades aplazar la notificación de la deuda cuando la misma pueda ser perjudicial para una investigación judicial). Apreció el Tribunal que "si bien puede ser legítimo que las autoridades nacionales permitan deliberadamente la comisión de infracciones o irregularidades para desmantelar mejor una red, identificar a los defraudadores y reunir o consolidar los elementos de prueba, el hecho de que el deudor haya de cargar con la deuda aduanera derivada de dichas opciones vinculadas a la represión de infracciones puede contradecir la finalidad de equidad (...), al colocar al deudor en una situación excepcional en relación con los demás operadores que desarrollan la misma actividad". Posteriormente este mismo argumento se intentó utilizar por el deudor en la STJUE 1ª Instancia *Nordespedizioneri*, pero allí el Tribunal la rechazó al considerar que no se había probado que las autoridades hubieran conocido las irregularidades con anterioridad y las hubieran ocultado al declarante.

- *Incumplimientos graves por parte de las autoridades.–* Sí constituye una situación especial el hecho de que la Comisión o las autoridades aduaneras nacionales hayan cometido graves incumplimientos que hayan facilitado el uso fraudulento de documentos (Sentencia *SCI UK*, p. 59; *Eyckeler & Malt*, pp. 189 y 190; *Primex Produkte Import-Export*, p. 163; *Kaufring*, pp. 235 y 302; *CAS*, pp. 130-131, *Transnáutica*, p. 81).

- *Errores de las autoridades.–* El mero hecho de que haya habido un error, o incluso fraude, por parte de un funcionario de la Aduana no constituye por sí mismo una situación especial (STJUE *Ricosmos*, p. 162). En la Sentencia *Cerealmangini* el Tribunal observa que "contra los errores o deficiencias eventuales de las autoridades administrativas solamente cabe la aplicación de la cláusula general de equidad prevista en el párrafo 1 del artículo 13 del Reglamento nº 1430/79, cuando estos errores o deficiencias han hecho recaer sobre un operador económico una carga financiera que no ha podido ser impugnada por ningún cauce procesal" (p. 17).

No obstante, los errores de las autoridades pueden llegar a constituir una situación especial en determinados casos. Así se apreció en la Sentencia *Bacardi*, en relación con unos certificados de autenticidad que las autoridades del país de exportación emitieron con retraso. En la Sentencia *Kaufring* se aprecian graves fallos de gestión del sistema de preferencias por parte de las autoridades turcas y de las autoridades europeas, que además se prolongaron en el tiempo considerablemente, lo que conduce a la constatación de una situación especial. En la Sentencia *Primex Produkte* la Comisión incumplió su deber de control y vigilancia de un contingente arancelario, lo que hizo posible que las falsificaciones de certificados de autenticidad perdurasen y adquiriesen la magnitud que sólo con posterioridad fue detectada, y que causó al operador un perjuicio. En la Sentencia *Bonn Fleisch* las autoridades españolas no comunicaron información relevante sobre certificados para la gestión de contingentes a la Comisión a su debido tiempo y la Comisión omitió requerirla, lo que permitió que el fraude se prolongara y que las operaciones del deudor se vieran afectadas. Por el contrario, en las Sentencias *SCI UK* y *Hyper* el Tribunal apreció que no se había acreditado un incumplimiento de las autoridades.

- *Errores de los operadores.* – Será muy infrecuente que un error del operador pueda constituir una situación especial que legitime la condonación o devolución de derechos, pero en algún caso el Tribunal sí lo ha apreciado. Por ejemplo, en la Sentencia *Papierfabrik* el operador introdujo papel de dibujo para poder atender un pedido de un cliente japonés que excedía su capacidad de producción. Debido a su falta de experiencia, su desconocimiento de las normas y la premura de la operación, despachó la mercancía a libre práctica a pesar de que la reexportó de forma inmediata. El TJUE apreció que, en estas circunstancias, concurría una situación especial que meritaba la devolución de los derechos. Otra situación especial derivada de una incorrecta apreciación del operador es la que se estimó en la Sentencia *Hewlett Packard*, donde el operador confió en la información errónea sobre clasificación arancelaria facilitada a una sociedad del mismo grupo que la deudora por las autoridades aduaneras competentes de otro Estado miembro, distinto del competente para liquidar, en la medida en que la referida información pudo generar la confianza legítima del operador económico que, basándose en ella, creyó que había declarado sus mercancías conforme a la normativa arancelaria vigente. En la Sentencia *Rottendorf Pharma* el Tribunal no apreció una circunstancia especial en el hecho de que el operador registrara incorrectamente la condición de las mercancías en su sistema informático, con el resultado de que las declaró posteriormente para la exportación cuando hubiese correspondido ultimar el régimen de perfeccionamiento activo (cuando los insumos se importaron, los declaró inicialmente a libre práctica; al caer en la cuenta de su error, solicitó y obtuvo una autorización retroactiva de perfeccionamiento activo; pero no actualizó el registro en su sistema informático, una vez le autorizaron el perfeccionamiento activo, de modo que cuando sacó las mercancías del TAU las declaró para la exportación).

- *Robo de bienes no asegurables.–* En la STJUE *Trans-Ex-Import* se alegó como situación especial el robo de bienes no asegurables depositados en un almacén, cuando la percepción de los derechos de aduana por dichos bienes implicaría la quiebra de la empresa afectada. El Tribunal decidió que esta circunstancia podría ser considerada especial y, en consecuencia, que el asunto hubiera debido someterse a la consideración de la Comisión para que adoptara una decisión al respecto.

- *Cierre de la oficina aduanera.–* En la STJUE *Bolton Alimentari*, el Tribunal apreció la existencia de una situación especial porque el operador no pudo acceder a un contingente arancelario debido a que las oficinas de la Aduana italiana permanecieron cerradas el día de apertura del contingente (1 de julio, domingo), y al día siguiente el contingente ya se había agotado, privándole de la posibilidad de acceder en igualdad de condiciones a este beneficio arancelario. Véase, respecto de la misma situación, la STGUE *Saupiquet*. Interesa subrayar que, en la STJUE *Bolton Alimentari*, nos encontramos con una situación que no es específica del declarante, sino que puede afectar a un número indeterminado de operadores que se encuentren en la misma situación (importadores de atún de Italia y de Francia), lo que parece una flexibilización del criterio general conforme al cual una situación especial requiere circunstancias excepcionales que afecten de forma particular al deudor frente a los demás operadores.

Por lo que hace a los supuestos en que el Tribunal no ha apreciado que se produjera una "situación especial", podemos asimismo obtener a partir de ellos una serie de ideas para perfilar este concepto. Las sistematizamos a continuación:

- *Documentos falsos.–* El engaño padecido por un deudor derivado de una documentación falsa no constituye, por sí mismo, una situación especial, sino que se inscribe en los riesgos comerciales ordinarios inherentes a la actividad del operador económico. El uso de documentos falsos, incluso de buena fe, no puede constituir por sí mismo una situación especial (STJUE 1ª Instancia *Nordespedizioneri*, p. 70; STJUE *Eyckeler & Malt*, p. 162; *Primex Produkte Import-Export*, p. 140, y *SCI UK*, p. 58). "En particular, el Tribunal de Primera Instancia ha declarado que el carácter fraudulento de las facturas entregadas a un comisionista de aduanas no da lugar a una situación especial (…), por estimar que constituye uno de los riesgos profesionales a los que se expone un comisionista de aduanas, quien, por la propia naturaleza de sus funciones, es responsable de la regularidad de los documentos que presenta a las autoridades aduaneras, de tal modo que la Comunidad no debe soportar las consecuencias perjudiciales derivadas de las ilegalidades cometidas por sus clientes" (STJUE 1ª Instancia *Nordespedizioneri*, asunto T-332/02, de 14.12.2004, p. 70; *Mehibas Dordtselaan*, asunto T-290/97, de 18.01.2000, pp. 82-83). El hecho de que, conforme a la normativa italiana, un comisionista de aduanas no pueda rechazar injustificadamente su intervención cuando le sea solicitada tampoco coloca al solicitante en una situación excepcional en comparación con los demás operadores económicos, en la medida en que estas circunstancias afectan a un número indefinido de operadores, es decir, a todos los comisionistas de aduanas italianos (STJUE 1ª Instancia *Nordespedizioneri*, asunto T-332/02, de 14.12.2004, p. 71; STJUE *Trans-Ex-Import*, C-86/97, de 25.02.1999, p. 22; *Bacardi*, asunto C-253/99, de 27.09.2001, p. 56; *De Haan*, asunto C-61/98, de 07.09.1999, p. 52). No obstante, según hemos señalado más arriba, el hecho de que las autoridades incumplan su deber de control y vigilancia, permitiendo que una determinada clase de falsificaciones prolifere, sí se ha apreciado como constitutivo de una situación especial (STJUE 1ª Instancia *Primex Produkte, Bonn Fleisch*). En la STGUE *Combaro*, relativa también a certificados de origen posteriormente declarados inválidos, se decide que existe una situación especial porque el Tribunal aprecia que la Comisión no ejerció debidamente sus potestades de control del correcto funcionamiento del sistema de origen.

- *Circunstancias generales.*– Una situación especial no puede apreciarse cuando se alegan circunstancias que afectan de forma general a un área geográfica (Sentencias *Nordespedizioneri, Cooperative Agricole*). No obstante, véase más arriba la referencia a la Sentencia *Bolton Alimentari*.

- *Robo de mercancías.*– Salvo que concurran circunstancias cualificadas (véase más arriba Sentencia *Trans-Ex-Import*) el robo de mercancías no es, en sí mismo, una circunstancia especial. En la Sentencia *Aslantrans* se señala que "el robo de mercancías es uno de los siniestros que se producen con mayor frecuencia, contra el cual los operadores económicos suelen asegurarse, en particular los que están especializados en el transporte de mercancías denominadas «de riesgo», debido a que están sometidas a una imposición elevada".

- *Aplicación dispar de las normas comunes.*– En la Sentencia *Cerealmangini* el Tribunal decidió que el hecho de que las Administraciones aduaneras de otros Estados miembros autorizaran, en circunstancias análogas y en el mismo período de tiempo, la exoneración de derechos, no constituye una situación especial oponible a la Comisión (pp. 14-15).

En el documento *"Information paper on the application of Articles 220(2)(b) and 239 of the Community Customs Code"* puede verse la doctrina aplicada por la Comisión para conceder o denegar la condonación o devolución de derechos. Este documento está disponible a través de un enlace en:

Aspectos procedimentales.– El procedimiento para acordar la condonación o la devolución en el supuesto del artículo 120 CAU puede iniciarse de oficio o a solicitud de parte (artículo 116.4 CAU), en este último caso ante la aduana competente (la aduana que notificó la deuda), en el plazo de tres años a contar desde la fecha de comunicación de los derechos al deudor. Si se justifica adecuadamente, las autoridades pueden autorizar una prórroga de este plazo si concurre caso fortuito o fuerza mayor (artículo 121.1 CAU).

Por otra parte, interesa subrayar que, en caso de que concurran ciertas circunstancias que detallaremos en el siguiente punto, el 28.8, las autoridades deben remitir el asunto a la Comisión para que sea esta quien decida si proceder o no acordar la condonación o devolución (artículo 116.3 CAU).

28.8. LA DECISIÓN SOBRE LA PROCEDENCIA DE LA CONDONACIÓN O DEVOLUCIÓN

El ordenamiento de la UE completa la regulación en materia de condonación y devolución con una serie de cautelas de carácter orgánico tendentes a asegurar el buen funcionamiento del sistema. Con este propósito, el CAU se ocupa de fijar el reparto de competencias para la toma de las decisiones atinentes a la procedencia de la condonación y devolución entre las autoridades nacionales y la Comisión Europea. Es decir, se trata de determinar a quién corresponde decidir si concurren o no las circunstancias que legitiman esta medida. El fundamento del reparto de competencias deriva de que las autoridades nacionales, que son las que en definitiva aplican el derecho aduanero de la UE, podrían vaciar de contenido sus disposiciones mediante una aplicación laxa de las mismas. Obsérvese que las instituciones de la UE tienen un interés muy directo en que no se relaje la aplicación de estas normas, porque la recaudación que se obtiene es un recurso que se destina precisamente a su financiación.

Se comprende a partir de estas consideraciones que, conforme a este reparto de competencias, se atribuya a la Comisión decidir en determinados casos en los que las autoridades nacionales estimen que procede la condonación y devolución (artículo 116.3 CAU). En particular, el asunto deberá remitirse a la Comisión para que ésta decida cuando estemos en los supuestos de condonación y devolución del artículo 119 (error de las autoridades) o 120 (situación especial), estimándose por parte de las autoridades nacionales que sí concurren los requisitos a los que se condiciona la concesión de esta medida cuando, además, se verifique alguna de las siguientes circunstancias:

a) Cuando la autoridad aduanera considere que las circunstancias especiales son consecuencia de un incumplimiento de sus obligaciones por parte de la Comisión;

b) Cuando se considere que la autoridad que incurrió en error (en el sentido del artículo 119 CAU, error activo) fue la Comisión;

c) Cuando el caso haya sido objeto de una investigación de la UE efectuada: 1) en virtud del Reglamento 515/97; o 2) en virtud de otra norma de la UE; o 3) en virtud de un acuerdo celebrado por la UE; en los que esté prevista la posibilidad de llevar a cabo tal investigación.

Reglamento (CE) n° 515/97 del Consejo de 13 de marzo de 1997, relativo a la asistencia mutua entre las autoridades administrativas de los Estados miembros y a la colaboración entre éstas y la Comisión con objeto de asegurar la correcta aplicación de las reglamentaciones aduanera y agraria.

d) Cuando el importe del que deba responder el interesado por una o más operaciones de importación o exportación sea igual o superior a 500.000 euros como consecuencia de un mismo error o de una circunstancia especial.

Si se produce cualquiera de estas circunstancias, las autoridades nacionales no pueden decidir por sí mismas, sino que tienen la obligación de remitir el expediente a la Comisión (STJUE *AquaPro,* p. 53).

No obstante lo anterior, las autoridades nacionales podrán decidir por sí mismas conceder la condonación o devolución, sin someter el asunto a la decisión de la Comisión:

1. Cuando la Comisión ya haya adoptado una decisión en un caso que presente elementos fácticos y jurídicos comparables.

Si la Comisión ya ha decidido un caso que presente elementos fácticos y jurídicos comparables, su decisión es vinculante para las autoridades nacionales. Las autoridades pueden realizar las comprobaciones necesarias a fin de estar en condiciones de determinar si el caso sobre el que deben decidir es comparable a un asunto ya decidido por la Comisión (STJUE *AquaPro*).

2. Cuando la Comisión ya esté considerando un caso que presente elementos fácticos y jurídicos comparables.

Las autoridades aduaneras nacionales no están obligadas a remitir el asunto a la Comisión para que ésta resuelva cuando se hayan disipado las dudas que hubieran albergado, incluso después de haber manifestado su intención de acudir a la Comisión, véase la Sentencia TJUE *Conseil Générale de la Vienne.*

Aunque la Comisión determine que un caso es comparable en sus elementos fácticos y jurídicos a otro que ya está siendo examinado, las autoridades nacionales no quedan vinculadas por la decisión que la Comisión pueda adoptar y, en particular, pueden solicitar que la Comisión decida sobre el caso que se somete a su consideración, aunque haya sido apreciado como comparable. Lo anterior supone que las autoridades nacionales gozan de cierto margen de discrecionalidad, lo que a su vez tiene como consecuencia que no se considere legitimados para impugnar la decisión de la Comisión a los interesados en el caso comparable (véase Auto TJUE *Makro Vestel*, especialmente pp. 45 a 55). Esta interpretación del TJUE deja a los deudores del caso comparable en una precaria posición, porque no pueden recurrir la decisión de la Comisión a pesar que esta vincula a las autoridades nacionales en la resolución de su caso. Por ello, cuando la decisión de la Comisión sea desfavorable, parece recomendable instar a las autoridades nacionales a que requieran que la Comisión se pronuncie sobre cada caso separadamente, aunque sean comparables, a fin de estar legitimados para atacar la referida decisión de la Comisión.

Obsérvese que el asunto sólo debe remitirse a la Comisión para que esta decida cuando las autoridades nacionales estimen que la condonación o la devolución es procedente, no cuando estimen que procede denegarla. Esta distinción entronca con el fundamento mismo de la potestad de fiscalización que corresponde ejercer a la Comisión. El TJUE entendió que la atribución de esta potestad a la Comisión tiene su razón de ser en la protección de una aplicación uniforme del Derecho de la UE. Razonó en este sentido el Tribunal que, si las autoridades nacionales deciden denegar la condonación o la devolución, el deudor podrá recurrir y el asunto podrá ser suscitado ante el TJUE mediante el planteamiento de una cuestión prejudicial, con lo que se asegura un control a nivel de la UE. Pero si las autoridades deciden conceder la condonación o la devolución, no es esperable que el deudor recurra, con lo que, de no existir esta previsión, sería imposible ejercer este tipo de control (STJUE *Deutsche Fernsprecher*). Y ese control, añadimos nosotros, es muy importante puesto que estamos ante un recurso propio de la Unión que es gestionado por los Estados.

Para aquellos casos en que la competencia para decidir corresponda a la Comisión, el RDCAU establece un procedimiento que podemos sistematizar así (artículos 98 a 102 RDCAU):

Fase previa en el Estado miembro. – El Estado miembro implicado preparará el expediente, circunstancia que se debe notificar al interesado, a quien se le pondrá de manifiesto dándole ocasión de alegar lo que proceda y de incluir una lista de la información adicional que, en su opinión, debiera integrarse en el expediente. Si el interesado comparece debe firmar dándose por enterado del expediente. En caso de que, por el contrario, el interesado no comparezca en el plazo de treinta días, se considerará que ha leído el expediente y no tiene nada que añadir.

Tras este trámite de audiencia previo, las autoridades nacionales transmitirán el expediente a la Comisión. En él deben figurar todos los elementos necesarios para un examen completo del caso. En este sentido, como mínimo, se deben detallar en el expediente los siguientes elementos:

a) un resumen del caso;

b) información detallada que establezca que se reúnen las condiciones contempladas en los artículos 119 (error de las autoridades) o 120 (situación especial) CAU;

c) la declaración del interesado dándose por enterado del expediente o bien una declaración del Estado miembro que certifique que se considera que el interesado ha leído el expediente y no tiene nada que añadir.

Procedimiento a seguir por la Comisión. Tan pronto reciba el expediente, la Comisión acusará recibo del mismo y procederá, en los quince días siguientes a la fecha de su recepción, a poner a disposición de todos los Estados miembros una copia del resumen del caso preparada por el Estado miembro remitente. La Comisión puede solicitar informaciones adicionales o incluso decidir la devolución del expediente para su reelaboración en el Estado miembro.

> Las causas de devolución del expediente por parte de la Comisión al Estado miembro remitente son las siguientes:
> a) que el expediente sea a todas luces incompleto, por no contener ningún elemento que pueda justificar su examen por la Comisión;
> b) que no se trate de un supuesto en el que el asunto deba remitirse a la Comisión para que decida;
> c) que, durante el tiempo en el que la Comisión esté examinando el expediente, el Estado miembro envíe a la Comisión nueva información de tal naturaleza que modifique de manera sustancial la presentación fáctica del caso o su valoración jurídica.
> No se establece el plazo de que dispone el Estado miembro para responder, STJUE *Ricosmos*, p. 89.

Si la Comisión planea resolver en contra del interesado deberá comunicarle la propuesta de resolución, junto con la referencia a todos los documentos y toda la información en que se base, y concederle un plazo de alegaciones de treinta días, a contar desde la fecha de recepción de la propuesta de resolución. Además, el interesado será informado de su derecho para acceder al expediente. Las alegaciones, en caso de formularse, se harán por escrito a la Comisión (artículo 99 RDCAU).

> A este respecto, en su Sentencia *Van Parys* el TGUE estableció un criterio favorable a una interpretación amplia del derecho de acceso del interesado a la documentación del expediente, al apreciar que "en virtud del principio de respeto del derecho de defensa, no puede corresponder únicamente a la Comisión decidir cuáles son los documentos útiles para la parte interesada a efectos del procedimiento (...). El expediente administrativo puede incluir documentos que

contengan elementos favorables a la no recaudación y que puedan ser utilizados por el interesado en apoyo de su solicitud, aunque la Comisión no se haya servido de ellos. Por tanto, el solicitante debe tener acceso a todos los documentos del expediente que no sean confidenciales, incluidos los que no hayan servido para justificar las objeciones de la Comisión" (p. 70, donde cita en el mismo sentido la Sentencia del Tribunal General de 13 de septiembre de 2005, *Ricosmos/Comisión*, T 53/02, Rec. p. II 3173, p. 72).

Por otro lado, destaquemos que no se reconoce a los interesados el derecho a acceder a las reuniones de la Comisión con el grupo de expertos nacionales (STGUE *Ricosmos*, p. 79).

La Comisión deberá decidir en el plazo de 9 meses contados desde la fecha de recepción efectiva del expediente por la Comisión (artículo 100 RDCAU).

Este plazo de nueve meses puede ampliarse en tres circunstancias. En este sentido, si la Comisión hubiera requerido información adicional al Estado miembro, el plazo de resolución se ampliará por el tiempo transcurrido entre la fecha del envío de la solicitud por la Comisión y hasta la fecha de recepción de dicha información. La Comisión notificará la prórroga a la persona interesada.

En caso de que la Comisión realice investigaciones a fin de tomar una decisión, el plazo de resolución se prorrogará por el tiempo necesario para completarlas, sin que esta prórroga pueda exceder de nueve meses. En este caso la Comisión notificará al Estado miembro y a la persona interesada las fechas en que se abran y se cierren las investigaciones.

Si la Comisión tuviera la intención de tomar una decisión desfavorable al interesado, el plazo de resolución podrá ampliarse en treinta días.

Véase también la STGUE *Ricosmos*, p. 85. Interesa observar que, a diferencia de lo que dispone el RDCAU, anteriormente el RACAC no imponía a la Comisión informar al interesado de las prórrogas, por lo que éste desconocía en qué momento se cumplían tales plazos (STGUE *Ricosmos*, pp. 53-55).

En el plazo de treinta días desde el vencimiento del plazo para adoptar la decisión, ésta deberá notificarse al Estado miembro. A la vista de la decisión de la Comisión, las autoridades del Estado miembro remitente deberán adoptar la decisión correspondiente acerca de la condonación o devolución de que se trate, informando de la misma a la Comisión mediante el envío de una copia de la decisión. Si la Comisión decide la procedencia de la condonación o devolución, podrá establecer las condiciones en que las autoridades aduaneras deben devolver o condonar en casos comparables de hecho y de Derecho (artículo 101 RDCAU).

La trascendencia de los plazos a que nos hemos referido es grande, puesto que si la Comisión incumple el plazo para adoptar la decisión (9 meses) o para notificarla (treinta días adicionales), el RDCAU ordena a las autoridades nacionales condonar o devolver la deuda de que se trate, lo que viene a ser una suerte de silencio positivo (artículo 102 RDCAU).

Control de las decisiones de la Comisión.– El interesado puede impugnar una decisión desfavorable de la Comisión ante el TGUE (artículo 263 TFUE). A fin de permitir el control jurisdiccional, la decisión de la Comisión deberá estar motivada de forma clara e inequívoca (artículo 296 TFUE; véase también la STGUE *Suproco*, asunto T-101/03, de 22.09.2005). Ha de tenerse en cuenta que una decisión no se anulará a causa de incurrir en irregularidades en el procedimiento a menos que se acredite que, de no haberse cometido estas, se hubiera alcanzado un resultado diferente (véase STGUE *Mehibas*, asunto T-290/97, de 18.01.2000, p. 47 y jurisprudencia allí citada).

Ejemplo
Como ejemplos de Decisiones de la Comisión por las que se ordena contraer que son declaradas ilegales por el TGUE, pueden verse las STGUE *Van Parys* y *Recombined*.

El TJUE, en su Sentencia *Prenatal* (asunto C-589/17, de 29.07.2019), atribuye a la Comisión un amplio margen de discrecionalidad a la hora de apreciar los fundamentos en los que basa su decisión de permitir o denegar la condonación (véanse, en particular, los pp. 44-45, donde se señala que "el juez de la Unión no puede sustituir la apreciación de la Comisión por la suya propia, sino que debe ceñirse a examinar si esta institución se extralimitó en su facultad de apreciación" (p. 45).

La determinación realizada por la Comisión en aquél asunto, conforme a la cual las autoridades jamaicanas no habían incurrido en error activo al emitir certificados de origen, es poco coherente con su propia iniciativa de enviar a Jamaica a una misión de la OLAF, de forma poco respetuosa con el régimen de control del origen. Cabe preguntarse entonces cómo se justifica que la Comisión enviase una misión de la OLAF a Jamaica, más todavía teniendo en cuenta que la OLAF no era competente para verificar el origen jamaicano de las mercancías, si simultáneamente pretende afirmar que la actuación de las autoridades jamaicanas fue diligente.

Interesa subrayar que la invalidez de la decisión de la Comisión por la que se deniega la procedencia de la condonación o la devolución sólo puede ser declarada por el propio TJUE y no por los órganos jurisdiccionales nacionales, que carecen de la potestad para declarar la invalidez de actos de las instituciones de la UE (STJUE *Foto-Frost*, pp. 14, 15 y 17; véase también el artículo 263 TFUE). La validez de tal decisión, en cambio, sí puede ser confirmada por los órganos jurisdiccionales nacionales. Por este motivo, el apartado 2 de la Disposición adicional vigésima LGT regula las especialidades de la revisión de las resoluciones (p.e. si se interpone un recurso por el interesado) en aquellos casos en que la Comisión Europea haya adoptado —o pueda adoptar— una decisión que condicione su contenido, lo que ocurre justamente en materia de condonación y devolución en los supuestos que estamos examinando. Las especialidades a que nos referimos que establece la LGT (en virtud de la modificación operada por la Ley 34/2015) son las siguientes:

a) Si el asunto sobre el que trata la resolución que se revisa ha sido sometido a una Decisión de la Comisión Europea y el pronunciamiento por parte de ésta se encuentra todavía pendiente, el órgano revisor nacional competente (el Tribunal Económico-Administrativo), desde el momento en que tenga conocimiento de dicha circunstancia, debe suspender el procedimiento de revisión hasta el momento en que la Comisión Europea dicte la Decisión correspondiente y esta adquiera firmeza.

> Esta cautela intenta asegurar que no pueda ocurrir que la resolución adoptada por el órgano revisor entre en contradicción con la Decisión que adopte la Comisión Europea, forzando para ello al órgano revisor a esperar a que la Comisión Europea se posicione para que, a la vista de su criterio, el órgano revisor decida de forma coherente.

> La Opinión del Abogado General en el asunto *Prenatal* nos revela el probable motivo de esta modificación de la LGT que examinamos: la Audiencia Nacional decidió condonar los derechos a favor de El Corte Inglés sin esperar a que la Comisión Europea decidiera si esa condonación debía o no concederse, es decir, la Audiencia Nacional ignoró la competencia que la normativa aduanera atribuye a la Comisión Europea y, al dictar su Sentencia, vació esa competencia de contenido en virtud del efecto de cosa juzgada (para cuando la Comisión decidió que la condonación era improcedente, la sentencia de la Audiencia Nacional ya era firme y, en consecuencia, la Aduana ya no podía dirigirse contra El Corte Inglés para exigir el ingreso de los aranceles). Cabe suponer que la Comisión Europea exigió a España el pago de los derechos que hubieran debido recaudarse de El Corte Inglés y que se dejaron de recaudar por un manifiesto error de la Audiencia Nacional. Prenatal se encontraba en un supuesto de hecho idéntico en lo esencial a El Corte Inglés, pero no tuvo la suerte de que recayese sentencia en su asunto antes de la decisión de la Comisión, por lo que se le exigió el pago de los derechos. Se produjo, así, una disparidad de trato manifiesta entre las dos empresas. El episodio pone de relieve la urgente necesidad de incrementar el nivel de conocimiento del Derecho aduanero por parte de los Tribunales españoles.

b) Si la resolución que se revisa vino determinada por el criterio manifestado en una Decisión adoptada por la Comisión Europea, la revisión no podrá extenderse al contenido de la Decisión aludida.

> Con esta cautela trata de asegurarse que el órgano revisor nacional no pueda resolver la ineficacia de la Decisión de la Comisión Europea, invadiendo al hacerlo una competencia exclusiva del TJUE, según ya hemos señalado. Ahora bien, el órgano revisor nacional puede plantear cuestión prejudicial al TJUE si considera que la Decisión de la Comisión no es conforme a las normas de la UE.

c) Si la resolución que se revisa se dictó sin someter el asunto a la Decisión de la Comisión Europea y el órgano revisor considera que procede tal sometimiento, el órgano revisor debe suspender el procedimiento e instar a la Administración Tributaria para que someta el asunto a la consideración de la Comisión Europea.

Esta cautela intenta asegurar que no se menoscaben las competencias de control que el Derecho de la UE atribuye a la Comisión Europea.

Interesa destacar que una norma análoga se introduce mediante la Ley 34/2015 en la Ley de la Jurisdicción Contencioso-Administrativa (nueva Disposición adicional novena de la Ley 29/1998, LJC-A), de manera que estas reglas no sólo son aplicables a los procedimientos de revisión en vía administrativa, sino también en el marco de los procesos en el orden jurisdiccional contencioso-administrativo.

Como puede constatarse a partir de lo expuesto en las letras precedentes, la Decisión de la Comisión Europea va a determinar el contenido posible de la resolución que pueda adoptar el órgano de revisión nacional. Por eso el apartado 2 de la Disposición adicional vigésima LGT concluye advirtiendo que estas reglas deben entenderse "sin perjuicio del derecho de los interesados a la interposición de los recursos que procedan contra las Decisiones de la Comisión ante las instituciones competentes de la Unión Europea y del eventual planteamiento por los órganos nacionales revisores competentes de una cuestión prejudicial ante el Tribunal de Justicia de la Unión Europea". En este sentido, debemos señalar que el artículo 263 TFUE reconoce legitimidad a los interesados —tanto personas físicas como jurídicas— que sean destinatarios de los actos de las Instituciones de la UE o a quienes estos les afecten directa e individualmente para interponer un recurso ante el TJUE por el que se cuestione la validez de tales actos. Este recurso debe interponerse en el plazo de dos meses a partir, según los casos, de la publicación del acto, de su notificación al recurrente o, a falta de ello, desde el día en que éste haya tenido conocimiento del mismo.

Por tanto, cuando se deniegue la procedencia de la condonación o devolución de derechos y esa denegación haya venido determinada por una Decisión de la Comisión Europea, el perjudicado puede recurrir contra la resolución por la que la Administración nacional le deniegue la condonación o devolución —en cuyo caso el órgano revisor podrá plantear cuestión prejudicial ante el TJUE a fin de que éste determine si la Decisión de la Comisión Europea de la que trae causa la resolución es válida— o bien directamente contra la propia Decisión de la Comisión Europea, siendo el TJUE competente en este segundo caso para conocer el recurso.

Otros mecanismos de fiscalización a favor de la Comisión.– Además de los supuestos en los que el CAU ordena remitir el asunto a la Comisión para que esta decida acerca de la procedencia de la condonación o devolución, el artículo 181 RECAU refuerza las posibilidades de fiscalización de la Comisión por cuanto ordena a los Estados miembros comunicar a la Comisión, con carácter semestral (durante el primer y tercer trimestre de cada año), la lista de casos en que se haya concedido una devolución o la condonación en la que concurran las siguientes circunstancias:

- Que la condonación o devolución se haya concedido en virtud de los artículos 119 (error de las autoridades) o 120 (situación especial) CAU.

- Que el importe devuelto o condonado a un determinado deudor con respecto a una o varias operaciones de importación o exportación, pero como consecuencia de un error o de una situación especial, supere los 50.000 euros.

- Que no se trate de un supuesto en el que deba someterse el asunto a la decisión de la Comisión.

Si un Estado miembro no hubiera acordado ninguna devolución o condonación en la que concurran los presupuestos anteriores en el semestre previo a cada comunicación a la Comisión deberá remitirá a la Comisión un estado de la situación con la mención «no aplicable». Por tanto, incluso cuando no se hayan acordado estas medidas, debe realizarse la comunicación a que nos referimos.

Adicionalmente, no se exige comunicar, pero sí tener la información a disposición de la Comisión para el caso de que esta la requiera, respecto de los casos en que concurran los dos presupuestos siguientes:

- Que la condonación se haya concedido en virtud de los artículos 119 (error de las autoridades) o 120 (situación especial) CAU.

- Que el importe devuelto o condonado a un determinado deudor con respecto a una o varias operaciones de importación o exportación, pero como consecuencia de un error o de una situación especial, sea igual o inferior a 50.000 euros.

Tanto respecto de las condonaciones y devoluciones que deben comunicarse a la Comisión como respecto de aquellas otras respecto de las cuales las autoridades nacionales deben tener la información a disposición de la Comisión, los datos que deben proporcionarse acerca de cada operación son los siguientes:

a) el número de referencia de la declaración en aduana o del documento por el que se notifica la deuda;

b) la fecha de la declaración en aduana o del documento por el que se notifica la deuda;

c) el tipo de decisión;

d) la base jurídica de la decisión;

e) el importe y la divisa;

f) los detalles del caso (incluida una breve explicación del motivo por el que las autoridades aduaneras consideran que se cumplen las condiciones de condonación o devolución de la base jurídica pertinente).

28.9. ASPECTOS PROCEDIMENTALES DE LA CONDONACIÓN Y DEVOLUCIÓN

Al exponer los diferentes supuestos de condonación y devolución hemos señalado los plazos en los que puede presentarse la solicitud correspondiente. Vamos a analizar a continuación aspectos procedimentales comunes que rigen para la adopción de estas medidas. Antes, no obstante, ofrecemos un cuadro recapitulativo de los plazos para solicitar la condonación y devolución según la causa en que se fundamente.

La norma 4.23 del Anexo General del Convenio de Kioto dispone que "En los casos en que se fijen los plazos máximos para pedir la devolución, tales plazos deberán tener la duración suficiente para tener en cuenta las diferentes circunstancias de los tipos de caso en que puede concederse la devolución".

Plazos de solicitud de condonación y devolución de derechos			
Artículo	Supuesto que regula	Plazo	De oficio
116.1. 2º párrafo	Invalidación de una declaración respecto de la cual se hayan pagado los derechos	Plazos previstos para la presentación de la solicitud de invalidación, artículo 148 RD-CAU (en general, noventa días a contar desde la fecha de aceptación de la declaración)	No
117	Liquidación de importe excesivo	Tres años desde la fecha de notificación de la deuda aduanera. Puede prorrogarse en caso de que el interesado pruebe caso fortuito o de fuerza mayor	Sí
119	Error de las autoridades competentes		
120	En circunstancias especiales (equidad)		
118	Mercancías importadas defectuosas o que no cumplan con las estipulaciones del contrato	Un año, a contar desde la fecha de notificación de la deuda aduanera. Puede prorrogarse en caso de que el interesado pruebe caso fortuito o de fuerza mayor	No

Interesa matizar, por lo que hace a los plazos para solicitar la condonación o devolución señalados en la tabla, que, en caso de que el interesado hubiera interpuesto un recurso contra la liquidación de que se trate, el plazo para solicitar la condonación o devolución se suspenderá por todo el tiempo que dure el procedimiento de recurso (artículo 121.3 CAU).

Solicitante y solicitud.– Lo habitual será que la condonación o devolución de derechos se acuerde a petición de parte. No obstante, el CAU ordena proceder de oficio (es decir, a iniciativa de las propias autoridades) a la condonación o devolución cuando las autoridades descubran en plazo que concurren las circunstancias que la legitiman, salvo en el supuesto del artículo 117 CAU donde, en consecuencia, siempre habrá de tomar la iniciativa el interesado (el supuesto del artículo 117 CAU es el relativo a la importación de mercancías defectuosas o que no cumplan con las estipulaciones del contrato) y en el supuesto de que la devolución o condonación derive de la invalidación de una declaración (artículo 116.1 CAU).

Cuando el procedimiento se inicia a instancia de parte, el legitimado para presentar la solicitud es: a) la persona que haya pagado los derechos o que esté obligada a pagarlos; b) las personas que se hayan subrogado en sus derechos y obligaciones (artículo 172 RDCAU). Evidentemente, cualquiera de los anteriores podrá actuar a través de un representante aduanero.

El interesado deberá presentar su solicitud ante la autoridad aduanera competente del Estado miembro en que se haya notificado la deuda, y podrá presentarla por medios distintos a los electrónicos cuando así lo permita el ordenamiento del Estado miembro de que se trate (artículo 92 RDCAU). En cualquier caso, si las autoridades acuerdan conceder la devolución o la condonación, podrán notificar la decisión a la persona interesada por medios distintos a los electrónicos (artículo 94 RDCAU).

> Por lo que hace a los datos que deben contenerse en la solicitud y los documentos que deben acompañarla, la *Guidance* de TAXUD los enumera y ofrece indicaciones sobre ellos (apartados 2.2.2.2 y 2.2.3.2).

La presentación de una solicitud de condonación puede motivar la suspensión del plazo de pago de la deuda aduanera hasta que se adopte una decisión por la que se deniegue la condonación (artículo 89 RDCAU).

> La suspensión del plazo de pago se concede cuando se considera probable que se cumplan las condiciones para conceder la condonación y, si se trata de una condonación basada en los motivos del artículo 117 CAU (liquidación de importe excesivo), se exige, además, que pueda temerse un daño irreparable para el interesado. Por otro lado, en caso de que las mercancías de que se trate ya no estén bajo vigilancia aduanera en el momento presentar la solicitud de condonación, se exigirá la constitución de una garantía para suspender el plazo de pago, salvo que la exigencia de la garantía pudiera ocasionar al deudor graves dificultades económicas o sociales.

Procedimiento.– En principio, el procedimiento para decidir la condonación o devolución se regirá por las reglas generales previstas para el procedimiento de decisión. Nos hemos ocupado del procedimiento de decisión en el capítulo 21.3.2 que, recordemos, incorpora un trámite de subsanación y un trámite de audiencia y que establece un plazo de 120 días para resolver, que puede extenderse por 30 días más (el plazo de 120 días puede prorrogarse, además, en atención a diversas vicisitudes, véase lo que se señala en referido capítulo 21.3.2). Sobre estas reglas generales, el CAU, RDCAU y RECAU establecen algunas disposiciones específicas en materia de decisión de condonación o devolución.

El artículo 97 RDCAU regula distintas incidencias que pueden determinar una prórroga del plazo para decidir la devolución o condonación. En este sentido, se dispone que si el asunto debe someterse a la decisión de la Comisión (nos hemos ocupado de esta cuestión en el punto 28.8) el plazo de que disponen las autoridades nacionales para tomar la decisión sobre la condonación o la devolución se suspenderá hasta que hayan recibido la notificación de la decisión de la Comisión o bien la notificación por la Comisión de la devolución del expediente (los motivos de devolución del expediente se regulan en el artículo 98.6 RDCAU). Si se trata de un asunto que reúne los elementos en virtud de los cuales debe ser sometido a la decisión de la Comisión, pero que no se hubiera transmitido a la Comisión debido a que ésta ya estaba considerando un caso que presentara elementos fácticos y jurídicos comparables, el plazo de que disponen las autoridades nacionales para tomar la decisión sobre la condonación o la devolución se suspenderá hasta que las autoridades nacionales hayan recibido la notificación de la decisión de la Comisión sobre ese otro caso comparable. El plazo para la devolución o la condonación puede ampliarse, con el consentimiento del solicitante, cuando la decisión pueda verse afectada por el resultado de un procedimiento administrativo o un procedimiento judicial pendiente, distinguiéndose a este respecto tres casos posibles:

a) Se encuentra pendiente de resolución prejudicial ante el TJUE un caso que implique cuestiones de hecho o de Derecho idénticas o comparables. En este caso el plazo para decidir puede prorrogarse hasta finalizar una vez transcurridos 30 días desde la fecha de la sentencia del TJUE.

b) La decisión depende del resultado de una solicitud de comprobación *a posteriori* de la prueba de origen preferencial. En este caso el plazo para decidir puede prorrogarse mientras dure la comprobación, sin que la prórroga pueda exceder de 15 meses desde la fecha de envío de la solicitud.

c) La decisión depende del resultado de un procedimiento de consulta destinado a garantizar, a nivel de la Unión, la corrección y uniformidad de la clasificación arancelaria o la determinación del origen de las mercancías. En este caso el plazo para decidir puede prorrogarse por un período que finalizará 30 días después de la notificación por parte de la Comisión de la revocación de la suspensión de la adopción de decisiones IAV e IVO.

Al margen de las circunstancias señaladas, debe tenerse en cuenta que, una vez que las autoridades han aceptado la solicitud de devolución o condonación (lo que implica que la consideran completa) si, a pesar de ello, con posterioridad requieren información adicional al solicitante, cualquier retraso en el requerimiento de información adicional o en su transmisión computa a efectos del plazo para adoptar la decisión (*Guidance*, apartado 2.2.3.2).

La norma 4.21 del Anexo General del Convenio de Kioto establece que "Las decisiones sobre las peticiones de devolución se tomarán, y se notificarán por escrito a los interesados, sin demoras injustificadas, y la devolución de los importes cobrados en exceso se hará lo más pronto posible tras la verificación de dichas peticiones".

Presentación de las mercancías y límites a su movimiento.– Con carácter general, la condonación o devolución está sujeta a la presentación de las mercancías a las que se refiera la deuda. Recordemos que la "presentación" de las mercancías en aduana se define como "la notificación a las autoridades aduaneras de la llegada de las mercancías a la aduana, o a cualquier otro lugar designado o autorizado por aquellas, y de su disponibilidad para los controles aduaneros" (artículo 5.33 CAU), por lo que se trata de que se comunique dónde están localizadas las mercancías y que éstas se encuentren a disposición de las autoridades. En caso de que no pudieran presentarse las mercancías la condonación o devolución sólo se acordará cuando las autoridades dispongan de pruebas que demuestren que las mercancías en cuestión son las mercancías para las que se ha solicitado la devolución o la condonación (artículo 173 RECAU).

Por otra parte, en tanto no se resuelva la solicitud de condonación o de devolución, las mercancías de que se trate no podrán ser transferidas —trasladadas— a otro lugar distinto al designado en la solicitud. Si el interesado desea transferir las mercancías deberá avisar previamente a la autoridad que le haya notificado la deuda aduanera, que a su vez informará a la autoridad competente para tomar la decisión, si fuera una autoridad distinta (artículo 174 RECAU).

Mercancías situadas en otro Estado miembro.– Si las mercancías se encuentran en un Estado que no es el competente para decidir la condonación o devolución, las autoridades que hayan de adoptar la decisión podrán requerir información complementaria a fin de estar en condiciones de determinar si procede o no acordar la medida, o bien requerir que se proceda al examen de las mercancías a fin de garantizar que se cumplen las condiciones de la devolución o la condonación. El requerimiento deberá indicar la naturaleza de la información que se deba obtener o los controles a realizar y se acompañará de los datos de la solicitud y de todos los documentos necesarios para que la autoridad requerida (la del Estado miembro en que se encuentren las mercancías) pueda obtener las informaciones o efectuar los controles solicitados. Si el requerimiento se refiere a información complementaria, se podrá solicitar la aportación de los datos que se relacionan en el anexo 33-06 RDCAU. Esta solicitud se podrá presentar por medios distintos a los electrónicos, en cuyo caso deben remitirse dos copias. Las autoridades requeridas (las del Estado miembro en el que se encuentren las mercancías) deben dar curso sin demora a la solicitud de la autoridad competente para decidir la condonación o devolución, procediendo a obtener la información o efectuar los controles solicitados en un plazo de treinta días a partir de la fecha de recepción de la solicitud. Consignarán los resultados obtenidos en el original de la solicitud (el modelo del anexo 33-06 RDCAU) y lo devolverán a la autoridad aduanera competente para decidir la condonación o devolución, junto con todos los documentos que le hubiera aportado acompañando a la solicitud. En caso de que la autoridad requerida no pueda obtener la información o efectuar los controles solicitados en el referido plazo de treinta días, deberá devolver la solicitud, debidamente anotada, en un plazo de treinta días a partir de la fecha de recepción de la solicitud (artículo 93 RDCAU, 175 RECAU).

Por otra parte, también en situaciones en las que las mercancías se encuentran en otro Estado miembro, las autoridades competentes para decidir pueden requerir, además, información relativa al cumplimiento de formalidades aduaneras puesto que, según hemos señalado, el cumplimiento de tales formalidades aduaneras es, en ocasiones, requisito para que la condonación o devolución se haga efectiva. En estos casos se debe proporcionar a las autoridades competentes para decidir una respuesta con los datos que se relacionan en el anexo 33-07, respuesta que podrá presentarse por medios distintos a los electrónicos (artículos 95 y 96 RDCAU).

Ejemplo

EJEMPLO

Las mercancías se pueden encontrar en otro Estado miembro, por ejemplo, en supuestos de despacho centralizado en el que intervengan dos o más Estados, puesto que las autoridades competentes para liquidar (y, en consecuencia, para acordar la condonación o devolución) pueden estar en un Estado miembro distinto de aquél por el cual se introducen o salen las mercancías.

Denegación de la solicitud de condonación o devolución. – Si las autoridades consideran que no puede concederse la condonación o devolución atendiendo a los motivos alegados por el solicitante, deben todavía examinar si la condonación o devolución puede todavía ser acordada por otros motivos (artículo 121.2 CAU).

> ## Ejemplo
>
>
> EJEMPLO
>
> Supongamos que el solicitante alegó error de las autoridades competentes (el motivo de condonación y devolución que regula el artículo 119 CAU). Las autoridades concluyen que no procede conceder la condonación o devolución con base en este motivo porque el solicitante no fue lo suficientemente diligente. En este supuesto todavía podría ser procedente la condonación o devolución basada en la concurrencia de una circunstancia especial (el motivo de condonación y devolución que regula el artículo 120 CAU). Lo que el artículo 121.2 CAU ordena a las autoridades es que examinen el supuesto planteado a la luz de las otras causas de condonación y devolución aunque el solicitante no las hubiera alegado.

Si la condonación o devolución tampoco se considera procedente a la luz de esas otras causas, la deuda no se devolverá (en caso de que ya hubiera sido pagada) o se procederá a exigir su pago (en caso de que no se hubiera pagado todavía, supuesto en el que la solicitud sería de condonación). A este respecto, téngase en cuenta que la solicitud de la condonación pudo determinar que se suspendiera el plazo de pago, según hemos señalado más arriba. Una vez adoptada la decisión en la que se acuerde denegar la condonación se retomará el transcurso del plazo de pago o el plazo de las facilidades de pago que hubieran podido concederse.

Los datos que debe contener la decisión de condonación o devolución se contienen en el Anexo A RDCAU y se relacionan, con indicaciones adicionales, en la *Guidance*, apartado 2.2.4.4.

Estimación de la solicitud de condonación o devolución. – Si las autoridades estiman la solicitud de condonación o devolución, su efectividad todavía puede quedar supeditada al cumplimiento de determinadas formalidades aduaneras como, por ejemplo, que las mercancías se exporten o se incluyan en un régimen especial. Esto ocurre de forma general respecto de la causa de condonación o devolución que regula el artículo 118 CAU (relativo a mercancías defectuosas o no conformes con las estipulaciones del contrato), donde necesariamente las mercancías deben recibir alguno de los destinos que allí se ordenan, y también puede resultar exigible en el marco de otros supuestos de condonación o devolución.

Cuando la efectividad de la condonación o devolución se supediten al cumplimiento de determinadas formalidades aduaneras, el interesado debe informar a la aduana supervisora de que ha procedido a realizar tales formalidades. Por su parte, la aduana supervisora comunicará a la autoridad que debe decidir la condonación o devolución el cumplimiento de tales formalidades aduaneras. A este fin, la aduana supervisora deberá utilizar el formulario que se establece en el anexo 33-07 RECAU. La decisión de condonar o devolver sólo se hará efectiva una vez que la aduana competente para adoptarla haya recibido esta información de la aduana supervisora.

> A estos efectos la aduana supervisora es la que garantiza, en su caso, que se han cumplido las formalidades o requisitos a que estén sujetos la devolución o la condonación del importe de los derechos de importación o exportación. Si la formalidad consiste en la exportación o en la inclusión en un régimen especial, la aduana supervisora será la aduana en que las mercancías se incluyan en dicho régimen.

Con carácter general el cumplimiento de las formalidades aduaneras se realiza con posterioridad a la decisión de condonación o devolución, dentro de un plazo que no puede exceder de sesenta días, a contar desde la fecha de notificación de la decisión de condonar o devolver. Si se incumpliera la obligación de realizar las formalidades aduaneras prescritas en el plazo señalado la consecuencia sería la pérdida del derecho a la devolución o condonación, a menos que el interesado pruebe que la imposibilidad de respetar dicho plazo se debe a un caso fortuito o de fuerza mayor. El cumplimiento de las formalidades aduaneras también puede realizarse de forma previa a la decisión de condonar o devolver cuando la autoridad competente para adoptar tal decisión así lo autorice al interesado. En este caso, debe advertirse que la realización anticipada de las formalidades no prejuzga el sentido de la decisión.

> Los artículos 178, 179 y 180 RECAU regulan diversas situaciones que pueden plantearse respecto de la obligación de incluir las mercancías a las que se refiere la decisión de condonación o devolución en un determinado régimen aduanero. Así, el artículo 178 RECAU contempla el supuesto de que la devolución o condonación se condicione a la destrucción, abandono al Estado o inclusión en un régimen especial o en el régimen de exportación, pero este requisito sólo se cumpla para una o varias partes o componentes de las mercancías. En este caso se ordena que el importe a devolver o a condonar será igual a la diferencia entre la cuantía de los derechos de importación correspondientes a la mercancía completa, por una parte, y la cuantía de los derechos de importación que corresponderían a las partes o elementos restantes (es decir, los que no son objeto de exportación, inclusión en un régimen especial, destrucción o abandono al Estado) si se hubieran incluido, sin transformar, en un régimen aduanero que genere una deuda en la misma fecha de inclusión de la mercancía completa, por otra.
> Por su parte, el artículo 179 RECAU se refiere a los desperdicios y desechos que puedan originarse como resultado de la destrucción de la mercancía, autorizada por las autoridades. En este caso dispone que esos desperdicios y desechos se considerarán mercancías no pertenecientes a la Unión en cuanto se adopte la decisión de condonar o devolver.
> El artículo 180 RECAU se refiere a la situación que se plantea cuando unas mercancías, para las cuales se ha solicitado la condonación o devolución con base en el artículo 116.1, segundo párrafo (invalidación de la declaración), 118 (mercancías defectuosas o no conformes con las estipulaciones del contrato) o 120 (situación especial) CAU, se destruyen o se exportan sin vigilancia aduanera. En estos casos se ha incumplido el requisito de la condonación o devolución, pero esta todavía podría acordarse en alguna de las dos situaciones siguientes:

1) El solicitante presenta a la autoridad competente para decidir las pruebas necesarias para determinar que las mercancías respecto de las cuales se solicita la devolución o condonación han sido exportadas fuera del TAU o bien han sido destruidas bajo la vigilancia de autoridades distintas de las aduaneras o de personas facultadas por ellas para certificar tal destrucción.

   A estos efectos, las pruebas para acreditar que las mercancías han sido exportadas fuera del TAU podrán ser alguna de las siguientes: a) la certificación de salida mencionada en el artículo 334 RECAU; b) el original o una copia certificada conforme de la declaración en aduana para el procedimiento que implique el nacimiento de la deuda aduanera; c) en caso necesario, documentos comerciales o administrativos que contengan una descripción completa de las mercancías que fueron presentadas con la declaración en aduana correspondiente a dicho régimen o con la declaración en aduana relativa a la exportación fuera del TAU o con la declaración en aduana de las mercancías en el tercer país de destino.

   Por su parte, las pruebas para acreditar que las mercancías han sido destruidas bajo la vigilancia de autoridades distintas de las aduaneras o de personas facultadas por ellas para certificar tal destrucción podrán ser alguna de las siguientes: a) el acta o la declaración de destrucción redactada por las autoridades oficiales bajo cuya vigilancia haya tenido lugar dicha destrucción, o una copia certificada conforme; b) un certificado redactado por la persona habilitada para dar fe de la destrucción, acompañado de los elementos de información que justifiquen dicha habilitación. Los referidos documentos deben incluir una descripción completa de las mercancías destruidas a fin de establecer que las mercancías destruidas son las que habían sido incluidas en dicho régimen.

   En cualquiera de los casos, los elementos de prueba podrán ser completados o sustituidos por cualesquiera otros elementos que la autoridad aduanera juzgue necesarios si los aportados resultaran insuficientes para permitir a la autoridad aduanera adoptar una decisión o si no pudieran presentarse algunos de los elementos de prueba requeridos.

2) El solicitante devuelve a la autoridad competente para decidir cualquier documento que certifique o contenga información que confirme el estatuto aduanero de mercancías de la Unión de las mercancías en cuestión y, al amparo del cual, en su caso, dichas mercancías hayan abandonado el TAU, o presente cualquier prueba que dicha autoridad estime necesaria, con objeto de cerciorarse de que el documento de que se trate no pueda ser utilizado posteriormente en relación con mercancías introducidas en el TAU.

Si las autoridades conceden la condonación o devolución, pero posteriormente determinan que tal decisión fue errónea, la deuda aduanera podrá volver a ser exigida siempre que no hayan vencido los plazos de caducidad de la deuda, que regula el artículo 103 CAU (artículo 116.7 CAU).

> Recordemos que, con carácter general, este plazo es de tres años a contar desde el nacimiento de la deuda. Téngase en cuenta también que, conforme al artículo 103.4 CAU, en el supuesto del artículo 116.7 CAU (es decir, si se rehabilita la deuda al descubrir que la condonación o devolución se concedió por error) se ordena suspender el plazo de caducidad de la deuda por el tiempo que medie entre la solicitud de condonación o devolución y su concesión.
>
> Con criterio que plantea serias dudas, la *Guidance* de TAXUD (apartado 2.3.2) observa que en estos casos no es necesaria la anulación, revocación o modificación de la decisión original

de devolver o condonar, sino que es suficiente notificar una nueva decisión (tras el oportuno trámite de audiencia).

En España el artículo 26.2(f) LGT dispone que el obligado deberá satisfacer intereses de demora si obtiene una devolución improcedente. Estos intereses resultarán exigibles durante el tiempo al que se extienda el retraso del obligado (artículo 26.3 LGT). Por tanto, si el obligado devuelve la cantidad que recibió en el plazo que ordene la resolución que determine la improcedencia de la condonación o devolución, parece que no cabría exigirle estos intereses.

Si las autoridades conceden la condonación o devolución y esta se funda en un error de las autoridades competentes (el supuesto del artículo 119 CAU) o en la concurrencia de una circunstancia especial (el supuesto del artículo 120 CAU), el Estado miembro de que se trate debe informar de ello a la Comisión (artículo 121.4 CAU).

> Esta obligación de información a la Comisión incluye los supuestos en los que el motivo por el cual no se hubiera aplicado un derecho reducido o de tipo cero hubiera sido un error cometido por las autoridades aduaneras y proceda, en consecuencia, condonar o devolver, supuesto que se regula en el artículo 119.2 CAU pero que nosotros hemos analizado al hilo del supuesto del artículo 117 CAU (liquidación de importe excesivo).

Por otra parte, con carácter general, la decisión de devolver no comportará la obligación de pagar intereses por parte de las autoridades. Los intereses sí se generarán a favor del interesado en caso de que, una vez adoptada la decisión de devolución, esta no se ejecute —es decir, no se haga efectiva la devolución— en un plazo de tres meses, salvo que la dilación no pueda imputarse a las autoridades. Los intereses comenzarán a generarse a la conclusión del referido plazo de tres meses y hasta que se haga efectiva la devolución, aplicando el tipo de interés previsto en el artículo 112 CAU para las facilidades de pago nacionales (artículo 116.6 CAU).

> Recordemos que, en el caso de los Estados miembros cuya moneda sea el euro, este tipo de interés de crédito será el que el Banco Central Europeo aplique a sus principales operaciones de refinanciación el primer día del mes de vencimiento, incrementado en un punto porcentual. El tipo debe haberse publicado en el Diario Oficial de la Unión Europea, serie C.
> En España la normativa distingue entre devoluciones derivadas de la normativa de cada tributo (artículo 31 LGT) y devolución de ingresos indebidos (artículo 32 LGT). Las devoluciones en materia aduanera pueden ser de un tipo u otro, dependiendo del concreto supuesto de que se trate. En el primer caso, que se produce cuando se devuelven las cantidades ingresadas o soportadas debidamente como consecuencia de la aplicación del tributo, se ordena el pago de oficio de intereses de demora una vez se haya excedido el plazo de 6 meses para devolver por causa imputable a la Administración. En el segundo caso (devolución de ingresos indebidos), la Administración debe abonar intereses de demora por el plazo transcurrido desde la fecha en que se hubiese realizado el ingreso indebido hasta la fecha en que se ordene el pago de la devolución, salvo por los períodos que correspondan a dilaciones en el procedimiento por causa imputable al interesado. Estas reglas españolas no serían aplicables en materia de impuestos arancelarios por contradecir lo dispuesto en el artículo 116.6 CAU.

Bajo la vigencia de la normativa anterior (CAC y RACAC) el TJUE llegó a la conclusión de que las autoridades aduaneras debían abonar intereses cuando devolvían una cantidad recaudada en contra de las normas de la Unión (STJUE *Wortmann*). La norma actual, según hemos señalado, explícitamente excluye el pago de intereses, salvo que la decisión no se ejecute en plazo (artículo 116.6 CAU).

INFRACCIONES Y SANCIONES

ÍNDICE

29 Infracciones y sanciones

29.1. OBJETO

En este capítulo vamos a exponer la normativa en materia de infracciones y sanciones que se contiene en la LGT (artículos 178 a 212) y en el Real Decreto 2063/2004, de 15 de octubre, por el que se aprueba el Reglamento General del Régimen Sancionador tributario (en lo sucesivo, "RGRS"). Dejamos para el capítulo 30 la exposición de la Ley Orgánica 12/1995, de 12 de diciembre, de Represión del Contrabando y del Real Decreto 1649/1998, de 24 de julio, por el que se desarrolla el Título II de la Ley Orgánica 12/1995, de 12 de diciembre, de represión del contrabando, relativo a las infracciones administrativas de contrabando. En el capítulo 30 haremos también una breve referencia a los delitos contra la Hacienda Pública que regula el Código Penal (artículos 305 a 310bis).

La normativa de la UE no contiene normas relativas a infracciones y sanciones, a pesar de que se hizo un intento por incorporar esta materia al elaborar el Código Aduanero Modernizado y, después, al elaborar el actualmente vigente Código Aduanero de la Unión. No se alcanzó el consenso a este respecto porque las divergencias entre las regulaciones nacionales son considerables y, por este motivo, el CAU sólo se refiere a las sanciones en su artículo 42 para disponer que corresponde a cada Estado miembro la regulación de las sanciones en caso de incumplimiento de la legislación aduanera, si bien exige que las mismas sean "efectivas, proporcionadas y disuasorias". El precepto indica que las sanciones administrativas podrán consistir, entre otras, en multas pecuniarias y/o en la revocación, suspensión o modificación de cualquier autorización.

El apartado 3 del artículo 42 CAU establece la obligación, a cargo de los Estados miembros, de notificar a la Comisión las disposiciones nacionales sancionadoras vigentes y de comunicar sin demora cualquier modificación posterior.

Por otra parte, la Comisión intentó sacar adelante una regulación europea sobre infracciones y sanciones en materia arancelaria mediante la Propuesta de Directiva del Parlamento Europeo y del Consejo sobre el marco jurídico de la Unión para las infracciones y sanciones aduaneras (documento COM(2013) 884 final), pero esta propuesta ha encallado y parece que no va a salir adelante.

La armonización de las infracciones y sanciones aduaneras (así como la de los delitos y penas) es relevante, no sólo para evitar posibles desviaciones del tráfico (en la medida en que, en ausencia de armonización, los importadores van a preferir importar por aquellos Estados miembros que establezcan y apliquen un régimen sancionador más benévolo), sino también porque podemos identificar al menos dos normas del CAU que hacen depender importantes consecuencias jurídicas de la calificación que merezca la conducta antijurídica. Una es la relativa a la obtención del estatuto de OEA (uno de cuyos requisitos consiste en no haber cometido "infracciones graves", art. 39 CAU). La otra se refiere al plazo para liquidar y notificar la deuda, que pasa de 3 años a entre 5 y 10 cuando el acto que origina la deuda sea "susceptible de dar lugar a procedimientos judiciales penales" (art. 103 CAU).

A nivel internacional, el artículo 6.3 del Acuerdo sobre Facilitación del Comercio de la OMC establece algunos principios sancionadores básicos.

> Así, establece el principio de responsabilidad (sólo los responsables de la conducta antijurídica pueden ser sancionados), y de proporcionalidad entre el ilícito y la sanción. Urge a evitar conflictos de intereses en la determinación y recaudación de sanciones y derechos, así como también a evitar incentivos para la determinación o recaudación de una sanción en menoscabo de la proporcionalidad. Establece el deber de motivación de las sanciones y alienta a la consideración del arrepentimiento espontáneo como atenuante.

En la exposición omitiremos aquellos contenidos que, por sus propias características, carezcan de relevancia en el ámbito aduanero o la tengan sólo residual.

Infracciones reguladas en la LGT con relevancia para los impuestos arancelarios	
Artículo LGT	**Infracción**
192	Infracción tributaria por incumplir la obligación de presentar de forma completa y correcta declaraciones o documentos necesarios para practicar liquidaciones
198	Infracción tributaria por no presentar en plazo autoliquidaciones o declaraciones sin que se produzca perjuicio económico, por incumplir la obligación de comunicar el domicilio fiscal o por incumplir las condiciones de determinadas autorizaciones
199	Infracción tributaria por presentar incorrectamente autoliquidaciones o declaraciones sin que se produzca perjuicio económico o contestaciones a requerimientos individualizados de información
203	Infracción tributaria por resistencia, obstrucción, excusa o negativa a las actuaciones de la Administración tributaria

Por otra parte, nuestro objetivo no es ofrecer un análisis detallado del régimen de infracciones y sanciones en general, sino una herramienta práctica que permita identificar los principios sancionadores, las normas generales sancionadoras —incluyendo las procedimentales— y las diversas infracciones y sanciones en particular.

29.2. PRINCIPIOS DEL DERECHO SANCIONADOR

El artículo 178 LGT, tras disponer la aplicabilidad en materia tributaria de los principios de la potestad sancionadora en materia administrativa —con las especialidades establecidas en la propia LGT—, señala la aplicabilidad, en particular, de los principios de legalidad, tipicidad, responsabilidad, proporcionalidad, no concurrencia e irretroactividad. Veamos brevemente en qué consiste cada uno de ellos.

- *Legalidad*: Las infracciones y sanciones sólo se pueden establecer por Ley, no por normas reglamentarias, las cuales pueden no obstante completar o desarrollar la previsión legal. Los presupuestos fácticos que configuran una infracción deben regularse por Ley en fecha anterior a la de los hechos a los que deba aplicarse.

- *Tipicidad*: Los presupuestos fácticos que configuran una infracción deben regularse de forma suficientemente precisa y detallada en la ley y estos presupuestos deben concurrir en una conducta para que pueda ser sancionada. En particular, no cabe disponer que será infracción lo que el reglamento disponga que será infracción o remitir al reglamento para configurar elementos esenciales de la conducta infractora, a esto se le denomina "remisión en blanco" y está proscrito en materia sancionadora.

- *Responsabilidad*: Nadie puede ser sancionado por una conducta ajena. Para ser sancionado, el sujeto debe tener capacidad de obrar (de la que carecen, p.e. los menores de edad o las personas incapacitadas, 179.2(a) LGT), y le debe ser imputable la conducta infractora [lo que no ocurre, p.e. en supuestos de fuerza mayor, 179.2(b) LGT; o cuando derive de una decisión colectiva en la que no participó, 179.2(c); o cuando el sujeto haya actuado de forma diligente, 179.2(d) LGT; o cuando el resultado se produzca por causa de una deficiencia técnica imputable a un programa informático suministrado por la Agencia Tributaria, 179.2.(e) LGT]. Los sujetos que regularicen su situación de forma espontánea no incurrirán en responsabilidad (artículo 179.3 y 27 LGT).

  La STJUE *Schenker EOOD* (asunto C-655/18, de 04.03.2020) inicia una peligrosa deriva al confundir las obligaciones tributarias con las sanciones, por una parte, y al dejar abierta la puerta para la admisibilidad, en el Derecho de la UE, de la aplicación de sanciones objetivas, esto es, sin necesidad de examinar ni siquiera la concurrencia de negligencia, por otra.

  La STJUE *Schenker EOOD* (asunto C-655/18, de 04.03.2020) trata sobre el hurto de un camión y las mercancías que portaba, mercancías que habían sido incluidas en régimen de depósito aduanero y que se sustrajeron cuando se transportaban al depósito aduanero de Schenker EOOD (la empresa transportista era un tercero). Schenker asume la responsabilidad aduanera en virtud del régimen jurídico del tipo de depósito aduanero que opera. Sobre estos presupuestos aprecia el TJUE que "la sustracción de una mercancía a la vigilancia aduanera presupone tan solo la reunión de una serie de requisitos de índole objetiva, como la ausencia física de la mercancía del lugar de depósito autorizado en el momento en que la autoridad aduanera quiera realizar la inspección de la citada mercancía" (p. 30), premisa de la que extrae la conclusión conforme a la cual "cuando se sustraen a la vigilancia aduanera mercancías incluidas en el régimen de depósito aduanero, la responsabilidad del titular de una autorización de depósito aduanero tiene carácter objetivo y, por lo tanto, es independiente de la conducta de este titular y de la de terceros". Más adelante, el Tribunal sostiene que la sustracción a la vigilancia aduanera "constituye una infracción aduanera que origina una deuda aduanera de importación, de conformidad con el artículo 79, apartado 1, letra a), del Reglamento nº 952/2013. En caso de no existir una armonización de la legislación de la Unión en el ámbito de estas infracciones aduaneras, los Estados miembros son competentes para establecer las sanciones que les parezcan adecuadas para garantizar el cumplimiento de la legislación aduanera de la Unión" (p. 32). Parece claro que aquí el TJUE mezcla conceptos netamente diferenciados: las sanciones son manifestación de la potestad represora del Estado, en tanto que los tributos son manifestación del deber de contribuir al sostenimiento del gasto público; su naturaleza jurídica es radicalmente diversa. Por eso, no parece técnicamente correcto identificar una conducta como "infracción aduanera" para asociarle como "sanción" el nacimiento de una deuda aduanera (el nacimiento de una obligación tributaria).

El juez búlgaro plantea una segunda cuestión prejudicial, mediante la cual cuestiona la compatibilidad con el Derecho de la UE de la aplicación, en estas circunstancias, de una sanción equivalente al valor de las mercancías objeto de la conducta ilícita en este supuesto (ahora sí que es una "sanción" en sentido propio, por tratarse de un castigo que se añade al pago del tributo), que se añade a la exigencia del tributo. El propio TJUE señala que "el órgano jurisdiccional remitente califica acertadamente de sanción la obligación del responsable de la infracción de abonar, además de una sanción pecuniaria, una cuantía correspondiente al valor de las mercancías sustraídas a la vigilancia aduanera" (p. 40). Y, a continuación, tras observar que el régimen sancionador en materia aduanera no ha sido armonizado y es, en consecuencia, competencia de los Estados, el TJUE examina esta sanción a la luz del principio de proporcionalidad, decidiendo que "una sanción de tal importe va más allá de los límites de lo necesario para garantizar, en particular, que las mercancías incluidas en el régimen de depósito aduanero no se sustraigan a la vigilancia aduanera" (p. 44), por lo que considera que se ha vulnerado el principio de proporcionalidad, pero observando también que "la finalidad de las sanciones a que se refiere el artículo 42 del Reglamento nº 952/2013 no es castigar eventuales actividades fraudulentas o ilícitas, sino cualquier infracción de la legislación aduanera" (p. 45), de manera que parece dejar claramente abierta la puerta a la aplicabilidad de sanciones objetivas.

- *Proporcionalidad*: La sanción debe ser proporcional a la gravedad de la conducta infractora.

- *No concurrencia*: No se puede sancionar dos veces por un mismo hecho. Una acción u omisión que ya se tenga en cuenta como criterio de graduación de una infracción o como circunstancia que determine la calificación de una infracción como grave o muy grave no podrá ser sancionada como infracción independiente. Ahora bien, las sanciones son compatibles con la exigencia de intereses y de recargos del período ejecutivo. La sanción administrativa cede ante la sanción penal (180 LGT). Conforme a la STJUE *Garlsson Real State* (asunto C-537/16, de 20.03.2018), si la sanción es efectiva, proporcionada y disuasoria, no cabe la superposición de una condena penal y de una sanción administrativa. Lo anterior, no obstante, debe completarse con la doctrina de la STJUE *Menci* (asunto C-524/15, de 20.03.2018), que admite la concurrencia de sanciones en las circunstancias que indica.

En la STJUE *Garlsson Real State* (asunto C-537/16, de 20.03.2018) el Tribunal decidió que "el artículo 50 de la Carta de los Derechos Fundamentales de la Unión Europea debe interpretarse en el sentido de que se opone a una normativa nacional que permite tramitar un procedimiento de sanción administrativa pecuniaria de carácter penal contra una persona en razón de actos ilícitos (...) por los que ya se ha pronunciado una condena penal firme contra dicha persona, en la medida en que esta condena pueda, habida cuenta del perjuicio ocasionado a la sociedad por la infracción cometida, ser apta para reprimir la infracción de manera efectiva, proporcionada y disuasoria".

La STJUE *Menci* (asunto C-524/15, de 20.03.2018), decide que el artículo 50 de la Carta de los Derechos Fundamentales de la UE no impide a la legislación nacional la incoación de "un proceso penal contra una persona por impago del Impuesto sobre el Valor Añadido devengado en los plazos legales, cuando ya se ha impuesto a esa persona por los mismos hechos una sanción administrativa irrevocable de carácter penal en el sentido del citado artículo 50, siempre que dicha normativa:

– persiga un objetivo de interés general que pueda justificar la referida acumulación de procedimientos y sanciones, esto es, la lucha contra las infracciones en materia de impuesto sobre el valor añadido, y esos procedimientos y sanciones tengan finalidades complementarias,

– contenga normas que garanticen una coordinación que limite a lo estrictamente necesario la carga adicional que esa acumulación de procedimientos supone para las personas afectadas, y

– establezca normas que permitan garantizar que la gravedad del conjunto de las sanciones impuestas se limite a lo estrictamente necesario con respecto a la gravedad de la infracción de que se trate".

Debe advertirse, además, que el término "sanción" se utiliza de forma bastante extensiva en la jurisprudencia del TJUE, como ya se ha señalado en relación con la STJUE *Schenker EOOD* (asunto C-655/18, de 04.03.2020) más arriba, calificando como "sanciones" lo que en realidad son obligaciones tributarias. Abundando en esta idea, en la STJUE *Aurubis Bulgaria* (asunto C-546/09, de 31.03.2009) se utiliza el término sanción para referirse a una cantidad equivalente a los intereses de demora (véanse los párrafos 21 —formulación de la cuestión prejudicial tercera— y 40 a 43). En el Derecho español existe una distinción clara entre sanciones y prestaciones de naturaleza indemnizatoria, como los intereses que se exigen por el retraso en el pago, de manera que la protección que dispensan los principios penales se reservan para las primeras, pero no se proyectan sobre las segundas. En este sentido, por ejemplo, los intereses de demora se devengan de forma automática por el retraso en el pago y no requieren de un elemento subjetivo (negligencia). Por este motivo, en el Derecho español la aplicación simultánea de intereses de demora y de sanciones no constituiría una vulneración del principio de no concurrencia o *ne bis in idem*.

- *Irretroactividad*: Las normas sancionadoras no pueden aplicarse a hechos realizados antes de su entrada en vigor, salvo que tal aplicación determine consecuencias menos desfavorables para el infractor.

En materia de retroactividad de la norma sancionadora más favorable, véase la STJUE *Clergeau* (asunto C-115/17, de 07.08.2018). Se trataba de un importador que falseó la descripción de la mercancía exportada a fin de poder beneficiarse de una restitución a la exportación. Años más tarde, debido a un cambio normativo, la mercancía efectivamente exportada pasó a estar incluida entre las que generan el derecho a percibir una restitución a la exportación. A pesar de ello, el TJUE aprecia que no cabe eximir de sanción la conducta en virtud del principio de retroactividad de la norma sancionadora más favorable, puesto que la norma sigue tipificando la conducta realizada como sancionable (falsedad en la declaración), de modo que no se alteran los elementos constitutivos del delito.

29.3. SUJETOS

Las infracciones tributarias pueden ser cometidas, tanto por personas físicas, como por personas jurídicas y por "entidades". Téngase en cuenta que las sanciones tributarias son fundamentalmente pecuniarias, de ahí que no exista dificultad en calificar a las personas jurídicas y "entidades" como posibles infractores.

El artículo 35.4 LGT define a las entidades como "las herencias yacentes, comunidades de bienes y demás entidades que, carentes de personalidad jurídica, constituyan una unidad económica o un patrimonio separado susceptibles de imposición". Los elementos sustanciales de esta definición estriban en carecer de personalidad jurídica y, a pesar de ello, constituir un patrimonio separado. Conforme a este precepto, las leyes podrán considerar obligados tributarios a estas "entidades".

Sujetos infractores son quienes cometen la infracción. Según hemos señalado más arriba, en virtud del principio de personalidad de la pena, nadie puede ser sancionado por una conducta ajena. Por este motivo, por ejemplo, las sanciones tributarias no se transmiten a los herederos y legatarios de las personas físicas infractoras.

Ahora bien, las sanciones tributarias por infracciones cometidas por las sociedades y entidades disueltas sí se transmiten a sus sucesores. Si, tratándose de una sociedad para la que la Ley limita la responsabilidad patrimonial de los socios (como una S.A. o una S.L., p.e.), la sociedad se disuelve y liquida, los socios quedarán obligados solidariamente hasta el límite del valor de la cuota de liquidación que les corresponda (también responden con las demás percepciones patrimoniales recibidas por ellos, que minoren el patrimonio social, en los dos años anteriores a la fecha de disolución). Si, por el contrario, se trata de una sociedad para la que la Ley no limita la responsabilidad patrimonial de los socios, las obligaciones tributarias pendientes se transmitirán íntegramente a los socios, que quedarán obligados solidariamente.
Si se produce la extinción o disolución sin liquidación de sociedades y entidades con personalidad jurídica (p.e. debido a una fusión de sociedades), las obligaciones tributarias pendientes se transmitirán a las personas o entidades que sucedan o que sean beneficiarias de la correspondiente operación. Esta regla se aplica asimismo a cualquier supuesto de cesión global del activo y pasivo de una sociedad y entidad con personalidad jurídica.

Si se disuelve una fundación o una "entidad" sin personalidad jurídica, las obligaciones tributarias pendientes se transmiten a los destinatarios de los bienes y derechos de las fundaciones o a los partícipes o cotitulares de la "entidad".

Cuando la sanción es pecuniaria —que es lo típico— el infractor se convierte en un deudor de la Hacienda pública. Si en la realización de la infracción concurre una pluralidad de sujetos, se establecerá entre ellos un régimen de solidaridad (181 LGT).

Los sujetos que se relacionan en el artículo 42, apartado 1 y letras (a) y (c) del apartado 2, responden solidariamente del pago de las sanciones tributarias (el contenido de la responsabilidad solidaria se establece en los artículos 41 y 42 LGT).

Responsables solidarios de las sanciones tributarias	
Artículo LGT	**Supuesto**
42.1(a)	Las que sean causantes o colaboren activamente en la realización de una infracción tributaria
42.1(c)	Las que sucedan por cualquier concepto en la titularidad o ejercicio de explotaciones o actividades económicas, por las obligaciones tributarias contraídas del anterior titular y derivadas de su ejercicio (no los adquirentes de elementos aislados, salvo que dichas adquisiciones, realizadas por una o varias personas o entidades, permitan la continuación de la explotación o actividad). Si el sujeto solicitó un certificado de deudas tributarias pendientes (artículo 175.2 LGT), su responsabilidad se limitará a los importes certificados
42.2(a)	Las que sean causantes o colaboren en la ocultación o transmisión de bienes o derechos del obligado al pago con la finalidad de impedir la actuación de la Administración tributaria
42.2(b)	Las que, por culpa o negligencia, incumplan las órdenes de embargo
42.2(c)	Las que, con conocimiento del embargo, la medida cautelar o la constitución de la garantía, colaboren o consientan en el levantamiento de los bienes o derechos embargados, o de aquellos bienes o derechos sobre los que se hubiera constituido la medida cautelar o la garantía
42.2(d)	Las personas o entidades depositarias de los bienes del deudor que, una vez recibida la notificación del embargo, colaboren o consientan en el levantamiento de aquéllos

Por su parte, responden subsidiariamente de las sanciones los sujetos de la tabla que sigue (el contenido de la responsabilidad subsidiaria se establece en los artículos 41 y 43 LGT).

Responsables subsidiarios de las sanciones tributarias	
Artículo LGT	**Supuesto**
43.1(a)	Los administradores de hecho o de derecho de las personas jurídicas que, habiendo éstas cometido infracciones tributarias, no hubiesen realizado los actos necesarios que sean de su incumbencia para el cumplimiento de las obligaciones y deberes tributarios, hubiesen consentido el incumplimiento por quienes de ellos dependan o hubiesen adoptado acuerdos que posibilitasen las infracciones
43.1(g)	Las personas o entidades que tengan el control efectivo, total o parcial, directo o indirecto, de las personas jurídicas o en las que concurra una voluntad rectora común con éstas, cuando resulte acreditado que las personas jurídicas han sido creadas o utilizadas de forma abusiva o fraudulenta para eludir la responsabilidad patrimonial universal frente a la Hacienda Pública y exista unicidad de personas o esferas económicas, o confusión o desviación patrimonial
43.1(h)	Las personas o entidades de las que los obligados tributarios tengan el control efectivo, total o parcial, o en las que concurra una voluntad rectora común con dichos obligados tributarios, por las obligaciones tributarias de éstos, cuando resulte acreditado que tales personas o entidades han sido creadas o utilizadas de forma abusiva o fraudulenta como medio de elusión de la responsabilidad patrimonial universal frente a la Hacienda Pública, siempre que concurran, ya sea una unicidad de personas o esferas económicas, ya una confusión o desviación patrimonial.

29.4. CONCEPTO Y CLASES DE INFRACCIONES Y SANCIONES

Las sanciones, también en materia tributaria, no pueden aplicarse de forma automática por la mera constatación de que se ha verificado la acción definida en el tipo de la infracción. Para merecer un reproche de naturaleza sancionadora, debe concurrir además un elemento subjetivo que permita atribuir la conducta antijurídica a su autor. En materia penal ese elemento subjetivo es casi siempre el dolo, que supone que el autor conocía el carácter antijurídico de su acción y su voluntad abarcaba la obtención de ese resultado antijurídico. En materia de infracciones administrativas y, más concretamente, en materia de infracciones tributarias, no se requiere ese componente subjetivo tan exigente, sino que basta con la culpa en grado de negligencia. El grado de negligencia es un grado mínimo de culpabilidad, en el que no es necesario constatar si el sujeto efectivamente conocía el carácter antijurídico de su acción sino que basta con establecer que debió conocerlo, esto es, que debió calcular las consecuencias posibles y previsibles del propio hecho y que no las evitó pudiendo haberlo hecho en caso de actuar con prudencia.

La STC 76/1990 afirmó que sería inconstitucional un sistema de responsabilidad objetiva o sin culpa (F.J. 4(A) STC 76/1990).

Las infracciones tributarias se clasifican en leves, graves y muy graves. Cada infracción se califica de forma unitaria. Dado que un mismo procedimiento de comprobación tendente a la liquidación puede referirse a varios períodos impositivos y/o a varios tributos, se considerará que se produce una infracción por cada tributo y período impositivo. Si se trata de tributos sin período impositivo (es el caso de los impuestos arancelarios), se determinará una infracción por cada obligación tributaria, esto es, por cada operación de importación o exportación. Tratándose de obligaciones formales (como la presentación de la declaración en aduana, o de la declaración sumaria, entre otras) se apreciará una infracción por cada incumplimiento.

A los efectos de calificar una infracción se toman en consideración diversas circunstancias. Una de ellas es la ocultación de datos a la Administración. Esta se produce cuando no se presenten declaraciones o se presenten declaraciones en las que se incluyan hechos u operaciones inexistentes o con importes falsos, o en las que se omitan total o parcialmente operaciones, productos, bienes o cualquier otro dato que incida en la determinación de la deuda tributaria, siempre que la incidencia de la deuda derivada de la ocultación en relación con la base de la sanción sea superior al 10 por ciento. A estos efectos, es irrelevante que la Administración pudiera conocer la realidad de las operaciones o los datos omitidos por declaraciones de terceros, por requerimientos de información o por el examen de la contabilidad, libros o registros y demás documentación del propio sujeto infractor.

Otra circunstancia que se toma en consideración es la utilización de medios fraudulentos, como: a) las anomalías sustanciales en la contabilidad y en los libros o registros establecidos por la normativa tributaria; b) El empleo de facturas, justificantes u otros documentos falsos o falseados (aquellos que reflejan operaciones inexistentes o magnitudes dinerarias o de otra naturaleza distintas de las reales y hayan sido el instrumento para la comisión de la infracción) siempre que la incidencia de los documentos o soportes falsos o falseados represente un porcentaje superior al 10 por ciento de la base de la sanción; y c) La utilización de personas o entidades interpuestas cuando el sujeto infractor, con la finalidad de ocultar su identidad, haya hecho figurar a nombre de un tercero, con o sin su consentimiento, la titularidad de los bienes o derechos, o la realización de las operaciones con trascendencia tributaria.

A este respecto, a los efectos de la letra (a) anterior se consideran anomalías sustanciales:

1º El incumplimiento absoluto de la obligación de llevanza de la contabilidad o de los libros o registros establecidos por la normativa tributaria.

2º La llevanza de contabilidades distintas que, referidas a una misma actividad y ejercicio económico, no permitan conocer la verdadera situación de la empresa.

3º La llevanza incorrecta de los libros de contabilidad o de los libros o registros establecidos por la normativa tributaria, mediante: i) la falsedad de asientos, registros o importes (como reflejar hechos u operaciones inexistentes o con magnitudes dinerarias o de otra naturaleza superiores a las reales); ii) la omisión de operaciones realizadas (cuando no se contabilicen o registren operaciones realizadas o cuando se contabilicen o registren parcialmente, por magnitudes dinerarias o de otra naturaleza inferiores a las reales); o iii) la contabilización en cuentas incorrectas de forma que se altere su consideración fiscal (anotación de operaciones incumpliendo la normativa, de forma que se altere su consideración fiscal y de ello se haya derivado la comisión de la infracción tributaria). En todos los casos, la incidencia debe representar un porcentaje superior al 50 por ciento del importe de la base de la sanción.

Las sanciones tributarias se sancionan con multas pecuniarias, que pueden ser multas de cuantía fija o bien de cuantía proporcional (en este caso, la multa se determina en función de la cantidad implicada en la conducta descrita en el tipo o "conducta típica"). En ocasiones, junto a la sanción pecuniaria se dispone una sanción no pecuniaria de carácter accesorio.

> Las sanciones no pecuniarias accesorias se regulan en el artículo 186 LGT. Sólo caben respecto de infracciones graves o muy graves, no en caso de infracciones leves. Pueden consistir en: a) Pérdida de la posibilidad de obtener subvenciones o ayudas públicas y del derecho a aplicar beneficios e incentivos fiscales de carácter rogado (aquí se incluirían, en materia aduanera, la autorización como Operador Económico Autorizado, la autorización para un Depósito Temporal, o un Depósito Aduanero o un Depósito Distinto del Aduanero); b) Prohibición para contratar con la Administración pública; c) Suspensión del ejercicio de profesiones oficiales, empleo o cargo público.

29.5. CUANTIFICACIÓN DE LAS SANCIONES

Los criterios de graduación de las sanciones tributarias, que pueden aplicarse simultáneamente, son:

a) Comisión repetida de infracciones tributarias.

> Cuando el sujeto haya sido sancionado por una infracción de la misma naturaleza (es decir, prevista en el mismo artículo LGT; y las de los artículos 191 a 193 LGT entre sí) dentro de los cuatro años anteriores a la comisión de la infracción. Comporta un incremento porcentual sobre la sanción mínima, que es del 5%, del 15% o del 25% según si se aplicó previamente una infracción leve, grave o muy grave, respectivamente. Si hay varias infracciones previas de la misma naturaleza, se toma la más grave.

b) Perjuicio económico para la Hacienda Pública.

> El perjuicio económico se determina en función del cociente entre la base de la sanción y la cuantía total que hubiera debido ingresarse. Según el rango del porcentaje resultante tendremos: a) si se sitúa entre el 10% y el 25%: incremento del 10%; b) si se sitúa entre el 25% y el 50%: incremento del 15%; c) si se sitúa entre el 50% y el 75%: incremento del 20%; d) si supera el 75%: incremento del 25%.

Perjuicio económico para la Hacienda Pública	
100 x Base de la sanción *Cuantía total que hubiera debido ingresarse*	*Porcentaje de incremento*
Entre el 10% y el 25%	10%
Entre el 25% y el 50%	15%
Entre el 50% y el 75%	20%
Por encima del 75%	25%

c) Incumplimiento sustancial de la obligación de facturación o documentación.

Se entiende producido cuando afecta a más del 20 por ciento del importe de las operaciones sujetas al deber de facturación en relación con el tributo u obligación tributaria y período objeto de la comprobación o cuando, como consecuencia de dicho incumplimiento, la Administración no pueda conocer el importe de las operaciones sujetas al deber de facturación.

d) Acuerdo o conformidad del interesado.

En los procedimientos de verificación de datos y comprobación limitada se entenderá producida la conformidad siempre que la liquidación resultante no sea recurrida, salvo que se requiera la conformidad expresa (esta conformidad permite obtener una reducción de la sanción prevista en los arts. 191 a 197 LGT de un 30%); en el procedimiento de inspección cuando el obligado suscriba un acta con acuerdo (reducción de la sanción prevista en los arts. 191 a 197 LGT de un 65%) o un acta de conformidad (reducción de la sanción prevista en los arts. 191 a 197 LGT de un 30%; se asimila el supuesto de firma de acta de disconformidad si, a continuación y antes de que se dicte la liquidación, el obligado manifiesta su conformidad).

Por otro lado, debe señalarse que el pago en plazo voluntario y la no impugnación (de la liquidación o la sanción) permiten obtener una reducción de la sanción. La concurrencia de ambos requisitos permite obtener una reducción del 40% del importe de la sanción. El pago en plazo comprende el pago aplazado o fraccionado bajo determinados requisitos (véase 188.3(a) LGT). Esta reducción es acumulable a las anteriores, salvo a la aplicada a las actas con acuerdo.

29.6. EXTINCIÓN

Dos son las causas de extinción de la responsabilidad derivada de las infracciones tributarias. La primera es el fallecimiento del sujeto infractor. La segunda es el transcurso del plazo de prescripción para imponer las correspondientes sanciones. Este plazo es de 4 años a contar desde el momento de comisión de la infracción y se interrumpe (lo cual determina que el plazo de 4 años se reinicie desde cero): a) por acciones de la Administración, realizadas con conocimiento formal del interesado, conducentes a la imposición de la sanción o a la regularización de la situación tributaria; b) por la interposición de reclamaciones o recursos de cualquier clase; c) por la remisión del tanto de culpa a la jurisdicción penal; d) por las actuaciones realizadas con conocimiento formal del obligado en el curso de los procedimientos de reclamaciones, recursos o penales. La prescripción debe ser aplicada de oficio por la Administración, sin necesidad de que la invoque el interesado.

Por otro lado, las sanciones tributarias se extinguen por las siguientes causas: a) pago o cumplimiento; b) por prescripción del derecho para exigir su pago; c) por compensación; d) por condonación; y e) por el fallecimiento de todos los obligados a satisfacerlas.

A las sanciones tributarias se les aplican las disposiciones de los artículos 59 a 82 LGT, relativos a la deuda tributaria (que tratan de la extinción, pago, prescripción y garantías), en tanto que la recaudación de las sanciones se rige por la normativa prevista para la recaudación de la deuda tributaria (artículos 160 a 177 LGT; véase el capítulo 26). Si se ingresa una sanción tributaria indebidamente, este ingreso tendrá la consideración de ingreso indebido.

29.7. LAS INFRACCIONES Y SANCIONES EN PARTICULAR

29.7.1. Incumplir la obligación de presentar de forma completa y correcta declaraciones o documentos necesarios para practicar liquidaciones (artículo 192 LGT)

Se califica como infracción la conducta consistente en incumplir la obligación de presentar de forma completa y correcta las declaraciones o documentos necesarios —incluidos los relacionados con las obligaciones aduaneras— para que la Administración tributaria pueda practicar la adecuada liquidación, salvo que se regularice de forma espontánea.

> La regularización espontánea extemporánea se regula en el artículo 27 LGT y a ella nos hemos referido en el capítulo 26.3. Recuérdese que este precepto establece unos recargos que son incompatibles con la imposición de sanciones. Téngase en cuenta que lo dispuesto en el artículo 27 LGT no es de aplicación a las declaraciones aduaneras (letra (d) del apartado 1 de la Disposición Adicional Vigésima LGT).

La base de la sanción es:

- Si no se presentó declaración: la cuantía de la liquidación;

- Si se presentó declaración incompleta o incorrecta: la diferencia entre la cuantía que resulte de la correcta liquidación del tributo y la que hubiera procedido de acuerdo con los datos declarados.

El artículo 8 RGRS contiene reglas particulares para el cálculo de la base de esta sanción para aquellos supuestos en que sólo parte de la regularización practicada corresponda a una conducta sancionable. Por otra parte, los artículos 9 a 12 regulan la incidencia sobre la base de la sanción de las circunstancias determinantes de la calificación de una infracción (ocultación; llevanza incorrecta de libros o registros; utilización de facturas, justificantes o documentos falsos o falseados).

Esta infracción puede ser leve, grave o muy grave. Será leve cuando la base de la sanción sea inferior o igual a 3.000 euros (o, siendo superior, no exista ocultación) y, en tal caso, se sancionará con multa pecuniaria proporcional del 50 por ciento. Será grave cuando la base de la sanción sea superior a 3.000 euros y exista ocultación, en cuyo caso la sanción consistirá en multa pecuniaria proporcional del 50 al 100 por ciento y se graduará conforme a los criterios (a) y (b) expuestos en el capítulo 29.5. La infracción será muy grave cuando se hubieran utilizado medios fraudulentos. En este caso la sanción consistirá en multa pecuniaria proporcional del 100 al 150 por ciento y se graduará con los mismos criterios señalados para la grave.

La infracción no puede calificarse como leve sino grave cuando: a) se hayan utilizado facturas, justificantes o documentos falsos o falseados, sin que ello sea constitutivo de medio fraudulento; b) cuando la incidencia de la llevanza incorrecta de los libros o registros represente un porcentaje superior al 10% hasta el 50% de la base de la sanción (si supera el 50% pasaría a ser infracción muy grave).

29.7.2. No presentar en plazo autoliquidaciones o declaraciones sin que se produzca perjuicio económico, por incumplir la obligación de comunicar el domicilio fiscal o por incumplir las condiciones de determinadas autorizaciones (artículo 198 LGT)

Se califica como infracción la conducta consistente en no presentar en plazo autoliquidaciones o declaraciones, así como los documentos relacionados con las obligaciones aduaneras, siempre que no se haya producido o no se pueda producir perjuicio económico a la Hacienda Pública, es decir, no se han dejado de ingresar cantidades a favor del erario.

Esta infracción leve se sanciona con multa pecuniaria fija de 200 euros (artículo 198.1 LGT). Ahora bien, si el interesado presenta la declaración sin requerimiento previo de la Administración, aunque lo haga fuera de plazo, la sanción se reduce a la mitad, por lo que su importe será de 100 euros (artículo 198.2 LGT).

La sanción por no presentar en plazo 'declaraciones y documentos relacionados con las formalidades aduaneras', cuando no determinen el nacimiento de una deuda aduanera, consiste en multa pecuniaria proporcional del 1 por 1.000 del valor de las mercancías a las que las declaraciones y documentos se refieran, con un mínimo de 100 euros y un máximo de 6.000 euros (artículo 198.4 LGT). El importe mínimo de la sanción es de 600 euros si se trata de la declaración sumaria de entrada (ENS, regulada en el artículo 127 CAU).

> Obsérvese la similitud entre el tipo que describe el apartado 1 y el tipo que describe el apartado 4, ambos del artículo 198 LGT (la situación se reproduce respecto de los apartados 1 y 7 del artículo 199 LGT). Mientras el apartado 1 se refiere a "no presentar en plazo autoliquidaciones o declaraciones, así como los documentos relacionados con las obligaciones aduaneras, siempre que no se haya producido o no se pueda producir perjuicio económico a la Hacienda Pública", el apartado 4 se refiere a "no presentar en plazo declaraciones y documentos relacionados con las formalidades aduaneras, cuando no determinen el nacimiento de una deuda aduanera". Atendido que ambos tipos se solapan (hasta el punto de que resulta difícil imaginar que pueda incurrirse en uno sin incurrir simultáneamente en el otro), a falta de indicaciones adicionales en la LGT o en el RGRS, parece que habrá que concluir que debe aplicarse en cada caso la sanción más favorable al infractor.

Asimismo, constituye infracción tributaria el incumplimiento de las condiciones establecidas en las autorizaciones que pueda conceder una autoridad aduanera o el incumplimiento de las condiciones a que quedan sujetas las mercancías por aplicación de la normativa aduanera, cuando dicho incumplimiento no sea constitutivo de otra infracción. Esta infracción leve se sanciona con multa pecuniaria fija de 200 euros (artículo 198.6 LGT).

29.7.3. Presentar incorrectamente autoliquidaciones o declaraciones sin que se produzca perjuicio económico o contestaciones a requerimientos individualizados de información (artículo 199 LGT)

Se califica como infracción la conducta consistente en presentar de forma incompleta, inexacta o con datos falsos autoliquidaciones o declaraciones, así como los documentos relacionados con las obligaciones aduaneras, siempre que no se haya producido o no se pueda producir perjuicio económico a la Hacienda Pública.

Cuando la presentación de forma incompleta, inexacta o con datos falsos tiene por objeto 'declaraciones y documentos relacionados con las formalidades aduaneras' la sanción consiste en una multa pecuniaria proporcional del uno por 1.000 del valor de las mercancías a las que las declaraciones y documentos se refieran, con un mínimo de 100 euros y un máximo de 6.000 euros (artículo 199.7 LGT). El importe mínimo de la sanción es de 600 euros si se trata de la declaración sumaria de entrada (ENS, regulada en el artículo 127 CAU).

Para los restantes tributos, la presentación incompleta, inexacta o con datos falsos de autoliquidaciones, declaraciones u otros documentos con trascendencia tributaria se sanciona con multa pecuniaria fija de 150 euros.

> Si de forma espontánea, pero ya fuera de plazo, se presenta una autoliquidación o declaración complementaria o sustitutiva que corrija el vicio de la inicial, no se aplicará la sanción del artículo 199 LGT, sino la del artículo 198.2 LGT, por lo que resultará una sanción de 100 euros. Recuérdese que el tipo de la infracción exige que no haya perjuicio económico para la Hacienda Pública (es decir, que no resulte cantidad a ingresar). Si resultara cantidad a ingresar y se regularizase de forma espontánea fuera de plazo se aplicarían los recargos del artículo 27 LGT, que excluyen la aplicabilidad de sanciones (véase el capítulo 26.3, recargos por declaración extemporánea sin requerimiento previo). Téngase en cuenta, no obstante, que el artículo 27 LGT no es aplicable respecto de los impuestos arancelarios (deuda aduanera).

También constituye una infracción tributaria presentar las autoliquidaciones, declaraciones u otros documentos con trascendencia tributaria por medios distintos a los electrónicos en aquellos supuestos en que hubiera obligación de hacerlo por dichos medios. Si se trata de formalidades aduaneras la sanción para estos supuestos será una multa pecuniaria fija de 250 euros (artículo 199.7 LGT). Para el resto de tributos, la sanción consiste en una multa pecuniaria fija del mismo importe, 250 euros (artículo 199.2 LGT).

> El incumplimiento de la obligación de presentar autoliquidaciones, declaraciones o documentos por medios electrónicos no se sanciona cuando, posteriormente y sin requerimiento previo (es decir, de forma espontánea), se realice la presentación por medios electrónicos (nueva redacción del artículo 15.7 RGRS dada por el RD1072/2017).

Todas las infracciones del artículo 199 LGT se califican como graves.

29.7.4. Resistencia, obstrucción, excusa o negativa a las actuaciones de la Administración tributaria (artículo 203 LGT)

Se califica como infracción la conducta que suponga resistencia, obstrucción, excusa o negativa a las actuaciones de la Administración tributaria. Se produce esta conducta cuando el infractor, habiendo sido ya notificado, realiza actuaciones tendentes a dilatar, entorpecer o impedir las actuaciones de la Administración tributaria en relación con el cumplimiento de sus obligaciones.

> El artículo 203.1 LGT ofrece un listado ilustrativo de conductas constitutivas de esta infrac-ción. Son las siguientes: a) No facilitar el examen de documentos, informes, antecedentes, libros, registros, ficheros, facturas, justificantes y asientos de contabilidad principal o auxiliar, programas y archivos informáticos, sistemas operativos y de control y cualquier otro dato con trascendencia tributaria; b) No atender algún requerimiento debidamente notificado; c) La incomparecencia, salvo causa justificada, en el lugar y tiempo que se hubiera señalado; d) Ne-gar o impedir indebidamente la entrada o permanencia en fincas o locales a los funcionarios de la Administración tributaria o el reconocimiento de locales, máquinas, instalaciones y explo-taciones relacionados con las obligaciones tributarias; y e) Las coacciones a los funcionarios de la Administración tributaria.
>
> Respecto de las conductas de las letras (a) a (d) anteriores, se establece un régimen sancio-nador particular si se producen en el marco de un procedimiento inspector (artículo 203.6 LGT). Este régimen sancionador distingue según el incumplimiento lo realicen personas o entidades que no desarrollen actividades económicas o si lo realizan personas o entidades que sí desarrollan actividades económicas, en cuyo caso las sanciones son sensiblemente superio-res. Por otro lado, dentro de cada categoría de las señaladas, la sanción se incrementa de forma progresiva según se haya desatendido un requerimiento, dos o tres. Si se desatienden uno o dos requerimientos la sanción es una multa fija, pero si se desatienden tres, pasa a ser proporcional, en este caso dentro de una banda delimitada por un mínimo y un máximo. Para los sujetos que desarrollan una actividad económica se establece un régimen sancionador particular si la infracción se refiere a la aportación o al examen de libros de contabilidad, registros fiscales, ficheros, programas, sistemas operativos y de control o consiste en el incumplimiento del de-ber de facilitar la entrada o permanencia en fincas y locales o el reconocimiento de elementos o instalaciones. En este caso la sanción consiste en multa pecuniaria proporcional del 2% de la cifra de negocios correspondiente al último ejercicio cuyo plazo de declaración hubiese fi-nalizado en el momento de comisión de la infracción, con un mínimo de 20.000 euros y un máximo de 600.000 euros. Finalmente, se establece una reducción por arrepentimiento. De este modo, si en cualquiera de los casos señalados de conductas de las letras (a) a (d) en el mar-co del procedimiento inspector, el obligado tributario da total cumplimiento al requerimiento administrativo antes de que finalice el procedimiento sancionador o, si fuera anterior, antes de que finalice el trámite de audiencia del procedimiento de inspección, el importe de la sanción se reduce a la mitad.

Esta infracción grave se sanciona, con carácter general, con multa pecuniaria fija de 150 euros.

Ahora bien, en caso de que la conducta consista en desatender un requerimiento en el plazo concedido (salvo que el requerimiento consista en la documentación que señalaremos después), la sanción consistirá en multa pecuniaria fija de 150 euros (si se ha incumplido por primera vez un requerimiento), 300 euros (por segunda vez) o 600 (por tercera vez).

Las sanciones anteriores no son acumulables, de modo que se impondrá únicamente la de mayor importe (artículo 18.2 RGRS). La regla anterior se aplica cuando se trate de la desatención de requerimientos que no se efectúen a personas o entidades que realicen actividades económicas o bien cuando, referidos a actividades económicas, sean distintos de los que señalamos a continuación (artículo 18.1 RGRS).

En caso de que la conducta se refiera a:

- La aportación o al examen de: a) documentos; b) libros; c) ficheros; d) facturas; e) justificantes y asientos de contabilidad principal o auxiliar; f) programas, sistemas operativos y de control o

- El incumplimiento por personas o entidades que realicen actividades económicas del deber de: a) comparecer; b) facilitar la entrada o permanencia en fincas y locales; c) facilitar el reconocimiento de elementos o instalaciones; d) aportar datos, informes o antecedentes con trascendencia tributaria,

La sanción consistirá en multa pecuniaria fija de 300 euros, si no se comparece o no se facilita la actuación administrativa o la información exigida en el plazo concedido en el primer requerimiento notificado al efecto. La multa es de 1.500 euros si se desatiende el segundo requerimiento. Si se desatiende el tercer requerimiento la sanción consiste en una multa pecuniaria proporcional.

La referida multa pecuniaria proporcional se calcula del siguiente modo. Si el importe de las operaciones a que se refiere el requerimiento no atendido representa un porcentaje superior al 10%, 25%, 50% ó 75% del importe de las operaciones que debieron declararse, la sanción consistirá en multa pecuniaria proporcional del 0,5%, 1%, 1,5% y 2% del importe de la cifra de negocios del sujeto infractor (cifra neta de ventas) en el año natural anterior a aquél en que se produjo la infracción, respectivamente. La multa tiene un mínimo de 10.000 euros y un máximo de 400.000 euros.

Se establece una regla particular si los requerimientos se refieren a la información que deben contener las declaraciones exigidas con carácter general en cumplimiento de la obligación de suministro de información. En este caso, si el importe de las operaciones a que se refiere el requerimiento no atendido representa un porcentaje superior al 10%, 25%, 50% ó 75% del importe de las operaciones que debieron declararse, la sanción consistirá en multa pecuniaria proporcional del 1%, 1,5%, 2%, y 3% del importe de la cifra de negocios del sujeto infractor en el año natural anterior a aquél en que se produjo la infracción, respectivamente. La multa en este caso tiene un mínimo de 15.000 euros y un máximo de 600.000 euros.

En ambos casos se impondrá la multa en su importe mínimo si se desconoce el importe de las operaciones o el requerimiento no se refiere a magnitudes monetarias. Por otra parte, si con anterioridad a la terminación del procedimiento sancionador se diese total cumplimiento al requerimiento administrativo, la sanción será de 6.000 euros (reducción por arrepentimiento). Las sanciones anteriores no son acumulables (artículo 18.2 RGRS).

Las sanciones del artículo 203 LGT son igualmente aplicables si la conducta se refiere a actuaciones en España de funcionarios extranjeros realizadas en el marco de la asistencia mutua.

> Finalmente, se dispone que si la conducta se refiere al quebrantamiento de las medidas cautelares, la sanción consistirá en multa pecuniaria proporcional del 2% de la cifra de negocios del sujeto infractor en el año natural anterior a aquel en el que se produjo la infracción, con un mínimo de 3.000 euros. Las medidas cautelares se regulan en los artículos 146, 162 y 210 LGT.

29.8. PROCEDIMIENTO SANCIONADOR

El procedimiento sancionador en materia tributaria se regula en los artículos 207 a 212 LGT y los artículos 20 a 33 RGRS. En defecto de norma, deben aplicarse aquellas que regulan el procedimiento sancionador en materia administrativa.

Con carácter general, el procedimiento sancionador en materia tributaria se tramita de forma separada a los de aplicación de los tributos (es decir, de forma separada a los procedimientos tendentes a la liquidación o a la recaudación). No obstante, el obligado tributario puede renunciar al derecho a la tramitación separada y, en este caso, el procedimiento sancionador se tramitará conjuntamente con el procedimiento de aplicación de los tributos en el marco del cual se haya detectado la comisión de una infracción.

> Un caso particular de renuncia al derecho a la tramitación separada lo constituye la suscripción de un acta con acuerdo (nos hemos referido a ellas en el capítulo 25), en las que esta circunstancia se debe hacer constar expresamente. La propia acta debe contener, además, la propuesta de sanción debidamente motivada.
> En los demás casos la renuncia a la tramitación separada del procedimiento sancionador debe realizarse también mediante manifestación expresa, dentro del plazo de los dos primeros meses del procedimiento de aplicación de los tributos del que derive la apreciación de la infracción, salvo que se trate de un procedimiento inspector, en cuyo caso el plazo es de seis meses. Si, con anterioridad al transcurso del referido plazo de dos meses, se hubiera notificado la propuesta de resolución, la renuncia podrá formularse hasta la finalización del trámite de alegaciones posterior. Si, con anterioridad al transcurso del referido plazo de seis meses, hubiera finalizado el trámite de audiencia previo a la suscripción del acta, la renuncia podrá formularse hasta ese momento. El cómputo de los plazos anteriores se realiza por meses, sin que se deduzcan de ellos los periodos de interrupción justificada, las dilaciones no imputables a la Administración ni los periodos de suspensión o extensión del plazo del procedimiento inspector. La renuncia debe hacerse por escrito.
> Si el procedimiento de aplicación de los tributos se hubiera iniciado directamente mediante la notificación de la propuesta de resolución, se podrá renunciar a la tramitación separada del procedimiento sancionador exclusivamente durante el plazo de alegaciones posterior a dicha propuesta.
> La renuncia a la tramitación separada no puede ejercerse fuera de los plazos señalados. Tampoco se permite al interesado rectificar con posterioridad su opción expresa, salvo en el supuesto

de que el procedimiento sancionador se hubiese iniciado antes de la suscripción de un acta con acuerdo.

En caso de tramitación conjunta del procedimiento sancionador y del procedimiento de aplicación de los tributos del que trae causa, se aplicarán las especialidades que se regulan en los artículos 27 (si se renuncia a la tramitación separada) y 28 (si se firma un acta con acuerdo) del RGRS.

En el marco del procedimiento sancionador, la LGT garantiza a los afectados los derechos y garantías que con carácter general establece el artículo 34 LGT en favor de los obligados tributarios y, además, los derechos siguientes:

a) A ser notificado de los hechos que se le imputen, de las infracciones que tales hechos puedan constituir y de las sanciones que, en su caso, se le pudieran imponer, así como de la identidad del instructor, de la autoridad competente para imponer la sanción y de la norma que atribuya tal competencia.

b) A formular alegaciones y utilizar los medios de defensa admitidos por el ordenamiento jurídico que resulten procedentes.

Iniciación. – El procedimiento sancionador en materia tributaria se iniciará siempre de oficio, mediante la notificación del acuerdo del órgano competente.

> Debe señalarse que la práctica de notificaciones en el procedimiento sancionador en materia tributaria se efectuará conforme a las reglas generales de notificación establecidas en los artículos 109 a 112 LGT.
>
> La notificación del acuerdo de iniciación del procedimiento sancionador debe contener las siguientes menciones: a) Identificación de la persona o entidad presuntamente responsable; b) Conducta que motiva la incoación del procedimiento, su posible calificación y las sanciones que pudieran corresponder; c) Órgano competente para la resolución del procedimiento e identificación del instructor; d) Indicación del derecho a formular alegaciones y a la audiencia en el procedimiento, así como del momento y plazos para su ejercicio.
>
> Salvo que la normativa de organización aplicable a los órganos con competencia sancionadora disponga otra cosa, la competencia para iniciar el procedimiento le corresponde al órgano que la tenga atribuida para resolverlo (con carácter general, el órgano competente para liquidar o el órgano superior inmediato de la unidad administrativa que ha propuesto el inicio del procedimiento sancionador; véase más abajo). Se establecen reglas particulares de competencia respecto de los procedimientos sancionadores iniciados por órganos de inspección (artículo 22.3 RGRS).
>
> Se iniciarán tantos procedimientos sancionadores como propuestas de liquidación se hayan dictado. También respecto de las conductas constitutivas de infracción puestas de manifiesto durante el procedimiento y que no impliquen liquidación. Ahora bien, podrá acumularse la iniciación e instrucción de los distintos procedimientos cuando exista entre ellos identidad en los motivos o circunstancias que determinen la apreciación de varias infracciones. No obstante lo anterior, deberá dictarse una resolución individualizada para cada procedimiento acumulado.

La Administración no podrá iniciar un procedimiento sancionador una vez hayan transcurrido seis meses desde que se hubiese notificado —o se entendiese notificada— la liquidación o resolución correspondiente al procedimiento en el marco del cual se haya apreciado la comisión de la infracción (procedimiento iniciado mediante declaración, procedimiento de verificación de datos, de comprobación o de inspección).

La imposición de sanciones no pecuniarias se realiza en un procedimiento sancionador separado del de imposición de sanciones pecuniarias. Estos procedimientos para la imposición de sanciones no pecuniarias deben iniciarse en el plazo de seis meses desde que se hubiera notificado —o se entendiese notificada— la sanción pecuniaria respecto de la cual sea accesoria la sanción no pecuniaria (artículo 209 LGT).

Instrucción.– En la instrucción del procedimiento sancionador serán de aplicación las normas especiales sobre el desarrollo de las actuaciones y procedimientos tributarios a las que se refiere el artículo 99 LGT.

> Conforme a lo dispuesto en este precepto, la Administración facilitará en todo momento a los obligados tributarios el ejercicio de los derechos y el cumplimiento de sus obligaciones. Entre los derechos relevantes a efectos del procedimiento sancionador destaquemos que los obligados tributarios pueden rehusar la presentación de los documentos que no resulten exigibles por la normativa tributaria y de aquellos que hayan sido previamente presentados por ellos mismos y que se encuentren en poder de la Administración actuante. La Administración podrá, en todo caso, requerir al interesado la ratificación de datos específicos propios o de terceros, previamente aportados. El obligado que sea parte en una actuación o procedimiento tributario podrá obtener a su costa copia de los documentos que figuren en el expediente, salvo que afecten a intereses de terceros o a la intimidad de otras personas o que así lo disponga la normativa vigente (las copias se facilitarán en el trámite de audiencia o, en defecto de éste, en el de alegaciones posterior a la propuesta de resolución). El trámite de alegaciones no podrá tener una duración inferior a 10 días ni superior a 15.

Antes de dictar la propuesta de resolución deberán incorporarse formalmente al procedimiento sancionador los datos, pruebas o circunstancias que obren o hayan sido obtenidos en alguno de los procedimientos de aplicación de los tributos que vayan a ser tenidos en cuenta en el mismo. Además, se realizarán de oficio cuantas actuaciones resulten necesarias para determinar la posible existencia de infracciones. Por otra parte, se podrán adoptar las medidas cautelares previstas para el procedimiento de inspección en el artículo 146 LGT.

Concluidas las actuaciones de instrucción, se formulará la propuesta de resolución. En ella deben recogerse, de forma motivada, los hechos, su calificación jurídica y la infracción que se aprecie, en su caso, concretando entonces la sanción propuesta con indicación motivada de los criterios de graduación aplicados. La propuesta de resolución debe notificarse al interesado. En la notificación se le indicará la puesta de manifiesto del expediente y se le concederá un plazo de 15 días para que alegue cuanto considere conveniente y para que presente los documentos, justificantes y pruebas que estime oportunos.

> Los interesados también pueden formular alegaciones y aportar documentos en cualquier momento anterior a la propuesta de resolución (artículo 23.3 RGRS).
>
> Tratándose de procedimientos sancionadores iniciados como consecuencia de un procedimiento de inspección, con ocasión del trámite de alegaciones el interesado podrá manifestar de forma expresa su conformidad o disconformidad con la propuesta de resolución del procedimiento sancionador que se le formule. Se presumirá su disconformidad si no se pronuncia expresamente al respecto. En caso de que el interesado manifieste su disconformidad a la propuesta de sanción, el órgano competente para imponer la sanción dictará resolución motivada, sin perjuicio de que previamente pueda ordenar que se amplíen las actuaciones practicadas. En caso de que el interesado, por el contrario, preste su conformidad a la propuesta de sanción, se seguirá la tramitación que exponemos más adelante.

El acuerdo de iniciación puede incorporar directamente la propuesta de imposición de la sanción cuando, al tiempo de iniciarse el expediente sancionador, ya se encontrasen en poder del órgano competente todos los elementos que permitan formularla. En este caso el acuerdo de iniciación se notificará al interesado, indicándole la puesta de manifiesto del expediente y concediéndole un plazo de 15 días para que alegue cuanto considere conveniente y para que presente los documentos, justificantes y pruebas que estime oportunos. Se advertirá expresamente al interesado que, de no formular alegaciones ni aportar nuevos documentos o elementos de prueba, podrá dictarse la resolución de acuerdo con la propuesta que se le notifica.

El Convenio de Nairobi

El "Convenio internacional sobre asistencia mutua administrativa para prevenir, investigar y reprimir las infracciones aduaneras" (Convenio de Nairobi) se ocupa de la cooperación administrativa en materia de infracciones aduaneras (definidas en su artículo 1 como la violación, o tentativa de violación, de la normativa aduanera). Con ese propósito establece la obligación de facilitar la asistencia mutua entre las autoridades aduaneras nacionales y otras autoridades públicas, como las judiciales, con vistas a prevenir, investigar y reprimir las infracciones aduaneras. La asistencia no comprende las solicitudes de detención de personas o la recaudación de derechos o impuestos (artículo 2). Por otra parte, la cooperación puede extenderse —a requerimiento de la autoridad que la solicite— a toda la información disponible que pueda ayudar a la adecuada liquidación de los derechos de aduana y demás impuestos cuando concurran buenas razones para suponer que se ha cometido una infracción grave (Anexo II). Esta información para la liquidación puede referirse, entre otras cuestiones, al valor en aduana (como las facturas comerciales presentadas con ocasión de la importación o exportación), la clasificación arancelaria (el resultado de cualquier análisis o la descripción arancelaria declarada a la importación o a la exportación) o el origen de las mercancías (declaración de origen realizada con ocasión de la exportación o estatuto aduanero de las mercancías en el país de exportación).

El Convenio de Nairobi

Una Parte Contratante puede denegar la asistencia requerida —o concederla sujeta a ciertas condiciones o requisitos— si considera que pudiera colisionar con su soberanía, seguridad u otro interés nacional sustancial o perjudicar los legítimos intereses comerciales de la empresa, sea pública o privada (artículo 3). La asistencia es discrecional si la autoridad solicitante reconoce que sería incapaz de atender una petición recíproca equivalente (la mención de ese reconocimiento es un elemento obligatorio que debe constar en la solicitud de asistencia, conforme a lo dispuesto en el artículo 4). La asistencia debe suministrarse, tan pronto como sea posible, sujeta a las normas aplicables en la Parte Contratante requerida. Cada Parte debe designar los órganos o funcionarios competentes para canalizar las comunicaciones que deriven de la aplicación del Convenio (artículo 6). Las solicitudes de asistencia deben realizarse normalmente por escrito, en un idioma aceptable para las Partes, si bien el inglés y el francés deben aceptarse en todo caso, e incluir la información necesaria y los documentos de respaldo (artículo 7).

El Convenio de Nairobi incorpora once Anexos. Cada Parte Contratante del Convenio debe aceptar, al menos, un anexo de su elección.

El Anexo I regula la prestación de asistencia de oficio por una Administración aduanera. Esta asistencia puede referirse, en particular, a información relevante respecto de eventuales futuras infracciones graves que pudieran cometerse, así como, de forma más general, a cualquier otra información que con probabilidad pueda ser útil en materia de infracciones aduaneras.

El Anexo II se refiere, como ya se ha mencionado, a la asistencia, a requerimiento, relativa a la liquidación de los derechos de aduana y otros impuestos, en tanto que el Anexo III regula la asistencia, a requerimiento, relativa a controles (autenticidad de documentos oficiales; importación o exportación legal). El Anexo IV trata de la asistencia, a requerimiento, en materia de vigilancia (movimiento de personas, mercancías, lugares de almacenamiento de mercancías, vehículos...). El Anexo V se ocupa de las investigaciones (para obtener pruebas relativas a una infracción aduanera) y notificaciones (de cualquier actuación o decisión adoptada por la Parte Contratante solicitante), a requerimiento, por cuenta de otra Parte Contratante. El Anexo VI regula la comparecencia de funcionarios de la Aduana ante un juzgado o tribunal extranjero en la condición de expertos o testigos, allí donde las pruebas aportadas en forma documental no sean suficientes. Análogamente, el Anexo VII se refiere a la presencia de funcionarios de la Aduana de una Parte Contratante en el territorio de otra Parte Contratante, a fin de consultar y hacer copias de libros, registros, documentos o datos en el contexto de una investigación de una infracción aduanera particular, o para estar presentes en una investigación o informe oficial. El Anexo VIII establece que una Administración aduanera puede participar en investigaciones llevadas a cabo en el territorio de otra Parte Contratante cuando ambas Partes lo consideren apropiado.

El Convenio de Nairobi

Los Anexos IX, X y XI son, con mucho, los más extensos y detallados. El Anexo IX trata de la centralización de información de interés internacional a través del Secretario General del Consejo, quien a su vez se encargará de mantener actualizado un índice central de información sobre la base del cual preparar resúmenes e informes, para luego circular elementos específicos a las Administraciones concernidas. El Anexo lista los elementos de datos de información que deben trasladarse por las Administraciones nacionales relativos a personas, tanto físicas como jurídicas; métodos de contrabando y otros fraudes aduaneros, incluyendo falsedad, la falsificación y la imitación o reproducción fraudulentas; y navíos utilizados en el contrabando. El Anexo X se ocupa de la asistencia en las acciones contra el contrabando de drogas y sustancias sicotrópicas (remitiendo a las normas del Convenio Único sobre Estupefacientes de 1961 y al Convenio de Sustancias Sicotrópicas de 1971) que debe llevarse a cabo por las Administraciones aduaneras tanto de oficio como a requerimiento (la asistencia a requerimiento puede referirse a la vigilancia, investigaciones o actos de funcionarios de aduanas de una Parte Contratante en el territorio de otra Parte Contratante). El Anexo también establece la centralización de información de interés internacional en la lucha contra el contrabando de estupefacientes y sustancias sicotrópicas, detallando los datos que deben transmitirse al Secretario General del Consejo sobre personas, métodos y navíos utilizados en el contrabando. El último de los Anexos, el Anexo XI, se refiere a la asistencia en las actuaciones para combatir el contrabando de obras de arte, antigüedades y demás bienes de interés cultural, términos que deben interpretarse con el sentido que les otorgan los párrafos (a) a (k) del artículo 1 del Convenio de la UNESCO relativo a las medidas a tomar para prohibir e impedir la ilícita importación, exportación y cambio de propiedad de los bienes culturales (París, 14 de noviembre de 1970). Como en el caso de los estupefacientes, la asistencia debe tener lugar tanto de oficio como a requerimiento (la asistencia a requerimiento puede referirse a la vigilancia, investigación o actos de los funcionarios de Aduanas de una Parte Contratante en el territorio de otra Parte Contratante) y la centralización de información sobre personas y métodos (en este caso no se incluyen los navíos) se canaliza a través del Secretario General del Consejo, detallándose los datos que deben transmitirse.

El Convenio de Nairobi fue firmado en 1977 y entró en vigor el 21 de mayo de 1980. En la actualidad hay 52 Partes Contratantes y dos firmantes están pendientes de ratificación.

Las Parte Contratantes del Convenio de Nairobi son: Albania, Arabia Saudí, Argelia, Australia, Austria, Azerbaiyán, Bielorrusia, Canadá, Chipre, Costa de Marfil, Croacia, Cuba, Eslovenia, Federación Rusa, Finlandia, Francia, Georgia, India, Indonesia, Irán, Irlanda, Islandia, Italia, Jordania, Kenia, Letonia, Lituania, Malasia, Malawi, Marruecos, Mauricio, Moldavia, Níger, Nigeria, Noruega, Nueva Zelanda, Pakistán, Qatar, Reino Unido, República Checa, Senegal, Seychelles, Sri Lanka, Sudáfrica, Suecia, Swaziland, Tayikistán, Togo, Túnez, Turquía, Ucrania, Uganda, Zimbabue.

Obsérvese que España no es Parte Contratante, como tampoco lo son las principales potencias comerciales, como EEUU, Japón, China o Alemania.

Terminación.– Dos son las formas en que puede terminar el procedimiento sancionador en materia tributaria: mediante resolución o por caducidad.

Salvo por lo que hace a las sanciones no pecuniarias, con carácter general la competencia para la imposición de sanciones corresponde al órgano competente para liquidar o al órgano superior inmediato de la unidad administrativa que ha propuesto el inicio del procedimiento sancionador.

Por lo que hace a las sanciones no pecuniarias, la competencia para su imposición depende del tipo de sanción de que se trate. Así, por lo que hace a la suspensión del ejercicio de profesiones oficiales, empleo o cargo público, la competencia la tiene atribuida el Consejo de Ministros. La competencia se le atribuye al Ministro de Hacienda —o órgano en que delegue— en los siguientes supuestos: a) sanción consistente en la pérdida del derecho a aplicar beneficios o incentivos fiscales cuya concesión le corresponda o que sean de directa aplicación por los obligados tributarios; b) sanción consistente en la pérdida de la posibilidad de obtener subvenciones o ayudas públicas; c) sanción consistente en la prohibición para contratar con la Administración pública correspondiente. En los otros supuestos de sanción consistente en la pérdida del derecho a aplicar un beneficio o incentivo fiscal la competencia le corresponde al órgano competente para el reconocer el beneficio o incentivo de que se trate.

El órgano competente para resolver puede ordenar que se amplíen las actuaciones practicadas, en cuyo caso se deberá formular una nueva propuesta de resolución a la conclusión de las mismas, siguiendo la tramitación señalada más arriba para la propuesta de resolución. El órgano competente para resolver también puede ordenar que se rectifique la propuesta de resolución. En este caso la rectificación se notificará al interesado, el cual podrá formular las alegaciones que estime pertinentes en el plazo de 10 días contados desde el siguiente a la notificación.

La resolución, que debe ser motivada, no puede tener en cuenta hechos distintos de los que obren en el expediente. El contenido necesario de la resolución expresa del procedimiento sancionador incluye:

- Fijación de los hechos,
- Valoración de las pruebas practicadas,
- Determinación de la infracción cometida,
- Identificación de la persona o entidad infractora y
- Cuantificación de la sanción que se impone, con indicación de los criterios de graduación de la misma y, en su caso, de la reducción que proceda.
- En su caso, declaración de inexistencia de infracción o responsabilidad.

La resolución debe notificarse a los interesados.

Además del texto de la resolución en los términos señalados arriba, la notificación también debe contener las siguientes menciones: a) Los medios de impugnación que pueden ser ejercitados, plazos y órganos ante los que habrán de ser interpuestos; b) El lugar, plazo y forma en que debe ser satisfecho el importe de la sanción impuesta; c) Las circunstancias cuya concurrencia determinará la exigencia del importe de las reducciones practicadas en las sanciones; d) La no exigencia de intereses de demora en los casos de suspensión de la ejecución de sanciones por la interposición en tiempo y forma de un recurso o reclamación administrativa contra ellas; e) Cuando la resolución fuese susceptible de impugnación en vía contencioso-administrativa, se informará de que, en caso de solicitarse la suspensión, ésta se mantendrá hasta que el órgano judicial se pronuncie sobre la solicitud, siempre que el interesado comunique a los órganos de recaudación la petición de suspensión durante el plazo para interponer el recurso.

La resolución puede ser tácita. Esto ocurrirá cuando el procedimiento sancionador se haya iniciado como consecuencia de un procedimiento de inspección y el interesado preste su conformidad a la propuesta de resolución. En estas circunstancias, por el transcurso del plazo de un mes a contar desde la fecha en que se manifestó la conformidad, y sin necesidad de nueva notificación expresa al efecto, se entenderá dictada y notificada la resolución cuyo contenido será el de la propuesta. Ahora bien, cabe que en ese plazo de un mes se notifique al interesado un acuerdo por el que se adopte alguna de las decisiones siguientes: a) rectificar los errores materiales apreciados en la propuesta; b) ordenar completar las actuaciones practicadas dentro del plazo máximo de duración del procedimiento; c) dictar resolución expresa confirmando la propuesta de sanción; o d) rectificar la propuesta por considerarla incorrecta. Cuando la referida notificación no se produzca en el plazo de un mes a contar desde el día siguiente a la fecha en que prestó la conformidad, esta actuación carecerá de efecto frente al interesado. Si el órgano competente para imponer la sanción decide rectificar la propuesta de sanción, la propuesta rectificada se notificará al interesado dentro del mismo plazo de un mes antes citado, abriendo al interesado un plazo de 15 días para formular las alegaciones. Si el interesado presta su conformidad a la rectificación realizada, la resolución se considerará dictada en los términos del acuerdo de rectificación y se entenderá notificada por el transcurso del plazo de un mes a contar desde el día siguiente a la fecha en que prestó la conformidad, salvo que en el curso de dicho plazo el órgano competente para imponer la sanción notifique resolución expresa confirmando la propuesta. Si hubiese transcurrido el plazo de alegaciones sin que se hayan producido o si el interesado manifiesta su disconformidad, el órgano competente para imponer la sanción notificará expresamente la resolución.

El procedimiento sancionador en materia tributaria debe concluir en el plazo máximo de seis meses contados desde la notificación de la comunicación de inicio del procedimiento. A estos efectos, el procedimiento se entiende concluido en la fecha en que se realice un primer intento de notificación que contenga el texto íntegro de la resolución. Transcurrido este plazo de seis meses sin que se haya realizado un primer intento de notificación de la resolución, se producirá la caducidad del procedimiento. La declaración de caducidad podrá dictarse de oficio o a instancia del interesado y ordenará el archivo de las actuaciones. Interesa subrayar que la caducidad impide la iniciación de un nuevo procedimiento sancionador (artículo 211.4 LGT).

Por lo que hace al plazo de seis meses como límite a la duración del procedimiento sancionador debe precisarse que cabe una extensión de este plazo cuando el procedimiento sancionador se haya iniciado a raíz de un procedimiento de inspección en el marco del cual el obligado tributario hubiera manifestado no tener o que no iba a aportar la información o documentación que se le hubiera solicitado o bien no la hubiera aportado íntegramente en el plazo concedido en el tercer requerimiento (artículo 211.2 LGT, por remisión al artículo 150 LGT). En estos supuestos el procedimiento sancionador se podrá extender por un período de tres meses, en caso de que la aportación de documentación se hubiera producido transcurridos al menos nueve meses desde el inicio del procedimiento inspector; la extensión podrá ser de hasta seis meses en caso de que la aportación de la documentación se hubiera realizado tras la formalización del acta, determinando que el órgano competente para liquidar acordase la práctica de actuaciones complementarias.

Recursos.– El afectado podrá impugnar el acto de resolución del procedimiento sancionador. También cabe que impugne la deuda tributaria, en cuyo caso se acumularán ambos recursos o reclamaciones, siendo competente el órgano que conozca la impugnación contra la deuda.

Si se obtuvo una reducción de la sanción por firmar un acta en conformidad, la reducción aludida no se pierde por el hecho de recurrir la sanción. Ahora bien, si se recurre la liquidación sí se perderá la reducción de la sanción. En cambio, si se obtuvo una reducción de la sanción por firmar un acta con acuerdo (que no pueden ser impugnadas en vía administrativa), la impugnación de la sanción en vía contencioso-administrativa determinará la pérdida de la reducción practicada.

La interposición en tiempo y forma de un recurso o reclamación administrativa contra una sanción produce los siguientes efectos:

a) La ejecución de las sanciones queda automáticamente suspendida en periodo voluntario sin necesidad de aportar garantías hasta que sean firmes en vía administrativa. Esta suspensión se aplicará automáticamente por los órganos competentes, sin necesidad de que el interesado la solicite.

   Aunque la sanción alcance "firmeza" en vía administrativa, los órganos de recaudación no iniciarán las actuaciones del procedimiento de apremio mientras no concluya el plazo para interponer el recurso contencioso-administrativo. De este modo se ofrece al interesado la oportunidad para que, en este plazo, comunique a los órganos de recaudación la interposición del recurso con petición de suspensión. Si así lo hace, la suspensión se mantendrá hasta que el órgano judicial decida acerca de la suspensión solicitada. Con ello puede lograrse la continuidad de la suspensión de la ejecución, más allá de la conclusión de la vía administrativa.

b) No se exigirán intereses de demora por el tiempo que transcurra hasta la finalización del plazo de pago en periodo voluntario que se abre por la notificación de la resolución que ponga fin a la vía administrativa, exigiéndose intereses de demora a partir del día siguiente a la finalización de dicho plazo.

   Lo señalado en las letras (a) y (b) arriba se aplica asimismo a los efectos de suspender las sanciones —no la deuda tributaria— que sean recurridas por el responsable tributario a quien se haya derivado la responsabilidad de pago.

El RGRS completa la regulación expuesta mediante el establecimiento de reglas particulares en relación con la imposición de sanciones tributarias no pecuniarias (artículos 30 y 31) y en relación con las actuaciones en materia de delitos contra la Hacienda Pública (artículos 32 y 33). Respecto de estas últimas debe destacarse que, si la Administración considera que la conducta del obligado tributario pudiera ser constitutiva de delito, pasará el tanto de culpa a la jurisdicción competente, o remitirá el expediente al Ministerio Fiscal. En este caso se distinguen tres posibles situaciones:

1. Si la Administración todavía no ha iniciado el procedimiento sancionador, debe abstenerse de iniciarlo.

2. Si la Administración ya hubiera iniciado el procedimiento sancionador, debe abstenerse de continuarlo y se considerará concluido.

3. Si la Administración ya hubiera impuesto una sanción, debe suspender su ejecución.

   Las mismas reglas se aplican si la Administración tiene conocimiento de que, en relación con los mismos hechos, se está desarrollando un proceso penal.

Si el proceso penal termina con sentencia condenatoria, en virtud del principio de no concurrencia de sanciones, no cabe imponer sanción administrativa por los mismos hechos. Si, por el contrario, el proceso penal termina sin apreciación de la existencia de delito, la Administración, según el caso, puede iniciar un procedimiento sancionador o bien ejecutar la sanción administrativa cuya ejecución quedó suspendida, todo ello atendidos los hechos que los tribunales hayan considerado probados.

Aunque la infracción cometida pudiera ser constitutiva de delito contra la Hacienda Pública, el obligado puede evitar que la Administración pase el tanto de culpa a la autoridad judicial o al Ministerio Fiscal si procede a regularizar su situación tributaria mediante el completo reconocimiento y pago de la deuda tributaria antes de que se le notifique el inicio de actuaciones de comprobación o investigación, con lo cual quedará exonerado de su responsabilidad penal. Estos mismos efectos se producen aunque la deuda regularizada se encuentre prescrita a efectos de su liquidación (artículo 252 LGT).

29.9. ESQUEMAS INFRACCIONES Y SANCIONES

192 LGT - INFRACCIONES RELATIVAS AL DEBER DE DECLARAR (CON EFECTOS SOBRE EL INGRESO)

INFRACCIÓN			SANCIÓN			CRITERIOS GRADUACIÓN
TIPO		CLASE	CLASE	CUANTÍA		
				BASE	%	
No presentar completa y correctamente las declaraciones o documentos necesarios para que liquide la Administración, salvo: – presentación de declaración extemporánea espontánea (art. 27 LGT).	No concurran estas circunstancias: 1) se utilicen facturas, justificantes o documentos falsos o falseados. 2) se lleven incorrectamente libros o registros, con porcentaje > 10% de la base Base ≤ 3000 € Base > 3000 €, sin ocultación	Leve	Multa pecuniaria proporcional	Cuantía de la liquidación omitida, o diferencia entre la liquidación realizada y la procedente	50%	
	Base > 3000 €, con ocultación Con independencia de la cuantía de la base: 1) se utilicen facturas, justificantes o documentos falsos o falseados, sin ser medio fraudulento (≤ 10% base). 2) se lleven incorrectamente libros o registros, con porcentaje > 10% y ≤ 50% de la base	Grave			Del 50 al 100%	– comisión repetida – perjuicio económico
	Utilización de medios fraudulentos	Muy grave			Del 100 al 150%	– comisión repetida – perjuicio económico

198 LGT - INFRACCIONES RELATIVAS AL DEBER DE DECLARAR SIN PERJUICIO ECONÓMICO

INFRACCIÓN		SANCIÓN	
TIPO	CLASE	CLASE	CUANTÍA
No presentación en plazo de autoliquidaciones, declaraciones o documentos relacionados con las obligaciones aduaneras, sin perjuicio para la Hacienda Pública	Leve	Multa pecuniaria fija	200 € (100 € si espontánea)
No presentación en plazo de 'declaraciones y documentos relacionados con las formalidades aduaneras', cuando no determinen el nacimiento de una deuda aduanera	¿?	Multa pecuniaria proporcional	1 por 1000 del valor de las mercancías Mínimo de 100 € (mín. 600€ si ENS) Máximo de 6.000 €
Incumplimiento de las condiciones establecidas en las autorizaciones concedidas por las autoridades aduaneras, o a las que están sujetas las mercancías, cuando dicho incumplimiento no sea constitutivo de otra infracción	Leve	Multa pecuniaria fija	200 €

199 LGT - INFRACCIONES RELATIVAS AL DEBER DE DECLARAR SIN PERJUICIO ECONÓMICO

INFRACCIÓN		SANCIÓN	
TIPO	CLASE	CLASE	CUANTÍA
Presentación de forma incompleta, inexacta o con datos falsos tiene por objeto 'declaraciones y documentos relacionados con las formalidades aduaneras'	Grave	Multa pecuniaria proporcional	1 por 1000 del valor de las mercancías Mínimo de 100 € (min. 600€ si ENS) Máximo de 6.000 €
Presentación de forma incompleta, inexacta o con datos falsos de autoliquidaciones, declaraciones u otros documentos con trascendencia tributaria respecto de otros tributos (distintos de los impuestos arancelarios)	Grave	Multa pecuniaria fija	150 € (100 € si de forma espontánea, pero ya fuera de plazo, se presenta una autoliquidación o declaración complementaria o sustitutiva que corrija el vicio de la inicial)
Presentación de declaraciones y documentos relacionados con las formalidades aduaneras por medios distintos a los electrónicos en aquellos supuestos en que hubiera obligación de hacerlo por dichos medios	Grave	Multa pecuniaria fija	250 €
Presentación de autoliquidaciones, declaraciones u otros documentos con trascendencia tributaria por medios distintos a los electrónicos en aquellos supuestos en que hubiera obligación de hacerlo por dichos medios	Grave	Multa pecuniaria fija	250 €

DELITO DE CONTRABANDO

ÍNDICE

30 Delito de contrabando

30.1. DEFINICIONES

El delito de contrabando se regula en la Ley Orgánica 12/1995, de Represión del Contrabando (en lo sucesivo LORC), que fue objeto de importantes modificaciones por la Ley Orgánica 6/2011 y, más recientemente, por la Ley 34/2015. La LORC regula también las infracciones administrativas de contrabando, materia que es desarrollada en el Real Decreto 1649/1998, relativo a las infracciones administrativas de contrabando. Debe advertirse que partes importantes del referido RD 1649/1998 deben entenderse derogadas por la regulación de la LORC, de manera que sólo conserva su vigencia en aquello que no se oponga a lo dispuesto en ella.

> Debe tenerse en cuenta asimismo la Directiva (UE) 2017/1371 del Parlamento Europeo y del Consejo, de 5 de julio de 2017, sobre la lucha contra el fraude que afecta a los intereses financieros de la Unión a través del Derecho penal. Esta Directiva protege tanto los ingresos propios (con limitaciones en relación con los ingresos derivados del IVA) como los gastos de la UE.

El artículo 1 de la LORC contiene una serie de definiciones a efectos del contrabando (tanto para el delito como para la infracción) que reproducimos en la tabla que sigue. Anotemos antes, no obstante, que la Ley Orgánica 6/2011 remitió a preceptos del Código Aduanero Modernizado (Reglamento 450/2008) para completar estas definiciones, así como para completar la descripción de los elementos que integran la conducta típica del delito y de la infracción. Derogado este Reglamento 450/2008 por el Reglamento 952/2013 (Reglamento este último que establece el Código Aduanero de la Unión, o CAU), hemos optado por mantener en el texto la referencia expresa que hace la Ley al CAM y anotar los preceptos correspondientes del CAU.

> También debe advertirse que la LORC contiene referencias al Reglamento (CE) 428/2009, que establece un régimen de control de las exportaciones. Este Reglamento ha sido sustituido por el Reglamento (UE) 2021/821, tal y como se expone en el capítulo 34, por lo que las referencias deben entenderse realizadas a este último Reglamento.

| Definiciones a efectos del contrabando ||
Concepto	*Definición*
Mercancía	Todo bien corporal susceptible de ser objeto de comercio A estos efectos, la moneda metálica, los billetes de banco y los cheques bancarios al portador denominados en moneda nacional o en cualquier otra moneda, y cualquier medio físico, incluidos los electrónicos, concebido para ser utilizado como medio de pago se considerarán como mercancías cuando se oculten, bien entre otras mercancías presentadas ante la aduana, o bien en los medios de transporte en los que se encuentren
Mercancías comunitarias	Las mercancías definidas como tales en el apartado 18 del artículo 4 del Reglamento (CE) 450/2008 (Código Aduanero Modernizado) Véase artículo 5.23 CAU ("mercancías de la Unión")
Mercancías no comunitarias	Las mercancías definidas como tales en el apartado 19 del artículo 4 del Reglamento (CE) 450/2008 (Código Aduanero Modernizado) Véase artículo 5.24 CAU ("mercancías no pertenecientes a la Unión")
Recinto aduanero	Todo lugar habilitado por los órganos competentes del Ministerio de Economía y Hacienda para: a) La presentación en aduana de las mercancías no comunitarias que hayan sido introducidas en el territorio español. b) La presentación en aduana de las mercancías comunitarias que hayan sido introducidas en el territorio de las Ciudades Autónomas de Ceuta y Melilla. c) El sometimiento a vigilancia aduanera de las mercancías comunitarias declaradas para el régimen de exportación, de perfeccionamiento pasivo, de tránsito o de depósito aduanero, desde el momento de la admisión de la correspondiente declaración en aduanas, de conformidad con lo dispuesto en el Reglamento (CE) 450/2008 (Código Aduanero Modernizado), o de cualquier otra operación prevista en la normativa aduanera de la UE.
Autoridad aduanera	El Departamento de Aduanas e Impuestos Especiales y los servicios de las Delegaciones Especiales y Delegaciones de la AEAT encargados del control aduanero de conformidad con las normas de organización de la Agencia
Importación	La entrada de mercancías no comunitarias en el territorio español comprendido en el territorio aduanero de la Unión Europea, así como en el ámbito territorial de Ceuta y Melilla. Se asimila a la importación la entrada de mercancías desde las áreas exentas
Introducción	La entrada en el territorio español de mercancías comunitarias procedentes de otros Estados miembros de la Unión Europea

Definiciones a efectos del contrabando	
Concepto	*Definición*
Exportación	La salida de mercancías del territorio español. No se considerará exportación la salida de mercancías comunitarias del territorio español comprendido en el territorio aduanero de la Unión Europea con destino final al resto de dicho territorio aduanero. Con respecto a productos y tecnologías de doble uso, el concepto de "exportación" será el definido al efecto en el Reglamento (CE) 428/2009, del Consejo, de 5 de mayo de 2009, por el que se establece un régimen comunitario de control de las exportaciones, la transferencia, el corretaje y el tránsito de productos de doble uso (actualmente, Reglamento 2021/821).
Expedición	La salida de mercancías del territorio español con destino final a otros Estados miembros de la Unión Europea
Áreas exentas	Las zonas y depósitos francos y los depósitos aduaneros definidos en los artículos 148 y 153 del Reglamento (CE) 450/2008 (Código Aduanero Modernizado), así como, en general, cualquier almacén, zona o ubicación en la que se depositen o almacenen mercancías no comunitarias en situación de depósito temporal a la espera de ser declaradas para un régimen aduanero Véanse los artículos 237 y 240 CAU. La figura de los depósitos francos ha sido suprimida por el CAU.
Géneros o efectos estancados	Los artículos, productos o sustancias cuya producción, adquisición, distribución o cualquiera otra actividad concerniente a los mismos sea atribuida por ley al Estado con carácter de monopolio, así como las labores del tabaco y todos aquellos a los que por ley se otorgue dicha condición
Géneros prohibidos	Todos aquellos cuya importación, exportación, circulación, tenencia, comercio o producción estén prohibidos expresamente por tratado o convenio suscrito por España, por disposición con rango de ley o por reglamento de la Unión Europea. El carácter de prohibido se limitará para cada género a la realización de la actividad o actividades que de modo expreso se determinen en la norma que establezca la prohibición y por el tiempo que la misma señale. La Disposición Adicional Segunda de la Ley 11/2021 califica, en particular, de género prohibido a las máquinas clasificadas en la partida 8478 NC, aptas para la fabricación de las labores del tabaco.
Material de defensa	Los productos y tecnologías sometidos a autorización de conformidad con lo establecido en la Ley 53/2007, de 28 de diciembre, sobre el control del comercio exterior de material de defensa y de doble uso, y en las sucesivas disposiciones legales o reglamentos de la Unión Europea

Definiciones a efectos del contrabando	
Concepto	*Definición*
Productos y tecnologías de doble uso	Los productos y tecnologías sometidos a autorización de conformidad con lo establecido en el Reglamento (CE) 428/2009, del Consejo, de 5 de mayo de 2009, por el que se establece un régimen comunitario de control de las exportaciones, la transferencia, el corretaje y el tránsito de productos de doble uso (actualmente, Reglamento 2021/821), y en la Ley 53/2007, de 28 de diciembre, sobre el control del comercio exterior de material de defensa y de doble uso, y en las sucesivas disposiciones legales o reglamentos de la Unión Europea
Precursores de drogas	Las sustancias y productos susceptibles de ser utilizados en el cultivo, la producción o la fabricación de drogas tóxicas, estupefacientes o sustancias psicotrópicas enumeradas en los cuadros I y II de la Convención de Naciones Unidas, hecha en Viena el 20 de diciembre de 1988, sobre el tráfico ilícito de estupefacientes y sustancias psicotrópicas y cualesquiera otros productos adicionados al mismo Convenio, o en cualesquiera tratados o convenios internacionales sobre el mismo objeto suscritos por España
Sustancias químicas tóxicas y sus precursores	Las sustancias enumeradas en las listas 1, 2 y 3 de la Convención sobre la prohibición del Desarrollo, la Producción, el Almacenamiento y el Empleo de Armas Químicas y sobre su Destrucción, hecha en París el 13 de enero de 1993, definidas al efecto en su artículo II
Agentes biológicos o toxinas	Los incluidos en el artículo 1 de la Convención sobre la Prohibición del Desarrollo, la Producción y el Almacenamiento de Armas Bacteriológicas (Biológicas) y Toxínicas y sobre su Destrucción, de 10 de abril de 1972
Productos que pueden utilizarse para aplicar la pena de muerte o infligir tortura u otros tratos o penas crueles, inhumanos o degradantes	Los incluidos en los anexos II y III del Reglamento (CE) nº 1236/2005, del Consejo, de 27 de junio de 2005, sobre el comercio de determinados productos que pueden utilizarse para aplicar la pena de muerte o infligir tortura u otros tratos o penas crueles, inhumanos o degradantes, y los sucesivos reglamentos que lo actualicen (actualmente véase Reglamento 2019/125).
Mercancías sujetas a medidas de política comercial	Cualquier mercancía distinta de las mencionadas anteriormente para la que, con ocasión de la importación o exportación, se exija el cumplimiento de cualquier requisito de naturaleza no tributaria, como, por ejemplo, autorizaciones, licencias, permisos, homologaciones u obligaciones de etiquetado o circulación, establecidos por normativa nacional o comunitaria
Deuda aduanera	La obligación definida como tal en el apartado 13 del artículo 4 del Reglamento (CE) 450/2008 (Código Aduanero Modernizado) Véase artículo 5.18 CAU ("deuda aduanera")

30.2. CONDUCTAS TÍPICAS

Las conductas constitutivas de contrabando ("conductas típicas" o "conductas tipificadas") se relacionan en el artículo 2 LORC. Interesa destacar que estas conductas, en función de la cuantía del valor de las mercancías que tengan por objeto, podrán ser calificadas como delito de contrabando o como infracción administrativa de contrabando. De este modo, las conductas típicas son las mismas para el delito que para la infracción administrativa, diferenciándose ambos únicamente por el valor del objeto sobre el cual recae la conducta.

La reforma introducida por la Ley Orgánica 6/2011 estableció que basta con la imprudencia grave para que la conducta alcance relevancia penal (nueva redacción del artículo 2.5).

> Hemos de señalar que, especialmente respecto de determinadas conductas típicas, como las que se refieren a operaciones sin autorización con material de defensa y productos y tecnologías de doble uso (véase letra (j), abajo; nos referiremos a estas autorizaciones en el capítulo 34), el reforzamiento penal al considerar delito la imprudencia grave nos parece manifiestamente excesiva, habida cuenta de la complejidad de esta normativa, su variabilidad y la dificultad que entraña determinar su alcance concreto. Nos tememos que una aplicación estricta de este supuesto supondría la aplicación de las penas en situaciones en las que tal reproche es, a todas luces, desproporcionado y desafortunado.

Conductas típicas
a) Importar o exportar mercancías de lícito comercio sin presentarlas para su despacho en las oficinas de aduanas o en los lugares habilitados por la Administración aduanera Se equipara a la no presentación la ocultación o sustracción dolosa de cualquier clase de mercancías a la acción de la Administración aduanera dentro de los recintos o lugares habilitados. RD 1649/1998: Se considerará, salvo prueba en contrario, que existe ocultación o sustracción dolosa si las mercancías se encuentran contenidas en dobles fondos, espacios disimulados o en cualquier otra circunstancia que racionalmente suponga un ánimo doloso.
b) Realizar operaciones de comercio, tenencia o circulación de mercancías de lícito comercio que no sean de la UE, sin cumplir los requisitos legalmente establecidos para acreditar su lícita importación
c) Destinar al consumo mercancías en tránsito con incumplimiento de la normativa reguladora de este régimen aduanero, establecida en los artículos 62, 63, 103, 136, 140, 143, 144, 145, 146 y 147 CAM y en el Convenio TIR de 14 de noviembre de 1975. Véanse, entre otros, los artículos 95, 96, 155, 156, 157, 211, 212, 213, 216, 217, 219, 221, 222, 227, 233 y 234 CAU A efectos de apreciar una infracción administrativa, se presume que las mercancías en tránsito se han destinado al consumo si no se presentan intactas en la oficina de aduanas de destino o no se respetan las medidas de identificación y control tomadas por las autoridades aduaneras, salvo prueba en contrario RD 1649/1998: Se entiende que se destinan al consumo mercancías en tránsito con incumplimiento de la normativa cuando, no habiendo sido presentadas en aduana para la ultimación del régimen de tránsito, sean objeto de cualquier acto de comercio, incluido el autoconsumo.

Conductas típicas
d) Importar o exportar, mercancías sujetas a medidas de política comercial sin cumplir las disposiciones vigentes aplicables; Obtener mediante solicitud, con datos o documentos falsos en relación con la naturaleza o el destino de las mercancías, o bien de cualquier otro modo ilícito, una previa autorización administrativa respecto de una operación sujeta a ella
e) Obtener, o pretender obtener, mediante alegación de causa falsa o de cualquier otro modo ilícito, el levante. El levante se define en el artículo 5.26 CAU. Obtener, o pretender obtener, mediante alegación de causa falsa o de cualquier otro modo ilícito, la autorización para los actos a que se refieren las letras anteriores
f) Conducir mercancías no comunitarias en buque de porte menor que el permitido por los reglamentos, salvo autorización para ello, en cualquier puerto o lugar de las costas no habilitado a efectos aduaneros, o en cualquier punto de las aguas interiores o del mar territorial español o zona contigua
g) Alijar o transbordar de un buque clandestinamente cualquier clase de mercancías, géneros o efectos dentro de las aguas interiores o del mar territorial español o zona contigua, o en las circunstancias previstas por el artículo 111 de la Convención de Naciones Unidas sobre el Derecho del Mar, hecha en Montego Bay, Jamaica, el 10 de diciembre de 1982 El referido artículo 111 regula el derecho de persecución y dispone que ésta debe empezar mientras el buque extranjero o una de sus lanchas se encuentre en las aguas interiores, en el mar territorial o en la zona contigua del Estado perseguidor, y sólo podrá continuar fuera del mar territorial o de la zona contigua a condición de no haberse interrumpido.
h) Exportar o expedir bienes integrantes del Patrimonio Histórico Español sin la autorización de la Administración competente cuando ésta sea necesaria; Exportar o expedir bienes integrantes del Patrimonio Histórico Español con la preceptiva autorización de la Administración competente, obtenida: a) mediante solicitud con datos o documentos falsos en relación con la naturaleza o el destino último de tales productos; o b) de cualquier otro modo ilícito.
i) Realizar operaciones de importación, exportación, comercio, tenencia, circulación de: • Géneros estancados o prohibidos, incluyendo su producción o rehabilitación, sin cumplir los requisitos establecidos en las leyes. • Especímenes de fauna y flora silvestres y sus partes y productos, de especies recogidas en el Convenio de Washington, de 3 de marzo de 1973, o en el Reglamento (CE) 338/1997 del Consejo, de 9 de diciembre de 1996, sin cumplir los requisitos legalmente establecidos.

Conductas típicas
j) Importar, exportar, introducir, expedir o realizar cualquier otra operación respecto de mercancías sujetas al control en virtud de alguna de las normas siguientes: 1º La normativa reguladora del comercio exterior de material de defensa, de otro material o de productos y tecnologías de doble uso sin la autorización a la que hace referencia el capítulo II de la Ley 53/2007, 2º El Reglamento (CE) 1236/2005 del Consejo, de 27 de junio de 2005, sobre el comercio de determinados productos que pueden utilizarse para aplicar la pena de muerte o infligir tortura u otros tratos o penas crueles, inhumanos o degradantes con productos incluidos en el anexo III del citado Reglamento, sin la autorización a la que hace referencia el capítulo II de la Ley 53/2007, 3º La normativa reguladora del comercio exterior de precursores de drogas sin las autorizaciones a las que se refiere el Reglamento (CE) 111/2005 del Consejo, de 22 de diciembre de 2004, por el que se establecen normas para la vigilancia del comercio de precursores de drogas entre la Comunidad y terceros países. Igualmente si las referidas autorizaciones se obtienen mediante una solicitud con datos o documentos falsos en relación con la naturaleza o el destino de tales productos o bien de cualquier otro modo ilícito

Conductas típicas - Supuestos especiales	
Supuesto	*Especialidad*
k) Contrabando en relación con drogas tóxicas, estupefacientes, sustancias psicotrópicas, armas, explosivos, agentes biológicos o toxinas, sustancias químicas tóxicas y sus precursores, o cualesquiera otros bienes cuya tenencia constituya delito	Delito con independencia del valor de los bienes, mercancías o géneros
l) Contrabando realizado a través de una organización	
m) Contrabando en relación con labores de tabaco	Delito cuando el valor sea igual o superior a 15.000 euros

Además de las conductas típicas señaladas en las tablas anteriores, la Ley 34/2015 ha añadido las siguientes:

Conductas típicas - Novedades Ley 34/2015
Supuesto
n) La rotura del precinto de las máquinas expendedoras de tabaco cuando estas hubiesen sido objeto de una medida de las previstas en el artículo 14 LORC (es decir, comiso, intervención de bienes, enajenación anticipada, adscripción a las fuerzas o servicios encargados de la persecución del contrabando y aplicación de la normativa sobre bienes de monopolio). Infracción muy grave.

Conductas típicas - Novedades Ley 34/2015
Supuesto
o) La rotura de precintos en el caso de cierre de establecimientos o la realización de actividades en el establecimiento durante el tiempo acordado de cierre o el quebrantamiento de la suspensión del ejercicio de la actividad objeto del contrabando. Infracción muy grave.
p) La resistencia, negativa u obstrucción prevista en el artículo 12bis.1.b) LORC cuando no se apliquen como criterio de graduación de la sanción de contrabando. El apartado 4 del artículo 11 LORC precisa que "A estos efectos, constituye resistencia, obstrucción, excusa o negativa las siguientes conductas de la persona investigada, del presunto infractor o de la persona sancionada: a) No facilitar el examen de la documentación justificativa de los bienes, mercancías, géneros o efectos y las actividades objeto de la investigación de contrabando o de la documentación necesaria para la tramitación del expediente sancionador de contrabando. b) No atender algún requerimiento debidamente notificado. c) La incomparecencia, salvo causa justificada, en el lugar y tiempo que se hubiera señalado. d) Negar o impedir indebidamente la entrada o permanencia en fincas o locales a las autoridades, funcionarios o fuerzas o el reconocimiento de medios de transporte, locales, máquinas, instalaciones y explotaciones relacionados con la investigación del contrabando, la tramitación del expediente o la ejecución de la sanción de cierre de establecimiento o suspensión del ejercicio de la actividad. e) Las coacciones a las autoridades, funcionarios y fuerzas en el ejercicio de las funciones previstas en esta Ley. f) Cualquier otra actuación del presunto infractor o de la persona objeto de la investigación de contrabando tendente a dilatar, entorpecer o impedir las actuaciones". Las conductas de las letras (d) y (e) anteriores se califican como infracciones graves, en tanto que las demás conductas se califican como infracciones leves.

En materia de conductas típicas ha de señalarse que, entre las modificaciones introducidas por la reforma operada por la Ley Orgánica 6/2011, se incluye un tipo agravado consistente en obtener, o pretender obtener, mediante alegación de causa falsa o de cualquier otro modo ilícito, el levante [nueva redacción del artículo 2.2(d) LORC]. Esta conducta es plenamente coincidente con la conducta que ya describe el propio artículo 2.1(e) LORC (véase letra (e) en la tabla de más arriba), de manera que no se identifica qué factor hace a la conducta del nuevo 2.2(d) LORC merecedora de mayor reproche. Se trata, mucho nos tememos, de un error que no se ha corregido en los años transcurridos desde que se dictó la Ley Orgánica 6/2011. Intuimos que la voluntad de la Ley era crear un tipo agravado cuando la conducta descrita se refiera a los bienes de las letras (h), (i) y (j) de la tabla de arriba [apartados (a), (b) y (c) del artículo 2.2 LORC), pero no se dice expresamente. El resultado es que se establecen penas de distinto grado para una misma conducta.

> Parece muy grave que una Ley Orgánica padezca este tipo de errores sin que nadie se tome la molestia de enmendarlos en un tiempo tan dilatado, máxime cuando se trata del ejercicio del poder punitivo del Estado. Es un dato revelador de las carencias del acelerado proceso legislativo en el que vivimos inmersos.

Infractor será la persona que realice la conducta típica. Se dispone expresamente que pueden tener la consideración de infractores las personas jurídicas respecto de los delitos cometidos en nombre o por cuenta de las mismas y en su provecho, por sus representantes legales y administradores de hecho o de derecho. Asimismo, cuando los delitos sean cometidos, en el ejercicio de actividades sociales y por cuenta y en provecho de la persona jurídica, por quienes, estando sometidos a la autoridad de los representantes legales y administradores de hecho o de derecho de la misma, han podido realizar los hechos por no haberse ejercido sobre ellos el debido control atendidas las concretas circunstancias del caso (responsabilidad *in vigilando*).

La responsabilidad penal de las personas jurídicas es exigible aun cuando la concreta persona física responsable no haya sido individualizada o no haya sido posible dirigir el procedimiento contra ella, siempre que se constate la comisión de un delito que haya tenido que cometerse por alguno de los sujetos antes referidos. Si por una misma conducta se impone la pena de multa a los dos (persona física y jurídica), los jueces o tribunales deben modular las respectivas cuantías, de modo que la suma resultante no sea desproporcionada en relación con la gravedad del delito. Con carácter general la responsabilidad penal de las personas jurídicas no queda afectada por las circunstancias que afecten a la culpabilidad del acusado o agraven su responsabilidad, o por el hecho de que la persona física autora haya fallecido o se sustraiga a la acción de la justicia. No obstante, la responsabilidad penal de las personas jurídicas puede quedar atenuada si, con posterioridad a la comisión del delito y a través de sus representantes legales, realiza determinadas actividades. Se trata de las siguientes: a) Proceder, antes de conocer que el procedimiento judicial se dirige contra ella, a confesar la infracción a las autoridades; b) Colaborar en la investigación del hecho aportando pruebas, en cualquier momento del proceso, que fueran nuevas y decisivas para esclarecer las responsabilidades penales dimanantes de los hechos; c) Proceder, en cualquier momento del procedimiento y con anterioridad al juicio oral, a reparar o disminuir el daño causado por el delito; d) Establecer, antes del comienzo del juicio oral, medidas eficaces para prevenir y descubrir los delitos que en el futuro pudieran cometerse con sus medios o bajo su cobertura. La responsabilidad penal de las personas jurídicas no es aplicable a los entes públicos o sujetos dependientes de ellos que relaciona el artículo 31bis.5 del Código Penal.

Por otra parte, cuando el delito se cometa en el seno, en colaboración, a través o por medio de empresas, organizaciones, grupos, entidades o agrupaciones carentes de personalidad jurídica, el Juez o Tribunal les podrá imponer a estas, motivadamente, una o varias consecuencias accesorias a la pena que corresponda al autor del delito (véase más abajo el cuadro de penas del delito de contrabando, en el capítulo 30.4), pudiendo asimismo acordar la prohibición definitiva de que lleve a cabo cualquier actividad, aunque sea lícita.

30.3. CALIFICACIÓN Y CLASIFICACIÓN

La calificación de una conducta típica como infracción administrativa o como delito va a depender de la cuantía de las mercancías que hayan sido objeto de la misma. Al propio tiempo, si la conducta se califica como infracción administrativa, la clasificación como leve, grave o muy grave se va a realizar, de nuevo, en función de la cuantía de las mercancías que hayan sido objeto de la misma. Debe destacarse que, a estos efectos, las mercancías se agrupan en tres rúbricas: 1) labores del tabaco, que son las mercancías para las cuales se fijan umbrales cuantitativos sensiblemente inferiores; 2) mercancías relacionadas en las conductas típicas de las letras (h), (i) y (j) de la tabla superior (capítulo 30.2); y 3) las demás mercancías, para las que se fijan los umbrales más elevados, tanto para calificar como delito como para clasificar la infracción como grave o muy grave.

> Las mercancías relacionadas en las conductas típicas de las letras (h), (i) y (j) de la tabla superior son las siguientes: i) bienes integrantes del Patrimonio Histórico Español; ii) géneros estancados o prohibidos; iii) especímenes de fauna y flora silvestres y sus partes y productos, de especies recogidas en el Convenio de Washington, de 3 de marzo de 1973, o en el Reglamento (CE) 338/1997; iv) material de defensa, de otro material o de productos y tecnologías de doble uso; v) productos que pueden utilizarse para aplicar la pena de muerte o infligir tortura u otros tratos o penas crueles, inhumanos o degradantes; y vi) precursores de drogas.

Clasificación de las infracciones			
Categoría	Mercancías en general	Labores del tabaco	Conductas (h), (i), (j)*
Leve	Hasta 37.500 euros	Hasta 1.000 euros	Hasta 6.000 euros
Grave	Entre 37.500 y 112.500 euros	Entre 1.000 y 6.000 euros	Entre 6.000 y 18.000 euros
Muy grave	Entre 112.500 y 150.000 euros	Entre 6.000 y 15.000 euros	Entre 18.000 y 50.000 euros
Calificación como delito			
Delito	A partir de 150.000 euros	A partir de 15.000 euros	A partir de 50.000 euros
	Realizar una pluralidad de acciones u omisiones típicas en ejecución de un plan preconcebido o aprovechando idéntica ocasión, cuando el valor de los bienes, mercancías, géneros o efectos aisladamente considerados no alcance los límites cuantitativos de 150.000, 15.000 ó 50.000 euros referidos arriba, pero cuyo valor acumulado sea igual o superior a dichos importes		
	Independientemente de la cuantía: Cuando el objeto del contrabando sean drogas tóxicas, estupefacientes, sustancias psicotrópicas, armas, explosivos, agentes biológicos o toxinas, sustancias químicas tóxicas y sus precursores, o cualesquiera otros bienes cuya tenencia constituya delito, o Cuando el contrabando se realice a través de una organización		

La última modificación de las cuantías de las infracciones que se reflejan en la tabla fue introducida por la Ley 34/2015. La Ley 11/2021 ha modificado el artículo 11.1 LORC, para aclarar que la infracción administrativa de contrabando se comete cualquiera que sea el valor de los bienes, en tanto no quepa calificar la conducta como delito. Así, por ejemplo, una conducta infractora negligente, pero sin alcanzar la imprudencia grave, de importe superior a 150.000 euros, se calificaría como infracción administrativa de contrabando, dado que la ausencia de imprudencia grave, culpa o dolo impediría su calificación como delito.

(*) Véanse los apartados (h), (i), (j) de la tabla "Conductas típicas".

A los efectos de determinar las cuantías que permiten calificar o clasificar las conductas es necesario establecer unos criterios de valoración. A este objetivo se dirige el artículo 10 LORC, que fija los criterios de valoración que recogemos en la tabla que sigue.

Valoración de los bienes	
Géneros estancados	Precio máximo de venta al público De no estar señalado dicho precio, se adoptará la valoración establecida para la clase más similar. Si no fuera posible la asimilación, el juez fijará la valoración previa tasación pericial
Bienes integrantes del Patrimonio Histórico Español; géneros estancados o prohibidos; especímenes de fauna y flora silvestres protegidas; delitos de ilícito comercio	Valor que determine el juez A estos efectos se dispone que el juez recabará de las Administraciones competentes el asesoramiento y los informes que estime necesarios
Demás mercancías objeto de importación o exportación	Precio medio declarado a las autoridades aduaneras de los productos semejantes clasificados en la subpartida a nivel de ocho dígitos y, en su defecto, a nivel de seis o cuatro dígitos de la nomenclatura prevista en el Reglamento del Arancel (2658/1987), y en función de su tipo de operación
Resto de casos	Precio oficial o, en su defecto, el precio medio de mercado español de bienes semejantes o el valor de venta, siempre que fuese superior al de compra o al coste de producción, en su caso incrementados El incremento se aplica cuando entre el momento de compra o producción y la realización del delito hubiese transcurrido más de un año natural. El valor de compra o coste de producción incrementado se obtiene aplicando al valor inicial el índice general de precios al consumo desde la fecha de compra o producción. El índice aplicable será el correspondiente a cada uno de los años naturales. Se aplicará el valor de compra o el coste de producción con el incremento indicado cuando razonablemente no pueda determinarse el valor de venta.

Interesa señalar que, en cualquier caso, el valor se determinará en relación con la fecha de realización del ilícito o, de no conocerse ésta, en relación con el descubrimiento del ilícito o aprehensión de los bienes, géneros o efectos. A efectos de la determinación del precio medio, se tomará el mes natural anterior a la fecha referida anteriormente.

La calificación como delito o como infracción administrativa comporta importantes consecuencias jurídicas. Además de que la pena es sensiblemente más punitiva para el delito que la sanción para las infracciones administrativas, la apreciación del delito corresponde exclusivamente a los órganos jurisdiccionales —del orden penal—, en tanto que la apreciación acerca de la comisión de una infracción administrativa corresponde a la Administración, por más que su resolución al respecto pueda ser recurrida, primero ante la propia Administración y ulteriormente ante los propios órganos jurisdiccionales (de la jurisdicción contencioso-administrativa, en este caso, artículo 13 LORC). Por otra parte, el umbral subjetivo de punibilidad es diferente, pues para el delito se exige, al menos, imprudencia grave, en tanto que para la infracción basta con la concurrencia de simple negligencia ("cualquier grado de negligencia", dispone el artículo 11.1 LORC).

Por lo que hace a la competencia territorial de los órganos de la AEAT, véase la Resolución de 10.02.1999, sobre competencia territorial en el procedimiento sancionador por infracciones administrativas de contrabando (BOE 20.02.1999).

30.4. PENAS DEL DELITO DE CONTRABANDO

En la tabla que sigue recogemos las penas previstas para el delito de contrabando. Obsérvese que se establecen especialidades cuando la responsabilidad del delito corresponda a una persona jurídica. Señalamos asimismo los bienes objeto de comiso, los criterios de graduación de la pena y el contenido de la responsabilidad civil.

Penas del delito de contrabando y otros efectos jurídicos		
Pena General	Pena de prisión de uno a cinco años; y Multa del tanto al séxtuplo del valor de los bienes, mercancías, géneros o efectos	
Personas jurídicas	Supuesto General	Multa proporcional del duplo al cuádruplo del valor de los bienes, mercancías, géneros o efectos Prohibición, por un plazo de entre uno y tres años, para: – Obtener subvenciones y ayudas públicas. – Contratar con las Administraciones públicas. – Gozar de beneficios e incentivos fiscales o de la Seguridad Social.
	Penas accesorias	*Conductas típicas (h), (i), (j):* suspensión por un plazo de entre seis meses y dos años de las actividades de importación, exportación o comercio de la categoría de bienes, mercancías, géneros o efectos objeto del contrabando *Conductas típicas (k), (l), (m):* clausura de los locales o establecimientos en los que se realice el comercio de los bienes de que se trate

Penas del delito de contrabando y otros efectos jurídicos		
Factores de graduación	*Conductas típicas (a), (b), (e), salvo que se trate de mercancías de la letra (d):* Las penas se impondrán en su mitad inferior	
	Demás conductas típicas: Las penas se impondrán en su mitad superior	
	Comisión imprudente: Pena inferior en un grado	
	Facilidad especial: La comisión por medio o en beneficio de personas, entidades u organizaciones de cuya naturaleza o actividad pudiera derivarse una facilidad especial determina la aplicabilidad de la pena superior en un grado	
Comiso	Mercancías objeto de comiso	a) Las mercancías que constituyan el objeto del delito
		b) Los materiales, instrumentos o maquinaria empleados en la fabricación, elaboración, transformación o comercio de los géneros estancados o prohibidos
		c) Los medios de transporte con los que se lleve a efecto la comisión del delito (salvo que pertenezcan a un tercero que no haya tenido participación en el delito y el Juez o el Tribunal competente estime que dicha pena accesoria resulta desproporcionada en atención al valor del medio de transporte objeto del comiso y al importe de las mercancías objeto del contrabando)
		d) Las ganancias obtenidas del delito, cualesquiera que sean las transformaciones que hubieran podido experimentar
		e) Cuantos bienes y efectos, de la naturaleza que fueren, hayan servido de instrumento para la comisión del delito
Responsabilidad civil	Comprende la totalidad de la deuda tributaria no ingresada, que la AEAT no haya podido liquidar por prescripción, caducidad o cualquier otra causa legal prevista en la LGT, incluidos sus intereses de demora. Con carácter general, no se incluye en el importe de la responsabilidad civil la deuda aduanera ni la deuda tributaria cuya liquidación hubiera podido practicarse*.	

(*) Conforme a la modificación de la LGT y la LORC introducida por la Ley 34/2015, la Administración puede liquidar la deuda aduanera y proceder, en su caso, a la recaudación por el procedimiento de apremio, aun cuando pase del tanto de culpa a la jurisdicción competente o remita el expediente al Ministerio Fiscal (Disposición adicional 4 LORC). El plazo de que dispone la Administración para liquidar la deuda aduanera es el de prescripción del delito de contrabando, salvo en dos casos particulares:

- Cuando la Administración no dispusiera de todos los elementos necesarios para practicar la liquidación, el plazo para liquidar será de tres años, contados desde que se hubiere notificado la resolución judicial firme que ponga fin al procedimiento penal;
- Cuando la liquidación pudiera perjudicar de cualquier forma la investigación o comprobación de la defraudación, el plazo para liquidar será de tres años, contados desde que la autoridad judicial incoe la causa sin secreto para las partes.

En cualquier caso, no podrá excederse el plazo de 10 años que señala el artículo 103.2 CAU para comunicar al deudor la deuda aduanera.

En cuanto a las liquidaciones de los restantes tributos que hubieran podido practicarse (la liquidación de los restantes tributos podrá practicarse en todo caso, salvo en los dos supuestos que señala el artículo 251.1, letras (b) y (c), que coinciden con los que acabamos de señalar para la deuda aduanera), el pase del tanto de culpa no impide la liquidación ni que se proceda con el procedimiento de apremio en caso de impago. La liquidación tiene la consideración de provisional y, en caso de que la resolución que ponga fin al procedimiento penal determine la inexistencia del hecho imponible, se anulará la liquidación, en tanto que si la resolución que ponga fin al procedimiento penal determina una modificación de la liquidación practicada, se rectificará la liquidación inicial, que se entenderá subsistente, por lo que conservarán su validez las actuaciones recaudatorias realizadas respecto de la cuantía no afectada por la rectificación.

La LORC, en su artículo 4bis, dispone que el juez debe recabar el auxilio de la AEAT para ejecutar las penas de multa y de responsabilidad, que se harán efectivas a través del procedimiento de apremio (el procedimiento de apremio se examina en el capítulo 26.3).

Por lo que hace al comiso, debe producirse siempre que se aprecie delito o infracción de contrabando. En caso de que no pueda proyectarse sobre los bienes designados por la norma (véase tabla de arriba), la ley dispone que se practique un comiso por valor equivalente de otros bienes que pertenezcan a los responsables del delito. El comiso tiene un mayor alcance en caso de apreciar que la comisión del delito se ha producido a través de una organización o grupo criminal, supuestos en los que recordemos se calificará la conducta como delito independientemente de la cuantía. En estos supuestos el comiso se amplía a los efectos, bienes, instrumentos y ganancias procedentes de actividades delictivas, entendiendo a estos efectos que proviene de la actividad delictiva el patrimonio de los condenados para quienes su valor sea desproporcionado con respecto a los ingresos obtenidos legalmente.

El juez puede autorizar la intervención de los bienes de forma anticipada a fin de asegurar la efectividad del comiso (artículo 6 LORC). Asimismo, puede acordar su enajenación anticipada, previamente a la firmeza del fallo, en tres supuestos (a saber: si el propietario los abandona expresamente; cuando su conservación pueda resultar peligrosa para la salud o seguridad pública; cuando su conservación pueda dar lugar a disminución importante de su valor), quedando en depósito el importe obtenido a resultas del proceso penal (artículo 7 LORC).

Debe también tenerse en cuenta que el Reglamento (UE) 2018/1805 del Parlamento Europeo y del Consejo de 14 de noviembre de 2018, sobre el reconocimiento mutuo de las resoluciones de embargo y decomiso, establece las normas en virtud de las cuales un Estado miembro debe reconocer y ejecutar en su territorio resoluciones de embargo y resoluciones de decomiso dictadas por otro Estado miembro en el marco de un procedimiento en materia penal.

Con carácter general, no se realizará el comiso si los bienes, efectos e instrumentos de que se trate son de lícito comercio y han sido adquiridos o son propiedad de un tercero de buena fe. En este sentido, interesa señalar que la STJUE *OM* (asunto C-393/19, de 14.01.2021) decide que no es conforme con el Derecho de la UE "una normativa nacional que permite el decomiso de un instrumento utilizado para cometer un delito de contrabando agravado, cuando ese instrumento es propiedad de un tercero de buena fe" y que tampoco es compatible con el Derecho de la UE "una normativa nacional que permite el decomiso, en el marco de un proceso penal, de un bien que es propiedad de una persona distinta de la que cometió la infracción penal, sin que esa primera persona disponga de una vía de recurso efectiva"

> En la STJUE *OM* (asunto C-393/19, de 14.01.2021) se trataba de un conductor de camiones por cuenta ajena que introdujo ilícitamente mercancía en la UE (monedas antiguas). El medio de transporte era propiedad de una empresa totalmente ajena al contrabando pero, a pesar de ello, se aplicó a este delito la normativa búlgara que dispone el comiso del medio de transporte en el que se comete el contrabando. La empresa propietaria del medio de transporte trató de recuperarlo, pero ni si quiera se le reconoció la posibilidad de ser parte en el proceso. La normativa de la UE en la que el TJUE basó su decisión fue la Decisión Marco 2005/212/JAI del Consejo, de 24 de febrero de 2005, relativa al decomiso de los productos, instrumentos y bienes relacionados con el delito (DO 2005, L 68, p. 49; con sus modificaciones posteriores) y el artículo 47 de la Carta de los Derechos Fundamentales.

En caso de que se acredite una situación patrimonial ilícita derivada de conductas tipificadas como contrabando, se podrá acordar el comiso aun respecto de sujetos exentos de responsabilidad criminal o cuya responsabilidad se haya extinguido.

El destino que debe darse a los bienes definitivamente decomisados por sentencia consiste en la adjudicación al Estado. Si se trata de bienes de lícito comercio, la Agencia Tributaria procederá entonces a enajenarlos. La regla anterior de enajenación presenta particularidades en caso de bienes decomisados por delito de contrabando de drogas tóxicas, estupefacientes y sustancias psicotrópicas, y sus precursores. En este caso la decisión acerca de la enajenación u otro destino queda en manos de la Mesa de Coordinación de Adjudicaciones.

> Por lo que hace a los bienes no enajenables, se dispone que queden adscritos a las fuerzas o servicios encargados de la persecución del contrabando de acuerdo con lo que prevea su legislación específica (artículo 8 LORC). Si se trata de mercancías de monopolio, el juez procederá de acuerdo con las disposiciones reguladoras del monopolio de que se trate (artículo 9 LORC).

30.5. SANCIONES POR INFRACCIONES ADMINISTRATIVAS DE CONTRABANDO

Se establece la regla de no concurrencia entre la sanción por infracción administrativa de contrabando y las penas por el delito de contrabando (artículo 14bis LORC). A este fin, si la Administración estima que una conducta pudiera ser constitutiva de delito pasará el tanto de culpa al órgano jurisdiccional competente o remitirá el expediente al Ministerio Fiscal, absteniéndose de continuar el procedimiento administrativo sancionador. En tanto no se dicte sentencia firme, tenga lugar el sobreseimiento, se archiven las actuaciones, o se produzca la devolución del expediente por el Ministerio Fiscal, el procedimiento administrativo sancionador quedará suspendido. Si el proceso penal concluye con sentencia condenatoria la Administración no podrá ya imponer una sanción por infracción administrativa de contrabando.

Por el contrario, si el proceso penal concluye con sentencia en la que no se aprecia delito, la Administración continuará sus actuaciones sancionadoras, pero ateniéndose a los hechos que el órgano jurisdiccional haya considerado probados. En caso de que durante este tiempo de suspensión se realizaran actuaciones administrativas, estas se tendrán por inexistentes. La continuación de actuaciones determinará la reanudación del cómputo del plazo de prescripción en el punto en el que estaba cuando se suspendió. El plazo de prescripción de la infracción es de cuatro años y comienza a correr el día de la comisión de la infracción; el plazo de prescripción de la sanción es asimismo de cuatro años y comienza a correr desde el día siguiente a aquel en que adquiera firmeza la resolución por la que se impone la sanción.

La sanción administrativa sí es compatible, en cambio, con la exigencia de la deuda tributaria y aduanera y del interés de demora.

Con carácter general la infracción administrativa de contrabando se sanciona con una multa, cuya cuantía depende de la clasificación de la infracción como leve, grave o muy grave. El importe de la multa se fija en forma de porcentaje sobre el valor de los bienes que hayan sido objeto de contrabando.

Sanción de las infracciones - Cuantificación de la multa pecuniaria			
Categoría	Mercancías en general	Mercancías de las letras (h), (i), (j)*	Labores del tabaco
Leve	Entre el 100% y el 150%	Entre el 200% y el 225%	Entre el 200% y el 300%
Grave	Entre el 150% y el 250%	Entre el 225% y el 275%	Entre el 300% y el 450%
Muy grave	Entre el 250% y el 350%	Entre el 275% y el 350%	Entre el 450% y el 600%
NOTA	Importe mínimo de la multa: 500 euros	Importe mínimo de la multa: 1.000 euros	Importe mínimo de la multa: 2.000 euros

(*) Véanse los apartados (h), (i), (j) de la tabla "Conductas típicas".

Por otro lado, se dispone la sanción consistente en el cierre de los establecimientos o suspensión del ejercicio de la actividad (artículo 12.2(b) LORC). A este respecto se distingue según se trate de labores del tabaco o de otras mercancías de las letras (h), (i), (j) de la tabla "Conductas típicas".

Si se trata de labores del tabaco se impondrá la sanción de cierre de los establecimientos de los que los infractores sean titulares. El cierre podrá ser temporal o, cuando se trate de infracciones muy graves y exista reiteración, definitivo.

> A estos efectos se considera que existe reiteración cuando, en el plazo de los cinco años anteriores a la comisión de una infracción calificada como muy grave, el sujeto infractor hubiese sido condenado por delito de contrabando o sancionado por infracción administrativa muy grave en materia de contrabando en, al menos, dos ocasiones, en virtud de sentencias o resoluciones administrativas firmes.

Cuando se trate de las restantes mercancías de las letras (h), (i), (j), salvo las labores de tabaco, la sanción podrá consistir en el cierre temporal del establecimiento o, si las actividades objeto del contrabando son las de importación o exportación, en la suspensión temporal del ejercicio de la actividad con los géneros objeto de contrabando. Si se impone la sanción de cierre, este afectará al establecimiento en el que se desarrolla la actividad de almacenamiento, comercialización o fabricación de los géneros objeto de contrabando. Cuando exista separación entre lugares destinados al almacenamiento, la venta o fabricación de los bienes objeto de contrabando y los que corresponden al resto de bienes, el cierre se limitará a los espacios afectados.

En cualquiera de los casos, el período de tiempo de cierre temporal o la suspensión del ejercicio de las actividades objeto de contrabando estará comprendido entre los límites mínimo y máximo que se señalan en la tabla que sigue.

Sanción de las infracciones		
Categoría	Sanción consistente en cierre de establecimiento o suspensión del ejercicio de la actividad	
	Mercancías de las letras (h), (i), (j)	Labores del tabaco
Leve		Entre 7 días y 6 meses
Grave	Entre 4 días y 6 meses	Entre 6 meses y un día y 12 meses
Muy grave	Entre 6 meses y un día y 12 meses	Entre 12 meses y un día y 24 meses
NOTA	A estos efectos la Administración tendrá el derecho de considerar como titular de cualquier bien, derecho, empresa, servicio, actividad o explotación a quien figure como tal en un registro fiscal u otros de carácter público, salvo prueba en contrario	

Téngase en cuenta, además, que la sanción de comiso se aplica conforme a las mismas reglas que las previstas para el delito de contrabando.

Exponemos a continuación las sanciones aplicables a las conductas típicas añadidas por la Ley 34/2015.

Sanciones de las conductas típicas de las letras "n", "o" y "p"
Conducta típica: n) Rotura del precinto de las máquinas expendedoras de tabaco cuando estas hubiesen sido objeto de una medida de las previstas en el artículo 14 LORC. Conducta típica: o) Rotura de precintos en el caso de cierre de establecimientos o la realización de actividades en el establecimiento durante el tiempo acordado de cierre o el quebrantamiento de la suspensión del ejercicio de la actividad objeto del contrabando.
SANCIÓN: El doble del importe de la sanción pecuniaria acordada en el expediente sancionador en el que se decretaba el cierre del establecimiento o la suspensión del ejercicio de la actividad. Se prevé, además, una sanción adicional, que dependerá del supuesto en el que nos encontremos: – Cierre de establecimiento, cuando se trate de rotura de precinto sin prueba de que en éste se desarrolle actividad económica, por un periodo adicional igual al acordado en la sanción quebrantada. – Cuando se pruebe el desarrollo de actividad económica en el establecimiento, el periodo adicional será igual al doble del acordado en la sanción quebrantada. – En el supuesto de quebrantar la sanción de suspensión del ejercicio de la actividad objeto del contrabando, la sanción adicional consistirá en una sanción igual al doble del periodo temporal de la sanción quebrantada.
Conducta típica: p) Resistencia, negativa u obstrucción a la acción investigadora cuando no se apliquen como criterio de graduación de la sanción de contrabando.
SANCIÓN: Multa pecuniaria de 1.000 euros, cuando la infracción se califique como leve, y de 3.000 euros, cuando se califique como grave, estableciendo una sanción agravada de 5.000 euros respecto de la conducta consistente en coacciones a las autoridades, funcionarios y fuerzas en el ejercicio de las funciones previstas en la LORC, salvo que tengan la consideración de delito.

Los criterios de graduación de las sanciones administrativas de contrabando, que pueden aplicarse simultáneamente, son los que se recogen en la tabla que sigue.

Criterios de graduación de las sanciones
Reiteración
Cuando, dentro de los cinco años anteriores a la fecha de la comisión de la infracción, el sujeto infractor haya sido sancionado por cualquier infracción administrativa de contrabando en resolución administrativa firme o condenado por delito de contrabando por sentencia judicial firme
Resistencia, negativa u obstrucción a la acción investigadora
Conductas referidas tanto a la acción investigadora de los órganos competentes para el descubrimiento y persecución de las infracciones administrativas de contrabando, como de los órganos competentes para la iniciación del procedimiento sancionador por estas infracciones. No atender los requerimientos formulados o realizar actuaciones tendentes a dilatar, entorpecer o impedir las actuaciones.

Criterios de graduación de las sanciones

Utilización de medios fraudulentos en la comisión de la infracción o la comisión de ésta por medio de persona interpuesta

Se consideran principalmente medios fraudulentos los siguientes: a) la existencia de anomalías sustanciales en la contabilidad; b) el empleo de facturas, justificantes y otros documentos falsos o falseados; c) la utilización de medios, modos o formas que indiquen una planificación del contrabando (que tiendan a asegurar el éxito del ilícito; entre otros, vehículos con doble fondo o espacios disimulados, precintos falsificados, sistemas de radio escucha, sistemas de detección de controles de los órganos encargados de la represión del contrabando, sistemas de coordinación entre varios medios de transporte o que pongan de manifiesto la existencia de un plan predeterminado para la comisión de la infracción), incluyendo la comisión por persona interpuesta (cuando el sujeto infractor, con la finalidad de ocultar su identidad, haga figurar a nombre de un tercero, con o sin su consentimiento, la titularidad de los materiales, instrumentos, maquinaria o medios de transporte empleados en la comisión de la infracción, los bienes objeto del contrabando o la realización de las operaciones constitutivas de la infracción); y d) la declaración incorrecta de la clasificación arancelaria o, en el caso de operaciones de importación, de cualquier elemento determinante de la deuda aduanera en la declaración en aduanas que eluda el control informático de la misma.

Los medios de las letras (a) y (b) deben producir como resultado dificultar el control de la Administración o el conocimiento de la infracción; y no se tienen en cuenta para la conducta típica de la letra (e).

Los medios de la letra (c) no se aplican como criterio de graduación respecto de la conducta típica de las letras (k) y (l).

Facilidad especial para la comisión de la infracción

Comisión de la infracción por medio o en beneficio de personas, entidades u organizaciones de cuya naturaleza o actividad pudiera derivarse una facilidad especial para la comisión de la infracción. Por ejemplo, cuando la infracción se cometa por medio o en beneficio, entre otros, de personal al servicio de la Administración aduanera, de las entidades y organizaciones, sus titulares y personal a su servicio siguientes: compañías de transporte internacional, agencias de aduanas, compañías transitarias y consignatarias, asociaciones garantes de los regímenes TIR o tránsito aduanero o de los titulares o personal al servicio de depósitos aduaneros o fiscales y almacenes de depósito temporal. Este criterio no puede acumularse con el de utilización de simplificaciones aduaneras.

Utilización de simplificaciones aduaneras

Utilización para la comisión de la infracción de los mecanismos establecidos en la normativa aduanera para la simplificación de formalidades y procedimientos de despacho aduanero. Por ejemplo las previstas en los artículos 222 (declaración en aduana por medios informáticos), 253 (procedimientos simplificados), 389 (derogado; procedimiento simplificado de tránsito) RACAC y autorización Almacén Depósito Temporal (ADT).

Naturaleza de los bienes, mercancías, géneros o efectos objeto del contrabando

Opera como circunstancia atenuante en la graduación de la sanción aplicable cuando los bienes, mercancías, géneros o efectos objeto del contrabando sean de lícito comercio y no se trate de: 1) géneros prohibidos; 2) material de defensa, otro material o de productos y tecnologías de doble uso a los que se refiere el capítulo II de la Ley 53/2007; 3) productos que puedan utilizarse para aplicar la pena de muerte o infligir tortura u otros tratos o penas crueles, inhumanos o degradantes; 4) agentes o toxinas biológicos o sustancias químicas tóxicas; 5) bienes integrantes del Patrimonio Histórico Español; 6) especímenes de fauna y flora silvestres y sus partes y productos, de especies recogidas en el Convenio de Washington, de 3 de marzo de 1973, y en el Reglamento Comunitario correspondiente; 7) labores de tabaco; o 8) mercancías sujetas a medidas de política comercial

El impacto que los anteriores criterios de graduación tienen sobre la sanción a aplicar exige distinguir entre la sanción consistente en multa (en cuyo caso supone incrementar el porcentaje que se toma para calcular su importe) y la sanción consistente en cierre de establecimientos (en cuyo caso consiste en extender el período de cierre), según queda reflejado en la tabla que sigue.

Trascendencia de los criterios de graduación de las sanciones	
Categoría	*Porcentaje de incremento de la sanción*
Toda clase de mercancías	Sanciones pecuniarias por infracción leve y muy grave: entre 15 y 20 puntos. Sanción pecuniaria por infracción grave: entre 30 y 40 puntos.
Tabaco	Sanción pecuniaria por infracción leve y muy grave: entre 8 y 10 puntos. Sanción pecuniaria por infracción grave: entre 15 y 20 puntos. Sanción de cierre de los establecimientos por infracción leve y muy grave: entre veinticinco y treinta y cinco días de incremento. Sanción de cierre de los establecimientos por infracción grave: entre cincuenta y setenta días de incremento.

Tratándose del criterio de graduación consistente en la reiteración se contempla un incremento agravado cuando el sujeto infractor haya sido sancionado por infracción administrativa de contrabando, en resolución administrativa firme o condenado por delito de contrabando por sentencia judicial firme, más de una vez en el período de cinco años anteriores a la fecha de la comisión de la infracción. El incremento agravado se cuantifica según se indica en la tabla que sigue.

Reiteración agravada	
Categoría	*Porcentaje de incremento de la sanción*
Toda clase de mercancías	Sanciones pecuniarias por infracción leve y muy grave: entre 40 y 50 puntos. Sanción pecuniaria por infracción grave: entre 80 y 100 puntos.
Tabaco	Sanción pecuniaria por infracción leve y muy grave: entre 20 y 25 puntos. Sanción pecuniaria por infracción grave: entre 40 y 50 puntos. Sanción de cierre de los establecimientos por infracción leve y muy grave: entre setenta y noventa días de incremento. Sanción de cierre de los establecimientos por infracción grave: entre ciento cuarenta y ciento ochenta días de incremento. Cierre definitivo de establecimiento si ha sido sancionado más de dos veces

30.6. PROCEDIMIENTO PARA LA IMPOSICIÓN DE SANCIONES POR INFRACCIONES ADMINISTRATIVAS DE CONTRABANDO

Iniciación.– El procedimiento para la imposición de sanciones por infracciones administrativas de contrabando se regula en los artículos 15 a 35 del RD 1649/1998. Se trata de un procedimiento cuyo inicio se produce de oficio, por el órgano competente para instruirlo, mediante acuerdo que debe notificarse a los interesados con el contenido que señala el artículo 29. Previamente se valorarán los bienes implicados —incluyendo la liquidación de los tributos correspondientes— y se adoptarán las medidas provisionales que se consideren necesarias.

> Son competentes para iniciar e instruir este procedimiento sancionador las Secciones de contrabando de las Administraciones de Aduanas e Impuestos Especiales de la provincia en la que se haya descubierto la infracción o, en su caso, de las Intervenciones de Territorio Franco, o la Sección de Aduanas e Impuestos Especiales de la Delegación de la AEAT en las provincias en las que no exista Administración de Aduanas. La competencia territorial se regula en la Resolución de 10.02.1999 (BOE 20.02.1999).
> El procedimiento se puede iniciar directamente mediante la notificación de la propuesta de resolución, si la Administración ya dispusiera de todos los elementos de hecho para formularla. En este caso la notificación advertirá al presunto infractor de la puesta de manifiesto del expediente y de que, en caso de no formular alegaciones en el plazo de quince días, el contenido del acto de iniciación podrá considerarse propuesta de resolución, remitiéndose sin más trámites al órgano competente para resolver el procedimiento.

Con carácter previo a la iniciación del procedimiento sancionador pueden haberse realizado actuaciones de investigación a fin de identificar hechos que pudieran constituir infracción de contrabando, los presuntos responsables y circunstancias de los mismos. Para llevar a cabo esta actividad los servicios de aduanas podrán efectuar el reconocimiento y registro de cualquier vehículo o medio de transporte, caravana, paquete o bulto, en tanto que los funcionarios adscritos a la aduana de la que depende un recinto aduanero tendrán acceso libre, directo e inmediato a todas las instalaciones del recinto. Eventualmente estas actuaciones previas pueden acompañarse de la aprehensión cautelar de bienes a efectos de su comiso. Las actuaciones a que nos referimos se documentarán en diligencias, que pueden ser de aprehensión (si, en el momento de formalizarse, tiene lugar la aprehensión de los bienes) o de descubrimiento (en caso de que no haya aprehensión) y su contenido incluirá los elementos que se relacionan en el artículo 23.3 RD 1649/1998.

> Con carácter general los bienes aprehendidos serán depositados en las instalaciones, locales o almacenes de la Administración aduanera, o autorizados por ésta, quedando bajo su vigilancia y control. Ahora bien, se establecen reglas particulares para determinadas categorías de bienes. Así, si se trata de labores de tabaco o de otros géneros o efectos estancados, se procederá en la forma que indiquen las disposiciones reguladoras de los respectivos monopolios públicos, en-

tregándose al Comisionado para el Mercado de Tabacos o a los representantes del monopolio correspondiente. Si se trata de géneros prohibidos, material de defensa o de doble uso, se les dará el destino que determinen los reglamentos específicos, entregándose a los organismos encargados de su custodia, intervención y control, si los hubiera. Si se trata de bienes integrantes o susceptibles de integrar el Patrimonio Histórico Español, se actuará conforme a las normas que regulan dicho Patrimonio, entregándose a los representantes de la Dirección General de Bellas Artes y Bienes Culturales del Ministerio de Educación y Cultura o de los órganos de las Comunidades Autónomas con competencia en la gestión del Patrimonio Histórico Español. Si se trata de especímenes de la fauna y flora silvestres, sus partes o productos de especies recogidas en el Convenio de Washington, de 3 de marzo de 1973, y en la normativa de la UE al respecto, se actuará con arreglo a su normativa específica, entregándose a los organismos especializados y comunicándolo al Departamento de Aduanas e Impuestos Especiales.

Con carácter previo al inicio puede haberse producido una denuncia, en cuyo caso el denunciante no será considerado interesado en la actuación administrativa que pueda iniciarse ni legitimado para interponer recursos o reclamaciones en relación con los resultados de la misma.

Instrucción. – Los expedientes podrán acumularse si existe una conexión directa entre sí, de oficio o a instancia de parte. La acumulación no altera las sanciones aplicables por cada conducta sancionable que se aprecie ni permite acumular las cuantías a efectos de calificación o clasificación de la conducta.

Si hubiera bienes aprehendidos, se acordará inmediatamente su intervención a resultas de lo que se decida en el procedimiento, quedando entre tanto incluidos en el régimen de depósito aduanero. Se establecen reglas particulares para el tabaco o géneros estancados (cabe acordar su destrucción), para los bienes cuya conservación pueda resultar peligrosa para la salud o seguridad pública o pueda dar lugar a una disminución importante de su valor (el instructor podrá disponer su venta inmediata), y para los bienes expresamente abandonados por sus propietarios (el instructor podrá disponer su venta inmediata). La enajenación se realizará conforme a lo previsto en la normativa de recaudación tributaria y parte de su importe se destinará a satisfacer los tributos exigibles al despacho a consumo.

El instructor del procedimiento realizará de oficio cuantas actuaciones estime necesarias para el examen de los hechos, recabando los datos e informaciones que sean relevantes para determinar, en su caso, la existencia de responsabilidades susceptibles de sanción. Si, en el curso de la tramitación del expediente, se descubre la implicación de otras personas, se les notificará, informándoles de los hechos descubiertos y de sus posibles consecuencias.

Los interesados en el procedimiento dispondrán de un plazo de quince días, a contar desde el día siguiente a la notificación de la iniciación, para aportar cuantas alegaciones, documentos o informaciones estimen convenientes y, en su caso, para proponer prueba.

Concluido el plazo de alegaciones señalado, el órgano instructor podrá acordar la apertura de un período de prueba por un plazo no superior a treinta días ni inferior a diez, notificándolo a los interesados (véase artículo 77 Ley 39/2015, PAC).

Tras la fase de alegaciones y de prueba, se dará audiencia a los interesados, notificándoles la puesta de manifiesto del expediente y concediéndoles un nuevo plazo de quince días para que formulen alegaciones y presenten los documentos e informaciones que estimen oportunos.

Tras el trámite de audiencia referido, el órgano instructor elaborará la propuesta de resolución motivada, en la que se tendrán en cuenta las alegaciones formuladas, si las hubiere. En ella se determinará la infracción que, en su caso, se considere cometida y el sujeto infractor, así como la sanción que se propone con indicación de los criterios de graduación. La propuesta de resolución se cursará inmediatamente al órgano competente para resolver el procedimiento junto con la documentación del expediente.

En cualquier momento anterior a la resolución, si el infractor reconoce su responsabilidad el procedimiento podrá resolverse con la imposición de la sanción que proceda, pudiendo omitirse las fases del procedimiento sancionador que resten hasta la resolución. También cabrá omitir estas fases del procedimiento si la sanción tiene exclusivamente carácter pecuniario y el infractor la paga de forma voluntaria, hecho que no le impedirá la interposición de los recursos procedentes.

Por otra parte, en cualquier momento del procedimiento los interesados tienen derecho a conocer su estado de tramitación, acceder a los documentos contenidos en él y a obtener copias de éstos, con las limitaciones que prevé la Ley.

Resolución.– La competencia para resolver corresponde, respecto de las sanciones consistentes en multa y comiso, a los Administradores de Aduanas e Impuestos Especiales, los Interventores de Territorio Franco, los Jefes de Dependencia de Aduanas e Impuestos Especiales y el Director del Departamento de AAeIIEE de la AEAT.

> La competencia para acordar el cierre de establecimientos por infracciones administrativas de contrabando relacionadas con las labores del tabaco corresponde al Director del Departamento de AAeIIEE de la AEAT.

La resolución debe ser motivada, notificándose a los interesados con el contenido que señala el artículo 35.2 RD 1649/1998. El plazo máximo para resolver el procedimiento es de seis meses, a contar desde la fecha del acuerdo de iniciación.

> Para el cómputo del plazo de seis meses no se tienen en cuenta los períodos de interrupción por causas imputables a los interesados o por la suspensión derivada de pasar el tanto de culpa a la jurisdicción penal. Además, este plazo puede prorrogarse mediante resolución expresa del órgano competente para resolver, previa petición motivada del órgano instructor, por un único plazo improrrogable de seis meses.

Transcurridos treinta días desde el vencimiento del plazo sin que la resolución haya sido dictada se entenderá caducado el procedimiento. Se procederá entonces al archivo de las actuaciones, de oficio o a instancia del interesado, sin perjuicio de la posibilidad de iniciar de nuevo el procedimiento, en tanto no haya prescrito la acción de la Administración para imponer la correspondiente sanción.

Por lo que hace a la ejecución de las sanciones, puede obtenerse su suspensión automática, sin necesidad de aportar garantía, mediante la presentación en tiempo y forma del recurso o reclamación administrativa que proceda.

30.7. DELITOS CONTRA LA HACIENDA PÚBLICA

El artículo 305 del Código Penal (Ley Orgánica 10/1995, con sus modificaciones), tipifica como delito la siguiente conducta (omitimos texto no relevante a efectos aduaneros):

Conducta típica - Artículo 305.1 CP
Defraudar a la Hacienda Pública estatal, autonómica, foral o local, por acción u omisión, eludiendo el pago de tributos, obteniendo indebidamente devoluciones o disfrutando beneficios fiscales de la misma forma, siempre que la cuantía de la cuota defraudada, el importe de las devoluciones o beneficios fiscales indebidamente obtenidos o disfrutados exceda de ciento veinte mil euros.
La mera presentación de declaraciones o autoliquidaciones no excluye la defraudación, cuando ésta se acredite por otros hechos.

Obsérvese que las conductas que se recogen en este párrafo deben constituir un fraude a Hacienda Pública estatal, autonómica, foral o local. Cuando se trate de impuestos arancelarios, no obstante, el fraude se comete a la Hacienda de la UE, dado que se trata de recursos propios. Por ello en estos impuestos el tipo relevante es el que se establece en el apartado 3 del artículo 305 CP, que se remite a lo dispuesto en el apartado 1 pero altera la cuantía a partir de la cual se considera perfeccionado el delito, pasando a exigirse que se exceda de cien mil euros en el plazo de un año natural, de manera que el delito se entiende cometido a partir de cantidades sustancialmente inferiores.

Es dudoso que, a estos efectos, se acumulen las cuantías defraudadas en el año natural por tributos distintos (es decir, si se acumula para entender alcanzados los 100.000 euros que exige el tipo lo defraudado por derechos de aduana a la importación, derechos antidumping, derechos compensatorios, derechos en aplicación de la PAC...).

Adicionalmente, el artículo 305.3 CP dispone que, en los casos en los que la defraudación se lleve a cabo en el seno de una organización o grupo criminal, o por personas o entidades que actúen bajo la apariencia de una actividad económica real sin desarrollarla de forma efectiva, el delito será perseguible desde el mismo momento en que se alcance la cantidad que exceda de cien mil euros.

Por otra parte, se dispone en el artículo 305.3 CP que si la cuantía defraudada no superase los cien mil euros, pero excediere de diez mil, se impondrá una pena de prisión de tres meses a un año o multa del tanto al triplo de la citada cuantía y la pérdida de la posibilidad de obtener subvenciones o ayudas públicas y del derecho a gozar de los beneficios o incentivos fiscales o de la Seguridad Social durante el período de seis meses a dos años.

La última modificación del artículo 305.3 CP se ha realizado por la LO 1/2019, que modifica las cuantías. La actual cuantía de cien mil euros se fijaba anteriormente en cincuenta mil euros, en tanto que la actual cuantía de diez mil euros se fijaba en cuatro mil euros.

El tipo del artículo 305.1 CP será relevante a efectos de IVA a la importación e IIEE a la importación. El tipo del artículo 305.3 CP se introdujo para dar cumplimiento a lo dispuesto en el Reglamento (CE, EURATOM) 2988/95 del Consejo de 18 de diciembre de 1995 relativo a la protección de los intereses financieros de las Comunidades Europeas (DO L 312, de 23.12.1995).

Al objeto de entender cumplida la cuantía que determina la comisión del delito, el artículo 305.2 CP distingue entre tributos periódicos —o de declaración periódica— y otros tributos —es decir, los tributos de carácter instantáneo sin declaración periódica—. Para los tributos de declaración periódica (como el IVA a la importación o los IIEE a la importación) se toma la cuantía defraudada en cada período impositivo o de declaración y, si éstos son inferiores a doce meses, el importe de lo defraudado se refiere al año natural.

En este caso sí parece claro que no cabe acumular las cuantías defraudadas por tributos distintos (p.e. cuantías defraudadas por IVA a la importación y cuantías defraudadas por IIEE a la importación).

Por lo que hace a la cuantía, la distinción entre tributos periódicos o instantáneos no es relevante en el marco del artículo 305.3 (es decir, para los impuestos arancelarios), dado que insistamos que este precepto considera que el tipo se perfecciona cuando la cantidad defraudada alcanza el importe de cien mil euros en el año natural (por tanto, no refiere la cuantía a cada hecho imponible o al período impositivo o de declaración, sino al año natural).

Por otro lado, el apartado 4 del artículo 305 CP dispone que la regularización espontánea por el obligado de su situación tributaria exime de la pena prevista en el artículo 305.1 CP, aun cuando se regularicen deudas prescritas. En versiones anteriores de este precepto del CP la doctrina penal mayoritaria consideraba que esta eximente no proyectaba sus efectos sobre el tipo del artículo 305.3 CP, dado que el mismo remite al 305.1 por lo que hace a la conducta que configura el tipo, no respecto a todo su contenido. Ahora bien, la redacción dada al artículo 305.1 por la LO 7/2012 parece que debe alterar esta conclusión, dado que cabe entender que configura la regularización como elemento que impide considerar completado el tipo del delito (el precepto dispone que "será castigado (...), salvo que hubiere regularizado su situación tributaria en los términos del apartado 4 del presente artículo").

La pena aplicable, tanto para la conducta del artículo 305.1 como para la del artículo 305.3, es de prisión de uno a cinco años y multa del tanto al séxtuplo de la cuantía defraudada, salvo que el infractor hubiere regularizado su situación tributaria. Adicionalmente se impondrá al infractor la pérdida de la posibilidad de obtener subvenciones o ayudas públicas y del derecho a gozar de los beneficios o incentivos fiscales o de la Seguridad Social durante el período de tres a seis años.

> Conforme al artículo 305.6 CP el órgano jurisdiccional aplicará una pena inferior en uno o dos grados, siempre que, antes de que transcurran dos meses desde la citación judicial como imputado, el sujeto satisfaga la deuda tributaria y reconozca judicialmente los hechos. Asimismo, se aplicará una pena inferior en uno o dos grados respecto de otros partícipes en el delito distintos del obligado tributario o del autor del delito, cuando colaboren activamente para la obtención de pruebas decisivas para la identificación o captura de otros responsables, para el completo esclarecimiento de los hechos delictivos o para la averiguación del patrimonio del obligado tributario o de otros responsables del delito.
>
> Respecto a la responsabilidad civil, esta comprenderá el importe de la deuda tributaria que la Administración Tributaria no haya liquidado por prescripción u otra causa legal, incluidos sus intereses de demora.

Por lo que hace a la posible concurrencia entre el tipo del artículo 305.3 CP y el tipo del delito de contrabando, la doctrina considera que el delito de contrabando debe aplicarse de forma preferente por su carácter especial. De este modo, el delito del artículo 305.3 CP sólo sería aplicable allí donde no quepa apreciar delito de contrabando.

La reforma de la LGT operada mediante la Ley 34/2015 tiene como una de sus principales novedades que, en caso de apreciarse indicios de delito contra la Hacienda Pública, la Administración podrá continuar la tramitación del procedimiento de liquidación (no así el procedimiento sancionador), sin perjuicio de que se pase el tanto de culpa a la jurisdicción competente o se remita el expediente al Ministerio Fiscal (artículos 250 a 259 LGT). A estos efectos se dictarán dos liquidaciones, una relativa a los elementos de la obligación tributaria vinculados con el posible delito contra la Hacienda Pública y otra relativa a aquellos elementos de la obligación tributaria que no se encuentren vinculados con el posible delito contra la Hacienda Pública.

La liquidación relativa a los elementos de la obligación tributaria vinculados con el posible delito contra la Hacienda Pública no se dictará en tres supuestos:

a) Cuando la tramitación de la liquidación administrativa pueda ocasionar la prescripción del delito. Los plazos de prescripción del delito se regulan en el artículo 131 del Código Penal.

> Este supuesto no rige en materia de impuestos arancelarios, de manera que no impide a la Administración liquidar estos impuestos (artículo 259.2 LGT), pudiendo la Administración pasar el tanto de culpa y liquidar posteriormente (artículo 259.5(a) LGT).

b) Cuando de resultas de la investigación o comprobación, no pudiese determinarse con exactitud el importe de la liquidación o no hubiera sido posible atribuirla a un obligado tributario concreto.

c) Cuando la liquidación administrativa pudiese perjudicar de cualquier forma la investigación o comprobación de la defraudación.

En los casos que acabamos de referir la Administración se abstendrá de iniciar o, en su caso, continuar el procedimiento administrativo de liquidación, que quedará suspendido mientras la autoridad judicial no dicte sentencia firme, tenga lugar el sobreseimiento o el archivo de las actuaciones o se produzca la devolución del expediente por el Ministerio Fiscal.

> En materia de impuestos arancelarios, en cambio, sí podrá liquidarse en el supuesto de la letra (c) tan pronto la autoridad judicial incoe el procedimiento sin secreto para las partes personadas. Se entiende que, si el procedimiento ya se sigue sin secreto para las partes, el hecho de que la Administración liquide ya no podrá perjudicar la investigación o comprobación de la defraudación. Ha de tenerse en cuenta que, en materia aduanera, no rige el plazo de prescripción de 4 años cuyo cómputo se interrumpe —reiniciando el período de los 4 años— con cada actuación, sino que se aplica el plazo máximo absoluto de 10 años que establece el artículo 103.2 CAU. Por ese motivo la LGT intenta adelantar en lo posible en el tiempo la liquidación de los impuestos arancelarios.

Si se hubiera iniciado un procedimiento sancionador, éste se entenderá concluido, en todo caso, en el momento en que se pase el tanto de culpa a la jurisdicción competente o se remita el expediente al Ministerio Fiscal. Todo ello, sin perjuicio de la posibilidad de iniciar un nuevo procedimiento sancionador si finalmente no se apreciara delito y de acuerdo con los hechos que, en su caso, los tribunales hubieran considerado probados.

Por lo demás, véanse las reglas que la LGT establece para los supuestos de liquidación respecto de elementos del hecho imponible vinculados al delito en los artículos 252 (condiciones en las que la regularización voluntaria exime de la responsabilidad penal), 253 (especialidades en la tramitación del procedimiento de inspección en caso de que proceda practicar liquidación), 254 (impugnación de la liquidación), 255 (recaudación de la deuda liquidada en caso de existencia de indicios de delito contra la Hacienda Pública), 256 (causas de oposición frente a las actuaciones de recaudación), 257 (efectos de la resolución judicial sobre la liquidación tributaria) y 258 (responsables). De especial interés en materia de impuestos arancelarios es el artículo 259 LGT, que dispone particularidades cuando la liquidación tiene por objeto estos impuestos.

Siguiendo con los aspectos procedimentales, el artículo 621bis de la Ley de Enjuiciamiento Criminal (LECRIM), introducido por la Ley 34/2015, dispone que, tratándose de delitos contra la Hacienda Pública, la existencia del procedimiento penal no paralizará la actuación administrativa cuando la Administración Tributaria hubiera dictado un acto de liquidación. Por este motivo podrán iniciarse las actuaciones dirigidas al cobro salvo que el Juez, de oficio o a instancia de parte, hubiere acordado mediante auto la suspensión de las actuaciones de ejecución conforme a lo dispuesto en el artículo 305.5 del Código Penal.

RECURSOS

ÍNDICE

31 Recursos

31.1. CUESTIONES GENERALES

En este capítulo examinaremos las vías de oposición o impugnación a las resoluciones administrativas a través de las cuales se aplica el Derecho aduanero. El CAU dedica sus artículos 43 y 44 a esta cuestión. Conforme al artículo 44.1 CAU, cualquier persona tendrá derecho a recurrir una decisión cuando esta le afecte directa e individualmente. Ya vimos que el concepto de 'decisión' se define en el artículo 5.39 CAU como "todo acto de las autoridades aduaneras relativo a la legislación aduanera, mediante el que se pronuncien sobre un caso concreto y que conlleve efectos jurídicos para el interesado". Decisión es, por tanto, equivalente al término 'resolución' en nuestro ordenamiento, con la peculiaridad, que ya señalamos en el capítulo 9, de que la Información Vinculante (arancelaria o sobre origen) tiene la consideración de decisión y es, en consecuencia, un acto recurrible.

El artículo 44.1 CAU dispone también que cabe recurrir frente a la inacción de la Administración, cuando se haya solicitado una decisión a las autoridades pero estas no se hayan pronunciado en plazo (silencio administrativo).

> El plazo para decidir se regula en el artículo 22.3 CAU y, con carácter general, es de 120 días, pudiendo ampliarse por un plazo suplementario de 30 días. También caben prórrogas de este plazo. Nos hemos ocupado de esta cuestión en el capítulo 21.3.2.

Como parece razonable, se dispone que el recurso debe interponerse ante las autoridades del Estado en que se haya adoptado o se haya solicitado la decisión (artículo 44.3 CAU). El CAU contempla dos instancias de recurso. Una primera instancia a ejercer ante las propias autoridades aduaneras (recurso en vía administrativa) o ante una autoridad judicial u otro órgano designado al efecto por el Estado miembro. Y una segunda instancia 'ante un órgano superior independiente, que podrá ser, según las disposiciones vigentes en los Estados miembros, una autoridad judicial o un órgano especializado equivalente".

> En este sentido, en España, como veremos, se establece un primer recurso en vía administrativa (la reclamación económico-administrativa) que, en caso de no resultar exitoso, permite acceder al recurso ante la jurisdicción contencioso-administrativa. Adicionalmente, según expondremos, el interesado puede interponer un recurso de reposición (ante la autoridad que adoptó la resolución que se impugna).

Por lo demás el artículo 44.4 CAU se dirige a asegurar la celeridad de los procedimientos de revisión, ordenando a los Estados miembros que garanticen que los procedimientos de recurso aplicados hagan posible la rápida confirmación o corrección de las decisiones tomadas por las autoridades aduaneras.

El artículo 43 CAU establece que las reglas sobre el derecho de recurso (artículo 44 CAU) y las reglas sobre suspensión de decisiones objeto de recurso (artículo 45 CAU) no son aplicables a los recursos que puedan presentarse para la anulación, revocación o modificación de decisiones relativas a la aplicación de la legislación aduanera adoptadas por una autoridad judicial o por autoridades aduaneras que actúen en calidad de autoridades judiciales. Es decir, que no rigen en materia de procesos jurisdiccionales o procesos asimilados a ellos.

Nos resta el artículo 45 CAU, que dispone que la decisión no se suspende por la interposición de un recurso. Nos referiremos a este precepto en el punto 31.3.3, donde nos referimos a la suspensión.

> El Acuerdo sobre Facilitación del Comercio de la OMC dedica su artículo 4 a los "procedimientos de recuso o revisión". Como notas a destacar de su regulación se establece con carácter general el derecho de recurso (ante una autoridad administrativa y/o ante una autoridad judicial), se establecen los principios de no discriminación y de motivación de las resoluciones y se establece que, ante la falta de resolución en plazo o ante demoras indebidas, debe articularse la posibilidad de requerir una revisión o recurso ulterior.

Por lo que hace al ordenamiento español, debemos comenzar por destacar que en él se dispone que la Administración goza del privilegio de revisar sus propios actos. Por este motivo, previamente a que el interesado pueda impugnar una resolución u otro acto administrativo impugnable ante los órganos jurisdiccionales, debe interponer el preceptivo recurso ante la propia Administración a fin de "agotar" la vía administrativa previa. Un recurso interpuesto ante los órganos jurisdiccionales que no venga precedido del preceptivo recurso en vía administrativa será inadmitido, esto es, será rechazado sin entrar a examinar el contenido de la reclamación.

En materia tributaria el recurso preceptivo u obligatorio a fin de agotar la vía administrativa previa es el que se interpone ante el Tribunal Económico-Administrativo competente. Estos órganos (los TEA) no son propiamente "tribunales" u órganos jurisdiccionales, sino comisiones de técnicos de la propia Administración especializados en la decisión de recursos y que se integran en un órgano separado de aquél que adoptó el acto que se recurre. Pero no debe olvidarse que, por integrarse en la estructura de la propia Administración (están adscritos al Ministerio de Hacienda), se les aplica el criterio de jerarquía que rige para la misma, por mandato del artículo 103.1 de la Constitución española. Eso significa que no son órganos independientes, sino que vienen jurídicamente obligados a acatar las órdenes de sus superiores jerárquicos, bien entendido que dichas órdenes deben someterse a la legalidad vigente.

En materia tributaria (y, con ella, en la materia aduanera) la reclamación económico-administrativa sustituye al recurso de alzada que rige en el resto del sistema administrativo español y que se regula en los artículos 121 y 122 Ley 39/2015 de Procedimiento Administrativo Común de las Administraciones Públicas. En materia tributaria se contempla asimismo un recurso de reposición (que la Ley 39/2015 regula en sus artículos 123 y 124) con regulación propia, análogo en sus caracteres esenciales al que se establece en el ordenamiento administrativo general. Debe tenerse en cuenta que, conforme a la Disposición Adicional 1ª.2(a) de la Ley 39/2015, la revisión de actos en vía administrativa en materia tributaria y aduanera (así como las actuaciones y procedimientos de aplicación de los tributos, en materia tributaria y aduanera) se rige por lo dispuesto en la LGT y sus normas de desarrollo, y solo de forma subsidiaria por lo que disponga la propia Ley 39/2015. Interesa destacar que los recursos en vía administrativa son gratuitos —salvo condena en costas por temeridad o mala fe— y que no se requiere abogado ni procurador para su interposición ni para su tramitación, aunque lo frecuente es ser representado por un asesor.

Las normas aplicables se contienen en los artículos 213 a 248 LGT y en el Real Decreto 520/2005, de 13 de mayo, por el que se aprueba el Reglamento general de desarrollo de la Ley 58/2003, de 17 de diciembre, General Tributaria, en materia de revisión en vía administrativa (en adelante, RR). Analizaremos en este capítulo el recurso de reposición y la reclamación económico-administrativa.

> Por lo demás, recordemos que, conforme a lo dispuesto en la Disposición adicional vigésima LGT, apartado dos, se establecen algunas especialidades respecto de la revisión de las resoluciones en aquellos casos en que la Comisión Europea haya adoptado —o pueda adoptar— una decisión que condicione su contenido, lo que ocurre justamente en materia de condonación y devolución. Estas especialidades (a las que nos hemos referido en el capítulo 28.8) se dirigen a asegurar que no se menoscabe el poder de decisión de la Comisión ni se cuestione la validez de las decisiones de la Comisión por un órgano nacional, dado que sólo el TJUE es competente para invalidar una decisión de la Comisión. De este modo, si el acto ha sido sometido a una Decisión de la Comisión, el órgano revisor nacional competente debe suspender el procedimiento de revisión hasta que recaiga la resolución de la Comisión y adquiera firmeza. Si la Comisión adoptó una Decisión sobre la condonación o devolución, la revisión no puede extenderse al contenido de dicha Decisión. Si el acto de condonación o devolución de que se trate se ha dictado sin someterse a la Decisión de la Comisión y el órgano revisor considera que, conforme a lo dispuesto en la normativa de la Unión Europea, sí hubiera debido hacerlo, debe suspender el procedimiento e instar a la Administración Tributaria para que someta el asunto a la Comisión. Todo ello sin perjuicio de que los interesados puedan interponer los recursos que procedan contra las Decisiones de la Comisión ante las instituciones competentes de la Unión Europea mientras que, por su parte, cabe que los órganos jurisdiccionales

nacionales planteen una cuestión prejudicial ante el TJUE, entre otras circunstancias, cuando consideren que una Decisión de la Comisión es contraria al Derecho de la UE.

31.2. EL RECURSO DE REPOSICIÓN

El recurso de reposición es un recurso potestativo en la medida en que no se exige su interposición para agotar la vía administrativa (el que se exige es la reclamación económico-administrativa), de modo que es voluntario para el interesado. Puede interponerse contra los actos susceptibles de reclamación económico-administrativa (salvo contra la resolución del propio recurso de reposición y contra la resolución de la reclamación económico-administrativa). Otra característica fundamental de este recurso consiste en que se interpone ante y se resuelve por el mismo órgano que dictó el acto que se impugna. Se trata así de darle una nueva oportunidad de reconsiderar la adecuación a derecho de la decisión adoptada, previa a la revisión por los Tribunales Económico-Administrativos. Por este motivo, si se opta por la interposición del recurso de reposición, esta debe realizarse con carácter previo a la reclamación económico-administrativa. Esta última no podrá ser intentada en tanto el recurso de reposición no haya sido resuelto de forma expresa o bien una vez transcurrido el plazo que permite considerarlo desestimado por silencio administrativo (un mes). Si se hubieran interpuesto ambos recursos en el plazo para recurrir (simultaneidad de recursos), se tramitará aquél que se haya presentado en primer lugar, mientras que se declarará inadmisible el segundo.

El plazo para interponer el recurso de reposición es de un mes, contado a partir del día siguiente al de la notificación del acto que se recurre o del siguiente a aquel en que se produzcan los efectos del silencio administrativo. Durante este plazo el interesado puede comparecer ante el órgano administrativo a fin de que se le ponga de manifiesto el expediente para estar en condiciones de formular sus alegaciones. Es importante tener en cuenta que ya no se concederá otra oportunidad en el procedimiento para acceder al expediente (artículo 24 RR).

La interposición del recurso no implica de forma automática la suspensión de la ejecución del acto impugnado. Si el recurrente desea obtenerla deberá aportar una garantía por el importe del acto recurrido, más los intereses de demora que genere la suspensión y los recargos exigibles en caso de ejecución de la garantía.

> A estos efectos, si la garantía consiste en depósito de dinero o valores públicos, los intereses de demora serán los correspondientes a un mes si cubre sólo el recurso de reposición. Si la garantía extiende sus efectos a la vía económico-administrativa, debe cubrir además el plazo de seis meses —si el procedimiento de la reclamación es el abreviado—, de un año —si el procedimiento de la reclamación es el general— o de dos años —si la resolución es susceptible de recurso de alzada ordinario—.

Si el recurso no afecta a la totalidad de la deuda tributaria, la suspensión —y la garantía— se referirá a la parte recurrida, debiendo ingresarse la cantidad restante. La suspensión de la ejecución de sanciones sí es automática sin necesidad de aportar garantía, salvo la correspondiente a las sanciones a las que deben hacer frente los responsables solidarios en los supuestos que prevé el artículo 42.2 LGT. Tampoco se exige garantía cuando se aprecie que el acto recurrido incurre en error aritmético, material o de hecho. Por lo que hace a las garantías admisibles, estas son las siguientes: a) Depósito de dinero o valores públicos; b) Aval o fianza de carácter solidario de entidad de crédito o sociedad de garantía recíproca o certificado de seguro de caución; c) Fianza personal y solidaria de otros contribuyentes de reconocida solvencia para los supuestos que se establezcan en la normativa tributaria. Si, como consecuencia de la resolución del recurso, debe ingresarse total o parcialmente el importe derivado del acto impugnado, con carácter general se liquidará interés de demora por todo el período de suspensión (salvo por lo relativo a sanciones o incumplimiento de plazos por la Administración). La suspensión puede extenderse al resto de la vía económico-administrativa y a la contenciosa.

La solicitud de suspensión debe presentarse ante el órgano que dictó el acto que se impugna, acompañada del documento en que se formalice la garantía aportada (en ausencia de este documento, la solicitud de suspensión se tendrá por no presentada). Si el documento adolece de defectos, estos podrán ser subsanados. Cabe que se solicite la suspensión en un momento posterior del procedimiento, en cuyo caso surtirá efectos desde la solicitud. Si se estima parcialmente el recurso, la garantía prestada para obtener la suspensión quedará afecta al pago de la nueva cantidad resultante. Si se deniega la suspensión podrá formularse reclamación económico-administrativa contra la denegación (artículo 25 RR).

La resolución del recurso de reposición corresponde al órgano que dictó el acto recurrido. Si el acto se dictó por delegación, la resolución del recurso de reposición corresponderá al órgano delegado, salvo que en la delegación se disponga otra cosa. El órgano competente no necesita limitarse a examinar y resolver las cuestiones planteadas por los interesados, sino que en la resolución del recurso puede asimismo examinar y resolver sobre las no planteadas que se deriven del expediente, teniendo siempre presente el límite de la prohibición de *reformatio in peius* (no se puede empeorar la situación inicial del reclamante). Si se decidiera extender el ámbito de las cuestiones examinadas, debe comunicarse a quienes estuvieran personados en el procedimiento, concediéndoles un plazo de 10 días —a contar desde el día siguiente al de notificación de de la apertura de dicho plazo— para que formulen alegaciones.

El plazo máximo para notificar la resolución es de un mes, a contar desde el día siguiente al de presentación del recurso. Si transcurre este plazo sin que se haya notificado resolución expresa se producen dos efectos: 1) si se acordó la suspensión del acto recurrido, dejarán de devengarse intereses de demora; 2) el interesado podrá considerar desestimado el recurso por silencio administrativo, de modo que podrá interponer la reclamación procedente.

Ha de tenerse en cuenta, no obstante, que para el cómputo del plazo de resolución de un mes no se toman en cuenta: a) el período concedido para efectuar alegaciones a los terceros titulares de derechos que pudieran verse afectados; b) el período empleado por otros órganos de la Administración para remitir los datos o informes que se soliciten. Los períodos no computables señalados no pueden exceder de dos meses. Por lo que hace a la posible afección de intereses de terceros, si durante la tramitación del procedimiento se advierte esta circunstancia se les debe notificar la existencia del recurso, ofreciéndoles la oportunidad de que formulen alegaciones en el plazo de 10 días contados a partir del día siguiente al de la notificación.

El órgano competente para resolver no puede abstenerse de hacerlo. Por este motivo, el interesado tiene la opción de esperar a la resolución expresa. Esta debe contener una exposición sucinta de los hechos y los fundamentos jurídicos adecuadamente motivados y contra ella no cabe interponer de nuevo recurso de reposición.

Atendidas sus características, en la práctica el recurso de reposición se utiliza fundamentalmente en dos tipos de situaciones: 1) cuando el acto impugnado padece de un vicio o defecto evidente, o que es fácil poner de relieve con una determinada prueba; 2) cuando se desea ganar tiempo para preparar la reclamación económico-administrativa.

31.3. LA RECLAMACIÓN ECONÓMICO-ADMINISTRATIVA

31.3.1. Caracteres, objeto y sujetos

La reclamación económico-administrativa es el recurso que es necesario agotar en materia tributaria a fin de poder acceder a la interposición de recurso ante la jurisdicción. Son recurribles en vía económico-administrativa los actos de aplicación de los tributos y los de imposición de sanciones tributarias, así como cualquier otro para el que así se establezca por precepto legal expreso (artículos 226 y 227 LGT).

El artículo 227.1 LGT repite la fórmula tradicional conforme a la cual, no sólo son recurribles los actos que provisional o definitivamente reconozcan o denieguen un derecho o declaren una obligación o un deber, sino también los actos de trámite que decidan, directa o indirectamente, el fondo del asunto o pongan término al procedimiento (p.e. un acto de inadmisión o que declare la caducidad). A esta delimitación abstracta sigue una lista ilustrativa de actos impugnables. No cabe reclamación económico-administrativa para la impugnación directa de normas jurídicas, sí en cambio para la impugnación indirecta, que consiste en impugnar la aplicación de la norma a un caso concreto alegando que la norma aplicada es ilegal; en este caso el artículo 245.1(b) LGT dispone la procedencia del procedimiento abreviado cuando el único fundamento de la impugnación sea la inconstitucionalidad o ilegalidad de la norma. Si se alega que la norma de que se trate es contraria al Derecho de la UE, ha de tenerse en cuenta que los TEA no son competentes para plantear cuestión prejudicial. Aunque inicialmente la STJUE *Gabalfrisa* (asuntos acumulados C-110/98 a C-147/98, de 21.03.2000), sí les reconoció esta posibilidad, la posterior STJUE *Banco Santander* (asunto C-274/14, de 21.01.2020) ha decidido que carecen de esta potestad en atención a su falta de independencia. Por ello cabe entender sin efecto el artículo 58bis en el RR (introducido por el RD 1073/2017), que regula las especialidades procedimentales en caso de que se plantee una cuestión prejudicial, con la apertura de un plazo de 15 días de alegaciones para decidir su procedencia y que, en caso de interponerse, suspende el procedimiento hasta que se publique en el DO UE la versión en castellano de la sentencia del TJUE que la resuelva.

Por lo que hace a los TEA, existe un TEA Central (TEAC), con competencia nacional; TEA Regionales —TEAR—, en cada Comunidad Autónoma (en algunas de ellas cuenta con más de una sede, además de una dependencia en cada provincia, si se trata de Comunidades Autónomas pluriprovinciales, y dependencias locales en ciertas ciudades); y TEA locales —TEAL— en Ceuta y Melilla (véase el artículo 228 LGT y 28 RR).

> Tanto el TEAC como los diferentes TEAR pueden funcionar en pleno (que integra al presidente, secretario general y todos los vocales) como en salas (formadas por un presidente, uno o más vocales y el secretario general) o de forma unipersonal. Las reglas de funcionamiento (incluido el nombramiento de los miembros) se desarrollan en los artículos 29 a 34 RR. Interesa destacar que el contenido de las sesiones de los órganos colegiados se reflejará en actas. En el TEAC funcionará una Sala Especial para Unificación de Doctrina.

Con carácter general, la competencia para conocer los asuntos corresponde al TEAR o TEAL del territorio en el que se localice el órgano que haya dictado el acto impugnado, en tanto que al TEAC corresponde la competencia para el "recurso de alzada ordinario" —impugnación de la resolución recaída en la primera instancia de la reclamación económico-administrativa— cuando el asunto tenga una cuantía superior a 150.000 euros o de 1.800.000 euros si se trata de reclamaciones contra bases o valoraciones o sea un asunto de cuantía indeterminada (artículo 229 LGT, artículos 35 y 36 RR). Debe subrayarse que el "recurso de alzada ordinario" es necesario para agotar la vía administrativa previa a la jurisdiccional. Para evitar una doble instancia administrativa se establece que, cuando atendida la cuantía del asunto deba formularse el "recurso ordinario de alzada", el interesado puede optar por interponerlo directamente y saltarse la primera instancia ante el TEAR o TEAL.

> El criterio general de reparto señalado se completa con una serie de reglas adicionales. En primer lugar, el TEAC es competente en única instancia respecto de reclamaciones frente a actos dictados por los órganos centrales de los Ministerios, de la AEAT y de las entidades de derecho público vinculadas o dependientes de la Administración General del Estado. También es competente en única instancia cuando se interponga directamente el "recurso ordinario de alzada". Si, por el contrario, se interpone reclamación ante el TEAR o TEAL y debe interponerse el "recurso ordinario de alzada" para agotar la vía administrativa, el TEAC conocerá en segunda instancia del asunto. También le competen los recursos extraordinarios de revisión y la rectificación de errores en que incurra en sus propias resoluciones.
> Por lo que hace a las reglas de determinación de la cuantía de la reclamación, conforme al artículo 35 RR, será el importe del acto o actuación objeto de reclamación. Si se impugna una base imponible o un acto de valoración y no se ha dictado una liquidación, la cuantía de la reclamación será el importe de aquellos. Si el acto impugnado incluye varias deudas, bases,

valoraciones o actos de otra naturaleza, se tomará la de mayor importe y no la suma de los que se consignen en un mismo documento. Si se impugna, se considerará de cuantía indeterminada. Se consideran de cuantía indeterminada los actos que no contengan o no se refieran a una cuantificación económica y las sanciones no pecuniarias. También se consideran de cuantía indeterminada los actos que contengan varios pronunciamientos y sólo alguno de ellos contenga o se refiera a una cuantificación económica. Por lo demás, el apartado 1 del artículo 35 contiene algunos supuestos para los que se dispone su propio criterio de cuantificación (actos por los que se minore o deniegue una devolución o compensación; actos por los que se disminuyan las bases imponibles negativas declaradas; diligencias de embargo; acuerdos de derivación de responsabilidad; sanciones; resoluciones relativas a solicitudes de devolución de ingresos indebidos, rectificación o compensación; sobre componentes de la deuda tributaria).

La legitimación para interponer la reclamación se reconoce a favor de los obligados tributarios y los sujetos infractores, así como a cualquier persona cuyos intereses legítimos resulten afectados por el acto o la actuación tributaria (artículo 232 LGT).

No gozan de legitimación: a) Los funcionarios y empleados públicos, salvo en los casos en que inmediata y directamente se vulnere un derecho que en particular les esté reconocido o resulten afectados sus intereses legítimos; b) Los particulares, cuando obren por delegación de la Administración o como agentes o mandatarios de ella; c) Los denunciantes; d) Los que asuman obligaciones tributarias en virtud de pacto o contrato; e) Los organismos u órganos que hayan dictado el acto impugnado, así como cualquier otra entidad por el mero hecho de ser destinataria de los fondos gestionados mediante dicho acto.

Debe señalarse que, a lo largo de la LGT se reconoce la legitimación a favor de otros sujetos (véanse, p.e. los artículos 241.3, 244.2, 242.1 o 243.1 LGT).

En el ordenamiento de la UE, el artículo 44 CAU reconoce la legitimación a quienes estén directa e individualmente afectados por una decisión. Se trata de un criterio de legitimación más estricto que el de la legislación española (que la predica de quienes ostenten un interés legítimo, que puede no ser directo ni personal). Ahora bien, estimamos que debe prevalecer el criterio de legitimación de la normativa española porque consideramos que el propósito del CAU al regular la revisión de actos en los artículos 43 a 45 consiste en establecer un sistema de garantías mínimo en esta materia, que entendemos puede ser mejorado por las legislaciones nacionales (en este sentido, véanse los Considerandos 26 y 27 que preceden al texto articulado del CAU).

Si se actúa a través de representante, deberá aportarse el documento que acredite la representación junto al primer escrito que no aparezca firmado por el interesado. De no aportarse la acreditación de la representación no se dará curso al escrito. Si se aporta acreditación, pero se aprecia falta o insuficiencia en el poder conferido, el escrito se tendrá por presentado siempre que se subsane el poder o el legitimado ratifique las actuaciones realizadas en su nombre.

Además de los legitimados, en el procedimiento ya iniciado puede intervenir cualquier tercero que sea titular de derechos o intereses legítimos que puedan resultar afectados por la resolución. De advertirse en el curso del procedimiento que puede haber terceros afectados se les notificará la existencia de la reclamación para que formulen alegaciones. La intervención de terceros no puede determinar en ningún caso que la tramitación haya de retrotraerse.

31.3.2. Procedimiento

El artículo 234 LGT dispone una serie de normas generales aplicables a todo tipo de reclamación económico-administrativa. Entre los caracteres que allí se establecen figura la impulsión de oficio del procedimiento, sin que quepa la prórroga de los plazos. Se dispone la notificación de todos los actos y resoluciones que afecten a los interesados o pongan término en cualquier instancia a una reclamación económico-administrativa, con indicación acerca de si el acto o resolución es o no definitivo en vía económico-administrativa y, en su caso, los recursos que procedan, órgano ante el que hubieran de presentarse y plazo para interponerlos. La notificación se hará por medios electrónicos de forma obligatoria para los interesados cuando sea asimismo obligatorio interponer el recurso por medios electrónicos, lo que a su vez es obligatorio cuando los reclamantes estén obligados a recibir por medios electrónicos las comunicaciones y notificaciones (artículo 234.4 LGT, por remisión al artículo 235.5 LGT). Por otro lado, se establece la gratuidad del procedimiento económico-administrativo, si bien cabe la condena en costas si se aprecia temeridad o mala fe (véase el artículo 51 RR). La representación voluntaria se tendrá por acreditada (de modo que no hace falta aportar documento acreditativo de la representación) cuando hubiera sido ya previamente admitida por la AEAT en el marco del procedimiento en el que se dictó el acto impugnado.

Iniciación. – El procedimiento se inicia mediante la presentación de la reclamación, que debe realizarse en el plazo de un mes a contar desde el día siguiente al de la notificación del acto impugnado o desde el día siguiente a aquél en que se produzcan los efectos del silencio administrativo. El escrito de interposición puede limitarse a solicitar que se tenga por interpuesta sin incluir las alegaciones. Debe, en todo caso, identificar al reclamante, el acto o actuación contra el que se reclama, el domicilio para notificaciones y el tribunal ante el que se interpone. También es posible incluir las alegaciones en este escrito de iniciación (artículo 235 LGT). Cualquier defecto u omisión debe advertirse al interesado para darle oportunidad de que lo subsane (artículos 54 y 2.2 RR). El escrito no se presenta al TEA, sino ante el órgano que dictó el acto que se impugna, pues debe tenerse en cuenta que este órgano debe remitir el expediente al TEA. Para esta remisión dispone de un plazo de un mes y, en caso de incumplimiento, al interesado le bastará presentar copia sellada de su escrito de presentación ante el TEA para que se tramite su reclamación.

Durante el plazo de un mes de que dispone el órgano que dictó el acto impugnado para remitir el escrito de presentación del recurso y el expediente, la LGT ofrece la oportunidad a este órgano de reconsiderar su decisión cuando el escrito de interposición incorpore las alegaciones, anulando total o parcialmente el acto impugnado, lo que la doctrina ha denominado un "recurso de reposición impropio" (artículo 235.3 LGT, desarrollado por el artículo 52 RR). En este caso se debe remitir al TEA el nuevo acto dictado junto con el escrito de interposición. Si se anula el acto impugnado se notificará al interesado, que dispondrá de 15 días para manifestar al TEA su conformidad o disconformidad —en cuyo caso se mantendrá la reclamación—, teniéndosele por desistido si no se pronuncia en ese plazo. Si se anula el acto impugnado pero se dicta uno nuevo en sustitución del mismo, se entenderá que la reclamación se dirige contra el acuerdo de anulación y contra el segundo acto, salvo desistimiento expreso del interesado. Si se anula parcialmente el acto, se entenderá que la reclamación se dirige contra el acuerdo de anulación y contra la parte subsistente del acto, salvo desistimiento expreso del interesado.

Instrucción.– Una vez recibido el expediente, el TEA lo pondrá de manifiesto por un plazo de un mes a los interesados si no hubieran interpuesto las alegaciones en el escrito de interposición o bien si las hubieran formulado pero con solicitud expresa de este trámite. El interesado puede solicitar copias certificadas de los documentos del expediente (artículo 48 RR). En este plazo de un mes deben formularse las alegaciones y aportarse las pruebas que se estimen convenientes. El TEA podrá pedir un informe al órgano que dictó el acto impugnado, del cual debe darse traslado al reclamante para que pueda presentar alegaciones al mismo.

Por lo que hace a las pruebas, tanto las testificales como las periciales y las consistentes en declaración de parte pueden realizarse mediante acta notarial o ante el secretario del tribunal (o funcionario en quien delegue), que extenderá el acta correspondiente. No cabe denegar la práctica de pruebas relativas a hechos relevantes, debiendo la resolución enumerar las no pertinentes y decidir sobre las no practicadas. Podrá el TEA ordenar la práctica de pruebas de oficio (artículo 57.3 RR), en cuyo caso debe ofrecer al recurrente la oportunidad de alegar sobre ellas por un plazo de 10 días.

Durante la instrucción pueden plantearse cuestiones incidentales (las que se refieren a elementos que, sin constituir el fondo del asunto, estén relacionadas con el mismo o con la validez del procedimiento y cuya resolución sea requisito previo y necesario para la tramitación de la reclamación). Estas cuestiones incidentales pueden resolverse de forma unipersonal y no cabrá recurso independiente contra su resolución, sino contra la que ponga fin al procedimiento.

En cuanto a la extensión de la revisión, el artículo 237 LGT dispone que el órgano competente para resolver no queda limitado por las cuestiones suscitadas por el reclamante, sino que podrá examinar todas las cuestiones de hecho y de derecho que ofrezca el expediente, con el límite de la *reformatio in peius*. En caso de decidir analizar cuestiones no planteadas por los interesados debe exponérselas y ofrecerles la oportunidad de formular alegaciones por un plazo de 10 días (artículo 59 RR). Por otro lado, el TEA no podrá plantear una cuestión prejudicial ante el TJUE a fin de que éste aclare la correcta interpretación de una norma de la UE (STJUE *Banco Santander*, asunto C-274/14, de 21.01.2020), por lo que queda sin efecto lo previsto en los artículos 237.3 LGT y 58bis RR en relación a la suspensión del procedimiento hasta que se reciba la resolución que resuelva la cuestión prejudicial.

Terminación. – El procedimiento puede finalizar: a) por renuncia a su derecho por parte del reclamante; b) por desistimiento de la petición o instancia; c) por caducidad de la instancia; d) por satisfacción extraprocesal; y e) mediante resolución. En los casos distintos de la resolución, el TEA acordará motivadamente el archivo de actuaciones (artículo 238 LGT).

El TEA tiene la obligación de dictar la resolución que pone fin al procedimiento, que debe decidir todas las cuestiones que se susciten en el expediente, hayan sido o no planteadas por los interesados. Por su contenido, la resolución puede ser estimatoria, desestimatoria o de inadmisibilidad. Si es estimatoria anulará total o parcialmente el acto impugnado por razones de fondo o por defectos de forma. Si los defectos formales han disminuido las posibilidades de defensa del reclamante, se producirá la anulación del acto en la parte afectada y se ordenará la retroacción de las actuaciones al momento en que se produjo el defecto formal.

> La inadmisibilidad (es decir, la negativa a entrar a conocer el fondo de la reclamación) se declarará en los siguientes supuestos: a) Cuando se impugnen actos o resoluciones no susceptibles de reclamación o recurso en vía económico-administrativa; b) Cuando la reclamación se haya presentado fuera de plazo; c) Cuando falte la identificación del acto o actuación contra el que se reclama; d) Cuando la petición contenida en el escrito de interposición no guarde relación con el acto o actuación recurrido; e) Cuando concurran defectos de legitimación o de representación; f) Cuando exista un acto firme y consentido que sea el fundamento exclusivo del acto objeto de la reclamación, cuando se recurra contra actos que reproduzcan otros anteriores definitivos y firmes o contra actos que sean confirmatorios de otros consentidos, así como cuando exista cosa juzgada (artículo 239.4 LGT).

El plazo de resolución, en cualquiera de las instancias, es de un año contado desde la interposición de la reclamación, sin que computen las dilaciones imputables al interesado. Transcurrido este plazo sin que se notifique la resolución, el interesado podrá considerar desestimada por silencio su reclamación, abriéndose el plazo para interponer el recurso procedente, o bien esperar a la resolución expresa, que el TEA tiene obligación de dictar en todo caso. Si se solicitó la suspensión del acto dejarán de devengarse intereses de demora. Si se resuelve expresamente, al día siguiente al de su notificación comienzan a correr los plazos para recurrir (artículo 240 LGT).

Cabe interponer ante el propio TEA —en su caso, con carácter previo al recurso de alzada ordinario— recurso de anulación en el plazo de 15 días. Los motivos de este recurso están tasados (artículo 239.6 LGT).

> Los motivos tasados (también para solicitar la anulación del acuerdo de archivo de actuaciones) son los siguientes: a) Cuando se haya declarado incorrectamente la inadmisibilidad de la reclamación; b) Cuando se hayan declarado inexistentes las alegaciones o pruebas oportunamente presentadas; y c) Cuando se alegue la existencia de incongruencia completa y manifiesta de la resolución.
>
> Por lo que hace al procedimiento de este recurso de anulación de la resolución de la reclamación, se dispone que el escrito de interposición debe incluir las alegaciones y acompañarse de las pruebas pertinentes. El TEA resolverá sin más trámite en el plazo de un mes, debiendo entenderse desestimado por silencio en otro caso.

Dictada la resolución se abre la fase de ejecución de la misma, que se regula en los artículos 66 a 69 RR. La resolución debe ejecutarse en sus propios términos, salvo que se mantenga la suspensión a efectos de otros recursos. Serán de aplicación las normas sobre transmisibilidad, conversión de actos viciados, conservación de actos y trámites y convalidación previstas en las disposiciones generales de derecho administrativo. Dependiendo del sentido de la resolución, se adoptarán las medidas siguientes:

- Si la resolución decide anular total o parcialmente el acto impugnado, se conservarán los actos y trámites no afectados por la causa de anulación, se anularán los actos subsiguientes, se devolverán las garantías aportadas para la suspensión y, si se habían realizado ingresos, se procederá a su compensación conforme a lo dispuesto en el artículo 73.1 LGT.

- Si se anula por defecto de forma, se retrotraerán las actuaciones.

- Si desestima, se continuará el procedimiento de recaudación y se exigirán intereses de demora desde el final del período voluntario de pago hasta la fecha de ingreso o de resolución.

Los intereses de demora se exigirán si, anulada una liquidación, se dicta una nueva que la sustituya, calculados sobre el importe de la nueva (artículo 26.5 LGT).

> Por lo demás, véanse las reglas sobre intereses de demora del artículo 66.6 RR. El artículo 67 RR dispone la reducción proporcional de la garantía aportada cuando la resolución estime parcialmente la reclamación.

El interesado puede solicitar, en el plazo de un mes a contar desde el día siguiente al de la notificación de la resolución, la extensión de sus efectos a todos los actos, actuaciones u omisiones posteriores a la interposición de la reclamación que sean idénticos al impugnado y no sean firmes en vía administrativa. A estos efectos debe acompañarse la documentación en la que consten aquellos. El TEA que haya resuelto decidirá sobre la extensión de la resolución (artículo 69 RR).

La resolución por la que se desestime, total o parcialmente, una reclamación económico-administrativa, puede ser recurrida ante la jurisdicción contencioso-administrativa. La regulación del proceso en esta jurisdicción se regula en la Ley 29/1998, de 13 de julio, reguladora de la Jurisdicción Contencioso-administrativa (BOE 14.07.1998).

31.3.3. La suspensión de la ejecución

La impugnación de un acto no suspende su ejecución, es decir, el procedimiento que se dirige a hacerlo efectivo, el cual puede avanzar en paralelo al procedimiento en que se decide su legalidad.

Esta es justamente la regla que se establece en el artículo 45 CAU, conforme al cual la interposición de un recurso no suspende la ejecución de la 'decisión' impugnada. Se contempla, no obstante, la posibilidad de que las autoridades ordenen la suspensión, total o parcial, de la ejecución en dos supuestos. El primero es el que se produce cuando tengan razones fundadas para dudar de la legalidad de la decisión impugnada. El segundo, cuando tengan razones fundadas para temer un daño irreparable para el interesado. El apartado tercero del artículo 45 CAU se refiere específicamente a la suspensión de la ejecución de decisiones relativas a la aplicación de derechos de importación o de exportación. En este caso particular se dispone que la suspensión se supeditará a la constitución de una garantía, requisito del cual las autoridades podrán eximir cuando pudiera provocar graves dificultades de índole económica o social, debido a la situación del deudor.

> Interesa subrayar que el apartado 3 del artículo 45 CAU no configura un nuevo supuesto de suspensión, sino que se dirige a fijar un requisito adicional cuando, produciéndose uno de los dos supuestos aludidos de suspensión de la ejecución, se encuentran implicados derechos de importación o exportación. Esta conclusión resulta claramente de la literalidad del precepto, que comienza diciendo "En los casos mencionados en el apartado 2 (...)". Por tanto los casos de suspensión son dos (dudas acerca de la legalidad del acto y temor a un daño irreparable al deudor) y, cuando una decisión relativa a la aplicación de derechos se encuentre en uno de esos dos casos, se establece un requisito adicional cual es el de prestar garantía. Dicho de otro modo, la prestación de garantía no permite obtener en todo caso la suspensión de la ejecución de una decisión relativa a la aplicación de derechos, sino que es necesario que, o bien las autoridades tengan dudas acerca de la legalidad del acto o bien teman un daño irreparable al deudor. Ahora bien, entendemos que la voluntad del CAU en los artículos 43 a 45 consiste en establecer un sistema de garantías mínimo en materia de revisión de los actos, que puede ser mejorado por las legislaciones nacionales. Por ello entendemos que no se opone al CAU un ordenamiento que, en materia de suspensión de la ejecución, la conceda en supuestos de iliquidez del deudor.

En el ordenamiento español, con carácter general, la suspensión del acto impugnado se sujeta a la prestación de una garantía que cubra su importe, los intereses de demora que se generen durante la suspensión y los recargos que fueran exigibles. El artículo 233 LGT distingue, en materia de suspensión, diversos supuestos:

- Si se trata de sanciones, la suspensión es automática y sin garantía (233.1). Tampoco se exige garantía cuando se aprecie que el acto impugnado ha podido incurrir en error aritmético, material o de hecho (233.5).

  Sí se exige garantía respecto de las sanciones a las que deban hacer frente los responsables solidarios del artículo 42.2 LGT (artículo 39.3 RR).

- La suspensión será automática si se ofrecen determinados tipos de garantía (233.2)

  Se trata de las siguientes: a) Depósito de dinero o valores públicos; b) Aval o fianza de carácter solidario de entidad de crédito o sociedad de garantía recíproca o certificado de seguro de caución; c) Fianza personal y solidaria de otros contribuyentes de reconocida solvencia para los supuestos que se establezcan en la normativa tributaria. Véase el artículo 43 RR respecto del régimen de suspensión automática.

- Si no se pueden aportar las referidas garantías, la suspensión queda supeditada a que las que se ofrezcan se aprecien como suficientes (233.3; véanse también los artículos 44 y 45 RR; si se acepta, la garantía debe constituirse en el plazo de dos meses).

- El TEA podrá acordar la dispensa total o parcial de garantías cuando dicha ejecución pudiera causar perjuicios de difícil o imposible reparación (233.4; véanse también los artículos 46 y 47 RR).

  Por lo demás, el TEA puede modificar la resolución sobre la suspensión en tres circunstancias: 1) cuando aprecie que no se mantienen las condiciones que la motivaron; 2) cuando las garantías aportadas hubieran perdido valor o efectividad, o 3) cuando conozca de la existencia de otros bienes o derechos susceptibles de ser entregados en garantía que no hubieran sido conocidos en el momento de dictarse la resolución sobre la suspensión. El TEA deberá notificar la modificación al interesado para que pueda alegar lo que convenga a su derecho en el plazo de 10 días. Contra la resolución adoptada al respecto podrá interponerse un incidente en la reclamación económico-administrativa relativa al acto cuya suspensión se solicita, sin que la resolución del incidente pueda ser recurrida.

- Si la reclamación no afecta a la totalidad de la deuda tributaria, la suspensión se referirá a la parte reclamada, debiendo ingresarse el resto (233.6).

- Si el acto impugnado no tiene por objeto una deuda tributaria o cantidad líquida, el TEA podrá suspender la ejecución a solicitud del interesado si este justifica que la ejecución pudiera causar perjuicios de imposible o difícil reparación (233.10).

- La ejecución del acto o resolución impugnado mediante recurso extraordinario de revisión no podrá suspenderse en ningún caso (233.11).

Si se acordó la suspensión respecto del recurso de reposición se podrá mantener en la vía económico-administrativa. Por otro lado, la suspensión acordada se mantendrá durante la tramitación del procedimiento económico-administrativo en todas sus instancias. Asimismo la suspensión puede extenderse hasta que se decida la relativa al recurso contencioso-administrativo, siempre que la garantía aportada conserve su vigencia y eficacia (si el acto impugnado es la imposición de una sanción la suspensión se mantiene, sin garantía, hasta que el órgano jurisdiccional decida al respecto).

La suspensión debe solicitarse al interponer la reclamación económico-administrativa. También puede solicitarse en un momento posterior ante el órgano que dictó el acto impugnado. A la solicitud debe acompañarse el documento en el que se formalice la garantía, cuando deba prestarse, o bien los motivos por los que solicita dispensa de garantía o la aportación de formas de garantía alternativas (artículo 40 RR). Con carácter general los acuerdos sobre suspensión competen al órgano de recaudación, salvo cuando se solicita dispensa de garantía, en cuyo caso compete al TEA.

Si se concede, la suspensión tendrá efectos desde la fecha de la solicitud. Si se deniega, cabe plantear un incidente ante el TEA, contra cuya decisión no cabe recurso.

Si la reclamación económico-administrativa se desestima en todo o en parte y resultara alguna cantidad a ingresar, se devengarán intereses de demora por todo el período de suspensión, salvo si se resuelve fuera de los plazos establecidos, por el tiempo excedido.

Si se estima total o parcialmente la reclamación, procederá la devolución del coste de las garantías aportadas, en su caso (artículo 33 LGT). Los artículos 72 a 79 RR se refieren a esta cuestión, disponiendo que el interesado debe instar un procedimiento en que se reconozca su derecho a la devolución, que tiene un plazo de resolución de seis meses.

31.3.4. Procedimiento abreviado

El procedimiento abreviado se establece, en única instancia, para aquellos asuntos cuya cuantía quede por debajo de 6.000 euros (o de 72.000 euros, si se impugnan bases o valoraciones; artículos 245.1 LGT y 64 RR). En estos asuntos los TEA podrán actuar de forma unipersonal, con lo que se persigue acelerar, simplificar y agilizar la resolución de los asuntos de menor importe. La regulación del procedimiento abreviado, en lo no previsto expresamente, seguirá las normas del procedimiento normal de las reclamaciones económico-administrativas.

El procedimiento se inicia mediante un escrito en el que, junto a los datos del acto, del reclamante y del TEA al que se dirige, deben figurar las alegaciones, copia del acto recurrido y las pruebas que se estimen convenientes. En el plazo de interposición el interesado podrá comparecer ante el órgano que dictó el acto que se impugna a fin de que se le ponga de manifiesto el expediente, a los efectos de preparar su recurso. El escrito se presenta ante el órgano que dictó el acto impugnado, que se encargará de remitirlo al TEA y que, al igual que hemos señalado para el procedimiento normal, podrá aprovechar este trámite para modificar o anular el acto o dictar uno nuevo (artículo 246 LGT). Dado que no se especifica plazo de interposición, debe entenderse que se aplica el general de un mes.

El TEA puede resolver, aun antes de recibir el expediente, si en la documentación aportada por el interesado ya se acreditan todos los datos necesarios. El plazo máximo para notificar la resolución es de seis meses, desde la interposición. Transcurrido ese plazo el interesado podrá considerar desestimada la reclamación por silencio administrativo al objeto de interponer el recurso procedente, o esperar a la resolución expresa que debe producirse en todo caso. Dejarán de devengarse intereses de demora.

Contra la resolución no podrá interponerse recurso de alzada ordinario, aunque sí los extraordinarios de alzada y de revisión.

31.3.5. Recurso ordinario de alzada

En las reclamaciones por importe superior a 150.000 euros o de 1.800.000 euros, si se trata de reclamaciones contra bases o valoraciones, o cuando sea un asunto de cuantía indeterminada, debe interponerse el recurso ordinario de alzada, regulado en el artículo 241 LGT. Este recurso puede interponerse directamente contra la resolución impugnada (omitiendo la primera instancia) o bien como segunda instancia, contra la resolución que resuelve en primera instancia la reclamación económico-administrativa. En este recurso se revisarán tanto el fondo del asunto como las decisiones del órgano de primera instancia, en su caso, que le hayan puesto fin o impidan su continuación.

El plazo de interposición del recurso es de un mes y, por lo demás, presenta dos particularidades respecto del procedimiento general económico-administrativo. La primera estriba en que el escrito de interposición debe contener las alegaciones y a él se adjuntarán las pruebas oportunas, resultando admisibles únicamente las que no hayan podido aportarse en primera instancia.

Por lo que hace a los legitimados para interponer el recurso, el artículo 241 LGT, junto a los interesados, relaciona a los Directores Generales del Ministerio de Economía y Hacienda y los Directores de Departamento de la AEAT en las materias de su competencia, así como los órganos equivalentes o asimilados de las Comunidades Autónomas y de las Ciudades con Estatuto de Autonomía en materia de su competencia.

La segunda particularidad consiste en que, cuando sea la Administración quien recurra, en el escrito de interposición puede solicitar la suspensión de la resolución impugnada (es decir, la resolución favorable al interesado), que habrá de basarse en la existencia de indicios racionales de que el cobro de la deuda que finalmente pudiese resultar exigible se podría ver frustrado o gravemente dificultado, no siendo necesaria la aportación de garantía. La suspensión determinará que no se devuelvan las cantidades que se hubieran ingresado ni se libere la garantía que se hubiera prestado en la primera instancia de la reclamación económico-administrativa.

La resolución que dicte el TEAC, que dispone para ello del plazo de un año, confirmará o revocará la dictada en primera instancia.

31.3.6. *Recurso de anulación*

El recurso de anulación se puede interponer contra las resoluciones de las reclamaciones económico-administrativas (salvo aquella que pone fin a este procedimiento ni frente a la resolución del recurso extraordinario de revisión) o contra el acuerdo de archivo de actuaciones (artículo 241 bis LGT). Se fija un plazo de 15 días para interponerlo, ante el tribunal que hubiera dictado la resolución que se impugna. Los motivos en los que sustentar este recurso están tasados y son los tres siguientes:

a) Cuando se haya declarado incorrectamente la inadmisibilidad de la reclamación.

b) Cuando se hayan declarado inexistentes las alegaciones o pruebas oportunamente presentadas en la vía económico administrativa.

c) Cuando se alegue la existencia de incongruencia completa y manifiesta de la resolución.

El escrito de interposición debe incluir las alegaciones y debe acompañarse de las pruebas pertinentes. El tribunal resolverá sin más trámite en el plazo de un mes, entendiéndose desestimado en caso contrario.

La interposición del recurso de anulación suspende el plazo para la interposición del recurso ordinario de alzada, en su caso, cuyo cómputo se iniciará de nuevo el día siguiente al de la notificación de la resolución desestimatoria del recurso de anulación o el día siguiente a aquel en que se entienda desestimado por silencio administrativo. Si se resuelve estimar el recurso de anulación, el recurso ordinario de alzada, en su caso, se interpondrá contra esta resolución. Si, por el contrario, se resuelve desestimar el recurso de anulación, el recurso que se interponga servirá para impugnar tanto esta resolución como la dictada antes por el tribunal económico-administrativo objeto del recurso de anulación.

31.3.7. Recurso contra la ejecución

La Ley 34/2015 incorporó en la LGT el recurso contra la ejecución, que procede cuando el interesado esté disconforme con los actos dictados como consecuencia de la ejecución de una resolución económico-administrativa. No cabe interponer recurso de reposición previo al recurso contra la ejecución. El plazo de interposición será de un mes a contar desde el día siguiente al de la notificación del acto impugnado, siendo competente para conocer de este recurso el órgano del Tribunal que hubiera dictado la resolución que se ejecuta.

Con carácter general, este recurso sigue la tramitación prevista para el procedimiento abreviado.

> Se establece una salvedad, cuando la resolución económico-administrativa hubiera ordenado la retroacción de actuaciones, en cuyo caso se seguirá la tramitación por el procedimiento abreviado o por el general que proceda según la cuantía de la reclamación inicial. El procedimiento aplicable determinará el plazo en el que haya de ser resuelto el recurso.

No se admite la suspensión del acto recurrido, salvo que se planteen cuestiones nuevas respecto a la resolución económico-administrativa que se ejecuta. El recurso será inadmitido respecto de aquellas cuestiones que se planteen sobre temas ya decididos por la resolución que se ejecuta, sobre temas que hubieran podido ser planteados en la reclamación cuya resolución se ejecuta o en los supuestos de inadmisibilidad del procedimiento de reclamación económico-administrativa en única o primera instancia (se regulan en el artículo 239.4 LGT).

31.3.8. Recursos extraordinarios de alzada

Dos son los recursos extraordinarios de alzada que regula la LGT: el recurso extraordinario de alzada para la unificación de criterio (artículo 242 LGT) y el recurso extraordinario de alzada para la unificación de doctrina (artículo 243 LGT).

Respecto al primero de ellos, se dispone que podrán interponerlo los Directores Generales del Ministerio de Economía y Hacienda y los Directores de Departamento de la AEAT, así como los órganos equivalentes o asimilados de las Comunidades Autónomas y de las Ciudades con Estatuto de Autonomía respecto a las materias de su competencia, cuando estimen que concurre alguna de las siguientes circunstancias: a) consideren gravemente dañosas y erróneas las resoluciones dictadas por los TEAR o TEAL que no sean susceptibles de recurso de alzada ordinario; o b) cuando apliquen criterios distintos a los empleados por otros TEA. Cuando los TEAR o TEAL se aparten de una doctrina anterior deberán hacerlo constar expresamente en las resoluciones.

> A este respecto debe tenerse en cuenta que, conforme a lo dispuesto en el artículo 239.8 LGT, la doctrina que de modo reiterado establezca el TEAC vinculará a los TEAR y TEAL. A estos efectos, el TEAC recogerá de forma expresa en sus resoluciones y acuerdos que se trata de doctrina reiterada y procederá a publicarlas. Paralelamente, en cada TEA, el criterio sentado por su Pleno vinculará a las Salas y el de ambos a los órganos unipersonales. Las resoluciones y los actos de la Administración tributaria que se fundamenten en la doctrina establecida de este modo lo harán constar expresamente.

El plazo para interponer el recurso es de tres meses, desde el día siguiente al de la notificación de la resolución. Si no hubiera sido notificada a los legitimados, el plazo de tres meses contará desde el momento en que tengan conocimiento del contenido esencial de la misma por cualquier medio. A estos efectos debe acompañarse al escrito de interposición el documento acreditativo de la notificación recibida o, en su caso, del conocimiento del contenido esencial de la resolución. El plazo de resolución es de tres meses.

Por lo que hace al *recurso extraordinario de alzada para la unificación de doctrina*, su finalidad es la misma que la del anterior y su peculiaridad estriba en que procede contra resoluciones del propio TEAC. Legitimado para interponer el recurso está únicamente el Director General de Tributos. La competencia para resolverlo corresponde a la Sala Especial para Unificación de Doctrina, que está integrada por el Presidente, Secretario General y dos vocales del TEAC, el Director General de Tributos, el de la AEAT, el Director del Departamento de la AEAT que dictó el acto impugnado y el Presidente del Consejo de Defensa del Contribuyente.

El plazo de interposición del recurso es de tres meses (artículo 61.4 RR). El plazo de resolución es de seis meses. Al igual que en el caso anterior, la resolución se dirige exclusivamente a unificar la doctrina aplicable y, por este motivo, no produce efecto sobre la situación jurídica particular derivada de la resolución recurrida. Los criterios establecidos en las resoluciones de estos recursos son asimismo vinculantes para los TEA y para el resto de la Administración tributaria del Estado.

31.3.9. Recurso extraordinario de revisión

El recurso extraordinario de revisión se regula en el artículo 244 LGT como medio extraordinario para revisar actos firmes cuando estos padecen determinados vicios o defectos.

> La procedencia del recurso se sujeta a la concurrencia de alguna de las siguientes circunstancias: a) Que aparezcan documentos de valor esencial para la decisión del asunto que fueran posteriores al acto o resolución recurridos o de imposible aportación al tiempo de dictarse los mismos y que evidencien el error cometido; b) Que al dictar el acto o la resolución hayan influido esencialmente documentos o testimonios declarados falsos por sentencia judicial firme anterior o posterior a aquella resolución; c) Que el acto o la resolución se hubiese dictado como consecuencia de prevaricación, cohecho, violencia, maquinación fraudulenta u otra conducta punible y se haya declarado así en virtud de sentencia judicial firme. El recurso se inadmitirá si se alegan circunstancias distintas a las referidas.

El recurso lo pueden interponer, además de los interesados, los órganos directivos del Ministerio de Hacienda y de la AEAT. La competencia para resolverlo corresponde al TEAC. Por lo que hace a peculiaridades procedimentales, se señala que el plazo de interposición es de tres meses desde que concurra alguna de las circunstancias que permiten interponerlo. No se concederá la suspensión de la ejecución del acto impugnado. La resolución debe dictarse en el plazo de seis meses, transcurridos los cuales el interesado puede considerar desestimada su reclamación por silencio administrativo al objeto de interponer el recurso contencioso-administrativo, o esperar a la resolución expresa que debe producirse en todo caso.

CUARTA PARTE
LAS ADUANAS Y LA SEGURIDAD

EL PROBLEMA DE LA SEGURIDAD. LA INICIATIVA SAFE

ÍNDICE

32 El problema de la seguridad. La iniciativa SAFE

32.1. LA RELEVANCIA DE LA FUNCIÓN DE SEGURIDAD DE LA ADUANA

Los atentados del 11 de septiembre de 2001 en los Estados Unidos tuvieron un fuerte impacto sobre el Derecho aduanero. Entre las medidas adoptadas por aquel país para protegerse frente a una amenaza que les había traumatizado se encontraba un giro en las prioridades de la Aduana. Como plasmación patente de ese giro, el '*Customs Service*' (Administración aduanera), que venía dependiendo del *Treasury Department* (el equivalente a nuestro Ministerio de Hacienda), pasó a denominarse, a partir del 1 de marzo de 2003, '*Customs and Border Protection*' o 'CBP'(Aduanas y Protección de Fronteras), incardinándose en el *Homeland Security* (el equivalente a nuestro Ministerio del Interior). Este cambio refleja de forma muy nítida cuáles pasaban a ser las prioridades de la Aduana estadounidense.

Las autoridades estadounidenses se afanaron en la búsqueda de mecanismos que supusieran un reforzamiento de la seguridad para evitar que este tipo de hechos pudieran repetirse en el futuro. Fruto de esos esfuerzos se adoptaron diferentes medidas, entre las cuales podemos destacar:

a) Las declaraciones previas a la llegada de las mercancías

b) El programa 'C-T PAT'

> Otras medidas, como el "*100% Scanning*" (que pretendía que se escanearan en el país de exportación el 100 por 100 de los contenedores dirigidos a Estados Unidos, introducida por la *SAFE Port Act* o *Security and Accountability For Every Port Act of 2006*) ha sido menos afortunada, pues no se calibró el inmenso coste económico que esa medida comportaría. Se han puesto en marcha programas piloto en diversos puertos y la experiencia ganada ha revelado que se trata de un objetivo de costes desproporcionados con la tecnología disponible.

De este modo, como resultado de su preocupación por la seguridad como función de la Aduana, Estados Unidos fue pionero en la introducción de las declaraciones previas a la salida de las mercancías del puerto de exportación. Estas declaraciones son efectuadas por el transitario o por la empresa transportista. La Administración estadounidense aplica sanciones si no se respeta la antelación requerida en la transmisión de los datos. El 'ISF' o *Importer Security Filing* (Declaración de Seguridad del Importador, también denominada en ocasiones 10+2 en referencia al número de datos clave que debe contener) exige el suministro a las autoridades aduaneras, 24 horas antes de la carga, de determinados datos.

> Se trata de los siguientes datos: 1) Vendedor (*seller*); 2) Comprador (*buyer*); 3) Número de identificación del importador declarante (*importer of record number*); 4) Número del consignatario (*consignee number*); 5) Fabricante o proveedor (*manufacturer or supplier*); 6) Destinatario (*ship to party*); 7) País de origen de las mercancías (*country of origin*); 8) Código de clasificación de las mercancías, que inicialmente se facilitará a nivel de 6 dígitos (*Commodity HTSUS number*). Por otro lado, deben suministrarse, con una antelación mínima de 24 horas a la llegada al puerto de EEUU, los siguientes datos: a) Lugar donde se llenó el contenedor (*container stuffing location*); b) Consolidador (sujeto que llenó el contenedor; *consolidator, stuffer*).
>
> Acerca de la denominada "*24 hour rule*" introducida por la *Trade Act of 2002* y el régimen de '*Importer Security Filing*' implantado años más tarde, interesa consultar el trabajo de Bryce Blegen: "U.S. Importer security Filing: advance electronic data under the SAFE Framework meets the real world", *World Customs Journal*, vol. 3, nº 1, pp. 73-85.
>
> Siguiendo la estela de los EEUU, la UE también ha introducido la obligación de formular una declaración de las mercancías anticipada a su llegada al TAU, según se expone en el capítulo 22.

Entre los frutos del giro hacia la seguridad en la política aduanera de los EEUU debe asimismo destacarse la introducción del programa 'C-T PAT', acrónimo de '*Customs and Trade Partnership Against Terrorism*' (Alianza de la Aduana y los Operadores contra el Terrorismo), que es la figura precursora del Operador Económico Autorizado.

El 'C-T PAT' es un programa que se dirige a identificar a los operadores económicos que acreditan cumplir unos elevados estándares de seguridad. Esta identificación se realiza examinando por la Aduana que el operador observa y aplica un listado de elementos que se considera que ofrecen garantías de seguridad. Por eso podemos decir que guarda cierta analogía con otro tipo de acreditaciones de calidad (como los ISO, p.e.), en este caso una calidad relativa a la fiabilidad del operador en materia de seguridad de su comercio de importación con terceros países (a diferencia del OEA europeo, el 'C-T PAT' inicialmente sólo se refería a importaciones, no a exportaciones, y sólo se ha ampliado a estas últimas en septiembre de 2014). El programa se basa en la colaboración (*partnership*) entre la Aduana y los operadores, de manera que tiene carácter voluntario. Aquellos operadores que desean participar deben superar unos controles (auditorías) y, a cambio, la Aduana se compromete a concederles ciertos beneficios, tales como menores controles de seguridad, prioridad sobre otros operadores cuando deban realizarse controles o una mayor predisposición al diálogo para atender las dificultades o problemas que pueda afrontar el operador.

> Debe destacarse que el 'C-T PAT' de los EEUU —a diferencia del OEA europeo— se centra únicamente en los aspectos de seguridad, no en los de gestión aduanera. En este sentido, un 'C-T PAT' estadounidense no se beneficia de simplificaciones aduaneras, simplemente puede

esperar que sus mercancías sean objeto de un número inferior de controles físicos y de prioridad en el examen.

Acerca de la génesis del programa "C-T PAT", es ilustrativo el trabajo de Michael D Laden: "The genesis of the US C-TPAT program: lessons learned and earned by the Government and Trade", *World Customs Journal*, vol. 1, nº 2, pp. 75-80. La página dedicada al programa C-T PAT en la web de la Aduana estadounidense es:

ENLACE

> http://www.cbp.gov/border-security/ports-entry/
> cargo-security/c-tpat-customs-trade-partnership-against-terrorism

Estados Unidos adoptó con urgencia medidas para proteger sus fronteras de una amenaza que se había manifestado de forma virulenta. Otros países siguieron su ejemplo adoptando medidas similares (p.e. en Canadá la Administración aduanera pasó a denominarse *Canada Border Services Agency* y en Australia pasó a denominarse *Customs and Border Protection Service*). La dificultad que esto planteaba estriba en que las medidas adoptadas suponían una carga para los operadores que habían de cumplirlas, carga que podía llegar a erigirse en un obstáculo al comercio. Además, una vez admitido que la seguridad legitima la adopción de medidas de aplicación general del tipo descrito, sería difícil impedir que algún país la utilizara como coartada para adoptar medidas proteccionistas. A lo anterior debe unirse que, aun contando con la buena intención de todos los países, se planteaba la potencial disparidad normativa entre países (que se produciría, sin duda, si cada cual adoptase las medidas que considerase oportunas, hechas a su medida y según su criterio) lo cual eleva sobremanera la incertidumbre y los costes de cumplimiento. Por otro lado, la seguridad queda mejor servida si se consiguen homologar criterios y reglas a fin de permitir el intercambio de datos y la colaboración entre las aduanas de diferentes países. Por estos motivos se consideró muy conveniente llevar a cabo una coordinación internacional del impulso a la función de seguridad de la Aduana a través de la Organización Mundial de Aduanas (OMA).

32.2. LA INICIATIVA SAFE DE LA OMA

32.2.1. Aspectos generales

En junio de 2005 el Consejo de la OMA adoptó el Marco Normativo SAFE (*SAFE Framework of Standards to Secure and Facilitate Global Trade*), concebido como una herramienta para combatir el terrorismo internacional, asegurar la recaudación aduanera y facilitar el comercio. En 2007 se añadió una parte relativa a las condiciones y requisitos de los Operadores Económicos Autorizados (OEA, en inglés *Authorized Economic Operators, AEO*).

En la web de la OMA existe una página con enlaces a los principales recursos y documentos relativos a la seguridad elaborados en el marco de esta institución. Puede verse en:

ENLACE

http://www.wcoomd.org/en/topics/facilitation/instrument-and-tools/frameworks-of-standards/safe_package.aspx

De entre la información que allí se ofrece debe destacarse el documento "Marco Normativo SAFE de la OMA" (disponible en español en edición no oficial, última versión de 2018).

El Marco SAFE es fruto del esfuerzo internacional por reconducir la función de seguridad de la Aduana a un conjunto de reglas armonizadas mundialmente a fin de impedir que cada país cree reglas propias y distintas, con lo cual se generaría una inflación normativa que entorpecería el comercio. En cierto modo, los terroristas habrían ganado la batalla si, en la lucha para combatirlos, se sacrificara la fluidez del comercio internacional. La armonización mundial de las reglas supone una simplificación muy eficiente para reducir los costes de cumplimiento por parte de los operadores del comercio, que de este modo no se ven forzados a manejar multitud de reglas diferentes y, además, permite cosechar los frutos de la cooperación. En este sentido, si las normas están armonizadas las autoridades de distintos países manejan unos mismos datos, que elaboran con unos criterios comunes. Eso significa que pueden intercambiar información para luchar contra una amenaza que es común. Ha de tenerse en cuenta una idea que puede parecer una obviedad pero que no está de más recordar: el comercio internacional se produce entre dos o más países. Es mucho más fácil y efectivo conseguir un comercio seguro con la implicación de los diferentes países que participan en él que de forma unilateral. Los esfuerzos unilaterales son mucho más costosos y ofrecen muchas menos garantías de conseguir los resultados que se buscan. El control puede ser considerablemente más fácil y efectivo en el país de exportación que en el país de importación.

Para los operadores, disponer de unas reglas que siguen un patrón común simplifica considerablemente su trabajo, reduce los costes e incrementa la calidad del cumplimiento. Permite que la preparación de un juego de datos satisfaga los requerimientos de las diferentes autoridades implicadas. Los diferentes intervinientes en la operación —tanto por parte de los operadores como por parte de las autoridades— pueden interpretar adecuadamente esos datos porque tienen un significado que se ha definido de forma común.

Por otro lado, si la operativa y protocolos de seguridad son comunes, una autoridad puede dar validez y eficacia a las determinaciones realizadas por la autoridad de otro país. Esto significa un considerable aumento de eficiencia, pues hace innecesaria la duplicidad del control (p.e. a la salida y a la entrada) y permite un mejor uso de los recursos disponibles, a la vez que minimiza la carga que supone el cumplimiento sobre el flujo comercial, no sólo en costes sino también en tiempo.

Dado que no se trata de unificar sino de armonizar, cada país puede introducir elementos propios y la experiencia en su aplicación revelará si son positivos o no. Esto significa que se dispone de un banco de pruebas de variaciones del modelo que permite ir seleccionando las mejores prácticas que, una vez identificadas, se pueden generalizar y enriquecer el modelo común.

A fin de obtener las ganancias señaladas es necesario establecer una infraestructura técnica que las haga posibles. Por ejemplo, el intercambio de información, dado que tiene que ser masivo, necesita la definición de estándares de paquetes de datos electrónicos que sean aplicados por todos los participantes (el vehículo del mensaje). Por supuesto, precisa de la definición del cuerpo de datos que todos los países van a manejar (el contenido del mensaje).

Por lo que hace al reconocimiento de validez y eficacia a las determinaciones realizadas por una autoridad de otro país, la OMA opta por promover mecanismos de reconocimiento mutuo, pero entendiendo siempre que esta es una decisión bilateral que concierne a los dos países implicados. En esa labor de promoción la OMA ha elaborado modelos de acuerdo y guías sobre cómo aplicar los programas de seguridad a fin de facilitar posteriormente la aceptación de los resultados que de ellos deriven por los demás países.

Objetivos del Marco SAFE
Crear normas que garanticen la seguridad y facilitación de la cadena logística a nivel mundial para promover la seguridad y previsibilidad
Permitir el control integrado de la cadena logística en todos los medios de transporte
Ampliar el papel, las funciones y las capacidades de las Aduanas ante los nuevos desafíos y oportunidades
Reforzar la cooperación entre las Administraciones Aduaneras para detectar envíos de alto riesgo
Fortalecer la cooperación entre las Aduanas y las empresas
Promover el movimiento fluido de las mercaderías a través de cadenas logísticas internacionales

Para lograr estos objetivos, el Marco SAFE consta de cuatro elementos:

Elementos del Marco SAFE
Armonización de los requisitos de la información electrónica anticipada respecto de los envíos destinados al interior, al exterior o que están en tránsito.
Compromiso, por parte de cada país que lo adopte, de aplicar un enfoque de análisis de riesgo para resolver las amenazas de la seguridad.
Realización, por parte del país de despacho, de la inspección de los contenedores y de la carga de alto riesgo con destino al exterior a petición del país de destino. Para esta inspección se utilizarán preferentemente equipos de detección no intrusiva (p.e. máquinas de rayos X y detectores de radiación).
Determinación de los beneficios que las Aduanas deben ofrecer a las empresas que cumplan con las normas de seguridad de la cadena logística y que apliquen las mejores prácticas.

El marco SAFE se estructura en tres pilares. El primero es el que se refiere a las relaciones Aduana-Aduana. El segundo se refiere a las relaciones Aduana-Empresa, en tanto que el tercero se enfoca a las relaciones aduana-otros órganos gubernamentales e intergubernamentales. La colaboración entre autoridades (relaciones Aduana-Aduana) es quizá la respuesta más inmediata y la que resulta más evidente. Si se identifica una amenaza común que afecta a los diferentes Estados parece que deben ser las autoridades de esos Estados quienes deban encontrar una forma colaborativa de hacerle frente. La colaboración Aduana-Empresa es menos intuitiva o evidente, pero ha resultado ser más potente en la práctica, hasta el punto que ha sido este tipo de colaboración el que, por su propia dinámica, ha promovido la colaboración Aduana-Aduana.

Cuando se analiza en mayor profundidad el mejor modo de afrontar el problema de la seguridad se percibe de forma clara que un comercio internacional seguro requiere la implicación activa de los operadores. Esta es una lección que Estados Unidos supo extraer con claridad de su esfuerzo por elevar la seguridad del tráfico y que la OMA incorpora de forma decidida. Las Aduanas, por sí solas, tienen un conocimiento muy imperfecto del conjunto de la cadena logística, entre otras cosas porque interactúan con ella típicamente en un solo punto. Por eso necesitan el aporte de información y la implicación de los propios operadores, cada uno de ellos en su fase de intervención, para garantizar la buena marcha de todo el proceso. De ahí que una idea fundamental del modelo consiste en que se debe incentivar a los operadores para que se conviertan en agentes colaboradores de la seguridad. A esta figura (que Estados Unidos denominó C-T PAT, según hemos señalado antes) la OMA la denomina "Operador Económico Autorizado", OEA.

32.2.2. El pilar Aduanas-Aduanas

El contenido del pilar Aduanas-Aduanas se desglosa en once puntos que exponemos en la tabla que sigue.

Normas Aduanas-Aduanas
Norma 1.– Gestión integrada de la cadena logística Las Administraciones Aduaneras deben aplicar procedimientos integrados de control aduanero. Las mercancías deben someterse a control aduanero desde que se cargan en el contenedor o en los medios de transporte, garantizando en toda la cadena logística la integridad del envío, sin incurrir en la duplicación innecesaria de los controles, mediante procesos continuos y compartidos. Se prevén a este fin tres instrumentos: • Uso de precintos (que, cuando sea conveniente, serán de alta seguridad; deben establecerse procedimientos para registrar la colocación, el cambio y la verificación de la integridad del precinto en puntos clave); • La Referencia Única de Envío, que identifica cada envío (RUE, materia sobre la cual existe una Recomendación de la OMA); • La presentación de declaraciones anticipadas (por parte del exportador a la Aduana de exportación, y por el transportista y el importador a la Aduana de importación; por medios electrónicos en todos los casos; con formatos de datos estándar; deben permitir la trazabilidad de las mercancías; adicionalmente se puede exigir al operador del buque o "transportista" el envío previo del plan de estiba del buque —"PAN"— si transporta contenedores; las Aduanas deben intercambiar datos, especialmente cuando se trate de envíos de alto riesgo).
Norma 2.– Autoridad para inspeccionar la carga Las Administraciones Aduaneras tendrán la facultad necesaria para inspeccionar la carga que ingresa, sale, transita (incluyendo la que permanece a bordo) o que es transbordada.
Norma 3.– Tecnología moderna en los equipos de inspección Uso de equipos de inspección no intrusiva y, cuando sea necesario, de detectores de radiación. Deben permitir no interrumpir el flujo del comercio legítimo.
Norma 4.– Sistemas de análisis de riesgos Se debe aplicar un sistema de análisis de riesgo para identificar los envíos que podrían resultar de alto riesgo. Se define el análisis de riesgo como "la aplicación sistemática de procedimientos y prácticas de control que ofrecen a las Aduanas la información necesaria para controlar los movimientos o envíos que presentan un riesgo". Se propende por el establecimiento de Evaluaciones Estandarizadas de Riesgo a nivel mundial, y la implantación de sistemas automatizados de selectividad. Las evaluaciones de riesgo y las decisiones de selectividad se deben validar (medir su efectividad).
Norma 5.– Selectividad, perfil y selección del objetivo de control Las cargas y contenedores se consideran de alto riesgo en dos casos: a falta de información que permita clasificarlos de bajo riesgo; o cuando la información disponible alerte de su riesgo. A este fin debe utilizarse la información procedente de las declaraciones anticipadas, bases de datos comerciales y de riesgos, evaluación de anomalías y condición del operador (si es OEA).

Normas Aduanas-Aduanas
Norma 6.– Información electrónica anticipada Debe proporcionar información sobre las cargas y los contenedores con la suficiente antelación para poder realizar el análisis de riesgo. Puede instrumentarse mediante el acceso por la Aduana a los sistemas informáticos de los operadores. El intercambio de datos debe realizarse mediante formatos estándar (EDI o XML, p.e.), tomando como base las especificaciones del modelo de datos de la OMA. Debe asegurarse la seguridad del intercambio de datos frente a intromisiones (cifrado, firma electrónica, certificados digitales). Debe protegerse la confidencialidad de los datos.
Norma 7.– Selectividad y comunicación Las Administraciones Aduaneras deben realizar la selectividad y evaluación conjunta (utilizando para ello el Análisis Estandarizado de Riesgo Normalizado); deben utilizar criterios de selección estandarizados (la OMA ha desarrollado indicadores de riesgo; por la mercancía, los operadores, el tipo de transporte, el país de exportación e incidencias de la operación), así como también mecanismos compatibles de comunicación o/y de intercambio de información. A su vez, el uso de mecanismos armonizados facilitará lograr el reconocimiento mutuo de controles.
Norma 8.– Evaluación del rendimiento Las Administraciones Aduaneras deberán realizar informes sobre el rendimiento incluyendo: 1) la cantidad de envíos revisados; 2) el subconjunto de envíos de alto riesgo; 3) los controles realizados a envíos de alto riesgo; 4) los controles de envíos de alto riesgo utilizando tecnologías no intrusivas, o bien la combinación de tecnologías no intrusivas y medios físicos, o bien solamente a través de medios físicos; 5) los tiempos de despacho; y 6) los resultados positivos y negativos. La OMA se encargará de consolidar estos informes.
Norma 9.– Evaluación de seguridad Las Administraciones Aduaneras deben coordinarse con otros organismos (del propio país) para realizar las evaluaciones de seguridad y deben resolver con rapidez cualquier problema que se presente.
Norma 10.– Integridad de los funcionarios de Aduanas Las Administraciones Aduaneras y las demás autoridades competentes deben llevar a cabo programas para evitar la falta de integridad de los funcionarios y para detectar y combatir los comportamientos deshonestos. Se insiste en la importancia de la capacitación y en el uso de medios electrónicos.
Norma 11.– Inspección de las mercaderías destinadas al exterior Las Administraciones Aduaneras deben inspeccionar las cargas y los contenedores de alto riesgo destinados al exterior cuando el país de importación lo solicite, preferentemente antes de realizar la carga.

Por otro lado se analiza de forma específica la importancia de los precintos de los contenedores y las medidas para su gestión y verificación como fórmula apta para establecer la trazabilidad de las medidas de control aplicadas y verificar la continuidad del funcionamiento seguro de la cadena logística. Para ello debe intercambiarse información sobre precintos utilizados (incluyendo posibles cambios o alteraciones en la ruta), estandarizar su uso y verificar que queden identificados en los documentos para asegurar que se mantiene la conexión entre documentos y mercancías.

32.2.3. El pilar Aduanas-Empresas

Tal y como se señala en el documento de la OMA, "el objetivo principal de este pilar es la creación de un sistema internacional para identificar a las empresas privadas que ofrecen un alto grado de garantías de seguridad para su papel en la cadena logística. Estos socios pueden recibir beneficios tangibles dentro de dichas asociaciones como por ejemplo el procesamiento expeditivo y otras medidas" (p. 32, versión 2012). Obsérvese que se habla de "un sistema internacional", como indicación clara de la superación de las medidas iniciales unilaterales que dieron génesis a todo este proceso. Por otro lado, se conecta la idea de colaboración de los operadores con las autoridades con la idea de beneficios tangibles en contraprestación. Sólo con esa colaboración la Aduana puede adquirir información suficiente de toda la cadena logística, desde el origen (en el país de fabricación) hasta finalizar el despacho, incluyendo por supuesto el transporte.

La colaboración Aduanas-Empresas se articula en torno a la figura del Operador Económico Autorizado (OEA). Este concepto se define en el Anexo I del Marco Normativo SAFE de la OMA en los siguientes términos:

> "Un OEA es una parte integrante del movimiento internacional de mercaderías, cualquiera sea el motivo, que fue reconocido por una administración nacional de aduanas por cumplir las normas de la OMA o normas equivalentes en materia de seguridad de la cadena logística. Los OEA pueden ser fabricantes, importadores, exportadores, despachantes de aduana, transportistas, operadores de agrupamiento, intermediarios, operadores portuarios, de aeropuertos o terminales, operadores de transporte integrados, operadores de depósito, distribuidores, operadores de transporte".

El OEA, en consecuencia, es un operador que participa en actividades de comercio internacional y que, por cumplir una serie de requisitos a los que nos referiremos más abajo, es considerado por la Aduana como un socio fiable para llevar a cabo su función de seguridad.

El pilar Aduanas-Empresas se integra por seis normas que exponemos en la tabla que sigue.

Normas Aduanas-Empresas
Norma 1.– Asociación Los Operadores Económicos Autorizados (OEA) que participan en la cadena logística internacional deben realizar autoevaluaciones utilizando normas de seguridad y buenas prácticas para asegurarse de que las medidas y procedimientos internos proporcionen las garantías necesarias para sus envíos y contenedores hasta que sean despachados en el lugar de destino. Los socios comerciales del OEA deben declarar su intención de cumplir con las normas de seguridad, a cuyos efectos deben establecerse procedimientos escritos y verificables por parte del OEA.

Normas Aduanas-Empresas
Norma 2.– Seguridad Los OEA incorporarán mejores prácticas de seguridad en sus prácticas comerciales. *Instalaciones.–* Deben aplicar las medidas de seguridad que garanticen la seguridad de las instalaciones, el control del perímetro exterior e interior y del acceso; impedir la entrada de personas no autorizadas a las instalaciones, transportes, muelles y áreas de carga. Implantar medidas de control administrativo para la emisión y supervisión de identificaciones (empleados, visitantes, proveedores, etc.) y otros dispositivos de ingreso (llaves, tarjetas de acceso y otros). Las personas que reciben o entregan la carga deben identificarse antes de la salida o recepción de la misma. *Empleados.–* Se debe evaluar la seguridad del personal empleado (tanto del existente como del que se incorpore). Se debe capacitar a los empleados para mantener la integridad de la carga, reconociendo las amenazas, e informarles de los protocolos a utilizar para identificar e informar de los incidentes sospechosos. *Información.–* El OEA debe proteger la información con herramientas de seguridad (como uso de claves individuales, protección contra acceso no autorizado y contra la utilización incorrecta de la información). La información utilizada para el procesamiento de la carga debe ser legible, exacta y estar protegida contra alteraciones, pérdidas o introducción de datos erróneos. Debe verificarse que la carga concuerde con la documentación del envío y transmitir esa información correctamente y a tiempo. La Aduana debe garantizar la confidencialidad. *Socios comerciales.–* Deben aplicarse programas y medidas de seguridad para promover la integridad de los procesos de los socios comerciales relacionados con el transporte, manejo y almacenamiento de la carga en la cadena logística.
Norma 3.– Autorización La Administración Aduanera, junto con los representantes de la comunidad comercial, debe establecer procesos de validación o de acreditación de calidad que ofrezcan incentivos a las empresas que adquieran la condición de OEA. Estos procesos deben asegurar un beneficio al invertir en mejores sistemas y prácticas de seguridad, que debe incluir la reducción del número de inspecciones y el rápido despacho de sus mercancías. Los beneficios deben documentarse. La Administración debe escuchar las preocupaciones del OEA, así como promover mecanismos de reconocimiento mutuo con otros países.
Norma 4.– Tecnología Todas las partes implicadas deben mantener la integridad de la carga y de los contenedores. Deben cumplirse las disposiciones del Convenio Aduanero sobre Contenedores (1972) y el Convenio Aduanero relativo al Transporte Internacional de Mercaderías al amparo de los cuadernos TIR (Convenio TIR, 1975). Las Administraciones Aduaneras deben facilitar el uso voluntario de tecnologías avanzadas —además del precinto mecánico— para controlar la integridad del contenedor y la carga, y para informar sobre las interferencias no autorizadas. El OEA debe contar con protocolos documentados acerca de la colocación y el procesamiento de la carga y de los contenedores que utilizan precintos de alta seguridad u otros dispositivos diseñados para evitar la manipulación. La Administración Aduanera debe contar con protocolos documentados que describan el sistema de verificación de precintos que utiliza, así como también sus procedimientos operativos para resolver las discrepancias.

32 El problema de la seguridad. La iniciativa SAFE

1195

Normas Aduanas-Empresas
Norma 5.– Comunicación La Administración Aduanera actualizará periódicamente los programas de asociación Aduanas-Empresas para promover normas mínimas de seguridad y mejores prácticas. Indicará los protocolos a seguir en caso de investigación o sospecha.
Norma 6.– Facilitación La Administración Aduanera debe trabajar junto con los OEA para incrementar la seguridad y la facilitación de la cadena logística internacional que se origine o lleve a cabo a través de su territorio aduanero. Debe facilitar y agilizar la presentación de la información requerida, permitiendo identificar la carga de alto riesgo y tomar las medidas necesarias. Deben establecerse mecanismos de diálogo para la progresiva mejora del sistema.

Más adelante se analizan las condiciones, requisitos y beneficios del OEA, comenzando por destacar la variabilidad de las cadenas logísticas (por el número de componentes o por su permanencia, entre otros factores). Se señala que para el mantenimiento del compromiso del sector privado es necesaria una clara definición de las condiciones, los requisitos y los beneficios del OEA.

Por lo que hace a las condiciones y requisitos, se señalan los siguientes:

Marco SAFE - Condiciones y requisitos del OEA
Elemento A.– Cumplimiento de los requisitos aduaneros Debe tomarse en cuenta el historial de cumplimiento aduanero del candidato a ser OEA y, en particular, no debe haber cometido un delito.
Elemento B.– Sistema de control de registros comerciales El OEA debe tener registros actualizados, precisos, completos y verificables, sobre las importaciones y exportaciones. Debe permitir acceso total a los registros a la Aduana, seguir sistemas de archivo y aplicar medidas de seguridad informática.
Elemento C.– Viabilidad financiera Se considera que la viabilidad financiera de un OEA es un indicador de su capacidad de mantener y mejorar las medidas tendentes a asegurar la cadena logística.

Marco SAFE - Condiciones y requisitos del OEA

Elemento D.– Consulta, cooperación y comunicación

Entre el OEA y las autoridades competentes deben establecerse mecanismos de consulta, cooperación y comunicación, a fin de permitir a la Aduana crear y mantener su estrategia de control de riesgo. A este fin el OEA debe designar un punto de contacto accesible para tratar las cuestiones relevantes para la Aduana (registros de la carga, seguimiento de la carga, información sobre el personal, etc.). Debe intercambiar información con la Aduana y, en particular, comunicar cualquier documentación inusual o sospechosa o cualquier solicitud extraña. Debe informar asimismo si recibe una carga ilegal, sospechosa o que no figure en los documentos, conservándola en un lugar seguro.

Por su parte, la Aduana debe determinar los protocolos a seguir en caso de duda o sospecha de que se haya cometido una infracción aduanera; consultar con todas las partes involucradas en la cadena logística internacional; informar al OEA sobre cuestiones de seguridad; proporcionar puntos de contacto accesibles al OEA.

Elemento E.– Educación, formación e información

Este elemento comporta que la Aduana y el OEA diseñen mecanismos de educación y formación para el personal que deben incluir: políticas de seguridad, reconocimiento de comportamientos que infringen esas políticas y medidas a tomar para solucionar los fallos de seguridad. Se enumeran una serie de actividades en materia de formación e información que debe realizar el OEA, con el apoyo de la Aduana, sobre los riesgos asociados al movimiento de mercancías en la cadena logística internacional; sobre la conservación de la integridad de la carga, reconocimiento de posibles amenazas y protección de los controles de entrada; sobre la identificación de cargas sospechosas. El OEA debe documentar y registrar las actividades formativas. Debe asimismo elaborar protocolos para identificar e informar de incidentes sospechosos e informar de ellos a los empleados, así como comunicar a la Aduana los sistemas y protocolos de información y seguridad que utiliza.

Por su parte, la Aduana, además de la colaboración antes señalada, debe informar al punto de contacto del OEA sobre los procedimientos que utiliza para identificar e informar incidentes sospechosos; ayudar al OEA a desarrollar y aplicar directrices, normas de seguridad, mejores prácticas, capacitaciones, esquemas de autorización y materiales para minimizar los riesgos de seguridad; ayudar al OEA a identificar posibles amenazas de seguridad desde el punto de vista de la Aduana.

Elemento F.– Intercambio de información, acceso y confidencialidad

La Aduana y el OEA deben crear o mejorar los medios que protegen la información contra todo abuso o modificación no autorizada. Se debe garantizar la confidencialidad de la información; utilizar medios electrónicos de intercambio de información; aplicar estándares internacionales sobre información electrónica y, en particular, la Aduana no debe solicitar elementos de datos que no figuren en el Marco SAFE; presentar y utilizar información anticipada para evaluar el riesgo.

El OEA debe asegurarse de que toda la información que utilice para el despacho sea legible, exacta, que esté completa y protegida contra intercambio, pérdida o incorporación de información errónea (si el OEA es un transportista debe asegurarse que la información del manifiesto refleja exactamente la información suministrada por el consignador y que se presenta a la Aduana en tiempo y forma). Debe aplicar medios de protección electrónica frente accesos a la información no autorizados (firewalls, contraseñas, etc.). Debe aplicar medidas contra la pérdida de información (como copias de seguridad).

La Aduana debe informar al OEA de los requisitos de los sistemas aduaneros de comunicación electrónica; promover la aplicación del sistema de ventanilla única; suprimir la exigencia de documentos en papel; conservar, en todo momento, el control sobre toda la información electrónica proporcionada por los OEA, mantener copias de seguridad e impedir el acceso no autorizado a la información, así como asegurar la correcta destrucción de todas las copias cuando corresponda.

Marco SAFE - Condiciones y requisitos del OEA

Elemento G.– Seguridad de la carga

La Aduana y el OEA deben crear y/o reforzar las medidas destinadas a asegurar la integridad de la carga y el nivel de control y, además, establecer protocolos que ayuden a lograr la seguridad de la carga.

A este fin el OEA debe crear una guía sobre política de seguridad; asegurarse de que su socio comercial aplica protocolos para garantizar la seguridad de los precintos —que deben cumplir con la norma ISO— y la integridad del envío mientras está bajo su custodia; debe utilizar protocolos escritos acerca del control y colocación de los precintos que se adhieren a los contenedores, que incluyan mecanismos para reconocer e informar sobre precintos y/o contenedores a la Aduana; solamente el personal designado debe poder distribuir precintos; debe aplicar protocolos para verificar la estructura del medio de transporte y el funcionamiento de los controles de acceso; debe asegurarse de que es imposible que personas no autorizadas tengan acceso a la carga y de que las personas autorizadas la manipulen, muevan o manejen adecuadamente; debe almacenar la carga y el transporte bajo su custodia en áreas seguras y aplicar protocolos para informar a las autoridades de entradas no autorizadas a las áreas de almacenamiento; debe verificar la identidad del transportista cuando sea posible; debe contrastar la carga con su descripción documental a presentar ante la Aduana; debe crear protocolos para controlar la carga dentro del almacén y la que se retira de él; debe crear protocolos para administrar, asegurar y controlar toda la carga que se encuentra bajo su custodia durante el transporte y la carga o descarga.

Por su parte, la Aduana, si lo considera adecuado, permitirá que el representante del OEA que controla la carga esté presente cuando se inspeccione la carga o se traslade para su inspección.

Elemento H.– Seguridad del transporte

La Aduana y el OEA deben crear sistemas de control, cuando las normas nacionales o internacionales no los provean, para garantizar que los medios de transporte estarán seguros y mantenidos.

A este fin, el OEA debe garantizar que todos los medios de transporte utilizados para transportar la carga pueden cerrarse de forma efectiva; debe controlar los medios de transporte que permanezcan sin vigilancia y verificar a su regreso que no haya habido violaciones de seguridad; debe garantizar que todos los transportistas estén capacitados para mantener la seguridad del medio de transporte y de la carga; debe solicitar a los operadores que informen de cualquier incidente real o sospechado al personal de seguridad del OEA y de la Aduana y llevar un registro de estas incidencias; debe inspeccionar regularmente los posibles lugares de ocultamiento en los medios de transporte y llevar un registro de inspecciones; debe informar a la Aduana de cualquier posible violación de la seguridad del transporte.

Por su parte, la Aduana debe informar a los operadores sobre los posibles lugares de ocultamiento de mercaderías ilegales, e investigar todo acto inusual o sospechoso o toda violación de la seguridad de los medios de transporte.

Marco SAFE - Condiciones y requisitos del OEA

Elemento I.– Seguridad de las instalaciones

La Aduana, teniendo en cuenta la opinión de los OEA, determinará los requisitos para la aplicación de los protocolos de seguridad aduanera que aseguren las instalaciones y el control de los perímetros exteriores e interiores.

A estos efectos el OEA debe aplicar protocolos y medidas de seguridad para asegurar las instalaciones y los perímetros exteriores e interiores, y prohibir la entrada no autorizada a las instalaciones, a los medios de transporte, a los muelles de carga y a las zonas reservadas para la carga. Si eso fuera imposible, se deben tomar otro tipo de precauciones. Debe disponer de una adecuada seguridad de las instalaciones (de edificios y sus estructuras, puntos de acceso, iluminación, control de emisión de cerraduras y llaves, vigilancia o control de portones para vehículos y personal, limitar la entrada a las personas, vehículos y mercaderías debidamente identificados y autorizados, cercas perimetrales, acceso restringido a las áreas de almacenamiento y documentación, sistemas electrónicos de seguridad o de control de entrada, identificación de zonas de acceso restringido). Se permitirá a la Aduana acceder a los sistemas de control de seguridad de las instalaciones si fuera necesario.

Por su parte, la Aduana debe tratar de acordar con el OEA la obtención de acceso a los sistemas de seguridad y a la información necesaria para luchar contra el fraude; y permitir al OEA medios de seguridad alternativos que ofrezcan garantías equivalentes.

Elemento J.– Seguridad en lo que respecta al personal

La Aduana y el OEA deben examinar con atención los antecedentes de sus posibles empleados. Además, deben prohibir el acceso no autorizado a las instalaciones, a los medios de transporte, a los muelles de carga y a las zonas reservadas para la carga.

A este fin el OEA debe tomar las precauciones necesarias en el momento de contratar nuevo personal (asegurarse que no hayan sido condenados por delitos aduaneros, penales o relacionados con la seguridad), controlar periódicamente los antecedentes del personal de seguridad y contar con protocolos de identificación de empleados (que deben llevar una identificación emitida por la empresa). Debe disponer de protocolos para identificar, registrar y tratar a personas no autorizadas o no identificadas (p.e. control de entrada con foto y firma).

Debe retirar rápidamente la identificación y el acceso a instalaciones y sistemas de información a los empleados cuyo contrato haya finalizado.

Por su parte, la Aduana debe contar con medios de identificación de los funcionarios y asegurar que se utilice la credencial de identificación; asegurar que en el control de entrada pueda verificarse de manera independiente la identificación presentada por los funcionarios; disponer de procedimientos que permitan retirar la identificación y el permiso de acceso; llegar a acuerdos con los OEA para darles acceso a la información sobre el personal del OEA.

Elemento K.– Seguridad de los socios comerciales

La Aduana debe fijar los requisitos y mecanismos para que los OEA refuercen la seguridad de la cadena logística mundial a través del compromiso de los socios comerciales.

A este fin, cuando celebre acuerdos comerciales, el OEA debe promover que sus socios evalúen y mejoren la seguridad de la cadena logística (cuando sea posible, estos elementos se deben mencionar entre sus cláusulas). El OEA debe conservar los documentos que acrediten sus esfuerzos en este sentido. Además, debe verificar la información comercial relacionada con la otra parte contratante, antes de firmar un acuerdo.

Marco SAFE - Condiciones y requisitos del OEA
Elemento L.– Prevención de una crisis y recuperación Este elemento se dirige a minimizar el impacto de un desastre o de un acto terrorista. A este fin, los protocolos de prevención y recuperación deben incluir la planificación y la creación de procesos que permitan operar ante esas circunstancias extraordinarias y debe capacitarse a los empleados a estos efectos.
Elemento M.– Evaluación, análisis y mejoras El OEA y la Aduana deben planificar y aplicar procedimientos de control, evaluación, análisis y mejora para: 1) Evaluar la conformidad con estas directrices; 2) Asegurar la integridad y la adecuación del sistema de control de seguridad; 3) Identificar las áreas de mejora. A este fin el OEA debe realizar una evaluación del riesgo en sus operaciones y tomar las medidas necesarias para minimizarlo; crear y autoevaluar su sistema de control de seguridad, documentando todo ello e incorporando los comentarios recibidos y las recomendaciones de mejora.

En el segundo pilar, y en relación al OEA, se detallan asimismo los beneficios que deben dispensarse al OEA en contrapartida por los compromisos de seguridad que asume. A este respecto se señala que todo beneficio debe ser definido, concreto y estar documentado; deben ser mejoras respecto al trato al resto de operadores y ser significativos. Se sugieren una serie de beneficios a este fin, como:

Marco SAFE - Sugerencias de beneficios al OEA
A. Medidas para acelerar el despacho de la carga, reducir el tiempo de tránsito y reducir los costos de almacenamiento 1. Exigir poca información para el despacho de la mercancía; 2. Procesamiento y despacho rápido; 3. Reducción de inspecciones de la carga; 4. Utilización de técnicas de inspección no intrusivas cuando deba realizarse una verificación; 5. Reducción de ciertos aranceles o gastos; 6. Mantener las oficinas aduaneras abiertas cuando resulte necesario.
B. Acceso a la información 1. Nombre e información de contacto de otros OEA, con su consentimiento; 2. Lista de todos los países que han adoptado el Marco SAFE; 3. Lista de las normas de seguridad y mejores prácticas.
C. Medidas especiales para afrontar la interrupción del comercio o altos niveles de amenaza 1. Prioridad del despacho cuando el nivel de amenaza sea alto; 2. Despacho prioritario tras un incidente que obligue a cerrar y reabrir oficinas y/o fronteras; 3. Prioridad para las exportaciones destinadas a países afectados tras el incidente.
D. Elementos a tener en cuenta para la participación en programas de procesamiento de la carga 1. Liquidación por períodos y no por operaciones; 2. Simplificaciones aduaneras de despacho; 3. Idoneidad para utilizar la autoliquidación; 4. Rápida respuesta a solicitudes realizadas tras la entrada o despacho; 5. Reducción de multas y recargos, salvo las que sean por fraude; 6. Despacho electrónico de exportación e importación; 7. Respuesta prioritaria a sus solicitudes; 8. Autorización para el despacho centralizado; 9. Posibilidad de iniciar acciones correctivas antes que se inicie un procedimiento aduanero administrativo no penal, excepto cuando sea por fraude; 10. No aplicar sanciones por retraso en el pago de aranceles, sino solamente intereses.

Finalmente se contienen algunas indicaciones básicas acerca de los procedimientos para acceder a la condición de OEA (deben regularse de forma expresa, ser conformes con el Marco SAFE y tener en cuenta la diversidad entre operadores en relación a sus posibilidades de cumplimiento y riesgos), la conveniencia de incluir un cuestionario de autoevaluación, la posibilidad de delegar en terceros las actividades de validación o la realización de revisiones regulares para el mantenimiento de la condición de OEA.

32.2.4. El reconocimiento mutuo

Un elemento clave que la estandarización mundial hace posible consiste en el reconocimiento mutuo de la validez y eficacia de las decisiones adoptadas por las autoridades de otro país. El área más activa hasta el momento de colaboración Aduana-Aduana (primer pilar) es justamente la conclusión de acuerdos de reconocimiento mutuo de la condición de OEA (con diversas denominaciones según los países; en la UE coincide con la denominación que utiliza la OMA). Esta actividad viene en gran medida motivada por la presión que ejercen los operadores sobre las autoridades a fin de obtener beneficios que justifiquen los costes que la condición de OEA comporta. El reconocimiento mutuo de la condición de OEA es un potente beneficio para los operadores, puesto que asegura un elemento de calidad a sus clientes en el país de importación cuando este país reconoce la cualidad de OEA que las autoridades del país de exportación han otorgado. El cliente podrá acceder a los beneficios derivados del hecho de que su proveedor sea OEA. Permite asimismo el establecimiento de cadenas logísticas OEA, consiguiendo de este modo ofrecer un perfil merecedor de beneficios máximos.

Por otra parte, desde el punto de vista de las autoridades, la negociación de un acuerdo de reconocimiento mutuo de OEA también reporta distintas ventajas. Así, permite conocer en detalle cómo aplica el régimen OEA el otro Estado, e influir para que su régimen se adecúe a las propias necesidades. Permite identificar a los exportadores fiables del otro Estado, a fin de hacer un uso más eficiente de los medios de control. También ofrece mecanismos de colaboración en materia de seguridad con las autoridades del otro Estado, creando un clima de entendimiento propicio para la cooperación.

El reconocimiento mutuo puede hacerse extensivo a otros ámbitos, aunque esto es algo en lo que todavía apenas se ha avanzado. Puede referirse al establecimiento de mecanismos que concedan validez y eficacia a los controles realizados por las autoridades del Estado contraparte. También puede extenderse al establecimiento de mecanismos automáticos de intercambio masivo de información a los fines de la seguridad, de modo que el país de importación, por ejemplo, pueda acceder a los datos de las declaraciones de exportación presentadas en el país de exportación relativas a mercancías que se dirigen a su territorio. Esta es un área donde los beneficios mutuos podrían ser considerables (no sólo en materia de seguridad) pero donde los Estados todavía no han conseguido avances significativos.

32.2.5. *Pilar Aduana-Otros órganos gubernamentales*

El tercer pilar del Marco SAFE se añadió en la versión de 2015 y se refiere a las relaciones de la aduana con otros órganos gubernamentales con competencia en materia aduanera (principalmente los denominados controles "paraduaneros"), entre los que se incluyen las fuerzas de seguridad, las autoridades en materia agrícola, en materia sanitaria y otras (como autoridades encargadas de la gestión de las licencias de material de defensa y doble uso, homologaciones técnicas...). Algunos de los elementos que se recogen en este tercer pilar ya se incluían, en versiones anteriores de marco SAFE, en el pilar 1 Aduanas-Aduanas, pero parece más correcto separar estos contenidos en un apartado propio como hace la última versión.

El contenido de este pilar arranca subrayando la creciente importancia de la cooperación entre la aduana y los restantes órganos gubernamentales con competencias en la frontera, señalando que la OMA ha elaborado algunos instrumentos específicos enfocados a tratar estas cuestiones, como el compendio sobre gestión coordinada de fronteras y el compendio sobre ventanilla única. Se trata de potenciar la eficacia de la acción pública y, al propio tiempo, agilizar la gestión evitando la superposición de requisitos y controles.

> El sistema de ventanilla única supone que los operadores puedan proporcionar de forma única y por medios electrónicos toda la información requerida a una única autoridad, preferentemente la Aduana.
> Por lo que hace a la gestión coordinada de fronteras, se trata de cooperar a fin de optimizar la armonización de las funciones de control entre autoridades de distintos países, en su caso mediante la firma de acuerdos (p.e. para la creación de "puestos fronterizos únicos").

Se establecen once normas para articular la colaboración entre la Aduana y otros órganos gubernamentales, cuyo contenido se expone en la tabla que sigue.

Normas Aduana-Otros órganos gubernamentales

Norma 1.– Cooperación mutua

Se debe fomentar la cooperación entre la Aduana y los restantes órganos gubernamentales competentes en materia de tráfico internacional de mercancías.

Se incide, en particular, en la cooperación con las autoridades aeronáuticas con vistas a coordinar los programas respectivos de seguridad (OEA de la Aduana y "agente acreditado" AH/EC de las autoridades aeronáuticas), así como el reconocimiento mutuo de sus análisis de riesgos. De forma análoga, con las autoridades de seguridad marítima y portuaria (que tiene su propio Código internacional para la protección de buques y de las instalaciones portuarias) y con las autoridades competentes en materia de transporte terrestre. Se alienta al intercambio de información en materia de seguridad entre todos ellos y a la coordinación de las labores de control.

También se presta atención a la cooperación de la aduana con los operadores postales en cuestiones tales como el procedimiento de evaluación inicial de la seguridad, el intercambio de información disponible y pertinente y, si es posible, la adecuación de las actividades de supervisión y control del cumplimiento de ley.

Norma 2.– Procedimientos/Acuerdos en materia de cooperación

Los gobiernos deben crear y actualizar los procedimientos y acuerdos en materia de cooperación entre los órganos involucrados en el comercio internacional y la seguridad. Se deben crear mecanismos de coordinación institucional a fin de asegurar la eficacia de las operaciones, la óptima calidad de los datos y una gestión de riesgos más efectiva, que evite la duplicación de esfuerzos.

Norma 3.– Armonización de los programas de seguridad

Los gobiernos deben armonizar los requisitos de los distintos programas/sistemas de seguridad que apliquen para mejorar la seguridad de la cadena logística internacional.

Se debe asegurar que la aduana y los demás órganos realicen juntos una adecuación de los procedimientos de evaluación y validación de los operadores seguros (por ej.: OEA, AH/EC, Código ISPS, programas de cumplimiento interno ICP). Por lo que hace a la seguridad de la carga aérea, se deben armonizar sus respectivos programas de seguridad (el programa de OEA y el programa de agente acreditado).

Norma 4.– Armonización de las medidas nacionales de control

Los gobiernos deben armonizar las medidas nacionales de control de la seguridad de la cadena logística que aplican los diferentes órganos y, en particular, las medidas de gestión y de mitigación del riesgo para evitar perjudiquen el comercio legal y circulación internacional.

La aduana debe colaborar con todos los demás órganos competentes para armonizar, en la medida de lo posible, los procedimientos, medidas o políticas de control y garantizar así la seguridad y la competitividad económica (incluyendo aspectos tales como inspecciones comunes, gestión coordinada del riesgo y reconocimiento mutuo de los controles).

Norma 5.– Elaboración de medidas de continuidad y reanudación

La aduana debe trabajar con los demás órganos gubernamentales y las empresas para identificar las funciones y obligaciones respectivas en relación a las medidas de continuidad y reanudación del comercio, para que no existan interrupciones en caso de que se produzca algún incidente. En este sentido, se señala la importancia de elaborar anticipadamente y actualizar los planes y mecanismos basados en las funciones y obligaciones de cada uno.

Normas Aduana-Otros órganos gubernamentales

Norma 6.– Armonización de las exigencias respecto a la comunicación de datos

Las Aduanas deben establecer acuerdos de cooperación con otras jurisdicciones que requieran datos de despacho de aduana de las mercancías para facilitar la transferencia fluida de datos comerciales internacionales, de conformidad con el concepto de ventanilla única.

Se orienta a las Administraciones nacionales a implantar el sistema de ventanilla única, siguiendo las Recomendaciones de ONU/CEFACT y el Modelo de datos de la OMA (véase más abajo, sección 2.6), así como para integrar más estrechamente los procedimientos comerciales y los flujos de información en la cadena logística global. Como ejemplo en este sentido se sugiere la utilización de documentos comerciales tales como facturas y órdenes de pedido a modo de declaraciones de exportación e importación.

Norma 7.– Cooperación mutua (interna y externa)

Los gobiernos deben alentar la cooperación mutua entre las administraciones aduaneras y los demás órganos gubernamentales competentes que intervienen en la seguridad de la cadena logística, de ambos lados de la frontera, o en el marco de una Unión aduanera.

La cooperación referida incluye el intercambio de información, la capacitación, la asistencia técnica, el fortalecimiento de capacidades, la adaptación del horario de apertura de los servicios y compartir equipamiento.

Norma 8.– Elaboración de acuerdos y protocolos de cooperación (internacional)

Los gobiernos deben establecer acuerdos o protocolos de cooperación entre los órganos que trabajan a ambos lados de una frontera común o dentro de una Unión aduanera.

Norma 9.– Armonización de los programas de seguridad

Los gobiernos deben armonizar los requisitos de los distintos programas de seguridad que apliquen para mejorar la seguridad de la cadena logística internacional, en materias tales como la adecuación de los requisitos y la mejora de las ventajas ofrecidas a los beneficiarios de estos programas, o la reducción de las duplicaciones inútiles.

Norma 10.– Armonización de las medidas de control transfronterizo

Los gobiernos deben trabajar en la armonización de las medidas de control transfronterizo. En este sentido, la cooperación se puede realizar a través del reconocimiento mutuo de los controles y los programas de cumplimiento de la ley, la utilización conjunta de recursos y técnicas, y la aceptación del despacho de mercaderías que realiza la otra parte.

Norma 11.– Aplicación de una cooperación mutua

Los gobiernos deben alentar la cooperación mutua entre las organizaciones internacionales que intervienen en la seguridad de la cadena logística a fin de elaborar, actualizar y fortalecer las normas internacionales armonizadas.

La OMA debe elaborar y actualizar los mecanismos de cooperación con las organizaciones gubernamentales internacionales (OACI, OMI y UPU por ejemplo) que intervienen en la seguridad de la cadena logística.

32.2.6. Datos de las declaraciones anticipadas

El Marco SAFE contiene también el listado de los datos, integrado por 39 elementos, que las autoridades aduaneras podrán exigir de forma anticipada a la llegada de las mercancías a su territorio aduanero. El objetivo de este listado máximo de datos que pueden exigirse consiste en armonizar y facilitar el cumplimiento a los operadores, evitando que las operaciones realizadas con cada país determinen obligaciones de información diferentes. La armonización en este sentido ha de tener en cuenta que, puesto que estos datos se proporcionan desde el país de exportación, no parece razonable que cada Estado actúe por su cuenta fijando requisitos propios, pues este proceder constituiría un obstáculo poco transparente a la fluidez del tráfico comercial.

El listado máximo de datos que la OMA considera razonable exigir de forma anticipada a la llegada de las mercancías es el siguiente:

Modelo de datos anticipados de la OMA			
1	Nombre y código del exportador	21	Parte encargada de la estiba y código
2	Nombre y código del expedidor	22	Nombre y código del consolidador de la carga
3	Identificación del transportista	23	Código del país de origen
4	Nombre y código del importador	24	Lugar de carga y código
5	Nombre y código del destinatario	25	Identificación y nacionalidad —codificada— del medio de transporte que atraviesa la frontera
6	Nombre y/o código de la parte a notificar	26	Número de referencia del medio de transporte
7	Dirección de entrega	27	Código de forma de pago del transporte
8	Código de país/es de expedición	28	Código de oficina aduanera de salida
9	Nombre y código del representante	29	Código de la oficina aduanera de llegada
10	Clasificación no comercial y descripción de las mercancías	30	Fecha y hora de llegada a la primera aduana de llegada
11	Clasificación no comercial de las mercancías	31	Breve descripción de la carga
12	Identificación codificada del tipo de embalaje y cantidad de paquetes	32	Código del operador del contenedor
13	Peso bruto total	33	Código de la posición de la estiba
14	Número de identificación del material (dispositivo de carga del contenedor o unidad de carga), tamaño y clase	34	Tipo de clasificación de mercancías

Modelo de datos anticipados de la OMA			
15	Número del precinto	35	Lugar de descarga y código
16	Importe total de factura	36	Código del estado del contenedor
17	Número de Referencia Única de Envío	37	Fecha y hora del estado (en caso de evento)
18	Nombre y código del comprador	38	Nivel de carga del equipo de transporte
19	Nombre y código del vendedor	39	Varios (lugar en que se produjo el hecho)
20	Fabricante y código		

EL OPERADOR ECONÓMICO AUTORIZADO

ÍNDICE

33 El Operador Económico Autorizado

33.1. INTRODUCCIÓN, TIPOS Y FUENTES

En la actualidad la normativa básica del OEA se contiene en los preceptos que indicamos en la tabla que sigue.

Regulación del OEA		
CAU	**RDCAU**	**RECAU**
38 a 41	23 a 30	24 a 35

La figura del OEA se introdujo en el ordenamiento de la UE mediante los Reglamentos 648/05 (DO L 117, de 04.05.2005) y 1875/06 (DO L 360, de 19.12.2006), por los que se modificaron el CAC y el RACAC, respectivamente, y que son conocidos como "la enmienda de seguridad". En el CAC se insertó un nuevo artículo 5bis, en tanto que en el RACAC se insertaron los artículos 14bis a 14quinvicies, además de otros preceptos a lo largo del articulado que contenían referencias a la figura. Obsérvese que la normativa europea sobre OEA se acompasa con el avance de los trabajos del Marco Normativo SAFE, de manera que la regulación de la UE está inspirada en muy buena medida por el estándar internacional. Los referidos Reglamentos 648/05 y 1875/06 introdujeron otras modificaciones en materia de seguridad, como la normativa relativa a la gestión de riesgos y la declaración anticipada a la llegada de las mercancías.

El Reglamento 197/2010 (DO L 60, de 10.03.2010) estableció nuevos plazos para la emisión del certificado OEA (nueva redacción del apartado 2 del artículo 14 sexdecies RACAC). Por otra parte, el Reglamento 1192/2008 coordinó los criterios del OEA con los que se exigían para acceder a la declaración simplificada o al procedimiento de domiciliación.

Tal y como se ha expuesto en el capítulo anterior, la figura del OEA surge para satisfacer de forma más efectiva y eficiente la función de seguridad de las Aduanas. A través de esta figura se trata de identificar y promover a los operadores fiables para la Aduana, de manera que los recursos disponibles para el control puedan ser enfocados de forma más útil. En la UE, desde el inicio, la figura del OEA se intentó basar, no sólo en consideraciones de seguridad, como en los Estados Unidos, sino, en general, en criterios de cumplimiento de la normativa aduanera. En su Sentencia *Deutsche Post* (asunto C-496/17, de 16.01.2019), el TJUE aprecia que "el hecho de que las autoridades aduaneras concedan el estatuto de AEO a un operador equivale, en la práctica, a delegar en este una parte de las funciones de control de la normativa aduanera".

La combinación de consideraciones de seguridad y de cumplimiento de la normativa aduanera en la versión del OEA de la UE conduce a que se distingan tres casos posibles de OEA: por una parte tenemos al OEA fiable para la función de seguridad (al que se suele designar como "OEA-S", la "S" de "*Security & Safety*"); por otra parte tenemos al OEA fiable para las otras funciones de control de la Aduana (al que se suele designar como "OEA-C", la "C" de "*Customs Simplifications*" o simplificaciones aduaneras); y finalmente tenemos al OEA que es operador fiable, tanto en materia de seguridad como respecto de las otras funciones de control de la Aduana (al que se suele designar como "OEA-F", la "F" de "*Full*", completo).

> La abreviatura en inglés de OEA es AEO, de *Authorised Economic Operator*. El uso interna-cional de esta abreviatura está muy extendido e incluso es la que se utiliza en las versiones en español del RDCAU y RECAU.

> En el CAU el OEA-F no se presenta como una tercera figura, sino como la acumulación del OEA-C y el OEA-S, con lo que sólo habría dos variantes y la posibilidad de acumular ambas (artículo 38.2 y 3 CAU). No obstante, sigue siendo útil distinguir las tres posibles situaciones.

Variantes del OEA	
OEA-C Art. 38.2(a)	*Simplificaciones aduaneras*; es un operador fiable para el cumplimiento de las normas aduaneras en general, salvo en materia de seguridad
OEA-S Art. 38.2(b)	*Seguridad*; es un operador fiable para el cumplimiento de las normas aduaneras en materia de seguridad
OEA-F* Art. 38.3	*Completo*; es un operador fiable para el cumplimiento de las normas aduaneras en general, incluidas las de seguridad El artículo 33 RECAU denomina "autorización combinada" a la que se concede a aquél operador que tiene derecho a obtener tanto una autorización OEA-C como una autorización OEA-S

En la exposición de la figura del OEA nos centraremos, en primer lugar, en los cri-terios que permiten a un operador acceder al estatuto de OEA (capítulo 33.2), pasando a exponer a continuación los beneficios que reporta esta condición (capítulo 33.3). Se-guiremos con el procedimiento para obtener el estatuto de OEA (la autorización OEA, capítulo 33.4), tras lo cual nos ocuparemos del control tras la concesión del estatuto OEA y las incidencias que pueden producirse durante su vigencia (capítulo 33.5), para concluir refiriéndonos a los Acuerdos de Reconocimiento Mutuo (capítulo 33.6).

TAXUD elabora una guía detallada del OEA, denominada "Operadores Económi-cos Autorizados - Orientaciones" que ilustra la regulación en esta materia en la UE (en el texto nos referiremos a ella con el término "*Orientaciones*"). La última versión disponi-ble es de 2016 (documento TAXUD/B2/047/2011-Rev.6; está disponible en español) y, junto a otros materiales relativos al OEA en la UE (como el cuestionario de autoevaluación y la guía del mismo) puede obtenerse a través de la página web que TAXUD dedica al OEA, en la siguiente dirección:

https://ec.europa.eu/taxation_customs/customs-4/customs-security/
aeo-authorised-economic-operator_en
"Orientaciones 2016" en español:
https://sede.agenciatributaria.gob.es/static_files/AEAT/Aduanas/Contenidos_Privados/
Procedimientos_aduaneros/OEA_operador_economico_autorizado/Info_de_utilidad_
titulares_certificados_OEA/Orientaciones2016.pdf

ENLACES

Las *Orientaciones* no son jurídicamente vinculantes, sino meramente explicativas. Su propósito es facilitar la aplicación correcta y armonizada de las normas, garantizando una interpretación común y una aplicación uniforme, así como la transparencia y el tratamiento equitativo de los operadores.

TAXUD ha preparado un curso de autoaprendizaje a distancia sobre OEA que está disponible en su sitio web.

En España, la Agencia Tributaria —AEAT— también mantiene una página de recursos relativos al OEA en la siguiente dirección:

https://sede.agenciatributaria.gob.es/Sede/procedimientoini/DC02.shtml

ENLACE

33.2. LOS CRITERIOS DE CONCESIÓN DEL OEA

Los criterios para acceder al estatuto de OEA se enumeran en el artículo 39 CAU y se desarrollan fundamentalmente en los artículos 24 a 28 RECAU. Un primer requisito común a las tres variantes de OEA (OEA-C, OEA-S, OEA-F) consiste en que se trate de un "operador económico". El artículo 5.5 CAU define este concepto como "persona que, en el ejercicio de su actividad profesional, intervenga en actividades a las que se aplique la legislación aduanera". Debe tratarse, en consecuencia, de un sujeto que, en el marco de su actividad económica (tanto profesional como empresarial, pese a la literalidad de la definición) realice actividades reguladas por el Derecho aduanero.

A su vez, el artículo 5.4 CAU define "persona" como "toda persona física o jurídica, así como cualquier asociación de personas que no sea una persona jurídica pero cuya capacidad para realizar actos jurídicos esté reconocida por el Derecho de la Unión o el nacional".

De modo que, tanto las personas físicas, como las jurídicas, como los entes sin personalidad jurídica, pueden ser operador económico. Las *Orientaciones* aclaran que debe ejercer el control de su actividad económica con el fin de garantizar que los riesgos asociados a sus actividades aduaneras puedan identificarse y evitarse o minimizarse. Por lo que hace a la realización de actividades aduaneras, se señalan como ejemplos de sujetos que no verifican este criterio los siguientes: un proveedor con sede en la UE que únicamente distribuye mercancías en libre práctica a un fabricante también con sede en la Unión; un transportista que traslade exclusivamente mercancías en libre práctica no sujetas a ningún otro procedimiento aduanero en el territorio aduanero de la Unión; un fabricante que produce mercancía únicamente para el mercado interno de la UE y utiliza materias primas en libre práctica; un consultor que solo presta servicios de consultoría u ofrece su opinión en materia aduanera. En cambio, sí se considera que realiza actividades aduaneras un fabricante que produzca mercancías que vayan a ser exportadas, aunque los trámites de exportación sean efectuados por un tercero; o bien operadores que manipulan mercancías sujetas a control aduanero, o que tratan la información aduanera relacionada con las mismas. En particular, se considera que realizan actividades aduaneras los fabricantes que producen mercancías destinadas a la exportación, los exportadores, los transitarios, los depositarios y otro personal de instalaciones de almacenamiento, los representantes aduaneros, los transportistas, los importadores y otros operadores (como operadores de terminal, estibadores y encargados del embalaje de la carga).

Recordemos que el Marco Normativo SAFE de la OMA, en su Anexo I, define al OEA como "una parte integrante del movimiento internacional de mercaderías, cualquiera sea el motivo, que fue reconocido por una administración nacional de aduanas por cumplir las normas de la OMA o normas equivalentes en materia de seguridad de la cadena logística. Los OEA pueden ser fabricantes, importadores, exportadores, despachantes de aduana, transportistas, operadores de agrupamiento, intermediarios, operadores portuarios, de aeropuertos o terminales, operadores de transporte integrados, operadores de depósito, distribuidores, operadores de transporte".

Además, el operador debe estar establecido en el TAU (artículo 38.1 CAU).

Esta regla general, no obstante, tiene una excepción en los supuestos de reconocimiento mutuo, cuando un operador de un tercer país se equipare al OEA de la UE en virtud de un acuerdo con ese Estado, que debe aplicar una figura análoga (artículo 38.7 CAU).

Conforme al artículo 5.31 CAU se entiende que una persona física está establecida en el TAU cuando tiene en él su domicilio habitual. Para las personas jurídicas o entes, se consideran establecidos en el TAU si tienen en él su domicilio social, su sede o un establecimiento permanente. Respecto al concepto de establecimiento permanente, las *Orientaciones* se remiten al artículo 8 del Modelo de Convenio de Doble Imposición de la OCDE.

En la tabla que sigue pueden identificarse las rúbricas de los criterios que se exigen a cada tipo de OEA.

Criterios del OEA	OEA-C	OEA-S	OEA-F
Historial de cumplimiento aduanero	X	X	X
Sistema de gestión de registros comerciales	X	X[(1)]	X
Solvencia financiera	X	X	X
Cualificación profesional	X		X
Niveles de seguridad adecuados		X	X

(1) Pero no se le exige tener un sistema logístico que haga una distinción entre las mercancías de la UE y las que no lo son.

Ofrecemos a continuación el contenido detallado de cada una de las rúbricas de criterios referidas, incluyendo elementos adicionales ilustrativos extraídos del documento *"Orientaciones"* de TAXUD.

Criterios del OEA

1.– Historial de cumplimiento aduanero (artículo 24 RECAU)

Este requisito se examina respecto de: a) el solicitante; b) el empleado o los empleados encargados de los asuntos aduaneros del solicitante; y c) la persona o las personas encargadas del solicitante o que controlen su dirección.

Sobre los sujetos referidos no debe pesar una condena por un delito grave en relación con su actividad económica. Tampoco han debido ser objeto de ninguna decisión de una autoridad administrativa o judicial que concluya que han cometido, durante los tres últimos años, infracciones graves o reiteradas de la normativa aduanera o de la normativa fiscal en relación con su actividad económica.

> La actividad económica en el marco de la cual se haya podido cometer un delito grave, o bien infracciones graves o reiteradas, puede ser tanto la del propio solicitante como cualquier otra que puedan desarrollar los sujetos sobre los que recae el examen.
>
> Los hechos por los que se haya apreciado una infracción grave o infracciones reiteradas deben haberse producido en los tres años precedentes, pudiendo ocurrir que la autoridad administrativa o judicial se pronuncie sobre tales hechos después de que hayan transcurrido esos tres años.
>
> Si el solicitante lleva establecido menos de tres años, la evaluación se basará en los registros y la información disponibles.
>
> Si la persona o las personas encargadas del solicitante o que controlen su dirección —no el propio solicitante— están establecidas o tienen su residencia en un tercer país, la evaluación se basará en los registros y la información de que disponga la autoridad competente para adoptar la decisión.
>
> *Orientaciones.* – También se tienen en cuenta las infracciones cometidas por transitarios, agentes de aduanas u otros terceros que actúen en nombre del solicitante. Pueden descubrirse en un control posterior al levante. Han de tomarse en consideración infracciones relevantes no aduaneras. La sanción debe ser firme.

Criterios del OEA

La autoridad aduanera puede apreciar cumplido el criterio si considera que las posibles infracciones son de importancia insignificante respecto al número o la magnitud de las operaciones aduaneras y no ponen en duda la buena fe del solicitante.

Orientaciones.– Para calificar como "insignificante" ha de tenerse en cuenta el historial de cumplimiento, la naturaleza de las actividades y el tamaño del operador; debe examinarse si hubo fraude deliberado; si se reveló el incumplimiento de forma espontánea; su impacto en la recaudación; si se trata de un acto aislado o esporádico; si ha habido negligencia manifiesta; si ha habido reiteración de las infracciones. En todo caso, siempre debe ponderarse la cantidad de infracciones cometidas atendiendo al volumen total de operaciones.

Por otra parte, para considerar una infracción como grave, se examinará si hubo un intento deliberado o fraude; la naturaleza de la infracción; si existe o no negligencia manifiesta (que se determina a partir de tres elementos: la complejidad de la legislación aduanera, las precauciones adoptadas por la empresa, y la experiencia de ésta); la relevancia de la infracción y si la misma constituye un indicador de riesgo elevado.

2.– Sistema de gestión de los registros comerciales y de transportes (artículo 25 RECAU)

Este criterio se descompone en los siguientes elementos:

a) tener un sistema de contabilidad que sea coherente con los principios contables comúnmente aceptados, aplicado en el Estado miembro en el que se lleve la contabilidad, que facilite la inspección aduanera y que el historial de los datos facilite una pista de auditoría desde el momento en que los datos se introducen en los archivos.

Orientaciones.– Es importante que la información consignada en el sistema refleje el movimiento físico de los envíos, las mercancías y los productos; que permita trazabilidad de la mercancía, desde la entrada de materia prima hasta la salida de productos transformados; que refleje el flujo de envíos.

b) permitir a la autoridad aduanera el acceso físico a sus sistemas contables y, en su caso, a los registros comerciales y de transporte. Si los registros se llevan de forma electrónica, se debe proporcionar acceso electrónico.

Orientaciones.– Las autoridades deben tener la posibilidad de trabajar con los datos. El criterio debe distinguir entre PYMEs y grandes empresas.

c) los registros que lleve a efectos aduaneros deben estar integrados en su sistema de contabilidad o permitir la realización de controles cruzados de la información con el sistema contable;

d) tener un sistema logístico que haga una distinción entre las mercancías de la UE y las que no lo son e indica, en su caso, su localización *(este elemento no se exige al OEA-S)*;

Orientaciones.– Para las PYMEs es suficiente distinguir mediante un sencillo archivo electrónico o registros en papel, siempre que se gestionen y protejan de modo seguro.

e) tener una organización administrativa que corresponda al tipo y al tamaño de la empresa y que sea adecuada para la gestión del flujo de mercancías, y llevar a cabo controles internos que permitan prevenir, detectar y corregir los errores y prevenir y detectar las transacciones ilegales o irregulares;

Orientaciones.– La organización administrativa debe ser adecuada, teniendo en cuenta su modelo empresarial, para la gestión del flujo de mercancías. Concierne a todos los servicios que intervienen en operaciones de comercio exterior, no sólo al de aduanas.

f) en su caso, aplicar procedimientos satisfactorios de utilización de licencias y autorizaciones vinculadas a medidas de política comercial o al comercio de productos agrícolas;

Criterios del OEA

g) aplicar procedimientos satisfactorios de archivo de los registros y la información de la empresa y de protección respecto a la pérdida de información;

> *Orientaciones.–* Se tiene en cuenta el tipo de medios y el formato de software en los que se almacenan los datos, si estos se comprimen o no, y en qué etapa. Si se recurre a un tercero, el servicio debe ser inequívoco. Se examina si existe un plan de seguridad, con descripción de las medidas a adoptar en caso de incidentes, y si se actualiza periódicamente. También las rutinas de creación de copias de seguridad.

h) garantizar que los empleados pertinentes sean conscientes de la necesidad de informar a las autoridades aduaneras si se descubren dificultades de cumplimiento y establecer procedimientos para informar a las autoridades aduaneras de tales dificultades;

> *Orientaciones.–* Debe disponerse de una persona de contacto y dar instrucciones formales para que los empleados le trasladen los incidentes.

i) disponer de medidas apropiadas de seguridad de las tecnologías de la información para proteger el sistema informático de cualquier intrusión no autorizada, así como para asegurar la documentación.

> *Orientaciones.–* Se examina el uso de contraseñas, el empleo de cortafuegos, protección anti-virus, y si se garantiza el almacenamiento seguro de la documentación.

j) establecer, en su caso, procedimientos satisfactorios para la gestión de los certificados de importación y exportación vinculados a prohibiciones y restricciones, incluidas medidas destinadas a distinguir las mercancías sujetas a prohibiciones o restricciones de otras mercancías y medidas para garantizar el cumplimiento de tales prohibiciones y restricciones.

3.– Solvencia financiera acreditada (artículo 26 RECAU)

El operador debe tener una buena situación financiera que sea suficiente para que pueda cumplir sus compromisos, atendidas las características del tipo de actividad empresarial. Se toma en consideración la solvencia respecto a los tres años anteriores a la solicitud.

Este criterio se considera cumplido cuando el solicitante cumple las condiciones siguientes:

a) no está incurso en un procedimiento concursal;

b) durante los últimos tres años anteriores a la presentación de la solicitud, ha cumplido con el pago de los derechos de aduana y los demás derechos, tributos o gravámenes recaudados sobre la importación o exportación de mercancías o en relación con ellas (puede haber solicitado facilidades de pago);

c) demuestra, sobre la base de los registros y de la información disponibles para los tres últimos años anteriores a la presentación de la solicitud, que dispone de capacidad financiera suficiente para cumplir sus obligaciones y hacer honor a sus compromisos relativos a la naturaleza y el volumen de las actividades comerciales, en particular no disponer de activos netos negativos (situación positiva del activo circulante neto y del activo neto), excepto en caso de que puedan cubrirse.

> *Nuevo operador.–* Si el solicitante lleva establecido menos de tres años, su solvencia financiera se evaluará basándose en los registros y la información disponible.

> *Orientaciones.–* Disponibilidad de capacidad financiera suficiente: que presente sus cuentas en plazo, sin salvedades de auditoría, que provisione riesgos; tener en cuenta si ya se examinó este factor para conceder autorizaciones.

Criterios del OEA

4.– Cualificación profesional (artículo 27 RECAU) (no se aplica a OEA-S)

El operador debe acreditar un nivel adecuado de competencia o de cualificaciones profesionales directamente relacionadas con la actividad que ejerza. Este criterio se considera cumplido en cualquiera de los casos siguientes:

1. El solicitante o la persona encargada de los asuntos aduaneros del solicitante tiene una experiencia práctica probada de un mínimo de tres años en materia aduanera o bien aplica una norma de calidad en materia aduanera adoptada por un organismo europeo de normalización.

2. El solicitante o la persona encargada de los asuntos aduaneros del solicitante ha cursado con éxito una formación sobre la legislación aduanera adecuada a su actividad facilitada por una entidad reconocida a estos efectos.

> La entidad reconocida a estos efectos puede ser: 1) la autoridad aduanera de un Estado miembro; 2) un centro educativo reconocido, a los efectos de esta formación, por las autoridades aduaneras o un organismo responsable de la formación profesional de un Estado miembro; o 3) una asociación profesional o comercial reconocida por las autoridades aduaneras de un Estado miembro o acreditada en la Unión, a los efectos de tal calificación.

Si la persona encargada de los asuntos aduaneros del solicitante es una persona contratada, el criterio se considera cumplido si la persona contratada es un OEA de simplificaciones aduaneras (OEAC, o *AEOC* por sus siglas en ingles).

5.– Niveles de seguridad adecuados (artículo 28 RECAU) (no se aplica a OEA-C)

Este criterio se descompone en los siguientes elementos:

> *Orientaciones.–* Sólo se toman en cuenta elementos que se utilicen para el comercio internacional (no p.e. almacenes de mercancías de la UE destinadas al mercado interno). Todas las condiciones deben poder verificarse y cumplirse, aunque debilidades en una pueden compensarse con fortalezas en otra. Es un análisis casuístico y que debe tener en cuenta las peculiaridades de las PYMEs. Más que reaccionar ante incidencias de seguridad interesan medidas que las eviten.

a) los edificios que vayan a ser utilizados para la realización de las operaciones amparadas por la autorización OEA-S deben estar construidos con materiales que resistan un acceso ilegal y protejan de la intrusión ilegal;

> *Orientaciones.–* Debe posibilitar la demora y la disuasión del intruso (p. ej., mediante rejas, códigos, ventanas externas e internas, puertas y vallas aseguradas con dispositivos de bloqueo); la detección rápida de la intrusión [p. ej., con medidas de vigilancia y control de los accesos, como los sistemas de alarma antirrobo internos y externos, o de circuito cerrado de televisión (CCTV)]; la reacción inmediata ante la intrusión (p. ej., mediante la utilización de un sistema de transmisión remota a un gestor o una empresa de seguridad en caso de que salte una alarma).

b) Se deben aplicar medidas apropiadas de control del acceso para evitar el acceso no autorizado a las zonas de expedición, los muelles de carga y las zonas de carga y otros lugares pertinentes;

> *Orientaciones.–* Incluye el acceso no autorizado del personal; se tiene en cuenta si dispone de protocolos ante incidencias.

Criterios del OEA

c) Las medidas de manipulación de las mercancías deben incluir la protección contra la introducción, la sustitución o la pérdida de materiales y la alteración de las unidades de carga;

Orientaciones.– Estas medidas, en su caso, incluyen: integridad de las unidades de carga (incluida la inspección de sus partes y el uso de sellos); los procesos logísticos (incluida la elección de transitario y medio de transporte); las mercancías de entrada (incluida la comprobación de calidad y cantidad y sellos, en su caso); el almacenamiento de mercancías (incluidos los controles de existencias); la producción de mercancías (incluidas las inspecciones de calidad); el embalaje de mercancías; la carga de mercancías (incluida la comprobación de la calidad y la cantidad y las operaciones de sellado y marcado).

d) Debe haber aplicado medidas mediante las cuales se puedan identificar claramente sus socios comerciales a fin de proteger la cadena de suministro internacional;

Orientaciones.– Incluye a todos los operadores de la cadena de suministro. Debe contar con un proceso inequívoco y verificable de selección de socios comerciales. Cada socio comercial debe ser identificado, incluyendo su función. Si resulta viable se deben incluir las referencias oportunas a la seguridad en los contratos (y evitar que pueda subcontratarse sin control del OEA). Debe documentar sus esfuerzos para lograr la seguridad de sus socios comerciales, incluyendo la obtención de información sobre ellos. Deben atenuarse los riesgos respecto de socios desconocidos.

e) Debe efectuar, en la medida en que lo permita la legislación, controles de seguridad de los posibles futuros empleados que puedan ocupar cargos sensibles respecto a la seguridad y llevar a cabo controles periódicos de los antecedentes;

Orientaciones.– Se examina la política de contratación del solicitante (adoptar precauciones razonables para puestos sensibles, que incluyen la manipulación y movimiento de mercancías; requisitos de seguridad para personal eventual e interino). Se debe disponer de un protocolo para denegar acceso (a los sistemas de identificación, las instalaciones e informaciones) a los empleados que dejen de serlo. Deben documentarse.

f) Debe establecer procedimientos de seguridad adecuados para los proveedores de servicios externos contratados.

Orientaciones.– Incluye a todos los proveedores de servicios (p.e. limpieza).

g) Debe garantizar que los empleados de que se trate participan activamente en programas de sensibilización en materia de seguridad.

Orientaciones.– Debe formar a su personal y, en su caso, a sus socios comerciales, respecto a los riesgos existentes en la cadena de suministro internacional; proporcionar material docente y formación sobre la identificación de cargas presuntamente sospechosas a todo el personal pertinente; mantener registros adecuados de los métodos docentes, las orientaciones facilitadas y la formación impartida; procurar que un servicio o una persona (internos o externos) se encarguen de la formación del personal; informar a los empleados de los procedimientos existentes en la empresa para identificar y comunicar incidentes sospechosos; impartir formación específica para ayudar a los empleados a mantener la integridad de la carga, reconocer posibles amenazas internas a la seguridad, y proteger los controles de acceso; revisar y actualizar los contenidos cuando sea necesario; mantener los niveles de sensibilización.

h) Debe designar una persona de contacto para las cuestiones relacionadas con la seguridad y la protección.

Orientaciones.– Debe notificarse a las autoridades. Esta condición no está relacionada con el puesto relativo a seguridad en el trabajo. Puede externalizarse, si bien debe mantenerse al corriente y estar autorizado para recibir y comunicar información confidencial.

En *Orientaciones* se ofrecen precisiones adicionales en relación a los criterios para acceder al estatuto de OEA para determinadas clases de operadores, como los operadores de transporte urgente (pp. 80-81), los operadores postales (pp. 81-83) o los transportistas ferroviarios (pp. 84-85).

El documento "Amenazas, riesgos y posibles soluciones" de TAXUD (anexo a *Orientaciones*), proporciona elementos concretos que guían a la empresa acerca del cumplimiento de estos criterios y también, una vez obtenido el certificado, para mantenerlo.

Por otra parte, interesa subrayar que el criterio 4, cualificación profesional, ha sido añadido por el CAU.

Como medida para evitar la duplicidad de controles, por lo que hace al criterio 5 (niveles de seguridad adecuados), se tendrá en cuenta que el solicitante disponga de un certificado de protección o seguridad sujeto al cumplimiento de criterios idénticos a los señalados. Para que ello sea posible, el referido certificado de protección o seguridad deberá encontrarse en alguna de las situaciones siguientes: a) reconocido internacionalmente (expedido de acuerdo con convenios internacionales); o b) europeo, expedido de acuerdo con la legislación de la UE; o c) expedido de acuerdo con una norma internacional de la Organización Internacional de Normalización; o d) europeo, expedido de acuerdo con una norma europea de los organismos europeos de normalización. El criterio se considera asimismo cumplido cuando el solicitante es titular de un certificado de protección y seguridad expedido por un tercer país con el que la Unión haya celebrado un acuerdo de reconocimiento mutuo que así lo disponga.

Si el solicitante es un agente acreditado o un expedidor conocido (se definen en el artículo 3 del Reglamento (CE) 300/2008) y cumple los requisitos establecidos en el Reglamento (UE) 185/2010, los criterios relativos a los niveles de seguridad adecuados (criterio 5) se considerarán cumplidos respecto de los locales y las operaciones para los que el solicitante haya obtenido el estatuto de agente acreditado o expedidor conocido en la medida en que los criterios para expedirlos sean idénticos o equivalentes a los establecidos a efectos del OEA.

En *Orientaciones* se expone la relevancia que para la evaluación de diversos criterios alcanza el hecho de que el operador disponga de otras certificaciones previamente, como autorizaciones aduaneras ya existentes, certificados otorgados por agencias o autoridades de aviación, Código internacional para la protección de los buques y de las instalaciones portuarias (PBIP), sistema de evaluación del crédito del Eurosistema del Banco Central Europeo (ECAF), la Ley Sarbanes-Oaxley (SOX), Programas OEA o similares en terceros países, TIR (*Transports Internationaux Routiers*), ISO 27001, ISO 9001:2008, ISO 28000: 2007 o Certificados TAPA, entre otros (pp. 88-92).

33.3. LOS BENEFICIOS DEL OEA

El artículo 38.6 CAU dispone que el OEA recibirá un trato más favorable que los demás operadores económicos en materia de controles aduaneros, en función del tipo de autorización concedida y, en particular, quedarán sujetos a menos controles físicos y documentales. Se trata de la contraprestación por su esfuerzo de colaboración como operadores fiables. Por su parte, el artículo 38.5 CAU establece, respecto del OEA-C (simplificaciones aduaneras) que:

a) *Siempre* que se cumplan los requisitos fijados por la legislación aduanera para un tipo específico de procedimiento simplificado, las autoridades aduaneras *deben* autorizarle a beneficiarse de dicho procedimiento;

b) Las autoridades aduaneras no examinarán de nuevo los criterios que ya hayan sido examinados al conceder el estatuto de OEA.

Señalamos a continuación los beneficios aplicables a cada tipo de OEA.

Beneficios del OEA	OEA-C	OEA-S	OEA-F
Facilidad para acogerse a procedimientos aduaneros simplificados	X		X
Menos controles físicos y documentales	X$^{(1)}$	X $^{(2)}$	X
Notificación previa de sometimiento a control		X	X
Facilidades en relación con las declaraciones previas a la salida		X	X

(1) Salvo los controles relacionados con las medidas de protección y seguridad
(2) En materia de protección y seguridad

Examinemos ahora el contenido de cada uno de esos beneficios.

Beneficios del OEA
1.– Facilidades para acogerse a procedimientos aduaneros simplificados
Esta ventaja se aplica al OEA-C o OEA-F. Podemos distinguir tres grupos de ventajas: a) Supuestos en los que se requiere el estatuto OEA para acceder a la simplificación/autorización.   – **garantía global de importe reducido por deudas aduaneras y otros gravámenes devengados** (artículo 95.3 CAU),   – **despacho centralizado**, con necesidad de autorización (artículo 179.2 CAU),   – **inscripción en el registro de declarante** con dispensa de la obligación de presentación de las mercancías (artículo 182.3 CAU),   – **autoevaluación** (artículo 185 CAU y 151 RDCAU).

Beneficios del OEA

b) Supuestos en los que el OEA se considera que cumple alguno/s de los requisitos exigidos.
- representante aduanero que presta servicios en un Estado miembro distinto de aquel en que está establecido (artículo 18.3 CAU),
- autorización de simplificación relativa al valor de las mercancías en aduana (artículo 71 RDCAU),
- **garantía global de importe reducido por deudas aduaneras y otros gravámenes respecto de deuda potencial** (artículo 95.3 CAU),
- autorización de uso de una garantía global sujeta a una prohibición temporal (artículo 96.2 CAU),
- aprobación de un lugar distinto de la aduana competente para la presentación de las mercancías, (artículo 115 RDCAU),
- autorización para establecer servicios marítimos regulares (artículo 120 RDCAU),
- **expedidor autorizado** (prueba del estatuto aduanero) (artículo 128 RDCAU),
- pesador de plátanos autorizado (artículo 155 RDCAU),
- **autorización para el uso de declaraciones en aduana simplificadas** (artículo 145 RDCAU),
- **autorización para la inscripción en los registros del declarante** (artículo 150 RDCAU),
- **destinatario autorizado** (TIR) (artículo 187 RDCAU),
- autorización de simplificaciones en relación con el tránsito (artículo 191 RDCAU).

c) Supuestos en los que la simplificación/autorización se sujeta a criterios que se consideran equivalentes a los del OEA.
- **autorización de explotación de almacenes de depósito temporal** (ADT, artículo 148.2(b) y apartado 4, párrafo tercero CAU),
- **autorización de regímenes especiales** (artículos 211.3(b), 214.2 y 223.2, párrafo segundo CAU).

2.– Menos controles físicos y documentales

El OEA estará sujeto a menos controles físicos y documentales (artículo 38.6 CAU y 24.1 RDCAU). Debe tenerse en cuenta, no obstante, que pueden practicarse controles en atención a una amenaza específica o a obligaciones de control establecidas por la normativa de la UE.

Orientaciones.– La reducción en el nivel de controles dependerá del papel y la responsabilidad del OEA en la cadena de suministro de que se trate. La condición de OEA, a este respecto, operará como un elemento reductor de los niveles de riesgo, pero hay muchos otros indicadores de riesgo que pueden determinar que el control sí se efectúe. Por otro lado, el OEA-S se beneficiará de menos controles de protección y seguridad; el OEA-C se beneficiará de menos controles de otro tipo; el OEA-F se beneficiará de menos controles de todo tipo.

Se ofrecen ejemplos de situaciones posibles en relación a la declaración sumaria de entrada (DSE), declaración en aduana con datos de protección y seguridad incluidos para declaraciones sumarias de salida (DSS), declaraciones en aduana (datos de protección y seguridad para DSE/DSS no incluidos) (pp. 24 a 26).

Cuando deba practicarse un control, el OEA gozará de prioridad frente a los demás operadores. Y los controles podrán realizarse en un lugar distinto del lugar en que las mercancías deban presentarse en aduana (si el OEA lo solicita y la Aduana lo acepta) (artículo 24.4 RDCAU).

Orientaciones.– La posibilidad de elección del lugar de inspección también se contempla en el artículo 238 párrafo segundo RECAU para todos los operadores, pero sujeta a otras condiciones y procedimientos. Por otro lado, la condición de OEA es un factor a considerar para decidir su concesión.

Beneficios del OEA

3.– Notificación previa de sometimiento de las mercancías a control

Al presentar una declaración de depósito temporal o una declaración en aduana previa a la presentación de las mercancías (que se regula en el artículo 171 CAU) y antes de la llegada de las mercancías al TAU —o antes de la salida de las mercancías del TAU—, la aduana comunicará a los OEA-S y OEA-F si el envío ha sido o no seleccionado para un control, antes de la presentación de las mercancías ante la aduana. La notificación no se practicará si pudiera comprometer el control o sus resultados (artículo 24.3 RDCAU).

Orientaciones.– Incluye los controles a realizar por otras autoridades, distintas de las aduaneras. Si el control es de protección y seguridad sólo se notificará al EOA-S.

Cuando un OEA-S haya presentado una declaración sumaria de entrada, la aduana de primera entrada notificará al OEA-S, antes de la llegada de las mercancías al TAU, en caso de que el envío haya sido seleccionado para un control físico. Si el transportista es, a su vez, OEA-S y está conectado a los sistemas electrónicos correspondientes, también se le facilitará la notificación.

La notificación también se realizará cuando, en sustitución de una declaración sumaria de entrada, se haya presentado una declaración en aduana o una declaración de depósito temporal (artículo 130 CAU), o cuando un OEAS haya presentado una notificación y dado acceso a los datos relacionados con su declaración sumaria de entrada en su sistema informático (artículo 127.8 CAU).

La notificación no se practicará cuando pueda comprometer los controles que deban realizarse o sus resultados.

Las notificaciones señaladas no afectan a los controles aduaneros *decididos* sobre la base de la declaración de depósito temporal o de la declaración en aduana *después de la presentación de las mercancías*.

La ventaja de notificación previa no se aplicará a los controles aduaneros relacionados con elevados niveles de amenaza específica u obligaciones de control contenidas en otros actos legislativos de la Unión. Si fuera el caso, las autoridades deben conceder prioridad a los envíos declarados por OEA-S y OEA-F para la gestión, las formalidades y los controles (artículo 25 RDCAU).

4.– Facilidades en relación con las declaraciones previas a la salida

No se requerirá a los OEA-S y OEA-F más datos que los indicados en las declaraciones previas a la salida en forma de declaración en aduana o de declaración de reexportación, cuando presenten tales declaraciones por cuenta propia.

Si el OEA-S y OEA-F presenta por cuenta de otra persona, que sea también un OEA-S o OEA-F, una declaración previa a la salida en forma de declaración en aduana o de declaración de reexportación, no se requerirán otros datos que los indicados en dichas declaraciones.

En general los operadores suelen manifestar quejas en el sentido de que los beneficios son inferiores a las expectativas creadas, en tanto que los costes de cumplimiento son sistemáticamente superiores a los anticipados. Es frecuente asimismo reconocer que el esfuerzo de cumplimiento de los criterios del OEA obliga a introducir cambios en la gestión de la empresa que conducen a incorporar rutinas que mejoran sus prácticas preexistentes. Finalmente debe señalarse que dos de los beneficios más destacados por las empresas en la práctica no aparecen en la normativa. Se trata, en primer lugar, del efecto reputacional, esto es, la imagen favorable de calidad que proyecta una empresa por el hecho de estar certificada como OEA. Y, por otro lado, el acceso a círculos OEA, esto es, cadenas de producción y logísticas en las que el hecho de contar con la certificación OEA es un factor importante de acceso y permanencia.

> Las *Orientaciones* se encargan de recordar que el certificado OEA se expide al solicitante, no a sus socios comerciales, por lo que no puede extender sus efectos beneficiosos a terceros. Por otra parte, quizá presionados por la insatisfacción de muchos OEA, las *Orientaciones* recopilan una serie de ventajas "indirectas" o no establecidas en la norma, como menos robos y pérdidas; menos envíos retrasados; mejor planificación; mejora del servicio a los clientes; mayor fidelidad de los clientes; mejora de la gestión de inventario; mayor implicación del personal; reducción de los incidentes en materia de protección y seguridad; menos costes de inspección de los proveedores y mayor cooperación; reducción de las actividades delictivas y del vandalismo; aumento de la seguridad y mayor comunicación entre los socios de la cadena de suministro. También se destaca en este sentido la mejora en las relaciones con las Aduanas y con otras autoridades públicas, incluyendo el dato de que la certificación OEA se toma en consideración para determinadas certificaciones en otras áreas, como en la legislación aeronáutica o pesquera (p. 28).
>
> Añadamos, finalmente, que las autoridades disponen de margen de discrecionalidad a la hora de fijar el importe de una garantía facultativa (véase el capítulo 26), y la condición de OEA puede ser un factor a considerar en este contexto.

33.4. EL PROCEDIMIENTO DE CERTIFICACIÓN

La obtención del certificado OEA comienza con una fase preparatoria por parte del operador, a fin de adecuar su funcionamiento y circunstancias a los criterios que hemos señalado más arriba. También deberá decidirse en esta fase preliminar qué tipo de certificado se solicita. En esta labor de preparación será de ayuda consultar el cuestionario de autoevaluación y la guía del cuestionario preparados por TAXUD y disponibles en su página dedicada al OEA (véase 33.1). El cuestionario de autoevaluación permite, a través de la respuesta a los diferentes elementos que se recogen, obtener un estado de situación que permita identificar fortalezas y debilidades, al objeto de enfocarse sobre estas últimas (téngase en cuenta que el cuestionario de autoevaluación debe aportarse junto con la solicitud, artículo 26.1 RDCAU). Habitualmente se contrata a consultores externos para preparar el cumplimiento de los criterios del OEA.

Una vez la empresa considera que está preparada, debe formular una solicitud. En España la AEAT dispone de una aplicación en su web para gestionar la tramitación de certificado OEA. El solicitante debe establecer un punto central de fácil acceso o designar a una persona de contacto dentro de su organización y comunicarlo a las autoridades a fin de que puedan disponer de toda la información necesaria para comprobar el cumplimiento de los criterios de concesión del certificado OEA. El operador debe presentar una única solicitud que abarque todos sus establecimientos permanentes en el TAU.

Las *Orientaciones* recomiendan que la persona de contacto, particularmente en el caso de las grandes empresas, sea una persona de escala directiva, facultada para adoptar decisiones, supervisar y coordinar el proceso de solicitud. Con carácter general, cada persona jurídica debe presentar su propia solicitud (p.e. cada filial de un grupo multinacional). En cambio, si una empresa actúa en otro Estado mediante una sucursal (las sucursales carecen de personalidad jurídica), la solicitud de esa empresa debe comprender a la sucursal. Una sucursal no puede presentar una solicitud por separado, sino que la sociedad debe presentar la solicitud para todas las sucursales.

En España la AEAT ha elaborado, entre otros materiales, una guía de uso de la aplicación para formular la solicitud y el intercambio de datos con las autoridades, disponible en su sitio web (véase más arriba el enlace a la sección OEA de la web de la AEAT).

El Estado miembro en el que debe presentarse la solicitud es el que resulte por aplicación de los criterios que se señalan en el cuadro que sigue.

Estado miembro en que debe presentarse la solicitud OEA (art. 27 RDCAU)	
Criterio principal	– Estado miembro en el que el solicitante lleve su contabilidad principal de los regímenes aduaneros de que se trate, y se lleven a cabo, al menos, parte de las operaciones amparadas por la autorización OEA (artículo 22.1 párrafo tercero CAU).
Criterio secundario	– Si no pudiera determinarse el anterior, entonces en el Estado miembro del lugar en que el solicitante lleve sus registros y la documentación que permita a la autoridad aduanera tomar una decisión (contabilidad principal a efectos aduaneros), o esta esté accesible (artículo 12 RDCAU).
Criterio residual	– Si no pudieran determinarse los anteriores, entonces en el Estado miembro en que el solicitante tenga un establecimiento permanente y en que se conserve o esté disponible la información sobre sus actividades generales de gestión logística en la Unión, según lo indicado en la solicitud (artículo 27 RDCAU).

Por lo demás, en *Orientaciones* se ofrecen criterios adicionales para determinar el Estado miembro competente (pp. 73 y ss.), en particular para el caso de grupos multinacionales (pp. 74-76).

Por lo que hace a los datos que debe contener la solicitud, estos se señalan en el cuadro de datos que se contiene en el Anexo A del RDCAU y más concretamente en su columna 2 (que corresponde a la solicitud OEA). Adicionalmente, deben tenerse en cuenta los requisitos específicos de datos que se señalan en el Título IV del Anexo B del RDCAU, relativo a la solicitud y autorización del estatuto de OEA. Este Título contiene un primer capítulo en el que se detallan los requisitos específicos en materia de datos para la solicitud y la autorización del estatuto de OEA y un segundo capítulo en el que ofrece unas notas explicativas de los referidos requisitos específicos que establece el capítulo primero.

Con anterioridad a la implantación del sistema electrónico para la gestión del OEA previsto en el CAU, que se completó en 2019, los requisitos en materia de datos de la solicitud de OEA se establecían en los anexos 6 (formulario de solicitud) y 7 (formulario de autorización) del RDTCAU (Reglamento Delegado (UE) 2016/341).

El procedimiento se ajustará a lo establecido con carácter general para las decisiones (este procedimiento se expone en el capítulo 21.3.2; recordemos que este procedimiento incluye trámite de subsanación y trámite de audiencia). Sobre este procedimiento se establece una especialidad (artículo 28 RDCAU), consistente en que la prórroga del plazo de duración del procedimiento —una vez transcurridos los 120 días previstos con carácter general, artículo 22.3 CAU— puede ser de hasta sesenta días, en lugar de los treinta días que señala el segundo párrafo del artículo 22.3 CAU.

> Además, el procedimiento se suspenderá si se encontrara en curso un proceso penal que suscite dudas acerca de si el solicitante cumple el requisito de historial de cumplimiento aduanero (requisito 1 del cuadro de requisitos de más arriba). La suspensión se extenderá hasta que se complete el proceso.

En la fase de tramitación la autoridad aduanera competente para decidir deberá examinar si se cumplen o no los criterios para expedir la autorización OEA, documentando los resultados que vaya alcanzando (artículo 29 RECAU). En principio ese examen debe realizarse en todos los locales en los que el solicitante realice actividades relacionadas con las aduanas, pero en caso de haber muchos locales y apreciar que en todos los locales se aplican unas mismas normas de seguridad, las autoridades pueden decidir examinar únicamente una muestra representativa de los mismos. En el marco de ese examen pueden tomar en consideración los resultados de las evaluaciones o las auditorías a que se haya sometido el solicitante, así como las conclusiones de expertos que proporcione el solicitante, salvo que el experto sea un sujeto vinculado al solicitante (los supuestos de vinculación se enumeran en el artículo 127 RECAU).

> Al analizar el cumplimiento de los requisitos, las autoridades deben tener en cuenta las características específicas de los operadores económicos, en particular de las pequeñas y medianas empresas (artículo 29.4 RECAU).
> En la Sentencia *Deutsche Post* del TJUE (asunto C-496/17, de 16.01.2019) se plantea la posible colisión entre el derecho a la intimidad y la certificación OEA. La Aduana alemana había requerido la identificación precisa de los miembros de los consejos consultivos y de los consejos de supervisión, de sus principales directivos (directores gerentes, directores de departamento, director de contabilidad, director del departamento de aduanas, etc.) y de los responsables de la gestión de los asuntos aduaneros o las personas que se ocupasen de asuntos aduaneros, a los efectos de verificar su respectivo historial de cumplimiento. La empresa entendió que este requerimiento era desproporcionado y colisionaba con el derecho a la intimidad del personal afectado. El TJUE decidió que las personas físicas que deben ser identificadas a estos efectos son únicamente las comprendidas en el artículo 24.1 RECAU, es decir: a) el solicitante; b) la persona encargada del solicitante o que controle su dirección; c) el empleado

encargado de los asuntos aduaneros del solicitante. Lo que le conduce a apreciar que "esta disposición no concierne a los miembros de los consejos consultivos y consejos de supervisión de una persona jurídica, los directores de departamento, a excepción de los responsables de los asuntos aduaneros del solicitante, responsables de contabilidad, personas que se ocupen de asuntos aduaneros" (p. 43; sí quedaría comprendido el director gerente si es quien controla la dirección de la empresa, p. 44), si bien, por otra parte, puede haber más de una persona en cada una de las responsabilidades que enumera el referido artículo 24.1 RECAU (pp. 41-50). El TJUE considera justificado que la certificación OEA se supedite al suministro de esa información, pues las autoridades necesitan determinar las posibles infracciones cometidas por esos sujetos para adoptar su decisión (pp. 51 a 69).

En el marco del examen del cumplimiento de los requisitos del OEA puede resultar necesario consultar e intercambiar información con las autoridades de otros Estados miembros, ajustándose en tal caso a lo dispuesto en el artículo 31 RECAU.

La autoridad aduanera competente para tomar la decisión puede consultar a las autoridades aduaneras de los demás Estados miembros que sean competentes respecto del lugar en que se conserve la información necesaria o donde se tengan que llevar a cabo controles a los efectos del examen de uno o varios de los criterios requeridos para la concesión de la autorización OEA. La consulta es obligatoria en cuatro supuestos, a saber:

a) la solicitud de obtención del estatuto de OEA se presenta a la autoridad aduanera del lugar en que se lleva, o se encuentra accesible, la contabilidad principal del solicitante a efectos aduaneros (criterio secundario de competencia);

b) la solicitud de obtención del estatuto de OEA se presenta a las autoridades aduaneras del Estado miembro en que el solicitante tiene un establecimiento permanente y en que se conserva o se encuentra accesible la información sobre sus actividades generales de gestión logística en la Unión (criterio residual de competencia);

c) una parte de los registros y la documentación pertinentes para la solicitud del estatuto de OEA se halla en un Estado miembro distinto del de la autoridad aduanera competente para tomar una decisión;

d) el solicitante del estatuto de OEA mantiene una instalación de almacenamiento o tiene otras actividades relacionadas con las aduanas en un Estado miembro distinto del de la autoridad aduanera competente.

Se aplicarán las disposiciones generales establecidas respecto de las consultas entre autoridades aduaneras. Ahora bien, se establece una especialidad, consistente en que el plazo de consultas debe finalizar en el plazo de ochenta días a partir de la fecha en que la autoridad aduanera competente para tomar la decisión comunique las condiciones necesarias y los criterios que deban ser examinados por la autoridad aduanera consultada (excepción a lo previsto, con carácter general, en el artículo 14.1 RECAU, que establece que ese plazo será determinado por la autoridad consultante). Por otra parte se dispone que, si las autoridades de cualquier otro Estado miembro disponen de información pertinente para la concesión del estatuto OEA, deben comunicarla a la autoridad competente para decidir en el plazo de treinta días a partir de la fecha de comunicación de la solicitud a través del sistema electrónico relativo al estatuto OEA (que se regula en el artículo 30 RECAU).

La comunicación electrónica entre autoridades aduaneras de diferentes Estados miembros para gestionar el programa OEA se realiza utilizando un sistema electrónico relativo al estatuto OEA que permite el intercambio y almacenamiento de información relativa a las solicitudes de autorización de OEA, incluyendo autorizaciones concedidas, su anulación, suspensión, revocación o modificación, así como los resultados de cualquier supervisión o reevaluación. La autoridad competente debe divulgar la información a través de este sistema en el plazo de siete días. Cuando proceda se puede conceder acceso al sistema electrónico a la autoridad nacional responsable de la seguridad de la aviación civil, exclusivamente a efectos de los programas de agente acreditado o expedidor conocido.

> Los artículos 33 a 39 del Reglamento de Ejecución 2019/1026 de 21 de junio de 2019, sobre disposiciones técnicas para el desarrollo, el mantenimiento y la utilización de sistemas electrónicos para el intercambio de información y para el almacenamiento de esa información en el marco del Código aduanero de la Unión, regulan el Sistema de Operadores Económicos Autorizados.

Previamente a la plena implantación de este sistema electrónico (que tuvo lugar en 2019) los Estados miembros continuaron utilizando el sistema de comunicación establecido en el artículo 14 quinvicies del RACAC.

Si se decide conceder la autorización OEA, esta surtirá efecto el quinto día siguiente a la adopción de la decisión (artículo 29 RDCAU), y será reconocido por las autoridades aduaneras de todos los Estados miembros (artículo 38.4 CAU).

En caso de que se deniegue la solicitud OEA, esta circunstancia no afectará a las decisiones favorables en vigor tomadas con respecto al solicitante, a menos que estas se basen en el cumplimiento de alguno de los criterios OEA que se haya determinado que el solicitante no reúne durante el examen de la solicitud (artículo 32 RECAU).

La Comisión ofrece, a través del sitio web de TAXUD, la lista de los OEA de todos los Estados miembros que han prestado su consentimiento a que se difunda esta información en la siguiente dirección:

ENLACE

https://ec.europa.eu/taxation_customs/dds2/eos/aeo_consultation.jsp?Lang=en

33.5. CONTROL TRAS LA CONCESIÓN DEL ESTATUTO OEA E INCIDENCIAS

Tras la concesión del estatuto OEA las autoridades deben continuar vigilando que el sujeto mantenga el cumplimiento de los criterios a que se sujeta la autorización. Se aplicarán las disposiciones previstas con carácter general en materia de reexamen, suspensión, anulación, revocación y modificación de decisiones (estas cuestiones se examinan en el capítulo 21.3.2).

Con esta regulación común como telón de fondo, se establecen las especialidades que señalamos a continuación.

Seguimiento del cumplimiento de los requisitos del OEA.– Las autoridades aduaneras de toda la UE deben informar sin demora a la autoridad aduanera que adoptó la decisión de cualquier circunstancia que se produzca tras la concesión del estatuto de OEA y que pueda influir en su mantenimiento o su contenido. Por su parte, la autoridad aduanera que adoptó la decisión debe mantener informadas de cualquier vicisitud de la que tenga conocimiento a las autoridades aduaneras de los demás Estados miembros en los que el OEA lleve a cabo actividades relacionadas con las aduanas (artículo 35 RECAU).

> Se establecen reglas particulares respecto de los OEA-S que tengan la condición de agente acreditado o expedidor conocido (estos conceptos se definen en el artículo 3 del Reglamento (CE) 300/2008), y cumplan los requisitos establecidos en el Reglamento (UE) 185/2010. La autoridad aduanera que adoptó la decisión de autorización OEA debe facilitar inmediatamente a la autoridad nacional responsable de la seguridad de la aviación civil la siguiente información mínima referente al estatuto de OEA de que disponga:
> a) la autorización OEA-S, incluido el nombre del titular de la autorización y, si procede, su modificación o revocación, o la suspensión del estatuto OEA y los motivos de la misma;
> b) información sobre si el lugar concreto en cuestión ha sido visitado por las autoridades aduaneras, la fecha de la última visita y si la visita tuvo lugar a efectos del proceso de autorización, reevaluación o seguimiento;
> c) las reevaluaciones de la autorización del OEA-S y los resultados de las mismas.
> Las autoridades aduaneras nacionales acordarán con la autoridad nacional responsable de la seguridad de la aviación civil la forma en que intercambiar la información que no esté cubierta por el sistema electrónico relativo al estatuto de OEA. La información debe utilizarse exclusivamente a efectos de los programas de agente acreditado o expedidor conocido.

Suspensión de la autorización OEA.– La suspensión de la autorización OEA debido al incumplimiento de alguno de los criterios a que se sujeta determina la suspensión de cualquier decisión tomada respecto de ese operador que se base en la autorización OEA. En cambio, la suspensión de otro tipo de decisión en materia aduanera adoptada con respecto a un OEA no conllevará la suspensión automática de la autorización OEA.

Si se trata de un OEA-F, el incumplimiento de un requisito que sólo afecte a una modalidad de OEA (sea la C o la S) no afecta a la validez de la autorización correspondiente a la otra modalidad de OEA. De este modo, si se suspende una autorización OEA-C por incumplir el requisito de cualificación profesional (que es específico del OEA-C) y ese operador es a la vez OEA-S, la autorización OEA-S seguirá siendo válida. Análogamente, si se suspende una autorización OEA-S por incumplir el requisito de niveles de seguridad y protección adecuados (que es específico del OEA-S) y ese operador es a la vez OEA-C, la autorización OEA-C seguirá siendo válida (artículo 30 RDCAU).

Revocación de la autorización OEA.– Acordada la revocación, el operador no podrá presentar una nueva solicitud de estatuto OEA hasta que pasen tres años (artículo 11.2 RDCAU).

El artículo 34 RECAU establece, *mutatis mutandi*, las mismas consecuencias para la revocación que las que acabamos de señalar para la suspensión (que se regulan en el artículo 30 RDCAU).

> Así, la revocación de la autorización OEA debido al incumplimiento de alguno de los criterios a que se sujeta determina la revocación de cualquier decisión tomada respecto de ese operador que se base en la autorización OEA. En cambio, la revocación de otro tipo de decisión en materia aduanera adoptada con respecto a un OEA no conllevará la revocación automática de la autorización OEA. Y, por otra parte, el incumplimiento de un requisito específico de una de las dos modalidades de OEA (sea la C o la S) no afecta a la validez de la autorización correspondiente a la otra modalidad de OEA.

Siguiendo en materia de revocación del OEA, el artículo 35.3 RECAU ordena que cualquier autoridad aduanera que revoque una decisión favorable tomada sobre la base del estatuto de OEA debe notificarlo a la autoridad que haya concedido el estatuto.

33.6. RECONOCIMIENTO MUTUO

La UE ha alcanzado los acuerdos de reconocimiento mutuo (ARM) en materia de OEA que enumeramos más abajo. Ha de tenerse en cuenta, en cualquier caso, que actualmente solo los OEA que cumplen el criterio de protección y seguridad (OEA-S y OEA-F) son objeto de reconocimiento y beneficiarios de ventajas en el marco de un ARM.

Acuerdos de reconocimiento mutuo -OEA	
País	*Referencia de la publicación en el DO UE*
Estados Unidos	Decisión, DO L 144, de 05.06.2012
Japón	Decisión, DO L 279, de 23.10.2010
Noruega	Acuerdo, DO L 232, de 03.09.2009
Suiza	Acuerdo, DO L 199, de 31.07.2009
Andorra	No consta
China	No consta

El objetivo del reconocimiento mutuo del estatuto de OEA consiste en que la Administración de otro Estado reconozca el certificado emitido por las autoridades de la UE y acepte conceder beneficios sustanciales, comparables y, si fuera posible, recíprocos, a los OEA reconocidos. Es importante tener en cuenta, por tanto, que la existencia de un ARM no presupone de forma automática que los beneficios reconocidos por la normativa de la UE se van a gozar de igual modo en el tercer Estado, sino que ello dependerá de los términos del acuerdo, que es donde se precisarán qué beneficios derivan del reconocimiento. En general, no obstante, suele incluirse el beneficio consistente en la sujeción a menos controles físicos y documentales, así como la evitación de duplicidad en los controles.

A fin de que un OEA pueda gozar de los beneficios establecidos en un ARM es necesario que las autoridades de la UE faciliten cierta información a las autoridades del tercer Estado (la información a intercambiar se identifica en cada Acuerdo). Como quiera que resultan de aplicación restricciones derivadas de la normativa relativa a la protección de datos, el OEA habrá debido renunciar expresamente a la confidencialidad de tales datos a estos efectos específicamente (no es la misma autorización que se presta para aparecer en el listado de OEA en la web que difunde la Comisión). Esta autorización se concede cumplimentando y firmando la casilla apropiada del cuestionario de autoevaluación que debe remitirse con la solicitud, pudiendo también otorgarse (o retirarse) en cualquier momento mediante una solicitud escrita. No se puede limitar la autorización a determinado país o países.

En materia de Acuerdos de Reconocimiento Mutuo de programas OEA puede verse el trabajo de Susanne Aigner: "Mutual recognition of Authorised Economic Operators and security measures", *World Customs Journal*, vol. 4, nº 1, pp. 47-54.

33.7. ESTADO ACTUAL DEL OEA

En la tabla que sigue ofrecemos los datos del número de OEA concedidos en diversos Estados miembros, así como las cifras totales para el conjunto de la UE.

Número de OEA			
País	OEA-C	OEA-S	OEA-F	TOTAL
ESPAÑA	251	35	476	762
ALEMANIA	3.716	59	2.646	6.421
AUSTRIA	136	6	221	363
FRANCIA	473	221	985	1.679
REINO UNIDO	350	17	415	782
ITALIA	588	38	739	1.365
HOLANDA	407	131	1.009	1.547
POLONIA	548	37	266	851
PORTUGAL	73	10	33	116
GRECIA	91	2	58	151
TOTAL UE	7.567	665	8.346	16.578

* Los datos de esta tabla han sido obtenidos de la base de datos OEA de la Comisión Europea, consultada el 23.04.2019. La base de datos está disponible en la dirección: http://ec.europa.eu/taxation_customs/dds2/eos/aeo_consultation.jsp?Lang=en

De la tabla anterior se desprende que el total de los OEA concedidos por España representan un 4,59% del total de los OEA concedidos en toda la UE (16.578), porcentaje que se sitúa por debajo del peso relativo de la economía española en el conjunto de la UE. Destaca el dato de que Alemania aglutina más de un tercio de todos los OEA concedidos en la UE. Ello probablemente pueda deberse al interés que esta figura ha despertado en las empresas exportadoras de aquél país, que tienen en Estados Unidos un mercado de gran relevancia. Si eliminamos a Alemania, la posición de España es intermedia y sí que se ajusta aproximadamente a su peso económico. Hay países, como Holanda, que con una población y peso económico sensiblemente inferiores al de España más que doblan la cifra de OEA española, pero ello se debe a que Holanda es un país especialmente activo en el comercio exterior, que dispone del puerto con mayor actividad de la UE —Rotterdam—. Por otro lado, Reino Unido tiene una economía considerablemente mayor que la española y cuenta con un número similar de OEA. Polonia tiene una población comparable a la española —aunque su economía es de menor tamaño— y dispone más OEA (762 OEA en España frente a 851 en Polonia, un 11% más), pero obsérvese que el grueso de los OEA polacos son OEA-C, frente al OEA de mayor calidad que es el OEA-F (la cifra de OEA-F es notablemente superior para España, con 476 frente a 266 de Polonia). Los datos de OEA de la tabla también ponen de manifiesto el escaso interés que, entre los operadores de la UE, tiene la variante de seguridad, el OEA-S (representan un 4% del total de OEA en toda la UE, 665 sobre 16.578), que es la figura equivalente al C-T PAT estadounidense. La variante más numerosa es la completa (el OEA-F), que incluye simplificaciones aduaneras más seguridad, que supone algo más de la mitad del total de OEA en la UE, seguida de cerca por la variante de simplificaciones aduaneras (el OEA-C).

CONTROLES A LA EXPORTACIÓN

ÍNDICE

34 Controles a la exportación

34.1. RÉGIMEN DE CONTROL DE LAS EXPORTACIONES DE LA UE

34.1.1. Objeto y fuentes

Las exportaciones y otras operaciones relativas a determinadas mercancías sensibles, tales como el material de defensa o los productos susceptibles de un doble uso civil/militar, deben ser controladas a fin de impedir que puedan constituir un riesgo para la seguridad o los intereses de la propia UE o de sus Estados miembros.

Las normas aplicables en esta materia en la UE se contienen en el Reglamento (UE) 2021/821 del Parlamento Europeo y del Consejo, por el que se establece un régimen de la Unión de control de las exportaciones, el corretaje, la asistencia técnica, el tránsito y la transferencia de productos de doble uso. Es importante tener en cuenta que, en la UE, conviven medidas de control de exportaciones establecidas por la normativa de la Unión con medidas de control de exportaciones establecidas por la normativa propia de los Estados miembros. Por ese motivo, el Reglamento (UE) 2021/821, además de instaurar un sistema común de control, se dirige a coordinar la actuación de todos los Estados miembros, de modo que pueda garantizarse la efectividad de las medidas que, en esta materia, adopte cada uno de ellos. Un fin primordial de esta acción consiste en cumplir los compromisos y responsabilidades internacionales de los Estados miembros y de la Unión Europea relativas al control de las exportaciones.

Como acompañamiento a este nuevo Reglamento 2021/821, la Comisión Europea ha elaborado la Recomendación (UE) 2021/1700 de 15 de septiembre de 2021, relativa a los programas internos de cumplimiento para los controles de la investigación relacionada con productos de doble uso en virtud del Reglamento (UE) 2021/821 del Parlamento Europeo y del Consejo por el que se establece un régimen de la Unión de control de las exportaciones, el corretaje, la asistencia técnica, el tránsito y la transferencia de productos de doble uso (publicada en el DO UE L 338, de 23.09.2021). Aunque, en principio, esta Recomendación está dirigida a las autoridades de los Estados miembros, sin duda su contenido es asimismo relevante para los operadores.

El referido Reglamento (UE) 2021/821 es el sucesor del anterior Reglamento (CE) 428/2009, que fue objeto diversas modificaciones. La norma base de control de exportaciones suele someterse a una modificación anual, que normalmente afecta al detalle de los anexos, por lo que debe consultarse su versión consolidada. El Reglamento (UE) 2020/2171 del Parlamento Europeo y del Consejo, de 16 de diciembre de 2020, modificó el anexo IIa del Reglamento

428/2009 para incluir al Reino Unido entre los destinos cubiertos por la concesión de una autorización general de exportación con ocasión del Brexit.

Omitiremos referirnos a otra normativa sobre control de exportaciones, como la contenida en el Reglamento (UE) 2019/125 del Parlamento Europeo y del Consejo de 16 de enero de 2019 sobre el comercio de determinados productos que pueden utilizarse para aplicar la pena de muerte o infligir tortura u otros tratos o penas crueles, inhumanos o degradantes (DO L 30, de 31.01.2019); o el Reglamento (CE) 111/2005 del Consejo de 22 de diciembre de 2004 por el que establecen normas para la vigilancia del comercio de precursores de drogas entre la Unión y terceros países.

El control que establece el Reglamento 2021/821 consiste fundamentalmente en la exigencia de una autorización. En ocasiones es el propio Reglamento 2021/821 el que establece la referida exigencia de una autorización para realizar la operación de que se trate; en otras ocasiones lo que hace el Reglamento es disponer que las normas nacionales de los Estados miembros podrán exigir una autorización. En este segundo caso el Reglamento está delimitando el ámbito en el que los Estados pueden ejercer su poder normativo, al señalar respecto de qué situaciones pueden establecer este requisito. Con ello no se alcanza un régimen uniforme (cada Estado miembro puede decidir exigir la autorización o no en esos supuestos) pero sí se logra un régimen armonizado, compatible con el ejercicio de un poder de decisión nacional. Ha de tenerse en cuenta que la UE es un mercado único sin barreras interiores: si un país fuera excesivamente laxo en los controles a las exportaciones, los operadores podrían burlar la normativa de un Estado miembro estricto por el sencillo procedimiento de desviar el tráfico hacia el Estado más permisivo. Por eso es fundamental establecer un marco común de protección que garantice que las distintas opciones de los Estados puedan compatibilizarse. Veremos que, por este motivo, se imponen obligaciones a los Estados miembros de intercambio de información y de consulta al país de origen.

34.1.2. Supuestos sujetos a control

Para delimitar los supuestos en que es exigible la autorización se combinan tres elementos, a saber: a) debe tratarse de determinados tipos de operación; b) la operación debe referirse a determinados productos; c) deben concurrir determinadas circunstancias. Los tres elementos señalados los podemos designar como "operación", "productos" y "circunstancias adicionales".

Por lo que hace al primero de los elementos señalados (operación), las operaciones que se sujetan a control son, además de las exportaciones (concepto que en este marco comprende a la exportación propiamente dicha, así como a la reexportación, el perfeccionamiento pasivo y también a la transmisión electrónica de software o tecnología), el tránsito externo, el corretaje y la asistencia técnica.

> Destaquemos que, cuando en el texto de este capítulo utilicemos el término "exportación" o derivados, nos referimos, tal y como dispone el Reglamento 2021/821, no sólo al régimen aduanero de exportación propiamente dicho, sino también a la reexportación, al perfeccionamiento pasivo (en estos casos el concepto de exportador se alinea con el previsto en el CAU) y a la transmisión electrónica de software o tecnología (en cuyo caso "exportador" es quien decida transmitir o poner a disposición la información a un destino fuera del TAU). La identificación del "exportador" se completa con dos reglas adicionales. Por una parte, se establece que, si el poder de disposición sobre los productos de doble uso corresponde a una persona residente o establecida fuera del TAU, se considera exportador a la parte contratante residente o establecida fuera del TAU; por otra parte, se dispone que, en defecto de las reglas anteriores, si los productos de doble uso se exportan en el equipaje personal, se considera exportador a la persona física que los transporte.
> La definición de "tránsito" se contiene en el artículo 2.11 y es más amplia que la definición del CAU (comprende tránsito externo; transbordo o reexportación desde zona franca; reexportación desde almacén de depósito temporal; y productos llevados al TAU en el mismo buque o avión que los sacará de dicho territorio sin descarga). Destaquemos que, a estos efectos, debe tratarse de productos que no tengan estatuto aduanero de mercancías de la Unión.
> Por otra parte, define los servicios de corretaje como "a) la negociación u organización de transacciones para la compra, venta o suministro de productos de doble uso desde un tercer país a otro tercer país cualquiera; o b) la venta o compra de productos de doble uso ubicados en terceros países para su transferencia a otro tercer país", precisando a continuación que "queda excluida de la presente definición la prestación exclusiva de servicios auxiliares. Se entenderá por servicios auxiliares, el transporte, los servicios financieros, el seguro o reaseguro y la promoción o publicidad generales". El corretaje es susceptible de quedar sujeto a control cuando el corredor presta sus servicios a un tercer país desde el TAU, sin que sea necesario que el corredor sea residente o esté establecido en el TAU.
> La "asistencia técnica" se define como "todo apoyo técnico relacionado con la reparación, el desarrollo, la fabricación, el montaje, el ensayo, el mantenimiento o cualquier otro servicio técnico; la asistencia técnica podrá adoptar la forma de instrucción, asesoramiento, formación, transmisión de conocimientos o capacidades de tipo práctico, o servicios de consulta, e incluirá los medios electrónicos, así como el teléfono o toda otra forma oral de asistencia". El concepto de "proveedor de asistencia técnica" se define en el artículo 2.10. Conforme a esta definición, el proveedor debe prestar su servicio de asistencia técnica desde el TAU (o bien ser residente o estar establecido en un Estado miembro) y el destinatario debe estar situado en un tercer país o bien encontrarse sólo temporalmente en el TAU.

Por lo que hace a los productos comprendidos en el ámbito de aplicación de la norma, se trata de los productos susceptibles de un doble uso, civil/militar. Ahora bien, en el régimen jurídico aplicable se establece una clara distinción, según veremos, entre los productos de doble uso que aparecen enumerados en el listado del Anexo I del propio Reglamento y otros productos susceptibles de doble uso.

El Reglamento 2021/821 define "productos de doble uso" como "los productos, incluido el soporte lógico (software) y la tecnología, que puedan destinarse a usos tanto civiles como militares, *y entre los que se incluirán productos que puedan utilizarse para el diseño, el desarrollo, la producción o el empleo de armas nucleares, químicas o biológicas y sus sistemas vectores*, incluidos todos los productos que puedan ser utilizados tanto para usos no explosivos como para ayudar a la fabricación de armas nucleares u otros dispositivos nucleares explosivos". La parte de la definición en cursiva identifica una precisión añadida por el Reglamento 2021/821 respecto de la normativa anterior.

La lista del Anexo I se actualiza para atender nuevos compromisos derivados de regímenes internacionales de no proliferación, acuerdos internacionales de control de las exportaciones y otras normas internacionales. El Anexo IV (que contiene un subconjunto de los productos del Anexo I) se actualiza por razones de orden público y seguridad pública de los Estados miembros (artículo 20). Aunque el Reglamento 2021/821 es del Consejo, en virtud de lo dispuesto en sus artículos 17 y 18, se faculta a la Comisión para que adopte actos delegados, lo que es especialmente relevante en relación a la actualización del contenido de los Anexos del Reglamento. Esta potestad ya se introdujo en el anterior Reglamento de base 428/2009 por parte del Reglamento 599/2014, habiendo utilizado la Comisión esta potestad en diversas ocasiones.

Por lo que hace a las circunstancias adicionales que deben concurrir, estas pueden ser relativas al destino que se va a dar —o se puede dar— a los productos; a que las autoridades hayan informado al operador; y/o a que el operador tenga conocimiento del destino que se va a dar a los productos (véase el cuadro de más abajo donde relacionamos lo que en esta exposición denominamos "circunstancias adicionales").

Cuando se exige autorización, con carácter general la competencia corresponde al Estado miembro en que está establecido el operador, salvo para el tránsito, caso en el que la competencia corresponde a cada Estado por el que el mismo discurra.

Combinando los tres elementos señalados (operación, producto y circunstancias), pasamos a exponer los supuestos que se sujetan a autorización, ordenados por el tipo de operación.

Exportación (artículos 3 y 4).– Comenzando por la operación de exportación, ha de señalarse que se sujeta a autorización en todo caso (en todas las circunstancias) cuando se refiere a productos relacionados en el listado del Anexo I del Reglamento. Cuando, en cambio, se trata de productos susceptibles de doble uso no relacionados en el Anexo I, se requiere asimismo autorización cuando concurra alguna de las circunstancias adicionales siguientes:

Circunstancias adicionales (artículo 4.1)
Cuando las autoridades hayan informado al exportador de que se trata de productos cuyo destino es o puede ser contribuir total o parcialmente:
a) a fines armamentísticos;
Para simplificar la exposición designamos "a fines armamentísticos" o "a usos armamentísticos" a lo que el Reglamento 2021/821 describe como "al desarrollo, la producción, el manejo, el funcionamiento, el mantenimiento, el almacenamiento, la detección, la identificación o la propagación de armas químicas, biológicas o nucleares o de otros dispositivos nucleares explosivos, o al desarrollo, la producción, el mantenimiento o el almacenamiento de misiles capaces de transportar dichas armas".
b) a un uso final militar, si el país de compra o de destino está sujeto a un embargo de armas;
Por «uso final militar» se entiende: (1) la incorporación a material militar incluido en la lista de material de defensa de los Estados miembros, (2) el uso de equipos de producción, pruebas o análisis o de componentes de los mismos para el desarrollo, la producción o el mantenimiento de material de defensa enumerado en la lista de material de defensa de los Estados miembros, o (3) el uso, en una instalación destinada a la producción de material de defensa enumerado en la lista de material de defensa de los Estados miembros, de cualquier tipo de productos no acabados. Para calificarse como "embargo de armas" a estos efectos, éste debe haber sido impuesto por una decisión o posición común adoptada por el Consejo; por una decisión de la Organización para la Seguridad y la Cooperación en Europa (OSCE); o por una resolución vinculante del Consejo de Seguridad de las Naciones Unidas (artículo 2.19).
c) a un uso como accesorios o componentes del material de defensa enumerado en la lista nacional de material de defensa que se ha exportado del territorio de un Estado miembro sin autorización o en contravención de una autorización preceptiva en virtud del Derecho interno de dicho Estado miembro.

Interesa subrayar que la circunstancia adicional puede referirse a todos los destinos (es decir, sea cual sea el país al cual se exporten las mercancías o software) o sólo a determinados destinos (artículo 3.2).

Si el exportador tiene conocimiento de que los productos de doble uso no incluidos en la lista del anexo I que se propone exportar están destinados total o parcialmente a alguno de los usos referidos en las circunstancias adicionales anteriores, deberá informar a las autoridades para que decidan si la exportación debe sujetarse a autorización.

Adicionalmente a las limitaciones que se impongan desde la normativa de la UE, la legislación nacional de cada Estado miembro puede imponer el requisito de autorización si el exportador tiene motivos para sospechar que los productos de doble uso se destinan o pueden destinarse, total o parcialmente, a cualquiera de los usos indicados más arriba, en el cuadro de "circunstancias adicionales" (artículo 4.3).

En tal caso, el Estado miembro debe informar a los demás Estados miembros y a la Comisión sobre las medidas y los requisitos de autorización que establezca, indicando los productos y los usuarios finales de que se trate. Esta comunicación puede obviarse en atención a la naturaleza de la transacción o a la sensibilidad de la información de que se trate. Los demás Estados miembros, por su parte, deben trasladar esta información a sus autoridades aduaneras y demás autoridades nacionales pertinentes.

> En los intercambios de información que se realicen en aplicación de este Reglamento rigen las normas relativas a la protección de la información personal, comercial y confidencial.
> Los Estados miembros pueden establecer otras medidas limitativas de la exportación. Véase, en este sentido, el apartado "cláusula de salvaguardia", más abajo.

El Reglamento 2021/821 introduce una normativa específica relativa a la exportación de productos de cibervigilancia no incluidos en el Anexo I, análoga a la ya expuesta para la exportación en general de productos de doble uso (artículo 5).

> A estos efectos, los productos de cibervigilancia son aquellos productos de doble uso especialmente diseñados para permitir la vigilancia encubierta de personas físicas mediante el seguimiento, la extracción, la recogida o el análisis de datos procedentes de sistemas de información y telecomunicación (artículo 2.20).
> La exportación de los referidos productos de cibervigilancia se sujeta a autorización cuando el exportador haya sido informado, por la autoridad competente de un Estado miembro, de que se trata de productos cuyo destino es —o puede ser— el de contribuir total o parcialmente a un uso relacionado con la represión interna o la comisión de graves violaciones de los derechos humanos y del Derecho internacional humanitario. Si fuera el exportador quien averiguase que los productos de cibervigilancia pudieran recibir ese destino, debe informar a las autoridades para que decidan si la exportación se debe someter a autorización. La legislación nacional de los Estados miembros puede exigir la autorización de productos no incluidos en el Anexo I si el exportador tiene motivos para sospechar que pueden ser usados para los destinos referidos. En tal caso, el Estado miembro que imponga este requisito debe informar a los demás Estados miembros y a la Comisión, indicando los productos y usuarios finales de que se trate (salvo que la naturaleza de la transacción o la sensibilidad de la información de que se trate justifiquen no hacerlo). Si todos los Estados miembros coinciden en la conveniencia de imponer un requisito de autorización para la exportación de un producto determinado, la Comisión publicará un anuncio al respecto en la serie C del Diario Oficial de la UE, que puede renovarse o modificarse con periodicidad anual.

Corretaje (artículo 6).– Si se trata de una operación de *corretaje*, el régimen es el siguiente:

1. Para productos relacionados en el Anexo I se requiere autorización si las autoridades han comunicado al corredor que van a ser destinados o pueden serlo, total o parcialmente, a uno de los usos relacionados más arriba, en el cuadro de circunstancias adicionales. Por otro lado, y siempre para productos relacionados en el Anexo I, si el corredor sabe que van a ser destinados o pueden serlo, total o parcialmente, a los usos indicados en el cuadro de circunstancias adicionales, deberá comunicarlo a las autoridades para que decidan si procede sujetar la operación a autorización.

2. Para productos de doble uso que no aparezcan relacionados en el Anexo I, corresponde al Estado miembro decidir si sujeta la operación a autorización en caso de que las autoridades hayan comunicado al corredor que van a ser destinados o pueden serlo, total o parcialmente, a los usos señalados en el cuadro de circunstancias adicionales. El Estado miembro puede establecer, además, la exigencia de autorización si el corredor tiene motivos para sospechar que esos productos están destinados o pueden estar destinados a los referidos usos.

En los supuestos del apartado 2 (exigencia de autorización establecida a nivel nacional), el Estado miembro de que se trate debe comunicarlo a la Comisión, que publicará las medidas que le hayan sido notificadas en la serie C del Diario Oficial de la UE.

Tránsito (artículo 7).– Las operaciones de tránsito respecto de productos relacionados en el Anexo I pueden ser prohibidas por los Estados miembros por los que discurra el tránsito, en cualquier momento, si los productos están destinados —o pueden estar destinados— total o parcialmente a los usos señalados en el cuadro de circunstancias adicionales.

El Reglamento señala que, en lugar de una prohibición general, el Estado miembro puede optar por atribuir competencia a las autoridades para exigir autorización, en casos concretos, respecto del tránsito específico de productos de doble uso enumerados en el anexo I, cuando estén destinados a los usos señalados en el cuadro de circunstancias adicionales. El requisito de autorización puede imponerse a la persona que ostente el contrato con el destinatario en el tercer país y esté facultada para decidir la expedición de los productos que transiten por el TAU. Si esta persona no reside ni está establecida en el TAU, el requisito de autorización se podrá imponer al declarante, al transportista o a la persona física que transporte los productos de doble uso en tránsito (esto último cuando los productos de doble uso estén contenidos en su equipaje personal).
Los Estados miembros pueden extender la prohibición de tránsito a productos no incluidos en la lista del Anexo I, en cuyo caso deberán comunicarlo a la Comisión.

Asistencia técnica (artículo 8).– La prestación de asistencia técnica relacionada con los productos de doble uso enumerados en el anexo I también se sujeta a autorización cuando el proveedor de asistencia técnica haya sido informado por las autoridades de que los productos en cuestión están o pueden estar destinados, total o parcialmente, a cualquiera de los usos señalados en el cuadro de circunstancias adicionales. Los Estados miembros pueden ampliar el requisito de autorización a productos no incluidos en la lista del Anexo I. Por otra parte, en caso de que el proveedor de asistencia técnica tenga conocimiento de que los productos de que se trate están destinados, total o parcialmente, a cualquiera de los referidos usos, debe informar de ello a las autoridades para que decidan si la prestación de este servicio se ha de sujetar a autorización (los Estados miembros pueden establecer en su normativa que la autorización sea exigida en esas circunstancias de forma automática, sin necesidad de una decisión específica de las autoridades). El requisito de autorización o de información a las autoridades queda exceptuado en los supuestos que enumera el apartado 3 del artículo 8 del Reglamento 2021 /821.

> Las excepciones que se relacionan en el apartado 3 del artículo 8 del Reglamento 2021 /821 son las siguientes prestaciones de asistencia técnica:
>
> a) se presta dentro del territorio de un país enumerado en la parte 2 de la sección A del anexo II, o hacia dicho territorio, o a un residente de un país enumerado en la parte 2 de la sección A del anexo II;
>
> b) adopta la forma de una transferencia de información que sea de dominio público o de investigación científica básica en el sentido de la Nota General de Tecnología o de la Nota de Tecnología Nuclear establecida en el anexo I;
>
> c) es prestada por las autoridades o agencias de un Estado miembro en el marco de sus funciones oficiales;
>
> d) es prestada por las fuerzas armadas de un Estado miembro sobre la base de los cometidos que tengan asignadas;
>
> e) se presta para uno de los fines citados en las excepciones para los productos del Régimen de Control de Tecnología de Misiles (tecnología del RCTM) contemplado en el anexo IV, o
>
> f) es la mínima necesaria para la instalación, el funcionamiento, el mantenimiento o la reparación de aquellos productos para los que se ha expedido una autorización de exportación.

Cláusula de salvaguardia (artículos 9 y 10).– Dado que el Reglamento 2021/821 limita las posibilidades de los Estados para exigir autorizaciones, puesto que regula en qué casos podrán establecer este requisito, se hace necesario articular una cláusula de salvaguardia (una válvula de escape) para remediar situaciones imprevistas de calado en las que un Estado precise imponer un control de exportación. A este fin se dirige el apartado 1 del artículo 9, que permite a los Estados miembros prohibir la exportación de productos de doble uso no incluidos en la lista del anexo I o imponer un requisito de autorización para su exportación cuando tal medida quede legitimada por alguna de las dos causas graves siguientes: por motivos de seguridad pública (entre los que se mencionan, de forma específica, la prevención de atentados terroristas) o por consideraciones relativas a los derechos humanos.

Notificación a la Comisión (artículo 9).– El Reglamento 2021/821 sujeta la adopción de medidas nacionales —así como su modificación—, en general, al deber de notificación a la Comisión, que a su vez se encarga de difundir su existencia mediante la publicación en la serie C del Diario Oficial de la UE (véanse los artículos 4.4, 5.6, 6.5, 7.4 y 8.6). La Comisión también publicará en la serie C del Diario Oficial de la UE las listas nacionales de control (que relacionan los productos sujetos a control) y sus modificaciones. Ha de tenerse en cuenta que la efectividad de las medidas nacionales necesita frecuentemente de la coordinación y colaboración de los demás Estados miembros, que sólo será posible en la medida en que estos tengan conocimiento de la existencia de la medida.

Los Estados miembros deben exigir una autorización para la exportación de los productos incluidos en las listas nacionales de control de cualquier Estado miembro que hayan sido publicadas por la Comisión, a condición de que las autoridades hayan informado al exportador de la posibilidad de que tales productos puedan destinarse a usos que comprometan la seguridad pública o los derechos humanos. Si esta autorización se deniega, el Estado miembro debe informar de ello a la Comisión y a los demás Estados miembros (artículo 10).

Por otra parte, cuando un Estado miembro imponga un requisito de autorización para la exportación de un producto de doble uso no incluido en la lista del anexo I, además de informar de ello a sus propias autoridades nacionales competentes, debe informar, si procede, a los demás Estados miembros y a la Comisión, en particular sobre los productos y usuarios finales afectados. Una vez recibida esta información, los demás Estados miembros deben comunicarla a sus autoridades competentes.

Cooperación administrativa. – Los Estados deben adoptar las disposiciones oportunas para establecer, en colaboración con la Comisión, una cooperación directa y un intercambio de información entre autoridades competentes. Se trata así de evitar el riesgo de que una posible disparidad en la aplicación de los controles de exportación de productos de doble uso pueda llevar a una desviación del tráfico, esto es, que los operadores utilicen un país que aplique las normas de forma más laxa como base para sus exportaciones o para la prestación de servicios de corretaje o asistencia técnica (artículos 23 a 25).

La información a intercambiar podrá incluir datos sobre las licencias y autorizaciones concedidas (al menos, una vez al año); sobre el cumplimiento de los controles; sobre las exportaciones de productos comprendidos realizadas en otros Estados miembros; sobre los análisis que hayan servido de base para elaborar las listas nacionales de control; sobre la identificación de exportadores sancionados con la privación del derecho de usar autorizaciones generales de exportación nacionales o de la Unión (incluyendo, si se dispone de estos datos, el número de infracciones, incautaciones y otras sanciones); sobre datos relativos a usuarios finales sensibles, agentes implicados en actividades de adquisiciones sospechosas y, cuando se disponga de ellas, rutas utilizadas. La Comisión creará un sistema seguro y cifrado para el intercambio de información entre Estados miembros y, en su caso, la Comisión, intercambio que debe respetar la confidencialidad de la información.

Los Estados miembros deben informar también sobre las autoridades competentes para conceder autorizaciones en esta materia en su territorio, información que la Comisión publicará en la serie C del DO UE.

A fin de facilitar la mejor aplicación efectiva de la normativa sobre control de productos de doble uso en toda la UE se establece el Grupo de coordinación sobre productos de doble uso (artículo 24).

Este grupo lo integra un representante de cada Estado miembro y uno de la Comisión, que ejerce de presidente, y examina las cuestiones que se planteen en la aplicación del Reglamento 2021/821. El grupo apoyará el intercambio de información y la cooperación entre las autoridades de los Estados miembros, haciendo un seguimiento de las medidas adoptadas, los incumplimientos y las mejores prácticas. La Comisión, en colaboración con este grupo, presentará un informe anual al Parlamento Europeo sobre la aplicación del Reglamento, para lo cual deben recibir la información oportuna de los Estados miembros.

Los Estados miembros tienen la responsabilidad de proporcionar orientaciones a los exportadores, corredores y proveedores de asistencia técnica que residan o estén establecidos en su territorio (artículo 26.1).

34.1.3. Autorizaciones

Exportación (artículos 12 a 14).– El propio Reglamento 2021/821 establece las autorizaciones generales de exportación de la Unión para determinadas exportaciones que figuran en las secciones A a H del Anexo II. La "autorización general de exportación de la Unión" se define como "una autorización de exportación para las exportaciones a determinados países de destino concedida a todos los exportadores que respeten las condiciones y requisitos enumerados en las secciones A a H del Anexo II" (apartado 15 del artículo 2). En consecuencia, se trata de una autorización colectiva (a todos los exportadores) que no precisa concesión, sino que deriva de la propia norma, cuando las mercancías tienen como destino determinados países y se cumplen los requisitos que se establecen en las referidas secciones del Anexo II. Por eso, más que una autorización, parece una excepción a la regla que establece el requisito de la autorización. El motivo de esta excepción estriba en que se considera que, cuando los productos se destinan a esos países en las condiciones que exige el Anexo II, se trata de operaciones de bajo riesgo que no precisan de autorización individual.

Ahora bien, como excepción a la excepción, se dispone que un Estado miembro puede prohibir a un exportador el uso de esta autorización general de la Unión si existen sospechas justificadas en relación con su capacidad de cumplir sus condiciones y requisitos. En este caso, los Estados intercambiarán información para impedir que este operador pueda desviar el tráfico por otro Estado.

> Además, la Comisión podrá adoptar actos delegados con el fin de modificar el Anexo II, suprimiendo de su ámbito de aplicación determinados productos o destinos, modificación que determinará que los productos y destinos afectados queden excluidos del ámbito de la autorización general de exportación de la Unión (artículo 17.2).

Para las demás exportaciones sujetas a autorización, la competencia para concederla corresponde al Estado miembro en que esté establecido el exportador y produce efectos en toda la UE. El Estado miembro puede establecer tres tipos de autorización:

Tipos de autorización nacional de exportación	
Individual	Autorización concedida a un exportador determinado para un usuario final o destinatario en un tercer país y relativa a uno o más productos de doble uso. Si el exportador no está establecido en la UE, la competencia para conceder este tipo de autorización le corresponde al Estado miembro en que se ubiquen los productos de doble uso.
Global	Autorización concedida a un exportador específico para un tipo o una categoría de productos de doble uso que podrá ser válida para las exportaciones destinadas a uno o más usuarios específicos o en uno o más terceros países determinados
General nacional	Autorización de exportación concedida por la legislación nacional con las siguientes condiciones: a) No puede referirse a los productos enumerados en la sección I del anexo II; b) Podrá ser utilizada por todos los exportadores, residentes o establecidos en el Estado miembro que expida la autorización, si cumplen los requisitos fijados en el Reglamento 2021/821 y en la legislación nacional complementaria. c) No puede ser utilizada en caso de que el exportador haya sido informado por sus autoridades de que los productos en cuestión están —o podrían estar— destinados, total o parcialmente, a cualquiera de los usos señalados en el cuadro de circunstancias adicionales ni en caso de que el exportador tenga conocimiento de que los productos están destinados a los mencionados usos. La autorización se expide de conformidad con lo indicado en la sección C del Anexo III y con arreglo a la legislación o los usos nacionales. Su establecimiento y modificación debe notificarse a la Comisión, que lo publicará en la serie C del DO UE.

Para la autorización individual y global de exportación el exportador debe facilitar a las autoridades toda la información requerida en la solicitud, en particular sobre el usuario final, el país de destino, y el uso final del producto exportado.

La autorización de exportación individual está supeditada a la obligación de presentar una declaración relativa al uso final, si bien las autoridades pueden eximir de este requisito. En la autorización global de exportación, por contra, este requisito no se establece de forma general, sino que sólo procederá cuando expresamente se imponga. Por otro lado, para la autorización global de exportación se exige con carácter general la puesta en marcha de un "programa interno de cumplimiento" (PIC), salvo que la autoridad competente lo considere innecesario.

El "programa interno de cumplimiento" (por sus siglas, PIC) es un nuevo concepto introducido por el Reglamento 2021/821 para referirse a un conjunto de protocolos internos eficaces de cumplimiento de los operadores. En este sentido, se define en el apartado 21 del artículo 2 como "políticas y procedimientos en curso eficaces, adecuados y proporcionados, adoptados por los exportadores para facilitar el cumplimiento de las disposiciones y los objetivos del presente Reglamento y las condiciones de autorización aplicadas en virtud del presente Reglamento, incluidas, entre otras, medidas de diligencia debida para evaluar los riesgos relacionados con la exportación de los productos a usuarios finales y para usos finales". Los Estados miembros deben definir los requisitos de información y del PIC relativos al uso de autorizaciones globales de exportación. La Recomendación (UE) 2021/1700 se refiere a los PIC en su Sección 3.

En otro orden de ideas, conviene señalar que, en caso de que la autorización global de exportación contenga límites cuantitativos, el exportador podrá solicitar que se fraccionen.

Corresponde a la legislación nacional fijar los plazos para tramitar la autorización.

Se establece un régimen particular cuando el producto de doble uso para el cual se solicita la autorización de exportación individual se halla —o va a hallarse— en uno o más Estados miembros distintos de aquel en el que se haya solicitado la autorización y, además, el destino del producto no aparezca enumerado en la parte 2 de la sección A del anexo II o bien se trate de determinados productos enumerados en el anexo IV, sea cual sea su destino (artículo 14.1). En primer lugar, se exige que se indique esta circunstancia en la solicitud. Y, en segundo lugar, se dispone que el Estado miembro al que se haya solicitado la autorización debe consultar inmediatamente a las autoridades competentes del Estado o Estados miembros en cuestión y facilitarles toda la información pertinente, a fin de darles la oportunidad de comunicar sus posibles objeciones a la concesión de dicha autorización en el plazo de 10 días hábiles. Ahora bien, este plazo de 10 días puede extenderse —hasta un máximo de 30 días hábiles— si así lo solicita el Estado consultado. Si se formula una objeción, el Estado miembro de autorización queda vinculado por ella; si en el plazo de 10 días hábiles —o en el plazo prorrogado, en su caso— no se formulan objeciones, el Estado de autorización deberá entender que no las hay.

Por otra parte, se reconoce a los Estados miembros la posibilidad de solicitar a otro Estado miembro que no conceda una autorización de exportación (o, si la autorización ha sido concedida, que se anule, suspenda, modifique o revoque) cuando la exportación pudiera perjudicar sus intereses fundamentales de seguridad (artículo 14.2). La solicitud no es vinculante para el Estado de autorización, sino que simplemente comporta la obligación de mantener consultas por un plazo de diez días hábiles, tras las cuales puede decidir conceder la autorización pese a la petición en contra recibida. Si opta por esta decisión, no obstante, debe notificarlo a la Comisión y a los demás Estados miembros.

El período de validez máxima de las autorizaciones de exportación individuales y de las autorizaciones globales de exportación es de dos años, salvo que la autoridad competente disponga otra cosa. Para las autorizaciones globales de exportación para grandes proyectos el período de validez será el que determine la autoridad competente, pero en este caso no puede superar los cuatro años, salvo que concurran circunstancias justificadas basadas en la duración del proyecto.

Corretaje y asistencia técnica (artículo 13).– Respecto a las autorizaciones para la prestación de servicios de corretaje y asistencia técnica, la competencia para su concesión corresponde a las autoridades del Estado miembro en que resida o esté establecido el corredor o el prestador de la asistencia técnica y son válidas en toda la UE.

Si el corredor o proveedor de asistencia técnica no reside ni está establecido en el TAU, la competencia para conceder estas autorizaciones corresponde al Estado miembro desde el que vayan a prestarse los servicios de corretaje o de asistencia técnica.

Las autorizaciones para la prestación de servicios de corretaje se conceden para la circulación de una cantidad fija de productos, debiendo indicarse claramente: I) la ubicación de los productos en el tercer país de origen; II) el usuario final; y III) la ubicación exacta del usuario final. En las autorizaciones para la prestación de asistencia técnica basta con indicar claramente el usuario final y su ubicación exacta.

A fin de obtener esta autorización, el operador deberá aportar a las autoridades en su solicitud toda la información que se exija y, en particular, detalles de la ubicación de los productos de doble uso, una descripción clara de los productos y su cantidad, las terceras partes en la transacción, el país de destino, el usuario final en dicho país y su ubicación exacta. Nuevamente, corresponde a la legislación nacional fijar los plazos para tramitar la autorización. Ésta debe contener los elementos de datos (y por su orden) que se establecen en los modelos que se recogen en la sección B del anexo III.

Factores a tomar en consideración para la autorización.– El artículo 15.1 del Reglamento 2021/821 establece una serie de factores que los Estados miembros deberán tomar en consideración a la hora de adoptar una decisión relativa a la concesión de una autorización (sea de exportación, de corretaje, o de asistencia técnica) o relativa a la prohibición de un tránsito. Se trata de los siguientes:

Factores a tomar en consideración
a) **Compromisos de no proliferación.–** Las obligaciones y compromisos internacionales de la Unión y de los Estados miembros. En particular, las obligaciones y compromisos que cada uno haya asumido en cuanto miembro de los regímenes internacionales de no proliferación y de los acuerdos internacionales de control de las exportaciones pertinentes, o en virtud de la ratificación de los tratados internacionales correspondientes
b) **Sanciones internacionales.–** Obligaciones en virtud de las sanciones impuestas por una decisión o una posición común adoptadas por el Consejo, una decisión de la OSCE o una resolución vinculante del Consejo de Seguridad de las Naciones Unidas
c) **Política nacional exterior y de seguridad.–** Incluidas las que se recogen en la Posición Común 2008/944/PESC del Consejo, de 8 de diciembre de 2008, por la que se definen las normas comunes que rigen el control de las exportaciones de tecnología y equipos militares
d) **Uso final previsto y riesgo de desviación**

Si se trata de una autorización global de exportación, además de los criterios anteriores, debe tomarse en cuenta si el exportador pone en marcha un "programa interno de cumplimiento" (por sus siglas, PIC).

Según se ha señalado más arriba, la autorización global de exportación exige, con carácter general, la puesta en marcha de un PIC, salvo que la autoridad competente lo considere innecesario.

Denegación, anulación, suspensión, modificación o revocación de una autorización (artículo 16).– Si las autoridades de un Estado miembro deciden alguna de estas acciones, deben notificarlo a las autoridades de los demás Estados miembros y a la Comisión, así como remitirles la información pertinente. Si se trata de una suspensión, a su conclusión las autoridades del Estado miembro deben notificar la evaluación final a los demás Estados miembros y a la Comisión.

Las autorizaciones denegadas deben ser revisadas en un plazo de tres años a partir de su notificación, con objeto de revocarlas, modificarlas o renovarlas, informando del resultado a los demás Estados miembros y a la Comisión. Las denegaciones que no se hayan revocado deben revisarse cada tres años y, cuando se alcance la tercera revisión, el Estado miembro debe explicar las razones por las que mantiene la denegación.

Estas reglas de notificación y revisión se aplican tanto a las autorizaciones de operaciones de exportación (incluida la exportación de productos de cibervigilancia no incluidos en el Anexo I, artículo 5.8) como a las de corretaje y asistencia técnica (artículo 16.4).

Las decisiones de prohibir el tránsito de productos de doble uso también deben notificarse a los demás Estados miembros y a la Comisión, incluyendo toda la información pertinente (entre la que se refiere expresamente la clasificación del producto, sus parámetros técnicos, el país de destino y el usuario final).

A fin de asegurar que las decisiones de un Estado miembro sean efectivas en toda la UE se establece que, antes de decidir la concesión de una autorización o de prohibir un tránsito, las autoridades competentes de cada Estado miembro deben examinar las denegaciones o las decisiones de prohibir el tránsito de productos de doble uso enumerados en el anexo I válidas, lo que ha de permitir identificar si otro Estado miembro ha denegado una autorización o un tránsito para una transacción esencialmente idéntica. En caso afirmativo, se deberá consultar con las autoridades competentes que hubieran adoptado la decisión de que se trate.

La expresión "transacción esencialmente idéntica" se define en el artículo 2.22 como "una transacción relativa a productos con parámetros o características técnicas esencialmente idénticos y en la que participa el mismo usuario final o destinatario que otra transacción".
En caso de que deba consultarse con las autoridades competentes de otro Estado miembro que hubieran adoptado una decisión sobre una transacción esencialmente idéntica, las autoridades

consultadas deben responder en un plazo de diez días hábiles si consideran que, efectivamente, se trata de una transacción esencialmente idéntica. Si no se recibe su respuesta en el referido plazo se entenderá que la transacción no es esencialmente idéntica. El plazo de diez días para responder puede prorrogarse, hasta un máximo de treinta días hábiles, en caso de que la autoridad consultada requiera más información para decidir. Si, tras efectuar la consulta, la autoridad del Estado miembro consultante decide conceder la autorización o permitir el tránsito, debe notificarlo inmediatamente a los demás Estados miembros y a la Comisión, facilitando toda la información pertinente para explicar su decisión.

Este régimen de consultas rige asimismo respecto de la exportación de productos de doble uso no incluidos en el Anexo I (artículo 4.6) y respecto de la exportación de productos de cibervigilancia no incluidos en el Anexo I (artículo 5.8).

Forma de la autorización. – Las autorizaciones individuales y globales de exportación deben expedirse, siempre que esa posible, por medios electrónicos y deben contener como mínimo todos los datos, y por su orden, que se recogen en los modelos establecidos en la sección A del Anexos III del Reglamento 2021/821 (párrafo final del artículo 12.1).

Se dispone además que, a petición de los exportadores, se fraccionarán las autorizaciones globales de exportación que contengan límites cuantitativos (párrafo final del artículo 12.4).

34.1.4. *Procedimientos aduaneros*

Será en el momento de cumplir con las formalidades de exportación (que, insistimos, en este Reglamento incluye también a la reexportación, el régimen de perfeccionamiento pasivo y la transmisión de soportes lógicos o tecnología), cuando el exportador deba acreditar que dispone de la autorización pertinente si se trata de productos de doble uso. A fin de facilitar el control, en su caso se podrá exigir al declarante una traducción de los documentos a la lengua del Estado miembro de exportación.

Cuando un Estado miembro tenga motivos para sospechar que, o bien se concedió la autorización por otro Estado sin tener en cuenta toda la información pertinente, o bien las circunstancias han cambiado considerablemente desde que se concedió tal autorización, o bien disponga de información que sugiera la exigibilidad de una autorización de exportación, podrá suspender la exportación desde su territorio o impedir de otro modo que los productos de doble uso abandonen la UE desde su territorio, estén amparados o no por una autorización de exportación válida. Se procederá en este caso a consultar inmediatamente a las autoridades competentes del Estado miembro que haya concedido la autorización de exportación, a fin de que, si lo considera apropiado, sujete la exportación a autorización o anule, modifique, revoque o suspenda la autorización. Si, por el contrario, las autoridades concedentes deciden mantener la autorización, deberán contestar en un plazo de diez días hábiles (que se puede ampliar a 30 días hábiles en circunstancias excepcionales si así lo solicitan). De no recibirse respuesta en este plazo los productos de doble uso serán liberados inmediatamente y el Estado miembro concedente deberá informar a los demás Estados miembros y a la Comisión (artículo 21).

Los Estados miembros podrán asimismo restringir las Aduanas por las que se permite realizar las formalidades aduaneras para la exportación de los productos de doble uso. En tal caso deberán comunicar a la Comisión las aduanas habilitadas y ésta lo publicará en la serie C del DO UE (artículo 22).

34.1.5. Medidas de control

Los exportadores de productos de doble uso deben llevar registros o extractos detallados de sus actividades que incluyan la documentación comercial —facturas, declaraciones de carga, documentos de transporte u otros— y los datos necesarios para determinar: a) la descripción de los productos de doble uso; b) la cantidad de los productos de doble uso; c) el nombre y la dirección del exportador y del destinatario; d) en caso de conocerse, el uso final y el usuario final de los productos de doble uso. Estos registros se llevarán conforme a la normativa o usos nacionales.

Por su parte, los corredores y quienes presten servicios de asistencia técnica deberán asimismo llevar registros o extractos relativos a los servicios comprendidos en el ámbito de este Reglamento, que deben acreditar la descripción de los productos de doble uso, el objeto de los servicios de corretaje, el periodo durante el cual los productos fueron objeto de dichos servicios, su destino y los países afectados.

Tanto los exportadores como quienes presten servicios de corretaje o asistencia técnica deberán conservarán, al menos, durante un período de cinco años (a contar desde el final del año natural en que tuvo lugar la exportación o se prestaron los servicios de corretaje) los registros y documentación referida, que deberán presentarse a requerimiento de las autoridades competentes del Estado miembro en que estén establecidos (artículo 27).

La legislación nacional debe atribuir competencia a las autoridades para obtener información sobre cualquier pedido u operación relativa a productos de doble uso y para comprobar la correcta aplicación de los controles de exportación, de los servicios de corretaje y asistencia técnica (artículo 28).

También corresponde a la legislación nacional regular el régimen sancionador por incumplimientos de la normativa de control de exportaciones, con sanciones que deben ser efectivas, proporcionadas y disuasorias (artículo 25.1).

34.1.6. *Transferencia intraunión*

El Reglamento 2021/821 regula las operaciones de "transferencia dentro de la Unión", en su artículo 11, pero no las define. Acudiendo a la Ley 53/2007 podemos extraer que la transferencia intraunión (en la terminología anterior, "intracomunitaria") comprende las operaciones de "expedición" y las de "introducción". A su vez, la "expedición" es la salida de mercancías con estatuto de mercancías de la UE de un Estado miembro con destino a otro Estado miembro, en tanto que "introducción" es su simétrico, esto es, la entrada de mercancías con estatuto de mercancías de la UE en un Estado miembro procedentes de otro Estado miembro.

Las operaciones de "transferencia intraunión" se sujetan a autorización cuando se trata de los productos de doble uso recogidos en la lista del anexo IV (que son un subconjunto de los del Anexo I). Además, no podrá disponerse una autorización general para los productos enumerados en la parte 2 del anexo IV.

Adicionalmente a los productos de doble uso relacionados en el Anexo IV, los Estados miembros pueden establecer el requisito de autorización para la transferencia de otros productos de doble uso desde su territorio al de otro Estado miembro (es decir, a la "expedición") cuando concurren —cumulativamente— tres circunstancias, que vienen a identificar supuestos que apuntan a una desviación de tráfico dirigida a eludir sujetarse a la autorización.

La primera de las tres circunstancias consiste en que el operador o la autoridad competente tenga conocimiento de que el destino final de los productos de que se trate se encuentra fuera de la UE. La segunda estriba en que la exportación de tales productos a ese destino final esté sujeta a una obligación de autorización en el Estado desde el que se transfieren los productos (por tratarse de productos del Anexo I; o bien por tratarse de productos no incluidos en el Anexo I cuando concurre una "circunstancia adicional"; o bien por tratarse de productos de cibervigilancia sujetos a autorización; o bien por aplicación de la que hemos designado "cláusula de salvaguardia"; o por la inclusión en una lista nacional de control) y, en caso de realizarse la exportación desde su territorio, no quedaría cubierta por una autorización general o una autorización global. La tercera consiste en que los productos que se transfieren no tengan que ser objeto de transformación o elaboración sustancial —en el sentido del artículo 60.2 CAU, es decir, la que confiere origen conforme a las reglas de origen no preferencial— en el Estado miembro al que van a transferirse. En resumidas cuentas, tenemos un producto sujeto a autorización individual que se dirige a otro Estado miembro de camino a su exportación a un tercer país y el paso por ese otro Estado no se justifica por la realización de operaciones de transformación de entidad. En estas circunstancias, el paso por el otro Estado miembro puede ser el mecanismo para eludir el control consistente en la autorización.

Los Estados miembros que impongan la autorización en estas circunstancias deben informar de ello a los demás Estados miembros y a la Comisión, que lo publicará en la serie C del DO UE.

Cuando la transferencia de un producto esté sujeta a autorización, la competencia para concederla corresponde al Estado de expedición (es decir, al Estado del cual sale el producto con destino al otro Estado). La autorización de transferencia se expedirá inmediatamente si la exportación posterior de los productos de doble uso ya ha sido aceptada, salvo que se haya producido un cambio sustancial de circunstancias.

La sujeción a autorización de las transferencias intraunión no puede erigirse en un obstáculo al tráfico en el mercado interior. Por este motivo se dispone que debe controlarse de forma no discriminatoria y se aclara que no legitima la aplicación de controles en las fronteras interiores de la UE. Tampoco puede tener como resultado que las transferencias de un Estado miembro a otro estén sometidas a condiciones más restrictivas que las impuestas para las exportaciones del mismo producto a terceros países.

> Para favorecer la efectividad de este control se reproduce la obligación de conservación de documentos que se ha señalado en el punto 35.1.5 para las exportaciones, corretajes y asistencia técnica, pero en este caso por un plazo mínimo de tres años, en lugar de cinco años (artículo 27.4).
> Adicionalmente, un Estado miembro puede establecer en su legislación la obligación de facilitar información complementaria a sus autoridades respecto de las expediciones de los productos enumerados en la categoría 5, parte 2, del anexo I, que no están enumerados en el anexo IV.

A fin de asegurar que las operaciones de transferencia intraunión de productos de doble uso enumerados en el anexo I no puedan ser utilizadas para eludir el control se dispone que los documentos comerciales en que se formalicen (como contrato de venta, confirmación de pedido, factura o boletín de envío) deben indicar claramente que están sujetos a control en caso de que se exporten.

34.2. RÉGIMEN ESPAÑOL DE CONTROL DE LAS EXPORTACIONES

34.2.1. Fuentes

La normativa española de control de las exportaciones está integrada por las siguientes normas:

Normas españolas de control de las exportaciones
Ley 53/2007, de 28 de diciembre, sobre el control del comercio exterior de material de defensa y de doble uso (BOE de 29.12.2007).
Real Decreto-Ley 38/2020 (BOE 340, de 30.12.2020). Los artículos 16 a 18 establecen medidas transitorias en relación con el Brexit, disponiendo la validez de determinadas autorizaciones concedidas antes del 1 de enero de 2021 con relación al Reino Unido.

Normas españolas de control de las exportaciones
Real Decreto 679/2014, de 1 de agosto, por el que se aprueba el Reglamento de control del comercio exterior de material de defensa, de otro material y de productos y tecnologías de doble uso (BOE 26.08.2014). La Orden ECC/1493/2016, de 19 de septiembre (BOE 21.09.2016) modifica los anexos I, II, III, IV y V del RD 679/2014. Con anterioridad al RD 679/2014, esta materia se regulaba en el **RD 2061/2008** (BOE 07.01.2009, corrección de errores en BOE 24.01.2009), que fue modificado por el **Real Decreto 844/2011** (BOE 02.07.2011). Nos referiremos al RD 679/2014 como RDU (Reglamento sobre Doble Uso)
Orden ITC/2880/2005, de 1 de agosto, por la que se regula el procedimiento de tramitación de las autorizaciones administrativas de exportación y de las notificaciones previas de exportación. (BOE 19.09.2005)

Además de las normas reseñadas en el cuadro de arriba debe recordarse, según se expone en el capítulo 30, que en el marco del delito de contrabando se incluyen conductas típicas relativas a incumplimientos en materia de productos y tecnologías de doble uso [capítulo 30.2, conducta típica (j)]. En este sentido, la Ley 53/2007 remite a la regulación del contrabando y al Código penal en materia sancionadora (artículo 10).

34.2.2. Objeto y régimen de control

El objeto de esta normativa, tal y como lo expone el artículo 1 de la Ley 53/2007 consiste en:

> *"contribuir a una mejor regulación del comercio exterior de material de defensa, de otro material y de productos y tecnologías de doble uso, evitar su desvío al mercado ilícito, y combatir su proliferación, al tiempo que se da cumplimiento a los compromisos internacionales contraídos por España a este respecto y se garantizan los intereses generales de la defensa nacional y de la política exterior del Estado".*

Para cumplir este fin el artículo 4 de la Ley 53/2007 establece, con carácter general, la exigencia de autorización administrativa respecto de las transferencias de material de defensa, de otro material y de productos y tecnologías de doble uso (en lo sucesivo "productos de doble uso"). Convendrá que aclaremos, en el cuadro que sigue, el alcance del término "transferencia" en este contexto.

Operaciones comprendidas en el término "Transferencia"	
"Exportación"	Comprende la exportación, la reexportación y la transmisión de software
"Importación"	Comprende la importación, la entrada de mercancías de cualquier procedencia en Ceuta y Melilla y la entrada de mercancías desde las áreas exentas A estos efectos, se consideran áreas exentas las zonas francas y los depósitos aduaneros

Operaciones comprendidas en el término "Transferencia"	
"Expedición"	Salida de mercancías con destino al resto de la UE, tanto si son originarias de la UE como aquellas otras que, siendo originarias de un tercer país, hayan sido despachadas a libre práctica en el TAU.
"Introducción"	Entrada en la Península, Islas Baleares e Islas Canarias de mercancías originarias de la UE o que, siendo originarias de un tercer país, hayan sido previamente despachadas a libre práctica en el TAU.
"Corretaje"	Actividades de personas y entidades: a) Que negocien o concierten transacciones que pueden implicar la transferencia de artículos que figuran en la lista común de la UE de equipo militar de un tercer país a cualquier otro tercer país; o b) Que compren, vendan o concierten la transferencia de dichos artículos que obren en su propiedad, de un tercer país a cualquier otro tercer país.
"Asistencia técnica"	Cualquier apoyo técnico relacionado con la reparación, desarrollo, fabricación, montaje, ensayo, mantenimiento o cualquier otro servicio técnico; la asistencia técnica podrá adoptar la forma de instrucción, formación, transmisión de conocimientos prácticos o de servicios de consulta. La «asistencia técnica» incluirá las formas orales de asistencia.

El RDU matiza esta exigencia en su artículo 2 y distingue los siguientes supuestos:

Operaciones sujetas a autorización
1.– Material de defensa *Exportación/importación* a) Las exportaciones y expediciones definitivas y temporales del material incluido en el anexo I del RDU. b) Las exportaciones y expediciones definitivas y temporales de transferencia de componentes, tecnología y técnicas de producción derivadas de un acuerdo de producción bajo licencia. > «Producción bajo licencia»: los acuerdos de producción bajo licencia, acuerdos de fabricación bajo licencia, acuerdos de coproducción, son los procesos mediante los cuales una empresa de un país autoriza a una empresa de otro país a fabricar sus productos en el extranjero; suelen incluir la transferencia de componentes, tecnología y técnicas de producción (artículo 3.16 Ley 53/2007). c) Las importaciones definitivas y temporales de los materiales de la Lista de Armas de Guerra, que figura como anexo III.1 del RDU. d) Las exportaciones definitivas y temporales de productos y tecnologías, aunque no figuren expresamente en el Anexo I RDU, estarán sujetas a autorización en los siguientes casos: 1º Cuando el exportador haya sido informado por las autoridades competentes españolas de que se trata de materiales cuyo destino es o puede ser el de contribuir, total o parcialmente, al desarrollo, producción, manejo, funcionamiento, mantenimiento, almacenamiento, detección, identificación o propagación de armas químicas, biológicas o nucleares o de otros dispositivos nucleares explosivos, o al desarrollo, producción, mantenimiento o almacenamiento de misiles capaces de transportar dichas armas.

Operaciones sujetas a autorización

2º Cuando el país adquirente o de destino esté sometido a un embargo de armas y el exportador haya sido informado de que los productos en cuestión están o pueden estar destinados total o parcialmente a un uso final militar.

El concepto de «uso final militar» es el que recogemos en la nota (1) al pie del cuadro "Circunstancias adicionales", más arriba en capítulo 34.1.2

3º Cuando el exportador haya sido informado por las autoridades competentes españolas de que los materiales en cuestión están o pueden estar destinados total o parcialmente a su uso como accesorios o componentes de material de defensa del Anexo I RDU que se ha exportado del territorio español sin autorización o en contravención de una autorización preceptiva.

4º Cuando el exportador tenga conocimiento o tenga motivos para sospechar que estos materiales se destinan o pueden destinarse, total o parcialmente, al uso señalado en el nº 2 (uso final militar en un país sometido a embargo de armas).

5º Cuando se trate de la venta, suministro, transferencia o exportación de explosivos y equipos relacionados incluidos en las listas de equipos que pueden utilizarse con fines de represión interna, como consecuencia de la imposición por parte de la UE de medidas restrictivas a determinados destinos. Las autorizaciones se referirán exclusivamente a aquellos explosivos y equipos relacionados que sean para uso civil en los sectores de la minería e infraestructuras, así como la prestación de asistencia técnica, servicios de corretaje y otros servicios.

Por su parte, no requieren la solicitud de una Licencia Individual de Transferencia las introducciones de transferencias intracomunitarias de mercancías procedentes de cualquier Estado miembro de la UE del material de defensa del anexo I.1. Dicha transferencia estará sujeta a una autorización de expedición previa, emitida por las autoridades competentes del país desde donde se realiza la expedición.

Corretaje

De acuerdo con la Posición Común 2003/468/PESC del Consejo, de 23 de junio de 2003, sobre el control del corretaje de armas, cualquier actividad de corretaje en territorio español que pueda implicar la transferencia de artículos que figuran en la Lista Común de Equipos Militares de la UE, de un tercer país a cualquier otro tercer país. También la compra, venta o concertación de la transferencia de dichos artículos que obren en su propiedad, de un tercer país a cualquier otro tercer país.

Se establece que lo dispuesto en materia de material de defensa debe entenderse sin perjuicio de lo establecido en el RD 137/1993, por el que se aprueba el Reglamento de Armas, y el RD 230/1998, por el que se aprueba el Reglamento de Explosivos.

2.– Otro material

1. Quedan sujetas a autorización:

a) Las exportaciones y expediciones definitivas y temporales del material indicado en el anexo II, en el apartado 2 del Anexo II.1 y en el anexo II.2 RDU.

b) Las importaciones definitivas y temporales del material indicado en el anexo III.2 RDU.

c) Las introducciones definitivas y temporales del material indicado en los apartados 2 y 3 del anexo III.2.

En cambio, no será necesaria autorización respecto de:

• Expediciones e introducciones con países de la UE de las armas de fuego de uso civil, sus piezas, componentes y municiones descritas en los anexos II.1 y III.2 RDU.

Estas transferencias se regularán de acuerdo con lo dispuesto en la Sección 6ª del Reglamento de Armas (RD 137/1993), en el capítulo V del Título VII del Reglamento de Explosivos (RD 230/1998) y en el capítulo V del Título VIII del Reglamento de artículos pirotécnicos y cartuchería (RD 563/2010).

Operaciones sujetas a autorización
• Exportaciones temporales o reexportaciones de armas de fuego reglamentadas, sus componentes y municiones, que estén realizadas por personas físicas, no se deriven de una actividad económica o comercial y estén destinadas a cacerías o prácticas de tiro deportivo.   Por otro lado, se dispone la aplicabilidad del régimen establecido por el Reglamento (UE) 258/2012 para las autorizaciones de exportación y las medidas de importación y tránsito de las armas de fuego, sus piezas y componentes esenciales y municiones.

3.– Productos y tecnologías de doble uso

Quedan sujetas a autorización:

a) Las exportaciones y expediciones definitivas y temporales de los productos y tecnologías de doble uso de acuerdo con el Reglamento 428/2009 (actualmente, Reglamento 2021/821).

b) La asistencia técnica a que se refiere la Acción Común del Consejo de 22 de junio de 2000, sobre el control de la asistencia técnica en relación con determinados usos finales militares, incluido su artículo 3.

c) Las importaciones definitivas y temporales de los productos nucleares de doble uso incluidos en el Anexo III.3 RDU, de conformidad con el artículo 4.2 de la Convención de Protección Física de los Materiales Nucleares de fecha 3 de marzo de 1980.

d) Las importaciones e introducciones definitivas y temporales de los productos y tecnologías de doble uso incluidos en el anexo III.3 RDU.

> Se trata de sustancias químicas susceptibles de desvío para la producción de armas químicas.

e) Las transferencias de productos y tecnologías de doble uso a que se refiere la prohibición contemplada en el artículo III de la Convención de 10 de abril de 1972 sobre la Prohibición de Desarrollo, Producción y Almacenamiento de las Armas Bacteriológicas (Biológicas) y Toxínicas y sobre su Destrucción, relativas a agentes microbianos u otros agentes biológicos, o toxinas, sea cual fuere su origen o modo de producción; de los equipos o vectores destinados a utilizar esos agentes o toxinas con fines hostiles o en conflictos armados.

f) La prestación de servicios de corretaje sobre productos y tecnologías de doble uso, según se definen en el artículo 2 del Reglamento 428/2009 (actualmente, Reglamento 2021/821).

La prestación de servicios de corretaje en relación con los productos y tecnologías de doble uso enumerados en el anexo I del Reglamento 428/2009 (actualmente, Reglamento 2021/821) cuando la Secretaría de Estado de Comercio Exterior comunique al operador que los productos en cuestión están destinados o pueden estar destinados, total o parcialmente, a cualquiera de los usos a que se refieren las circunstancias adicionales (a) y (b) (véase cuadro más arriba, en 34.1.2).

Asimismo, si el operador supiese o tuviese motivos para sospechar que los productos y tecnologías de doble uso del anexo I del Reglamento 428/2009 (actualmente, Reglamento 2021/821), para los que ofrece sus servicios, están destinados o pueden estar destinados, total o parcialmente, a cualquiera de los usos a que se refieren las circunstancias adicionales (a) y (b), deberá comunicarlo a la Secretaría de Estado de Comercio Exterior, que decidirá, previo informe de la Junta Interministerial Reguladora del Comercio Exterior de Material de Defensa y de Doble Uso (JIMDDU), si debe someterse a autorización el corretaje de dichos productos y tecnologías.

Por otro lado debe señalarse que se exime de autorización respecto del material de doble uso que acompañe o vayan a utilizar las Fuerzas Armadas o Fuerzas y Cuerpos de Seguridad del Estado español en las maniobras o misiones que realicen en el extranjero con motivo de operaciones humanitarias, de apoyo a la paz o de otros compromisos internacionales; y el que acompañe o vayan a utilizar los ejércitos de otros países en maniobras combinadas o conjuntas con las Fuerzas Armadas Españolas en territorio nacional, incluida la cesión temporal. Si se decide efectuar la venta o donación de los referidos productos o tecnologías cuando ya se encuentren fuera del territorio del país exportador/expedidor, deberá solicitarse autorización, pudiéndose efectuar su entrega desde o en el lugar donde estuviesen situados (artículo 3 RDU).

Por lo que hace al tránsito, la Administración General de Estado puede proceder a la inmediata retención del material de doble uso en tránsito a través del territorio sujeto a la soberanía española (incluyendo el espacio marítimo y aéreo), cuando se den los supuestos de denegación de autorizaciones (véase cuadro más abajo), sin perjuicio de los controles establecidos por disposiciones especiales (artículo 11 Ley 53/2007 y 10 RDU).

La concesión de autorizaciones corresponde con carácter general a la Secretaría General de Comercio Exterior (Ministerio de Comercio). Ahora bien, corresponden al Ministerio de Economía y Hacienda (DAAeIIEE) las autorizaciones respecto de la introducción en zonas y depósitos francos, vinculación a los regímenes aduaneros de depósito, de perfeccionamiento activo, de perfeccionamiento pasivo, de importación temporal, de transformación y de transferencias temporales intracomunitarias en los mismos (artículo 6 Ley 53/2007 y 5 RDU).

El artículo 5 RDU atribuye la competencia para resolver a la Secretaría de Estado de Comercio, omitiendo referirse a las competencias del DAAeIIEE, en tanto que la Exposición de Motivos del RDU destaca, entre las modificaciones introducidas por este RD 679/2014 que, "en aras a una mayor simplificación en el procedimiento, se unifican todas las competencias para resolver los procedimientos en el titular de la Secretaría de Estado de Comercio del Ministerio de Economía y Competitividad". En este punto, pues, el RD 679/2014 se separa del mandato contenido en la Ley 53/2007 al obviar la competencia del DAAeIIEE, incurriendo en una extralimitación reglamentaria. El artículo 5 RDU precisa, por otro lado, que la Subdirección General de Comercio Internacional de Material de Defensa y Doble Uso tramitará las solicitudes referidas en el RDU.

Las solicitudes de autorización deben ir acompañadas de los documentos de control que se determinan en el artículo 30 RDU, cuyo objeto es garantizar que el destino y, en su caso, el uso final de los materiales, productos y tecnologías están dentro de los límites de la correspondiente autorización (artículo 4 RDU). Además, se debe incluir información relativa a los países de tránsito y a los métodos de transporte utilizados en las transferencias y, tratándose de operaciones de corretaje, información sobre la financiación utilizada. La autorización puede sujetarse a mecanismos de verificación, seguimiento y colaboración entre gobiernos. Las operaciones sujetas a autorización de la Secretaría General de Comercio Exterior se detallan en el artículo 20 RDU (véase cuadro de más arriba, 'Operaciones sujetas a autorización'). Se incluye, además de las operaciones definitivas y temporales, la importación o introducción temporal cuando el país de destino no coincida con el país de procedencia o bien el material a exportar o expedir no coincida con el declarado a la importación o introducción; y sus simétricos, es decir, la exportación o expedición temporal cuando el país de procedencia no coincida con el país de destino, o bien el material a importar o introducir no coincida con el declarado en la exportación o expedición. Se precisa que, respecto de la importación o introducción temporal, se podrá solicitar una licencia respecto de materiales, productos o tecnologías no sometidos a control en cuanto a la importación, con objeto de autorizar la subsiguiente exportación de los mismos, pero para ello el país de destino debe coincidir con el país de procedencia y el material que se vaya a exportar o expedir debe coincidir con el declarado en la importación o introducción.

El plazo de resolución de la solicitud de autorización es de 6 meses, transcurridos los cuales puede entenderse desestimada por silencio. Conforme a lo dispuesto en el artículo 7.2 Ley 53/2007 y 6 RDU, las disposiciones de la Ley 30/92 son aplicables supletoriamente a este procedimiento. Debe entenderse que las referencias a la Ley 30/92 se realizan a la Ley 39/2015, que la deroga (Disposición Final Cuarta Ley 39/2015).

Por lo que hace a la tipología de autorizaciones, el RDU distingue entre licencia individual (artículo 22 RDU), licencia global (artículo 23 RDU), licencia global de proyecto de transferencia de material de defensa (artículo 24 RDU), autorización general de exportación (artículo 25 RDU), autorización de corretaje (artículo 26 RDU), acuerdo previo de transferencia (artículo 27 RDU), licencia general para transferencia intracomunitaria de material de defensa (artículo 28 RDU) y licencia global de transferencia de componentes de material de defensa (artículo 29 RDU). A modo de referencia, exponemos a continuación el contenido de los diversos tipos de autorización referidos.

Tipos de autorización en el RDU
Licencia individual (artículo 22 RDU)
Permite al titular la realización de uno o varios envíos hasta la cantidad máxima fijada en la autorización, a un destinatario determinado, a o desde un país especificado y dentro de un plazo de validez de doce meses. Se puede solicitar la prórroga de esta licencia (1). Este tipo de licencia se utiliza también para: 1) autorizar exportaciones y expediciones definitivas y temporales del material de defensa derivadas de un programa cooperativo de armamento en el marco del Acuerdo Marco de 27 de julio de 2000 o de cualquier otro programa cooperativo de armamento de ámbito internacional, avalado por el Gobierno español, en el que participe una o varias empresas establecidas en España, y que sea originario de otros Estados Partes del Acuerdo Marco, a países que no participen en el mismo pero que figuren comprendidos en las Listas de Destinos Permitidos conforme al Convenio de Aplicación de los Procedimientos de Exportación y Transferencia de la Licencia Global de Proyecto;   2) autorizar exportaciones e importaciones definitivas de armas de fuego de uso civil, sus piezas y componentes esenciales y municiones incluidas en los anexos II.1 y III.2, siempre que no estén contempladas en los casos descritos en el artículo 23 RDU (es decir, supuestos de licencia global). La información correspondiente al marcado aplicado a las armas de fuego deberá notificarse en la propia licencia siempre que sea posible y, como muy tarde, se notificará a la Intervención Central de Armas y Explosivos (ICAE) antes de su transferencia. Las licencias relativas a los elementos del Anexo II.1 deben ir acompañadas de un documento acreditativo de que los países importadores han emitido las correspondientes licencias o autorizaciones de importación.

Tipos de autorización en el RDU
Licencia individual (artículo 22 RDU)
Impreso: La solicitud debe formularse utilizando el impreso denominado «Licencia de Transferencia de Material de Defensa y de Doble Uso» del anexo VI.1 RDU, haciendo constar, en su caso, su vinculación a un acuerdo previo o a una operación de perfeccionamiento.
Hoja complementaria: Debe utilizarse para detallar los productos o las tecnologías que se deseen exportar y que incorporen productos o tecnologías incluidos en el anexo I o II RDU, o en el anexo I del Reglamento 428/2009 (actualmente, Reglamento 2021/821), y que sean originarios de países no pertenecientes a la UE, o en el anexo IV del citado reglamento para expediciones a Estados miembros de la UE. El modelo se incluye en el anexo VI.2.
El uso de la licencia individual procede cuando: a) sea necesaria la protección de los intereses esenciales de seguridad nacionales o por razones de política interior; b) sea preciso atender a las obligaciones y compromisos internacionales asumidos por España; o c) no se den las condiciones establecidas en el artículo 23.2 RDU para el uso de Licencias Globales, ni para el uso de Licencias Generales de Transferencia de Material de Defensa (véase más abajo).
Transferencia temporal: Si la transferencia tiene carácter temporal, el operador deberá volver a transferir la mercancía dentro de un plazo máximo de doce meses. El envío vendrá autorizado por la propia licencia de transferencia dentro de su plazo de validez. No obstante, el operador podrá solicitar la transferencia definitiva de todos o parte de los productos o tecnologías incluidos en la licencia, de acuerdo con los procedimientos de transferencia definitiva, aunque el país de destino y el destinatario no coincidan con los de la licencia temporal.
Licencia global (artículo 23 RDU)
Este tipo de licencia autoriza al titular la realización de un número ilimitado de envíos de los materiales objeto de la autorización, a uno o varios destinatarios y a o desde uno o varios países de destino especificados, en su caso, hasta el valor máximo autorizado y dentro de un plazo de validez de tres años. Se puede solicitar la prórroga de esta licencia (1).
También se puede utilizar en las exportaciones e importaciones definitivas de armas de fuego, sus piezas y componentes esenciales y municiones incluidas en los anexos II.1 y III.2 RDU. Para la exportación y expedición de los elementos del Anexo II.1 se exige que las licencias estén acompañadas de un documento acreditativo de que los países importadores han emitido la correspondiente licencia o autorización de importación.
Las operaciones cubiertas por este tipo de licencia deben realizarse entre un exportador y un destinatario que mantengan entre sí alguna de las relaciones siguientes: a) matriz-filial o entre filiales de una misma empresa; b) fabricante y distribuidor exclusivo; c) un marco contractual que suponga una corriente comercial regular entre el exportador y el usuario final del material que se desea exportar o expedir.
Impreso: La solicitud se formula en el impreso «Licencia de Transferencia de Material de Defensa y de Doble Uso», que se incluye en el anexo VI.1 RDU.
Hoja complementaria: Se utilizará para detallar los materiales, productos o tecnologías a exportar o expedir cuando incorporen alguno de los incluidos en los anexos I o II RDU o en el anexo I del Reglamento 428/2009 (actualmente, Reglamento 2021/821), que sean originarios de otros países. El modelo figura en el anexo VI.2 RDU.
Tránsito: En determinados supuestos relativos a productos de uso civil incluidos en el anexo II.1 RDU se requiere que los terceros países de tránsito comuniquen, con anterioridad a la expedición, que no se oponen a él.

Tipos de autorización en el RDU

Licencia global de proyecto de transferencia de material de defensa (artículo 24 RDU)

Este tipo de licencia autoriza al titular la realización de un número ilimitado de envíos, a uno o varios destinatarios especificados y a uno o varios países de destino especificados, hasta el valor máximo autorizado y dentro de un plazo de validez de tres años. Se puede solicitar la prórroga de esta licencia (1).

Las operaciones que pueden acogerse a este tipo de autorización son las de exportación, expedición, importación, definitivas y temporales, del material de defensa que cumplan alguna de las siguientes condiciones:

a) Las derivadas de un programa cooperativo de armamento al amparo del Acuerdo Marco de 27 de julio de 2000 o de cualquier otro programa cooperativo de armamento de ámbito internacional, avalado por el Gobierno español, en el que participe una o varias empresas establecidas en España.

Se define «programa cooperativo de armamento» como cualesquiera actividades conjuntas, entre ellas, el estudio, evaluación, valoración, investigación, diseño, desarrollo, elaboración de prototipos, producción, mejora, modificación, mantenimiento, reparación y otros servicios posteriores al diseño realizados en virtud de un acuerdo o convenio internacional entre dos o más Estados con el fin de adquirir material de defensa o servicios de defensa conexos.

En los supuestos comprendidos en esta letra, se empleará una Licencia Individual de Transferencia de Material de Defensa para autorizar envíos de materiales a países que figuren en la Lista de Destinos Permitidos de acuerdo con lo contemplado en el Convenio de Aplicación de los Procedimientos de Exportación y Transferencia de la Licencia Global de Proyecto.

b) Las derivadas de un programa no gubernamental de desarrollo o de producción de material de defensa en el que participe una o varias «empresas transnacionales de defensa (ETD)», establecidas en España, siempre que ésta o éstas tengan una autorización acreditativa del Ministerio de Defensa que manifieste que tal programa cumple los requisitos establecidos en el Acuerdo Marco. El concepto de ETD se define en el artículo 2.o) del citado Acuerdo Marco.

c) En una primera fase del desarrollo de una cooperación industrial, las exportaciones y expediciones y las importaciones de equipos y componentes a otras empresas participantes en dicha fase.

d) Las devoluciones a origen, las exportaciones y expediciones y las importaciones temporales para reparaciones, pruebas y homologaciones de los materiales descritos inicialmente en la Licencia Global de Proyecto de Transferencia de Material de Defensa.

Impreso: La solicitud se formula en el impreso «Licencia Global de Proyecto de Transferencia de Material de Defensa», que se incluye en el anexo VI.6 RDU. Se debe desglosar las partes del valor máximo total que correspondan a cada empresa y país, así como definir los materiales que desea exportar o importar mediante el artículo o subartículo, en su caso, correspondientes de la Relación de Material de Defensa, indicando el valor monetario de cada uno de ellos.

Hoja Complementaria: Si el producto que se va a exportar o expedir incorpora materiales incluidos en la aludida Relación de Material de Defensa que sean originarios de otros países, el solicitante debe detallarlos en la «Hoja Complementaria» que se incluye en el anexo VI.7 RDU, especificando su procedencia y porcentaje de participación en la mercancía que se va a exportar o expedir.

Procedimiento: Antes de proceder a autorizar la reexportación o reexpedición, derivada de un programa, de un material localizado en territorio aduanero español, las autoridades españolas deberán obtener la aprobación de los Estados que intervengan en dicho programa.

Tipos de autorización en el RDU
Autorización general de exportación (artículo 25 RDU)
Se trata de la autorización general de exportación a que nos hemos referido en el punto 34.1.3 (aquellas en que se cumplen todos los requisitos y condiciones de los anexos IIa a IIf del Reglamento 428/2009, actualmente, Reglamento 2021/821). El RDU sujeta esta autorización a un deber de notificación, dirigida a la Secretaría de Estado de Comercio, en la que el operador indique que se acoge a ella. Esta notificación debe realizarse con una antelación mínima de diez días a la primera transferencia y en ella deben contenerse determinados compromisos explícitos. Los compromisos explícitos aludidos son los relativos a: a) Realizar exportaciones que tengan como objeto exclusivamente los productos y los destinos autorizados y que cumplan todas las condiciones y requisitos que en ellas se especifican; b) Llevar una gestión individualizada de la documentación requerida para las exportaciones efectuadas con dicho procedimiento (con los elementos de información que se indican en la letra (b) del artículo 25.2(b) RDU); c) Remitir semestralmente a la Subdirección General de Comercio Internacional de Material de Defensa y Doble Uso la documentación referida correspondiente al semestre inmediatamente anterior, así como ponerla a disposición de la Secretaría de Estado de Comercio y del DA-AeIIEE, junto con cualquier otra información relevante relativa a las exportaciones efectuadas al amparo de autorizaciones generales, a efectos de las comprobaciones necesarias; d) Consignar, tanto en las facturas como en los documentos de transporte que las acompañen, la leyenda «La exportación de estas mercancías se realiza mediante autorización general y únicamente podrá ir a los destinos autorizados. La mercancía no podrá ser reexportada sin la autorización del país correspondiente», así como obtener del destinatario el compromiso de su cumplimiento; e) En caso de que se tenga conocimiento de que los productos o tecnologías son destinados (o pueden serlo) en su totalidad o en parte al desarrollo, producción, manejo y funcionamiento, mantenimiento, almacenamiento, detección, identificación o diseminación de armas químicas, biológicas o nucleares o de otros dispositivos nucleares explosivos, o al desarrollo, producción, mantenimiento o almacenamiento de misiles capaces de transportar dichas armas, se debe informar de ello a las autoridades y suspender dicha transferencia hasta obtener una autorización expresa.
Autorización de corretaje (artículo 26 RDU)
Esta es la licencia que se requiere para realizar las actividades de corretaje sujetas a autorización. La concesión de esta autorización requiere el informe previo de la JIMDDU. En la solicitud se debe proporcionar información relativa a los materiales, productos o tecnologías objeto de la transacción, las personas físicas o jurídicas involucradas, los países de origen y destino, los países de tránsito, los métodos de transporte y la financiación utilizada.
Acuerdo previo de transferencia (artículo 27 RDU)
El Acuerdo Previo de Transferencia implica la conformidad inicial de la Administración con las operaciones de que se trate. Se podrá solicitar cuando exista un proyecto de/a un país determinado en el marco de un contrato, suscrito o en negociación, que requiera un largo período de ejecución. Con carácter general tendrá un plazo de validez no superior a tres años, si bien excepcionalmente puede autorizarse un plazo de validez mayor. El Acuerdo Previo no podrá utilizarse para el despacho en la aduana, sino que debe obtenerse una Licencia de Transferencia para las operaciones cubiertas. *Impreso:* La solicitud debe formularse utilizando el impreso denominado «Acuerdo Previo de Transferencia de Material de Defensa, de Otro Material y de Doble Uso» (anexo VI.5 RDU) o bien el «Acuerdo Previo de Licencia Global de Proyecto de Transferencia de Material de Defensa» (anexo VI.8 RDU).

Tipos de autorización en el RDU

Licencia general para transferencia intracomunitaria de material de defensa (artículo 28 RDU)

Se trata de licencias concedidas por la Secretaría de Estado de Comercio al amparo de la Directiva 2009/43/CE, sobre la simplificación de los términos y las condiciones de las transferencias de productos relacionados con la defensa dentro de la Comunidad. Estas licencias autorizan a los proveedores inscritos en el REOCE que cumplan los términos y las condiciones vinculadas a su uso a efectuar transferencias intracomunitarias de productos relacionados con la defensa. Esta licencia puede utilizarse dentro del Espacio Económico Europeo (EEE). Un proveedor que pueda acogerse a ella podrá realizar un número ilimitado de envíos de productos relacionados con la defensa (los incluidos en la lista de artículos que figura en el anexo IV RDU) a uno o varios destinatarios y a uno o varios países de la Unión Europea, Islandia, Liechtenstein, o Noruega, sin límite de plazo temporal. Se excluyen de este tipo de licencia las operaciones de prestación de servicios de corretaje en el ámbito de la defensa.

Aunque, por tratarse de una licencia general, no se requiere presentar una solicitud, sí se sujeta el uso de esta licencia al deber de notificación, mediante el impreso denominado «Licencia General para Transferencias Intracomunitarias de Material de Defensa» (anexo VI.9 RDU, con las hojas complementarias del anexo VI.10 RDU si fueran necesarias), a la Secretaría de Estado de Comercio al menos treinta días antes de la primera transferencia. El operador se debe comprometer de forma explícita a: a) Realizar transferencias que tengan como objeto exclusivamente los materiales, los destinos y los destinatarios indicados; b) Respetar los términos y las condiciones de estas Licencias, incluidas las limitaciones de la exportación de productos relacionados con la defensa a personas físicas o jurídicas en terceros países (a este fin, los proveedores informarán a los destinatarios acerca de los términos, condiciones y limitaciones relacionados con el uso final o la exportación de dichos productos); c) Llevar una gestión individualizada de la documentación requerida para las transferencias efectuadas con dicho procedimiento; d) Enviar a la Subdirección General de Comercio Internacional de Material de Defensa y Doble Uso la referida documentación correspondiente al semestre inmediatamente anterior y cualquier otra información relevante relativa a las transferencias efectuadas; e) Hacer figurar, tanto en las facturas como en los documentos de transporte que acompañen a las mercancías, la leyenda siguiente y obtener del destinatario el compromiso de su cumplimiento: «La expedición de estos materiales se realiza mediante la Licencia General para Transferencias Intracomunitarias de Material de Defensa y únicamente podrá ir destinada a Estados miembros de la Unión Europea. Los materiales no podrán ser exportados sin la autorización de las autoridades competentes, salvo que el país de destino pertenezca a la OTAN o sea miembro de los principales foros internacionales de no proliferación y control de las exportaciones (Arreglo de Wassenaar, Grupo Australia, Grupo de Suministradores Nucleares, Régimen de Control de la Tecnología de Misiles y Comité Zangger).».

Por otro lado, debe señalarse que se establecen diferentes modalidades para esta licencia:

1) LG1 para Fuerzas Armadas: cuando el destinatario forme parte de las Fuerzas Armadas de alguno de los países de la UE o del EEE, sea una autoridad contratante en el ámbito de la defensa que realice adquisiciones para uso exclusivo de las Fuerzas Armadas de un país del EEE.

2) LG2 para empresa certificada: cuando el destinatario sea una empresa certificada por las autoridades de alguno de los países de la UE o del EEE, de acuerdo con el procedimiento regulado en el artículo 9 de la Directiva 2009/43/CE y el artículo 28.7 RDU.

3) LG3 para demostración, evaluación y exhibición: cuando la transferencia sea temporal y se realice para fines de demostración, evaluación y exhibición.

4) LG4 para mantenimiento y reparación: cuando la transferencia se realice para fines de mantenimiento y reparación.

5) LG5 para la OTAN: cuando la transferencia sea el resultado de la participación del Ministerio de Defensa español y de empresas españolas en actividades y operaciones de la OTAN y de la Agencia de Apoyo de la OTAN (NSPA).

Tipos de autorización en el RDU

Licencia general para transferencia intracomunitaria de material de defensa (artículo 28 RDU)

Paralelamente, el Secretario de Estado de Comercio ostenta la potestad para emitir, a favor de empresas inscritas en el REOCE que lo soliciten, certificados para poder *recibir* determinado material de defensa procedente de países del EEE en aplicación de Licencias Generales de Transferencia publicadas por otros Estados miembros.

> Los criterios que se tienen en cuenta para la emisión de estos certificados que capacitan para recibir material de defensa son los siguientes: a) experiencia probada en actividades de defensa; b) actividad industrial en lo relativo a material de defensa dentro de la UE; c) contar con un ejecutivo dentro de la empresa que sea personalmente responsable del programa; d) presentar un compromiso escrito, firmado por el aludido ejecutivo, indicando que el operador tomará todas las medidas necesarias para cumplir y hacer cumplir todas las condiciones relacionadas con el uso final y la exportación de los productos o componentes recibidos y de informar detalladamente de los usuarios o el uso final de todos los productos exportados, transferidos o recibidos; e) acompañar a la solicitud una descripción, refrendada por el aludido ejecutivo, del programa interno de cumplimiento o del sistema de gestión de las transferencias y exportaciones aplicado por el operador. La solicitud de certificación se cumplimenta mediante el impreso «Modelo de solicitud de certificación para el uso de Licencias Generales» del anexo VI.11 RDU, en tanto que el modelo de certificado se incluye en el anexo VI.12 RDU.

El certificado tiene un plazo de validez de cinco años. La Secretaría de Estado de Comercio llevará a cabo la comprobación, al menos una vez cada tres años, del cumplimiento por parte del destinatario de los criterios de concesión. Si el destinatario dejase de cumplirlos, se puede suspender temporalmente o revocar el certificado, comunicándose al destinatario, a la Comisión Europea y a los restantes Estados miembros. La Secretaría de Estado de Comercio publica una lista de destinatarios certificados a los que se ha autorizado el uso de las Licencias Generales de Transferencia de Material de Defensa.

> También es competencia de la Secretaría de Estado de Comercio reconocer a las empresas certificadas o autorizadas por otros Estados miembros o países del EEE en aplicación del artículo 9 de la Directiva 2009/43/CE.

Licencia global de transferencia de componentes de material de defensa (artículo 29 RDU)

Este tipo de licencia se utiliza para la realización de un número ilimitado de envíos de componentes, subsistemas y recambios de material de defensa, y los servicios asociados a ellos, a uno o varios destinatarios y a uno o varios países de destino, especificados, hasta el valor máximo autorizado y dentro de un plazo de validez de tres años. Se puede solicitar la prórroga de esta licencia (1).

> A estos efectos, se entiende por «servicios» la prueba, inspección, mantenimiento, reparación, entrenamiento, asistencia técnica y suministro de información técnica asociados a la transferencia de los componentes, subsistemas y recambios.

Las operaciones que pueden acogerse a este tipo de autorización son las de expedición, definitivas y temporales, de componentes, subsistemas y recambios de material de defensa, y los servicios asociados a ellos, que cumplan determinadas condiciones.

> Las condiciones aludidas son las siguientes: a) Que se trate de componentes, subsistemas y recambios relacionados en la Lista de Componentes que se incluye en el anexo V.1 RDU; b) Que los titulares de la autorización sean personas jurídicas residentes en territorio español; c) Que los usuarios finales de estos envíos sean las Fuerzas Armadas de Estados firmantes del Acuerdo Marco de 27 de julio de 2000, así como aquellas personas jurídicas establecidas en su territorio que hayan sido reconocidas como beneficiarias en el uso de la citada licencia por el Estado correspondiente y los componentes, subsistemas y recambios de material de defensa, y los servicios asociados a ellos, sean destinados al uso por sus Fuerzas Armadas.

Tipos de autorización en el RDU
Licencia global de transferencia de componentes de material de defensa (artículo 29 RDU)
Se debe utilizar, en cambio, una Licencia Individual de Transferencia de Material de Defensa para autorizar las operaciones de expedición y de exportación de equipos o sistemas de defensa que integren componentes, subsistemas y recambios a países que figuren en la Lista de Destinos Permitidos del anexo V.2 RDU.   _Impreso:_ La solicitud debe formularse utilizando el impreso denominado «Licencia Global de Transferencia de Componentes de Material de Defensa» (anexo VI.13 RDU). El solicitante debe desglosar las partes del valor máximo total que correspondan a cada empresa y país, así como definir los componentes, subsistemas y recambios de material de defensa, y los servicios asociados a ellos, que desea expedir o introducir mediante el artículo o subartículo, en su caso, correspondientes de la Lista de Componentes, indicando además el valor monetario de cada uno de ellos.   _Procedimiento:_ La autorización de operaciones de exportación de equipos o sistemas de defensa que integren componentes, subsistemas y recambios introducidos en el territorio aduanero español mediante el uso de una Licencia Global de Transferencia de Componentes de Material de Defensa a países que no figuren en la Lista de Destinos Permitidos debe venir precedida de la consulta al Estado o Estados de origen de dichos elementos.

(1) Prórrogas: previa solicitud razonada del exportador, se podrán autorizar dos prórrogas como máximo con el mismo plazo de validez que la licencia original contado desde la fecha de caducidad de la anterior, para lo cual se deberá tramitar una solicitud de rectificación.

Las solicitudes de autorización deben acompañarse de un documento de control, cuya finalidad es asegurar el destino y, en su caso, el uso final de los materiales, productos y tecnologías (artículo 4 RDU). Los diferentes tipos de "documento de control" se detallan en el artículo 30 RDU y pueden consistir en un "certificado internacional de importación", un "certificado de último destino", una "declaración de último destino" o un "certificado de último destino de control ex post". Por otra parte, la solicitud debe incluir también información relativa a los países de tránsito y a los métodos de transporte utilizados. Si se trata de una operación de corretaje se añadirá la información relativa a la financiación utilizada.

La tramitación de las autorizaciones se regula en el artículo 31 RDU.

El procedimiento se inicia mediante solicitud en el impreso correspondiente que debe presentarse al Registro General del Ministerio de Economía, acompañada, si se trata de autorización o acuerdo previo, de la documentación técnica necesaria. La solicitud puede presentarse por medios telemáticos. El otorgamiento o denegación de las autorizaciones y de los acuerdos previos compete al Secretario de Comercio, previo informe de la JIMDDU, competencia que puede delegar. También corresponde al Secretario de Comercio, previo informe de la JIMDDU, autorizar la rectificación de los requisitos o condiciones particulares de la licencia cuando se produzcan modificaciones en las circunstancias de la operación una vez otorgada y dentro de su plazo de validez. El plazo de validez de la rectificación será el mismo que el de la licencia original —contado desde que se produzca la caducidad de la licencia en vigor— pudiendo solicitarse como máximo dos rectificaciones sobre la licencia original. Las solicitudes de rectificación se cumplimentarán en el impreso «Licencia de Transferencia de Material de Defensa y de Doble Uso» o «Licencia Global de Proyecto de Transferencia de Material de Defensa», de los anexos VI.1 y VI.6 RDU, respectivamente.

A fin de obtener la autorización para la inclusión de mercancías en un régimen aduanero deberá presentarse la autorización de control de comercio exterior que regula el RDU, quedando la misma a disposición de la Aduana. Por su parte, la Secretaría de Estado de Comercio comunicará a la AEAT los datos relativos a las autorizaciones administrativas emitidas que deban ser presentadas ante la Aduana. Esta comunicación eximirá de su presentación por el solicitante, salvo que el despacho aduanero sea con análisis documental o físico.

Las causas de denegación, suspensión o revocación de la autorización son las siguientes (artículo 8 Ley 53/2007 y 7 RDU):

Causas de denegación, suspensión o revocación de la autorización
a) Cuando existan indicios racionales de que el material de doble uso pueda ser empleado en acciones que perturben la paz, la estabilidad o la seguridad en un ámbito mundial o regional, puedan exacerbar tensiones o conflictos latentes, puedan ser utilizados de manera contraria al respeto debido y la dignidad inherente al ser humano, con fines de represión interna o en situaciones de violación grave del derecho internacional de los derechos humanos o del derecho internacional humanitario, tengan como destino países con evidencia de desvíos de materiales transferidos o puedan vulnerar los compromisos internacionales contraídos por España. *Para determinar la existencia de estos indicios racionales se tendrán en cuenta los informes sobre transferencias de material de defensa y destino final de estas operaciones que sean emitidos por organismos internacionales en los que participe España, los informes de los órganos de derechos humanos y otros organismos de Naciones Unidas, la información facilitada por organizaciones y centros de investigación de reconocido prestigio en el ámbito del desarrollo, la paz y la seguridad, el desarme, la desmovilización y los derechos humanos, así como las mejores prácticas más actualizadas descritas en la Guía del Usuario de la Posición Común 2008/944/PESC.*
b) Cuando se contravengan los intereses generales de seguridad, de la defensa nacional y de la política exterior del Estado
c) En los supuestos que se establecen en el artículo 6 «Prohibiciones» o en los casos de incumplimiento de los requisitos del artículo 7 «Exportación y Evaluación de las Exportaciones» del Tratado sobre el Comercio de Armas. *Tratado aprobado el 2 de abril de 2013, firmado por España el 3 de junio de 2013 y ratificado el 2 de abril de 2014.*
d) Cuando vulneren las directrices acordadas en el seno de la UE. *Se mencionan expresamente los criterios de la Posición Común 2008/944/PESC y los criterios adoptados en el Documento OSCE sobre Armas Pequeñas y Armas Ligeras de 24 de octubre de 2000. Se señala que, para la aplicación de los criterios de la Posición Común, se atenderá a las mejores prácticas más actualizadas descritas en la Guía del Usuario.*
e) Cuando se contravengan las limitaciones que se derivan del Derecho Internacional y del Derecho de la UE (como la necesidad de respetar embargos).
f) Cuando existan razones de protección de los intereses esenciales de seguridad nacional o de orden público se podrán revocar las autorizaciones de Licencias Generales de Transferencia de Material de Defensa

Evidentemente, también se revocará la autorización si se incumplen las condiciones a las que se sujeta y que motivaron su concesión, o si se omiten o falsean datos por parte del solicitante. El procedimiento de revocación o suspensión de autorizaciones se ajustará a lo establecido en la Ley 30/92 (la referencia hay que entenderla hecha a la Ley 39/2015) y RD 1778/1994 y, en particular, se debe dar audiencia al interesado. La competencia para denegar, suspender o revocar una autorización se atribuye al Secretario de Estado de Comercio, y la resolución que lo acuerde podrá ser recurrida en alzada conforme a las disposiciones de la Ley 39/2015.

> Por otra parte, el RDU regula las medidas a aplicar en caso de que se aprecie grave riesgo de que un destinatario certificado por otro Estado miembro no respete las condiciones a que se sujeta una Licencia General para Transferencias Intracomunitarias de Material de Defensa publicada, o bien que pudieran verse afectados el orden público, la seguridad pública o los intereses esenciales en materia de seguridad. Ante estas situaciones, se dispone que se informará al Estado miembro que le haya certificado a fin de que verifique la situación. Si tras estas actuaciones, la duda mencionada persiste, se podrán suspender provisionalmente los efectos de la licencia respecto de tal destinatario, informando a la Comisión Europea y a los demás Estados miembros de las razones de la medida, que podrá ser retirada si se considera que ya no está justificada (artículo 7.3 RDU).

Por lo demás, los titulares de autorizaciones quedan sujetos a la inspección de la Secretaría de Comercio y del DAAeIIEE, debiendo conservar a su disposición todos los documentos relacionados con las operaciones (salvo que obren ya en poder de la Administración), hasta que transcurra un período de diez años a contar desde la fecha de extinción del plazo de validez de la autorización. Además, los titulares de las operaciones deben remitir, semestralmente, los despachos totales o parciales relativos a cada autorización de transferencias de material de doble uso a la Secretaría General de Comercio Exterior o, en su caso, declaración de no haber efectuado operación alguna (artículo 9 RDU).

> Respecto de las operaciones de productos y tecnologías de doble uso, los titulares quedan sujetos, además, a las medidas de control establecidas por el Reglamento 2021/821 (véase más arriba capítulo 34.1.5).
>
> Señalar, por otro lado, que se establecen determinadas obligaciones de información al Parlamento en esta materia a cargo del Gobierno (artículo 16 Ley 53/2007), así como otras medidas de transparencia (artículo 17 Ley 53/2007). Por otro lado, se establece el suministro de datos por parte del DAAeIIEE a la Secretaría de Comercio y de ésta con las autoridades de otros Estados (artículo 9, apartados 3 y 4 RDU).

34.2.3. *El Registro Especial de Operadores de Comercio Exterior de Material de Defensa y de Doble Uso*

El Registro Especial de Operadores de Comercio Exterior de Material de Defensa y de Doble Uso (REOCE) se creó por el RD 1782/2004. La inscripción del operador en este registro es requisito previo al otorgamiento de cualquier autorización. Se establecen, no obstante, excepciones a esta regla general respecto de las Fuerzas Armadas, las Fuerzas y Cuerpos de Seguridad del Estado y demás Cuerpos de Policía y respecto de personas físicas que efectúen una transferencia de armas reglamentadas no derivada de una actividad económica o comercial.

> Además, las inscripciones en el antiguo Registro Especial de Exportadores conservan su validez y eficacia respecto de las operaciones que motivaron en su día el acceso del titular al Registro.
> Toda persona física o jurídica que vaya a realizar transferencias definitivas o temporales de armas de fuego reglamentadas consecuencia de una actividad profesional debe obtener previamente una autorización de la condición de armero por la Dirección General de la Policía y de la Guardia Civil (artículo 10 del RD 137/1993, por el que se aprueba el Reglamento de Armas).

Sólo pueden inscribirse las personas físicas o jurídicas residentes en España y no se admite, en particular, la inscripción de sociedades domiciliadas en paraísos fiscales. La solicitud debe hacerse ante la Secretaría de Comercio, en el modelo que figura en el anexo VI.15 RDU. Se utilizará este mismo modelo para comunicar las modificaciones posteriores de los datos que en su día se consignaron en la solicitud, comunicación que debe realizarse en el plazo de treinta días hábiles desde que se produzcan las modificaciones.

> Las empresas españolas con capital extranjero directo o indirecto, relacionadas con la fabricación, comercio o distribución de armas y explosivos de uso civil y con actividades relacionadas con la Defensa Nacional, deben acreditar que el sujeto inversor extranjero tiene autorización administrativa del Consejo de Ministros, autorización para la cual se seguirán los trámites establecidos en el Real Decreto 664/1999, de 23 de abril, sobre inversiones exteriores.
> El órgano responsable del Registro es la Secretaría de Comercio, ante la cual se pueden ejercitar los derechos de acceso, rectificación, cancelación y oposición. El Registro tiene un nivel de seguridad medio. Los datos consignados en la solicitud y cualesquiera otros comunicados son de uso reservado.

La Secretaría de Comercio podrá requerir del interesado la ampliación de los datos consignados en la solicitud o información complementaria. Presentada la solicitud en forma, y previo informe de la Junta Interministerial Reguladora del Comercio Exterior de Material de Defensa y de Doble Uso (JIMDDU), la Secretaría de Comercio resolverá sobre la inscripción, notificando al interesado su resolución en el plazo de sesenta días hábiles desde la solicitud.

Al emitir su informe, la JIMDDU debe comprobar si existe cualquier documento que atestigüe la participación del solicitante en actividades ilícitas, si ha cometido actos de contrabando o bien si no está garantizada su capacidad para un control efectivo de las transferencias de los materiales, productos o tecnologías incluidos en la solicitud de inscripción, en cuyo caso se denegará la misma. También se examinará si las empresas han sido condenadas por delitos relacionados con la corrupción de agentes públicos extranjeros. Si estas condiciones se produjeran con posterioridad a la inscripción se podrá proponer la suspensión o revocación de la inscripción aprobada.

Los artículos 13 y 14 Ley 53/2007 y los artículos 17 y 18 RDU regulan la composición y funciones de la JIMDDU, que fue creada por RD 480/1988.

Las autorizaciones sólo se podrán conceder para las operaciones mencionadas en la solicitud de inscripción del operador en el Registro.

Los titulares deben llevar registros o extractos de los despachos totales o parciales de material de doble uso. Los titulares que tengan la condición de armeros deben llevar un registro de todas las transferencias realizadas de armas de fuego, con descripción del tipo de arma, la marca y su número de identificación.

Dentro del portal dedicado al comercio de material de defensa y de doble uso, el Ministerio de Economía y Competitividad mantiene una página dedicada a ofrecer información acerca del Registro Especial de Operadores de Comercio Exterior (REOCE) en la siguiente dirección:

ENLACE

https://comercio.gob.es/ImportacionExportacion/Regimenes/Paginas/Defensa.aspx

QUINTA PARTE
OTROS IMPUESTOS ARANCELARIOS

IMPOSICIÓN SOBRE PRODUCTOS AGRÍCOLAS

ÍNDICE

35 Imposición sobre productos agrícolas

35.1. IDEAS GENERALES. EL ACUERDO SOBRE LA AGRICULTURA DE LA OMC

Los productos agrícolas han sido objeto, de forma tradicional, de un tratamiento arancelario específico por parte de las instituciones de la Unión, en el marco de la Política Agrícola Común (PAC). No es infrecuente, además, que este tratamiento se encuentre sujeto a mutaciones continuas, factor que, unido a la especificidad a la que acabamos de aludir, supone la existencia de una considerable dispersión normativa. Los acuerdos alcanzados en la Ronda Uruguay en materia agrícola tuvieron una importante repercusión, en el sentido de avanzar en la progresiva liberalización del comercio internacional en este ámbito. Entre las consecuencias que los mismos han tenido en el Derecho de la UE podemos referirnos a la supresión de las denominadas "exacciones reguladoras agrícolas" y a la introducción de abundantes modificaciones en el régimen arancelario específico aplicable a un buen número de productos agrícolas.

> Al respecto debe consultarse el Reglamento (CE) nº 3290/94 del Consejo, de 22 de diciembre de 1994, relativo a las adaptaciones y las medidas transitorias necesarias en el sector agrícola para la aplicación de los acuerdos celebrados en el marco de las negociaciones comerciales multilaterales de la Ronda Uruguay (DO L 349 de 31.12.1994 p. 105, y sus modificaciones posteriores).

El Acuerdo sobre la Agricultura de la OMC (AA) se aplica fundamentalmente a las mercancías comprendidas en los capítulos 1 a 24 del Sistema Armonizado (Anexo 1 del Acuerdo, donde se relacionan algunas otras partidas comprendidas; acerca del Sistema Armonizado, véase el capítulo 8). El objetivo fundamental del AA consiste en limitar y reducir las subvenciones a los productos agrícolas, especialmente las subvenciones a las exportaciones (las supeditadas a la exportación; véase artículo 9.1 AA). Por lo que hace a este tipo particular de subvenciones el AA impuso una reducción sensible a lo largo de un período transitorio de seis años (ya concluido), de manera que su volumen para cada Miembro se redujera en un 36% respecto de su nivel en el período base de referencia (los años 1986-1990), a la vez que la cantidad de las exportaciones subvencionadas debía reducirse en un 21%. En paralelo, el Acuerdo adopta cautelas dirigidas a impedir la elusión de estos compromisos en materia de reducción de las subvenciones a la exportación, en materias como crédito a la exportación, garantías de crédito a la exportación o programas de seguro, así como a través de programas de ayuda alimentaria (artículo

10 AA). Por otro lado, los Miembros se comprometen a no conceder subvenciones a la exportación más que de conformidad con el AA y con los compromisos especificados en su Lista (artículo 8 AA).

Pero las subvenciones a las exportaciones, aunque son la medida que de forma más patente distorsiona la competencia no son, ni con mucho, las únicas medidas de apoyo agrícola que producen este efecto. Ha de tenerse en cuenta que, en el ámbito agrícola, especialmente en los países desarrollados (no sólo es el caso de la UE, sino también de Estados Unidos o de Japón, por ejemplo), se encuentra arraigado el uso de subvenciones y otras medidas de apoyo e intervención de muy diversa índole. Por este motivo el Acuerdo de la OMC define los conceptos de "Medida Global de Ayuda" (MGA) y "Medida Global de Ayuda Total" (MGA Total), con los que trata de comprender las diversas fórmulas de apoyo a fin de fijar coeficientes de reducción. La MGA total incluye toda la ayuda concedida, ya sea respecto de productos específicos o bien respecto de productos no específicos que no esté exceptuada. Su importe debe reducirse en un 20 por ciento durante el período de aplicación.

Interesa subrayar, no obstante, que no se integran en este concepto MGA determinadas formas de ayuda o apoyo que generan menores distorsiones sobre el comercio, fórmulas que se identifican en el Anexo 2 del Acuerdo y donde encontramos, por ejemplo, políticas de gasto en investigación, lucha contra plagas y enfermedades, servicios de formación, programas de ayuda alimentaria interna, ayuda a los ingresos desconectada (del tipo o volumen de producción, del nivel de precios...), programas de apoyo a los seguros, socorro en caso de catástrofes naturales, pagos en el marco de programas ambientales o de asistencia regional, etc. Se trata de este modo de compatibilizar la progresiva liberalización comercial en este sector con las medidas internas dirigidas a mantener la economía rural y no a distorsionar la competencia (véase, en el mismo sentido, artículo 6 del Acuerdo, donde se determinan medidas de ayuda no sujetas a reducción).

Cada Miembro, con ocasión del Acuerdo OMC, adquirió compromisos en materia de subvenciones y ayudas a la agricultura que se fijan en la Parte IV de su Lista de compromisos, de modo que las cifras allí consignadas constituyen un techo máximo a las posibilidades de acción de ese Miembro en este ámbito (artículo 3 AA).

A pesar de todos los avances apuntados, no puede ocultarse que el AA supone sustraer a los productos agrícolas de los mandatos contenidos en el Acuerdo sobre Subvenciones, que es más estricto en esta materia. Así resulta de lo dispuesto en el artículo 13 AA, que lleva por título "debida moderación" y que impide la aplicabilidad de otras disciplinas del GATT en materia agrícola, destacadamente del Acuerdo sobre Subvenciones.

Por otra parte, el AA promueve la arancelización de las medidas protectoras en materia agrícola, es decir, la conversión en impuestos arancelarios de las medidas de protección o apoyo para hacerlas así más transparentes e identificables, lo que permite controlar su desmantelamiento. El artículo 4.2 AA dispone que "Salvo disposición en contrario en el artículo 5 y en el Anexo 5, ningún Miembro mantendrá, adoptará ni restablecerá medidas del tipo de las que se ha prescrito se conviertan en derechos de aduana propiamente dichos". Este precepto ordena, por tanto, un camino sin retorno para aquellas medidas que un Miembro se haya comprometido a convertir en arancelarias.

> La Nota al pie 1, relativa a este artículo 4.2, aclara que "En estas medidas están comprendidas las restricciones cuantitativas de las importaciones, los gravámenes variables a la importación, los precios mínimos de importación, los regímenes de licencias de importación discrecionales, las medidas no arancelarias mantenidas por medio de empresas comerciales del Estado, las limitaciones voluntarias de las exportaciones y las medidas similares aplicadas en la frontera que no sean derechos de aduana propiamente dichos, con independencia de que las medidas se mantengan o no al amparo de exenciones del cumplimiento de las disposiciones del GATT de 1947 otorgadas a países específicos; no lo están, sin embargo, las medidas mantenidas en virtud de las disposiciones en materia de balanza de pagos o al amparo de otras disposiciones generales no referidas específicamente a la agricultura del GATT de 1994 o de los otros Acuerdos Comerciales Multilaterales incluidos en el Anexo 1A del Acuerdo sobre la OMC".

En materia tributaria el precepto más relevante es el artículo 5 AA, relativo a las "disposiciones de salvaguardia especial" y en el que se regula la imposición de derechos adicionales, cuestión a la que nos referiremos más abajo.

El AA contiene especialidades en favor de los países menos avanzados y de los países en desarrollo, que gozan de períodos de transición más dilatados y niveles inferiores de exigencia (p.e. en materia de reducciones), entre otras ventajas (véanse, en particular, los artículos 14 y 15 AA).

35.2. EL REGLAMENTO 1308/2013

35.2.1. Certificados de importación y exportación

El Reglamento (UE) 1308/2013 del Parlamento Europeo y del Consejo de 17 de diciembre de 2013, por el que se crea la organización común de mercados de los productos agrarios, es la norma básica que define el marco, entre otras materias, en lo relativo a los impuestos arancelarios específicos sobre productos agrícolas y también respecto a otras especialidades en la importación y exportación de productos agrícolas. De este Reglamento nos interesa su Parte III (artículos 176 a 205), en la que se regula el régimen de intercambios comerciales con terceros países.

El Reglamento 1308/2013 establece numerosas obligaciones de información a cargo de las autoridades nacionales a fin de permitir el control por parte de la Comisión. Esas obligaciones de información se regulan en el Reglamento Delegado (UE) 2017/1183 de la Comisión, de 20 de abril de 2017 y en el Reglamento de Ejecución (UE) 2017/1185 de la Comisión, de 20 de abril de 2017.

Dentro de la referida Parte III, el Capítulo I se dedica al régimen de certificados de importación y exportación (artículos 176 a 179). En estos preceptos se atribuyen competencias a la Comisión para sujetar el despacho a libre práctica o la exportación de los productos de determinados sectores a la presentación de un certificado. Los certificados se expedirán por los Estados miembros, con validez en toda la UE.

> Los sectores en cuestión son los siguientes: a) cereales; b) arroz; c) azúcar; d) semillas; e) aceite de oliva y aceitunas de mesa (códigos NC 1509, 1510 00, 0709 92 90, 0711 20 90, 2306 90 19, 1522 00 31 y 1522 00 39); f) lino y cáñamo, con relación al cáñamo; g) frutas y hortalizas; h) frutas y hortalizas transformadas; i) plátanos; j) vino; k) plantas vivas, l) carne de vacuno; m) leche y productos lácteos; n) carne de porcino; o) carne de ovino y caprino; p) huevos; q) carne de aves de corral; r) alcohol etílico de origen agrícola.

35.2.2. Los derechos de importación. Los derechos adicionales

El Capítulo II del Reglamento 1308/2013 se ocupa de los derechos de importación (artículos 180 a 183). Comienza por atribuir a la Comisión la competencia para adoptar actos de ejecución a fin de dar cumplimiento a los requisitos, bien sean establecidos en acuerdos internacionales celebrados por la UE o en virtud del arancel aduanero común, en relación con el cálculo de los derechos de importación de productos agrarios.

A continuación, regula el régimen de precios de entrada aplicable a determinados productos del sector de las frutas y hortalizas, del sector de las frutas y hortalizas transformadas y del sector vitivinícola. Se dispone que el precio de entrada será el valor en aduana. Ahora bien, de nuevo en esta materia atribuye poderes a la Comisión para adoptar actos delegados para disponer que la veracidad del precio de entrada declarado sea comprobada, utilizando un valor de importación a tanto alzado, así como para dictar actos de ejecución a fin de establecer normas para el cálculo del referido valor de importación a tanto alzado.

> El régimen establecido por el Reglamento 1308/2013 [que entró en vigor el 01.10.2014; véase su artículo 232.1.a)] supone un cambio en esta materia. Anteriormente, el Reglamento (CE) 1580/2007 de la Comisión, regulaba en sus artículos 135 a 139 los precios de entrada. Este régimen suponía que, para los productos comprendidos, en determinados períodos del año se determinaba un precio promedio de importación a partir de los datos de precios de venta en mercados representativos de la UE, minorados con margen comercial, gastos e impuestos. Los productos y períodos se recogían en el Anexo XV Reglamento 1580/2007. Este sistema de precios de entrada sustituía, para los productos y períodos en que estuviese vigente, al sistema de precios unitarios que se regulaba en el artículo 152 RACAC. Por tanto, no se trataba de

utilizar unos precios indicativos de la posible existencia de fraude (como parece disponerse ahora), sino de unos precios de sustitución, a los efectos de aplicación del arancel.

En función del precio de entrada, determinados conforme a lo dispuesto en el Reglamento 1308/2013, se fijan unos derechos que se recogen en el Anexo 2 del Anexo I del Reglamento 2658/1987 (Reglamento del Arancel), como puede verse en el recorte del mismo que sigue.

Código NC	Designación de la mercancía	Tipo del derecho convencional (%)
1	2	3
0702 00 00	Tomates, frescos o refrigerados:	
	– Del 1 de enero al 31 de marzo:	
	– – Con un precio de entrada por 100 kg de peso neto:	
	– – – Superior o igual a 84,6 €	8,8 (¹)
	– – – Superior o igual a 82,9 €, pero inferior a 84,6 €	8,8 + 1,7 €/ 100 kg/net (¹)
	– – – Superior o igual a 81,2 €, pero inferior a 82,9 €	8,8 + 3,4 €/ 100 kg/net (¹)
	– – – Superior o igual a 79,5 €, pero inferior a 81,2 €	8,8 + 5,1 €/ 100 kg/net (¹)
	– – – Superior o igual a 77,8 €, pero inferior a 79,5 €	8,8 + 6,8 €/ 100 kg/net (¹)
	– – – Inferior a 77,8 €	8,8 + 29,8 €/ 100 kg/net (¹)

Detalle del Anexo 2 del Anexo I del Reglamento del Arancel

Los artículos 182 y 183 Reglamento 1308/2013 se refieren a los derechos adicionales. Tal y como hemos señalado más arriba, el Acuerdo sobre la Agricultura de la OMC (AA), en su artículo 5, prevé una disposición de salvaguardia especial que trata de cohonestar la liberalización de los mercados agrícolas, que se fija como objetivo, con la protección de los productores internos de este tipo de productos ante situaciones que objetivamente se considere que constituyen un riesgo (artículo 5 del Acuerdo). La propia naturaleza excepcional de la norma (sólo legítima ante las situaciones de riesgo que describe y respecto a los productos agropecuarios) aconseja una regulación lo suficientemente precisa y detallada a fin de evitar un uso impropio o inadecuado de la misma.

La STJUE *X BV* (asunto C-160/18, de 11.03.2020) decide que los derechos de importación adicionales son «gravámenes a la importación establecidos en el marco de la política agrícola común» que forman parte de la deuda aduanera (p. 55). La consecuencia que se derivaba de esta apreciación en aquél asunto era que debían aplicarse las normas de valor en aduana para determinar el precio CIF de importación, que servía de referente para cuantificar los derechos adicionales.

Por lo que hace a su ámbito objetivo, este régimen se aplica a productos agropecuarios respecto de los cuales la aplicación del AA haya supuesto la desaparición de las medidas a que se refiere el artículo 4.2 (véase más arriba, la sección 1 de este mismo capítulo). Los productos respecto de los cuales la UE contempla la posibilidad de establecer derechos adicionales se determinan en el artículo 182 del Reglamento 1308/2013.

> Se trata de los sectores de los cereales, el arroz, el azúcar, las frutas y hortalizas, las frutas y hortalizas transformadas, la carne de vacuno, la leche y los productos lácteos, la carne de porcino, la carne de ovino y caprino, los huevos, las aves de corral y los plátanos, así como de zumos de uva y mostos de uva.

El artículo 5 AA establece dos presupuestos de hecho que legitiman la aplicación de los derechos adicionales como medida de salvaguardia, por cuanto permiten identificar la existencia de un riesgo objetivo ante el cual se permite una reacción tendente a impedir que cause un daño. Estos presupuestos de hecho son:

1. **Volumen.** Que el volumen de importaciones de un producto en un año supere una determinada cantidad (denominada "nivel de activación"). La cantidad que comporta que se alcance el nivel de activación se determina, para cada producto, como porcentaje en función de las oportunidades de acceso a los mercados para ese producto. El nivel de acceso a los mercados, por su parte, se fija atendiendo al porcentaje que representan las importaciones con relación al consumo interno durante los tres años anteriores. A mayor acceso al mercado (esto es, a mayor cuota de mercado de las importaciones), el porcentaje que determina que se alcance el nivel de activación es menor. Se trata así de identificar incrementos en las cantidades importadas que puedan perturbar el mercado interno.

	Acceso ≤ 10%	Acceso entre 10% y 30%	Acceso > 30%
Nivel de activación	125%	110%	105%

> Obsérvese que si las importaciones representan una cuota de mercado inferior al 10%, el hecho de que en un año determinado alcancen un volumen del 120%, p.e., es menos perturbador que si las importaciones representan una cuota de mercado del 40% y en un año determinado alcanzan un volumen del 110%.

En este caso los derechos adicionales podrán mantenerse únicamente hasta el final del año en que se hayan impuesto y a un nivel que no exceda de un tercio del nivel del derecho de aduana vigente en el año en que los mismos se adopten.

2. **Precio.** Que el precio CIF de las importaciones de ese producto, expresado en la moneda nacional del país de importación ("precio de importación"), sea inferior a un precio predeterminado ("Precio de activación"). El precio de activación se

fija en función del precio de referencia medio del producto en cuestión durante un período de tiempo (la referencia puede ser, bien el mercado de la UE, bien el mercado mundial). De este modo se trata de identificar caídas en los precios de las importaciones que pueden perturbar el mercado interno.

Diferencia entre el precio CIF de importación y el precio de activación	Importe del derecho adicional (tipo máximo)
≤ 10%	0 (no se impone derecho adicional)
Entre el 10% y el 40%	30% del importe en que el precio CIF difiera del precio de activación en más del 10%
Entre el 40% y el 60%	El importe anterior más el 50% del importe en que el precio CIF difiera del precio de activación en más del 40%
Entre el 60% y el 75%	Los importes anteriores más el 70% del importe en que el precio CIF difiera del precio de activación en más del 60%
> 75%	Los importes anteriores más el 90% del importe en que el precio CIF difiera del precio de activación en más del 75%

Ejemplo

EJEMPLO

P.e. si el precio CIF es de 40 y el precio de activación es 80, el precio CIF es un 50% inferior al precio de activación. Nos situamos, por tanto, entre el 40% y el 60%. A la diferencia que supere el 40% le hemos de aplicar un 50%. El 40% de 80 son 32. La diferencia de precio es de 40. Por tanto, hemos de aplicar el 50% sobre 8, es decir 4. A lo anterior debemos sumar el 30% de la diferencia de precio comprendida entre el 10% y el 40%. El 10% de 80 son 8 y el 40% de 80 son 32. Por tanto, al tramo de diferencia de precio comprendido entre 8 y 32 (es decir, sobre 24) debemos aplicar un 30%. El 30% de 24 son 7,2. Sumamos este componente (7,2) con el que hemos obtenido antes (4) y tenemos un derecho adicional de 11,2.

En la UE el precio de activación será el notificado por la UE a la OMC (artículo 182.1(b) Reglamento 1308/2013).

En la UE, el Reglamento 1308/2013 dispone que aún cuando se cumpla alguno de los presupuestos de hecho señalados, pueden no establecerse derechos adicionales si se aprecia que es poco probable que vayan a perturbar el mercado de la Unión o cuando los efectos sean desproporcionados al objetivo perseguido. Por otro lado, atribuye a la Comisión la competencia para adoptar actos de ejecución (Reglamentos de ejecución) con el objeto de determinar los productos, de entre los señalados arriba, a los que se aplicará un derecho adicional, así como los precios representativos y los volúmenes de activación para cada uno de ellos. De este modo, además del Reglamento de base —el 1308/2013— la aplicabilidad de derechos adicionales en la UE requiere de un Reglamento de aplicación de la Comisión que los establezca.

En el Anexo 1 del Anexo I del Reglamento del arancel (ubicado en la Tercera Parte del Anexo I) se recogen los componentes agrícolas (o "elemento agrícola"), derechos adicionales para el azúcar (que se indican con la notación "AD S/Z") y derechos adicionales para la harina (que se indican con la notación "AD F/M"). Para aplicar estos derechos se establecen códigos numéricos de 4 cifras (los códigos van del 7000 al 7979, no todos ellos empleados), que se asignan en función del contenido del producto de que se trate en materias grasas de leche, proteínas de leche, almidón-fécula/glucosa y sacarosa/azúcar invertido/isoglucosa. A continuación, mediante una tabla se atribuye, para cada código numérico determinado en función de estas variables (columna 1), un elemento agrícola (columna 2), un derecho adicional para el azúcar (columna 3) y un derecho adicional para la harina (columna 4), todos ellos en euros por cada 100 kg. de peso neto.

> Recuérdese (capítulo 8.4) que, entre las "Reglas generales relativas a los derechos" (apartado B del Título I de la Primera Parte del Anexo I del Reglamento del arancel), la regla 5 nos señala que la mención "EA" en el cuadro de derechos indica que el producto de que se trata está sujeto a la percepción de un elemento agrícola, en tanto que las menciones "AD S/Z" y "AD F/M" de los capítulos 17 a 19 significan que el tipo máximo viene constituido por un derecho *ad valorem* además de un derecho adicional aplicable a determinados tipos de azúcar o harinas.

Código	Elemento agrícola	AD S/Z	AD F/M
1	2	3	4
7000	0	0	0
7001	10,06	10,06	
7002	18,87	18,87	
7003	27,25	27,25	
7004	38,99	38,99	
7005	4,16		4,16

Detalle del cuadro 2 del Anexo 1 del Anexo I del Reglamento del arancel

35.2.3. Gestión de contingentes arancelarios y regímenes especiales de importación

El Capítulo III del Reglamento 1308/2013 se refiere a los contingentes de productos agrícolas. De nuevo se atribuye a la Comisión la competencia para abrir y/o gestionar los contingentes arancelarios de importación de productos agrarios destinados al despacho a libre práctica en la Unión o una parte de ella, en cumplimiento de los acuerdos celebrados por la UE o de lo dispuesto en otras normas en materia agrícola o de política comercial de la UE (artículos 43.2 y 207 del TFUE, respectivamente). Es frecuente que estos contingentes se establezcan por anualidades o campañas.

Se establece que la gestión de contingentes debe realizarse de forma no discriminatoria por alguno de los métodos siguientes: a) método basado en el orden cronológico de presentación de solicitudes (principio de "orden de llegada"); b) método de prorrateo en función de las cantidades solicitadas al presentar las solicitudes (método de "examen simultáneo"); c) método basado en las corrientes comerciales tradicionales (método denominado "tradicionales/recién llegados").

> En este sentido, la Comisión puede establecer condiciones y requisitos para beneficiarse del contingente, como requerir una experiencia mínima en comercio con terceros países o en actividad de transformación, expresada en términos de cantidad y períodos mínimos en un sector dado del mercado. Adicionalmente, la Comisión puede regular la transferencia de derechos entre los operadores, exigir que se constituya una garantía o establecer características especiales o restricciones particulares respecto de un contingente específico atendiendo a lo que se establezca en una norma internacional (artículo 186.1 Reglamento 1308/2013).
> Por lo que hace a las exportaciones, la Comisión puede adoptar actos delegados mediante los cuales se exija a los Estados miembros la expedición de un documento que certifique que se cumplen las condiciones que permiten a los productos exportados disfrutar de un régimen especial de importación en un tercer país de conformidad con acuerdos internacionales celebrados por la Unión (artículo 186.2 Reglamento 1308/2013).
> Por otra parte, el artículo 185 Reglamento 1308/2013 faculta a la Comisión para adoptar actos delegados a fin de llevar a efecto los contingentes de importación en España de dos millones de toneladas de maíz y trescientas mil toneladas de sorgo y los contingentes arancelarios de importación en Portugal de quinientas mil toneladas de maíz.

El artículo 187 Reglamento 1308/2013 atribuye a la Comisión la competencia para adoptar actos de ejecución mediante los cuales se establezcan detalles relativos al establecimiento y funcionamiento de los contingentes.

> Así, corresponde a la Comisión establecer los contingentes anuales, pudiendo escalonarlos a lo largo del año y fijar su método de gestión; y establecer medidas de aplicación del contingente (las garantías sobre la naturaleza, procedencia y origen del producto y el reconocimiento del documento utilizado para comprobarlas; la presentación de un documento expedido por el país exportador; el destino y el uso de los productos; el plazo de validez de los certificados

o de las autorizaciones; los procedimientos aplicables a la garantía que haya que constituir y la cuantía de la misma; el uso de certificados, y, en caso necesario, las medidas específicas referidas a las condiciones de presentación de solicitudes de importación y de concesión de autorizaciones al amparo del contingente arancelario; los procedimientos y los criterios técnicos para los contingentes a que se refiere el artículo 185 —se trata de los contingentes de maíz y sorgo en España y Portugal referidos más arriba—; las medidas necesarias en relación con el contenido, la forma, la expedición y la utilización del documento que certifique que los productos exportados cumplen las condiciones que les permiten disfrutar de un régimen especial de importación en un tercer país).

La Comisión debe publicar en la web los resultados de la asignación de contingentes arancelarios. A partir de esta publicación, los Estados miembros deben expedir los certificados de importación y licencias de exportación correspondientes (artículo 188 Reglamento 1308/2013).

35.2.4. Restituciones por exportación

La PAC tiene entre sus objetivos el mantenimiento de unos precios estables que garanticen el nivel de vida de los agricultores de la Unión. Entre las implicaciones que la intervención sobre los precios de los productos agropecuarios tiene en materia aduanera se encuentran las restituciones a la exportación.

Las restituciones a la exportación se establecen cuando se desea favorecer la actividad de exportación de ciertos productos agropecuarios (cereales, arroz, azúcar, leche y productos lácteos, huevos, carne de vacuno, carne de porcino y carne de aves de corral) en una coyuntura en la que los precios en el interior de la UE se desean mantener por encima de los precios vigentes en los mercados mundiales. La fuerte actividad de intervención a que son sometidos los precios de estos productos en el interior de la UE, a fin de sostenerlos en un nivel que se considera óptimo, desincentiva que los productores los destinen a la exportación. Para neutralizar este efecto desincentivador de la política de mantenimiento de precios, las restituciones tratan de compensar al exportador por la diferencia existente entre el nivel de precios en el interior de la UE (más elevado) y el nivel de precios para ese producto en el mercado mundial.

> Las restituciones a la exportación se regulan en los artículos 196 a 204 del Reglamento 1308/2013. Respecto de los 5 primeros sectores enumerados arriba se aplican restituciones también a la exportación de los productos transformados [artículo 196.1.(b)].
> El Reglamento (CE) 612/2009 de la Comisión, de 7 de julio de 2009, establece disposiciones comunes de aplicación del régimen de restituciones por exportación de productos agrícolas. Conforme a su artículo 33, además de la exportación, también generan el derecho a percibir la restitución: la entrega a organizaciones internacionales establecidas en la UE; las entregas a las fuerzas armadas acuarteladas en el territorio de un Estado miembro y que no estén bajo su

bandera; y la entrega de productos agrícolas para avituallamiento en la UE de buques destinados a la navegación marítima y de aeronaves que sirvan en líneas internacionales, incluidas las interiores de la UE. En este último supuesto (avituallamiento de buques y aeronaves) los Estados miembros pueden anticipar al exportador la restitución en caso de que se pruebe que las mercancías se han depositado en un "almacén de avituallamiento", que son lugares sometidos a control y vigilancia aduanera y que deben ser autorizados a este fin (artículo 37 Reglamento 612/2009).

El Reglamento (CE) 1187/2009 de la Comisión, de 27 de noviembre de 2009, establece disposiciones específicas respecto a los certificados de exportación y a las restituciones por exportación de leche y productos lácteos.

Además de los productos para los que se ha señalado arriba que se pueden conceder restituciones a la exportación, el Reglamento (UE) 578/2010 de la Comisión, de 29 de junio de 2010, extiende este beneficio a otros productos agrícolas y sus transformados que aparecen listados en su Anexo II.

Las restituciones se aplican únicamente cuando sea necesario para evitar perturbaciones en el mercado (artículo 219) o bien para resolver problemas específicos (artículo 221). Por ese motivo el artículo 196.3 del Reglamento 1308/2013 fija la restitución en 0 euros (la anula), salvo en las situaciones referidas.

Las medidas relativas a la fijación de las restituciones son competencia del Consejo. El método de asignación de las restituciones no debe discriminar entre operadores —en particular entre grandes y pequeños— y ha de causarles los menores inconvenientes administrativos. Además, debe adaptarse a la naturaleza del producto, a la situación del mercado, ser eficaz y tener en cuenta la estructura de las exportaciones (artículo 197). La concesión de la restitución, que será la misma en toda la UE, debe solicitarse aportando un certificado, salvo que no se supere un umbral por debajo del cual la Comisión haya eximido de este requisito. Puede sujetarse a la aportación de una garantía. La restitución puede variar en función del destino solicitado (en tal caso se denominan "diferenciadas") y se percibe una vez se justifica que las mercancías han salido del TAU o, si se trata de restituciones que diferencian según el destino, una vez se justifica que han sido importadas en el destino indicado en el certificado o en otro destino para el que se establezca restitución. No obstante, la Comisión puede establecer la percepción por adelantado, así como otros aspectos de la restitución, como la exigencia de justificantes suplementarios y destinos asimilados a exportaciones desde la UE.

La Comisión tiene atribuidas otras competencias normativas en materia de restituciones. Así, por ejemplo, para asegurar que los productos se exportan fuera del TAU y no vuelven a ser reintroducidos (artículo 202.5), para adoptar medidas a fin de alentar al cumplimiento de las normas de bienestar animal (artículo 202.6) y a fin de tener en cuenta las características específicas de cada sector (artículo 202.7). Se atribuyen asimismo competencias de ejecución a la Comisión (artículos 203 y 204), para redistribuir las cantidades exportables que no hayan sido asignadas o utilizadas; para determinar el método para recalcular la restitución cuando el código de producto o el destino indicado en el certificado no corresponda al producto o al destino real; para adoptar medidas relativas a las restituciones a la exportación de productos transformados; o en materia de garantía a constituir y su importe, entre otras.

La gestión de las restituciones corresponde a las autoridades nacionales. En España la competencia le corresponde al FEGA (Fondo Español de Garantía Agraria).

35.2.5. Otras medidas

Medidas de salvaguardia.– El artículo 194 atribuye a la Comisión la competencia para adoptar medidas de salvaguardia frente a las importaciones, conforme a las disposiciones de los Reglamentos 260/2009 (relativo al régimen común aplicable a las importaciones) y 625/2009 (relativo al régimen común aplicable a las importaciones de determinados terceros países), así como las previstas en acuerdos internacionales celebrados por la UE. Estas medidas se pueden adoptar, tanto por propia iniciativa de la Comisión, como a solicitud de un Estado miembro (en este caso en un plazo de 5 días hábiles desde su recepción). Los actos de ejecución adoptados por la Comisión pueden ser inmediatamente aplicables si se justifica la concurrencia de razones imperativas de urgencia. La Comisión podrá asimismo derogar o modificar estas medidas.

Suspensión del régimen de transformación bajo control aduanero, del régimen de perfeccionamiento activo y del régimen de perfeccionamiento pasivo.– El artículo 195 atribuye a la Comisión la competencia para adoptar actos por los que se suspenda total o parcialmente la utilización de los regímenes de perfeccionamiento activo o de transformación bajo control aduanero respecto de determinados sectores cuando el mercado de la UE sufra perturbaciones —o pueda sufrirlas— como consecuencia de ellos.

> Los sectores comprendidos son el de los cereales, el arroz, el azúcar, el aceite de oliva y las aceitunas de mesa, las frutas y hortalizas, las frutas y hortalizas transformadas, el vino, la carne de vacuno, la leche y los productos lácteos, la carne de porcino, la carne de ovino y de caprino, los huevos, la carne de aves de corral y el alcohol etílico agrícola.
>
> La transformación bajo control aduanero es un régimen que se regulaba en la normativa anterior pero que el CAU ha suprimido, pasando a ser una forma de ultimación del régimen de perfeccionamiento activo. Por tanto, las referencias del Reglamento 1308/2013 al régimen de transformación bajo control aduanero hay que entenderlas hechas al régimen de perfeccionamiento activo.

La adopción de estos actos puede realizarse de oficio a solicitud de un Estado miembro (en este caso en un plazo de 5 días hábiles desde su recepción) y pueden ser inmediatamente aplicables si se justifica la concurrencia de razones imperativas de urgencia.

El artículo 205 contiene una disposición análoga respecto del régimen de perfeccionamiento pasivo.

En este caso los sectores comprendidos son el del arroz, las frutas y hortalizas, las frutas y hortalizas transformadas, el vino, la carne de vacuno, la carne de porcino, la carne de ovino y de caprino, y la carne de aves de corral.

Disposiciones particulares.– Finalmente, el Capítulo IV del Reglamento 1308/2013 establece disposiciones específicas aplicables a la importación de los siguientes productos: cáñamo (artículo 189); lúpulo (artículo 190); sector vitivinícola (artículo 191); y azúcar (artículos 192-193; los preceptos relativos al azúcar no entraron en vigor hasta el 30.09.2017, véase artículo 232).

35.3. ELEMENTO AGRÍCOLA

El mantenimiento de una protección efectiva en favor de determinados productos agrícolas obliga asimismo a prever medidas arancelarias específicas respecto de ciertos productos que son el resultado de su transformación (PAT, Productos Agrícolas Transformados). Y ello porque alzar barreras contra un producto agrícola sin establecer una protección paralela frente a los productos que son el resultado de su transformación tendría dos efectos nocivos:

- por un lado, supondría una desprotección indirecta del producto agrícola implicado, puesto que aquellas unidades del mismo que se destinasen a la transformación no obtendrían protección.

- por otro lado, incentivaría la actividad de transformación en terceros países (importaciones con un valor añadido superior), al objeto de obtener un tratamiento arancelario más favorable (el del producto transformado).

Adicionalmente, dependiendo de las circunstancias, la falta de protección frente a los productos agrícolas transformados puede suponer un grave perjuicio para los transformadores de la Unión si el producto agrícola tiene un precio superior en el mercado de la UE que en el mercado internacional. En este caso se verían sometidos a la competencia de unos productores externos que pueden adquirir sus materias primas (productos agrícolas, en estado natural o previamente transformados) a precios inferiores a los vigentes en el interior de la UE.

Ejemplo

Un ejemplo. Imagínese un fabricante ruso de chocolate que puede adquirir el azúcar a precios internacionales, sensiblemente inferiores a los que se exigen en la UE. La entrada de este chocolate ruso no sólo afectaría a los productores de azúcar de la UE (pues ese chocolate no utiliza azúcar de la UE) sino también a los productores de chocolate de la UE, que no tienen acceso al azúcar a precios internacionales.

A la evitación de estos efectos indeseables se dirige el Reglamento (UE) 510/2014 del Parlamento Europeo y del Consejo, de 16 de abril de 2014, por el que se establece el régimen de intercambios aplicable a determinadas mercancías resultantes de la transformación de productos agrícolas (por el que se derogan los Reglamentos 1216/2009 y 614/2009). La medida que se articula con este propósito se denomina "Elemento Agrícola" (al que se alude con el acrónimo "EA"), que es un derecho que se exige adicionalmente sobre los derechos de aduana respecto a aquellos productos agrícolas transformados que se relacionan en los Anexos I y IV del Reglamento 510/2014.

> Para los productos agrícolas transformados enumerados en el anexo IV el derecho adicional solamente se aplicará, en virtud de un acto de ejecución de la Comisión, cuando las importaciones del mismo puedan producir efectos perjudiciales para el mercado de la Unión debido a que se realicen a un precio inferior al notificado por la Unión a la OMC («precio de activación»), o el volumen de las importaciones en cualquier año supere un determinado nivel («el volumen de activación») (artículo 5 Reglamento 510/2014).
>
> Respecto a los PAT del Anexo I, se gravarán con un derecho ad valorem más un elemento agrícola que no forma parte de él en el caso de los recogidos en el cuadro 1, en tanto que en el caso de los recogidos en el cuadro 2 se gravarán con un derecho ad valorem y un componente agrícola que forma parte del derecho ad valorem (artículo 3 Reglamento 510/2014).

Ejemplo

Respecto a nuestro ejemplo anterior, el chocolate (partida 1806) es uno de los PAT incluidos en el cuadro 1 del Anexo II. Por tanto, se gravará con un derecho ad valorem más un elemento agrícola que no forma parte de él.

LOS DERECHOS ANTIDUMPING

ÍNDICE

36 Los derechos antidumping

36.1. CONCEPTO Y FUENTES

En ocasiones los operadores establecidos en un tercer país pueden tener un especial interés en introducir sus mercancías en el mercado de la UE, de modo que para conseguir este objetivo es posible que estén dispuestos a conformarse con exigir por sus exportaciones un precio inferior al que se exige por productos similares en el curso de "operaciones normales" en su propio mercado de origen (mercado de exportación). Expresado en otros términos, es posible que estén dispuestos a vender a un precio más bajo cuando venden a clientes en la UE que el precio que se aplica en su propio mercado doméstico. Cuando se producen estas circunstancias, la conducta se califica como "dumping" a efectos aduaneros.

Aunque lo anterior supone que el importador obtendrá las mercancías que introduce a un precio especialmente ventajoso, debe tenerse en cuenta que, paralelamente, este proceder puede implicar perjuicios a los productores internos de mercancías similares, que se verán sometidos a la competencia de un producto que se ofrece por un precio con el que puede resultar difícil competir; o puede amenazar con producir tales efectos, o puede tener como consecuencia el retraso significativo en la creación de una industria en la UE productora de mercancías similares. Nótese que estamos hablando de una condición objetiva (los precios ofrecidos por el exportador, que son inferiores a los vigentes en el mercado de exportación, causan o amenazan con causar un perjuicio), de manera que carece de trascendencia si efectivamente la intención del exportador era o no la de causar tal perjuicio (intrascendencia del elemento intencional).

> El dumping puede constituir una práctica comercial desleal que permite al productor del tercer país sacar del mercado a los productores domésticos hasta hacerlos desaparecer. Una vez que la competencia ha quedado anulada, el productor del tercer país puede explotar el mercado elevando precios para maximizar su utilidad, adoptando estrategias monopolísticas. Por eso, aunque el dumping inicialmente muestra una cara amable de reducción de precios, puede muy bien ser el inicio de un proceso en el que el único ganador sea el productor que lo practica.

Para impedir que este resultado nocivo pueda llegar a producirse, el ordenamiento contempla los denominados "derechos antidumping", que constituyen un ingreso que se exige a favor de un ente público (la Hacienda de la UE) cuando concurren las circunstancias a que nos hemos referido.

Conviene aclarar que los derechos antidumping (al igual que los derechos compensatorios, que se examinan en el capítulo siguiente) son un tributo y, más específicamente, un impuesto. Su naturaleza tributaria se pone de manifiesto en la medida en que verifica todos los elementos del concepto de tributo: se trata de una prestación pecuniaria exigida por una Administración pública como consecuencia de la realización de un supuesto de hecho al que la ley vincula el deber de contribuir, con el fin primordial de obtener los ingresos necesarios para el sostenimiento de los gastos públicos (artículo 2 LGT). Añadamos a los elementos que recoge el artículo 2 LGT que los derechos antidumping gravan una manifestación de capacidad económica (la que consiste en vender a un precio por debajo del que las condiciones de mercado permiten obtener) y no constituye la sanción de un ilícito (no se incumple una norma jurídica por vender a bajo precio). Como ocurre en general con los impuestos arancelarios, los derechos antidumping (así como los derechos compensatorios) tienen un fuerte componente extrafiscal pues, según se ha señalado en el capítulo 1, a su finalidad recaudatoria se une una clara vocación de erigirse en instrumentos aptos para regular los flujos de mercancías. Recordemos, en este sentido, que el segundo párrafo del artículo 2.1 LGT dispone que "Los tributos, además de ser medios para obtener los recursos necesarios para el sostenimiento de los gastos públicos, podrán servir como instrumentos de la política económica general y atender a la realización de los principios y fines contenidos en la Constitución", de manera que el carácter extrafiscal no empece a su naturaleza tributaria. Establecida esta naturaleza, es claro que estamos ante tributos que se exigen sin contraprestación, lo que excluye que puedan ser identificados como tasas o contribuciones especiales, confirmando en cambio su carácter de impositivo (artículo 2.2(c) LGT).

Esta posición viene confirmada por la doctrina del TJUE, que en su Sentencia *Krohn* (asunto C-226/18, de 22.05.2019), cuando señalar que "los derechos antidumping y los derechos compensatorios son cargas pecuniarias impuestas unilateralmente, que gravan las mercancías por el hecho de que estas atraviesan la frontera de la Unión y entran en el territorio aduanero de la Unión. Por consiguiente, *constituyen exacciones de efecto equivalente a los derechos de aduana*" (p. 38). En el actual CAU habrían de seguir entendiéndose comprendidos en el ámbito de los derechos de importación (artículo 5.20 CAU), por más que su definición ya no contenga una referencia a las "exacciones de efecto equivalente a los derechos de aduana". Y ello aun cuando la versión española pudiera generar dudas al respecto, que quedan despejas por la versión en inglés, en la medida en que los derechos antidumping son un "*customs duty*" (concretamente *antidumping duty*), que es la expresión que allí se utiliza.

Dado que una utilización abusiva o inadecuada de los derechos antidumping podría convertirse en una importante barrera al comercio, contamos con una norma internacional que disciplina esta materia, el Acuerdo relativo a la Aplicación del Artículo VI del GATT'94, que figura incorporado entre los anexos al Acuerdo por el que se establece la OMC, de manera que forma parte del paquete de acuerdos de aceptación conjunta que permiten acceder a la condición de Miembro de la OMC (en lo sucesivo nos referiremos a este acuerdo como "AAD", Acuerdo sobre derechos antidumping).

Atendiendo a esta disciplina internacional, en la UE se ha establecido el Reglamento 2016/1036, del Parlamento Europeo y del Consejo, de 8 de junio de 2016, relativo a la defensa contra las importaciones que sean objeto de dumping por parte de países no miembros de la Unión Europea (DO L nº 176, de 30.06.2016, p. 21; en lo sucesivo nos referiremos a él como "Reglamento de Base"), en el que se contiene la regulación de base vigente en esta materia.

> El Reglamento de Base atribuye a la Comisión la competencia para adoptar orientaciones generales (*Guidelines*), que deben someterse a consulta pública, dando además la oportunidad al Parlamento Europeo y al Consejo de manifestar sus puntos de vista.
> Un estudio monográfico sobre los derechos antidumping (basado en un Reglamento de base anterior, el 384/96) puede verse en Rodríguez Fernández, Marta: *Los derechos antidumping en el Derecho comunitario*, Lex Nova, 1999.

Derechos antidumping	
AAD	***OMC - Acuerdo relativo a la Aplicación del Artículo VI del GATT'94***
Reglamento de Base	Reglamento (UE) 2016/1036, del Parlamento Europeo y del Consejo, de 8 de junio de 2016, relativo a la defensa contra las importaciones que sean objeto de dumping por parte de países no miembros de la Unión Europea

36.2. ELEMENTOS DEL DUMPING

La existencia del dumping se determina a partir de la comparación entre el valor normal y el precio de exportación, siendo el valor normal el precio que se exige por productos similares en el curso de "operaciones normales" en el mercado del país de exportación. El —extenso— artículo 2 del Reglamento de Base se ocupa de precisar el contenido de estos dos conceptos, tras señalar el artículo 1.2 que:

> *"Se considerará que un producto es objeto de dumping cuando su precio de exportación a la Unión sea inferior, en el curso de operaciones comerciales normales, al precio comparable establecido para el producto similar en el país de exportación"* (en el mismo sentido, artículo 2.1 AAD).

En consecuencia, existe dumping cuando:

Valor normal > Precio de exportación

Tres son los conceptos clave a este respecto: los ya referidos de valor normal y precio de exportación, y el de "producto similar". Nos ocupamos a continuación de cada uno de ellos, así como de la comparación a realizar entre el valor normal y el precio de exportación y de la determinación acerca de la existencia de un "perjuicio" derivado del dumping.

Valor normal.– El valor normal es el precio establecido, en el curso de operaciones comerciales normales, para el producto similar en el país de exportación. Este precio debe obtenerse a partir de transacciones realizadas entre partes independientes, si bien cabe utilizar precios en transacciones entre partes vinculadas cuando se determine que la vinculación no ha influido en el precio (a estos efectos se aplica el concepto de partes vinculadas del artículo 127 RECAU, que lo establece a los efectos de la valoración aduanera). A poder ser se tomarán ventas en las que el vendedor sea el propio exportador, pero si no hubiera ventas que cumplan estos requisitos, se determinará a partir de ventas de otros vendedores o productores.

Se intentará que el volumen de ventas a partir del cual se determine el valor normal suponga al menos el equivalente a un 5% de las ventas en la UE del producto similar, a fin de que el valor que se obtenga resulte suficientemente representativo, pero si ello no fuera posible podrá determinarse a partir de un volumen inferior si todavía se considera representativo. Se pueden plantear dificultades a este respecto cuando: 1) No existan ventas en el curso de operaciones normales en el país de exportación; 2) Cuando existan, pero sean insuficientes; 3) Cuando las ventas existentes no permitan una comparación adecuada debido a una situación especial del mercado (p.e. porque los precios sean artificialmente bajos, o exista un comercio de trueque significativo o existan otros regímenes de transformación no comerciales). En estas situaciones el valor normal podrá calcularse de dos formas alternativas: a) sobre la base del coste de producción en el país de origen más una cantidad razonable en concepto de gastos de venta, generales y administrativos y en concepto de beneficios; o bien b) utilizando los precios de exportaciones realizadas a un país tercero apropiado en el curso de operaciones comerciales normales y siempre que estos precios sean representativos.

En cualquier caso, de entre las ventas que se identifiquen, podrán rechazarse para calcular el valor normal aquellas realizadas a precios inferiores a los costes unitarios de producción fijos y variables, más los gastos de venta, generales y administrativos, dado que no estarían realizadas en el curso de operaciones comerciales normales. Este rechazo exige que se hayan efectuado durante un período prolongado (normalmente un año y nunca menos de 6 meses), en cantidades sustanciales y a precios que no permitan recuperar todos los costes en un plazo razonable (esto es, cuando la media ponderada del precio de venta es inferior a la media ponderada del coste unitario, o bien cuando el volumen de las ventas a precios inferiores al coste unitario no sea inferior al 20% de las ventas utilizadas para la determinación del valor normal). Ahora bien, no podrá rechazarse un precio inferior a los costes en el momento de la venta si, ello no obstante, ese precio es todavía superior a los costes medios ponderados correspondientes al período de investigación (este tipo de situaciones puede darse, p.e., cuando se produce un aumento repentino de una materia prima y el vendedor decide no trasladar inmediatamente ese incremento en el precio de su producto; transitoriamente puede estar vendiendo por debajo del coste).

En principio se tomarán los datos de coste del exportador. Ahora bien, si estos datos no se preparan de acuerdo con los principios contables generalmente admitidos en el país de exportación y no se demuestra que reflejen razonablemente los costes de producción y venta del producto considerado, estos costes se ajustarán o bien se establecerán sobre la base de los costes de otros productores o exportadores en el mismo país. Si estos datos no estuvieran disponibles o no pudieran utilizarse, podrán calcularse los costes sobre cualquier otra base razonable, incluida la información de otros mercados representativos. La imputación de costes a los productos se realizará atendiendo a los criterios que se demuestre que se han utilizado históricamente, dando prioridad a la imputación en función del volumen de negocios a falta de otro más adecuado, ajustando los gastos extraordinarios que favorezcan la producción futura o actual. También deben ajustarse adecuadamente, en su caso, los costes de puesta en marcha (inversiones en nuevas instalaciones de producción).

Por lo que hace a los gastos de venta, generales y administrativos, y a los beneficios, se basarán en los datos reales proporcionados por el exportador o productor investigado. Si no se pudieran determinar de esta forma se establecerán a partir de los importes reales del exportador o productor para la misma categoría de productos; o a partir de la media ponderada de los importes reales determinados para otros exportadores o productores investigados; o por cualquier otro método razonable que no de como resultado un beneficio superior al normal en ventas de productos de la misma categoría en el mercado interno del país de origen.

La determinación del valor normal se sujeta a reglas especiales si se determina que en el país de exportación se producen distorsiones significativas que hacen inadecuado utilizar los precios y costes internos de ese país (artículo 2.6 bis Reglamento de Base).

La distorsión se considera significativa cuando los precios o costes están afectados por una intervención sustancial de los poderes públicos. A este respecto se toman en consideración diversos elementos (si el mercado es abastecido en una proporción significativa por empresas que son propiedad de las autoridades del país exportador o que operan bajo su control o supervisión política o bajo su dirección; la presencia del Estado en las empresas, lo que le permite interferir en los precios o los costes; la existencia de políticas públicas o medidas discriminatorias que favorezcan a los proveedores internos o que influyen en las fuerzas del mercado libre; la falta de aplicación o la aplicación discriminatoria de las leyes en materia de concurso de acreedores, sociedades y propiedad, o su ejecución inadecuada; los costes salariales distorsionados; o el acceso a la financiación concedido por instituciones que aplican objetivos de política pública o que de otro modo no actúan con independencia del Estado). Cuando la Comisión disponga de indicios fundados de la concurrencia de distorsiones significativas en un determinado país, elaborará, publicará y actualizará periódicamente un informe en el que se describan las circunstancias del mercado en ese país o sector, que se incorporará al expediente de toda investigación relacionada con ese país o sector. Las partes interesadas deben disponer de la oportunidad de refutar, complementar, comentar o invocar ese informe y los elementos de prueba en los que se base en toda investigación en la que se haga uso del mismo. La industria de la Unión que presente una denuncia de dumping puede utilizar los elementos de prueba del informe cuando sean suficientes a fin de justificar el cálculo del valor normal.

Si la Comisión considera que hay elementos de prueba suficientes de distorsiones significativas y decide iniciar una investigación sobre esa base, lo debe indicar en el anuncio de inicio. Sin perjuicio de lo dispuesto en caso de muestreo (que se regula en artículo 17 del Reglamento de Base), la evaluación acerca de la existencia de distorsiones significativas se debe realizar para cada exportador y productor por separado.

En caso de existir distorsiones significativas, el valor normal se determina a partir de costes de producción y venta que reflejen precios o valores de referencia no distorsionados. Las fuentes de las que puede servirse la Comisión para determinar el valor normal en estas circunstancias incluyen:

- los costes correspondientes de producción y venta de un país representativo adecuado con un nivel de desarrollo económico similar al del país exportador, a condición de que los datos de los costes pertinentes estén fácilmente disponibles.

  En caso de que haya más de un país representativo cuyos datos de costes estén disponibles, se dará preferencia a los países con un nivel adecuado de protección social y medioambiental.

- los precios, costes o valores de referencia internacionales no distorsionados, cuando proceda, o

- los costes internos, siempre y cuando se haya determinado de forma concluyente que no están distorsionados, con arreglo a pruebas exactas y adecuadas.

  La Comisión debe recopilar los datos necesarios a efectos del cálculo del valor normal. Una vez iniciadas las investigaciones, la Comisión debe informar con prontitud a las partes de las fuentes que tiene previsto utilizar a los fines de la determinación del valor normal. Las partes dispondrán de un plazo de diez días para formular observaciones, plazo durante el cual tendrán acceso al expediente. Sólo los elementos de prueba que se puedan corroborar de manera oportuna en el marco de la investigación podrán tomarse en consideración.

El valor normal calculado debe incluir una cantidad no distorsionada y razonable en concepto de gastos administrativos, de venta y generales y en concepto de beneficios.

  Las especialidades que hemos expuesto para los supuestos en que se constate la existencia de "distorsiones significativas" son la respuesta jurídica de la UE a raíz del conflicto planteado por China en el marco de la OMC acerca de su consideración como economía de mercado (China ha planteado una diferencia ante la OMC contra la UE por aplicarle una metodología de cálculo de los derechos antidumping prevista para "países sin economía de mercado", la diferencia WT/DS516). Esta respuesta jurídica se ha incorporado en el Reglamento de Base mediante una modificación introducida por el Reglamento 2017/2321. Conforme a la nueva normativa de la UE, la metodología de cálculo prevista para los países sin economía de mercado (que se expone más abajo) sólo es aplicable a países que no sean miembros de la OMC, de modo que ya no rige para China. En su lugar, China puede quedar sujeta al régimen previsto para las situaciones de "distorsiones significativas" cuando se constate la concurrencia de estas.

El método de cálculo del valor normal tiene reglas particulares cuando las importaciones investigadas proceden de determinados países no miembros de la OMC que carecen de economía de mercado.

Se trata de los países listados en el Anexo I del Reglamento 2015/755, es decir, Azerbaiyán, Bielorrusia, Corea del Norte, Turkmenistán y Uzbekistán.

Al carecer de economía de mercado, en estos países de exportación no existirán ventas en condiciones normales de mercado. En este caso el valor normal se determina a partir: a) del precio o del valor calculado en un país tercero representativo adecuado (con economía de mercado); o b) del precio que aplique el país tercero con economía de mercado en ventas a otros países —incluida la UE—; o c) si esto no fuera posible, sobre cualquier otra base razonable. En este sentido, se considera que constituye una base razonable, en particular, el precio en la UE de un producto similar, debidamente ajustado en caso de necesidad para incluir un margen de beneficio razonable.

La selección de un país tercero adecuado debe realizarse "de manera razonable", teniendo en cuenta cualquier información fiable y, en particular, la cooperación de, al menos, un exportador y productor de ese país. Si se dispone de más de un país adecuado, se dará preferencia a aquél que mantenga un nivel adecuado de protección social y medioambiental. Se tendrán en cuenta los plazos. Si hay un país adecuado sometido igualmente a la misma investigación antidumping, se tomará este. Tras el inicio de la investigación debe comunicarse a las partes el tercer país elegido, momento a partir del cual dispondrán de un plazo de diez días para formular alegaciones.

Precio de exportación.– El precio de exportación se define como "el precio realmente pagado o por pagar por el producto cuando sea exportado por el país de exportación a la Unión" (artículo 2.8 Reglamento de Base). El país de exportación será normalmente el de origen. No obstante, podrá ser un país intermediario. No tiene esta condición, no obstante, el país por el cual los productos simplemente transitan, o un país en el que no se han producido los productos o un país en el que no existe un precio comparable para los productos.

Si no existiera un precio de exportación o este no se considerase fiable —debido a la existencia de una asociación o de un acuerdo de compensación entre el exportador y el importador o un tercero—, el precio de exportación se puede calcular a partir del precio al que el producto importado se venda por primera vez a un comprador independiente. Ahora bien, si el producto no se revende a un comprador independiente o no se revende en el mismo estado en que se importó, el precio de exportación se determinará basándose en cualquier criterio razonable.

Se dispone que, a fin de establecer un precio de exportación fiable en la frontera de la UE, en estos casos se efectuarán ajustes para todos los costes (los que normalmente corren a cargo del importador, aunque él no los pague), soportados entre el momento de la importación y el de la reventa, más los beneficios. Entre los costes por los que se practica ajuste se incluyen: transporte habitual, seguros, mantenimiento, descarga y costes accesorios, derechos de aduana, derechos antidumping y otros impuestos pagaderos en el país de importación como consecuencia de la importación o la venta de las mercancías. Asimismo, se añadirá un margen razonable para gastos de venta, generales, administrativos y en concepto de beneficio.

Producto similar. – La comparación entre un "valor normal" y un "precio de exportación" exige que ambos se refieran a productos similares. El "producto similar" se define en el artículo 1.4 del Reglamento de Base (artículo 2.6 AAD) como:

> *"un producto que sea idéntico, es decir, igual en todos los aspectos al producto de que se trate, o, a falta del mismo, otro producto que, aunque no sea igual en todos los aspectos, tenga características muy parecidas a las del producto considerado".*

> Acerca del contenido del concepto "producto similar" en este contexto, véase Marco Bronckers y Natalie McNelis: "Rethinking the like product definition in WTO antidumping law", *Journal of World Trade*, vol. 33, 1999, n° 3, p. 73.

La determinación acerca de los "productos similares" se realiza mediante la comparación del producto importado objeto de dumping y los productos domésticos que pueden verse afectados por esta práctica. La decisión que se adopte al respecto servirá de base para determinar qué empresas integran la rama de producción de la UE, lo cual influirá a su vez en el alcance de la investigación y en la determinación de la existencia de daño y de relación causal.

Comparación entre valor normal y precio de exportación. – La comparación entre estos dos términos, a fin de que resulte homogénea, debe realizarse en la misma fase comercial, respecto de ventas realizadas en fechas lo más próximas posible entre sí. Asimismo, se debe tener en cuenta cualquier otra diferencia que afecte a la comparabilidad de los precios. Estas diferencias, siempre que se acredite su influencia en los precios, pueden comportar que las dos magnitudes no puedan compararse directamente entre sí sin ser previamente ajustadas.

> El artículo 2.10 se refiere a los ajustes por: a) Características físicas; b) Gravámenes a la importación e impuestos indirectos (piénsese, p.e. que las operaciones interiores en el país de exportación se habrán gravado por el IVA, en tanto que se eximen de este impuesto las exportaciones); c) Descuentos, reducciones, incluidos los aplicados por las cantidades vendidas; d) Fase comercial; e) Transporte, seguros, mantenimiento, descarga y costes accesorios; f) Envasado; g) Crédito; h) Servicios postventa; i) Comisiones; y j) Cambio de divisas (con carácter general se tomará el tipo de cambio en la fecha de la venta, considerándose como tal la fecha de facturación). La lista no es cerrada, sino que caben otros elementos de ajuste, en particular respecto de factores en virtud de los cuales se acredite que los clientes pagan sistemáticamente precios diferentes en el mercado interno.

El margen de dumping se puede determinar de forma agregada (comparando la media ponderada del valor normal con la media ponderada de los precios de todas las transacciones de exportación a la UE) o bien de forma individual (comparando los valores normales individuales y los precios individuales de exportación a la UE para cada transacción).

> Si se determina que existe una pauta de precios de exportación considerablemente diferentes en función de los distintos compradores, regiones o períodos y los métodos anteriores (agregado e individual) no reflejasen en toda su magnitud el dumping existente, podrá realizarse la comparación entre la media ponderada del valor normal y los precios individuales de exportación a la UE para todas las transacciones.

A los efectos de determinar el margen de dumping podrá recurrirse al uso de muestras, en lugar de analizar todas las operaciones comprendidas.

Una vez realizada la comparación, el margen de dumping será:

Margen de dumping = Valor normal - Precio de exportación

Si los márgenes de dumping individuales varían, podrá establecerse la media ponderada de los márgenes de dumping.

Perjuicio. – La apreciación de la existencia de dumping no comporta de forma automática la aplicación de derechos antidumping. Para que ello ocurra debe determinarse que el dumping causa un perjuicio importante a la industria de la UE. Este perjuicio puede ser efectivo o meramente potencial, consistente en este caso en la amenaza de perjuicio importante o bien en el retraso significativo en la creación de dicha industria.

> La amenaza de perjuicio importante debe basarse en hechos, teniendo en cuenta, entre otros factores, a) la tasa de incremento de las importaciones objeto de dumping; b) la existencia de una capacidad libremente disponible del exportador o un aumento inminente e importante de la misma que indique la probabilidad de un aumento sustancial de las exportaciones objeto de dumping a la UE (salvo que otros mercados puedan absorberla); c) los precios a los que se realizan las importaciones; o d) las existencias del producto objeto de la investigación (artículo 3.9 Reglamento de Base).

Para determinar la existencia de perjuicio debe acreditarse el posible incremento en el volumen de importaciones (ya sea en términos absolutos o como cuota de mercado), así como su impacto en los precios (significativamente inferiores a los de los productos similares de la UE, o bien que hayan conducido a reducciones de precios o a impedir una subida que se hubiera producido en otro caso). Habrá de acreditarse el efecto de las importaciones de los productos objeto de dumping sobre la industria de la UE, a partir de todos los factores e índices relevantes. Debe asimismo quedar acreditado el nexo causal entre las importaciones y el perjuicio, así como que este es importante.

El artículo 3.5 Reglamento de Base enumera algunos de esos factores relevantes: el hecho de estar todavía recuperándose de los efectos de prácticas de dumping o subvenciones anteriores; el nivel de margen real de dumping; la disminución real y potencial de las ventas, los beneficios, el volumen de producción, la participación en el mercado, la productividad, el rendimiento de las inversiones o la utilización de la capacidad productiva; los factores que repercutan en los precios en la UE; los efectos negativos reales o potenciales en el flujo de caja, las existencias, el empleo, los salarios, el crecimiento, la capacidad de reunir capital o la inversión. Se señala que la enumeración no es exhaustiva. Por otro lado, el artículo 3.7 Reglamento de Base relaciona factores distintos del dumping que pueden perjudicar a la producción de la industria de la UE y cuyo efecto debe descontarse para identificar el que cabe imputar al dumping, tales como el volumen y los precios de las importaciones no vendidas a precios de dumping, la contracción de la demanda o variaciones de la estructura del consumo, las prácticas comerciales restrictivas de los productores de terceros países y de la UE y la competencia entre unos y otros, la evolución de la tecnología, y los resultados de la actividad exportadora y la productividad de la industria de la UE.

Por otro lado, en caso de que sean las importaciones de más de un país las que incurran en dumping, con carácter general la existencia de perjuicio debe determinarse para las de cada uno de ellos separadamente. No obstante, cabe su acumulación cuando el margen de dumping sea superior al 2%, las importaciones de cada país representen una cuota del mercado de la UE superior al 1% y, atendidas las condiciones de competencia entre los productos importados y el producto similar de la industria de la UE, se determine que procede la evaluación cumulativa.

En principio el perjuicio se determinará para la industria de la UE del producto similar, pero si no fuera posible identificarla separadamente —basándose en criterios como el proceso de producción, las ventas de los productores y sus beneficios— se determinará para la del grupo o gama de productos más restringida de la que se disponga de la información necesaria.

El artículo 14bis establece que pueden imponerse derechos antidumping sobre cualquier producto objeto de dumping introducido en cantidades significativas en una isla artificial, una instalación fija o flotante o cualquier otra estructura que se encuentre en la plataforma continental o en la Zona Económica Exclusiva de un Estado miembro, conforme a la Convención de la ONU sobre Derecho del mar, cuando ello suponga un perjuicio para la industria de la Unión. Esta norma trata de salir al paso de situaciones como la que se plantea p.e. en caso de establecer un derecho antidumping sobre el acero originario de determinado país pero que, a pesar de ello, no impide la importación de grandes cantidades de acero de ese país para construir una plataforma petrolífera sin pagar derechos antidumping. En estos supuestos la exigibilidad de un derecho antidumping se supedita a que la Comisión dicte un acto de ejecución estableciéndolo e informe de su aplicabilidad mediante la publicación en el DO UE.

36.3. EL PROCEDIMIENTO PARA LA DETERMINACIÓN DE LA EXISTENCIA DE DUMPING

Iniciación.– La imposición de derechos antidumping se decide tras la realización de un procedimiento de investigación dirigido a determinar si concurren los presupuestos a que nos hemos referido en el punto anterior. Con carácter general, este procedimiento se iniciará previa denuncia escrita presentada, ante un Estado miembro o ante la Comisión, por la representación de la industria de la UE del producto similar, esto es, directamente por los sujetos que integren esa industria o por cualquier persona física o jurídica o cualquier asociación sin personalidad jurídica que actúe en nombre de la industria de la Unión. La denuncia también puede ser presentada conjuntamente por los anteriores y por los sindicatos o contar con el respaldo de estos, si bien corresponde a la industria de la Unión la facultad de retirar la denuncia (artículo 5.1 Reglamento de Base). Se tomará como fecha de presentación la de acuse de recibo por la Comisión o la del día siguiente a la entrega a la Comisión si se remitió mediante correo certificado.

> En circunstancias especiales el procedimiento puede iniciarse sin haber recibido una denuncia, cuando la Comisión ya posea suficientes elementos de prueba de la existencia del dumping, del perjuicio y del nexo causal entre ellos (que le pueden haber sido proporcionados por uno o varios Estados miembros). En este supuesto se instará a los productores de la Unión de un producto similar a cooperar con la Comisión en las investigaciones.
>
> El concepto de industria de la UE se define en el artículo 4 del Reglamento de Base, como el conjunto de los productores de la UE de los productos similares, o una parte de ellos cuya producción conjunta constituya una proporción importante de la producción total de dichos productos en la UE. Para que la denuncia conduzca a la apertura de una investigación, esta debe ser representativa de productores que supongan más del 50% de la producción total del producto similar cuyos productores se hayan manifestado, a favor o en contra, y, a su vez, este 50% de apoyos debe representar al menos un 25% de la producción total en la UE. Puede excluirse del cómputo a los productores que estén vinculados a los exportadores o a importadores (las circunstancias en que se considera que existe vinculación se enumeran en el artículo 4.2 Reglamento de Base), o sean ellos mismos importadores. Por otro lado, en circunstancias excepcionales el territorio de la UE puede dividirse en dos o más mercados, determinando de este modo una industria propia para cada territorio.
>
> Lograr alcanzar estos umbrales mínimos de representatividad de la denuncia puede resultar especialmente complejo cuando se trate de sectores industriales heterogéneos y fragmentados, compuestos mayoritariamente por PYMES. Precisamente por ello, en estos casos se dispone que la Comisión prestará un servicio de asistencia para facilitar la utilización, cuando proceda, de esta medida de defensa comercial (artículo 5.1bis Reglamento de Base).

La denuncia debe incluir los elementos que acrediten la existencia del dumping, del perjuicio y del nexo causal entre ellos. Por lo demás, los datos que deberán precisarse en la denuncia (acerca de los denunciantes, la industria, el producto, exportadores, precios y volúmenes) se especifican en el artículo 5.2 Reglamento de Base. A partir de estos datos la Comisión decidirá si hay base suficiente como para poner en marcha una investigación, denegándola si la cuota de mercado del país exportador no alcanza al 1% del mercado, salvo que el conjunto de países de que se trate representen conjuntamente una cuota del 3% o superior (regla *de minimis*, apartado 7 del artículo 5 Reglamento de Base). Hasta que no adopte una decisión al respecto evitará publicitar la denuncia, aunque informará al país de exportación. Por otra parte, la denuncia puede ser retirada antes de la apertura de la investigación, con lo que se tendrá por no presentada.

Si la Comisión considera que los elementos de prueba aportados en la denuncia son insuficientes, informará de ello al denunciante en el plazo de 45 días desde la presentación de la denuncia. Si, por el contrario, considera que sí constan los elementos necesarios para iniciar una investigación, la iniciará en ese mismo plazo, dándole publicidad mediante la publicación de un anuncio en el DO UE.

> Este anuncio debe indicar la apertura de la investigación, el producto y los países afectados, ofrecer un resumen de la información recibida y precisar que toda la información adecuada deberá ser comunicada a la Comisión; debe fijar los plazos durante los cuales las partes interesadas podrán personarse, presentar sus puntos de vista por escrito y aportar información, en caso de que se pretenda que dichos puntos de vista e información se tengan en cuenta durante la investigación; también fijará el plazo durante el cual las partes interesadas podrán solicitar ser oídas por la Comisión.

El inicio de la investigación debe comunicarse oficialmente a los exportadores e importadores, a las asociaciones de importadores y exportadores notoriamente afectados, a los representantes del país exportador y a los denunciantes. Con los límites que imponga el deber de confidencialidad, se facilitará el texto íntegro de la denuncia escrita de la que deriva el procedimiento a las autoridades del país exportador y a los exportadores conocidos —salvo que su número sea particularmente elevado, en cuyo caso puede informarse en su lugar a la asociación profesional afectada, si la hubiere—.

Debe destacarse que la existencia de una investigación antidumping no impide el despacho de las mercancías afectadas (artículo 5.12 Reglamento de Base).

Tramitación. – El procedimiento de investigación se lleva a cabo por la Comisión, en colaboración con los Estados miembros. Una de las primeras decisiones a adoptar consiste en acotar el período de tiempo a que se referirá la investigación, que debe ser representativo, señalándose que no deberá ser normalmente inferior a los seis meses inmediatamente anteriores a la apertura del procedimiento (normalmente no se tienen en cuenta informaciones posteriores al inicio de la investigación, pues los exportadores podrían modificar los precios para evitar la apreciación de la existencia de dumping).

En el curso de la investigación se remiten unos cuestionarios a las partes a fin de obtener información, disponiendo de un plazo mínimo de 30 días para responder al mismo, prorrogable si la parte justifica circunstancias particulares. También se podrá requerir información a los Estados miembros, así como que realicen actuaciones —como inspecciones y pesquisas, incluso en países terceros cuando lo consientan las empresas implicadas y no se oponga el gobierno del país de que se trate—.

En el caso de los exportadores se dispone que este plazo comienza a contar desde la fecha de recepción del cuestionario, que se supone recibido una semana después de su envío al exportador o de su transmisión a un representante diplomático del país exportador.

En el curso del procedimiento la Comisión podrá exigir y examinar los libros de los importadores, exportadores, operadores comerciales, agentes, productores, asociaciones y organizaciones mercantiles a fin de contrastar la información facilitada. En caso necesario, la Comisión puede también realizar investigaciones en países terceros. Para ello deberá obtener el consentimiento de las empresas implicadas, procediendo entonces a notificar a las autoridades del país exportador los nombres y direcciones de las empresas que serán visitadas y las fechas acordadas para ello. La investigación en un país tercero sólo se realizará si sus autoridades no manifiestan su oposición a ello. Aunque se informará a las empresas antes de la visita de la información que se pretende verificar, en el curso de la misma pueden solicitarse detalles adicionales. Los Estados miembros que comuniquen a la Comisión su deseo de participar en estas actuaciones de comprobación podrán hacerlo (artículo 16 Reglamento de Base).

Quienes hayan sido identificados en el anuncio de inicio de actuaciones publicado en el DO UE como partes interesadas (en lo sucesivo "las partes") tienen derecho a ser oídos por la Comisión. A este fin deberán solicitarlo por escrito dentro del plazo fijado en ese anuncio, demostrando que son efectivamente partes interesadas y que existen razones concretas para ser oídas. Con carácter general la información suministrada será examinada para comprobar su exactitud. Por otro lado, a los importadores, exportadores, representantes del Gobierno del país de exportación y denunciantes que aparezcan relacionados en el anuncio se les dará la oportunidad, si así lo solicitan, de reunirse con sus contrarios para contrastar sus tesis, con los límites que imponga la confidencialidad. Interesa destacar que la asistencia a este encuentro no es obligatoria y que no se puede perjudicar a quien decida ausentarse. Las partes interesadas tendrán también derecho a presentar información oralmente, que para ser tenida en cuenta deberá ser confirmada posteriormente por escrito (artículo 6.6 Reglamento de Base).

Los productores de la Unión, los sindicatos, los importadores y exportadores y sus asociaciones representativas, los usuarios y organizaciones de consumidores que se hubiesen dado a conocer en el procedimiento y los representantes del país de exportación tienen derecho a examinar la información presentada por las otras partes que sea pertinente para la presentación de sus casos y no confidencial, salvo los documentos internos elaborados por las autoridades de la UE o de los Estados miembros, previa petición por escrito. A la vista de esta información las partes podrán presentar comentarios, que se tendrán en cuenta si están suficientemente documentados.

Si existe un número importante de productores de la Unión, exportadores, importadores, tipos de productos o transacciones, la Comisión puede decidir basar la investigación en una muestra estadísticamente válida, teniendo en cuenta la información disponible, o una muestra del mayor porcentaje representativo del volumen de producción, ventas o exportación que pueda razonablemente investigarse en el tiempo disponible. Para la selección de las partes de la muestra, tipos de productos o transacciones, la Comisión dará preferencia a la muestra elegida en colaboración y con el consentimiento de las partes afectadas, siempre que presenten suficiente información en un plazo de una semana a partir de la apertura de la investigación. Si posteriormente estas partes no cooperan con la investigación, podrá elegirse una nueva muestra. Si nuevamente se produjera una falta de cooperación o si no se dispone de tiempo para realizar la investigación respecto de la nueva muestra, podrán formularse conclusiones preliminares o definitivas, positivas o negativas, sobre la base de los datos disponibles.

> A la posibilidad de utilizar muestras se refiere el artículo 17 del Reglamento de Base, en tanto que las consecuencias jurídicas de la falta de cooperación —no sólo en relación a las investigaciones basadas en muestras, sino en general para cualquier investigación— se regulan en el artículo 18. La falta de cooperación se define como la negativa a dar acceso a la información necesaria; o no facilitarla en plazo; u obstaculizar de forma significativa la investigación. En todos estos casos se dispone que la Comisión podrá formular conclusiones preliminares o definitivas, positivas o negativas, sobre la base de los datos disponibles (si estas conclusiones se refieren al valor normal, la Comisión debe intentar contrastar la información a través de otras fuentes). Por otro lado, si la información suministrada resulta ser falsa o engañosa no se tendrá en cuenta. Antes de rechazar una información debe comunicarse motivadamente este hecho a la parte que la aportó, dándole oportunidad de ofrecer explicaciones adicionales. La falta de cooperación puede determinar un resultado menos favorable a la parte que incurra en ella.
>
> Bajo la vigencia de la versión del Reglamento de Base anterior a la modificación introducida por el Reglamento 2017/2321, tratándose de exportadores de China, Vietnam, Kazajstán o cualquier país sin economía de mercado miembro de la OMC, la determinación acerca de si se trataba de productores que operaban en condiciones de economía de mercado se debía limitar a las partes incluidas en la muestra y a los productores que recibiesen trato individual en virtud de haber presentado la información necesaria. Ahora bien, se decidió que la utilización de la técnica de muestreo no justificaba que se denegase el trato de operador que actúa en condiciones de economía de mercado a aquellos operadores que hubiesen acreditado tal circunstancia (STJUE *Brossmann Footwear*, asunto C-249/10, de 02.02.2012; en el mismo sentido, STJUE *Zheijang Aokang Shoes*, asunto C-247/10, de 15.11.2012).

Aunque el examen se limite a una muestra, debe calcularse individualmente el margen de dumping para todo exportador o productor no seleccionado inicialmente que presente la información necesaria en plazo, salvo que el número de exportadores o productores sea tan grande que los exámenes individuales resulten excesivamente gravosos e impidan concluir oportunamente la investigación.

En el curso de la fase de investigación la Comisión puede acordar la imposición de un derecho antidumping provisional. Este será el caso si, tras dar oportunidad a las partes de presentar información y hacer observaciones, se realiza una determinación provisional positiva de la existencia de dumping y perjuicio y se considera necesario intervenir. Un Estado miembro puede solicitar el establecimiento de un derecho provisional y, en tal caso, la Comisión debe pronunciarse al respecto en el plazo de 5 días hábiles. En cualquier caso, los derechos provisionales se podrán establecer dentro del período comprendido entre los 60 días y los ocho meses a contar desde el inicio del procedimiento y siempre tras el transcurso de tres semanas tras el envío de información sobre la imposición de derechos provisionales a las partes interesadas.

El artículo 19bis Reglamento de Base regula la comunicación informativa de los derechos provisionales propuestos, el cálculo del margen de dumping y el margen adecuado para corregir el perjuicio, con una antelación de cuatro semanas a la fecha de imposición de derechos antidumping provisionales (denominado "período de comunicación previa"). Esta comunicación debe realizarse a favor de los productores de la Unión, los importadores y exportadores y sus asociaciones representativas y los representantes del país exportador que lo hubieran solicitado. Estos sujetos disponen de un perentorio plazo de tres días laborables, desde que reciban la información referida, para formular observaciones sobre la exactitud de los cálculos. La Comisión debe asimismo publicar en su sitio web la intención de imponer derechos provisionales y sus posibles tipos, al mismo tiempo que lo comunica a las partes. En caso de que la Comisión no pretenda imponer derechos provisionales, pero sí continuar con las investigaciones, debe informar de ello a estos sujetos cuatro semanas antes de la conclusión del plazo para imponer derechos provisionales (que, recordemos, es de 8 meses desde el inicio del procedimiento).

Con carácter general, las importaciones realizadas durante el período de comunicación previa se someterán a registro (artículo 14.5bis Reglamento de Base).

Los derechos provisionales no podrán exceder el margen de dumping provisionalmente determinado y comportarán que, a partir de su imposición, la concesión del despacho a libre práctica quede sujeta a la prestación de una garantía que permita cubrir su importe. Este importe sólo deberá ingresarse, en su caso, una vez que el derecho se establezca de forma definitiva tras la conclusión de la investigación.

A la hora de decidir si un derecho provisional inferior al margen de dumping pudiera ser suficiente para eliminar el perjuicio, la Comisión tendrá en cuenta si existen distorsiones del mercado de materias primas respecto del producto de que se trate (artículo 7.2bis Reglamento de Base). Este elemento se ha introducido al constatar que determinados países restringen las exportaciones de materias primas sensibles (como p.e. las denominadas "tierras raras"), lo que encarece sus precios en la UE en perjuicio de los productores de la UE sin que, en cambio, altere los precios en el país de exportación (que es donde se determina el valor normal y, por tanto, incide en el cálculo del margen de dumping). A este fin se listan una serie de factores que constituyen "distorsiones del mercado de materias primas", listado que la Comisión puede ampliar mediante actos delegados. La distorsión se considera relevante si la materia prima afectada representa, al menos, un 17% del coste de producción del producto.

Por otra parte, también se han introducido consideraciones de sostenibilidad de la actividad —frente a países que pudieran artificialmente sostener actividades de escasa rentabilidad—, medioambientales y de protección de los derechos de los trabajadores en el cálculo del importe de los derechos antidumping (tanto provisionales como definitivos, artículo 7.2quater y quinquies Reglamento de Base). En este sentido, por lo que hace a la sostenibilidad de la actividad, se dispone que, en aquellos casos en que el margen de perjuicio se calcule sobre la base de un precio indicativo, el objetivo de beneficio que se tome en cuenta no puede ser inferior al 6% y debe establecerse teniendo en cuenta factores tales como el nivel de rentabilidad antes del aumento de las importaciones procedentes del país objeto de investigación, el nivel de rentabilidad necesario para cubrir todos los costes y las inversiones, la investigación y desarrollo y la innovación, y el nivel de rentabilidad previsible en condiciones normales de competencia. Adicionalmente, por lo que hace a las consideraciones medioambientales y de protección de los derechos de los trabajadores, se dispone que al establecer el precio indicativo se deben tener en cuenta los costes reales de producción de la industria de la Unión resultantes de los acuerdos medioambientales multilaterales, y de sus protocolos, de los que es parte la Unión, o de los Convenios de la Organización Internacional del Trabajo (OIT) que se enumeran en el anexo I bis del Reglamento de Base. A estos efectos se deben tener en cuenta incluso los costes futuros que resultarán de tales acuerdos y convenios y que deberá afrontar la industria de la Unión durante el período de aplicación de la medida antidumping definitiva. Nuevamente ha de tenerse en cuenta que, como el margen de dumping se determina por diferencia entre los precios de exportación y el valor normal, puede ocasionarse un perjuicio a los productores de la Unión si el valor normal queda afectado cuando las condiciones aplicables en el país de exportación no sean equiparables a las que se exigen en la Unión. Por lo que hace a las consideraciones medioambientales, téngase en cuenta la importante repercusión que este factor puede tener p.e. en relación con los acuerdos sobre cambio climático.

Se establece la figura del "consejero auditor" por parte de la Comisión, cuya función consiste en salvaguardar el ejercicio efectivo de los derechos procesales de las partes interesadas (artículo 6.11 Reglamento de Base).

Conclusión.– La fase de investigación debe concluir en el plazo de un año desde su inicio, si bien se establece que, si no fuera posible concluirla en este plazo, el mismo puede extenderse hasta los 14 meses. Los períodos de investigación deben coincidir, siempre que ello sea posible, con el ejercicio financiero, especialmente si se trata de sectores heterogéneos y fragmentados —PYMES—. El procedimiento de investigación del dumping puede concluir de diversas formas:

- *Mediante compromiso.* Los exportadores comprendidos en la investigación pueden proponer a la Comisión compromisos que esta puede aceptar una vez se haya hecho una determinación positiva provisional de la existencia de dumping y se haya llevado a cabo un procedimiento consultivo. Las partes que ofrezcan un compromiso deben proporcionar una versión no confidencial del mismo a los fines de su comunicación a las demás partes interesadas, al Parlamento y al Consejo. También la Comisión puede sugerir compromisos, pero el rechazo de esta sugerencia no puede perjudicar a los exportadores, si bien puede constituir un indicio de amenaza de perjuicio. Los compromisos pueden consistir en una modificación de los precios de exportación (hasta hacer desaparecer el dumping o el perjuicio) o en dejar de exportar a precios que supongan dumping.

A la hora de determinar si unos compromisos que supongan aumentos de precios inferiores al margen de dumping son suficientes para eliminar el perjuicio se tendrán en cuenta los factores que ya se han señalado en relación con la imposición de derechos provisionales, como la existencia de distorsiones en el mercado de materias primas, la sostenibilidad de las actividades o las consideraciones medioambientales o en materia de protección de los derechos de los trabajadores.

En tanto rija el compromiso no se aplicarán derechos antidumping —ni provisionales ni definitivos—. Los compromisos no pueden aceptarse una vez resten menos de 5 días para la finalización del plazo para presentar observaciones tras la divulgación final de la información de la investigación, que es de 10 días, a fin de garantizar que las demás partes puedan formular observaciones. En determinados supuestos la Comisión no puede aceptar compromisos (entre otros, si su aceptación se considera no factible; si el número de exportadores actuales o potenciales es demasiado alto; por motivos de política general, entre los que se incluyen consideraciones medioambientales y de protección de los derechos de los trabajadores). En estos casos la Comisión informará al exportador afectado motivadamente, dándole la oportunidad de formular observaciones. Si la Comisión se ratifica en el rechazo del compromiso, la decisión definitiva debe indicar los motivos. Antes de aceptar una oferta de compromiso la Comisión debe trasladarla a la industria de la Unión para que pueda formular observaciones.

Si el compromiso se acepta, la investigación se dará por concluida y el compromiso surtirá efecto a partir de la fecha en que concluya la investigación para el país exportador. Ahora bien, si se formula una determinación negativa de la existencia de dumping o de perjuicio, el compromiso quedará extinguido automáticamente, salvo que ello responda en gran medida a la existencia del compromiso. Si se formula una determinación positiva, el compromiso se mantendrá en sus términos. El exportador que haya aceptado un compromiso debe suministrar periódicamente información relativa al cumplimiento y a los fines de su verificación, y el incumplimiento de esta obligación se considera un incumplimiento del compromiso.

Si un compromiso aceptado se incumple o se denuncia —o se denuncia su aceptación por la Comisión— la aceptación del compromiso se denunciará, mediante una Decisión o un Reglamento de la Comisión. Se aplicará entonces de forma automática el derecho antidumping provisional o definitivo que se hubiera determinado. Cualquier parte interesada o cualquier Estado miembro puede presentar pruebas del incumplimiento del compromiso, lo que dará lugar a una investigación por parte de la Comisión que debe concluir normalmente antes de 6 meses, aunque puede extenderse hasta los 9 meses. En tanto se decide acerca del incumplimiento podrá establecerse un derecho provisional.

Si, al definir la industria de la UE, se hubiera decidido dividir la UE en más de un territorio, los exportadores podrán ofrecer compromisos únicamente respecto a la zona en cuestión.
Es importante destacar que el incumplimiento de los requisitos formales del compromiso (p.e. porque la factura no contiene exactamente las menciones exigidas, o las mercancías no se despachan a libre práctica, sino que la deuda nace por el incumplimiento de formalidades aduaneras) determina que no se aplique la exención que el compromiso determina, pues aprecia el TJUE que "las exenciones de derechos antidumping y de derechos compensatorios solo pueden concederse conforme a determinados requisitos, en los casos previstos específicamente, y *constituyen*, en consecuencia, *excepciones al régimen normal de los derechos antidumping* y de los derechos compensatorios. Por lo tanto, las disposiciones que prevén tales exenciones *deben interpretarse en sentido estricto*" (STJUE *Krohn*, asunto C-226-18, de 22.05.2019, p. 46, donde cita en el mismo sentido la STJUE *Baltic Agro*, asunto C 3/13, de 17.09.2014, p. 24). En el mismo sentido, la falta de aportación de la factura acreditativa del cumplimiento del compromiso de precios ha sido apreciada como motivo para denegar este beneficio y, en consecuencia, exigir derechos antidumping, decidiendo además que este incumplimiento no puede ser salvado con una presentación posterior en tanto que la misma impide un control adecuado por parte de las autoridades (STJUE *Jebsen & Jessen*, asunto C-543/19, de 15.10.2020, pp. 64-80).

- *Sin adopción de medidas.* El procedimiento de investigación del dumping puede concluir también sin la adopción de medidas. Esto ocurrirá, por ejemplo, si se retira la denuncia, salvo que la Comisión decida que los intereses de la UE exigen continuar la investigación. También se llegará a este resultado si se determina que no es necesario adoptar medidas. El perjuicio se considerará normalmente insignificante cuando las importaciones de que se trate sean inferiores a los *de minimis* (cuando la cuota de mercado del país exportador no alcance el 1% del mercado, salvo que el conjunto de países de que se trate representen conjuntamente una cuota del 3% o superior). Los procedimientos concluirán inmediatamente si se determina que el margen de dumping es inferior al 2% del precio de exportación.

- *Con la imposición de un derecho antidumping definitivo.* El procedimiento puede concluir con la imposición de un derecho antidumping definitivo, cuando se determine la existencia de dumping, perjuicio y un interés de la UE en intervenir. El importe de los derechos tiene como límite máximo el margen de dumping, pero pueden fijarse por un importe inferior si con ello ya se evita el perjuicio.

A la hora de fijar el importe del derecho antidumping se tendrán en cuenta los factores que ya se han señalado para los derechos antidumping provisionales, es decir, si existen distorsiones del mercado de materias primas respecto del producto de que se trate, así como consideraciones de sostenibilidad de la actividad, medioambientales y de protección de los derechos de los trabajadores. Si durante el período de comunicación previa a la adopción de un derecho provisional se detecta un aumento sustancial de las importaciones sujetas a investigación, se tendrá en cuenta ese perjuicio adicional para determinar el importe de los derechos.

Una peculiaridad del régimen de los derechos antidumping en la UE consiste en la existencia de un filtro adicional para la imposición de estos derechos, además de la constatación de la existencia de dumping y del perjuicio. Este filtro adicional, establecido en el artículo 21 del Reglamento de Base, consiste en tomar en cuenta el que se denomina "interés de la UE", que implica no sólo a la industria sino también a los consumidores y usuarios. Ese es el motivo de que en el procedimiento se dé la oportunidad a las organizaciones de consumidores y usuarios (y también a los sindicatos) para recibir y facilitar información; para que puedan solicitar ser oídas por la Comisión; para presentar comentarios a la aplicación de un derecho provisional (en el plazo de 15 días tras su imposición); o, en fin, para tener conocimiento de los hechos y consideraciones sobre los cuales esté prevista la adopción de decisiones finales.

El derecho definitivo se establecerá mediante un Reglamento y debe hacerse de forma no discriminatoria, si bien quedarán exceptuados los productores cuyos compromisos se hayan aceptado. Se especificará el derecho exigible a cada productor o, si ello no fuera posible, el derecho aplicable a cada país proveedor.

Si el examen se realizó utilizando muestras, los derechos aplicables a los productores no incluidos en la muestra no podrá superar a la media ponderada del margen de dumping establecida para las partes incluidas en la muestra, siendo indiferente a este respecto que el valor normal se determine conforme a las reglas aplicables a los países con economía de mercado o conforme a las reglas aplicables a los países sin economía de mercado. Para calcular la media no tendrá en cuenta los márgenes nulos ni *de minimis*, ni los márgenes establecidos ante una situación de falta de cooperación. Aun cuando la investigación se haya realizado sobre muestras, se aplicará un derecho individual a los operadores que, en virtud de haber aportado la información necesaria, sean acreedores de un trato individual.

El Informe del Grupo Especial (GE) del Órgano de Solución de Diferencias (OSD) de la OMC con referencia WT/DS405/R declaró contrario al Derecho de la OMC la redacción del precepto equivalente al actual 9.5 del Reglamento de Base en el Reglamento de Base 384/1996 (era también el artículo 9.5).

En la versión declarada incompatible con la norma de la OMC, el artículo 9.5 del Reglamento de Base 384/1996 disponía que el margen de dumping a aplicar —también a aquellos operadores a quienes debiera aplicarse un trato individual— fuera el obtenido a partir de los datos de la muestra. El GE apreció que "la imposición de un derecho antidumping individual debe lógicamente estar precedida por el cálculo de un margen de dumping individual" (7.84). El GE concluye que, conforme al artículo 10.6 del Acuerdo Antidumping de la OMC, "una autoridad investigadora debe calcular un margen de dumping individual para cada exportador o productor del producto objeto de investigación de que se tiene conocimiento, a menos que se aplique la única excepción a ese principio" (párrafo 7.88), la relativa a la posibilidad de utilizar muestras en los casos en que el número de exportadores, productores, importadores o tipos de productos sea tan grande que resulte imposible efectuar esa determinación. De ahí se deriva que el artículo 9.5 del Reglamento de Base, en la versión entonces vigente, era incompatible con el artículo 10.6 del Acuerdo Antidumping de la OMC puesto que "condiciona el cálculo de los márgenes de dumping individuales para los productores o exportadores en una investigación relativa a economías que no son de mercado a la satisfacción de las condiciones para el trato individual contenidas en la disposición" (párrafo 7.89). Asimismo, el GE aprecia que el artículo 9.2 del Acuerdo Antidumping de la OMC exige "que los exportadores y productores individuales en una investigación antidumping deben ser tratados en forma individual para la determinación y la imposición de derechos antidumping" (párrafo 7.91), con la única excepción, de nuevo, de aquellos casos en que sea admisible la utilización de muestras. Por ello, el GE concluye que el artículo 9.5 del Reglamento de Base, en la versión entonces vigente, era también incompatible con al artículo 9.2 del Acuerdo Antidumping de la OMC (párrafo 7.92). Por otro lado, el GE apreció que el artículo 9.5 del Reglamento de Base era incompatible con al artículo I del GATT 1994 (principio de Nación Más Favorecida, NMF). Por una parte, a las importaciones de países con economías de mercado se les concedía de forma automática el trato individual, lo cual constituye una "ventaja". Por otro lado, a los productores de algunos Miembros de la OMC, incluida China, no se les concedía automáticamente el derecho a márgenes de dumping y derechos antidumping individuales, sino que deben cumplir las condiciones del referido artículo 9.5 para beneficiarse de ese derecho. Esta diferencia de régimen daba por resultado que las importaciones del mismo producto procedentes de diferentes Miembros de la OMC pudieran recibir un trato diferente en las investigaciones antidumping realizadas por la Unión Europea. De ahí se concluye que la ventaja del trato individual automático estaba condicionada por el origen de los productos (párrafos 7.98 a 7.105). A ello aún debía añadirse que la diferencia de trato detectada sólo resultaría admisible en la medida en que el Acuerdo Antidumping u otros acuerdos pertinentes de la OMC la permitiesen, pero la UE no demostró que en estas normas pueda identificarse una autorización para esta diferencia de trato (párrafo 7.101). También el Informe del Grupo Especial y del Órgano de Apelación del Órgano de Solución de Diferencias de la OMC en la Diferencia WT/DS397 determinaron que el referido artículo 9.5 era contrario al Derecho de la OMC, concretamente a los artículos 10.6 y 9.2 AAD.

Los Estados miembros deben informar a la Comisión mensualmente sobre las importaciones de productos sujetos a investigación y objeto de medidas, y sobre el importe de los derechos percibidos. Nótese que este deber de información a cargo de los Estados no sólo se activa cuando se impone un derecho antidumping definitivo, sino cuando se acuerda cualquier otro tipo de medida (como un derecho provisional o una obligación de registro). A su vez, la Comisión puede decidir facilitar un resumen no confidencial sobre los volúmenes globales de importación y los valores del producto cuando una parte interesada formule una solicitud expresa y motivada. Para facilitar la labor de los Estados de recopilar información sobre productos sujetos a medidas, la Comisión debe crear códigos TARIC correspondientes al producto sujeto a investigación en el momento de iniciarla. Recordemos que los códigos TARIC son los que se utilizan para clasificar las mercancías, de modo que lo que ocurrirá es que se establecerán dígitos de clasificación adicionales que permitirán identificar las mercancías de que se trate como sujetas a un derecho antidumping.

Retroactividad.– En principio, tanto las medidas provisionales como los derechos antidumping definitivos sólo se aplicarán a los productos despachados a libre práctica tras la fecha de entrada en vigor del acto que los adopte.

El derecho provisional se percibirá de forma definitiva si se determina la existencia de dumping y de perjuicio, aun cuando se decida no establecer un derecho definitivo. El perjuicio en este caso debe ser efectivo y no meramente potencial, salvo que se determine que se hubiera hecho efectivo de no haber aplicado la medida provisional. En función de la decisión que se adopte en torno al derecho definitivo, el derecho provisional quedará afectado del siguiente modo: 1) Si el derecho definitivo es superior al provisional, la diferencia no será exigida; 2) Si el derecho definitivo es inferior al provisional, el derecho será calculado de nuevo; y 3) Si la determinación final es negativa —se concluye la inexistencia de dumping o de perjuicio—, el derecho provisional no será confirmado, con lo que se liberarán las garantías aportadas en su día.

Una excepción a la regla de no retroactividad consiste en que la Comisión puede establecer la exigencia de un derecho antidumping definitivo sobre los productos que se hubieran declarado a consumo en los 90 días anteriores al de aplicación de las medidas provisionales. Este efecto retroactivo tiene un límite absoluto en la fecha de apertura de la investigación. La aplicación retroactiva exige que las importaciones de que se trate hubiesen sido registradas en el momento de realizarse, lo cual implica que debió dictarse en su momento un Reglamento estableciendo tal registro, que no puede extenderse por plazo superior a 9 meses.

El registro puede ser instado por la industria de la UE o por la propia Comisión de oficio y, en cualquier caso, debe estar sustentado por pruebas que lo justifiquen.

Además del requisito de registro, la aplicación retroactiva del derecho definitivo exige el cumplimiento de otros requisitos: 1) debe haberse dado a los importadores afectados la oportunidad de presentar sus observaciones; 2) deben existir antecedentes de dumping para el producto en cuestión durante un período prolongado o bien el importador fue o debió ser consciente del dumping debido a su magnitud o al perjuicio; 3) debe existir un aumento sustancial de las importaciones que, debido al momento de su realización, su volumen y otras circunstancias, pudiera minorar considerablemente el efecto corrector del derecho antidumping definitivo.

También en caso de incumplimiento o denuncia de compromisos se establecerán derechos definitivos para las mercancías despachadas a libre práctica hasta 90 días antes de la aplicación de las medidas provisionales. Esta aplicación retroactiva se supedita a que las importaciones de que se trate se hubiesen registrado y no puede conducir a que se exijan derechos respecto de importaciones realizadas antes del incumplimiento o de la denuncia del compromiso.

Confidencialidad y difusión de la información. – Las reglas de procedimiento se completan con normas relativas a la confidencialidad de la información suministrada en el curso del mismo (artículo 19 Reglamento de Base) y a la difusión de los resultados de las investigaciones (artículo 20 Reglamento de Base). Por lo que hace a la confidencialidad, debe tenerse en cuenta que en este tipo de procedimientos van a manejarse informaciones estratégicas para las empresas (tanto para la industria de la UE como para exportadores e importadores), lo que impone un difícil equilibrio dado que debe posibilitarse el ejercicio adecuado del derecho de defensa por la otra parte. En principio prevalece la confidencialidad, si bien se combina con la exigencia de resúmenes no confidenciales que permitan a la otra parte articular su respuesta. Por otro lado, se salvaguarda el derecho de la Comisión a fundar sus apreciaciones a fin de motivar su decisión. Por lo demás, se prohíbe (no sólo a la Comisión, sino también a los Estados miembros) toda divulgación de información confidencial que no quede amparada por el Reglamento de Base, y se dispone que esta información no puede ser utilizada para otros fines.

Por lo que hace a la divulgación de los resultados de la investigación, las partes podrán solicitar ser informadas tras la imposición de medidas provisionales. Esta solicitud debe formularse en el plazo de un mes desde la publicación de la imposición de las medidas provisionales. También puede solicitarse información cuando se recomiende adoptar medidas definitivas o bien a la conclusión del procedimiento sin adopción de medidas.

Se contempla también una divulgación final, en fecha anterior próxima a la conclusión del procedimiento (a más tardar, un mes antes de que se inicien los trámites que le pongan fin, ya sea imponiendo derechos definitivos o poniendo fin a la investigación). La Comisión debe divulgar los hechos que después sirvan de base a la medida que se adopte. Esta divulgación ofrece una oportunidad final a las partes de formular alegaciones en un plazo perentorio, que fijará en cada caso la Comisión.

Acerca de la confidencialidad y divulgación de la información a fin de permitir articular la defensa de los intereses de las partes, véase el Informe del Grupo Especial y del Órgano de Apelación del Órgano de Solución de Diferencias en la Diferencia WT/DS397, donde se determinó que determinadas reglas en esta materia de la UE examinadas eran contrarias al Derecho de la OMC.

36.4. VICISITUDES POSTERIORES A LA IMPOSICIÓN DE UN DERECHO ANTIDUMPING

36.4.1. *Duración de los derechos, reconsideración y devolución*

El período de vigencia de los derechos antidumping (y, en su caso, de los compromisos) será el que se considere necesario para evitar sus efectos perjudiciales. Las medidas antidumping definitivas tienen una vigencia de cinco años. Ahora bien, antes de la conclusión de este plazo se puede realizar una "reconsideración", es decir, un re-examen del dumping y del perjuicio, del que resulte la determinación de extender por un nuevo plazo la aplicación de las medidas. La reconsideración puede realizarse a iniciativa de la propia Comisión (que puede adoptarse tras la petición de un Estado miembro) o a solicitud de los productores de la UE. A este fin, la Comisión debe publicar un anuncio en el DO UE con antelación suficiente antes de que cese la vigencia de las medidas. Ello dará la oportunidad a los productores de la UE de preparar una solicitud de reconsideración, que debe presentarse con una antelación mínima de tres meses al cese de vigencia de las medidas. La solicitud debe contener pruebas suficientes de que el cese de las medidas conduciría a una continuación del dumping y del perjuicio o bien pruebas de la existencia de distorsiones permanentes del mercado de materias primas. Si se abre el examen de reconsideración las medidas se seguirán aplicando en tanto no concluya y se decida al respecto.

Por otro lado, en cualquier momento durante la vigencia de las medidas —ya no necesariamente cuando estén próximas a su cese, pero al menos un año después de la imposición de un derecho definitivo— los importadores o los exportadores, así como un Estado miembro, pueden solicitar una reconsideración provisional. Esta reconsideración puede dirigirse a obtener una reducción o eliminación de las medidas o bien a su endurecimiento, aportando a este fin las pruebas pertinentes. Finalmente, la reconsideración también puede tener por objeto la determinación de márgenes individuales de dumping para nuevos exportadores, que no fueron incluidos en la investigación (en este caso se seguirá un procedimiento acelerado, con una duración máxima de 9 meses, y durante el mismo las importaciones de este exportador se registrarán a fin de permitir que pueda hacerse efectiva de forma retroactiva la medida que eventualmente pueda acordarse a su conclusión; esta reconsideración no se realizará si se utilizaron muestras para determinar los elementos del dumping).

Al procedimiento de reconsideración se le aplican las reglas que hemos expuesto para el procedimiento de investigación, si bien sus plazos son más cortos (se dispone que normalmente de 12 meses y nunca más de 15 meses). Si se agotan estos plazos sin concluir el procedimiento, únicamente en el caso de la reconsideración provisional o la relativa a nuevos exportadores se mantendrá la aplicabilidad de las medidas. En la reconsideración iniciada con proximidad al cese de la vigencia, las medidas dejarán de aplicarse si la investigación no concluye en plazo. En cualquier caso, se publicará un anuncio en el DO UE indicando si las medidas se mantienen o cesan. Si la medida expira, se devolverán los derechos percibidos desde el inicio de la investigación de reconsideración tras la oportuna solicitud de condonación o devolución de derechos, sin que se devenguen intereses.

> Tanto en las investigaciones de reconsideración como en las de devolución (a estas últimas nos referimos a continuación), la Comisión debe aplicar el mismo método que el aplicado en la investigación que condujo a la fijación del derecho, en la medida en que las circunstancias no hubiesen cambiado (artículo 11.9 Reglamento de Base). En la STJUE *Distillerie Bonollo* (asunto C-461/18P, de 03.12.2020, pp. 134-154), el Tribunal decidió que se incumple esta norma si, para calcular el valor normal, en la investigación inicial se utilizan precios de venta efectivos —de las empresas implicadas— y en la investigación de reconsideración se utilizan precios de venta en un país análogo —al pasar a considerar que las empresas implicadas no operan en condiciones de mercado y, en consecuencia, no pueden tomarse sus precios de venta—, dado que considera que no se justifica el cambio de circunstancias que permita esta diferente metodología.

Un exportador cuyas exportaciones queden sujetas a derechos antidumping puede solicitar a la Comisión la devolución de los importes pagados aportando las pruebas que acrediten que el margen de dumping ha sido eliminado o reducido por debajo del nivel del derecho establecido. La solicitud, que debe contener información detallada y acreditada, se presenta ante el Estado miembro en que se hayan despachado las mercancías y no puede presentarse antes de que hayan transcurrido 6 meses desde que se impusiera el derecho definitivo o desde que se decidió percibir definitivamente los importes garantizados en relación a un derecho provisional. La Comisión, además de poder decidir acordar la devolución o denegarla, puede también acordar iniciar un procedimiento de reconsideración. Si se acuerda la devolución, esta debe efectuarse normalmente en un plazo de 12 meses y nunca superior a 18 tras la solicitud, debiendo los Estados pagarla en un plazo de 90 días desde la decisión de la Comisión.

36.4.2. Absorción

Durante el período de vigencia de las medidas antidumping la industria de la UE —o cualquier parte interesada— puede solicitar a la Comisión que ponga en marcha una nueva investigación si considera que el derecho establecido no está consiguiendo su objetivo de evitar el perjuicio debido a que el dumping se ha intensificado, de modo que los precios en la UE siguen quedando afectados por él. El procedimiento también puede iniciarse por propia iniciativa de la Comisión o a petición de un Estado miembro. La denominación "absorción" viene a ilustrar la idea de que los exportadores están reduciendo todavía más sus precios, asumiendo el coste que los derechos antidumping suponen, de manera que el margen de dumping quede inalterado (artículo 12 del Reglamento de Base).

Cuando se solicite esta investigación la Comisión recalculará los márgenes de dumping. Se aplican a este procedimiento las reglas del procedimiento de investigación, si bien su duración se fija en 6 meses con carácter general, con el límite máximo de 9 meses. Si la investigación no concluye en plazo se mantendrán las medidas sin cambios, lo que se anunciará en el DO UE. Si se aprecia que el dumping se ha intensificado se podrá incrementar el importe de los derechos, si bien ese incremento tiene como límite máximo el doble del derecho inicial.

> Si se alegan cambios en el valor normal (que, recordemos, es el precio en el mercado de exportación) se establece mayor rigor en la prueba. Si la Comisión decide tomar en consideración esta alegación, las importaciones se someterán a registro a fin de garantizar el mayor derecho que pudiera decidirse en el procedimiento.

36.4.3. Elusión

El artículo 13 del Reglamento de Base se refiere a la elusión de las medidas antidumping. En este precepto se articula la respuesta a adoptar cuando los productores sometidos a medidas antidumping intenten burlar su efectividad, cualquiera que sea la forma en que lo hagan (entre otras, pequeñas modificaciones del producto para que quede excluido del ámbito de aplicación; desviación del tráfico por un tercer país o a través de productores sujetos a un derecho individual más bajo; importación en la UE de las piezas desmontadas que se montan en la UE). Ante estas circunstancias, podrán ampliarse los derechos antidumping según proceda para salvaguardar su efectividad.

> El artículo 13.1 del Reglamento de Base establece que se entenderá que existe elusión cuando se produzca un cambio de características del comercio entre terceros países y la UE o entre empresas individuales del país sujeto a las medidas y la UE, derivado de una práctica, proceso o trabajo para el que no exista una causa o una justificación económica adecuadas distintas del establecimiento del derecho, y haya pruebas del perjuicio o de que se están burlando los efectos correctores del derecho por lo que respecta a los precios y/o las cantidades del producto similar y existan pruebas de dumping en relación con los precios normales previamente establecidos para los productos similares.
>
> Debemos señalar que la elusión de los derechos antidumping es bastante común. Una de las fórmulas más utilizadas para hacerlo consiste en el abuso o la manipulación del origen de las mercancías, dado que frecuentemente los derechos se imponen a las mercancías producidas en un determinado país. En ocasiones es el importador quien, ignorante del verdadero origen de las mercancías, termina pagando los platos rotos de un sistema jurídico ciertamente complejo, puesto que el deudor de los derechos antidumping no es el productor que causa el dumping sino —por remisión normativa— el deudor de los derechos de aduana, que con carácter general es el declarante, según se expone en el capítulo 4.

A fin de adoptar las medidas de ampliación que corresponda, debe llevarse a cabo una investigación por parte de la Comisión, que debe concluirla en el plazo de 9 meses. La iniciación puede realizarse a petición de cualquier parte interesada, de un Estado miembro o a iniciativa de la Comisión. La apertura del procedimiento adoptará la forma de Reglamento y se publicará en el DO UE, y comportará para las Aduanas nacionales la obligación de registrar las operaciones que se realicen a partir de ese momento o que se preste por ellas la oportuna garantía. Si se decide ampliar las medidas antidumping, la ampliación producirá efectos desde la fecha en que se hubiese impuesto el registro o la constitución de garantías.

Dado que es posible que las conductas elusivas sean adoptadas únicamente por una parte de los exportadores comprendidos en las medidas antidumping, aquellos exportadores que acrediten que no participan de ellas podrán solicitar quedar eximidos de la ampliación. Estas exenciones se conceden mediante decisiones de la Comisión, que asimismo fijarán sus condiciones y período de vigencia. Las importaciones de las empresas acogidas a exención no estarán sujetas a registro ni serán objeto de medidas. Las solicitudes de exención deben presentarse en el plazo que establezca el Reglamento de la Comisión por el que se acuerde abrir la investigación de elusión y en ellas deben aportarse las oportunas pruebas.

> Si, transcurrido al menos un año desde la ampliación de las medidas, el número de partes interesadas que soliciten o puedan solicitar una exención es significativo, la Comisión puede decidir abrir una reconsideración de la ampliación de las medidas.

36.5. LOS REGLAMENTOS DE IMPOSICIÓN DE DERECHOS ANTI DUMPING

El Reglamento de Base regula los elementos estructurales y de cuantificación del dumping y el procedimiento de investigación conducente a la imposición de derechos antidumping, pero no es en él donde se establecen derechos antidumping sobre mercancías en particular. Como hemos señalado, la imposición de un derecho antidumping definitivo se realizará, para cada investigación, mediante un Reglamento en el que se adopte la medida y se motiven las razones que la justifican. En este Reglamento se precisarán los productos comprendidos, se establecerán, en su caso, derechos calculados de forma individual, se determinará el régimen jurídico aplicable a la medida y su contenido (incluyendo la base sobre la cual debe calcularse y la forma de cálculo). El Reglamento de imposición puede también contener disposiciones especiales en materia de origen de las mercancías, específicas para la aplicación del derecho antidumping y que pueden separarse de las aplicables con carácter general. Asimismo, puede disponer que los derechos se apliquen en el ámbito de la Zona Económica Exclusiva, tal y como esta se define en la Convención de la ONU sobre el Derecho del Mar.

Por lo que hace a la motivación, en el examen de cualquier Reglamento por el que se establece un derecho antidumping definitivo llama la atención la desproporción entre la abultada extensión de la parte dedicada a exponer los fundamentos de la medida y el exiguo espacio dedicado a regular su contenido. Esta circunstancia se explica porque el Reglamento de Base concede muy amplios poderes discrecionales a la Comisión, que esta debe ejercer en cada caso justificando las decisiones adoptadas. Hay que tener en cuenta que estos Reglamentos pueden ser impugnados de forma directa ante el Tribunal General de la UE, y esto ocurre con cierta frecuencia, de modo que la Comisión debe aquilatar sus argumentos para asegurar la pervivencia jurídica de la medida adoptada.

> Acerca de la legitimación exigida para impugnar un Reglamento por el que se establecen derechos antidumping ("afectación directa"), véase la STJUE *Distillerie Bonollo* (asunto C-461/18P, de 03.12.2020, pp. 45-88), en la que se decide que están legitimados los productores de la Unión del producto similar perjudicados por el dumping, a pesar que no son destinatarios directos del Reglamento (el derecho antidumping no se aplicaba a los recurrentes, sino a sus competidores), atendido que la medida impugnada surte efectos directamente en su situación jurídica y no deja ningún margen de apreciación a las autoridades encargadas de su aplicación, al tener carácter meramente automático y derivarse únicamente de la normativa de la Unión, sin aplicación de otras normas intermedias (p. 55).

El margen de discrecionalidad de que goza la Comisión ha venido, si cabe, respaldado por la STJUE *Dongguan* (asunto C-511/09, de 27.10.2011, p. 11), en la que se señala:

> *"según reiterada jurisprudencia, en el ámbito de las medidas de defensa comercial, el control de las apreciaciones de las instituciones por parte del juez comunitario está limitado a la comprobación del respeto de las normas de procedimiento, de la exactitud material de los hechos tenidos en cuenta para adoptar la resolución impugnada, de la falta de error manifiesto en la apreciación de estos hechos o de la falta de desviación de poder (véanse las sentencias del Tribunal de Primera Instancia de 28 de octubre de 2004, Shanghai Teraoka Electronic/Consejo, T-35/01, Rec. p. II-3663, apartados 48 y 49, y la jurisprudencia citada, y de 4 de octubre de 2006, Moser Baer India/Consejo, T-300/03, Rec. p. II-3911, apartado 28, y la jurisprudencia citada)" (el TJUE reproduce en su párrafo 11 el texto del párrafo 41 de la STGUE recaída en la primera instancia de este asunto, la STGUE Dongguan, asunto T-296/06, de 23.09.2009).*

A partir de estas consideraciones, por tanto, se nos está indicando que el Tribunal no va a entrar a examinar si la decisión que la Comisión adopte en el marco de la discrecionalidad que le reconoce el Reglamento de Base es la más oportuna o adecuada, a menos que pueda establecerse que se incurrió en desviación de poder.

Ahora bien, las amplias posibilidades que se reconocen a la Comisión no son ilimitadas. En particular, la Comisión debe respetar las garantías establecidas por el ordenamiento de la UE, idea sobre la que volvió posteriormente el TGUE en su Sentencia *Zhejiang Xinshiji* (asunto T-122/09, de 17.02.2011, pp. 75-93), en la que se hace eco de la doctrina en la materia del TJUE y del propio TGUE en sus Sentencias *Technische Universität München* (asunto C-269/90, de 21.11.1991) y *Shandong Reipu Biochemicals* (asunto T-413/03, de 13.07.2006) en las que se afirma:

> *"Debe recordarse que, cuando las instituciones de la Comunidad disponen de una amplia facultad de apreciación, el respeto de las garantías que otorga el ordenamiento jurídico comunitario en los procedimientos administrativos reviste una importancia aún más fundamental y que entre estas garantías figuran, en particular, la obligación de la institución competente de examinar minuciosa e imparcialmente todos los elementos relevantes del asunto de que se trata, el derecho del interesado a expresar su punto de vista y el de que se le motive la decisión de modo suficiente (sentencia del Tribunal de Justicia de 21 de noviembre de 1991, Technische Universität München, C-269/90, Rec. p. I-5469, apartado 14, y sentencia Nölle/Consejo y Comisión, apartado 49 supra, apartado 73)".*

Las STJUE *Brossmann Footwear* (asunto C-249/10, de 02.02.2012) y *Zheijang Aokang Shoes* (asunto C-247/10, de 15.11.2012) han puesto de relieve, según hemos señalado antes, que la Comisión no puede denegar la condición de empresa que actúa en condiciones de mercado a aquellos exportadores que acrediten que cumplen las condiciones para ello, con el pretexto de que el margen de dumping se va a determinar a partir de una muestra para todos los productores de un país debido a su elevado número. Las diferencias ante la OMC WT/DS450 y WT/DS397 han supuesto dos correctivos de calado a la normativa de la UE en el trato a productores de países sin economía de mercado y en el manejo de la información confidencial en relación con el derecho de defensa. Cabe atisbar que estamos ante elementos que van a matizar la discrecionalidad de la Comisión en el marco de los procedimientos de investigación por dumping.

Por lo que hace a la parte dispositiva de los Reglamentos por los que se impone un derecho antidumping definitivo, además de su ya apuntada parquedad, destaca que en los últimos tiempos la fórmula de cálculo de estos derechos se basa, prácticamente en todos los casos, en el precio neto franco frontera de la UE de las mercancías comprendidas. En ningún lugar se define cómo se determina este precio, qué componentes integra y qué componentes no deben computarse en él, lo que ha provocado que el TJUE decida que, en ausencia de norma, deba acudirse a las normas de valoración aduanera del Código y sus reglamentos de desarrollo (actualmente CAU, RDCAU y RECAU; anteriormente el CAC y el RACAC) por su carácter de normas generales en materia arancelaria (STJUE *Nakajima All Precision*, asunto C-69/89, de 05.07.1991, p. 105, e *Indústria e Comércio Têxtil*, asunto C-93/96, de 29.05.1997, p. 14).

Un análisis de las implicaciones y problemas que derivan de esta doctrina y de la ausencia de una adecuada regulación que defina el concepto de precio neto franco frontera de la UE puede verse en Santiago Ibáñez Marsilla: "En los derechos antidumping, ¿Qué es el precio neto franco frontera de la Comunidad?", *Quincena Fiscal*, nº 10, 2008, pp. 71-85.

La generalización del cálculo de los derechos antidumping como un porcentaje a aplicar sobre el precio neto franco frontera de la UE de las mercancías probablemente tiene una de sus causas en la STJUE *Carboni* (asunto C-262/06, de 28.02.2008). En aquél caso el derecho antidumping se cuantificaba por la diferencia entre el valor en aduana declarado y un valor (149 ecus) al que se consideraba que no se incurría en dumping. Aquel importador que declarase un valor en aduana inferior a este valor fijo debía abonar la diferencia en concepto de derechos antidumping. A Carboni no le resultó difícil concebir una estructura de ventas sucesivas que dieran como resultado un valor en aduana superior al que actuaba como umbral de los derechos. Las autoridades cuestionaron que el valor en aduana, al menos a efectos de los derechos antidumping, no se basara en el precio registrado en una venta anterior, pretensión ante la cual el TJUE recordó que, conforme a la normativa entonces vigente, el artículo 181bis RACAC configuraba una opción en caso de ventas sucesivas a favor del importador, no a favor de las autoridades, de modo que si la venta en cuyo precio Carboni basaba la valoración era genuina no cabía atacar el valor en aduana resultante.

Interesa destacar que el Tribunal aprecia que los métodos de valoración alternativos al del valor de transacción no son adecuados en el contexto de los derechos antidumping (*Carboni*, párrafo 58), consideración cargada de sentido común, pues se aplicaría entonces el derecho antidumping sobre la base del valor determinado para otras mercancías o a partir del precio de venta en la UE. También debe destacarse de esta Sentencia que el TJUE no declara contrario a Derecho con carácter general el proceder de las autoridades nacionales consistente en atacar una sobrevaloración, sino el método empleado en este caso particular para hacerlo (aplicando incorrectamente la norma sobre ventas sucesivas). Con ello nos parece que se refuerza nuestra convicción de que la sobrevaloración es tan contraria a las normas de valoración aduanera como la infravaloración (recordemos que se prohíben los valores en aduana arbitrarios o ficticios), si bien lo común es que no minore la recaudación por impuestos arancelarios y que, por este motivo, no sea combatida con el mismo celo.

Para concluir estas breves consideraciones sobre la parte dispositiva de los Reglamentos por los que se impone un derecho antidumping definitivo interesa subrayar que en ella se incluye, de forma sistemática, una cláusula de estilo en virtud de la cual se dispone la aplicación supletoria a los mismos de las normas aduaneras generales, en los siguientes términos:

"Salvo que se disponga lo contrario, serán aplicables las disposiciones vigentes en materia de derechos de aduana".

> ## Ejemplo
>
> Véase, p.e. el artículo 1 del Reglamento 954/2006 (DO L 175, de 29.06.2006; versión consolidada publicada en DO 26.08.2008). Este Reglamento ofrece una buena muestra acerca de diversas ideas que hemos apuntado, como la desproporcionada extensión de los considerandos frente a la parquedad de la parte dispositiva o la fijación de la base de cálculo del derecho mediante el precio neto franco frontera.

Esta cláusula permite eludir regular en cada Reglamento quién es el deudor (o "sujeto pasivo"), cuándo se devengan los derechos, cómo se gestiona la aplicación de los derechos, garantías… resultando aplicables las disposiciones establecidas respecto de los derechos de aduana. Por tanto, en lo relativo a todos estos aspectos debe tenerse en cuenta lo expuesto en los diferentes capítulos en los que se han examinado estas cuestiones.

En su Sentencia *Krohn* (asunto C-226/18, de 22.05.2019) el TJUE aprecia que "la normativa aduanera en su conjunto, tal como se concretiza en particular en el código aduanero, solo es aplicable a derechos antidumping o a derechos compensatorios si los reglamentos que establecen tales derechos así lo prevén" (p. 33; en el mismo sentido, la Sentencia *Jebsen & Jessen,* asunto C-543/19, de 15.10.2020, p. 67). Ahora bien, una vez que el Reglamento de imposición de derechos antidumping contiene una remisión a la normativa aduanera, ésta sí rige respecto el derecho antidumping de que se trate (p. 34). En *Krohn* esta doctrina condujo a entender aplicables a los derechos antidumping las normas relativas a las exenciones del Código aduanero, en concreto el artículo 212bis CAC (equivalente del actual 86.6 CAU); en *Jebsen & Jessen* tuvo como consecuencia examinar la aplicabilidad del artículo 78 CAC —actualmente artículo 173.1 CAU, que permite solicitar la rectificación de la declaración—, decidiendo que no procedía la rectificación de la declaración —mediante aportación tardía de la factura que documenta el compromiso de precios— por impedirlo el Reglamento de Ejecución 2015/82, por el que se establecían los derechos antidumping objeto de recurso.

LOS DERECHOS COMPENSATORIOS

ÍNDICE

37 Los derechos compensatorios

37.1. CONCEPTO Y FUENTES

Cuando las mercancías que se exportan han recibido, directa o indirectamente, un apoyo financiero por parte de algún organismo público del país de exportación (una "subvención"), su importación puede causar, al igual que veíamos respecto de los derechos antidumping, perjuicios a los productores de mercancías similares en la UE. Frente a este perjuicio se establecen los derechos compensatorios (o "antisubvención"), que tratan de neutralizar la ventaja que para el exportador representa la ayuda financiera recibida. De nuevo nos encontramos ante una materia que ha sido objeto de un Acuerdo internacional ("Acuerdo sobre subvenciones y medidas compensatorias", en lo sucesivo "ASMC") que, como en el caso de los derechos antidumping, figura entre los Anexos al Acuerdo por el que se establece la OMC, formando con él un paquete de aceptación conjunta ("*package deal*"). La norma internacional ha sido seguida, como no podía ser de otro modo, al establecer la regulación de la UE en esta materia.

Derechos compensatorios	
ASMC	**OMC - Acuerdo sobre subvenciones y medidas compensatorias**
Reglamento de Base (RBC)	Reglamento (UE) 2016/1037 del Parlamento Europeo y del Consejo, de 8 de junio de 2016 sobre la defensa contra las importaciones subvencionadas originarias de países no miembros de la Unión Europea

En la actualidad, el Reglamento de base en esta materia es el 2016/1037, del Parlamento Europeo y del Consejo, de 8 de junio de 2016, sobre la defensa contra las importaciones subvencionadas originarias de países no miembros de la Unión Europea (DO L 176, de 30.06.2016, p. 55; nos referiremos a él como "el Reglamento de Base" o "RBC"). Entre sus considerandos, nos parece que no debe pasar desapercibida la idea que alude a que "Para aplicar las normas del Acuerdo sobre subvenciones y mantener el equilibrio entre derechos y obligaciones que dicho Acuerdo ambiciona, es fundamental que la Unión tenga en cuenta la interpretación que de tales derechos y obligaciones harán sus principales socios comerciales, tal como se refleja en la legislación o en la práctica establecida" (Considerando 30). La internacionalización del Derecho aduanero avanza con paso firme; son ya diversos los ámbitos en los que, no sólo se tiende a la homogeneidad internacional de las normas, sino que se presta la debida importancia a la homogeneidad en la aplicación de las normas (véase una cláusula similar en el Considerando 4 del Reglamento 2016/1036, sobre derechos antidumping).

> Como señala Pelechá Zozaya, tanto los derechos antidumping como los derechos compensa-
> torios cobran relieve en el ordenamiento de la UE cuando se ratifica el acuerdo de valoración
> aduanera del GATT (1979), pues hasta ese momento la valoración conforme a la Definición
> del Valor de Bruselas (basada en el criterio del valor normal de mercado) proporcionaba a las
> autoridades suficiente margen de maniobra como para combatir prácticas comerciales deslea-
> les (*Fiscalidad sobre el comercio exterior: el Derecho aduanero tributario*, Marcial Pons, 2009,
> pp. 221-222). Compartimos este análisis, aunque nos parece oportuno añadir que la Defini-
> ción del Valor de Bruselas otorgaba a las autoridades un margen de discrecionalidad proclive
> al abuso y la arbitrariedad, y no sólo para fines encomiables como la lucha contra prácticas
> desleales.
> Un análisis crítico de la regulación y praxis en materia de derechos compensatorios en la UE
> puede verse en Paul Waer y Edwin Vermulst: "EC anti-subsidy law and practice after the Uru-
> guay Round - A wolf in sheep's clothing?", *Journal of World Trade*, vol. 33, 1999, nº 3, p. 19.

Conforme al artículo 1 del Reglamento de Base los derechos compensatorios tienen por finalidad neutralizar ("compensar", reitera la norma) cualquier subvención concedida directa o indirectamente para la manufactura, producción, exportación o transporte de cualquier producto cuyo despacho a libre práctica en la UE ocasione un perjuicio, precisando a continuación que la mera interposición de un país intermediario no evitará la aplicación de estos derechos, siendo lo relevante el país de origen de las mercancías.

Obsérvese que los derechos compensatorios no se limitan a las subvenciones concedidas a la exportación ("supeditadas" a la actividad de exportación), sino a cualquier tipo de ayuda que pueda recibir el productor, comercializador, exportador, transportista o cualquier sujeto (a la manufactura, producción, exportación o transporte), siempre que las mercancías beneficiarias de ese apoyo terminen despachándose a libre práctica en la UE. Las subvenciones supeditadas a la actividad de exportación son las que de modo más flagrante alteran las condiciones de competencia y deben ser neutralizadas, pero subvenciones que no tienen por función esencial promover las exportaciones pueden asimismo producir un efecto de distorsión. Por ejemplo, el sistema financiero chino es frecuentemente acusado de distorsionar los precios de sus manufacturas porque, amparado en la regulación estatal (y tratándose, en su mayoría, de entidades de titularidad pública), canaliza los ahorros hacia las inversiones en condiciones no competitivas. Aunque la concesión de crédito en condiciones no competitivas no es una subvención directamente dirigida a promover las exportaciones, lo cierto es que distorsiona los precios de los productores chinos. Frente a estos productores, no obstante, la UE ha venido utilizando los derechos antidumping pues, tratándose de un país sin economía de mercado, el margen de discrecionalidad de la Comisión es amplísimo. Con el cuestionamiento de la calificación de China como país sin economía de mercado (China ha planteado una diferencia ante la OMC contra la UE por aplicarle una metodología de cálculo de los derechos antidumping prevista para "países sin economía de mercado", la diferencia

WT/DS516), es posible que la UE comience a utilizar los derechos compensatorios con mayor frecuencia como medida de defensa comercial contra ese país.

Es interesante destacar que, si bien en este contexto el término subvención se define ampliamente, para englobar distintas vías a través de las cuales los organismos públicos pueden, de hecho, ayudar a los exportadores (la definición del concepto de subvención por el artículo 3 del Reglamento sigue bastante pegada a la que se realiza en el artículo 1 del Acuerdo internacional), no toda subvención constituye el presupuesto de adopción de estas medidas. El concepto de subvención comprende el otorgamiento de un beneficio, sea mediante contribuciones financieras de los poderes públicos (realizadas por sí o a través de entidades privadas) o bien sea mediante el establecimiento de algún sistema de sostenimiento de los ingresos o de los precios. Por lo que hace a las contribuciones financieras, estas pueden adoptar muy diversas modalidades: a) transferencias directas de fondos o transferencias potenciales, como la garantía de un préstamo; b) la renuncia a ingresos que de otro modo debieran recaudarse, como la condonación o no recaudación de ingresos públicos, salvo la exención de los impuestos que graven el consumo interno (como la exención del IVA e IIEE a la exportación); c) suministro de bienes o servicios que no sean de infraestructura general o compra de bienes; d) pagos a un sistema de financiación.

Concepto de subvención
a) Contribuciones financieras de los poderes públicos (realizadas por sí o a través de entidades privadas):   1) transferencias directas de fondos o transferencias potenciales, como la garantía de un préstamo;   2) la renuncia a ingresos que de otro modo debieran recaudarse, como la condonación o no recaudación de ingresos públicos, salvo la exención de los impuestos que graven el consumo interno (como la exención del IVA e IIEE a la exportación);   3) suministro de bienes o servicios que no sean de infraestructura general o compra de bienes;   4) pagos a un sistema de financiación.
b) sistemas de sostenimiento de los ingresos
c) sistemas de sostenimiento de los precios

La mera enumeración de estas vías de apoyo ya pone sobre la pista de la complejidad de esta materia. El creciente intervencionismo de los Estados en la economía hace que los lindes entre lo que es subvención o no resulten poco claros. Cualquier ventaja que los poderes públicos otorguen a un operador puede quedar comprendida en este concepto. Obsérvese, p.e., que una ventaja o beneficio fiscal puede calificarse como una "subvención" si comporta una "renuncia a ingresos que de otro modo debieran recaudarse" (apartado a.2 del cuadro superior).

Interesa destacar que, conforme a la reiterada doctrina de los Grupos Especiales y del Órgano de Apelación del Órgano de Solución de Diferencias de la OMC, la "contribución financiera" y el "beneficio" son dos conceptos diferenciados que deben analizarse separadamente.

> Así, p.e., Informe del Órgano de Apelación (OA) en la diferencia *Brasil-Aeronaves*, WT/DS46/AB/R, párrafo 157. Mientras que la "contribución financiera" se refiere a una acción del gobierno, el "beneficio" se refiere al receptor. Por lo que hace a la "contribución financiera", ésta se determina atendiendo a "las cuantías efectivas proporcionadas por un gobierno, y no sólo las autorizadas o consignadas en su presupuesto para ese mismo año". El Órgano de Apelación (OA) ha interpretado que:
> *"un 'beneficio' no existe en abstracto, sino que debe ser recibido por un beneficiario o un receptor, que disfruta de él. Lógicamente, sólo puede decirse que existe un 'beneficio' si una persona, física o jurídica, o un grupo de personas, ha recibido de hecho algo. Por lo tanto, el término 'beneficio' implica que debe haber un receptor" (Informe OA Canadá-Aeronaves, WT/DS70/AB/R, párrafo 154; posteriormente citado en informe OA EE. UU.-Plomo bismuto, WT/DS138/AB/R, párrafo 55).*

> El referente para identificar un "beneficio" es el mercado; en consecuencia, un "beneficio" existe cuando el receptor incrementa su riqueza respecto del resultado que se hubiera alcanzado en caso de que solamente las fuerzas del mercado hubiesen actuado. Como ha sostenido el OA:
> *"Creemos también que la palabra '"beneficio"', tal como se utiliza en el párrafo 1.b) del artículo 1°, implica algún tipo de comparación. Esto debe ser así, porque no puede haber un 'beneficio' para el receptor a menos que la 'contribución financiera' lo coloque en una situación mejor que la que habría tenido de no existir esa contribución. A nuestro juicio, el mercado proporciona una base de comparación apropiada al determinar si se ha otorgado un 'beneficio', porque los posibles efectos de distorsión del comercio de una 'contribución financiera' pueden identificarse determinando si el receptor ha recibido una 'contribución financiera' en condiciones más favorables que las que hubiera podido obtener en el mercado" (Canadá-Aeronaves, WT/DS70/AB/R, párrafo 157; citado posteriormente en EE. UU.-Plomo bismuto, WT/DS138/AB/R, párrafo 67).*

> No es necesario que el "beneficio" sea un "beneficio competitivo", en el sentido que no es necesario que, como resultado de la subvención, el receptor vea sus costes de producción minorados. En *Canadá-Aeronaves*, el OA desliga claramente el concepto de "beneficio" del concepto de "perjuicio", que es el resultado que debe producirse en los productores del país de importación para que se apliquen medidas compensatorias (Informe OA, WT/DS70/AB/R, párrafo 159). En otras palabras, el "beneficio" debe poder ser identificado en un sujeto, no en el objeto (esto es, los bienes). El "receptor" de un beneficio puede ser la propia sociedad o bien sus accionistas.

Dentro del concepto genérico de "subvención", las "subvenciones sujetas" serán aquellas que tengan carácter específico, esto es: a) las que restringen el ámbito de sus posibles destinatarios con criterios no objetivos; b) aquellas cuya concesión se separa de tales criterios objetivos; c) las que limitan el área geográfica de los posibles destinatarios; d) las que se supeditan, de hecho o de derecho, al logro de una determinada cuantía de exportaciones; o e) las que se supeditan, de hecho o de derecho, a la utilización preferente de productos nacionales frente a los importados.

Subvenciones sujetas - Subvenciones específicas	
a)	Aquellas que restringen el ámbito de sus posibles destinatarios con criterios no objetivos
b)	Aquellas cuya concesión se separa de criterios objetivos El artículo 4.2(c) Reglamento de Base señala como factores que apuntan en este sentido los siguientes: la utilización de un programa de subvenciones por un número limitado de determinadas empresas, la utilización predominante por determinadas empresas, la concesión de cantidades desproporcionadamente elevadas de subvenciones a determinadas empresas y la forma en que la autoridad otorgante haya ejercido facultades discrecionales en la decisión de conceder una subvención (en particular, la frecuencia de aprobación o rechazo de las solicitudes de subvención y las razones para ello).
c)	Aquellas que se limitan a las empresas situadas en una determinada área geográfica En cambio, no se consideran subvenciones sujetas el establecimiento o modificación de tipos impositivos de aplicación general por las autoridades públicas, de cualquier nivel, facultadas para hacerlo (p.e. impuesto sobre sociedades con un tipo inferior en una determinada región, siempre que se trate de un tipo general en esa región).
d)	Aquellas que se supeditan, de hecho o de derecho, al logro de una determinada cuantía de exportaciones
e)	Aquellas que se supeditan a la utilización preferente de productos nacionales frente a los importados

Los productos subvencionados son aquellos que se han beneficiado de una subvención sujeta, sea en el país de origen o en uno intermedio (artículo 2.(a) Reglamento de Base).

Interesa destacar que las dos últimas modalidades de subvenciones sujetas [letras (d) y (e) en el cuadro de arriba] se consideran específicas en todo caso, aunque no limiten de otro modo a sus posibles destinatarios.

En el ASMC las subvenciones de las letras (d) y (e) se califican como subvenciones prohibidas (artículo 3 ASMC) y se consideran específicas de forma automática. En el asunto *Estados Unidos - Foreign Sales Corporations* (Diferencia WT/DS108) se analizaron subvenciones supeditadas a las exportaciones, consistentes en un beneficio fiscal en el Impuesto sobre Sociedades de aquél país. Este fue un caso de enorme trascendencia económica, dadas las cantidades de dinero implicadas (se determinó que unos 4.000 millones de dólares anuales) y que, tanto el Grupo Especial como el Órgano de Apelación, resolvieron en contra de los Estados Unidos, cuyos representantes llegaron a referirse a él como una "bomba nuclear" para el comercio internacional. Finalmente, no sin mucha resistencia (que incluyó la sustitución de las medidas examinadas por otras igualmente incumplidoras, lo que obligó a la UE a iniciar un nuevo procedimiento de solución de diferencias), Estados Unidos terminó por adaptar su ordenamiento a las normas de la OMC. Nos hemos referido a este asunto extensamente en "La competencia fiscal perniciosa ante la OMC. Reflexiones al hilo del asunto de las Foreign Sales Corporations", *Crónica Tributaria*, nº 113, 2004, pp. 65-106.

El Anexo I del Reglamento 2016/1037 contiene una lista ilustrativa de subvenciones a la exportación que, aunque no de forma literal, viene a reproducir los contenidos del

Anexo I del ASMC. Insistamos en que las subvenciones a la exportación son únicamente un subconjunto de las subvenciones sujetas (letra (d) del cuadro superior). El referido listado es el siguiente:

Subvenciones a la exportación - Lista ilustrativa
a) La concesión por los poderes públicos de subvenciones directas a una empresa o industria haciéndolas depender de su actuación exportadora.
b) Sistemas de no retrocesión de divisas o prácticas análogas que implican la concesión de una prima a las exportaciones.
c) Tarifas de transporte y de flete interior para las exportaciones, proporcionadas o impuestas por los poderes públicos en condiciones más favorables que las aplicadas a los envíos internos.
d) El suministro por los poderes públicos o sus administraciones, directa o indirectamente por medio de programas impuestos por los poderes públicos, de productos o servicios importados o nacionales, para uso en la producción de mercancías exportadas, en condiciones más favorables que las aplicadas al suministro de productos o servicios similares o directamente competidores para uso en la producción de mercancías destinadas al consumo interno, si (en el caso de los productos) tales condiciones son más favorables que las condiciones comerciales (1) disponibles para sus exportadores en los mercados mundiales. (1) Por «condiciones comerciales» se entenderá que existe libertad de elección entre productos nacionales y productos importados y que dicha elección se basará exclusivamente en consideraciones comerciales.

e) La exención, remisión o aplazamiento total o parcial, concedidos específicamente en función de las exportaciones, de los impuestos directos (2) o de las cotizaciones de seguridad social que paguen o deban pagar las empresas industriales y comerciales (3).
   (2) A los efectos del Reglamento de Base, se entiende por:
     – «impuestos directos»: los impuestos sobre los salarios, beneficios, intereses, rentas, cánones y todas las demás formas de ingresos, y los impuestos sobre la propiedad inmobiliaria,
     – «cargas a la importación»: los derechos de aduana, otros derechos y otros gravámenes fiscales no mencionados en la presente nota que se perciban sobre las importaciones,
     – «impuestos indirectos»: los impuestos sobre las ventas, el consumo, el volumen de negocios, el valor añadido, las concesiones, el timbre, las transmisiones y las existencias y equipos, los ajustes fiscales en la frontera y los demás impuestos distintos de los impuestos directos y las cargas a la importación,
     – «impuestos indirectos que recaigan en etapas anteriores»: los aplicados a los bienes y servicios utilizados directa o indirectamente en la elaboración del producto,
     – «impuestos indirectos en cascada»: los que se aplican por etapas sin que existan mecanismos que permitan descontar posteriormente el impuesto si los bienes o servicios sujetos a impuestos en una etapa de la producción se utilizan en una etapa posterior de la misma,
     – la «remisión de impuestos»: comprende el reembolso o reducción de los mismos,
     – la «remisión o devolución»: comprende la exoneración o el aplazamiento total o parcial de las cargas a la importación.
   (3) El aplazamiento no será necesariamente una subvención a la exportación, cuando, por ejemplo, se perciban unos intereses adecuados.

f) La concesión, para el cálculo de la base sobre la cual se aplican los impuestos directos, de deducciones especiales directamente relacionadas con las exportaciones o los resultados obtenidos en la exportación, superiores a las concedidas respecto de la producción destinada al consumo interno.

Subvenciones a la exportación - Lista ilustrativa
g)　La exención o remisión de impuestos indirectos (4) sobre la producción y distribución de productos exportados, por una cuantía que exceda de los impuestos percibidos sobre la producción y distribución de productos similares cuando se venden para el consumo interno. 　　(4) Véase la nota 2
h)　La exención, remisión o aplazamiento de los impuestos indirectos en cascada que recaigan en etapas anteriores (5) sobre los bienes o servicios utilizados en la elaboración de productos exportados, cuando sea mayor que la exención, remisión o aplazamiento de los impuestos indirectos en cascada similares que recaigan en etapas anteriores sobre los bienes y servicios utilizados en la producción de productos similares cuando se venden para el consumo interno; sin embargo, la exención, remisión o aplazamiento, con respecto a los productos exportados, de los impuestos indirectos en cascada que recaigan en etapas anteriores podrá realizarse incluso en el caso de que no exista exención, remisión o aplazamiento respecto de productos similares cuando se venden para el consumo interno, si dichos impuestos indirectos en cascada se aplican a insumos consumidos en la producción del producto exportado (con el debido descuento por los desperdicios) (6). Este punto se interpretará de conformidad con las directrices sobre los insumos consumidos en el proceso de producción, enunciadas en el anexo II. 　　(5) Véase la nota 2 　　(6) La letra h) no se aplicará a los sistemas del impuesto sobre el valor añadido ni a los ajustes fiscales en la frontera; al problema de la excesiva remisión de los impuestos sobre el valor añadido se refiere la letra g).
i)　La remisión o la devolución de cargas a la importación (7) por una cuantía que exceda de las percibidas sobre los insumos importados que se consuman en la producción del producto exportado (con el debido descuento por los desperdicios); sin embargo, en casos particulares una empresa podrá utilizar insumos del mercado interno en igual cantidad y de la misma calidad y características que los insumos importados, en sustitución de estos y con objeto de beneficiarse de la presente disposición, si la operación de importación y la correspondiente operación de exportación se realizan ambas en un plazo prudencial, que no ha de exceder de dos años. Este punto se interpretará de conformidad con las directrices sobre los insumos consumidos en el proceso de producción, enunciadas en el anexo II, y con las directrices para determinar si los sistemas de devolución constituyen subvenciones a la exportación en casos de sustitución, enunciadas en el anexo III. 　　(7) Véase la nota 2
j)　La creación por los poderes públicos (u organismos especializados bajo su control) de sistemas de garantía o seguro del crédito a la exportación, de sistemas de seguros o garantías contra alzas en el coste de los productos exportados o de sistemas contra los riesgos de fluctuación de los tipos de cambio, a tipos de primas insuficientes para cubrir a largo plazo los costes y pérdidas de funcionamiento de esos sistemas.

Subvenciones a la exportación - Lista ilustrativa
k) La concesión por los poderes públicos (u organismos especializados sujetos a su control o que actúen bajo su autoridad) de créditos a los exportadores a tipos inferiores a aquellos que tienen que pagar realmente para obtener los fondos empleados con este fin (o a aquellos que tendrían que pagar si acudiesen a los mercados internacionales de capital para obtener fondos al mismo plazo, con las mismas condiciones de crédito y en la misma moneda que los créditos a la exportación), o el pago de la totalidad o parte de los costes en que incurran los exportadores o instituciones financieras para la obtención de créditos en la medida en que se utilicen para lograr una ventaja importante en las condiciones de los créditos a la exportación. No obstante, si un miembro de la OMC es parte en un compromiso internacional en materia de créditos oficiales a la exportación en el cual sean partes por lo menos doce miembros originarios de la OMC a 1 de enero de 1979 (o en un compromiso que haya sustituido al primero y que haya sido aceptado por estos miembros originarios), o si en la práctica un miembro de la OMC aplica las disposiciones relativas a los tipos de interés del compromiso correspondiente, una práctica seguida en materia de crédito a la exportación que esté en conformidad con esas disposiciones no será considerada como una subvención a la exportación. Nota: En la práctica esta remisión es al "Acuerdo relativo a las directrices para los créditos a la exportación concedidos con apoyo estatal" de la OCDE.
l) Cualquier otra carga para los presupuestos del Estado que constituya una subvención a la exportación en el sentido del artículo XVI del GATT de 1994.

El cuadro de subvenciones sujetas se completa con las disposiciones de los Anexos II, III y IV del Reglamento de Base.

El Anexo II del Reglamento de Base se refiere a las directrices sobre los insumos consumidos en el proceso de producción (es reproducción del Anexo II del ASMC). En él se ofrecen las reglas que permiten identificar cuándo la devolución o exención de impuestos al consumo con ocasión de la exportación exceden del impuesto efectivamente soportado y pasan a constituir una subvención, especialmente cuando no se trata de impuestos del tipo IVA, sino de impuestos en cascada. Por su parte, el Anexo III del Reglamento de Base se refiere a las directrices para determinar si los sistemas de devolución constituyen subvenciones a la exportación en casos de sustitución (es reproducción del Anexo III del ASMC). Este anexo se dirige a establecer reglas para identificar cuándo se exceden los beneficios concedidos en el régimen de perfeccionamiento activo (o su equivalente en el tercer Estado) para erigirse en un medio para conceder subvenciones, especialmente cuando se permite el uso de mercancías equivalentes (véase capítulo 18.2). El Anexo IV del Reglamento de Base se refiere a los compromisos de reducción en materia de productos agrícolas (es reproducción del Anexo II del Acuerdo sobre la Agricultura de la OMC) y recoge los programas de ayuda que no quedan sujetos a limitación en este ámbito.

El importe de la subvención sujeta se calculará, por unidad de producto subvencionado exportado a la UE, en función del beneficio obtenido por el beneficiario de la misma durante el período de subvención investigado (normalmente su ejercicio contable más reciente, en ningún caso inferior a un semestre).

Tras esta caracterización abstracta del importe de la subvención que cabe extraer de los artículos 5 y 7.1 del Reglamento de Base, su artículo 6 detalla las normas para calcular el beneficio obtenido a causa de la subvención. Allí se señala que no se considera que reporte un beneficio la realización de determinadas operaciones por los entes públicos cuando estas se realicen en condiciones de mercado (sí determinan un beneficio, en cambio, si las condiciones en que se ofrecen difieren de las que el mercado estaría dispuesto a aceptar). Estas operaciones son la aportación de capital social, el préstamo, la prestación de garantía de créditos, el suministro de bienes y servicios o la compra de bienes.

El artículo 7 del Reglamento de Base establece algunas disposiciones sobre el cálculo de la subvención. Así, su importe debe minorarse en los gastos de tramitación u obtención de la misma, así como en el de los impuestos a que se hubiera sujetado, en su caso, la exportación. Si la subvención no se concede atendiendo al número de unidades, deberá hacerse un reparto adecuado de la misma. Si la subvención se concede para la adquisición de activos fijos (p.e. una máquina), su importe debe repartirse atendiendo a las unidades producidas a lo largo de su vida útil. Si la subvención no se vincula a la adquisición de activos fijos se imputará al período en que se obtenga.

La subvención sujeta debe provocar un perjuicio, que se define en el artículo 2(d) Reglamento de Base en términos análogos a los que se contienen respecto a los derechos antidumping (perjuicio, o amenaza de perjuicio, importante para la industria de la UE, o retraso sensible en la creación de dicha industria), y lo mismo puede decirse respecto al concepto de "industria de la UE", que se define en el artículo 9 Reglamento de Base y al concepto de "producto similar", que se define en el artículo 2(c) Reglamento de Base.

Las reglas para la determinación del perjuicio se regulan en el artículo 8 Reglamento de Base. Este exige el examen objetivo de pruebas relativas al volumen de importaciones subvencionadas, su efecto en los precios de productos similares en la UE y en la industria de la UE. Por lo demás, el artículo 8 es un calco del artículo 3 del Reglamento de Base antidumping (Reglamento 2016/1036).

37.2. EL PROCEDIMIENTO PARA LA DETERMINACIÓN DE LA EXISTENCIA DE SUBVENCIONES SUJETAS

El procedimiento para la determinación de la existencia de importaciones de mercancías que se han beneficiado de una subvención sujeta guarda un paralelo evidente con el procedimiento para la investigación de la existencia de dumping, que se examina en el capítulo 36.3, muchas veces con reproducción de párrafos literales.

La reproducción literal llega hasta el punto que, en la versión en español del artículo 23.1 RBC —en una errata que reproduce la padecida por este mismo precepto en el anterior RBC, el Reglamento 597/2009—, puede leerse "Los derechos antidumping compensatorios establecidos...". Por su

SANTIAGO IBÁÑEZ MARSILLA ▮

parte, el artículo 7.1(c) RBA padece otra confusión cuando dice que "c) existe una determinación preliminar positiva de que el producto importado *se beneficia de subvenciones sujetas a medidas compensatorias* y del consiguiente perjuicio a la industria de la Unión" cuando se trata del Reglamento antidumping. Parece que el traductor se relajó excesivamente con el "copia y pega", pues las versiones en inglés no contienen estas erratas.

A fin de evitar duplicaciones que poco pueden aportar a nuestro propósito, ofrecemos en el cuadro que sigue una tabla de equivalencias entre disposiciones del Reglamento de Base sobre derechos compensatorios (RBC) y sus análogas del Reglamento de Base sobre derechos antidumping (RBA).

Materia	RBA 2016/1036	RBC 2016/1037
Inicio del procedimiento	5	10
Investigación	6	11
Medidas provisionales	7	12
Compromisos	8	13
Conclusión del procedimiento sin imposición de medidas	9	14
Establecimiento de derechos definitivos	9	15
Retroactividad	10	16
Duración	11	17
Reconsideración en el momento de expiración de las medidas	11	18
Reconsideración provisional	11	19
Reconsideraciones urgentes	11	20
Devoluciones	11	21
Disposiciones generales relativas a las reconsideraciones y devoluciones	11	22
Elusión	13	23
Disposiciones generales	14	24
Plataforma continental, Zona Económica Exclusiva	14bis	24bis
Procedimiento de comité	15	25
Inspecciones	16	26
Muestreo	17	27

Materia	RBA 2016/1036	RBC 2016/1037
Falta de cooperación	18	28
Confidencialidad	19	29
Información y fase provisional	19bis	29bis
Divulgación de la información	20	30
Interés de la UE	21	31

Entresacamos a continuación algunas diferencias de detalle que consideramos interesante poner de manifiesto:

- La duración de la investigación no debe superar normalmente un año y en ningún caso los 13 meses (artículo 11.9 RBC; para los derechos antidumping el límite máximo es de 14 meses, en lugar de 13, artículo 6.9 RBA).

- Los derechos provisionales tendrán una duración máxima de 4 meses (artículo 12.6 RBC; en lugar de 6 meses en los derechos antidumping, artículo 7.7 RBA).

- Se establece una regla *de minimis* específica (más favorable) para importaciones subvencionadas de países en vías de desarrollo, que se consideran insignificantes en tanto no superen el 4% del total de las importaciones del producto similar en la UE, a título individual, o el 9%, conjuntamente para estos países (artículo 14.4 RBC).

- El importe de la subvención sujeta a medidas compensatorias se considera mínimo cuando es inferior al 1% *ad valorem*. De nuevo se establece una regla específica en favor de las importaciones procedentes de países en vías de desarrollo, para las que el umbral mínimo se fija en el 2% *ad valorem* (artículo 14.5 RBC).

- Las reconsideraciones en el momento de la expiración de las medidas y las reconsideraciones provisionales deben concluir en un plazo de 12 meses desde su apertura, y nunca más allá de 15 meses. Las reconsideraciones urgentes (las relativas a nuevos exportadores) deben concluirse en un plazo de 9 meses (artículo 22.1 RBC).

- No se contienen en el RBC disposiciones relativas a la absorción, que sí se establecen en el artículo 12 del RBA.

Por lo demás, debe remitirse a la exposición de los capítulos 36.3 y 36.4.

37.3. LOS REGLAMENTOS DE IMPOSICIÓN DE DERECHOS COMPEN SATORIOS

Al igual que hemos señalado para los derechos antidumping, también en el caso de los derechos compensatorios el Reglamento de Base se limita a regular los elementos estructurales y de cuantificación de las subvenciones y el procedimiento para la imposición de derechos compensatorios, pero no es en él donde se establecen derechos compensatorios sobre mercancías en particular. Como hemos señalado, la imposición de un derecho compensatorio definitivo se realizará, para cada investigación, mediante un Reglamento en el que se adopte la medida y se motiven las razones que la justifican. En este Reglamento se precisarán los productos y países comprendidos, se establecerán, en su caso, derechos calculados de forma individual, se determinará el régimen jurídico aplicable a la medida y su contenido (incluyendo la base sobre la cual debe calcularse y la forma de cálculo).

También deben darse por reiteradas las consideraciones que en materia de motivación y margen de discrecionalidad de la Comisión se han formulado en el capítulo 36.5 y lo mismo cabe decir por lo que hace a la parte dispositiva de estos Reglamentos, que suelen fijar el precio neto franco frontera de la UE como base imponible y establecer una remisión genérica a la aplicabilidad de las disposiciones que regulan los derechos de aduana.

Ejemplo

EJEMPLO

Como ejemplo de un Reglamento por el que se imponen derechos compensatorios definitivos puede verse el Reglamento de Ejecución (UE) n° 471/2014, de la Comisión, de 13 de mayo de 2014, por el que se establecen derechos compensatorios definitivos sobre las importaciones de vidrio solar originario de la República Popular China (DO L 142, de 14.05.2014, p. 23). Tras 361 considerandos, la parte dispositiva tan sólo consta de 3 artículos (el tercero simplemente para disponer su entrada en vigor), el primero de los cuales reitera la fórmula de cálculo de los derechos basada en el precio neto franco frontera de la UE (artículo 1.2) y la mención conforme a la cual "A menos que se especifique lo contrario, serán aplicables las disposiciones vigentes en materia de derechos de aduana" (artículo 1.4).

La concesión de subvenciones puede dar lugar al planteamiento de una diferencia ante el OSD de la OMC. En la resolución de esta diferencia pueden adoptarse medidas dirigidas a conminar al Estado que concede la subvención a que cese en esta conducta (es lo que hemos expuesto que ocurrió en el asunto *Estados Unidos - Foreign Sales Corpora-*

tions, Diferencia WT/DS108). Este es el motivo por el cual el artículo 32 RBC regula las relaciones entre las medidas internas de la UE para neutralizar las subvenciones y los mecanismos multilaterales dirigidos a este mismo fin. El referido artículo 32 RBC establece que, si el producto importado ya está sujeto a medidas impuestas en aplicación de los procedimientos para la solución de controversias del Acuerdo sobre subvenciones de la OMC, y esas medidas son suficientes para eliminar el perjuicio provocado por la subvención sujeta, se debe suspender o suprimir inmediatamente, según el caso, cualquier derecho compensatorio impuesto a dicho producto.

SALVAGUARDIAS

ÍNDICE

38 Salvaguardias

38.1. CONCEPTO Y FUENTES

El Artículo XIX del GATT'47 establece las "Medidas de urgencia sobre la importación de productos determinados". La regulación de esta materia se desarrolla en el "Acuerdo sobre Salvaguardias" de la OMC (en lo sucesivo, ASG). Las referidas normas se dirigen a ofrecer un remedio cuando el mercado interior resulta perjudicado por un aumento sensible en la cuantía de las importaciones de un determinado producto y/o cuando el mercado interior resulta perjudicado por las condiciones en que se realizan las importaciones de un determinado producto (p.e. porque esas importaciones se están realizando a precios muy bajos, sensiblemente inferiores a los valores típicos). Con las medidas de salvaguardia se trata de asegurar que puedan mitigarse los trastornos coyunturales en el mercado del territorio de importación que puedan derivar de estos factores que la liberalización comercial favorece.

Situaciones desencadenantes de una medida de salvaguardia	
Perturbación	**Perjuicio**
Aumento sensible en la cuantía de las importaciones de un determinado producto	> Causan perjuicio grave o amenaza de perjuicio grave
Importaciones en condiciones que perturban el mercado interior (p.e. porque se realizan a precios muy bajos, sensiblemente inferiores a los valores típicos)	

La salvaguardia, a diferencia de los derechos antidumping y de los derechos compensatorios, no requiere para su aplicación que se produzca una práctica comercial desleal, sino que es aplicable frente a prácticas comerciales leales que, a pesar de ello, generan situaciones especiales de dificultad. Así pues, son herramientas de flexibilización —limitación— de la liberalización comercial comprometida en los acuerdos comerciales cuando esta liberalización causa o amenaza causar un daño. De este modo, operan como una válvula de escape transitoria en caso de que los compromisos adquiridos en los acuerdos comerciales se tornen excesivamente gravosos, permitiendo la adopción de medidas adecuadas hasta que se logre restituir una situación normalizada.

La salvaguardia se concreta en medidas de protección o de retirada de concesiones que pueden adoptar distintas formas, siendo la más frecuente la imposición de un derecho a la importación, si bien caben otras modalidades (como una restricción cuantitativa —contingente cuantitativo—, un contingente arancelario o un derecho de aduana adicional). Su propósito es "salvaguardar" coyunturalmente a los productores domésticos.

Evidentemente, las salvaguardias deben administrarse de forma prudente, puesto que su abuso podría constituir una herramienta de restricción de la competencia, vaciando de contenido efectivo los compromisos comerciales adquiridos. De ahí que sea importante concretar en qué condiciones y bajo qué requisitos es posible aplicarlas, así como la duración posible de la medida y las vicisitudes que deben preverse durante su aplicación.

> El ASG (Acuerdo sobre Salvaguardias de la OMC), en su Preámbulo, se refiere a esta idea cuando dispone el reconocimiento de "la importancia del reajuste estructural y la necesidad de potenciar la competencia en los mercados internacionales en lugar de limitarla", así como de "la necesidad de aclarar y reforzar las disciplinas del GATT de 1994, y concretamente las de su artículo XIX (Medidas de urgencia sobre la importación de productos determinados), de restablecer el control multilateral sobre las salvaguardias y de suprimir las medidas que escapen a tal control".

El ASG tuvo, como uno de sus principales objetivos, la eliminación y prohibición de determinadas medidas que se venían utilizando anteriormente, como la restricción voluntaria de exportaciones, la contención de la comercialización, u otras de diverso tipo, y, en su lugar, reconducir esta herramienta conforme a un modelo homogéneo global.

En la Unión Europea las normas sobre salvaguardias se contienen, con **carácter general**, en el Reglamento (UE) 2015/478 del Parlamento Europeo y del Consejo de 11 de marzo de 2015 sobre el régimen común aplicable a las importaciones. Ahora bien, junto a este Reglamento de carácter general debe atenderse también a otros de carácter más específico y que, en consecuencia, cuando resultan aplicables, desplazan al referido Reglamento (UE) 2015/478.

> De carácter igualmente general, pero para las exportaciones, se establece el Reglamento (UE) 2015/479 del Parlamento Europeo y del Consejo de 11 de marzo de 2015 sobre el régimen común aplicable a las exportaciones. Ante "una evolución excepcional del mercado" (artículo 2), esta medida se dirige a "evitar una situación crítica debida a una escasez de productos de primera necesidad, o para remediarla", así como "para permitir el cumplimiento de los compromisos internacionales suscritos por la Unión o por todos sus Estados miembros, especialmente en materia de comercio de productos básicos" (artículo 6). La decisión se adopta en el marco del Comité de Salvaguardias de la UE por mayoría cualificada. La medida puede tener carácter urgente a fin de "prevenir una situación crítica debida a una escasez de productos esenciales, o para ponerle remedio" (artículo 5, en cuyo caso la Comisión decidirá por el procedimiento de urgencia que se regula en el artículo 8 del Reglamento 182/2011). Las medidas pueden limitarse a ciertos destinos o bien a las exportaciones de determinadas regiones de la UE. La imposición de esta medida no requiere la realización de un procedimiento de investigación, a diferencia de lo que ocurre con las salvaguardias sobre las importaciones.

Así, en el **comercio de textiles** será aplicable el Reglamento (UE) 2015/936 del Parlamento Europeo y del Consejo de 9 de junio de 2015 relativo al régimen común aplicable a las importaciones de productos textiles de determinados terceros países que no estén cubiertos por acuerdos bilaterales, protocolos, otros acuerdos o por otros regímenes específicos de importación de la Unión.

Cuando los productos que causan el perjuicio se importen en el marco de un **acuerdo preferencial bilateral** la norma aplicable será el Reglamento (UE) 2019/287 del Parlamento Europeo y del Consejo de 13 de febrero de 2019 por el que se aplican cláusulas bilaterales de salvaguardia y otros mecanismos que permiten la retirada temporal de preferencias, contenidos en determinados acuerdos comerciales celebrados entre la Unión Europea y terceros países.

Si los productos que causan el perjuicio se importan en el marco del Sistema de Preferencias Generalizadas (**SPG**), la norma aplicable será el Reglamento Delegado (UE) 1083/2013 de la Comisión de 28 de agosto de 2013 por el que se establecen normas relativas al procedimiento de retirada temporal de preferencias arancelarias y al procedimiento de adopción de medidas generales de salvaguardia con arreglo al Reglamento (UE) 978/2012 del Parlamento Europeo y del Consejo, por el que se aplica un sistema de preferencias arancelarias generalizadas.

> Las salvaguardias son una herramienta importante en el marco de los acuerdos bilaterales o regionales de libre comercio, especialmente en sus primeros años de aplicación, cuando tiene lugar el desarme arancelario (la rebaja arancelaria para aproximar a cero los aranceles aplicables a los productos de la otra Parte), dado que ese desarme puede causar trastornos hasta que el mercado se adapta a las nuevas circunstancias. Por este motivo es habitual que los acuerdos comerciales incluyan disposiciones en materia de salvaguardias.

Salvaguardias - Normativa Internacional	
Art. XIX	GATT'47
ASG	OMC - Acuerdo sobre salvaguardias
Salvaguardias - Normativa UE	
Reglamento 2015/478	**General - Importaciones** Reglamento (UE) 2015/478 del Parlamento Europeo y del Consejo de 11 de marzo de 2015 sobre el régimen común aplicable a las importaciones
Reglamento 2015/479	**General - Exportaciones** Reglamento (UE) 2015/479 del Parlamento Europeo y del Consejo de 11 de marzo de 2015 sobre el régimen común aplicable a las exportaciones

Salvaguardias - Normativa UE	
Reglamento 2015/936	**Productos textiles** Reglamento (UE) 2015/936 del Parlamento Europeo y del Consejo de 9 de junio de 2015 relativo al régimen común aplicable a las importaciones de productos textiles de determinados terceros países que no estén cubiertos por acuerdos bilaterales, protocolos, otros acuerdos o por otros regímenes específicos de importación de la Unión
Reglamento 2019/287	**Acuerdos preferenciales** Reglamento (UE) 2019/287 del Parlamento Europeo y del Consejo de 13 de febrero de 2019 por el que se aplican cláusulas bilaterales de salvaguardia y otros mecanismos que permiten la retirada temporal de preferencias, contenidos en determinados acuerdos comerciales celebrados entre la Unión Europea y terceros países
Reglamento 1083/2013	**SPG** Reglamento Delegado (UE) 1083/2013 de la Comisión de 28 de agosto de 2013 por el que se establecen normas relativas al procedimiento de retirada temporal de preferencias arancelarias y al procedimiento de adopción de medidas generales de salvaguardia con arreglo al Reglamento (UE) 978/2012 del Parlamento Europeo y del Consejo, por el que se aplica un sistema de preferencias arancelarias generalizadas

Además de las normas de salvaguardia enumeradas en la tabla superior, se deben también tener en cuenta una serie de normas sobre salvaguardias específicas que se enumeran a continuación.

Salvaguardias - Normativa específica	
Reglamento 654/2014	**OMC.** Reglamento (UE) 654/2014 del Parlamento Europeo y del Consejo, de 15 de mayo de 2014, sobre el ejercicio de los derechos de la Unión para aplicar y hacer cumplir las normas comerciales internacionales y por el que se modifica el Reglamento (CE) nº 3286/94 del Consejo por el que se establecen procedimientos comunitarios en el ámbito de la política comercial común con objeto de asegurar el ejercicio de los derechos de la Comunidad en virtud de las normas comerciales internacionales, particularmente las establecidas bajo los auspicios de la Organización Mundial del Comercio
Reglamento 2015/1145	**Suiza.** Reglamento (UE) 2015/1145 del Parlamento Europeo y del Consejo, de 8 de julio de 2015, relativo a las medidas de salvaguardia previstas en el Acuerdo entre la Comunidad Económica Europea y la Confederación Suiza
Reglamento 2015/475	**Islandia.** Reglamento (UE) 2015/475 del Parlamento Europeo y del Consejo, de 11 de marzo de 2015, relativo a las medidas de salvaguardia previstas en el Acuerdo entre la Comunidad Económica Europea y la República de Islandia

Salvaguardias - Normativa específica	
Reglamento 2015/938	**Noruega.** Reglamento (UE) 2015/938 del Parlamento Europeo y del Consejo, de 9 de junio de 2015, relativo a las medidas de salvaguardia previstas en el Acuerdo entre la Comunidad Económica Europea y el Reino de Noruega
Reglamento 2019/287	**Serbia.** Reglamento (UE) nº 332/2014 del Parlamento Europeo y del Consejo, de 11 de marzo de 2014, sobre determinados procedimientos de aplicación del Acuerdo de estabilización y asociación entre las Comunidades Europeas y sus Estados miembros, por una parte, y la República de Serbia, por otra
Reglamento 1083/2013	**Montenegro.** Reglamento (UE) 2015/752 del Parlamento Europeo y del Consejo, de 29 de abril de 2015, sobre determinados procedimientos de aplicación del Acuerdo de estabilización y asociación entre las Comunidades Europeas y sus Estados miembros, por una parte, y la República de Montenegro, por otra
Reglamento 19/2013	**Colombia y Perú.** Reglamento (UE) 19/2013 del Parlamento Europeo y del Consejo, de 15 de enero de 2013, por el que se aplica la cláusula bilateral de salvaguardia y el mecanismo de estabilización para el banano del Acuerdo por el que se establece una asociación entre la Unión Europea y sus Estados miembros, por una parte, y Colombia y Perú, por otra
Reglamento 20/2013	**Centroamérica.** Reglamento (UE) 20/2013 del Parlamento Europeo y del Consejo, de 15 de enero de 2013, por el que se aplica la cláusula bilateral de salvaguardia y el mecanismo de estabilización para el banano del Acuerdo por el que se establece una asociación entre la Unión Europea y sus Estados miembros, por una parte, y Centroamérica, por otra
Reglamento 2016/400	**Moldavia.** Reglamento (UE) 2016/400 del Parlamento Europeo y del Consejo, de 9 de marzo de 2016, por el que se aplican la cláusula de salvaguardia y el mecanismo antielusión establecidos en el Acuerdo de Asociación entre la Unión Europea y la Comunidad Europea de la Energía Atómica y sus Estados miembros, por una parte, y la República de Moldavia, por otra
Reglamento 2016/401	**Georgia.** Reglamento (UE) 2016/401 del Parlamento Europeo y del Consejo, de 9 de marzo de 2016, relativo a la aplicación del mecanismo antielusión establecido en el Acuerdo de Asociación entre la Unión Europea y la Comunidad Europea de la Energía Atómica y sus Estados miembros, por una parte, y Georgia, por otra
Reglamento 2015/941	**Macedonia.** Reglamento (UE) 2015/941 del Parlamento Europeo y del Consejo, de 9 de junio de 2015, relativo a determinados procedimientos de aplicación del Acuerdo de Estabilización y Asociación entre las Comunidades Europeas y sus Estados miembros, por una parte, y la antigua República Yugoslava de Macedonia, por otra

Salvaguardias - Normativa específica	
Reglamento 2015/940	**Bosnia y Herzegovina.** Reglamento (UE) 2015/940 del Parlamento Europeo y del Consejo, de 9 de junio de 2015, relativo a determinados procedimientos de aplicación del Acuerdo de Estabilización y Asociación entre las Comunidades Europeas y sus Estados miembros, por una parte, y Bosnia y Herzegovina, por otra, y de aplicación del Acuerdo interino sobre comercio y asuntos comerciales entre la Comunidad Europea, por una parte, y Bosnia y Herzegovina, por otra
Reglamento 2015/939	**Albania.** Reglamento (UE) 2015/939 del Parlamento Europeo y del Consejo, de 9 de junio de 2015, sobre ciertos procedimientos para aplicar el Acuerdo de Estabilización y Asociación entre las Comunidades Europeas y sus Estados miembros, por una parte, y la República de Albania, por otra
Reglamento 511/2011	**Corea.** Reglamento (UE) 511/2011 del Parlamento Europeo y del Consejo, de 11 de mayo de 2011, por el que se aplica la cláusula bilateral de salvaguardia del Acuerdo de Libre Comercio entre la Unión Europea y sus Estados miembros y la República de Corea
Reglamento 2017/355	**Kosovo.** Reglamento (UE) 2017/355 del Parlamento Europeo y del Consejo, de 15 de febrero de 2017, relativo a determinados procedimientos de aplicación del Acuerdo de Estabilización y Asociación entre la Unión Europea y la Comunidad Europea de la Energía Atómica, por una parte, y Kosovo, por otra
Reglamento 2016/1076	**ACP.** Reglamento (UE) 2016/1076 del Parlamento Europeo y del Consejo, de 8 de junio de 2016, por el que se aplica el régimen previsto para las mercancías originarias de determinados Estados pertenecientes al grupo de Estados de África, del Caribe y del Pacífico (ACP) en los acuerdos que establecen acuerdos de asociación económica o conducen a su establecimiento

En este capítulo se analiza el régimen general de salvaguardias que se regula en el Reglamento 2015/478.

En el texto que sigue se hará referencia a la monografía de Martín Rodríguez, Pablo J.: *Las salvaguardias en la OMC*, Tirant Monografías, 2006, en particular para ofrecer un contraste entre la normativa de la UE y la normativa de la OMC y la práctica del Órgano de Solución de Diferencias. Las referencias identificarán esta monografía como *Las salvaguardias en la OMC*.

38.2. ELEMENTOS DE LAS SALVAGUARDIAS

La aplicabilidad de las medidas de salvaguardia, examinada a la luz del Reglamento (UE) 2015/478, requiere de la concurrencia de tres presupuestos, dos materiales y uno formal, que podemos denominar: 1) perturbación; 2) perjuicio; y 3) procedimiento.

Presupuestos de la aplicabilidad de una medida de salvaguardia		
Perturbación	Perjuicio	Procedimiento

Por lo que hace al primero de esos presupuestos, la existencia de una **perturbación**, su concurrencia se determina mediante el examen de la evolución de las importaciones, atendiendo a los siguientes factores (artículo 9.1 Reglamento 2015/478):

1.– Un crecimiento significativo del *volumen de importaciones*. Ese crecimiento significativo puede producirse en términos absolutos —cantidad de producto que se importa— o bien en términos relativos, por referencia a la producción o al consumo de la UE.

> En el marco de la OMC, el Órgano de Apelación (OA) ha apreciado que este requisito implica que "el aumento de las importaciones haya sido lo bastante reciente, lo bastante súbito, lo bastante agudo y lo bastante importante, tanto cuantitativa como cualitativamente, para causar o amenazar con causar un daño grave" (Diferencia WT/DS121, *Argentina-Calzado*, p. 131, citado en *Las salvaguardias en la OMC*, p. 72).
> El ASG (artículo 2) requiere en todo caso de un aumento en la cantidad de las importaciones (que puede ser, eso sí, absoluto o relativo, pero en este último caso únicamente en relación a la producción nacional, no en relación al consumo). En el ASG, además, el aumento en la cantidad de las importaciones es un factor de perturbación necesario para que sea posible la aplicación de salvaguardias. Adicionalmente, el ASG contiene una referencia a las condiciones en que se realizan las importaciones, pero ese factor es cumulativo, no alternativo, al aumento en la cantidad de las importaciones ("han aumentado en tal cantidad [...] *y se realizan en condiciones tales* que causan o amenazan causar un daño grave", dice el artículo 2 del ASG). Por tanto, aunque la norma de la UE descomponga el presupuesto *perturbación* en cuatro factores, cabe concluir que el primero de ellos (el relativo al crecimiento significativo del volumen de importaciones) es necesario.

2.– Una reducción significativa en los *precios* de las importaciones. Este factor se determina por referencia al nivel de precios del producto similar de la UE.

3.– Una repercusión en determinadas magnitudes relevantes para *los productores de la UE*. Estas magnitudes relevantes son: la producción; uso de la capacidad; existencias; ventas; cuota de mercado; precio (es decir, baja de precios o impedimentos de alzas de precios que se producirían en circunstancias normales); beneficios; rendimiento del capital invertido; flujo de caja; o el empleo.

> En el artículo 4.2(a) del ASG se identifican los siguientes factores, que deben ser examinados en la investigación previa a la aplicación de una medida de salvaguardia: "el ritmo y la cuantía del aumento de las importaciones del producto de que se trate en términos absolutos y relativos, la parte del mercado interno absorbida por las importaciones en aumento, los cambios en el nivel de ventas, la producción, la productividad, la utilización de la capacidad, las ganancias

y pérdidas y el empleo". Aunque no aparece en el listado del artículo 4.2(a) del ASG, de todos los factores a considerar, el precio es, sin duda, el principal.

En el marco de la OMC se exige que estos factores se analicen para determinar la existencia de un perjuicio, no para la determinación de la existencia de una "perturbación", y de ellos debe ofrecerse una explicación profunda, razonada y adecuada en el Informe que debe preceder a la adopción de una medida de salvaguardia.

4.– La causación de un perjuicio por factores distintos de la evolución de las importaciones.

> Con este elemento tratarían de identificarse factores que hubieran podido causar un perjuicio a los productores de la UE que no sean atribuibles al incremento de las importaciones y que, por tanto, no puedan ser paliados mediante la adopción de una medida de salvaguardia. Es decir, ha de permitir aislar —por exclusión— qué parte del "perjuicio" es atribuible al incremento de las importaciones. En este sentido, la frase final del artículo 4.2(b) del ASG dispone que "Cuando haya otros factores, distintos del aumento de las importaciones, que al mismo tiempo causen daño a la rama de producción nacional, este daño no se atribuirá al aumento de las importaciones" (regla de "no atribución"). Se requiere una explicación expresa, razonada y adecuada, que permita establecer que el perjuicio atribuido al aumento de las importaciones no tiene su causa en otros factores.

A estos efectos, la identificación de *los productores de la UE* (que aparece en el factor 3, arriba, y que se repite en relación al perjuicio y al procedimiento) se realiza por referencia al producto similar o al producto directamente competidor. De este modo, productores de la UE son el conjunto de los productores de productos similares o directamente competidores que operen en el territorio de la UE o aquellos cuya producción conjunta de productos similares o directamente competidores constituya una proporción importante de la producción total de esos productos a nivel de la UE.

> A partir de las diferencias decididas en el marco de la OMC puede extraerse que la rama de producción nacional (los "productores de la UE") debe quedar correctamente identificada en el Informe previo a la adopción de una medida de salvaguardia. La identificación se basa en el "producto" (que debe ser similar o directamente competidor), no en los procesos de producción u otras consideraciones económicas (Informe del OA en la Diferencia WT/DS177, *Estados Unidos-Cordero*, p. 94).

Además de concurrir una *perturbación*, debe poder identificarse un *perjuicio*. El **perjuicio**, a su vez, puede consistir en (artículo 4.3 Reglamento 2015/478):

– Un «perjuicio grave»: que consiste en un deterioro general significativo de la situación de los productores de la UE;

> El artículo 4.1(a) del ASG lo caracteriza de forma similar al identificarlo con "un menoscabo general significativo de la situación de una rama de producción nacional".

– Una «amenaza de perjuicio grave»: que consiste en la inminencia evidente de un perjuicio grave, esto es, si es claramente previsible que pueda transformarse en un perjuicio real.

A los efectos de determinar que es previsible que la amenaza pueda transformarse en un perjuicio real se tienen en cuenta, entre otros, los dos factores siguientes (artículo 9.2 Reglamento 2015/478):

a) la tasa de incremento de las exportaciones a la UE;

b) la capacidad de exportación del país de origen o de exportación, tanto la existente como la que existirá en un futuro previsible, y la probabilidad de que las exportaciones que resulten de dicha capacidad se destinen a la UE.

El ASG (artículo 4) dispone que "La determinación de la existencia de una amenaza de daño grave se basará en hechos y no simplemente en alegaciones, conjeturas o posibilidades remotas". El daño debe ser *probable*, no meramente *posible*. El "daño grave" y la "amenaza de perjuicio grave" son fases de un proceso en el que la amenaza precede al daño, por lo que, en la práctica, pueden ser difíciles de diferenciar.

Analizando el ASG, Martín Rodríguez identifica los requisitos para que un Estado pueda adoptar una medida de salvaguardia frente a *un aumento de las importaciones*: a) que se produzca como consecuencia de una evolución imprevista de las circunstancias; b) que sea también por efecto de las obligaciones contraídas, incluidas las concesiones arancelarias; c) que se dé un aumento de las importaciones en términos absolutos o relativos; d) que se esté produciendo un daño grave a la rama de producción nacional o ésta esté amenazada de sufrirlo; e) que exista una relación de causalidad entre el aumento de las importaciones y el daño grave; y f) que el Estado determine el cumplimiento de los requisitos anteriores mediante una investigación interna y cumpla con las obligaciones procesales establecidas de información, notificación y consultas (en *Las salvaguardias en la OMC*, p. 60-61).

Respecto al requisito (a), relativo a una evolución imprevista de las circunstancias, que no aparece explícitamente recogido en la normativa de la UE (tampoco en el propio ASG, sino en el Artículo XIX GATT), el autor señala que el Órgano de Apelación de la OMC lo ha caracterizado como una circunstancia fáctica que debe acreditarse, de modo que sea la evolución imprevista de las circunstancias lo que dé lugar al aumento de las importaciones, quedando reflejado este elemento, mediante una explicación razonada y adecuada, en el Informe que se debe emitir con carácter previo a la aplicación de una salvaguardia (p. 61-69).

Respecto del requisito (b), relativo a que el aumento de las importaciones sea por efecto de las obligaciones contraídas (también derivado el Artículo XIX GATT y no explicitado en el ASG), señala el autor que es un requisito vaciado en la práctica de contenido, pues basta aducir que se han adquirido compromisos arancelarios en el marco de la OMC respecto de la mercancía de que se trate, no siendo necesario justificar que el aumento de las importaciones tenga su causa en la concesión arancelaria, sino simplemente que el compromiso arancelario adquirido obstaculiza la adopción de medidas (p. 69-71).

El elemento "perturbación" y el elemento "perjuicio" deben guardar entre sí una relación de causa-efecto, esto es, la perturbación debe ser la causa del perjuicio.

La relación de causalidad debe acreditarse. El artículo 4.2(b) del ASG exige, para la adopción de medidas, "que la investigación demuestre, sobre la base de *pruebas objetivas*, la existencia de una relación de causalidad entre el aumento de las importaciones del producto de que se trate y el daño grave o la amenaza de daño grave".

Aunque se exige una relación causal suficientemente clara, no se requiere que la perturbación sea *la única* causa del perjuicio, pudiendo concurrir con otras. Hasta el punto de que algunos autores afirman que no es necesario que el aumento de las importaciones haya causado el perjuicio, sino que basta que las importaciones se beneficien del daño a la rama de producción nacional (en *Las salvaguardias en la OMC*, p. 88). En la práctica, el requisito de la relación de causalidad se ha traducido en una exigencia de coincidencia o correlación entre el incremento de las importaciones y los factores que permiten identificar el perjuicio, por una parte, y el examen de las condiciones de competencia, por otro (las condiciones de competencia son los factores que se señalan en el artículo 4.2 del ASG, que aparecen referidos más arriba, en el elemento 3 de la "perturbación").

El tercer presupuesto para la aplicabilidad de las medidas de salvaguardia es el procedimental. Las medidas de salvaguardia sólo se aplicarán tras la realización de un **procedimiento** de investigación que ponga de relieve la concurrencia de los dos presupuestos materiales (*perturbación* y *perjuicio*). Al igual que ocurre con los derechos antidumping y los derechos compensatorios, el aspecto procedimental adquiere una gran relevancia por dos factores fundamentales: 1) por su complejidad, que se hace visible en la propia extensión de las normas dirigidas a regularlo; y 2) por la discrecionalidad técnica que los Tribunales reconocen a las autoridades por lo que hace a la apreciación de la concurrencia de los presupuestos materiales, lo que hace que el foco de discusión se traslade al análisis del procedimiento y, particularmente, del respeto de los requisitos y de las garantías establecidas en el marco del mismo.

El control de los requisitos procedimentales es también más robusto que el control de los requisitos sustantivos en el marco del sistema de solución de diferencias de la OMC, hasta el punto de que se erige en mecanismo fundamental de evitación de la actuación unilateral.

Presupuestos de la aplicabilidad de salvaguardias	
Perturbación	Factores: 1.– Crecimiento del *volumen* de importaciones (en términos absolutos; o en términos relativos, en relación a la producción o al consumo) 2.– Reducción del precio de las importaciones 3.– Otros impactos relevantes derivados de la evolución de las importaciones para los productores de la UE Producción; uso de la capacidad; existencias; ventas; cuota de mercado; precio en la UE; beneficios; rendimiento del capital invertido; flujo de caja; empleo. 4.– Otros impactos perjudiciales que derivan de factores distintos de la evolución de las importaciones

Presupuestos de la aplicabilidad de salvaguardias	
Perjuicio	Perjuicio grave o amenaza de perjuicio grave
Procedimiento	Investigación acerca de la concurrencia de la perturbación y el perjuicio

38.3. PROCEDIMIENTO DE INVESTIGACIÓN EN MATERIA DE SALVA GUARDIAS

La aplicabilidad de una medida de salvaguardia requiere de la previa realización de un procedimiento de investigación a nivel de la Unión en la que se constate la concurrencia de sus presupuestos materiales, esto es, de la perturbación y del perjuicio (artículo 4, apartados 1 y 2, del Reglamento 2015/478).

Corresponde a la Comisión llevar a cabo el procedimiento de investigación, que se iniciará cuando la Comisión, a partir de la información suministrada por un Estado miembro, considere que existen elementos suficientes como para justificar su apertura. A estos efectos, los Estados miembros deben informar a la Comisión cuando la evolución de las importaciones pudiera hacer necesario recurrir a medidas de vigilancia o salvaguardia, incluyendo las pruebas disponibles.

El procedimiento de investigación se inicia formalmente mediante la publicación de un anuncio al efecto en el Diario Oficial de la UE con el siguiente contenido:

a) un resumen de la información recibida y el requerimiento de que cualquier información pertinente sea comunicada a la Comisión;

b) la fijación del plazo de audiencia a las partes interesadas, tanto por lo que hace a la posibilidad de dar a conocer su punto de vista por escrito y presentar la información que deseen que sea tenida en cuenta durante la investigación, como por lo que hace a la posibilidad de solicitar ser oídas oralmente por la Comisión.

Obsérvese que, a diferencia del procedimiento de investigación por dumping o por subvenciones, el procedimiento de investigación en materia de salvaguardias no se inicia por una denuncia de la industria de la UE.

La Comisión debe publicar este anuncio en el plazo de un mes a partir de la fecha de recepción de la información remitida por un Estado miembro que haya motivado la iniciación del procedimiento. En ese mismo plazo de un mes, la Comisión debe comunicar a los Estados miembros su decisión de no iniciar la investigación, en caso de que considere que las pruebas disponibles no son suficientes para ello.

La investigación en materia de salvaguardias se realiza en colaboración con los Estados miembros. A este fin, en el plazo de 21 días desde que haya recibido la información que determina la apertura del procedimiento, la Comisión facilitará a los Estados miembros su análisis de la misma (este plazo de 21 días no es taxativo porque el artículo 5.1 Reglamento 2015/478 dice "*normalmente* en un plazo de 21 días"). Por su parte, los Estados miembros deben facilitar a la Comisión, a instancias de esta y según las modalidades que determine, los datos de que dispongan sobre la evolución del mercado del producto a que se refiera la investigación. La Comisión recabará toda la información que estime necesaria, de estas fuentes y otras, a la vez que procurará comprobar dicha información cuando lo crea oportuno, dirigiéndose para ello a los importadores, comerciantes, representantes, productores, asociaciones y organizaciones comerciales. Antes de realizar esta comprobación, la Comisión debe informar a los Estados miembros en cuyo territorio vayan a realizarse las comprobaciones, y estos le pueden asistir, a través de sus funcionarios, en esta tarea.

Dado que se trata de un procedimiento contradictorio, las partes interesadas y la representación de los países exportadores podrán acceder a la información relevante recabada por la Comisión y que vaya a ser utilizada en la investigación, así como presentar sus observaciones y aportar las pruebas que las respalden. Ahora bien, este acceso no se extiende a la información que tenga carácter confidencial, ni a los documentos internos elaborados por la Comisión o los Estados miembros. Para obtener este acceso, las partes interesadas habrán debido formalizar un escrito ante la Comisión en el plazo de audiencia que sigue a la publicación del anuncio de inicio de la investigación. En ese escrito pueden, además, solicitar ser oídas, solicitud que la Comisión deberá atender si acreditan que el resultado de la investigación pudiera afectarles.

La Comisión basará sus conclusiones en la información disponible. De este modo, si la información requerida por la Comisión no se aporta en plazo (sea el fijado por la norma o el que determine la Comisión) o se obstaculiza de otro modo la investigación, eso no impedirá a la Comisión avanzar en su investigación. En caso de que la Comisión constate que se ha aportado información falsa o que induzca a error, esa información no será tenida en cuenta.

El artículo 8 del Reglamento 2015/478 (con contenido similar al apartado 2 de artículo 3 ASG) regula la confidencialidad de la información que se suministre en el marco de la investigación. Con carácter general, establece que la información recibida solo podrá utilizarse para el fin para el que fue solicitada. El operador puede solicitar que la información que proporciona se califique como confidencial, indicando las razones para ello. Si las autoridades consideran injustificada esta calificación y el operador no quiere hacerla pública ni autorizar su divulgación íntegra o resumida, las autoridades podrán no tomarla en consideración. En este sentido, la divulgación de resúmenes, que pueden ofrecer datos agregados de varios operadores, pueden ser una fórmula para evitar que la información no sea tenida en cuenta. La información también se considera confidencial cuando su divulgación pueda tener consecuencias claramente desfavorables para quien la hubiera facilitado o fuera origen de la misma. Si la información se califica como confidencial, las autoridades no podrán divulgarla sin autorización expresa de la parte que la haya facilitado. No obstante, ello no debe alcanzar tal extremo como para impedir a la Comisión motivar sus decisiones, salvaguardando siempre los secretos comerciales.

Ha de tenerse en cuenta que la imposición de una medida de salvaguardia se sujeta a controles en el marco del sistema OMC, como se señala más adelante, y uno de los requisitos a los que se somete es el de motivación. La confidencialidad no puede impedir el derecho de defensa de las partes implicadas, que deben poder conocer los fundamentos en que se basa la adopción de la medida de salvaguardia.

En cualquier momento, aún sin que haya concluido la investigación, la Comisión podrá decidir la imposición de medidas de vigilancia o de medidas de salvaguardia provisionales (artículo 7 Reglamento 2015/478). Ambos tipos de medida se examinan en los apartados siguientes. Desde el punto de vista procedimental, lo que interesa destacar en este punto es que deben concurrir dos condiciones cumulativas para que la Comisión pueda adoptar una medida de salvaguardia provisional:

a) que el retraso en la adopción de medidas cause un perjuicio difícilmente reparable, que haga necesaria una medida inmediata, y

b) que se haya determinado de forma provisional que existen elementos de prueba suficientes acerca de que el incremento de las importaciones provoca o amenaza con provocar un perjuicio grave.

Las medidas de salvaguardia provisionales sólo pueden adoptar la forma de un aumento de los derechos de aduana y su duración no puede exceder de 200 días. Si la procedencia de la medida de salvaguardia no quedase confirmada por la investigación en curso, los derechos de aduana percibidos en virtud de la medida de salvaguardia provisional serán reembolsados de oficio "lo más rápidamente posible", aplicando las normas relativas a la devolución y condonación de derechos.

Las normas de la UE sobre medidas de salvaguardia provisionales se ajustan a lo establecido en el artículo 6 ASG, tanto por lo que hace a su duración máxima (200 días), como por la forma que necesariamente deben adoptar —incremento de aranceles— y a la necesidad de proceder a la devolución de las cantidades ingresadas en caso de que la investigación no logre acreditar la perturbación, el perjuicio y el nexo causal entre ellos.

Conforme al artículo 12.4 ASG, antes de adoptar una medida de salvaguardia provisional, los Miembros deben notificarla al Comité de Salvaguardias de la OMC. Adicionalmente, de forma inmediata una vez adoptada la medida, deben iniciarse consultas.

En principio, la investigación debe concluir en un plazo máximo de nueve meses desde su inicio. Ahora bien, este plazo puede prorrogarse en circunstancias excepcionales, hasta un máximo de dos meses más, requiriéndose en tal caso la publicación de un anuncio en el Diario Oficial de la UE que lo advierta, donde se indique el plazo de prórroga y un resumen de los motivos que la justifican (artículo 6 Reglamento 2015/478). Si la Comisión concluye que no son necesarias medidas de vigilancia o salvaguardia, la investigación quedará cerrada en el plazo de un mes (como máximo, a contar desde la finalización del plazo de 9 meses de la investigación). Si, por el contrario, la Comisión decide que sí son necesarias medidas de vigilancia o de salvaguardia, adoptará la decisión correspondiente. En cualquier caso, la Comisión debe presentar un informe sobre los resultados de su investigación al Comité de Salvaguardias de la UE al finalizar la investigación (informe final).

> Para dar por concluida la investigación, la Comisión debe consultar al Comité de Salvaguardias de la UE en el seno del cual, en su caso, puede realizarse una votación en la que bastará con obtener una mayoría simple.
> Conforme al artículo 12.3 ASG, el Miembro de la OMC que se proponga aplicar una medida de salvaguardia debe facilitar que se celebren consultas previas con los Miembros que tengan un interés sustancial como exportadores del producto de que se trate. Estas consultas, que también deben facilitarse en caso de prórroga de la salvaguardia, deben permitir examinar la información proporcionada al Comité de Salvaguardias de la OMC (información en la que, entre otros elementos, han de incluirse las pruebas del perjuicio, véase el artículo 12.2 ASG), así como intercambiar opiniones sobre la medida. En su caso, las consultas también se enfocarán al logro de un entendimiento acerca de las medidas de compensación comercial de los efectos desfavorables de la medida.
> Entre otros extremos, el informe final debe justificar el tipo de medida que se propone adoptar, que debe ser necesaria (la medida que menos perturbación cause) y proporcional, esto es, adecuada para reparar el perjuicio, distinguiendo a este fin el perjuicio atribuible al incremento de las importaciones del que se deba a otros factores. Si la autoridad no ha aplicado correctamente las normas de atribución en su investigación previa (esto es, si no ha identificado adecuadamente qué parte del perjuicio corresponde a las importaciones), surge la presunción de que la medida es desproporcionada (véase *Las salvaguardias en la OMC*, p. 120-127).

Aunque el Reglamento 2015/478 sólo contiene una referencia expresa indirecta al requisito de la motivación (en su artículo 8.5, cuando dispone que la protección de la confidencialidad de la información recibida por la Comisión no le debe impedir motivar sus decisiones), el referido informe final de la investigación debe ser adecuadamente motivado para cumplir con los requisitos que establece el ASG.

> La frase final del artículo 3.1 ASG establece que "Las autoridades competentes publicarán un informe en el que se enuncien las constataciones y las conclusiones *fundamentadas* a que hayan llegado sobre todas las cuestiones pertinentes de hecho y de derecho". El artículo 4.2(b) ASG dispone que no puede alcanzarse una determinación de perjuicio "a menos que la investigación demuestre, sobre la base de pruebas objetivas, la existencia de una relación de causalidad entre el aumento de las importaciones del producto de que se trate y el daño grave o la amenaza de daño grave".
> Ha de tenerse en cuenta que, en caso de que cualquier Estado perjudicado plantee una diferencia en el marco del sistema OMC, el Grupo Especial que se constituyera para decidirla —o el Órgano de Apelación, si posteriormente se recurriera el informe del GE— no puede realizar una nueva investigación para determinar si la imposición de medidas de salvaguardia es respetuosa con el ASG, sino que debe basarse en los datos disponibles de la investigación

realizada por las autoridades que han decidido imponer la salvaguardia. Por ello, el requisito de motivación cobra mayor importancia, dado que debe permitir a terceros conocer el detalle de los hechos y valoraciones de la investigación realizada. Esta idea enlaza con otra avanzada antes, relativa a que el control internacional del uso adecuado de las salvaguardias recae en mayor medida sobre los presupuestos procedimentales que sobre los sustantivos, dado que estos últimos son indeterminados (perturbación, perjuicio) y bastante más difíciles de objetivar.

En virtud del ASG, en el curso de una investigación de salvaguardia se deben realizar diferentes notificaciones al Comité de Salvaguardias de la OMC. Así, se le debe notificar: a) la iniciación de la investigación; b) la constatación de daño grave o amenaza de daño grave; y c) la adopción de una medida de salvaguardia (artículo 12.1 ASG).

Respecto de las dos últimas notificaciones, el apartado 2 del artículo 12 ASG enumera los elementos de datos mínimos que se deberán incluir en ellas (pruebas del daño grave o la amenaza de daño grave causados por el aumento de las importaciones; la descripción precisa del producto de que se trate y de la medida propuesta; la fecha propuesta de introducción de la medida, su duración prevista y el calendario para su liberalización progresiva; en caso de prórroga de una medida, también se facilitarán pruebas de que la rama de producción de que se trate está en proceso de reajuste).

38.4. LAS MEDIDAS DE VIGILANCIA

Las medidas de vigilancia son un instrumento que permite recabar información sobre las importaciones que se realizan, en tiempo real, a medida que éstas se llevan a cabo, lo que permite un seguimiento de su evolución y características. Son, por tanto, un instrumento de mero control, que no comporta una restricción o gravamen a las importaciones que quedan sujetas a ella.

Como señala Martín Rodríguez, las medidas de vigilancia constituyen una peculiaridad del ordenamiento de la UE, puesto que no se contemplan en el ASG. Parece que se trata de una medida compatible con el ASG, en tanto se limita a realizar un seguimiento y control de las importaciones, sin restringirlas ni gravarlas (*Las salvaguardias en la OMC*, p. 167-168).

La competencia para adoptar la decisión de establecer una medida de vigilancia le corresponde a la Comisión. La decisión puede adoptarse, bien sea de forma previa a la conclusión de la investigación ("vigilancia previa"), o bien sea tras la conclusión de la investigación. La medida de vigilancia se adoptará cuando la Comisión considere que la evolución de las importaciones de un producto originario de un tercer país amenaza con provocar un perjuicio a los productores de la Unión.

Para imponer una medida de vigilancia, la Comisión debe consultar al Comité de Salvaguardias de la UE, en el seno del cual, en su caso, puede realizarse una votación en la que bastará con obtener una mayoría simple.

Cuando se aplica la medida de vigilancia, para el despacho a libre práctica de las mercancías comprendidas se debe presentar un documento de vigilancia. Este "documento de vigilancia" debe ser solicitado por el interesado (el "importador", dice el Reglamento, para posteriormente dar a entender que éste puede ser persona distinta del declarante y del representante aduanero) a las autoridades, que lo expedirán de forma gratuita en un plazo perentorio, ajustándose al modelo que aparece en el Anexo I del Reglamento 2015/478.

> El documento de vigilancia debe ser expedido en un plazo de cinco días laborables desde la *recepción* de la solicitud del declarante (salvo prueba en contrario, se presume que las autoridades *reciben* la solicitud, a más tardar, a los tres días laborables de su presentación por el declarante, lo que supone que el plazo máximo de expedición es de ocho días desde que el declarante presenta su solicitud). El documento se expide "para cualquier cantidad solicitada", de modo que no puede limitar la cantidad de las mercancías a importar. Los apartados 8 a 10 del artículo 11 del Reglamento 2015/478 regulan las copias del modelo, sus características físicas y su impresión por los Estados miembros o en imprentas autorizadas por ellos.
> Por lo que hace al contenido de la solicitud (artículo 11.2 Reglamento 2015/478), en ella, además de incluir los datos de identificación y contacto del solicitante (así como del declarante o representante, si fueran persona distinta), se debe proporcionar la clasificación, origen (que deberá acreditarse para el despacho) y valor cif de las mercancías, su denominación comercial, lugar del que provienen —se supone que se trata del origen del transporte—, cantidad (en kilos y cualquier otra magnitud). La solicitud debe contener también una mención del solicitante (del siguiente tenor: «El infrascrito declara que los datos consignados en la presente solicitud son correctos y se hacen constar de buena fe. Declara asimismo estar establecido en la Unión»), fecha y firma.

El documento de vigilancia tiene validez en toda la Unión, si bien dejarán de poder utilizarse cuando cesen las medidas de vigilancia o resulte aplicable alguna medida de restricción de las importaciones. Se permite una desviación de hasta el 5% entre el precio y la cantidad indicados en el documento de vigilancia y los que resulten posteriormente en el trámite de despacho. La desviación admisible puede alcanzar hasta el 10% si la Comisión, oído el Comité de Salvaguardias de la UE, así lo decide. Para el despacho a libre práctica de las mercancías puede requerirse la aportación de un certificado de origen.

La Comisión puede decidir limitar la aplicación de la medida de vigilancia únicamente a una parte del territorio de la UE, que se designa entonces como "vigilancia regional" (artículo 12 Reglamento 2015/478), en cuyo caso las autoridades de los Estados miembros comprendidos expedirán el documento de vigilancia.

Tanto si la medida de vigilancia se establece para toda la UE como si se limita su ámbito a una parte de la UE únicamente, los Estados miembros —que son quienes reciben las solicitudes y expiden los documentos de vigilancia correspondientes— deben comunicar a la Comisión la información captada (desglosando por productos y países, las cantidades de mercancías y sus precios cif, así como las importaciones realizadas). Esta información debe hacerse llegar a la Comisión en los diez primeros días de cada mes, si bien la Comisión puede decidir modificar esta periodicidad cuando las circunstancias lo requieran. Por su parte, la Comisión informará a los Estados miembros.

En principio las medidas de vigilancia deben tener una duración limitada, que no puede ir más allá del final del segundo semestre siguiente a aquel en que se hubieran adoptado.

38.5. LAS MEDIDAS DE SALVAGUARDIA

Ni el Acuerdo sobre Salvaguardias de la OMC (ASG) ni la normativa de la UE contienen un listado cerrado de las formas que puede adoptar la medida de salvaguardia.

En primer lugar, la medida de salvaguardia puede adoptar la forma de una **restricción cuantitativa** (es decir, la imposición de una cantidad máxima de mercancía de ese tipo que se puede importar, también denominado *contingente cuantitativo*).

> El ASG se refiere a las "restricciones cuantitativas" (artículo 5 ASG), mientras que el Reglamento 2015/478 utiliza el término "contingente", sin precisión adicional (artículo 15, apartados 3 y 4), para designar ese mismo supuesto. En el texto utilizamos la denominación "contingente cuantitativo" por afinidad con la norma de la UE y para distinguirlo del contingente arancelario que, como se expone más adelante, es una opción alternativa que puede adoptar la medida de salvaguardia.

Si la medida de salvaguardia adopta la forma de un contingente cuantitativo, el límite cuantitativo impuesto por éste no podrá ser inferior a la media de las importaciones efectuadas durante los tres últimos años representativos para los que existan estadísticas. Esta regla tiene una excepción en caso de que se demuestre que es necesario un nivel distinto para impedir o reparar un perjuicio grave. Por otra parte, en el establecimiento del contingente cuantitativo se deberán tener en cuenta tres factores. En primer lugar, la forma del contingente cuantitativo debe evitar poner en riesgo el logro de su propio fin. En segundo lugar, se tendrá en cuenta la existencia, previa a la adopción de la medida, de contratos celebrados en condiciones normales que se hubieran notificado a la Comisión por el Estado miembro interesado y en virtud de los cuales se hayan exportado mercancías. En tercer lugar, se tendrán en cuenta, en la medida de lo posible, las corrientes comerciales tradicionales. Esto supone que, en principio, el contingente cuantitativo se repartirá atendiendo a las pautas seguidas en las importaciones realizadas en períodos anteriores.

> El apartado 4 del artículo 15 establece reglas adicionales relativas al reparto del contingente cuantitativo (véase también el artículo 5.2 ASG). Dispone que, si se realiza un reparto entre países suministradores, éste podrá realizarse por acuerdo entre los países suministradores que

tengan un interés sustancial en las importaciones de la Unión del producto de que se trate. En defecto de acuerdo, el contingente cuantitativo se repartirá entre esos países proporcionalmente a su participación en las importaciones en la Unión del producto de que se trate para un período precedente representativo, teniendo en cuenta cualquier factor especial que haya podido afectar al comercio del producto.

Ahora bien, esta regla de reparto podría no atenderse en caso de que las importaciones originarias de alguno de los países suministradores hubiesen aumentado en un porcentaje desproporcionado en relación con el aumento total de las importaciones del producto de que se trate durante el período precedente representativo, en cuyo caso cabría suponer que el perjuicio es atribuible en mayor medida a los suministradores de ese país. Debe tenerse en cuenta, no obstante, que el artículo 5.2(b) ASG establece fuertes restricciones a la posibilidad de que la medida discrimine a las importaciones originarias de países suministradores cuyas importaciones hubiesen aumentado desproporcionadamente. En concreto, se deben cumplir las siguientes condiciones: 1) la medida debe consistir en un contingente cuantitativo (restricción cuantitativa); 2) las importaciones procedentes de ciertos Miembros han debido aumentar en un porcentaje desproporcionado en relación con el incremento total; 3) los motivos para apartarse de la distribución proporcional deben estar justificados; 4) las condiciones en que la medida se separa del criterio proporcional deben ser equitativas para todos los proveedores; 5) la duración de la medida no puede exceder de 4 años; 6) debe constatarse un daño grave, no siendo suficiente la amenaza de daño grave; 7) deben realizarse consultas previas con los Miembros exportadores en el marco del Comité de Salvaguardias de la OMC; 8) Se debe presentar, ante el Comité de Salvaguardias de la OMC, una demostración clara del cumplimiento de estos requisitos (véase *Las salvaguardias en la OMC*, p. 115, donde se señala que lo exigente de estos requisitos determina que esta posibilidad no se utilice).

Las limitaciones y complicaciones que se establecen para las salvaguardias en forma de contingente cuantitativo hacen que sea una variante poco utilizada en la práctica. Además del contingente cuantitativo, la medida de salvaguardia puede asimismo adoptar cualquier otra forma "adecuada" para impedir la perturbación y/o el perjuicio. Esas formas alternativas van a suponer la retirada de una concesión arancelaria, resultado que puede alcanzarse por distintas vías:

- Puede consistir en un **contingente arancelario** que, en lugar de conferir una exención como en el caso del contingente arancelario examinado en el capítulo 5 (supuesto en el que, según se examinó, las mercancías comprendidas en el contingente se sujetan a un arancel reducido o cero), comporta un derecho más elevado para las mercancías que se importan por encima de la cantidad de mercancía fijada en el contingente. De modo que se trata de un contingente arancelario, superado el cual, se aplica un gravamen adicional. El incremento de gravamen que se aplica una vez se supera el contingente puede establecerse como un **derecho específico** (en función de magnitudes tales como el peso, el volumen o el número de unidades) o como un **derecho *ad valorem*** (en función del valor de las mercancías).

– Puede consistir también en la imposición de un **derecho de aduana más elevado** (en este caso, a diferencia del anterior, no habrá una cantidad contingentada que pueda acogerse al derecho de aduana normal). Ese derecho de aduana más elevado, a su vez, puede adoptar la forma de un **derecho específico** o de un **derecho *ad valorem***.

Especialmente en el caso del contingente arancelario, no debe pasar desapercibido que, si ese incremento de gravamen es suficientemente grande (tanto si es específico como si es *ad valorem*), su efecto práctico se va a aproximar a una restricción cuantitativa, puesto que hará comercialmente inviable importar mercancías por encima del contingente arancelario, en la medida en que quedarán sujetas a ese cuantioso gravamen adicional.

Los artículos 15 y 16 del Reglamento 2015/478 regulan la adopción y contenido de las medidas de salvaguardia. Su aplicabilidad presupone la existencia de perturbación y de perjuicio, así como el nexo de causalidad entre ellos. Estas reglas son asimismo aplicables a las medidas de salvaguardia provisionales (las que se adoptan en el curso de la investigación, antes de que ésta concluya), por remisión del artículo 7.

En virtud de estos preceptos, se atribuye a la Comisión la potestad de decidir la modificación del régimen de importación de un producto, para lo cual puede establecer el requisito de disponer de una autorización de importación. Esa autorización de importación habrá de presentarse para obtener el despacho a libre práctica de la mercancía, y sólo se concederá según las modalidades y dentro de los límites que la propia Comisión determine. La Comisión tiene asimismo la potestad de limitar el período de validez de los documentos de vigilancia que se emitan tras la entrada en vigor de la medida.

> Si un Estado miembro solicita la intervención de la Comisión, ésta debe acudir al Comité de Salvaguardias de la UE, donde se adoptará una decisión por mayoría cualificada en un plazo máximo de cinco días hábiles a partir de la fecha de recepción de la solicitud, o bien puede actuar de urgencia adoptando normas de eficacia temporal reducida.

El alcance posible de una medida de salvaguardia tiene restricciones cuando recaiga sobre mercancías originarias de países en vías de desarrollo (artículo 18 del Reglamento 2015/478 y artículo 9 ASG).

> Para que una medida de salvaguardia pueda aplicarse a las mercancías originarias de un país en vías de desarrollo miembro de la OMC debe cumplirse alguna de las dos situaciones siguientes, relativas ambas a la cuota de participación en las importaciones totales de la Unión de la mercancía de que se trate: 1) que la cuota de dicho país sobrepase el 3%; o bien 2) que la cuota de los países en desarrollo miembros de la OMC que individualmente no alcancen el 3%, no obstante, supongan colectivamente más del 9%.

Si se decide excluir de la medida de salvaguardia a determinados países, en razón de la aplicabilidad de acuerdos comerciales con ellos, habría que identificar la parte del perjuicio causado por las importaciones originarias de los mismos a fin de excluirla del cálculo del importe de la medida necesaria (lo que se denomina "principio de paralelismo").

> Expresado de otro modo, el importe de la medida de salvaguardia debe corresponder únicamente con la parte de perjuicio causada por las importaciones originarias de los países a los se va a aplicar la medida, pues no cabe que el perjuicio total sirva de base para determinar una medida que sólo se aplica frente a las importaciones de algunos países.
> Por lo demás, conviene señalar que el ASG establece un mandato de neutralidad respecto al origen, conforme al cual las medidas de salvaguardia se aplicarán al producto importado independientemente de la fuente de donde procedan (artículo 2.2 ASG).

La medida de salvaguardia puede limitar su ámbito geográfico a una parte de la UE, sin comprender todo su territorio (artículo 17 del Reglamento 2015/478). A este tipo de medida se la designa "regional", y constituye una peculiaridad de la normativa sobre salvaguardias de la UE, dado que no se contempla esta modalidad en el ASG.

> La adopción de una medida regional es excepcional y procederá cuando el análisis de la perturbación y del perjuicio pongan de manifiesto que la adopción de medidas de limitado alcance geográfico es más adecuada que extenderlas a todo el territorio de la UE. Como medida de salvaguardia tiene carácter temporal y debe tenerse en cuenta la perturbación que puede introducir en el funcionamiento del mercado interior de la UE, al crear zonas sometidas a reglas diferentes.

La medida de salvaguardia se aplica a las mercancías que se despachen a libre práctica tras su entrada en vigor.

> Ahora bien, se establece una medida de flexibilización en favor de las mercancías que, en ese momento, ya estuvieran de camino hacia la Unión. En virtud de la misma, las referidas mercancías se podrán despachar a libre práctica siempre que se cumplan dos condiciones: 1) que no sea posible cambiar su lugar de destino; y 2) que, en caso de haberse establecido previamente una medida de vigilancia, las mercancías dispongan de un documento de vigilancia.

Por lo que hace a la duración de la aplicación de una medida de salvaguardia, en principio no puede superar los cuatro años, debiendo tenerse en cuenta que, en caso de que se hubiera establecido una medida de salvaguardia provisional, el tiempo durante el cual ésta se hubiera aplicado computa para determinar este límite de cuatro años. El período de aplicación de la medida de salvaguardia puede ser más breve si fuera suficiente para prevenir o reparar un perjuicio grave y facilitar el ajuste de los productores de la Unión.

> Hay varios motivos por los que la duración de las medidas de salvaguardia suele ser más breve que el plazo de cuatro años. En primer lugar, porque el artículo 8 ASG dispone que el Miembro de la OMC que imponga una medida de salvaguardia debe mantener un nivel de concesiones

equivalente a favor de los países exportadores que se vean afectados, a cuyo fin debe acordar un medio adecuado de compensación (apartado 1), en defecto del cual los países exportadores afectados pueden suspender concesiones equivalentes contra el Miembro que aplica la salvaguardia (apartado 2); pero esta posibilidad de suspender concesiones equivalentes se exceptúa durante los tres primeros años de aplicación de la medida (apartado 3). De manera que, si la duración de la medida es inferior a tres años, la aplicación de una salvaguardia puede hacerse sin compensar a los países afectados y sin quedar sometido a medidas de retorsión por ello.

Otro motivo para acortar la duración de las medidas de salvaguardia deriva del hecho de que el Órgano de Solución de Diferencias de la OMC mantenga una interpretación bastante exigente acerca de los requisitos para aceptar la legitimidad de su imposición, por lo que el riesgo de perder la controversia por parte del Miembro que aplica la salvaguardia, si la controversia llega a plantearse, no es menor. Pues bien, un modo de evitar el planteamiento de una diferencia es restringir la duración de la medida, porque deja sin efecto la eventual decisión sobre la controversia a la que pudiera llegarse, dado que se alcanzará demasiado tarde.

En resumen: una medida de salvaguardia de corta duración evita asumir costes y dificulta el control internacional.

El referido período de cuatro años de duración de la medida puede prorrogarse si se determina que la prórroga es necesaria para prevenir o reparar un perjuicio grave y existen pruebas de que los productores de la Unión están realizando ajustes. La adopción de una prórroga requerirá la realización de un nuevo procedimiento de investigación, que se regirá por las mismas reglas que la investigación inicial, que ya han sido expuestas. En total, incluyendo, en su caso, el período de las medidas de salvaguardia provisional y la prórroga, el período de aplicación total de una medida de salvaguardia no puede exceder de ocho años.

> Según se ha indicado más arriba, a partir del tercer año de aplicación de la medida debe acordarse una compensación adecuada a los países exportadores afectados que, en caso contrario, pueden adoptar medidas de retorsión equivalentes.

La medida de salvaguardia debe reducir su intensidad con el tiempo. De este modo, se establece que, si la duración de la medida de salvaguardia supera un año, se debe mitigar su contenido de forma progresiva y periódica. Esa mitigación de la intensidad de la medida —o rebaja del nivel de protección— se extiende también, en su caso, al período de prórroga, disponiéndose además que la medida prorrogada no puede ser más restrictiva que la aplicable al finalizar el período inicial.

Si la medida de salvaguardia tiene una duración superior a tres años, deberá realizarse un análisis intermedio a fin de estudiar sus efectos, examinar si es apropiado acelerar el ritmo de mitigación y en qué medida o incluso determinar si es necesario mantenerla (artículo 20 del Reglamento 2015/478).

> Si la medida tiene una duración superior a tres años, el análisis intermedio debe realizarse, a más tardar, a la mitad de su período de vigencia. Aún si la duración de la medida no alcanza los

tres años, también puede realizarse un análisis intermedio a instancias de un Estado miembro o por propia iniciativa de la Comisión.

Con el respaldo de una mayoría cualificada en el Comité de Salvaguardias de la UE, la Comisión puede decidir la derogación o la modificación de las medidas de vigilancia y de las medidas de salvaguardia. Si la decisión recae sobre una medida de vigilancia regional, será aplicable a partir del sexto día siguiente al de su publicación en el DO UE.

Una vez cese la medida de salvaguardia, ésta no puede volver a aplicarse sobre el mismo tipo de mercancía hasta que no transcurra un período igual al de la aplicación de la medida de salvaguardia, con un mínimo de dos años (artículo 21 del Reglamento 2015/478).

> Se establece una excepción a la regla general de bloqueo temporal a la reimposición de una medida de salvaguardia en caso de que la nueva medida de salvaguardia tenga una duración de sólo 180 días, siempre que se cumplan dos requisitos: a) que haya transcurrido al menos un año desde la fecha de introducción de la medida de salvaguardia, y b) que la mercancía de que se trate no se haya sujetado a una medida de salvaguardia más de dos veces en los cinco años inmediatamente anteriores a la fecha de introducción de la medida.
>
> En el ASG es el artículo 7 donde se regulan la duración de la medida de salvaguardia, el examen y la reimposición.

RÉGIMEN DE CANARIAS

ÍNDICE

39 Régimen de Canarias

39.1. RÉGIMEN ADUANERO DE CANARIAS

39.1.1. Aspectos generales

Las islas Canarias no sólo compiten desde la desventaja que supone su carácter insular, sino que a ello se une el hecho de la considerable distancia que las separa de los mercados europeos, haciendo incurrir a sus productos en mayores costes de transporte y en una dilación temporal. Esta realidad física y económica tiene reflejo en la Constitución Española, cuya Disposición Adicional Tercera establece que:

> "La modificación del régimen económico y fiscal del archipiélago canario requerirá informe previo de la Comunidad Autónoma o, en su caso, del órgano provisional autonómico".

Las razones expuestas han conducido, de forma tradicional, al establecimiento para Canarias de un conjunto de especialidades en materia fiscal y, en particular, de especialidades dirigidas a mitigar su desventaja geográfica para el comercio de bienes.

> La Ley canaria 4/2014 enumera los factores diferenciales que operan como dificultad para la economía canaria, señalando al respecto, entre otras circunstancias "el aislamiento insular como factor que obstaculiza la libre circulación de personas, bienes y servicios; el aumento de los costes de producción a causa de la dependencia respecto a las materias primas y la energía; la obligación de constituir existencias y la dificultad de suministro de equipos de producción; la reducida dimensión del mercado y el escaso desarrollo de la actividad exportadora; la fragmentación geográfica del archipiélago y la obligación de mantener unas líneas de producción diversificadas, aunque limitadas en su volumen, para responder a las necesidades de un mercado de escasa dimensión, limitan las posibilidades de realizar economías de escala".

Ese enfoque jurídico se mantuvo en las negociaciones para la adhesión a la Comunidad Económica Europea (CEE), en cuyo seno ya existían previamente territorios que planteaban este tipo de dificultades (los denominados 'territorios ultraperiféricos', como p.e. los territorios franceses de ultramar). Cuando España se adhirió a la CEE, en 1986, pactó con sus nuevos socios que los territorios de Canarias, Ceuta y Melilla no se integrarían en la Unión Aduanera. Jurídicamente este régimen se contiene en el Protocolo nº 2 del Acta de Adhesión de España a la CEE (DO L 302, edición especial, de 15.11.1985). Los motivos que condujeron a España a buscar un régimen particular para Canarias derivan de su insularidad, por una parte, y de su carácter 'ultraperiférico', por otra.

En la actualidad tienen la consideración de territorios ultraperiféricos los siguientes: Guada-
lupe, la Guayana Francesa, Martinica, la Reunión, San Bartolomé, San Martín, las Azores,
Madeira y las islas Canarias (artículo 349 TFUE). Algunas de las especialidades que vamos a
exponer para Canarias, como el Régimen Específico de Abastecimiento (REA) o las Medidas
Específicas Arancelarias (MEA), son aplicables, *mutatis mutandi*, a esos otros territorios.

Posteriormente, no obstante, España pactó la incorporación de Canarias al ámbito
de la Unión Aduanera, pero juntamente con ello negoció una serie de importantes especialidades que van a ser objeto de examen en este capítulo. Fruto de esta negociación
fue el Reglamento (CEE) 1911/91 del Consejo, de 26 de junio de 1991, relativo a la
aplicación de las disposiciones del Derecho comunitario en las islas Canarias (DO L 171
de 29.6.1991; este Reglamento ha sido objeto de modificaciones posteriores). Junto a
otras medidas, el Reglamento 1911/91 dispone la aplicabilidad en Canarias del Arancel
Aduanero Común (artículo 6), de las medidas de política comercial de la UE (artículo
7) y de las políticas comunes de agricultura (artículo 2) y de pesca (artículo 3).

Medidas del Reglamento 1911/91	
Artículo	**Medida**
2	Aplicabilidad en Canarias de la PAC
3	Aplicabilidad en Canarias de la Política Común de Pesca
4	No inclusión de Canarias en el territorio IVA de la UE
4	No aplicación en Canarias del IIEE armonizado sobre las labores del tabaco
5	Aplicabilidad en Canarias del AIEM
6	Aplicabilidad en Canarias del Arancel Aduanero Común
7	Aplicabilidad en Canarias de la política comercial de la UE
8	Evitación de las desviaciones de tráfico
9	Programa de medidas específicas para Canarias

El Reglamento 1911/91 preveía un período transitorio previo a la plena aplicabilidad en Canarias del Arancel Aduanero Común (AAC), que en la actualidad ya ha
expirado, por lo que el AAC es plenamente aplicable en Canarias. Ahora bien, junto a
la vigencia del AAC en Canarias se establece la posibilidad de incorporar elementos que
mitiguen el impacto del mismo, como son: a) un régimen específico de abastecimiento
(REA); b) medidas especiales arancelarias (MEA); c) especialidades en materia de medidas de política comercial; d) un Arbitrio sobre Importaciones y Entregas de Mercancías
en las islas Canarias (AIEM).

Especialidades arancelarias en Canarias
Régimen específico de abastecimiento (REA)
Medidas especiales arancelarias (MEA)
Especialidades en materia de medidas de política comercial
Arbitrio sobre Importaciones y Entregas de Mercancías en las islas Canarias (AIEM)

Esas especialidades vienen reguladas en diferentes normas jurídicas, que señalaremos en cada caso. Expondremos a continuación el régimen vigente para cada una de ellas.

39.1.2. El Régimen Específico de Abastecimiento (REA)

La exportación de determinados productos agrícolas desde el TAU permite obtener en ciertos supuestos, a quienes la realizan, una restitución a la exportación. Cuando Canarias no se integraba en el TAU, las ventas realizadas desde el TAU a Canarias podían acogerse, cuando procediera, a estas restituciones a la exportación. Cuando Canarias pasó a formar parte del TAU, por el contrario, dejó de ser posible acogerse a este beneficio puesto que los productos que se expiden a Canarias ya no pueden ser calificados como exportación. Ello no obstante, se consideró deseable mantener una ventaja equivalente a favor de estas operaciones a fin de paliar los costes adicionales de abastecimiento de productos agrícolas y sus transformados en las islas Canarias, derivados de su insularidad y lejanía. Por ese motivo, la Decisión 91/314/CEE, del Consejo, de 26 de junio de 1991, por la que se establece un programa de opciones específicas por la lejanía y la insularidad de las islas Canarias (POSEICAN), creó el marco en el que deben adoptarse las medidas jurídicas oportunas, tanto por parte del Consejo como de la Comisión, a fin de tomar en consideración estos factores, a la vez que trazó las líneas maestras del contenido de tales medidas.

De otra parte, cuando Canarias no era un territorio comprendido en el TAU, la importación en Canarias de determinados productos agrícolas y transformados no se sujetaba a arancel. Cuando Canarias pasó a integrarse en el TAU, el arancel a estos productos debía aplicarse en las mismas condiciones que en el resto del TAU. De nuevo, la Decisión 91/314/CEE consideró conveniente que se permitiera exonerar del arancel a determinados productos a fin de mitigar la particular situación de Canarias.

En cumplimiento de la referida Decisión, en la actualidad la normativa por la que se regula esta materia es:

NORMATIVA REA **Decisión 91/314/CEE (POSEICAN). Aplicada por...**
REGLAMENTO DE BASE: Reglamento (UE) Nº 228/2013 del Parlamento Europeo y del Consejo, de 13 de marzo de 2013, por el que se establecen medidas específicas en el sector agrícola en favor de las regiones ultraperiféricas de la Unión y por el que se deroga el Reglamento (CE) nº 247/2006 del Consejo.
REGLAMENTO DELEGADO: Reglamento Delegado (UE) Nº 179/2014 de la Comisión, de 6 de noviembre de 2013, que complementa el Reglamento (UE) nº 228/2013, del Parlamento Europeo y del Consejo, en lo que atañe al registro de agentes económicos, al importe de la ayuda para la comercialización de productos fuera de su región, al símbolo gráfico, a la exención de los derechos de importación de determinados bovinos y a la financiación de ciertas acciones relacionadas con las medidas específicas destinadas a la agricultura de las regiones ultraperiféricas de la Unión.
REGLAMENTO DE EJECUCIÓN: Reglamento de Ejecución (UE) Nº 180/2014, de la Comisión, de 20 de febrero de 2014, por el que se establecen disposiciones de aplicación del Reglamento (UE) nº 228/2013 del Parlamento Europeo y del consejo por el que se establecen medidas específicas en el sector agrícola en favor de las regiones ultraperiféricas de la Unión.
CERTIFICADOS: La normativa sobre certificados aplicable a Canarias es la común en materia de productos agrícolas, que tiene como Reglamento de Base el Reglamento 1308/2013. Véanse también los Reglamentos 2016/1237 y 2016/1239.

El POSEICAN comprende un régimen específico de abastecimiento (REA) y medidas específicas de apoyo a las producciones agrarias locales. El REA se proyecta sobre los productos agrícolas enumerados en el Anexo I del Tratado que son esenciales en las regiones ultraperiféricas para el consumo humano, la elaboración de otros productos o su utilización como insumos agrícolas (artículo 9.1 Reglamento 228/2013; se trata de productos agrícolas y transformados agrícolas). Cada año se establece un plan de abastecimiento, en el que se determinan las cantidades de productos agrícolas y transformados que pueden acogerse al régimen, tanto para el consumo humano como para la elaboración de otros productos o como insumos agrícolas.

Introducción: Entrada en el territorio de las islas Canarias de mercancías procedentes del resto del TAU
Expedición: Salida del territorio de las islas Canarias de mercancías con destino a otra parte del TAU

En el REA debemos diferenciar las medidas aplicables a:

- las importaciones de productos REA, que gozarán de una exención del arancel
- las introducciones de productos REA, que gozarán de una subvención
- las exportaciones o expediciones de productos que se hayan beneficiado del REA.

Las importaciones de mercancías que puedan acogerse al REA gozan de exención arancelaria. A este fin, debe tratarse de importaciones directas, entre las que se incluyen, además de las despachadas a libre práctica, las que se hayan incluido en régimen de perfeccionamiento activo o en régimen de depósito aduanero (artículo 10.1 Reglamento 228/2013). Esta exención viene a compensar el hecho de que Canarias ya no puede aplicar un arancel propio, sino que aplica el AAC.

> Con carácter específico para Canarias —no se hace extensivo a otras regiones ultraperiféricas— se regula la exención de derechos de aduana para determinados productos de tabaco, hasta un límite anual de 20.000 toneladas (véase el artículo 29 del Reglamento 228/2013 y los artículos 34 y 35 del Reglamento 180/2014). Se establecen asimismo especialidades para el abastecimiento de Canarias respecto al azúcar y la leche desnatada en polvo (artículos 15 y 16 del Reglamento 228/2013).

Por su parte, las introducciones de mercancías de la UE que puedan acogerse al REA se beneficiarán de una ayuda, cuyo importe se determina tomando como referencia, para cada tipo de producto, los costes adicionales de transporte hasta Canarias y los precios de exportación a terceros países. En el caso de productos destinados a la transformación o de insumos agrícolas, se tomarán como referencia los costes adicionales derivados de la situación ultraperiférica y, en particular, de su insularidad y escasez de superficie (artículo 10.2 del Reglamento 228/2013). Esta ayuda viene a compensar la no aplicabilidad de restituciones a la exportación en las ventas a Canarias.

> Corresponde al Gobierno de Canarias la fijación del importe de la ayuda, dentro de los límites de la 'ficha financiera' que debe aprobar la Comisión. Estos importes se determinan cada año y su cuantía puede consultarse en la web del gobierno Canario en:

ENLACE

```
http://www.gobiernodecanarias.org/promocioneconomica/rea_new/
balances_y_ayudas/datos_actuales/
```

Un requisito común para gozar de los beneficios del REA a la importación o introducción consiste en que la ventaja económica obtenida en virtud del mismo se repercuta de forma efectiva en el usuario final, que puede ser el consumidor, el último transformador o el agricultor (artículo 13 del Reglamento 228/2013 y artículo 6 del Reglamento 180/2014). Por otro lado, las mercancías deben tener una calidad sana, cabal y comercial (artículo 10.4 del Reglamento 228/2013). Asimismo, los beneficios del REA se supeditan a la presentación de un certificado para cada operación, que se expedirá únicamente a favor de agentes económicos inscritos en el registro de operadores REA y que es intransferible (artículo 12 del Reglamento 228/2013).

> Se establecen tres tipos de certificado: de importación, de exención y de ayuda. El certificado de importación se utiliza para la importación de productos para los que se requiera un

certificado AGRIM. Acerca de su cumplimentación, véase lo dispuesto en el artículo 2 del Reglamento 180/2014. El certificado de exención se exige para la importación de productos para los que no se establezca el requisito de un certificado de importación. Acerca de su cumplimentación, véase lo dispuesto en el artículo 3 del Reglamento 180/2014. Estos dos certificados los emite la Dirección Territorial de Comercio del Ministerio de Comercio. El certificado de ayuda deberá presentarse cuando se introduzcan mercancías de la UE que se acojan al REA. Acerca de su cumplimentación y mecánica de aplicación, véase lo dispuesto en el artículo 5 del Reglamento 180/2014. Este certificado lo emite la Dirección General de Promoción Económica del Gobierno de Canarias. Los tres tipos de certificados —importación, exención y ayuda— se expiden en el modelo de certificado de importación que figura en el Anexo I del Reglamento de Ejecución 2016/1239 (modelo AGRIM).

REQUISITOS DE APLICABILIDAD DEL REA A LA IMPORTACIÓN/INTRODUCCIÓN
Debe tratarse de productos comprendidos en el REA, dentro de sus límites cuantitativos. Los productos comprendidos y límites se determinarán en el plan de abastecimiento anual que elaboran las autoridades Canarias y que debe ser aprobado por la Comisión.
Repercusión efectiva del beneficio en el usuario final.
Las mercancías deben tener una calidad sana, cabal y comercial.
Debe aportarse un certificado.
El operador debe estar inscrito en el registro de operadores REA

Con carácter general, la exportación o expedición de productos que se hayan beneficiado del REA o de productos transformados que incorporen insumos que se hayan beneficiado del REA, comporta la obligación de anular la ventaja de la que se hubiera disfrutado en virtud del REA como requisito previo a la exportación o expedición (artículo 13 Reglamento 180/2014). De este modo, tendremos:

CANTIDADES A INGRESAR POR EXPORTACIÓN O EXPEDICIÓN DE PRODUCTOS REA
Exportación a territorios terceros de productos beneficiados con exención de derechos de importación: No se exige ingreso, pero no pueden beneficiarse de restituciones a la exportación.
Expedición al resto del TAU de productos beneficiados con exención de derechos de importación: Deberá ingresarse el importe de los derechos de importación *erga omnes* (es decir, no preferenciales) aplicables el día de la importación.
Exportación o expedición de productos que hayan recibido una ayuda: Deberá reintegrarse el importe de la ayuda. Pueden acogerse a una restitución a la exportación, si procede.

En los tres casos, puesto que el beneficio del REA queda anulado, la cantidad de producto correspondiente volverá a consignarse en el plan de abastecimiento para que pueda ser nuevamente utilizada. Por otra parte, la exportación en estos casos no se sujeta a la presentación de un certificado de exportación (en el caso 3, no obstante, sí se exige si procede restitución a la exportación).

Ahora bien, esta regla general de anulación de las ventajas del REA cuando se produce la exportación o expedición no rige en dos supuestos respecto de productos transformados en Canarias:

- Cuando se trata de **exportaciones tradicionales y de expediciones tradicionales** desde las Islas Canarias. En este caso, para los productos que aparecen en el listado del Anexo IV del Reglamento 180/2014 —y con los límites cuantitativos y condiciones allí fijados— pueden ser exportados fuera del TAU o expedidos a otra parte del TAU sin perder por ello la ventaja disfrutada en virtud del REA.

  El Anexo IV del Reglamento 180/2014 contiene una tabla en la que, para cada partida o subpartida, se asigna una cuantía máxima anual de producto transformado —en kilogramos o litros— con destino a la UE y otra con destino a terceros países, que puede ser objeto de exportaciones tradicionales y de expediciones tradicionales desde las Islas Canarias.

- Cuando se trata de **exportaciones** en el marco del **comercio regional** desde las Islas Canarias. En este caso, para los productos que aparecen en el listado del Anexo V del Reglamento 180/2014 —y con los límites cuantitativos y condiciones allí fijados— pueden ser exportados fuera del TAU sin perder por ello la ventaja disfrutada en virtud del REA.

  El Anexo V del Reglamento 180/2014 contiene una tabla en la que, para cada partida o subpartida, se asigna una cuantía máxima anual de producto transformado —en kilogramos o litros— con destino a terceros países, que puede ser objeto de exportaciones en el marco del comercio regional desde las Islas Canarias. A estos efectos, conforme al Anexo VI, para Canarias se considera comercio regional el que se realiza con Mauritania, Senegal, Guinea Ecuatorial, Cabo Verde y Marruecos.
  El exportador deberá presentar a las autoridades los documentos que acrediten la importación en el país de destino, que se regulan en el artículo 17 del Reglamento 612/2009, dentro del plazo que dispone el artículo 46 del mismo (con carácter general, 12 meses a contar desde la aceptación de la declaración de exportación).
  Tanto para las exportaciones o expediciones tradicionales como para las exportaciones en el marco del comercio regional se deberá cumplimentar la casilla 44 del DUA incluyendo las menciones que corresponda de las que figuran en el Anexo I, Parte I del Reglamento 180/2014.

A fin de acogerse a las medidas previstas en el marco del REA (tanto para la importación, como para la introducción, expedición y exportación), los operadores deben incorporarse al 'Registro de Operadores del REA'. Se trata de un registro gestionado de forma conjunta por las Direcciones Territoriales de Comercio (dependientes del Ministerio de Economía) y por la Dirección General de Promoción Económica (dependiente del Gobierno de Canarias). La incorporación puede solicitarse a cualquiera de estos dos órganos.

> La regulación del Registro de Operadores del REA se contiene en la siguiente normativa canaria: Decreto 12/1995, de 27 de enero, por el que se crea el Registro de Operadores del Régimen Específico de Abastecimiento de productos agrarios a las Islas Canarias (BOC nº 15, de 03.02.1995), desarrollado por la Orden de 10 de febrero de 1995 (BOC nº 20, de 15.02.1995, que fue modificada por la Orden de 28 de junio de 1995, BOC nº 83, de 03.07.1995 y por la orden de Orden de 9 de agosto de 2012, BOC nº 163, de 21.08.2012).
> La documentación a aportar en la solicitud de inscripción se detalla en el artículo 2 de la Orden de 10 de febrero de 1995 (su letra (d) fue modificada por la Orden de 9 de agosto de 2012), en tanto que su artículo 5 fija en un mes el plazo para resolver la inscripción.

La inscripción en el 'Registro de Operadores del REA' se condiciona al cumplimiento de una serie de requisitos, a saber (artículo 1 Reglamento 179/2014, artículo 7 Reglamento 180/2014 y Decreto canario 12/1995):

a) Ser un operador establecido en la UE;

b) Disponer de los medios, las estructuras y las autorizaciones legales necesarias para ejercer sus actividades en el sector respectivo y, en particular, cumplir las obligaciones en materia de contabilidad empresarial y régimen fiscal.

c) Estar en condiciones de asegurar la realización de sus actividades en las islas Canarias.

d) Asegurar la repercusión del beneficio concedido hasta la fase del usuario final y del consumidor.

e) Comprometerse, en el marco del REA y de conformidad con los objetivos de este régimen, a: I) Comunicar a las autoridades competentes, a petición de éstas, cualquier información útil sobre sus actividades comerciales, principalmente en materia de precios y márgenes de beneficios; II) Operar exclusivamente en su nombre y por cuenta propia; III) Presentar solicitudes de certificados proporcionadas a sus capacidades reales de distribución, justificadas con referencia a elementos objetivos; IV) No recurrir a prácticas que puedan provocar una escasez artificial de productos o a comercializar los productos disponibles a precios anormalmente bajos.

Se disponen tres categorías de operadores, en orden creciente de capacidad: operador, re-exportador y transformador.

CATEGORÍAS OPERADORES REA
OPERADOR: Puede importar mercancías REA de países terceros con exención del arancel o bien introducir mercancías REA desde otras partes del TAU percibiendo una ayuda (clave categoría "O" a efectos de la cumplimentación del DUA).
RE-EXPORTADOR: Además de lo anterior, puede exportar o expedir mercancías que se han beneficiado del REA previo pago de: a) los derechos de aduana, si las mercancías se expiden a otra parte del TAU y se beneficiaron de exención del arancel a su introducción en Canarias; b) devolución de la ayuda percibida, si se introdujeron mercancías REA desde otra parte del TAU y tal introducción permitió obtener una ayuda REA (clave categoría "R").
TRANSFORMADOR: Además de lo anterior, puede expedir o exportar productos que se hayan obtenido de la transformación de materias primas beneficiarias del REA, dentro de los límites que establece el Anexo IV del Reglamento 180/2014. Asimismo, puede exportar, en el marco del "comercio regional"*, productos que se hayan obtenido de la transformación de materias primas beneficiarias del REA, dentro de los límites que establece el Anexo V del Reglamento 180/2014 (clave categoría "T").   *En el caso de Canarias, se considera "comercio regional" el que se realice con Mauritania, Senegal, Guinea Ecuatorial, Cabo Verde y Marruecos.

Para finalizar el análisis del REA expondremos el procedimiento aplicable para gozar de los beneficios a la importación o introducción de mercancías. El primer paso consiste en solicitar el certificado que permitirá acceder al beneficio de que se trate. Ha de tenerse en cuenta que cada certificado cubre una operación, de modo que el certificado debe obtenerse en cada ocasión en que se importan o introducen mercancías. A la solicitud debe acompañarse el original de la factura o copia certificada de la misma y el original, copia certificada o equivalente electrónico auténtico de los documentos que relacionamos en la tabla que sigue (artículo 8 Reglamento 180/2014).

DOCUMENTOS QUE DEBEN ACOMPAÑAR A UNA SOLICITUD REA
Si se solicita un certificado de importación o un certificado de exención: 1) El conocimiento de embarque o la carta de porte aéreo o el documento de transporte multimodal;   2) El certificado de origen en el caso de los productos originarios de terceros países.
Si se solicita un certificado de ayuda: 1) Los datos del T2L o el T2LF como medio de prueba del estatuto aduanero de mercancías de la Unión (artículos 199.1(b) y 205 RECAU); o   2) Una declaración tipo CO, conforme a lo previsto en los capítulos 2 y 3 del título VIII RDCAU.   Los elementos de datos de este tipo de declaración se señalan en los nº 1/1, 1/2 y 1/3 del cuadro de requisitos en materia de datos que figura en el anexo B, título I, capítulo 3, sección 1 del RDCAU.   Estos documentos (T2L, T2LF y CO) pueden aportarse en forma de mensaje electrónico.

Tanto la factura de compra, como el conocimiento de embarque o la carta de porte aéreo, deben estar expedidos a nombre del solicitante.

Con carácter general no se exigirá la constitución de una garantía al solicitar la expedición de un certificado, si bien las autoridades nacionales pueden requerirla, por el importe de la ventaja, cuando la consideren necesaria (artículo 12.2 Reglamento 228/2013).

Si procede, la Agencia Tributaria (AEAT) emitirá el certificado por medios telemáticos. Una vez emitido, ha de tenerse en cuenta que su período de validez no puede exceder de dos meses, a contar desde la fecha de expedición. El certificado se presenta en el plazo de 15 días desde la fecha de autorización de descarga de la mercancía del barco o aeronave, mediante la inclusión de las menciones de identificación del certificado que correspondan en la casilla 44 del DUA. Si se trata de una solicitud de ayuda, debe presentarse a la Sociedad Canaria de Fomento Económico (PROEXCA) en el plazo de 30 días desde la fecha de imputación por la Aduana, acompañada de los documentos que prueben el derecho a percibirla, incluyendo los que acrediten la entrada efectiva de las mercancías (DUA de importación certificado por la Aduana).

Acerca de la cumplimentación del DUA en estas operaciones, téngase en cuenta que la Resolución del DUA, en su Apéndice X, contiene las "Normas para la cumplimentación del DUA en las Islas Canarias a efectos del régimen específico de abastecimiento (REA)", en tanto que el Anexo XVII contiene los "Códigos Ayuda Régimen Especial de Abastecimiento de Canarias (REA)".

39.1.3. Medidas Específicas Arancelarias (MEA)

De nuevo atendiendo a las circunstancias de insularidad y lejanía, con un mercado propio de reducidas dimensiones que dificulta el desarrollo industrial, se establecen una serie de especialidades arancelarias respecto de las importaciones que se realicen en el territorio canario.

Normativa MEA
Reglamento (UE) 2021/2048, del Consejo, de 23 de noviembre de 2021, por el que se suspenden temporalmente los derechos autónomos del arancel aduanero común para las importaciones de determinados productos industriales a las Islas Canarias.
Reglamento (UE) 2020/1785 del Consejo de 16 de noviembre de 2020 relativo a la apertura y el modo de gestión de contingentes arancelarios autónomos de la Unión para las importaciones de determinados productos de la pesca en las islas Canarias desde 2021 hasta 2027.

Estas especialidades se proyectan, de una parte, sobre determinados productos industriales y, de otra parte, sobre determinados productos del sector pesquero.

Por lo que hace a los **productos industriales**, el Reglamento 2021/2048 establece la suspensión plena de los derechos del arancel aduanero común (AAC) para los bienes de equipo para uso comercial o industrial que se enumeran en el anexo I del propio Reglamento. Este arancel cero se establece con carácter temporal, hasta 31 de diciembre de 2031 y se sujeta a la condición de que estos bienes se utilicen por operadores económicos establecidos en las Islas Canarias durante un período mínimo de 24 meses a contar desde su despacho a libre práctica.

Asimismo, se establece la suspensión plena de los derechos del AAC, con idéntico límite temporal, respecto a las importaciones a las Islas Canarias de las materias primas, las piezas y los componentes que se enumeran en el anexo II del Reglamento cuando se utilicen para la transformación industrial o el mantenimiento en las propias Islas Canarias.

En ambos casos —bienes de equipo, materias primas, piezas y componentes— la exención se sujeta a una condición futura —un destino de las mercancías— relativa a su utilización en Canarias. Para controlar que se respeta este destino final que justifica la exención serán de aplicación las normas generales sobre el régimen de destino final, que se examina en el capítulo 17, al que nos remitimos. Recordemos aquí que la aplicabilidad de una exención justificada en un fin especial requiere la previa obtención de una autorización de la Aduana.

En España regula esta materia la Orden EHA/1755/2005, de 6 de junio, por la que se establecen las reglas aplicables al tratamiento arancelario favorable de determinadas mercancías en razón de su naturaleza o de su destino especial (BOE 14.06.2005).

Dado que un abuso de esta exención podría ocasionar desviaciones del tráfico, el Reglamento 2021/2048 atribuye a la Comisión competencias para suspender su aplicabilidad, en cuyo caso se exigirá la constitución de una garantía a las importaciones que se beneficien de esta medida. En el plazo de 12 meses el Consejo deberá, en estos supuestos, adoptar una decisión, que puede comportar que se exija el ingreso de los importes garantizados o, por el contrario, que se liberen las garantías prestadas. Esta última medida se adoptará asimismo si, transcurrido el plazo de 12 meses, el Consejo no ha adoptado una decisión al respecto.

Se atribuye asimismo a la Comisión la competencia para adaptar los listados de los Anexos I y II a los cambios técnicos que se produzcan en la Nomenclatura Combinada (artículo 5).

Por lo que hace a los **productos de la pesca**, el Reglamento 2020/1785 establece un contingente con suspensión total de los derechos del AAC aplicables a la importación en las Islas Canarias de los productos de la pesca que se relacionan en el anexo del propio Reglamento, con los límites cuantitativos que allí se establecen. Se trata de los productos de pesca de las partidas 0303, 0304, para las que se establece un volumen de 15.000 toneladas, por una parte, y de las partidas 0306 y 0307, para las que se establece asimismo un volumen de 15.000 toneladas, por otra. Esta exención se establece hasta el 31 de diciembre de 2027 (aunque el artículo 3 contempla que se establezcan nuevas medidas a la expiración de este plazo) y sólo se concederá respecto de los productos destinados al mercado interior de las Islas Canarias. Además, se aplicará únicamente a los productos de la pesca que se descarguen de buques o aviones antes de la presentación de la declaración de despacho a libre práctica a las autoridades aduaneras en las Islas Canarias.

El modo de gestión de este contingente es el que se regula en los artículos 49 a 54 RECAU, es decir, por orden de llegada. Acerca de la gestión de contingentes, véase el capítulo 5.2, donde se examina esta cuestión.

> De forma análoga a lo que hemos señalado para los productos industriales, se atribuyen competencias a la Comisión para suspender esta exención a fin de evitar desviaciones del tráfico (artículo 4). Se prevé igualmente que, en tal supuesto, se exigirá la constitución de una garantía a las importaciones que se beneficien de esta medida. En el plazo de 12 meses el Consejo deberá adoptar una decisión, que puede comportar que se exija el ingreso de los importes garantizados o, por el contrario, que se liberen las garantías prestadas. Esta última medida se adoptará asimismo si, transcurrido el plazo de 12 meses, el Consejo no ha adoptado una decisión al respecto.

39.1.4. Política comercial

Con carácter general, en Canarias son de aplicación las medidas de política comercial establecidas por el ordenamiento de la UE. Ahora bien, el artículo 7 del Reglamento 1911/1991 permite el establecimiento de medidas específicas. Con base en este precepto, el Reglamento 1087/1997 dispone la no aplicabilidad de restricciones cuantitativas ni de medidas de efecto equivalente respecto de la importación de los productos textiles clasificados en los capítulos 50 a 63 de la Nomenclatura Combinada, así como los que figuran en el Anexo II del Reglamento 519/94, en relación a los productos destinados al mercado interno canario.

Reglamento (CE) 1087/97, del Consejo, de 9 de junio de 1997, relativo a la autorización para importar en las islas Canarias productos textiles y de la confección así como determinados productos sujetos a contingentes originarios de China sin restricciones cuantitativas ni medidas de efecto equivalente.

El Reglamento dispone la aplicabilidad de las normas sobre destinos especiales (nos hemos referido a ellas más arriba) para asegurar que las mercancías efectivamente se destinan al mercado interno canario. Por otro lado, se establecen medidas de control de la expedición de estos productos a otras partes del TAU y, en su caso, la percepción de derechos en tales supuestos.

39.2. IMPOSICIÓN SOBRE EL CONSUMO EN CANARIAS

39.2.1. Aspectos generales

Las especialidades canarias alcanzan también relevancia en el ámbito de la imposición sobre el consumo. En virtud del Protocolo nº 2 del Acta de Adhesión de España a la CEE, en Canarias no se aplica el IVA. El artículo 4 del Reglamento (CEE) 1911/91 reitera este régimen ("(...) el territorio de las islas Canarias permanecerá fuera del ámbito de aplicación del sistema común del IVA"). También se permite que España no aplique en el territorio de Canarias el Impuesto Especial sobre las labores del Tabaco (artículo 4.2 del Reglamento 1911/91).

En lugar del IVA, en Canarias se aplica un impuesto de contenido equivalente, el IGIC, al que nos referiremos a continuación. Ahora bien, la exclusión de Canarias del territorio IVA de la UE comporta que las mercancías que se introduzcan desde Canarias en el resto del territorio IVA de la UE deban ser tratadas como "importaciones" a efectos del IVA, en tanto que, simétricamente, las salidas de mercancías desde el territorio IVA de la UE con destino a Canarias deben ser tratadas como "exportaciones" a efectos de IVA. En Canarias tendremos el trato inverso, es decir, exportaciones e importaciones, respectivamente, a efectos del IGIC.

Dado que la regulación del IVA a la importación, según ya hemos expuesto, se remite en diversos aspectos a la normativa aduanera y la declaración de IVA a la importación es el propio DUA, las formalidades a cumplir en el tráfico de mercancías entre Canarias y el resto del territorio nacional —y de la UE— se tornan considerablemente gravosas, con duplicidad de controles (lo que es exportación en Canarias es, a su vez, importación en el resto del territorio; lo que es importación en Canarias es, a su vez, exportación en el resto del territorio). Por este motivo, a fin de aliviar estas cargas formales, se creó la ventanilla única aduanera VEXCAN, que permite la presentación telemática de declaraciones de importación, exportación y aduaneras en Canarias con validez, tanto para la Administración autonómica canaria (que debe aplicar el IGIC, el AIEM y el impuesto propio canario sobre el tabaco) como para la Agencia Estatal de Administración Tributaria (AEAT), con lo que se evitan las duplicidades y se mejora y simplifica el control. De este modo, a partir de una única transmisión de datos, las dos Administraciones —la autonómica y la estatal— pueden gestionar los tributos implicados evitando duplicidad de declaraciones a los operadores. En consecuencia, tanto la entrada como la salida de mercancías de Canarias, ya sea procedente o dirigida a países terceros, ya sea dirigida o procedente de otra parte del territorio de la UE, se sujeta a la presentación telemática de un DUA, cuyos datos son explotados, en ejercicio de sus respectivas competencias, por las Administraciones estatal y autonómica.

> Los aspectos procedimentales de la gestión de las operaciones de importación y exportación sujetas al AIEM y al IGIC por parte de la Administración canaria se regulan en el Título II del Decreto canario 268/2011 (artículos 82 a 128). Estos preceptos establecen normas sobre cuestiones tales como la declaración sumaria, el depósito temporal, la declaración de importación, el procedimiento de despacho, procedimientos simplificados, destrucción y abandono, contracción de la deuda y pago, regímenes especiales de importación, regímenes aduaneros y, en materia de exportaciones, la declaración y las exenciones. También se contienen normas sobre devoluciones y el uso de medios telemáticos.
>
> La Disposición Adicional Segunda de la Ley 8/2018 compromete al gobierno de España a actualizar la "Ventanilla Única Aduanera" de modo que sea capaz de dar soporte, no sólo a las declaraciones de importación, exportación y aduaneras en Canarias, sino también a que puedan aplicarse las simplificaciones de la declaración aduanera previstas en el CAU. Esta Ley 8/2018, mediante modificaciones a la Ley 19/1994, del Régimen Económico y Fiscal de Canarias (REF), también prevé la creación de zonas francas (artículo 72) y reconoce al Estado la competencia para el control del comercio exterior (artículo 17), si bien ordena la colaboración en esta actividad con la Comunidad autónoma de Canarias.
>
> El Apéndice XVI de la Resolución del DUA establece las "simplificaciones en los intercambios nacionales de mercancía de la Unión con las Islas Canarias".
>
> Téngase en cuenta que las Islas Canarias tienen la consideración de "territorio fiscal especial" (que se definen en el artículo 1.(35) RDCAU como una parte del TAU donde no sean de aplicación las disposiciones de la Directiva del IVA o de la Directiva de IIEE). En virtud de lo dispuesto en el artículo 134 RDCAU, el comercio de mercancías de la Unión con estos territorios se sujeta a lo dispuesto en los capítulos 2 (inclusión de las mercancías en un régimen aduanero), 3 (comprobación y levante de las mercancías) y 4 (disposición de las mercancías) del título V y los capítulos 2 (formalidades de salida de las mercancías) y 3 (exportación y reexportación) del título VIII del CAU; así como en los capítulos 2 y 3 del título V y los capítulos 2 y 3 del título VIII del RDCAU. El sistema VEXCAN tiene cobertura en el artículo 134.2 RDCAU.

39.2.2. *El Arbitrio sobre Importaciones y Entregas de Mercancías en las islas Canarias (AIEM)*

El artículo 349 del TFUE (que tiene su antecedente en el artículo 299.2 del Tratado Constitutivo de la Comunidad Europea) permite establecer en las regiones ultraperiféricas regímenes particulares en la aplicación de los Tratados, incluidas las políticas comunes y, entre ellas, la política fiscal y aduanera.

Con esta cobertura en los Tratados, entre las especialidades del régimen fiscal canario que se recogen ya en el Reglamento 1911/91 figura la autorización a las autoridades españolas para establecer un "arbitrio sobre la producción y sobre las importaciones (APIM)" (la denominación cambió posteriormente a Arbitrio sobre Importaciones y Entregas de Mercancías). La autorización se concedía con carácter provisional, para un período que, en aquél momento, se disponía que no podría sobrepasar el 31 de diciembre de 2001. Lo cierto, no obstante, es que sucesivas Decisiones del Consejo han venido a establecer prórrogas de este plazo de vigencia, siendo la más reciente de ellas la Decisión (UE) 2020/1792, del Consejo, de 16 de noviembre de 2020, sobre el impuesto AIEM aplicable en las islas Canarias, que permite extender su vigencia hasta el 31 de diciembre de 2027.

En la actualidad el AIEM es un impuesto estatal indirecto, monofásico, que se regula en la Ley 20/1991, de 7 de junio, de modificación de los aspectos fiscales del Régimen Económico Fiscal de Canarias (que ha sido objeto de diversas modificaciones). En virtud de la Ley 22/2009, la Comunidad Autónoma de Canarias goza de capacidad normativa sobre importantes elementos del impuesto, como:

- La determinación de los productos cuya entrega o importación supone la realización del hecho imponible,
- Los tipos de gravamen y
- Las exenciones en operaciones interiores.

En ejercicio de esas potestades, la Comunidad Autónoma canaria dictó la Ley canaria 4/2012, posteriormente modificada por la Ley canaria 4/2014, de 26 de junio, por la que se modifica la regulación del arbitrio sobre importaciones y entregas de mercancías en las islas Canarias. La regulación del impuesto se completa con un reglamento estatal (RD 2538/1994) y un reglamento autonómico (D 268/2011).

NORMATIVA AIEM
Decisión (UE) 2020/1792, del Consejo, de 16 de noviembre de 2020, sobre el impuesto AIEM aplicable en las islas Canarias
Ley 20/1991, de 7 de junio, de modificación de los aspectos fiscales del Régimen Económico Fiscal de Canarias
Real Decreto 2538/1994, de 29 de diciembre, por el que se dicta normas de desarrollo relativas al Impuesto General Indirecto Canario y al Arbitrio sobre la Producción e Importación en las islas Canarias, creados por la Ley 20/1991, de 7 de junio.
Ley canaria 4/2014, de 26 de junio, por la que se modifica la regulación del arbitrio sobre importaciones y entregas de mercancías en las Islas Canarias
Decreto 268/2011, de 4 de agosto, por el que se aprueba el Reglamento de gestión de los tributos derivados del Régimen Económico y Fiscal de Canarias

El AIEM grava las entregas en Canarias de los bienes corporales que se relacionan en el Anexo I de la Ley canaria 4/2014, cuando la entrega se realice a título oneroso por los empresarios que los hayan producido. El AIEM también grava las importaciones de los bienes corporales del Anexo I de la Ley canaria 4/2014, definiendo a estos efectos la importación como la entrada definitiva o temporal de los mismos en Canarias, cualquiera que sea su procedencia, el fin a que se destinen o la condición del importador (artículo 67.2.4º Ley 20/1991).

> Tras esta definición general, la Ley precisa que se considera asimismo importación:
> – La autorización para consumo de bienes que se encontrasen en zonas y depósitos francos o en régimen de importación temporal fiscal, de perfeccionamiento activo fiscal, de depósito REF, así como cuando se incumplan las condiciones de vinculación a los referidos regímenes. En este caso el devengo se producirá en el momento en que los bienes salgan de las mencionadas áreas o abandonen los regímenes indicados; o en el momento en que se produzca el incumplimiento de condiciones o, si este momento no puede determinarse, en el momento en que se autorizó la entrada en las áreas o regímenes indicados.
> – La desafectación de objetos incorporados a buques y aeronaves cuya producción haya estado exenta por haber sido considerada su incorporación una operación asimilada a la exportación. En este caso el devengo se produce en el momento de la mencionada desafectación.
> – Las adquisiciones en Canarias bienes cuya producción o importación previas hubiera gozado de exención por aplicación del régimen diplomático o consular o debido a su utilización por organizaciones internacionales. En este caso el devengo se produce en el momento de tal adquisición.

Gozan de exención (artículo 73 Ley 20/1991) las importaciones definitivas de determinados tipos de combustible, de periódicos y revistas que no contengan única o exclusivamente publicidad y los objetos específicos para celíacos. También los productos de avituallamiento consumidos o a bordo de buques que realicen navegación marítima internacional, salvamento o asistencia marítima o pesca, así como los productos de avituallamiento consumidos o a bordo de aeronaves de entidades públicas o de compañías que se dediquen esencialmente a la navegación aérea internacional. También los productos de avituallamiento importados por las empresas titulares de los referidos buques y aeronaves para ser destinados a ellos.

Por otro lado, gozan de exención las importaciones de bienes que se realicen al amparo de los regímenes especiales de tránsito, importación temporal, depósito, perfeccionamiento activo y transformación bajo control aduanero, en la forma y con los requisitos que reglamentariamente se establezcan (artículo 74 Ley 20/1991). También están exentas, con carácter general (no sólo respecto de las importaciones), las entregas de los bienes destinados a ser introducidos en zona franca, depósito franco o los demás depósitos (artículo 72 Ley 20/1991).

Por otra parte, se prevén una serie de exenciones análogas a las franquicias aduaneras (bienes personales, viajeros, documentos...) por remisión a la normativa del IGIC. A fin de evitar reiteraciones, remitimos al cuadro de exenciones en las importaciones aplicables en el marco del IGIC que ofrecemos en el punto siguiente, cuadro en el que utilizaremos una columna para identificar a aquéllas que son igualmente aplicables en el marco del AIEM.

> Señalemos aquí que, en el AIEM, para las exenciones de los diferentes apartados del artículo 14.3 se exige que sean solicitadas por el interesado, en tanto que para las exenciones de los números 4, 6, 8, 9, y 10 del artículo 14 su aplicabilidad se condiciona a que los bienes importados estén comprendidos en el anexo I de la Ley canaria 4/2014.

Por lo que se refiere a las exportaciones (esto es, las salidas de mercancías del territorio canario), se declara la exención de las mismas (artículo 71 Ley 20/1991).

> Se asimilan a las exportaciones la puesta a bordo de determinados buques (de navegación marítima internacional, de salvamento o asistencia marítima o de pesca) de productos de avituallamiento, así como los objetos que se incorporen de forma permanente a tales buques tras su inscripción en el Registro de Matrícula de Buques. También se asimilan a las exportaciones las entregas de productos de avituallamiento para aeronaves de entidades públicas o de compañías que se dediquen esencialmente a la navegación aérea internacional, así como los objetos que se incorporen de forma permanente a tales aeronaves tras su inscripción en el Registro de Aeronaves. Finalmente, se asimilan a las exportaciones las entregas de bienes relativos al régimen diplomático, consular y de los organismos internacionales (artículo 71 Ley 20/1991).

En materia de exenciones interesa subrayar que buena parte de las entregas interiores de bienes están exentas, puesto que gozan de exención las entregas interiores de los bienes que se relacionan en el anexo II de la Ley canaria 4/2014 (véase su artículo 2.4). De este modo se discrimina a los productos importados, que se gravan, frente a la producción doméstica que queda en buena medida exenta, consiguiendo así un objetivo fundamental de este impuesto consistente en promover la economía local.

> La Decisión (UE) 2020/1792 establece algunos límites a la discriminación que el AIEM puede crear. Dispone que las exenciones o reducciones deben estar integradas en la estrategia de desarrollo económico y social de las islas Canarias y contribuir al fomento de las actividades locales, sin que puedan superarse dos límites: un límite de valor total absoluto, de manera que la aplicación de esta ventaja fiscal no puede superar los 150 millones de euros anuales, salvo en casos debidamente justificados; y un límite relativo, en virtud del cual la aplicación de las exenciones totales o las reducciones no puede determinar diferencias superiores al 15% en los productos comprendidos (que se enumeran en el anexo I de la Decisión). El artículo 2 de la Decisión establece los criterios de selección de los productos sobre los que intervenir, que las autoridades españolas deben comunicar a la Comisión (artículo 3).

El Decreto Ley 21/2020 de la Comunidad Autónoma de Canarias (BOE 20.03.2021) modificó la Ley canaria 4/2014 para adecuarla al contenido de la Decisión (UE) 2020/1792, dando nueva redacción a sus Anexos I y II.

En las importaciones el impuesto se devenga, con carácter general, en el momento de la admisión de la declaración para el despacho de importación (DUA), previo cumplimiento de las condiciones establecidas en la normativa aplicable, o en su defecto, en el momento de la entrada de los bienes en Canarias (artículo 75.Dos Ley 20/1991).

Junto a esta regla general, el artículo 75. Dos Ley 20/1991 fija una serie de reglas especiales, que hemos reflejado más arriba al referir cada supuesto de hecho imponible.

Será contribuyente el importador, que se define por remisión a la normativa del IGIC. En el IGIC se considera importador al destinatario de los bienes importados, sea adquirente, cesionario o propietario de los mismos, o bien consignatario que actúe en nombre propio en la importación de dichos bienes. También se considera importador al viajero respecto de los bienes que conduzca al entrar en Canarias. En los casos no comprendidos en las reglas anteriores, se considerará importador al propietario de los bienes (artículo 76 por remisión al 21 Ley 20/1991).

Se califican como responsables solidarios, de nuevo por remisión a la normativa del IGIC, a (artículo 77 por remisión al 21bis Ley 20/1991):

1. Las asociaciones garantes en los casos determinados en los Convenios internacionales.

2. Las empresas de transportes, cuando actúen en nombre de terceros en virtud de Convenios internacionales.

3. Las personas o entidades que actúen en nombre propio y por cuenta de los importadores (si actúan en nombre del importador la responsabilidad es subsidiaria).

Ahora bien, esta responsabilidad no alcanza a las deudas tributarias que se pongan de manifiesto como consecuencia de actuaciones practicadas fuera de los recintos aduaneros. No pase desapercibida la estrecha coincidencia con las normas del IVA en este punto.

Se establece un supuesto adicional de responsabilidad subsidiaria a cargo de los destinatarios que sean empresarios o profesionales, cuando debieran razonablemente presumir que el Impuesto que hubiera debido repercutirse no ha sido ni va a ser objeto de declaración e ingreso. Se considera que el destinatario debiera razonablemente presumirlo cuando haya satisfecho por los bienes un precio notoriamente anómalo (esto es, sensiblemente inferior al correspondiente a dichos bienes en las condiciones en que se ha realizado la operación o al satisfecho en adquisiciones anteriores de bienes idénticos; o sensiblemente inferior al precio de adquisición de dichos bienes por parte de quien ha efectuado su entrega).

También la base imponible se define en términos muy similares a lo que ya vimos en el caso del IVA. Así, sobre el valor en aduana se ordena añadir, en la medida que éste no los comprenda, los elementos siguientes (artículo 82 Ley 20/1991):

a) Los tributos que se devenguen con ocasión de la importación, con excepción del propio AIEM y del IGIC.

b) Los gastos accesorios y complementarios, tales como comisiones, portes, transportes y seguros, que se produzcan hasta el primer lugar de destino o de ruptura de carga.

> Se precisa a continuación que se considera 'primer lugar de destino' el que figure en el documento de transporte al amparo del cual los bienes son introducidos en Canarias. De no existir esta indicación, se considera que el primer lugar de destino es aquél en que se produce la primera desagregación o separación del cargamento en el interior de Canarias. No obstante, cuando el primer lugar de destino estuviera emplazado en cualquier isla y la entrada se efectuara por una isla diferente de la de destino, no se adicionarán al valor en aduana los gastos que tuvieran por objeto permitir el traslado de los bienes a la isla de destino.

Esta regla general sobre base imponible se completa con una serie de reglas particulares.

> Así, se establece que, en las importaciones de productos derivados del petróleo, la base imponible estará constituida por las cantidades de producto expresadas en las unidades de peso o de volumen señaladas en las tarifas a la temperatura de 15º C. Por lo demás, el AIEM se remite a las reglas de determinación de la base imponible en las importaciones del IGIC (del artículo 26 Ley 30/1991) en tres supuestos: 1) En las importaciones a consumo de bienes que previamente hubiesen estado colocados al amparo de los regímenes de importación temporal, tránsito, sistema de suspensión del régimen de perfeccionamiento activo, zona franca, depósito franco o depósito; 2) En las entregas de bienes cuya producción o importación previas hubiera gozado de exención por aplicación del régimen diplomático o consular o debido a su utilización por organizaciones internacionales; 3) En las reimportaciones de bienes que no se presenten en el mismo estado en que salieron por haber sido objeto de una reparación, trabajo, transformación o incorporación de otros bienes fuera de Canarias. Remitimos a la exposición de estas reglas que haremos más abajo, al examinar el IGIC.

Se establecen tres tipos de gravamen *ad valorem*: del 5%, del 10% y del 15%. Como hemos señalado, la fijación de estos tipos es competencia de las autoridades canarias, y actualmente se regulan en el Anexo I de la Ley canaria 4/2014. Allí encontramos una tabla en la que, para las diferentes posiciones arancelarias que quedan sujetas al impuesto —codificadas siguiendo la Nomenclatura Combinada—, se indica su designación y el tipo de gravamen aplicable, que es alguno de los tres señalados. Se establece un tipo de gravamen específico —por 1.000 litros o por tonelada— para los productos derivados del petróleo (se trata de posiciones arancelarias incluidas en las partidas 2710, 2711, 2712, 2713 y 2715).

Para el tabaco (partida 2402) se establece un tipo del 15% (Anexo I Ley 4/2014). Además, para los cigarrillos se dispone una imposición mínima, de modo que, si de la aplicación del tipo impositivo *ad valorem* resultase una cuota tributaria inferior a 18 euros por cada 1.000 cigarrillos, se aplicará, en lugar del tipo impositivo *ad valorem*, un tipo de gravamen específico de 18 euros por cada 1.000 cigarrillos (artículo 3.2 Ley 4/2014).

Se establecen reglas relativas a la devolución del impuesto a favor de viajeros que saquen los bienes gravados de Canarias (artículo 84 Ley 20/1991) y a favor de los contribuyentes que utilicen los bienes gravados para realizar, a su vez, operaciones sujetas y no exentas o bien operaciones sujetas pero exentas en razón de la expedición o exportación fuera de Canarias de los bienes de que se trate (artículo 85 Ley 20/1991). Ahora bien, esta devolución no procede respecto de las cuotas soportadas por importación cuando se trate de bienes incluidos en el Anexo II de la Ley canaria 4/2014, salvo que las mercancías se utilicen para realizar exportaciones, operaciones asimiladas a las exportaciones o respecto de mercancías destinadas a ser introducidas en zona franca, depósito franco o demás depósitos.

39.2.3. *El Impuesto General Indirecto Canario (IGIC)*

España deseaba mantener en Canarias unos tipos impositivos más reducidos y algunas particularidades en materia de imposición sobre el consumo. El IVA es un impuesto fuertemente armonizado, que no permite disponer de la flexibilidad necesaria como para hacer posible ese régimen particular. Por ese motivo España negoció, al incorporarse a la CEE, que Canarias quedase excluida del ámbito de aplicación del IVA. Así se recoge, según hemos adelantado, en el Protocolo nº 2 del Acta de Adhesión de España a la CEE, circunstancia que viene confirmada por lo dispuesto en el artículo 4 del Reglamento (CEE) 1911/91. En lugar del IVA, en Canarias se aplica el Impuesto General Indirecto Canario (IGIC), que en gran medida es un impuesto gemelo del IVA, pero con tipos de gravamen más bajos (por debajo de lo que las Directivas del IVA permitirían) y con algunas otras peculiaridades. Aquí únicamente nos interesa analizar las operaciones de importación —entrada de mercancías en Canarias—, las de exportación —salida de mercancías de Canarias— y las asimiladas a cualquiera de ellas.

NORMATIVA IGIC
Ley 20/1991, de 7 de junio, de modificación de los aspectos fiscales del Régimen Económico Fiscal de Canarias
Real Decreto 2538/1994, de 29 de diciembre, por el que se dicta normas de desarrollo relativas al Impuesto General Indirecto Canario y al Arbitrio sobre la Producción e Importación en las islas Canarias, creados por la Ley 20/1991, de 7 de junio.

NORMATIVA IGIC
Ley canaria 4/2012, de 25 de junio, de medidas administrativas y fiscales
Decreto 268/2011, de 4 de agosto, por el que se aprueba el Reglamento de gestión de los tributos derivados del Régimen Económico y Fiscal de Canarias

Comenzamos nuestro análisis examinado el hecho imponible "importación", que se define en el artículo 8 de la Ley 20/1991, a los efectos del IGIC, como la entrada de bienes en Canarias, cualquiera que sea su procedencia, el fin a que se destinen o la condición del importador. Junto a este supuesto general, se recogen otros supuestos particulares.

Así, se considera asimismo importación:

1) La autorización para el consumo en Canarias de los bienes que se encuentren en los regímenes de importación temporal, tránsito, perfeccionamiento activo —sistema de suspensión— o depósito, así como en zonas y depósitos francos.

2) La desafectación de los buques —y, en su caso, de los objetos incorporados o utilizados a bordo de los mismos— de los fines militares, de la navegación marítima internacional, el salvamento o la asistencia marítima o de la pesca cuando la entrada de los mismos en Canarias hubiera gozado de exención. Análogamente, la desafectación de las aeronaves y, en su caso, de los objetos incorporados o utilizados a bordo de las mismas, de las compañías que se dediquen esencialmente a la navegación aérea internacional, cuando su entrada en Canarias hubiera gozado de exención.

3) El cambio de las condiciones en virtud de las cuales se hubiese aplicado la exención del IGIC a las entregas o transformaciones de los buques, de las aeronaves y de los objetos incorporados o utilizados para su explotación. Estas operaciones, al igual que las del apartado (2) anterior, no supondrán realización del hecho imponible cuando se produzcan una vez hayan transcurrido quince años desde la realización de las importaciones o entregas que gozaron de exención.

4) Las adquisiciones realizadas en Canarias de los bienes cuya entrega o importación previas se hubiesen beneficiado de la exención en atención a su realización en el marco de relaciones diplomáticas y consulares o por destinarse a organizaciones internacionales, o bien obsequios ocasionales en el marco de visitas oficiales o bienes usados o consumidos durante su estancia en Canarias por Jefes de Estado. Todo ello, salvo que el adquirente exporte o expida inmediata y definitivamente dichos bienes.

En los supuestos 2, 3 y 4 el devengo se produce en el momento de la desafectación, el cambio de condiciones o las adquisiciones, respectivamente.

De forma análoga a lo que ocurre en el IVA, la Ley 20/1991 regula un gran número de exenciones en relación con las operaciones de importación. Como en el IVA, se trata en muchos casos de exenciones que extienden una franquicia aduanera a la imposición sobre el consumo. En el cuadro que sigue relacionamos las exenciones a la importación que regula el artículo 14 de la Ley 20/1991. Añadimos una tercera columna que utilizamos para indicar si la exención se extiende también al AIEM (lo señalamos mediante el signo "X").

Artículo	Exención a la importación	Aplicable al AIEM
14.1.1º	La sangre, fluidos, tejidos y otros elementos del cuerpo humano para fines médicos o de investigación	
14.1.2º	Buques de guerra, buques afectos esencialmente a la navegación marítima internacional, exclusivamente al salvamento, a la asistencia marítima o a la pesca costera, así como los objetos incorporados a ellos o que se destinen a ser utilizados a bordo de los mismos. No se extiende a las embarcaciones deportivas o de recreo	
14.1.3º	Aeronaves destinadas a ser utilizadas por entidades públicas para fines públicos y las utilizadas exclusivamente por las compañías que se dediquen esencialmente a la navegación aérea internacional; los objetos incorporados a ellas o que se utilicen para su explotación, situados a bordo de las mismas.	
14.1.4º	Productos de avituallamiento que se hayan consumido o se encuentren a bordo de los buques afectos a la navegación marítima internacional, al salvamento, la asistencia marítima o la pesca	
14.1.5º	Productos de avituallamiento que se hayan consumido o se encuentren a bordo de las aeronaves utilizadas por entidades públicas para fines públicos y las utilizadas exclusivamente por las compañías que se dediquen esencialmente a la navegación aérea internacional	
14.1.6º	Productos de avituallamiento que se importen por las empresas titulares de la explotación de los buques (que realicen navegación marítima internacional, afectos al salvamento o a la asistencia marítima, o afectos a la pesca costera y de altura) y aeronaves (utilizadas por entes públicos para fines públicos o utilizadas exclusivamente por compañías que se dediquen esencialmente a la navegación aérea internacional) y para ser destinados exclusivamente a los mencionados buques y aeronaves	
14.1.7º	Dinero de curso legal	
14.1.8º	Títulos valores	
14.1.9º	Obras originales, importadas por sus autores, consistentes en pinturas y dibujos realizados a mano, esculturas, grabados, estampas y litografías	
14.2	Oro por el Banco de España o por entidades financieras, en determinadas circunstancias	
14.3.1º	Bienes personales con ocasión del cambio de residencia	X
14.3.2º	Bienes personales con ocasión del cambio de residencia por matrimonio	X
14.3.3º	Bienes personales adquiridos por causa de muerte	X

Artículo	Exención a la importación	Aplicable al AIEM
14.3.4º	Bienes personales de un particular para amueblar su segunda residencia	X
14.3.5º	Efectos personales y mobiliario de estudiantes que cambien de residencia	X
14.3.6º	Determinados bienes importados sin carácter comercial	X
14.3.7º	Envíos a sujetos autorizados de materias referenciadas por la OMS utilizadas para la fabricación de medicamentos	
14.3.8º	Determinados bienes importados en concepto de obsequio y con carácter ocasional	X
14.3.9º	Bienes destinados a ser usados o consumidos por Jefes de Estado durante su permanencia en Canarias	X
14.3.10º	Bienes donados al Rey de España	X
14.3.11º	Determinados bienes importados por entes de fines caritativos o filantrópicos	X
14.3.12º	Determinados bienes importados por entidades de asistencia a minusválidos	X
14.3.13º	Determinadas importaciones gratuitas por centros de enseñanza o de investigación	
14.3.14º	Sustancias terapéuticas de origen humano y reactivos para determinación del grupo sanguíneo	
14.3.15º	Productos farmacéuticos para competiciones deportivas	
14.3.16º	Muestras sin valor estimable	X
14.3.17º	Impresos de carácter publicitario	X
14.3.18º	Objetos de carácter publicitario sin valor comercial, remitidos gratuitamente	X
14.3.19º	Determinados bienes destinados a una exposición o manifestación	X
14.3.20º	Bienes de inversión de empresas que trasladen su actividad a Canarias	X
14.3.21º	Bienes que hayan de ser objeto de examen, análisis o ensayos	X
14.3.22º	Marcas, modelos o dibujos para solicitud de patentes o similares	
14.3.23º	Bienes destinados a la alimentación o acondicionamiento de animales en ruta	X
14.3.24º	Carburantes en depósitos de vehículos, con limitaciones	X
14.3.25º	Bienes destinados a monumentos decorativos o cementerios militares extranjeros	
14.3.26º	Determinados objetos fúnebres	

Artículo	Exención a la importación	Aplicable al AIEM
14.3.27º	Bienes contenidos en los equipajes de los viajeros, con limitaciones	X
14.3.28º	Pequeños envíos, sin contraprestación, entre particulares	X
14.3.29º	Publicaciones oficiales e impresos de propaganda turística	X
14.3.30º	Soportes de imágenes para prensa	
14.3.31º	Materiales audiovisuales de carácter educativo, científico o cultural de la ONU	
14.3.32º	Objetos de arte o de colección para su exposición	
14.3.33º	Objetos probatorios en procesos	X
14.3.34º	Determinados documentos e impresos	X
14.3.35º	Signos de franqueo, efectos estancados y efectos timbrados	
14.3.36º	Impresos, boletos y cupones de juegos de azar organizados por LAE, ONCE y CCAA	X
14.4	Reimportación de bienes en el mismo estado por quien sacó las mercancías de Canarias	X
14.5	Reimportación de bienes transformados en la UE, cuando la transformación haya sido gravada por el IVA sin derecho a deducción o devolución	
14.6	Productos de la pesca, sin transformación, introducidos por los armadores de los buques desde los que se hayan capturado	X
14.7	Prestaciones de servicios incluidas en la base imponible del IGIC a la importación	
14.8	Importaciones en régimen diplomático o consular	X
14.9	Importaciones por organismos internacionales reconocidos, y su personal	X
14.10	Importaciones al amparo de Convenios Internacionales vigentes en España de cooperación cultural, científica o técnica	X
14.11	Importaciones de bienes de escaso valor (hasta 150 euros). Se excluyen: productos alcohólicos (códigos NC 22.03 a 22.08), perfumes, aguas de colonia y el tabaco en rama o manufacturado	
14.12	Importaciones de material militar para las Fuerzas Armadas	

Junto a las exenciones relacionadas en el cuadro anterior, se establecen una serie de exenciones en relación con determinados regímenes aduaneros (artículo 15 Ley 20/1991).

Se trata de las importaciones en los regímenes de tránsito, de importación temporal, del régimen de perfeccionamiento activo (sistema de suspensión); de bienes que se coloquen en zonas o depósitos francos o en régimen de depósito (mientras no se utilicen ni consuman); prestaciones de servicios —incluidas las de transporte y accesorias— relacionadas con los regímenes referidos; prestaciones de servicios realizadas por intermediarios que actúen en nombre y por cuenta de terceros que intervengan en las operaciones anteriores.

El IGIC a la importación se devenga cuando el importador solicite la importación, es decir, con carácter general, cuando presente la declaración aduanera (DUA). Si esa solicitud no se produce en plazo, el IGIC se entenderá devengado en el momento de la entrada efectiva de las mercancías en Canarias (artículo 18 Ley 20/1991).

Junto a esta regla general se establecen una serie de supuestos particulares. Así, el devengo se producirá en el momento en que se solicite la importación definitiva de los bienes que se encuentren en los regímenes o situaciones de tránsito, importación temporal, perfeccionamiento activo —sistema de suspensión—, zona franca, depósito franco o depósitos. También se producirá el devengo en el momento en que se incumplan los requisitos a que se condiciona la concesión de cualquiera de los regímenes referidos o, si se desconoce cuál fue este momento, en el momento en que se autorizó la inclusión en ellos. Más arriba hemos señalado otros supuestos de devengo al hilo de la exposición de los hechos imponibles a los que se refieren.

La regulación de los sujetos es coincidente con la del AIEM, puesto que, de hecho, el AIEM se remite a la regulación al respecto del IGIC. Recordemos, pues, que será contribuyente el importador, esto es, el destinatario de los bienes importados, sea adquirente, cesionario o propietario de los mismos, o bien consignatario que actúe en nombre propio en la importación de dichos bienes. También se considera importador al viajero respecto de los bienes que conduzca al entrar en Canarias. En los casos no comprendidos en las reglas anteriores, se considerará importador al propietario de los bienes. Por su parte, se califica como responsables solidarios a:

1. Las asociaciones garantes en los casos determinados en los Convenios internacionales.

2. Las empresas de transportes, cuando actúen en nombre de terceros en virtud de Convenios internacionales.

3. Las personas o entidades que actúen en nombre propio y por cuenta de los importadores (si actúan en nombre del importador la responsabilidad es subsidiaria).

Tal y como hemos destacado respecto del AIEM, esta responsabilidad no alcanza a las deudas tributarias que se pongan de manifiesto como consecuencia de actuaciones practicadas fuera de los recintos aduaneros.

Tanto en el caso del AIEM como del IGIC se establece un supuesto adicional de responsabilidad subsidiaria a cargo de los destinatarios que sean empresarios o profesionales, cuando debieran razonablemente presumir que el Impuesto que hubiera debido repercutirse no ha sido ni va a ser objeto de declaración e ingreso. Se considera que el destinatario debiera razonablemente presumirlo cuando haya satisfecho por los bienes un precio notoriamente anómalo (esto es, sensiblemente inferior al correspondiente a dichos bienes en las condiciones en que se ha realizado la operación o al satisfecho en adquisiciones anteriores de bienes idénticos; o sensiblemente inferior al precio de adquisición de dichos bienes por parte de quien ha efectuado su entrega).

Pasamos ya a ocuparnos de la base imponible en las importaciones, que se regula en los artículos 25 (regla general) y 26 (reglas especiales) de la Ley 20/1991. La regla general, al igual que hemos señalado para el AIEM, sigue estrechamente a la del IVA. De este modo, los componentes de la base imponible son:

- El valor en aduana de las mercancías.

- Los tributos que se devenguen con ocasión de la importación, con excepción del propio IGIC y del AIEM.

- Los gastos accesorios y complementarios, tales como comisiones, embalajes, portes, transportes y seguros, que se produzcan desde la entrada en Canarias hasta el primer lugar de destino.

Se precisa a continuación que se considera 'primer lugar de destino' el que figure en el documento de transporte al amparo del cual los bienes son introducidos en Canarias. De no existir esta indicación, se considera que el primer lugar de destino es aquél en que se produce la primera desagregación o separación del cargamento en el interior de Canarias. No obstante, cuando el primer lugar de destino estuviera emplazado en cualquier isla y la entrada se efectuara por una isla diferente de la de destino, no se adicionarán al valor en aduana los gastos que tuvieran por objeto permitir el traslado de los bienes a la isla de destino.

La regla general expuesta se aplica también respecto de las reimportaciones de bienes que hayan sido objeto de transformación en el exterior (es decir, se grava su total valor en aduana, además de tributos y gastos accesorios, si bien cabría aplicar, por otra parte, la deducción derivada del régimen de perfeccionamiento pasivo). La regla general rige, asimismo, respecto de bienes introducidos desde fuera de Canarias, colocados a su introducción al amparo de determinados regímenes suspensivos (importación temporal, tránsito, perfeccionamiento activo —sistema de suspensión—, zona franca, depósito franco o depósito) y que posteriormente se importan a consumo. Ahora bien, en estos supuestos, sobre la cantidad resultante deberá añadirse el importe de los servicios exentos relativos a las mercancías, prestados durante su permanencia en los regímenes suspensivos.

Junto a la regla general expuesta se establecen una serie de reglas especiales para otros supuestos en los que las mercancías hubiesen estado previamente incluidas en alguno de los regímenes suspensivos que acabamos de mencionar.

Así, si se trata de bienes originarios de Canarias que se colocaron al amparo de los referidos regímenes suspensivos, gozando por ello de exención, y que posteriormente salen de estos regímenes a consumo, la base imponible será la suma de las contraprestaciones de dicha entrega y de los servicios exentos directamente relacionados con la misma.

Si los bienes que salen a consumo estuvieran constituidos, en parte por bienes introducidos desde fuera de Canarias y en parte por bienes originarios de Canarias, la base imponible será la suma de la que corresponda a cada una de esas partes.

Si los bienes que salen a consumo fueran originarios de Canarias y no hubiesen sido objeto de una entrega previa, la base imponible estará constituida exclusivamente por la que corresponda a los bienes —componentes— que sí hubieran gozado de exención, aplicando la regla que corresponda de las anteriores, según sean originarios de Canarias o no.

Se establece asimismo una regla particular para los supuestos en que las mercancías importadas hubiesen sido objeto de una o varias entregas encontrándose al amparo de los regímenes suspensivos indicados. Esta regla supone gravar la contraprestación satisfecha por el bien importado y por todos los bienes que se le hayan incorporado al mismo gozando de exención del IGIC, así como los servicios exentos que se hayan prestado durante la permanencia de los bienes en el régimen suspensivo. Sobre estos componentes aún deben añadirse los tributos a la importación —salvo IGIC y AIEM— y los gastos accesorios (tales como comisiones, embalajes, portes, transportes y seguros, que se produzcan desde la entrada en Canarias hasta el primer lugar de destino), en las mismas condiciones vistas para la regla general. Se establece, además, la cautela conforme a la cual la contraprestación que se tome en consideración no puede ser inferior al valor en aduana del bien de que se trate.

Veamos un ejemplo de este último caso. Supongamos que se importa una máquina y se introduce en una zona franca (al introducirse en una zona franca gozaría de exención). Estando en la zona franca, se importa un módulo que se acopla a la máquina, para lo cual se realizan unos trabajos. El módulo se beneficia de exención por colocarse en zona franca, al igual que los servicios consistentes en acoplar el módulo en la máquina. La base imponible a la salida de la máquina transformada sería: la contraprestación pagada por la máquina, más la contraprestación pagada por el módulo (ninguna de estas dos contraprestaciones puede ser inferior al valor en aduana de la máquina y el módulo, respectivamente), más la contraprestación pagada por los trabajos para acoplar el módulo en la máquina, más los tributos a la importación y gastos accesorios.

Por lo que hace a los tipos de gravamen, se aplican a las importaciones los mismos tipos que a las entregas interiores de los bienes de que se trate. Corresponde a las autoridades canarias regular los tipos de gravamen del IGIC. Actualmente esta regulación se contiene en los artículos 51 a 61 de la Ley canaria 4/2012, que ha sido objeto de modificaciones posteriores. Se disponen en estos preceptos siete tipos de gravamen: el tipo 0%, el 3%, el 7%, el 9,5%, el 15% y el 20% (artículo 51 Ley canaria 4/2012). El tipo del 0% se aplica, entre otros, a las aguas; determinados alimentos básicos; medicamentos de uso humano; libros, periódicos y revistas; productos grabados por medios magnéticos u ópticos de utilización educativa o cultural, bajo determinadas condiciones; petróleo y derivados de su refino; biodiesel, bioetanol y biometanol; energía eléctrica (artículo 52 Ley canaria 4/2012). El tipo del 3% se aplica a las industrias y productos que enumera el artículo 54 de la Ley canaria 4/2012. El tipo del 7% es el tipo general, que se aplica a todos aquellos bienes para cuya entrega —importación— no se haya previsto expresamente otro tipo. El tipo del 9,5% se aplica respecto de determinados servicios en relación con ciertos vehículos, embarcaciones y aeronaves (artículo 55 Ley canaria 4/2012). El tipo del 15% se aplica, entre otros, a cigarros, bebidas, joyas, armas y cartuchos, perfumes, prendas de piel, relojes y películas X (artículo 56 Ley canaria 4/2012). El tipo del 20% se aplica a las labores del tabaco distintas de los cigarros puros (artículo 57 Ley canaria 4/2012). El tipo de gravamen de los vehículos depende de su tipología (véase el artículo 59 Ley canaria 4/2012), al igual que en el caso de los buques, embarcaciones y artefactos navales (véase el artículo 60 Ley canaria 4/2012) y que en el caso de los aviones, avionetas y demás aeronaves (véase el artículo 61 Ley canaria 4/2012).

Dado que se regula un régimen especial de comerciante minorista, cuando el importador tenga tal carácter se le aplicará un recargo sobre el tipo que corresponda del IGIC, conforme a la tabla que sigue.

Tipos de gravamen IGIC	
Tipo de gravamen de las importaciones	*Recargo comercio minorista*
0	0
3	0,3
7	0,7
9,5	0,95
15	1,5
20	2

Ya sólo nos resta referirnos a las exenciones previstas para las exportaciones y operaciones asimiladas a ellas. Esta materia se regula en los artículos 11 y 12 de la Ley 20/1991. Conforme a ellos, se declara la exención de las siguientes operaciones:

- Entregas de bienes expedidos al resto de la UE o exportados definitivamente, ya sea por el adquirente, por el transmitente o por un tercero en nombre y por cuenta de cualquiera de ellos.

  La exención se sujeta a condiciones cuando se trata de entregas de bienes a viajeros residentes fuera de Canarias. Por otro lado, la exención no comprende las entregas de bienes destinados al equipamiento o avituallamiento de embarcaciones deportivas o de recreo, de aviones de turismo o de cualquier medio de transporte de uso privado del adquirente.

- Prestaciones de servicios consistentes en trabajos realizados sobre bienes muebles adquiridos en Canarias o importados para ser objeto de dichos trabajos en Canarias y seguidamente expedidos al resto de la UE o exportados definitivamente.

- Entregas de bienes a organismos debidamente reconocidos que los expidan al resto de la UE o los exporten definitivamente en el marco de sus actividades humanitarias, caritativas o educativas.

  Esta exención requiere su previo reconocimiento. Si quien entrega los bienes es un Ente Público o un establecimiento privado de carácter social, podrá solicitar en el plazo de tres meses a la Administración Tributaria Canaria la devolución del IGIC soportado que no haya podido deducirse totalmente.

- Prestaciones de servicios, incluidas las de transporte y operaciones accesorias, distintas de las que gozan de exención como operación interior, cuando estén directamente relacionadas con las exportaciones o con los envíos de bienes al resto de la UE.

- Prestaciones de servicios realizadas por intermediarios que actúen en nombre y por cuenta de terceros, cuando intervengan en las operaciones de exportación exentas o en las realizadas fuera de Canarias.

  Esta exención no se aplica a los servicios de mediación de las agencias de viajes que contraten en nombre y por cuenta del viajero prestaciones que se efectúen en el resto de la UE.

Por otro lado, sintetizamos en el cuadro que sigue las exenciones en operaciones asimiladas a las exportaciones (artículo 12 Ley 20/1991).

Artículo	Exenciones en operaciones asimiladas a las exportaciones
12.1	Entregas, construcciones, transformaciones, reparaciones, mantenimiento, fletamento total o arrendamiento de los buques de guerra, de los afectos a la navegación marítima internacional y de los destinados exclusivamente al salvamento, asistencia marítima o pesca costera y de altura. También las entregas, arrendamientos, reparación y conservación de los objetos, incluso los equipos de pesca, incorporados a los citados buques. Se exceptúan de la exención las operaciones relativas a los buques deportivos o de recreo
12.2	Las entregas de productos de avituallamiento puestos a bordo de los buques: 1) que realicen navegación marítima internacional; 2) los afectos al salvamento o a la asistencia marítima; 3) los afectos a la pesca costera y de altura, sin que la exención se extienda a las provisiones de a bordo.

Artículo	Exenciones en operaciones asimiladas a las exportaciones
12.3	Entregas, construcciones, transformaciones, reparaciones, mantenimiento, fletamento total o arrendamiento de las aeronaves utilizadas por entidades públicas para fines públicos y las utilizadas exclusivamente por las compañías que se dediquen esencialmente a la navegación aérea internacional. También las entregas, reparaciones, mantenimiento y arrendamiento de los bienes incorporados en las citadas aeronaves o que se utilicen para su explotación situados a bordo de las mismas
12.4	Entregas de productos destinados al avituallamiento de las aeronaves referidas arriba, bajo determinados requisitos
12.5	Prestaciones de servicios distintas de las ya relacionadas arriba realizadas para atender las necesidades directas de los buques y aeronaves referidos arriba y de su cargamento.
12.6	Entregas de bienes y prestaciones de servicios realizadas en el marco de las relaciones diplomáticas y consulares
12.7	Las entregas de bienes y las prestaciones de servicios destinadas a los Organismos internacionales reconocidos, o a los diplomáticos de dichos organismos o a su personal técnico y administrativo.
12.8	Entregas de oro al Banco de España
12.9	Las entregas de oro en lingotes destinados a su depósito en entidades financieras para que sirva de respaldo a la emisión de certificados acreditativos de tales depósitos
12.10	Las prestaciones de servicios realizadas por intermediarios que actúen en nombre y por cuenta de terceros cuando intervengan en las operaciones asimiladas a las exportaciones
12.11	Los transportes de viajeros y sus equipajes por vía marítima o aérea, de Canarias al exterior o del exterior a Canarias
12.13 y 12.14	Determinadas entregas de bienes y prestaciones de servicios en el marco de la OTAN

39.2.4. Los Impuestos Especiales en las islas Canarias

Los Impuestos Especiales de fabricación en Canarias
En Canarias no se aplican los IIEE siguientes: – Impuesto Especial sobre el Vino y Bebidas Fermentadas – Impuesto Especial sobre Hidrocarburos – Impuesto Especial sobre las Labores del Tabaco

Los Impuestos Especiales de fabricación en Canarias
En Canarias se aplican, pero con especialidades, los IIEE siguientes: – Impuesto Especial sobre la Cerveza – Impuesto Especial sobre los Productos Intermedios – Impuesto Especial sobre el Alcohol y Bebidas Derivadas
En Canarias se aplica, en las mismas condiciones que en el resto del territorio nacional, el... – Impuesto Especial sobre la Electricidad
En Canarias se aplican los IIEE propios siguientes: – Impuesto Especial sobre el Tabaco – Impuesto Especial sobre Combustibles Derivados del Petróleo

Los Impuestos Especiales de Fabricación son impuestos armonizados en la UE. España deseaba aplicar en Canarias estos impuestos, pero a unos tipos más reducidos, de nuevo para atender a su realidad insular y periférica, pero ello no era posible en el contexto de la armonización de los mismos.

Tipos impositivos en Canarias IIEE Alcohol y Bebidas alcohólicas	

Impuesto sobre Productos Intermedios
    Grado volumétrico adquirido no superior al 15% vol.
    Los demás
	
	30,14 €/hectólitro
	50,21 €/hectólitro

Impuesto sobre el Alcohol y Bebidas Derivadas	750,36 €/hectólitro de alcohol puro
Impuesto sobre la Cerveza	Tipos generales artículo 26

Por este motivo se optó por mantener a Canarias fuera del ámbito de los IIEE de fabricación armonizados, a pesar que la normativa aplicable es fundamentalmente la misma para algunos de ellos, salvo por lo que hace a tipos de gravamen. Dejar a Canarias fuera del ámbito del impuesto armonizado comporta que las operaciones con productos sujetos a IIEE que circulen entre Canarias y el resto del territorio de la UE no se sometan al régimen de circulación previsto por las normas armonizadoras, sino que se asimilan a las operaciones de importación/exportación. Como consecuencia de lo anterior, los depositarios autorizados establecidos en Canarias no pueden recibir productos en régimen suspensivo directamente desde otros Estados miembros y en Canarias no pueden utilizarse las categorías de depósito de recepción, destinatario registrado, entrega directa, envíos garantizados, expedidor registrado, receptor autorizado, representante fiscal o ventas a distancia [artículo 23.12 Ley 38/1992, de IIEE].

Así, la introducción en Canarias desde otros países de la UE de cerveza, productos intermedios, alcohol o bebidas derivadas, supone la realización del hecho imponible del IIEE respectivo, siendo sujeto pasivo quien realice la introducción en Canarias (artículo

23.1 y 23.3 Ley IIEE). Sí se permite, en cambio, que las mercancías se introduzcan en régimen suspensivo si van destinadas directamente a una fábrica o depósito fiscal (artículo 23.2 Ley IIEE). De forma simétrica, la salida desde Canarias a otro Estado de la UE de mercancías por las que se haya abonado el IIEE en Canarias permitirá obtener la devolución del impuesto satisfecho, gravándose las mercancías en los países de destino.

Por otra parte, en Canarias se establecen tipos de gravamen más reducidos que los que rigen en el resto del territorio nacional para los IIEE sobre Productos Intermedios y sobre el Alcohol y Bebidas Derivadas. Ello obliga a articular una serie de medidas en el tráfico de estas mercancías entre Canarias y el resto del territorio nacional. Si mercancías gravadas en Canarias se introducen en el resto del territorio nacional, se liquidará la diferencia entre el impuesto exigido en Canarias y el que resulte aplicable en el resto del territorio nacional (artículo 23.8 Ley IIEE). Si, por el contrario, mercancías gravadas en el resto del territorio nacional se introducen en Canarias, se devolverá la diferencia entre el impuesto exigido en el resto del territorio nacional y el que resulte aplicable en Canarias [artículo 23.10(a) Ley IIEE]. Tanto la liquidación como la devolución se practicarán a partir de los datos del DUA correspondiente. Finalmente debe anotarse que, si los productos se envían a Canarias —fuera del régimen suspensivo— directamente desde fábricas o depósitos fiscales localizados en el resto del territorio nacional, los tipos de gravamen aplicables serán los establecidos para Canarias (artículo 23.7 Ley IIEE).

El hecho de que Canarias no se integre en el ámbito del impuesto armonizado obliga, asimismo, a adoptar una serie de medidas técnicas en relación con la exención aplicable a los pequeños envíos, el régimen de viajeros (artículo 21.3 Ley IIEE), las entregas en el marco de relaciones consulares, avituallamiento de barcos y aeronaves, fabricación de medicamentos, la introducción de alcohol que se destine a ser naturalizado, ventas en tiendas libres de impuestos (artículo 4.31 Ley IIEE) ... Se trata de proyectar sobre estas exenciones el hecho de que no puede aplicarse, respecto a Canarias, la normativa de la UE relativa a la circulación intracomunitaria.

En general, la introducción en Canarias de productos sujetos al IIEE sobre la Cerveza, sobre los Productos Intermedios y sobre el Alcohol y Bebidas Derivadas quedará exenta cuando esa misma introducción hubiera resultado exenta en caso de producirse en el resto del territorio nacional (artículo 23.9(a) Ley IIEE, que a su vez remite a los artículos 9, 21 y 42 Ley IIEE). Por otro lado, los productos canarios que se expidan desde Canarias a otros Estados miembros de la UE gozarán de exención y, en caso de que los productos se encontrasen en Canarias en régimen suspensivo, consolidarán la exención con ocasión de su envío a otros Estados miembros de la UE [artículo 23.10(b) y 23.9(b) Ley IIEE]. Téngase en cuenta que la entrada en esos otros Estados miembros será tratada como una importación y, por tanto, sujeta, por lo que tiene pleno sentido que la salida desde Canarias sea tratada como una exportación y que, en consecuencia, no se exija el Impuesto.

Las especialidades relativas a Canarias en el artículo 23 de la Ley 38/1992, de IIEE, se completan con una serie de supuestos de infracción grave en materia de tráfico de productos sujetos a los IIEE sobre la Cerveza, los Productos Intermedios, el Alcohol y las Bebidas Derivadas. Si se introducen estos productos en Canarias incumpliendo las normas establecidas, tanto legales como reglamentarias, se establece una sanción de multa del tanto al triple de las cuotas que corresponderían a las cantidades de productos introducidos. La misma sanción se establece para la introducción en el resto del territorio nacional desde Canarias de estos productos, con incumplimiento de las normas establecidas.

Por lo demás, recogemos en la tabla que sigue las especialidades que rigen respecto a Canarias en el resto del articulado de la Ley 38/1992, de IIEE.

Normas específicas para Canarias en la Ley 38/1992, de IIEE	
Artículo	*Medida*
Impuestos Especiales de Fabricación	
3	Ámbito territorial de los IIEE - IIEE que se aplican y que no se aplican en Canarias.
4.7 y 4.30	Canarias no forma parte del territorio de los IIEE armonizados
4.31	Ventas en tiendas libres de impuestos a viajeros con destino a Canarias
21.3	Ventas de bebidas alcohólicas en tiendas libres de impuestos a viajeros con destino a Canarias no gozan de exención
23	Especialidades Canarias en los IIEE de fabricación
40.2(a) y (b)5º	Tipo gravamen aplicable a la destilación artesanal
40.4	Tipo de gravamen a la introducción en Canarias de bebidas derivadas fabricadas en otros Estados miembros por pequeños destiladores
41	Tipo de gravamen en el régimen cosechero
Impuesto Especial sobre Determinados Medios de Transporte	
65.1(a)1º	Impuesto Especial sobre Determinados Medios de Transporte, presunción de afectación
65.1(a)8º	Vehículos mixtos adaptables, presunción de afectación
65.2(b)	Consideración de un vehículo como nuevo
70.2(b)	Tipos impositivos del Impuesto Especial sobre Determinados Medios de Transporte
70.4	Introducción en Canarias de vehículos matriculados en Ceuta y Melilla

Normas específicas para Canarias en la Ley 38/1992, de IIEE	
Artículo	**Medida**
70.5	Introducción en el resto del territorio nacional de vehículos matriculados en Canarias
70.6	Régimen en caso de cambio de residencia, con determinados requisitos
74	Ingreso para la Hacienda canaria
Impuesto Especial del sobre el Carbón	
76	No aplicación en Canarias del Impuesto Especial del sobre el Carbón
78.2(b)	Impuesto Especial sobre el Carbón, no sujeción de los envíos a Canarias que se documenten

Por otro lado, aunque en Canarias no son de aplicación los IIEE sobre las Labores del Tabaco ni sobre los Hidrocarburos (artículo 3 Ley 38/1992), la Comunidad Autónoma canaria ha creado sus propios Impuestos para gravar estos productos. Así, por lo que hace a las **labores del tabaco**, es la Ley canaria 1/2011 (BOC 25.01.2011, con modificaciones posteriores) la que crea el impuesto autonómico. Conforme a sus artículos 3 y 4 el hecho imponible consiste en la fabricación o importación de labores del tabaco, definiendo la importación como la entrada de labores del tabaco en el territorio canario, cualquiera que sea su procedencia, el fin a que se destinen o la condición del importador. Las labores del tabaco comprenden a los cigarros y los cigarritos, los cigarrillos, la picadura para liar y los demás tabacos para fumar. El artículo 6 regula las exenciones, y comprende las siguientes:

- Entregas de tabaco en el marco de las relaciones diplomáticas o consulares, así como a organizaciones internacionales.

- Entregas de tabaco a las fuerzas armadas de cualquier Estado parte de la OTAN, salvo de España

- Provisiones a bordo de los buques o aeronaves que realicen navegación marítima o aérea internacional.

- Tabaco destinado a la desnaturalización en fábricas y depósitos del impuesto para su posterior utilización en fines industriales o agrícolas.

- Tabaco destinado a la realización de análisis científicos o relacionados con la calidad de las labores de tabaco, desde fábricas o depósitos del impuesto.

- Tabaco destinado a ser entregado en las tiendas libres de impuestos y transportado en el equipaje personal de los viajeros que se trasladen por vía aérea o marítima fuera de Canarias.

- Importaciones de labores del tabaco conducidas personalmente por los viajeros mayores de 18 años (con límites cuantitativos: 200 cigarrillos, o 100 cigarritos, o 50 cigarros, o 250 gramos de las restantes labores del tabaco); y los pequeños envíos expedidos, con carácter ocasional, por un particular con destino a otro particular (con límites cuantitativos: 50 cigarrillos, o 25 cigarritos, o 10 cigarros, o 50 gramos de las restantes labores del tabaco).

- Las fabricaciones de cigarros y cigarritos hechos a mano y las de los cigarros y cigarritos mecanizados de capa natural que incorporen determinadas marcas de calidad.

En las importaciones el devengo se produce, con carácter general, cuando los importadores las soliciten, previo cumplimiento de las condiciones establecidas en la legislación aplicable. Por tanto, en el supuesto general el impuesto se devenga cuando se presenta el correspondiente DUA.

> Junto a esta regla general se establecen una serie de normas particulares. Así, si el DUA no se presenta en el plazo que se determine, el Impuesto se entenderá devengado en el momento de la entrada efectiva de las labores del tabaco en Canarias. Por otro lado, si las labores del tabaco se destinan directamente a su introducción en una fábrica o a un depósito del Impuesto, la importación se producirá en régimen suspensivo, y el devengo tendrá lugar en el momento de la salida de los mismos. En los supuestos de importaciones vinculadas a los regímenes aduaneros suspensivos, el devengo se producirá cuando se ultimen dichos regímenes dentro de Canarias, salvo que los productos se vinculen a otro de estos regímenes, o se reexporten fuera de Canarias. Se contemplan asimismo reglas particulares de devengo en materia de circulación de mercancías en régimen suspensivo, en supuestos de pérdidas, irregularidades o inobservancia de obligaciones (apartados 5 y 6 del artículo 7.1).
>
> El Apéndice XIV de la Resolución del DUA establece las normas para cumplimentar el DUA en caso de mercancías sujetas al Impuesto sobre las Labores del Tabaco aplicable en Canarias.

El contribuyente en las importaciones será el importador, entendiéndose por tal a los destinatarios (ya sean como adquirentes, cesionarios, propietarios o bien consignatarios que actúen en nombre propio) y a los viajeros respecto de los productos que conduzcan al entrar en Canarias. Por otro lado, se califica como responsables solidarios en la importación a quienes tengan esta consideración conforme a la normativa del IGIC y, también, a quienes posean labores de tabaco, sin poder acreditar adecuadamente que han sido importadas o adquiridas a un titular de fábrica, de depósito del impuesto o del derecho a comercializar la labor de tabaco.

El impuesto debe repercutirse por el contribuyente, mediante factura desglosada, a los adquirentes de las labores de tabaco, quedando estos obligados a soportarlas.

Cuando el tipo de gravamen sea *ad valorem*, la base imponible se determina a partir del precio de venta al público del tabaco, sin incluir el propio impuesto ni el IGIC.

Cuando el tipo de gravamen sea específico, la base imponible se determina en función del número de unidades de producto o cantidad

Los tipos de gravamen se regulan en el artículo 12 de la Ley 1/2011 y han sido objeto de diversas modificaciones. Distinguen según la labor del tabaco de que se trate.

La salida del tabaco del territorio canario —'exportación'— genera el derecho a la devolución del impuesto que se hubiera ingresado (artículo 13 Ley 1/2011).

Por lo que hace a los **combustibles derivados del petróleo**, la Comunidad de Canarias ha regulado un impuesto especial propio sobre estos productos mediante la Ley canaria 5/1986 (BOC 90, de 01.08.1986; esta ley ha sido objeto de diversas modificaciones posteriores). Se gravan por él las entregas mayoristas de los citados combustibles, cuando su consumo se realice en Canarias. Son contribuyentes los comerciantes mayoristas de productos derivados del petróleo gravados, en tanto que se califican como sustitutos del contribuyente a los titulares de los depósitos fiscales. Del impuesto responden solidariamente quienes posean o comercien los productos gravados o los transporten, cuando no justifiquen su procedencia o empleo en la forma debida. El impuesto se devenga en el momento de la entrega de los bienes por los comerciantes mayoristas (salvo que la entrega se efectúe para introducir directamente los bienes gravados en un depósito fiscal, cuya titularidad no sea del comerciante mayorista, en cuyo caso el impuesto se devengará en el momento de salida del depósito) y debe repercutirse a los adquirentes. El impuesto es específico, en función del peso o volumen y los tipos de gravamen se establecen en el artículo 9. La salida de los productos de Canarias —'exportación'— goza de exención y, en su caso, dará derecho a obtener la devolución de los importes ingresados (artículos 10, 11 y 12).

RÉGIMEN DE CEUTA Y MELILLA

ÍNDICE

40 Régimen de Ceuta y Melilla

40.1. RÉGIMEN ADUANERO DE CEUTA Y MELILLA

40.1.1. Ceuta y Melilla y la Unión Aduanera

Conforme al Protocolo nº 2 del Acta de Adhesión de España a la CEE (DO L 302, edición especial, de 15.11.1985), ni Ceuta ni Melilla forman parte del Territorio Aduanero de la Unión (TAU; en aquél momento se denominaba Territorio Aduanero Comunitario, TAC). Por este motivo, las mercancías originarias de Ceuta y Melilla se considera que no gozan del estatuto de mercancías de la Unión, por lo que su despacho a libre práctica en el TAU exige la aplicación de las disposiciones de Derecho aduanero establecidas para mercancías originarias de terceros países (mercancías que no tienen el estatuto de mercancías de la Unión). Por otro lado, las normas aduaneras de la UE —incluidas las medidas de política comercial— no se aplican, con carácter general, a la entrada de mercancías en Ceuta y Melilla.

Ceuta y Melilla...
– No forman parte del TAU
– Sus mercancías carecen del estatuto de mercancías originarias de la Unión
– No aplican la normativa aduanera de la UE

– Aparecen mencionadas en:
  ✓ El CAU (artículo 64.4, Ceuta y Melilla son origen preferencial),
  ✓ El RDCAU (artículos 104.1(m), dispensa de la declaración sumaria de entrada para las mercancías introducidas en la TAU procedentes de Ceuta y Melilla; 245.1(p), dispensa de la obligación de presentar una declaración previa a la salida respecto de mercancías expedidas desde el TAU a Ceuta y Melilla; y nota a pie 2 del Anexo 22-13, relativo a la declaración en factura, siglas "CM"); y
  ✓ El RECAU (artículos 112, Ceuta y Melilla en el marco del SPG; 126, Ceuta y Melilla en el marco de otras preferencias unilaterales de la UE; nota a pie 5 del Anexo 22-07, comunicación sobre el origen, siglas "XC/XL" y nota a pie 2 de los Anexos 22-09 y 22-13, declaración en factura, siglas "CM").

Cuando las mercancías originarias de Ceuta o de Melilla se introducen en el TAU nos encontraremos ante una importación, si bien la misma va a gozar de preferencias arancelarias.

El Apéndice VIII de la Resolución del DUA establece las reglas relativas a "importación/exportación en Ceuta y Melilla, procedimientos simplificados".

Conforme al artículo 2 del Protocolo nº 2 del Acta de Adhesión de España a la CEE, los productos originarios de Ceuta y Melilla se beneficiarán de la exención de los derechos de aduana con ocasión de su puesta a libre práctica en el TAU. Esta exención general tiene una restricción en materia de productos de la pesca, que se establece en el artículo 3 del Protocolo nº 2, en virtud de la cual, en lugar de una exención ilimitada, lo que se establece es un sistema de contingente arancelario, es decir, se limitan las cantidades anuales que pueden introducirse sin pagar el arancel. A este respecto debe tenerse en cuenta, no obstante, que el Reglamento (CE) Nº 1140/2004, del Consejo, de 21 de junio de 2004, por el que se suspenden los derechos autónomos del arancel aduanero común aplicables a determinados productos pesqueros originarios de Ceuta y Melilla (DO L 222, de 23.06.2004), dispone la suspensión total de los derechos autónomos del arancel a los productos originarios de Ceuta y Melilla que se enumeran en su anexo (se trata de determinados productos de la pesca incluidos en las partidas 1604 y 1605). Por tanto, a efectos prácticos, los productos originarios de Ceuta y Melilla gozan en todo caso de exención arancelaria en el TAU.

Como todo régimen preferencial, su disfrute viene condicionado a que se cumplan las normas de origen aplicables. En este sentido, el artículo 64.4 CAU extiende la consideración de origen preferencial a Ceuta y Melilla. La determinación del origen Ceuta/Melilla se realiza conforme a las reglas dispuestas en el Reglamento (CE) Nº 82/2001, del Consejo, de 5 de diciembre de 2000, relativo a la definición de la noción de «productos originarios» y a los métodos de cooperación administrativa en el comercio entre el territorio aduanero de la Comunidad y Ceuta y Melilla (DO L 20, de 20.01.2001). Este Reglamento contiene generosas disposiciones en materia de acumulación entre las Partes (la UE, de un lado, y Ceuta y Melilla de otro) y con terceros países en cuyo acuerdo preferencial se haya previsto tal acumulación (previsión que es frecuente encontrar en los acuerdos de libre comercio de la UE). A fin de evitar abusos, debe tenerse en cuenta que el artículo 15 establece la regla de no reintegro de los derechos de aduana.

En el DO C 108, de 04.05.2002 (p. 3) se publicó una lista de países y territorios con los que cabe acumulación a efectos del origen en relación con Ceuta y Melilla. Esta lista debe entenderse ampliada con los posteriores acuerdos comerciales de la UE en los que se ha previsto esta posibilidad. En este sentido debe destacarse, por ejemplo, el Convenio Regional sobre las normas de origen preferenciales paneuromediterráneas (DO L 54, de 26.02.2013; véase el artículo 2 del Apéndice II y el Anexo V del Apéndice II). Por otro lado, en la regulación del SPG, téngase en cuenta lo dispuesto en el artículo 112 RECAU (Ceuta y Melilla participan de la acumulación bilateral en el marco del SPG).

El artículo 6 del Reglamento 82/2001 remite a los listados de su Anexo B para concretar el significado del requisito de elaboración o transformación suficiente. El artículo 7 contiene las transformaciones que no confieren origen. El artículo 13 establece el requisito de transporte directo para poder aplicar el régimen preferencial. El origen Ceuta/Melilla se acreditará mediante un certificado de origen EUR.1 (artículo 16), si bien los exportadores autorizados o los envíos de valor inferior a 6.000 euros podrán acogerse al sistema de declaración en factura (artículo 21).

Normas de origen Ceuta y Melilla
Reglamento (CE) Nº 82/2001
Existen muchas posibilidades de acogerse a mecanismos de acumulación para obtener el origen Ceuta/Melilla

Cuando las mercancías de la Unión abandonen el TAU con destino a Ceuta o Melilla estaremos ante una exportación, que deberá ser declarada como tal (salvo que resulte aplicable otro régimen a esa salida, como por ejemplo el de perfeccionamiento pasivo).

40.1.2. Régimen de las importaciones en Ceuta y Melilla

La importación de mercancías en Ceuta y Melilla no se sujeta a la aplicación de aranceles. En estos territorios se aplica únicamente un Impuesto sobre la Producción, los Servicios y la Importación en las Ciudades de Ceuta y Melilla (IPSI), que se examina más abajo. En virtud de la Ley de Bases de 22 de diciembre de 1955, Ceuta y Melilla y sus dependencias (Alhucemas, Vélez de la Gomera y Chafarinas) son consideradas como Territorios Francos, al disponerse que "será libre la entrada, salida, tránsito y transbordo de mercancías conforme a las Leyes y con el control de las autoridades aduaneras".

40.2. IMPOSICIÓN SOBRE EL CONSUMO EN CEUTA Y MELILLA

En Ceuta y Melilla no se aplica el IVA (artículo 3 Ley 37/1992, del IVA) ni, como ya hemos señalado, el arancel. En estas ciudades autónomas se aplica el Impuesto sobre la Producción, los Servicios y la Importación en las Ciudades de Ceuta y Melilla (IPSI). Está regulado en la Ley 8/1991, de 25 de marzo, por la que se aprueba el arbitrio sobre la producción y la importación en las ciudades de Ceuta y Melilla (en lo sucesivo, 'Ley IPSI'). La denominación del impuesto (que inicialmente fue la de 'arbitrio') fue modificada a Impuesto sobre la Producción, los Servicios y la Importación en las Ciudades de Ceuta y Melilla por el art. 68.1 de la Ley 13/1996.

El IPSI es un impuesto municipal indirecto que grava la producción, elaboración e importación de toda clase de bienes muebles corporales, las prestaciones de servicios y las entregas de bienes inmuebles situados en las ciudades de Ceuta y Melilla. Aquí nos interesan las operaciones de importación y exportación.

A los efectos del IPSI se define la importación de bienes como (artículo 5 Ley IPSI):

> "la entrada de los bienes en el ámbito territorial de las ciudades de Ceuta y Melilla cualquiera que sea su procedencia, el fin a que se destinen o la condición del importador".

Obsérvese que se trata de una definición análoga a la que encontramos en la Ley del IVA. Es irrelevante la condición del importador (sea empresario o profesional o bien consumidor final), el fin a que se destinen los bienes (es decir, se afecten a una actividad económica o se destinen a su consumo) y su procedencia.

Si las mercancías se incluyen, a su entrada, en los regímenes de tránsito, importación temporal, depósito, perfeccionamiento activo, perfeccionamiento pasivo y transformación bajo control aduanero, la importación quedará exenta (artículo 10 Ley IPSI). En estos casos, se calificará como importación, en su caso, la autorización para el consumo en Ceuta y Melilla de los bienes que se hubieran incluido en tales regímenes (artículo 5.2 Ley IPSI).

> Nos parece técnicamente dudoso calificar de operación sujeta pero exenta la entrada de mercancías que se vinculan a los regímenes aludidos (que la Ley llama "especiales") y, posteriormente, considerar operación sujeta no exenta la salida de estos regímenes para consumo. Esta solución supone considerar que el hecho imponible "importación" se realiza dos veces, una primera vez al introducir la mercancía desde el exterior y una segunda vez al sacarla del régimen especial, aunque en la primera no nazca deuda por considerarse exenta.

Por lo que hace al régimen de exenciones en las operaciones de importación, el artículo 9 Ley IPSI nos remite a lo dispuesto en la Ley del IVA. Además de la remisión a las disposiciones de la Ley del IVA, este precepto contiene dos reglas particulares. Conforme a la primera, se dispone que serán aplicables a las importaciones las exenciones establecidas para las operaciones interiores. Esta disposición se contiene asimismo en la Ley del IVA. Su mención particular en la Ley del IPSI alcanzaría relevancia si las exenciones en operaciones interiores del propio IPSI no coincidieran con las del IVA, pero no parece que ello ocurra puesto que el artículo 7 Ley IPSI, que regula las exenciones en operaciones interiores, se remite asimismo a las establecidas en la Ley del IVA.

La segunda regla particular del IPSI se refiere a la exención aplicable en las importaciones de bienes en régimen de viajeros. De nuevo se ordena que esta exención se aplique en los mismos términos y cuantías que los previstos para las importaciones de bienes en régimen de viajeros en la normativa del IVA. Ahora bien, se señala que las ciudades de

Ceuta y Melilla podrán, en sus respectivas ordenanzas fiscales, reducir dicha cuantía que, en todo caso, no podrá ser inferior a 90,15 euros.

El IPSI a la importación se devenga en el momento de admisión de la declaración para el despacho de importación (el DUA) o, en su defecto, en el momento de la entrada de los bienes en el territorio en que resulta aplicable, previo cumplimiento de las condiciones que se establezcan (artículo 11(b) Ley IPSI).

> En el caso de importación de vehículos, embarcaciones o aeronaves, el devengo se producirá en el momento de su matriculación.

Por lo que hace a los sujetos pasivos, en las importaciones lo serán las personas físicas, personas jurídicas o entidades que las realicen (artículo 13 Ley IPSI). A estos efectos, se considera importador a la persona a cuyo nombre se haya hecho la declaración para el despacho o cualquier otro acto que tenga los mismos efectos jurídicos, en las condiciones establecidas a este respecto en la legislación aduanera de la UE (el declarante). Nos remitimos a lo que se expone al respecto en el capítulo 4.

> El artículo 13.3 Ley IPSI califica como responsables solidarios a las personas o entidades que resulten como tales en virtud de la legislación aduanera de la UE. La normativa aduanera de la UE no contempla supuestos de responsabilidad solidaria, únicamente califica a determinados sujetos como 'deudores'. Por su parte, según ya se expuso en el capítulo 4, la LGT califica como 'sujetos pasivos' a los sujetos que, conforme a la normativa de la UE, sean considerados deudores. La LGT tiene la consideración de legislación básica, aplicable por todos los entes públicos, no sólo por el Estado. A la vista de lo anterior, debe concluirse que no existen supuestos de responsabilidad solidaria en el IPSI y que todos los sujetos que aparezcan calificados como deudores en la normativa aduanera de la UE tendrán la consideración de sujetos pasivos en el IPSI.
>
> Por otro lado, llama la atención que la Ley IPSI no regule los supuestos de irregularidades (introducción irregular, sustracción a la vigilancia aduanera, incumplimiento de las obligaciones de un régimen aduanero...), sino simplemente la introducción en la que se declaran las mercancías. En ausencia de norma para estos supuestos (salvo que se interprete que cuando dice "cualquier otro acto que tenga los mismos efectos jurídicos" que la declaración se deban entender comprendidos), parece razonable interpretar que el IPSI considera sujeto pasivo a quien, conforme a la normativa aduanera de la UE, resulte deudor en cada caso, también en los supuestos de irregularidades.

Por lo que hace a la base imponible en las importaciones, la Ley IPSI se remite a lo dispuesto en la Ley del IVA, y también en materia de modificación de la base imponible (artículo 16 Ley IPSI). Como regla específica, se dispone que los gravámenes complementarios sobre las labores del tabaco y sobre carburantes y combustibles petrolíferos se incluyen en la base imponible del IPSI a la importación. Recordemos que en la base imponible del IVA a la importación también se incluye la cuota de los impuestos que se exijan con ocasión de la importación, entre los cuales se incluyen los Impuestos Especiales que graven estas operaciones. Por tanto, lo que hace el artículo 16 Ley IPSI es concretar el alcance que esta regla tiene en el caso de Ceuta y Melilla, donde no son de aplicación los Impuestos Especiales y, en su lugar, se exigen los 'gravámenes complementarios' aludidos.

Por lo que hace a los tipos de gravamen, el artículo 18 Ley IPSI dispone que corresponde fijarlos a las Ordenanzas de cada una de estas ciudades, debiendo no obstante quedar comprendidos entre el 0,5 por 100 y el 10 por 100.

> El tipo de gravamen aplicable a cada operación será el vigente en el momento del devengo. Por otro lado, se dispone que no podrá establecerse distinción alguna entre los tipos de gravamen aplicables a la producción o elaboración y a la importación de bienes muebles corporales.
> En el caso de Melilla, véase el Decreto de 17 de julio de 2018 (BOME extraordinario nº 15, de 18.07.2018). Los tipos de gravamen oscilan entre el 0,5% y el 10% (este último es el más frecuente) y se establecen por referencia a partidas arancelarias de la Nomenclatura Combinada en el Anexo I de la propia Ordenanza.
> En el caso de Ceuta, véase la Ordenanza del IPSI de esta ciudad. Los tipos de gravamen se regulan en el artículo 33 de la Ordenanza, que remite a las tarifas que se contienen en su Anexo I, también por referencia a partidas arancelarias de la Nomenclatura Combinada.

La cuota del IPSI será la cantidad que resulte de aplicar el tipo de gravamen sobre la base imponible (artículo 19 Ley IPSI). Al igual que en el IVA, los sujetos pasivos podrán deducir de las cuotas devengadas por las operaciones que realicen las cuotas soportadas por repercusión directa o que hayan satisfecho a la importación, en la medida en que los bienes de que se trate se utilicen en las actividades de elaboración o transformación sujetas, o bien se exporten. También como ocurre en el IVA, en el IPSI se aplica el mecanismo de repercusión (artículo 14 Ley IPSI, con remisión a la normativa del IVA en la materia), de modo que los sujetos pasivos exigirán el IPSI a los adquirentes en las entregas o prestaciones de servicios que realicen.

Las exportaciones definitivas de mercancías de los territorios de Ceuta y Melilla, ya sea al resto del territorio español o a cualquier otro territorio, gozan de exención en el IPSI (artículo 8 Ley IPSI). Esta exención se aplica en los mismos términos que la exención prevista en la normativa del IVA para las exportaciones y se extiende a las operaciones asimiladas a las exportaciones.

> Se dispone de forma expresa, no obstante, que no gozan de exención en el IPSI:
> a) Las exportaciones destinadas a las tiendas libres de impuestos, así como las destinadas a ventas efectuadas a bordo de medios de transporte que realicen la travesía entre el territorio peninsular español y las Ciudades de Ceuta y Melilla o bien la travesía entre estas dos Ciudades.
> b) Las provisiones de a bordo de Labores de Tabaco con destino a los medios de transporte que realicen las travesías descritas en la letra anterior.

En Ceuta y Melilla no se aplican los Impuestos Especiales de fabricación, salvo el Impuesto Especial sobre la Electricidad, que se aplica en los mismos términos que en el resto del territorio nacional (artículo 3 de la Ley 38/1992, de IIEE). Al margen de los Impuestos Especiales de fabricación se aplica en Ceuta y Melilla el Impuesto Especial sobre Determinados Medios de Transporte. Ahora bien, este impuesto se aplica con un tipo de gravamen del 0 por 100, por lo que no resultan cantidades a ingresar (artículo 70.2(c) de la Ley 38/1992, de IIEE).

> Puesto que los vehículos matriculados en Ceuta y Melilla no se gravan, se dispone que, en caso de que un vehículo matriculado en estas ciudades se importe de forma definitiva en el resto del territorio nacional, se deberá satisfacer la total cuota del Impuesto si la importación tiene lugar en el primer año siguiente a la primera matriculación. Si la importación tiene lugar dentro del segundo año siguiente a la primera matriculación al tipo de gravamen aplicable a la matriculación se le aplica el índice corrector del 67%. Este porcentaje se reduce al 42% en el tercer y cuarto años, y pasa a ser cero más allá del cuarto año. El impuesto se exige en estos supuestos sobre el valor en aduana del vehículo (artículo 70.4 de la Ley 38/1992, de IIEE).
>
> Cuando la importación del vehículo en el resto del territorio nacional sea consecuencia de un cambio de residencia de su titular no se exigirá el Impuesto, sujeto al cumplimiento de cuatro requisitos, a saber:
>
> a) Los interesados deberán haber tenido su residencia habitual en Ceuta y Melilla al menos durante los doce meses consecutivos anteriores al traslado.
>
> b) Los medios de transporte no han debido gozar de ninguna exención o devolución con ocasión de su salida de Ceuta y Melilla.
>
> c) Los medios de transporte deberán haber sido utilizados por el interesado en su antigua residencia durante un período mínimo de seis meses antes de haberla abandonado.
>
> d) Los medios de transporte no deberán ser transmitidos durante el plazo de los doce meses posteriores a la importación o introducción.

Aunque no se aplican en Ceuta y Melilla los Impuestos Especiales sobre el tabaco y los hidrocarburos, en su lugar se aplica el gravamen complementario (del IPSI) sobre estos productos. Por tanto, estos productos (la delimitación de los productos gravados se realiza por remisión a las normas de la Ley de IIEE) se gravan por el IPSI y, adicionalmente, por este gravamen complementario, de forma análoga a como en el resto del territorio se exige el IVA y, adicionalmente, el IIEE correspondiente.

La determinación del importe del gravamen complementario sobre las labores del tabaco se realiza mediante la aplicación del tipo de gravamen aplicable sobre la base imponible. Cuando la base imponible sea *ad valorem* se determinará a partir del precio máximo de venta al público en expendedurías de tabaco. Los tipos de gravamen aplicables los recogemos en la tabla que sigue.

Gravamen complementario sobre las labores del tabaco		
Producto	*Tipo general*	*Tipo mínimo*
Cigarrillos	Tipo proporcional: 54% Tipo específico: 3 euros por cada 1.000 cigarrillos	Tipo proporcional: 36% Tipo específico: 1,80 euros por cada 1.000 cigarrillos
Cigarros y cigarritos	12,5%	8,5%
Picadura para liar	37,5%	25%
Las demás labores del tabaco	22,5%	15%

La Ordenanza de Ceuta y la de Melilla pueden fijar los tipos de gravamen, que deben estar comprendidos entre el tipo general y el tipo mínimo. La exigibilidad del gravamen puede quedar suspendida en tanto las labores del tabaco se encuentren depositadas en un depósito fiscal autorizado a este fin.

Por su parte, el gravamen complementario sobre carburantes y combustibles es un impuesto específico (no se determina en función del valor, sino por litros, si se trata de gasolina, gasóleo o queroseno; o bien por toneladas, si se trata de fuelóleo). Se dispone que corresponde a las Ordenanzas de Ceuta y Melilla fijar el tipo de gravamen aplicable, si bien este no puede exceder del que se establezca para el resto del territorio nacional (los tipos que rigen en el resto del territorio nacional se establecen en los artículos 50 y 50 bis de la Ley 38/1992, de IIEE). Análogamente, se establece que la exigibilidad del gravamen puede quedar suspendida en tanto los carburantes y combustibles petrolíferos se encuentren depositados en un depósito fiscal autorizado a este fin.

No se aplica en Ceuta ni en Melilla el Impuesto Especial sobre el alcohol y bebidas alcohólicas ni el gravamen complementario sobre ellas.

Jurisprudencia española citada

PÁGINA	SENTENCIA CITADA
91	STS de 8 de noviembre de 1988 (RA 10119/1988)
110	STC de 12 de mayo de 1994
115-116	STS de 13.10.1988, RJ 1988\7973; STS 11.11.1989, RJ 1989\8501; STS de 30.06.1992, RJ 1992\6091; STS de 15.02.1993, RJ 1993\562; STS de 30.06.1992, JT 1992\6091; SAN de 08.10.1996, JT 1996\1400; STSJ Cataluña de 11.02.1997, JT 1997\362; STSJ Cataluña de 31.01.1997, JT 1997\131; STSJ Valencia de 30.10.1997, JT 1997\1568
200	SAN de 02.04.1996 (JT 1156\1997)
918	SAN 03.11.2006; Res. TEAC 23.05.2013; STS de 14.01.2021 (Roj STS 114/2021)
1.040	STS de 8-03-2000, RJ 2000\2804; STS 6-02-2002, RJ 2002\3514; STS 23-07-2002, RJ 2002\7313
1.041	Sentencia TSJ-Valencia de 21.12.1999
1.043	Sentencias del TSJ-País Vasco de 14.06.1996, JT 1996\1608 y JT 1996\1268
1.044	Res. TEAC de 12 de junio de 1997 (JT 1997\955); Res. TEAC de 20.09.2000 (JT 2000\1864) y Res. TEAC de 26.06. 1996 (JT 1996\1068).
1.045	Res. TEAC de 12.06.1997 (JT 1997\955). Res. TEAC de 26.06.1996 (publicada en Impuestos, 1997-I, pp. 671 y ss.), Res. TEAC de 06.06.1996 (JT 1996\991), Sentencia de la AN de 04.03.1999. Sentencia TSJ-Valencia de 10.02.1998. Sentencia del TSJ-Valencia de 10.10.1998 (JT 1998\1651)
1.048	Sentencia TSJ-Canarias de 25.06.1996 (JT 1996\1168)